# Kroniek
## van de mensheid

# Kroniek
## van de mensheid

MCMLXXXVI
Elsevier-Amsterdam/Brussel

*Idee*
Bodo Harenberg

*Tekst*
Aart Aarsbergen, Jeroen van Amersfoort, Annemarie Auwerda,
Henk Bas, Eelco Beukers, Margreet de Boer, Han van Bree, Niels Cornelissen, Henk van den Dool, Jozien Driessen,
Enno van der Eerden, Timo van der Eng, Raymond Feddema, Dick van Galen Last, Michel Gijsenhart,
Geert Haajer, Annemarie van Heerikhuizen, Hendrik Jan Hekkert, Myrtille Hellendoorn,
Annette Hendrikx, Gijs Herderschêe, Chris van der Heyden, Bert Hogervorst, Jaja Holisová, Fuad Hussein,
Andrea Hijmans, Joep Jansen, Gerda Jansen-Hendriks, Gosse Kerkhof, Frank Klein, Paul Knevel, Michel Korzec, Dorrelies Kraakman,
Emile Kretzschmar, Wanja Kruyer, Lucy Kruyt, Nico Kuipers, Bart Lankester, Bas van Lier, Karin van Lierop, Job Ligteringen,
Sasza Malko, Peter Jan Margry, Peter Michielsen, Carly Misset, Lex Muller, Jessica Polak,
Maarten Prak, Judit Rácz, Henriëtte Reerink, Jan Willem Regenhardt, Fred Reurs, Wim Rongen, Ewoud Sanders, Hans Schagen,
Loeki Schönduve, Bas Senstius, Hubert Smeets, Bert Stamkot, Iris Toussaint, Dirk van der Veen, Jaap van der Veen,
Jurjen Vis, Jacqueline Wesselius

*Bureauredactie*
Carin Bouwmeester, Netta Croné, Marieke van Driel, Djoeke Hoffman, Coen Linnekamp, Herman Luijckx, Judith Pollmann,
Tony Lith, Anne Nippel, Katja Rotte, Willem van Zweeden

*Kalendaria*
Jeroen van Amersfoort, Margreet de Boer, Annette Hendrikx,
Gijs Herderschêe, Joep Jansen, Henriëtte Reerink

*Register*
Ed Delwel

*Illustratieredactie*
Herman Selier

*Lay-out en produktie*
Rogier Kiers, Eef Burie

*Eindredactie*
Maarten Valken

*Produktionele leiding*
Frits Vesters

*Zetwerk en montage*
Fotozetterij Van Ieperen, Amsterdam

*Lithografie*
Repro Verzorging Amsterdam

*Scans en kleurproeven*
Technofoto van Setten, Bussem
Becoprint Cruquius

*Drukken en binden*
Fabrieken Brepols, Turnhout

CIP-GEGEVENS KONINKLIJKE BIBLIOTHEEK, DEN HAAG

Kroniek

Kroniek van de mensheid / [tekst Aart Aarsbergen ... et
al. ; bureaured. Carin Bouwmeester ... et al. ; eindred.
Maarten Valken]. - Amsterdam [etc.] : Elsevier. - Ill.
Met reg.
ISBN 90 10-05856-5 geb.
SISO 903 UDC 94 UGI 510
Trefw.: algemene geschiedenis.

©1984 voor de oorspronkelijke editie:
Harenberg Kommunikation, Dortmund
©1986 voor de Nederlandse editie:
Elsevier Boeken B.V., Amsterdam/Brussel

D/MCMLXXXVI/0199/183

Tweede druk

Afbeelding vorige bladzijde: 'De Franse Gezanten' van Hans Holbein de Jongere (een in 1533 vervaardigd olieverfschilderij,
nu in de National Gallery in Londen).
Het schilderij symboliseert een puur materiële rijkdom die kenmerkend is voor de 16de eeuw. De prachtige uitdossing van de diplomaten
en de wetenschappelijke en culturele attributen waarmee zij zich omringen, worden door de schilder echter met een lachspiegel-effect
gerelativeerd: de uitgerekte vorm op de voorgrond blijkt bij nadere beschouwing een doodshoofd te zijn, een verwijzing naar de
vergankelijkheid van alle dingen.

# Ten geleide

De geschiedenis presenteren als een actualiteit, als iets dat 'vandaag' gebeurd is, nog onaangeraakt door het stof der eeuwen: dat is wat de Kroniekmakers voor ogen stond toen zij begonnen aan de samenstelling van het eerste deel van het Kroniek-drieluik, de Kroniek van de 20ste eeuw. Dat is ook wat hun voor ogen heeft gestaan bij dit tweede deel, de Kroniek van de mensheid: een kaleidoscoop van de wereldgeschiedenis te maken, samengesteld uit duizenden berichten en reportages.
Deze Kroniek begint rond 3200 v. C. met artikelen over de ontwikkeling van het schrift, de vorming van staten in Egypte en Mesopotamië, de oorlogen die zij uitvochten, en hun monumentale kunstuitingen - hun piramiden, tempels en paleizen. En de Kroniek van de mensheid eindigt aan de vooravond van de 20ste eeuw: bij de verdeling van de wereld onder de koloniale mogendheden, de Industriële Revolutie in Europa en Amerika, de uitvinding van de auto en de film en de eerste moderne Olympische Spelen (in het jaar 393 heeft keizer Theodosius de Grote aan de Spelen van de Oudheid een eind gemaakt).

Naast de hoogte- en dieptepunten van de Griekse en Romeinse beschavingen krijgen ook de antieke rijken van Perzië, China en India ruime aandacht. Terwijl het Romeinse Rijk in verval raakt trekken de nomadenvolken Europa binnen. Daarop volgen de opmars van de islam en de plundertochten van de Vikingen. Kruistochten, riddertoernooien en de pest begeleiden de lezer op zijn tocht door de middeleeuwen, waarin de Mongoolse ruiters zowel naar het westen als naar het oosten dood en verderf zaaien. Renaissance en ontdekkingsreizen brengen de Europeanen in contact met veraf gelegen culturen: de 'conquista' begint. De zestiende eeuw wordt bepaald door Reformatie en Contrareformatie, de Boerenoorlog en de aanvallen van het Turkse Rijk op Europa. De Nederlanden komen in opstand tegen de machtige Habsburgers, in Midden-Europa ontstaat een machtsvacuüm en absolute vorsten als Lodewijk XIV treden naar voren. Terwijl Spanje, Portugal, Engeland en de Republiek hun koloniale rijken uitbreiden, speelt Zweden een kortstondige rol op het wereldtoneel en kiest Japan voor een isolement dat pas in de negentiende eeuw wordt opengebroken. De Verlichting bereidt de weg voor de Amerikaanse Vrijheidsoorlog en de Franse Revolutie.
In de negentiende eeuw zien we hoe de agrarische revolutie verder om zich heengrijpt en de stoommachine een ongekende industriële expansie teweegbrengt. Napoleons veldtochten stellen de koloniën in Zuid-Amerika in staat hun onafhankelijkheid te veroveren. Naast politieke omwentelingen laat de negentiende eeuw ook revolutionaire omwentelingen in de wetenschap zien. Deze eeuw, waaraan in de Kroniek veel aandacht wordt besteed, eindigt met de wedloop om Afrika, de grote trusts in de Verenigde Staten, het fin-de-siècle in Wenen, het zionisme als nieuwe politieke stroming en een massale emigratie naar de Nieuwe Wereld.

De Kroniek van de mensheid plaatst de historische gebeurtenissen van vijf continenten naast elkaar - uiteraard vanuit de visie van nu - waardoor een vaak verrassend en rijk geschakeerd beeld ontstaat. De belangrijkste politieke, culturele, sociale en economische gebeurtenissen van vijftig eeuwen wereldgeschiedenis passeren zo de revue.

De Kroniek van de mensheid is chronologisch opgebouwd: aanvankelijk in grote tijdvakken per eeuw, later per decennium en ten slotte, vanaf 1500, veelal per jaar. In een kalendarium worden de belangrijkste gebeurtenissen van de desbetreffende periode vermeld; daarnaast vindt men er de geboorte- en sterfdata van vooraanstaande personen. Een 'verwijspijl' achter een vermelding in het kalendarium betekent dat over die gebeurtenis in de navolgende kolom(men) een artikel of illustratie is opgenomen. Een uitgebreid register achterin het boek geeft toegang tot de schat van historisch materiaal die de Kroniek van de mensheid bevat.

# De eerste voetstappen

## De prehistorie van de mens

*Een van de vroegste sporen: een voetafdruk van een homide bij Laetoli.*

De vroegste sporen die de mens op aarde heeft achtergelaten zijn 3,5 miljoen jaar oud. Het zijn de voetafdrukken van drie personen, in 1976 gevonden bij Laetoli in Tanzania door een expeditie onder leiding van de paleo-antropologe dr. Mary Leakey. Hoewel 3,5 miljoen jaar een bijzonder lange tijdsspanne lijkt, is de aanwezigheid van de mens op aarde toch slechts van zeer recente datum. De ouderdom van de aarde wordt door geologen op zo'n vier tot vijf *miljard* jaar geschat. Het duurde echter miljarden jaren voordat de aarde een leefbare planeet werd en er verstreken vele millennia voordat de aarde bevolkt werd door zoogdieren, de biologische klasse waartoe de mens behoort. Ter vergelijking: als de geschiedenis van de aarde beschreven wordt in een boek van 1300 bladzijden waarin elke periode evenveel aandacht krijgt, zullen de drie mensachtige wezens die in Laetoli hun voetstappen in de aardbodem drukten, slechts aan het begin van de laatste bladzijde worden genoemd.

Over het grootste deel van de geschiedenis van de mens, de prehistorie, weten we heel weinig omdat de mens in die tijd het schrift nog niet kende en ons geen geschreven bronnen kon overleveren. Over dit tijdvak is alleen kennis te verwerven met behulp van archeologisch onderzoek. Prehistorische resten zijn echter schaars en moeilijk te interpreteren. Menig enthousiast begroete archeologische vondst bracht wetenschappers tot wanhoop, omdat deze bij nadere beschouwing de bijl aan de wortel van een zorgvuldig ontwikkelde theorie bleek.

## Aap of mens?

Het was de Britse natuuronderzoeker Charles Darwin (1809-1882) die in de vorige eeuw de wereld schokte met zijn opvattingen dat hogere wezens waren voortgekomen uit lagere vormen en dat de mens en de mensaap gemeenschappelijke voorouders hebben. Met name deze laatste theorie, die hij in 1871 in zijn boek *The descent of man* ('De afstamming van de mens') formuleerde, was fundamenteel in tegenspraak met het bijbelse scheppingsverhaal ('En God schiep de mens naar zijn beeld...', Genesis 1:1-26), dat eeuwenlang als de ware toedracht van de oorsprong van de mens had gegolden. De evolutietheorie, waarvoor Darwin en zijn tijdgenoot T.H. Huxley de basis hebben gelegd, wordt heden ten dage in brede wetenschappelijke kring niet langer bestreden.

Ongeveer 40 miljoen jaar geleden, zo meende Darwin, ontwikkelde zich geleidelijk uit de vroegste primaten - aapachtigen of opperdieren, de gemeenschappelijke voorouders van mensaap en mens - de moderne mens, de *Homo sapiens,* de 'wetende mens'. Het grote keerpunt in de menselijke evolutie trad op toen onze voorouder zich van de mensaap afscheidde en een staande houding aannam. Zijn 'handen' kwamen vrij, waardoor hij in staat was werktuigen te vervaardigen (speer, vuistbijl en dergelijke) die hij gebruikte voor de jacht en de voedselbereiding. Door het

*Boven: een mogelijke ontwikkelingsgang van de moderne mens. De reconstructies zijn gebaseerd op skeletvondsten: de kleur van huid en haar, alsmede de beharing zijn niet wetenschappelijk gefundeerd. Voorts is het de vraag of, zoals de tekening suggereert, de afstamming in rechte lijn plaatsvond. Vlnr: primaat, Ramapithecus, Australopithecus, Homo habilis, Homo erectus, Homo-pré-sapiens, Homo sapiens neanderthalensis, Homo sapiens sapiens.*

gebruik van deze gereedschappen werden de beperkte mogelijkheden van zijn eigen lichaam enorm uitgebreid.

Hoe precies de takken van de menselijke stamboom lopen is in de wetenschap onderwerp van heftige discussie. Een veelgehoorde opvatting luidt dat zich omstreeks 3,5 miljoen jaar geleden uit de *Australopithecus afarensis,* een hominide (mensachtige) die op twee benen liep, drie nieuwe vormen ontwikkelden. Twee daarvan (de *Australopithecus africanis* en de *Australopithecus robustus*) stierven spoedig uit. De derde, de *Homo habilis* (de 'handige mens'), van wie de eerste resten in 1961 door dr. Louis Leakey in de Oldewaikloof in Tanzania werden gevonden, ontwikkelde zich twee miljoen jaar later tot de *Homo erectus,* de 'rechtopgaande mens'.

*Links: Charles Darwin (1809-1882), de vader van de evolutietheorie. Rechts: 'Ben ik een mens en een broeder?', vraagt deze aap zich vertwijfeld af. Cartoon uit 'Punch' (1861).*

## Vuur en vuistbijlen

De *Homo erectus,* zo blijkt uit fossielvondsten, verspreidde zich op grote schaal over Azië, Europa en Afrika. De eerste resten werden in 1891 bij Trinil aan de Solorivier op Java door de Nederlandse arts, geoloog en paleontoloog Eugène Dubois gevonden. Hij kreeg de naam 'Javamens' en was omstreeks een half miljoen jaar oud. Andere belangrijke fossielen van de *Homo erectus* zijn gevonden in de grotten van Choukoutien in de buurt van Peking. Het belang van deze vindplaats is dat er naast werktuigen ook sporen zijn aangetroffen die erop duiden dat de half miljoen jaar oude 'Pekingmens', zoals deze mensensoort wel wordt genoemd, het gebruik van het vuur kende. Ook in Europa zijn er bewijzen gevonden dat de *Homo erectus* het vuur gebruikte. Bekend zijn de resten van stookplaatsen bij Vértesszöllös ten westen van Boedapest in Hongarije en bij Terra Amata in de buurt van de Franse stad Nice die naar schatting 200 000 à 300 000 jaar oud zijn. Het gebruik van vuur was voor de mens een flinke stap vooruit op weg naar de beheersing van zijn omgeving.

De *Homo erectus* ontwikkelde een belangrijk nieuw gereedschap, de vuistbijl, die werd vervaardigd met een hard, stenen slagwerktuig. Zij worden Acheuléen-vuistbijlen genoemd, naar een belangrijke vindplaats bij Saint-Acheul bij Amiens in Frankrijk. In Nederland heeft men deze gereedschappen in de omgeving van Kerkrade en Wijnjeterp gevonden, in België zijn veel Acheuléen-werktuigen opgegraven in Henegouwen, Brabant en in de omgeving van Luik.

In Terra Amata heeft men ook aanwijzingen gevonden dat de *Homo erectus* in staat was om schuilplaatsen te bouwen. Deze waren zo'n 9 bij 4,5 meter groot en bevatten stookplaatsen en plaatsen voor de voedselbereiding. Mogelijk werden er zelfs stenen als zitplaats gebruikt.

## Pathologische afwijking

In 1856 werd in het Neandertal bij de Westduitse stad Düsseldorf een schedelkap gevonden die sterk afweek van de schedel van de huidige mens. De schedelkap was laag en had dikke wenkbrauwbogen. Aanvankelijk dacht men met een pathologische afwijking te doen te hebben, maar naarmate er meer van dergelijke fossielen gevonden werden - onder andere in 1886 in het Belgische Spy - kwamen de geleerden tot de conclusie dat deze schedels behoorden bij menselijke wezens die een eerder evolutiestadium vertegenwoordigden. Het uiterlijk van de zogenaamde Neanderthaler (of *Homo sapiens neanderthalensis,* zoals hij officieel genoemd wordt) kwam sterk overeen, zo vermoedt men, met dat van de *Homo erectus,* een mensensoort waaruit hij waarschijnlijk voortkwam. Uit diverse archeologische vondsten, onder andere bij Le Moustier in de Franse Dordogne, is duidelijk geworden dat de Neanderthaler al weer veel verder was met de techniek van het steenbewerken dan zijn voorvader, de *Homo erectus.* Naar de eerste vindplaats wordt de cultuur die deze produkten voortbracht de Moustérien-cultuur genoemd (80 000 tot 32 000 v.C.).

De Neanderthalers, die tijdens de laatste ijstijd in grote delen van Eurazië voorkwamen, woonden niet alleen in grotten, maar ook in tenten die bedekt werden met dierehuiden. Op verschillende plaatsen zijn de restanten van stookplaatsen en ringen van mammoetbeenderen (de 'stokken' van de tent) gevonden. Nean-

*Prehistorische werktuigen (zgn. spitsen en schrabbers) van vuursteen, behorende tot de laat-paleolitische Hamburg-cultuur (ca. 12 000 v.C.). (Provinciaal Museum van Drenthe.)*

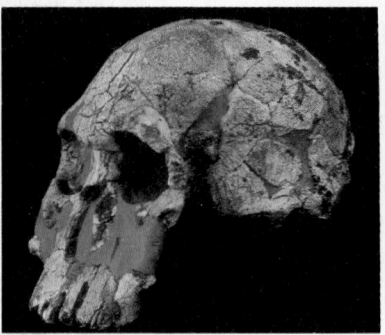 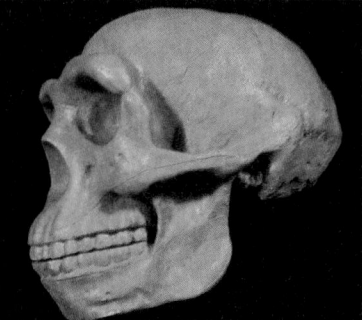

*Links: schedel van een Homo habilis (1,5 miljoen jaar oud). Rechts: schedel van een Homo erectus (0,5 miljoen jaar oud).*

derthalers begroeven hun doden en gaven hun giften in het graf mee. In een graf bij Tesjik Tasj in de Sovjet-Unie zijn in een bepaalde vorm gerangschikte geitehoorns gevonden en in een graf in de Shanidar-grot in Irak hebben archeologen sporen van bloemen gevonden.

## De geboorte van de kunst

De eerste sporen van de moderne mens, de *Homo sapiens* (officieel de *Homo sapiens sapiens),* zijn naar schatting 40 000 jaar oud en bevinden zich in Afrika - de Bordergrot in Zuid-Afrika - en in het Midden-Oosten - de Karmelberg bij Djebel Kafzeh in Israël. De graven van de moderne mens in Europa, zoals die in de rotsschuilplaats van Cro Magnon bij Les Eyzies-de-Tayac in de Franse Dordogne in 1868 zijn blootgelegd, worden zo'n 10 000 jaar later gedateerd.

De *Homo sapiens* is de schepper van de paleolitische kunst (paleolithicum = oude steentijd) die omstreeks 30 000 jaar geleden ontstond. Deze kunst vormt de eerste uiting van de artistieke vermogens van de moderne mens, zoals blijkt uit de beroemde prehistorische rotsschilderingen.

De mooiste voorbeelden van de grotschilderkunst zijn tussen

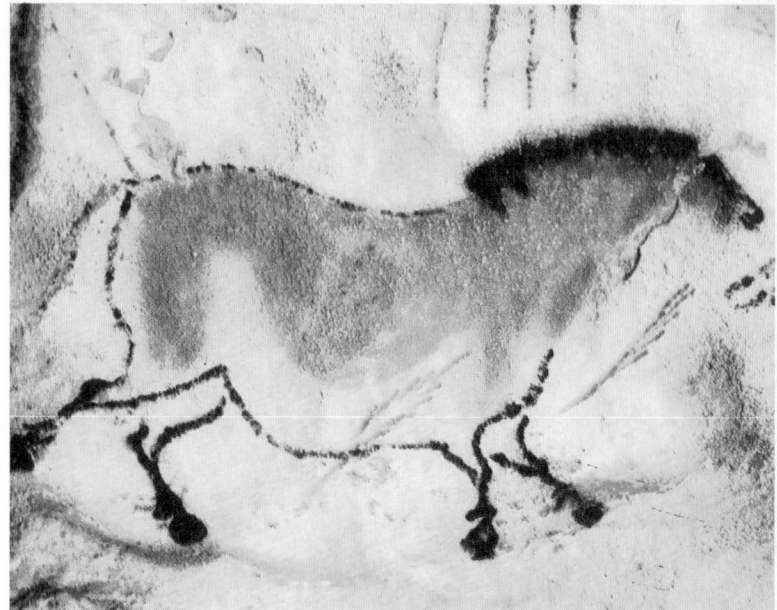

*Schildering van een paard in de grot van Lascaux (ca. 15 000 v.C.). In deze in 1940 ontdekte grot in de Franse Dordogne bevinden zich ruim 800 dierschilderingen.*

18 000 en 10 000 jaar geleden gemaakt door de mensen van de Solutréen- en de Magdalénien-cultuur in Zuidwest-Frankrijk en Noord-Spanje. De wanden van meer dan honderd grotten zijn hier versierd met prachtige schilderingen van mammoeten, paarden, rendieren, bizons en oerossen - de voornaamste voedselbronnen voor de mensen uit die tijd -, maar ook met die van leeuwen en beren en, in een enkel geval, vissen en vogels. Menselijke figuren zijn zelden afgebeeld. De voorstellingen zijn in één of meer tinten geschilderd met een verfstof die bestaat uit een mengsel van vet en rode of gele oker of van vet en houtskool.

Een andere vorm van kunst die de vroege *Homo sapiens* tot bloei bracht, is de beeldhouwkunst. Bekend zijn de prachtige zogenaamde Venusbeeldjes, kleine vrouwenfiguren, waarschijnlijk bedoeld als vruchtbaarheidssymbolen, met sterk geaccentu-

*Links: dieren waren van levensbelang voor de prehistorische mens: het vlees gebruikte hij als voedsel, de huid om zich te kleden en de beenderen om gereedschappen uit te snijden. Deze bizons zijn afgebeeld in de grot van Lascaux (ca. 15 000 v.C.). Rechts: de 'Venus van Willendorf', een 14 cm hoog kalkstenen beeldje (Naturhistorisches Museum, Wenen).*

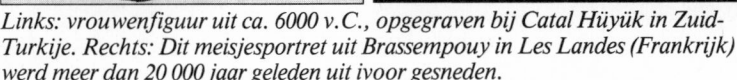
*Links: vrouwenfiguur uit ca. 6000 v.C., opgegraven bij Catal Hüyük in Zuid-Turkije. Rechts: Dit meisjesportret uit Brassempouy in Les Landes (Frankrijk) werd meer dan 20 000 jaar geleden uit ivoor gesneden.*

eerde borsten, billen, buik en dijen. Het gezicht is op een enkele uitzondering na niet uitgewerkt. Deze beeldjes, die veelal tot de Gravettien-cultuur (27 000 - 20 000 v.C., naar de belangrijke vindplaats Gravette in de Dordogne) behoren, zijn bij vele kamp-plaatsen, van Zuidwest-Europa tot ver in Siberië, gevonden. Het zijn de oudst bekende menselijke uitbeeldingen.

## Nieuwe horizonten

De eerste menselijke vormen ontwikkelden zich in Afrika en Eur-azië. Wanneer de mens de rest van de aarde in bezit nam is moei-lijk te zeggen. Archeologen vermoeden dat de eerste mensen circa 50 000 tot 60 000 jaar geleden hun weg naar Australië vonden. Dit werelddeel is nooit direct via het land bereikbaar geweest, ook niet tijdens het pleistoceen (de vorige geologische periode, 1,6 mil-joen jaar tot 10 000 jaar geleden) toen tijdens de laatste ijstijd zo-veel water in de gletsjers was verzameld dat de zeespiegel sterk daalde. Australië vormde met Tasmanië en Nieuw-Guinea één ge-bied, Sahul, dat door een honderd kilometer brede watervlakte van Azië werd gescheiden. Er wordt daarom verondersteld dat de eerste bewoners van Australië met primitieve vlotten, gemaakt van aan elkaar gebonden houtblokken, op het onbekende conti-nent landden. Of dat ook hun vooropgezette doel was blijft echter de vraag. Het varen op open zee met deze eenvoudige vaartuigen was bepaald niet ongevaarlijk en het zou best wel eens zo kunnen zijn dat de eerste Australiërs per ongeluk in hun nieuwe woonge-bied terechtkwamen.

De kolonisatie van de Nieuwe Wereld is een onderwerp dat nog veel nader onderzoek vereist voordat definitieve conclusies kunnen worden getrokken. Tot nu toe zijn op het Amerikaanse continent nog weinig prehistorische vindplaatsen van oude datum ontdekt. Waarschijnlijk waren de eerste bewoners van het gebied zo gering in aantal dat het voor archeologen bijzonder moeilijk is om de vroegste resten van bewoning te traceren.

Siberië en Alaska worden door een tachtig kilometer brede zeestraat, de Beringstraat, van elkaar gescheiden. Dit is echter niet

*Boven en onder: in de vorige eeuw werden bij Tassili-n'Ajjer op een plateau in de Sahara in Zuid-Algerije meer dan 15 000 prehistorische rotsschilderingen ont-dekt. Hoewel de afbeeldingen grondig zijn bestudeerd is er nog weinig bekend over het volk dat ze gemaakt heeft. Mensen, veelal uitgerust met pijl en boog, wil-de en gedomesticeerde dieren vormen het onderwerp van deze vroege kunst die tussen 5000 en 1200 v.C. wordt gedateerd. Een van de fraaiste schilderingen is die van de 'Witte Dame' of 'Gehoornde Godin' van Auanrhet (onder).*

*Skara Brae op Mainland, een van de Orkneys boven Schotland, is een prehistorische nederzetting uit 3000-2500 v.C. De zeven woningen, die onderdak boden aan een dertigtal mensen, zijn, omdat hout op dit eiland schaars was, ingericht met stenen meubelen.*

altijd het geval geweest. Lange tijd, zelfs tijdens de laatste ijstijd, waren Noord-Amerika en Azië door een grote vlakte van enige honderden kilometers breedte met elkaar verbonden. Pas 14 000 jaar geleden, zo blijkt uit recent onderzoek, verdween deze landbrug definitief onder de zeespiegel. Het ligt daarom voor de hand te veronderstellen dat de eerste bewoners van het Amerikaanse continent uit Siberië afkomstig zijn. Sommige archeologen en prehistorici menen dat Siberië 30 000 à 40 000 jaar geleden, toen de klimatologische omstandigheden relatief gunstig waren, werd bewoond en dat een deel van deze bevolking oostwaarts, naar de Beringvlakten, trok. Onderzoek van Sovjet-archeologen bevestigt deze veronderstelling. Door de klimaatsverslechtering die zo'n 20 000 à 30 000 jaar geleden inzette, werden de leefomstandigheden in deze streek buitengewoon ongunstig, reden voor de bevolking om in zuidelijke richting weg te trekken, onder meer naar de tropische en subtropische gordel van Amerika. Wellicht vond dit proces reeds eerder plaats, zoals recente archeologische vondsten bij São Domingos in Brazilië doen vermoeden. Hier zijn stenen wapens en gebruiksvoorwerpen gevonden die volgens deskundigen naar schatting 43 000 jaar oud zijn.

## Revolutie van duizenden jaren

Tot omstreeks 10 000 v.C. was het economische leven van de prehistorische mens nog weinig ontwikkeld. Hij hield zich bezig met het verzamelen van fruit, eetbare planten en kleine dieren en met de jacht op groot wild. Ook de arbeidsdeling was vrij eenvoudig: vrouwen en kinderen vergaarden het plantaardige voedsel en vingen de kleine dieren, de volwassen mannen legden zich toe op de jacht. De mensen leefden in kleine groepen van rond de twintig personen die van de ene naar de andere plaats trokken, op zoek naar nieuwe, voedselrijke streken.

Na 10 000 v.C. komt er een verandering op gang die de menselijke samenleving een fundamenteel ander aanzicht geeft. Hoewel dit proces enige duizenden jaren in beslag nam, wordt het vanwege de diepingrijpende maatschappelijke gevolgen door prehistorici en archeologen als een ware revolutie beschouwd: de *neolithische revolutie,* de revolutie van de nieuwe steentijd. Kern van deze maatschappelijke omwenteling is het ontstaan en de ontwikkeling van de landbouw. Door het verbouwen van gewassen en het hoeden van vee verminderde de mens zijn afhankelijkheid van de grillen van de natuur. Akkerbouw en veeteelt boden de mens mogelijkheden voor gerichte voedselproduktie. Hierdoor werd het mogelijk dat er veel meer personen van de opbrengst van één gebied konden leven - de bevolkingsgroei nam dan ook enorm toe - en de mensen richtten permanente vestigingsplaatsen in.

De neolithische revolutie vond het eerst haar beslag in het Nabije Oosten, in de Vruchtbare Halve Maan - een boogvormige landstreek die loopt van Zuid-Israël, via het Taurus- naar het Zagrosgebergte - waar voldoende neerslag viel voor de groei van granen. Hier ontstonden de eerste landbouwgemeenschappen. De mens maakte granen als gerst en tarwe tot cultuurgewassen en wilde schapen en geiten werden gedomesticeerd.

Belangrijke archeologische opgravingen waar de sporen van deze nieuwe ontwikkeling zijn aangetroffen, vinden we bij Jarmo in Irak, waar archeologen in de jaren veertig een permanente neolithische nederzetting uit circa 7000 v.C. hebben opgegraven, bij Catal Hüyük in Turkije, waar een prehistorische ruïneheuvel met resten van woningen uit 6000 v.C. is blootgelegd, en bij de neolithische stad Tell es Soeltân (Jericho) in Israël uit dezelfde tijd.

Vanuit het kerngebied breidde de neolitische, agrarische levenswijze zich voornamelijk naar het westen, maar ook naar Zuidoost-Azië en West-Afrika uit. De oorzaken voor deze verbreiding zijn moeilijk exact aan te geven. Vermoedelijk is de groei van de bevolking een belangrijke drijfveer voor de landbouwers geweest om hun geluk op nieuwe landbouwgronden te beproeven. De Balkan was omstreeks 5500 v.C. 'geneolithiseerd'. Zo'n duizend jaar later volgde de gematigde loofbossengordel van Midden- en West-Europa en nog weer duizend jaar later was heel Europa, met

*Vondsten uit een graf van de standvoetbekercultuur (ca. 2200 v.C.), bij Hijken in de Nederlandse provincie Drenthe. Deze regionale cultuur is een onderdeel van de laat-neolithische strijdbijlcultuur, die zich uitstrekte van Noord-Zwitserland via Centraal-Europa tot Zuid-Finland.*

*Het hunebed is hét symbool van de neolithische trechterbekercultuur (3600-2150 v.C.). Dit monument diende als grafkamer en als plaats voor dodenverering. Afgebeeld is het hunebed van Loon in Drenthe. De trechterbekercultuur behoort bij de eerste volledig agrarische gemeenschap in Noordwest-Europa.*

inbegrip van het zuidelijk gedeelte van Scandinavië, door boeren bewoond.

Een soortgelijke ontwikkeling als in de Vruchtbare Halve Maan vond enkele millennia later plaats in een groot gebied in Midden-Amerika dat zich uitstrekt van Mexico tot Honduras. Hier kwam tussen 7000 en 5000 v.C. de landbouw eveneens tot ontwikkeling. Het belangrijkste cultuurgewas dat in deze streek verbouwd werd was maïs. Aangezien er geen verbindingen tussen beide culturele kerngebieden zijn aan te wijzen, nemen de geleerden aan dat de ontwikkeling in Midden-Amerika zich geheel autonoom heeft voltrokken.

Hoewel de boerengemeenschappen die na de neolithische revolutie in verschillende delen van de wereld te vinden waren, hemelsbreed van de eenvoudige samenlevingsvorm van de vroege jagers en verzamelaars verschilden, kenden zij nog geen complexe sociale structuur. Er bestonden in het algemeen weinig sociale relaties die verder reikten dan de eigen gemeenschap en in de eigen gelederen was de gezagsstructuur nog weinig gedifferentieerd. Maar het duurde niet lang voordat hierin wijziging optrad. In het zuiden van Mesopotamië en in de Nijldelta ontwikkelden zich nieuwe maatschappijen die werden gekenmerkt door een strakke staatsstructuur en een toenemende sociale gelaagdheid - het Soemerische Rijk en, iets later, het Egyptische Rijk. Het is op dit punt dat in de volgende pagina's de draad wordt opgepakt.

**10 000** (circa). In Noord-Europa begint het mesolithicum of de midden-steentijd.

**8000** (circa). In het Midden-Oosten begint het neolithicum of de nieuwe steentijd. In deze periode ontstaat een nieuwe manier van leven. Dit is mogelijk dank zij twee ontdekkingen van fundamenteel belang: de domesticatie van dieren en de verbouw van gewassen.

**7500** (circa). De hond wordt tot huisdier gemaakt.

**7000** (circa). In Noord-Amerika worden rotstekeningen gemaakt. →

**6000** (circa). Neolithische mensen vestigen zich in Jericho en bouwen er huizen. Dit is de oudste stad die ons bekend is.

**6000** (circa). Kreta raakt bewoond. Dit is een aanwijzing dat men in staat is boten te bouwen die op open zee kunnen varen.

**4200** (circa). De eerste stap wordt gedaan om het moerasland tussen de rivieren de Tigris en de Eufraat te bewonen. Er vormen zich steden, waarvan Eridu volgens de traditie de eerste is. De Soemerische beschaving is begonnen.
Ongeveer tegelijkertijd verschijnen de eerste nederzettingen op de oevers van de Nijl.

**4100** (circa). Begin van het chalcolithicum of de kopertijd. In deze periode worden zowel gereedschappen als sieraden van koper gemaakt. Naast deze koperen gereedschappen blijven de stenen gereedschappen in gebruik.

**4000** (circa). In Egypte komt de glasbewerkingstechniek tot ontwikkeling.

**3600** (circa). De Soemerische stad Oeroek wordt gesticht.

**3500** (circa). In Soemerië wordt voor het eerst gebruik gemaakt van het pottenbakkerswiel, waardoor er aardewerk ontstaat dat symmetrischer van vorm is. In Soemerië verschijnen ook wielen, die massief zijn.

**3200** (circa). In het Midden-Oosten begint de bronstijd. In de rest van de wereld begint deze periode later, meestal in de volgende duizend jaar. Sommige gebieden kennen echter geen bronstijd, Australië bijvoorbeeld.

**3000** (circa). Een koning die volgens de hiërogliefen Narmer heet, maar die in de traditie als Menes bekendstaat, verenigt de beide Egyptische koninkrijken Boven- en Beneden-Egypte tot één staat. Met deze koning begint de eerste dynastie van het verenigde Egyptische koninkrijk. →

# Egyptische staat gesticht

HIERACONPOLIS, circa 3000 - Koning Narmer, tot nu toe leider van Zuid-Egypte, heeft zijn machtsgebied uitgebreid over de noordelijke delta. Met deze vereniging van Zuid- en Noord-Egypte is de stichting van de Egyptische staat een feit. Hiermee is een einde gekomen aan een jarenlange strijd om de suprematie tussen Noord- en Zuid-Egypte.

Om het prestige van zijn leiderschap te vergroten heeft Narmer een palet laten vervaardigen. Hierop wordt zijn overwinning op het noorden uitgebeeld: de koning draagt nog de typische 'witte kroon' van Zuid-Egypte. Hij zwaait zijn knots boven een krijgsgevangene. Achter hem loopt zijn sandalendrager. Alle figuren zijn voorzien van hun naam. Verder wordt de scène verklaard door een rebusachtig 'pictogram' in de rechterbovenhoek, dat luidt: 'De valkgod Horus (= de koning) maakt de inwoners van het Papyrusland (= de delta) tot gevangenen.' Het is een van de oudste voorbeelden van het gebruik van het Egyptisch schrift. Een zin kan nog slechts worden weergegeven door een symbolische groep, waarvan de afzonderlijke delen aparte woorden suggereren.

De koning is, volgens de religieuze Egyptische opvatting, de belichaming van goddelijke macht op aarde. In deze archaïsche periode is de hemelgod Horus prominent. Hij wordt voorgesteld als een valk die langs de hemel vliegt; zijn vleugels zijn het uitspansel dat de wereld beschermt, de zon en de maan zijn beide ogen. Als vertegenwoordiger van deze hemelgod dicht men de

*Het palet van koning Narmer: een zogenaamd offergeschenk, waarop zijn overwinning wordt uitgebeeld.*

koning grote invloed toe op het kosmische leven. Hij zet de natuurkrachten in werking en is verantwoordelijk voor overstromingen van de Nijl en goede oogsten, maar ook voor de maatschappelijke orde. Hij is een centrum van goddelijke kracht en via zijn persoon straalt leven uit over het hele land.

Narmer behaalt dan ook als Horus zijn overwinning op Noord-Egypte en in diens tempel wordt het palet opgesteld, tot meerdere glorie van de eerste Egyptische farao.

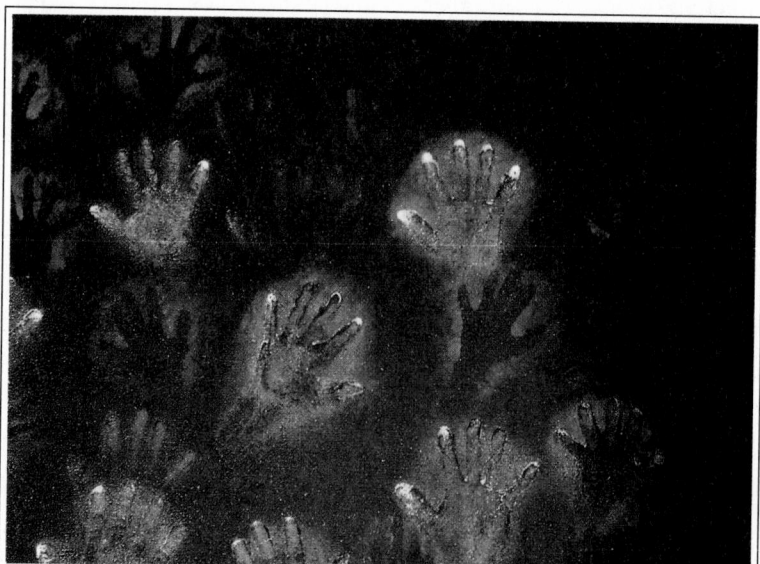

*Rotstekeningen uit Noord-Amerika, circa 7000-3000. Vanaf vermoedelijk 10 000 trokken de eerste bewoners vanuit het Noordoosten van Siberië Amerika binnen. Tot 7000 leefden ze van de jacht op groot wild, daarna begon de overgang naar een een akkerbouwcultuur ten gevolge van klimaatveranderingen en het uitsterven van talrijke diersoorten. Tot de eerste gecultiveerde planten behoren maniok en vooral maïs. De duizenden rotstekeningen bewijzen dat Amerika in deze tijd bewoond werd. De betekenis van de vele afbeeldingen van handen is onduidelijk.*

**3000** (circa). Zowel in Soemerië als in Egypte wordt voor het eerst gebruik gemaakt van het schrift. →

**3000** (circa). De zuidelijke Soemerische steden vormen een soort federatie onder de heilige stad Nippoer; deze federatie houdt echter geen stand.

**2900** (circa). De meest waarschijnlijke datum voor de zondvloed.

**2890** (circa). Stichting van Egyptes 2de dynastie.

**2800** (circa). De macht in Soemerië verschuift tijdelijk naar de meer in het noorden gelegen stad Kisj. De rivaliteit tussen de stadstaten onderling neemt zeer ernstige vormen aan. →

**2800** (circa). Het eerste premegalithische Stonehenge wordt gebouwd.

**2750** (circa). Waarschijnlijke datum voor de stichting van de eerste stad Troje.

**2700** (circa). De Soemerische stad Oer treedt, blijkens archeologische vondsten, voor de eerste keer op de voorgrond.

**2686** (?). Begin van Egyptes 3de dynastie. Met deze dynastie begint het Oude Rijk. Zoser, de tweede farao van deze dynastie, bouwt de eerste, nog trapvormige, piramide in Sakkara.

**2650** (circa). Bloeiperiode van Imhotep. Hij geldt als de ontwerper van de eerste piramide en genoot groot aanzien als arts.

**2613** (?). Egyptes 4de dynastie wordt gesticht door Snofroe, die de eerste echte piramide bouwt. →

**2600** (circa). Begin van de bronstijd op Kreta, de vroeg-Minoïsche periode, en op het Griekse vasteland, de vroeg-Helladische periode.

**2600** (circa). Opkomst van de Harappa-cultuur in de Indusvallei.

**2580** (circa). Het conflict tussen de Soemerische steden Oemma en Lagasj wordt opgelost. →

**2550** (circa). Chefren bouwt de sfinx.

**2526** (?). Cheops bouwt in Gizeh de grootste piramide tot nu toe. →

**2525** (?). Het graf van de moeder van Cheops wordt beroofd. →

**2520** (circa). Onder koning Mesannepadda beleeft de stad Oer in Soemerië een nieuwe bloeiperiode.

Gestorven:

**2648** (?). Zoser, Egyptisch farao
**2589** (?). Snofroe, Egyptisch farao →
**2566** (?). Cheops, Egyptisch farao
**2533** (?). Chefren, Egyptisch farao

# Overwinning van Gilgamesj

*De legendarische held Gilgamesj op een reliëf uit de 8ste/7de eeuw.*

OEROEK, circa 2700 - Het conflict tussen de stadstaten Oeroek en Kisj is geëindigd in een overwinning voor Oeroek. De gespannen toestand in zuidelijk Mesopotamië was het gevolg van het streven naar hegemonie van de in het noorden gelegen stad Kisj. Reeds onder koning Enmebaragesi werd dit machtsstreven voelbaar, maar zijn zoon en opvolger Akka zette deze politiek zover door, dat een gewapend conflict tussen Kisj en Oeroek niet te vermijden was.

Akka belegerde de stad Oeroek met een betrekkelijk klein leger, nadat Gilgamesj, de heer van Oeroek en de bouwer van de stadsmuur, de door Kisj geëiste vazalstatus had afgewezen. De belegering veroorzaakte aanvankelijk grote paniek onder de bevolking van Oeroek, maar Gilgamesj besloot zich niet te laten intimideren en niet te buigen voor Akka. Gewapend verzet was de enige oplossing. Hiervoor was echter goedkeuring van de staatsraad nodig, die in deze zaak heftig verdeeld bleek te zijn. De beide grote fracties, de Ouden en de Weerbare Mannen, stonden in hun opvattingen hoe het conflict opgelost moest worden diametraal tegenover elkaar. De Ouden wensten geen oorlog en drongen erop aan de wil van Kisj te eerbiedigen. De fractie van de Weerbare Mannen voelde hier niets voor. De gedachte om voor Akka dienst te moeten doen als waterdragers - een van Akka's eisen - versterkte slechts hun weerzin om tot een compromis te komen. Zeer tegen de zin van de Ouden drukten zij Gilgamesjs voorstel om terug te vechten in de raad door. Het probleem voor de manschappen van Oeroek was echter dat ze gewend waren in open veld te vechten. Ervaring met een belegering had men niet. Het leger moest uit de stad door de poort naar buiten zien te komen om zo het leger van Akka op de vlakte te kunnen bevechten. Het lukte generaal Birchoertoerre door een list de aandacht van de troepen van Kisj van de poort af te leiden, waardoor het mogelijk was naar buiten te komen en Akka en zijn mannen te omsingelen. Akka zelf werd ook gevangen genomen, maar Gilgamesj gaf hem een vrijgeleide naar Kisj. Dit als dank voor de gastvrijheid, die Gilgamesj in Kisj genoten had tijdens zijn ballingschap als gevolg van interne problemen in Oeroek enige tijd geleden. Akka dankte Gilgamesj voor zijn welwillende houding en erkende de onafhankelijkheid van Oeroek.

*De maangod Thot, volgens de mythe de schepper van het hiërogliefenschrift.*

# Eerste 'lopende' teksten

SAKKARA, 2624 (?) - Het Egyptische schrift heeft zijn karakteristieke vorm aangenomen. Vazen bestemd voor het grafcomplex van farao Zos van de derde dynastie zijn voorzien van de eerste 'lopende' teksten. Het bezit van het schrift is voor het functioneren van het bestuursapparaat van de jonge staat van groot belang. Los van bode of heraut kan men nu bevelen en gegevens onvervalsbaar doorgeven.

Onder invloed van Mesopotamië, waar al langer wordt geschreven, heeft het schrift zich in Egypte ontwikkeld. Het neemt hier de vorm aan van een geheel eigen beeldschrift, met tekens die geënt zijn op de Egyptische omstandigheden. Deze ontwikkeling heeft zich in een zeer kort tijdsbestek voltrokken. Het schrift zag vrij plotseling het daglicht, tegelijk met de stichting van de staat en is in de eerste twee dynastieën tot volle wasdom gekomen.

Het hiërogliefisch schriftsysteem is voortgekomen uit de schilderkunst en onderhoudt daarmee nauwe banden. Het maakt gebruik van ruim 700 tekens. Naast concrete tekens, de ideogrammen (bijvoorbeeld een tekening van een boot voor het woord boot), kent het schrift fonetische tekens, met klankwaarden voor het uitdrukken van abstracte begrippen. Deze kan men niet zichtbaar maken, maar slechts begrijpen door ze uit te spreken. Voor deze fonetische tekens worden geen nieuwe tekens ontworpen maar put men uit de bestaande voorraad ideogrammen.

Zo beschikt men met de fonetische tekens ten slotte over een alfabet waarmee men in feite alles wat men wil kan uitdrukken.

Aan de fonetische tekens blijft men echter ideogrammen toevoegen. Deze fungeren dan als een 'plaatje bij een praatje'. Met deze versmelting van woord en beeld is de taal een van de meest typerende cultuuruitingen van Egypte.

# Conflicten Oemma en Lagasj om waterrechten opgelost

LAGASJ, circa 2580 - De definitieve grens tussen de stadstaat Oemma en de staat Lagasj is door onderhandelingen tot stand gekomen. Hiermee is een lang en slepend conflict opgelost. De onenigheid was ontstaan als gevolg van het gebruik van de waterrechten in het gebied, dat Goe'edenna genoemd wordt.

Dit gebied is voor de staat Lagasj van essentieel belang voor de watertoevoer ten behoeve van de irrigatie van de velden rond de steden Girsoe, Nina en Lagasj zelf. Het water dat aangevoerd wordt uit de Eufraat via het Itoeroengal-kanaal moet zijn weg vinden naar bovengenoemde steden via een systeem van kanalen door de Goe'edenna

Aangezien Oemma aan het Itoeroengal-kanaal gelegen is en de steden van Lagasj niet, kan Oemma de watervoorziening geheel controleren wanneer het bovendien nog de Goe'edenna in bezit heeft. Beide staten eisen echter het recht tot gebruik van de Goe'edenna op.

Formeel is het grondgebied van de steden in Mesopotamië eigendom van de stadsgod. Het grondgebied van Lagasj hoort toe aan de god Ningirsoe en dat van Oemma aan Sjara. Bij conflicten over het grondgebied wordt meestal bemiddeling gevraagd van de stadsgod van Nippoer, Enlil, die geldt als de hoofdgod van het Soemerische pantheon.

Het grensverdrag is tot stand gekomen door bemiddeling van Mesalim, de koning van Kisj, die handelde op gezag van de god Enlil om, zoals het heet, de velden van Ningirsoe en Sjara af te bakenen. Mesalim liet op de grens een monument plaatsen om toekomstige generaties van Kisj eraan te herinneren dat de grens voor eens en altijd vaststaat. Het feit dat Mesalim erin slaagde de strijdende partijen tot elkaar te brengen en in een overeenkomst af te dwingen, heeft het prestige van de titel 'koning van Kisj' enorm vergroot. Traditioneel genoten de koningen van Kisj reeds veel prestige, omdat ze de eerste dynastie in Mesopotamië na de zondvloed gesticht zouden hebben.

*Beelden van biddende Soemeriërs in de tempel van Aboe (circa 2800-2600).*

13

## Snofroe ontvangt hout uit Libanon

MEMPHIS, circa 2570 - Een vloot van 40 zeeschepen is veilig, en beladen met cederhout, teruggekeerd uit de Syrische havenstad Byblos. Zij zijn op deze missie gezonden door farao Snofroe van de vierde dynastie. Deze heeft hout van goede kwaliteit nodig voor de plafondbalken van zijn grafkamer in de piramide van Dahsjoer. Daarnaast wordt het cederhout gebruikt voor paleisdeuren, maar vooral in de scheepsbouw.

Hoewel Egypte rijk is aan allerlei materialen is het arm aan hout. Er groeien geen hoge bomen in het Nijldal. De kleine inheemse soorten (acacia, tamarisk, vijgeboom, dadelpalm), zijn erg knoestig. Zij worden slechts gebruikt op kleine schaal voor meubels, kisten en dakbedekking.

Voor de constructie van grote zeeschepen is men aangewezen op geïmporteerd hout uit Byblos. Met het cederhout uit Libanon kan men kiel en dekplanken uit één stuk vervaardigen. Ook naar het hars van de pijnboom bestaat veel vraag. Het wordt gebruikt in het mummificatieproces. Voorts is Byblos de stapelplaats voor goederen uit het Aziatisch achterland. Zo betrekt Egypte via deze stad lapis lazuli, dat uit Afghanistan afkomstig is.

Hoewel West-Azië ook via land bereikbaar is, prefereert men de zeeroute. Expedities over land lijden algauw aan watergebrek en staan bloot aan het gevaar van aanvallen door bedoeïenen. Bovendien zijn schepen sneller en kunnen meer lading vervoeren. Varend langs de kust bereikt men, bij gunstige wind, in vier dagen de Syrische kust vanuit de delta. En eenmaal in Egypte teruggekeerd, kan men iedere gewenste plaats in het land via de Nijl bereiken. De zeeschepen zijn uitgerust met zeil én roeiers. Rondom het schip ligt een gordel van touw. Deze moet stevigheid verlenen en trekt strak aan wanneer hij nat wordt. Om breken van de kiel te voorkomen loopt een touw van voor- naar achtersteven door het midden, steunend op vorken. Door middel van een draaistok kan het losser en strakker gespannen worden. Het roer bestaat uit enkele grote platte roeiriemen, bevestigd aan de zijkant bij de achtersteven; hiermee kan de achtersteven worden gekeerd. Bij de grote schepen zijn hier wel vijf roeiers voor nodig. Het onderkomen van de bemanning bevindt zich benedendeks. Het dek blijft vrij voor de vracht.

Binnen Egypte zelf is de boot altijd het transportmiddel bij uitstek geweest. De Nijl fungeert als de grote verkeersader in de langgerekte vallei. Sinds jaar en dag hebben de bewoners hier ervaring met scheepvaart opgedaan. Het is dan ook niet vreemd dat de Egyptenaren als een van de eerste volkeren de zee trotseren.

# Grafcomplex van Cheops nadert voltooiing

De belangrijkste groep piramiden op het rotsplateau van Gizeh: vlnr. Mykerinos, Chephren en Cheops.

GIZEH, circa 2526 - In de westelijke woestijn, niet ver van de hoofdstad Memphis, nadert de bouw van het grafcomplex van farao Cheops van de vierde dynastie zijn voltooiing. Bogend op de ervaring van drie generaties piramidebouwers voor hem, komt onder zijn bewind de volmaakte en grootste piramide tot stand. Het is het graf van de koning: het belangrijkste onderdeel van het complex en tevens het meest in het oog springende. Reeds van verre ziet men hoe een enorme geometrische driehoek zich aftekent tegen de hemel. Hoog op het rotsplateau van Gizeh, net buiten het bereik van de jaarlijkse Nijlvloed verrijst de piramide tot een hoogte van 147 meter. Zij staat op een perfect vierkant, met een oppervlakte van vier hectare en haar zijden wijzen naar de vier windrichtingen. Met haar geometrische vorm is de piramide waarschijnlijk een materiële representatie van de zonnestralen, zoals men ze door een gat in het wolkendek ziet vallen. Hierlangs kan de koning de hemel bereiken en zich verenigen met de zonnegod. Aldus blijft de scheppingskracht van de goddelijke koning, die de wereldorde in stand hield, ook na diens dood bewaard. De bouw van het piramidecomplex dient zo niet slechts de verheerlijking van de koning, maar vooral het welvaren van de staat. De onderneming is een religieus werk van de Egyptische gemeenschap die afhankelijk is van koning en goden.

De locatie is met zorg gekozen. Het rotsplateau vormt een gedegen draagvlak voor het bouwwerk, waarin zo'n 2 300 000 steenblokken, van twee tot maximaal vijftien ton per stuk, verwerkt zijn. 4000 arbeiders in permanente dienst, bijgestaan door talloze seizoenwerkers, hebben er twintig jaar aan gewerkt. Naast de arbeiders die aan de piramide zelf werkten waren er minstens evenveel betrokken bij de toeleveringswerkzaamheden: de zorg voor de gereedschappen, het foerageren, het winnen van de steenblokken in verschillende steengroeven, de constructie van de oplopende wegen en het transport van de blokken hierover.

Het binnenwerk van de piramide werd opgebouwd uit kalksteen, die onder andere op het rotsplateau zelf aan de oppervlakte gewonnen werd. Voor het glad afwerken van de vier buitenzijden werd een lichtweerkaatsende kalksteen gebruikt. De grafkamer, midden in het hart van de steenmassa, is bekleed met granietblokken.

Voor al de werkzaamheden rekruteerde men de arbeidskrachten uit de Egyptische bevolking en krijgsgevangenen. Tijdens het overstromingsseizoen, van eind juli tot eind oktober, wanneer de landbouw stilligt, werd de boerenbevolking ingezet. In deze tijd vond het transport van de stenen plaats, uit de verder gelegen steengroeven. De blokken werden op houten sleeën gebonden en door runderen en mannen over houten rollers naar de rivier getrokken. Om het glijden te vergemakkelijken werd de grond met water besprenkeld.

De tocht over de Nijl vereiste grote kundigheid, vooral de lange tocht uit Assoean. Het water stroomt snel en driftende zandbanken vormen obstakels. Maar dank zij de vloed bedraagt de afstand over land naar de piramide nu 400 meter. Vanaf de voet van het bouwwerk werden de blokken omhooggetrokken langs een uit kleisteen opgetrokken, glooiende helling. Deze stond dwars op de zijde van de piramide en hield gelijke tred met haar vorderende hoogte. De laatste loodjes waren een kwestie van pure mankracht. Trekdieren konden niet meer worden ingezet vanwege de beperkte bewegingsruimte. Nadat aldus de top was bereikt kon de bekleding, van boven naar beneden, plaatsvinden.

## Beroving van het graf van Hetepheres

DASHOER, circa 2525 - Het graf van Hetepheres, de moeder van Cheops, is beroofd. De koningin-moeder is nog maar net begraven en haar graf verzegeld, of plunderaars zijn erin doorgedrongen. De dieven hebben haar mummie, die rijkelijk was opgesmukt met juwelen en gouden sieraden, zelfs in haar geheel meegenomen. Maar voor zij de kans kregen om zich verder te verrijken met haar weelderige grafuitrusting, werd de diefstal ontdekt.

Aanvankelijk wist men deze misdaad voor Cheops verborgen te houden. De koning heeft niet bepaald de reputatie van een milde heerser. Het schenden van een mummie, en zeker die van de koningin-moeder, is een grove heiligschennis. Zij stond in zeer hoog aanzien en nam met betrekking tot de troonopvolging een centrale plaats in. Zij was de dochter van farao Hoeni (derde dynastie), echtgenote van Snofroe (vierde dynastie) en moeder van Cheops. Het koningschap heeft matrilineaire wortels en wordt overgeërfd via de vrouwelijke lijn. Slechts door de oudste dochter van de farao te huwen kan een prins het koningschap verwerven. In de meeste gevallen leidt dit tot een huwelijk tussen broer en zus.

Toen Cheops ten slotte achter de roof kwam, besloot hij haar graf (in het geheim) te verplaatsen naar Gizeh. Daar liet hij in de buurt van zijn piramide een grafkamer voor haar uithakken op de bodem van een 33 meter diepe, verticale schacht. Er kwam geen bovenbouw op; de sluitstenen werden gepleisterd en bedekt met een laag kiezelsteentjes. Wat de koning waarschijnlijk nooit heeft geweten is dat hij een lege sarcofaag heeft begraven. Het deksel hiervan was zorgvuldig verzegeld.

14

# Oemma en Lagasj eerbiedigen oude grens

LAGASJ, circa 2430 - De stadvorst van Oemma, Il, en de vorst van Lagasj, Entemena, hebben na bemiddeling van een Noordmesopotamische koning afgesproken de oude grenslijn tussen hun gebieden te eerbiedigen. Aan de overeenkomst is een gewapende strijd voorafgegaan die in het voordeel van Lagasj is geëindigd. De oude grenslijn was ooit vastgesteld door Mesalim, de koning van Kisj. Op een voor deze gelegenheid opgerichte stèle - een plaat met inscriptie - doet Entemena verslag van de gebeurtenissen en de voorgeschiedenis van het conflict.

Niet lang nadat Mesalim de grens had vastgesteld, werd het verdrag door de stadvorst van Oemma, Oesj, geschonden: hij liet de grenssteen van Mesalim verwijderen en bezette het omstreden grensgebied, de Goe'edenna. Deze bezetting duurde voort tot Eannatoem vorst van Lagasj werd. Deze viel Oemma aan en versloeg het leger van zijn vijand. Hij sloot een nieuw grensverdrag met Enakali, de toenmalige leider van Oemma. Tussen beide staten werd een gedemilitariseerde zone ingesteld en bovendien gaf Eannatoem de Goe'-edenna aan de leider van Oemma in vruchtgebruik; de voorwaarde was dat een deel van de oogst als pacht aan Lagasj zou worden betaald. Oemma vond deze voorwaarde echter vernederend. Ongeveer een generatie lang bleef een wankele vrede gehandhaafd. Toen de macht in Oemma echter werd overgenomen door Oer-Loemma ontstonden er opnieuw moeilijkheden. Oer-Loemma weigerde de pacht voor het omstreden gebied te voldoen en viel Lagasj aan. De troepen van Lagasj onder bevel van Entemena brachten het leger een verpletterende nederlaag toe, waarbij Oer-Loemma om het leven kwam.

Opnieuw brak een periode van rust aan, maar deze was van korte duur. Il, de gouverneur van het nabijgelegen Zabalam, greep in Oemma de macht. Ook hij legde zich niet neer bij de pachtovereenkomst en viel Lagasj binnen. Entemena, die inmiddels stadvorst was geworden, slaagde erin hem terug te drijven, maar Il bleef weigeren aan de overeengekomen verplichtingen te voldoen en liet zelfs opzettelijk de oogsten in Goe'edenna mislukken

*Soldaten van Eannatoem in de aanval - detail van een herdenkingsstèle.*

door de watertoevoer af te snijden. Entemena reageerde hierop aanvankelijk met diplomatieke stappen, maar die bleven zonder resultaat. Het conflict werd wederom gewapenderhand in het voordeel van Lagasj beslist. Na bemiddeling hebben de beide staten nu opnieuw een vredesverdrag gesloten.

## Spijkerschrift in Lagasj hervormd

LAGASJ, circa 2450 - Onder de regering van Eannatoem, de stadvorst van Lagasj, is een belangrijke hervorming van het spijkerschrift tot stand gebracht. De spijkerschrifttekens worden nu geschreven in de volgorde die overeenkomt met de grammaticale structuur van de zin en niet, zoals eerder, in een volgorde die meer bepaald werd door de vorm van de tekens. Ook is het aantal tekens tot aanvaardbare proporties teruggebracht.

Het schrift, dat zich later tot het spijkerschrift ontwikkelt, is omstreeks 3200 uitgevonden in de stad Oeroek. Men grifte daar met een ronde, puntige stift in vochtige klei. De tekens waren een voorstelling van concrete zaken. Wilde men bijvoorbeeld het woord voor 'rund' schrijven, dan grifte men de kop van een rund in de klei. Het grote nadeel van dit beeldschrift was echter dat men voor iedere zaak een apart teken moest hebben en het op deze manier niet mogelijk was abstracte begrippen te schrijven.

Al vroeg ging men dit als een nadeel zien en omstreeks 2800 verloren sommige tekens hun concrete waarde en werden vervolgens gebruikt om er lettergrepen mee aan te duiden. Omstreeks deze tijd werden de tekens ook meer gestileerd. Dit werd veroorzaakt door de invoering van een nieuw soort stift die uit een rietstengel werd gesneden en een driehoekige doorsnede had. Zo ontstond de typisch spijkerachtige vorm van het schrift.

# Zonnetempel van Nioeserre

*Detail van de getijdenkalender uit het zonneheiligdom van Nioeserre.*

ABOE GORAB, circa 2410 - Geheel in de traditie van de farao's van de vijfde dynastie, heeft ook Nioeserre een zonnetempel laten bouwen. Het centrale element in deze tempel is een symbool uit de zonnecultus: een obelisk. Het is een zesendertig meter hoge pilaar, die naar boven toe spits toeloopt. Hij is opgemetseld uit kalkstenen blokken en staat op een hoge sokkel met glooiende zijden. De spits is verguld om de zon in volle glorie te ontvangen.

Aan de voet van de obelisk ligt, naar het oosten gericht, een open hof met een altaar onder de blote hemel. Hierop worden elke dag offers gebracht aan de zon, die als voortdurend aanwezig cultusbeeld aan de hemel staat.

Voor de dagelijkse tocht van de zon langs de hemel ligt een bakstenen boot klaar. Want de Egyptenaar kan zich geen vervoer zonder boot indenken.

De bouw van de zonnetempels in de vijfde dynastie is het gevolg van een verandering in het religieuze denken in Egypte.

Men richt zich op de zinnelijke natuurverschijnselen en verheft de zonnegod Re tot de voornaamste schepper daarvan. Deze nieuwe geestesstroming werkt ook door in de bouw- en reliëfkunst. Zuilen worden gemodelleerd naar planten: de onderste delen worden stengels, die uitlopen in de bloem of knop van een lotus of papyrusplant.

De rijzende ster van de zonnegod heeft ook haar weerslag op de status van het koningschap. Tot nu toe is de koning een representant op aarde van de hemelgod Horus. Volgens de nieuwe leer verwekt de zonnegod in de gestalte van de regerende koning de troonopvolger bij de koningin. De farao voert van nu af aan de titel 'zoon van Re'. Als lijfelijke vertegenwoordiger van deze kosmische god regeert hij nu samen met hem hemel én aarde.

## Hervormingen van Oeroe'inimgina

LAGASJ, circa 2360 - Al in het tweede jaar van zijn regering heeft Oeroe'inimgina, koning van Lagasj, een aantal belangrijke sociale hervormingen doorgevoerd. Deze hebben tot doel de maatschappelijke verhoudingen te normaliseren. Onder de door Oer-Nansje gestichte dynastie waren deze verhoudingen volledig scheefgegroeid, wat tot een totale ontwrichting van het economisch verkeer leidde.

In de tekst waarin de hervormingsmaatregelen zijn bekendgemaakt, geeft de koning van Lagasj een beeld van de wantoestanden in het land. De steden worden beheerst door dieven, oplichters en ander gespuis, zodat niemand zich meer veilig waant. Overheidsdienaren maken op ongekende wijze misbruik van hun positie. Visserij-inspecteurs stelen de vis uit de fuiken van de vissers, boten worden naar willekeur gevorderd en in beslag genomen. Tempeldienaren maken ten eigen bate gebruik van overheidsbezit, zoals van de ossen die eigendom van de tempel zijn. Zelfs bij huwelijk, scheiding en dood is de burger niet gevrijwaard van het betalen van grote sommen geld aan corrupte overheidsdienaren. Ook de belastingen zijn te hoog. Geïnde belastingen worden niet aan de tempel of de staat afgedragen, maar verdwijnen in de zakken van belastingambtenaren. De rijken en welgestelden maken op grote schaal misbruik van de armen en misdeelden. Wanneer een rijke het huis van een arme wil kopen, kan de arme dat niet weigeren, laat staan dat hij zelf de prijs kan bepalen; vaak wordt de koopprijs trouwens niet eens voldaan.

De nu bekendgemaakte hervormingen maken een eind aan veel van deze misstanden. De steden worden van geboefte gezuiverd, mensen die onschuldig gevangen zitten, worden vrijgelaten en ten onrechte opgelegde boetes en heffingen worden terugbetaald of kwijtgescholden.

Veel overbodige inspecteurs worden ontslagen en de overigen worden in hun bevoegdheden beperkt. Het betalen van belasting bij huwelijk, scheiding en dood wordt afgeschaft; de overige belastingen worden verlaagd.

## Tau-goen sticht land Morgenkalmte

KOREA, 2333 - Tau-goen heeft Korea gesticht, welk land hij de naam Kosung ('Morgenkalmte') heeft gegeven. Hij is geboren ten zuiden van Päktoe-san, de eeuwig besneeuwde bergen, onder een sandelhoutboom. Vandaar zijn naam Tau-goen, wat zoveel betekent als koning van het sandelhout.

Tau-goen weet als lid van de machtigste clan de voortdurend onderling strijdende clans onder zijn leiderschap te verenigen. Als centrum van waaruit hij zijn macht uitoefent stichtte hij de stad P'jengjeng, welke plaats daardoor een van de eerste steden van de wereld mag worden genoemd.

Het leiderschap van Tau-goen is echter niet alleen gebaseerd op de militaire superioriteit van de clan waaruit hij afkomstig is. Door zijn wijze lessen die hij geeft over hoe men zich behoort te gedragen en wat goed en slecht is, zien de mensen hem als een goddelijk wezen.

# Een exotisch geschenk voor koning Pepi II

MEMPHIS, 2252 - De gouverneur van Zuid-Egypte, Harchoef, is teruggekeerd van een lange reis naar de handelspost Yam, ver buiten Egyptes zuidgrens gelegen. Naar deze streek heeft hij, in opdracht van het hof te Memphis, een handelsexpeditie geleid. Naast allerlei exotische produkten heeft hij ook een pygmee meegebracht voor de nog zeer jonge koning Neferkare Pepi II.

Toen Harchoef bij de Egyptische zuidgrens bericht vooruitzond van zijn veilige terugkeer, kon Pepi zijn ongeduld niet bedwingen en stuurde hem een bezorgde brief: 'Verzegeld door mijzelf, de koning, jaar 2, maand 3 van het overstromingsseizoen, dag 15; bevel van de koning aan Harchoef: vaar onmiddellijk noordwaarts naar de residentie en breng me de pygmee, die je hebt meegenomen uit het land van de horizonbewoners, levend, wel en gezond om te dansen voor de god en om het hart te verblijden en vreugde te schenken aan de koning van Boven- en Beneden-Egypte, Neferkare, levend voor altijd. Wanneer hij met je op de boot gaat, zorg er dan voor dat bekwame mensen op het dek op hem passen - dat hij niet overboord in het water valt! En zorg ervoor, wanneer hij 's nachts gaat slapen, dat betrouwbare mensen

*De hofdwerg Seneb met zijn gezin (kalksteen, circa 2300).*

bij hem liggen in zijn tent. En inspecteer hem zelf tien keer per nacht. Mijne majesteit wenst deze pygmee liever te zien dan de schatten van de Sinaï of het wierookland Poent...' Hoewel deze aankomst van een pygmee in Egypte gedenkwaardig is, staat het geval niet op zichzelf. Honderd jaar geleden vond een soortgelijke gebeurtenis plaats onder koning Isesi. Behalve om de koning te amuseren bekleedt de pygmee een religieuze functie. Hij is ritueel danser voor de zonnegod, die hij met acrobatische sprongen begroet.

Het woord voor pygmee luidt in de Egyptische tekst 'degen'. Men kan dit in verband brengen met het Ethiopische woord 'delg' = dwerg. Dit zou stroken met de eveneens gebezigde uitdrukking 'het land van de horizonbewoners': een benaming voor buitenlandse volkeren ten zuidoosten van Egypte.

Uit Equatoriaal Afrika komen veel gewilde produkten, zoals ebbehout, ivoor, struisvogelveren, luipaardehuiden, aapjes en nog veel meer. De handelsroute voor deze produkten loopt via Nubië. Transport over land is niet gemakkelijk; de ezel is het enige pakdier. Men gebruikt de oaseroute door de westelijke woestijn, waar men zich van voldoende watervoorraad verzekerd weet.

De handelspost Yam ligt waarschijnlijk in het gebied net ten zuiden van de tweede cataract (grote stroomversnelling in de Nijl). Hier wordt handelswaar, door uitheemse stammen noordwaarts gebracht, doorverhandeld.

Naast ruilhandel hebben de Egyptische expedities naar Nubië tot doel deze streken te 'pacificeren', teneinde de doorstroming van de gewilde produkten veilig te stellen. Militaire troepen maken dan ook steeds onderdeel van deze tochten uit.

# Koning van Soemer en Akkad gesneuveld

OER, 2095 - Oernammoe, de stichter van de derde dynastie van Oer en koning van Soemer en Akkad, is op het slagveld gesneuveld. Hij is opgevolgd door de jonge, ambitieuze kroonprins Sjoelgi. De omstandigheden waaronder de koning de dood heeft gevonden, zijn nog niet helemaal opgehelderd, maar aangenomen mag worden dat het is gebeurd tijdens een strafexpeditie tegen opstandelingen in het gebied van het voormalige Lagasj.

Als eerste regeringsdaad heeft Sjoelgi de rouwplechtigheden geregeld en zijn vader in een prachtig mausoleum laten bijzetten. Ter nagedachtenis aan Oernammoe is een rouwzang gecomponeerd, waarin de overleden vorst wordt beweend en zijn belangrijkste daden worden geroemd.

*Koning Oernammoe (rechts) op de troon bij een officiële ceremonie.*

Oernammoe was afkomstig uit de stad Oeroek waar hij als generaal diende bij Oetoechengal die Soemer heeft bevrijd van het juk van de Goetaeërs. Tijdens zijn gouverneurschap in de stad Oer trok Oernammoe de macht aan zich en riep hij zichzelf uit tot koning van Oer. Na enige tijd wist hij zijn belangrijkste tegenstanders uit te schakelen, onder wie zijn vroegere vorst en heer Oetoechengal en Nammachani, de vorst van Lagasj.

Tijdens zijn achttienjarig bewind legde de koning er zich vooral op toe zijn macht te consolideren en de infrastructuur van het land weer op te bouwen. Onder het chaotische bestuur van de

Goetaeërs waren de meeste gebouwen, tempels en paleizen in verval geraakt. Oernammoe slaagde erin de belangrijkste tempels en heiligdommen te restaureren of te herbouwen. Ook voor de landbouw is zijn bewind van groot belang geweest. Hij liet opnieuw kanalen graven en tuinen aanleggen. Ook de handel heeft hij bevorderd.

Op het gebied van de wetgeving was de koning zeer actief. Hij was de eerste vorst die bestaande en nieuwe wetten met elkaar in overeenstemming bracht en ze heeft verzameld in een codex. Opvallend in de wetgeving van Oernammoe is het humane karakter van het strafrecht.

*Landbouw- en veeteeltscènes uit een grafkamer in Gizeh, circa 2400.*

# Voedselschaarste in Egypte

EGYPTE, 2134 (?) - Al geruime tijd wordt het Nijldal geteisterd door voedselschaarste. Oorzaak hiervan is een serie van opeenvolgende lage waterstanden in de Nijl.

Het land kent een natuurlijke bevloeiing. Eén keer per jaar treedt de Nijl buiten zijn oevers en zet het hele land blank. Wanneer de rivier zich weer in haar bedding terugtrekt, laat ze een vruchtbare laag slib achter. Deze bestaat uit aarde, vermengd met vulkanisch steengruis, meegevoerd van het Ethiopische hoogland. Hier vallen van mei tot november de tropische regens die de Nijlvloed veroorzaken. Momenteel is er duidelijk van een uitdroging sprake. De overstroming reikt niet ver

genoeg. Veel land gaat voor de akkerbouw verloren en wordt door de woestijn opgeslokt.

De hoge ambtsdragers die voor de farao de provincies besturen, grijpen hun kans. In deze tijden van nood werpen zij zich ieder in hun kleine territorium op als 'de goede herder' van hun onderdanen. Zij verklaren trots dat zij voedsel oppotten om het te verdelen onder de bevolking in hun stad. Daartoe ondernemen zij rooftochten in de wijde omtrek... Aldus betrekken lokale heersers hun stellingen in de steden, omringd door een bourgoisie belust op privé-bezit. Aan het centraal gezag van de farao laten zij zich niets meer gelegen liggen.

# Raadsels rond dood Sjoelgi

OER, circa 2047 - Na een bewind van 48 jaar is Sjoelgi, de tweede vorst van de Derde Dynastie van Oer, gestorven. Zijn opvolger is zijn oudste zoon, Amar-Sin, tot voor kort belast met civiele aangelegenheden in het koninkrijk. Het is opvallend dat Amar-Sin onmiddellijk na zijn ambtsaanvaarding zijn broer Sjoe-Sin tot kroonprins heeft benoemd en niet een van zijn kinderen.

Met Sjoelgi zijn vrijwel gelijktijdig ook zijn beide favoriete hofdames gestorven. Dit feit en de benoeming van de militaire gouverneur van de stad Oeroek tot kroonprins doen het vermoeden rijzen dat Sjoelgi geen natuurlijke dood is gestorven, maar het slachtoffer is geworden van een samenzwering. De hoge leeftijd van de overleden vorst dreigde het voor zijn beide zonen immers onmogelijk te maken nog eens de troon van Oer te bestijgen; zowel Amar-Sin als Sjoe-Sin was al op gevorderde leeftijd.

Het vermoeden bestaat dat Amar-Sin de oude koning uit de weg heeft geruimd om zo toch nog koning te worden. Toen Sjoe-Sin hier lucht van kreeg, moest Amar-Sin hem toezeggen hem tot zijn opvolger te benoemen in plaats van zijn eigen zonen. Ook moest volgens deze theorie een aantal potentiële getuigen en intimi van Sjoelgi uit de weg worden geruimd. Dit zou dan de vrijwel gelijktijdige dood van de beide hofdames verklaren. Hoewel alle feiten op dit scenario wijzen, is absolute zekerheid niet te verkrijgen.

Sjoelgi heeft tijdens zijn lange bewind

veel tot stand gebracht. Aanvankelijk heeft hij het werk van zijn vader Oernammoe voortgezet door de infrastructuur in het rijk te vervolmaken en de grenzen te consolideren. In het tweede deel van zijn bewind heeft hij talloze oorlogen moeten voeren tegen zowel het noorden als het zuiden. In het zuiden slaagde hij erin de Elamieten te bedwingen en het land bij het koninkrijk in te lijven en in het noorden leverde hij tot drie keer toe slag met de Choerieten, die hij uiteindelijk wist te verslaan en te pacificeren.

Verder heeft Sjoelgi veel gedaan om de literatuur en de kunsten in het algemeen te bevorderen. Ook heeft hij tempels laten bouwen of restaureren, zowel in de stad Oer als in andere steden.

# Mentoehotep I nieuwe farao

*Mentoehotep I.*

THEBE, circa 2052 - Mentoehotep I van de elfde dynastie heeft de genadeslag toegebracht aan de rivaliserende tiende dynastie in Heracleopolis. Hij wordt daarmee de nieuwe farao van een verenigd Egypte, waarvan Thebe de nieuwe hoofdstad is.

Na de ineenstorting van het Oude Rijk volgde aanvankelijk een totaal machtsvacuüm. Het noorden kreeg te kampen met invallen van Aziatische bedoeïenenstammen, terwijl het zuiden met behulp van Nubische huursoldaten een machtig leger opbouwde. Vele lokale heersers bestreden elkaar, maar schaarden zich ten slotte achter twee machtsblokken: het noordelijke Heracleopolis en het zuidelijke Thebe. Beide maakten aanspraak op de macht over het hele land.

De vereniging door Mentoehotep van de beide gebiedsdelen vindt een symbolische uitdrukking in de vorm van zijn graf. Hierin versmelten het rotsgraf van Zuid-Egypte en de piramidevorm van het noorden tot een nieuw ontwerp. In een ondergrondse kamer onder het bouwwerk legt men een beeld van de koning met de 'rode kroon' van Noord-Egypte.

# Academies in Nippoer en Oer gesticht

OER, circa 2050 - Sjoelgi, de tweede koning van de derde dynastie van Oer, heeft Academies laten bouwen in de steden Oer en Nippoer. In een uitvoerige hymne die bij deze gelegenheid is gecomponeerd, zet de koning uiteen waarom hij tot deze belangrijke stap heeft besloten.

De Academie (in het Soemerisch 'Edoebba') heeft allereerst tot doel schrijvers op te leiden voor het beheer van de tempels en het verzorgen van de koninklijke correspondentie. De leerlingen krijgen hiervoor een uitgebreid vakkenpakket te verwerken met onder meer rekenen, boekhouden, talen en muziek.

Een tweede belangrijke functie van de Edoebba is het aanleggen van collecties teksten, die tijdens de regering van Sjoelgi geschreven worden. Met name het uitgebreide repertoire van hymnen en literaire teksten als epen en mythen moet in de Academies bewerkt en gekopieerd worden. Bestudering van deze teksten behoort eveneens tot het vakkenpakket van de studenten.

De koning hecht grote waarde aan de

*Koning Sjoelgi als drager van bouwmateriaal, circa 2050.*

beoefening van de schone kunsten. Ook de bestudering van de geschiede-

nis heeft zijn grote interesse. Zo heeft hij opdracht gegeven de teksten te verzamelen van zijn koninklijke voorgangers, of het nu Soemeriërs, Akkadiërs of tirannen zijn geweest; hun inscripties, lofzangen, gebeden, annalen en brieven moeten opgespoord en bestudeerd worden.

De leermeesters van de Edoebba's hebben naast hun onderwijstaak ook de eervolle opdracht hymnen en lofzangen voor de koning te componeren, die door de barden en minstrelen aan het hof of in de tempel voorgedragen worden. In de lofzangen ligt de nadruk op de grote roem en de daden die de koning een onsterfelijke naam zullen geven en die het nageslacht tot aan het einde der tijden tot voorbeeld moeten strekken. Sjoelgi legt er echter de nadruk op dat hij zijn hofdichters nimmer zal toestaan onwaarheden of overdreven uitingen van lof aan zijn adres in de liederen op te nemen. Hij zweert zelfs bij de goden dit niet te dulden. Om dit te bereiken worden zeer hoge eisen gesteld aan de opleiding van de studenten.

# Derde dynastie van Oer bezweken na invasie Elamieten

OER, circa 2004 - Het rijk van de Derde Dynastie van Oer is onder een invasie van de Elamieten bezweken. De stad Oer is totaal verwoest en koning Ibbi-Sin is in boeien afgevoerd naar Elam. In Oer zijn de gebouwen allemaal met de grond gelijk gemaakt en de straten en pleinen liggen bezaaid met lijken.

Door een samenloop van omstandigheden heeft de koning zijn rijk niet voor deze catastrofe kunnen behoeden. De uiteindelijke ondergang van Oer is niet zozeer veroorzaakt door de Elamieten als wel door de Amorieten, Semitische stammen uit het noorden van Mesopotamië. Deze Amorieten, in de ogen van de Soemeriërs barbaren met een zeer lage graad van civilisatie, drongen al in de dagen van Sjoelgi, de grootvader van Ibbi-Sin, door in de Mesopotamische laagvlakte. Om het gevaar van een invasie te beteugelen liet Sjoelgi een verdedigingslinie in het noorden aanleggen. Onder Sjoe-Sin, zijn zoon, werd deze verdedigingswal uitgebreid tot een lengte van 280 kilometer. Toch bleek dit niet voldoende te zijn om de guerrilla-aanvallen van de Amorieten te weerstaan. Met name het vervoer van granen en grondstoffen begon op grote schaal hinder van de voortdurende plundertochten te ondervinden. Onder de regering van Ibbi-Sin ontstond een gestage stijging van de graanprijzen met als gevolg een sterk oplopende inflatie.

In Oer brak vervolgens een hongersnood uit. Van die gelegenheid maakte Elam gebruik zich onafhankelijk te maken, terwijl Isjbi-Erra deserteerde en zich uitriep tot koning van Isin. Naar later bleek was Isjbi-Erra allang te loyaal tegenover de koning van Oer en heeft hij zelfs met de Amorieten samengewerkt tegen Ibbi-Sin.

De situatie in Oer verslechterde nu met de dag en toen er ten gevolge van de hongersnood ook nog een epidemie uitbrak, zagen de Elamieten hun kans schoon de stad aan te vallen en te vernietigen.

*Detail van de zogenaamde mozaïekstandaard van Oer.*

18

# 2000

2000 (circa). Op Kreta begint de midden-Minoïsche of oude-paleizenperiode. In deze periode worden de paleizen van Knossos, Mallia en Phaistos gebouwd.

1996 (?). Farao Mentoehotep III bouwt zijn sarcofaag. →

1991 (?). Amenemhet I, de eerste farao van de 12de dynastie, komt op de troon en voltooit de hereniging van Egypte die begonnen was onder de 11de dynastie. Hij verplaatst de hoofdstad van het land van Thebe naar Lisjt.

1971 (?). In Egypte regeert Sesostris I samen met zijn vader Amenemhet I.

1962 (?). Sesostris I regeert na de dood van zijn vader alleen. Hij voert oorlog in Nubië, waarschijnlijk om Egypte te beschermen tegen negroïde stammen die daar zijn binnengedrongen tijdens de Eerste Tussentijd. Zijn heerschappij strekt zich uit tot de 3de cataract.

1950 (circa). Tijdens de regering van Sesostris I ontstaat het belangrijkste werk uit de Egyptische literatuur. Het is het verhaal van Sinoehe, die een beschrijving geeft van zijn buitenlandse reizen.

1928 (?). Amenemhet II volgt zijn vader Sesostris I op als farao. Hij is de minst beroemde farao van zijn dynastie.

1900 (circa). In Soemerië, dat weer is teruggevallen tot zijn oude staat van onderlinge oorlogvoering tussen de steden, begint de nieuwe stad Babylon op te komen.

1897 (?). Sesostris II wordt farao. Hij is een vreedzaam heerser.

1878 (?). Sesostris III wordt farao. Hij verovert Nubië en probeert voor de eerste keer de macht van Egypte naar Syrië uit te breiden. →

1845 (circa). Abraham vestigt zich in Berseba. →

1842 (?). Amenemhet III, de grootste farao van het Middenrijk, komt op de troon. →

Gestorven:

1962 (?). Amenemhet I, Egyptisch farao
1928 (?). Sesostris I, Egyptisch farao
1895 (?). Amenemhet II, Egyptisch farao
1877 (?). Sesostris II, Egyptisch farao
1843 (?). Sesostris III, Egyptisch farao

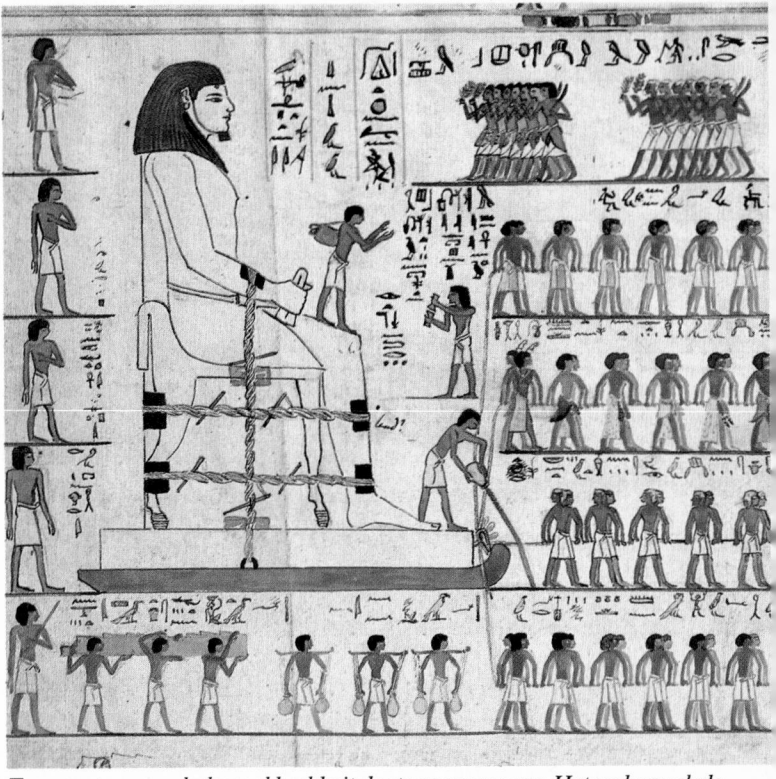

*Transport van een kolossaal beeld uit de steengroeven van Hatnoeb per slede door de woestijn. Schildering uit het graf van hoogwaardigheidsbekleder Djehoetihotpe, circa 1900.*

# Expeditie naar steengroeven

WADI HAMMAMAT, 1996 - Het werk van de expeditieleden, door farao Mentoehotep III uitgezonden om steen voor zijn sarcofaag en andere monumenten te halen, loopt op zijn einde. Hun opzichter heeft, zoals gebruikelijk, ter herinnering aan de onderneming een inscriptie nagelaten in de rotswand. Tot zijn meerdere glorie loopt hij hierin al vooruit op de succesvolle afloop: 'Zijne Majesteit zond mij, Amenemhat, zijn favoriet, met een leger van 10 000 man om kostbare steen te halen voor een sarcofaag, een monument voor de eeuwigheid... In mijn leger zaten mijnwerkers, technici, steenhouwers, tekenaars en beeldhouwers... Ik gaf ieder een leren fles, een draagstang, twee kruiken water en twintig broden per dag... Mijn soldaten keerden zonder verlies terug, geen man stierf, geen troep is vermist, zelfs geen ezel vond de dood en geen arbeider is verzwakt.' De arbeiders laten de wanden achter, bezaaid met hún kijk op de zaak. Gedreven door heimwee hebben zij teksten, vol kommer en kwel over het bestaan in de meedogenloze woestijn, in de rotswanden gebeiteld. Toch laat men zich ook trots uit over geleverde arbeid of promotie.

De steengroeve van de Wadi Hammamat ligt, drie dagen reizen verwijderd van het Nijldal, in de oostelijke woestijn.

De expeditieleden woonden, zolang het werk duurde, bij de steengroeve. Een dragerscolonne voerde een voorraad levensmiddelen aan en zal, op de terugweg, gebruikt worden voor het transport van de steen. Voor water boorde men een bron ter plekke. Hieromheen groeide de arbeidersnederzetting. Hun één- en tweekamerhutten waren opgetrokken uit losse stenen met een dak van matten. Het gros van de werkers kwam uit het leger. De steenhouwers waren vaak krijgsgevangenen of veroordeelde misdadigers. Maar ook veel vrije Egyptenaren kozen dit beroep.

Uit de Wadi Hammamat haalde men de harde gesteenten: graniet, leisteen en grauwacke (een fijne groene soort). Daarnaast is de Egyptische woestijn ongehoord rijk aan andere steensoorten. Ook halfedelstenen vindt men er in overvloed, zoals jaspis, amethist, turkoois, carneool, smaragd enzovoort. Zij worden tot amuletten verwerkt of ingelegd in hout of goud. Kalksteen (wit), basalt (zwart), zandsteen (geel) en graniet (roze of zwart) worden zowel in de bouw als voor beelden gebruikt.

Voor het winnen en bewerken van deze weerbarstige materie worden, onder andere, stenen werktuigen gebruikt: flintstenen voor de zachtere soorten, hamers van doleriet voor de hardere. Maar ook koperen beitels en zagen behoren tot de uitrusting van de steenhouwer.

Oppervlakken worden gepolijst door er met behulp van platte stenen woestijnzand over te schuren.

# Farao Sesostris III onderwerpt Nubië

SEMNA, circa 1862 - De actieve buitenlandse politiek van de twaalfde dynastie heeft onder Sesostris III geleid tot een totale onderwerping van Nubië. Hij heeft daarbij de voorbereidende werkzaamheden van zijn voorgangers ten volle benut. Al enige tijd was het onrustig in Nubië en de route naar de goudmijnen werd bedreigd door strijdlustige stammen. Daaraan is nu een einde gekomen. De stammen zijn opgejaagd tot onder de tweede cataract (= grote stroomversnelling in de Nijl). Op een grenssteen bij Semna vertelt Sesostris van zijn overwinning: 'Jaar 16, derde maand van de winter. Ik heb mijn grens verder naar het Zuiden verlegd dan mijn voorvaderen... Ik ben iemand die aanvalt om te winnen... Aanval is kracht, terugtrekken lafheid. Een lafaard is hij die zich van zijn grens laat verdrijven... Val de Nubiërs aan en zij trekken zich terug... Trekt men zich terug, dan vallen ze aan. Het zijn geen mensen die je respecteert. Ze zijn erbarmelijk en lafhartig. Mijne Majesteit heeft ze gezien, het is geen leugen... Ik heb hun vrouwen buitgemaakt en ben tot aan hun bronnen gegaan. Het vee heb ik gedood en hun akkers platgebrand... De zoon die deze grens, door mij vastgesteld, zal bewaren is mijn ware zoon: Hij staat achter zijn vader en bewaakt de grens van zijn verwekker...'
De zuidgrens wordt versterkt met twee forten aan weerszijden van de rivier.

*Egyptenaren en Nubiërs in gevecht. Afbeelding op een kistje uit het graf van Toetanchamon, circa 1350.*

Zij zijn de laatste in een keten, die het gebied tussen de eerste en tweede cataract moet controleren. De bolwerken, met hun bakstenen muren en torens, liggen hoog op de steile Nijloevers. Hierin zijn de garnizoenstroepen met hun families gelegerd. Het is hun taak handel en immigratie streng te controleren, maar vooral de route naar de goudmijnen in het zuiden open te houden.
De vraag naar goud is enorm gestegen. Het wordt op allerlei manieren verwerkt. In de vorm van dunne platen wordt het op houten panelen, deuren en meubels geslagen. Met zijn glans, die de vuurgloed en straling van de zon weerspiegelt, neemt het een plaats in binnen de religieuze context. Tempelwanden en obelisken worden ermee bedekt. Godenbeelden worden uit dit onvergankelijke materiaal gegoten.
Maar ook de edelsmeedkunst heeft een hoge vlucht genomen. Talrijke goudsmeden en steensnijders werken in opdracht van de farao. Zij vervaardigen sieraden en kleinoden voor het hof en een bevoorrechte groep eromheen. De koning tooit zich ermee bij de troonsbestijging en andere religieuze ceremoniën. Hoge functionarissen ontvangen van hem voor bewezen diensten 'het goud van eer', dat bestaat uit een gouden halskraag. Buitenlandse vorsten ontvangen ze als giften. En ook de juwelenkistjes van de haremdames zijn rijkelijk gevuld. De edelsmeden in Egypte verdienen aan deze industrie aanzienlijke bedragen en het beroep blijft generaties lang binnen een familie voortbestaan.

## Abraham in oase Beersjeba

HEBRON, 1845 - Er lijkt een einde te zijn gekomen aan de jarenlange omzwervingen van Abraham en zijn familie nu hij zich in de oase van Beersjeba heeft gevestigd. Na lang onderhandelen is nabij Hebron een stuk grond aangekocht; de grot Machpela is als familiegraf ingericht.
Abraham, een Amoriet afstammend van Sem (zoon van Noach) die zijn naam gaf aan de Semitische stammen, verliet met zijn vader Terah, broer Nahor en de rest van zijn familie zijn geboortestad Oer nadat de tempel ten gevolge van lokale twisten was verwoest. Eerst vestigden ze zich in Haran, centrum der Amorieten, in het noordwesten van Mesopotamië.
Dit randgebied van de 'Vruchtbare Halve Maan', gelegen tussen Nijl en Eufraat, was een voortdurende bron van onrust. Vele stammen zwierven hier rond, in weerwil van de geruststellende woorden waarmee de verantwoordelijke koning Hammoerabi van Babylon zijn wetboek begint: 'De gescheiden volkeren verenigde ik. In vreedzame woonsteden deed ik hen leven.' Zonder zijn vader en broer reisde Abraham op 75-jarige leeftijd verder naar West-Palestina, het land der Kanaänieten en een smeltkroes van volkeren waar men in tegenstelling tot Abraham meer goden vereerde. Na in Sichem een altaar gebouwd te hebben, vervolgde hij zijn reis richting Negevwoestijn. Hier leidde hij een troepenmacht van meer dan 300 man tegen een coalitie van oosterse koningen. Tijdens dit treffen werden de steden Sodom en Gomorra vernietigd. Na de beslissende slag bij Damascus bevrijdde Abraham zijn neef Lot uit gevangenschap en bij terugkeer begroette de koning-priester van Salem hem met de woorden: 'Gezegend zij Abraham, van de hoogste God.'
De religie van Abraham neemt de heerschappij aan van één God wiens kenmerkende eigenschap goedheid is. Daarom kon Abraham te midden der Kanaänieten zonder religieuze spanningen zijn godsdienst uitoefenen.
De bodem van Palestina nodigde slechts ten dele uit tot bewoning of landbouw; hongersnoden waren dan ook niet ongewoon in dit gebied, reden waarom hij heen en weer trok tussen de steden Jeruzalem en Hebron en de waterbronnen in de woestijn.

## Moeras wordt vruchtbaar akkerland

LISJT, circa 1840 - De grootscheepse onderneming om het drassige landschap van de Fajoem te ontsluiten voor de landbouw is voltooid. Amenemhet III heeft de kroon gezet op het werk, begonnen onder zijn vader Sesostris II. De Fajoem is een depressie in de Libische woestijn, niet ver van het Nijldal. Het is een soort oase, die echter door een zijarm met de Nijl is verbonden. Het water, hierdoor aangevoerd, heeft al in voorhistorische tijden een groot meer gevormd. Door dichtslibbing van de zijarm is de Fajoem gaandeweg verworden tot een onbruikbaar moerasachtig landschap. Een gegraven kanaal heeft de waterstand in het meer weer op peil gebracht. Een dam met sluizen regelt de watertoevoer van en naar de Nijl. Het meer absorbeert overtollig water en beschermt het land tegen de desastreuze gevolgen van een te hoge vloed. Anderzijds fungeert het als reservoir, waaruit voor irrigatie van het land bij een lage Nijlstand geput kan worden. Met de aanleg van dit stuwmeer zal Egypte voor het eerst in zijn geschiedenis de vruchten van kunstmatige irrigatie plukken.

*Op jacht in de moerassen. Fresco uit een graf, circa 1400.*

Ook is het gebied een geliefd recreatieoord van de farao. Vanaf de lichte en wendbare papyrusboot vermaakt hij zich met vogel- en visvangst. De krokodil komt hier veelvuldig voor en wordt als lokale godheid vereerd. Goddelijke machten kunnen zich immers manifesteren in beesten. Vanaf nu krijgt hij, als godheid, landelijke erkenning.

# Nieuwe wetten Hammoerabi

*Fragment in spijkerschrift uit de wets-codex van Hammoerabi (basalten stèle).*

BABYLON, circa 1771 - In het 21ste jaar van zijn bewind heeft Hammoerabi, de koning van Babylon, een nieuwe wetgeving ingevoerd. De in totaal 282 wetten staan op een basalten stèle, een plaat met inscriptie.

Over het doel van de nieuwe wetgeving schrijft Hammoerabi zelf in het naschrift bij de wetten: 'Dit zijn de wetten van rechtvaardigheid, die Hammoerabi, de kundige koning, ingesteld heeft opdat de machtige de zwakke niet onderdrukt en weduwe en wees recht wordt verschaft. Ik heb mijn hooggeschatte woorden op deze stèle laten zetten en deze in Babylon laten plaatsen voor mijn standbeeld dat "Koning van Rechtvaardigheid" genoemd wordt. Laat de man die betrokken is in een proces, voor mijn beeld gaan staan en laten voorlezen wat op mijn stèle geschreven staat; laat hij naar mijn hoogstaande woorden luisteren en laat mijn beeld zijn rechten aan hem openbaren; laat hij de wet die op hem van toepassing is, zien en zijn hart zal tot rust komen.'

Hammoerabi vraagt toekomstige koningen de woorden die hij op de stèle heeft aangebracht, te eerbiedigen.

De wetten van Hammoerabi bevatten artikelen die betrekking hebben op alle facetten van het maatschappelijk leven, strafrechtelijke bepalingen maar ook civielrechtelijke regels. Ook worden er enkele prijsbeschikkingen en andere regels voor het economisch bestel verordonneerd.

Een opvallende nieuwigheid in de wetten is het voorkomen van de 'lex tallionis', het oog-om-oog-tand-om-tand-principe. Verder wordt de samenleving opgedeeld in drie klassen: de vrije burgers, de horigen en de slaven. Iedere klasse heeft nauwkeurig omschreven rechten en plichten.

Enkele voorbeelden uit de nieuwe wetscodex zijn de volgende. Paragraaf 1: 'Indien een man een andere man van moord betichten hem daarvoor aanklaagt, maar het bewijs ervoor niet kan leveren, zal de aanklager ter dood worden gebracht'. Paragraaf 153: 'Indien een vrouw de dood van haar echtgenoot heeft veroorzaakt omwille van een andere man, zal men die vrouw op een paal spietsen'. Paragraaf 196: 'Indien een vrije burger het oog van een andere vrije burger uitsteekt, zal men hem zijn oog uitsteken'.

*Keizer Yu van de Xia-dynastie.*

## Xia-dynastie door revolutie ten val

CHINA, circa 1600 - De 16de heerser van de Xia-dynastie, de liederlijke en wrede tiran Jie, is door een volksopstand onder leiding van Tang ten val gebracht. Jie was de laatste heerser van de Xia-dynastie die vijf eeuwen geleden werd gegrondvest door Yu de Waterbouwer. Tang heeft een nieuwe dynastie gevestigd, de Shang-dynastie.

De Xia-dynastie had in Noord-China een staat gevestigd die grotendeels bestond uit losse dorpsgemeenschappen. Moerasontginning en irrigatie markeren het begin van de geschiedenis van de beschaving rond de middenloop van de Gele Rivier. De eerste heerser, Yu, was de minister van de mytische keizer Shun, een keizer die zijn opvolgers onder zijn ambtenaren zocht en niet onder zijn nageslacht. Yu werd vooral geroemd als waterbouwkundige. Zijn plichtsbetrachting wordt geïllustreerd door het verhaal hoe hij dertien jaar lang werkte aan de regulering van de loop van de Gele Rivier. Hij kwam nooit thuis, zelfs niet als hij in de buurt van de voordeur kwam en het huilen van zijn kinderen hoorde.

# Jakob voegt zich bij zonen in Oost-Egypte

GOSEN, 1650 - In Gosen, het oostelijk deel van de Nijldelta, heeft een dramatische familiehereniging plaatsgevonden nadat Jozef zijn broers opdracht had gegeven hun bejaarde vader Jakob uit Kanaän te halen. Jakob, kleinzoon van Abraham, heeft zich nu met enkele van zijn zonen in Gosen gevestigd. Jozef is ongeveer tien jaar geleden naar Egypte getrokken en bekleedt een hoge positie in dienst van de farao. Met de vestiging van Jakob in Gosen blijft de herinnering aan Kanaän en de in het noorden wonende Hebreeuwse stamverwanten levend; de belemmeringen deel te nemen aan de godsdienstige gebruiken van de Egyptenaren in aanmerking genomen.

Op zijn sterfbed had Isaak, zoon van Abraham, aan Jakob de zegen gegeven in plaats van aan zijn oudste zoon Ezau, waarna Jakob naar Haran in Mesopotamië vluchtte. Twintig jaar bracht hij hier door alvorens naar Kanaän terug te keren, waar een hartelijke ontmoeting met zijn broer Ezau een einde maakte aan de familietwist. Vervolgens reisde Jakob door naar Sichem om via Betel in Betlehem aan te komen, waar zijn vrouw Rachel tijdens de geboorte van hun zoon Benjamin stierf. Bij zijn echtgenotes Lea en Rachel en hun dienstmaagden had Jakob twaalf zonen: Ruben, Simeon, Levi, Juda, Issakar, Zebulon, Dan, Naftali, Gad, Aser, Jozef en Benjamin.

Dezen trokken net als vele anderen vanwege de onregelmatige oogsten naar Egypte, waar ze zich veelal bij verwante Semitische stammen voegden. Jakob, voor wie vanaf deze tijd ook de naam Israël wordt gebezigd, bleef in Kanaän achter. Begin 17de eeuw liepen Semitische stammen, Hyksos genaamd, Egypte vanuit het noorden en oosten onder de voet. Ze stelden zich verdraagzaam op tegenover de Israëlische kolonisten. Hoewel onder het bewind van de Hyksos nauw contact bleef bestaan tussen Gosen en Kanaän, hebben de Israëliërs zich gemakkelijk aangepast aan de cultuur van de Egyptenaren. De kolonisten voelen zich wegens hun monotheïstische godsgeloof in Egypte echter toch als in balling schap verblijvende vreemdelingen, zodat ze zich wel aan de bestaande maatschappelijke instellingen aanpassen maar zich op cultureel gebied afgezonderd houden van hun omgeving.

# Mari verwoest door koning van Babylon

MARI, 1759 - Een revolte van anti-Babylon gezinde opstandelingen in de stad Mari is door de Babylonische koning Hammoerabi neergeslagen en beantwoord met het slechten van de stadsmuren en de verwoesting van het beroemde en immens grote paleis van koning Zimrilim. Met de val van Mari heeft Hammoerabi zich verzekerd van de totale heerschappij over het zuiden en het noorden van Mesopotamië.

De opstand in Mari was een protest tegen de vazalstatus die Hammoerabi de stad Mari twee jaar geleden heeft opgelegd. Het heeft er alle schijn van dat Hammoerabi de opstand bewust heeft uitgelokt om zich zodoende van zijn vroegere bondgenoot Zimrilim te kunnen ontdoen.

Eerdere pogingen Zimrilim verdacht te maken waren mislukt. Ook het doorzoeken van het uitgebreide paleisarchief in Mari leverde geen spoor van bewijs op. Zimrilim was altijd een trouw bondgenoot van Hammoerabi.

*Babylonische muurschildering: een offerscène uit het paleis van Mari.*

Met name in de strijd tegen koning Rim-Sin van het koninkrijk Larsa, in het zuiden van Mesopotamië, heeft Zimrilim er veel toe bijgedragen dat Hammoerabi dit koninkrijk kon verslaan en inlijven. In deze strijd had ook de staat Esjnoena zijn aandeel: de koning van Esjnoena leverde namelijk een belangrijk deel van de troepen van de koning van Babylon.

Een jaar na de val van Larsa verklaarde Hammoerabi de oorlog aan zijn bondgenoot Esjnoena. Ook hierbij stond Zimrilim aan de kant van Babylon en leverde hij Hammoerabi de nodige middelen om Esjnoena te verslaan en te bezetten.

Toen Hammoerabi in 1792 aan de regering kwam, was Babylon een van de vele onbeduidende stadstaten in het Tweestromenland. Hierin kwam tot het 29ste jaar van zijn bewind niet veel verandering. Na enkele overwinningen van Hammoerabi op de Elamieten, de erfvijanden van Babylon, en een succesvolle veldtocht tegen de Assyriërs kon Babylon de strijd aanvangen met Rim-Sin van Larsa. Het bondgenootschap van Mari en Esjnoena was hiervoor van doorslaggevende betekenis. Beide staten hebben echter voor hun trouw aan Hammoerabi een zware prijs moeten betalen.

Na de val van Mari noemt Hammoerabi zich niet alleen 'koning van Soemer en Akkad' maar ook 'koning van de vier windstreken van de wereld'.

# Overstromingen van Indus

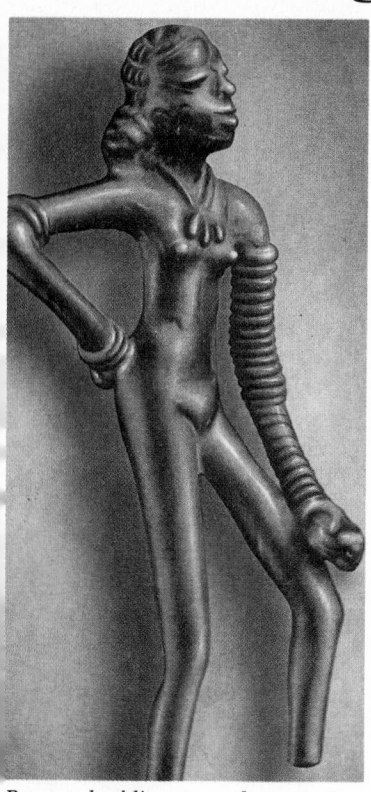

*Bronzen beeldje van een danseres uit Mohenjodaro.*

MOHENJODARO, 1700 - Bij een aardbeving die gepaard ging met hevige overstromingen van de rivier de Indus in Noordwest-India zijn de twee grootste steden aldaar, Mohenjodaro en Harappa, met de grond gelijk gemaakt. Het verval dat de eens zo bloeiende steden de afgelopen vijftig jaar doormaakten, is er de oorzaak van dat

de natuur vrij spel had.

Rond 2300 waren Harappa en Mohenjodaro welvarende stadstaten met een groot landbouwareaal en een strakke centrale organisatie. Harappa, met naar schatting 35 000 inwoners, besloeg toen een gebied van ongeveer vijf kilometer in omtrek, ommuurd door een bakstenen wal van twaalf meter dik die de stad en haar citadel beschermde tegen overstromingen en tegen mogelijke vijanden. De grote graanoogsten stelden Harappa in staat zijn overschot te exporteren naar Soemerië, in Mesopotamië.

Mohenjodaro, ongeveer even groot als Harappa, stond onder hetzelfde centrale gezag. De plattegrond van Mohenjodaro was vrijwel identiek aan die van Harappa. Dezelfde stenen werden gebruikt, een zelfde vernuftig rioleringssysteem was er aangelegd en de citadel stond op dezelfde plaats. Er waren openbare waterbronnen en winkels bepaalden het beeld van de hoofdstraten. Net als Harappa dreef Mohenjodaro een levendige handel met Soemerië. Behalve graan exporteerde men luxe-goederen zoals sieraden, inlegwerk van been, ivoren kammen en zelfs pauweveren. Ook geverfde katoenen weefsels werden naar Mesopotamië gebracht.

Rond 1750 ging het na enkele hevige overstromingen bergafwaarts met de beide steden. Kolonisten uit naburige dorpen en uit verder afgelegen gebieden namen de plaats in van de omgekomen bewoners. Deze kolonisten waren veel primitiever dan hun voorgangers. De laatste overstromingsramp konden ook zij niet weerstaan.

*De restanten van de stadspoort van Hattusas, circa 1600.*

# Hattusas regeringszetel

HATTUSAS, circa 1600 - Koning Labarnas heeft Hattusas [op de hoogvlakte van Anatolië] opnieuw opgebouwd en tot zijn regeringszetel gemaakt. Daarmee negeert hij de vloek van Anittas, een vroegere koning van Kussaras, dat ook tot het gebied van het Hettitische rijk behoort.

Anittas heeft immers na zijn inneming van Hattusas dat toen de hoofdstad was van de koning der Hattiërs, de stad met de grond gelijkgemaakt, de plek met onkruid bezaaid en bepaald: 'Wie er ook na mij koning wordt en Hattusas weer opbouwt, moge de Stormgod van de Hemel hem treffen.' De woorden van koning Anittas zijn indertijd op zijn bevel aangebracht in de koningspoort van Nesa, dat ook door Anittas werd veroverd en waar hij zich vestigde. Zij zijn [waarschijnlijk later] opnieuw opgetekend op tabletten in het schrift van de Babyloniërs, dat aan het koninklijk hof in gebruik is geraakt naast het hiërogliefenschrift.

De vloek van Anittas heeft Labarnas er niet van weerhouden Hattusas weer op te bouwen. De gunstige ligging van de stad met haar diepe ravijn aan de ene kant maakt Hattusas tot een bijna onneembare vesting en het is niet verwonderlijk dat koning Labarnas, die al zoveel vijanden heeft verslagen en ze 'tot aan de zee' heeft teruggedrongen, deze plaats heeft uitgezocht om zich veilig te kunnen terugtrekken.

# Hattusilis I benoemt nieuwe troonopvolger

KUSSARAS, circa 1560 - Koning Hattusilis I heeft in een ongemeen felle redevoering ten overstaan van de hoogwaardigheidsbekleders van het rijk - de 'pankus' - de afzetting van de huidige kroonprins bekendgemaakt. De zieke koning was duidelijk geëmotioneerd toen hij de reden van zijn beslissing bekendmaakte: 'Genoeg! Hij daar is mijn zoon niet meer!' De koning maakte tegelijk bekend wie de nieuwe troonopvolger zal zijn: Mursilis.

In Hattusilis' eigen familie is geen rechtmatige troonopvolger. Zijn zoon Huzzija, die het bewind over de stad Tapassanda had gekregen, kwam tegen hem in opstand en verloor daarmee zijn rechten. Ook zijn enige dochter en haar zonen keerden zich tegen hem, aangespoord door een groep afvallige hovelingen in Hattusas. Omdat er daarna geen mannelijke nakomelingen in directe lijn meer waren adopteerde Hattusilis een zoon van zijn zuster en benoemde hem tot troonopvolger. Deze zoon heeft zich echter altijd meer aan de belangen van zijn moeder en de rest van zijn familie gelegen laten liggen dan aan de belangen van de koning en van het rijk. Toen Hattusilis ziek werd bekommerde de jongen zich nauwelijks om zijn stiefvader en Hattusilis begon in te zien dat na zijn dood het rijk gevaar liep in handen van zijn zuster en haar familie te vallen. In zijn toespraak in de 'pankus' zinspeelde de koning op dit gevaar: 'Zijn moeder is een slang. En zo zal het gebeuren: hij zal steeds naar de woorden van zijn moeder, zijn broers en zusters luisteren. Dan zal hij komen om wraak te nemen en hij zal een bloedbad aanrichten.' De afgezette kroonprins is verbannen naar een oord buiten de stad. Hij heeft toestemming naar Hattusas te komen, mits hij zich van deelnemen aan de politiek onthoudt.

De nieuwe troonopvolger Mursilis werd door de koning om zijn heldenmoed geroemd. Omdat Mursilis echter nog zeer jong is heeft Hattusilis de 'pankus' opdracht gegeven hem te beschermen en hem de eerste drie jaar nog niet alleen ten strijde te laten trekken. Tot Mursilis sprak de koning ten slotte: 'Tot nu toe heeft niemand van mijn familie mij gehoorzaamd. Jij bent mijn zoon, Mursilis, doe jij het wel! Gedenk je vaders woorden. Zolang je je vaders woorden gedenkt, zolang zul je slechts brood eten en water drinken. Als je een rijpe man geworden bent, eet dan twee-, driemaal per dag en verzorg jezelf goed. Als je ten slotte een grijsaard bent geworden mag je jezelf zat drinken en je vaders woorden vergeten.'

## Brief van Apopi onderschept

THEBE, circa 1552 - De poging van farao Apopi om de stad Thebe in een oorlog op twee fronten te verwikkelen is mislukt: zijn brief met een noodkreet aan Nubië is door de Thebaanse heerser Kamose onderschept. Thebe is verwikkeld in een vrijheidsoorlog tegen een dynastie van vreemde heersers in het noorden. Het verzet dat hier jarenlang smeulde, is losgebarsten in een strijd op leven en dood. Kamose heeft farao Apopi nu in het nauw gedreven. De inhoud van de brief werpt een helder licht op de politieke situatie: '...Aoeserre, zoon van Re, Apopi, heerser van Avaris groet mijn zoon, leider van Koesh... Heb je gezien wat Egypte tegen mij gedaan heeft? De leider die er is, Kamose, valt mij aan op mijn grondgebied, hoewel ik hem niet aanviel, zoals hij ook al tegen jou deed. Kom! Vaar stroomafwaarts, wees niet bang, niemand wacht je op in Egypte, ik zal hem niet laten gaan totdat jij hier aankomt. Dan zullen wij de steden van Egypte verdelen...'

Zo'n honderd jaar geleden maakte een groep veroveraars zich meester van Noord-Egypte. Zij kwamen vanuit Syrië, door Palestina, zuidwaarts en drongen Egypte, via de Sinaï, binnen. Vanuit hun hoofdstad Avaris, in de oostelijke delta, brachten zij snel het hele land onder hun invloedssfeer. Zij streden vanaf paard en wagen, een niet eerder vertoond spektakel in Egypte. En ook de samengestelde Aziatische boog waarvan ze gebruik maakten was een onbekend fenomeen. Het land werd overrompeld en moest buigen voor deze farao's van buitenlandse origine: de Hyksos. De traditionele isolatie van het Nijldal was hiermee doorbroken. Zijn bestaan werd nauwer met dat van Voor-Azië verweven.

# Syrië en Palestina bezet

THEBE, circa 1451 - In de eerste zeventien jaar van zijn bewind heeft Thoetmozes III Syrië en Palestina onderworpen. Jaarlijks heeft hij, aan het hoofd van zijn leger, een tocht naar deze streek ondernomen. Een keten van steunpunten langs de Middellandse-Zeekust voorziet in de verzorging, via zee, van de Egyptische bezettingstroepen. Voor het eerst wordt Azië geconfronteerd met Egyptisch bestuur op zijn grondgebied. Egyptische kanselarijen doen hun werk in de bezette gebieden onder 'de leider van de Noordelijke landen'.

In Thoetmozes verenigen zich organisatorisch en strategisch talent. Zijn scholing ontving hij waarschijnlijk in het militaire hoofdkwartier, door zijn grootvader opgericht te Memphis. In de lente van 1486 ondernam hij zijn eerste veldtocht naar Syrië, met een leger van 20 000 man. In deze streek, die Egypte als zijn territorium beschouwt, had zich een Syrisch-Palestijnse coalitie gevormd onder leiding van de vorst van Kadesh. Thoetmozes overrompelde zijn tegenstanders met een snelle reactie. De verovering van de stad Megiddo legde de basis voor de Egyptische heerschappij in dit gebied. Een dagboek dat van de slag werd bijgehouden is verwerkt in de officiële inscriptie op de tempel van Amoen-Re te Karnak: 'Zijne Majesteit verscheen bij het ochtendgloren, hij reed uit op een strijdwagen van fijn goud en hij overdonderde hen aan het hoofd van zijn leger: toen zij hem zagen vluchtten zij hals over kop en met bange gezichten naar Megiddo. Zij lieten alles achter.

De inwoners van de stad trokken hen aan hun kleren de stadsmuur op, want zij hadden de poorten al dichtgedaan. Als de troepen toen niet waren gaan plunderen zou Megiddo op dát moment genomen zijn. De farao spoorde zijn troepen aan: Houd vol! mijn dapper leger, alle prinsen van het Noorden zijn in de stad opgesloten. De verovering van Megiddo betekent de verovering van duizend steden... Zij groeven een gracht om de stad en bouwden een muur eromheen met vers hout van hun fruitbomen. Niemand mocht deze muur passeren, behalve om zich over te geven.'

Toen de stad zich na zeven maanden aan de Egyptenaren overgaf werd het leven van iedereen gespaard. De vorsten moesten een eed van trouw afleggen en werden op ezels naar huis gestuurd. Hun zonen werden meegenomen naar Egypte. Hier werden ze heropgevoed aan het hof tot horige opvolgers van hun vader.

*Typisch voor de Thoetmozes-periode is de uiterlijke gelijkenis in de uitbeelding van man en vrouw. Schildering uit de koningsgraven van de 18de dynastie.*

# Hatsjepsoet bevordert handel

THEBE, 1482 - In opdracht van koningin Hatsjepsoet is een grote vloot uitgevaren vanaf de Rode-Zeekust. Het doel is het land Poent en zijn produkten. De tocht blaast de handelsbetrekkingen met Poent, die lange tijd verbroken waren, nieuw leven in. De koningin heeft hiermee tevens de imperialistische politiek van haar vader verlaten. In haar buitenlandse politiek staan economische en culturele uitwisseling voorop.

Nauw verbonden met de Poent-expeditie is de tempel, die koningin Hatsjepsoet door haar architect Senmoet laat bouwen tegen de rotswanden van Deir el-Bahri. Hij is primair gewijd aan de hoofdgod van Thebe, Amon-Re, en is als het ware het land Poent voor hem in Egypte. In inscripties op de wanden benadrukt de koningin dat Amon-Re haar bevel gaf wierook te halen voor zijn ceremoniën en olie voor zijn goddelijke ledematen. Zoals de mirreterrassen van Poent rijst het bouwwerk in drie terrassen naar de kapellen in de achterwand en de steile rotsen. De eerste hof wordt beplant met wierookbomen, meegebracht door de handelsmissie. De tempelreliëfs geven met grote nauwkeurigheid het tropische landschap met aapjes en giraffen, waarin de Poentieten leven, weer. Voor de hutten van het dorpje, onder de palmbomen, bieden de Egyptenaren de bewoners hun ruilhandel aan. Ongetwijfeld zijn deze reliëfs uitgevoerd door kunstenaars die het land met eigen ogen gezien hebben.

Tevens is de tempel bestemd voor de dodencultus van Hatsjepsoet zelf. Hier zullen dagelijks voedsel en drank geofferd worden voor haar voortbestaan in het leven na de dood. Door haar eigen dodencultus aan de tempeldienst van de godheid te koppelen verzekert Hatsjepsoet die dodencultus van een regelmatige voortzetting.

Het bewind van deze koningin is in alle opzichten revolutionair. Niet in de laatste plaats door het feit dat zij zich

*Links: soldaten die de Poent-expeditie begeleiden. Daarnaast koningin Hatsjepsoet die de meegebrachte handelswaar in ontvangst neemt. Schildering uit de dodentempel van Hatsjepsoet, onder afgebeeld.*

tot farao heeft laten kronen. Aanvankelijk was zij gehuwd met haar broer Thoetmozes II, die door dit huwelijk het recht op de troon verwierf. Zij kregen een dochtertje, Nofroere. Na de voortijdige dood van Thoetmozes II deed zich een machtscrisis voor. De troon moest nu vervallen aan de zoon, die Thoetmozes had bij een bijvrouw. Maar slechts een huwelijk met Nofroere kon de aanspraak van Thoetmozes III op het koningschap legitimeren. Beiden waren echter nog kinderen. En Hatsjepsoet werd ten slotte na tante, stiefmoeder en schoonmoeder ook regentes van de jonge Thoetmozes. In naam regeerde hij met haar, maar in de praktijk bezat hij geen echte politieke macht. Hun

wederzijdse relatie was bijzonder gespannen.

Hatsjepsoet is een sterke persoonlijkheid. Na twee jaar had zij genoeg van het regentschap en liet zich tot farao kronen. Dit was een daad die indruiste tegen de eeuwenoude opvatting over het koningschap. Volgens het koningsdogma is de farao een 'zoon van Re' en de incarnatie van Horus, met andere woorden: een man. Om aan deze voorstelling tegemoet te komen heeft de nieuwe farao een concessie gedaan: zij laat zich afbeelden als vrouw in mannelijke dracht en wel die van de koning, compleet met baard. Daarnaast noemt zij zich 'vrouwelijke Horus' en 'dochter van Re'. Ook wordt er een nieuw graf voor haar aangelegd in 'de koningsvallei'. De bestuursambtenaren die zij om zich heen verzamelt, worden vanuit het niets op hoge posten aangesteld. Onder hen bevinden zich velen van Aziatische afkomst. Haar belangrijkste steunpilaren zijn Senmoet, opvoeder van haar dochter, en Hapoeseneb, de hogepriester van Amon-Re. Voor de legitimatie van haar koningschap voert Hatsjepsoet ook een orakelspreuk van Amon-Re aan. In een tempelinscriptie spreekt deze god tot de andere goden : 'Ik heb haar heel Egypte gegeven en heel het buitenland. Zij zal alle levenden leiden. Zorgen jullie ervoor, o goden, dat grote overstromingen (onmisbaar voor de landbouw) komen in haar regeringstijd.'

## Hyksos uit Egypte na val van Avaris

AVARIS, circa 1540 - Niet lang na de dood van de Hyksos-farao Apopi (na een regering van veertig jaar) is het machtsgebied van de Hyksos, dat nog maar tot de Fajoem reikte, door de Egyptenaren heroverd. De Thebaanse leider Ahmozes heeft hun hoofdstad Avaris verwoest.

Ahmozes heeft de nieuwtjes, door de ezetter geïntroduceerd, overgenomen. Met de integratie van paard en rijdwagen in het leger beschikt ook hij over strijdkrachten die zich snel kunnen verplaatsen. De verslagen vijand werd achterna gezeten tot in Palestina, waar het bolwerk Sharuhen werd ingenomen. Onderweg werd het

Egyptisch gezag over de Sinaï, met zijn kopermijnen, hersteld.

Ten slotte moest ook Nubië, waar zich een zelfstandig koninkrijk had ontwikkeld, eraan geloven. Een strenge aanpak leidt hier tot de instelling van een nieuw ambt: 'de koningszoon van Koesj', die als vice-koning in de streek zetelt. Het vestingstadje Boehen wordt uitgebouwd tot een enorm fort, met een elf meter hoge omwalling en een gracht. Aldus is het land onder inheems bestuur verenigd en beschikt weer over steengroeven, koper- en goudmijnen. Thebe wordt het centrum van bestuur en religie. Een nieuwe bloeiperiode kan beginnen.

## Koning Telibinus regelt opvolging

HATTUSAS, circa 1475 - Koning Telibinus heeft een nieuwe wet uitgevaardigd die verder bloedvergieten en paleisrevoluties in Hattusas moet voorkomen. De wet regelt de erfopvolging van het Hettitische koningschap: na de zonen uit het eerste huwelijk van de koning zijn eerst de zonen uit zijn tweede huwelijk gerechtigd de troon te bestijgen en daarna pas de schoonzonen, de echtgenoten van de dochters uit het eerste huwelijk van de koning. Telibinus liet de wet voorlezen aan de 'pankus' - het hoogste staatsorgaan naast de koning - en maakte tevens de bevoegdheden van de raad in deze en andere zaken betreffende het koningschap bekend.

Koning Telibinus wil met de regeling voorkomen dat het land Hatti nog verder verzwakt door innerlijke verdeeldheid en instabiel leiderschap. Sinds de moord op koning Mursilis I, die zo'n zestig jaar geleden door zijn zwager Hantilis werd gedood, betwisten zwagers en broers elkaar het hoogste leiderschap en wordt de geschiedenis van het koningshuis gekenmerkt door een reeks moorden en bloedwraak. Hoewel koning Telibinus zelf ook via een staatsgreep aan de macht is gekomen, heeft hij bij die gelegenheid bloedvergieten vermeden en volstaan met de verbanning van koning Huzziyas en diens broers. Als de rust aan het hof door deze nieuwe wetgeving gewaarborgd zou kunnen worden, zou dat de positie van het rijk zeker ten goede komen, aldus koning Telibinus.

*Na de dood van koningin Hatsjepsoet in 1468 verwerft Thoetmozes III de felbegeerde alleenheerschappij. Na jarenlang door haar gedomineerd te zijn leeft hij zijn woede en frustratie uit op de monumenten die zij heeft achtergelaten.*
*De twee obelisken, door haar opgesteld te Karnak, zijn verstopt achter een omheiningsmuur. Op de afbeelding zijn de restanten te zien.*

# Oosterse harem komt aan in Egyptische Rijk

*Egyptische hofdames en een dienares op een dodenbanket, grafschildering uit Thebe van circa 1400.*

THEBE, 1392 - Een wonderbaarlijke stoet is in Thebe gearriveerd uit het verre rijk van de Mitanni, gelegen tussen de bovenloop van de Eufraat en de Tigris. Dank zij de persoonlijke bemoeienissen van zijn vrouw Teje, heeft Amenophis IV gekregen wat hij wilde: de dochter van de Mitannivorst. Om de feestelijke gebeurtenis te vieren heeft de farao een gedenkscarabee laten graveren: 'Jaar 10... Wonderlijke dingen die zijne Majesteit gebracht werden: de dochter van Shuttarna, de koning van de Mitanni, geheten Gilukhipa, en het hoofd van haar haremvrouwen; samen 317 vrouwen.'

Na lange onderhandelingen is men tot een akkoord gekomen met de vorst. Het huwelijk tussen de farao en Gilukhipa is in de eerste plaats een diplomatiek huwelijk, dat de wederzijdse vriendschappelijke betrekkingen bekrachtigt. Daarnaast is een huwelijk voor buitenlandse vorsten hét middel om zich rijkelijk van goud te voorzien. Met zijn goudmijnen in Nubië bezit Egypte een monopoliepositie. Vooral

Amenophis en Teje prefereren dit diplomatiek verkeer boven militaire campagnes. Onder hun bewind zwelgt het hof in oosterse praal.

Op de westoever van de rivier heeft het koningspaar zich onttrokken aan de directe invloed van de machtige Amonpriesters. Zij bewonen daar, in Malkata, een groot paleis. Het is gebouwd van kleistenen en hout. De wanden van de vertrekken zijn gepleisterd en beschilderd met voorstellingen uit de natuur. Aan de woonvertrekken van de farao grenzen die van de harem. Zij zijn ruim opgezet met een hal, zitkamer, slaapkamer en kleedkamers. Hier huizen de vrouwen, afgesloten van de buitenwereld. Hoewel monogamie de regel is, bezit de koning naast zijn echtgenote bijvrouwen. Niet alleen buitenlandse prinsessen, ook Egyptische meisjes van goeden huize worden in de harem opgenomen. Zij zijn de koning ter wille en behagen hem vooral met dans en muziek. Koningin Teje zwaait over hen de scepter, maar is tevens de belangrijkste politieke figuur aan het hof. Buitenlandse vorsten richten zich in hun correspondentie direct tot haar. De vorst van Babylonië, die in ruil voor zijn dochter een Egyptische koningsdochter vraagt, krijgt een kort antwoord: 'Nog nooit is een Egyptische koningsdochter aan iemand gegeven.'

# Paleis van Knossos door brand verwoest

KRETA, circa 1375 - Het grote paleis van Knossos op Kreta is bij een brand totaal verwoest. Eerder waren al andere paleizen van de 'Minoïsche' Grieken, die Kreta bevolken, verloren gegaan. Naar het zich laat aanzien zal het ruim zeshonderd jaar oude paleis niet worden herbouwd.

Haar grootste bloei beleefde de Minoïsche beschaving aan het begin van het tweede millennium, tussen 2000 en 1600. De Kretenzers waren vooral bedreven in de handel: zij importeerden ivoor, edelstenen, koper en tin uit Egypte, Syrië en Klein-Azië in ruil voor op Kreta geproduceerde goederen als aardewerk, metaalwaren, textiel, hout, wijn en olijven. Het intensieve handelsverkeer bracht hen ook in contact met de bewoners van Griekenland. Overal langs de Griekse en Kleinaziatische kust en in de Egeïsche Zee werden Minoïsche nederzettingen gesticht.

Vanaf 1600 werden de Kretenzers in toenemende mate geconfronteerd met zeepiraterij en handelsconcurrentie door zogeheten 'Myceense' Grieken van het Griekse vasteland. De Myceners namen uiteindelijk, circa 1450, Knossos in. Hoewel de komst van de veroveraars de Minoïsche cultuur wel heeft veranderd - de nieuwe machtheb-

*Boksende kinderen, Minoïsch fresco van het eiland Thera, circa 1500.*

bers introduceerden een nieuwe voertaal en een nieuw soort schrift - bleef veel bij het oude. Knossos bijvoorbeeld behield zijn functie als centraal bestuurscentrum.

Knossos was, voor het door brand werd verwoest, het grootste, maar niet

het enige koninklijke gebouwencomplex op Kreta. Vooral in het oosten van Kreta hebben Minoïsche heersers vroeger hun eigen paleizen gehad. Na de verwoestingen in het midden van de vorige eeuw zijn deze echter niet meer in gebruik geweest, afgezien van het paleis in Phaistos (Zuid-Kreta).

Het paleis van Knossos heeft altijd gefunctioneerd als een politiek, economisch en religieus centrum. De koning, tegelijk ook opperpriester, liet hier de goederen (graan, olijven, wijn) opslaan die zijn onderdanen bij wijze van belasting moesten afstaan. Een deel daarvan werd gebruikt voor handelsdoeleinden en de uitwisseling van geschenken met andere vorsten. Voor de vervaardiging van luxe-goederen waren er in het paleis ook werkplaatsen ingericht. Overigens is de ambachtelijke produktie geen koninklijk monopolie, want ook buiten het paleis, in de steden op Kreta, treft men werkplaatsen aan. Het paleis had als gezegd ook een belangrijke godsdienstige functie. Hier vonden de offers en initiatierituelen plaats en werden de religieuze feesten gevierd. Vermaard zijn de stierenspelen, waarbij mannen, maar ook vrouwen moeten proberen een stier te bedwingen.

# Koning van Babylon vraagt geschenken aan Achnaton

BABYLON, circa 1340 - Boernaboeriasj, de koning van Babylon, heeft met verontwaardiging kennis genomen van de geringe hoeveelheid geschenken die de Egyptische farao Achnaton hem heeft gezonden. Om een diplomatieke crisis te voorkomen heeft Boernaboeriasj de volgende brief gestuurd naar Achnaton die zich inmiddels heeft gevestigd in de nieuwe hoofdstad van Egypte, Achet-Aton.
'Aan Achnaton, koning van Egypte, van uw broeder Boernaboeriasj, koning van Kara-Doenjasj, Babylonië: met mij gaat het goed. Moge alles met u, uw hofhouding, uw vrouw en kinderen en uw paleis goed gaan.
Sinds mijn vader en uw vader vriendschap met elkaar hebben gesloten, hebben ze elkaar prachtige geschenken gestuurd en elkaars redelijke wensen steeds vervuld. Maar nu, mijn broeder, hebt u mij slechts twee pond goud gestuurd als cadeau. Als er inderdaad zoveel goud in Egypte is als wordt beweerd, stuur me dan net zoveel als uw voorvaderen deden. Voor het geval er weinig goud voorhanden is, stuur me dan in ieder geval de helft. Waarom hebt u mij slechts twee pond gestuurd? Juist nu ik veel nodig heb voor de verfraaiing van de tempels, stuurt u mij zo weinig! Stuur mij daarom meer goud en laat mij weten wat u nodig hebt uit mijn land zodat mijn boden het u kunnen brengen. Tijdens het leven van mijn vader Koerigalzoe schreven de vorsten van Kaka'-an hem aldus: "We zouden graag met u het land van de farao binnentrekken en uw bondgenoot zijn". Maar mijn vader antwoordde dat ze deze gedachte moesten laten varen: "Als jullie vijanden worden van mijn broeder, de koning van Egypte, of iets tegen hem beramen, zal ik tegen jullie optrekken!" Om wille van de vriendschap met uw vader heeft mijn vader dus niet naar hen geluisterd!
Nu wat betreft die lieden uit Assyrië die naar uw land zijn gekomen. Het zijn mijn onderdanen, maar ik heb hen niet gestuurd. Integendeel, ze handelen geheel op eigen initiatief. Zorg ervoor dat ze niets kopen en jaag hen weg met lege handen! Als geschenk doe ik u toekomen drie pond echte lazuursteen en vijf span paarden met vijf strijdwagens.'

## Vorst van Byblos vraagt Egypte om hulp

ACHET-ATON, circa 1350 - Achnaton heeft vele verzoeken om hulp ontvangen van de regent van Byblos, Rib-Addi. De laatste twee zijn alarmerend: 'Zend mij, nu de boogschutters hier dit jaar niet zijn, schepen, die mij naar mijn meester zullen brengen.' Maar even later: 'Ik kan niet naar Egypte komen. Ik ben oud en mijn lichaam is aangetast door een ernstige ziekte.' Palestina wordt verscheurd door interne twisten. Egypte verliest zijn havensteden langs de kust. Noodsignalen van de weinige trouwe vazalvorsten worden door Achnaton niet beantwoord. De vorst van Byblos is de enige die desondanks tot aan het bittere einde Egypte trouw blijft.

# Aton enige god in Egypte

*Achnaton, (plastiek, circa 1355).*

ACHET-ATON, 1356 - In opdracht van Achnaton is de naam van de rijksgod Amon weggekrast van alle monumenten in het land, evenals het meervoudige woord 'goden'. Met deze maatregel is de religieuze revolutie, die Achnaton bij zijn troonsbestijging was begonnen, afgesloten. Aton, de zonneschijf is verheven tot enige god. De koning zet zich hiermee af tegen de traditionele godsdienstige opvattingen.
Het polytheïsme is diepgeworteld in Egypte. Goden zouden zich manifesteren in natuurverschijnselen. Zij zijn immanent in de veelzijdige wereld, dienovereenkomstig talrijk en zij worden vereerd in tastbare symbolen: de godenbeelden in de tempels. Iedere stad heeft haar eigen god, die speciale verering geniet. Maar de god van de hoofdstad Thebe, Amon, neemt als rijksgod een vooraanstaande plaats in. Met de priesters van zijn tempel kwam

Achnaton dan ook vooral in botsing. Het leeuwedeel van de rijkdom uit de wingewesten kwam toe aan de Amontempel. Amon, oorspronkelijk een lucht- en windgod, was steeds meer een onzichtbare, onbenoembare en overal aanwezige god geworden. De nieuwe god van Achnaton, een voor ieder zichtbaar hemellichaam, is het resultaat van een meer rationele stroming. De aanleiding tot de veranderingen was de aanraking, aan het hof van zijn vader Amenophis IV, met de volslagen andere godsdiensten van Azië.
Ook is Aton een universele god, die alle volkeren omvat. Voor de verering van zijn god vertrok Achnaton naar Midden-Egypte. Op een maagdelijk stuk grond verrees een nieuwe stad, Achet-aton: 'horizon van Aton'. Hier verwoordde de koning zijn nieuwe leer in zonnehymnen: 'Enige god, naast welke geen is, jij hebt de aarde gemaakt zoals je wilde... ieder mens heb je op zijn plaats gezet... hun spraak verschilt evenals hun aard en huidkleur - jij hebt ze onderscheiden... alle verre landen... jíj brengt ze tot leven. Jij laat een overstroming uit de hemel vallen voor hen. Je maakt golven op de bergen als de zee om hun velden en steden te drenken... Wanneer jij de duisternis verdrijft en je stralen neerzendt staan de mensen op, want jij hebt ze gewekt. Zij wassen zich en kleden zich aan. Het land gaat aan het werk... Bomen en planten worden groen. Vogels vliegen uit. Hun vleugels groeten jouw wezen... de vissen in de rivier zij springen voor jou, want jouw stralen reiken tot in het binnenste der zee.'

# Proces tegen Tawannannas

HATTUSAS, circa 1310 - Koning Mursilis II heeft zich in een gebed tot de goden verdedigd tegen de aantijgingen van Tawannannas, de weduwe van zijn vader Suppiluliumas I, dat zij door hem onrechtmatig behandeld is. Zij had zich in een felle aanklacht verzet tegen zijn besluit haar uit haar politieke en religieuze functies te ontheffen.
Het tegen Tawannannas uitgesproken vonnis is gebaseerd op de beschuldiging dat zij door het uiten van voortdurende vervloekingen de dood van koning Mursilis' echtgenote Gassulawiyas veroorzaakt heeft. De koningin-

weduwe was er al eerder van beschuldigd dat zij misbruik van haar positie had gemaakt: zij had zilver en goud uit de tempel van Ishara van Astata ontvreemd en zij had de leden van Mursilis' familie geterroriseerd met het voortdurende dreigement de toorn der goden over hen af te roepen. Zij maakte daarbij gebruik van vreemde riten en praktijken, hetgeen haar al tijdens de regering van haar echtgenoot Suppiluliumas verboden was. Van dit verbod heeft zij zich echter, zeker na de dood van haar gemaal, weinig aangetrokken.
Koning Mursilis wees er in zijn verdediging op dat hij Tawannannas uitzonderlijk mild had gestraft. Hij had via een orakel het recht gekregen haar te doden en in plaats daarvan had hij haar slechts verbannen, na haar van haar functies van regerend koningin te hebben ontheven. Verbitterd merkte de koning op dat hij daarmee overigens zijn echtgenote, die nu Tawannannas' functies zou hebben overgenomen, niet terug had gekregen.

# Prins Zannanza bij aankomst in Egypte vermoord

HATTUSAS, circa 1325 - Koning Suppiluliumas' zoon, prins Zannanza, is na zijn aankomst in Egypte waar hij in het huwelijk zou treden met de weduwe van farao Toetanchamon, op laffe wijze vermoord. De onderhandelingen van de Hettieten met Egypte over de huwelijksvoltrekking hebben bijna een jaar geduurd. In die tijd heeft, naar het schijnt, een lid van de Egyptische priesterkaste de koningin weten over te halen om hem te huwen om aldus de buitenlandse prins te weren.
Het bericht van de moord op zijn zoon bereikte koning Suppiluliumas tijdens zijn veldtocht in Anatolië. Het is nog niet bekend welke maatregelen de koning zal nemen ter vergelding van de moord op zijn zoon.
Ongeveer een jaar geleden, tijdens het beleg van Karkemis, ontving Suppiluliumas een verzoek van de Egyptische koningin om haar een van zijn zonen ten huwelijk te geven. De desbetreffende passage in de brief luidde: 'Mijn man is gestorven, een zoon van mijzelf heb ik niet. Men zegt dat gij vele zonen hebt. Geef mij één zoon van u, dan zal hij mijn echtgenoot kunnen worden.' De koning vermoedde echter een valstrik omdat zijn veldheren net een aanval op Amqa, dat op Egyptisch grondgebied ligt, hadden uitgevoerd. Hij stuurde zijn 'kamerheer' Hattuzitis naar Egypte om de zaak grondig te onderzoeken. Zelf keerde Suppiluliumas na de verovering van Karkemis terug naar Hattusas om er de winter door te brengen.
In de lente kwam Hattuzitis terug uit Egypte, vergezeld van een Egyptische gezant, die het verzoek van de koningin herhaalde. In de brief die hij bij zich had toonde Dahamunza zich zeer verbolgen over het wantrouwen van Suppiluliumas. De koning liet zich echter niet zonder meer overtuigen. Hij hield de gezant tijdens een audiëntie voor dat Zannanza wel op een of andere manier tot gijzelaar gemaakt zou worden, 'maar tot koning zullen jullie hem niet maken'. De gezant bezwoer de koning daarop dat de bedoelingen van Egypte ondubbelzinnig waren en dat de koningin de vernedering zich tot het buitenland te moeten wenden heus niet zou hebben ondergaan als er in Egypte een geschikte huwelijkskandidaat voorhanden was geweest.
Koning Suppiluliumas zette zijn twijfels uiteindelijk opzij, mede omdat hij verwachtte dat het huwelijk de kans op een verbetering van de betrekkingen met Egypte zou verhogen. De lange periode van onderhandelen is er waarschijnlijk de oorzaak van geweest dat in Egypte de tegenstanders van het huwelijk met een buitenlandse prins de overhand hebben gekregen.

# Pestepidemie treft Hatti

*Reliëf met de Opmars der Goden (vaak ook soldaten genoemd wegens de kromzwaarden), uit het Hettitische heiligdom Yazilikaya, een plaats ten westen van Hattusas (13de/14de eeuw).*

HATTUSAS, circa 1305 - Koning Mursilis II heeft in een openbare bede de Stormgod van Hattusas gesmeekt de pest, die nu al twintig jaar in het land Hatti woedt, voorgoed uit het land te verdrijven.
Mursilis beschouwt de ziekte als een straf van de goden voor de door de mensen begane zonden.
Mursilis heeft zich al eerder in een ge-bed tot de Stormgod gericht. Orakel-vragen hadden namelijk uitgewezen dat de samenzwering tegen Tudhaliyas de Jongere, waaraan ook Mursilis' va-der koning Suppiluliumas I had deel-genomen, de oorzaak was van de toorn der goden. Aangezien de plaag inmid-dels echter nog niet is geweken, heeft het Mursilis raadzaam geleken op-nieuw een onderzoek in te stellen naar mogelijke, in het verleden gemaakte fouten. Ditmaal zijn de verwaarlozing van de jaarlijkse offers aan de Eufraat en de schending door Suppiluliumas I van een verdrag met Egypte als oorza-ken vastgesteld. Twintig jaar geleden overviel Suppiluliumas, als wraak voor de moord op zijn zoon Zannanza, Egypte en voerde krijgsgevangenen naar Hatti. Het schijnt dat de pestepi-demie het eerst onder deze Egyptische krijgsgevangenen is uitgebroken en vervolgens ook inwoners van Hatti heeft besmet.
Mursilis heeft in zijn gebed tegenover de Stormgod van Hattusas de zonden van zijn vader toegegeven en zich me-deverantwoordelijk verklaard, omdat immers 'de zonde van de vader ook de zoon treft'. Hij deed een dringend be-roep op het erbarmen van de godheid om, nu de zonden zijn erkend en herstel is beloofd, de pest uit het land weg te nemen.

*Ramses II in zijn strijdwagen bij Kadesh (uit de Amon-re-tempel bij Aboe Simbel).*

# Slag bij Kadesh onbeslist

KADESH, 1274 - In de grootste veldslag uit de Hettitische geschiedenis hebben koning Muwatallis en zijn broer Hattusilis, samen met talloze bondgenoten en vazallen, slag geleverd tegen koning Ramses II van Egypte en diens legers. Bij het Syrische Kadesh troffen de Hettitische en Egyptische le-gers, elk bestaande uit zo'n 20 000 sol-daten, elkaar. De uitslag van de veld-slag is onbeslist gebleven.
De aanleiding tot het uitbreken van de oorlog was het overlopen van Amurru. Deze trouwe Hettitische bondgenoot was door de politieke intriges van een pro-Egyptische partij de Hettitische koning ontrouw geworden en zocht aansluiting bij Egypte. Egypte had al-lang met lede ogen aangezien hoe de Hettitische koningen hun positie in Sy-rië sinds Suppiluliumas versterkt had-den. Koning Suppiluliumas I, Muwa-tallis' grootvader, had immers in twintig jaar tijd kans gezien zijn heer-schappij in Syrië te vestigen en de belangrijkste handelssteden tot zijn bondgenoten te maken.
Egypte was echter al die tijd te zwak om effectieve tegenstand te bieden. Een in-dertijd voorgesteld huwelijk tussen de Egyptische koningin-weduwe en een zoon van Suppiluliumas had de betrek-kingen tussen Egypte en Hatti kunnen verbeteren maar het wantrouwen van Suppiluliumas vertraagde de zaak zo-danig dat in Egypte een tegenpartij ontstond en de Hettitische prins bij aankomst werd vermoord.
Nu heeft Egypte echter een nieuwe ko-ning die vastbesloten lijkt de Egypti-sche invloed in Syrië te herstellen, hoe-wel hij voorlopig onverrichter zake naar huis moet terugkeren.

HATTUSAS, 1259 - Koning Hattusilis III en koning Ramses II van Egypte hebben een verdrag gesloten dat de vriendschap tussen de beide heersers voor eeuwig bevestigt. Vijftien jaar na de slag bij Kadesh, waaraan Hattusilis destijds als generaal van het Hettiti-sche leger deelnam, lijkt de vrede nu echt gesloten. De tekst van het verdrag is in Hattusas op een zilveren tablet ge-graveerd en draagt de zegels van ko-ning Hattusilis en van koningin Pudu-hepa.
De vorsten beloven zich voortaan van vijandelijkheden jegens elkaar te ont-houden. Verder verplichten zij zich el-kaar te steunen bij aanvallen van bui-tenaf of bij binnenlandse opstanden.

# Hattusilis III vraagt Ahhijawa om steun

*Het Hettitische Rijk en het Egyptische Rijk in het begin van de 13de eeuw.*

KLEIN-AZIE, circa 1255 - Koning Hattusilis III heeft in een poging de vrede en veiligheid in het westen van het rijk te waarborgen een brief gericht aan de koning van Ahhijawa met het verzoek niet langer steun te verlenen aan Pijamaradus. Deze voormalige Hettitische 'generaal' maakt al sinds de regering van Muwatallis de westkust van het rijk onveilig door voortduren-de aanvallen op Hettitisch grondge-bied. Ook wil hij trouwe dienaren van de koning overhalen tegen het centrale gezag in opstand te komen. Doordat Pijamaradus de gastvrijheid van Ah-hijawa geniet kan hij zijn aanvallen doen vanuit een beschermde basis.
Het verzoek van Hattusilis aan de ko-ning van Ahhijawa komt er kort ge-zegd op neer dat deze Pijamaradus moet uitleveren aan Hatti, tenzij Pija-maradus belooft geen aanvallen meer vanuit Ahhijawa tegen Hettitische ste-den te ondernemen. Weigert hij dit te beloven en wil de koning van Ahhijawa hem desondanks niet uitleveren dan moet Pijamaradus uitgewezen worden naar een gebied buiten Ahhijawa.
Eerdere pogingen van Hattusilis om een einde te maken aan de door Pija-maradus veroorzaakte onrust zijn tot op heden mislukt. Een van Pijamara-dus zelf afkomstig voorstel vazal van de Hettitische koning te worden, strandde doordat Hattusilis niet inging op de eis van Pijamaradus, door nie-mand minder dan de troonopvolger voor de koning geleid te worden.
Ook is er al eerder diplomatiek con-tact met Ahhijawa over deze kwestie geweest. Hattusilis had zich bij de ko-ning van Ahhijawa beklaagd over het gedrag van zijn ex-generaal, waarop de koning hem liet weten dat hij zijn 'gou-verneur' in Millawanda (Milete) op-dracht had gegeven Pijamaradus aan hem voor te geleiden. Toen Hattusilis echter in Millawanda aankwam bleek Pijamaradus per schip te zijn ontko-men. Van Hettitische zijde wordt be-weerd dat de gouverneur, een schoon-zoon van Pijamaradus, de vluchtpo-ging heeft helpen organiseren.
Overigens is dat voor Hattusilis geen reden geweest zich scherp tegenover de koning van Ahhijawa uit te laten. De brief is in voorzichtige bewoordingen vervat en koning Hattusilis laat de ko-ning van Ahhijawa indirect weten dat hij hem als Grootkoning, dat wil zeg-gen als zijn gelijke, beschouwt. Het is duidelijk dat Hattusilis wil voorkomen dat zijn verzoek zou worden opgevat als een ultimatum.

# Troje wordt opnieuw verwoest

TROJE, circa 1250 - Troje, een vestingplaats aan de noordwestkust van Klein-Azië, is door vijanden grondig verwoest en platgebrand. De bewoners zijn evenwel vastbesloten hun stad weer op te bouwen.

Het zal niet de eerste keer zijn dat Troje uit zijn puinhopen herrijst. Sinds deze burcht rond 3000 ontstond, is hij verschillende keren met de grond gelijkgemaakt en herbouwd.

De vroegste nederzetting was heel klein en onbetekenend. Maar tussen 2300 en 2100, de eerste bloeiperiode van Troje, veranderde dat. Het vorstenhuis, dat vanuit Troje de directe omgeving beheerste, kwam tot grote rijkdom. Het paleis met bijbehorende gebouwen werd omgeven door een zware muur met torens. Een grote brand maakte aan deze grandeur een einde.

In 1900 begon een tweede periode van welvaart en macht. Troje werd toen veroverd door de voorouders van de huidige Trojanen. Waar zij oorspron-

*Tweekamp aan de voet van de muren van Troje. Reliëf uit Gölbasi-Trysa.*

kelijk vandaan kwamen is onbekend, maar wel is duidelijk dat zij hun overwinning te danken hadden aan een technologische voorsprong: zij wisten namelijk met paarden om te gaan, de oorspronkelijke bewoners niet.

De nieuwe bewoners hebben de Trojaanse burcht flink uitgebreid. De door

hen aangelegde muur van grote blokken natuursteen omspant een gebied met een straal van circa tachtig meter en is op sommige plaatsen twintig meter dik.

Maar ook dit Troje heeft niet het eeuwige leven gehad. Vijftig jaar geleden werd het gebied getroffen door een krachtige aardbeving. Troje herrees - de muur was slechts ten dele ingestort - maar was ernstig verzwakt. Aanvallen van buitenaf dwongen de bevolking meer dan ooit in de burcht haar toevlucht te nemen. Uiteindelijk drongen onlangs krijgers van een volk van onbekende herkomst tot in de vesting door. Wat zij daar aantroffen werd vernield en verbrand. Slechts een deel van de Trojanen kon ontkomen.

Nu de vijanden vertrokken zijn, keren de overlevenden terug om een begin met de wederopbouw te maken. Het is echter de vraag of Troje ooit weer de centrale plaats in de regio zal innemen die het vele eeuwen heeft gehad.

## Tudhaliyas laat lokale tradities inventariseren

HATTUSAS, circa 1230 - Koning Tudhaliyas IV heeft een grootscheepse operatie op touw gezet om in het hele rijk de lokale cultussen, feesten en rituelen te laten inventariseren. Naar alle gewesten zijn delegaties van schrijvers uitgestuurd om zorgvuldig de lokale tradities op te tekenen. Iedere delegatie bestaat uit ten minste een schrijver van het kleitablet (een spijkerschriftschrijver) en een schrijver van het houten tablet (een hiërogliefenschrijver). De koning wil op deze manier voorkomen dat allerlei tradities verloren gaan.

Dat zou niet ondenkbaar zijn in Hatti, het 'Rijk van de Duizend Goden', dat immers de traditie kent de goden van andere volken te eerbiedigen en hun erediensten in stand te houden. Zo hebben de eerste Hettitische koningen de goden van de Hattiërs een belangrijke plaats in de erediensten gegeven en zelfs de gebeden in de oorspronkelijke taal gehandhaafd. Nog onder Tudhaliyas' vader, Hattusilis III, werd de heilige stad Nerik, die lang geleden door de Gasga-barbaren was overvallen waardoor de verering van de Weergod van Nerik al die tijd in Hakpis moest plaatsvinden, heroverd en in haar oude heilige functie hersteld.

Tijdens de regeerperiode van Hattusilis III heeft trouwens de belangrijkste verandering in het Rijk van de Duizend Goden plaatsgevonden sinds de ontmoeting tussen de goden van de Hattiërs en de goden die de Hettitische voorvaderen meebrachten naar Hatti. Door zijn huwelijk met koningin Puduhepa, de priesteres uit Kumanni, dat het centrum is van de Hoerritische eredienst, zijn de Hoerritische goden zo belangrijk geworden dat sindsdien de Hoerritische stiergod Teshup met zijn echtgenote Hepat aan het hoofd staan van de Duizend Goden. Van oudsher waren dit de Zonnegod en de Zonnegodin van Arinna. De laatste was de persoonlijke beschermgodin van een verre naamgenoot van Hattusilis, Hattusilis I. Puduhepa beschouwde de Zonnegodin van Arinna en de godin Hepat als een en dezelfde godin, die in twee verschillende landen alleen een andere naam droeg.

De eerste Hoerritische goden voor wie in Hatti erediensten werden ingesteld, kwamen al ruim tweehonderd jaar geleden naar Hatti. Toen de Hettitische koning Tudhaliyas II met een Hoerritische prinses trouwde kwamen de godinnen Ishara en Ishtar Hattusa. Later, onder koning Suppiluliumas I, werden nog meer Hoerritische goden naar Hattusa gebracht, samen met magische rituelen. Maar pas onder de vader van Tudhaliyas IV zijn de Hoerritische goden zo belangrijk geworden dat zij de belangrijkste posities innamen.

# Jozua roept stamhoofden in Sichem bijeen

*'Mozes voor de farao', Gustave Doré.*

SICHEM, 1220 - Jozua, na de dood van Mozes de leider van de verschillende Hebreeuwse stammen die Egypte zijn ontvlucht, heeft alle vertegenwoordigers van de Semitische stammen bijeengeroepen teneinde een verdrag op te stellen dat de godsdienstige en maatschappelijke verhoudingen moet regelen. Met het in bezit nemen van grote delen van Kanaän lijken de beloften van Mozes in vervulling gegaan te zijn.

Aan het hof van farao Seti I groeide Mozes op, een Hebreeër die als Egyptische prins werd opgevoed. Hij trok zich de vervolgingen waaraan zijn stamgenoten werden blootgesteld zo zeer aan dat hij in een vlaag van woede een Egyptenaar doodde die met een Hebreeuwse slaaf in gevecht was geraakt. Na deze begraven te hebben

nam Mozes de wijk naar het noorden van de Sinaï, het land waar de Midianieten wonen, omdat in Kanaän veel Egyptische troepen lagen. Deze nomaden verleenden hem onderdak en hij kreeg een zoon die hij Gersom noemde. Te midden van de bedoeïenen levend, rijpte langzaam het plan met zijn stamgenoten de vlucht te nemen.

Mozes wist hen te overtuigen door een visioen te vertellen waarin God hem bevolen zou hebben de ketenen van de slavernij af te werpen en als tussenpersoon op te treden tussen God en de slaven. Hiervoor stelde hij een religieus verdrag op waaraan iedereen zich moest houden.

In de late zomer vertrok de menigte naar de oase van Kades, 50 kilometer ten zuidwesten van Beersjeba, op weg naar Kanaän, al snel beter bekend als het 'Beloofde Land'. De aanwezigheid van Egyptische vestingen aan de kust belette hen de kortere weg te nemen

door het land der Filistijnen en na de Slag bij Arad werden ze gedwongen door de woestijn van oase naar oase te trekken. Met als hoofdverblijf Kades Barnea leidden de vluchtelingen het onzekere bestaan van woestijnnomaden. Na enkele veldslagen gewonnen te hebben in het land der Amorieten stonden de Semitische stammen in 1240 aan de oostelijke oevers van de rivier de Jordaan. Mozes stierf en werd in Moab begraven.

Bij de wateren van Merom zette zijn opvolger Jozua de voorlopige kroon op zijn militaire loopbaan. Het opstellen van een verdrag, waarvoor Jozua de vergadering in Sichem bijeen heeft geroepen, moet gezien worden als een poging meer eenheid te brengen in de confederatie van families, clans en stammen. Als bindende factor geldt de wet van Mozes, die voor Jozua dan ook als basis voor dit nieuwe verdrag is gekozen.

## Ramses II trouwt met Hettitische prinses

HATTUSAS, circa 1245 - Binnenkort zal in Egypte het huwelijk worden gesloten tussen koning Ramses II en de dochter van koning Hattusilis III en koningin Puduhepa. De prinses zal de titel 'Gemalin van de Grootkoning, Meesteres van de Twee Landen' gaan voeren als uitdrukking van haar voorname positie aan het Egyptische hof. Het huwelijk zal de banden met Egypte, dat sinds 1259 door het Eeuwige Vriendschapsverdrag met Hatti is verbonden, ongetwijfeld verstevigen.

Aan de huwelijkssluiting is een uitgebreide correspondentie voorafgegaan.

Het is niet in de laatste plaats aan koningin Puduhepa die, zoals bekend, van haar recht zich zelfstandig met de politiek te bemoeien intensief gebruik maakt, te danken dat de onderhandelingen over het huwelijk tot een zo succesvol einde zijn gevoerd. Zo heeft de koningin in een lange brief aan koning Ramses het misverstand over het uitstel van het vertrek van de prinses naar Egypte opgehelderd. De oorzaken van dat uitstel waren zowel de zeer hoge bruidsschat die de Egyptische koning had gevraagd als de jeugdige leeftijd van de Hettitische prinses.

# Mycene begint met bouw verdedigingsmuur

MYCENE, circa 1200 - Het koninkrijk Mycene, gelegen in het noordoosten van het Peloponnesische schiereiland, is begonnen met de bouw van een grote verdedigingsmuur op de landengte die het schiereiland met het vasteland verbindt. De muur moet bescherming bieden tegen invasies van volkeren uit het noorden.

Sinds circa 1600 is Mycene het belangrijkste machtscentrum in Griekenland. Soortgelijke vorstendommen zijn er onder andere in Pylus (westkust van de Peloponnesos), Sparta en Iolcus (Noordoost-Griekenland).

Al deze rijkjes van de zogenaamde Myceense Grieken hebben dezelfde structuur. In het hart ligt een robuuste vesting, meestal op een heuveltop, met muren van gigantische rotsblokken. Daar resideert de 'wanax' (koning) en zijn gevolg van edelen. De 'wanax' heeft een groot aantal functies, waaronder die van priester. In tijden van oorlog en bij plunderingen voert hij de edelen aan. Maar hij is vooral belangrijk vanwege zijn allesoverheersende economische taak.

De koninkrijken van de Myceense Grieken zijn namelijk georganiseerd als paleisbureaucratieën, waarin de 'wanax' een zeer grote greep op de economie heeft. Hij bepaalt wie welke akker bebouwt en wie welke diensten moet verrichten. Verder stelt hij vast welke goederen een ieder hem jaarlijks verschuldigd is. Hiervan wordt een gedetailleerde administratie op kleitabletten bijgehouden. Ook de handel is in handen van de koning. De Myceense Grieken exporteren landbouwproduk-

*Het gouden dodenmasker van een Myceense koning (links boven), een gouden ring met een strijdtafereel uit een van de koningsgraven (links onder) en de Leeuwenpoort van de burcht.*

ten, zoals olie en wijn, en aardewerk naar Kreta, Syrië, Sicilië, Zuid-Italië en zelfs naar Egypte. Men ruilt deze produkten daar onder andere voor luxe-goederen, die het paleis of het graf van de koning moeten opsieren. Overigens zijn Myceense ambachtslieden zelf ook meesters in het vervaardigen van fraaie kunstvoorwerpen.

De grote rijkdom van de koningen van Mycene en van andere vestingen in Griekenland maakt hen sinds enkele tientallen jaren echter doelwit van aanvallen vanuit het noorden. Om de opmars van deze onbekende noorderlingen te stuiten heeft de 'wanax' van Mycene besloten zijn gebied af te schermen met een grote muur bij Korinthe. Zijn paleis heeft hij extra laten versterken. Ook de andere vorsten hebben maatregelen genomen.

Sommige bewoners hebben het zekere voor het onzekere genomen en zijn vertrokken naar Myceens-Griekse nederzettingen overzee. Zulke nederzettingen zijn er op Kreta, op tal van eilanden in de Egeïsche Zee en aan de westkust van Klein-Azië.

## Ugarit bedreigd door zeerovers

HATTUSAS, circa 1200 - Steeds meer berichten bereiken Hattusas over aanvallen vanuit zee op de Syrische kuststaten. De Sikalaïeten, zoals deze zeerovers heten, maken de kusten van Ugarit onveilig. De koning van Ugarit heeft zijn opperheer, de koning van Alasiya [Cyprus], gealarmeerd omdat zijn eigen schepen ver van huis zijn en de troepen van Hatti, die Ugarit zouden kunnen beschermen, in het land Hatti zelf zijn. De koning van Ugarit heeft zijn heer verzocht hem in ieder geval op de hoogte te houden van de bewegingen van de vijandelijke schepen. Een aantal van de Sikalaïeten is gevangengenomen en de koning van Hatti heeft de prefect verzocht de leider van die geslaagde operatie naar hem toe te sturen zodat hij hem kan ondervragen over hun land van herkomst Sikila [Sicilië].

Ugarit kampt behalve met de vijandelijke aanvallen ook met voedseltekorten en de Hettitische koning neemt de situatie ernstig op.

# Egyptische graven beroofd

DEIR EL-MEDINEH, 1112 - Een georganiseerde bende heeft de graven op de westoever geplunderd. Een inspectiecommissie moest constateren dat alle privé-graven van hoge ambtenaren leeggeroofd zijn. Maar dat niet alleen, de rovers zijn óók, via een tunnel vanuit een nabijgelegen graf, tot de rustplaats van farao Sobekemsaf doorgedrongen.

Een golf van arrestaties is het gevolg. De verdachten worden verhoord onder stokslagen. Een zekere Amenpanoefer bekent dat hij met zeven anderen het graf van Sobekemsaf en zijn vrouw heeft beroofd: '...Wij openden de buiten- en de binnenkist waarin zij lagen. De mummie van de koning had een zwaard. Vele amuletten en gouden sieraden lagen op zijn nek. Wij namen al dit goud... de amuletten en de juwelen... ook wat we op de koningin vonden, verzamelden we. Wij staken hun kisten in brand. We stalen hun ameublement, bestaande uit gouden, zilveren en bronzen voorwerpen en verdeelden het onder elkaar...'

*Fragment van een papyrusrol: een Egyptische grafkamer waarin zich voedselvoorraden voor het hiernamaals bevinden (circa 1100).*

Al enige tijd deden in Thebe geruchten de ronde dat de inwoners van Deir-el Medineh achter de grafschendingen zaten. Met deze bekentenis wordt het tegendeel bewezen: de acht verdachten blijken allen afkomstig uit het gebied rond Thebe.

# Arbeiders in Egypte staken

*Goudsmeden en tegelbakkers aan het werk (grafschildering uit Thebe, 15de eeuw).*

DEIR EL-MEDINEH, 1158- Het negenentwintigste regeringsjaar van Ramses III - De arbeiders die in het geheim de koningsgraven uithakken en decoreren zijn in staking gegaan. Al twee maanden is hun geen loon uitbetaald. Met vrouw en kinderen hebben zij hun dorp verlaten en dreigen er nooit meer terug te komen. Vergeefs hebben de voormannen van het dorp op hen ingepraat met mooie beloften. Na een turbulente protestmars drongen zij op de derde dag het grote administratieve centrum binnen: de tempel van Ramses II. Onder bescherming van twee agenten hoorden de priesters ten slotte hun klacht aan: 'Wij worden gedreven door honger en dorst, we hebben geen kleren, olie of voedsel. Bericht de farao hierover opdat hij in ons onderhoud voorziet!' Ze ontvingen nog op dezelfde dag hun loon.

De voornaamste zorg van iedere nieuwe farao is de constructie van zijn graf. En de werklieden, 'de dienaren op de plek der waarheid', nemen een geprivilegieerde positie in. Als staatsemployés ontvangen zij uit de schatkist een ruim loon in natura. Sommigen bezitten vee en ezels, die ze uitbesteden. Anderen hebben eigen gereedschappen en doen naast het werk voor de staat nog werk voor derden. Het merendeel bezit zijn eigen graf. En er bestaat een levendige onderlinge handel in kisten en gedenkstenen. Ook sociaal staan ze in hoog aanzien. De steenhouwers, timmerlieden, beeldhouwers, tekenaars en schilders zijn ieder toplui op hun gebied. Zij kunnen lezen en schrijven - een vereiste voor het werk - en zijn trots op hun vakkennis, die ze op hun zonen overdragen.

De werkweek bestaat in principe uit acht dagen, met rustdagen op de negende en tiende. De arbeiders keren in deze periode niet dagelijks terug naar hun dorp, maar overnachten in hutjes in de buurt van de werkplek. Uit de registratie van de schrijvers blijkt dat ze vaak wat extra rustdagen nemen en een vrije dag om bier te brouwen is ook al geen uitzondering.

In dit jaar kwam er een einde aan welstand en welzijn van deze arbeiders. De voornaamste oorzaak is de corruptie van topambtenaren, die verantwoordelijk zijn voor de uitbetaling van de lonen. Vooralsnog ziet het er niet naar uit dat aan de problemen van de arbeiders een einde zal komen. De corruptie, aangescherpt door economische crisis, wordt ernstiger.

## Haremkomplot tegen Ramses III

MEDINET HABOE, circa 1153 - Een grote samenzwering tegen het leven van Ramses III is aan het licht gekomen: 'de vrouwen van de haremportiers, die met hun mannen in het komplot zaten, zijn voorgeleid en schuldig bevonden. De straf, aan hen opgelegd, is uitgevoerd.'

De samenzwering had wijde vertakkingen, maar het centrum van de verzetshaard lag in de harem van de koning zelf. De oudere dame Tey wilde haar zoon op de troon zetten. Daartoe heeft zij vele vrouwen van de harem voor haar karretje gespannen. Maar vooral de hulp van de ambtenarenstaf, die contact met de buitenwereld onderhield, was onontbeerlijk. Via deze werd het volk opgeruid en de vijand aangezet tot actie tegen de koning. De leider van de troepen in Ethiopië, wiens zuster in de harem zit, werd via brieven bij het komplot betrokken. Geen middel werd onbeproefd gelaten. Poppetjes van was, met magische spreuken, werden het paleis binnengesmokkeld om ziekte en verlamming te verspreiden. Het heeft niet mogen baten.

*Feniciërs brengen krijgsgevangenen per schip naar een slavenmarkt.*

# Fenicische kolonie in Spanje

CADIZ, 1110 - In Cádiz aan de Spaanse kust, ten noordwesten van de Straat van Gibraltar, hebben de Feniciërs een handelspost gesticht. Daarmee hebben ze een koloniale macht opgebouwd die vrijwel het gehele gebied tussen Gibraltar en de kust van Libanon beslaat. Een macht die niet zozeer in omvangrijk landbezit tot uiting komt als wel in een dicht net van handelsroutes en op strategische plaatsen opgerichte nederzettingen.

Van een volk van eenvoudige kustvaarders, die onder andere hout vervoerden naar het nabijgelegen Egypte, hebben de Feniciërs, bewoners van een verzameling stadstaten aan de oostelijke Middellandse-Zeekust, zich in het tijdsbestek van een eeuw ontwikkeld tot de belangrijkste zeevaarders en handelaren in het Middellandse-Zeegebied. Behalve op het gebied van vervoer van hout, textiel en levensmiddelen hebben de Feniciërs faam verworven als de verspreiders van luxe-artikelen zoals transparant glas, edelgesteente en purperkleurstof. Ook houden zij zich bezig met de handel in slaven.

Zonder oorlogszuchtig op te treden, slechts door het uitstallen van hun waren, richtten Fenicische kooplieden steunpunten in op Cyprus, Kreta en de eilanden in de Egeïsche Zee. Van daaruit zeilden ze steeds verder westwaarts om uiteindelijk de Spaanse kust te bereiken. Hun steden en nederzettingen vertonen in ligging en bouw sterke overeenkomsten. Ze zijn naar het water gekeerd en aan de landzijde ommuurd, veelal gebouwd op uitlopers van bergketens of op dicht voor de kust gelegen eilanden met ondiepe baaien, die hun de mogelijkheid bieden hun schepen aan wal te trekken.

Aan een uitgestrekt achterland hebben de Feniciërs nooit behoefte gehad. Een overzichtelijk stuk grond waarop verbouwing mogelijk is, beschouwen zij als voldoende. Wegen hebben ze nauwelijks aangelegd; de onderlinge verbindingen lopen over zee.

De Feniciërs zijn afstammelingen van de Kanaänieten, het volk dat tijdens de Amoritische Volksverhuizing (2300-2000) - vanuit Egypte naar Mesopotamië - in de smalle strook land aan de voet van het Libanongebergte bleef. Daar hebben zij zich vermengd met de oorspronkelijke bevolking en de Indogermaanse zeevolken, die in het halve millennium tussen 1700 en 1200 de kusten van het Midden-Oosten aandeden.

Aan deze Indogermanen dankten de inwoners van Byblos, Sidon en Tyrus, de voornaamste stadstaten, hun grote technische en nautische kennis en daardoor kon Fenicië uitgroeien tot een wijdvertakt handelsimperium.

# Godenbeeld terug in Babylon

BABYLON, circa 1110 - Na een moeizame en uitputtende veldtocht tegen de Elamieten is de koning van Babylon, Neboekadnessar, erin geslaagd om het beeld van de nationale god Bel-Mardoek uit Soesa terug te brengen naar Babylon. Het beeld was door de Elamitische koning Sjoetroek-Nachchoente als trofee meegevoerd na de nederlaag die de laatste koning van de Kassitische dynastie van Babylon omstreeks 1159 tegen de Elamieten leed.

De afwezigheid van het beeld van Mardoek en daarmee de afwezigheid van de god zelf voelen de Babyloniërs als een grove schending van hun religieus gevoel en nationale eer. Zonder Mardoek kan het belangrijkste nationale feest, het Nieuwjaarsfeest, niet gevierd worden, hetgeen volgens de Babyloniërs funeste gevolgen heeft voor de vruchtbaarheid en het welzijn van het land. Het feit dat Neboekadnessar, de vierde koning van de tweede dynastie van Isin er nu in is geslaagd het beeld terug te brengen en het weer op zijn plaats te zetten in de tempel, versterkt het zelfbewustzijn van de Babylonische natie in hoge mate.

De veldtocht die Neboekadnessar tegen Elam ondernam, dreigde aanvankelijk te mislukken als gevolg van hardnekkige tegenstand die de Elamitische legereenheden boden. Bovendien brak er een epidemie uit, die de Babylonische troepen decimeerde. Een tweede poging in de zomer had echter meer succes en het leger van Neboekadnessar wist Soesa, de hoofdstad van Elam, in te nemen. De omstandigheden waaronder dit gebeurde waren een zware beproeving voor het Babylonische leger.

## Shang-dynastie in China ten val gebracht

CHINA, circa 1100 - De 30ste heerser van de Shang-dynastie, koning Zhou-Xin, is ten val gebracht. De slaven in zijn leger dat in een grensoorlog verwikkeld was, maakten gemene zaak met het leger van het koninkrijk Zhou. Toen koning Zhou de vijandige legers vanaf een paleistoren in de hoofdstad zag naderen gaf hij opdracht de toren in brand te steken en kwam in de vlammen om.

De leider van de vijandige legers was koning Wu, de zoon van een van de slachtoffers van de laatste heerser van de Shang-dynastie. Na zijn overwinning schoot koning Wu ceremonieel drie pijlen in het verkoolde overschot van zijn overwonnen vijand, sneed diens hoofd af en hing het op de Grote Witte Vlag van Zhou. Hetzelfde lot trof Da Qi, de concubine van de overwonnene en naar verluidt verantwoordelijk voor een deel van de aan de laatste Shang-koning toegeschreven wandaden. Bijgestaan door zijn broer en belangrijkste adviseur Tan (de hertog van Zhou) zette koning Wu zijn zegetocht in Noord-China voort.

De overwonnen Shang-dynastie (waarvan een lid, markies Jin, door de stichters van de nieuwe Zhou-dynastie in leven werd gelaten uit overwegingen van legitimiteit) heerste over een gebied waarvan het middelpunt, net als bij de Xia-dynastie gelegen was in de middenloop van de Gele Rivier. Het was een hoog ontwikkelde maatschappij van het bronzen tijdperk bestaande, net als tijdens de Xia-dynastie, uit een verzameling van dorpsgemeenschappen. Deze dorpsgemeenschappen werden gedomineerd door coalities van stadstaten. De staat Shang telde vier tot vijf miljoen mensen. Het was een feodale maatschappij waarin de aristocratie het monopolie bezat op bronzen wapens en strijdwagens. Op dit monopolie was hun heerschappij over de boerenbevolking gebaseerd en hun vermogen om in naam van zichzelf of in naam van de staat belastingen te heffen. Er bestond geen scheiding tussen wereldlijke en geestelijke machten. Heersers vervulden tevens de functie van priesters. Aan het begin van de Shang-dynastie was het centrale gezag nog zeer zwak, maar de afgelopen vijf eeuwen zijn de fundamenten voor een autoritair centraal gezag gelegd.

De grootste verworvenheid van dit tijdperk in de Chinese geschiedenis is zonder twijfel de invoering van het schrift. Toch zijn geen historiografische bronnen beschikbaar, waarschijnlijk omdat ze op vergankelijke materialen als hout, zijde en bamboe waren vastgelegd. Slechts geschriften op orakelbeenderen zijn bewaard gebleven.

*Anubis, de god van het balsemen (altijd afgebeeld met de kop van een jakhals), maakt een lichaam gereed voor begraving.*

# Koningsmummies hersteld

THEBE, 1055 - Pinodjem I, de hogepriester van de Amon-tempel, heeft maatregelen getroffen om de koningsmummies van de totale ondergang te redden. De grafschennis heeft schrikbarende vormen aangenomen; de mummies moeten het daarbij vaak ontgelden. Tussen hun wikkels liggen juwelen en beschermende amuletten geborgen. De grafschenners schrikken er niet voor terug de mummies te beschadigen en de wikkels los te rukken. Negen jaar heeft Pinodjem besteed aan het restaureren van beschadigde exemplaren. Om herhaling te voorkomen zijn ze in het grootste geheim opnieuw begraven. Zij kregen gezelschap van verscheidene mummies uit bedreigde graven. Broederlijk liggen de mummies van Thoetmozes IV, Amenhotep III, Merenptah, Siptah, Seti II, Ramses IV-VI, drie vrouwen en een jongen bijeengestapeld in het graf van Amenhotep II.

In het onsterfelijkheidsgeloof van de Egyptenaren is behoud van het lichaam van essentieel belang. Onmiddellijk na het overlijden wordt met het conserveren begonnen. Ingewanden en organen worden verwijderd. Dikke darm, nieren en het hart, dat men als zetel van de wil en de intelligentie beschouwt, blijven achter. Het lijk wordt uitgewassen en overgoten met een dun laagje gesmolten hars. Dit maakt de huid hard en waterdicht. De holten worden voorlopig met stro, vodden, zand of gedroogd gras gevuld. Vervolgens laat men het lichaam gedurende veertig dagen, verpakt in natron, een conserveringsmiddel, uitdrogen. De ingewanden, longen, lever en maag ondergaan, afzonderlijk, hetzelfde proces. Zij worden daarna in pakketjes in het lijf teruggelegd, of in vier kruiken naast de kist geplaatst. Pas na deze lange procedure vindt de definitieve opvulling plaats, met in hars gedrenkt linnen. Vooral het hoofd krijgt veel aandacht. Neus en wangen worden gevuld om zoveel mogelijk de levensgelijkenis te bewaren.

In de 21ste dynastie bereikt de mummificatietechniek haar hoogtepunt. Men bedekt de oogballen met witte alabaster, waarop zwarte pupillen geschilderd worden. Het wikkelen van de mummie in linnen windsels geschiedt zeer zorgvuldig. Dit gaat gepaard met vele gebeden, want het mummificeren is vooral een religieus ritueel. Een van de balsemteksten eindigt met de woorden: 'je zult weer leven, je zult opnieuw jong zijn, voor eeuwig.'

De dood betekent geen einde maar is een overgangsperiode naar een leven vergelijkbaar met dat op aarde. Bij het sterven maakt men een lange reis vol gevaren naar dit nieuwe leven. De dode krijgt een papyrusrol mee met magische spreuken: het dodenboek. Vele hebben betrekking op het herstel van de lichaamsfuncties. Zij dienen om de mond weer te laten spreken en armen en benen opnieuw in beweging te zetten. Andere moeten gevaarlijke demonen bezweren. Het geloof in de onsterfelijkheid heeft zijn voedingsbodem in het stabiele en cyclische ritme van de natuur, zoals zich dat in de Nijlvallei nadrukkelijk manifesteert: de op- en ondergang van de zon, het opbloeien en afsterven van de vegetatie, het stijgen en dalen van het Nijlwater. In deze eeuwige cyclus van de natuur opgenomen, zal ook de mens het eeuwige leven verkrijgen. Twee goden spelen daarin een belangrijke rol: de zonnegod Re en Osiris, de god van het overstromingswater en de vegetatie. Beide zijn een symbool van herrijzenis.

# Opstand tegen Zhou-dynastie onderdrukt

CHINA, circa 1080 - Drie jaar na de dood van koning Wu die twintig jaar geleden de Zhou-dynastie vestigde, is een poging tot herstel van de Shang-dynastie na een bloedige burgeroorlog neergeslagen. Onder leiding van hertog Zhou-Tan, de broer van koning Wu en de regent over zijn 13-jarige neef en troonopvolger Zheng, is begonnen met een reorganisatie van het koninkrijk. Een groot deel van de bevolking van het vroegere koninkrijk Shang wordt gedeporteerd. Een deel van hen vlucht tijdens de deportatiegolven naar het Koreaanse schiereiland. Een deel van de ambachtslieden van Shang wordt ingezet bij de bouw van de tweede hoofdstad van Zhou (naast Hao in het westen), het aan de Gele Rivier gelegen Luoyang. Een ander deel van de overwonnen heersende klasse van Shang begint zich in Luoyang toe te leggen op handel. Hierdoor is het te verklaren dat het Chinese woord voor handel identiek is aan de naam van de overwonnen Shang-dynastie.

Het grondgebied van de Shangs wordt toegevoegd aan het systeem van ongeveer 70 leengoederen waaruit het koninkrijk Zhou bestaat. Het door de boeren bewerkte land is verdeeld in negen delen. De opbrengst van een negende deel is bestemd voor de lokale prins. Binnen dat feodale systeem mag slechts de koning zich de titel van Tianzi - de zoon van de Hemel - aanmeten.

## Saul wordt tot koning gezalfd

GILGAL, 1020 - Saul, zoon van Kish, is gezalfd tot koning, waarmee een begin is gemaakt met de eenwording van de twaalf stammen van Israël. Voor zijn onderdanen betekent de zalving dat Saul de geest van hun God heeft ontvangen en daarmee de heerschappij over hen in maatschappelijk en religieus opzicht.

Toen Israël Kanaän binnentrok was het nog geen natie maar een politieke federatie van de twaalf stammen, met als middelpunt de Heilige Arke te Silo, gelegen tussen Betel en Sichem, waar ze hun geloof beleden in één en dezelfde God. Toch heerste er onderling veel onenigheid en bleven er Kanaänitische enclaves bestaan. De constante bedreiging van de Filistijnen dwong de verschillende stammen echter tot het vormen van een gemeenschappelijk front. De Filistijnen waren afkomstig uit het gebied van de Egeïsche Zee en werden vervolgens verdreven uit hun woonplaatsen op Kreta en de kusten van Klein-Azië. Na enkele vergeefse pogingen om Egypte binnen te dringen namen ze een deel van het vruchtbare gebied van Palestina in bezit. Al vanaf 1500 hadden ze gepoogd hier vaste voet te krijgen, en enkele Israëlische stammen zagen zich in de loop van de tijd genoodzaakt gebied aan hen af te staan. Het gemeenschappelijk front dat vervolgens werd gevormd, werd echter verslagen in de Slag bij Afek. Teneinde de strijd gunstig te doen verlopen had men de Heilige Arke meegevoerd, maar de twee priesters die deze bewaakten werden vermoord en het heiligdom viel dertig jaar geleden in handen van de vijand. Als resultaat hiervan begon de federatie van stammen uiteen te vallen.

De charismatische kwaliteiten van Saul moet de twaalf stammen behalve de zo noodzakelijke eenheid ook uitzicht geven op een overwinning op de vele vijanden van de Israëlieten in dit gebied.

# David wordt koning van Israël

HEBRON, 1004 - Met de gewelddadige dood van Esjbaäl, zoon van Saul, is er een eind gekomen aan een regeringsperiode die maar twee jaar heeft geduurd. Vertegenwoordigers van de noordelijke stammen (Juda en Benjamin) zijn naar Hebron getrokken om David de troon aan te bieden. Hoewel David dertig jaar is wordt hij nu koning van alle stammen van Israël, waarmee hij de taak van Saul heeft afgerond.

Ten tijde van de regering van Saul, die als koning werd erkend in het midden en noorden, lag de prioriteit bij de bestrijding van de Filistijnen. De stam Juda, in het zuiden, heeft hem echter nooit erkend. Saul besteedde de eerste jaren van zijn bewind aan de opbouw van een sterk en georganiseerd leger, waarvoor hij voornamelijk rekruteerde uit zijn eigen stam, die van Benjamin. Bij Michmas werd een overwinning op de Filistijnen behaald.

Na de overwinning ging Saul echter met een deel van het leger op zoek naar David, die hij verdacht van troonpretenties. Deze was inmiddels gevlucht en hield zich schuil bij de Filistijnen. In het Gilboagebergte deed Saul een vergeefse poging verder opdringen van de Filistijnen te stoppen, waarbij hij om het leven kwam.

Een zoon van Saul, Esjbaäl, werd koning en verplaatste de residentie naar Mahanaïm, ten oosten van de rivier de Jordaan. Dit was het moment voor David om zijn schuilplaats te verlaten en werkelijk aanspraak op de troon te maken. Met behulp van een legertje getrouwen en enkele Filistijnen nam hij Hebron in.

Na de overwinning van de Filistijnen in het Gilboagebergte waren de Israëlieten nu wel vastbesloten een verenigd koninkrijk te stichten dat in de plaats moest komen van het primitieve stammenverband. Nu Esjbaäl om het leven is gebracht door verraad binnen het leger, lijkt de verenigde monarchie onder de jonge koning David beter in staat het hoofd te bieden aan de moeilijkheden in dit onrustige gebied.

*De jonge David speelt harp voor koning Saul (middeleeuwse miniatuur).*

# 1000

**1000** (circa). De Ioniërs, die door de Doriërs uit Griekenland verdreven zijn, vestigen zich op de kust van Klein-Azië. →

**1000** (circa). Begin van de ijzertijd in Griekenland en Italië. →

**1000** (circa). De Feniciërs maken gebruik van een alfabetisch schrift. →

**1000** (circa). In het Mexicaanse laagland vestigt zich de Indiaanse stam van de Olmeken, die een hoogstaande beschaving ontwikkelt.

**1000** (circa). In het noordwestelijk deel van Zuid-Amerika komt de Chavincultuur tot bloei.

**1000** (circa). In China ontstaat het *Boek der Veranderingen*, of *I Ching*. Dit is het klassieke werk van het confucianisme of taoïsme.

**970** (circa). Salomo wordt koning van Israël en trouwt met de dochter van een onbekende farao.

**969** (?). Hiram I wordt koning van de Fenicische havenstad Tyrus. Tijdens zijn regering wordt Tyrus het economische, culturele en machtspolitieke centrum van de Fenicische steden in Syrië. De belangrijkste handelspartners van Tyrus zijn de koningen David en Salomo van Israël en Juda.

**959** (?). De bouw van de tempel te Jeruzalem wordt voltooid.

**945** (circa) In Egypte sticht de Libische huurlingenleider Sisak I de 22ste dynastie.

**934** (?). Onder koning Assoerdan II begint de wederopleving van Assyrië.

**926** (?). Na de dood van Salomo valt het koninkrijk Israël in twee delen uiteen. In het noorden ontstaat onder Jerobeam Israël, met als hoofdstad Samaria, en in het zuiden onder Rehabeam Juda, met als hoofdstad Jeruzalem. →

**911** (?). De wederopleving van Assyrië wordt onder koning Adadnirari II voortgezet. Hij verslaat de Babyloniërs en de Arameeërs.

**900** (circa). De Rgveda, een verzameling hymnen, wordt op schrift gesteld en is daarmee het oudste literaire werk uit India.

Gestorven:

**970** (circa). David, koning van Israël
**936** (?). Hiram I, koning van Tyrus
**928** (?). Salomo, koning van Israël
**924** (?). Sisak I, Egyptisch farao
**913** (?). Rehabeam, koning van Juda
**908** (?). Jerobeam, koning van Israël

# Bloei in Fenicische steden

*Transport van hout (een zeer zeldzaam produkt) over zee door Fenicische schepen, Assyrisch reliëf uit de 8ste eeuw.*

FENICIE, 1000 - In de Fenicische steden in Libanon bloeit de welvaart als nooit tevoren. Er is een winstgevende industrie opgebouwd en ook op cultureel gebied is er sprake van een opleving. Een belangwekkende ontwikkeling heeft zich in de stad Byblos voorgedaan. Daar is men erin geslaagd een sterk vereenvoudigde vorm van het reeds bestaande spellingschrift te ontwikkelen: het zogenaamde alfabet. De Fenicische schepen, die de gehele Middellandse Zee bevaren, verspreiden naast hun rijke vracht ook dit nieuwe schrift.

Een van de belangrijkste pijlers waarop de welvaart rust is de fabricage van de luxe-artikelen purper en doorzichtig glas. Purper is een dieprode kleurstof die op de stranden voor Tyrus en Sidon ontdekt is in de klieren van een kleine zeeslak. Voor de vervaardiging van enkele grammen purperkleurstof zijn meer dan tienduizend van deze slakjes nodig. Purper gekleurde stoffen en kledingstukken zijn daarom uiterst kostbaar. Het dragen van een purperen mantel is een bewijs van welstand en verhoogt het aanzien.

Hoewel nog altijd een luxe-artikel is doorzichtig glas voor een breder publiek weggelegd. Door het in massale hoeveelheden te fabriceren en te koop aan te bieden zijn in de loop van de tijd de prijzen behoorlijk gedaald. De glasbewerking stamt uit Egypte, waar ze tussen 4000 en 3000 is ontwikkeld. De Feniciërs hebben de techniek verfijnd en gelden als de uitvinders van het transparante glas.

Maar naast deze lucratieve industrieën is er ook op de scheepswerven volop werk en gedijt in de Fenicische steden een reeks andere takken van nijverheid. Er zijn tal van weverijen, en pottenbakkerijen waar aarden vazen worden gemaakt, waarvan het glazuur als bijna even waardevol als glas wordt beschouwd. Ivoorsnijders maken uit ingevoerde slagtanden van olifanten of walrussen snuisterijen en tot de specialiteit van de Fenicische ambachtslieden behoort de vervaardiging van sierwapens, halskettingen en vaatwerk van brons, zilver en goud.

Grondstoffen en produkten die zij zelf niet bezitten, verkrijgen zij via het uitgebreide handelsnet dat zij hebben opgebouwd. Vooral over zee, maar ook over land. Paarden en muildieren worden in Armenië gekocht, tarwe, honing en olie in Judea en wijn en wol in Damascus. IJzer is afkomstig uit Anatolië en specerijen, kleinvee en edelgesteente worden uit Arabië gehaald. Daarmee reikt de Fenicische economie van de Straat van Gibraltar tot aan de kusten van de Indische Oceaan.

## IJzeren wapens verdringen brons

CYPRUS, circa 1000 - Dank zij een betere beheersing van metallurgische en smeedtechnieken zijn Griekse smeden in staat wapens van ijzer te maken. Deze technieken zijn afkomstig uit het Midden-Oosten.

IJzer was de Grieken voorheen niet helemaal onbekend, maar had vooral een decoratieve functie, omdat men de voor wapens vereiste sterkte nog niet kon bereiken. De Cyprioten zijn de eerste Grieken die tijdens hun handelsreizen kennis namen van de nieuwe produktiemethoden. Al eerder hadden zij ijzeren wapens, met name zwaarden, van hun reizen mee naar huis genomen.

IJzeren wapens zijn veel geavanceerder dan bronzen, omdat ijzer lichter is en tegelijk minder broos. Bovendien kan ijzer beter worden geslepen. Voorlopig is ijzererts nog veel te kostbaar om er ook ploegen van te fabriceren.

# Palestina in tweeën gedeeld

SICHEM, 926 - Twee jaar na de dood van Salomo is het rijk Palestina gesplitst in twee zelfstandige staten: Juda in het zuiden met als hoofdstad Jeruzalem waar de Tempel staat en Israël in het noorden. Hiermee is een eind gekomen aan de eenheid die onder David werkelijkheid was geworden en meer dan een eeuw heeft geduurd.

Nadat David de Filistijnen definitief bij Gath had verslagen verplaatste hij de residentie naar Jeruzalem. Deze stad, toen nog Jebus geheten, was in handen van de Kanaänieten en vormde de verbinding tussen het noordelijke en zuidelijke deel van zijn rijk. In de loop van zijn lange bewind heeft David vele oorlogen gevoerd, met als resultaat dat de grenzen werden beveiligd. Bovendien sloot hij bondgenootschappen met Fenicië, de koning van Tyrus en legde een garnizoen in Syrië. Zijn gezag werd erkend van de grens met Egypte en de Golf van Akaba in het zuiden tot de oever van de Eufraat in het oosten. Het machtsvacuüm dat hiermee in West-Azië was gevuld kon bestaan dank zij een staand leger dat David op de been hield. Veel arbeidskrachten en geld hiervoor verkreeg hij uit buit en schatting die hij overwonnen volkeren oplegde. Echter, ook zijn eigen volk verplichtte David tot herendiensten en belastingen. Hierdoor kwam aan het eind van zijn regering een deel van de bevolking tegen hem in opstand onder leiding van zijn zoon Absalom, die werd gedood. Salomo werd toen mederegent.

*De kopermijnen van koning Salomo bij Timna in de Negev-woestijn.*

Met grote politieke bedrevenheid maakte Salomo zijn rijk tot gelijke van de grote mogendheden van zijn tijd. Hij liet een handelsvloot bouwen waardoor zijn rijk een belangrijk overslaggebied voor de handel werd. In het zuiden van de Negev liet hij kopermijnen aanleggen en raffinaderijen voor het smelten van metalen.

Voorbijgaand aan de traditionele verdeling in twaalf stamgebieden, liet Salomo het land herverdelen in twaalf districten. Hij stelde opzichters aan ter registratie van burgers voor herendiensten en belastingbetaling. Ook de noordelijke stammen werden tot herendiensten gedwongen en kwamen in opstand. Jerobeam, de leider van Juda, vluchtte naar Egypte, waarna het rijk gesplitst is.

## Grieken emigreren naar Klein-Azië

ATHENE, circa 1000 - Een toenemend aantal bewoners van Griekenland heeft besloten te emigreren naar overzeese gebieden. De meest gekozen bestemmingen van de Grieken zijn de kust van Klein-Azië en de eilanden in de Egeïsche Zee.

Op het Griekse vasteland hebben zich de laatste tweehonderd jaar grote veranderingen voltrokken. De Myceense Grieken, die er vele honderden jaren de dienst hadden uitgemaakt, moesten het afleggen tegen volkeren die vanuit het noorden binnenvielen. De paleizen en koningsgraven werden geplunderd en de bewoners verdreven of onderworpen. Het schrift dat de Myceense Grieken hadden gebruikt om hun paleisadministratie bij te houden, raakte in onbruik, terwijl de nieuwe heersers ook op ambachtelijk terrein niet aan de prestaties van hun voorgangers konden tippen. Het bleef lange tijd onrustig, omdat telkens nieuwe groepjes noorderlingen tot in Zuid-Griekenland doordrongen.

De huidige bewoners hebben zich vanaf 1100 gevestigd. Op grond van het feit dat zij allemaal dezelfde taal spreken - het Grieks - rekenen zij zichzelf tot één volk, dat evenwel naar dialect wordt onderverdeeld. Er zijn ruwweg drie groepen te onderscheiden: de Doriërs op het Peloponnesische schiereiland, de Aeoliërs in het noordoosten en de Ioniërs in Attica (de streek rond Athene) en op het eiland Euboea.

De laatste decennia trekken veel Grieken vanuit al deze gebieden verder, de zee over. Dorische emigranten komen terecht op Kreta, Rhodos en aan de zuidwestkust van Klein-Azië; Ioniërs nemen bezit van de Cycladen (een eilandengroep ten zuidoosten van Attica) en vestigen zich ter hoogte van Chios en Samos aan de westkust van Klein-Azië; de Aeoliërs ten slotte nemen hun intrek op het eiland Lesbos en aan de noordwestkust van Klein-Azië.

Op al deze plaatsen bouwen de nieuwe bewoners kleine vestingsteden, goed voor enkele honderden bewoners. Dikke muren en de natuurlijke gesteldheid van het terrein moeten hen daar beschermen tegen aanvallen van de oorspronkelijke bewoners en tegen volgende golven Griekse avonturiers. Voor de Grieken is landgebrek het voornaamste motief om naar nieuwe woonoorden te zoeken.

---

# 900

900 (circa). Begin van de Hallstatt-cultuur in Centraal-Europa.

900 (circa). De *Rgveda* wordt door Ariërs op schrift gesteld. →

900 (circa). In Italië begint de Villanova-cultuur.

889 (?). Assoernasirpal II wordt koning van Assyrië. Hij is een van de grote Assyrische veroveraars. →

889 (?). In Israël wordt Omri koning. Hij sticht de naar hem genoemde Omri-dynastie, de 1ste dynastie van Israël. Zijn opvolgers voeren Fenicische goden en de Baäl-cultus in Israël in. De profeet Elia voert daarom een ideologische strijd tegen de Omri-dynastie.

859 (?). Salmanassar III volgt zijn vader Assoernasirpal II op als koning van Assyrië. Hij zet diens veroveringspolitiek met succes voort. Zijn daden laat hij vereeuwigen op de zogenaamde zwarte obelisk, die zich nu in het British Museum te Londen bevindt. →

842 (?). Generaal Jehu laat in Israël de hele Omri-dynastie uitmoorden. Vervolgens wordt hij zelf koning van Israël. Hij onderdrukt de Fenicische Baäl-cultus.

841. In China wordt koning Li Wang afgezet. Dit is het begin van de Gonghe-periode. →

840 (circa). De stad Van wordt gesticht door koning Sardoeri I. Dit koninkrijk wordt door Assyriërs Oerartoe genoemd en door de joden Ararat.

834 (?). In de Assyrische annalen worden voor het eerst de Meden vermeld.

827 (?). De eerste oorlog tussen de Chinezen en de nomadische Hunnen vindt plaats.

824 (?). Sjamsjiadad V wordt koning van Assyrië. In de eerste twee jaar van zijn regering heeft hij te kampen met interne moeilijkheden, maar later breidt hij zijn rijk uit en verovert hij Babylon.

814 (?). De Fenicische handelsstad Tyrus sticht de kolonie Carthago als tussenstation voor de Fenicische handelsvloot op weg naar Spanje.

811 (?). Adadnirari III komt op de Assyrische troon, maar zijn moeder Semiramis oefent de werkelijke macht uit. Semiramis groeit al tijdens haar leven uit tot een legendarische persoon, aan wie ook in latere tijd literaire en muzikale werken worden gewijd.

Gestorven:

877 (?). Omri, koning van Israël
859 (?). Assoernasirpal II, Assyrisch koning
854 (?). Elia, Israëlitisch profeet
824 (?). Salmanassar III, Assyrisch koning
814 (?). Jehu, koning van Israël

---

# Ariërs stellen 'Rgveda' op schrift

INDUSVALLEI, circa 900 - Het eeuwenoude en zeer heilige dichtwerk van de Ariërs, de *Rgveda,* is op schrift gesteld. Al vanaf de invasie van de Ariërs in de Indusvallei, die in de 14de eeuw begon, zijn priesters van dit nomadenvolk bezig geweest met de compositie van het 1028 hymnen en 10 580 verzen tellende geschrift. De hymnen worden gebruikt bij religieuze activiteiten zoals offeranden.

Veda betekent wijsheid, wetenschap of kennis. Rg is een toverformule die duidt op de kunst van het voorspellen, een van de hoofdthema's van het geschrift. Maar behalve dat gaat de *Rgveda* ook over astronomie, astrologie en natuurwetenschap en over het ontstaan van de wereld.

De Ariërs, die in stamverband het gebied tussen de Sutlej-rivier en de Jamna-rivier bewonen, zijn vanaf de 14de eeuw vanuit het noordwesten de Indusvallei binnengevallen. De oorspronkelijke bewoners, die zij 'Dasa's' noemen, werden door hen overwonnen in gezamenlijke acties van de stammen. Ter onderscheiding van de donkerder Dasa's legden de Ariërs de nadruk op hun zuiverheid van bloed. Ariërs die trouwden met Dasa's daalden in sociaal aanzien. De klassenscheiding die binnen het stamverband al bestond tussen de aristocratie ('ksatra') en de overige stamleden ('vis') breidde zich zodoende uit. Tegelijkertijd verwierven de priesters een hoger aanzien omdat hun werk steeds moeilijker werd en zo ontwikkelden zich de vier kasten van 'brahmana's' (priesters), 'ksatriya's' (ridders), 'vaisya's' (boeren) en 'sudra's' (slaven).

# Chinese koning Li Wang verjaagd

CHINA, 841 - De tiende heerser van de Zhou-dynastie, koning Li Wang, is door het opstandige volk uit zijn hoofdstad Hao weggejaagd. Li Wang stond bekend als een uiterst gierige, wrede en opschepperige machthebber die een keer in een gesprek met zijn raadgever, prins Shao, opmerkte: 'Ik heb alle kritiek onderdrukt en niemand zal zijn mond meer open durven doen.' Prins Shao antwoordde: 'Je hebt het volk de mond gesnoerd en dat is even gevaarlijk als een dam in de loop van een rivier op te werpen. Als de stroming op een plek wordt onderbroken zal zij op een andere een uitweg zoeken. Zo zal het ook gaan met de eisen van het volk.' Na het verjagen van Li Wang is een machtsvacuüm in het koninkrijk Zhou ontstaan. Dit wordt opgevuld door de coalitie van aristocratie en burgerij die zichzelf 'Gonghe Xingzhend' noemt, hetgeen vertaald kan worden als 'Regering van Algemeen Akkoord'.

*Assyrische soldaat met paardenspan; wandschildering uit gouverneurspaleis van Til Barship.*

# Salmanassar III in Babylon

BABYLON, 850 - Ter gelegenheid van zijn bezoek aan Babylon heeft de Assyrische koning Salmanassar III tijdens een groots banket geschenken uitgedeeld aan de bevolking van de stad. Salmanassar bezoekt Babylon na een veldtocht, die vorig jaar begon tegen Mardoekbeloesati, de broer van de Babylonische koning Mardoek-zakir-sjoemi.

Mardoekbeloesati was tegen zijn broer in opstand gekomen om een splitsing van het Babylonische rijk te bewerkstelligen. Pogingen van de koning om zijn broer tot andere gedachten te brengen en om tot een vergelijk te komen faalden, waarop Mardoek-zakir-sjoemi zich genoodzaakt zag de hulp van Assyrië in te roepen om de dreigende splitsing en een burgeroorlog te voorkomen.

De Assyrische koning willigde het verzoek om bijstand in op grond van een verdrag tussen Assoer en Babylon om elkanders grondgebied te eerbiedigen en te beschermen.

Het grondgebied dat de rebel zich reeds had toegeëigend, omvatte het gebied rond de rivier de Diyala. Salmanassar drong het gebied binnen en leverde slag bij de stad Gannati. Hoewel de slag in het voordeel van de Assyriërs werd beslist, viel de stad niet in hun handen. Wel bracht het Assyrische leger grote schade toe aan de boomgaarden en de graanvelden.

In het begin van het jaar waagden de Assyriërs een nieuwe poging om de stad in te nemen. Dit lukte, maar de rebellen en Mardoekbeloesati waren reeds naar het nabijgelegen Arman gevlucht. De troepen van Assoer trokken daarna op naar deze stad en sloegen het beleg. Na enige tijd moest de stad zich overgeven. Mardoekbeloesati werd tijdens de gevechten gedood.

# Feniciërs voorkomen slag met Assyriërs

FENICIE, 877 - Door zich van hun vredelievende kant te tonen hebben de Feniciërs een dreigende veldslag met de Assyriërs voorkomen. Ze slaagden erin bij koning Assoernasirpal II in het gevlij te komen en hem van een invasie te weerhouden. Assoernasirpal had zich voorgenomen de welvarende Fenicische stadstaten bij zijn rijk in te lijven. Van oudsher stond de buitenlandse politiek van de Feniciërs in het teken van het vermijden van gewapende conflicten.

Vorig jaar sloeg een sterke Assyrische troepenmacht haar tenten op in het noorden van de Libanon. Er dreigde een totale overrompeling. Tegen het Assyrische leger waren de Feniciërs in de verste verte niet opgewassen. De koningen van de zeestadstaten besloten een andere tactiek toe te passen. Er werd een afvaardiging naar het vijandelijke kamp gezonden, die Assoernasirpal overlaadde met een keur van geschenken. Welwillend nam de koning ze in ontvangst. Door zijn hofschrijver liet hij optekenen: 'De schatting van de zeekust - van de inwoners van Tyrus, Sidon, Byblos, Mahalatta, Maisa, Kaisa, Amurru en Arvad - bestaande uit goud, zilver, tin, koper, koperen vaten, linnen klederen met veelkleurige versiering, grote en kleine apen, ebbehout, bukshout, ivoor en walrusslagtanden, [...], heb ik gekregen en zij kusten mijn voeten.'

De afloop van de zaak was kenmerkend voor de Feniciërs. Handelaren in hart en nieren, wisten ze zelfs economisch voordeel uit hun onderdanige houding te putten. Want behalve dat Assoernasirpal de onafhankelijke positie van de stadstaten ongemoeid liet, voorzag hij hen van de lucratieve opdracht cederhout te leveren voor de bouw van een paleis bij Nineve.

## 800

**800** (circa). De Grieken nemen het Fenicische alfabet over en passen het aan.

**800** (circa). Begin van de Etruskische cultuur in Italië.

**800** (circa). In India ontstaan de oude *Upanishads*, filosofisch-theologische verhandelingen die de overgang van het mythische naar het filosofische denken markeren.

**776.** De eerste Olympische Spelen. Deze spelen worden gehouden ter ere van de Griekse oppergod Zeus en vinden eens in de vier jaar plaats.

**770** (circa). In China verplaatst de Zhou-dynastie de hoofdstad naar het oosten. De macht van de Zhou beperkt zich tot de directe omgeving van hun hoofdstad Luoyang. In de rest van China strijden baronnen om de macht. Dit is het begin van het zogenaamde Tijdperk van Lente en Herfst. →

**753.** Volgens de traditie wordt Rome gesticht door Romulus. Dit jaar vormt het uitgangspunt van de Romeinse tijdrekening. Alle Romeinse gebeurtenissen worden 'ab urbe condita' (vanaf de stichting van de stad) gedateerd. →

**751** (?). De Ethiopiër Pianchi verovert Egypte en sticht Egyptes 25ste, of Ethiopische, dynastie.

**750** (circa). De Olmeken-cultuur verspreidt zich over Midden-Amerika. →

**750** (circa). In Griekenland komt het alfabet in zwang. →

**750** (circa). Cumae, de eerste Griekse kolonie in Italië, wordt gesticht. →

**745** (circa). In Assyrië wordt Tiglatpileser III koning. Hij herstelt de koninklijke macht en begint met nieuwe veroveringen.

**740/720** (circa). De Spartanen veroveren onder koning Theopompus tijdens de Eerste Messenische Oorlog Messenië. →

**738** (?). Onder koning Midas wordt het Phrygische koninkrijk, met als hoofdstad Gordion, gesticht.

**722** (?). De Assyrische koning Sargon II verovert het koninkrijk Israël, dat een Assyrische provincie wordt. Hij laat een groot deel van de inwoners deporteren en vervangen door Assyrische kolonisten. Uit de vermenging van de Assyriërs met de in het land achtergebleven Israëlieten ontstaat het volk van de Samaritanen. →

**703** (?). Koning Sennacherib van Assyrië verovert het in opstand gekomen Babylon en vervolgens ook de Fenicische stadstaten. →

Gestorven:

**783** (?). Adadnirari III, Assyrisch koning
**730** (?). Pianchi, Egyptisch farao
**727** (?). Tiglatpileser III, Assyrisch koning

# Olmeken-cultuur verspreidt zich

*Detail van een Olmeeks reliëf uit La Venta, 1000-500.*

MIDDEN-AMERIKA, 750 - Vanuit de zuidkust van de Golf van Mexico heeft de La Venta-cultuur van het volk der Olmeken zich over geheel Midden-Amerika verspreid. Deze eerste herkenbare beschaving op het Amerikaanse continent is circa 1300 ontstaan in de tropische wouden aan de Golfkust. Ze is geconcentreerd rond ceremoniële centra, die bestaan uit piramiden, tempels en priesters- en kunstenaarswoningen. De bevolking, veelal landbouwers, woont op het omliggende land. Olmeekse kunstenaars hebben kolossale monumentale beeldhouwwerken vervaardigd, maar ook kleine, subtiel in jade uitgesneden figuren of op jaguars lijkende beeldjes. Hoewel deze centra zich voornamelijk bevinden in de kuststreek, reikt de invloed van de Olmeken via het uitgebreide net van handelswegen tot ver in het binnenland.

Behalve dragers van een cultuur zijn de Olmeken ook de eersten die als volk van zich doen spreken in Amerika. Hiervóór was er slechts sprake van dorpsgemeenschappen die onderling weinig contact hadden.

De eerste mensen die voet op Amerikaanse bodem zetten waren Mongoolse volken die ongeveer 30 000 jaar geleden over de landbrug, die Siberië met Alaska verbond, Noord-Amerika binnentrokken. In de daaropvolgende duizenden jaren reisden ze steeds verder in zuidelijke richting. Omstreeks 22 000 bereikten ze Mexico en enkele millennia later waren ze doorgedrongen tot het noordelijk deel van Zuid-Amerika. Het waren nomaden, die leefden van de jacht, het verzamelen van vruchten en de visvangst.

Met de ontdekking van de landbouw in het vijfde voorchristelijke millennium verdween de nomadencultuur. Er werden nederzettingen opgericht en op de akkers werden gewassen als maïs, bonen en aardappelen verbouwd. In de loop der eeuwen ontwikkelden zich ook andere technieken en in de dorpen verrezen weverijen en pottenbakkerijen. Dit zeer geleidelijk verlopende proces vormde de basis waaruit de eerste Amerikaanse beschaving kon ontstaan.

# Einde van westelijk Zhou

CHINA, 770 - Ping, de 14de heerser van de Zhou-dynastie, heeft de hoofdstad van zijn rijk gevestigd in Luoyang. Hiermee heeft de verzwakking van het centrale gezag die in de laatste honderd jaar in Zhou heeft plaatsgevonden, een voorlopig eindpunt bereikt. Het feitelijke gezag van de nieuwe koning strekt zich slechts uit tot de grenzen van zijn domein terwijl in de rest van China zijn vazallen oppermachtig zijn in hun de facto onafhankelijke staten. Slechts voor het legitimeren van belangrijke politieke handelingen zoals het sluiten van bondgenootschappen vragen zij formeel koninklijke sancties aan de heersers van Zhou. De verplaatsing van de hoofdstad is tevens het einde van westelijk Zhou dat met de dood van koning You en de vernietiging van de hoofdstad Hao werd bezegeld.

You, de 13de heerser van de Zhou-dynastie, is omgekomen tijdens een aanval van de barbaarse stam Quan Rong. Ofschoon hij aanvankelijk erin geslaagd was uit de omsingelde hoofdstad te vluchten, werd hij aan de voet van de berg Li door zijn vijanden ingehaald en gedood. De hoofdstad Hao werd geplunderd en ging in vlammen op. De Rongs werd tijdens hun aanval bijstand verleend door hertog Shen, de vader van de koningin van Zhou, die door You werd verlaten ten gunste van de concubine Bao Si. Het verhaal gaat dat koning You een paar keer zonder reden de fakkels op de torens van zijn paleis liet aansteken. Het ontsteken van de fakkels was het teken voor de vazallen van Zhou dat ze hun soeverein te hulp moesten komen. De grap was bedoeld als amusement voor Bao Si die ervan hield om de prinsen van Zhou voor de gek te houden. Tijdens de kritieke aanval van de Rongs werden de fakkels opnieuw ontstoken. Maar ditmaal kwam niemand opdagen.

*Romulus en Remus, de mythologische stichters van de stad Rome, worden gezoogd door een wolvin. Marmersculptuur uit de 2de eeuw na Christus. (Rome is in deze tijd nog een onderdeel van de Latijnse stedenbond.)*

*Grieks schip, gebruikt voor de kolonisatie van het Middellandse-Zeegebied.*

# Grieken stichten Cumae

CUMAE, circa 750 - Aan de westkust van Italië is een nieuwe Griekse stad, Cumae, gesticht. De nieuwe nederzetting ligt in een vruchtbare streek, die commerciële mogelijkheden biedt.

Cumae is vernoemd naar een plaatsje op het Griekse eiland Euboea. Een van de twee leiders van de expeditie die de nieuwe stad heeft gesticht, Hippocles, is afkomstig uit het oude Cumae. De andere, Megasthenes, komt, net als de meeste andere kolonisten, uit het nabijgelegen Chalcis.

De stichting van Cumae hangt samen met de toeneming van Griekse handelsactiviteiten. De laatste decennia hebben inwoners van Chalcis en andere Griekse steden zich een groter aandeel veroverd in de handel in luxe-goederen. Deze handel was tot dan toe voornamelijk in handen van Feniciërs. Dank zij hun handelsnederzettingen in het westen van het Middellandse-Zeegebied - Carthago is de bekendste - konden de Feniciërs een groot gedeelte van de handel monopoliseren. Cumae biedt de Grieken nu de mogelijkheid hun commerciële banden met allerlei volkeren in Italië, waaronder de Etrusken, nauwer aan te halen.

De goederen die de Grieken verhandelen, zijn afkomstig uit het Midden-Oosten, maar ook uit Griekenland zelf. Zo worden er goede zaken gedaan met aardewerk uit Korinthe.

# Stadsvorming in Latium

LATIUM, circa 750 - Een aantal nederzettingen op de heuvels in het stroomgebied van de Tiber heeft zich aaneengesloten. Vanaf nu vormen zij een nieuwe bestuurlijke eenheid.

Deze stadsvorming is geënt op het Etruskische voorbeeld. In het gebied der Etrusken, dat zich ten westen van de Apennijnen uitstrekt van de Po-vlakte tot aan de noordelijke oever van de Tiber, bestaan reeds enige tijd dergelijke onafhankelijke steden, waarvan Tarquinia en Veii de belangrijkste zijn.

Deelnemende bevolkingsgroepen in de nieuwe stad zijn de Latini, die de heuvel Palatinus bewonen, en de Sabini, wier nederzettingen zich op de heuvels Esquilinus, Viminalis en Quirinalis bevinden. Overigens is geen van beide volkeren, die bestaan uit herders en landbouwers, in dit gebied inheems. De Latini zijn waarschijnlijk verwant aan de dragers van de Villanova-cultuur, afkomstig uit het noorden van het Italische schiereiland. Vanaf circa 250 jaar geleden hebben zij zich op vele plaatsen in Latium gevestigd, daarbij geholpen door hun kennis van het gebruik van ijzer. De Sabini zijn oorspronkelijk uit het midden en zuiden van Italia afkomstig. Ook hun immigratie is omstreeks dezelfde tijd op gang gekomen. De autochtone bevolking van dit deel van Latium is in de afgelopen eeuwen samengesmolten met de nieuwe bewoners.

De samenvoeging die nu is ontstaan, zal vooralsnog waarschijnlijk slechts religieuze betekenis hebben.

# Ook in Griekenland wordt alfabet gebruikt

GRIEKENLAND, circa 750 - In toenemende mate maken Griekstaligen gebruik van het alfabet. Het door de Feniciërs ontwikkelde alfabet is een stuk simpeler dan andere schriftsoorten. Dat de Grieken een eigen schrift hebben, is een belangrijke stap voorwaarts. In de Myceense en Minoïsche tijd konden zij ook al over bepaalde schriftsoorten beschikken, maar de kennis daarvan was met de ondergang van deze culturen verloren gegaan.

Het belangrijkste voordeel van het nieuwe alfabet is, dat het eenvoudig is te leren. Dit in tegenstelling tot bijvoorbeeld het oude hiëroglifenschrift uit Egypte, waarin elk teken een begrip voorstelt en niet een klank. Daar is alleen een kleine groep priesters in staat het grote aantal tekens te leren. Zo'n elite van schrijvers ontbreekt in Griekenland totaal. De behoefte om teksten vast te leggen is onder andere in kringen van handelaren ontstaan.

Het alfabet is voortgekomen uit schriftsoorten waarin elk teken een lettergreep voorstelt. Deze manier van schrijven wordt ook toegepast in enkele spijkerschriftsoorten uit het Midden-Oosten en staat qua moeilijkheid in tussen de Egyptische hiëroglifen en het alfabet.

De Grieken hebben het Fenicische schrift hier en daar voor eigen gebruik aangepast. Sommige letters schrijven zij op dezelfde manier als hun voorgangers, maar zij spreken ze anders uit. De daarmee corresponderende lettertekens worden door de Grieken gebruikt voor de klinkers, die de Feniciërs zelf niet noteren. Ook hebben de Grieken een paar nieuwe letters verzonnen. Het

*Griekse vaas met ingekraste tekst.*

Griekse schrift kent enkele lokale varianten, maar de verschillen zijn dermate gering, dat men elkaar over en weer kan begrijpen.

# Sargon II verovert Samaria

SAMARIA, 721 - Sargon II, koning van Assyrië, heeft Samaria veroverd, waarmee een eind is gekomen aan de onafhankelijkheid van het noordelijke rijk Israël. De koning is onmiddellijk begonnen met het laten aanbrengen van inscripties voor het nageslacht waarop hij verklaart: 'Ik heb het wijde land van Beth Omri veroverd, 27 290 Israëlieten voerde ik in gevangenschap mee'.

Na de dood van Salomo in 928 keerde Jerobeam, de leider van de opstand, terug uit ballingschap. Vanuit Tirza, bij Sichem, regeerde hij 21 jaar. Het rijk Israël werd gekenmerkt door grote maatschappelijke onrust, burgeroorlogen en werd geteisterd door invallen van buitenaf. Bovendien moest het zware schattingen aan het buitenland betalen.

Met de troonsbestijging van de dynastie van Omri (876-842) trad er een verbetering in van de politieke toestand en werden vriendschappelijke betrekkingen met het rijk Juda aangeknoopt. Ook zocht Jerobeam toenadering met Fenicië; zijn zoon Achab

*Israëlieten worden na de bezetting van Samaria weggevoerd.*

trouwde met een dochter van de koning van Tyrus, Izebel. Samaria werd de nieuwe hoofdstad.

De welvaart beperkte zich echter tot de hogere lagen van de maatschappij. Achab, die inmiddels koning was geworden, werd beschuldigd van mede-

plichtigheid aan de afgoderij van zijn vrouw, die een tempel had laten bouwen voor haar god Baäl Melkart. De tegenstellingen in het land groeiden en het buurland Aram begon een oorlog. Achabs generaal Jehu won de strijd om de opvolging en zijn dynastie bleef een eeuw aan de macht (842-745). Inmiddels was er een nieuwe macht opgekomen, Assyrië, waaraan Israël zware schattingen moest betalen.

In 793 kwam Jerobeam II aan de macht. Hij slaagde erin enig verloren gebied terug te winnen, ten koste van Damascus dat met Fenicië wedijverde om de heerschappij over geheel Syrië. Wederom nam de rijkdom onevenredig toe. Hoewel Jehu de Baälcultus had vernietigd, kreeg deze verering weer vaste voet in Samaria.

In 732 besteeg Hosea de troon waarna een burgeroorlog uitbrak. Terzelfder tijd sloot Assyrië Samaria af en belegerde deze stad drie jaar, echter nog zonder resultaat. Nu, acht jaar na beëindiging van dit beleg, is de stad ingenomen. Aan de onafhankelijkheid van Israël is een einde gekomen.

*Gevechtsscène, reliëf uit de 6de eeuw.*

## Sparta onderwerpt Messenië

SPARTA, circa 720 - Spartaanse troepen onder leiding van koning Theopompus hebben Messenië, het gebied ten westen van Sparta, ingenomen. Deze uitbreiding van landbouwareaal is de Spartanen zeer welkom. Aan de verovering zijn negentien jaar van onafgebroken strijd voorafgegaan.

Het voornaamste motief van Sparta om Messenië binnen te vallen was een voortdurend gebrek aan land voor de eigen burgers. Ook andere steden in Griekenland hebben met dit probleem te kampen. Ten gevolge van de aanhoudende oorlogssituatie was er de laatste tijd bovendien sprake van onderlinge wrijvingen tussen de Spartanen. Er was Theopompus dus veel aan gelegen om het hardnekkige verzet van de Messeniërs te breken en hun vruchtbare akkers in te lijven. Het opruimen van de laatste verzetshaarden in het Messenische bergland geldt dan ook als een groot politiek succes.

Inmiddels is een begin gemaakt met de toewijzing van landbouwpercelen aan Spartaanse burgers. Zij bebouwen het land niet zelf, maar laten dat doen door de oorspronkelijke bewoners. Die moeten de helft van de opbrengst aan de nieuwe heersers afstaan. Daarmee valt de Messeniërs dezelfde behandeling ten deel als de bewoners van Laconië, een streek in het zuidoosten van de Peloponnesos, die al eerder door Sparta werd veroverd. De 'heloten', zoals de onderworpen boeren worden genoemd, zijn geen slaven; de Spartaan die over de inkomsten van hun akker beschikt, kan hen niet als zijn persoonlijk bezit verkopen. Wel zijn zij ernstig in hun bewegingsvrijheid beperkt, omdat zij niet mogen verhuizen.

Naast de kleine elite van Spartaanse burgers en de heloten wonen er in door Sparta gedomineerd gebied ook 'perioiken' - letterlijk 'omwonenden'. Van deze groep maken veel ambachtslieden deel uit. De perioiken vormen kleine gemeenschappen die Sparta loyaal zijn en die een zekere mate van zelfbestuur genieten.

# Sennacherib neemt Fenicische stadstaat in

*Assyrische troepen voeren krijgsgevangenen weg. Reliëf uit het paleis van Nineve, circa 700.*

SIDON, 701 - De Assyrische vorst Sennacherib heeft de Fenicische stadstaat Sidon ingenomen. De koning van de stad, Luli, is naar Cyprus gevlucht en op zijn plaats is een Assyrische onderkoning aangesteld. Hiermee is een einde gekomen aan een langdurige periode van vreedzame coëxistentie. Bijna twee eeuwen hebben de Assyrische machthebbers niet getornd aan de onafhankelijke positie van de Fenicische stadstaten.

Aanleiding voor Sennacheribs ingrijpen waren de betrekkingen die Luli onderhield met de anti-Assyrische coalitie van Aramese steden. Luli's activiteiten konden een gevaar betekenen

voor het Assyrische Rijk. Een aantal andere Fenicische steden had zich eveneens aan de zijde van Sidon geschaard.

Sennacherib viel vanuit het noorden Fenicië binnen en riep al snel de opstandige bewoners tot de orde. Hij liet daarover optekenen: 'Luli, de koning van Sidon, die de afschrikwekkende luister van mijn majesteit geweld heeft aangedaan, vluchtte over zee weg en stierf. De vreeswekkende straling van het leger van Assur, o god, bedwong zijn sterke steden, [...], zijn vestingen, die door muren omringd waren en welvoorzien van levensmiddelen en water voor hun garnizoenen. Zij wierpen

zich ootmoedig aan mijn voeten.'
Sennacherib is vastbesloten de Feniciërs op hun meest gevoelige plek te treffen. Hij tracht hun vooraanstaande positie op zee te ondermijnen en eist van de schatplichtige steden schepen op. 'Ik plaatste Taba'lu op de koningstroon over hen en legde hun cijnzen op, geschenken voor mijn majesteit, die zij voortaan tot het einde der dagen moeten betalen.'

Van de Fenicische steden blijft alleen Tyrus gevrijwaard van deze heffingen. Het deel van de stad dat op een eiland voor de kust is gelegen, kon de Assyrische vorst namelijk niet in handen krijgen.

*Bronzen strijdwagen uit Trondholm (Denemarken). Het paard trekt een met goud ingelegde zonneschijf langs de hemel (1500-1800, Nationaal Museum, (Kopenhagen).*

# Scythen naar West-Europa

WEST-EUROPA, 700 - Scythische volksstammen, oorspronkelijk afkomstig uit de Kaspische laagvlakte, zijn naar het Westen getrokken. Na in de afgelopen twee eeuwen al tot Hongarije en Silezië te zijn doorgedrongen, hebben ze zich nu gevestigd in Beieren en Oost-Frankrijk.

De Scythen bezitten een hoogontwikkelde kunstnijverheid en staan bekend om hun kwaliteiten als ruiters. Bovendien hebben ze de gewoonte hun doden te begraven. Dit in tegenstelling tot hetgeen gebruikelijk is in de streken die ze in de loop der tijden hebben aangedaan, namelijk het verbranden van de overledenen. De as werd verzameld in urnen, die te zamen met wapens en sieraden werden bijgezet op uitgestrekte begraafplaatsen. Het is mede door de komst van de Scythische landverhuizers dat deze zogenaamde urnenveldencultuur verdwijnt en plaats maakt voor de cultuur van de grafheuvels. Daarnaast is er echter een ander, veel ingrijpender veranderingsproces aan de gang. Het werd in de vorige eeuw ingezet met de kennismaking van een tot dan toe onbekend materiaal, ijzer.

De wetenschap van de ijzerbewerking is ontwikkeld in Klein-Azië en vervolgens uitgewaaierd naar Griekenland en Italië. In de loop van deze eeuw heeft de techniek Centraal-Europa bereikt. De intrede van het ijzer betekent meer dan alleen een uitbreiding van technische kennis. Ze luidt een nieuw tijdvak in van economische, culturele en sociale veranderingen.

Naast een toenemend gebruik van ijzer ontwikkelt zich de zoutwinning. De internationale handel breidt zich uit, met name met Griekenland en Italië.

De vorsten, heersers over stamgebieden, vergroten hun welstand, niet zelden door uitbuiting van hun onderdanen. Bij hun dood laten ze zich begraven in enorme grafkelders. Hun lichaam wordt gehuld in een met edelgesteente versierde mantel en omringd door wapens, praalwagens en kostbaar paardetuig.

# Nieuwe jaartelling Athene

ATHENE, 683 - In Athene is een nieuwe jaartelling van kracht geworden. De jaren krijgen niet langer de naam van de regerende koning ('het derde jaar van koning Acastus'), maar die van de belangrijkste magistraat, de 'archon eponymos'. Zo is 683 'het jaar waarin Creon archont is'. Deze verandering is de logische uitkomst van een ontwikkeling die al veel langer gaande is: de uitholling van het koningschap. Aanvankelijk was de koning priester, rechter en legeraanvoerder tegelijk. Het koningschap was erfelijk en gold voor het leven. Aristocratische families uit het gebied rond Athene, de zogeheten 'eupatriden' ('mensen van goede geboorte'), verzetten zich reeds in de vorige eeuw tegen het feit dat al

deze bevoegdheden het exclusieve privilege waren van één familie, de Medontiden. Om aan hun wensen tegemoet te komen, stemden de koningen in de tweede helft van de 8ste eeuw in met de instelling van het archontaat. De jaarlijks gekozen archont had oorspronkelijk vooral een taak in de rechtspraak, maar geleidelijk hebben de eupatriden deze functie uitgebouwd tot een algemener ambt. Bovendien werd later een nieuwe functie gecreëerd, die van 'polemarch' of opperbevelhebber van het leger. Sinds de dood van de laatste Medontide wordt ook de koning jaarlijks gekozen. Hij fungeert voornamelijk als priester. De nieuwe jaartelling bewijst dat de monarchie in Athene heeft afgedaan.

# 'Ilias' en 'Odyssee' op schrift gesteld

IONIE, circa 700 - De grote Griekse heldendichten, de *Ilias* en de *Odyssee* van Homerus, zijn op schrift gesteld. Zodoende is een eind gekomen aan een eeuwenlange mondelinge overlevering van deze lange gedichten. Het belang van *Ilias* en *Odyssee* voor de Griekse cultuur is enorm; van jongs af worden de Grieken vertrouwd gemaakt met de heldendaden van Grieken en Trojanen.

Beide gedichten zijn gesitueerd in de legendarische tijd rond de inneming van Troje, een vesting aan de westkust van Klein-Azië. In de *Ilias* vertelt Homerus hoe de Grieken met behulp van een houten paard Troje innemen en verwoesten. Aanleiding voor de strijd was dat Paris, een van de Trojanen, Helena, de vrouw van de koning van Sparta, had ontvoerd. Het verhaal is met veel strijdscènes doorspekt.

Romantischer is de *Odyssee*. Dit epos gaat over de soms wonderbaarlijke lotgevallen van koning Odysseus, die na de strijd in Troje naar zijn koninkrijk Ithaca terugkeert. Thuis dreigt zijn vrouw Penelope de greep op het rijk te verliezen, omdat aristocratische jongemannen op de troon en op haar azen. Juist op tijd keert Odysseus terug. Hij verslaat zijn rivalen en herstelt zijn macht.

Hoewel de verhalen meestal worden toegeschreven aan één man, Homerus, zijn ze in feite het werk van vele generaties dichters, die elkaar de gedichten hebben doorverteld en ze hier en daar hebben uitgebreid en verfraaid. Al is hun historische betrouwbaarheid gering, toch bewaren de gedichten de herinnering aan allerlei inmiddels verdwenen zeden en ideeën. Dat is te danken aan het goede geheugen van de dichters en aan het feit dat *Ilias* en *Odyssee* voor grote delen zijn opgebouwd uit identieke zinnen, die gemakkelijker zijn te onthouden. Nu de teksten vastliggen, zijn ze nog beter dan in het verleden beschermd tegen bedoelde en onbedoelde aanpassingen.

*Romeins mozaïek uit Tunis met een voorstelling uit de 'Odyssee'.*

# Watervoorziening van Nineve verzekerd

NINEVE, circa 690 - De watervoorziening van de hoofdstad van het Assyrische rijk, Nineve, is verzekerd door de aanleg van een bijna vijftig kilometer lang kanaal, dat water aanvoert vanuit het Tasgebergte. De aanleg van het kanaal, waartoe koning Sanherib opdracht heeft gegeven, heeft in totaal slechts vijftien maanden geduurd.

Door de enorme uitbreiding van de stad onder de regering van Sanherib kreeg de stad te kampen met een gigantisch watertekort. Met name de vele parken en tuinen hebben enorme hoeveelheden water nodig. De Chosr, de rivier waaraan Nineve is gelegen, is bij lange niet in staat dit water aan te voeren. Sanherib besloot daarom water te gaan onttrekken aan de bovenloop van de Gomel, een zijrivier van de Grote Zab. Hiertoe werden in de Gomel stuwen gebouwd. Het aldus opgestuwde water moest dan via een lang kanaal naar de Chosr worden geleid.

Een probleem was echter dat hierbij een ander rivierdal overbrugd moest worden. Om dit mogelijk te maken is er een reusachtig aquaduct in de buurt van Jerwan gebouwd. Dit aquaduct heeft een lengte van bijna 280 meter en is 22 meter breed. Om dit enorme

*Het koninklijke paleis van Nineve volgens een reconstructie uit de 19de eeuw (aquarel naar een tekening van Lahard).*

bouwwerk te kunnen realiseren werden meer dan twee miljoen kalksteenblokken uit het nabijgelegen gebergte aangevoerd. De inhoud van ieder blok is ongeveer een achtste kubieke meter. Het in het dal stromende riviertje is overbrugd met vijf boogconstructies van 2,6 meter breed en ruim 5 meter hoog.

Om te voorkomen dat de hoofdstad onder water zou komen te staan in tij-

den dat te veel water wordt aangevoerd, is er ten noorden van Nineve een buffer aangelegd in de vorm van een kunstmatig moeras. In dit moeras is riet aangeplant en zijn wild en gevogelte uitgezet. Rondom het moeras worden bomen geplant.

Hiermee is op ingenieuze wijze de watervoorziening voor de tuinen en parken, alsmede voor het bouwland rond de hoofdstad gewaarborgd.

## Esarhaddon benoemt twee kroonprinsen

NINEVE, 672 - Esarhaddon, de koning van Assyrië en Babylonië en opvolger van de omstreden koning Sanherib, heeft zijn opvolging geregeld door het benoemen van twee kroonprinsen. De jongste kroonprins, Assoerbanipal, zal na de dood van de koning het koninkrijk Assyrië erven en de oudste zoon Sjamasj-sjoemoekin zal plaats nemen op de troon van Babylon. Esarhaddon heeft tot deze stap besloten na de dood van zijn echtgenote in februari van dit jaar. De zwakke gezondheid van de vorst zal zeker ook een belangrijke factor zijn geweest. Verder zal Esarhaddon de problemen rond de opvolging van zijn vader niet vergeten zijn.

Om over de ernst van zijn besluit geen twijfel te laten bestaan, heeft de koning al zijn vazallen, dienaren en gouverneurs naar de hoofdstad ontboden om een eed van trouw aan de zojuist benoemde opvolgers te zweren.

De tekst van deze eden van trouw is vastgelegd in een zeer lange reeks van oorkonden, de zogenaamde vazalverdragen. Hierin zweren alle vazallen, gouverneurs en verdere dienaren van beide koninkrijken bij alle erkende rijksgoden dat ze de keuze van hun koning zullen eerbiedigen en de beide kroonprinsen te allen tijde zullen bijstaan om hun taken te vervullen.

De meest cruciale passage uit de verdragstekst luidt:

'U zweert dat indien Esarhaddon, koning van Assyrië sterft, terwijl zijn zonen nog minderjarig zijn, U Assoerbanipal, de kroonprins, zult helpen de kroon van Assyrië te verwerven en dat U zijn broeder Sjamasj-sjoemoekin, de kroonprins van Babylonië, zult helpen op de troon van Babylon plaats te nemen. Het koningschap over geheel Soemer, Akkad en Kara-doenjasj zult U aan hem overdragen. Wat voor bezittingen zijn vader Esarhaddon, koning van Assyrië, hem ook maar geschonken heeft, zal hij meebrengen. Houd niets ervan achter!'

# Uitzonderlijk hoge Nijlvloed in Egypte

THEBE, 684 - In het zesde regeringsjaar van de Ethiopische farao Taharka is een Nijlstand van 21 el gemeten. Deze hoge Nijl zorgt voor een goede oogst en wordt als een teken van welwillendheid van de goden beschouwd.

De overstroming van de Nijl is een jaarlijks terugkerend verschijnsel, veroorzaakt door de tropische zomerregens in het oorspronggebied van de rivier. Voor Egypte, waar nauwelijks een druppel regen valt, is de Nijl de enige waterbron. Eind mei is de stijging van het water waarneembaar bij de Egyptische zuidgrens, te Elefantine. Rond 20 juli begint de rivier buiten haar oevers te treden. Om overvloedig stromen te vermijden en toch het water zo ver mogelijk te laten reiken is door alle provin-

cies een net van kanalen gegraven. Door aanleg van aarden wallen is dit net in talrijke waterbassins ingedeeld. Aan het eind van de zomer, wanneer de overstroming haar hoogtepunt bereikt, worden deze wallen doorgestoken. Het land wordt zo gelijkmatig voorzien van water en vruchtbaar slib. In Zuid-Egypte loopt het land één tot anderhalve meter onder.

Egypte is voor honderd procent een agrarische gemeenschap. Het is in de eerste plaats afhankelijk van de Nijl en drijft daarnaast op de boeren die het land bebouwen. Zij vormen het merendeel van de bevolking, maar staan op de onderste sport van de maatschappelijke ladder. De boer is gebonden aan het land, dat eigendom is van de ko-

ning. Behalve een minimum voor zijn eigen onderhoud gaat de opbrengst naar de koninklijke schatkist, die haar verder distribueert.

De belasting in natura is zwaar, maar wordt vastgesteld overeenkomstig de grootte van het stuk land en de hoogte van de Nijloverstroming. Deze hoogte wordt jaarlijks afgelezen van een watermeter. De overstromingsperiode is een cruciale tijd voor de boer. Voordat de rivier buiten haar oevers treedt, observeert men al met spanning de krokodillen. Deze leggen hun eieren zó hoog op de oever dat ze buiten het bereik van het overstromingswater blijven. Men dicht het beest macht over het water toe en vereert het als 'Heer der overstroming'.

# Koning Sanherib in Babylon door zijn zoon vermoord

BABYLON, 681 - Sanherib, de koning van Assyrië en Babylonië, is in Babylon door zijn zoon Arda-moelisj vermoord. De moord heeft in Assoer grote consternatie teweeggebracht, maar in Babylon heerst een gevoel van opluchting nu men bevrijd is van de man, die de stad Babylon met de grond gelijkmaakte en heiligschennis pleegde door het beeld van Mardoek naar Assoer te laten wegvoeren.

Sanherib is opgevolgd door de door hem benoemde kroonprins Esarhaddon. De vermoorde koning had aan

Esarhaddon de voorkeur gegeven boven de oudste zoon Arda-moelisj. Dit waarschijnlijk onder druk van Naqia, de zeer invloedrijke moeder van Esarhaddon. Arda-moelisj, de moordenaar van Sanherib, was geen zoon van Naqia, maar wel tweede in rangorde van opvolging na Asjsjoer-nadin-sjoemi, die echter in 694 door de Babyloniërs gevangen is genomen en aan de Elamieten uitgeleverd en van wie sindsdien niets meer is vernomen.

Het feit dat Sanherib Arda-moelisj passeerde ten gunste van Esarhaddon

zette in Assoer kwaad bloed. Arda-moelisj genoot in Assyrië grote populariteit. Sanherib, die moeilijkheden vermoedde, zond daarop de kroonprins Esarhaddon weg uit de hoofdstad om in de westelijke provincies van het rijk zijn dagen als gouverneur te slijten. Sanherib weigerde echter Arda-moelisj in zijn legitieme rechten te herstellen.

Een en ander zette nu ook in hofkringen kwaad bloed, waardoor Arda-moelisj alleen maar aan populariteit won. Bovendien had Esarhaddon een

slechte gezondheid, hetgeen hem in veler ogen geen geschikte kandidaat voor het koningschap maakte. Deze gevoelens van ongenoegen werden al spoedig een vruchtbare bodem voor een samenzwering waarvan Sanherib nu het slachtoffer is geworden.

Toch heeft Arda-moelisj geen greep naar de macht kunnen realiseren. Tot verwondering van velen trad de nieuwe koning Esarhaddon zeer doortastend op en Arda-moelisj moest de wijk nemen naar het land van de Ararat om aan zijn vonnis te ontkomen.

# Machtsgreep van Cypselus in Korinthe

KORINTHE, 657 - In Korinthe is de machtige dynastie der Bakchiaden ten val gebracht. De nieuwe heerser, Cypselus, heeft aangekondigd een eind aan onrecht en willekeur te zullen maken. In zijn streven wordt hij bijgestaan door groepen uit de middenklasse. Korinthe, de welvarende havenstad in het noordwesten van de Peloponnesos, is tientallen jaren achtereen geregeerd door leden van één familie, de Bakchiaden. Zij hadden een belangrijk aandeel in de bloei van de stad, maar zouden volgens sommigen te veel oog hebben voor hun eigen belangen en te weinig voor die van anderen. In ieder geval hebben zij de macht altijd aan zichzelf gehouden door alleen met familieleden te trouwen.

De machtsgreep van Cypselus heeft aan de Bakchiaden-heerschappij een abrupt einde gemaakt. Hij heeft zijn voornaamste politieke tegenstanders inmiddels verbannen - voor zover ze niet al tijdens de coup waren gedood. Hun land en bezittingen zijn geconfisqueerd en over de burgers verdeeld.

De omverwerping van het oude regime is van verschillende kanten gesteund. Ten eerste door de aristocraten, wier machtsambities door de Bakchiaden consequent zijn gefnuikt. Cypselus zelf behoort tot deze groep. Zijn vijandschap met de Bakchiaden is nog verscherpt doordat zijn moeder, een Bakchiade van geboorte, door haar fa-

*Een vaasdecoratie in protokorinthische stijl uit circa 640 voor Christus.*

milie is verstoten. Naast edelen hebben middelgrote boeren Cypselus steun betuigd. Zij hebben hun hoop gesteld op een eerlijker verdeling van de beschikbare grond. Hun invloed is groeiende, omdat zij als hoplieten (zwaarbewapende infanteristen) in de moderne oorlogvoering steeds vaker van doorslaggevende betekenis zijn.

Ten slotte geniet Cypselus ook aanhang buiten de grenzen van Korinthe. Zo heeft het Apollo-heiligdom in Delphi, dat bekend is vanwege zijn gezaghebbende orakel, Cypselus openlijk gesteund. Zijn optreden is daardoor religieus gesanctioneerd.

De machtsgreep van Cypselus staat niet op zichzelf. Ook elders in de Griek-se wereld werpen alleenheersers, 'tirannen' genoemd, zich op als verdedigers van een rechtvaardige orde. Zij delen hun macht niet met andere burgers, maar omdat zij met de oude aristocraten hebben gebroken en een krachtdadige politiek voeren, oogsten zij toch vaak waardering.

## Hertog Huan heerser van China

CHINA, 651 - 'Eenieder die aan deze bijeenkomst heeft deelgenomen, moet vanaf dit samenzijn alle onderlinge strijd staken.' Aldus sprak hertog Huan zijn gehoor toe tijdens de bijeenkomst van Kuiqiu. Aan de bijeenkomst namen deel vertegenwoordigers van de staten Song, Lu, Wei, Zheng, Xu, Zao en enige kleinere rijkjes uit het gebied dat nominaal het gezag van de koningen van Zhou erkent. Het hof was vertegenwoordigd door de minister Zai Kong. Tijdens de bijeenkomst van Kuiqiu werd hertog Huan erkend als 'hegemoon' van een liga van staten. Hiermee is zowel de machtige positie van de staat Qi binnen het koninkrijk Zhou erkend als de speciale verdiensten van de heerser van Qi, hertog Huan. Tevens is de instelling van hegemonie een verdere ondergraving van de positie van de koning van Zhou omdat lidstaten van de liga niet schatplichtig zijn aan de koning maar aan de hegemoon.

De liga is opgericht om het hoofd te bieden aan de bedreiging uit het zuiden in de vorm van de grote semi-barbaarse staat Chu.

Hertog Huan dankt zijn macht en aanzien met name aan hervormingen die tijdens zijn bewind onder leiding van zijn minister Guanzi zijn doorgevoerd. De produktie van zout en ijzer is daarbij tot staatsmonopolie verklaard. Anderzijds zijn de belastingen voor boeren en ambachtslieden aanzienlijk verlaagd, terwijl de hoogste posities in de staatsbureaucratie en in het leger niet langer uitsluitend aan aristocraten voorbehouden zijn.

# Carthaagse kolonie op Ibiza

IBIZA, 653 - Kolonisten uit de Noordafrikaanse stad Carthago hebben op het eiland Ibiza een handelspost gevestigd. Daarmee treden ze in de voetsporen van hun voorvaderen, de Feniciërs.

Ruim 150 jaar geleden, in 813, hebben kooplieden, afkomstig uit de Fenicische stadstaat Tyrus, een nederzetting gebouwd aan de Afrikaanse kust die zij de naam Carthago, de Nieuwe Stad, gaven. Geografisch voldeed de plaats, ten westen van Sicilië en zuidelijk van Sardinië, op perfecte wijze aan de eisen die de Feniciërs altijd aan hun economische steunpunten hebben gesteld. Een pijlvormig schiereiland dat zestien kilometer de zee in stak, een smalle en gemakkelijk te versperren verbinding met een vruchtbaar achterland, en beschutte baaien waarin hun schepen voor anker konden gaan. Rond de havens verrezen scheepswerven, pakhuizen en woningen, maar het beeld van de ommuurde stad werd bepaald door de Byra, een heuvel waarop een burcht was gebouwd, die in geval van nood dienst kon doen als vluchtplaats, maar waarin gewoonlijk de rijksschat en de archieven werden bewaard. In de loop van de tijd heeft Carthago zich ontwikkeld tot de rijkste en belangrijkste Fe-

nicische kolonie in het westelijke Middellandse-Zeegebied.

Zoals dat ook nog altijd bestaat in de Fenicische moedersteden, is in Carthago een invloedrijk patriciaat van rijke kooplieden ontstaan. Maar 'de hoogste macht over de handelsstad ligt in handen van de suffeten. (...) Rechters en consuls, die vorstelijke macht bezitten en oorspronkelijk Tyrische onderkoningen waren.'

De suffeten, die voor een jaar gekozen worden, vertegenwoordigen de rechtsprekende macht. De wetgevende en uitvoerende macht worden gedeeld door de Senaat en de Volksvergadering. De eerste bestaat uit leden van vooraanstaande patriciërsfamilies, de tweede rekruteert haar afgezanten uit de burgerij. Ontstaat er een meningsverschil tussen de Senaat en de suffeten, dan is de stem van de Volksvergadering beslissend. Met dit systeem is de invloed van de militairen miniem. Want hoewel de Carthagers er geen permanente strijdmacht op na houden, slechts een klein elitekorps, is men bevreesd voor een te grote macht van de officieren. Strijd leveren ligt niet in de Fenicische volksaard besloten en ook de Carthagers gaan oorlogen uit de weg.

# Sparta slaat opstand neer

*Hopliet met helm, borstpantser, schild en beenplaten (eind 6de eeuw).*

SPARTA, circa 640 - De burgers van Sparta zijn erin geslaagd een opstand van 'heloten' (horige boeren) neer te slaan. Maar omdat de Spartaanse burgers slechts een klein gedeelte (circa tien procent) van de totale bevolking uitmaken, is hun machtspositie nog steeds wankel. Zij voelen zich daarom genoodzaakt vast te houden aan een staatsinrichting die erop is gericht conflicten binnen de burgerij te voorkomen. De harde onderdrukkingspolitiek ten aanzien van de heloten zal om dezelfde reden worden voortgezet.

Sinds hun verovering van Messenië (circa 720) hebben de Spartanen enkele forse tegenslagen moeten incasseren. Zo verloren zij in 669 een oorlog tegen Argos, een andere belangrijke Peloponnesische stad. Nog geen tien jaar later werden zij geconfronteerd met een opstand van Messenische heloten, die slechts met moeite en pas onlangs kon worden bedwongen.

Deze tegenslagen hebben de Spartanen meer nog dan in het verleden doordrongen van de noodzaak de onderlinge eenheid te bewaren. Zij beschouwen zichzelf daarom als 'gelijken', hoewel er in de praktijk duidelijke verschillen in aanzien en rijkdom bestaan. De inrichting van het Spartaanse politieke bestel moet deze verschillen zoveel mogelijk overbruggen om te voorkomen dat tegenstellingen de stad verzwakken.

Deze staatsinrichting, traditioneel toegeschreven aan de wetgever Lycurgus, heeft in werkelijkheid geleidelijk haar huidige vorm gekregen. Net als andere Griekse stadstaten was Sparta aanvankelijk een monarchie - en wel met twee koningen. Dit dubbele koningschap bestaat nog steeds, al is de macht van de koningen aan banden gelegd. Zij fungeren nu voornamelijk als priesters en legeraanvoerders. Als gevolg van het laatste hebben zij veel invloed op de buitenlandse politiek.

De koningen maken deel uit van de raad van oude mannen, de 'gerousia', die naast de koningen 28 leden van zestig jaar of ouder telt. De gerousia is in eerste instantie een rechtbank. Voorts doet dit college wets- en beleidsvoorstellen aan de volksvergadering, de 'apella'.

In de apella hebben alle - enkele duizenden - volwassen Spartaanse mannen zitting. De bevoegdheden van deze vergadering zijn beperkt; zij kan een voorstel van de gerousia aannemen of afstemmen, maar niet wijzigen.

Verder kiest de apella - waarschijnlijk sinds het eind van de 8ste eeuw - elk jaar vijf magistraten, 'eforen' geheten. Dezen zijn nauw betrokken bij het beleid. Bovendien controleren zij de koningen en de gerousia en dragen zij verantwoordelijkheid voor de ordehandhaving in veroverde gebieden. Vaak behartigen de eforen de belangen van de minder aanzienlijke Spartanen, die zodoende indirecte invloed uitoefenen. Hun stem is belangrijk, omdat zij als 'hoplieten' (zwaarbewapende infanteristen) onontbeerlijk zijn bij de onderdrukking van de heloten.

Terwijl de Spartaanse burgerij op deze wijze probeert intern de harmonie te verzekeren, toont zij naar buiten toe een grimmiger gezicht. Vooral de heloten hebben het zwaar te verduren. Zo worden zij elk jaar geconfronteerd met groepjes jonge Spartanen die heloten vermoorden om de schrik erin te houden. Ook op andere manieren geven de Spartanen blijk van hun vrees voor helotenopstanden of aanvallen van buitenaf. Een en ander heeft een vérgaande militarisering van de samenleving met zich gebracht.

*Hoplieten in slagorde met in hun midden een fluitspeler die de commando's doorgeeft (fragment van de zogenaamde Chigi-vaas uit Toscane).*

# Introductie hoplietenfalanx

GRIEKENLAND, circa 640 - Technische en strategische verbeteringen van de laatste decennia hebben het aanzien van de Griekse oorlogvoering geleidelijk maar ingrijpend veranderd. Het meest opvallende element is de introductie van de 'hoplietenfalanx', een gesloten formatie van zwaarbewapende infanteristen, hoplieten genoemd. Het succes van deze hoplietenfalanx heeft positieve gevolgen voor de politieke macht van de middenklasse, waaruit veel hoplieten afkomstig zijn. De grootste vooruitgang is van strategische aard. De organisatie van militaire operaties liet in het verleden te wensen over. Omdat in min of meer wanordelijke man-tegen-man-gevechten persoonlijke kwaliteiten zwaar wogen, was de rol van de goed getrainde adel vaak prominent. In een oorlog met hoplietenfalanxen is veel minder plaats voor individuele vaardigheden; de strijders opereren als collectief. Door dicht naast elkaar op te rukken en de schilden op elkaar te laten aansluiten, vormen zij een haast ondoordringbaar front. Het geheel wordt gecommandeerd met behulp van trompet- of fluitspelers.

De technische verbeteringen bestaan onder andere uit de invoering van een zware bepantsering, waardoor de hoplieten minder kwetsbaar zijn.

In beginsel dragen de burgers van een Griekse stad zelf zorg voor hun verdediging. Dat betekent dat het leger bij oorlogsgevaar wordt geformeerd en dat de soldaten - boeren en andere bewoners van een stad - amateurs zijn. Omdat ieder zijn eigen wapens betaalt en de standaarduitrusting van de hopliet (helm, borstpantser, schild, zwaard en speer) tamelijk kostbaar is, zijn het vooral de rijke en middelgrote boeren die de hoplietenfalanx vormen. Arme boeren worden ingezet als lichtbewapende strijders.

De hoplietenfalanx heeft in het verleden haar waarde meer dan eens bewezen. Politieke leiders uit de aristocratie moeten dientengevolge meer dan ooit rekening houden met de verlangens van de middenklasse. Een ander gevolg is dat sommige hoplieten van de oorlogvoering hun broodwinning maken. Zij treden als huurlingen in dienst van buitenlandse vorsten, zoals de Egyptische farao, die hen gebruikt om zijn macht veilig te stellen.

# Nieuwe wetten in Locri op schrift gesteld

LOCRI EPIZEPHYRII, circa 650 - In het Zuiditaliaanse Locri Epizephyrii is een reeks nieuwe wetten uitgevaardigd. De wetgever heet Zaleucus. Nieuw is dat deze wetten schriftelijk zijn vastgelegd - een unicum in Europa. Doel van de codificatie is de willekeur van aristocraten een halt toe te roepen. Locri is een Griekse kolonie die ongeveer vijftig jaar geleden is gesticht door de bewoners van Locris, een streek in centraal Griekenland benoorden de Golf van Korinthe. De stad wordt bestuurd door 'De Honderd Huizen', een groep aristocratische families. De leden van deze huizen nemen ook de rechtspraak voor hun rekening. Tot nu toe lagen de rechtsregels echter niet vast. Daardoor hadden de rechters een tamelijk grote vrijheid bij het bepalen van het vonnis. Om een eind te maken aan de hieruit voortvloeiende misstanden, heeft Zaleucus zijn wetten opgeschreven.

Hij heeft er verder voor gezorgd dat zijn wetten niet zo snel zullen worden veranderd. Naar zijn zeggen zijn ze van goddelijke oorsprong; de godin Athene zou ze hem in een droom hebben geopenbaard. Dit feit verschaft de wetten in de ogen van velen eeuwigheidswaarde. Zaleucus heeft de mogelijkheid niet helemaal uitgesloten dat de wetten ooit zullen worden aangepast, maar de kans daarop lijkt vrij klein. Hij heeft namelijk bepaald dat degene die een verandering voorstelt dat doet met de strop om de hals. Wanneer de burgers vinden dat het wetsvoorstel niet bijdraagt tot verbetering van de wet, dan moet hij worden opgehangen.

Op overtreding van Zaleucus' wetten zijn strenge straffen gesteld. Voor het toebrengen van lichamelijk letsel geldt het oog-om-oog-tand-om-tand-beginsel. En wie echtbreuk pleegt, verliest beide ogen.

Verder heeft Zaleucus het bezitsrecht beschermd; een aristocraat zal nu niet ongestraft beslag kunnen leggen op het bezit van een ondergeschikte. Ook de maatregelen tegen een al te opzienbarend vertoon van rijkdom zijn bedoeld om de adel in te tomen.

*Koning Assoerbanipal tijdens een maaltijd in de tuin van het paleis.*

# Grote bibliotheek in Nineve

NINEVE, 635 - De bibliotheek die de Assyrische koning Assoerbanipal in zijn nieuwe paleis in Nineve heeft laten inrichten, bevat ruim 25 000 kleitabletten. Het is de bedoeling van de koning om het gehele culturele en literaire erfgoed van Soemer en Akkad in deze bibliotheek bijeen te brengen om het zo voor het nageslacht te bewaren en om de geleerden en priesters uit zijn rijk de mogelijkheid te bieden uit een rijke traditie te putten.

De bibliotheek bevat niet alleen de rijksadministratie en de koninklijke correspondentie, maar ook talloze afschriften van oudere werken die uit het gehele land bijeengebracht worden. Om dit te bereiken heeft de koning in het gehele land een net van wetenschappelijke correspondenten opgebouwd, die ter plekke oude paleis- en tempelarchieven uitpluizen op zoek naar documenten die nog niet in de bibliotheek aanwezig zijn. Dergelijke documenten worden vervolgens naar Nineve gestuurd om daar gekopieerd te worden.

Aan het eind van ieder kleitablet komt het koninklijk colofon te staan: 'De in geordende spijkerschrifttekens opgetekende wijsheid van de schrijver-god Naboe schreef ik op de kleitabletten, ik onderzocht en vergeleek de teksten en deponeerde ze in mijn paleis, opdat ik ze kan inzien en opnieuw kan lezen.' Assoerbanipal is zelf een groot geleerde die niet alleen de schrijfkunst meester is, maar ook de rekenkunst en de voorspelkunst volkomen beheerst. In een van zijn annalen zegt hij hierover: 'Ik kan gecompliceerde ondoorzichtige delingen en vermenigvuldigingen maken. Verder heb ik altijd het zeer kunstzinnig geschreven en moeilijk te begrijpen Soemerisch en lastig te ontcijferen Akkadisch gelezen. Ja, ik heb zelfs inzicht in de schrifttafels uit de tijd van voor de zondvloed, die totaal en dan ook totaal onbegrijpelijk zijn.'

# Kolonisatie Cyrene geslaagd

CYRENE, circa 625 - De Griekse nederzetting Cyrene in het Noordafrikaanse Libië bestaat vijf jaar. Daarmee is deze kolonie definitief een succes geworden.

Cyrene is circa 630 door bewoners van het eiland Thera gesticht. Doel was een eind te maken aan de nijpende overbevolking op dit eiland, dat bovendien enkele jaren met grote droogte te kampen had gehad.

De kolonisatie is tot stand gekomen in nauw overleg met het Apollo-heiligdom in Delphi. Op aandringen van deze tempel werd besloten de vruchtbare streek van Libië te koloniseren, hoewel eerdere pogingen in deze regio waren mislukt. Als leider van de expeditie wees de volksvergadering Battus aan, die later de eerste koning van Cyrene is geworden. Voorts werd bepaald dat elk gezin op Thera een van zijn zoons voor de kolonisatie moest afstaan. Op ontduiking werd de doodstraf gesteld. Alleen wanneer na vijf jaar zou blijken dat Cyrene niet kon worden behouden, mochten de kolonisten naar hun moederstad terugkeren. Van deze mogelijkheid zal nu geen gebruik worden gemaakt.

De bewoners van Cyrene hebben zich gevestigd als landbouwers en veetelers. Vooral het geneeskrachtige kruid silfium en schapen zijn gewilde exportartikelen geworden. De handel in silfium is overigens geheel in handen van het vorstenhuis. Het voortbestaan van Cyrene is ook verzekerd doordat veel kolonisten inmiddels met Libische vrouwen zijn getrouwd.

Cyrene is een van de weinige Griekse nederzettingen in Noord-Afrika. De meeste andere Griekse kolonies liggen aan de noordzijde van het Middellandse-Zeegebied en rond de Zwarte Zee. In Noord-Afrika ondervinden de Grieken veel concurrentie van Feniciërs. In Egypte hebben de Grieken de laatste decennia wel vaste voet gekregen, doordat de Egyptische farao Psammetichus I (sinds 663 aan de macht) voor de consolidatie van zijn positie gebruik maakt van Griekse huurlingen. Eén van hun legerplaatsen in de westelijke Nijldelta, Naucratis, werd een levendig handelscentrum.

# Gemunt geld in Griekse steden

AEGINA, circa 625 - Nadat reeds eerder Griekse steden in Ionië vertrouwd zijn geraakt met gemunt geld, begint men nu ook in andere Griekse streken munten te slaan. Aegina, een eiland in de buurt van Athene, is daarvan het eerste voorbeeld. Het munten van geld is een tamelijk recente uitvinding, afkomstig uit Lydië in Klein-Azië.

De eerste munten zijn niet anders dan schijfjes van staven edelmetaal, die in het vroegere handelsverkeer gebruikelijk waren. De schijfjes zijn door middel van een stempel aan één kant voorzien van een beeldmerk. Ook de vroegere staven edelmetaal waren gestempeld, teneinde duidelijk te maken wie de eigenaar was. De stempels die tegenwoordig worden gebruikt, duiden eerder de stad aan die de munt heeft uitgegeven.

De staven edelmetaal zijn al heel lang bekend. Vroeger hadden zij een wat andere functie dan het moderne geld. Koningen en edelen gaven elkaar stukken goud, zilver en ijzer ten geschenke, niet om daar direct iets mee te kopen, maar eerder bij wijze van eerbetoon. Wel hoopten deze aanzienlijken dat zij ooit eens een duur en eerverschaffend cadeau zouden terugkrijgen. Voor deze uitwisseling van cadeaus werden ook andere kostbare zaken gebruikt, zoals potten en ketels, zwaarden, runderen en vrouwen.

De staven edelmetaal en andere luxevoorwerpen werden dus niet voor de gewone, alledaagse handel gebruikt. Wie iets wilde kopen, ruilde het product dat hij wilde hebben voor iets anders. Later is men voor dit doel ook wel bepaalde voorwerpen gaan gebruiken, zoals braadspitten ('oboloi'). Deze worden nu langzaam verdrongen door gemunt geld.

De munten uit Lydië zijn gemaakt van 'electrum', een legering van zilver en goud. Omdat dit materiaal erg duur is zijn er Griekse steden die hun munten van zilver maken, zoals Aegina. Deze aanpassing past in de ontwikkeling naar steeds kleinere en handzamere munten.

*Griekse munt uit Thasos: een bosdemon met een gevangen nimf.*

# Fenicische zeelui zeilen via Rode Zee om Afrika

SAIS, circa 600 - Voor het eerst in de geschiedenis is proefondervindelijk bewezen dat Afrika omgeven is door water. De door Necho II uitgezonden vloot heeft het reeds lang levende vermoeden bevestigd. In opdracht van de Egyptische farao hebben Fenicische zeelui de kustlijn gevolgd. Zij zijn via de Rode Zee om Afrika heen gevaren en via de Zuilen van Heracles (de Straat van Gibraltar) in de Middellandse Zee uitgekomen. De tocht heeft drie jaar geduurd. De zeelui vertelden hoe zij telkens als het herfst werd aan land gingen, het land bebouwden en de oogst afwachtten, om vervolgens, beladen met proviand, de tocht voort te zetten. Hun bewering dat zij gedurende deze reis de zon aan hun rechterzijde hadden, wekte ongeloof. Toch lijkt juist die informatie het bewijs dat de tocht om Afrika heen inderdaad heeft plaatsgevonden.

Een schip dat ten zuiden van de evenaar westwaarts zeilt, heeft de middagzon aan de rechterzijde, ofte wel in het noorden.

# Solon herstelt rust in Attica

ATHENE, 594 - De hoogste magistraat van Athene, de archont Solon, heeft een belangrijke reeks wetten en constitutionele maatregelen uitgevaardigd. Doel is een eind te maken aan de jarenlange onrust in Attica, het gebied rond Athene.

Onrust onder de Atheense boeren vormt de directe aanleiding voor Solons maatregelen. Ten gevolge van een sterke bevolkingstoeneming is de beschikbare grond zo sterk versnipperd, dat veel boeren niet meer in staat zijn ervan te bestaan. Hun situatie is nog verergerd door de aanhoudende plundertochten vanuit de naburige stad Megara. Om toch in leven te blijven, leenden deze verarmde boeren graan bij rijke boeren, af te betalen met een zesde van hun oogst. Maar vaak waren ze niet in staat tot aflossen en raakten ze verder in de schulden. Ten einde raad hebben velen zichzelf of hun familieleden als slaven verkocht.

Solon nu heeft de schulden kwijtgescholden en alle Atheense burgers van hun slavernij bevrijd. Aan een van de voornaamste eisen van de boeren is hij echter niet tegemoet gekomen: de her-

*Solon (Nationaal Museum Napels).*

verdeling van het land. Daarmee zou Solon de belangen van de rijken te veel hebben geschaad.

Naast de agrarische problematiek heeft Athene te kampen met onenigheid tussen rijke families. Het bestuur van de stad lag tot nu toe in handen van een beperkt aantal families. Andere families waren van de voornaamste magistraturen uitgesloten. Dat gaf aanleiding tot interne spanningen.

De belangrijkste verandering van Solon is dat men niet langer door zijn geboorte, maar door rijkdom wordt gekwalificeerd voor een ambt. Daartoe is de Atheense bevolking in vier inkomensklassen verdeeld. De leden van de twee hoogste klassen krijgen toegang tot de hoogste functies, die van archont en van schatmeester (beheerder van de staatsfinanciën). Andere ambten staan ook open voor leden van de derde klasse. Alleen de landloze Atheners, 'theten' genoemd, mogen geen staatsfuncties bekleden.

Daarnaast heeft Solon de bevoegdheden van een aantal staatsorganen vastgelegd. De 'Raad van de Areopagus', een van oudsher door de adel gedomineerde rechtbank, zal voortaan uit oud-archonten bestaan. Dit college behandelt zaken tegen moordenaars, verraders en lieden die religieuze vergrijpen hebben gepleegd.

Belangrijk is ook de volksvergadering of 'ecclesia'. Hierin hebben alle landbezittende burgers van Athene zitting. Zij beslissen over kwesties van oorlog en vrede en dienen akkoord te gaan met wetsvoorstellen van de archont, voordat deze van kracht worden. De ecclesia kiest ieder jaar de inmiddels negen archonten, die de dagelijkse leiding van de stad in handen hebben.

Ten slotte heeft Solon een nieuwe rechtbank in het leven geroepen, de 'heliaea' of volksrechtbank. Wanneer burgers te lijden hebben gehad van machtsmisbruik door magistraten, kunnen zij hier beroep aantekenen. Het vonnis wordt geveld door een jury van Atheense burgers.

Solon heeft met zijn maatregelen zeker geen revolutionaire bedoelingen. Hij ziet zichzelf als een boven de partijen verheven scheidsrechter.

# Joodse elite in ballingschap naar Babylon

JERUZALEM, 586 - Aan een twee jaar durend beleg van de hoofdstad van Juda, Jeruzalem, is een eind gekomen. De Tempel is door brand verwoest en koning Jehojachin is gevangengenomen. De elite van de joden in Juda, militaire en staatkundige leiders, priesters en rijke handwerkslieden worden in ballingschap naar Babylon gevoerd.

Al in 923 werd Juda verwoest door Egyptische troepen en moest het zware schattingen betalen om totale onderworpenheid te voorkomen. Onder Josefat, die in 868 zijn vader Asa opvolgde, verbeterden de betrekkingen met Israël. De vrouw van Josefat, Athalia, voerde echter heidense gebruiken in en toen ze bovendien na de dood van haar man in 851 trachtte zich van de troon meester te maken werd ze vermoord.

Tot en met de regering van Achaz, die duurde van 758 tot 727, bleef Juda in schijn onafhankelijk maar moest daarvoor hoge schattingen aan Assyrië betalen. In 721 viel Israël in handen van het Assyrische Rijk. Langzamerhand werd de positie van Juda onhoudbaar en de eerste politieke daad van de nieuwe koning Hizkia was dan ook het sluiten van een bondgenootschap met Babylonië in 717. Desondanks werd in snel tempo Juda in 701 onder de voet gelopen hoewel Jeruzalem toen nog werd gered. Er brak een opstand uit in Babylon waardoor koning Sanherib van Assyrië zich genoodzaakt zag het beleg van die stad op te geven. Koning Manasse was niet meer dan een

*Een Assyrische soldaat bij de verovering van de hoofdstad van Juda, Jeruzalem (fragment van een reliëf uit Nineve, 7de eeuw v.Chr.).*

vazal van Assyrië; Juda moest geld en mannen leveren voor expedities. In 622, onder het bewind van koning Josia, kwamen religieuze hervormingen tot stand, mogelijk omdat Assyrië was gevallen. Het Nieuwbabylonische Rijk en Egypte trachtten het erfgoed over te nemen. Josia stierf in de strijd tegen Egypte in 608. Vier jaar later bracht Neboekadnessar, de koning van Nieuw Babylonië, Egypte een verpletterende nederlaag toe in de slag bij Karkemisj

en ook het zwakke Juda werd onder de voet gelopen. Enkele opstanden mochten niet baten. In 597 werd Jeruzalem door hem veroverd en er werd een begin gemaakt met de deportatie van de elite van de joden. Neboekadnessar stelde Zedekia als koning over het vernielde Juda aan. Twee jaar geleden begon deze een opstand, en nu, in 586, is het bewijs van betere tijden, de Tempel, in de as gelegd. Gedalja is aangesteld als joods stadhouder.

*'Aphrodite Urania' (460, British Museum Londen). De dichteres Sappho wijdt zich rond 590 aan de Aphroditecultus. Haar activiteiten als lerares van jonge meisjes en als schrijfster van gedichten waarin zij haar liefde voor haar leerlingen uitspreekt, vormen een onderdeel van deze cultus.*

# Tyrus door Babylonische koning veroverd

TYRUS, 572 - Na dertien jaar is een einde gekomen aan het beleg van de Fenicische stad Tyrus. Vanaf 585 heeft het machtige leger van de Babylonische koning Neboekadnessar II vergeefs geprobeerd de eilandvesting in te nemen. Vanwege de onhoudbare toestand in hun stad zijn de Tyriërs nu gezwicht voor hun belegeraars.

In 605 startte Neboekadnessar zijn veldtocht. Hij droomde van een rijk dat Anatolië met het Nijldal zou verbinden. In de slag bij Karkemisj diende hij de Egyptenaren een vernietigende nederlaag toe. Daarmee lag de weg naar Fenicië open. De Fenicische stadstaten verbonden zich in een alliantie met koning Zedekia van Jeruzalem. Het bondgenootschap stond onder leiding van de koning van Tyrus, Itho-Baäl, die zich heilig had voorgenomen de reeds eeuwen durende expansiedrift van de noordelijke grootmachten eens en voor al een halt toe te roepen.

Daarmee verkeek hij zich echter op de sterkte van de Babylonische strijdmacht. Want toen Neboekadnessar, na enkele jaren van binnenlandse verwikkelingen, zijn handen vrij had, walste hij over zijn tegenstrevers heen.

*De hangende tuinen van Babylon volgens een ongedateerde kopergravure.*

Tot hij strandde voor de poorten van Tyrus. De Tyriërs verschansten zich in het deel van hun stad dat op een eiland vlak voor de kust is gelegen. Ze werden vanuit zee bevoorraad en wisten iedere poging van de Babyloniërs om een dam aan te leggen in de kiem te smoren. Het eiland bleef voor de vijand onbereikbaar. Maar met het verstrijken der jaren werd voor beide partijen de situatie steeds uitzichtlozer.

Toen de leefomstandigheden in de stad een dieptepunt bereikten en Neboekadnessar een aantal gijzelaars in handen kreeg, werden de Tyriërs gedwongen hun verzet te staken. Net als de andere Fenicische stadstaten verloor nu ook Tyrus zijn zelfstandigheid. Neboekadnessar brak zijn kamp op en liet de gijzelaars 'samen met de sterkste troepen alsmede de rest van de belegeringswerktuigen naar Babylon overbrengen'.

# Naucratis handelscentrum

SAIS, 570 - Farao Amasis heeft de activiteiten van Griekse handelaren in de delta aan banden gelegd. Alle Griekse import en export worden geconcentreerd in Naucratis. De bevolking van deze stad is geheel Grieks; de inwoners bouwen hier hun eigen tempels, gewijd aan de goden van hun moederstad.

Naucratis wordt een stapelplaats voor de handelswaar van twaalf Griekse steden. Omdat het in het land zelf niet aanwezig is, is Egypte een goed afzetgebied voor zilver. Ook Griekse wijn wordt op grote schaal ingevoerd. Daarnaast wordt de Egyptische schatkist gespekt met tolgelden.

Amasis' maatregelen vallen bij Egyptenaren en Grieken in goede aarde; een bron van wrijving tussen beide bevolkingsgroepen is weggenomen. De Grieken drijven al een halve eeuw handel in de delta. Zij werden hiertoe aangemoedigd door het Egyptisch hof zelf. Nadat zij eerst als huursoldaten dienden onder Psammetichus I, kregen zij toestemming de handelspost Naucratis in te richten. Mettertijd breidde het aantal handelsposten zich uit. De groeiende Griekse invloed in de delta zette echter kwaad bloed bij de inheemse bevolking. De vreemdelingenhaat laaide op, aangewakkerd door religieus puritanisme.

Amasis heeft zich ontpopt als een geboren diplomaat, opgewassen tegen de omstandigheden van zijn tijd. Hij kwam op de troon na een muiterij te-

*Dit reliëf met de mummiegod Anubis toont duidelijk de Griekse invloed.*

gen zijn voorganger en diens Griekse huursoldaten. Desondanks hebben vele daden zijn welwillende houding tegenover de Grieken onderstreept. Hij huwde Ladike, een vrouw uit de Griekse handelskolonie Cyrene aan de Libische kust. Tempels in Griekenland ontvangen giften van hem. Hij heeft de reputatie een grappenmaker te zijn en heeft een vrolijke dronk over zich; Egyptische én Griekse bronnen bevestigen dit. In de ochtenduren wijdt hij zich vol ijver aan regeringszaken. Daarna kan men hem dronken aantreffen in de wei. De koning van Ethiopië stelde hem voor de zeeën leeg te drinken. 'Als jullie Ethiopiërs eerst de rivieren tegenhouden,' liet Amasis hem weten.

# Croesus van Lydië onderwerpt Efeze

EFEZE, 560 - Croesus, de nieuwe vorst van het Kleinaziatische koninkrijk Lydië, heeft de Ionische stad Efeze schatplicht opgelegd. Bovendien heeft hij de voormalige heerser van Efeze, Pindarus, laten verbannen.

Achtergrond voor deze gebeurtenissen is de machtsstrijd, die na de dood van koning Alyattes is uitgebroken. Alyattes had zijn zoon Croesus officieel aangewezen als opvolger, maar diens positie werd betwist door zijn halfbroer Pantaleon. Deze Pantaleon, de zoon van een Ionische moeder, kon onder andere rekenen op de steun van Pindarus van Efeze. Vandaar dat Croesus, nadat hij Pantaleon en enkele medestanders had verslagen, zijn troepen naar Efeze heeft gestuurd.

De Efeziërs hebben op een bijzondere manier weerstand geboden tegen de aanval op hun stad. Zij hebben een lang koord om een deel van de stad gespannen en het uiteinde ervan vastgemaakt aan een pilaar van de Artemistempel. Op deze manier werd een heilig terrein afgebakend, waarbinnen geen burgers om het leven mochten worden gebracht.

Croesus heeft de levens van de Efeziërs inderdaad gespaard, op voorwaarde dat ze Pindarus zouden verbannen - hetgeen inmiddels is gebeurd. Bovendien heeft Croesus bedongen dat Efeze hem jaarlijks een grote hoeveelheid goederen en geld stuurt.

**550.** De Perzische koning Cyrus verslaat Astyages, de laatste koning van Medië, en verovert de Medische hoofdstad Ekbatana. Cyrus is nu koning van de Meden en Perzen. →

**550.** Nabonidus, de koning van Babylon, doet om onbekende redenen vrijwillig troonsafstand. Zijn oudste zoon Belsazar neemt de heerschappij van hem over.

**550** (circa). In Griekenland ontstaat onder leiding van Sparta de Peloponnesische Bond. →

**550** (circa). De Griekse filosoof Anaximenes uit Milete lanceert een nieuwe filosofie. →

**546.** Pisistratus keert uit ballingschap terug naar Athene en wordt opnieuw tiran. →

**546.** De Perzische koning Cyrus verslaat de Lydische koning Croesus en maakt Lydië tot een Perzische provincie. →

**543** (?). In India wordt door koning Bimbisara het Magadha-rijk gesticht.

**540** (circa). In Athene beleeft de techniek van het zwartfigurige aardewerk haar hoogtepunt.

**538.** Na de verovering van Babylon staat Cyrus de joden, die daar verbleven sinds de opstand in 587 tegen Babylon, toe terug te keren naar Juda. Dit betekent het einde van de Babylonische ballingschap. →

**535.** In een zeeslag bij Alalia op Corsica verslaan de Carthagers samen met de Etrusken de Griekse Phocaeërs. →

**534.** Troonsbestijging van Tarquinius Superbus, de laatste Etruskische koning te Rome.

**534.** In Athene wordt voor de eerste keer het festival van Dionysia gehouden.

**530.** De Perzische koning Cyrus sneuvelt tijdens een veldtocht tegen de Massageten. Zijn zoon Cambyses volgt hem op.

**527.** Pisistratus, tiran van Athene, sterft en wordt opgevolgd door zijn zoons Hippias en Hipparchus.

**527.** Gautama Boeddha houdt een rede in Sarnath. →

Geboren:

**540** (circa). Vardhamana Mahavira, stichter van het jaïnisme († 468)

Gestorven:

**547** (?). Thales van Milete, Grieks filosoof en wiskundige

**547.** Anaximander, Grieks filosoof en geograaf

**529.** Cyrus, Perzisch koning (circa 581)

**526.** Anaximenes, Grieks filosoof

*Spartaanse krijger op een van de Peloponnesos afkomstige schaal.*

## Sparta breidt invloedssfeer uit

SPARTA, circa 550 - Op de Peloponnesos breidt de Spartaanse invloedssfeer zich gestaag uit. Daarbij maken de Spartanen sinds kort gebruik van 'vriendschapsverdragen'. Aartsvijand Argos heeft weinig verweer tegen deze Spartaanse bondgenotenpolitiek.

Voorheen probeerden de Spartanen altijd gebieden te veroveren met het doel de bewoners als 'heloten' (horige boeren) voor zich te laten werken. Dit streven was ook het motief om Tegea, een stad in het vruchtbare Arcadië, rond 600 de oorlog te verklaren. Door gebrek aan mankracht slaagden de Spartanen echter niet in hun opzet.

Zij zijn daarom overgegaan op een andere tactiek. Met de bevolking van Tegea is een verdrag gesloten, waarin wordt bepaald dat de steden voortaan elkaars bondgenoten zijn, dat Sparta Tegea met rust zal laten en dat Tegea in ruil daarvoor de Spartaanse buitenlandse politiek zal volgen. Verder dienen burgers van Tegea in het Spartaanse leger. Ten slotte is afgesproken dat Tegea 'de Messeniërs van zijn gebied zal verdrijven en hen niet tot burgers zal maken'. Hiermee wordt gedoeld op gevluchte heloten uit Messenië, een streek die Sparta eerder onderwierp en die al eens in opstand kwam. De arbeid van deze heloten is de kurk waarop de Spartaanse economie drijft.

In navolging van Tegea hebben ook andere steden op de Peloponnesos aansluiting bij Sparta gezocht, sommige vrijwilliger dan andere. Dank zij de bondgenotenpolitiek is Sparta inmiddels een van de machtigste steden van Griekenland. Al deze ontwikkelingen worden nauwlettend in de gaten gehouden door Argos, dat sinds de overwinning op Sparta in 669 een van zijn meest geduchte concurrenten is geweest. Argos heeft echter de laatste jaren enkele gebieden aan Sparta moeten prijsgeven, waaronder het strategisch gelegen eiland Cythera, ten zuiden van de Peloponnesos.

# Pisistratus tiran in Athene

ATHENE, 546 - Pisistratus, de leider van de zogeheten 'heuvelbewoners', heeft zichzelf uitgeroepen tot alleenheerser ('tiran') over Athene. Een eerdere poging om de macht te grijpen was van korte duur. Pisistratus' tirannie is onderdeel van een aanhoudende machtsstrijd tussen verscheidene aristocratische facties en hun aanhangers in Attica (de landstreek rond Athene). De afgelopen decennia wordt Athene voortdurend geplaagd door rivaliteit tussen deze adellijke families. Er hebben zich drie groepen gevormd, alle aangevoerd door een aristocraat: de 'kustbewoners' onder leiding van Megacles, de 'vlaktebewoners' van Lycurgus en de 'heuvelbewoners', die door Pisistratus worden aangevoerd. Pisistratus verwierf zich aanhang door zich een voorstander te betonen van herverdeling van de grond, een wens die veel arme boeren reeds lang koesteren.

Zijn eerste tirannie vestigde hij in 561, toen hij de Acropolis, de burcht van Athene, bezette. Hij kon echter spoedig worden afgezet doordat Megacles en Lycurgus tijdelijk hun onderlinge vijandschap opschortten. Korte tijd later spanden Megacles en Pisistratus op hun beurt samen tegen Lycurgus, maar hoewel deze verbintenis zelfs door een huwelijk tussen Pisistratus en Megacles' dochter werd bekrachtigd, was ook deze coalitie geen lang leven beschoren. Sindsdien heeft Pisistratus tien jaar buiten Attica doorgebracht. Gedurende die tien jaar heeft hij overal in Griekenland steun proberen te werven voor zijn terugkeer. Vooral in Argos en op Naxos heeft hij gehoor gevonden. Zodoende was hij onlangs in staat om in Athene terug te keren en voor de tweede keer een tirannie te beginnen. Na zijn coup heeft Pisistratus zijn voornaamste tegenstanders de stad uit

*Sfinx van de Naxiërs (580).*

gezet; verder heeft hij de Atheners met opmerkelijk veel tact benaderd. De wetten en zelfs de staatsinrichting blijven onaangetast. De arme boeren heeft hij steunmaatregelen in het vooruitzicht gesteld, waarbij wordt gedacht aan leningen op gunstige voorwaarden. Om willekeur van de aristocratie op het platteland tegen te gaan heeft hij een nieuwe functie gecreëerd, die van de 'demerechter'. Deze reist rond en behandelt klachten van boeren.

Op deze wijze hoopt Pisistratus onrecht te bestrijden, de Atheners voor zich in te nemen en de stad krachtiger te maken dan ooit.

# Koning Cyrus bezet Medië

MEDIE, 550 - De Perzische koning Cyrus heeft het Medische Rijk bezet en de laatste koning van de Meden, Astyages, ten val gebracht. Dit optreden van Cyrus wordt door de Perzen gezien als een middel om alle Ariërs onder één regering te brengen. Voor de Meden is deze actie niets anders dan een pure bezetting.

In 835 kwam de Assyrische koning Shalmaneser II in contact met enkele Medische stammen. Hij voerde geen oorlog tegen hen. Maar de oorlog tussen de Meden en de Assyriërs tijdens het koningschap van Sargon was hevig. Hij nam de leider van de Meden, Deiaces, gevangen, waardoor Medië in 715 onder de macht van de Assyriërs kwam.

De Meden bleven echter steeds vechten voor hun vrijheid. Phraorte, een Medi-

sche leider, sloot een verbond met enkele andere stammen, waaronder de Mannaeans en de Scythen. Daarna verklaarde hij de Assyriërs de oorlog. Hij werd echter door de Scythen verraden en in 653 vermoord.

Spoedig organiseerde de volgende Medische koning Cyaxares het volk en gaf het leger een goede militaire opleiding. Hij vernietigde de macht van de Scythen, bracht de Mannaeans onder controle en stichtte het Medische Rijk. Hij veroverde ook Perzië. Nadat Cyaxares vervolgens een bondgenootschap met Babylon gesloten had, viel hij het Assyrische Rijk binnen.

In 612 werd de hoofdstad Nineve geplunderd en vernietigd. Hiermee kwam een eind aan het Assyrische Rijk. Zestig jaar later zijn de Meden op hun beurt door de Perzen verslagen.

# Gautama Boeddha houdt rede

SARNATH, 527 - In het hertenkamp van Sarnath nabij Benaras aan de Ganges heeft Gautama Boeddha voor vijf asceten een rede gehouden getiteld 'Het in beweging zetten van het Rad van de Leer'. Hierin gaf hij de weg aan die bewandeld moet worden om aan het lijden in de wereld een einde te maken.

De wereld is vol van 'lijden', stelt Gautama Boeddha. Dat lijden vindt zijn oorsprong in het menselijk verlangen. De vernietiging van het verlangen zal leiden tot verlossing en die verlossing is te bereiken via het Achtvoudige Pad. Dit zijn, wat de Boeddha noemt de Vier Edele Waarheden.

Het Achtvoudige Pad geeft acht le-

## Lydische koning verslagen

PANIONIUM, 546 - Voor de muren van Sardes, de hoofdstad van het Lydische rijk in Klein-Azië, heeft de Perzische vorst Cyrus de koning der Lydiërs, Croesus, verslagen. Croesus heeft daarbij de dood gevonden. De nederlaag betekent het eind van het Lydische koninkrijk, dat juist machtiger en groter was dan ooit. Ook heeft deze gebeurtenis gevolgen voor die Griekse steden in Ionië, die Croesus schatplichtig waren. Het is te verwachten dat Cyrus nu aanspraak zal maken op deze tributiegelden.

Ondanks het feit dat de Lydische koningen de Ioniërs al sinds het midden van de vorige eeuw hebben lastig gevallen en Croesus (sinds 560 aan de macht) hen voor hun rust liet betalen, waren de relaties tussen Ioniërs en Lydiërs de laatste decennia goed. Er was een intensief handelsverkeer en sommige steden, zoals Milete, waren van betaling vrijgesteld.

De laatste jaren werd Lydië echter geconfronteerd met de snelle expansie van het Perzische Rijk aan zijn oostgrens. Deze uitbreiding is vooral het werk van Cyrus, die zich, na een coup in 549, koning der Meden en Perzen kan noemen. Croesus heeft geprobeerd de Perzische opmars te stuiten door bondgenootschappen met Egypte, Babylon en Sparta te sluiten en door als eerste in de aanval te gaan. Maar zijn bondgenoten hebben het stuk voor stuk laten afweten en nadat de eerste gevechten onbeslist waren geëindigd, is Croesus nu dan op eigen terrein uitgeschakeld.

De twaalf belangrijkste Ionische steden, verenigd in de Ionische Bond, zijn in Panionium bijeengekomen om de nieuwe situatie te bespreken. Zulke bijeenkomsten zijn in tijden van crisis gebruikelijk. Men gaat ervan uit dat Cyrus zal proberen de Lydische tributiepolitiek voort te zetten.

venshoudingen aan die leiden tot de verlossing, het bereiken van het nirvana. Het nirvana (de uitblussing) is het einde van de cyclus van wedergeboorten. Hij die het perfecte leven leidt zal het nirvana bereiken en niet meer worden wedergeboren.

Siddhartha Gautama werd in 566 geboren als zoon van de koning van de Sakya's, een stam aan de voet van de Himalaja. Waarzeggers voorspelden dat hij Universeel Keizer zou worden. Eén van hen voorzag echter dat hij Universeel Leraar zou worden, nadat vier tekenen hem van de ellende van de wereld zouden hebben overtuigd.

Zijn vader besloot dat het zover niet zou komen en liet hem opgroeien in luxe en weelde zodat hij van ellende in de wereld niets zou merken. Op zijn negenentwintigste kreeg Siddhartha echter van de goden de Vier Tekenen. Hij zag een oude man, een zieke, een lijk en een rondtrekkende asceet. Hij verliet toen zijn familie en het paleis en werd zelf een asceet. Zes jaren trok hij rond van leraar naar leraar. Geen enkel systeem bevredigde hem echter en hij verliet het ascetisme als de weg naar de verlossing.

Gezeten onder een boom probeerde hij vervolgens door meditatie achter de mogelijkheden om de verlossing te bereiken te komen. Ondanks verwoede pogingen van de boze geest Mara om hem af te leiden, volhardde Siddhartha in zijn meditatie en na 49 dagen kende hij de waarheid. Als Boeddha (de Verlichte) bleef hij nog eens zeven weken

*Boeddha als baby naast zijn moeder op een reliëf uit de 9de eeuw na Christus.*

zijn bevindingen overdenken onder zijn Boddhi-boom (Boom van de Wijsheid), waarna hij naar Benaras trok en het 'Wiel van de Leer' in beweging zette.

## Nieuw wereldbeeld van Anaximenes

MILETE, circa 550 - In de Ionische stad Milete aan de westkust van Klein-Azië heeft de geleerde Anaximenes een nieuwe visie op de aard en oorsprong van de materie ontwikkeld. Verder heeft hij zich uitgelaten over de vorm van de aarde en het heelal. Op kritische wijze bouwt hij voort op ideeën van zijn stadgenoten Thales en Anaximander, die zich al eerder met dit soort problemen hebben beziggehouden.

Deze denkers hebben gemeen dat zij bij het verklaren van natuurverschijnselen de Olympische goden, zoals Zeus en Apollo, buiten beschouwing laten. Zij loochenen het bestaan van een goddelijk principe niet, maar weigeren aan te nemen dat aardbevingen, zonsverduisteringen en bliksem worden veroorzaakt door als mensen voorgestelde goden.

Thales, die zijn voornaamste stellingen dertig tot veertig jaar geleden naar voren heeft gebracht, was van mening dat water de oorsprong van alles moet zijn geweest. Anaximander heeft daar ongeveer tien jaar geleden tegen ingebracht dat dan nog niet duidelijk is waar het water vandaan komt. Hij ziet

de oorsprong van de materie in iets dat hij 'Het Grenzeloze' heeft gedoopt. Anaximenes nu verwerpt ook deze oplossing. Naar zijn idee verklaart noch Thales noch Anaximander hoe de dingen uit water of 'Het Grenzeloze' hebben kunnen ontstaan. Hij heeft daarom gesteld dat alle dingen uit lucht bestaan. Net zoals water in ijs of damp kan overgaan, komt lucht volgens Anaximenes in verschillende vormen voor: als vuur, wind, wolken, water, aarde en steen.

De zogenoemde natuurfilosofen hebben hun visie gegeven op de vorm van de aarde en het heelal. Ook daarover bestaat een levendig debat. Anaximander heeft Thales' idee verworpen, dat de aarde op water drijft - waar drijft het water dan op? - en de conclusie getrokken dat aarde en heelal in de vrije ruimte zweven. Op zijn beurt heeft Anaximenes zich verzet tegen Anaximanders stelling dat de aarde een cilinder is; hij houdt vast aan het oude idee, waarin de aarde wordt voorgesteld als een platte schijf, waarboven zich - in een halve bol - zon, maan, sterren en andere hemellichamen bevinden.

# Cyrus garandeert joden religieuze autonomie

BABYLON, 538 - Koning Cyrus van Mesopotamië heeft in de hoofdstad Babylon zijn handtekening gezet onder een document dat godsdienstige autonomie voor de joden in zijn rijk garandeert. Ook mogen zij de herbouw van de Tempel ter hand nemen. De meeste joodse ballingen hebben zich gevestigd in Midden-Mesopotamië en de hoofdstad Babylon. Koning Jehojachin viel een 'koninklijke' behandeling te beurt: hij ontving in gevangenschap een pensioen.

In 562 stierf Neboekadnessar, koning van het Nieuwchaldeese Rijk, waarna Jehojachin werd vrijgelaten. Hoewel de joden in ballingschap deelnamen aan het maatschappelijke leven van het hen omringende heidense milieu, hielden ze vast aan hun eigen godsdienst.

Het Nieuwbabylonische Rijk, gesticht op de puinhopen van het Assyrische Rijk, was inmiddels vrijwel zonder strijd ten prooi gevallen aan Cyrus, koning der Perzen. In Fenicië, het rijk der Filistijnen, en Juda bestond geen militaire macht van enige betekenis en Cyrus onderwierp de landen dan ook al spoedig aan zijn gezag.

Ter verwelkoming spreidden de inwoners van die stad groene takken uit op de grond. Na gebeden te hebben in de tempel van Mardoek beval Cyrus dat alle goden naar hun steden teruggebracht moesten worden. Zijn soldaten waarschuwde hij geen geweld tegen de bevolking te gebruiken.

Zijn imperium strekte zich nu uit tot India en Midden-Azië in het oosten en Egypte en de Balkan in het westen. Zijn religieuze tolerantie wordt hem ingegeven door zijn overtuiging dat culturele autonomie de regeerbaarheid van zijn rijk ten goede zal komen. 'En laat eenieder die blijft op de plaats waar hij thans vertoeft, helpen met zilver en met goud en met goederen en met dieren behalve de vrijwillige offeranden voor het huis van God in Jeruzalem,' zo verklaarde hij na ondertekening.

*Kleitablet uit de tijd van Darius.*

*Een oorlogsschip (rechts) valt een koopvaarder aan (vaasschildering 520).*

# Zege voor Etruskische vloot

ALALIA, 535 - In een zeeslag voor de kust bij Alalia op het eiland Corsica heeft de Etruskische vloot, in samenwerking met de Carthaagse vloot, een overwinning behaald op de vloot van de Phocaeërs.

Deze Phocaeërs hebben zich ongeveer vijf jaar geleden als kolonisten op Corsica gevestigd. Zij hadden hun moederstad Phocaea in Klein-Azië verlaten, omdat die belegerd werd door de Perzische satraap Harpagos. Nadat zij zich op Corsica gevestigd hadden, plunderden zij alle omwonenden zozeer, dat de Etrusken en de Carthagers overeenkwamen hen aan te vallen.

De Etrusken hebben economische belangen op Corsica en Carthago bezit emporia (factorijen) op Sardinië.

Zowel de Etrusken als de Carthagers bemanden zestig schepen voor de strijd. Tijdens de zeeslag werden veertig schepen van de Phocaeërs tot zinken gebracht, terwijl de overige twintig schepen zo ernstig beschadigd werden dat zij onbruikbaar raakten: hun stormrammen waren namelijk afgeknapt. De Phocaeërs besloten hierop om Corsica te verlaten en te verhuizen naar Rhegium in Zuid-Italië.

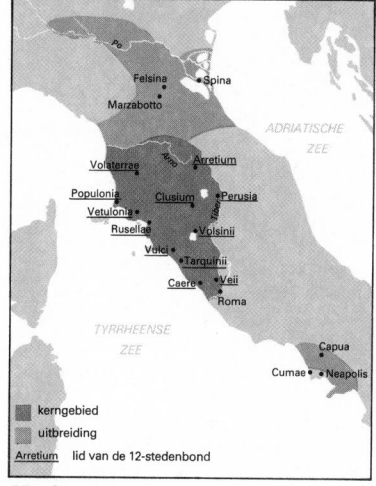

*Het kerngebied van de Etrusken met de latere uitbreidingen (tot circa 500).*

Door deze overwinning hebben de Etrusken hun grondgebied verder uitgebreid met Corsica en Elba. Het totale grondgebied dat de Etrusken beheersen strekt zich nu uit van de Alpen tot Napels. Hun invloedssfeer reikt zelfs nog verder: van Centraal-Europa tot de Straat van Messina.

# Perzische koning Cyrus is gesneuveld

PERZIE, 530 - Na enige overwinningen op verschillende fronten, met name in Syrië en Palestina, is Cyrus, de koning van het Perzische Rijk, naar het oosten getrokken om een opstand van nomaden te bedwingen. Tijdens een van de gevechten is hij gesneuveld. Cyrus, een vorst uit het huis der Achaemeniden, kwam ongeveer dertig jaar geleden aan de macht. Pasargadae werd de hoofdstad van zijn rijk en daar liet hij een paleis en een tempel bouwen. In 550 breidde Cyrus zijn macht uit door het Medenrijk onder zijn heerschappij te brengen. De koning was zeer populair bij het Perzische volk. Hij was zowel politiek als militair een groot leider. Hij bouwde een sterk leger op en vormde een militaire elite. Als leider van Perzië en Medië had Cy-

rus drie belangrijke taken: 1. de Middellandse Zee te bereiken, omdat hij dan over vrije handelswegen zou beschikken waardoor het contact met de landen aan de andere kant van de zee zou worden vergemakkelijkt; 2. de opstand in het binnenland van de nomaden te bedwingen; 3. het rijk te beschermen tegen buitenlandse invasies en te proberen de buurlanden te veroveren, met name Lydië en Babylon. Na verscheidene aanvallen op de nomaden in het oosten van het land, begon Cyrus naar Babylon op te rukken. Negen jaar geleden lukte het hem de stad binnen te vallen. Hij zette zijn plan door en bracht Syrië en Palestina onder zijn macht. Hij gaf de gedeporteerde joden toestemming om terug te keren naar Jeruzalem en hun tempel te herbouwen.

**525.** De Perzische koning Cambyses verovert Egypte en maakt het tot een Perzische provincie. De Perzische koningen vormen Egyptes 27ste dynastie.

**525.** Koning Servius Tullius verdeelt Rome in vier districten. →

**522.** Op de terugreis van zijn veldtocht naar Egypte overlijdt de Perzische koning Cambyses in Syrië.

**521.** Na een interne machtsstrijd wordt Darius I koning van Perzië.

**520.** Een nieuw Olympisch nummer wordt ingevoerd. →

**515.** Darius stimuleert de medische opleiding in Egypte. →

**514.** In Athene wordt de tiran Hipparchus tijdens de Panathenaeën vermoord door Harmodius en Aristogiton.

**512.** De Perzische koning Darius I onderneemt een veldtocht tot over de Donau tegen de Scythen. Hij slaagt er echter niet in hen te verslaan. Wel worden Thracië en Macedonië bij het Perzische Rijk ingelijfd. →

**510.** In Athene wordt de tiran Hippias, met de hulp van een Spartaans leger onder leiding van koning Cleomenes, verdreven. Dit is het einde van de tyrannie in Athene.

**510** (circa). In Athene beleeft de techniek van het roodfigurige aardewerk haar hoogtepunt.

**510** (circa). De mystieke sekte van de pythagoreeërs krijgt in Crotone in Zuid-Italië veel invloed. →

**509.** De Etruskische koning Tarquinius Superbus wordt uit Rome verdreven. Dit betekent het einde van de Etruskische heerschappij over Rome en tevens het begin van de Romeinse republiek. →

**509.** Tussen Rome en Carthago wordt een handelsverdrag gesloten, waarbij wederzijdse invloedssferen erkend worden.

**509.** Op het Romeinse Capitool wordt de tempel van Jupiter Optimus Maximus ingewijd.

**507.** Clisthenes hervormt de staatsinrichting van Athene. →

**505.** De Etrusken worden door de tiran Aristodemus van Cumae bij Aricia verslagen.

Geboren:

**525** (circa). Themistocles, Atheens staatsman († circa 460)
**525.** Aeschylus, Grieks tragediedichter († 456)
**522.** Pindarus, Grieks dichter († 438)
**515** (circa). Parmenides, Grieks filosoof († circa 445)

Gestorven:

**525.** Psammetichus III, Egyptisch farao
**522.** Cambyses, Perzisch koning
**514.** Hipparchus, Atheens tiran

*Twee boksers, van wie een met een bloedneus, op een vaas uit 525.*

# Nieuw Olympisch nummer ingevoerd

OLYMPIA, 520 - Aan de Spelen van Olympia ter ere van de oppergod Zeus is dit jaar een nieuw onderdeel toegevoegd: 400 meter hardlopen in wapenrusting. Een uitbreiding van het aantal Olympische nummers is tamelijk uniek. Voor het laatst gebeurde dat in 616, toen het boksen voor jongens onder de achttien werd geïntroduceerd.

De Olympische Spelen zijn in 776 op zeer bescheiden schaal begonnen. De deelnemers, toen nog voornamelijk afkomstig uit de onmiddellijke omgeving van Olympia, beperkten zich tot een hardloopwedstrijd over 200 meter. Sindsdien zijn de Spelen, die elke vier jaar worden gehouden, uitgegroeid tot een gebeurtenis met internationale dimensies. Het huidige programma omvat naast de genoemde onderdelen onder meer hardloopwedstrijden over 400 en 4800 meter, paarden- en wagenrennen, een atletiekvijfkamp (hardlopen, verspringen, discus- en speerwerpen en worstelen) en de vechtsporten boksen, worstelen en pankration. Bij deze sport is alles toegestaan, behalve bijten en elkaar de ogen uitsteken.

De deelnemers zijn veelal - maar niet uitsluitend - rijke aristocraten. Slaven zijn van deelneming uitgesloten; vrouwen hebben in het geheel geen toegang. Men strijdt om de persoonlijke eer en die van de stad. De winnaar krijgt een krans van takken van de heilige olijfboom in Olympia. Bovendien wordt zijn naam vereeuwigd in de lijst van overwinnaars. Sommigen ontlenen politiek prestige aan hun overwinning, zoals de Athener Cylon, die in 632 vergeefs naar de macht greep.

De Spelen zijn bovenal een godsdienstig feest. Van de vijf dagen waarop de Spelen plaatsvinden, is de eerste helemaal bestemd voor religieuze plechtigheden. Het hoogtepunt is de ochtend van de derde dag met een offer van honderd ossen aan Zeus. Dit offer valt samen met de tweede of derde volle maan na de zonnewende in juli.

# Servius Tullius verdeelt Rome in districten

ROME, circa 525 - Koning Servius Tullius heeft Rome in vier districten verdeeld, die hij tribus heeft genoemd. Het bij de stad behorende platteland is opgedeeld in zes tribus. De nieuwe indeling in tribus zal de basis gaan vormen voor zowel belastingheffing als militaire dienstplicht. Hiermee is een volgende stap gezet om van Rome een werkelijke stad te maken, een ontwikkeling die omstreeks 750 begon. Servius Tullius is de zesde koning die de stad aan de Tiber regeert. Evenals zijn directe voorganger Tarquinius Priscus is hij van Etruskische afkomst. De vier eerdere koningen waren Latijns-Sabijns.

De invloed van de Etruskische koningen is onmiskenbaar. Zij hebben omvangrijke bouwprogramma's geïnitieerd, waardoor het grootste deel van de voormalige hutten inmiddels door huizen, beschermd tegen overstromingen, is vervangen. Het forum, een vlak terrein, en de heuvel Capitolinus vervullen de functie van stadscentrum. De afgelopen decennia is Rome, genoemd naar de aanzienlijke Etruskische familie Rumina, verreweg de snelst groeiende stad in Latium geweest.

Een eerdere belangrijke maatregel van Servius Tullius was de indeling van de Romeinse burgerij in vijf vermogensklassen, waarop hij een volksvergadering, de comitia centuriata, baseerde. In principe heeft iedere Romein, als lid van een van de klassen, toegang tot deze volksvergadering, zij het dat de rijkste klasse de belangrijkste inbreng heeft. Iedere klasse krijgt namelijk een aantal stemeenheden, centuriae genoemd, dat overeenkomt met het aantal militaire eenheden van honderd man dat zij op de been kan brengen. Wapens moet men zelf betalen, dus het

*Detail van een Etruskisch fresco uit Tarquinia: vissers werpen hun net uit.*

overwicht van de rijksten is onvermijdelijk. Van de 193 centuriae beheersen zij er 98.

Tot deze rijke Romeinen behoren in de eerste plaats de patriciërs, oude adellijke families. Daarnaast heeft een aantal plebejers, die niet op een adellijke afkomst kunnen bogen, zich via handel en nijverheid economisch op kunnen werken. Sociaal staan zij echter in lager aanzien. Deze groepen zijn samen goed voor tachtig centuriae. De resterende achttien centuriae worden gele-

verd door de patricische ruiteradel, de equites. De stem van de armere plebejers, en van de bezitloze proletarii, wordt nauwelijks gehoord.

Naast een grote inbreng in de comitia centuriata hebben de hoofden van de meest aanzienlijke patricische geslachten invloed als lid van de Senaat. Dit belangrijke lichaam kiest de koning en indien hij dat wenst dient de Senaat hem van advies. De senatoren, die door de koning worden geselecteerd, hebben levenslang zitting.

# Koning Darius kiest voor zoroastrisme

PERZIE, 512 - Darius, de Perzische koning uit het huis der Achaemeniden, heeft voor het zoroastrisme gekozen als zijn officiële godsdienst. Dit deed Darius door te verklaren dat hij koning is geworden door de goedgunstigheid van Ahoera Mazda.

Darius heeft veel veranderingen gebracht in het leven van het Perzische volk door een gecentraliseerd systeem in te voeren en het volk jaarlijkse belasting op te leggen. Bovendien hebben zijn overwinningen, behaald in de oorlogen tegen zowel opstandelingen in het land zelf als in de buurlanden, met name Babylon, geleid tot een groeiend nationalisme bij het Perzische volk. Darius heeft de handel bevorderd door een nieuw systeem van wegenbouw en heeft de rijksgrenzen geconsolideerd. De ambitieuze koning heeft nu bovendien een nieuwe godsdienst willen kiezen voor zijn eigen volk.

Het zoroastrisme is de godsdienst die door Zarathoestra (circa 600) werd gesticht. Er wordt gezegd dat hij een profeet was. Het zoroastrisme is gebaseerd op de leer van het heilige boek *Zend-Avesta*. Dit boek vertelt ons dat de wereld in twee kampen is verdeeld. Het kamp van de duisternis, als symbool van het kwaad, en dat van het licht, als symbool van het goede. Deze twee kampen zijn in een langdurige strijd gewikkeld.

Ieder kamp heeft zijn eigen leider en leger. De leider van het goede leger heet Ahoera Mazda (wijze heer) en de leider van het andere kamp heet Iegar Jemieno. Elke leider heeft zes assistenten. Die van Ahoera Mazda heten Aimpschpentaan en die van Iegar Jemieno Diaoe. Ahoera Mazda en zijn assistenten hebben de verantwoordelijkheid voor de bescherming van de goede kanten van het leven, zoals liefde, recht-

vaardigheid enzovoort. De andere groep vertegenwoordigt de slechte kanten van het leven zoals haat, onderdrukking, enzovoort.

Het zoroastrisme gaat ervan uit dat de ziel onsterfelijk is. Wanneer iemand sterft, verlaat zijn ziel na drie dagen het lichaam. De ziel moet verschijnen voor een rechtbank. Drie rechters beslissen of de ziel een goede of een slechte is. Een goede ziel wordt gekenmerkt door de volgende drie eigenschappen: goede motieven, goede woorden en goede daden.

Aan het eind van onze wereld zal een persoon komen die Saoschieaan heet. De mensen zullen hem volgen en hij zal hen naar een nieuw leven leiden. Wat betreft het dagelijks leven benadrukt het zoroastrisme het feit dat het goed voor de mens is om bezig te zijn met landbouw en de handel. Ook moet de mens zuinig met geld zijn.

# Artsenopleiding in Egypte hersteld

SAIS, circa 515 - Koning Darius heeft de medische opleiding in Egypte nieuw leven ingeblazen. Na de Perzische verovering van Egypte door Cambyses is de medische opleiding van het land in verval geraakt. De Egyptenaar Oedjahorresnet kreeg van Darius, de opvolger van Cambyses, de volgende opdracht: 'Koning Darius beval mij terug te keren naar Egypte om de afdelingen van het "huis des levens" te herstellen, nadat zij waren vervallen... Ik bemande ze met scholieren, zonen van mensen van stand, geen zoon van een bedelaar was ertussen... Ik plaatste hen onder leiding van deskundigen... en voorzag hen van alle nuttige dingen en instrumenten die in de geschriften staan, zoals vroeger. Zijne Majesteit deed dit omdat hij het nut van de kunst kende om allen die ziek zijn te doen herleven en de namen van tempels, offers en feesten der goden in stand te houden.'

Oedjahorresnet was door Darius als lijfarts in dienst genomen. Hij is echter ook priester van de tempel in Saïs. Uit zijn verhaal blijkt hoezeer de medische opleiding en de tempel bij elkaar betrokken zijn. 'Het huis des levens' is de naam van de bijgebouwen van een tempel. De priesters kopiëren hier boeken die betrekking hebben op de uitvoering van de dagelijkse tempeldienst. Maar onder hun leiding worden er ook allerlei takken van wetenschap beoefend. De scholieren, die onderricht krijgen in de medische praktijk, worden in de eerste plaats opgeleid tot priester. Deze 'tempelartsen' hebben ieder hun specialisatie. Zo behandelen de priesters van de schorpioengodin Selkis de beten van giftige dieren. De mensen komen met hun kwalen naar de tempel, in de hoop op een wonder.

Geneeskunst en magie lopen vaak door elkaar. Ziekten die door demonen gezonden worden, tracht men met bezwerende toverformules te genezen. Maar naast magie en gebedsgenezing bestaat er wel degelijk medische kennis. Medische papyri geven richtlijnen voor het stellen van diagnoses. Bij het onderzoek van een patiënt let men op gelaatskleur en uitdrukking van de ogen. Urine en bloed worden onderzocht en het lichaam wordt betast. Lichaamstemperatuur en polsslag worden met de hand gemeten. Het hart geldt als het vitaalste lichaamsdeel en het verband met de polsslag wordt onderkend. Vanuit het hart vertakken zich vaten (inclusief zenuwen en pezen) die bloed, lucht, urine, sperma en tranen vervoeren. Omdat bij de mummificatie geen artsen betrokken zijn, heeft zij de interne geneeskunde niet bevorderd. Verder denkt men dat er een verband bestaat tussen mond en baarmoeder en dat bevruchting door de mond kan plaatsvinden.

*Sebastiano Ricci (1659-1734): koning Tarquinius Superbus raadpleegt Attus Nevius de Auguur.*

# Koning uit Rome verdreven

ROME, 509 - Koning Tarquinius Superbus is uit Rome verdreven. Hiermee is een einde gekomen aan de monarchie en aan de verregaande Etruskische invloed in het Romeinse bestuur, die gestalte kreeg in het koningschap van Tarquinius Superbus en zijn twee voorgangers Tarquinius Priscus en Servius Tullius.

Het is onduidelijk of de val van de koning het resultaat is van een coup door patriciërs, die onder aanvoering van Lucius Iunius Brutus al enige tijd ontevreden waren met het Etruskische be-

stuur, of van machinaties van de Etruskische opstandeling Lars Porsenna. In elk geval hebben patricische families de gelegenheid aangegrepen om de republiek uit te roepen. Om alleenheerschappij te voorkomen is het gezag in handen gelegd van twee magistraten met een ambtstermijn van één jaar. Deze 'consuls', gekozen door de comitia centuriata, hebben een vetorecht ten opzichte van elkaars maatregelen. Na afloop van hun ambtstermijn zijn zij niet herkiesbaar. De Senaat blijft hen van advies dienen.

# Hervormingen in Athene

ATHENE, 507 - De Atheense staatsman Clisthenes heeft ingrijpende hervormingen doorgevoerd in het Atheense politieke bestel. Daarmee wil hij in de eerste plaats de macht van oude aristocratische families breken. Voorts verwacht hij dat de maatregelen de eenheid in Athene zullen vergroten.

Clisthenes, een lid van de aristocratische familie der Alcmaeoniden, was aanvankelijk een tegenstander van het bewind van de tiran Pisistratus en dat van zijn zoons Hippias en Hipparchus, die hem na zijn dood in 527 opvolgden. Nadat Hipparchus in 514 was vermoord, zetten aristocraten, onder wie de Alcmaeoniden, Hippias onder druk zijn tirannie op te geven. Dat lukte pas in 510, toen de conservatieve leider Isagoras de hulp inriep van de Spartaanse koning Cleomenes. De Spartanen hadden belang bij het omverwerpen van Hippias, omdat deze goed bevriend was met de Spartaanse aartsvijand Argos.

Na de val van Hippias probeerden Isagoras en zijn aanhangers een oligarchie (bestuur door een kleine groep vooraanstaande burgers) in te stellen. Dat stuitte echter op massaal protest van de middenklasse, die van oudsher de tirannen steunde. Om die reden heeft Clisthenes zich van de behoudende adel gedistantieerd en zijn negatieve houding ten opzichte van de tirannen laten varen. Hij pleit nu voor een hervormingsgezinde politiek, waartegen de conservatieve adel zich tevergeefs verzet.

Clisthenes' eerste belangrijke verandering is een complexe herindeling van de Atheense bevolking. Voorheen waren de Atheners georganiseerd in vier grote eenheden, 'stammen' geheten. Deze stammen zijn niet helemaal afgeschaft, maar hun politieke betekenis is nog maar gering. Clisthenes heeft tien nieuwe, kunstmatige 'stammen' in het leven geroepen, die elk uit drie onder-

*De dronken god Dionysus wordt ondersteund door een jeugdige satyr. Mozaïek, circa 160 na Christus.*

afdelingen bestaan. Een onderafdeling is opgebouwd uit een of meer 'demen' (dorpen of stadswijken), die een zekere mate van zelfbestuur genieten. Binnen een stam is telkens één onderafdeling gelegen in de stad zelf, één aan de kust en één op het platteland. De bedoeling van deze ingewikkelde reorganisatie is dat de gebieden waar adellijke families vroeger macht konden uitoefenen, nu versnipperd worden. Omdat Atheners van het platteland, van de kuststreek en uit de stad worden gedwongen tot samenwerking binnen een stam, vergroten Clisthenes' maatregelen ook de eenheid onder de bevolking.

Een tweede belangrijke vernieuwing is de instelling van een zogenaamde 'Raad van vijfhonderd' ('boule'). Jaarlijks vaardigt elke stam vijftig volwassen mannen af naar deze raad. Te zamen bereiden zij de bijeenkomsten van de volksvergadering voor en zien zij toe op de werkzaamheden van de magistraten. Het dagelijks bestuur ('prytanie') wordt gevormd door de afvaardiging van één stam. Elke maand wordt voor dit doel een andere stam aangewezen, zodat uiteindelijk alle stammen een keer aan de beurt komen. Het voorzitterschap van dit dagelijks bestuur (de 'prytanos') wisselt zelfs dagelijks. Op deze manier probeert Clisthenes te voorkomen dat de macht in handen van een kleine groep burgers wordt geconcentreerd.

Clisthenes' maatregelen komen vooral de middenklasse ten goede, die in het leger als 'hoplieten' (zwaarbewapende infanteristen) een belangrijke functie vervullen. Zij zijn nu meer dan ooit direct bij het bestuur van hun stad betrokken.

# Pythagoreeërs uit Crotone nemen Sybaris

CROTONE, 510 - De welvarende Zuiditaliaanse stad Sybaris is door troepen uit Crotone ingenomen. In de stad zijn enorme verwoestingen aangericht. De bewoners van Crotone, van wie velen zich laten inspireren door de radicale ideeën van de wijsgeer Pythagoras, zien hun vernietigende expeditie tegen Sybaris in het licht van hun strijd tegen het Kwaad en de Onreinheid. Crotone, een Achaeïsche kolonie, staat nog niet zo lang onder invloed van Pythagoras: twintig jaar geleden verliet hij zijn geboorte-eiland Samos. In Crotone begon hij een religieus-filosofische gemeenschap, waarvan veel burgers, mannen en vrouwen, lid zijn geworden. De beroemde atleet Milon

is één van hen. Hij voerde tijdens de aanval op Sybaris het opperbevel.

De pythagoreïsche leer is streng. Het belangrijkste gebod is: 'Volg God'. Dat betekent in de praktijk dat zijn volgelingen zich aan een streng dieet moeten houden, zonder vlees, maar ook zonder bonen. Verder moet men een onberispelijke levenswandel nastreven. Dat zijn de voorwaarden om tot kennis te komen van de goddelijke Waarheid die, nog steeds volgens Pythagoras, besloten ligt in de harmonie van de natuur.

Het is om deze reden dat hij en zijn volgelingen bijzonder zijn geïnteresseerd in natuurwetten en wiskundige logica. Zelf heeft Pythagoras zich bezigge-

houden met de grootte van de intervallen tussen muziektonen, waarin hij een zekere regelmaat heeft ontdekt, met getallenmystiek en met de verhoudingen van de zijden van een rechthoekige driehoek (a-kwadraat + b-kwadraat = c-kwadraat). Om te voorkomen dat deze goddelijke kennis in handen komt van mensen die zich niet aan zijn voorschriften houden, heeft Pythagoras zijn inzichten niet op schrift gesteld. Hij en zijn discipelen verwachten dat zij in hun volgende leven in een hogere hoedanigheid op aarde terugkeren.

Hoewel pythagoreeërs een rein leven nastreven, schuwen zij de politiek niet. Zij voeren tegen alles wat onrein is, militant strijd.

## Staking in Rome heeft succes

ROME, 494 - De eerste georganiseerde actie van plebejers tegen de macht van patriciërs heeft succes gehad. De plebejers weigerden Rome te verdedigen tegen de vijandige Aequi en Volsci, en trokken zich terug op de 'heilige berg'. Als reactie hierop is hun nu toegestaan een eigen vergadering, het concilium plebis, in het leven te roepen. Hier genomen besluiten, plebiscieten genoemd, gelden voor alle plebejers. Willen zij de kracht van een wet (lex) hebben, dan is goedkeuring van de Senaat nodig.

De nieuwe vergadering staat onder leiding van twee volkstribunen, die door de plebejers gekozen worden. Dit nieuwe ambt is bekleed met verregaande bevoegdheden om de belangen van plebejers te beschermen. Zo hebben de volkstribunen het vetorecht ten opzichte van maatregelen van andere magistraten die tegen het belang van het plebs ingaan. Hun persoon is onschendbaar.

Weliswaar hebben de plebejers zich als groep sterk gemaakt, maar overigens is het niet waarschijnlijk dat zij zich ook individueel tegen patricische wensen zullen keren, daar tussen beide groepen nauwe cliëntèle-relaties bestaan. In een dergelijke relatie, in principe vrijwillig aangegaan, verplicht de plebejische cliënt zich zijn patroon, een patricische beschermheer, waar nodig bij te staan. In ruil hiervoor biedt de patroon juridisch of anderszins hulp, of voorziet hij in (een deel van) het levensonderhoud van de cliënt en diens familie. Dit patronaat neemt vaak de vorm van een afhankelijkheidsrelatie aan, waarbij de patroon vanzelfsprekend de invloedrijkste partner is.

## Dichter Valmiki schrijft epos 'Ramayana'

AYODHYA, circa 500 - Naast de *Mahabharata* heeft nu een tweede historisch epos het licht gezien. Het gaat om de *Ramayana* van de dichter Valmiki. Het verhaal van de *Ramayana* handelt over Rama, de opvolger van een koning van Kosala, die trouwt met een prinses Sita.

Rama's stiefmoeder wil echter haar eigen zoon op de troon hebben en laat Rama, Sita en Lakshmana (een jongere broer van Rama) voor veertien jaar verbannen. In de bossen, waar de drie als kluizenaars leven, wordt Sita ontvoerd door de demonenkoning Ravana van het zuidelijke eiland Lanka. Om Sita te bevrijden organiseert Rama vervolgens een leger waarbij hij wordt geholpen door de leider van het apenleger, Hanuman. Na een hevige strijd overwinnen Rama en Hanuman en Sita wordt gered.

De *Ramayana* is ongeveer een kwart van de lengte van de 90 000 stanza's tellende *Mahabharata*, die dan ook als het langste gedicht ter wereld wordt beschouwd.

Het hoofdverhaal van de *Mahabharata* vertelt van de beroemde strijd tussen de Kaurava's en de Pandava's. De Pandava's waren de vijf zonen van Pandu en de Kaurava's waren hun honderd neven. De Pandava's verwierven het recht op de troonsopvolging in Kuru, maar dat recht werd hun bestreden door de Kaurava's.

De regerende koning hoopte de zaak te kunnen oplossen door Kuru in tweeën te delen. De Kaurava's lokten nu echter de Pandava's naar een gokwedstrijd waarbij de laatsten hun deel van het rijk verspeelden. Bepaald werd echter dat de Pandava's na dertien jaar verbanning hun rijk terug konden krijgen. Toen dertien jaar later de Kaurava's geen woord bleken te houden, verklaarden de Pandava's hun de oorlog. In een slag die achttien dagen duurde werden de Kaurava's verslagen. Daarna regeerden de Pandava's vredig.

*De agora (centrale plein) van de Griekse stad Efeze (nu in Turkije). Op de afbeelding ruïnes van zowel Griekse als Romeinse bouwwerken.*

# Opstand in Ionië onderdrukt

MILETE, 494 - De Perzen hebben de Griekse stad Milete ingenomen en gedeeltelijk verwoest. Daarmee is definitief een einde gekomen aan een Griekse opstand tegen de Perzische overheersing in Ionië. De Ionische opstand heeft vijf jaar geduurd.

Een van de voornaamste oorzaken van de opstand was, dat de Perzen er altijd naar hebben gestreefd de Ionische steden te laten besturen door tirannen die het Perzische bewind gunstig gezind waren. Op deze manier probeerden de Perzen greep te houden op het westelijke grensgebied van hun rijk. Hoewel in Griekenland tirannen lang niet altijd negatief worden beoordeeld, ging de afhankelijke positie van deze pro-Perzische tirannen echter veel burgers tegenstaan.

Merkwaardig genoeg zijn het juist ook tirannen geweest die de opstand hebben ontketend, in het bijzonder de twee laatste alleenheersers van Milete, Histiaeus en zijn opvolger en schoonzoon Aristagoras. Beiden waren in het begin van hun loopbaan een vriend van Perzië. Het feit dat deze ambitieuze regenten om uiteenlopende redenen genoegen moesten nemen met een ondergeschikte positie in de Perzische hiërarchie, deed hen besluiten de Perzische koning Darius de rug toe te keren en een opstand te beginnen. Daarbij speelde Aristagoras in op de negatieve stemming ten aanzien van tirannen. Hij schafte de tirannie in Milete af en leidde in heel Ionië met succes opstanden tegen plaatselijke (pro-Perzische) alleenheersers. Een conflict met Perzië werd daardoor onafwendbaar.

De Grieken waren de eersten die in de aanval gingen. De Ionische steden, waarvan er vele inmiddels democratieën waren geworden, verenigden zich in de Ionische Bond en trokken ten strijde tegen de superieur van de zojuist verslagen tirannen, de Perzische satraap (gouverneur) Artaphrenes. De Ioniërs kregen steun uit Athene en Eretria. In 498 slaagde men er zelfs in Artaphrenes' residentie, Sardes, in brand te steken.

Daarna verliep de opstand echter en namen de Perzen het initiatief in handen. Nadat elders in de regio al een aantal nederlagen was geleden, hebben de Ioniërs nu Milete moeten prijsgeven. De Perzen hebben grote delen van de stad, waaronder het havenkwartier, verwoest en een groot aantal burgers naar het oosten gedeporteerd. De val van Milete heeft het Ionische verzet van zijn spil beroofd.

# Rome sluit verdrag met de Latijnse Bond in Latium

ROME, 493 - Rome is met de Latijnse Bond overeengekomen om zich gezamenlijk te verdedigen tegen de vijandelijkheden van de Etruskische stad Veii en de Aequi- en Volsci-bergvolkeren. Het verdrag, dat naar de initiatiefnemer, de consul Spurius Cassius, het Foedus Cassianum is genoemd, waarborgt de gelijkheid van Rome en de lidstaten van de Latijnse Bond. Hiermee is een einde gekomen aan de agressie van de Latijnse Bond tegenover Rome. De Bond, waartoe een groot aantal steden in Latium behoort, voelde zich namelijk bedreigd door de toenemende welvaart en suprematie van Rome. Vanaf nu hebben Latijnen in Rome het ius commercii en het ius conubii, hetgeen wil zeggen dat zij in Rome handel mogen drijven en dat het hun is toegestaan een Romeinse vrouw te huwen. Kinderen uit een dergelijk huwelijk krijgen automatisch het Romeinse burgerrecht. Daarnaast is de Latijnen het ius migrationis verleend: wanneer zij zich in Rome vestigen verwerven zij daarmee het Romeinse burgerrecht. Al deze rechten gelden omgekeerd ook voor Romeinen in de Latijnse steden.

Het verdrag voorziet ten slotte in eeuwige handhaving van de vrede in Latium. De geallieerden zullen elkaar bijstaan tegen aanvallen van buitenaf.

# Perzische aanval afgeslagen

PLATAEAE, 27 augustus 479 - Griekse geallieerde troepen zijn erin geslaagd een Perzische aanval af te slaan. De belangrijkste slag heeft vandaag plaatsgevonden bij Plataeae, een plaatsje in Boeotië in Centraal-Griekenland. Tegelijkertijd heeft ook de Griekse vloot een overwinning behaald op de Perzen. Het succes is in hoge mate te danken aan de samenwerking tussen een groot aantal Griekse steden, waaronder de twee sterkste, Sparta en Athene.

De Perzische aanval is de tweede poging in successie om de Griekse gebieden ten westen van Ionië te onderwerpen. Ionië zelf ligt al grotendeels in de Perzische invloedssfeer. De eerste aanval werd in 490 afgeslagen. Problemen in Egypte, dat ook tot het Perzische Rijk behoort, en de dood van koning Darius van Perzië in 486 bezorgden de Grieken tijdelijk rust. Pas vier jaar geleden hervatte Xerxes, de nieuwe vorst der Perzen, het werk dat zijn voorganger niet kon voltooien.

De Griekse reacties op de nieuwe Perzische dreiging waren heel verschillend. Veel steden onderwierpen zich bij voorbaat of bleven neutraal. In totaal 31 steden besloten zich te verzetten. Tijdens een Panhelleens Congres in Korinthe in 481 sloten zij een pact tegen Perzië. Sparta werd aangewezen als de leider binnen deze zogeheten 'Helleense Bond'.

*De zeeslag bij Salamis tussen Grieken en Perzen volgens een schilderij van Wilhelm von Kaulbach (1805-1874).*

De overwinningen van de laatste dagen hebben aangetoond dat dit pact niet vergeefs is gesloten. Aanvankelijk zag het ernaar uit dat de Perzen in hun opzet zouden slagen. Zowel te land (Thermopylae) als ter zee (Salamis) waren de geallieerden tot niet veel meer in staat dan het vertragen van de Perzische opmars. Tot tweemaal toe moest Athene worden geëvacueerd.

Het Perzische offensief dwong de Griekse steden tot een voor hen opmerkelijke samenwerking in de Helleense Bond, maar bracht ook spanningen met zich. Veel steden waren van mening dat men zich moest terugtrekken op de Peloponnesos, achter een linie op de landengte van Korinthe. In deze tactiek zou Athene worden prijsgegeven. Slechts door met overlopen te dreigen wist de Atheense generaal Themistocles de anderen ertoe te bewegen ook zijn stad te verdedigen.

Deze politiek werpt nu haar vruchten af. De overwinning bij Plataeae en die op zee bij Mycale (in Ionië) komen op een gunstig moment: omdat de winter invalt is het onwaarschijnlijk dat de teruggedreven Perzen nog dit jaar een nieuw offensief zullen lanceren.

# Athene verslaat Perzen bij Marathon

ATHENE, 490 - Het Atheense leger is erin geslaagd een Perzische invasie in Attica te voorkomen. De beslissende slag vond plaats bij Marathon.

De Atheense overwinning is een belangrijke tegenslag voor de Perzische koning Darius, die zich heeft voorgenomen niet alleen Ionië, maar ook het Griekse vasteland te onderwerpen. De directe aanleiding voor een aanval op de Griekse steden was dat Athene en Eretria (op het eiland Euboea) de Ionische opstand tegen de Perzen (499-494) actief hebben gesteund.

Voordat hij zijn campagne begon, zond Darius gezanten naar de steden. Zij boden vrede aan, mits de Grieken hun onafhankelijkheid zouden opgeven. Gezien het feit dat Perzië een machtig wereldrijk is, is het niet vreemd dat sommige steden op de Perzische voorstellen zijn ingegaan. Maar het overal zijn de gezanten gastvrij ontvangen; in Athene en Sparta zijn zij zelfs om het leven gebracht. De Perzische aanval richtte zich in de eerste plaats op Eretria, dat de strijd na zes dagen moest opgeven. Daarna stond de verovering van Athene op het programma.

De Atheense gelederen werden versterkt door een contingent van duizend burgers uit Plataeae. Maar de toegezegde hulp uit Sparta bleef uit, omdat de Spartanen door religieuze verplichtingen waren verhinderd. Ook zonder Spartaanse hulp zijn de Atheense legers er nu in geslaagd de Perzische troepen een halt toe te roepen.

Het Atheense succes heeft twee belangrijke gevolgen. Ten eerste is de Perzische dreiging voor enige tijd afgewend. Bovendien heeft Athene bewezen dat het, net als Sparta, een belangrijke militaire macht is.

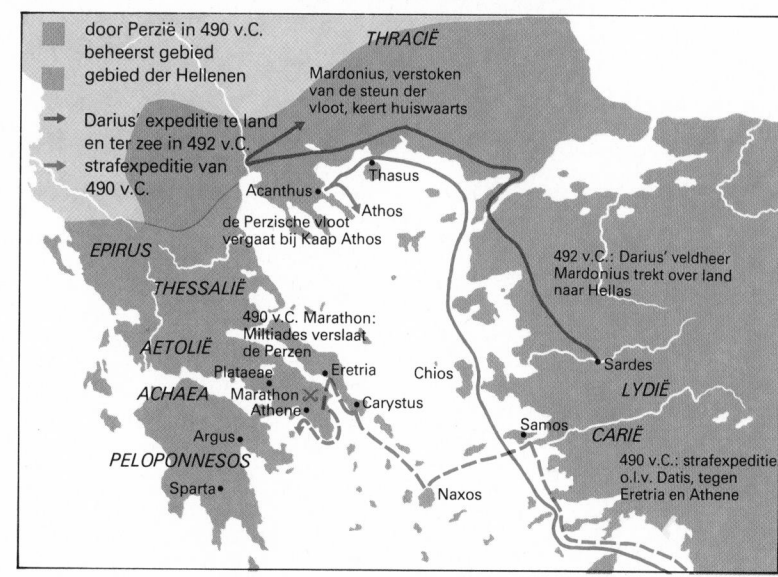

*De expedities van de Perzische koning Darius I naar Griekenland.*

Binnen de kaart:
- door Perzië in 490 v.C. beheerst gebied
- gebied der Hellenen
- Darius' expeditie te land en ter zee in 492 v.C.
- strafexpeditie van 490 v.C.
- THRACIË
- Mardonius, verstoken van de steun der vloot, keert huiswaarts
- Acanthus
- Thasus
- de Perzische vloot vergaat bij Kaap Athos
- Athos
- EPIRUS
- THESSALIË
- 490 v.C. Marathon: Miltiades verslaat de Perzen
- AETOLIË
- Plataeae
- Eretria
- Chios
- ACHAEA
- Marathon
- Athene
- Carystus
- 492 v.C.: Darius' veldheer Mardonius trekt over land naar Hellas
- Sardes
- LYDIË
- Argus
- Samos
- CARIË
- PELOPONNESOS
- Sparta
- Naxos
- 490 v.C.: strafexpeditie o.l.v. Datis, tegen Eretria en Athene

*Een lijfwacht van koning Darius I de Grote, stichter van het Perzische Rijk (reliëf in zijn paleis in Persepolis). In 486 overlijdt de Perzische koning tijdens de voorbereiding van een veldtocht naar Egypte. Hij wordt opgevolgd door zijn zoon uit het huwelijk met Atossa, Xerxes I.*

# Chinese wijsgeer Confucius overleden

*'Meester Kong wandelt met een leerling in de tuin'; rechts: een tekening op zijde van Confucius.*

CHINA, 479 - In de staat Lu in Oost-China is de erudiete filosoof Kong Qiu, ook bekend als Kong Zi (Meester Kong), overleden. In dezelfde staat is hij 72 jaar geleden ter wereld gekomen. Volgens zijn talrijke leerlingen was Kong niet alleen een voortreffelijk onderwijzer maar tevens een buitengewoon mens. Hij was waardig, gewetensvol, redelijk, beleefd, kalm, grootmoedig, en een liefhebber van de wetenschap, muziek, antieke kunstvoorwerpen, boeken en rituelen.

In de staat Lu waar Confucius werd geboren, leefden de idealen van de oude cultuur van Westelijk Zhou meer dan in de rest van de staten waarin het koninkrijk Zhou is uiteengevallen. Daarom is het begrijpelijk dat in de filosofie van Confucius de mythe van een Gouden Eeuw, van Datong (Grote Gezamenlijkheid) waarin 'mensen voor kinderen van anderen zorgden alsof het hun eigen kinderen waren', een grote rol speelde.

Het verlangen naar orde en vrede dat in de filosofie van Confucius centraal staat, kan men beschouwen als karakteristiek voor een tijd waarin feodale oorlogen en anarchie het land verscheurden. De machthebbers zouden volgens Confucius de eigenschappen van rechtvaardigheid, rechtschapenheid, loyaliteit, tolerantie en bovenal medemenselijkheid moeten cultiveren. Cultuur en Ritueel zouden het fundament van een nieuwe Gouden Eeuw moeten worden.

Onder de werken die aan Confucius worden toegeschreven, kan slechts *Lunyu* (dialogen, gesprekken) beschouwd worden als volledig kenmerkend voor zijn leer, maar ook dit werk is niet door hem geschreven.

Confucius beschouwde zichzelf overigens niet als schepper maar als overbrenger. Het is daarom in elk geval in overeenstemming met zijn bedoelingen dat hem de redactie van een aantal klassieke en meer actuele teksten wordt toegeschreven. Tot deze laatste behoort een tamelijk vervelende kroniek van de geschiedenis van de staat Lu over de periode 722-551: de *Kronieken van Lente en Herfst*. Ook een selectie en bewerking van verscheidene historische en literaire bundels wordt aan Confucius toegeschreven.

Als ambtelijke carrière was het leven van Confucius geen groot succes. Hij had aanvankelijk een positie in zijn geboortestaat Lu, maar raakte deze onder onduidelijke omstandigheden kwijt. Vervolgens ging hij in verbanning en dwaalde van het ene prinselijke hof naar het andere, op zoek naar een betrekking die hem in staat zou stellen zijn opvattingen ingang te doen vinden. De grote tegenpool van Confucius was de filosoof Lao Zi (De Oude Meester) over wiens leven nagenoeg niets bekend is. Hij moet echter ongeveer in de zelfde tijd als Confucius geleefd hebben; het einde van Het Tijdperk van Lente en Herfst. De aan Lao Zi toegeschreven *Daodejing* is de tegenhanger van het hiërarchisch humanisme van Confucius. De leer van Lao Zi, die daoïsme wordt genoemd, kan in het kort omschreven worden als een anarchistisch naturalisme.

Hij was een van de eerste propagandisten van kleinschaligheid. Ook vond hij dat een land des te beter wordt geregeerd naarmate er minder geregeerd wordt. Dit principe heet bij Lao Zi 'Wu Wei', hetgeen men als 'non-interventie' kan vertalen. Ook in de natuur en in een mensenleven heeft het geen zin om te ageren tegen het natuurlijke verloop der dingen.

## Delisch-Attische Zeebond opgericht

DELOS, 477 - Op het Griekse eiland Delos heeft een aantal steden in en rond de Egeïsche Zee een militair aanvals- en verdedigingspact opgericht. De Bond heeft zijn hoofdkwartier op Delos en wordt aangevoerd door Athene. Doel is zichzelf tegen nieuwe Perzische aanvallen te beschermen en Griekse steden van de Perzische heerschappij te bevrijden. De oprichting is het gevolg van onvrede over het functioneren van de Helleense Bond, die twee jaar geleden de Perzen nog met zoveel succes uit Griekenland wist te verdrijven.

Athene is veruit het machtigste lid van de nieuwe Bond. Het pact bestaat eigenlijk uit een reeks overeenkomsten tussen Athene en de overige steden waarin wederzijdse steun wordt toegezegd. Athene is verantwoordelijk voor de militaire organisatie en stelt vast hoeveel de lidstaten bijdragen en in welke vorm. Elk lid dient namelijk bemande schepen te leveren, dan wel een equivalent in geld, waarmee de Atheners schepen kunnen uitrusten. De Atheense generaal Aristides zal als eerste de quota vaststellen.

De oprichting van de Delisch-Attische Zeebond is een teken van de toenemende macht van Athene. Lange tijd was Sparta de onbetwiste grootmacht in Griekenland. Het leidde sinds 550 een Bond van steden op de Peloponnesos en ook de Helleense Bond wordt door Sparta aangevoerd. De laatste twee jaar heeft Sparta echter binnen laatst genoemde Bond ernstig prestigeverlies geleden door het onberekenbare optreden van generaal Pausanias. Hij oogstte als aanvoerder in de strijd tegen de Perzen veel waardering. Maar na de bevrijding van Byzantium, ten noorden van Klein-Azië, onttrok hij zich aan de controle van de Spartaanse eforen (magistraten), die hem daarvoor ter verantwoording riepen. Hij zou van plan zijn geweest over te lopen naar de Perzen met het doel satraap (gouverneur) van Griekenland te worden. Hoewel zijn schuld niet is bewezen, zijn de Helleense Bond en de positie van Sparta daardoor in diskrediet gebracht. Van het machtsvacuüm heeft Athene nu gebruik gemaakt.

# Voorrechten voor Atheense vluchtelingen

TROEZEN, 480 - De volksvergadering van Troezen, een plaatsje op de noordoostkaap van de Peloponnesos, heeft Atheense vluchtelingen enkele bijzondere voorrechten gegeven. Opvallend is vooral de bepaling dat Troezen het onderwijs voor Atheense jongens zal bekostigen.

De vluchtelingen, voornamelijk vrouwen, kinderen, slaven en ouden van dagen, hebben Athene verlaten toen Perzische strijdkrachten tot in Attica doordrongen. De Peloponnesos is beter te verdedigen en daarom nog veilig. Een contingent Atheense mannen is achtergebleven om een al te eenvoudige verwoesting van de stad te voorkomen.

Troezen heeft de vluchtelingen gastvrij onthaald. Elk gezin krijgt een kleine toelage om in het dagelijks levensonderhoud te voorzien. De jongens mogen bovendien zoveel wijndruiven plukken als ze willen. Ten slotte trekt Troezen een bedrag uit om hun onderwijs te financieren.

Atheense ouders hechten veel belang aan goed onderwijs voor hun kinderen. Hoewel de overheid normaal gesproken op geen enkele wijze betrokken is bij de organisatie of financiering van het onderwijs - de gunst van Troezen is uitzonderlijk -, sturen zelfs de minder bemiddelde Atheners hun zoons naar school. Ze leren er in ieder geval lezen en schrijven. Daarnaast krijgen sommige jongens les in muziek, sport en tekenen. Ook meisjes genieten soms onderwijs, maar meestal krijgen ze dat thuis, van hun moeder of van een slaaf.

De leeftijd waarop kinderen naar school gaan is sterk afhankelijk van de financiële mogelijkheden thuis. Armere jongens beginnen rond hun zevende jaar en verlaten na enkele jaren de school om bij vader of een van zijn collega's in de praktijk een vak te leren. De zoons van rijkere Atheners blijven tot hun twaalfde jaar op school; daarna worden zij door hun vader langzaam ingewijd in het militaire en politieke bedrijf. Ook leren zij dan hun landgoederen, hun voornaamste bron van inkomsten, te beheren.

Het is onbekend hoe lang de vluchtelingen in Troezen zullen blijven.

*Het schathuis van Athene in Delphi.*

## Atheense vloot wordt uitgebreid

ATHENE, circa 483 - Op voorstel van de Atheense generaal Themistocles heeft de volksvergadering besloten de opbrengsten van nieuw ontdekte zilvermijnen te besteden aan een fikse uitbreiding van de vloot. Dank zij dit besluit zal Athene over enige tijd beschikken over de grootste vloot uit de Griekse geschiedenis.

De nieuwe zilvermijnen liggen in de streek Laureium (Zuid-Attica), waar al vaker zilvervondsten zijn gedaan. De mijnen zijn staatseigendom en worden verpacht aan burgers, die ze met behulp van slaven exploiteren.

Door de uitbreiding van het aantal mijnen zijn de staatsinkomsten aanzienlijk toegenomen. In de volksvergadering werd aanvankelijk voorgesteld het geld over alle burgers te verdelen. Themistocles, die zijn sporen heeft verdiend in de strijd tegen Perzië, heeft het exacte tegendeel bepleit, namelijk dat het geld moet worden verdeeld over de honderd rijkste burgers van Athene, die er vervolgens ieder een oorlogsschip voor moeten laten bouwen. Het is een Atheens gebruik publieke diensten, zoals de bouw van een oorlogsschip, het opvoeren van toneelstukken en dergelijke, te laten betalen en uitvoeren door privé-personen. Het verrichten van zo'n publieke dienst, een 'liturgie', is uiterst eervol. Themistocles heeft dus in feite voorgesteld de opbrengsten van de zilvermijnen te gebruiken om de rijke burgers te prikkelen tot het verrichten van meer liturgieën.

De reden dat Themistocles zo aandringt op een uitbreiding van de vloot hangt samen met de voortdurende Perzische dreiging en het feit dat de tactiek van Themistocles' ex-collega Miltiades om Athene te beschermen met een kordon van loyale eilanden, is mislukt. Het eiland Aegina bijvoorbeeld heeft de Atheense heerschappij niet willen aanvaarden.

Themistocles hoopt dat een uitbreiding van de vloot Athene tegen het Perzische gevaar zal beschermen. Bovendien wil hij de vloot inzetten om Aegina er alsnog toe te bewegen aansluiting bij Athene te zoeken.

**475** (circa). Athene stelt een Scytisch politiekorps in. →

**474.** In de slag bij Cumae wordt de Etruskische vloot verslagen door de tiran Hiero I van Syracuse. →

**472.** Het vroegst bewaard gebleven toneelstuk van Aeschylus, *De Perzen*, wint de tragedieprijs.

**468.** Jain Mahavira, de stichter van het jainisme, overlijdt. →

**465.** De Perzische koning Xerxes I wordt tijdens een paleisrevolutie samen met zijn oudste zoon Darius vermoord. Hij wordt opgevolgd door zijn jongere zoon Artaxerxes I. →

**465.** Het eiland Thasos komt in opstand tegen de leidende positie van Athene in de Delisch-Attische Zeebond. →

**464-463.** Door een zware aardbeving verliest Sparta de helft van zijn leger. De heloten in Messenië zien hun kans schoon en komen in opstand.

**462.** In Athene hervormt Ephialtes, gesteund door Pericles, de staatsinrichting. De oligarchisch gezinde Areopagus wordt de macht ontnomen; deze wordt aan het volk overgedragen.

**462.** Het bondgenootschap tussen Athene en Sparta wordt verbroken. Athene sluit nu een bondgenootschap met Argos, de aartsvijand van Sparta.

**461.** In Athene nemen de democraten Ephialtes en Pericles de macht over van de oligarchisch gezinde Cimon, die uit Athene verbannen wordt. →

**460.** Koning Ajathashatru van Magadha overlijdt. →

**458.** In Athene worden de 'lange muren' tussen de stad en de haven, Piraeus, gebouwd.

**457.** De bouw van de Zeustempel in Olympia wordt voltooid.

**454.** De Atheense vloot lijdt in Egypte een vernietigende nederlaag in de strijd tegen de Perzen.

**451.** In Athene worden door Pericles de burgerrechten beperkt tot diegenen wier ouders beiden Athener zijn. →

Geboren:

**469.** Socrates, Grieks filosoof († 399)
**460** (circa). Thucydides, Grieks geschiedschrijver († circa 400)
**460** (circa). Democritus, Grieks filosoof († circa 370)
**460** (circa). Hippocrates, grondlegger van de geneeskunde († circa 370)

Gestorven:

**465.** Xerxes I, Perzisch koning →
**460** (circa). Themistocles, Atheens staatsman
**456.** Aeschylus (252), Grieks tragediedichter

*Overledene aan de dodenmaaltijd. Deksel van een Etruskische begrafenisurn uit Cerveteri.*

# Nederlaag voor Etrusken

CUMAE, 474 - In een zeeslag bij Cumae heeft de Etruskische vloot een nederlaag geleden tegen de vloot van Hiero, de tiran van Syracuse. Het was de tweede keer dat een poging van de Etrusken om Cumae te veroveren op niets uitliep. In 524 had Aristodemus, de tiran van Cumae, de Etrusken ook al eens verslagen.

Het veroveren van Cumae is een belangrijke zaak voor de Etrusken. Cumae vormt namelijk een bedreiging voor de verbindingen tussen Etruria en Campania, een gebied dat deel uitmaakt van de bezittingen van de Etrusken, maar voor hen nog slechts per schip bereikbaar is. Door de nederlaag van de Etrusken zal Campania voorlopig nog wel in een geïsoleerde positie blijven verkeren.

Deze nederlaag betekent bovendien dat Syracuse opnieuw een belangrijke rivaal verslagen heeft. In 480 versloeg Syracuse de Carthagers op Sicilië in de Slag bij Himera. Gezien deze twee overwinningen lijkt het erop dat Syracuse zich ontwikkelt tot de belangrijkste macht in het westelijke deel van de Middellandse Zee en dat de rol van de Etrusken daar is uitgespeeld.

## Athene besluit politiekorps in te stellen

*Scythische krijgers (bovenstuk van een gouden kam, gevonden in een grafheuvel aan de oevers van de Dnjepr).*

ATHENE, circa 475 - De Atheense volksvergadering heeft besloten tot de oprichting van een politiekorps, dat voorlopig uit driehonderd Scythische slaven zal bestaan. Het korps heeft als voornaamste taak het handhaven van de openbare orde, vooral tijdens religieuze feesten, rechtszittingen en politieke samenkomsten. In verhouding tot andere slaven zal de positie van deze 'boogschutters', zoals ze ook wel worden genoemd, goed zijn.

Slaven verrichten in de Atheense samenleving de meest uiteenlopende taken. De meeste zijn ingeschakeld in de landbouw en in het huishouden, maar daarnaast zijn slaven werkzaam als bouwvakkers, mijnwerkers, artsen, prostituées, leraren en, zoals de Scythische politieagenten, als ambtenaren. Onder de staatsslaven vindt men cipiers en beulen, maar ook archivarissen en boekhouders.

In principe zijn slaven bezittingen en derhalve mensen zonder rechten - 'vee op twee benen'. Dat betekent dat ze niet mogen gaan waar ze willen, dat ze niet de vrijheid hebben zelf een partner te kiezen, dat hun gezin uit elkaar kan worden gehaald en dat ze geen weerstand mogen bieden tegen de seksuele verlangens van hun heer. Ook de Scythische 'boogschutters' zullen geen rechten hebben.

# Jain Mahavira gestorven

*Beeld van Jain Mahavira in de aan hem gewijde Shantinath-tempel in Khajuraho (karakteristiek zijn de strakke vormen).*

PAVA, 468 - In het kleine stadje Pava, nabij de hoofdstad van Magadha, Rajagriha, is vijftien jaar na de Boeddha de sekteleider Jain Mahavira overleden. Mahavira, die zo'n dertig jaar geleden na dertien jaar een ascetisch leven te hebben geleid de verlichting bereikte, verwierf zich in de tijd daarna vooral in handelskringen ruim 14 000 discipelen.

Centraal in de doctrine van het jainisme staat de stelling dat alles in het universum, van rotsblokken en aardwurmen tot goden, een ziel heeft. De zuivering van die ziel is de zin van het leven, want een zuivere ziel wordt verlost van het lichaam en verblijft dan in gelukzaligheid.

Zuivering van de ziel is te bereiken door te leven volgens de regels die Mahavira gaf. De naleving van 'ahimsa', van geweldloosheid, is een van de belangrijkste van die regels. Deze regel wordt tot in het extreme doorgevoerd: het onbewust vertrappen van een mier is al een ernstige zonde. Devote volgelingen binden zelfs katoenen maskers voor hun gezicht om te verhinderen dat ze de kleinste insekten inademen.

Deze nadruk op ahimsa maakt dat boeren geen jaina kunnen worden omdat bij de landbouw vele insekten en beestjes omkomen. Daarom is het jainisme vooral in handelskringen populair.

## Ajathashatru van Magadha overleden

RAJAGRIHA, 460 - Koning Ajathashatru van Magadha aan de Ganges is overleden. Hij laat een machtig rijk achter dat reikt van het voormalige Kosala tot aan de monding van de Ganges.

Ajathashatru kwam in 493 op de troon nadat hij zijn vader, koning Bimbisara, had vermoord. Deze Bimbisara had Magadha groot gemaakt, onder andere door de verovering van Anga in de Gangesdelta en door een goede organisatie van zijn regering, waarbij hij verschillende taken delegeerde aan ministers en andere dienaren.

Ajathashatru zette de expansiepolitiek van zijn vader voort en veroverde in het westen Kosala, waarbij hij zich wederom niets aantrok van familierelaties, want Kosala werd bestuurd door een oom van moederszijde. In het noorden lijfde Ajathashatru het gebied van de Vriji's in na een strijd van zestien jaar. De opbouw van Magadha tot een groot rijk werd vergemakkelijkt door de gunstige ligging ervan in het Gangesgebied. Daardoor beheerste het de handel op de rivier en na de verovering van Anga ook de handel met het buitenland. De grond in de Gangesvallei is zeer vruchtbaar en dus een belangrijke bron van inkomsten voor de koning. De naburige bossen leveren volop hout voor de bouw en voorzien het leger van olifanten; ijzermijnen maken het mogelijk goede gereedschappen en wapens te maken en bovendien een levendige ijzerhandel in stand te houden.

'De democratie kroont het volk van Athene,' symbolische afbeelding van het einde van de tirannie. Reliëf (Agora Museum Athene).

# Machtswisseling in Athene

ATHENE, 461 - De bevolking van Athene heeft de conservatieve staatsman Cimon voor tien jaar verbannen. Deze beslissing volgt op het mislukken van een hulpexpeditie naar Sparta, dat al enige jaren te kampen heeft met een opstand van heloten (horige boeren). De leider van de meer democratisch gezinde Atheners, Ephialtes, heeft de gelegenheid aangegrepen om enkele staatkundige hervormingen door te voeren. Meer dan vijftien jaar heeft Cimon zijn stempel op de Atheense politiek gedrukt. Hij heeft een groot aandeel gehad in de opbouw van de macht van Athene, met name door uitbreiding van de Delisch-Attische Zeebond. Anders dan veel andere leiders, onder wie Themistocles, was hij van mening dat Athene gebaat is bij goede relaties met Sparta.

Vandaar ook dat Cimon voorstander was van het inwilligen van een Spartaans verzoek om militaire bijstand. Deze hulp was nodig voor het onderdrukken van een helotenopstand in Messenië, die in 464 is uitgebroken en nog steeds voortduurt. Veel Atheners, onder wie Ephialtes, voelen sympathie voor de Messenische vrijheidsstrijd.

Cimons steun aan Sparta is daarom van het begin af aan omstreden geweest.

Het mislukken van de hulpexpeditie luidde Cimons politieke ondergang in. Eenmaal in Sparta werden de vierduizend Atheense hoplieten, verdacht van steun aan de Messeniërs, met wantrouwen bejegend en uiteindelijk zelfs teruggezonden. De Atheners hebben Cimon deze vernedering zwaar aangerekend. Hij is veroordeeld tot tien jaar verbanning.

Dit is gebeurd in een zogenaamd 'schervengericht' ('ostracisme'). Ieder jaar heeft de bevolking de gelegenheid om een van de leidende politici uit te stoten. Wanneer wordt besloten tot zo'n procedure dienen de mensen die een politicus willen verbannen, zijn naam op een potscherf ('ostrakon') te schrijven. Bij zesduizend of meer potscherven wordt de desbetreffende persoon voor tien jaar uitgewezen. De maatregel is ooit ingesteld om het ongewenste optreden van tirannen te voorkomen.

Intussen heeft Ephialtes een aantal belangrijke hervormingen in de Atheense staatsinrichting doorgevoerd. Met name is de macht van de Areopagus flink beknot. De Areopagus, een rechtbank van ex-archonten en onder Cimon spreekbuis van de behoudende Atheners, houdt van oudsher 'toezicht op de wetten'. Deze algemene controlerende bevoegdheid is nu overgeheveld naar meer democratische organen, zoals de volksvergadering en het dagelijks bestuur daarvan, de raad van vijfhonderd. De Areopagus rest nu nog voornamelijk de rechtspraak over moordzaken.

Ondanks het feit dat conservatieve Atheners Ephialtes' hervormingen krachtig hebben veroordeeld, lijken hij en zijn aanhangers, onder wie de jonge politicus Pericles, voorlopig te kunnen rekenen op de steun van de meerderheid van de Atheense bevolking.

# Problemen in Delisch-Attische Zeebond

THASOS, 465 - De bevolking van het Griekse eiland Thasos in het noorden van de Aegeïsche Zee heeft besloten zich terug te trekken uit de Delisch-Attische Zeebond, het militaire pact dat onder leiding staat van Athene. De Thasiërs hebben grote bezwaren tegen het Atheense streven Peraea, een gebied op het vasteland tegenover Thasos, te koloniseren. Het besluit van Thasos, zich uit de Zeebond terug te trekken, is in Athene opgevat als een oorlogsverklaring.

Al vanaf 477, het jaar waarin de Delisch-Attische Zeebond werd opgericht, is Thasos een vooraanstaand lid van deze alliantie. Als een van de weinige is het in staat zelf oorlogsschepen in plaats van geld te fourneren. In de afgelopen jaren heeft de Bond een aantal belangrijke successen tegen de Perzen geboekt, zoals onlangs nog in het zuiden van Klein-Azië.

Maar in de visie van de Thasiërs maakt Athene misbruik van zijn leidinggevende positie. Zij doelen daarbij vooral op de Atheense poging om greep op Peraea te krijgen. Deze streek rond de Pangaeusberg is rijk aan goudmijnen. Tot nu toe werden die geëxploiteerd door Thasos, dat daaraan een belangrijk deel van zijn rijkdom te danken heeft. De Atheense expeditie van tienduizend man om in deze streek een stad, Amphipolis, te stichten zou de bedoeling hebben het mijngebied onder Atheense controle te brengen. Om deze reden heeft Thasos nu besloten met de Bond te breken.

Het is niet de eerste keer dat een stad voor het lidmaatschap bedankt. Enkele jaren geleden trok het Aegeïsche eiland Naxos zich terug. Toen al bleken de Atheners van mening te zijn dat eenmaal gesloten loyaliteitsbanden niet kunnen worden verbroken. Een strafexpeditie maakte een einde aan de onafhankelijkheid van Naxos.

# Koning Xerxes I vermoord

SUSA, 465 - De koning van het Perzische rijk, Xerxes I, is het slachtoffer geworden van een moordaanslag. Onder zijn heerschappij en die van zijn vader Darius I bereikte het rijk der Achaemeniden een enorme macht en beleefde een grote culturele bloei.

In 522 greep Darius de macht na een samenzwering van de zes voornaamste adellijke families tegen de Mediër Bardiya. Darius was een zoon van de Parthische satraap Hystaspes en stamde uit een zijtak van het Achaemenidenkoningshuis. De nieuwe koning verzekerde zijn positie door een huwelijk met een dochter van Cyrus II, Atossa. Om de overal uitbrekende opstanden te onderdrukken voerde Darius een strakke centralisering door. Het rijk werd in twintig bestuurseenheden (satrapen) verdeeld. Verder zette Darius overigens de tolerante politiek van Cyrus voort door taal, religie en nationale gewoonten van de verschillende volkeren in het rijk niet te verbieden.

De belangrijkste vernieuwing van Darius was de invoering van een uniform muntstelsel en de oprichting van postkantoren langs de koningsstraten. Een verdere verbetering was de invoering van een officiële taal, het Aramaïsch, dat al langere tijd in het Oosten als handels- en bestuurstaal gebruikt werd.

Darius maakte van Susa de politieke hoofdstad van het rijk. Hij liet de stad, die in 640 door de Assyrische koning Assoerbanipal verwoest was en onder de Perzische koning Cyrus II weer opgebloeid was, opnieuw opbouwen. Susa ontwikkelde zich tot het handelscentrum van het Perzische Rijk, waar de belangrijkste verkeerswegen samenkwamen: de verbindingen met Klein-Azië, Mesopotamië en de Perzische Golf.

In 518 stichtte Darius in Persepolis een nieuwe residentie, die als symbool van zijn macht moest gelden en het nationale gevoel van de Perzen moest versterken. In de buurt van Persepolis liet Darius zijn graf uithakken in de rotswand van Naqsch-i-Rustam. In Persepolis zelf, dat op een kunstmatig terras gebouwd werd, liet zijn zoon Xerxes monumentale gebouwen neerzetten.

# Athene beperkt burgerrecht

ATHENE, 451 - Op voorstel van generaal Pericles is een maatregel uitgevaardigd waarin wordt bepaald dat voortaan alleen nog die mannen Atheens burgerrecht krijgen van wie de beide ouders van Atheense geboorte zijn. Voorheen was het voldoende dat de vader een Athener was en de moeder geen slavin. De maatregel heeft tot gevolg dat Atheense vaders hun dochters gemakkelijker kunnen uithuwen.

Niet alle bewoners van Athene hebben burgerrecht. Dat geldt niet alleen voor slaven, die al helemaal geen rechten hebben, en voor vrouwen, maar ook voor vrije mannen die als vreemdeling in Athene wonen. Een groot aantal van hen, onder wie de vrijgelaten slaven, geniet een speciale status. Zij worden 'metoiken' genoemd, 'medebewoners', en hebben een soort beperkt burgerrecht. Zo vallen zij onder dezelfde rechtsbescherming als burgers, zij het dat zij zich bij processen door een burger moeten laten vertegenwoordigen. Voorts nemen zij deel aan een aantal religieuze feesten in Athene. In ruil voor hun speciale status betalen metoiken een extra belasting. Daarnaast mogen zij net zomin als andere nietburgers onroerend goed bezitten.

De nieuwe maatregel treft de metoiken en andere vreemdelingen in zoverre, dat hun nageslacht niet langer kan doordringen tot de Atheense burgerij. Het was tot op heden niet ongebruikelijk dat een Athener trouwde met een dochter van een buitenlander, al dan niet een metoik. De kinderen die uit zo'n huwelijk voortkwamen, konden

*Generaal Pericles.*

legaal als burgers worden geregistreerd. Dit is niet langer mogelijk.

Daarvan profiteert de minder welgestelde Atheense burger. Het kostte hem tot nu toe soms grote moeite een echtgenoot voor zijn dochter te vinden, die bereid was met een lage bruidsschat akkoord te gaan: de vreemdelingen (die niet zelden zeer bemiddeld zijn) hadden voor het uithuwen van hun dochter aan een Atheens burger vaak hoge bruidsschatten over. Deze concurrentie valt nu weg, want een Atheense echtgenoot in spe ziet niet graag dat zijn kinderen niet in aanmerking komen voor het burgerrecht.

Pericles hoopt dat dit voorstel zijn populariteit onder de middenklasse zal vergroten.

---

450 (circa). In West- en Midden-Europa begint de La Tène-tijd. In deze tijd ontwikkelt zich een zelfstandige Keltische cultuur.

449. In Rome worden de wetten van de twaalf tafelen op schrift gesteld. →

449. De Vrede van Callias maakt een eind aan de oorlog tussen Perzië en de Delisch-Attische Zeebond.

447. In Athene wordt begonnen met de bouw van het Parthenon.

445. Tussen Athene en Sparta wordt een dertigjarig bestand gesloten. →

445. In Rome maakt de Lex Canuleia een eind aan het verbod van huwelijken tussen patriciërs en plebejers.

444. De Perzische koning Artaxerxes I maakt Nehemia stadhouder van Juda. Deze voert een religieuze hervormingspolitiek door en laat de stadsmuren van Jeruzalem herbouwen. →

443. In Rome wordt het ambt van censor ingesteld.

438. In Athene wordt het Parthenon voltooid en ingewijd.

431. Tussen Athene en Sparta breekt opnieuw oorlog uit. Dit is de Peloponnesische Oorlog.

430 (circa). De Griekse beeldhouwer Phidias vervaardigt het cultusbeeld van Zeus in de tempel te Olympia. Dit beeld is een van de zeven wereldwonderen.

429. Pericles sterft aan de gevolgen van een in Athene uitgebroken pestepidemie.

428 (maart/april). Euripides wint de eerste prijs bij de Grote Dionysia. →

426. In Athene klaagt de politicus Cleon de komediedichter Aristophanes aan. →

Geboren:

450 (circa). Alcibiades, Atheens staatsman († 404)
450 (circa). Aristophanes, Grieks komediedichter († 385)
444. Agesilaos, Spartaans koning († 360)
436 (?). Artaxerxes II, Perzisch koning († 358)
430 (circa). Dionysius I, tiran van Syracuse († 368)
430 (circa). Xenophon, Grieks geschiedschrijver († circa 355)
428. Plato, Grieks filosoof († 347)

Gestorven:

450. Cimon, Atheens staatsman
448. Pindarus (522), Grieks dichter
445 (circa). Parmenides, Grieks filosoof
429. Pericles, Atheens staatsman

---

# Rome stelt wetten op schrift

ROME, 449 - Het college van tien wetgevers, dat in 451 werd ingesteld, heeft de wetsoptekening voltooid. De wetten zijn verzameld op twaalf bronzen tafelen die op het Forum opgesteld zullen worden. Zij worden dan ook leges duodecim tabularum genoemd.

De wetten bevatten privaatrecht, straf- en procesrecht, staatsrecht en sacraal recht, maar kennen geen wezenlijk nieuwe elementen. Het betreft slechts de eerste schriftelijke vastlegging van wat al jaren als gewoonterecht gold. Zo zijn huwelijken tussen plebejers en patriciërs nog steeds verboden en blijft schuldslavernij gehandhaafd. Verarmde plebejische boeren kunnen dus nog steeds tot lijfeigenschap vervallen wanneer zij niet in staat zijn persoonlijke leningen terug te betalen. Wel is een halt toegeroepen aan willekeur dienaangaande, doordat nu precies is vastgelegd wanneer men schuldslaaf wordt. Daarmee is de belangrijkste functie van de codificatie aangegeven; men kan zich in het vervolg beroepen op de wetten van de Twaalf Tafelen. Met enige reserve kan er dus gesproken worden van een succes voor de plebejers. De wetsoptekening is immers op hun uitdrukkelijke verzoek, jarenlang verwoord door de volkstribunen, tot stand gekomen. De tien wetgevers, die gedurende de twee jaar sinds hun benoeming in 451 ook de consulaire taken hebben waargenomen, zullen hun bevoegdheden nu weer overdragen aan twee nieuw te kiezen consuls.

# Einde vrede tussen Sparta en Athene

ATHENE, maart 431 - Een incident in Plataeae, een plaats ten noordwesten van Athene, heeft definitief een einde gemaakt aan de in 446 gesloten vrede tussen Sparta en Athene. De vrede had eigenlijk dertig jaar moeten duren, maar stond al enige tijd onder druk.

De nieuwe spanningen tussen de twee Griekse grootmachten zijn het gevolg van de agressieve politiek van Athene jegens zijn bondgenoten in de Delisch-Attische Zeebond. Staten die zich aan de Atheense heerschappij willen onttrekken, worden streng aangepakt. Vorig jaar leidde het onafhankelijkheidsstreven van de lidstaat Potidaea, een Korinthische kolonie, tot een gewapend conflict tussen Athene en Korinthe. Samen met Megara is Korinthe een van de felste tegenstanders van Athene; beide steden voelen zich door de Atheense machtsuitbreiding in hun handelsmogelijkheden bedreigd. Als leden van de Helleense Bond hebben zij er bij leider Sparta op aangedrongen dat er stappen tegen Athene worden ondernomen. Sparta heeft Athene inmiddels de oorlog verklaard.

# Ezra hervormt godsdienst

JERUZALEM, 444 - De schriftgeleerde Ezra heeft, op de eerste dag van het joodse nieuwjaar, enkele religieuze hervormingen voorgesteld. Deze houden een strikt stelsel van wetten in met als doel het gemeenschapsleven te regelen, de etnische zuiverheid te bewaren en de nadruk te leggen op de heiligheid van Israëls bestemming. 's Ochtends verzamelde zich bij de bron Gihan nabij Jeruzalem een grote menigte om naar de teruggekeerde Ezra te luisteren. Hij begon met het voorlezen uit de Tora die hij veertien jaar geleden zelf uit Babylon heeft meegenomen.

In 458 reisde Ezra als koninklijk secretaris voor religieuze zaken naar Juda, vergezeld van vijftienhonderd priesters, zangers en andere deelnemers aan de cultus van de joodse godsdienst. Behalve de Tora had hij een officiële machtiging bij zich van koning Artaxerxes I van Perzië die hem onder andere de macht gaf rechters te benoemen. Zijn pogingen de verwoeste muren rondom Jeruzalem opnieuw op te trekken strandden echter op protesten van een groep afstammelingen van Babyloniërs en Elamieten. Bovendien bestond de vrees dat het buurland Samaria de herbouw als een vijandige daad zou opvatten. Toch bleek het succes van korte duur, want een jaar later, in 445, kwam Nehemia, die officiële toestemming had een begin te maken met het herbouwen van de muur, in Jeruzalem aan. Het politieke motief van de Perzische koning was dat een versterkt Juda als buffer kon dienen tussen Mesopotamië en het roerige Egypte. Met behulp van 'mannen wier ene hand werkte terwijl de andere een wapen droeg', zoals Nehemia later verklaarde, nam dit karwei 52 dagen in beslag. Jeruzalem en omgeving werd een nieuw ondergewest en Nehemia zijn eerste stadhouder.

De interne verhoudingen in de jaren voor zijn komst waren dermate scheefgegroeid dat hervormingen noodzakelijk waren. Nehemia zorgde voor kwijtschelding van de schulden die de boeren hadden bij de rijke priesters en edelen en schonk hun de verpande landen terug. Als aanvulling bleken religieuze hervormingen zoals geformuleerd door Ezra noodzakelijk, en deze zijn nu in werking getreden.

# Aristophanes aangeklaagd

ATHENE, 426 - De toonaangevende Atheense politicus Cleon heeft een felle aanval gedaan op de komediedichter Aristophanes. Hij is van mening dat de dichter in zijn meest recente stuk een te negatief beeld heeft gegeven van de verhouding tussen Athene en de leden van de Delisch-Attische Zeebond.

Cleon behoort tot een nieuwe generatie politici, die zich profileren als 'vrienden van het volk'. Zij willen ook de 'gewone' Athener bij het beleid betrekken en verzetten zich daarom tegen de informele 'achterkamertjespolitiek', die in Athene heel gebruikelijk is. Democratische instellingen als de volksvergadering en de volksrechtbank hebben in de eerste plaats een controlerende functie. Het echte beleid wordt gemaakt door de meer bemiddelde Atheners, veelal van aristocratische afkomst. Zij zijn niet georganiseerd in formele politieke partijen, maar vormen telkens wisselende coalities. Familie- en vriendschapsbanden spelen daarbij een belangrijke rol. Een neef zal vanzelfsprekend zijn oom steunen en menige politieke beslissing komt tot stand in een 'hetaeria', een club van vrienden die regelmatig met elkaar eten en drinken.

Politici als Cleon staan een krachtige buitenlandse politiek voor - men rekent hen wel tot de 'oorlogspartij'. Het zeezijk heeft de Atheense 'theten', de mensen met weinig of geen land, veel welvaart en werkgelegenheid gebracht. Door hun militaire onmisbaarheid - zij roeien de vloot - hebben zij bovendien

*Het theater van Epidaurus.*

een zekere politieke macht opgebouwd, die tot uitdrukking komt in het feit dat officieel nu ook theten in hoge staatsfuncties kunnen worden gekozen. Cleon en de zijnen willen deze verworvenheden behouden en tonen zich derhalve weinig verzoenlijk ten aanzien van Sparta en van afvallige bondgenoten.

Cleon reageert nu op een komedie van Aristophanes, *Babyloniërs* geheten. Daarin heeft Aristophanes, een jonge dichter met conservatieve sympathieën, de bondgenoten voorgesteld als slaven in dienst van Athene. Dit is een onverholen kritiek op de agressieve buitenlandse politiek van Athene. In de komedie, een absurdistisch toneelgenre, is het heel gebruikelijk om politieke misstanden te hekelen en politici op de hak te nemen. Dat Cleon Aristophanes nu openlijk in de raad ('boule') heeft gekapitteld - iets dat zelden voorkomt -, wordt door velen beschouwd als onderdeel van zijn politieke retoriek.

*Meisje met acteursmasker, Grieks beeldje uit de 1ste eeuw.*

# Euripides wint Grote Dionysia

ATHENE, maart/april 428 - De Atheense toneeldichter Euripides (56) heeft tijdens de tragediewedstrijd van de Grote Dionysia de eerste prijs gewonnen. Het is een Grieks gebruik om gedurende religieuze feestdagen toneelwedstrijden te houden. Daarbij wordt onderscheid gemaakt tussen komedies en tragedies.

In tegenstelling tot de komedie, waarin de auteur alles en iedereen bespot, is de tragedie serieus van toon. Hierin is de mens onderworpen aan het Noodlot, dat hem telkens weer voor morele dilemma's plaatst en hem uiteindelijk de dood in drijft of anderszins buiten de maatschappij plaatst. De thema's zijn meestal ontleend aan de mythologie.

Tijdens de Grote Dionysia (ter ere van de wijn- en theatergod Dionysus) mogen drie tragediedichters het tegen elkaar opnemen. Van elk worden er in totaal vier stukken opgevoerd, drie tragedies en een 'saterstuk', dat als een luchtige afsluiting dient. Na afloop beslist een jury door stemming en door loting welke auteur de beste totaalprestatie heeft geleverd.

Van de winnende stukken van Euripides viel vooral zijn *Hippolytus* in de smaak. In dit stuk wekt Hippolytus vanwege zijn kuisheid de woede op van de godin van de liefde, Aphrodite. Om hem te straffen zorgt zij ervoor dat zijn stiefmoeder Phaedra een waanzinnige liefde voor hem opvat. Phaedra pleegt zelfmoord als zij merkt dat Hippolytus op de hoogte is van haar incestueuze verlangen. Wanneer Hippolytus' vader, Theseus, een brief van Phaedra vindt, waarin zij Hippolytus ervan beschuldigt dat hij haar heeft verkracht, kan Hippolytus zich onvoldoende verweren. Hij heeft namelijk een eed gezworen dat hij over de liefde van zijn moeder zal zwijgen. Theseus vervloekt zijn onschuldige zoon, die sterft.

Sommige Atheners beschouwen Euripides als een groot tragediedichter, die zich kan meten met Sophocles (69) en de in 456 overleden Aeschylus.

# Alcibiades betrokken bij 'Hermenschandaal' in Athene

ATHENE, juni 415 - Vlak voor het vertrek van een grote militaire expeditie naar Sicilië is Athene opgeschrikt door een religieus-politiek schandaal. Daarbij is met name de reputatie van de jonge generaal en politicus Alcibiades in het geding.

Het schandaal begon vorige maand, toen onbekenden 's nachts schade toebrachten aan de zogenaamde 'hermen', die overal in Athene staan opgesteld. Hermen zijn grote, rechthoekig uitgehakte stenen, met het hoofd van een god - meestal Hermes - erop en aan de voorzijde een penis in erectie. Veel Atheners geloven dat deze beelden een beschermende werking

## Vrede tussen Athene en Sparta

SPARTA, april 421 - Athene en Sparta zijn een vrede van vijftig jaar overeengekomen. Dit is het resultaat van onderhandelingen, die deze maand in Sparta zijn gevoerd. Het verdrag beëindigt een oorlog die tien jaar geleden begon en die zich op fronten door heel Griekenland heeft afgespeeld.

De oorlog is noch voor de Atheners, noch voor de Spartanen een gemakkelijke geweest. Sparta verloor vooral in het begin van de oorlog de nodige steunpunten. De Atheners die gekozen hadden voor een oorlog op zee en daarom het platteland van Attica bij voorbaat hadden prijsgegeven, moesten vele jaren samengepakt binnen de muren van hun stad leven. In 429 leidde dat tot een grote epidemie, die ongeveer een kwart van de bevolking het leven kostte. Onder de slachtoffers was ook Pericles, de grote generaal en staatsman van de Atheners. Verder leed Athene de laatste jaren enkele gevoelige nederlagen, zoals die bij Amphipolis, de Atheense kolonie in Noordoost-Griekenland.

Bij deze slag verloren twee belangrijke generaals het leven, de Spartaan Brasidas en de Atheense volksleider Cleon. Beiden waren in hun respectieve steden 'haviken'. Na Cleons dood kreeg Nicias, een vertegenwoordiger van de 'vredespartij' in Athene, de kans om onderhandelingen met de Spartanen te beginnen.

In het nu gesloten verdrag belooft Athene dat het Sparta zal bijstaan wanneer het wordt aangevallen. Deze clausule is van belang, omdat Sparta vreest dat teleurgestelde anti-Atheense bondgenoten zich wel eens tegen Sparta zelf zouden kunnen keren. Opmerkelijk is verder de passage waarin Athene toezegt ook steun te zullen geven aan het onderdrukken van opstanden van horige boeren (heloten) in Messenië. In 461 was zo'n hulpexpeditie al eens aanleiding tot grote onenigheid binnen Athene zelf.

hebben. Opgesteld bij deurposten, op straathoeken en bij stadspoorten, bewaken de hermen de grenzen van het erachter liggende territorium. Het beschadigen van deze hermen wordt algemeen opgevat als een daad van goddeloosheid en een slecht voorteken bovendien.

Tot op heden zijn de daders nog niet gevonden, hoewel degene die ze zal vinden, een hoge beloning in het vooruitzicht is gesteld. Wel hebben enkele volksleiders, onder wie Androcles en Peisander, de beschuldigende vinger uitgestoken naar Alcibiades. Hun verdachtmakingen zijn gebaseerd op getuigenissen, volgens welke Alcibiades in het verleden al eens godenbeelden zou hebben beschadigd en religieuze feesten zou hebben bespot.

De aantijgingen aan Alcibiades' adres hebben de schijn van geloofwaardigheid, omdat de generaal inderdaad in kringen verkeert waar men geen geloof meer hecht aan de traditionele godenwereld.

Maar medestanders van Alcibiades hebben gewezen op de politieke motieven voor Androcles' en Peisanders beschuldigingen. Alcibiades geniet de laatste jaren een grote populariteit en is als zodanig voor hen een geduchte concurrent geworden. Zijn populariteit dankt hij niet in de laatste plaats aan het feit dat hij een neef is van de legendarische generaal Pericles, door wie hij

*Generaal Alcibiades.*

zelfs is opgevoed. Bovendien is hij een van de architecten van de Siciliaanse expeditie, die binnenkort van start zal gaan. De expeditie, in naam bedoeld als steun voor de bewoners van Segesta op Sicilië, is gericht op uitbreiding van de Delisch-Attische Zeebond - en op vergroting van de Atheense inkomsten. Hiervan profiteren vooral de minder welgestelden. Critici menen dat Androcles en Peisander het hermenschandaal misbruiken om Alcibiades' populariteit onder het volk te schaden.

*Een herme (wegwijzer met Hermeskop en geslachtsorgaan).*

# Carthago neemt Acragas op Sicilië in

*Griekse tempel, vermoedelijk gewijd aan de godin Hera, in Selinunte op Sicilië.*

ACRAGAS, 405 - Griekse kolonisten uit het Siciliaanse Acragas hebben hun stad prijsgegeven aan de Carthaagse belegeraars. Met achterlating van alles en zonder in het oog te lopen hebben de inwoners de stad verlaten en elders een veilig heenkomen gezocht. Het beleg van Acragas maakt deel uit van het Carthaagse streven geheel Sicilië in handen te krijgen. Het eiland is van cruciaal belang. Wie Sicilië beheerst, heeft in het mediterrane gebied ook de macht ter zee.

De Carthagers, rechtstreekse afstammelingen van de Feniciërs, bezitten al

eeuwenlang handelsvestigingen op Sicilië. De eerste Griekse kolonisten arriveerden pas aan het einde van de 6de eeuw.

In Carthago, de belangrijkste Fenicische kolonie in het westelijke Middellandse-Zeegebied, besefte men met een geduchte handelsconcurrent van doen te hebben. Men zag in dat het tijd werd serieuze aandacht te besteden aan de verdediging van de nederzettingen. In Carthago gingen stemmen op om het losse verband van koloniën te bundelen tot een hecht staatsbestel. In tegenstelling tot de Fenicische steden in de

Libanon, die slechts een wijdmazig net van handelsroutes in stand hielden, streven de Carthagers nu naar machtsuitbreiding en landbezit.

De eerste serieuze confrontatie vond plaats in 480, nadat de Grieken het rijke Syracuse hadden veroverd. Carthago reageerde onmiddellijk door een leger op de been te brengen, maar leed in de Slag bij Himera een gevoelige nederlaag. Enkele jaren geleden volgde een tweede veldtocht. Deels uit wraak, maar vooral om politieke redenen. In snel tempo vielen Selinus en Himera en rukte het Carthaagse leger op naar Acragas. 'De stad Acragas is zwaar versterkt. Haar muren lopen langs de rand van een steile rots, haar citadel is aan de ene kant beschut door een ontoegankelijk ravijn en van de binnenstad uit slechts langs één enkele toegang te bereiken.' Er volgde een maandenlange belegering.

In de stad raakten de voorraden op en de inwoners, gewend aan weldaad en luxe, besloten uit angst voor hongersnood heimelijk de stad te ontvluchten, daarmee de Carthaagse soldaten een rijke buit latend.

Oostelijk Sicilië staat nu onder controle van Carthago en men is klaar voor de opmars naar het welvarende Syracuse.

# Concessies van oligarchische junta in Athene

ATHENE, augustus-september 411 - De junta van antidemocraten die sinds enkele maanden in Athene aan de macht is, heeft enkele concessies moeten doen. Het bewind van 'vierhonderd' is omgezet in een meer democratische regering van 'vijfduizend'. Overigens houden deze concessies nog geen terugkeer naar de oude, volledige democratie in.

De antidemocratische omwenteling in april-mei van dit jaar was een indirect gevolg van het mislukken van de Siciliaanse expeditie, die de Atheners vier jaar geleden zijn begonnen met het doel hun macht in Grieks Italië uit te breiden. Het fiasco verzwakte Athene geheel.

Van deze onzekere situatie maakte een groep rijke, conservatieve Atheners gebruik om een 'oligarchie' in te stellen, een staatsinrichting waarin slechts een beperkt deel van de burgers inspraak heeft. Veel rijke Atheners maken bezwaar tegen een agressieve oorlogspolitiek, omdat zij opdraaien voor de hoge kosten die daaraan zijn verbonden. Zij zijn van mening dat beslissingen over oorlog en vrede moeten worden genomen door degenen die de kosten dragen, en pleiten dus voor een beperking van het actief kiesrecht tot de meer welgestelde burgers. Zolang de oorlogspolitiek succes had, vonden deze 'oligarchen' weinig gehoor, maar na het fiasco van de Siciliaanse expeditie hebben zij hun kans schoon gezien om in te grijpen.

Op hun instigatie werd in de volksvergadering besloten de democratie terzijde te schuiven. Het bestuur werd overgenomen door een tijdelijke regering, de 'Raad van vierhonderd', die tevens een nieuwe staatsinrichting zou voorbereiden. Als concessie aan de 'gematigden' die ook de hoplieten (zwaarbewapende infanteristen) bij het bestuur willen betrekken, stemden de nieuwe leiders in met de instelling van een volksvergadering van vijfduizend man. Maar met de installatie van deze volksvergadering werd weinig haast gemaakt en ook zouden haar bevoegdheden beperkt zijn.

Na enkele maanden van aanhoudende tegenslagen moeten de radicale oligarchen nu toch water bij de wijn doen. Een ernstige tegenvaller is dat de Atheense vloot, gestationeerd op het eiland Samos, zich van de omwenteling heeft afgekeerd. Verder is men er nog niet in geslaagd een vrede met Sparta te realiseren, een van de voornaamste doelstellingen van de Atheense conservatieven.

Onder druk van de gematigde leden van de Raad is nu besloten het bestuur in handen te leggen van een 'Raad van vijfduizend'.

# Democratie Athene terug

ATHENE, augustus 403 - In Athene is de democratie teruggekeerd. De stad is bijna een jaar lang door oligarchen (voorstanders van een regering door een klein gedeelte van de burgerij) bestuurd.

De oligarchen kwamen aan de macht onder druk van de Spartaanse generaal Lysander, die Athene verleden jaar tot overgave dwong. Toen de Atheners naar zijn mening te weinig haast maakten met het afbreken van hun verdedigingswerken, dreigde hij de stad alsnog met de grond gelijk te maken, tenzij de Atheners hun staatsinrichting zouden aanpassen. Daarop gaf de volksvergadering een 'Commissie van dertig' de opdracht 'de constitutie van de voorouders' te herstellen - dat wil zeggen: een eind te maken aan de democratische hervormingen sinds 461. Afschaffing van deze hervormingen is een belangrijke oligarchische wens.

Van de 'Dertig' maakten zowel gematigde als radicale oligarchen deel uit. Aanvankelijk lag het initiatief bij de radicalen onder leiding van Critias. Tijdens zijn bewind, volgens velen het meest terroristische uit de hele Atheense geschiedenis, liet hij, in de rug gedekt door een Spartaans garnizoen van 700 man, naar schatting 1500 tegenstanders vermoorden. Critias verloor de greep op de situatie echter toen hij zijn terreur tegen de gematigde oligarchen en hun leider, Theramenes, richtte. De executie van Theramenes, een vooraanstaand lid van de 'Dertig', bracht grootscheeps verzet op gang.

Het verzet stond onder leiding van generaal Thrasybulus, die ook in 411 had meegewerkt aan de omverwerping van het toenmalige oligarchische bewind. Hij begon een militair offensief tegen de 'Dertig', waarbij Critias zelf de dood vond.

Daarna kwam het bestuur van de stad in handen van een tienmanschap ('de Tien'), dat zich afkeerde van de terreur, maar desalniettemin een terugkeer van de democraten onder Thrasybulus wilde voorkomen. Dat zij niet in hun opzet zijn geslaagd, is het gevolg van de successen van het verzet en van het feit dat Sparta zijn steun aan de oligarchische rebellen in Athene heeft ingetrokken.

Men is nu overeengekomen dat de toestand van vóór de oligarchische coup wordt hersteld. Bovendien geldt er een algemene amnestie en mogen de Atheners die desondanks bang zijn voor wraak, naar Eleusis, een plaatsje in Attica, verhuizen.

De Egyptische god Seth doodt de Apophis-slang (wandschildering op de westwand van de Hypostiszaal in de tempel van Hibis, tussen 424 en 404). In 404 lukt het Amyrtaios van Saïs, de stichter van de 28ste dynastie, Egypte van de heerschappij van de Perzen te bevrijden. Amyrtaios maakt gebruik van de verwarring rond de troonsopvolging in Perzië. Na de dood van Darius II blijkt zijn zoon Artaxerxes II Mnemon te zwak om de opstanden in het Perzische Rijk te onderdrukken. Amyrtaeus was al in 412 met zijn opstand begonnen.

De Karyatiden op de Akropolis van Athene.

# Lysander verovert Athene

ATHENE, april 404 - Na enkele maanden belegering heeft de Spartaanse generaal Lysander Athene tot de overgave gedwongen. De Spartanen danken hun overwinning niet in de laatste plaats aan financiële ondersteuning door de Perzische vice-koning Cyrus.

De Perzische bemoeienis met de machtsstrijd tussen Sparta en Athene is niet nieuw. Al eerder probeerde de Perzische koning Darius II, die sinds 424 aan de macht is, gebruik te maken van de Griekse verdeeldheid om zijn greep op Ionië en de Egeïsche Zee te vergroten. Afwisselend hebben zijn satrapen (gouverneurs) met Sparta en Athene over steun onderhandeld.

Sinds Darius II vier jaar geleden zijn zoon Cyrus heeft aangesteld als vice-koning over Klein-Azië, kan Sparta rekenen op het Perzische goud. De stad die vanouds op het land heerste, maar niet op zee, heeft met het geld zijn vloot uitgebreid en geperfectioneerd. Onder leiding van de bekwame generaal Lysander kon de Spartaanse zeemacht de Atheense naar de kroon steken.

De enige die mogelijk een antwoord op deze ontwikkeling had kunnen geven, was Alcibiades, die echter door binnenlandse politieke tegenstanders in ernstige mate werd gedwarsboomd. In 415 was hij al eens ter dood veroordeeld en in 407 werd hij verbannen, ondanks dat hij met de Atheense vloot belangrijke successen had geboekt.

De gevolgen zijn niet uitgebleven. Sparta versloeg Athene vorig jaar in een zeeslag bij Aigospotamoi (bij de Hellespont). Daardoor kregen de Spartanen de Atheense graanaanvoer vanuit het Zwarte-Zeegebied in handen en kon Athene door middel van een beleg worden uitgehongerd.

Athene is nu akkoord gegaan met de vernederende voorwaarden van Lysander: de muren moeten worden geslecht, de vloot mag nog maar twaalf schepen bevatten, ballingen met antidemocratische ideeën moeten weer tot de stad worden toegelaten en Athene moet Sparta gehoorzamen.

# Kelten steken de Alpen over

NOORD-ITALIE, 400 - Keltische stammen zijn vanuit Zwitserland en Zuid-Frankrijk de Alpen overgetrokken en hebben zich gevestigd in het noorden van Italië. Ze deden 'om een reden van niets een onverhoedse aanval met een groot leger, verdreven de Etrusken uit het land van de Po en namen de vlakte zelf in bezit.' Daarmee heeft de La Tène-cultuur, waarvan de Kelten de dragers zijn, ook Italië bereikt.

De Kelten zijn de nazaten van de Scythen en van volkeren die rond 900 door de Germanen vanuit Zuid-Duitsland werden verdreven. Ze hebben zich in de loop der eeuwen gevestigd in Zwitserland, Frankrijk, België, Noordwest-Spanje en op de Britse eilanden. Sedert een eeuw is het de gewoonte de bewoners van dit uitgestrekte gebied aan te duiden als Kelten. Maar het is een verzamelnaam, want van een eenheid is slechts in beperkte mate sprake.

Ze spreken weliswaar varianten van dezelfde taal, delen bepaalde religieuze overtuigingen, maken deel uit van een tamelijk homogene cultuur (La Tène), maar zijn politiek hooglijk verdeeld. Herhaaldelijk binden de stammen de strijd met elkaar aan.

De Kelten bewonen hoofdzakelijk kleine dorpen. De enkele steden, zogenaamde 'oppida', zijn meer vestingen waar vorsten wonen en in tijden van nood dienst doen als vluchtplaats. Bijzondere vaardigheden bezitten ze op het terrein van de landbouw. Zo

*Detail van een zilveren ketel uit Gundestrup, Denemarken. In het midden een Keltische godheid, omringd door gevleugelde dieren.*

hebben ze de constructie van de ploeg verbeterd en een soort mechanische maaimachine ontwikkeld. Ook blinken ze uit in de ijzersmederij, het emailleren en de kunst van de keramiek. Ze hebben een voorkeur voor overdadige sier en opschik zoals armbanden, oorhangers, ringen en amuletten.

Over een schrift beschikken ze niet. Hun mythen en sagen worden in de vorm van poëzie door barden mondeling overgedragen.

Over geheel Keltisch Europa heerst dezelfde polytheïstische religie, hoewel de belangrijkheid van de goden en de vorm waarin zij vereerd worden van streek tot streek sterk kunnen verschillen. De positie van de druïden, de

priesterklasse, is echter overal gelijk. De druïden bezitten grote invloed op het sociale leven, spreken recht en vormen een soort hof van arbitrage. Ze houden hun volgelingen voor: 'Eerbied hebben voor de goden, niets kwaads doen en de dapperheid beoefenen,' prediken de onsterfelijkheid van de ziel en brengen mensenoffers. Evenals hun Scythische voorvaderen hebben de Kelten de gewoonte hun doden te begraven. Bij de dood van een vorst wordt diens lichaam bijgezet met veel pracht en praal en wordt een van de onderdanen geofferd.

Met de inval der Kelten in de Povlakte dreigt de overrompeling van het gehele Apennijnse schiereiland.

# Filosoof Socrates ter dood gebracht

ATHENE, maart 399 - De Atheense wijsgeer Socrates is, na vorige maand tot de gifbeker te zijn veroordeeld, ter dood gebracht. Hij is zeventig jaar oud geworden. Officieel is hij veroordeeld wegens goddeloosheid en het verderven van de jeugd, maar volgens sommigen is hij om politieke redenen aangeklaagd.

Socrates wordt vaak gezien als een van de vele zogeheten 'sofisten', privé-leraren die in Athene en elders retorica en levenswijsheid doceren. Sommigen van hen, zoals de beroemde redenaar Gorgias van Leontini (Oost-Sicilië), staan bekend om hun hoge honoraria. Socrates daarentegen gaf zijn onderwijs uit roeping. Zelf heeft hij altijd beweerd dat hij werd gedreven door een innerlijke stem, een 'daimon'.

Ook in andere opzichten heeft hij zich van de sofisten gedistantieerd. Hun onderwijs is vooral bestemd voor jongeren die een politieke carrière ambiëren. Vroeger leerden zij dat van hun vaders, die hen meenamen naar politieke bijeenkomsten. Maar tegenwoordig gaan zij bij professionele docenten in de leer, die hun de kneepjes van de re-

*Socrates.*

denaarskunst bijbrengen. Spreken in het openbaar - in de volksvergadering of een rechtbank - is in de Atheense politiek van eminent belang. De sofisten leren de politici in spe onder andere hoe zij tegenstrijdige standpunten

kunnen verdedigen: in hun latere loopbaan moeten zij elke zaak aan hun publiek kunnen 'verkopen'.

Socrates heeft zich hiertegen verzet, omdat het sofistische gebruik van de logica en de rede niet zou zijn gericht op het naar boven brengen van de waarheid, maar juist op het verhullen ervan. Hij heeft altijd geprobeerd door kritische ondervraging zijn leerlingen de betrekkelijkheid van hun kennis en van algemeen geaccepteerde waarden bij te brengen. Langs die weg meende hij tot ware kennis te komen van wat goed en rechtvaardig is.

Zijn principiële opstelling is hem niet altijd in dank afgenomen. Omdat de controversiële generaal Alcibiades en twee leiders van de tirannieke, antidemocratische junta van de 'Dertig' (404) tot zijn leerlingen behoorden, is hij door democratische politici met wantrouwen bejegend. Inderdaad is Socrates nooit een aanhanger geweest van de democratie. Dat hij zich desalniettemin verzette tegen de terreur van de 'Dertig' heeft hem tijdens zijn proces niet gebaat. Van de 501 juryleden hebben 280 hem schuldig bevonden.

# Thucydides is overleden

ATHENE, circa 400 - De Atheense geschiedschrijver Thucydides is op circa 60-jarige leeftijd overleden. Zijn uitvoerige verslag van de zogeheten 'Peloponnesische oorlog' is onvoltooid gebleven. Met de 'Peloponnesische oorlog' doelt Thucydides op het geheel van conflicten tussen Sparta en Athene in de periode 431 tot en met 404.
Thucydides stamde uit een Atheense familie met een Thracische achtergrond. Hij kende de oorlogvoering van nabij, want in 424 werd hij gekozen tot een van de tien generaals van dat jaar. Zijn militaire carrière was echter geen succes. Hij slaagde er niet in een Spartaans-Korinthische bezettingsmacht uit de Atheense kolonie Amphipolis (Noordoost-Griekenland) te verdrijven en werd daarom wegens landverraad verbannen. Zijn ballingschap bracht hij door in Thracië, waar hij leefde van de opbrengsten van een door hem beheerde goudmijn en waar hij zijn *Historiën* schreef. Pas enkele jaren geleden mocht hij naar Athene terugkeren.
Thucydides heeft zijn boek geschreven voor 'diegenen die nauwkeurig inzicht willen hebben in wat er is gebeurd en in wat er, naar menselijke maatstaven gemeten, waarschijnlijk zal gebeuren, op dezelfde of een soortgelijke manier'. Met deze woorden wil hij duidelijk maken dat zijn boek niet is bedoeld als amusement. Het gaat hem erom, juist ook met het oog op de toekomst, zo precies mogelijk te achterhalen wat mensen doen en waarom. Zo heeft hij, anders dan veel andere historici, my-

*Grafstèle van een Atheense soldaat.*

thologische aspecten buiten beschouwing gelaten, die wel vermakelijk om te horen, maar weinig informatief zijn. Om die reden ook heeft hij gekozen voor het beschrijven van een belangrijke gebeurtenis uit zijn eigen tijd: wat in een ver verleden is voorgevallen, laat zich zelden met grote nauwkeurigheid achterhalen.
Thucydides heeft zich laten inspireren door de geschiedschrijver Herodotus, wiens *Historiën* de Perzische oorlogen aan het begin van deze eeuw tot onderwerp hebben. Net als Herodotus heeft Thucydides voor zijn boek informatie uit verschillende kampen geraadpleegd. Maar meer nog dan zijn voorganger heeft hij geprobeerd deze bronnen kritisch op hun waarheidsgehalte te toetsen.

## Spartaanse vloot bij Cnidus verslagen

CNIDUS, augustus 394 - Een Grieks huurlingenleger onder leiding van de Athener Conon heeft in opdracht van Perzië de Spartaanse vloot verslagen. De slag vond plaats bij Cnidus, een plaatsje aan de zuidwestkust van Klein-Azië.
Het conflict tussen Sparta en Perzië rees zes jaar geleden, toen Perzië zijn tijdelijk verslapte greep op de Griekse steden in het oosten van de Egeïsche Zee weer probeerde te vergroten. Sparta had Ionië aan het eind van de Peloponnesische oorlog (431-404) in ruil voor financiële steun aan de Perzen overgelaten, maar wierp zich nu op als beschermheer van dit gebied.
In antwoord daarop formeerde de Perzische koning Artaxerxes een alliantie van Griekse steden die uit bezorgdheid om de Spartaanse expansiepolitiek bereid waren de Perzen te helpen. Naast Argos, Korinthe en Thebe maakt ook Athene deel uit van dit pact. Athene hoopt langs deze weg iets van de oude macht te herwinnen. Sinds verleden jaar zijn de geallieerden en Sparta op het Griekse vasteland in hevige strijd gewikkeld.

Om de Spartanen tegelijk op zee te kunnen bestrijden, heeft Artaxerxes ook een vloot laten bouwen, die wordt aangevoerd door de Atheense ex-generaal Conon. Het is deze vloot die nu bij Cnidus de Spartanen vernietigend heeft verslagen.
De bemanning van Conons vloot bestaat uit huurlingen. Het gebruik van huursoldaten heeft een vlucht genomen tijdens de Peloponnesische oorlog, toen veel steden door de aanhoudende oorlogssituatie mankracht te kort kwamen. Inmiddels verdienen vele duizenden Grieken, veelal afkomstig uit Noord-Griekenland en Thracië, als huurling de kost. Tijdens de strijd om de Perzische troon in 404-400 bestond het leger van Artaxerxes' rivaal, zijn jongere broer Cyrus, uit zo'n tienduizend Griekse huursoldaten.
Conons overwinning is een ernstige tegenslag voor Sparta, dat zich na de ondergang van Athene in 404 dé Griekse grootmacht mocht noemen. Om zijn troepen niet al te veel te ontmoedigen, heeft de Spartaanse koning Agesilaus zelfs opdracht gegeven het slechte nieuws voor hen verborgen te houden.

**390.** Cyprus wordt, met de steun van Athene, onder koning Evagoras onafhankelijk van Perzië.

**390** (circa). In Thracië worden zilveren munten uitgegeven in de stad Callatis.

**389-388.** Eerste reis van Plato naar Syracuse.

**387.** Dionysius I van Syracuse verovert Rhegium in Zuid-Italië en richt zich vervolgens op het Adriatische gebied.

**387.** In de slag aan de Allia worden de Romeinen vernietigend verslagen door Kelten, die door de Romeinen Galliërs worden genoemd, onder leiding van Brennus. Rome wordt door Brennus geplunderd. →

**387.** De Vrede van Antalcidas, ook bekend als de koningsvrede, brengt een algemene vrede in heel Griekenland tot stand. →

**385** (circa). In Athene sticht de filosoof Plato zijn Academie. →

**385-383.** De Perzische koning Artaxerxes II probeert tevergeefs Egypte te heroveren.

**383.** Tussen Syracuse, bestuurd door Dionysius I, en Carthago breekt opnieuw oorlog uit.

**382.** Sparta zendt een troepenmacht naar Chalcidice in het noorden van Griekenland.

**382.** De burcht van Thebe wordt bezet door een Spartaans garnizoen.

**381.** Koning Evagoras van Cyprus sluit vrede met Perzië onder voor hem niet ongunstige voorwaarden.

Geboren:

**389.** Aeschines († circa 322), Atheens redenaar
**384.** Aristoteles († 322), Grieks filosoof
**384.** Demosthenes († 322), Atheens redenaar
**382.** Philippus II († 336), Macedonisch koning
**382.** Antigonus I († 301), Macedonisch koning

Gestorven:

**388.** Thrasybulus, Atheens staatsman
**385.** Aristophanes (circa 450), Grieks komediedichter

*De 'treurende' Athene, de beschermgodin van de stad.*

## Perzië dwingt algemene vrede af

SARDES [?], 387 - De Perzische satraap (gouverneur) Tiribazus heeft in samenwerking met de Spartaanse diplomaat Antalcidas de Griekse steden onder druk gezet een algemeen vredesverdrag te aanvaarden. Wanneer alle steden zijn voorstel accepteren, zal het voor het eerst zijn dat er een 'algemene vrede' voor geheel Griekenland wordt afgekondigd.
Dat de Perzische koning Artaxerxes zijn satraap een algemene vredesregeling laat voorstellen, is een diplomatiek succes voor Sparta. Al sinds vijf jaar dringt hun vertegenwoordiger Antalcidas erop aan dat de Perzen hun steun aan een anti-Spartaanse coalitie stopzetten. Deze coalitie van vier steden (Athene, Argos, Korinthe en Thebe) is in 395 op Perzisch initiatief tot stand gekomen en heeft de Spartanen regelmatig in het nauw gebracht. Sparta heeft toegezegd af te zien van aanspraken op gebieden in Klein-Azië, wanneer de Perzen de geldkraan voor de coalitie dichtdraaien.
Aanvankelijk heeft Artaxerxes de Spartaanse voorstellen naast zich neergelegd. Pas nu het hem duidelijk is geworden dat Athene serieus bezig is het oude zeerijk te herstellen, heeft hij in het Spartaanse plan toegestemd.
De Perzen hebben er geen doekjes om gewonden dat zij de vredesvoorwaarden dicteren. Artaxerxes legt beslag op heel Klein-Azië, met inbegrip van de Ionische steden en Cyprus. Tegelijk moeten de Griekse steden al hun bondgenootschappen verbreken. Alleen Athene mag drie eilandjes behouden, maar dat hangt samen met het feit dat daar veel 'klerouchen' wonen (Atheense burgers wier land buiten Attica ligt). In feite bevestigt de algemene vrede de superioriteit van 'vredestichter' Perzië.

# Bezetting Rome beëindigd

ROME, 386 - Na langdurige onderhandelingen en de betaling van een gigantische afkoopsom hebben de Galliërs (ook Kelten genoemd) erin toegestemd hun bezetting van Rome te beëindigen. De bezetting, die een half jaar heeft geduurd, is voor de Romeinen een traumatische ervaring geweest en is met enorme plunderingen gepaard gegaan.

Na hun overwinning op een 13 000 man sterk Romeins leger bij de rivier de Allia konden de Galliërs eind vorig jaar zonder probleem Rome innemen, daar de stad niet over een goede verdedigingsmuur beschikt. De Romeinse bevolking, geëvacueerd naar de Capitolijnse heuvel, kon de stormloop slechts met lede ogen aanzien.

De Galliërs vinden hun oorsprong in Centraal-Europa, maar hebben al omstreeks 400 de Povlakte in bezit genomen, daartoe gedwongen door de toe-

nemende druk van Germaanse stammen. Onder leiding van een sterke aristocratie hebben zij zich vijandig gekeerd tegen verschillende Etruskische steden die geen effectieve weerstand konden bieden, waardoor het doorstoten naar Latium mogelijk werd gemaakt. Beladen met buit keren zij nu terug naar Noord-Italië.

Naast grote materiële verliezen heeft vooral het Romeinse prestige onder de bezetting geleden. Het overwicht dat Rome de laatste jaren op de lidstaten van de Latijnse Bond verworven had, voornamelijk als gevolg van succesvolle annexaties na overwinningen op de Aequi en Volsci, lijkt voor een aanzienlijk deel verdwenen. Naast het herbouwen van de stad, die door de Galliërs grotendeels in de as is gelegd, is het herwinnen van de verlorengegane machtspositie dan ook de belangrijkste taak die de Romeinen wacht.

# Plato sticht de Academie

*De Atheense School, wandschildering door Rafaël in 1510-1511 gemaakt voor de Stanza della Segnatura in het Vaticaan.*

ATHENE, circa 385 - De Atheense filosoof Plato is een leergemeenschap, de Academie, begonnen. Zijn onderwijs in de filosofie en andere wetenschappen moet zijn leerlingen voorbereiden op politiek leiderschap dat moreel verantwoord is.

De nu ongeveer 45-jarige Plato is een van de opvallendste leerlingen van Socrates, de filosoof die in 399 ter dood werd gebracht. Aanvankelijk was Plato als lid van een voornaam geslacht voorbestemd voor een politieke carrière. Maar hij raakte naar zijn eigen zeggen vervreemd van de Atheense politiek door de willekeur van zowel democraten als oligarchen (voorstanders van een regering door een klein deel van de burgerij). Vooral de wreedheden tijdens het oligarchische regime van zijn oom Critias en de terechtstelling van Socrates zouden hem op het spoor van de filosofie hebben gezet.

Plato is van mening dat een stad alleen behoorlijk kan worden geregeerd door filosofen - dat wil zeggen: door verlichte mensen die kennis hebben van wat Waar, Goed en Rechtvaardig is. Het Ware, Goede en Rechtvaardige zijn voor Plato onveranderlijke, van God

gegeven 'Ideeën'. Zijn opvatting staat diametraal tegenover die van veel sofisten (leraren in welsprekendheid en levenswijsheid). Zij geloven dat de mensen hun morele en politieke maatstaven zelf vaststellen.

Plato's school is gevestigd op en vernoemd naar de Academie, een heilige plek ten noordwesten van Athene. Vroeger gaf Plato zijn onderwijs in de gangen van het nabijgelegen 'gymnasium' (sportcomplex). Maar na een bezoek aan pythagoreïsche leergemeenschappen in Zuid-Italië heeft Plato besloten iets soortgelijks te beginnen. Net als de pythagoreeërs leven Plato en zijn leerlingen zo sober mogelijk om als reine mensen toegang te krijgen tot de Waarheid. En zoals voor de pythagoreeërs het onderzoek naar de natuurwetten een middel is om met het goddelijke in contact te komen, zo is 'zuiver wetenschappelijk onderzoek' voor de platonisten een manier om door te dringen tot de wereld van de Ideeën. Daarbij is Plato met name geïnteresseerd in de vraag hoe een goede staat er 'eigenlijk' uitziet. Zodoende staat hij ver af van de sofisten, wier onderricht sterk op de praktijk is toegesneden.

---

## 380

**380.** In Egypte wordt de dertigste dynastie gesticht door Nectanebo I. Dit is de laatste zelfstandige dynastie van Egypte.

**378.** Tussen Athene en Thebe wordt een verbond gesloten.

**377.** Athene richt de Tweede Attische Zeebond op om de militaire machtspositie van Sparta te breken. →

**374.** Athene sluit een verbond met Jason, de heerser van Pherae in Thessalië.

**374.** De Perzische koning Artaxerxes II onderneemt een nieuwe poging om Egypte te heroveren. Ook deze poging heeft geen succes.

**373.** Thebe verovert Plataeae en breidt zo zijn macht uit.

**373.** Jason van Pherae sluit een verbond met koning Amyntas van Macedonië.

**371.** Athene en Sparta sluiten vrede, de Vrede van Callias.

**370.** De Arcadische staten richten de Arcadische Bond op en sluiten een verbond met Thebe tegen Sparta.

**370.** De Thebaanse generaal Epaminondas bevrijdt Messenië van de Spartaanse overheersing. Messenië wordt een onafhankelijke staat. →

**369.** Athene sluit een verbond met Sparta tegen Thebe, omdat nu Thebe de bedreiging vormt.

**368.** Dionysius I van Syracuse voert opnieuw oorlog tegen Carthago.

**367.** In Rome worden de Licinisch-Sextische wetten aangenomen. Van de beide consuls mag er voortaan één plebejer zijn. →

**366.** Thebe sluit vrede met Sparta en richt zijn aandacht op Athene, zijn andere rivaal.

**366.** In Perzië breekt onder de satrapen een grote opstand uit tegen koning Artaxerxes II: de satrapenopstand.

**364.** De Arcadische Bond valt door onderlinge conflicten uiteen.

**362.** In de Slag bij Mantinea sneuvelt de Thebaanse generaal Epaminondas. Dit betekent het einde van de Thebaanse hegemonie in Griekenland.

**361.** Athene sluit een verbond met de Thessalische Bond tegen Alexander van Pherae.

**361.** De Spartaanse koning Agesilaus vertrekt met duizend hoplieten naar Egypte om de Egyptische farao Tachos te steunen bij een aanval op Perzië.

Gestorven:

**370** (circa). Democritus (circa 460), Grieks filosoof

---

# Thebe bevrijdt Messenië

THEBE, 370 - De Boeotische stad Thebe, ongeveer vijftig kilometer ten noordwesten van Athene, heeft Messenië van de Spartaanse heerschappij bevrijd. Deze actie is onderdeel van een groot Thebaans offensief, dat de bedoeling heeft Sparta te omsingelen.

De spanningen tussen Sparta en Thebe zijn een indirect gevolg van de algemene vrede van 387. Thebe verloor toen zijn 'Boeotische Bond' in Centraal-Griekenland, terwijl Sparta vanaf die tijd, onder het mom van het handhaven van de vrede, in allerlei steden antidemocratische regimes aan de macht hielp. Het pro-Spartaanse bewind in Thebe kwam echter ten val. De bewoners verdreven de Spartanen uit Boeotië en zijn er sindsdien op uit de Spartaanse suprematie te breken.

De snelle Thebaanse expansie verontrustte echter ook andere steden dan Sparta. Op Spartaans en Atheens initiatief werd daarom vorig jaar zomer een vredesconferentie belegd. Doel was een nieuwe, algemene vredesregeling voor heel Griekenland te ontwerpen. Maar toen de Thebaanse generaal Epaminondas de onderhandelingen afbrak, omdat Sparta weigerde de Boeotische Bond als politieke factor te erkennen, was een oorlog niet meer te vermijden. In die oorlog heeft Epaminondas de Spartanen bij Leuctra vernietigend verslagen.

Dit jaar is Epaminondas de Peloponnesos ingetrokken. Omdat hij ervan uitgaat dat Sparta zelf moeilijk kan worden ingenomen vanwege het te verwachten verzet van de bevolking, heeft hij ervoor gekozen de omliggende gebieden te bezetten.

Het meest spectaculaire onderdeel van zijn omsingelingspolitiek is ongetwijfeld de bevrijding van Messenië. Al sinds vele honderden jaren exploiteren de Spartanen de bevolking daar als 'heloten' (horige boeren). Geregeld hebben de Messeniërs verzet geboden, maar nooit met blijvend succes. Om de bevrijding een blijvend karakter te geven, heeft Epaminondas een begin laten maken met de bouw van een Messenische vestingstad, Messene.

*Tyche, godin van het noodlot.*

# Meer macht plebejers Rome

ROME, 367 - Een aantal besluiten van het concilium plebis aangaande gelijk-berechtiging van plebejers en patriciërs is door de Senaat bekrachtigd. Deze plebiscieten hebben daarmee wettelijke status gekregen. De Licinisch-Sextische wetten, zoals alle Romeinse wetten genoemd naar hun indieners, in dit geval de volkstribunen Gaius Licinius en Lucius Sextius, betekenen een vooruitgang voor plebejers in de standenstrijd tegen de patriciërs.

Het belangrijkste aspect van de nieuwe wetten is dat voortaan één van beide consuls een plebejer mag zijn. Hiermee komt het grote economische belang dat sommige plebejers vertegenwoordigen ook in politieke erkenning tot uiting. Voor de armere plebejers voorzien de Licinisch-Sextische wetten ook in een positieverbetering. Hun schulden worden kwijtgescholden en tevens zal voor bezitlozen de mogelijkheid worden geschapen een stukje staatsland te verkrijgen. Hiertoe wordt voor grootgrondbezitters een maximum aan landbezit vastgesteld.

Sinds de optekening van de wetten van de Twaalf Tafelen in 451-449 zijn al meer maatregelen genomen om de ongelijkheid tussen plebejers en patriciërs te verminderen. Zo werd in 445 op initiatief van volkstribuun Gaius Canuleius de Lex Canuleia aangenomen, waarin het verbod op huwelijken tussen plebejers en patriciërs werd opgeheven. De inbreng van rijke plebejers in de comitia centuriata werd belangrijker door de instelling van het ambt van 'censor' in 443. De twee censoren, eens in de vijf jaar gekozen voor een ambtstermijn van anderhalf jaar, houden een census waarin ze de verdeling van de Romeinen in vermogensklassen herbezien. Veel rijke plebejers zijn daardoor in de hoogste vermogensklasse terechtgekomen. Ten slotte werden in 409 voor het eerst plebejers als 'quaestor', assistenten van de consuls, gekozen. Twee van de vier quaestoren vervullen als quaestores urbani taken met betrekking tot het stadsbestuur, en hebben als zodanig, onder toezicht van de Senaat, het beheer over de schatkist. De andere twee quaestoren begeleiden de consuls op hun veldtochten.

# Athene verovert Samos

SAMOS, 365 - De Atheense generaal Timotheüs, die reeds eerder successen boekte, heeft Samos veroverd en tweeduizend 'klerouchen' op het eiland geïnstalleerd. Dit zijn Atheners die formeel lid blijven van de Atheense burgerij, maar wier huis en land buiten Attica liggen. Timotheüs' actie is buiten Athene slecht gevallen.

De verovering van Samos hangt samen met het Atheense streven de oude Delisch-Attische Zeebond te herstellen. In 377 begon de stad voor het eerst weer openlijk bondgenoten te werven, iets dat volgens de algemene vrede van 387 eigenlijk verboden was. Maar velen waren van mening dat Sparta de vrede al in een eerder stadium had geschonden door in allerlei steden anti-democratische regimes aan de macht te helpen.

Athene moest zijn nieuwe bondgenoten beloven dat het geen misbruik zou maken van zijn centrale positie in de bond. Veel steden waren ontevreden over de wijze waarop Atheners zich hadden opgesteld in de Delisch-Attische Zeebond. Voornaamste grieven waren dat de Atheners eenzijdig vaststelden wie wat moest bijdragen en dat zij hun bondgenoten van land beroofden door dat toe te wijzen aan eigen burgers. Bovendien zouden deze klerouchen worden ingezet om de bondgenoten in het oog te houden. Daarom werd nu vastgelegd dat '[...] het geen Athener zal zijn toegestaan [...] om in de gebieden van de bondgenoten een huis of een stuk grond te bezitten, noch door aankoop, noch door huur, noch

*Detail van een mozaïek uit het Dionysium op het eiland Delos.*

op enige andere wijze'. Verder moeten de Atheners bij het maken van het beleid nu rekening houden met de mening van een raad van bondgenoten, waarin elke stad een vertegenwoordiging heeft. Formeel weegt de stem van deze raad even zwaar als die van Athene. Net als in de eerste bond levert Athene militair de grootste bijdrage.

Hoewel Samos geen lid is van de zeebond en Athene officieel dus geen verdrag schendt door het eiland te bezetten, is dit wapenfeit voor veel bondgenoten een slecht teken. Zij vrezen dat de Atheners hun fraaie beloften van twaalf jaar geleden geen gestand zullen doen.

# 360

**360.** De Egyptische farao Tachos wordt afgezet en opgevolgd door zijn zoon Nectanebo II. Deze ontplooit als farao aanzienlijke bouwactiviteiten.

**359.** De Macedonische koning Perdiccas wordt na zijn dood opgevolgd door zijn broer Philippus II.

**358.** Artaxerxes III volgt Artaxerxes II op als koning van Perzië. Hij herstelt het centrale gezag in Perzië door de satrapenopstand te onderdrukken.

**357.** In Syracuse wordt de tirannieke monarchie ten val gebracht door Dion. →

**357.** De Macedonische koning Philippus II verovert Amphipolis.

**357-355.** De bondgenoten van Athene in de tweede Attische Zeebond komen in opstand, de zogenaamde Bondgenotenoorlog. Aan het eind van deze oorlog moet Athene de onafhankelijkheid van de bondgenoten erkennen. Dit betekent het einde van de tweede Attische Zeebond. →

**356.** In Rome wordt voor de eerste keer een plebejer tot dictator benoemd.

**356.** In Efeze wordt de Artemistempel, één van de zeven wereldwonderen, door brandstichting verwoest.

**356.** Philippus II van Macedonië verovert enige steden in Thessalië en Chalcidice.

**354.** Rome sluit een verbond met de Samnieten.

**353** (circa). In Halicarnassus wordt een enorme graftombe gebouwd voor Mausollus, de satraap van Carië. Deze graftombe is het eerste 'mausoleum' en geldt als één van de zeven wereldwonderen.

**351.** In Rome treedt de eerste plebejische censor in functie.

**351.** Fenicië en Cyprus komen in opstand tegen Perzië, na een mislukte poging van koning Artaxerxes III om Egypte te heroveren.

Geboren:

**358** (circa). Cassander (✝ 297), Macedonisch koning
**358.** Seleucus I Nicator (✝ 281), koning van het Seleucidenrijk
**356.** Alexander de Grote (✝ 323)

Gestorven:

**360.** Agesilaus (444), Spartaans koning
**359.** Perdiccas, Macedonisch koning
**358.** Artaxerxes II (circa 436), Perzisch koning
**355** (circa). Xenophon (circa 430), Grieks geschiedschrijver
**353.** Mausolus, satraap van Carië

# Tweede Attische Zeebond valt door onenigheid uiteen

ATHENE, 355 - Interne onenigheid binnen de Tweede Attische Zeebond heeft ertoe geleid dat deze alliantie van Griekse steden in en rond de Egeïsche Zee uiteenvalt. Chios, Rhodos, Byzantium en Kos hebben zich inmiddels losgemaakt uit de bond. Het ziet ernaar uit dat meer steden hun voorbeeld zullen volgen.

De Tweede Attische Zeebond is opgericht in 377, toen ook elders in Griekenland de bepalingen van de algemene vrede van 387 niet langer werden nageleefd. Athene moest verzekeren dat het zijn nieuwe bondgenoten niet zou uitpersen en chanteren, zoals het had gedaan in de eerste Delisch-Attische Zeebond.

De problemen begonnen twee jaar geleden, toen Chios, Rhodos en Byzantium, later gevolgd door Kos, in opstand kwamen tegen Athene. Naar de mening van de opstandelingen zou Athene zich toch weer arrogant opgesteld hebben. Doordat de rebellen werden gesteund door Mausolus, een vrijwel autonome Perzische satraap (gouverneur) in Carië, liep een Atheense strafexpeditie op niets uit.

Het was voor de Atheners moeilijk tegenmaatregelen te nemen, omdat zij onvoldoende geld hadden om een groot huurlingenleger tegen de opstandige steden uit te rusten.

Om toch aan geld te komen heeft de Atheense generaal Chares zich halverwege de strijd verhuurd aan een andere Perzische satraap, Artabazus. Artabazus was juist in conflict met zijn heer, koning Artaxerxes III, en kon een extra vloot goed gebruiken. Chares is voor de door hem behaalde militaire successen royaal beloond. De Atheners hebben hun generaal echter teruggeroepen, gedeeltelijk omdat zij geen prijs stellen op het eigenmachtige optreden van Chares, en gedeeltelijk omdat zij bang zijn voor Artaxerxes, die gedreigd heeft zich op de Atheners te zullen wreken.

Athene ziet zich nu gedwongen de onafhankelijkheid van de opstandige staten te erkennen. De gevolgen zijn enorm. Niet alleen verliest Athene een deel van zijn bondgenoten en dus van zijn macht, maar ook is de stad vrijwel geruïneerd en zijn de staatsfinanciën toe aan een grondige sanering. Bovendien heeft Athene lijdzaam moeten toezien hoe de Macedonische vorst Philippus II handig gebruik maakte van de situatie door Amphipolis, een Atheense kolonie in Noordoost-Griekenland, in te nemen. De zogenaamde 'graanroute' naar de Zwarte Zee loopt daardoor gevaar. Athene betrekt zijn graan namelijk al jarenlang grotendeels van gebieden rond de Zwarte Zee.

*De tempel van Poseidon in Paestum in Zuid-Italië. Een van de best bewaarde tempels in Dorische stijl (5de eeuw).*

# Bewind Dionysius wankelt

SYRACUSE, 357 - Tamelijk onverwacht is er een aanval gelanceerd op het bewind van Dionysius II, alleenheerser over grote gebieden op Sicilië en in Zuid-Italië. De aanval is het werk van Dion, een in ongenade gevallen oud-medewerker van Dionysius.

De huidige alleenheerschappij stamt al uit 406, toen Dionysius' vader Dionysius I in de Griekse stad Syracuse (aan de Siciliaanse oostkust) de macht greep. Dionysius I vestigde zijn tirannie in een tijd van grote onzekerheid. Troepen uit Carthago, dat het westen van Sicilië beheerst, brachten de Griekse kolonies op het eiland grote verliezen toe en bedreigden ook Syracuse. Dionysius werd gekozen als opperbevelhebber van de strijdkrachten. Hij bracht de Carthaagse aanval tot staan en bleef daarna tot aan zijn dood in 367 aan de macht. Vrijwel onophoudelijk heeft hij oorlog gevoerd. Mede door de kundigheid van Dionysius' adviseurs en generaals, onder wie zijn schoonzoon en zwager Dion, was hij in staat zijn heerschappij tot diep in Zuid-Italië uit te breiden.

De binnenlandse politiek van Dionysius I werd gekenmerkt door een feitelijke afschaffing van de democratie, die in 466 in Syracuse was ingevoerd. Formeel bleven de democratische instellingen bestaan, maar ze werden beheerst door aanhangers en familieleden van de tiran. Dionysius I stond bekend om zijn indrukwekkende leefstijl.

Zijn zoon en opvolger Dionysius II is een veel minder krachtige persoonlijkheid, die meer delegeert en minder oorlog voert. Tegen Dion is hij evenwel streng opgetreden, omdat hij hem ervan verdacht een staatsgreep te beramen. Dion is het land uitgezet en echtgenote en bezittingen zijn hem afgenomen. Ook de Atheense filosoof Plato, een van Dions vrienden, is niet langer welkom. Plato had op Sicilië zijn politieke ideaal, een door filosofen bestuurde staat, willen verwezenlijken, maar Dionysius II paste ervoor het werktuig van de wijsgeer te worden.

Dion heeft tijdens zijn ballingschap in Athene de banden aangehaald met de leden van Plato's filosofische school, de Academie. Enkelen van hen zijn ook betrokken bij Dions huidige poging Dionysius II af te zetten.

*Detail van de zuilengalerij rond een tempel van Nektanebo II, onderdeel van de Isis-tempel op Philae, Boven-Egypte. In 360 wordt koning Tachos uit Egypte verdreven en neemt zijn zoon Nektanebo II de macht over. Tachos was gedwongen het land na binnenlandse onlusten te verlaten en gaat in ballingschap naar de Perzische hoofdstad Susa.*

**350.** De Galliërs worden definitief door de Romeinen verslagen.

**350.** Keltische stammen vestigen zich in Britannia. →

**349.** Athene sluit een verbond met Olynthus, de hoofdstad van Chalcidice, tegen Philippus II van Macedonië.

**348.** Philippus II verovert Olynthus.

**348.** Rome sluit een handelsverdrag met Carthago.

**348.** De stad Sidon, het centrum van de Fenicische opstand tegen Perzië, wordt door de Perzische koning Artaxerxes III veroverd.

**347.** In Syracuse komt Dionysius II als tiran opnieuw aan de macht.

**346.** Tussen Athene en Philippus II van Macedonië wordt vrede gesloten, de Vrede van Philocrates. Alle veroveringen van Philippus worden door Athene erkend.

**346.** De Atheense redenaar Isocrates spreekt zich in een rede openlijk uit voor Philippus II. →

**345.** De Atheense redenaar Aeschines klaagt in een redevoering Timarchus aan. →

**343.** De Perzische koning Artaxerxes III herovert Egypte. Farao Nectanebo II, de laatste inheemse farao van Egypte, vlucht naar Ethiopië.

**343-341.** De door de Samnieten veroverde stad Capua vraagt Rome om hulp. Rome reageert positief en voert oorlog tegen de Samnieten, de Eerste Samnitische Oorlog.

**342.** Philippus II van Macedonië verovert Thracië, wat door Athene als een bedreiging van zijn veiligheid wordt beschouwd. →

**341.** Carthago stuurt een leger naar Sicilië, dat door Timoleon van Syracuse bij de Crimisus wordt verslagen.

Geboren:

**350** (circa). Demetrius van Phaleron († 283), Atheens staatsman en filosoof
**345** (circa). Candragupta Maurya († circa 296), stichter van het Maurya-rijk in India
**342.** Menander († 291), Grieks komediedichter
**341.** Epicurus († 270), Grieks filosoof

Gestorven:

**347.** Plato (428), Grieks filosoof

## Isocrates kiest voor Philippus II

ATHENE, 346 - De bejaarde Atheense redenaar Isocrates (90) heeft zich in een politiek pamflet uitgesproken voor nauwe samenwerking met de Macedonische vorst Philippus II. Zijn standpunt is in Athene zeer omstreden.

Tot in de 5de eeuw was Macedonië een sterk achtergebleven gebied. De bewoners zijn geen Grieken, al hebben de aristocraten zich de Griekse cultuur tegenwoordig wel eigen gemaakt. Anders dan in Griekenland zijn de steden van ondergeschikt belang. Er is een soort (militaire) volksvergadering, maar die beperkt zich tot het goedkeuren van het beleid van de koning.

Sinds Philippus in 359 aan de macht kwam, heeft Macedonië zijn macht enorm vergroot; Philippus mengt zich de laatste jaren zelfs in de politiek van Centraal-Griekenland. Macedonische gebiedsuitbreidingen in Noordoost-Griekenland zijn ten koste gegaan van de Atheense invloed daar. Onlangs zag Athene zich genoodzaakt met Philippus een vredesverdrag te sluiten.

Isocrates nu ziet in deze krachtige, jonge monarch een mogelijke redder van Griekenland. Naar zijn mening is de voortdurende onderlinge strijd tussen de Griekse staten een groot kwaad. Bundeling van krachten zou de Griekse macht en welvaart zeer ten goede komen.

Net als tijdens de Perzische oorlogen aan het begin van de 5de eeuw zouden de Grieken zich volgens Isocrates moeten verenigen in de strijd tegen de Perzen. De verovering van land in Perzisch Klein-Azië zou bovendien een oplossing zijn voor het nijpende tekort aan land voor burgers en afgezwaaide huurlingen. Eén staat of sterke man zou de leiding van zo'n 'panhelleense' bond op zich moeten nemen.

Een andere beroemde Atheense redenaar, Demosthenes, is het hiermee volstrekt oneens. Hij ziet in de oprukkende Macedoniër een groot gevaar voor de onafhankelijkheid van Athene en zijn democratie.

*Philippus II van Macedonië.*

*Detail van het deksel van een doodskist uit Tuna-el-Gebel bij Hermopolis (circa 330). In 343 verovert de Perzische koning Artaxerxes III Ochos Egypte en maakt het land opnieuw tot een Perzische satrapie (provincie). De verovering onder leiding van generaal Bagoa voltrok zich snel ten gevolge van verraad aan Egyptische kant. Farao Nektanebo II is met zijn bezittingen naar Nubië gevlucht. Onder zijn regering zijn in Egypte talrijke monumenten gebouwd.*

# Philippus II bezet Thracië

*Thracisch sieraad.*

THRACIE, 342 - Aangevoerd door koning Philippus II is het leger van Macedonië erin geslaagd heel Thracië te veroveren. Ook de Griekse kustkolonies zijn onderworpen. Daarmee heeft Philippus zijn doel bereikt: hij heeft zich de nodige economische middelen voor zijn politiek verschaft en het Macedonische Rijk verbonden met de zee. Het is niet de eerste keer dat Thracië bezet gebied is. De rijke goud- en zilvermijnen oefenen een grote aantrekkingskracht uit en bovendien ligt het gebied van de Thraciërs strategisch zeer gunstig omdat het grenst aan de doorgang naar de Zwarte Zee.

De eerste stammen die Thracië ongeveer 3000 jaar geleden binnentrokken waren veeteeltnomaden uit Zuid-Rusland. Zij vermengden zich met de inheemse bevolking en bouwden ommuurde nederzettingen. Door de uitgestrektheid van het gebied was er van eenheid geen sprake. De eeuwen die volgden werden dan ook gekenmerkt door veel migraties en twisten. In de tweede helft van de 7de eeuw begonnen de Grieken zich aan de Thracische kust te vestigen. Zij stichtten handelskolonies die tevens dienden om de vaarroute naar de graanvelden rond de Zwarte Zee voor Athene veilig te stellen. Vanuit steden als Amphipolis, Aenus en Byzantium beheersten de Grieken de doorgang naar de Zwarte Zee. Terwijl de Griekse kolonisatie zich nog uitbreidde staken de Perzen onder aanvoering van Darius in 521 over naar Europa en vielen Thracië en de Griekse kolonies aan. Zij veroverden in een dertigtal jaren het grootste deel van Thracië en vormden zo een uitvalbasis voor hun veldtochten tegen de Grieken. Maar na hun definitieve nederlaag tegen de Grieken trokken de Perzen zich terug naar Azië.

*Bronzen offerwagen. Een voorbeeld van kunst uit de Hallstatt-periode.*

# Kelten brengen La Tène-cultuur over naar Britannia

BRITANNIA, 350 - Ongeveer een eeuw later dan op het Europese vasteland heeft de La Tène-cultuur zich over een groot deel van Britannia verspreid. Keltische stammen, afkomstig uit het gebied rond de Marne, zijn Het Kanaal overgestoken en hebben zich gevestigd in het zuidelijk deel van het eiland. Vandaar uit zijn ze doorgetrokken naar Cornwall, Wales en Schotland en over zee naar Ierland. Grote stukken land zijn geschikt gemaakt voor akkerbouw en er is een aristocratie van stamvorsten gevormd, die de kunstnijverheid stimuleert.

Het is niet de eerste maal dat bewoners van het vasteland Britannia aandoen. Al in de loop van de 10de eeuw zijn vluchtelingen uit Noord-Frankrijk op de Britse zuidkust geland. Zij brachten nieuwe landbouwtechnieken mee en introduceerden de cultuur van de urnenvelden. In de 7de eeuw, ten tijde van de intrede van het ijzer in Europa, bereikten Zwitserse volksstammen het eiland. Zij waren op de vlucht geslagen voor de terreur die met ijzeren zwaarden bewapende strijders in hun streek uitoefenden. Met in hun kielzog verscheidene benden van deze soldaten sloeg zo ook de Hallstatt-cultuur over naar Britannia.

In de daaropvolgende eeuwen waagden regelmatig kleine groepen kolonisten de overtocht naar Britannia. Zij streken voornamelijk neer in het zuiden en oosten.

In de 5de eeuw echter arriveerden in groten getale deels Keltische stammen uit de Lage Landen en het noorden van Frankrijk. Daar hadden zich reeds de eerste tekenen van nieuwe ontwikkelingen aangediend, de opkomst van de La Tène-cultuur. Uit angst hiervoor namen velen de wijk. Om die reden heeft de Hallstatt-periode in Britannia veel langer geduurd dan op het vasteland.

Met een nieuwe Keltische invasie heeft ook in Britannia de La Tène-cultuur wortel geschoten.

# Einde aan politieke loopbaan Timarchus

ATHENE, 345 - Timarchus, een van de prominentste politici van Athene, heeft een proces verloren dat tegen hem was aangespannen door de bekende redenaar Aeschines. Hij is ervan beschuldigd politieke functies te hebben aanvaard, hoewel hij zich in zijn jeugd aan homoseksuele prostitutie had bezondigd. De veroordeling betekent het definitieve einde van Timarchus' politieke loopbaan.

Op zichzelf is homoseksueel verkeer strafbaar noch bijzonder. Het is voor een Griekse man niet vreemder om verliefd te zijn op een jongen dan op een vrouw. Maar: van een burger wordt wel verwacht dat zijn rol in de homoseksuele relatie niet die van de ondergeschikte is. De verhouding tussen twee mannen is er bijna altijd een tussen een actieve, oudere minnaar en een passieve, jonge beminde, tussen een 'jager' en een 'prooi'. De passieve partner geldt als vrouwelijk, slaafs en minderwaardig. Een Atheense jongen van vrije geboorte kan echter aan dit oordeel ontkomen door weerstand te bieden tegen al te opdringerige minnaars, door niet zichtbaar van de erotiek te genieten en door zich - voor de buitenwereld althans - te verzetten tegen anale penetratie. Maar wanneer een jongen laat blijken dat hij van zijn ondergeschikte positie geniet of dat het hem om geldelijk gewin te doen is, dan noemt men hem een 'hoer'. Van het laatste heeft Aeschines Timarchus beschuldigd.

*Homoseksuele handelingen worden op Griekse schalen veelvuldig afgebeeld. (Fragment, Louvre Parijs.)*

Deze beschuldiging staat niet op zichzelf, maar heeft een politieke achtergrond. Zowel Aeschines als Timarchus maakte deel uit van een delegatie die vorig jaar namens de Atheners met Philippus II van Macedonië over een vredesverdrag moest onderhandelen. Zowel Timarchus als de beroemde redenaar Demosthenes, die ook deel uitmaakte van de desbetreffende delegatie, distantieert zich voortijdig van deze missie. Beiden waren van mening dat de onderhandelingen de positie van Athene schade toebrachten. Ze spanden bovendien een proces aan tegen

Aeschines op beschuldiging van landverraad. Als reactie daarop heeft Aeschines Timarchus in diskrediet willen brengen - en met succes.

Omdat de Atheners van mening zijn dat een man die zich heeft geprostitueerd vanwege zijn slaafse karakter geen recht heeft op het uitoefenen van zijn burgerrechten, hebben zij Timarchus het burgerschap ontnomen. Dank zij deze overwinning heeft Aeschines goede kans te worden vrijgesproken in het proces dat Demosthenes en Timarchus tegen hem hebben aangespannen.

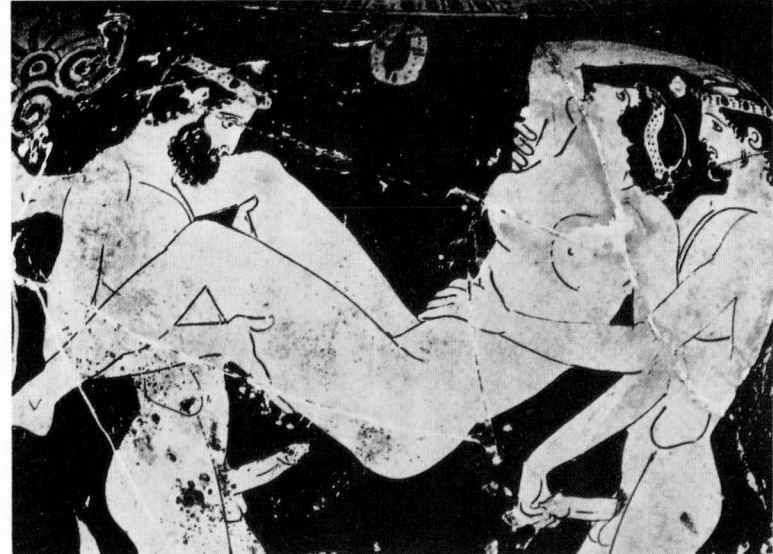

*Een Griekse prostituée voldoet aan de verlangens van twee Griekse heren. Vaasschildering (Louvre, Parijs).*

# Wraak van Apollodorus

ATHENE, circa 340 - De Atheense politicus Apollodorus heeft samen met zijn zwager een proces aangespannen tegen een vrouw, Neaera. Anders dan zijzelf en de politicus Stefanus beweren, zou zij geen Atheense zijn, noch de wettige echtgenote van Stefanus, maar een ex-slavin en een prostituée. Apollodorus hoopt met dit proces de reputatie van zijn politieke tegenstander Stefanus te schaden.

Het conflict tussen Stefanus en Apollodorus stamt al uit 349, toen Apollodorus voorstelde om gelden die tot dan toe werden gebruikt voor theateropvoeringen, met het oog op de agressieve politiek van Philippus van Macedonië aan defensieve doeleinden te besteden. Het plan werd aanvaard, maar later op voorstel van Stefanus onwettig verklaard. Apollodorus werd een hoge boete opgelegd. Uit wraak klaagt Apollodorus nu Neaera aan.

In zijn aanval op Neaera stelt Apollodorus ten eerste dat zij geen burgeres is, maar een slavin van geboorte, die als prostituée voor haar eigenaar geld zou hebben verdiend. Later zou zij door een minnaar zijn vrijgekocht. Prostitutie is op zichzelf niet strafbaar, maar een vrijgelatene als Neaera mag niet doen alsof zij als burgeres met een Athener - in dit geval Stefanus - is getrouwd. Ook mogen haar kinderen niet als Atheense burgers worden geregistreerd of uitgehuwelijkt - zoals zou zijn gebeurd.

Bovendien stelt Apollodorus dat Neaera haar oude beroep na haar vrijlating niet heeft opgegeven. Voor een Athener is het heel belangrijk dat zijn vrouw een deugdzaam en ingetogen leven leidt. Van de eerzame burgeres wordt verwacht dat zij zich zo min mogelijk bemoeit met wat er buiten haar gezin gebeurt. Haar belangen worden behartigd door haar 'voogd' ('kyri-os'). Omdat vrouwen net als kinderen niet handelingsbekwaam worden geacht, staan zij onder voogdij van een man, in de regel de vader of, na het huwelijk, de veel oudere echtgenoot. De kyrios draagt zorg voor de materiële welstand en fysieke bescherming van de vrouw en ziet erop toe dat zij geen overspel pleegt. Apollodorus heeft willen laten zien dat Neaera in vele opzichten het tegendeel is van een deugdzame echtgenote - en Stefanus dus van een deugdzame echtgenoot.

Hoe Neaera en Stefanus zich tegen de aantijgingen zullen verweren is nog niet bekend. Hun kansen worden niet hoog aangeslagen, zeker nu Stefanus heeft geweigerd zijn slaven voor verhoor te laten martelen.

# Alexander bezet Fenicische stad Tyrus

TYRUS, 332 - Na een zeven maanden durend beleg heeft de koning van Macedonië Alexander de eilandvesting Tyrus ingenomen. Door een dam aan te leggen en een grootscheepse aanval vanuit zee te ondernemen zijn de Macedoniërs na een bloedige strijd doorgedrongen tot in de stad. Met de val van dit laatste Fenicische bolwerk is een einde gekomen aan de macht der Feniciërs in de Oriënt.

Alexander heeft opmerkelijk veel tijd en moeite gespendeerd aan de onderwerping van de relatief kleine stadstaat. Hij was beducht voor de kracht van de Fenicische eskaders binnen de Perzische vloot. 'Zolang de Perzen de zee beheersen,' zei hij in een toespraak, opgetekend door Flavius Arrianus, 'kan ik beslist niet ongehinderd naar Egypte trekken.' Alexander sloeg kamp op aan de kust en gaf zijn soldaten opdracht een dam te bouwen. 'Maar toen ze het midden van het kanaal naderden,' zo noteerde Arrianus, 'en dus ook dichter bij de eilandstad kwamen, begonnen de problemen. Van de hoogte van hun muren af bedolven de Tyriërs hen onder een hagel van projectielen.' Bovendien wisten de Feniciërs keer op keer het werk te vertragen door met hun schepen de stellingen te doorvaren of pijlers in brand te steken. Nijpend echter werd de toestand voor de Tyriërs toen de koningen van de zustersteden Byblos en Argad en de regent van Cyprus hun schepen ter beschikking van Alexander stelden. Deze kon nu de stad van diverse kanten tegelijk belegeren en de bouw van de dam beter beschermen. En vrijwel hopeloos werd de situatie toen Alexander Fenicische ingenieurs inschakelde, die zwaar belegeringsgerei op de schepen monteerden. De dam had inmiddels de muren van Tyrus bereikt. De eerste aanvallen wisten de inwoners nog af te slaan, maar toen Alexander het sein gaf tot een invasie was het pleit snel beslecht.

# Vredesverdrag op Sicilië getekend

SICILIE, 339 - Op Sicilië hebben Grieken en Carthagers een vredesverdrag ondertekend. Grenslijn tussen hun invloedssferen wordt het riviertje de Halykos. Het westelijk deel zal Carthaags bezit zijn en het oostelijk Grieks.

De afgelopen eeuw is Sicilië bijna voortdurend het toneel geweest van een heen en weer golvende strijd. Soms waren de Carthagers aan de winnende hand, dan weer de Grieken, maar nooit wist de een de ander de genadeklap toe te brengen. Ook niet toen in 405, na de inneming van Acragas, de Carthagers geheel oostelijk Sicilië op de Grieken veroverd hadden en de bezetting van Syracuse slechts een kwestie van tijd leek. Er brak echter een besmettelijke ziekte onder de manschappen uit. 'Enkelen werden zelfs krankzinnig, verloren hun geheugen en wankelden door het kamp, waarbij ze sloegen naar ieder die hun in de weg stond.' De Carthaagse generaal Himilco zond onderhandelaars naar de stad, die dictator Dionysius I een voorstel overhandigden. Deze greep het met beide handen aan. Syracuse bleef behouden en de bezette Griekse steden, zo nam Dionysius zich voor, zou hij te zijner tijd bevrijden. Toen hij in 367 stierf hadden de Carthagers echter nog altijd grote delen van het eiland stevig in handen.

Syracuse viel meer dan twintig jaar ten prooi aan zwakke bestuurders en herhaaldelijk uitbrekende onlusten, totdat vorig jaar de Korinthiër Timoleon een geslaagde greep naar de macht deed. Hij herstelde de orde en bond opnieuw de strijd aan met Carthago. Maar beide partijen leden zware verliezen en zagen in dat er voor geen van hen veel eer te behalen viel.

# 330

# Grotere macht Philippus

*Mythologische voorstelling uit een Griekse tempel op Sicilië (Selinunte, circa 500): Perseus onthoofdt Medusa (Nationaal Archeologisch Museum, Palermo).*

KORINTHE, 337 - In Korinthe zijn de onderhandelingen afgesloten die Philippus II van Macedonië en de Griekse steden hebben gevoerd om de politieke verhoudingen in Griekenland te reorganiseren. Van onderhandelingen in de ware zin van het woord is geen sprake: Philippus heeft de Grieken militair al helemaal in zijn greep. Er is een 'algemene vrede' gesloten, die de Griekse steden enige zelfstandigheid toekent. Maar volgens sommigen moet het verdrag vooral worden gezien als een instrument in handen van Philippus om Griekse opstandigheid bij voorbaat elke grond te ontnemen.

In de tweeëntwintig jaar dat Philippus II (44) nu koning van Macedonië is, heeft zijn rijk zich in een opmerkelijk hoog tempo ontwikkeld van een regio in het Griekse achterland tot een grootmacht van formaat. Dit succes dankt hij niet alleen aan zijn eigen kwaliteiten, maar ook aan de interne verdeeldheid onder de Griekse steden. Voorts kan Philippus beschikken over de opbrengsten van de zilvermijnen uit het door hem beheerste gebied. Daardoor is hij in staat zijn betrekkelijk kleine, maar gemotiveerde volksleger aan te vullen met huurlingen.

In de jaren vijftig wist hij beslag te leggen op gebieden in Noordoost-Griekenland - waaronder de Atheense kolonie Amphipolis - en Thessalië, de streek ten zuiden van Macedonië. Later nestelde hij zich op het Chalcidische schiereiland en veroverde hij zich een zetel in de zogeheten 'Amphictyonische Raad' in Delphi. Deze raad, waarin van oudsher alle Griekse stammen zitting hebben, heeft weinig officiële bevoegdheden, maar wel een groot religieus en politiek prestige.

Hoewel het verzet tegen Philippus II geenszins algemeen was, kon Athene toch een behoorlijke macht op de been

brengen toen Philippus in 340 opnieuw in het offensief ging. De Macedoniërs waren in militair opzicht echter de sterkeren: vorig jaar won Philippus bij Chaeronea een beslissende slag. Sindsdien beheerst hij het hele Griekse vasteland.

Na de Slag bij Chaeronea heeft Philippus de nieuwe verhoudingen eerst vastgelegd in aparte, bilaterale vredesverdragen. Op deze manier heeft Philippus in menige stad een pro-Macedonische regering kunnen installeren. Daarna heeft hij de steden bijeengeroepen voor het sluiten van een 'algemene vrede' en de oprichting van een panhelleense 'Bond van Korinthe' met het doel de interne vrede in Griekenland te handhaven.

Een van de belangrijkste bepalingen uit het vredesverdrag is dat 'alle Grieken vrij en zelfstandig zullen zijn'. Enerzijds toont deze bepaling de goede wil van Philippus; veel Grieken hechten grote waarde aan onafhankelijkheid. Anderzijds lijkt het onwaarschijnlijk dat Griekse steden zich onder de huidige omstandigheden tegen de Macedonische dominantie kunnen verzetten. Critici wijzen erop dat de schone schijn van de 'algemene vrede van Korinthe' niet kan verhullen dat deze vrede vooral Philippus' belangen dient. Zo is bepaald dat de bestaande regeringen in de Griekse steden moeten worden gehandhaafd. De machtspositie van Philippus komt verder tot uitdrukking in het feit dat hij is gekozen tot 'hegemon' (aanvoerder) van de bond. Daarnaast zijn Philippus nog allerlei speciale bevoegdheden toegekend. Op deze wijze beschikt hij over voldoende middelen om de formeel onafhankelijke Grieken in bedwang te houden. Inmiddels bereidt Philippus zich voor op de volgende fase in zijn expansiepolitiek, een aanval op Perzië.

330. De Perzische koning Darius III wordt op de vlucht voor Alexander de Grote vermoord door de satraap van Bactrië, Bessus.

327. Alexander de Grote verovert Bactrië en Sogdiana. Hij trouwt, om diplomatieke redenen, met Roxane, een prinses uit Sogdiana.

327. Na de verovering van Bactrië en Sogdiana trekt Alexander de Grote verder naar India.

326. De Samnieten verklaren Rome de oorlog. Dit is de Tweede Samnitische Oorlog.

326. Alexander de Grote is gedwongen zijn veroveringstocht in India te beëindigen na een muiterij van zijn troepen. →

325. Alexander de Grote trekt zich met zijn leger terug in de woestijn van Gedrosië. Zijn vloot vaart, onder leiding van admiraal Nearchus, van de Indus naar de Perzische Golf.

324. In Susa organiseert Alexander de Grote een massale bruiloft tussen tienduizend Macedonische soldaten en Perzische vrouwen. Op deze wijze hoopt hij de Macedoniërs en de Perzen te integreren en uit beide volken een nieuwe heersende klasse te vormen. Zelf trouwt hij met Barsine, een dochter van de laatste Perzische koning, Darius III.

323. Alexander de Grote sterft in Babylon zonder zijn opvolging voldoende te hebben geregeld. →

323. De Griekse steden komen na de dood van Alexander de Grote in opstand tegen Antipater, de Macedonische regent. Dit is de zogenaamde Lamische Oorlog.

322. De filosoof Aristoteles wordt opgevolgd door Theophrastus als hoofd van het 'Lyceum'. →

321. Perdiccas wordt in Egypte vermoord. →

321. Antipater wint de Lamische Oorlog.

321. Het Romeinse leger wordt door de Samnieten verslagen in de Caudijnse pas.

Gestorven:

330. Darius III, Perzisch koning
325 (circa). Diogenes (circa 400), stichter van de Cynische school
323. Alexander de Grote (356)
322. Aeschines (389), Atheens redenaar
322. Demosthenes (384), Atheens redenaar
322. Aristoteles (384), Grieks filosoof

*Plato (Romeins).*

# Leerling opvolger van Aristoteles

ATHENE, 322 - De filosoof Aristoteles (62) is na zijn vertrek uit Athene als hoofd van het 'Lyceum' opgevolgd door zijn leerling Theophrastus. Het Lyceum is een onderwijs- en onderzoeksinstituut dat door Aristoteles is opgericht. Aristoteles heeft Athene verlaten omdat hij het slachtoffer dreigde te worden van een anti-Macedonische hetze, die na de dood van Alexander in Athene op gang is gebracht.

Aristoteles is zonder twijfel de meest produktieve en veelzijdige geleerde die Griekenland ooit heeft voortgebracht. Hij is een leerling van Plato; meer dan achttien jaar maakte hij deel uit van diens Academie. Na Plato's dood in 347 verbleef hij enige tijd in Assus (Klein-Azië), waar op verzoek van de plaatselijke tiran Hermias een dependance van de Academie was opgezet.

In 340 wendde Aristoteles zich definitief van de Academie af, omdat hij het niet eens was met de verkiezing van Xenocrates tot leider van de school. Het bracht hem er in 335 toe een eigen school op te richten bij het Lyceum, één van de 'gymnasia' (sportcomplexen) rond Athene.

Net als Plato heeft Aristoteles onderzoek gedaan naar politieke vraagstukken. Zo heeft hij samen met zijn leerlingen een uitvoerige inventarisatie van de verschillende staatsvormen in de Griekse wereld gemaakt. Verder heeft Aristoteles zich nog beziggehouden met zulke uiteenlopende onderwerpen als literatuur, biologie, logica, ethiek en meteorologie.

Aristoteles' werk is in het algemeen beschrijvender en praktischer van aard dan dat van Plato. Plato's belangstelling ging in eerste instantie uit naar de Ideeën (onveranderlijke, volmaakte oervormen), die zich in een andere, onzichtbare wereld zouden bevinden en waarvan de werkelijkheid een misvormde afspiegeling zou zijn. Aristoteles daarentegen hecht juist veel waarde aan datgene wat mensen met hun zintuigen kunnen waarnemen.

# Alexander III beëindigt veroveringstocht

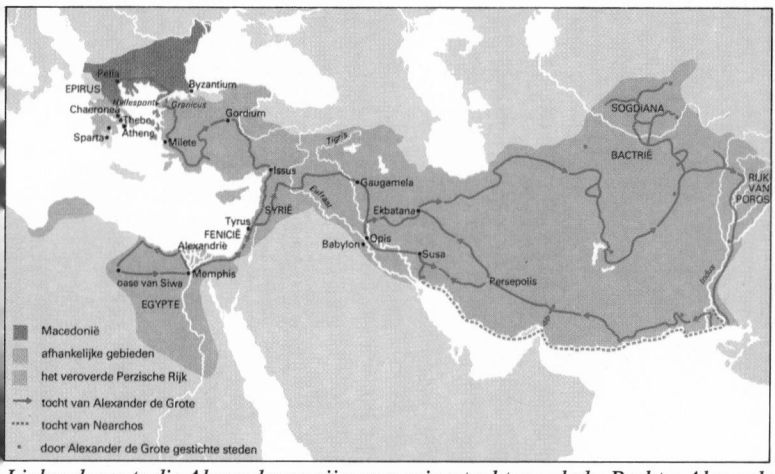

*Links: de route die Alexander op zijn veroveringstochten volgde. Rechts: Alexander de Grote in de slag bij Issus tegen Darius III.*

SANGALA/TAXILA [nabij Lahore, India], 326 - Alexander III (30), zoon en opvolger van de Macedonische koning Philippus II, heeft een punt gezet achter zijn veroveringstocht naar het oosten. Hij heeft deze beslissing genomen onder druk van zijn Griekse en Macedonische troepen, die hebben gedreigd te muiten wanneer Alexander zijn veroveringen niet zou staken. Alexander is, na tien jaar aan de macht te zijn geweest, heerser over een wereldrijk, dat zich uitstrekt van de oostelijke helft van het Middellandse-Zeebekken tot voorbij de rivier de Indus. Alexander, die tien jaar geleden zijn vader is opgevolgd, begon zijn veroveringstocht als een expeditie om de Griekse steden in Klein-Azië te bevrijden van de Perzische heerschappij. Dit project was reeds voorbereid door zijn vader. Hoewel de Perzische koning Darius III, sinds 337 aan de macht, kon beschikken over een veel groter leger, moest hij uiteindelijk toch in Alexander zijn meerdere erkennen. Alexander bevrijdde niet alleen de Griekse steden, maar verdreef de Perzen ook uit Phoenicië, Palestina en Egypte. Een belangrijke beslissing viel bij het plaatsje Gaugamela aan de bovenloop van de Tigris, diep in het Perzische Rijk. Na Alexanders overwinning daar sloeg Darius III op de vlucht naar de oostelijk gelegen landstreek Medië. Alexander kon zich daarna zonder problemen in een van de Perzische hoofdsteden, Babylon, laten uitroepen tot de nieuwe koning der Perzen (najaar 331). In het jaar daarop werd de voortvluchtige Darius door een van zijn eigen generaals vermoord. Sindsdien heeft Alexander zijn rijk in hoog tempo in oostelijke richting uitgebreid. Het ziet ernaar uit dat de grens van deze veroveringen nu is bereikt - overigens zeer tegen de zin van Alexander zelf. Voor het succes van Alexander zijn enkele factoren verantwoordelijk. Hij is niet alleen een kundig strateeg, maar

bovendien een scherpzinnig tacticus, die de lokale omstandigheden goed aanvoelt. Hij beseft dat hij zijn uitgestrekte rijk niet kan besturen zonder de hulp en het vertrouwen van de plaatselijke adel en bevolking. Hij stelt daarom niet alleen Macedonische maar ook Perzische aristocraten op vertrouwensposten aan. Verder stelt hij alles in het werk om zijn manschappen met inlandse vrouwen te laten trouwen. Zelf is hij in het huwelijk getreden met twee prinsessen van buiten-landse afkomst, onder wie Darius' dochter.

In elke regio probeert hij zich aan te passen aan de wijze waarop de machthebbers zich van oudsher hebben gepresenteerd. Ten opzichte van de Grieken bijvoorbeeld heeft hij nadruk gelegd op zijn functie als 'hegemon' (leider) van de Korinthische Bond, die zijn vader in 337 heeft opgericht. In Egypte had hij er een lange en moeizame omweg voor over om zich in het Amon-heiligdom te Siwah tot 'Zoon van Amon', de Egyptische oppergod, te laten uitroepen.

Ten slotte draagt zijn stedenbouwpolitiek bij tot het consolideren van zijn macht. Met grote regelmaat sticht Alexander nieuwe steden, die vaak 'Alexandrië' worden gedoopt. Vanuit deze steden kunnen zijn mensen het omliggende gebied beheersen. Bovendien kan Alexander hier zijn veteranen, voor wie in het Macedonische of Griekse moederland geen bouwgrond voorhanden is, onderbrengen.

# Opstanden in rijk na dood van Alexander

ATHENE, september 323 - Naar eerst nu met zekerheid is komen vast te staan is Alexander III op 10 juni van dit jaar in Babylon ten gevolge van een ziekte overleden. Alexander is drieëndertig jaar geworden. Zijn voortijdige dood heeft tot een machtsvacuüm geleid. Zowel in het oosten als het westen van het rijk zijn opstanden gaande. Alexander is te vroeg gestorven om op deugdelijke wijze in zijn opvolging te voorzien. Op het moment van zijn overlijden was zijn weduwe Roxane nog zwanger van de zoon aan wie zij inmiddels het leven heeft geschonken. Alexander heeft een halfbroer, maar die is zwakbegaafd. Vlak voor zijn dood gaf Alexander generaal Perdiccas zijn zegelring, ten teken dat hij hem moest opvolgen. Maar het is duidelijk dat Perdiccas zijn macht zal moeten delen met de andere generaals. Alexander had Antipater al Griekenland en Macedonië in beheer gegeven. Men is nu overeengekomen dat Antigonus Monophtalmos ('Eenoog') delen van Klein-Azië voor zijn rekening zal nemen en Ptolemaeus Egypte. Alleen het oosten van het rijk valt direct onder Perdiccas. Het is echter de vraag hoelang de ambitieuze generaals met deze verdeling genoegen zullen nemen. Intussen is het machtsvacuüm op verscheidene plaatsen aangegrepen om in

*Grieken en Perzen in gevecht (detail van de Alexandersarcofaag uit Sidon, Istanbul).*

opstand te komen. Zo hebben boze ex-soldaten van Alexander, die in de oostelijke provincie Bactrië zijn gelegerd, hun woonplaatsen collectief verlaten. Zij willen-tegen hun instructies in-niet in Bactrië blijven, maar terugkeren naar Griekenland en Macedonië. Perdiccas heeft opdracht gegeven hun de pas naar het westen af te snijden. Tegelijkertijd zien Griekse democraten in Athene en elders hun kans schoon om het 'Macedonische juk' af te werpen. Velen zijn van mening dat de Griekse steden onder Alexander slechts in naam onafhankelijk zijn ge-

weest. Hoewel in Athene en elders de democratie wel werd gehandhaafd, koesterden de democraten een groot wantrouwen tegen Alexander, die zich óók door de Grieken wilde laten vereren als een god en die de Griekse steden zeker had gedwongen tot het toelaten van (meest antidemocratische) ballingen, als hij niet vroegtijdig was gestorven. Gevreesd wordt dat Antipater evenmin respect zal opbrengen voor de autonomie van de Griekse steden. Inmiddels heeft Athene Macedonië de oorlog verklaard en zijn alle burgers onder de wapens geroepen.

# Alexanders rijk heringedeeld na dood Perdiccas

TRIPARADISUS, 321 - In de Noordsyrische stad Triparadisus hebben de Macedonische generaals die het door Alexander veroverde rijk beheren, een overeenkomst gesloten volgens welke dat rijk opnieuw wordt ingedeeld. Herindeling was noodzakelijk geworden na de dood van Perdiccas, die door Alexander als opvolger was aangewezen.

Van het begin af aan hebben de andere generaals Perdiccas' suprematie betwist. Wederzijds wantrouwen omtrent elkaars bedoelingen zette de toon. Kleine gebeurtenissen waren aanleiding tot grote conflicten. Zo verslechterden de relaties tussen Perdiccas en Antipater, regent in Griekenland, toen Perdiccas zich liet scheiden van Nicaea, de dochter van Antipater, met de kennelijke bedoeling Cleopatra, de zuster van Alexander, te huwen. Dit huwelijk zou de positie van Perdiccas als de legitieme opvolger van Alexander hebben versterkt. Perdiccas op zijn beurt verklaarde Ptolemaeus de oorlog toen deze om propagandistische redenen het lijk van Alexander naar Egypte liet ontvoeren. Uiteindelijk moest Perdiccas, bijgestaan door Eumenes (noordoosten van Klein-Azië), het opnemen tegen een coalitie van onder anderen Antipater, Ptolemaeus, Antigonus (zuiden en westen van Klein-Azië) en Lysimachus (Thracië). Nog voor Perdiccas werkelijk slag had geleverd, werd hij in Egypte door zijn officieren om het leven gebracht.

In Triparadisus is nu overeengekomen dat Ptolemaeus Egypte houdt, Antigonus Perdiccas' gebied ('Azië') onder zijn hoede neemt en dat Antipater heer blijft over Griekenland en Macedonië. Formeel is Antipater aangewezen als de hoogste gezagsdrager, maar algemeen gaat men ervan uit dat het verdrag van Triparadisus de feitelijke opsplitsing van Alexanders wereldrijk betekent.

*Stervende soldaat, Aegina, circa 490 voor Christus (marmeren beeld afkomstig van een tempel).*

## 320

**319.** Judea en Syrië worden veroverd door Ptolemaeus (Egypte).

**319.** Na de dood van Antipater (Macedonië en Griekenland) wordt zijn zoon Cassander niet tot zijn opvolger benoemd. Deze begint daarom voor zijn rechten te vechten.

**319.** Eumenes (Cappadocië en Paphlagonië) en Antigonus (Klein-Azië) strijden om de macht in Azië.

**318.** Eumenes verovert Babylon.

**317.** Seleucus (Babylon en Syrië) sluit zich aan bij Antigonus in de strijd tegen Eumenes en herovert Babylon. Antigonus verdrijft hem echter weer uit Babylon.

**317.** In Syracuse maakt Agathocles zich meester van de macht.

**317.** Cassander (Macedonië en Griekenland) draagt het bestuur van Athene op aan de filosoof en redenaar Demetrius van Phaleron.

**316.** Eumenes wordt door Antigonus verslagen en vermoord.

**315.** De diadochen zien Antigonus als een gemeenschappelijke vijand en zij sluiten een coalitie tegen hem. Deze coalitie bestaat uit: Seleucus, Ptolemaeus, Cassander en Lysimachus (Thracië).

**315.** Antigonus verovert Syrië op Ptolemaeus.

**314.** De Romeinen behalen een overwinning op de Samnieten in de Slag bij Tarracina.

**314.** Antigonus verklaart de Griekse steden vrij.

**313.** Candragupta Maurya sticht het Maurya-rijk.

**312.** Seleucus herovert Babylon op Antigonus.

**312.** Tussen Carthago en Syracuse breekt oorlog uit. De tiran Agathocles wordt belegerd in Syracuse.

**312.** Men begint met de aanleg van de Via Appia tussen Rome en Capua. →

**311.** Antigonus en zijn tegenstanders, uitgezonderd Seleucus, sluiten vrede.

**311.** Cassander laat Roxane, de weduwe van Alexander de Grote, en haar zoon Alexander IV Aegus vermoorden.

Geboren:

**319.** Pyrrhus († 272), koning van Epirus

Gestorven:

**319.** Antipater, heerser over Macedonië en Griekenland
**316.** Eumenes, heerser over Cappadocië en Paphlagonië
**311.** Roxane, vrouw van Alexander de Grote
**311.** Alexander IV Aegus (323), zoon van Alexander de Grote

# Via Appia moet troepentransport vergemakkelijken

*De Via Appia. Deze weg van Rome naar Capua wordt aangelegd om sneller troepen te kunnen transporteren.*

ROME, 312 - Op initiatief van de censor Appius Claudius is een begin gemaakt met de aanleg van een goed geplaveide weg van Rome naar Capua. Deze weg, de Via Appia, zal een beter troepentransport mogelijk maken. Wellicht kan op deze manier een doorbraak worden geforceerd in de zich voortslepende oorlog tegen de Samnieten, wier woongebied zich in de bergen ten oosten van Capua bevindt. Deze oorlog begon omstreeks 340, toen Capua en andere steden in Campanië de hulp van Rome inriepen tegen de toenemende Samnitische agressie. Na een Romeinse nederlaag in 321 werd een wapenstilstand gesloten met vernederende voorwaarden: de Romeinse soldaten werden onder andere gedwongen onder een haag van gekruiste speren door te lopen.

Als reactie op deze nederlaag hebben de Romeinen inmiddels hun strijdwijze veranderd. Het is namelijk gebleken dat de falanx, die eerder zulke goede diensten bewees, te star en te log is om in bergachtig gebied van nut te zijn. Het Romeinse leger is nu ingedeeld in legioenformaties met 4200 man, 3000 zwaargewapenden en 1200 lichtgewapenden. Er wordt geopereerd in eenheden van 60 soldaten, waardoor de flexibiliteit en actieradius aanzienlijk vergroot zijn.

Door het sluiten van een aantal verdragen met de verschillende buurstammen van de Samnieten hopen de Romeinen nu Samnium te kunnen omsingelen om zo, geholpen door de nieuwe toevoerweg, de Samnieten op de knieën te dwingen.

## 310

**310.** Agathocles weet te ontsnappen uit het belegerde Syracuse en valt het gebied van Carthago in Afrika aan.

**310.** Rome sluit verdragen met de Etruskische steden Cortona, Perugia en Arretium.

**310-308.** Antigonus probeert, zonder succes, Seleucus uit Babylon te verdrijven.

**307.** Antigonus sluit vrede met Seleucus.

**307.** Demetrius Poliorcetes, een zoon van Antigonus, verovert Athene en herstelt er de democratie. Demetrius van Phaleron, de gouverneur van Athene, is gedwongen te vluchten. →

**307.** Agathocles lijdt een nederlaag tegen Carthago en keert terug naar Syracuse.

**306.** Demetrius Poliorcetes verslaat Ptolemaeus in een zeeslag bij Cyprus.

**306.** Antigonus en Demetrius Poliorcetes nemen de koningstitel aan.

**305.** Carthago en Agathocles van Syracuse sluiten vrede. →

**305.** Ptolemaeus, Cassander, Lysimachus en Seleucus roepen zichzelf tot koning uit.

**305.** Seleucus I Nicator sluit een verdrag met Candragupta Maurya van India. →

**304.** Rhodos weert met de hulp van de Egyptische koning Ptolemaeus I Soter een aanval van de Macedonische koning Demetrius I Poliorcetes af.

**304.** In navolging van de diadochen neemt ook Agathocles van Syracuse de koningstitel aan.

**304.** De Tweede Samnitische Oorlog tussen Rome en de Samnieten wordt beëindigd. →

**302.** De Macedonische koning Demetrius I Poliorcetes vernieuwt de Korinthische Bond, waarvan hij samen met zijn vader Antigonus I de leiding op zich neemt.

**301.** In de slag bij Ipsus lijden de Macedonische koningen Antigonus I en Demetrius I Poliorcetes een gevoelige nederlaag tegen een coalitie bestaande uit de overige diadochen: Cassander, Ptolemaeus, Lysimachus en Seleucus. Antigonus I sneuvelt in de strijd en na de slag ontstaan er vier koninkrijken: Macedonië onder Cassander, Egypte onder Ptolemaeus I Soter, Thracië en Klein-Azië onder Lysimachus en Syrië onder Seleucus I Nicator.

Gestorven:

**301.** Antigonus I (382), Macedonisch koning

# Demetrius van Phaleron verlaat Athene

ATHENE, zomer 307 - Demetrius van Phaleron heeft Athene verlaten, na de stad tien jaar op vrijwel dictatoriale wijze te hebben bestuurd. Hij is een stroman van Cassander, die het Griekse en Macedonische deel van de nalatenschap van Alexander beheert. Het vertrek van Demetrius van Phaleron is afgedwongen door Demetrius I. Deze jonge generaal is de zoon van Antigonus I Monophtalmos ('Eenoog'), die heerst over Syrië en Klein-Azië. Antigonus en Demetrius I zijn met Cassander in oorlog.

Het bewind van Demetrius van Phaleron illustreert vóór alles dat Athene zijn werkelijke macht kwijt is. Het is nu een speelbal in handen van de opvolgers van Alexander, die elkaar sinds diens dood onophoudelijk hebben bestreden. In 321 waren zij een machtsverdeling overeengekomen, maar na de dood van de bejaarde Antipater in 319 - hij heerste in Griekenland en Macedonië - brandde de strijd weer los.

In Griekenland ging het om de opvolging van Antipater zelf. Hier kwam zijn zoon Cassander als overwinnaar naar voren. Cassander veroverde ook Athene (318), dat hij liet besturen door

*Aristoteles (Romeinse kopie uit de 2de eeuw na Christus).*

Demetrius van Phaleron.
Ondertussen streefde Antigonus I ernaar Alexanders wereldrijk onder zijn leiding weer tot een eenheid samen te smelten. Bijna alle andere machthebbers in het gebied, onder wie Cassander, hebben zich hiertegen verzet - in

het algemeen met succes. Maar Antigonus I heeft de hoop niet opgegeven. In zijn oorlog tegen Cassander heeft zijn zoon nu dus Athene kunnen 'bevrijden'.

De verdreven Demetrius van Phaleron is tegelijk filosoof en politicus. Hij is een leerling van Theophrastus, de geleerde die Aristoteles is opgevolgd als hoofd van het Lyceum, Aristoteles' onderzoeks- en onderwijsinstituut.

Net als Aristoteles is Demetrius van Phaleron een criticus van de democratie zoals die zich vanaf Pericles in Athene heeft ontwikkeld, en koestert hij pro-Macedonische sympathieën.

Maar anders dan Aristoteles verkeerde hij in een positie waarin hij zijn politieke ideeën ook kon verwezenlijken. Demetrius van Phalerum presenteerde zijn maatregelen als een 'terugkeer naar de ware democratie van de voorouders'. Concreet betekende dat een beperking van het burgerrecht tot de rijkere Atheners, hervormingen in de volksrechtbanken waardoor de invloed van de rijken toenam, en een uitbreiding van de macht van een elitair inspraakcollege, de Areopagus, ten nadele van de gewone volksvergade-

ring. Verder liet hij de wetgeving controleren door een college van wijze mannen, 'nomophulakes' ('bewakers van de wet') geheten. Ten slotte ontsloeg Demetrius van Phaleron de rijken van de verplichting de jaarlijkse (en kostbare) toneelvoorstellingen te bekostigen.

Overigens probeerde Demetrius van Phaleron ook de minder welgestelde Atheners tevreden te stemmen. Zo verlichtte hij hun militaire taken. Dat was mogelijk doordat hij Athene tien jaar lang buiten elke oorlog wist te houden. Toch is Demetrius van Phaleron nooit echt populair geweest. Zelfs zijn fraaie politieke retoriek - hij ziet zichzelf als een van de grote wetgevers uit de Griekse geschiedenis - heeft niet kunnen verhullen dat hij zijn macht te danken had aan Cassanders garnizoen in Munychia.

Veel bevattelijker zijn de Atheners voor de woorden van Demetrius I, die de stad nu heeft ontzet. Demetrius I heeft gesteld dat 'alle Grieken vrij, zonder garnizoen en autonoom moeten zijn'. In het verlengde daarvan heeft hij Athene beloofd dat het zijn democratie zal terugkrijgen.

## Verdrag tussen Magadha en Perzië

PATALIPUTRA, 305 - Koning Candragupta Maurya van Magadha (Gangesvallei) heeft met de door hem overwonnen koning Seleucus Nicator van Perzië een verdrag gesloten waarbij de Indische delen van het Perzische Rijk onder zijn gezag komen. Magadha strekt zich nu uit van deze gebieden in het westen tot aan de Golf van Bengalen in het oosten. In het zuiden beslaat Candragupta's rijk grote delen van het Dekkanplateau.

Seleucus Nicator, een oud-generaal van Alexander de Grote en sinds vorig jaar koning van Perzië, was de Indus overgetrokken in de hoop zijn rijk oostwaarts uit te breiden. Candragupta liet dat echter niet gebeuren en versloeg hem in een vernietigende slag bij de Indus. Behalve de territoriale bepalingen is in het verdrag opgenomen dat Candragupta zal trouwen met een dochter van Seleucus. Seleucus krijgt hiervoor slechts vijfhonderd van Candragupta's negenduizend oorlogsolifanten in ruil. Ook zal Seleucus een ambassadeur naar Pataliputra sturen.

Candragupta Maurya werd ongeveer veertig jaar geleden geboren in Magadha dat toen geregeerd werd door de Nanda's. Tijdens zijn jeugd bracht hij enige tijd door aan het hof van deze Nanda's. Ontevreden met hun tirannieke regering nam hij zich voor daar een eind aan te maken.

Een oud vrouwtje dat hij toevallig tegenkwam bracht, naar men zegt, Candragupta op het idee om eerst buiten

Magadha een rijk op te bouwen alvorens de Nanda's te bestrijden. Ongeveer twaalf jaar geleden veroverde hij dus eerst enkele gebieden in de Indusvallei. Drie jaar later overwon hij de Nanda's en werd heer en meester van de Ganges tot de Indus. In 313 werd hij te Pataliputra, de nieuwe hoofdstad, gekroond. Vervolgens breidde hij ook zuidwaarts zijn rijk uit.

Pataliputra, gelegen aan de Ganges waar deze samenstroomt met de Son, groeide uit tot een stad van 12 bij 2,5 kilometer, omgeven door een houten muur met 570 torens en een gracht van 300 meter breed en 10 meter diep. In zijn statige paleis met vergulde pilaren die zijn versierd met gouden wijnranken en zilveren vogels, wordt Candragupta steeds bewaakt door gewapende vrouwen. Hij slaapt nooit twee keer in hetzelfde bed, laat al zijn eten in zijn bijzijn voorproeven en verschijnt alleen tijdens speciale gelegenheden in het openbaar.

Om zijn onderdanen in de gaten te houden - en met name machtige ministers, rijke kooplieden, wijze brahmanen en zijn vele mooie vrouwen - heeft Candragupta een groot leger spionnen en huurmoordenaars in dienst. Al die veiligheidsmaatregelen worden betaald uit de opbrengst van oogstbelastingen. Een kwart tot de helft van de oogst moet worden ingeleverd.

Ter verdediging van het rijk heeft Candragupta de beschikking over een staand leger van 150 000 soldaten.

*Samnitische soldaten, gewapend met helm, schild en pilum (werpspeer). Detail van een fresco; Nationaal Museum Napels.*

## Rome versterkt hegemonie in Italië

ROME, 304 - Een nieuw vredesverdrag tussen Romeinen en Samnieten moet een einde maken aan de vijandelijkheden, die in 326 uitbraken.

Aanleiding voor de tweede Samnietenoorlog was de belegering van Napels door de Samnieten. Uit angst voor een verder opdringen naar Latium snelde Rome de stad te hulp. In de daaropvolgende strijd kregen de Romeinen zware nederlagen te verduren. De grootste vernedering was de capitulatie in de Caudijnse pas: in 321 werden twee Ro-

meinse consuls met hun leger ingesloten en door de Samnieten gedwongen bij wijze van vernedering onder het zogenaamde Caudijnse juk door te lopen.

Na enkele gevechten, waarin beide partijen afwisselend voordeel behaalden, is dan nu een vrede gesloten.

Het is gebleken dat de Samnieten een zeer losse, gebrekkig functionerende confederatie vormen. Rome mag volgens het nu gesloten verdrag zijn machtsgebied tot Adria uitbreiden.

## Sicilië verdeeld tussen Carthago en Griekenland

SYRACUSE, 305 - Na een langdurige strijd om de heerschappij op Sicilië hebben de Carthagers en Grieken overeenstemming bereikt over de verdeling van het eiland. Tweeëneenhalve eeuw hebben beide grootmachten elkaar het bezit van het strategisch zo belangrijke Sicilië betwist. Scheidslijn tussen hun territoria blijft het riviertje de Halykos, zoals dat ook al bepaald was bij een eerdere vredesovereenkomst.

Ditmaal had het echter weinig gescheeld of de machtsverhoudingen op het eiland waren drastisch veranderd. Door een verrassende manoeuvre van Agathocles, heerser over Syracuse, was de stad Carthago bijna gevallen. Nadat Agathocles aan het bewind was gekomen laaide de oude strijd met aartsrivaal Carthago weer op. In 310 bedreigde hij enkele Carthaagse vestigingen op het eiland. De Carthagers, die na de oorlog met Timoleon in 340 hun leger bijna geheel hadden ontbonden, kwamen snel in actie. Nog in hetzelfde jaar stak een troepenmacht over naar Sicilië en werd Agathocles teruggedreven in zijn laatste bastion, Syracuse.

Van daaruit besloot hij een doldriest plan ten uitvoer te brengen. Hij liet de zwaar verdedigde stad achter en zeilde zonder dat de Carthaagse belegeraars het in de gaten hadden de zee op richting Carthago. Daar landde hij, wederom ongemerkt, niet ver van de landtong waarop de stad was gelegen. Verbijsterd zagen de inwoners het Siciliaanse leger voor hun poorten opdoemen. In aller ijl werden soldaten gemobiliseerd en trad men Agathocles tegemoet.

Een nederlaag was onafwendbaar, maar de enorme verdedigingslinie op de landengte voor de stad hield stand, zelfs nadat Agathocles een bondgenootschap had gesloten met de Egyptische veldheer Ophellas.

Deze was met een 10 000 man sterk leger opgetrokken naar Carthago. Maar toen nam Agathocles, overmoedig geworden, een risico. Omdat hij het bezette gebied voor de stad stevig in handen had, meende hij dat hij het wel enige tijd kon verlaten om met een klein leger naar Syracuse te varen en daar orde op zaken te stellen. De Carthagers hadden hun posities voor de stad, ondanks de toestand in Noord-Afrika, niet opgegeven. Meteen na zijn vertrek vielen de inwoners van Carthago de achtergebleven troepen van Syracuse aan.

IJlings keerde Agathocles terug, maar hij kon een nederlaag niet meer verhinderen. Hij wist te ontkomen naar Syracuse en een voor hem voordelige vredesovereenkomst met de Carthagers te sluiten.

---

---

# La Venta geheel verwoest

*Een van de kolossale Olmeken-koppen uit La Venta (gemaakt tussen 1000 en 500).*

LA VENTA, 300 - Het religieuze heiligdom van de Olmeken, La Venta, is door onbekende indringers verwoest. La Venta is ongeveer vijfhonderd jaar geleden ontstaan. Het ligt op een vrij klein, laag eiland in de kustmoerassen. De kern ervan wordt gevormd door een enorme piramide van 37 meter hoogte met twee hoven aan de noordkant, waarvan de as noord-zuid loopt. Deze worden begrensd door verhogingen en terrassen, en de terrassen van het noordelijkste hof worden bekroond door palissaden van natuurlijke basalten zuilen. De piramiden, verhogingen en terrassen zijn gebouwd van leem en rood, geel en purper beschilderd.

Op het eiland hebben ongeveer honderdvijftig mensen van de heersende priesterklasse en hun dienaren gewoond. Zij werden onderhouden door duizenden boeren die maïs verbouwden. Hoogstwaarschijnlijk zijn het ook de boeren geweest die het materiaal hebben aangedragen voor de bouw van de piramiden. Op het eiland zelf is géén steen te vinden; het harde basalt waarvan zuilen zijn gemaakt ligt op meer dan 125 kilometer van La Venta. Een stèle - een hoog, smal monument waarin beelden en inscripties zijn gehouwen - weegt zo'n vijftig ton. De stenen moeten in de bergen zijn uitgehouwen en met enorme krachtsinspanning van de boeren op vlotten geladen en via rivieren naar La Venta getransporteerd zijn.

De kolossale stenen koppen, waarvan sommige veertig ton wegen, hebben veelal 'baby-uitdrukkingen': dikke, negroïde lippen, platte neuzen en een wonderlijke grijns met open mond als een baby die wil gaan huilen. Andere koppen lijken op combinaties van mensen en jaguars, de zogenaamde 'weerjaguars'. De jaguarcultus staat centraal in de Olmeekse religie. Waarschijnlijk is de jaguar voor de Olmeken een soort totemdier dat kracht en macht vertegenwoordigt.

## Chavin-cultuur in Peru ineengestort

PERU, 300 - Na een periode van zeven eeuwen is een eind gekomen aan de Indiaanse Chavin-cultuur in het westelijk deel van Zuid-Amerika. De cultuur ontstond in 1000, kende een krachtige groei om vervolgens op mysterieuze wijze uit te sterven. Ze is uiteengevallen in zes verschillende beschavingsvormen, met die van het volk der Mochica's als de belangrijkste. De Mochica's hebben tempels opgericht en enorme aquaducten en kanalen aangelegd voor de bevloeiing van hun landbouwgrond. De Chavin-cultuur is de eerste beschaving geweest die zich in dit gebied verspreidde.

Drieduizend jaar geleden ontstonden in de kuststreek van Peru kleine dorpsgemeenschappen en al snel zelfs enkele steden. De bevolking leefde van de visvangst, maar schakelde langzaam over op de landbouw. Rond 1800 ontwikkelden zich de eerste irrigatiesystemen om de dorre woestijnvlakten en hellingen van het Andesgebergte voor bebouwing geschikt te maken. In de steile bergwanden werden plateaus uitgehouwen, zodat elk stukje bruikbaar land benut werd. Omstreeks 1000 bloeide hier de Chavin-cultuur op, genoemd naar Chavin de Huantar, een plaats in de Andes. Evenals het Middenamerikaanse volk der Olmeken in dezelfde periode bezaten de Peruanen een grote vaardigheid in de bewerking van rotsblokken. Zij versierden de bergterrassen met beeldhouwwerken van mensdieren, en gewijde voorstellingen van vooral jaguars, slangen en adelaars dienden ter verfraaiing van aardewerk, metaalwerk en geweven stoffen.

Er was geen sprake van een centraal geregeerd rijk, maar in de loop van de tijd vormde zich een hogere stand van priesters, die de landwinning en de erediensten behartigde. Waarschijnlijk werd ten tijde van de Chavin-cultuur een begin gemaakt met het ontwikkelen van een schrift van lettertekens.

# Filosoof Zeno pleit voor autarkische mens

*De wijsgeer Diogenes, in zijn ton gezeten, ontmoet Alexander de Grote (met kroon). Frans miniatuur uit de 15de eeuw na Christus (Harvard College Library).*

ATHENE, circa 300 - Er is groeiende belangstelling voor de colleges van de filosoof en geleerde Zeno van Citium. Zeno verkondigt weinig conventionele ideeën over ethiek en samenleving. Daarnaast houdt hij zich bezig met de grondslagen van de logica en speculeert hij over het wezen der dingen.

Zeno (ongeveer 35) is afkomstig uit de stad Citium op Cyprus. Op jeugdige leeftijd is hij naar Athene gegaan om daar een wetenschappelijke opleiding te volgen. Athene is nog steeds het culturele centrum van de Griekse wereld, ook al ondervindt het door toedoen van de Egyptische koning Ptolemaeus I in dit opzicht sinds enige tijd concurrentie van Alexandrië.

Zeno ontleent zijn ideeën aan verschillende filosofische stromingen, die hij op scherpzinnige wijze bij elkaar heeft gebracht. Veel inspiratie heeft hij geput uit de leer van de cynici. De belangrijkste vertegenwoordiger van deze opmerkelijke filosofische stroming was Diogenes, bijgenaamd 'de Hond' ('Kynos'). Deze bijnaam kreeg Diogenes omdat hij zich verzette tegen allerlei maatschappelijke conventies die hij als onnatuurlijk beschouwde, en vooral omdat hij vond dat mensen zich niet moesten schamen voor hun 'natuurlijke' genoegens. Van hem doet bijvoorbeeld het schokkende verhaal de ronde dat hij publiekelijk op de markt masturbeerde.

Dat doet Zeno niet, maar wel wil hij net als Diogenes geld, bezit en huwelijk afschaffen. Al deze zaken maken een mens niet gelukkiger, zo redeneert Zeno. De grondslag van het ware geluk is kennis van de onveranderlijke waarheid. Deze kennis biedt een vaste leidraad voor het gedrag en stelt een mens in staat volkomen onafhankelijk van anderen te zijn. Alleen op deze manier kan een mens ontsnappen aan de grillen van het lot. Dit ideaal van de 'autarkie' spreekt veel Griekse intellectuelen aan. Zeno stelt verder dat voor de autarkische mens 'het gezin' en 'de staat' betekenisloos zijn. In zijn utopische samenleving is elke mens wereldburger. Anders dan Diogenes onderbouwt Zeno zijn levensovertuiging met allerlei geleerde inzichten uit de kennistheorie en de algemene filosofie. Hier is de invloed merkbaar van ideeën die worden gedoceerd aan de Academie, de door Plato opgerichte filosofenschool.

## Euclides geeft handboek over wiskunde uit

ALEXANDRIE, circa 300 - De Alexandrijnse geleerde Euclides heeft een wiskundehandboek, de *Elementen*, het licht doen zien. Deskundigen prijzen het werk om zijn systematische benadering.

Euclides is werkzaam in het Museum, het onderzoeksinstituut dat Ptolemaeus I, de koning van Egypte, als prestigeobject in Alexandrië heeft laten inrichten. Net als de Academie, die rond 385 door Plato werd gesticht, is het Museum officieel een religieus genootschap ter verering van de muzen (godinnen van kunsten en wetenschappen). Aan het Museum is ook een grote bibliotheek verbonden. Men verricht er onderzoek naar uiteenlopende onderwerpen, variërend van literatuur tot zuivere wiskunde.

Hoewel Euclides ook onderzoek doet naar astronomie, optica en muziek, ligt zijn grootste kracht toch op het gebied van de theoretische wiskunde. Deze wetenschap kent in Griekenland een rijke traditie. Men heeft zich onder meer beziggehouden met oppervlakte- en inhoudsberekeningen, de problematiek van de irrationele getallen (getallen die slechts bij benadering kunnen worden vastgesteld, zoals wortel twee en pi) en getallenreeksen, zoals die der priemgetallen (die alleen deelbaar zijn door zichzelf en 1). In zijn *Elementen* zet Euclides de resultaten van dit onderzoek op een rij.

Hij is overigens niet de eerste die dat doet. Illustere voorgangers als Hippocrates van Chios (circa 470-400), Leon (circa 400) en Theudius (circa 350) schreven ook al overzichten onder dezelfde titel. Deze titel verwijst naar de elementaire, op zichzelf onbewijsbare uitgangspunten of axioma's waaruit wiskundige stellingen worden afgeleid en waarmee ze worden bewezen. Beter nog dan zijn voorgangers is Euclides erin geslaagd, uitgaande van een beperkt aantal 'elementen' en met inachtneming van de striktste logicavoorschriften, zijn wiskundige ideeën systematisch te formuleren en te bewijzen.

# Seleucus I consolideert verovering Syrië

ANTIOCHIE, mei 300 - Seleucus I, de ongeveer vijfenvijftig jaar oude heerser over een gebied dat zich uitstrekt van Syrië in het westen tot bijna aan de Indus in het oosten, heeft in Noord-Syrië een nieuwe stad gesticht. Hij heeft de stad Antiochië genoemd, naar zijn vader Antiochus. De stichting moet Seleucus' recente verovering van Syrië consolideren.

Seleucus verwierf Syrië vorig jaar augustus tijdens de Slag bij Ipsus (in het midden van Klein-Azië). Deze grootscheepse veldslag - er werden zelfs olifanten ingezet - is het laatste hoogtepunt in de machtsstrijd om het rijk van Alexander, die al meer dan twintig jaar aan de gang is. De laatste jaren spitste de strijd zich toe op de figuur van Antigonus I, die in 321 het oostelijke deel van het rijk onder zijn hoede had gekregen en die eropuit was de oorspronkelijke eenheid te herstellen. Zijn tegenstanders hebben hem in Ipsus een vernietigende slag toegebracht: Antigonus werd gedood en zijn zoon Demetrius I werd op de vlucht gedreven. Het door Antigonus beheerste gebied - sinds 306 officieel een koninkrijk - viel gedeeltelijk toe aan generaal Lysima-chus. Hij mag zich nu heer noemen over Thracië en het noorden van Klein-Azië. De andere helft, Syrië en Babylonië, kwam in handen van Seleucus, die al eerder het oosten van Antigonus' rijk had veroverd. Inmiddels heeft ook hij, in navolging van zijn tegenstander, zich tot koning laten uitroepen.

Om zijn greep op het nieuwe gebied te vergroten is Seleucus dadelijk begonnen met de bouw van een reeks nieuwe steden. Vorige maand legde hij de eerste steen voor Seleucië aan de Syrische Middellandse-Zeekust. Seleucië moet de nieuwe residentie worden. Voor een doelmatige beheersing van het achterland was echter ook een stad meer landinwaarts noodzakelijk. Daartoe is Antiochië gesticht. Antiochië ligt op enkele kilometers van Antigonië, een vestingstad van Antigonus I, die nu demonstratief door Seleucus wordt ontmanteld. De bewoners worden overgebracht naar Seleucië en Antiochië. Verder stationeert Seleucus hier soldaten en veteranen, die zodoende aan land worden geholpen. Tegelijk kunnen zij het gebied tegen eventuele invallen beschermen.

De stichting van Antiochië past in een Macedonische traditie. Alexander liet overal in zijn wereldrijk 'Alexandriës' bouwen en ook zijn vader, Philippus II, was een ijverig stedenstichter.

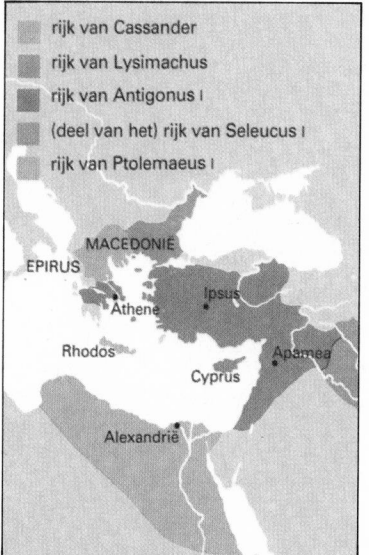

| | |
|---|---|
| | rijk van Cassander |
| | rijk van Lysimachus |
| | rijk van Antigonus I |
| | (deel van het) rijk van Seleucus I |
| | rijk van Ptolemaeus I |

*De rijken der Diadochen ten tijde van Demetrius Poliorcetes (situatie 303 v.C.).*

**290.** Einde van de Derde Samnitische Oorlog tussen Rome en de Samnieten. De Samnieten worden volledig afhankelijk van Rome.

**290.** Chares van Lindos vervaardigt de Colossus van Rhodos. Dit enorme standbeeld, een van de zeven wereldwonderen, is een herinneringsmonument voor de overwinning van Rhodos op de Macedonische koning Demetrius I Poliorcetes in 304.

**289.** De dood van koning Agathocles leidt in Syracuse tot een burgeroorlog.

**288.** Lysimachus, koning van Thracië en Klein-Azië, en Pyrrhus, koning van Epirus, verdrijven koning Demetrius I Poliorcetes uit Macedonië. Macedonië wordt tussen hen verdeeld.

**287.** In Rome wordt de Lex Hortensia uitgevaardigd. De beslissingen van de volksvergadering zijn voortaan bindend voor het gehele volk. Hiermee is een eind gekomen aan de standenstrijd in Rome.

**285.** Pyrrhus wordt door Lysimachus uit Macedonië verdreven. Lysimachus wordt koning van geheel Macedonië.

**285.** De Egyptische koning Ptolemaeus I Soter benoemt zijn jongste zoon Ptolemaeus II Philadelphus tot co-regent. →

**284.** De Keltische Senonen verslaan de Romeinen bij Arretium.

**283.** De Romeinen verslaan de geallieerde Etrusken en Senonen bij het Vadimomeer.

**283.** Antigonus II Gonatas neemt na de dood van zijn vader Demetrius I Poliorcetes de titel van koning van Macedonië aan.

**281.** De Seleucidische koning Seleucus I Nicator verslaat koning Lysimachus van Macedonië, Thracië en Klein-Azië in de Slag bij Corupedion. Lysimachus sneuvelt in de strijd.

**281.** Seleucus I Nicator wordt vermoord door Ptolemaeus Ceraunos, die koning van Macedonië wordt. Antiochus I wordt de enige heerser over het Seleuciden-rijk.

Geboren:

**287.** Archimedes († 212), Grieks wis- en natuurkundige

Gestorven:

**283.** Ptolemaeus I Soter (367/6), Egyptisch koning
**283.** Demetrius van Phaleron (circa 350), Atheens staatsman en filosoof
**283.** Demetrius I Poliorcetes (336), Macedonisch koning
**281.** Seleucus I Nicator (358), Seleucidisch koning

## Ptolemaeus II weert vreemd geld

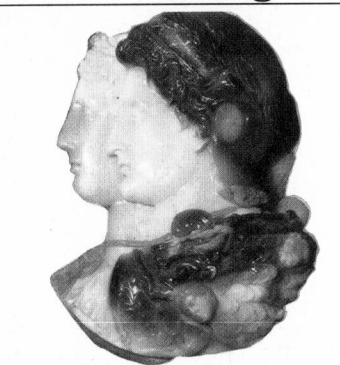

*Ptolemaeus II en zijn vrouw Arsinoë II; broer en zus die Egypte regeren.*

ALEXANDRIE, circa 280 - Ptolemaeus II, sinds drie jaar koning van Egypte, heeft een monetaire maatregel uitgevaardigd die het gebruik van vreemd geld in Egypte verbiedt. De maatregel heeft de bedoeling de inkomsten van Ptolemaeus te vergroten. De verregaande bemoeienis van de overheid met de economie is een erfenis van het Egypte van de farao's. Net als de farao's beschouwen de Macedonische Ptolemaeën in principe het hele Egyptische land als het hunne. Zij verpachten het aan kleine boertjes, die daar flinke bedragen voor moeten neertellen.

Ook op andere terreinen bezitten de koningen een min of meer volledig monopolie. Dat geldt bijvoorbeeld voor de produktie van en handel in olie, bier (de Egyptenaar drinkt geen wijn maar bier), linnen en papyrus. Speciale ambtenaren, zogeheten 'oikonomen', controleren of de Egyptische boeren en handwerkers wel zo efficiënt mogelijk produceren en de vereiste belastingen afdragen. Te zamen met de ambtenaren in de hoofdstad Alexandrië en de dorps- en districtshoofden op het platteland vormen ze een omvangrijke bureaucratie, die erop gericht is de vorst veel geldmiddelen te verschaffen.

Dat geld is nodig omdat Egypte gebrek heeft aan een groot aantal grondstoffen, zoals metalen en hout. Weliswaar kunnen die gedeeltelijk worden geïmporteerd uit de overzeese gebiedsdelen (Cyprus en Syrië en verder hier en daar in de Egeïsche Zee en aan de kust van Klein-Azië), maar de huurlingen, paarden en olifanten die nodig zijn om deze gebieden te veroveren en te verdedigen, kosten weer veel geld. Ptolemaeus' laatste maatregel, het verbieden van vreemde munten in Egypte, ligt helemaal in het verlengde van zijn monopoliepolitiek. Kooplieden die handel met Egypte willen drijven, moeten nu eerst hun vreemde valuta in Alexandrië inwisselen voor Egyptisch geld. Dat gebeurt tegen een voor de handelaar uiterst ongunstige koers: een normale 'drachme' bevat 4,37 gram zilver, een Egyptische 3,63 gram.

**280.** Koning Pyrrhus van Epirus, die door Tarente te hulp is geroepen in de oorlog tegen Rome, landt in Italië. Hij verslaat de Romeinen bij Heraclea.

**279.** Een Keltische invasie van Griekenland wordt bij Delphi tot staan gebracht. →

**278.** Pyrrhus steekt over naar Sicilië om de Griekse steden daar te helpen in hun strijd tegen Carthago.

**276.** Antigonus II Gonatas wordt koning van Macedonië, nadat hij in de Slag bij Lysimacheia de Kelten heeft verslagen. →

**275** (circa). De arts Herophilus onderzoekt het zenuwstelsel.

**275.** Pyrrhus wordt door de Romeinen bij Beneventum verslagen en vertrekt uit Italië naar Epirus. →

**275.** De Seleucidische koning Antiochus I verslaat de Keltische Galaten.

**274.** Begin van de Eerste Syrische Oorlog tussen de Seleucidische koning Antiochus I en de Egyptische koning Ptolemaeus II Philadelphus.

**274.** Pyrrhus verdrijft de Macedonische koning Antigonus II Gonatas uit Macedonië.

**273.** De Egyptische koning Ptolemaeus II Philadelphus stuurt, onder de indruk van de overwinning op Pyrrhus, gezanten naar Rome. Rome wordt nu erkend als een grootmacht op het internationale toneel.

**273.** De Romeinen veroveren Caere, de laatste zelfstandige Etruskische stad.

**272.** Asjoka volgt Bindusara op als koning van het Maurya-rijk in India. Tijdens zijn regering bereikt het Maurya-rijk het hoogtepunt van zijn macht.

**272.** Antigonus II Gonatas herovert zijn Macedonische troon, nadat Pyrrhus in een straatgevecht in Argos is omgekomen.

**272.** De Romeinen veroveren Tarente. Dit is het eind van de oorlog tussen Rome en Tarente.

**271.** Einde van de Eerste Syrische Oorlog. De Egyptische koning Ptolemaeus II Philadelphus verovert delen van Syrië op de Seleucidische koning Antiochus I.

Geboren:

**280** (circa). Chrysippus († 207), stoïcijns filosoof
**275** (circa). Eratosthenes († 194), veelzijdig geleerde; studies over onder andere wiskunde, filologie, astronomie en geografie

Gestorven:

**272.** Bindusara, koning van het Maurya-rijk in India
**272.** Pyrrhus (319), koning van Epirus

## Delphi met succes verdedigd

*De heilige straat in Delphi (achtergrond: het Atheense schathuis).*

DELPHI, 279 - Een poging van Kelten uit Illyrië om het Griekse Apolloheiligdom in Delphi te plunderen, is mislukt. De aanval werd afgeslagen door Aetolische en Phocische troepen. Dit succes versterkt de positie van de Aetolische Bond, een federatie van steden ten noordwesten van de Golf van Korinthe.

Al in de 5de eeuw werkten de Grieken uit dit gebied samen in een verdedigingspact. In de vorige eeuw ontstond een duurzamer samenwerkingsverband toen de steden en plattelandsgemeenschappen een gezamenlijk burgerrecht instelden. Dit verschijnsel noemt men 'sympoliteia'. De federatieve staat kent, net als een stad, een volksvergadering en een dagelijks bestuur.

De federatieve organisatievorm neemt in betekenis toe. Overal in Griekenland hebben zich confederaties gevormd, waarvan die van Aetolië en Achaea (aan de overzijde van de Golf van Korinthe) de voornaamste zijn. Hun opkomst hangt samen met de roerige politieke situatie in Griekenland, dat samen met Macedonië het slagveld is voor de elkaar fel beconcurrerende opvolgers van Alexander. Door zich aaneen te sluiten zijn de steden minder kwetsbaar.

Dank zij die onderlinge verbondenheid heeft Aetolië zich tot een politieke factor van belang kunnen ontwikkelen. Dit bleek onder meer toen het zich in 291 zeggenschap over Delphi toeëigende. Dat bracht echter ook de verplichting met zich de rijkdommen van de tempel daar te beschermen tegen de oprukkende Kelten. De Kelten, een volk op drift, vormen sinds kort een bedreiging voor Griekenland en Macedonië. Op het laatste moment hebben de strijders uit Aetolië en het nabijgelegen Phocis de Kelten van hun voorgenomen plundering van Delphi kunnen afhouden.

# Nieuwe koning Macedonië

PELLA (MACEDONIE), 276 - Antigonus II Gonatas, de kleinzoon van Antigonus I Monophtalmos ('Eenoog'), is door het Macedonische leger tot koning uitgeroepen. Hierdoor is een nieuwe fase ingeluid in de voortdurende machtsstrijd die Macedonische vorsten en aanvoerders van huurlingenlegers onderling om het bezit van Macedonië voeren.

Na de dood van Alexander in 323 hebben zijn generaals het rijk onderling verdeeld. Sindsdien hebben zij elkaar over en weer bestreden met het doel de eigen machtspositie te versterken. Ten gevolge daarvan zijn de grenzen van de Macedonische rijken in de loop der decennia verscheidene malen ingrijpend veranderd. In 301 verloor Antigonus I op die manier zijn rijk in Azië. Zelf kwam hij om het leven, maar zijn zoon Demetrius vluchtte naar de Egeïsche Zee en kon zich daar met een huurlingenleger staande houden.

Toen Demetrius zes jaar geleden in gevangenschap overleed, nam zijn zoon Antigonus II het huurlingenleger over en begon op zijn beurt aan de herove-ring van de oude macht. In dat kader claimde Antigonus II het koningschap van Macedonië. Hij was bepaald niet de enige pretendent en aanvankelijk leek hij weinig kans te maken. Weliswaar beheersten zijn garnizoenen enkele belangrijke plaatsen in Griekenland, zoals Korinthe, Chalcis en in feite ook Athene, maar zijn positie daar was niet altijd even sterk. Twee jaar geleden kon hij met moeite het verlies van Korinthe voorkomen. Een overwinning op de Kelten vorig jaar bij de stad Lysimacheia (ten noordoosten van de Hellespont) bracht hem echter het benodigde prestige.

Nu het Macedonische leger in vergadering bijeen Antigonus II tot koning van Macedonië heeft uitgeroepen - een oud privilege van het leger, dat bij deze gelegenheid het hele Macedonische volk vertegenwoordigt -, kan Antigonus II beginnen aan de consolidatie van zijn macht. Omdat de Macedonische troepen zelf oorlogsmoe zijn, maakt hij bij voorkeur gebruik van achtergebleven groepjes Kelten, die in het leger worden opgenomen.

# Pyrrhus verlaat Italië na nederlaag

BENEVENTUM, 275 - Pyrrhus, de koning van het Griekse Epirus, heeft na een nederlaag bij Beneventum Italië verlaten. Hierdoor zijn de Griekse steden in Italië onder controle van de Romeinen gekomen.

Pyrrhus kwam vijf jaar geleden op verzoek van Tarente naar Italië om de Griekse steden te verdedigen tegen de Romeinse expansiedrift. De successen die hij aanvankelijk met zijn diepe falanx tegen de Romeinse legioenen boekte gingen echter ten koste van grote verliezen [Pyrrhusoverwinning], waardoor hij zodanig verzwakt raakte dat Rome hem nu definitief heeft kunnen verslaan.

Het gehele Italische schiereiland, vanaf de rivier de Rubicon tot aan de Straat van Messina, is daarmee in Romeinse handen gekomen, omdat ook de Samnieten sinds 290 aan Rome onderworpen zijn. De Italische bevolking is verdeeld in vier categorieën. De bewoners van de Romeinse stads- en plattelandstribus hebben het volledige Romeinse burgerrecht, evenals de inwoners van sommige municipia, de niet-Romeinse steden. De burgerij van een aantal andere municipia heeft een beperkt Romeins burgerrecht verkregen. Deze mensen behouden het burgerrecht van hun eigen stad, maar bij vestiging in Rome worden zij volwaardige Romeinse burgers. De resterende twee groepen worden geen burgers (cives) maar bondgenoten (socii) genoemd. Sommige bondgenoten hebben het Latijnse burgerrecht. Zij zijn verplicht militairen aan Rome te leveren, die niet in de legioenen maar in de

*Afbeelding van een gevechtsolifant (met baby erachteraan) op een Etruskisch bord uit de 3de eeuw.*

hulptroepen (auxilia) dienen. Bij verhuizing naar Rome kunnen de Latijnse burgers het Romeinse burgerrecht verwerven. De overblijvende groep van bondgenoten is door afzonderlijke verdragen aan Rome gebonden. In alle gevallen zijn zij volledig van Rome afhankelijk. Het is hun niet toegestaan een eigen buitenlandse en militaire politiek te voeren.

Het grootste gedeelte van het veroverde landbouwgebied is inmiddels in handen gekomen van de Romeinse nobilitas, de nieuwe klasse van patriciërs en rijke plebejers die ook de politiek beheerst. Deze nobiles ontlenen hun status voor een belangrijk deel aan grondbezit. De kleine Romeinse boeren hebben niet of nauwelijks kunnen profiteren van de gebiedsuitbreiding. Hun economische en politieke invloed blijft marginaal.

**270.** De Romeinen veroveren de stad Rhegium. Zij zijn nu heer en meester in Zuid- en Midden-Italië.

**270** (circa). Herophilus van Chalcedon onderzoekt het zenuwstelsel. →

**269.** In Rome worden de eerste zilveren munten geslagen.

**269.** Hiero II wordt koning van Syracuse.

**267.** Begin van de Chremonideïsche Oorlog van Athene en een Peloponnesische coalitie, gesteund door de Egyptische koning Ptolemaeus II Philadelphus, tegen de Macedonische koning Antigonus II Gonatas.

**267.** Hiero II van Syracuse verdrijft de Mamertijnen uit zijn gebied.

**264.** De Mamertijnen in Messana roepen, in hun strijd tegen Hiero II van Syracuse, de hulp in van Rome, nadat zij eerst de hulp van Carthago hadden ingeroepen. Dit betekent het begin van de Eerste Punische Oorlog tussen Rome en Carthago.

**264.** Rome verovert de laatste Etruskische stad. →

**263.** Kalinga aan de Indische oostkust wordt op wrede wijze onderworpen door Asjoka.

**263.** Koning Hiero II van Syracuse sluit een verdrag met Rome.

**262.** De Romeinen veroveren Agrigentum op de Carthagers.

**262.** In de Slag bij Sardes verslaat Eumenes I van Pergamum de Seleucidische koning Antiochus I. Pergamum wordt onafhankelijk van het Seleuciden-rijk.

**261.** De Macedonische koning Antigonus II Gonatas herovert Athene. Dit is het einde van de Chremonideïsche Oorlog. →

**261.** De Seleucidische koning Antiochus I overlijdt en wordt opgevolgd door zijn zoon Antiochus II.

Gestorven:

**270.** Epicurus (341), Grieks filosoof
**263.** Zeno (333), stichter van de Stoa
**261.** Antiochus I (324), Seleucidisch koning

*Grieks meisje maakt haar toilet (Atheense schildering, 5de eeuw).*

# Arts vergroot kennis anatomie

ALEXANDRIE, circa 270 - Herophilus van Chalcedon, een arts die werkzaam is in het Museum, het instituut voor wetenschappelijk onderzoek in Alexandrië (Egypte), heeft belangrijke ontdekkingen gedaan op het gebied van de anatomie. Hoewel Griekse medici al sinds de 5de eeuw intensief onderzoek op velerlei gebied doen, was de anatomie tot op heden een achtergebleven gebied.

Herophilus' ontdekkingen hebben betrekking op tal van onderdelen van het menselijk lichaam. Belangrijk is zijn onderzoek naar het zenuwstelsel. Hij heeft aangetoond dat de zenuwen hun oorsprong in de hersenen hebben. Dit is een grote vooruitgang: tot voor kort was men nauwelijks op de hoogte van het onderscheid tussen de zenuwen en andere onderdelen van het menselijk lichaam, zoals de pezen en de gewrichtsbanden. Verder heeft hij met name het oog en de hersenen op heel precieze wijze in kaart gebracht. Zijn onderzoek naar de geslachtsorganen heeft aan het licht gebracht dat ook de vrouw 'zaad' produceert, dat via de door Herophilus ontdekte eileiders in de baarmoeder terechtkomt. Eerder was aangenomen, met name door Aristoteles en zijn leerlingen, dat de vrouw geen andere rol in de voortplanting had dan het verschaffen van een plaats waar het mannelijke zaad tot wasdom kon komen.

Dat Herophilus deze verrassende resultaten heeft kunnen boeken, heeft alles te maken met zijn wetenschapsopvatting. Hij is van mening dat het taak van de medische onderzoeker is om zich te beperken tot een zo feitelijk mogelijke waarneming en registratie van de werkelijkheid.

Daardoor onderscheidt hij zich in zekere zin van artsen uit vorige generaties, zoals de beroemde Hippocrates van Kos (circa 470-400). In zekere zin, want ook die hebben zich altijd ingespannen om nauwkeurig verslag te doen van het verloop van een ziekte. Maar anders dan Herophilus deden de hippocratische artsen weinig systematisch onderzoek naar het inwendige van de mens.

# Athene geeft zich over

ATHENE, 261 - Athene heeft zich na zeven jaar strijd overgegeven aan de koning van Macedonië, Antigonus II Gonatas. Indirect is deze Atheense overgave ook een nederlaag voor koning Ptolemaeus II, die vanuit Egypte al vele jaren probeert de macht van Antigonus aan het wankelen te brengen. Hij doet dat door Antigonus' tegenstanders te steunen.

In het verleden heeft Ptolemaeus in zijn strijd tegen Antigonus vooral gebruik gemaakt van de diensten van Areus, een Spartaanse koning, en van die van Pyrrhus. Van de plaatselijke machthebbers in Griekenland is Pyrrhus, de koning van Epirus (een streek in het noordwesten van Griekenland), zonder twijfel een van de meest kleurrijke geweest. Het streven om zijn territorium uit te breiden bracht hem er zelfs toe in Italië tegen de Romeinen te strijden. Maar hoewel hij een capabel en ambitieus legeraanvoerder was, zijn toch vrijwel al zijn expedities mislukt.

Na de dood van Pyrrhus in 272 was Ptolemaeus gedwongen om te zien naar nieuwe steunpunten op het Griekse vasteland. Hij vond die in Areus' Sparta en in Athene. Beide steden waren bevreesd dat Antigonus na de dood van Pyrrhus zich definitief als monarch over Zuid-Griekenland zou kunnen vestigen. In 267 bracht de Atheense burger Chremonides Athene en Sparta samen in een alliantie met het doel Antigonus te verdrijven. Ptolemaeus stuurde geld en een vloot naar Griekenland om de geallieerden te helpen.

Ondanks deze steun heeft de 'Chremonideïsche' oorlog Antigonus nooit werkelijk in moeilijkheden gebracht. Drie jaar geleden schakelde hij Areus uit. Daarna was hij genoodzaakt oorlog te voeren tegen Alexander, de zoon van Pyrrhus, die in het noorden vanuit Epirus een aanval op Macedonië was begonnen. Deze gebeurtenis vertraagde de oorlog weliswaar, maar heeft niet kunnen voorkomen dat Athene zich, na een nederlaag van de Egyptische vloot dit jaar, heeft moeten overgeven. Inmiddels hebben Antigonus' troepen de stad bezet; ook in de haven en aan de grenzen zijn garnizoenen gelegerd.

# Rome verovert Volsinii

*Gevecht tussen Romeinen en Etrusken, op een Etruskische amfora uit Falerii Veteres (4de eeuw, Etruskisch Museum Chiusi).*

VOLSINII, 264 - De Romeinen hebben Volsinii, de laatste Etruskische stad die nog niet in hun bezit was, veroverd. De Romeinen grepen in Volsinii in, nadat slaven daar de macht van hun meesters hadden overgenomen en dezen uit de stad verdreven. De meesters begaven zich als ballingen naar Rome, waar zij om hulp vroegen om hun stad te heroveren. Dit verzoek vormde voor de Romeinen een excuus om troepen naar Volsinii te brengen.

Na de verovering hebben de Romeinen de stad geplunderd en vernield. Zij hebben 2000 beelden uit Volsinii geroofd en de stad zelf met de grond gelijk gemaakt, waarbij vele inwoners om het leven kwamen. De bewoners van de stad die nog in leven waren, werden gedwongen zich aan de oever van het Bolsenameer te vestigen.

Ook het bij Volsinii gelegen fanum Voltumnae (tempel van Voltumna) werd door de Romeinen geplunderd. Deze tempel was de plaats waar eens per jaar de plaatselijke leiders van de uit twaalf steden bestaande Etruskische stedenbond bijeenkwamen, een vergadering die zowel een politiek als een religieus karakter had.

Met de verovering van Volsinii door de Romeinen is een einde gekomen aan de politieke zelfstandigheid van de Etrusken. Veii was in 396 de eerste Etruskische stad die door de Romeinen werd veroverd.

# Koning van Zhou overwonnen

CHINA, 256 - De koning van Zhou heeft zich overgegeven aan generaal Qiu van de staat Qin. Deze overgave volgt op een succesvolle veldtocht van Qin tegen een coalitie van zes staten die gezamenlijk het hoofd wilden bieden aan de voortdurende militaire expansie van Qin. De overgave van Zhou betekent tevens dat er nu ook formeel geen centrale dynastie bestaat waarvan de heerser aanspraak kan maken op de titel 'zoon van de hemel'. De Qin-heersers maken er geen geheim van dat het hun ambitie is om een nieuwe dynastie te vestigen.

# Koning Antiochus II verkoopt dorp

SARDES, 2 oktober 254 - Antiochus II, vorst over het Aziatische koninkrijk der Seleuciden, heeft in de hoofdstad Sardes bekend laten maken dat hij het dorp Pannu Come heeft verkocht aan zijn nicht en ex-vrouw Laodice. Pannu Come ligt in de buurt van de stad Cyzicus, iets ten oosten van de Hellespont [Noordwest-Turkije]. De verkoop omvat niet alleen het eigenlijke dorp en het omliggende land, maar ook alle bewoners ervan, vrijwel uitsluitend boeren. De boeren van Pannu Come zijn 'laoi', lijfeigenen.

Van oudsher is het land in Klein-Azië en elders in het voormalige Perzische Rijk in handen van grootgrondbezitters. De komst van de Macedonische koninkrijken heeft daarin weinig verandering gebracht. De koning bezit veruit het meeste land, maar in het Seleucidenrijk kunnen ook anderen grond bezitten. Zij moeten echter wel een deel van de opbrengst aan de vorst afstaan. Uiteraard innen de grootgrondbezitters daarnaast een deel van de oogst voor eigen gebruik.

Dit alles moet worden opgebracht door de 'laoi'. Zij zijn geen slaven, maar lijfeigenen; dat wil zeggen dat zij niet naar het land van een andere heer mogen verhuizen, bijvoorbeeld als die minder zware belastingen oplegt. Ook in het geval van Pannu Come is uitdrukkelijk bepaald dat Laodice nu recht heeft op de arbeid van alle bewoners, óók van degenen die inmiddels het dorp zijn ontvlucht. Overigens zijn het niet alleen particulieren of de koning die gebruik maken van 'laoi'; meer naar het oosten vindt men grote tempelcomplexen waar 'laoi' werkzaam zijn.

Antiochus heeft niet meegedeeld waarom hij Pannu Come aan Laodice heeft verkocht. De verkoop is opmerkelijk, omdat het circa vijftienduizend hectare grote landgoed voor een appel en een ei van eigenaar is veranderd. Daarom wordt aangenomen dat de verkoop bedoeld is als gebaar van goede wil.

**250** (circa). Bactrië en Parthië maken zich onafhankelijk van het Seleuciden-rijk.

**247.** De Chinese vorst Qin verovert Westelijk Zhou. →

**247.** Het Parthen-rijk scheidt zich onder Arsaces af van het Seleuciden-rijk.

**245** (circa). Asjoka van het Indische Maurya-rijk roept het Derde Boeddhistische Concilie bijeen.

**244.** Agis IV wordt koning van Sparta. Hij probeert de wetgeving van Lycurgus te herstellen.

**244.** De Romeinen bouwen een nieuwe vloot om de successen van de Carthaagse generaal Hamilcar Barcas een halt toe te roepen.

**241.** De Romeinse vloot verslaat de Carthaagse vloot in een zeeslag bij de Aegatische Eilanden. Carthago geeft zich over en dit betekent het einde van de Eerste Punische Oorlog. Rome bezet Sicilië en sticht daarmee de eerste Romeinse provincie.

**241.** De Derde Syrische Oorlog tussen de Egyptische koning Ptolemaeus III Euergetes en de Seleucidische koning Seleucus II wordt beëindigd. Ptolemaeus herovert de in de Tweede Syrische Oorlog verloren gegane gebieden in Syrië en Klein-Azië.

**241.** Koning Agis IV van Sparta wordt door tegenstanders van zijn hervormingspolitiek vermoord.

**240.** De huurlingen in het Carthaagse leger komen onder leiding van Spendius en Matho in opstand, omdat zij hun soldij niet ontvangen hebben.

**238.** Sardinië komt in opstand tegen Carthago en Rome maakt van de gelegenheid gebruik om het eiland te annexeren. Later in dit jaar weet Rome ook Corsica op Carthago te veroveren.

**237.** Carthago stuurt onder leiding van Hamilcar Barcas een leger naar Spanje. Dit is het begin van de Carthaagse machtsuitbreiding aldaar.

**235.** In Rome worden de deuren van de tempel van Janus gesloten als teken dat Rome niet meer in oorlog is.

**232.** In Epirus valt de monarchie en het land wordt een republiek.

**232.** In Rome wordt het op de Galliërs veroverde land, de Ager Gallicus, onder de plebejers verdeeld.

**232.** Asjoka, koning van het Maurya-rijk in India, overlijdt. Na zijn dood valt dit rijk snel uiteen. →

Gestorven:

**246.** Ptolemaeus II Philadelphus (308), Egyptisch koning

**246.** Antiochus II (circa 287), Seleucidisch koning.

## Keizer Asjoka van Maurya overleden

PATALIPUTRA, 232 - De vredelievende heerser van het machtige Maurya-rijk, keizer Asjoka, is overleden. Als kleinzoon van Candragupta Maurya erfde Asjoka veertig jaar geleden het gigantische rijk, dat hij nog uitbreidde met Kalinga bij de Mahanadi-rivier. Alleen het zuidelijkste deel van het schiereiland viel niet onder zijn heerschappij. Na de onderwerping van Kalinga bekeerde Asjoka zich tot de leer van de Boeddha en nam hij de politiek van de 'ahimsa' aan, die vrede en geweldloosheid voorstaat.

Uit een van de vele over het hele rijk verspreide inscripties die Asjoka liet optekenen op rotsblokken en pilaren, blijkt zijn 'wroeging over de verovering van Kalinga' in 260 waarbij '150 000 mensen werden gedeporteerd, 100 000 mensen werden vermoord en nog vele malen dat aantal omkwam...'. Asjoka zag vanaf dat moment af van verder geweld en legde zich toe op de bestrijding van armoede en onveiligheid.

Zo liet hij gratis ziekenhuizen en dierenklinieken bouwen, badplaatsen, waterbronnen en drinkplaatsen voor vee aanleggen, schaduwbomen planten en rusthuizen voor reizigers neerzetten.

Asjoka's afkeer van oorlog uitte zich in een aanzienlijke verkleining van het leger. Slechts op enkele plaatsen in het noordwesten bleven troepen gelegerd ter verdediging van de grenzen. Asjoka legde zich erop toe de 'veiligheid, zelfbeheersing, gemoedsrust en het geluk' van alle 'levende wezens' in zijn rijk te bewerkstelligen. In zijn pilaar-edicten adviseerde hij zijn 'kinderen' dan ook af te zien 'van het afslachten van levende wezens' (Asjoka was zelf vegetariër), 'medelijden' te hebben, 'oprecht' te zijn en tolerant ten opzichte van alle 'sekten'.

Dat Asjoka zelf een overtuigd boeddhist was blijkt niet alleen uit deze adviezen maar zeker ook uit de 84 000 over zijn hele rijk verspreide 'stupas', boeddhistische heiligdommen, die hij liet oprichten.

*Fragment van een reliëf aan de stupa van Sanchi, een beroemd vroeg-Indisch bouwwerk (3de eeuw).*

**230** (circa). In Centraal-India wordt de Satavahana-dynastie gesticht.

**229.** De Carthaagse legerleider Hamilcar Barcas verdrinkt tijdens zijn veldtocht in Spanje. Hij wordt opgevolgd door zijn schoonzoon Hasdrubal.

**229.** Antigonus III Doson wordt koning van Macedonië.

**229.** De Eerste Illyrische Oorlog breekt uit. Rome strijdt tegen de overlast van de Illyrische zeerovers.

**228.** Koningin Teuta van Illyrië geeft zich over aan Rome. Illyrië wordt een Romeins protectoraat.

**228.** De Cleomenische Oorlog tussen Sparta en de Achaeïsche Bond begint.

**227.** Koning Cleomenes III van Sparta verslaat de Achaeërs en voert in Sparta grootscheepse hervormingen door.

**226.** Rome sluit een verdrag met de Carthaagse legerleider Hasdrubal. De rivier de Ebro wordt als de grens van beider invloedssfeer in Spanje aangewezen.

**225.** De Romeinen verslaan de Galliërs in de Slag bij Telamon.

**224.** De Achaeïsche Bond sluit een bondgenootschap met de Macedonische koning Antigonus III Doson tegen Sparta.

**223.** De Seleucidische koning Seleucus III wordt, na een regeringsperiode van slechts drie jaar, vermoord en opgevolgd door Antiochus III de Grote.

**222.** De Romeinen boeken bij Clastidium een overwinning op de Galliërs.

**222.** De Macedonische koning Antigonus III Doson verslaat de Spartaanse koning Cleomenes III bij Sellasia en bezet Sparta. →

**221.** Qin Zheng wordt uitgeroepen tot eerste keizer van China. →

**221.** De Carthaagse legerleider Hasdrubal wordt in Spanje vermoord. Hij wordt opgevolgd door Hannibal, een zoon van Hamilcar Barcas.

**221.** Philippus V wordt koning van Macedonië.

**221.** Ptolemaeus IV Philopator wordt koning van Egypte.

Gestorven:

**229.** Hamilcar Barcas, Carthaags legerleider
**229.** Demetrius II (circa 276), Macedonisch koning
**226.** Seleucus II (circa 265), Seleucidisch koning
**223.** Seleucus III (circa 245), Seleucidisch koning
**221.** Ptolemaeus III Euergetes, Egyptisch koning
**221.** Antigonus III Doson (circa 263), Macedonisch koning
**221.** Hasdrubal, Carthaags legerleider

## Spartaanse koning lijdt nederlaag

SPARTA, zomer 222 - De Spartaanse koning Cleomenes III heeft bij Sellasia, een plaatsje vlak ten noorden van Sparta, een flinke nederlaag geleden tegen een alliantie van Griekse staten onder leiding van koning Antigonus III van Macedonië. Deze nederlaag betekent het einde van Cleomenes' sociale hervormingen, die Sparta zijn oude macht hadden moeten teruggeven.

Na de Slag bij Leuctra in 371 raakte Sparta ernstig verzwakt. Het aantal inwoners met volledig burgerrecht liep sterk terug, zodat Sparta voor zijn verdediging gebruik moest maken van (kostbare) huursoldaten. Bovendien gingen veel Spartanen gebukt onder schulden.

Cleomenes, die in 235 koning werd, stelde voor de problemen op te lossen door de 'staatsinrichting van de voorouders' (namelijk die van Lycurgus) te herstellen. Cleomenes was niet de eerste koning die deze oplossing aandroeg. Tussen 244 en 240 had koning Agis IV hetzelfde voorgesteld. In de praktijk hield zijn voorstel in dat alle schulden zouden worden kwijtgescholden en het land opnieuw, op rechtvaardige wijze, onder de Spartanen zou worden verdeeld. De andere koning van Sparta, de 'eforen' (hoogste magistraten) en de leden van de conservatieve raad van oude mannen ('gerousia') werkten hem echter tegen. In 240 werd Agis geëxecuteerd.

Cleomenes III, gehuwd met Agis' schatrijke weduwe Agiatis, probeerde het vijf jaar geleden opnieuw, gesterkt door zijn overwinning op Aratus, de aanvoerder van de Achaeïsche Bond (in het noorden van de Peloponnesos). Cleomenes liet enkele eforen vermoorden en schafte de gerousia en het eforaat af. Daarmee was hij feitelijk alleenheerser over Sparta. Conform zijn beloften werd het land opnieuw verdeeld. Zelfs 'perioiken' (omwonenden, min of meer vrije inwoners zonder burgerrecht) werden tot de burgerij toegelaten om die te vergroten. Daarna veroverde Cleomenes met zijn sterk uitgebreide burgerleger een groot deel van de Peloponnesos.

Maar zijn succes heeft niet lang geduurd. Aartsvijand Aratus riep de hulp in van de Macedonische koning Antigonus III. De burgers van Argos, die Cleomenes als overwinnaar hadden binnengehaald omdat ze dachten dat hij ook buiten Sparta het land zou herverdelen, werden in die verwachting teleurgesteld en liepen over. In een laatste desperate poging om zich staande te houden heeft Cleomenes zelfs de 'heloten' (horige boeren) van Sparta tot de burgerij toegelaten. Het heeft niet gebaat. Bij de Slag van Sellasia sneuvelden meer dan 6000 Spartanen. Cleomenes zelf is naar Alexandrië gevlucht.

# Koninkrijk Qin verovert Qi

LINZI, 221 - Aangevoerd door generaal Wang Ben zijn de legers van het koninkrijk Qin de hoofdstad van het koninkrijk Qi, Linzi, binnengetrokken. De koning van Qi, die het land 44 jaar heeft geregeerd, gaf zich zonder strijd over.

De val van Qi vormt de eindoverwinning van het koninkrijk Qin en het einde van de tijd van 'Oorlogvoerende Koninkrijken'. De afgelopen negen jaar zijn vijf koninkrijken vernietigd. Het zesde koninkrijk, Zhou, het restant van wat eens het domein van de Zhou-dynastie was, werd al in 247 onder de voet gelopen. De zegetocht van Qin is mogelijk gemaakt door een uitstekende militaire organisatie, het gebruik van terreur en het uitbuiten van onderlinge tegenstellingen binnen de wisselende coalities van koninkrijken die tegen de expansie van Qin werden gevormd.

De koning van Qin, Zheng, die de troon van zijn land in 246 als jongen besteeg, riep zichzelf uit tot 'De Eerste Keizer'. De uitdrukking voor keizer, 'Huangdi', verwees tot nu toe naar mythische heersers en godheden. De keizer kondigde aan dat zijn geslacht tot in de tweede, derde, tienduizendste generatie zal heersen over 'Tianxia' - het 'Onder de Hemel'.

Reeds tijdens de laatste fase van de veroveringsoorlog bleek dat de nieuwe keizer een aantal revolutionaire administratieve vernieuwingen wilde doorvoeren. Zo werden nieuwe gebieden niet als leengoederen aan zijn familieleden en dienaren gegeven maar kwamen onder direct gecentraliseerd bestuur te staan. Het 'Onder de Hemel' wordt na de val van Qi verdeeld in 36 prefecturen. Voorts kondigde de keizer meteen de volgende plannen aan:
- het overbrengen van 120 000 adellijke

*De Chinese keizer Zheng Huangdi maakt per draagstoel reizen door het land.*

families van onderworpen koninkrijken naar de omgeving van hoofdstad Qin;
- het instellen van een geünificeerd geldsysteem;
- het invoeren van een standaardbreedte van wielen op wagens;
- de bouw van een alomvattend systeem van wegen;
- de standaardisering van het schrift.
Overigens is met de vereniging van de Zeven Koninkrijken geen einde gekomen aan de expansie van Qin. Deze richt zich vooral op het dichtbevolkte zuiden terwijl in het noorden en het noordoosten de verdediging tegen nomaden zal worden voortgezet.

*Levensgrote soldaten en paarden uit het grafcomplex van keizer Zheng Huangdi, in 1974 bij de huidige plaats Xian opgegraven.*

**220.** Gaius Flaminius verovert Noord-Italië. →

**219.** Tussen de Seleucidische koning Antiochus III en de Egyptische koning Ptolemaeus IV Philopator breekt oorlog uit, de Vierde Syrische Oorlog.

**219.** In de Tweede Illyrische Oorlog verslaat Rome de Illyriërs definitief.

**218.** Begin van de Tweede Punische Oorlog tussen Rome en Carthago.

**218.** In Rome wordt de Lex Claudia aangenomen. →

**218.** Hannibal trekt met zijn leger over de Alpen en verslaat de Romeinen bij de Ticinus en de Trebia.

**217.** Hannibal rukt verder op naar het zuiden en verslaat de Romeinen bij het Trasimeense Meer.

**217.** In de Slag bij Raphia wordt de Seleucidische koning Antiochus III beslissend verslagen door de Egyptische koning Ptolemaeus IV Philopator. Antiochus verliest Zuid-Syrië; einde van de Vierde Syrische Oorlog.

**217.** Tussen de Macedonische koning Philippus V en de Aetoliërs wordt de Vrede van Naupactus gesloten. Dit betekent het eind van de Bondgenotenoorlog.

**216.** Hannibal brengt de Romeinen een vernietigende nederlaag toe in de Slag bij Cannae.

**215.** De Macedonische koning Philippus V sluit een verbond met Hannibal. Met dit verbond begint de Eerste Macedonische Oorlog tussen Rome en Macedonië.

**214.** In China begint het samenvoegen van de Grote Muur. →

**213.** In China vindt een verbranding van boeken plaats om de herinnering aan het verleden uit te wissen. →

**212.** De wis- en natuurkundige Archimedes sterft tijdens de belegering van Syracuse. →

**212.** De Seleucidische koning Antiochus III begint een veldtocht naar het oosten tot aan de Indus.

**212.** Publius Licinius Crassus wordt tot pontifex maximus gekozen. →

**211.** Syracuse wordt ingenomen door de Romeinen. →

Gestorven:

**219.** Cleomenes III (circa 260), Spartaans koning
**215.** Hiero II (circa 306), koning van Syracuse
**212.** Archimedes (287), Grieks wis- en natuurkundige

*Strijdtafereel op een sarcofaag.*

# Rome verovert Gallia Cisalpina

ROME, 220 - Onder leiding van Gaius Flaminius hebben Romeinse legioenen nagenoeg geheel Noord-Italië onderworpen en als nieuwe provincie Gallia Cisalpina ('Gallië aan deze zijde van de Alpen') bij het Romeinse Rijk ingelijfd. De steun van Midden- en Zuiditalische bondgenoten was hierbij van groot belang. De bondgenoten verleenden deze steun graag, om de barbaarse Gallische invallen van ruim anderhalve eeuw geleden te wreken.

Gallia Cisalpina is de vierde Romeinse provincie. Eerder werden Sicilië (241), Sardinië (237) en Corsica (237) tot provincie gemaakt. Deze provincies staan ieder onder het gezag van een 'praetor', die door de Senaat wordt aangewezen. Het ambt van praetor, in 367 in de stad Rome ingesteld ter ontlasting van de consuls, kan bekleed worden door zowel patriciërs als plebejers. Wanneer een praetor als gouverneur van een provincie optreedt, zijn zijn belangrijkste taken het handhaven van de rust in die provincie en het innen van belastingen. De praetor heeft dan dezelfde macht ('imperium') als de consul.

De inlijving van de eerste drie provincies werd mogelijk gemaakt door de Romeinse overwinning op de Noordafrikaanse stad Carthago, die een aantal steden op Sicilië beheerste. In de zogenaamde Punische Oorlog tegen Carthago, die in 264 begon, zat lange tijd weinig vooruitgang totdat Rome in 242 een beslissende vlootslag won. In deze slag introduceerden de Romeinen de 'corvus', een brede enterbrug die men op het vijandelijke schip laat vallen om net als op het land een gevecht van man tegen man te kunnen leveren. Na de nederlaag van Carthago waren zijn steunpunten op Sicilië geïsoleerd en gedwongen zich aan Rome over te geven. Door muiterij was Carthago vervolgens niet in staat weerstand te bieden aan de Romeinse invasie op Sardinië en Corsica, waar Carthaagse huurlingen massaal overliepen.

# Wet verbiedt nobilitas handel te drijven

*De winkel van een stoffenhandelaar (Romeins reliëf uit de 1ste eeuw).*

ROME, 218 - De Lex Claudia, ingediend door volkstribuun Quintus Claudius, is aangenomen. De nieuwe wet verbiedt leden van de nobilitas zich met grootschalige handelsactiviteiten bezig te houden. De nobiles, de leidende elite van patriciërs en rijke plebejers tussen wie de tegenstellingen nagenoeg zijn verdwenen, zijn voor hun inkomsten in het vervolg uitsluitend aangewezen op hun grondbezit, dat overigens vaak gigantische vormen heeft aangenomen. Over geheel Italië verspreid bezitten zij latifundia, uitgestrekte gebieden waar door slaven gewassen verbouwd en grote kudden vee gehoed worden. Daarnaast bezitten veel nobiles kleinere, gespecialiseerde landbouwbedrijven, waar druiven en olijven verbouwd worden.

De equites, de leden van de vroegere ruiterij, zullen door de nieuwe wet nog duidelijker dan voorheen een monopolie op handel en diensten kunnen uitoefenen. Velen van hen hebben zich al aanzienlijk verrijkt door mijnen te exploiteren of bankiersactiviteiten ter hand te nemen. Ook kunnen zij het recht van belastinginning in de provincies pachten. In dit laatste geval noemt men hen 'publicani'.

De Lex Claudia kon mede aangenomen worden doordat de nobiles in het algemeen op handel neerkijken. Landbezit biedt in hun ogen veel meer prestige en is een tamelijk risicoloze investering die veel winst oplevert. Bovendien staat het nobiles die toch met handel geld willen verdienen nog altijd vrij dit via hun cliënten te doen.

## Vervolging van geleerden in China

CHINA, 213 - Op aanraden van premier Li Si is in China een aanvang gemaakt met een grootscheepse vervolging van geleerden.

Minstens 460 geleerden zijn in de hoofdstad levend begraven. Bijna alle boeken zijn verboden. Met uitzondering van exemplaren die voor de keizerlijke bibliotheek zijn bestemd, werden de boeken in beslag genomen en verbrand.

Deze anti-intellectuele campagne volgt op een memorandum dat Li Si aan Qin Shihuang heeft voorgelegd. Daarin schreef hij onder andere dat de geleerden 'het verleden bestuderen om het heden te belasteren en het volk tot rebellie aan te zetten'.

Li stelde voor om 'de kronieken van alle staten met uitzondering van die van Qin te verbranden. Allen die de Vier Klassieken bezitten of andere werken van de Honderd Scholen dienen die naar het Bureau te brengen om verbrand te worden. Een ieder die het aandurft om discussie of commentaar te beginnen over *Historiën* of *Het Boek der Liederen,* zal bestraft worden met de dood. Degenen die de oude instituties aanprijzen teneinde het huidige regime te bekladden zullen worden uitgeroeid samen met alle leden van hun gezin.

De enige boeken die men in zijn bezit mag hebben zijn die over medicijnen, toekomstvoorspellen, landbouw en bosbouw'.

*Recente opname van de Chinese Grote Muur.*

## Verdedigingsmuur in China

CHINA, 214 - Op bevel van 'De Eerste Keizer' is een groot aantal dwangarbeiders begonnen aan het samenvoegen van een keten van verdedigingswerken in muurvorm in het noorden van China tot een Grote Muur. Deze activiteit is slechts een van de vele koortsachtige activiteiten die de keizer heeft verordonneerd sinds hij zeven jaar geleden de laatste vijandelijke staat in het eigenlijke China heeft bedwongen en zichzelf tot keizer heeft uitgeroepen.

Hij viel in het zuiden het halfbarbaarse Yue aan en vestigde na zijn overwinning vier nieuwe provincies: Nanhai, Guilin, Xiang, Jiaozi. Hij deporteerde een half miljoen mensen uit het noorden naar de nieuw veroverde gebieden om door onderlinge huwelijken het verschil tussen noord en zuid te doen vervagen.

In het noorden bracht zijn generaal Meng Tian aan het hoofd van een leger van 300 000 man gevoelige slagen toe aan de Xiongnu (Hunnen). Hij vestigde 44 nieuwe districten in de op hen veroverde gebieden. De Grote Muur moet dienen om ook in de toekomst te beletten dat de Xiongnu voortdurend China binnenvallen.

*De dood van Archimedes (mozaïek uit de 3de eeuw).*

## Dood Archimedes bij val Syracuse

SYRACUSE, 212 - De beroemde Syracusaanse geleerde Archimedes is tijdens de inneming van Syracuse (Sicilië) door een Romeinse soldaat gedood. Hij is ongeveer vijfenzeventig jaar oud geworden. Archimedes geldt als een vooraanstaand wiskundige, maar dankt zijn grootste bekendheid aan zijn wonderbaarlijke uitvindingen.

Toch heeft Archimedes zelf altijd meer waarde gehecht aan zijn wis- en natuurkundige studies. In het algemeen staan 'ingenieurswerk' en technologische vernieuwing in laag aanzien. Hoewel geleerden verscheidene apparaten hebben uitgevonden die het werk op het land en in andere sectoren van de economie aanmerkelijk efficiënter zouden maken, worden ze toch weinig toegepast. Een voorbeeld is Archimedes' waterschroef, een apparaat waarmee men met een betrekkelijk kleine krachtsinspanning water kan oppompen en dat desondanks nog weinig wordt gebruikt. Een van de redenen is dat veel Grieken zulke apparaten tegennatuurlijk vinden. Maar ook het feit dat er op het land meestal genoeg arbeidskrachten te vinden zijn, draagt ertoe bij dat men weinig belang hecht aan het kunstmatig vergroten van de efficiëntie: wie de produktie wil vergroten of versnellen, schakelt meer mensen in. De meeste van deze uitvindingen worden dan ook niet gedaan met het oog op praktische toepasbaarheid, maar ter ondersteuning van bepaalde natuurkundige ideeën.

Technologische vooruitgang wordt nog het meest gewaardeerd in de militaire sector. Het is dan ook geen toeval dat veel van Archimedes' constructies een militair doel hebben gediend: de verdediging van Syracuse. Een van zijn meest spectaculaire projecten was een kraan waarmee schepen voor de kust eerst enkele meters omhoog konden worden getild om ze vervolgens op het strand te pletter te laten vallen.

# Syracuse geeft zich over aan Romeinen

SYRACUSE, 211 - Syracuse is weer in Romeinse handen. De felle verdediging van de stad op Sicilië, waarbij gebruik gemaakt is van door de geleerde Archimedes ontworpen oorlogsmachines, is gestaakt en men heeft zich aan Rome overgegeven.

Evenals een aantal andere steden maakte Syracuse zich los van het Romeinse gezag na de verpletterende nederlaag die het leger van de Carthaagse aanvoerder Hannibal Rome bij Cannae vijf jaar geleden heeft toegebracht. De Romeinen verloren in die slag naar schatting tussen de vijftig- en tachtigduizend manschappen.

Het enorme leger van Hannibal was eerder met olifanten vanuit Spanje over de Pyreneeën en de Alpen Italië binnengetrokken, waar de kort geleden door Rome onderworpen Galliërs hem als bevrijder binnenhaalden. Deze inval markeerde het begin van de Tweede Punische Oorlog, die Rome in feite zichzelf op de hals haalde. In de ogen van Hannibal hadden de Romeinen namelijk het Ebroverdrag geschonden door in 220 in te grijpen in de interne politiek van de Spaanse stad Saguntum. Volgens dit verdrag van 226 zouden de Carthagers zich niet ten noorden van de rivier de Ebro vertonen.

Na successen in 218 en 217 bij de rivier de Trebia en het Trasimeense Meer

*Links: restanten van de verdedigingswerken van Syracuse. Rechts: Hannibal.*

rukten de Carthagers op naar Apulië, ondertussen een spoor van plundering en verwoesting door Italië trekkend. Daar de meeste Noord- en Middenitalische bondgenoten Rome echter trouw bleven, waanden de Romeinen zich sterk genoeg om Hannibal aan te vallen, nadat ze aanvankelijk een confrontatie vermeden hadden en tevreden waren geweest met het opjagen en

uitputten van de Carthagers. De nederlaag in 216 van de speciaal benoemde dictator Quintus Fabius Maximus bij Cannae was echter vernietigend.

Nog steeds echter heeft Rome op zee een groot overwicht op Carthago. Het leger van Hannibal is daardoor verstoken van voedseltoevoer, ook al omdat de plaatselijke Italische bevolking de Carthagers bijzonder vijandig gezind

is. Hannibal vormt daarom op dit moment geen werkelijke bedreiging. Zijn broer Hasdrubal probeert intussen in Spanje een leger op de been te brengen om de Carthagers in Italië te hulp te komen. Deze adempauze heeft Rome in de gelegenheid gesteld de afvallig geworden steden in Zuid-Italië en op Sicilië tot de orde te roepen, wat nu tot de herovering van Syracuse heeft geleid.

# Publius Licinius Crassus tot pontifex maximus gekozen

ROME, 212 - De bekende politicus Publius Licinius Crassus, behorend tot een vooraanstaand plebejisch geslacht, is door het Romeinse volk tot pontifex maximus gekozen. Crassus heeft eerder het ambt van aediel bekleed en verwierf grote populariteit met de door hem georganiseerde spelen. Als pontifex maximus zal Crassus leiding geven aan het college van priesters, de pontifices, bij wie de verantwoordelijkheid voor godenverering en religieuze handelingen berust. Een aantal van deze pontifices, augures genoemd, is gespecialiseerd in het waarnemen en interpreteren van voortekens, voornamelijk vogeltekens. De andere priesters hebben tot taak het ritueel bij de erediensten op juiste wijze te doen verlopen en de goden om goedkeuring te vragen bij buitenlandse politiek en oorlogshandelingen.

In tegenstelling tot de Grieken kennen de Romeinen geen theogonie (leer van de geboorte en afstamming der goden). Begrippen als trouw, eer en hoop worden als goden vereerd en slechts een klein aantal goden heeft een persoonlijke gedaante. Deze gepersonifieerde goden zijn voor het grootste gedeelte overgenomen van andere volkeren, hoewel zij Latijnse namen hebben ge-

*Vlnr: Zeus, Artemis, Hera en een Aphrodite met Pan en Cupido (Beeld uit een Hera-tempel).*

kregen. Jupiter is van hen de belangrijkste; hij is de beschermgod van Rome. Juno en Minerva waken respectievelijk over het welzijn van vrouwen en handwerkslieden, terwijl Mars, de beschermer van de akkers, als god van de oorlog geldt.

Naast deze in oorsprong Etruskische goden hebben de Romeinen een aantal Griekse goden geïntroduceerd. Apollo, die zijn Griekse naam en functie be-

houden heeft, werd in de loop van de 5de eeuw overgenomen, evenals Aphrodite, Artemis en Hermes, die door de Romeinen Venus, Diana en Mercurius worden genoemd. Met de Griekse goden hebben de Romeinen ook een groot gedeelte van de Griekse mythologie in hun religie gebracht.

De pontifices hebben het monopolie op religieuze kennis. Als enigen kennen zij de sacrale tradities en rituelen,

en zij ontlenen hieraan een aanzienlijke macht. De persoonlijke macht van de pontifex maximus is extra groot, doordat hij toezicht houdt op de Vestadienst. Deze godin beheert de haard van Rome, een altijd brandend vuur in de Vesta-tempel op het forum. De Vestaalse maagden, priesteressen van Vesta die een kuisheidsgelofte hebben afgelegd, vallen onder het directe gezag van de pontifex maximus.

# Qin Shihuang overleden

CHINA, 210 - Qin Shihuang is overleden tijdens een van de vele reizen die hij door zijn keizerrijk ondernam. Hij is 50 jaar oud geworden. Hij was koning van Qin gedurende 25 jaar en 12 jaar lang keizer van 'Onder de Hemel'.

De dood van Shihuang werd aanvankelijk geheim gehouden. Terwijl het keizerlijk gezelschap in aller ijl naar de hoofdstad terugkeerde liet men een kar met stinkende vis naast de keizerlijke koets rijden om de lijkstank te verbergen.

Onder leiding van premier Li Si werd een komplot gesmeed waaraan de jongste zoon van de keizer Er Si deelnam. Tot het komplot behoorde het maken van een vals testament van de keizer. Daarin werd aan zijn oudste zoon Fu Su en aan zijn meest bekwame generaal Meng Tian opdracht gegeven zelfmoord te plegen.

## Chinese keizerrijk van Qin-dynastie uiteengevallen

CHINA, 207 - Drie jaar na de dood van de eerste Qin-keizer en twee jaar na het begin van massale volksopstanden is de desintegratie van het keizerrijk volkomen. Nadat zijn oom Er Si tot zelfmoord was gedwongen besteeg Zi Jing de troon. Maar zijn titel was niet meer de keizer van 'Onder de Hemel' zoals die van zijn grootvader, maar simpelweg 'Koning van Qin'.

Zesenveertig dagen na het bestijgen van de troon gaf Zi Jing zich over aan Liu Bang, een voormalige boer die aan het hoofd van een leger van 100 000 man het grondgebied van de staat Qin binnentrok. Liu Bang is echter maar een van de vele aanvoerders van opstandelingenlegers die nu in China de dienst uitmaken. Bijna alle staten die door Qin waren verenigd, zijn hersteld. Al spoedig moest Liu Bang afstand doen van het gebied van Qin en genoegen nemen met de titel Koning van Han.

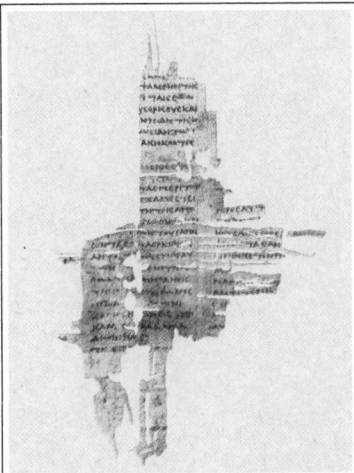

*Papyrusfragment van het vredesverdrag uit 201 tussen Rome en Carthago (2de eeuw voor Christus). Rome stelt in dit verdrag de heerschappij over het westelijk Middellandse-Zeegebied veilig, maar doet dit ten koste van ernstige binnenlandse moeilijkheden. Carthago moet zijn olifanten en oorlogsvloot (afgezien van tien schepen) aan Rome overgeven en een oorlogsschatting betalen.*

# Liu Bang wordt keizer

CHANGAN, 202 - De vroegere opstandelingenleider Liu Bang, die eerder tot koning van Han werd gekroond, is na het uitschakelen van zijn belangrijkste rivaal Xiang Yu tot eerste keizer van de Han-dynastie uitgeroepen. De overwinning van Han op de staat Chu volgde na vier jaar burgeroorlog. Mede door de drie jaar van opstanden die aan deze burgeroorlog voorafgingen heeft de oorlog verschrikkelijke gevolgen gehad voor de landbouwproduktie. Vele steden zijn verwoest, dammen en andere werken van irrigatie en drainage zijn beschadigd en in het land heerst chaos.

Een van de eerste decreten van de keizer was dat over demobilisatie. Soldaten die zich als boer vestigen, krijgen belastingvrijheid van zes tot twaalf jaar. Een ieder die in de jaren van chaos in krijgsgevangenschap raakte en ten gevolge daarvan als slaaf werd verkocht kreeg zijn vrijheid terug.

De nieuwe keizer wordt Gao Zu genaamd. Hij heeft zijn nieuwe hoofdstad in Changan gevestigd, niet ver van de vroegere hoofdstad van de eerste keizer van Qin.

*Dit aardewerken torenbouwsel is een grafgift uit de Han-tijd.*

*Antiochus III.*

# Griekse stad krijgt privileges

TEOS, 203 - Koning Antiochus III, die sinds 223 op energieke wijze het Seleucidenrijk in het Midden-Oosten regeert, heeft Teos, een Griekse stad aan de westkust van Klein-Azië, een aantal belangrijke privileges gegeven. Teos zal voortaan 'asylus' (onschendbaar) zijn.

De laatste decennia is er verscheidene keren om het bezit van Teos gestreden. Attalus I, de machthebber van Pergamum (in het noordwesten van Klein-Azië), is Teos onlangs kwijtgeraakt aan Antiochus III. Om het vertrouwen van de bevolking te winnen en zijn bezit te consolideren heeft Antiochus onlangs in eigen persoon de volksvergadering van Teos toegesproken en daar een reeks beloften gedaan.

Allereerst heeft hij toegezegd dat hij de stad en het bijbehorende platteland als heilig en 'asylus'-gebied zal beschouwen. Dit houdt in dat hij onrecht dat hem door één of meer burgers van Teos wordt aangedaan, niet op de hele stad zal wreken. Dit type wraak ('sylus') dient vaak om een oorlog te rechtvaardigen. Antiochus' belofte is dus feitelijk een niet-aanvalsverdrag.

Verder heeft hij uitdrukkelijk gesteld dat hij, anders dan Attalus I, van de burgers van Teos geen financiële bijdrage zal eisen. Deze toezegging valt bijzonder in de smaak, want Teos is door de voortdurende oorlogen en de door Attalus afgedwongen tributies vrijwel failliet. Uit dankbaarheid zullen er in de stad standbeelden van Antiochus worden opgericht.

Teos is zeker niet de enige Griekse stad die wordt bevoorrecht. Vrijwel alle koningen die regeren over delen van het eens door Alexander veroverde rijk, verlenen voorrechten aan Griekse steden. Enerzijds geven de verschafte privileges de Griekse burgers het gevoel dat zij tot op zekere hoogte onafhankelijk en vrij zijn; anderzijds zijn zij voor de koningen juist een middel om de stedelingen met zachte hand aan zich te binden. In het verleden is gebleken dat dit effectiever is dan de harde methode, waarbij een gehaat garnizoen de burgers de wet voorschrijft.

## IJzerbewerking bij Nok

AFRIKA, 200 - De Nok-cultuur heeft in Afrika niet alleen de ijzerbewerking geïntroduceerd, maar tevens de eerste Afrikaanse negerkunst van hoog niveau afgeleverd.

Deze negerstam, wonend in de omgeving van het dorp Nok in het noorden van Nigeria, heeft als eerste in West-Afrika ijzerbewerking toegepast bij de vervaardiging van landbouwwerktuigen. Daardoor kon deze stam zich gedurende de laatste drie eeuwen ontwikkelen van een volk van voedselverzamelaars tot een van echte landbouwers.

Maar het zijn in de eerste plaats de stijlvolle terracotta figuren die het bewijs van hun grote culturele prestaties leveren. Naast de afbeeldingen van planten, insekten en andere dieren vallen vooral de levensgrote beelden van mensen door hun artistieke kwaliteiten op. Kenmerkend zijn de wijdopen ogen en monden met brede lippen en de gestileerde gelaatstrekken. Ook sieraden, armbanden, parelsnoeren, beenstukken en kunstig opgemaakte haar-

*Voorbeeld van de gestileerde portretkunst uit de Nok-cultuur.*

strengen, die vaak onder opvallende hoeden schuilgaan, wijzen erop dat nu ook in zwart Afrika een hoogstaande cultuur bloeit.

## Vrijheid Griekse steden

*De restanten van het Zeusaltaar op de akropolis van Pergamum in Klein-Azië.*

KORINTHE, 196 - De Romeinse legeraanvoerder Titus Quinctius Flamininus heeft tijdens de Isthmische Spelen plechtig de vrijheid en autonomie van de Griekse steden geproclameerd. Hiervan profiteren ook de steden aan de Ionische kust.

Door de belofte tot teruggave van de vrijheid hebben de Romeinen veel steun gehad van de Griekse steden in hun strijd tegen Macedonië. Deze oorlog begon in 200, na lange aarzeling van zowel de Senaat als de comitia centuriata. Rome had alle reden om Macedonië aan te vallen, vanwege de steun die de Macedonische koning Philippus V aan Carthago gegeven had. De werkelijke beslissing om de oorlog te ver-

klaren kwam echter pas toen de Romeinse bondgenoten Rhodos en Pergamum een beroep op Rome deden. Zij voelden zich bedreigd door de Macedonische wens Griekenland in te lijven. Hoewel Rome zowel te land als ter zee verre superieur was, duurde de oorlog, door de ongeïnteresseerde houding van de Senaat, drie jaar. Pas vorig jaar, toen Flamininus het bevel op zich nam, werd een doorbraak geforceerd. Bij Cynoscephalae leed de Macedonische vloot een beslissende nederlaag. Philippus heeft zijn vloot moeten inleveren en kan door Rome gemakkelijk in de gaten gehouden worden. Flamininus is intussen de held; hij is in Korinthe als bevrijder toegejuicht.

# Maatregelen Senaat tegen bacchanalia

*Vrouw en satyr in gevecht (muurschildering uit Pompeji).*

ROME, 186 - De Senaat heeft drastische maatregelen getroffen tegen deelnemers aan de zogenaamde bacchanalia. In deze geheime riten wordt de god Bacchus, de Romeinse evenknie van de Griekse god Dionysus, vereerd. Hoewel Bacchus ook een plaats heeft in de Romeinse staatsgodsdienst, gelden de bacchanalia als verdacht. Zij vinden verschillende keren per maand 's nachts plaats, onder leiding van een priester(es). Alleen ingewijden hebben toegang tot de riten. Over wat zich allemaal afspeelt tijdens die nachtelijke cultus doen de wildste verhalen de ronde.

De bacchanalia vormen een onderdeel van een wijdverbreide mystieke beweging, die via het Griekse Zuid-Italië en de Etrusken in Rome terecht is gekomen. Hoewel aanvankelijk alleen vrouwen tot de mysteriecultus werden toegelaten, konden de laatste jaren in Rome ook mannen in de riten ingewijd worden.

De senaat heeft aan deze praktijken nu een einde gemaakt. De waarschijnlijke reden daarvoor is dat men meent dat de cultus te grote proporties heeft aangenomen. Door het grote aantal deelnemers kan immers de stabiliteit van de officiële staatsreligie in gevaar komen, waardoor de maatschappelijke verhoudingen ontwricht zouden kunnen worden. Tegen de naar schatting zevenduizend deelnemers is vervolging ingezet. Velen van hen zullen de doodstraf krijgen. De beschuldigingen tegen de deelnemers lopen uiteen van zedeloosheid en ontucht tot moord en frauduleuze handelingen. De aanklachten zijn gebaseerd op geruchten, niemand kent de feiten. In de toekomst zal nog slechts de officiële Bacchusverering door de autoriteiten worden toegelaten. Op iedere poging de bacchanalia te doen herleven staat de doodstraf, en alle cultusplaatsen in Italië zullen worden vernietigd.

Hiermee is overigens geen einde gekomen aan het bestaan van mysteriegodsdiensten te Rome. Naast de bacchanalia bestaat nog een aantal andere geheime orgiastische culten. Deze culten zijn echter aanzienlijk kleiner in omvang en niet bedreigend voor de staatsorde. Het ziet er dan ook naar uit dat de Romeinse overheid deze culten voorlopig met rust zal laten.

*Het Pergamum-altaar.*

## Voordelige vrede voor Pergamum

APAMEA, 188 - In Apamea, een plaatsje midden in Klein-Azië, is een vredesverdrag gesloten tussen koning Antiochus III, heerser over het rijk der Seleuciden in het Midden-Oosten, en de Romeinen. De vrede is zeer voordelig voor Pergamum, het koninkrijk der Attaliden in het noordwesten van Klein-Azië. De koning van Pergamum, Eumenes II, mag van de Romeinen namelijk in ruil voor bewezen diensten een groot deel van Klein-Azië aan zijn territorium toevoegen.

Het rijk der Attaliden is in 261 ontstaan. Toen veroverde Eumenes I de stad Pergamum op de Seleucidische vorst Antiochus I. Eumenes' opvolger, Attalus I (241-197), nam als eerste de koningstitel aan, in navolging van andere heersers in het eens door Alexander veroverde wereldrijk. Hij had daar reden toe, want hij slaagde erin een groot deel van Klein-Azië onder zijn heerschappij te brengen. Maar Attalus verloor het veroverde gebied weer, zodat zijn zoon Eumenes II, toen hij op de troon kwam, weer van voren af aan kon beginnen.

Dat Eumenes erin is geslaagd binnen korte tijd te heroveren wat zijn vader verloor, is niet alleen aan zijn militaire, maar ook aan zijn diplomatieke kwaliteiten te danken. Al in een vroeg stadium zag hij in dat een confrontatie tussen Rome en Antiochus III door de Romeinen in hun voordeel zou worden beslist. Hij sloeg daarom Antiochus' voorstel tot de vorming van een alliantie af. In plaats daarvan bewoog hij de Romeinen ertoe niet slechts de Griekse steden op het Griekse vasteland, maar ook die in Klein-Azië te 'bevrijden', uiteraard met zijn hulp. Zijn opzet heeft succes gehad. Antiochus heeft zich teruggetrokken uit vrijwel geheel Klein-Azië. De Romeinen hebben deze streek nu aan Eumenes toegewezen.

Hoewel Pergamum al een van de meest welvarende staten in de Griekse wereld is hebben de Romeinen Antiochus ook nog gedwongen tot het betalen van een schadeloosstelling aan Eumenes.

# Ptolemaeus V verbiedt uitvoer papyrus

ALEXANDRIE, circa 190 - Ptolemaeus V heeft de uitvoer van papyrus naar Pergamum stilgelegd. Hierdoor wordt de machtige rivaal van Alexandrië zwaar getroffen. De bibliotheek van de stad wedijvert met die van Alexandrië om de eerste plaats. De rijkdom van de heersers van Pergamum is spreekwoordelijk. De Pergameense vorst, Eumenes II, zal de Kleinaziatische traditie om op geprepareerde huiden te schrijven, weer in ere moeten herstellen. Maar pas door verdere perfectionering van de fabricage van dit 'perkament' kan het tot een goede vervanging van papyrus gemaakt worden.

Het schrijfmateriaal wordt gemaakt van de papyrusplant, die goed gedijt in de deltamoerassen van Egypte. De driehoekige stengel wordt in stukken van 40 cm gesneden. Deze worden geschild in repen, die aan elkaar bevestigd blijven. Zij worden plat neergelegd en op maat gesneden. Daarop legt men dwars een tweede laag. Door hameren en walsen plakken beide lagen aan elkaar, zonder dat daarvoor lijm nodig is. De luchtvaten in de stengel

*Fragment uit het dodenboek van Ani (papyrus uit circa 100 voor Christus).*

zuigen, onder druk, aan elkaar. Na polijsten beschikt men over een schrijfmateriaal van hoge kwaliteit: het is sterk en licht van gewicht.

Het perkament vindt dan ook gretig aftrek in de landen rond de Middellandse Zee en is een grote bron van inkomsten voor de Ptolemaeën. Fabricage en export van het schrijfmateriaal zijn in handen van de Egyptische farao. Het Griekse woord 'papyrus' is waarschijnlijk een verbastering van het Egyptische 'paper-aa' dat betekent: 'wat de koning toebehoort.'

**180.** In China overlijdt keizerin Lu.

**180** (circa). Grieks-Bactriërs krijgen de hele Punjab onder controle.

**180.** In Rome regelt de Lex Villia Annalis de cursus honorum en bepaalt de minimumleeftijd voor elk ambt.

**180.** Rome verslaat de Liguriërs en laat 40 000 Liguriërs deporteren. Op deze wijze rondt Rome de onderwerping van geheel Italië af.

**180.** De oorlog tussen de koninkrijken Pontus en Pergamum wordt beëindigd.

**179.** In Rome wordt de Pons Aemilius in gebruik genomen. Dit is de eerste Romeinse stenen brug.

**179.** Liu Huan wordt keizer van China. →

**179.** De Macedonische koning Philippus V overlijdt. Hij wordt opgevolgd door zijn zoon Perseus, die de laatste Macedonische koning is.

**179.** Tiberius Gracchus maakt door het sluiten van verdragen een eind aan de Romeinse oorlogen in Spanje.

**177.** Istrië wordt door de Romeinen veroverd.

**177.** De Romeinse consul Tiberius Gracchus onderwerpt Sardinië.

**175.** De Seleucidische koning Seleucus IV wordt vermoord. Hij wordt opgevolgd door zijn broer Antiochus IV.

**173.** In Rome zijn er voor de eerste keer twee plebejers tegelijkertijd consul.

**172.** Koning Eumenes II van Pergamum reist naar Rome om de Senaat te waarschuwen tegen het gevaar van de Macedonische koning Perseus.

**171.** Rome verklaart de Macedonische koning Perseus de oorlog. Dit is de Derde Macedonische Oorlog.

**171.** Koning Antiochus IV vervangt de joodse hogepriester Jason door Menelaos. →

Geboren:

**180.** Lucilius († 102), oudste Romeinse satirendichter
**172.** Antiochus V († 162), Seleucidisch koning

Gestorven:

**179.** Philippus V (238), Macedonisch koning
**175.** Seleucus IV (circa 218), Seleucidisch koning

# Liu Huan wordt keizer Wen

CHANGAN, 179 - Liu Huan, de derde zoon van Gao Zu, de eerste keizer van de Han-dynastie, is zijn vader opgevolgd onder de naam Wen Di (keizer Wen). De troonopvolging van Liu Huan werd mogelijk na de dood van keizerin Lu en het uitmoorden van haar familieleden. De keizerin en haar familie hadden tot dan toe de feitelijke macht over de staat.

In 195 was keizer Gao Zu gestorven op de leeftijd van 52 jaar als gevolg van een verwaarloosde wond: de minachting die de monarch ten opzichte van geleerden ten toon spreidde, strekte zich ook tot artsen uit. Toen zijn zoon Hui de troon besteeg kwam de macht in handen van de weduwe van Gao Zu, keizerin Lu. Een van haar eerste daden als regentes was het doodmartelen van een geliefde concubine van haar overleden man. Nadat haar zoon Hui in 188 als gevolg van een losbandig leven was gestorven, zette ze haar despotisch en wreed bewind voort in naam van minderjarige heersers tot haar eigen dood vorig jaar. Tijdens haar leven kregen leden van haar familie en clan de belangrijkste posten in regering en aan het hof. Na haar dood organiseerde de Liu-clan (familie van de eerste keizer van de Han-dynastie) echter een paleis-

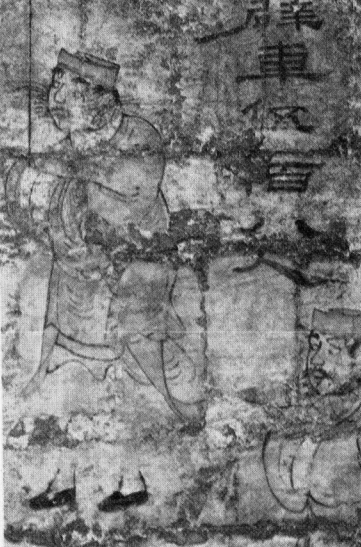

*Twee ambtenaren. Muurschildering uit een Han-graftombe.*

coup en moordde de hele Lu-clan uit. Wen Di staat bekend als een getalenteerd, bescheiden en spaarzaam man. Zijn troonsbestijging werd met opluchting begroet door allen die onder de willekeur en wreedheid van keizerin Lu hebben geleden.

# Val hogepriester Jason

JERUZALEM, 171 - De joodse hogepriester Jason is door koning Antiochus IV onvoldoende energiek bevonden in zijn pogingen het hellenisme te bevorderen en is vervangen door Menelaos. Jason is gevlucht, en in de straten van Jeruzalem zijn gevechten uitgebroken. Het is de vraag of Menelaos, die ook via omkoping aan de macht is gekomen, voldoende gezag bezit hier een eind aan te maken.

Het hogepriesterschap is het belangrijkste ambt in het politiek onbetekenende Judea, zoals Juda werd genoemd na de verovering door Alexander de Grote in 332. Na diens dood negen jaar later stond Palestina eerst onder heerschappij van de Ptolemaeën en vanaf 198 onder bestuur van de Seleuciden.

Egypte was het voornaamste gebied in het rijk der Ptolemaeën en vele joden hebben zich indertijd gevestigd in Alexandrië. Hier genoten ze volledige godsdienstige en culturele autonomie; het Alexandrijnse burgerrecht stond echter alleen open voor degenen die hun vroegere godsdienst afzwoeren ten gunste van de goden van de Griekse polis. Van wederzijdse beïnvloeding was toch sprake; de hier woonachtige joden noemen zich 'Grieken van het joodse geloof'.

Het centrum van het rijk van de Seleuciden wordt gevormd door Babylonië. In 198 dwongen zij Egypte Palestina op te geven om vervolgens op krachtdadige wijze de bevordering van het hellenisme ter hand te nemen. Aan de traditionele autonomie van Judea kwam een einde toen de Tempel in Jeruzalem door Antiochus werd geplunderd ter bestrijding van de kosten van de militaire expedities tegen Egypte.

Jason, afkomstig uit de aristocratische Oniad-familie, had zijn hoge ambt via een bedrag van 440 talenten zilver aan steekpenningen verkregen. Zijn volgende verzoek aan de koning, het bouwen van een gymnasium (sportschool) in Jeruzalem, liet hij vergezeld gaan van een bedrag van 150 talenten. Al in 173, twee jaar na het aan de macht komen van koning Antiochus IV Epiphanes, begon Jeruzalem de kenmerken van een Griekse stad te vertonen. Jonge priesters beoefenen naakt allerlei sporten en vanuit Jeruzalem worden atleten naar Tyrus gezonden voor internationale wedstrijden die aan de goden worden opgedragen. Langzamerhand maken de priestergewaden plaats voor Griekse kledij. De stad telt 1500 priesters en een rijke bovenlaag die profiteert van het hellenisme als schakel tussen Jeruzalem en de wereld. Onder de religieuze massa van joden die trouw bleven aan de Wet van Mozes zijn populistische leiders opgestaan, de Vromen (Chassidem in het Hebreeuws) die gehoorzaamheid aan de Tora eisen.

**169.** In Rome beperkt de Lex Voconia, de mulierum hereditatibus, het erfrecht van de vrouw.

**168.** De Macedonische koning Perseus lijdt in de Slag bij Pydna een vernietigende nederlaag tegen het Romeinse leger. Deze nederlaag betekent het einde van de Derde Macedonische Oorlog.

**168.** Rome dwingt Antiochus IV zich uit Egypte terug te trekken. Dit betekent het einde van de oorlog tussen de Ptolemaeën en de Seleuciden.

**168.** Het eiland Delos wordt tot vrijhaven uitgeroepen.

**167.** Macedonië wordt door Rome verdeeld in vier republieken, elk onder een eigen bestuur dat nauwlettend door de Romeinen wordt gecontroleerd.

**167.** Duizend van de meest vooraanstaande leden van de Achaeïsche Bond worden als gijzelaar naar Rome gebracht. Onder hen bevindt zich de geschiedschrijver Polybius.

**167.** In Judea breekt onder de joden een opstand uit tegen de Seleucidische koning Antiochus IV en diens helleniseringspolitiek. Leider van deze opstand is Juda de Makkabeeër. →

**165.** De Seleucidische koning Antiochus IV onderneemt een veldtocht naar het oosten om een eind aan de dreiging van de Parthen te maken.

**165** (circa). De drie Tamil-koninkrijken in Zuid-India, Tjera, Tjola en Pandya, sluiten een verbond tegen invallen uit Kalinga.

**164.** De Egyptische koning Ptolemaeus VI Philometor wordt door zijn broer, Ptolemaeus VIII Euergetes II, van de troon verjaagd. Hij wordt door Rome echter weer op de troon gezet.

**164.** Juda de Makkabeeër bevrijdt Jeruzalem en herstelt de joodse eredienst. →

**164.** Rome verovert Thracië. →

**162.** De Seleucidische koning Antiochus V wordt vermoord door zijn oom Demetrius, die zelf als Demetrius I op de Seleucidische troon komt.

**161.** Juda de Makkabeeër sluit een verdrag met Rome.

Geboren:

**170** (circa). Attalus III († 133), koning van Pergamum

Gestorven:

**169.** Ennius (239), Romeins dichter
**163.** Antiochus IV (circa 215), Seleucidisch koning
**162.** Antiochus V (172), Seleucidisch koning

# Antiochus geeft Egypte op

*Munt met het portret van Antiochus IV Epiphanes.*

ALEXANDRIE, juli 168 - Antiochus IV, de koning van het Seleucidenrijk in het Midden-Oosten, heeft onder Romeinse druk de bezetting van Egypte beëindigd. Zijn vertrek betekent tegelijk ook het einde van de zesde oorlog tussen de Ptolemaeën (vorsten van Egypte) en de Seleuciden om het bezit van Zuid-Syrië.

Syrië is al sinds 301 omstreden gebied. In dat jaar werd het noorden toegewezen aan Seleucus I en het zuiden aan Ptolemaeus I. Sindsdien hebben de Seleuciden geprobeerd ook Zuid-Syrië (of 'Coele Syrië') aan hun rijk toe te voegen. Dat lukte Antiochus III in 201. Daarna verzoende Ptolemaeus V van Egypte zich met de Seleuciden en huwde hij een Seleucidische prinses, Cleopatra I. Maar in de onzekere, door pa-

leisintriges geplaagde periode die volgde op de dood van Ptolemaeus V (180) en Cleopatra I (176), kregen voorstanders van herovering van Coele Syrië weer een kans. Hoewel Egypte bestuurlijk ernstig was verzwakt, begon het in 170 de oorlog. Op dat moment werd het rijk geleid door drie kinderen van Ptolemaeus V: Ptolemaeus VI, Ptolemaeus VIII en hun zuster Cleopatra II (tevens de echtgenote van Ptolemaeus VI).

Al snel bleek dat Antiochus IV de sterkere was. Vorig jaar was hij zelfs in staat het platteland van Egypte zelf - dat wil zeggen: alles behalve de stad Alexandrië - te bezetten. Ptolemaeus VI was geneigd Antiochus' overwinning te accepteren.

Gealarmeerd door deze situatie is er nu echter door de Romeinse Senaat ingegrepen. Rome zou niet graag zien dat Antiochus heer en meester wordt over een rijk dat zowel het Midden-Oosten als het welvarende Egypte omvat. Daarom heeft Gaius Popillius Laenas, een Romeinse gezant, Antiochus met oorlog gedreigd als hij zich niet uit Egypte terugtrekt.

Antiochus heeft inmiddels de aftocht geblazen. Wel houdt hij zeggenschap over Coele Syrië. Naar verwachting zal hij daar, net als in de rest van zijn rijk, streven naar een vérgaande hellenisering ('vergrieksing') van de autochtone notabelen. Zo'n helleniseringspolitiek is naar zijn mening het beste middel om het Seleucidenrijk tot een hechte eenheid te smeden.

*Ruiter in pantserhemd op een hengst (verguld zilver).*

# Rome verovert Thracië

THRACIE, 164 - De Romeinen zijn het gebied tussen Macedonië en de Zwarte Zee binnengetrokken en hebben de Thracische stammen onderworpen. Met deze verovering van Thracië is een eind gekomen aan een lange periode van invasies uit het westen. Door de vele oorlogen is de eens zo rijke cultuur van de Thraciërs langzamerhand in verval geraakt. De veldtochten van de Macedoniërs, de Kelten en ten slotte de Romeinen hebben het land verwoest en de economische en militaire hulpbronnen van de Thraciërs uitgeput.

Thracië bereikte in het midden van de 6de eeuw een grote bloei. De Grieken vestigden vele kolonies aan de Thracische kust en bouwden tempels, theaters en prachtige huizen. Ze profiteerden van de rijkdom van het goud, zilver en brons in Thracië door veel voorwerpen en vaatwerk te maken. En op de Thracische markten kon men naast al die voorwerpen ook kostbare stoffen en sieraden krijgen. De rijkdom aan metalen en de bloeiende handel van de Thraciërs met de Grieken en de Perzen zorgden ervoor dat het gebied dat vóór de 6de eeuw in een isolement had verkeerd, tot grote bloei kwam.

Beroemd zijn vooral de Thracische gouden voorwerpen en sieraden, die wijzen op een hoog cultuurniveau. Ze zijn vaak bijzonder luxueus uitgevoerd en prachtig versierd. Veel goud betekende veel aanzien. Rijke inwoners van Thracië tooiden zich met gouden armbanden, ringen en halskettingen. Zelfs werden bronzen helmen en harnassen verguld om ze nog meer waard te maken en de status van de drager te verhogen. En als iemand van de Thracische adel stierf, werd hij begraven met gouden, zilveren en bronzen voorwerpen en sieraden.

De vele invasies en oorlogen hebben de cultuur en rijkdom van Thracië echter ernstig aangetast.

# Opstand van de Makkabeeërs in Jeruzalem

JERUZALEM, 164 - Acht dagen heeft de viering van de herinwijding van de Tempel geduurd. De troepen van rebellenleider Juda 'de Makkabeeër' (hamer) zoals zijn bijnaam luidt, gebruikten als tijdelijke vervanging voor de gouden kroonkandelaar de holle uiteinden van hun speren. Hierdoor stroomde de olie die werd aangestoken om het 'eeuwig licht' te verbeelden. Het ligt in de bedoeling dit 'Chanoekafeest' jaarlijks te vieren. De oorspronkelijke kandelaar is drie jaar geleden, toen de religieuze vervolgingen een aanvang namen, omgesmolten door de troepen van koning Antiochus IV.

De voorgeschiedenis van de opstand begint in de herfst van 170, toen Antiochus IV Epiphanes Egypte binnentrok en op Alexandrië na het land in bezit nam. Het gerucht dat de koning van het Seleucidische rijk hierbij de dood gevonden had stak toen de kop op waarop ex-hogepriester Jason in 169 met enkele getrouwen terugkeerde uit zijn schuilplaats in Transjordanië. Zij trachtten Jeruzalem in te nemen op de Vromen die hun stad tegelijkertijd moesten verdedigen tegen de troepen

*Juda de Makkabeeër.*

van hogepriester Menelaos. Toen verscheen Antiochus voor de poorten van de stad, die voor hem werden geopend. Hij beschouwde alle tegenstanders van Menelaos als rebellen en liet een troepenmacht van 20 000 man onder het commando van Apollonius een ware slachting onder de vrome joden aanrichten. Ter bescherming van de hem loyaal gezinde joden versterkte hij de

Tempel. Daarna ging Antiochus ertoe over joodse religieuze wetten te verbieden en ontwijdde hij de Tempel. Op ongehoorzaamheid stond de doodstraf. Toen koninklijke troepen vervolgens met geweld joden dwongen openlijk de Tora te beschimpen was ook voor vele hem gunstig gezinden de maat vol. Voor de eerste maal in hun geschiedenis werd het de joden verboden hun godsdienst uit te oefenen zodat velen naar de bergen vluchtten.

Onder hen was de oude priester Matthias, uit de zeer gewaardeerde familie der Hasmoneeën. Hij vermoordde een jood omdat deze dreigde een koninklijk beambte te gehoorzamen die de ongelukkige bevolen had een offer aan Zeus te brengen. Met vijf zonen kwam Matthias in het dorpje Modin aan, van waaruit de opstand losbarstte. Vorige lente stierf hij, waarna zijn oudste zoon Juda het commando op zich nam. De slecht bewapende guerrilla's wisten een legermacht van gouverneur Apollonius te verslaan, wiens zwaard voortaan door Juda met meer succes werd gehanteerd. Op 16 oktober heroverden de rebellen onder zijn leiding de Tempel.

*Thracische godin (goud en zilver).*

**160.** Juda de Makkabeeër wordt verslagen door de Seleucidische koning Demetrius I. Hij sneuvelt en wordt opgevolgd door zijn broer Jonatan.

**160.** De Parthische koning Mithradates I verovert Medië.

**159.** Koning Eumenes II van Pergamum overlijdt. Tijdens zijn regering werd Pergamum het culturele centrum van de hellenistische wereld. Hij wordt opgevolgd door Attalus II.

**157.** Rome onderneemt veldtochten naar Dalmatië.

**157.** Jonatan de Makkabeeër sluit vrede met de Seleucidische koning Demetrius I.

**155.** Dalmatië wordt door Rome onderworpen.

**154.** De Lusitaniërs, bewoners van het gebied dat nu Portugal heet, raken in oorlog met Rome.

**153.** In Rome wordt het begin van de ambtstermijn van de consuls verschoven van 15 maart naar 1 januari.

**153.** De Celtiberi in Spanje komen in opstand tegen Rome.

**152.** De Numidische koning Masinissa onderneemt veroveringstochten op Carthaags grondgebied.

**151.** Carthago verklaart de Numidische koning Masinissa de oorlog.

**151.** De Romeinse proconsul Marcus Claudius Marcellùs herstelt de rust in Spanje.

**151.** De Griekse cultuur krijgt steeds grotere invloed in Rome. →

Geboren:

**157** (circa). Gaius Marius († 86), Romeins legerleider en staatsman

Gestorven:

**160.** Juda de Makkabeeër, joods verzetsleider
**159.** Terentius (circa 195), Romeins komediedichter
**159.** Eumenes II, koning van Pergamum

## Griekse cultuur in Rome

*Hermes van Praxiteles.*

ROME, circa 150 - Het is de laatste decennia steeds duidelijker geworden dat de Grieken, hoewel militair door de Romeinen overvleugeld, op cultureel gebied verre superieur zijn. Ook de Romeinse aristocratie heeft dit erkend.
Zowel door de nabijheid van Griekse steden in Zuid-Italië en op Sicilië als door de veroveringsoorlogen in de hellenistische wereld zijn de Romeinen in nauw contact gekomen met de Griekse cultuur. De Romeinse aristocratische toplaag, in oorsprong boers van karakter, heeft vele aspecten van deze cultuur met enthousiasme overgenomen.
Adellijke Romeinse kinderen worden tegenwoordig veelal opgevoed door een Griekse pedagoog, buitenhuizen aan de baai van Napels worden ontworpen door Griekse architecten en banketten worden opgefleurd door de kunsten van Griekse acteurs, zangers, musici en dansers. Ook de medische en de literaire wereld worden gedomineerd door Griekse invloeden. Zo zijn de succesvolle komedies van de dichter Plautus bewerkingen van stukken uit de Griekse 'Nieuwe Komedie'.
Culturele clubs, waartoe vele belangrijke politici behoren, maken diepgaande studie van de Griekse literatuur, filosofie en retorica. Zij worden daarbij geholpen door de aanwezigheid in Rome van vooraanstaande Griekse schrijvers, van wie de historicus Polybius de belangrijkste is. Hij is bevriend geraakt met Scipio Aemilianus en geniet alom groot aanzien.
Ook het gezicht van de stad Rome krijgt een hellenistisch karakter. Overal worden tempels en zuilengalerijen gebouwd, en op het forum zijn drie basilica's verrezen. Zij die zich dat kunnen veroorloven verfraaien hun huis en tuin met uit Griekenland gehaalde beeldhouwwerken, of met getrouwe Romeinse kopieën daarvan.
Eigenlijk alleen de Romeinse rechtspraak blijft gevrijwaard van Griekse invloed. Er bestaat inmiddels een corpus van rechtsregels, gebaseerd op edicten van individuele praetoren, dat nog steeds uitgebreid wordt.

**150.** De Seleucidische koning Demetrius I sneuvelt in de strijd tegen de troonpretendent Alexander Balas, die hem als koning opvolgt.

**150.** De Numidische koning Masinissa verslaat de Carthagers.

**149.** In Rome wordt de Lex Calpurnia aangenomen. →

**149.** Rome verklaart Carthago de oorlog, omdat Carthaagse troepen zonder toestemming van Rome de Numidische koning Masinissa bestreden hadden, wat een schending van het vredesverdrag van 201 betekent. Dit is het begin van de Derde Punische Oorlog.

**149.** In Macedonië breekt onder leiding van Andriscus een opstand tegen Rome uit. Dit betekent het begin van de Vierde Macedonische Oorlog.

**148.** De Romeinse praetor Quintus Caecilius Metellus slaat de opstand in Macedonië neer. De Vierde Macedonische Oorlog is afgelopen en Macedonië wordt een Romeinse provincie.

**147.** In Lusitanië boekt de verzetsleider Viriathus enige successen in de strijd tegen Rome.

**147.** In Griekenland komt de Achaeïsche Bond in opstand tegen Rome.

**146.** De Romeinse consul Lucius Mummius verslaat de Achaeïsche Bond en verwoest Korinthe.

**146.** De Romeinse consul Scipio Aemilianus verovert en verwoest Carthago. Dit is het einde van de Derde Punische Oorlog. Het grondgebied van Carthago wordt de Romeinse provincie Africa. →

**145** (circa). Geleerden verlaten het Museum in Alexandrië. →

**145.** De Egyptische koning Ptolemaeus VI Philomotor verslaat de Seleucidische koning Alexander Balas.

**143.** De Celtiberi in Spanje komen, daartoe aangezet door de Lusitanische verzetsleider Viriathus, in opstand tegen Rome. Dit is het begin van de Numantijnse Oorlog.

**143.** Jonatan de Makkabeeër wordt vermoord. Hij wordt opgevolgd door zijn broer Simon.

Gestorven:

**150.** Demetrius I (187), Seleucidisch koning
**149.** Marcus Porcius Cato Censorius (234), Romeins staatsman en schrijver
**148.** Masinissa (circa 240), Numidisch koning
**145.** Ptolemaeus VI Philomotor (186), Egyptisch koning
**145.** Alexander Balas, Seleucidisch koning
**143.** Jonatan de Makkabeeër, joods hogepriester

*Punische grafsteen uit Carthago met de beeltenis van een kind dat aan de god Baäl is geofferd.*

## Carthago volledig door Romeinen verwoest

CARTHAGO, 146 - De Romeinse belegeraars hebben de stad Carthago volledig verwoest. De weinige overlevende bewoners zijn tot slaaf gemaakt. Het grondgebied van Carthago zal ingericht worden als nieuwe Romeinse provincie Africa.
De belegering van Carthago begon drie jaar geleden, nadat de Carthagers zich gewapend hadden verdedigd tegen de Numidische vorst Masinissa. Masinissa streefde naar gebiedsuitbreiding ten koste van Carthago. Hij had daarbij volledige instemming van Rome, dat hem als graanleverancier maar liever te vriend hield. Een serie grensconflicten tussen de Numidiërs en Carthago was het gevolg, waarbij Carthago het vredesverdrag met Rome uit 201 schond. Daarbij was namelijk afgesproken dat het Carthaagse leger ontmanteld zou worden. Rome verklaarde Carthago daarop de oorlog (de derde Punische oorlog).
Hoewel de Carthagers, hun uitzichtloze positie inziend, onmiddellijk bereid waren te capituleren, wilde Rome daar niet van horen. Carthago werd tot verdediging gedwongen en bood, hardnekkiger dan verwacht, tegenstand. Pas toen Scipio Aemilianus eerder dit jaar het Romeinse bevel overnam kon de oorlog in het voordeel van Rome beslist worden.
Met de totale vernietiging van Carthago is, postuum, tegemoetgekomen aan de wensen van de drie jaar geleden overleden conservatieve senator Cato. Tegen het einde van zijn leven besloot Cato iedere toespraak tot de Senaat met de standaardfrase: 'Overigens ben ik van mening dat Carthago verwoest moet worden.'

# Hof voor klachten in Rome

ROME, 149 - Met goedkeuring van de Senaat is door de Romeinse volksvergadering de Lex Calpurnia aangenomen. De wet voorziet in de instelling van een permanent hof om klachten van provinciebewoners over uitbuiting en afpersing te behandelen.

Romeinse provincies worden bestuurd door een gouverneur met een ambtstermijn van één jaar. Meestal is deze gouverneur vroeger consul of praetor geweest. Hoewel de wijze waarop een provincie bestuurd dient te worden, formeel vastligt in een soort statuut (de 'lex provinciae'), trekken de gouverneurs zich hiervan meestal niet veel aan. Geholpen door de publicani, equites die het recht van belastinginning pachten, persen zij de plaatselijke bevolking veelal uit. Vanuit het gezichtspunt van de gouverneur is dit begrijpelijk; zijn politieke loopbaan heeft tot dusverre alleen maar geld gekost. Romeinse ambten zijn onbezoldigd, maar vragen wel gigantische investeringen voor met name de verkiezingscampagne. Het gouverneurschap van een provincie biedt de kans de zo ontstane tekorten enigszins weg te werken.

Klachten van provinciebewoners tegen deze uitbuiting hadden tot nog toe alleen kans op succes als de klagers hun belangen in Rome verdedigd wisten door een aanzienlijke patroon. De belangen van meer nabije cliënten wogen

*Belastingbetaling in Rome.*

voor de patroons echter vaak zwaarder dan die van cliënten in de verre provincies.

Met de instelling van een juryrechtbank die uitsluitend afpersingszaken behandelt, hebben de provinciebewoners nu een instantie waar zij met hun klachten terecht kunnen.

Het is overigens nog maar de vraag of beroep bij dit hof veel effect zal sorteren. Zo zal het leveren van overtuigend bewijsmateriaal in veel gevallen moeilijk zijn, daar vanzelfsprekend ook de gehele belastingadministratie door de gouverneur gecontroleerd wordt. Bovendien wordt de jury, die tussen de dertig en zeventig leden zal tellen, samengesteld uit senatoren. Velen van hen zijn gouverneur geweest of hopen dit ooit nog te worden, zodat zij de zittende gouverneurs waarschijnlijk niet al te zeer voor de voeten zullen lopen.

# Exodus van geleerden uit Alexandrië

ALEXANDRIE, circa 145 - In de hoofdstad van Egypte heeft een zuivering onder koning Ptolemaeus VIII, bijgenaamd Euergetes II, geleid tot een exodus van geleerden. De geleerden zijn allemaal verbonden aan het Museum, het wetenschappelijk instituut van Alexandrië, of aan de bibliotheek aldaar.

Het Museum werd gesticht door de eerste Ptolemaeën aan het eind van de vierde eeuw. De grootste talenten op natuurwetenschappelijk gebied, zoals de wiskundige Euclides en de arts Herophilus, konden hier in alle rust werken.

Aan de bibliotheek kwam de literatuur- en taalwetenschap tot ontwikkeling. Zenodotus van Efeze en Aristophanes van Byzantium, die beiden de bibliotheek leidden (achtereenvolgens omstreeks 275 en van 194 tot 180), zijn vermaard om hun tekstreconstructies van Griekse dichtwerken, waaronder met name Homerus' *Ilias* en *Odyssee*. Deze reconstructies waren nodig omdat de normale edities uit die tijd werden ontsierd door overschrijffouten en regels die waren toegevoegd om duistere passages te verhelderen.

De rust, die een voorwaarde is voor dergelijke hoogstaande prestaties, is nu echter verstoord door de politieke

woelingen in het rijk van de Ptolemaeën. De problemen hebben hun oorsprong in een dynastieke ruzie tussen Ptolemaeus VI en Ptolemaeus VIII, die broers zijn. Kort na het overlijden van Ptolemaeus VI, eerder dit jaar, installeerde Ptolemaeus VIII zich als zijn opvolger. Hij heeft zich inmiddels op bloedige wijze van zijn tegenstanders ontdaan. Ook veel Alexandrijnse geleerden voelen zich bedreigd en wijken daarom uit.

Een van de voornaamste vluchtelingen is Aristarchus van Samothrace, sinds 153 het hoofd van de bibliotheek. Zijn tekstedities van Oudgriekse poëzie worden geroemd om hun nauwkeurigheid. De zeer veelzijdige Apollodorus van Athene is naar Pergamum in Klein-Azië gegaan. Daar zal hij zijn *Chronica* voltooien, een kroniek van de Griekse geschiedenis vanaf de val van Troje, die Apollodorus in 1184 situeert, tot heden. De *Chronica* is een verbeterde versie van de *Chronographia* van de Alexandrijnse geleerde Eratosthenes (circa 284-202), die daarin als eerste probeerde politieke en literaire gebeurtenissen uit het Griekse verleden tot op het jaar nauwkeurig te dateren. Overigens is Eratosthenes bekender vanwege zijn betrouwbare wereldkaart.

## 140

# Seleucidenrijk onder Mithradates

SELEUCIA AAN DE TIGRIS, 139 - Mithradates I, koning van Parthië (ten zuiden van de Kaspische Zee), heeft Demetrius II Nicator, de koning van het Seleucidenrijk in het Midden-Oosten, overwonnen en gevangengenomen. Eerder had Mithradates al een groot deel van het Seleucidenrijk ingelijfd.

Vóór de veroveringen van Alexander was Parthië een satrapie (provincie) van het Perzische Rijk. Aan die situatie veranderde niet veel toen Alexander aan de macht kwam en ook nadien, onder de Seleuciden, had Parthië zijn eigen satraap (gouverneur). Wel een verandering was de Griekstalige bureaucratie die door de Macedonische heerser werd ingevoerd. Verder vestigden zich Griekse en Macedonische huurlingen en veteranen.

In de tweede helft van de 3de eeuw nam een Perzisch steppevolk Parthië in bezit. Het stichtte een eigen, 'Arsacidische' dynastie. De Arsaciden hebben vrijwel voortdurend strijd geleverd, in het westen tegen de Seleuciden, in het oosten tegen Bactrië. Mithradates I, sinds 171 aan het bewind, had daarbij veel succes, vooral nadat in 164 Antiochus IV was gestorven en het Seleucidenrijk door interne twisten werd geplaagd. Achtereenvolgens vielen hem Medië (ten zuidwesten van de Kaspische Zee), Elymaïs (ten noorden van de Perzische Golf) en Mesopotamië in handen.

Aan deze reeks van overwinningen is nu de gevangenneming van Demetrius II toegevoegd. Overigens heeft Mithradates Demetrius met alle voorkomendheid behandeld: een huwelijk tussen Demetrius en Mithradates' dochter Rhodogune is aangekondigd. Dit huwelijk onderstreept de machtspositie van Mithradates, die inmiddels naar oud Perzisch gebruik de titel 'Koning der koningen' voert.

Tegelijk presenteert Mithradates zich - onder andere op zijn munten - als 'vriend van de Griekse cultuur'. Daarvoor heeft hij goede redenen. Om zijn snel opgebouwde rijk naar behoren te besturen moet hij gebruik maken van de Griekstalige bureaucratie.

*Parthische vorst (brons).*

# Nieuwe vorst in Palestina

JERUZALEM, 134 - De vijfde zoon van Matthias heeft zonder veel uiterlijk vertoon de troon van Palestina bestegen. Omdat hij nog aarzelt zich koning te noemen van het door tegenstellingen geteisterde land, verkiest hij voorlopig de titel prins.

Na het eerste Chanoekafeest ter ere van het opnieuw in gebruik nemen van de Tempel in 164, had Juda weinig meer te vrezen van buitenlandse vijanden. De keerzijde van de medaille werd echter gevormd door de interne tegenstellingen die pas nu duidelijk aan de oppervlakte traden. Opnieuw slaagden hellenistische groepen erin het hogepriesterschap te verwerven. In de daaropvolgende burgeroorlog werd Juda gedood en zijn volgelingen hardnekkig bestreden. In het gehele Seleucidische rijk heerste overigens chaos. Eind 164 was koning Antiochus aan zijn verwondingen, opgelopen in Perzië, bezweken. Het bleek het sein voor een factiestrijd om de macht, waar nog bijkwam dat in deze tijd verscheidene Griekse steden hun onafhankelijkheid bereikten.

Koning Demetrius II van Syrië besloot in 142, 25 jaar na het begin van de

*Opgraving in Jericho: de oudste lagen dateren uit circa 7000.*

opstand van de Makkabeeën, de onafhankelijkheid van Judea te erkennen en het land van belastingbetaling vrij te stellen.

## Tribuun Tiberius Gracchus vermoord

ROME, 133 - Bij de Capitolijnse heuvel is de volkstribuun Tiberius Sempronius Gracchus door een knokploeg van senatoren en hun cliënten vermoord. Behalve Gracchus kwamen ook ruim driehonderd van zijn volgelingen om het leven. Het is voor het eerst sinds lange tijd dat het politieke geweld in Rome dergelijke vormen aanneemt en zoveel slachtoffers eist.

De schermutselingen braken uit toen aanhangers van Gracchus trachtten te verhinderen dat de Senaat, onder aanvoering van de pontifex maximus Scipio Nasica, de verkiezingen voor het volkstribunaat saboteerde. De Senaat was namelijk van oordeel dat Tiberius Gracchus zich demagogisch opstelde en alleenheerschappij nastreefde. Gracchus had zich kandidaat gesteld voor een tweede achtereenvolgende ambtstermijn als volkstribuun, wat ongebruikelijk maar niet verboden is. Gracchus ambieerde een tweede termijn om de uitvoering van zijn landhervormingswet veilig te stellen. Deze wet werd eerder dit jaar door de volksvergadering aangenomen, zeer tot ongenoegen van de Senaat. Tiberius Gracchus had namelijk verzuimd de wet aan de Senaat voor te leggen alvo-

rens deze in de volksvergadering ter stemming te brengen. Hoewel deze procedure sinds de Lex Hortensia van 287 volkomen legaal is, is zij hoogst ongebruikelijk. De landhervormingswet voorziet in een herverdeling van het staatsland. Het is particulieren niet langer toegestaan meer dan vijfhonderd iugera (circa 125 hectaren) staatsland in bezit te hebben. Het overgebleven gebied wordt verdeeld onder kleine boeren. Hierdoor zou de armoede op het platteland bestreden kunnen worden en zou tevens een halt kunnen worden toegeroepen aan de toenemende trek van boeren naar de stad Rome. Vanzelfsprekend gaat deze maatregel ten koste van de grootgrondbezitters, de senatoriale klasse.

De uitvoering van de wet is overigens door financiële problemen al aanzienlijk bemoeilijkt, en het wegvallen van haar belangrijkste inspirator zal voor verdere vertraging zorgen. De commissie die is belast met de tenuitvoerlegging, zet haar werk echter voort. Deze commissie bestaat nu nog uit Tiberius Gracchus' broer Gaius en zijn schoonvader Appius Claudius.

Tiberius Gracchus was de zoon van de gelijknamige consul uit 177.

*Lijkverbranding in het Romeinse Rijk.*

---

**130.** De Romeinse consul Marcus Perperna verslaat de opstandeling Aristonicus van Pergamum.

**130** (circa). De Scythen nemen Bactrië in. Grieks-Bactriërs in India kunnen niet meer naar hun vaderland.

**129.** Het grondgebied van Pergamum wordt tot een Romeinse provincie met de naam Asia gemaakt. →

**129.** De Seleucidische koning Antiochus VII sneuvelt in de strijd tegen de Parthische koning Phraätes II.

**128.** De Parthische koning Phraätes II sneuvelt bij de bestrijding van de invasies van de Scythen.

**127.** De Egyptische koning Ptolemaeus VIII Euergetes II slaagt erin de burgeroorlog tegen zijn ex-vrouw Cleopatra II winnend af te sluiten.

**126.** Op Sardinië breekt onrust uit. De Romeinse consul Lucius Aurelius Orestes onderneemt hiertegen een succesvolle veldtocht.

**125.** De Romeinse consul Marcus Fulvius Flaccus stelt tevergeefs voor om de Italiërs het Romeinse burgerrecht te verlenen.

**124.** Rome raakt in oorlog met de Arverni en Allobrogen in Gallië.

**123.** Gaius Gracchus, een broer van Tiberius Gracchus, wordt tot volkstribuun gekozen. Hij stelt landhervormingen voor die veel verder gaan dan de voorstellen tot landhervorming van zijn broer.

**123.** Mithradates II wordt koning van Parthië. Hij herstelt de macht van Parthië en beëindigt de Scythen-invasies.

**123.** Gaius Gracchus wordt tot volkstribuun herkozen.

**122.** De Romeinse consul Quintus Caecilius Metellus verovert de Balearen.

**122.** Gaius Gracchus slaagt er niet in om voor de derde keer tot volkstribuun te worden gekozen. In de schermutselingen die hierop volgen worden hij en 3000 van zijn aanhangers gedood. →

**121.** De Arverni en de Allobrogen in Gallië worden verslagen door Gnaeus Domitius Ahenobarbus en Quintus Fabius Maximus.

Gestorven:

**129.** Publius Cornelius Scipio Aemilianus **(185)**, Romeins legerleider en staatsman
**129.** Antiochus VII (circa 159), Seleucidisch koning
**128.** Phraätes II, Parthisch koning
**122.** Gaius Gracchus (153), Romeins staatsman →

---

*Romeinse senatoren op de Ara Pacis Augustae (13-9 voor Christus).*

## Gaius Gracchus met volgelingen gedood

ROME, 122 - Ruim tien jaar na de moord op zijn broer Tiberius is ook de volkstribuun Gaius Gracchus op gewelddadige wijze om het leven gekomen.

Toen Gaius vorig jaar volkstribuun werd had hij al een groot gedeelte van de door zijn broer geïnitieerde landhervormingen ten uitvoer gebracht. Als tribuun deed hij echter verdergaande voorstellen, waarmee hij de Senaat tegen zich in het harnas joeg. Zo wilde hij, behalve het herverkavelen van staatsland, ook de mogelijkheid openen landbouwkolonies in de rest van Italië en in Africa te stichten. Verder zou een omvangrijk wegennet aangelegd moeten worden, waardoor de boeren in staat zouden zijn volksvergaderingen in Rome bij te wonen. Gaius steunde hierbij op het stadsproletariaat, dat hij voor zich had gewonnen door een staatssubsidie op graan mogelijk te maken, en op een groot aantal equites, wie hij toelating tot de juryrechtbanken, en daarmee politieke erkenning, beloofde.

Evenals zijn broer passeerde Gaius de Senaat en presenteerde zijn plannen direct in de comitia tributa, de uit het concilium plebis voortgekomen volksvergadering, waarin per tribus gestemd wordt. De senaat wist echter succesvol stemming tegen Gaius te kweken, die het grootste gedeelte van zijn achterban verloor en vervolgens te zamen met drieduizend volgelingen de dood vond.

De senatoriale klasse lijkt inmiddels twee soorten politici te bevatten. Aan de ene kant de 'populares' die, zoals de Gracchen, via de volksvergadering opereren, en aan de andere kant de 'optimates', die de traditionele manier van politiek bedrijven verkiezen.

# Asia wordt provincie van Romeinse Rijk

ROME, 129 - Aristonicus, de opstandeling uit Pergamum, heeft zich aan Rome overgegeven. Daarmee is Asia als provincie bij het Romeinse Rijk gevoegd.

Aristonicus kwam in 133 in verzet tegen Rome. In dat jaar bleek dat de overleden koning van Pergamum, Attalus III, zijn territorium per testament aan het volk van Rome had overgemaakt. Aristonicus, de onwettige zoon van een eerdere Pergameense koning, Eumenes II, vocht dit testament aan en boekte aanvankelijk succes, steunend op slaven, landarbeiders en enkele Griekse steden. Aristonicus spiegelde zijn volgelingen een soort heilstaat voor, die hij Heliopolis ('Zonnestad') noemde. De opstand kon echter zonder al te veel moeite door Romeinse troepen neergeslagen worden.

Met de inlijving van de provincie Asia zijn de Romeinen heer en meester geworden over het gehele gebied rond de Middellandse Zee, met uitzondering van het meest oostelijke gedeelte. De twee provincies in Spanje die in 197 werden ingericht, Hispania Citerior en Hispania Ulterior, zijn sinds enige jaren volledig onder Romeinse controle, nadat in 133 de opstandige Numantijnen werden overwonnen. Macedonië werd in 148 een Romeinse provincie. Korte tijd later werd Griekenland bij deze provincie gevoegd, waarbij de Achaeïsche Bond werd opgeheven en de Romeinen Korinthe verwoestten. De voorlaatste nieuwe provincie was Africa, in 146.

Voorlopig lijkt er een einde gekomen aan de grootschalige Romeinse expansie. Allereerst moet nu getracht worden het enorme rijk onder stabiel bestuur te brengen.

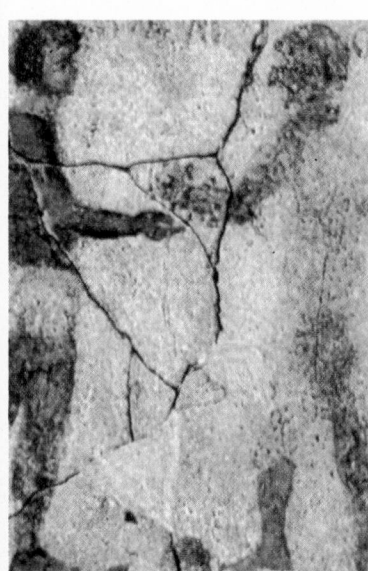

*Twee veldheren begroeten elkaar na de strijd (wandschildering, Rome).*

**120.** Koning Mithradates V van Pontus wordt vermoord. Hij wordt opgevolgd door zijn zoon Mithradates VI.

**119.** Gaius Marius wordt tot volkstribuun gekozen.

**119.** De Romeinse consul Lucius Caecilius Metellus verslaat de Dalmatiërs.

**118.** De Numidische koning Micipsa overlijdt. Numidië wordt door Adherbal, Hiempsal en Jugurtha bestuurd.

**117.** In Numidië laat Jugurtha zijn medeheerser Hiempsal vermoorden.

**116.** De Numidische heerser Adherbal vlucht naar Rome en vraagt daar hulp tegen zijn medeheerser Jugurtha. Rome stuurt een senatoriale onderzoekscommissie naar Numidië, die het land in tweeën verdeelt.

**116.** De Egyptische koning Ptolemaeus VIII Euergetes II overlijdt. Hij wordt opgevolgd door zijn zoon Ptolemaeus IX Soter.

**115.** De Chinees Zhang Qian gaat voor de tweede keer naar het Westen. →

**114.** De Romeinse consul Gaius Porcius Cato wordt in Macedonië verslagen door de Scordisci, een Keltische volksstam afkomstig uit Pannonië.

**113.** De Romeinse consul Gnaeus Papirius Carbo wordt bij Noreia in Noricum verslagen door de uit Jutland afkomstige Cimbren.

**112.** Jugurtha verovert Cirta, de hoofdstad van Numidië, en laat zijn concurrent Adherbal vermoorden. Hij is nu de onbetwiste koning van Numidië.

**111.** Rome verklaart de Numidische koning Jugurtha de oorlog. In hetzelfde jaar sluit de Romeinse consul Lucius Calpurnius Bestia echter vrede met Jugurtha.

**111.** De Chinese keizer Wu Di verovert het koninkrijk Nam Viet. →

Geboren:

**116.** Marcus Terentius Varro († 27), Romeins geleerde en schrijver
**114.** Quintus Hortensius Hortalus († 50), Romeins redenaar

Gestorven:

**118** (circa). Polybius (circa 200), Grieks geschiedschrijver
**118.** Micipsa, Numidisch koning
**116.** Ptolemaeus VIII Euergetes II (182), Egyptisch koning

# Zhang Qian naar Westen

CHANGAN, 115 - Voor de tweede keer heeft keizer Wu zijn hoveling Zhang Qian op een expeditie naar het Westen gestuurd. Net als bij de eerste reis van Zhang is het zoeken naar militaire bondgenoten tegen de Xiongnu het hoofddoel van deze expeditie.

De eerste reis van Zhang begon in 139. Toen was het de bedoeling om contact te zoeken met de Yuezhi, die door de Xiongnu uit Gansu naar het noorden van India waren verdreven. Direct aan het begin van zijn reis werd Zhang door de Xiongnu gevangengezet. Pas na tien jaar slaagde hij erin te ontsnappen en zijn missie voort te zetten. Deze was echter geen diplomatiek succes omdat de Yuezhi inmiddels op het punt stonden om India te veroveren en geen wraak op de Xiongnu in de zin hadden. Op de terugweg werd Zhang nog eens door de Xiongnu gevangengenomen maar opnieuw kon hij ontsnappen en keerde zo dertien jaar na het begin van zijn reis met zijn Xiongnu-vrouw en zijn dienaar Ganfu terug. Zijn verslag aan de keizer betekende een enorme vergroting van de bestaande kennis omtrent de geografie van het Westen. In de daaropvolgende jaren kon mede dank zij deze kennis een uitbreiding van het keizerrijk in westelijke richting plaatsvinden. China kreeg op deze wij-

*Meisje met lamp (verguld bronzen beeldje, circa 100 voor Christus).*

ze de controle over handelswegen in het Westen die vooral van belang waren voor de export van Chinese zijde. Zhang kreeg voor zijn verdiensten de titel van keizerlijk kamerheer en later die van markies. De huidige missie van Zhang Qian heeft wederom tot taak bondgenoten tegen de Xiongnu te zoeken. Deze keer moeten de Wusun daartoe worden aangemoedigd.

# Chinese keizer bezet buurland Nam Viet

PHIEN NGU, 111 - De Chinese keizer Wu Di heeft een groot expeditieleger naar het buurland Nam Viet gestuurd om dit land te bezetten.

In de hoofdstad van Nam Viet, Phien Ngu is de Chinese invasie niet als een verrassing gekomen omdat het land de laatste honderd jaar al verscheidene malen aanvallen van de Chinese keizers heeft moeten afslaan. In 207 werd generaal Trieu Da door keizer Ch'in Shih Huang Ti naar het zuiden gestuurd om het land te bezetten. Die

poging en vele andere pogingen zijn mislukt. De koning van Nam Viet, Kien Duc, is met zijn raad van ministers in spoedberaad bijeengekomen om de toestand te bespreken. In kringen rond het hof heerst een sombere stemming over de afloop. Men vreest dat men moeilijk het hoofd kan blijven bieden aan de aanhoudende druk vanuit het Chinese Rijk. De voorafgaande oorlogen hebben hun sporen al duidelijk nagelaten in het land en de bevolking lijkt de uitputting nabij te zijn.

*Zwaarbewapende Romeinse ruiters in gevecht met barbaren uit het Noorden. In 105 behalen de Germanen voor het eerst overwinningen op de Romeinen. Bij de Rhône en bij Arausio [Orange] worden twee Romeinse legers verslagen.*

**110.** De Numidische koning Jugurtha wordt in Rome door de Senaat ter verantwoording geroepen. Terwijl hij in Rome is, laat Jugurtha een rivaal vermoorden. Hij moet Rome verlaten en de oorlog met Rome begint opnieuw.

**109.** De Romeinse consul Quintus Caecilius Metellus boekt successen in de strijd tegen Jugurtha.

**107.** Gaius Marius wordt tot consul gekozen. Hij volgt Metellus op als opperbevelhebber in de oorlog tegen Jugurtha.

**106.** De Numidische koning Jugurtha wordt na verraad van zijn schoonvader Bocchus, de koning van Mauretanië, gevangengenomen door Lucius Cornelius Sulla, de onderbevelhebber van Marius. Dit betekent het einde van de oorlog tussen Rome en Jugurtha.

**105.** De Cimbren en de Teutonen brengen een Romeins leger in de Slag bij Arausio een vernietigende nederlaag toe.

**104.** Gaius Marius wordt voor de tweede keer tot consul gekozen. Hij hervormt het Romeinse leger om de Cimbren en de Teutonen het hoofd te kunnen bieden.

**104.** In China wordt een kalender- hervorming doorgevoerd. →

**104.** Op Sicilië breekt opnieuw een slavenopstand uit.

**104.** In Judea wordt de hogepriester Johannes Hyrcanus I vermoord. Hij wordt opgevolgd door zijn zoon Aristobulus, die de koningstitel aanneemt.

**103.** Gaius Marius wordt voor de derde keer tot consul gekozen.

**102.** Gaius Marius wordt voor de vierde keer tot consul gekozen. Hij verslaat de Teutonen in de Slag bij Aquae Sextiae.

**102.** Rome raakt in oorlog met de zeerovers uit Cilicië. De Romeinse praetor Marcus Antonius weet hen te verslaan.

**101.** Gaius Marius wordt voor de vijfde keer tot consul gekozen. Hij verslaat de Cimbren in de Slag bij Vercellae. Het gevaar van een Germaanse invasie is voor Rome nu definitief geweken.

**101.** De slavenopstand op Sicilië wordt door Rome bedwongen.

**100** (circa). Het rijk der Kush komt opnieuw tot bloei. →

Geboren:

**106.** Marcus Tullius Cicero († 43), Romeins staatsman en auteur
**106.** Gnaeus Pompejus Magnus († 48), Romeins legerleider en staatsman

Gestorven:

**104.** Jugurtha, Numidisch koning
**104.** Johannes Hyrcanus I, joods hogepriester
**102.** Lucilius (180), oudste Romeins satirendichter

## Kush-beschaving herleeft in Meroë

*Bronzen Dionysuskop uit een piramidegraf bij Meroë.*

MEROE, 100 - Het rijk der Kush lijkt, na een duistere periode van verval, uit zijn as te zijn herrezen.

'Hier wordt goud in overvloed aange- troffen en ook nog grote olifanten, eb- behout en tal van andere bomen. De mannen zijn de grootste en mooiste ter wereld en leven het langst', schreef Herodotus toen hij 350 jaar geleden het zuidelijke deel van Egypte bezocht. En behalve dat weet men eigenlijk nog steeds niet zoveel meer dan dat Meroë met Aksoem tot de belangrijkste me- taalbewerkende beschavingen van Afrika behoort.

Het machtscentrum der Kush is pas zo'n 500 jaar geleden in zuidelijke rich- ting opgeschoven naar het tussen de vijfde en zesde cataract gelegen Meroë. In die tijd heeft het zich weten te ont- wikkelen van een sterk van Egypte af- hankelijke cultuur tot een nieuwe, oor- spronkelijke beschaving met een eigen alfabet en prachtig beschilderd aarde- werk. Via de karavaanroutes verbon- den met de Middellandse Zee en de In- dische Oceaan, met Ethiopië en het Tsjaadmeer, staat het rijk der Kush te- vens in voortdurend contact met ande- re beschavingen.

## De Chinese keizer Wu voert nieuwe kalender in

CHINA, 104 - Op bevel van keizer Wu is in China een kalenderhervorming doorgevoerd. De nieuwe kalender is er een uit een serie van vele pogingen om de maankalender en de zonkalender met elkaar in overeenstemming te brengen alsmede de correctie van het siderisch jaar tot het tropisch jaar te be- werkstelligen.

De nieuwe kalender die door de astro- nomen Luo Xiahong en Deng Ping werd opgesteld, draagt de dynastieke naam van keizer Wu (Taizu li - de tijd- rekening van Taizu). Het jaar in deze kalender telt 385 en 385/1539 dagen, een synodische maand telt 29 en 43/81 dagen.

**100.** Quintus Mucius Scaevola schrijft de eerste systematische verhandeling over het Romeinse burgerlijk recht.

**100** (circa). De Scythen beginnen vanuit het noordwesten met de verovering van India.

**96.** Koning Ptolemaeus Apion van Cyrene vermaakt bij testament zijn koninkrijk aan Rome.

**95.** De Romeinse Senaat dwingt koning Mithradates VI van Pontus Cappadocië prijs te geven. Ariobarzanes I wordt koning van Cappadocië.

**95.** De Lex Licinia Mucia verdrijft vreemdelingen uit Rome die ten onrechte aanspraak maken op het Romeinse burgerrecht.

**91.** Marcus Livius Drusus wordt tot volkstribuun gekozen. Hij dient een voorstel in om aan de Italiërs het Romeinse burgerrecht te verlenen. De Senaat weigert dit en de Italiërs komen in opstand. Dit is het begin van de Bondgenotenoorlog.

**90.** Rome verleent aan de Etrusken het Romeinse burgerrecht. →

**88.** Rome biedt alle bondgenoten die tot capitulatie bereid zijn, het Romeinse burgerrecht aan. →

**88.** Alleen de Samnieten zetten de opstand tegen Rome voort. Zij worden echter geleidelijk overwonnen. Dit betekent het eind van de Bondgenotenoorlog.

**88.** In Rome breekt een burgeroor- log uit tussen Gaius Marius en Lucius Cornelius Sulla. Sulla ver- overt met zijn leger Rome en Marius is gedwongen te vluchten.

**87.** Terwijl Sulla in het oosten tegen Mithradates VI strijdt, veroveren Lucius Cornelius Cinna en Gaius Marius de macht in Rome. →

**87.** Sulla landt met zijn leger in Griekenland en belegert Athene, dat zich bij Mithradates VI heeft aangesloten.

**84.** Sulla sluit met Mithradates VI de Vrede van Dardanus. Mithradates moet zijn veroveringen in Klein-Azië opgeven, maar blijft in het bezit van zijn koninkrijk.

**84.** In Rome wordt Cinna door muitende soldaten vermoord.

**82.** Sulla verovert Rome en wordt benoemd tot dictator.

**81.** Het staatsmonopolie op zout en ijzer in China blijft gehandhaafd. →

Gestorven:

**86.** Gaius Marius (circa 157), Romeins legerleider en staatsman →
**86** (circa). Sima Qian (circa 145), Chinees geschiedschrijver →

## Historicus Sima Qian overleden

CHINA, 86 - Op 59-jarige leeftijd is de bekende historicus Sima Qian (Tai-shi Gong) overleden. Hij is voornamelijk beroemd vanwege Chi Ji *(Optekenin- gen van de Historicus),* een encyclope- disch overzicht van de Chinese geschie- denis.

Sima Qian was afkomstig uit een aristocratische familie in de staat Qin waarvan de leden zich sinds onheuglij- ke tijden bezighielden met het bijhou- den van archieven en het compileren van jaarboeken. Zijn vader Gima Tan was de hoofdastroloog aan het keizer- lijk hof. Van hem was het plan afkom- stig dat door zijn zoon werd uitge- voerd: het schrijven van de hele geschiedenis van China, dus van de hele aan hen bekende wereld. Na de dood van zijn vader in 110 nam Sima Qian diens positie over en zette het on- derzoek voort. Tijdens het onderzoek las Sima Qian elk boek dat hij voor zijn project van belang achtte. Het mate- riaal was voornamelijk afkomstig uit het Keizerlijk Archief en de Keizerlijke Bibliotheek waartoe hij in zijn nieuwe functie toegang had. *Optekeningen van de Historicus* bestaat uit 130 hoofdstukken, waarvan 120 door Sima Qian zelf zijn voltooid. Het werk bevat 526 000 Chinese tekens.

De dood van Sima Qian volgt op het overlijden van keizer Wu in februari vorig jaar. Wu heerste gedurende 54 jaar over China. Tot de verworvenhe- den van zijn regime behoren onder meer zijn militaire successen tegen de Xiong nu (Hunnen) die onder andere hebben geresulteerd in de Chinese ver- overing van Noord-Korea in 109. Ook werden onder Wu grote kanalen en an- dere waterwerken voltooid. Buiten- landse expansie en interne vergroting van staatsmacht leidden echter tot fi- nanciële problemen en toenemende onderdrukking. Hoewel onder Wu de leer van Confucius tot staatsideologie werd verheven, was er in feite sprake van de herinvoering van de draconi- sche wetten en despotische regeervor- men die voor de eerste keizer van Qin kenmerkend waren.

In *Optekeningen van de Historicus* komt geen beschrijving van keizer Wu voor. Dit houdt vermoedelijk verband met het feit dat keizer Wu in 99 Sima Qian heeft laten castreren. Deze straf werd opgelegd nadat de historicus zijn vriend generaal Li Ling die zich na om- singeling door de Hunnen had moeten overgeven, in bescherming had geno- men tegen de woede van de keizer. *Optekeningen van de Historicus* be- staat niet alleen uit feitenbeschrijvin- gen maar onder andere ook uit moreel- didactische commentaren. Het is ook in stilistisch opzicht een meesterwerk en het bevat tal van originele interpre- taties van bekende historische gebeur- tenissen.

# Marius overlijdt kort na coup

ROME, 86 - De legerbevelhebber en consul Gaius Marius is overleden. Hiermee is de andere consul, de popularis L. Cornelius Cinna, in feite alleenheerser geworden.

Marius en Cinna kwamen vorig jaar door een gewapende staatsgreep aan de macht. Zij werden hierbij geholpen door de legerhervormingen die Marius tijdens zijn eerdere consulaat in 107 had doorgevoerd. Hij maakte het toen voor stadsproletariërs mogelijk vrijwillig dienst te nemen. Voorheen werd het leger uitsluitend uit zelfstandige boeren gerekruteerd. Hij beloofde zijn soldaten bovendien na afloop van hun diensttijd een stukje land. Hierdoor is de band tussen bevelhebber en leger zo sterk geworden dat haast gesproken kan worden van een clientela-relatie. Bevelhebbers krijgen hierdoor een enorme greep op hun manschappen.

Marius en Cinna hebben de macht in Rome met betrekkelijk weinig moeite kunnen overnemen, doordat de aanzienlijke optimaat L. Cornelius Sulla het commando voert in de oorlog tegen Mithradates VI, de koning van Pontus, die de Griekse steden in Klein-Azië

*Portret van Gaius Marius, Romeins legerbevelhebber.*

tot opstand tegen Rome aanzette. Sulla heeft dit commando overigens zeer tegen de zin van Marius verkregen. Aanvankelijk was het bevel aan Marius toevertrouwd, maar Sulla wist hier, door met zijn leger Rome binnen te trekken, een stokje voor te steken. Sulla profiteerde op deze manier dus ook van de persoonlijke band met zijn leger, die het gevolg was van de professionalisering die Marius had georganiseerd. In elk geval heeft Sulla het op het moment te druk in Asia om zich met de gang van zaken in Rome te bemoeien.

Na de machtsgreep hebben Marius en Cinna in Rome een ware terreur uitgeoefend. Op willekeurige wijze werden, voor een gedeelte via schijnprocessen, vele aanzienlijke optimates uit de weg geruimd. Hoewel deze terreur voornamelijk op het conto van Marius geschreven moet worden, is het niet waarschijnlijk dat het Romeinse beleid nu, na zijn dood, veel humaner zal worden.

Marius was een zogenaamde 'homo novus'. In tegenstelling tot verreweg de meeste Romeinse politici was hij niet afkomstig uit een invloedrijke familie. Zijn politieke carrière had hij uitsluitend te danken aan zijn grote kundigheid als legerbevelhebber.

*Een Etruskische sarcofaag. Boven: de overledene aan de dodenmaaltijd, onder: een strijdscène.*

## Etrusken krijgen burgerrecht van de Romeinen

ROME, 90 - De Romeinen hebben de Etrusken het Romeinse burgerrecht verleend. Hiermee is een einde gekomen aan de geschiedenis van de Etrusken als zelfstandige natie.

Deze geschiedenis is omstreeks 800 begonnen. Volgens de Griekse geschiedschrijver Herodotus zijn de Etrusken afkomstig uit Lydië in Klein-Azië. Toen er in Lydië hongersnood heerste, zou een deel van de bevolking in Smyrna scheep zijn gegaan en in Italië terecht zijn gekomen. Dit verklaart waarom er zich in de Etruskische taal, godsdienst en cultuur elementen bevinden die op invloeden uit Klein-Azië wijzen.

De macht van de Etrusken bereikte haar hoogtepunt in de tweede helft van de 6de eeuw. Deze machtspositie ging echter spoedig weer verloren. In 509 ontdeed Rome zich van de Etruskische overheersing en hiermee begon de neergang van de heerschappij van de Etrusken.

Na de nederlaag in 474 in de Zeeslag bij Cumae raakten de Etrusken hun vooraanstaande positie als zeemogendheid kwijt aan Syracuse en was het feitelijk gedaan met de Etruskische macht. Na vele oorlogen werd Veii in 396 als eerste Etruskische stad door de Romeinen veroverd. In 264 veroverden de Romeinen Volsinii, de laatste Etruskische stad die nog niet in hun bezit was. De politieke zelfstandigheid van de Etrusken was hiermee voorbij. Door de toekenning van het Romeinse burgerrecht aan de Etrusken is nu ook een definitief einde gekomen aan het bestaan van de Etrusken als zelfstandige natie.

# China handhaaft staatsmonopolies

CHANGAN, 81 - Aan het hof van keizer Zhao die vijf jaar geleden de troon van China besteeg, is een conferentie over economische politiek afgesloten. Ondanks heftig verzet van een groot deel van de aanwezigen is besloten het staatsmonopolie op de produktie van en de handel in zout en ijzer te handhaven.

Aan de conferentie werd deelgenomen door regeringsambtenaren en vertegenwoordigers van intellectuelen uit elke Chinese provincie. De bijeenkomst werd georganiseerd om de kritiek te inventariseren die in China de afgelopen jaren in toenemende mate te horen is ten aanzien van het staatsmonopolie op zout, ijzer en wijn.

Deze monopolies, die oorspronkelijk behoorden tot het pakket economische maatregelen van de eerste keizer, zijn na de val van de Qin-dynastie afgeschaft. In 119 voerde keizer Wu het staatsmonopolie op zout en ijzer opnieuw in en voegde daar later een staatsmonopolie op alcoholproduktie aan toe. Deze stappen werden genomen om het begrotingstekort van de staat terug te dringen. Dit geldt ook voor de later door keizer Wu ingevoerde fiscale maatregelen zoals het 'egaliserings'-systeem waarbij de staat landbouwoverschotten in tijden van overvloed kocht om ze tegen hogere prijzen te verkopen in plaatsen waar tekorten waren ontstaan. Voorts verkocht keizer Wu ambten, titels en diploma's en ook dwong hij vermogenden om staatsobligaties te kopen. Deze 'obligaties' bestonden uit stukjes huid van witte herten die slechts in keizerlijke reservaten gefokt mochten worden. Ze kostten 400 000 bronzen munten.

De meerderheid van de aanwezigen op de conferentie, die in de hoofdstad Changan werd gehouden, stelde de afschaffing van de monopolies voor. Er werd gesteld dat de monopolies tot verpaupering van vele mensen leidden terwijl de straffen op overtreding ervan, meestal het afhakken van de linkervoet, doen denken aan de donkerste tijden van de Qin-tirannie. Maar het afschaffen van de monopolies op zout en ijzer werd ondubbelzinnig afgewezen door regeringsvertegenwoordigers onder leiding van kanselier San Hongyang. Hij stelde dat de opbrengst van deze monopolies onontbeerlijk is voor defensie en veiligheid.

# Italiërs Romeins burger

ROME, 88 - Alle Italiërs hebben het Romeinse burgerrecht verkregen en zijn, op voorstel van de populares, gelijkmatig verdeeld over de vijfendertig Romeinse tribus (vier stadstribus en eenendertig plattelandstribus). Behalve de allerrijksten zullen zij in de comitia centuriata nauwelijks van belang kunnen zijn. Deze volksvergadering stemt immers per vermogensklasse, zodat de senatoren daar oppermachtig blijven. In de comitia tributa zullen zij hun invloed nu echter wel kunnen doen gelden.

Rome werd verplicht de Italiërs het burgerrecht te schenken door het verloop van de bondgenotenoorlog die in '91 begon. Een aantal Italische volkeren kwam toen in verzet tegen hun achtergestelde positie, nadat voorstellen tot gelijkberechtiging, afkomstig van met name de volkstribuun M. Livius Drusus, door de Senaat waren geblok-

keerd. Een golf van bloedige aanslagen op Romeinse inwoners van Italische steden was het gevolg.

De oorlog was voor de Romeinen zo uitputtend dat zij, door financiële nood gedwongen, concessies moesten doen. Krachtens de Lex Julia kregen alle Italiërs die trouw waren gebleven of alsnog zouden capituleren het Romeinse burgerrecht. Met de verdeling over de tribus is de gelijkberechtiging nu een feit. Hoewel de opstand gebroken is, is hier en daar overigens nog sprake van verzetshaarden.

De toekenning van het burgerrecht aan de Italiërs is natuurlijk zeer tegen de zin van vooral de optimates, die voorzien dat de nieuwe Romeinen de clientela van de populares enorm zullen versterken. De Italiërs, voor een groot deel boeren, hebben immers van de populares meer goeds te verwachten dan van de optimates.

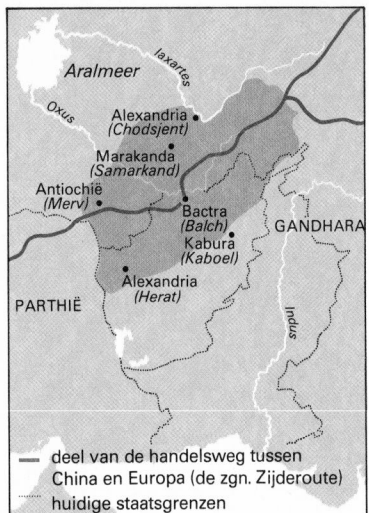

*Het Bactrische Rijk rond 250.*

## Sakas verdrijven de Bactriërs uit Gandhara

GANDHARA, circa 80 - Onder leiding van hun koning Maues zijn Saka-troepen Gandhara binnengevallen en hebben een einde gemaakt aan het Bactrische bewind aldaar. Eerder hadden de Sakas (Scythen) bezit genomen van Bactrië zelf, daartoe gedreven door uit het oosten afkomstige nomaden. Deze nomaden, Kushana's genaamd, zijn nu zelf Bactrië binnengevallen en hebben andermaal de Sakas naar andere gebieden verdreven.

Rond 250 heeft Bactrië zich onafhankelijk gemaakt van het Seleucidenrijk. In de voetsporen van Alexander de Grote trokken de Bactriërs begin 2de eeuw naar het oosten en vielen Gandhara binnen. Korte tijd later, met de val van de Maurya-dynastie in Magadha, wisten de Bactriërs hun machtsgebied aanzienlijk uit te breiden tot aan de rivier de Ganges.

Van 150 tot 130 regeerde in Sagala de beroemde Bactrische filosoof, koning Menander, die door de boeddhistische monnik Nagasena tot het boeddhisme werd bekeerd. De dialoog waarin dat gebeurde werd, naar men zegt, door 500 Grieken en 80 000 monniken bijgewoond.

Niet alleen op het vlak van de religie vond er een uitwisseling van ideeën plaats. Gandhara vormde in deze tijd een belangrijke schakel in de handel tussen Oost en West. Handelaren uit beide delen kwamen hier met elkaar in contact en wisselden allerlei kennis uit op het gebied van bijvoorbeeld de geneeskunst, astronomie en astrologie. De Saka-koningen zoals Maues, hebben van de Grieken het gebruik overgenomen zichzelf aan te duiden met zulke aanzienlijke titels als 'grootkoning' of 'koning der koningen'.

## Sulla beëindigt loopbaan

ROME, 79 - Sulla heeft een punt gezet achter zijn politieke carrière. Het dictatorschap, waarin hij drie jaar geleden benoemd werd, heeft hij neergelegd.

De benoeming tot dictator was een bevestiging van de almachtige positie die Sulla zich had verworven sinds hij in 83 uit Asia terugkeerde, waar hij een vredesverdrag met Mithradates VI had gesloten. De vijf legioenen waarmee hij in Brundisium aankwam werden al snel uitgebreid tot drieëntwintig. Enerzijds is dat te danken geweest aan de steun van de belangrijke optimates Gnaeus Pompejus en Marcus Licinius Crassus en hun legers, anderzijds aan het feit dat veel soldaten van de populares naar hem overliepen. Hun voornaamste leider, Cinna, was in 84 overleden.

Eenmaal terug in Rome heeft Sulla zich in 83 en 82 schuldig gemaakt aan een ware slachting onder zijn politieke tegenstanders. Via proscripties, lijsten van vogelvrijverklaarden, werden velen van hen ter dood gebracht. Hun fortuin kwam aan de nieuwe machthebbers, waarvan met name Crassus geprofiteerd heeft.

Als dictator heeft Sulla een pakket maatregelen doorgevoerd, gericht op het voorkomen van politieke onrust. De macht van de volkstribunen is ingeperkt, zodat het gevaar voor revolutionaire acties verminderd is. Politieke ambten zijn gebonden aan een vaste volgorde en een minimumleeftijd, waardoor bliksemcarrières als die van Marius onmogelijk zijn geworden. Ten slotte is de Senaat uitgebreid tot vijfhonderd leden, voor een groot deel afkomstig uit de conservatieve klasse van Italische landbezitters.

Naar Sulla's mening hebben deze maatregelen inmiddels voor voldoende stabiliteit gezorgd, zodat hij zich met een gerust hart terugtrekt.

## Triomftocht voor Pompejus en Crassus

ROME, 71 - De Senaat heeft op hun verzoek een triomftocht toegezegd aan zowel Gnaeus Pompejus als Marcus Licinius Crassus. Pompejus ontvangt deze ter omdat hij in Spanje het opstandelingenleger van Sertorius verslagen heeft. Sertorius voerde oorlog tegen Rome, waarbij hij steun had van zowel Spanjaarden als ex-soldaten van Marius. Crassus heeft een triomf verdiend door de slavenopstand van Spartacus te breken. Met een speciaal commando van de Senaat dreef hij de vluchtende slaven terug naar Zuid-Italië en versloeg hen, waarbij de meesten van hen om het leven kwamen.

Niet veel bevelhebbers worden in de gelegenheid gesteld een triomftocht te houden. Het is een blijk van grote waardering voor het succesvol afronden van een oorlog (een 'bellum iustum'; overwinningen in een burgeroorlog komen niet voor een triomf in aanmerking).

Een triomf speelt zich af volgens een vast ritueel. De triomfator draagt een toga met een purperen band. Zijn gezicht is rood geschminkt en op zijn hoofd draagt hij een lauwerkrans. In zijn hand houdt hij een kostbare ivoren scepter met adelaarskoppen. Het geheel doet denken aan de manier waarop de vroegere koningen van Rome zich kleedden. Achter de triomfator, op dezelfde wagen, staat een slaaf die hem er, volgens traditie, aan moet herinneren dat ook hij slechts een mens is. De door vier paarden getrokken wagen waarop de triomfator staat, wordt in de stoet voorafgegaan door mensen die het verloop van de strijd uitbeelden en door wagens waarop de buit te bewonderen is. De triomfator wordt vergezeld door een aantal van zijn lictoren (lijfwachten en begeleiders), wier fas-

*Pompejus als zegevierend veldheer.*

ces (roedenbundels rondom een bijl als symbool van macht) voor de gelegenheid met laurierbladeren omwonden zijn. Vervolgens worden de gevangenen in de stoet meegevoerd, en daarna komt het leger, dat lof- en spotliedjes zingt. De gehele stoet trekt op deze manier de stad door, toegejuicht door grote aantallen toeschouwers. Men begint op het Marsveld buiten Rome, waarna de route dwars door de stad naar de tempel van Jupiter Optimus Maximus bij het Capitool voert.

De beide triomfators, Pompejus en Crassus, hebben zich ook kandidaat gesteld voor het consulschap van 70.

*Gladiatoren in verbeten gevecht tijdens een circusspel (detail van een marmeren reliëf, derde eeuw voor Christus).*

# Slavenopstand in Italië

ITALIE, 73 - De slavenopstand die vroeg dit jaar in Capua begon, begint een bedreigende omvang aan te nemen. De Thracische slaaf Spartacus, die de aanzet tot de opstand gaf door met een zeventigtal lotgenoten uit een gladiatorenschool te ontsnappen, heeft inmiddels de leiding over tienduizenden opstandige slaven. De vonk van het verzet is namelijk ook overgeslagen naar Lucanië en vele slaven van de latifundia (landerijen van grootgrondbezitters) daar en in Campanië hebben zich bij Spartacus aangesloten. Opmerkelijk is dat de slaven niet het instituut van de slavernij als zodanig aanvallen. Zij willen slechts persoonlijk bevrijd worden, en proberen Noord-Italië te bereiken om zo, over de Alpen, naar hun geboortegrond terug te keren. Ondertussen richten zij enorme verwoestingen aan, waartegen de Romeinen tot dusverre geen effectieve maatregelen hebben kunnen nemen. Het is de eerste keer dat de Romeinen geconfronteerd worden met een zo grootschalig slavenverzet. Als Spartacus in zijn opzet slaagt, zal dat verstrekkende gevolgen kunnen hebben; de Romeinse samenleving is immers voor een belangrijk deel op slavernij gegrondvest.

Vooral in de 2de eeuw, tijdens de grote veroveringsoorlogen, werden zeer vele krijgsgevangenen als slaven geïmporteerd. Sommigen van hen, met name zij die in de steden te werk gesteld zijn, hebben een relatief bevoorrechte positie. Het betreft hier voor een groot deel Grieken, die zorgdragen voor het huishouden en de kinderen van senatoriale families. Zij zijn weliswaar onvrij en vallen volledig onder de jurisdictie van de pater familias, die hen in de uiterste gevallen ter dood kan laten brengen, maar in het algemeen lijken zij niet ontevreden. Verreweg de meeste slaven zijn echter werkzaam op de latifundia en in de goud- en zilvermijnen (met name in Spanje) waar zij een armzalig bestaan leiden. Zij zijn overgeleverd aan de willekeur van hun meester of diens zetbazen, voor wie hun leven niets betekent.

Lastige slaven worden veelal verkocht aan gladiatorenscholen. Na een harde opleiding worden zij dan in de arena ingestuurd om elkaar op leven en dood te bevechten, tot vermaak van de Romeinen. In de meeste gevallen betekent dit al snel een pijnlijke dood, zo niet in het eerste gevecht dan spoedig daarna. Het is dan ook niet verwonderlijk dat juist in een gladiatorenschool de kiem voor het verzet is gelegd.

*Romeins centurion.*

**70.** Gnaeus Pompejus en Marcus Licinius Crassus worden tot consul gekozen.

**69.** De Romeinse legerleider Lucullus verovert Tigranocerta, de hoofdstad van Armenië.

**68.** Mithradates VI herovert zijn koninkrijk Pontus.

**67.** Gnaeus Pompejus krijgt voor drie jaar een speciaal commando om een eind aan de zeeroverij te maken. →

**67.** In Judea breekt na de dood van koningin Salome Alexandra een burgeroorlog uit.

**66.** Pompejus volgt Lucullus op als opperbevelhebber in de oorlog tegen Mithradates VI.

**66.** Pompejus verslaat Mithradates VI, koning van Pontus, en Tigranes I, koning van Armenië.

**66.** Lucius Sergius Catilina onderneemt een mislukte poging om in Rome via een samenzwering de macht te grijpen.

**65.** (circa). De Hunnen verdrijven de Turkse Kushana's uit Noordwest-China, die op hun beurt de Sakas (Scythen) richting India verdrijven.

**64.** Pompejus verovert Syrië. De Seleucidische koning Antiochus XIII wordt afgezet, wat het einde van de Seleucidische dynastie betekent. Syrië wordt een Romeinse provincie.

**63.** Marcus Tullius Cicero wordt tot consul gekozen.

**63.** Cicero brengt in Rome een nieuwe samenzwering onder leiding van Catilina aan het licht.

**63.** Pompejus verovert Judea en maakt een eind aan de dynastie der Hasmoneeën.

**63.** Koning Mithradates VI van Pontus pleegt zelfmoord op de Krim.

**62.** Catilina wordt bij Pistoria in Etruria verslagen en gedood. →

**62.** Pompejus keert naar Italië terug en ontbindt zijn leger. →

**61.** Gaius Julius Caesar wordt tot propraetor in Spanje benoemd.

Geboren:

**70.** Publius Vergilius Maro († 19), Romeins dichter
**69.** Cleopatra VII († 30), Egyptisch koningin
**65.** Quintus Horatius Flaccus († 8), Romeins dichter
**64.** Strabo († circa 25 n.C.), Grieks geograaf en geschiedschrijver
**63.** Gaius Octavius (later Augustus) († 14 n.C.), Romeins keizer

Gestorven:

**63.** Mithradates VI (132), koning van Pontus

# Driemanschap in Rome een feit

*Gnaeus Pompejus.*

ROME, 60 - Samen met twee andere leiders van de populares heeft Pompejus afspraken gemaakt om gedrieën het rijk te beheersen. Het nieuwgevormde driemanschap of triumviraat, dat buiten de republikeinse rechtsorde valt, bestaat naast Pompejus uit Crassus en Gaius Julius Caesar. Pompejus heeft niet getracht alleenheerschappij te verkrijgen, zeer tegen de verwachting van de optimates in. Die hadden namelijk gevreesd dat Pompejus, bij zijn terugkeer uit het oosten twee jaar geleden, gewapenderhand de macht in Rome zou opeisen. Pompejus heeft daarentegen zijn legers gedemobiliseerd. Zijn veteranen zullen krachtens de nu door de drie leiders gemaakte afspraken landbouwgrond in Campanië toegewezen krijgen.

Gaius Julius Caesar, die afkomstig is uit het aanzienlijke geslacht Julia, werd prominent tijdens de langdurige afwezigheid van Pompejus. Hij sloot zich aan bij Crassus en steunde op diens kapitaal, onder andere om tijdens zijn aedielschap (periode als hooggeplaatst ambtenaar) in 65 grootscheepse spelen te organiseren. Hiermee heeft hij bij de bevolking een grote populariteit weten te verwerven. Caesar, die zich openlijk laat voorstaan op zijn banden met de families van Marius en Cinna, heeft zich inmiddels kandidaat gesteld voor het consulschap van volgend jaar.

De Senaat is bijzonder gekant tegen Caesars voornemen consul te worden. Hij zou door de daarbij behorende militaire bevoegdheden namelijk in staat worden gesteld een 'cliëntleger' op te bouwen, een machtsmiddel van belang. Het is echter onwaarschijnlijk dat Caesar veel in de weg gelegd zal kunnen worden. Hij kan nu immers rekenen op de onvoorwaardelijke steun van Pompejus en Crassus. Hierdoor heeft hij een gigantische cliëntele achter zich en beschikt hij over veel meer invloed dan de optimates.

De huidige populares worden overigens niet geleid door sociale bewogenheid, zoals de Gracchen.

# Pompejus maakt een einde aan zeeroverij

*Twee schepen op zee in gevecht. Muurschildering uit Pompeji (70-79 na Christus).*

ROME, 67 - Pompejus, die eerder dit jaar een speciaal commando voor drie jaar kreeg toegewezen om de zeeroverij te bestrijden, heeft zijn taak nu al, na drie maanden, afgerond.

De afgelopen honderd jaar heeft Rome de zeerovers vrijwel ongemoeid gelaten. Zij voorzagen namelijk voor een belangrijk gedeelte in de slaventoevoer naar Rome; de mensen die door hen ontvoerd waren, werden op de markt van de vrijhaven Delos aan de Romeinen verkocht. Kleinschalige acties zouden trouwens weinig kans van slagen hebben daar de grillige kust van de Middellandse Zee de zeerovers voldoende bescherming en uitwijkmogelijkheden biedt.

De laatste jaren echter zijn de piraten steeds agressiever geworden. Gesteund door Mithradates, de koning van Pontus, hebben zij twee jaar geleden Delos geplunderd en verwoest en verplaatsten zij hun werkterrein naar de Italische kust, waardoor de graantoevoer naar Rome bedreigd werd. De Romeinen zagen zich dit jaar dan ook genoodzaakt verstrekkende maatregelen te nemen.

De bevoegdheden die hiertoe aan Pompejus zijn gegeven hebben nu succes gewaarborgd. De macht van de gouverneurs van de Romeinse provincies rond de Middellandse Zee werd ondergeschikt gemaakt aan het imperium van Pompejus. Hierdoor kon hij de zeerovers behalve op zee ook aan land bestrijden. Hij heeft klopjachten georganiseerd tot vijfenzeventig kilometer landinwaarts. In totaal zijn 846 schepen tot zinken gebracht of in beslag genomen. De gevangenen zijn voor een groot deel naar onbewoonde gebieden in Klein-Azië gedeporteerd.

De optimates in de Romeinse Senaat zien dit alles ondertussen met lede ogen aan. De macht en populariteit van Pompejus, die aansluiting gevonden heeft bij de populares, kennen op dit moment in het Romeinse Rijk geen grenzen.

# Catilina en aanhang voorgoed verslagen

PISTORIA, 62 - Bij Pistoria in Noord-Italië is Catilina, te zamen met zijn laatste medestanders, definitief door de consulaire troepen verslagen.

Lucius Sergius Catilina, afkomstig uit een oud patricisch geslacht, probeerde de afgelopen jaren enige malen tevergeefs het consulaat te bemachtigen. De laatste keer dat hij zich kandidaat wilde stellen, een jaar geleden, kon hij rekenen op aanzienlijke steun. Hij was namelijk van plan, als hij eenmaal consul was, ieders schulden kwijt te schelden en een grote herverkaveling van land door te voeren. Onder aanvoering van de consul Marcus Tullius Cicero begonnen de optimates echter een succesvolle campagne tegen Catilina. Hij zou samengezworen hebben tegen de staat, zou een moordaanslag op Cicero beraamd hebben, en zijn aanhang zou uit schuim en geboefte bestaan. Cicero wist de Senaat en het volk van Rome ervan te overtuigen dat van Catilina slechts anarchie en ellende te verwachten vielen. De aanhang van Catilina in Rome werd vervolgens snel opgerold. De gevangengenomen Catilinariërs werden op bevel van Cicero allen ter dood gebracht. Dit gebeurde overigens wederrechtelijk; het recht op berechting en beroep werd hun ontzegd. Met de overwinning bij Pistoria behoren de machinaties van Catilina nu definitief tot het verleden.

Dit alles heeft bijgedragen tot het prestige van Cicero. Hij is in de Ro-

*'De redevoering van Cicero tegen Catilina', fresco van Cesare Maccari (19de eeuw). Cicero (links) is aan het woord, Catilina (rechts) luistert toe.*

meinse politiek een homo novus, afkomstig uit Arpinium, en kan niet bogen op een militair verleden. Zijn consulaat van 63 had Cicero aan zijn grote reputatie als jurist en redenaar te danken.

De strafzaak waarmee hij het eerst erkenning vond was zijn succesvolle aanklacht in 70 tegen de corrupte gouverneur van Sicilië, Verres. Aan deze en dergelijke zaken heeft hij een bijzonder grote en loyale cliëntele overgehouden.

Het is overigens niet ondenkbaar, dat de voorspoedige carrière van Cicero voor een gedeelte te danken is aan de afwezigheid van de machtige populares Pompejus. Na diens overwinning op de zeerovers is hem een commando tegen Mithradates gegeven. Hij heeft daar veel succes gehad en inmiddels ook Syrië en het grootste deel van Judea als nieuwe provincie Syria ingericht. Hierdoor heeft hij zich echter niet kunnen bemoeien met de Romeinse politiek.

*Romeinen aan een weelderig banket (schildering uit een villa bij Pompeji).*

# Publius Clodius gedood

ROME, 52 - Bij grootschalige rellen in de stad is de bendeleider Publius Clodius, die kandidaat stond voor een praetorschap, om het leven gekomen. Met zijn dood zal de rust in de straten van Rome hopelijk weerkeren.

De afgelopen jaren heeft Clodius in Rome voor veel onrust en schandalen gezorgd. Al tijdens zijn militaire dienst in Syrië in 68 en 67 vertoonde hij een talent voor het oproepen van problemen. Het meest opmerkelijke schandaal veroorzaakte hij in de nacht van 4 op 5 december 62. Vermomd als vrouw nam hij toen deel aan het Bona Dea-feest, een religieuze ceremonie die alleen voor aanzienlijke dames toegankelijk is. Het feest werd gegeven in het huis van Caesar, de pontifex maximus, wiens echtgenote Pompeja als gastvrouw optrad. Clodius werd spoedig ontmaskerd. In de daaropvolgende verwarring ontstond het gerucht dat Pompeja Clodius binnengeloodst had. Caesar zag zich dan ook genoodzaakt van haar te scheiden, hoewel beiden van niets wisten.

Als volkstribuun in 58 was Clodius de drijvende kracht achter de verbanning van Cicero. Hij beschuldigde Cicero van machtsmisbruik wegens het ter dood brengen van de Catilinariërs in 63. Door het organiseren van gratis graanuitdelingen, die hij overigens zelf saboteerde door de graantoevoer naar Rome te vertragen, verwierf Clodius de steun van het bezitloze stadsproletariaat. Toen Cicero vijf jaar geleden mocht terugkeren naar Rome verzette Clodius zich daar heftig tegen. Uit zijn aanhangers rekruteerde hij knokploegen, die tot op heden de bevolking hebben geterroriseerd en de straten van Rome onveilig hebben gemaakt.

Ook een van de zusters van Clodius is in Rome een beruchte persoonlijkheid. De bijnaam van deze Clodia is quadrantaria (stuiverhoer). Tot zijn dood in 59 was zij getrouwd met de respectabele Q. Metellus Celer, maar zij was hem verre van trouw. Dat zij een amoureuze relatie met Cicero gehad zou hebben, berust waarschijnlijk op roddel. Zeker is wel, dat Clodia van 61 tot 58 de minnares van Catullus is geweest. Deze dichter uit Verona noemt haar in zijn gedichten, waarin hij geen blad voor de mond neemt, Lesbia. Een van haar volgende minnaars, M. Caelius Rufus, brak met haar en werd vervolgens door haar aangeklaagd. In zijn verdediging van Caelius schold Cicero Clodia onomwonden uit als schoolvoorbeeld van onzedelijkheid.

## Caesar breidt Gallische provincie uit

ROME, 52 - Door succesvol strijd te leveren tegen Gallische stammen is Caesar erin geslaagd de noordgrens van de provincie Gallia te verschuiven tot aan de Rijn. Behalve Gallia Cisalpina (Noord-Italië) en Gallia Narbonensis (Zuid-Frankrijk) behoort nu ook Gallia Transalpina ('Gallia aan de andere zijde van de Alpen') tot deze provincie. Na zijn consulaat in 59 kreeg Caesar voor een periode van vijf jaar het bestuur over Gallia Cisalpina. Hij vond dit echter niet voldoende en heeft al in 56 ook een groot deel van de rest van Gallia onder Romeins gezag gebracht. Achtereenvolgens versloeg hij de Helvetiërs, de Sueven en de Nervii, gebruik makend van de tegenstellingen tussen de Gallische stammen onderling. Later datzelfde jaar besprak hij met Pompejus en Crassus te Lucca hun toekomstige samenwerking. Afgesproken werd dat Caesar zou proberen de inlijving van Gallia te bestendigen. Dat kostte hem weinig moeite. De laatste Gallische stam die weerstand bood, de Arverni, gaf zich dit jaar op bevel van zijn leider Vercingetorix aan Caesar over. Caesar waagde zelfs een expeditie naar Britannia, maar dat leidde niet tot blijvende onderwerping van het gebied.

Tijdens zijn campagnes in Gallia is Caesar erin geslaagd een groot en trouw leger te formeren. Tevens heeft hij ervoor gezorgd op de hoogte te blijven van wat zich in Rome afspeelde. In de winters, als er niet gevochten werd, sloeg hij zijn kamp op in Noord-Italië om dicht bij Rome te zijn, maar ook tijdens het vechtseizoen heeft een constante stroom van koeriers ervoor gezorgd dat Caesar op de laatste informatie kon inspelen.

*De Nijl volgens een Romeins mozaïek (Palestina, circa 80 voor Christus).*

# Romein in Egypte gelyncht

BOEBASTIS, 59 - Terwijl hij met een Romeins gezantschap door Egypte reisde, is de Griekse geschiedschrijver Diodorus ooggetuige van een wreed misdrijf geweest. Een Romein werd gelyncht, omdat hij per ongeluk een kat had gedood.

Aanvankelijk, zo vertelt Diodorus, probeerde het volk de gunst van de vreemdelingen uit Italië te winnen. De Egyptenaren waren bang en deden hun best om iedere aanleiding tot wrevel of oorlog te vermijden. Totdat een kat de dood vond door de hand van een Romein. Dit bracht een woedende menigte kattenvereerders op de been. Er ontstond een oploop bij het huis van de dader. De koning zond in allerijl ambtenaren om kwijtschelding voor de man te bepleiten. Maar de emoties waren zo hoog opgelaaid dat tussenkomst niet mocht baten. De overtreder had het ongeluk zich te bevinden in de provincie Boebastis, waar de kat is opgeklommen tot voornaamste godheid. Op het doden van een kat staat in deze provincie de doodstraf.

De inwoners van Boebastis vereren de kattengodin Bastet op allerlei manieren. Zij verzekeren zich van haar bescherming door het schenken van vele kleine bronzen van katten. In haar tempel worden ook levende katten gehouden. De priesters voorzien in het onderhoud van de katten met de opbrengst van een speciaal stuk land. Ook ontvangen zij schenkingen van Egyptenaren voor de gunsten hun door de godin verleend. De kat is weliswaar een heilig dier maar wordt ook als huisdier gehouden. Op de grafreliëfs zit zij vaak onder de stoel van de meesteres. Ook wordt ze mee op jacht genomen om de vogels uit de rietmoerassen op te jagen.

Het is niet het enige dier dat de Egyptenaren vereren. In iedere stad incarneert de lokale godheid zich in een dier dat bescherming geniet, zoals de stier, valk, ibis, krokodil, ram, hond, slang, spitsmuis enzovoort. In het Egyptische wereldbeeld neemt de mens geen dominerende positie in ten opzichte van het dier. De mens is geen meester der dieren, maar hun partner. Net als mensen en goden zijn beesten levende wezens, voortgekomen uit dezelfde goddelijke oerkracht. De binding van mens en kosmos is een centraal thema in de Egyptische religie. Binnen dit kader kunnen goden niet alleen als mensen, maar ook als dieren of een mengvorm van beide worden afgebeeld. Het vereren van dieren wordt in de loop der eeuwen steeds belangrijker. Het geldt als een eervolle plicht ze te verzorgen, tijdens hun leven, maar ook daarna. Of het nu een heilig dier, een geliefd huisdier of een vondeling is. Honderdduizenden beesten zijn gemummificeerd in kistjes gelegd en in ondergrondse galerijen naar soort bijgezet. Zij doen dienst als intermediair tussen goden en mensen. Maar ook zijn zij gemummificeerd omdat zij dragers van leven zijn, net als de mens.

# Caesar wordt alleenheerser

EGYPTE, 48 - Op bevel van koning Ptolemaeus XIII is Pompejus in Egypte gedood. Hiermee lijkt alleenheerschappij voor Julius Caesar verzekerd. Pompejus belandde eerder dit jaar in Egypte, toen hij op de vlucht was voor de legers van Caesar. Deze begon vorig jaar een burgeroorlog, door met zijn leger de Rubicon over te steken. Hij had zich, direct na de afloop van zijn ambtstermijn als gouverneur van Gallia, kandidaat willen stellen voor het consulaat. De optimates, die Pompejus aan hun zijde hadden gekregen, verhinderden dit echter. Daarop besloot Caesar te proberen de macht met geweld te grijpen. Zijn oversteek van de Rubicon, de grensrivier van Gallia Cisalpina, werd door de Senaat als een provocatie opgevat. Inderhaast werden legers gemobiliseerd, die voor een groot deel al snel overliepen naar Caesar. Die overtuigde hen er namelijk van dat hij niet tegen soldaten, maar tegen hun leiders wilde vechten. Naast een enorm en snelgroeiend leger kon Caesar ook beschikken over de steun van een groot aantal Italische steden.

Inziend dat hij in Italië niets tegen Caesar kon beginnen, is Pompejus via Brundisium naar Griekenland gevlucht, om daar een leger op de been te brengen. Caesar zette niet onmiddellijk de achtervolging in, maar verzekerde zich eerst van de steun van de Romeinse bezettingstroepen in Spanje, die nog steeds onder Pompejus' commando vielen. Met groot enthousiasme schaarden zij zich achter hem, waarop Caesar naar Griekenland is overgestoken om Pompejus op de knieën te krijgen. Daar is hij begin dit jaar in geslaagd, in de Slag bij Pharsalus in Thessalië. De hoop van de verslagen Pompejus om in Egypte een veilig heenkomen te kunnen zoeken is ijdel gebleken.
Het is niet onwaarschijnlijk dat Ptolemaeus met zijn beslissing Pompejus te laten doden hoopt Caesar aan zich te verplichten. Zijn positie als koning is namelijk omstreden. Zijn zuster Cleopatra maakt aanspraken op de troon, en de steun van Caesar zou hem kunnen helpen om een paleisrevolutie te voorkomen.

*Cleopatra en Caesar met kind (afbeelding Hathortempel in Pendra).*

## Caesar beperkt graanverstrekking

*Romeinse familie aan tafel.*

ROME, circa 45 - Caesar, vorig jaar benoemd tot dictator voor een periode van tien jaar, heeft het mes gezet in de langzaamaan uit de hand gelopen gratis graanverstrekking. Het aantal inwoners van Rome dat profiteert van het gratis graan naderde de 320000. Caesar heeft nu verscheidene groepen buitengesloten en het aantal 'uitkeringsgerechtigden' is nu vastgesteld op 100000. Voor veel stadsproletariërs betekent dit een gevoelige klap. Hun levensomstandigheden zullen nog verder verslechteren. De stad Rome barst intussen bijna uit haar voegen. Er is sprake van schrijnende overbevolking: op een veel te kleine ruimte zijn tussen de 750000 en één miljoen inwoners opeengepakt. Het proletariaat bestaat voor een belangrijk gedeelte uit verarmde boerenfamilies, die gevlucht zijn van het platteland, opgejaagd door het zich almaar uitbreidende grootgrondbezit. Zij hebben geen of nauwelijks middelen van bestaan, behalve zij die, dank zij hun lichamelijke kracht, als cliënt hand- en spandiensten kunnen verrichten voor aanzienlijke families, of dienst kunnen nemen in het leger. De middenstand is vooral in handen van equites, en van enige bouwactiviteit is de laatste jaren eigenlijk bijna geen sprake geweest.
De proletariërs zijn gehuisvest in etagewoningen, insulae genoemd. Voor een klein kamertje, waar slechts een bed en een stoel in passen en waar geen sanitair of kookgelegenheid aanwezig is, betalen zij woekerprijzen aan hun huiseigenaar. De insulae zijn veelal opgetrokken uit minderwaardig leem en kaphout, zodat zowel instortings- als brandgevaar heel reëel is. Branden breiden zich dan ook meestal snel uit, ook al omdat de brandweer, door de vele verkeersopstoppingen in de smalle straatjes, nooit tijdig ter plekke is.
Er zijn de afgelopen jaren gevallen bekend geworden van huiseigenaren die brand in hun panden hebben laten stichten, om met het zo ontstane braakliggende terrein te kunnen speculeren. Aan het lot van de dakloze ex-bewoners hebben zij geen boodschap; in hun monumentale panden in de buurt van het forum tellen zij hun winst.
Caesar heeft zich ongetwijfeld gerealiseerd dat de nu genomen maatregel hem niet populair maakt. Hij heeft er dan ook voor gezorgd dat het gedeelte van de stadsbewoners dat hem van nut kan zijn, als cliënt of als kiezer in de volksvergadering, aanspraak op gratis graan kan blijven maken.

## De optimaat Cato maakt een einde aan zijn leven

UTICA, 46 - Marcus Porcius Cato, de stadscommandant van Utica, de vrije hoofdstad van de provincie Africa, heeft de hand aan zichzelf geslagen. Pogingen van zijn zoon hem te redden mochten niet baten; de verwondingen die Cato zichzelf had toegebracht waren te ernstig.
Cato, een achterkleinzoon van de gelijknamige politicus uit de tweede eeuw, had de leiding op zich genomen van het verzet tegen Caesar, nadat Pompejus ter dood was gebracht. Het verzet heeft echter te lang nodig gehad om voldoende troepen achter zich te verzamelen. Nog voordat zij vanuit hun bases in Noord-Afrika de oversteek naar Italië waagden, keerde Caesar uit Egypte terug. Hij had geruime tijd in Alexandrië vastgezeten doordat hij was bezweken voor de charmes van Cleopatra. Hij heeft haar op de troon geplaatst, maar het gevolg was een belegering van het koninklijk paleis waar Caesar maar ternauwernood heelhuids uit kon ontsnappen.
De dictator keerde echter op tijd terug om het verzet van de optimates definitief en op zeer bloedige wijze te breken in de kort geleden gevoerde Slag bij Thapsus.
Behalve Cato heeft ook een aantal andere optimates zelfmoord gepleegd. De reden daarvoor is het duidelijkst door Cato aangegeven, die liet weten liever zichzelf te doden dan te moeten aanzien hoe de republiek door Caesar gedood werd.

# Gaius Julius Caesar vermoord

ROME, 15 maart 44 - Gaius Julius Caesar, dictator van Rome, is na een senaatszitting vermoord. Op de trappen van het senaatsgebouw, aan de voet van het standbeeld van Pompejus, is hij door een aantal samenzweerders met dolksteken om het leven gebracht.

De leiders van de groep die de aanslag voorbereidde en uitvoerde zijn de praetoren Gaius Cassius en Marcus Junius Brutus. Zij waren fervente aanhangers van Pompejus, maar al in 49 werd hun dit door Caesar vergeven. Caesar stond gedurende zijn hele leven bekend als iemand die een grote vergevensgezindheid ten opzichte van zijn tegenstanders aan den dag legde.

De in totaal ongeveer zestig samenzweerders hopen als redders van de republiek de geschiedenis in te gaan. Eerder dit jaar werd de positie van Caesar als alleenheerser versterkt; zijn dictatorschap voor tien jaar, daterend uit 46, werd omgezet in een dictatorschap voor het leven. Het was vanaf dat moment voor iedereen duidelijk dat de republiek nog slechts in naam bestond, daar Caesar ook over andere vergaande bevoegdheden beschikte, zoals de macht van volkstribuun en het ambt van pontifex maximus.

Als heerser over Rome heeft Caesar een aantal belangrijke maatregelen genomen. Zo heeft hij de Senaat uitgebreid tot ongeveer negenhonderd leden. Bovendien verdubbelde hij het

Marcus Junius Brutus, een van de moordenaars.

aantal praetoren en quaestoren. Op deze manier ontstond een reserve aan ervaren senatoren en equites, waaruit bestuursambtenaren konden worden gerekruteerd. Caesar ontwierp een uniform bestuur voor Italische steden. Een dergelijk bestuur bestaat uit twee of vier jaarlijks gekozen functionarissen, bijgestaan door een adviescollege van ex-bestuurders, de zogenaamde curia. Hoewel Caesar met het beperken van de graanuitdelingen het stads-

De groei van het Romeinse Rijk tijdens Gaius Julius Caesar. Rechtsboven: een munt met portret van Caesar.

proletariaat benadeelde, nam hij ook een aantal maatregelen om hun positie te verbeteren. Een groot aantal van hen kreeg de gelegenheid in de overzeese provincies een nieuw bestaan op te bouwen. Verwoeste steden als Carthago en Korinthe zijn hierdoor tot nieuwe bloei gekomen, en nieuwe steden als Lyon en Arles (in Gallië) zijn verrezen. Het is vooralsnog onduidelijk welke richting het Romeinse bestuur nu, na de dood van Caesar, zal inslaan.

# Terreur treft ook Cicero

ROME, 7 december 43 - Marcus Tullius Cicero, de politicus, jurist en filosoof die vooral in de jaren zestig prominent was, is een van de slachtoffers geworden van de door het tweede driemanschap uitgeoefende terreur. Als symbool van de republikeinse politiek is hij, op 63-jarige leeftijd, ter dood gebracht. Zijn hoofd en handen worden op het forum als afschrikwekkend voorbeeld tentoongesteld.

De moord op Cicero schijnt vooral het initiatief van Marcus Antonius te zijn. Hem viel Cicero vorig jaar herhaaldelijk hard aan in zijn toespraken tot de Senaat, de zogenaamde philippica. In elk geval is het door de gewelddadige dood van Cicero, altijd intens verbonden met de zelfstandigheid van de Senaat, volkomen duidelijk dat de opvolgers van Caesar geen eerbied voor de republikeinse instituties hebben.

Het tweede driemanschap heeft de macht in Rome sinds oktober, na anderhalf jaar van onduidelijkheid. Direct na de moord op Caesar bleek hoe populair deze geweest was: zijn moordenaars werden niet als tirannendoders maar als misdadigers gezien. Zij

zijn de stad ontvlucht, waarna Caesars rechterhand, de consul Marcus Antonius, de macht heeft overgenomen. Het heeft ernaar uitgezien dat hij, gesteund door een andere geestverwant van Caesar, Marcus Aemilius Lepidus, in staat zou zijn een soortgelijke positie als Caesar te verwerven. Bij de begrafenis van Caesar echter, een demonstratie van publieke aanhankelijkheid, las Antonius het testament voor, waarin onder andere stond dat Caesars achterneef, Gaius Octavius, geadopteerd en tot erfgenaam benoemd was.

Hoewel noch Antonius noch de Senaat deze 18-jarige blaag aanvankelijk erg serieus nam, bleek dat een misrekening. Octavius, die zich voortaan Gaius Julius Caesar Octavianus noemde, begon troepen samen te brengen, en vormde al snel een ernstige bedreiging. Antonius en Lepidus zagen zich dan ook genoodzaakt onderhandelingen met Octavianus aan te knopen, ook al omdat zij alle drie door de Senaat tegengewerkt werden. Dat leidde afgelopen oktober in Bologna tot de instelling van het tweede triumviraat.

Het Forum Romanum, het civiele, politieke en religieuze centrum van het Romeinse Rijk. Op de voorgrond de zuil van Phocas (608 na Christus), daarachter de tempel van Castor en Pollux uit de vroege republiek.

# Marcus Antonius sluit politiek huwelijk

ROME, 40 - Marcus Antonius is in het huwelijk getreden met Octavia, een zuster van Octavianus. Hiermee is de samenwerking tussen beide politici nog eens extra bevestigd. Dat was nodig, doordat de tegenstellingen tussen Antonius en Octavianus sinds de verpletterende overwinning van het driemanschap op de republikeinen twee jaar geleden bij Philippi in Macedonië steeds duidelijker aan het licht traden. Bij die gelegenheid werden de Romeinse provincies onder de drie leiders verdeeld. Lepidus kreeg slechts Africa, en was daarmee onschadelijk, maar Antonius, die de oostelijke provincies kreeg toebedeeld, en Octavianus, de heerser van het westen, beconcurreerden elkaar hevig. Met het huwelijk hebben zij nu laten weten ook in de toekomst nog samen te willen werken.

Het is in Rome heel gebruikelijk dat huwelijken dienen om een alliantie tussen twee aanzienlijke families te smeden of te bestendigen. Bij de aristocratie heeft het huwelijk dan ook vooral

*Portret van Marcus Antonius.*

een politieke functie. Uit dergelijke huwelijken worden weinig kinderen geboren. Aan de ene kant is dit uit praktische overwegingen; een goede toekomst is niet altijd verzekerd, doordat het aantal te verdelen politieke functies relatief gering is. Aan de andere kant maken aanzienlijke Romeinen veelal

gebruik van de mogelijkheid tot adoptie; zo kan men kiezen wie de familienaam en het fortuin zal erven.

Door de instabiele politieke situatie in deze eeuw zijn vele aanzienlijke Romeinen meer keren getrouwd. Daar het Romeinse huwelijk monogaam is staat daar een groot aantal echtscheidingen tegenover. Meestal levert dit weinig problemen op: evenals het huwelijk is de echtscheiding een particuliere aangelegenheid, die door beide deelnemende families geregeld wordt. Daar komt nog bij dat er tegenwoordig meestal voor een moderne huwelijksvorm wordt gekozen. Trouwde men vroeger met manus (hand), waarbij de bruid volledig onder het gezag van haar echtgenoot viel, tegenwoordig geniet het huwelijk zonder manus de voorkeur. De bruid blijft tot haar eigen familie behoren, zodat zij in geval van echtscheiding daarop kan terugvallen, de bruidsschat terugkrijgt, en zo meer mogelijkheden voor een nieuw huwelijk heeft.

# Zelfmoord van Cleopatra

*Cleopatra (kopie, circa 40 v. Chr.).*

ALEXANDRIE, 31 - Cleopatra VII, de koningin van Egypte, heeft zelfmoord gepleegd. Hiermee is een einde gekomen aan het geslacht van de Ptolemaeën, dat sinds de dood van Alexander de Grote over Egypte heeft geheerst.

Cleopatra, die haar positie te danken had aan haar geliefde Julius Caesar, trouwde in 36 met Marcus Antonius. Dit was een belediging voor Octavianus, wiens zuster Octavia door Antonius aan de kant werd gezet. Oproepen van Antonius en Cleopatra om steun aan Octavianus te ontzeggen vonden in Rome geen gehoor. Octavianus wist de Romeinen er namelijk van te overtuigen dat Antonius zich de allure van een hellenistische vorst aanmat, en er despotische ideeën op na hield. Anto-

nius zag zichzelf als goddelijk heerser, als nieuwe Dionysus met Cleopatra als de Egyptische godin Isis aan zijn zijde. Toen vorig jaar de bevoegdheden, die de volksvergadering aan het triumviraat geschonken had, afliepen, kon een confrontatie tussen Octavianus en Antonius niet uitblijven. Antonius en Cleopatra kozen als vlootbasis de baai van Actium in Noordwest-Griekenland, om vandaar uit een invasie van Italië voor te bereiden. In de afgelopen winter durfden zij echter geen actie te ondernemen, en in het voorjaar verscheen Octavianus met de enorme vloot in dezelfde baai. Er werd nauwelijks gevochten. Antonius en Cleopatra zagen hun hopeloze positie in, lieten hun vloot in de steek en vluchtten met een snelzeiler naar Egypte. Hun soldaten boden nog enige dagen tegenstand, voordat zij zich aan Octavianus overgaven.

Daarmee was de strijd beslist. Octavianus volgde de vluchtelingen, maar toen hij het koninklijk paleis in Alexandrië bereikt had, bleek Antonius zelfmoord gepleegd te hebben. Cleopatra heeft vervolgens geprobeerd Octavianus met haar charmes te betoveren, maar wat haar bij Caesar en Antonius wel gelukt was had bij Octavianus geen schijn van kans. Liever dan in Rome in een triomftocht meegevoerd te moeten worden, is zij Antonius in diens zelfgekozen dood gevolgd. Aan de zelfstandigheid van Egypte is een einde gekomen; het zal bij Rome worden ingelijfd.

Met dit alles is Octavianus, de erfgenaam van Julius Caesar, nu onbetwist de machtigste man in het Romeinse Rijk.

*Marmeren beeld van een Romeins magistraat die de busten van zijn voorvaderen in de hand houdt. Het beeld is bekend als de 'Brutus Barberini' (1ste eeuw voor Christus). De Romeinen kennen naast de openbare religie de familiecultus. Iedere familie vereert behalve een aantal huisgoden, de 'Lares' en 'Penates', ook haar voorouders. Busten van deze voorouders staan opgesteld in het atrium, het voorportaal van een Romeins huis, en zij worden bij plechtige gelegenheden in processie meegedragen. Het busteportret was onbekend in de Griekse kunst, die geen kunstmatige amputaties van het menselijk lichaam toestond. In de Romeinse en Etruskische wereld vertegenwoordigt een geïsoleerd hoofd daarentegen de gehele persoonlijkheid.*

*Portret van Augustus (circa 50).*

# Senaat verleent Augustus het Imperium Maius

ROME, 23 - Augustus heeft van de Senaat naast andere bevoegdheden het Imperium Maius toegekend gekregen. Dit houdt in dat hij nu niet alleen het bestuur over de zogenaamde keizerlijke provincies in handen heeft, maar ook het toezicht houdt op de senatoriale provincies. De toekenning van deze bevoegdheid betekent een volgende stap in de consolidatie van de alleenheerschappij van Augustus. Hij bestuurt nu niet alleen alle provincies, maar ook alle legers vallen permanent onder zijn gezag.

Vier jaar geleden legde hij, als Octavianus, zijn bevoegdheden neer omdat de republiek hersteld zou zijn. De Senaat verleende hem daarop de eretitel 'Augustus'. In feite houdt deze titel, die zoiets als 'de verhevene' betekent, niets in, maar zij bekleedt de drager ervan wel met een zekere goddelijke autoriteit. Augustus bleef echter wel consul en kreeg het tijdelijke bestuur over 'onrustige' provincies. Hier zijn ook de legers gestationeerd, zodat hij een machtsmiddel van betekenis in handen hield.

Het zo lang achtereen bekleden van een consulschap veroorzaakte kort geleden groot ongenoegen onder de senatoren die deze hoogste sport van de carrièreladder aan zich voorbij zagen gaan. Hierop besloot Augustus het consulschap neer te leggen. Ter compensatie kreeg hij de bevoegdheid van volkstribuun. Op grond hiervan kan hij wetgeving initiëren, de Senaat bijeenroepen, maatregelen van andere magistraten ongeldig verklaren en personen die hem tegenwerken laten arresteren. Zijn eigen persoon blijft onschendbaar. Bovendien kan hij iedereen juridische bijstand verlenen, waardoor hij erin zal slagen veel mensen aan zich te binden in ruil voor zijn bescherming.

Uit dit alles blijkt dat Augustus zijn macht handhaaft niet door zichzelf tot dictator uit te roepen, maar door een groot aantal belangrijke republikeinse functies in zijn persoon te verenigen.

# Nîmes kolonie van Rome

NÎMES, circa 28 - Keizer Octavianus heeft soldaten, met een aantal van wie hij de overwinning in Actium behaalde, gevestigd in Nîmes en deze stad het Latijns burgerrecht gegeven. Hiermee is de hoofdstad van de Keltische stam Volcae Arecomici een kolonie van Rome geworden.

De veteranen die nu in Nîmes een stukje grond krijgen, maken deel uit van een groep van 300 000 soldaten die Octavianus na afloop van de burgeroorlog een onderkomen moet zien te bieden. De soldaten van het Romeinse leger worden voornamelijk gerekruteerd uit het Italische stads- en plattelandsproletariaat, een bevolkingsgroep die geen middelen van bestaan heeft en daarom als laatste redmiddel dienst neemt in het leger. Hun soldij is erg laag, hoewel Caesar er al voor gezorgd heeft dat hun materiële omstandigheden verbeterden. Zo krijgen zij nu regelmatig vlees in het voedselpakket. Hun voornaamste hoop geldt het stukje land dat zij na hun diensttijd van zestien tot twintig jaar van hun generaal krijgen.

Deze belofte van de generaal, die van tijd tot tijd ook gratificaties uitdeelt, heeft tot gevolg dat de loyaliteit van de gemiddelde soldaat niet Rome, maar zijn aanvoerder geldt. Het is voor de generaals niet altijd mogelijk om land in Italië te kopen, omdat de grond hier in handen is van grootgrondbezitters die dit vaak verworven hebben juist ten koste van de kleine boeren. Deze laatsten hopen door in militaire dienst te gaan weer nieuw land te verkrijgen, zij het in een van de provincies.

Het land bij Nîmes werd door Octavianus tijdens een reis naar Gallia aangekocht. De stad behoort nu tot het grote aantal kolonies dat door Caesar en Octavianus is gesticht. Behalve veteranen kunnen ook de bezitlozen uit Rome een stukje land in een dergelijke kolonie krijgen. Naar schatting een kwart van de vrije mannelijke bevolking van Italië is op deze manier al in een van de provincies terechtgekomen.

*Romeins theater met achter het toneel een standbeeld van Augustus. Een van de weinige overgebleven theaters met een gave façade. Orange (Arausio), Zuid-Frankrijk, 7 voor Christus.*

**20.** De Parthische koning Phraätes IV geeft de in 53 in de Slag bij Carrhae buitgemaakte Romeinse veldtekens en krijgsgevangenen terug aan Augustus.

**20.** Koning Artaxes van Armenië wordt vermoord. De Romeinse legerleider Tiberius kroont Tigranes II tot zijn opvolger.

**19.** Augustus keert naar Rome terug na zijn reis naar de oostelijke provincies.

**19.** Agrippa maakt een eind aan de oorlog in Spanje.

**19.** In Brundisium overlijdt op 51-jarige leeftijd de Romeinse dichter Vergilius. →

**18.** Agrippa wordt benoemd tot co-regent van Augustus.

**18.** In Rome wordt de Lex Julia (huwelijkswetgeving) aangenomen.

**17.** Augustus adopteert zijn twee kleinzonen Gaius en Lucius.

**17.** In Rome worden door Augustus de ludi saeculares gevierd. Deze feesten markeren het begin van een nieuw tijdperk.

**16.** Augustus vertrekt voor een periode van vier jaar naar Gallië.

**16.** Agrippa vertrekt naar het oosten.

**15.** Tiberius en Drusus veroveren Raetia en Vindelica.

**15.** Agrippa hecht zijn goedkeuring aan het pro-Romeinse beleid van Herodes de Grote door een bezoek aan Jeruzalem te brengen.

**13.** Augustus keert na zijn verblijf in Gallië in Rome terug.

**13.** In Rome wordt begonnen met de bouw van het Ara Pacis Augustae.

**13.** Agrippa voert oorlog in Pannonia.

**12.** Augustus wordt na de dood van Marcus Aemilius Lepidus tot pontifex maximus gekozen.

**12.** Drusus wijdt in Lugdunum [Lyon] een altaar aan Rome en Augustus.

**12.** Na de dood van Agrippa zet Tiberius de strijd in Pannonia met succes voort.

**12.** Op de Palatijn wordt de tempel van Vesta ingewijd.

**11.** Tiberius trouwt met Julia, de weduwe van Agrippa.

Gestorven:

**19.** Publius Vergilius Maro (70), Romeins dichter →
**19.** Albius Tibullus (circa 55), Romeins dichter
**13.** Marcus Aemilius Lepidus, lid van het tweede triumviraat
**12.** Marcus Vipsanius Agrippa (63), Romeins legerleider en staatsman

## Dichter Vergilius Maro overleden

BRINDISI, 19 - Publius Vergilius Maro, de uit Mantua afkomstige dichter, is vlak na terugkeer van een reis door Griekenland op 51-jarige leeftijd overleden. De dichter behoorde tot de door Maecenas, een invloedrijke Romeins-Etruskische ridder, georganiseerde kunstkring rond keizer Augustus. Maecenas bracht regelmatig dichters onder de aandacht van de keizer en zorgde er daarmee voor dat zij in het vervolg vorstelijk beloond werden voor hun artistieke prestaties.

Vergilius was bezig de laatste hand te leggen aan zijn epos *Aeneis* waarin hij vertelt hoe de Trojaanse held Aeneas uit het overwonnen Troje ontsnapt met zijn oude vader op zijn rug en zijn zoontje aan de hand. Na vele omzwervingen belandt hij in Latium, de landstreek waar door zijn nakomelingen Rome gesticht zal worden.

Het gedicht lijkt qua structuur op de *Odyssee* die de avonturen van de Griekse held Odysseus als onderwerp heeft, maar kent ook eigen elementen zoals de liefdesgeschiedenis tussen Aeneas en Dido, de koningin van Carthago. Aeneas laat deze vrouw uiteindelijk in de steek omdat zijn zwerftocht nog niet volbracht is en de goden hem wijzen op de plicht naar Latium te gaan. Centraal in de *Aeneis* staan de verplichtingen die Aeneas heeft jegens de goden, zijn vader, en zijn nageslacht, waarden die ook in het leven en denken van een goed Romeins burger een belangrijke plaats innemen. De *Aeneis* kan beschouwd worden als een moralistisch getint gedicht.

Een ander belangrijk element is keizerlijke propaganda. De familie van Augustus beweert namelijk af te stammen van Aeneas en diens grootmoeder Venus. Aeneas is, in indirecte zin, de stichter van Rome en Augustus betoont zich een waardige afstammeling door Rome te herscheppen en de legendarische Gouden Tijd van Aeneas te doen herleven.

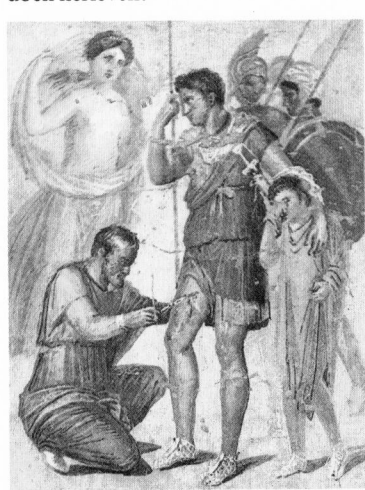

*Scène uit de Aeneis: de gewonde held wordt behandeld (fresco, Pompeji).*

**10.** Herodes de Grote voltooit de bouw van de stad Caesarea.

**10.** De Romeinse veldheer Drusus richt een vredesaltaar op in Gallië. →

**9.** Drusus sterft in Germania aan de bij een val van zijn paard opgelopen verwondingen.

**9.** Maroboduus, de koning van de Marcomannen, verovert Bohemen.

**9.** In Rome wordt het Ara Pacis Augustae ingewijd.

**8.** Tiberius voltooit de veroveringen van Drusus in Germania door het onderwerpen van de Sugambri en Suebi.

**7.** Augustus reorganiseert het stadsbestuur van Rome door de verdeling van Rome in veertien regiones.

**6.** Tiberius krijgt voor vijf jaar de tribunicia potestas toegekend. Hij trekt zich hierna zeven jaar lang op Rhodos terug om te studeren.

**6.** De meest waarschijnlijke datum voor de geboorte van Jezus Christus.

**4.** Herodes de Grote, koning van Judea, overlijdt. Zijn rijk wordt na zijn dood verdeeld onder zijn drie zonen. →

**2.** De Parthische koning Phraätes IV wordt vermoord. Hij wordt opgevolgd door Phraätes V, ook wel Phraätaces genaamd.

**2.** De senaat schenkt Augustus de eretitel pater patriae.

**2.** Julia, de dochter van Augustus en de vrouw van Tiberius, wordt beschuldigd van veelvuldig overspel en wordt verbannen.

**2.** De Lex Fufia Caninia beperkt het aantal slaven dat bij de dood van een meester kan worden vrijgelaten.

**2.** Op het Forum Augusti wordt de tempel van Mars Ultor ingewijd.

Geboren:

**10.** Claudius († 54), Romeins keizer
**6.** Jezus Christus († 30)
**4** (circa). Lucius Annaeus Seneca († 65), Romeins filosoof en tragediedichter
**3.** Galba († 69), Romeins keizer

Gestorven:

**9.** Nero Claudius Drusus (38), Romeins legerleider
**8.** Quintus Horatius Flaccus (65), Romeins dichter
**4.** Herodes de Grote (circa 73), koning van Judea
**2.** Phraätes IV, Parthisch koning

*Afbeelding van de tronende keizer (fragment van 'Gemmae Augustae').*

## In Lyon altaar aan Rome en Augustus gewijd

LYON, 1 augustus 10 - Op de plaats waar de Rhône en de Saône samenkomen is door Drusus, de geadopteerde zoon van Augustus, een vredesaltaar gewijd aan Rome en Augustus. Op het altaar staan ook de namen van de zestig Gallische stammen gegraveerd. Hij hoopt hiermee een loyaal en verenigd Gallië achter zich te hebben staan wanneer hij tegen de Germanen ten strijde trekt.

De door de Romeinen gekozen plek is voor de Galliërs niet zonder betekenis. In hun religieuze denken kennen zij een speciale betekenis toe aan bronnen en rivieren. De datum van wijding is zowel voor de Romeinen als voor de Galliërs een feestdag. Het is de bedoeling dat het altaar het centrum wordt van de keizercultus in Midden- en Noord-Gallië. Jaarlijks zal een lid van de plaatselijke elite tot priester gekozen worden. De priester van dit jaar is C. Julius Vercondaridubno, een Galliër die, zoals uit zijn naam blijkt, onder Julius Caesar het Romeinse burgerrecht heeft verkregen.

In het westelijke deel van het Romeinse Rijk is de keizercultus nog niet zo gewoon als in het oostelijke deel, waar vanuit de hellenistische traditie al voor de Romeinse overheersing een heersercultus bestond. De Romeinse overheid heeft echter ontdekt dat de keizercultus een middel kan zijn om onderworpen volken trouw aan Rome te maken, ook als er geen soldaten aanwezig zijn om deze loyaliteit door wapenen af te dwingen.

Vooral als men de keizercultus inpast in de al aanwezige religieuze gebruiken van de inheemse bevolking, zoals nu in Lyon is gebeurd, lijkt deze methode succesvol.

# Archelaüs naar Gallië verbannen

ROME, 4 - Archelaüs, zoon van Herodes, de overleden koning van Judea, is door keizer Augustus naar Gallië verbannen. Dit ondanks het testament van Herodes dat bepaalde dat het land in drie stukken zou worden opgedeeld. Judea, Samaria en Idumea waren toebedacht aan Archelaüs.

Het ligt nu in de bedoeling van Judea een Romeinse provincie te maken, bestuurd door een keizerlijke procurator met opperste rechtsbevoegdheid. Het hoofdkwartier zal worden verplaatst naar Caesarea. De privileges die de joden onder Julius Caesar waren verleend zullen worden gewaarborgd: vrijheid van godsdienst, vrijstelling van krijgsdienst en het recht jaarlijks een bedrag naar Rome te sturen voor het onderhoud van de Tempel.

De vader van Herodes was een loyale volgeling van Rome, ambtenaar tijdens het hogepriesterschap van Hyrkanos II. Op 15-jarige leeftijd al nam zijn zoon deel aan een expeditie tegen joodse opstandelingen in Galilea. Herodes werd dan ook gehaat en veracht door het grootste deel van de bevolking die hem 'Idumeaanse slaaf' noemde. Het geslacht der Antipaters is uit deze streek afkomstig en heeft zich tot het judaïsme bekeerd. In 42 werd Herodes samen met één van zijn broers tot koning benoemd. De bevolking kwam in opstand en liet de Parthen de poort van Jeruzalem binnen. Zijn mederegent pleegde zelfmoord en hijzelf vluchtte naar Rome.

In de zomer van 38 trok een Romeins legioen Judea binnen. Duizenden joden werden in de zomer van het volgende jaar afgeslacht. Herodes oefende een waar terreurbewind uit. Ook zijn directe familie ontkwam hier niet aan; hij liet behalve zijn vrouw ook twee zoons ombrengen. Het is niet voor niets dat keizer Augustus zich enkele jaren geleden liet ontvallen dat 'het verkieslijker (is) om één van de varkens van Herodes te zijn dan zijn zoon'. Uiterlijk transformeerde Herodes Judea in een hellenistische staat; overal richtte hij heidense symbolen op.

*Rotsgraf in de stad Petra, gelegen nabij Wadi Moesa in Jordanië.*

2. Tiberius keert terug uit Rhodos.

2. Gaius Caesar sluit een overeenkomst met de Parthische koning Phraätes V. Rome erkent Parthië, maar Parthië moet afzien van het recht te interveniëren in Armenië.

2. Gaius Caesar maakt Ariobarzanes, de koning van Medië, koning van Armenië.

2. Lucius Caesar overlijdt in Massilia [Marseille].

4. Gaius Caesar overlijdt in Lycië. Augustus adopteert, nu zijn beide door hem geadopteerde kleinzonen zijn overleden, zijn stiefzoon Tiberius en benoemt hem tot zijn opvolger. Hij dwingt Tiberius om Germanicus, de zoon van zijn overleden broer Drusus, te adopteren.

4. Tiberius vertrekt naar Germania.

4. Na de dood van koning Phraätes V ontstaat er bij de Parthen een periode van anarchie.

5. Tiberius verslaat de Longobarden en bereikt de monding van de Elbe.

6. In Pannonia en Dalmatia breekt een opstand uit tegen het Romeinse gezag.

6. Rome erkent Maroboduus als koning van de Marcomannen en vriend van Rome.

6. Judea wordt een Romeinse provincie.

7. Augustus benoemt een praefectus annonae, die belast wordt met de korenaanvoer en de distributie. →

8. De opstand in Pannonia wordt door Tiberius onderdrukt.

9. De opstand in Dalmatia wordt door Tiberius definitief neergeslagen.

9. Arminius, koning van de Cherusken, vernietigt in het Teutoburgerwoud drie Romeinse legioenen onder leiding van Publius Quinctilius Varus.

9. Keizer Augustus voert een nieuwe huwelijkswetgeving door. →

9. De Chinese keizer Wang Mang nationaliseert het landbezit. →

Geboren:

9. Vespasianus († 79), Romeins keizer

Gestorven:

2. Lucius Caesar (17 v.C.), kleinzoon van Augustus
4. Gaius Caesar (20 v.C.), kleinzoon van Augustus
4. Phraätes V, Parthisch koning

# Rome regelt graantoevoer

ROME, 7 - Om de voortdurende problemen die Rome met zijn graantoevoer heeft het hoofd te kunnen bieden, is er een speciale ambtenaar benoemd, de praefectus annonae.

De stad Rome met haar miljoen inwoners heeft jaarlijks 200 000 ton graan nodig en is hiervoor totaal afhankelijk van import van overzee. Hoe kwetsbaar zij hierdoor is bleek tijdens de burgeroorlog van 49-46 v.C., toen Sextus Pompejus met zijn troepen de voornaamste leverancier van Rome, Sicilië, bezette, en zo een hongersnood veroorzaakte. Het was dan ook een groot geluk voor Augustus dat Egypte hem in handen viel. Het land werd zijn privé-domein waaruit hij zowel geld als graan kan betrekken en levert ongeveer een derde van het graan dat Rome nodig heeft. Toch was hiermee niet iedere crisis op voorhand uitgesloten. In 23-22 v.C. en 5 n.C. waren er hongersnoden. De oorzaak hiervan was ten dele gelegen in het feit dat de handel in graan in handen is van particulieren die geen enkele verplichting jegens de bestuurders van Rome hebben.

Ook Augustus nam tijdens de hongersnoden die onder zijn regering optraden zelf de verantwoordelijkheid voor de graantoevoer op zich. Het voor-

*Romeinse haven (muurschildering uit Stabia, circa 70 na Christus).*

naamste motief hiervoor was de politieke steun die de keizer verkreeg in ruil voor zijn graanuitdelingen aan 200 000 inwoners van Rome.

De praefectus annonae, die nu door Augustus benoemd is, is zijn directe vertegenwoordiger, die toezicht moet houden op de graanimporten zonder evenwel grote politieke macht te krijgen. De prefect staat op één lijn met de prefect van Egypte en de prefect van de praetoriaanse garde. Deze functies zijn de hoogste die een lid van de ordo equester kan bereiken.

## Wang Mang nationaliseert grondbezit

*Terracotta acrobaatjes, gevonden in een graftombe uit de Han-tijd.*

CHANGAN, 9 - De eerste keizer van de Xin-dynastie, Wang Mang, heeft een grootscheepse landhervorming aangekondigd. Deze landhervorming omvat nationalisatie van alle grond, confiscatie van land van grootgrondbezitters, het verbod op het kopen en verkopen van grond en een verdeling van de grond onder de boeren. De landbouwpolitiek is een onderdeel van ingrijpende hervormingen, waarmee Wang Mang is begonnen direct nadat hij zichzelf, eerder dit jaar, tot keizer had uitgeroepen. De machtsgreep van Wang Mang is zonder bloedvergieten verlopen. Hij was reeds regent voor een minderjarige troonopvolger en in feite al onder de laatste twee, uiterst gedegenereerde, monarchen de machtigste man in het rijk. Zijn macht was voor een deel te danken aan het feit dat hij de neef van een keizerin-weduwe was en verder aan zijn vele talenten, waaronder zijn kennis van en actieve belangstelling voor de confuciaanse doctrine. Hij stelt zijn huidige hervormingen dan ook voor als een herstel van de orde die karakteristiek zou zijn voor de tijd van hertog Zhou of de nog vroegere tijden van de mythologische Datong (Grote Gezamenlijkheid). Zowel deze maatregelen als pogingen om nieuwe belastingen in te voeren kunnen echter mislukken door de verzwakking van het centrale gezag, zoals onder de laatste twee Han-keizers. Een van de opmerkelijke besluiten van de kersverse keizer was de beslissing om de minderjarige keizer, die hij van de troon heeft gestoten, te laten leven.

## Huwelijkswetten Augustus ruimer

*Keizer Augustus (marmeren buste).*

ROME, 9 - Keizer Augustus heeft aan zijn serie huwelijkswetten een nieuwe wet toegevoegd. Deze wet, die de naam Papia Poppaea draagt, bepaalt dat mannen met kinderen sneller carrière kunnen maken. Voor een aantal ambten is een minimumleeftijd vereist. Vaders mogen nu voor ieder kind dat zij hebben een jaar van dit minimum aftrekken. De wet geeft ook een aantal voorrechten aan mensen met drie of meer kinderen. Hiernaast worden de strafbepalingen voor kinderloze paren enigszins verzacht, en wordt weduwen een langere tijd gegund om te hertrouwen.

In eerdere wetten (circa 18 v.C.) was door Augustus een huwelijksplicht ingesteld voor mannen tussen 25-60 en vrouwen tussen 20-50 jaar. Overspel werd een misdaad waarop zware straffen, zoals verbanning, stonden. De sancties op het niet tijdig trouwen of kinderen krijgen houden meestal een beperking van het erfrecht in. Augustus hoopt op deze manier de huwelijksmoraal te verbeteren en met name de ridderstand tot het krijgen van meer kinderen aan te zetten. Hiertoe heeft hij ook bepaald dat huwelijken met ex-slavinnen, behalve voor senatoren, mogelijk zijn zonder dat de kinderen uit zo'n huwelijk de status van slaaf krijgen.

In zijn streven oude Romeinse waarden te laten herleven, betrekt Augustus ook de religie. In Rome liet hij 82 verwaarloosde tempels herbouwen. Hij werd lid van een aantal oude priestercolleges en bekleedt sinds 12 v.C. het ambt van pontifex maximus. Voor het gewone volk van Rome werd de cultus van de Laren, de beschermgoden van huis en haard, hersteld. Tussen 12 en 7 v.C. kregen alle wijken van Rome een eigen heiligdom gewijd aan de Laren en de beschermgod (genius) van Augustus. Met dit herstel van de traditionele Romeinse religie zet Augustus zich ook af tegen de groeiende belangstelling voor buitenlandse godsdiensten en tegen de herinnering aan de door hem verslagen Marcus Antonius die zich als de nieuwe Osiris liet vereren, met zijn minnares Cleopatra als Isis.

# Tiberius versterkt macht

ROME, 13 - Het imperium en de macht van volkstribuun Tiberius zijn voor een periode van tien jaar verlengd. Deze stap maakt zijn positie als opvolger van keizer Augustus vrijwel onaantastbaar.

Tiberius is de zoon van Livia, de derde vrouw van Augustus. De keizer heeft zelf alleen een dochter uit een eerder huwelijk. Op deze Julia had hij alle hoop gevestigd voor een opvolger uit zijn eigen familie. Hij benoemde achtereenvolgens haar eerste echtgenoot, Marcellus en haar tweede, Agrippa, tot opvolger. Uit het huwelijk van Julia met de laatste, een raadsman en vriend van Augustus, werd een aantal zonen geboren die opvolging van Augustus in directe lijn leken te waarborgen. Zolang ze echter minderjarig waren, was hun opvolging niet zeker daar het keizerschap immers geen wettelijke basis heeft maar bestaat uit een aantal door de Senaat verleende speciale bevoegdheden. In principe kan ieder lid van de Senaat op het keizerschap aanspraak maken. Om nu te voorkomen dat er na zijn dood onenigheid over de opvolging zou ontstaan en om de opvolging door een van zijn kleinzoons zeker te stellen, moet Augustus altijd een troonopvolger achter de hand houden. Na de dood van Agrippa in 12 v.C. werd Tiberius gedwongen met Julia te

*Afbeelding keizer Tiberius (munt).*

trouwen en in 6 v.C. kreeg hij voor een periode van vijf jaar de macht van volkstribuun. Hij zag in dat hij het veld zou moeten ruimen zodra de kleinzoons van Augustus meerderjarig zouden worden. Uit onvrede hiermee en met zijn slechte huwelijk trok hij zich terug op Rhodos. De kleinzoons van Augustus stierven echter jong en andermaal was deze gedwongen zich tot Tiberius te wenden. Augustus adopteerde negen jaar geleden Tiberius die op zijn beurt zijn neef Germanicus moest adopteren, waaruit blijkt dat de eigenlijke sympathie van Augustus bij Germanicus ligt.

## Germanicus teruggeroepen naar Rome

ROME, 16 - Germanicus, de geadopteerde zoon van Tiberius, is van zijn campagne tegen de Germaanse stammen teruggeroepen om een triomf te vieren. Waarschijnlijk achtte de keizer het niet verstandig de jarenlange strijd tegen de Germanen voort te zetten omdat deze te veel kost.

In 12 v.C. zijn de Romeinen begonnen Germanië te veroveren. Gallië werd voldoende gepacificeerd geacht en men wilde voorkomen dat de Germanen invallen zouden doen. Het doel van de Romeinen was de Elbe, die in 9 v.C. door Drusus bereikt werd. Hierna heeft Tiberius het commando overgenomen en de stammen tussen Rijn en Elbe onderworpen.

Germanië heeft echter geen wegen en voorraden voor het Romeinse leger, dat hierdoor genoodzaakt is zich 's winters terug te trekken in legerkampen bij de Rijn. Het gebied is dan ook nog lang geen Romeinse provincie te noemen. Toen Publius Quinctilius Varus als gouverneur naar het gebied gestuurd werd, veroorzaakte hij een opstand door belasting op te leggen en Romeinse rechtspraak te introduceren. Zeven jaar geleden organiseerde Arminius, de leider van de Cherusken die dienst had gedaan in het Romeinse leger, een opstand. Hij lokte Varus en zijn troepen het in het aan de Romeinen onbekende gebied tussen de Weser en de Ems. In het Teutoburgerwoud slachtte hij de twintigduizend man sterke troepenmacht van Varus af.

Hierna voerden Tiberius en zijn neef Nero Claudius Drusus het commando over de Rijnlegers. Augustus stond hun echter niet toe de onder Varus verloren gebieden te heroveren. Dit was tegen de zin van Drusus, die vond dat hij niet voor niets de bijnaam Germanicus van zijn beroemde vader geërfd had. Vorig jaar ging hij Arminius achterna en kwam bij de plek waar Varus zes jaar tevoren verslagen werd.

'Op de vlakte tussen de bomen lagen de gebleekte botten, verspreid of in kleine hoopjes, zoals de mannen gevallen waren, vluchtend of terwijl ze stand hielden. Dichtbij lagen versplinterde speren en de ledematen van paarden en menselijke schedels waren goed zichtbaar aan boomstammen gespijkerd.'

Ook Germanicus zelf ontkwam ter nauwernood en besloot een einde te maken aan de problemen van het troepentransport over land. Hij liet een vloot van duizend schepen bouwen en voer ermee door het kanaal dat zijn vader vanaf de Rijn naar het Lacus Flevo [IJsselmeer] gegraven had naar de monding van de Ems. In de slag die nu geleverd werd wist Arminius, die in zijn diensttijd bij het Romeinse leger veel had geleerd, wederom de Romeinen tegen te houden.

# Jezus van Nazareth gekruisigd

*Jezus van Nazareth op weg naar zijn kruisiging (schilderij Rafaël, 1516).*

*De bewening van Jezus van Nazareth (beeldje uit het Middenrijn-gebied, 13de eeuw).*

JERUZALEM, circa 30 - Op beschuldiging van godslastering is de joodse religieuze leider Jezus van Nazareth door kruisiging ter dood gebracht. Op de vraag van hogepriester Kajafas of de gewraakte uitspraak 'Ik ben de koning der joden' inderdaad aan hem kon worden toegeschreven, weigerde hij te antwoorden en daarmee tekende hij zijn doodvonnis.

Een woedende menigte van ouderlingen, priesters en schriftgeleerden leidde hem daarop naar het paleis van Pontius Pilatus, die als procurator verantwoordelijk is voor de rechtspraak in de provincie Judea. Deze ondervroeg hem voor de tweede keer: 'Zijt gij de koning der joden?' En omdat Jezus slechts antwoordde met: 'Gij zegt het', verklaarde Pilatus hem niet schuldig aan het plegen van een strafbaar feit.

In plaats van Jezus direct op vrije voeten te stellen koos Pilatus echter voor een compromis met de woedende menigte buiten het paleis. Gebruik makend van het feit dat de volgende dag het joodse paasfeest zou beginnen, en dat het gebruikelijk is op dergelijke hoogtijdagen één veroordeelde amnestie te verlenen, stelde hij hen voor de keuze: vrijlating van rover en moordenaar Barabbas, of van Jezus. De keus viel op Barabbas, waarna Pilatus Jezus veroordeelde tot de kruisigingsdood, een straf die eigenlijk is bedoeld voor slaven en mensen van lage komaf (humiliores) en die daardoor als vernederend wordt gezien.

Jezus van Nazareth, ook wel bekend als Jezus Christus, leidde een religieuze groep die wordt aangeduid met de naam christenen. De meeste van zijn volgelingen zijn - evenals hij zelf - afkomstig uit Galilea in het noorden van Judea dat pas relatief laat onder invloed van het jodendom is gekomen. Wellicht kan men (mede) hierdoor het vroege succes van de beweging in deze landstreek verklaren.

Anderzijds lijkt echter duidelijk dat in heel Judea het klimaat rijp is voor dergelijke religieuze bewegingen. Door de Romeinse overheersing maakt het joodse nationalisme een bloeiperiode door; verschillende religieuze stromingen strijden voor godsdienstvrijheid en autonomie. Het gaat daarbij niet alleen om religieuze kwesties als het regelmatig terugkerende verbod op besnijdenis, maar tevens om politieke zaken als belastingvrijheid en zelfs totaal zelfbestuur.

Politiek en religie zijn daarbij vaak nauw verweven; de Romeinse overheersing wordt door velen beschouwd als een inbreuk op de belofte van God jegens het volk van Israël.

# Rebellen doden Wang Mang

CHANGAN, 23 - Gezeten op de keizerstroon, in vol ornaat, is de eerste en laatste keizer van de Xin-dynastie, Wang Mang, door opstandelingen vermoord. Zijn lichaam werd onthoofd en gevierendeeld. De dood van Wang Mang volgt op het debâcle van het keizerlijke leger van 400 000 man bij de omsingeling van de stad Kunyang. Terwijl het opstandelingenleger 'Het Groene Woud' zich in de stad verschanst hield, viel daarbuiten een ander opstandelingenleger, onder leiding van grootgrondbezitter Liu Xiu, het keizerlijke leger aan. Na de vernietiging van dat leger brak ook in de hoofdstad Changan een opstand uit.

Het verval van de nieuwe dynastie is het gecombineerde gevolg van militaire nederlagen tegen de Xiongnu en natuurrampen. De boeren, die van de verregaande economische hervormingen zoals die aan het begin van het nieuwe regime waren ingevoerd, hadden moeten profiteren, zijn in feite armer geworden. Vooral na de overstromingen van de Gele Rivier en het verplaatsen van de benedenloop van deze rivier gaf de verpaupering van de boerenbevolking aanleiding tot een serie lokale opstanden. Deze opstanden veranderden in een grote revolte na het ontstaan van het geheime genootschap van de Rode Wenkbrauwen dat onder invloed van de taoïstische heilsleer stond. In tegenstelling tot de opstandelingen tot dan toe gingen eenheden van de Rode Wenkbrauwen spoedig over tot het aanvallen van de steden en het vermoorden van keizerlijke ambtenaren. Er is bij hen echter geen sprake van een eigen politiek programma, maar alleen van het verlangen naar het herstel van de Han-dynastie.

*Soldaten van de praetoriaanse garde, de troepen van de keizerlijke lijfwacht.*

# Sejanus terechtgesteld

ROME, 18 september 31 - Het hoofd van de praetoriaanse garde, Sejanus, is in een brief van keizer Tiberius aan de Senaat als samenzweerder ontmaskerd en vervolgens geëxecuteerd. Omdat de keizer al jaren teruggetrokken op het eiland Capri leeft, was Sejanus erin geslaagd de feitelijke macht in Rome aan zich te trekken. Door systematische uitschakeling van rechtmatige erfgenamen hoopte hij de weg voor zichzelf als opvolger van de keizer vrij te maken.

Tot aan 23 was de functie van hoofd van de praetoriaanse garde niet zo belangrijk. In dat jaar echter concentreerde Sejanus alle troepen van deze keizerlijke lijfwacht, die op verschillende plaatsen in en bij Rome gelegerd waren, in één kamp. Hij had zo een leger van 5400 man tot zijn beschikking. Naar nu blijkt verleidde hij in dit zelfde jaar Claudia, de vrouw van Tiberius' enige zoon Drusus, en haalde haar over haar echtgenoot te vermoorden. Zo had hij de belangrijkste troonopvolger uit de weg geruimd. Hij dacht tevens een dynastiek huwelijk met Claudia te kunnen aangaan, maar dit werd hem door Tiberius onthouden.

Een ander machtig wapen in het machtsstreven van Sejanus was hem door de keizer zelf in handen gegeven. Deze maakte veelvuldig gebruik van de wet tegen majesteitsschennis om onwillige senatoren uit te schakelen. Deze wet, waarvan de termen onduidelijk omschreven zijn, was voor Sejanus uitstekend geschikt om de andere leden van de keizerlijke familie te laten verbannen. Zijn slachtoffers waren onder anderen de weduwe van Germanicus en twee van haar zoons. De keizer zelf, overmand door verdriet vanwege de dood van zijn enige zoon, had zich op aandringen van Sejanus teruggetrokken op Capri en verliet zich voor regeringszaken geheel op hem.

Vorig jaar ging alles Sejanus nog voor de wind. Hij had veel aanhangers en de noordelijke legers stonden onder het bevel van zijn vrienden. Ook beloofde Tiberius hem eindelijk een huwelijk met een lid van het keizerlijk huis, en benoemde hem tot consul voor dit jaar. Er bereikten Tiberius echter steeds meer alarmerende berichten uit Rome over de werkelijke plannen van Sejanus die hem ertoe brachten de laatst overgebleven zoon van Germanicus, Gaius, bijgenaamd Caligula, naar Capri te laten overkomen om hem te beschermen. Toen kort daarop brieven van Sejanus aan zijn aanhangers werden onderschept, besloot Tiberius als eerste te handelen. Hij onthief Sejanus van zijn functie als praetoriaans prefect opdat hij geen legermacht meer zou kunnen mobiliseren. Sejanus kreeg geen argwaan want hij verwachtte nog steeds de macht van volkstribuun te krijgen als teken dat Tiberius hem als opvolger koos. Nietsvermoedend kwam hij naar de senaatszitting waar de brief van de keizer zou worden voorgelezen. Hij werd terstond gearresteerd en is nog dezelfde avond geëxecuteerd.

*Keizer Caligula ('soldatenlaarsje'; deze bijnaam kreeg hij als kind).*

# Keizer Caligula vermoord door samenzweerders

ROME, januari 41 - Keizer Caligula i door een lid van de praetoriaanse gard vermoord. De moordenaar handeld niet alleen, maar maakte deel uit va een komplot waarbij ook de prefecte van de garde betrokken waren. Na d moord werd het lichaam vermink door de andere samenzweerders, di hierna naar het senaatsgebouw trok ken en het herstel van 'de vrijheid' aan kondigden.

Aan het eind van zijn regeerperiod was Caligula bij geen enkele maat schappelijke groepering meer popu lair. Hij negeerde de Senaat waarva hij de leden door processen onschade lijk maakte. Door de confiscaties bi deze processen vulde hij de enorme te korten van de schatkist aan. Deze wa ren ontstaan doordat hij grote som men gelds uitgaf aan het organisere van spelen, het verheerlijken van zij eigen persoon en schenkingen aa privé-personen. Grote aanstoot ver oorzaakte zijn extreme genegenhei voor zijn zuster Livia Drusilla, die hi na haar dood (29) sinds 42 als een godi vereren liet.

De nu zo gehate keizer was bij het begi van zijn regeringsperiode met veel ge juich binnengehaald. Hij was de zoo van de populaire Germanicus en be handelde de Senaat met respect. Na ee ernstige ziekte begon hij echter aa grootheidswaanzin te lijden en ten slot te viel ook de praetoriaanse garde her af. De Senaat heeft na de aankondigin van Caligula's dood de hele nacht ver gaderd over de wenselijkheid van he herstel van de republiek. Sommige wensten de monarchie te handhave met aan het hoofd een door de Senaa aangewezen oud-senator. De praetori aanse garde was de Senaat echter a voor geweest door de zelfde nach Claudius, het laatst overgebleven li van de keizerlijke familie, tot keizer u te roepen. De Senaat heeft zich bij dez keuze neergelegd.

# Romeinen veroveren Engeland

*Romeinse legionairs, bewapend met schilden, zwaarden en speren.*

COLCHESTER, 43 - Keizer Claudius heeft in eigen persoon zijn troepen over de Theems geleid en de hoofdstad van de Britten, Colchester (Camulodunum), bezet. Hij heeft bepaald dat deze stad de hoofdstad van de nieuwe provincie wordt en dat de keizercultus er gevestigd zal worden.

De inneming van Colchester betekent de eindoverwinning in de strijd om Zuidwest-Engeland die eerder dit jaar begon. De nieuwe provincie Britannia bestaat uit het voormalige rijk van koning Cunobelinus en diens zonen. Dezen hadden enige jaren geleden een met Rome bevriende koning, Verica, van diens grondgebied verdreven. Verica was naar Rome gevlucht en had Claudius om hulp gevraagd. Claudius' besluit om Engeland te veroveren stond toen waarschijnlijk al vast. Hij wilde het fiasco van keizer Gaius, die drie jaar geleden een invasie van Engeland voorbereid had maar hier om onduidelijke redenen opeens van afzag, goedmaken. Een andere overweging was dat het Romeinse leger, dat immers officieel onder aanvoering van de keizer staat, verwacht dat deze van tijd tot tijd zijn troepen naar een mooie overwinning leidt. Dit laatste is de reden waarom de aanvoerder van de legioenen in Engeland, Aulus Plautius, niet zelf de Theems overstak om de eindoverwinning te behalen, maar wachtte tot Claudius in eigen persoon aanwezig was.

Het gebied dat nu veroverd is staat al bijna een eeuw in nauw contact met Rome. In 55 en 54 v. C. was Caesar met zijn troepen Het Kanaal overgestoken. Beide keren verloor hij zijn vloot omdat hij geen beschutte landingsplaats had weten te vinden. Ook in militair opzicht boekte hij niet veel succes; enkele Britse stammen gaven zich nominaal over maar er werd geen officieel Romeins bestuur ingesteld. Wel hadden zijn invasies tot gevolg dat er een intensief handelscontact tussen Rome en Engeland ontstond. De Keltische kunst onderging klassieke invloeden en de Britse adel wenste luxegoederen zoals fijn aardewerk, glas, juwelen en wijn. Deze betalen zij door graan, vee, huiden, slaven, jachthonden en metaal naar Rome uit te voeren.

*Agrippina, de vrouw van Claudius.*

## Senaat staat open voor Galliërs

ROME, 48 - Keizer Claudius heeft in een toespraak tot de Senaat voorgesteld vooraanstaande Galliërs de mogelijkheid te bieden om senator te worden. De keizer zei onder andere: 'Ik denk dat senatoren van provinciale afkomst niet weerhouden zouden mogen worden, vooropgesteld dat zij een sieraad voor de Senaat zijn.'

Met het laatste suggereerde hij dat de door hem bedoelde Galliërs zich in ieder geval in hoge mate aan de Romeinse cultuur aangepast zouden moeten hebben.

In zijn rede kondigde Claudius aan zijn zin door te zetten ondanks eventuele bezwaren van de Senaat. De keizer is immers gerechtigd de Senaat naar eigen goeddunken samen te stellen omdat onder zijn vele functies ook die van censor valt. In het verleden was het echter meestal de gewoonte van de keizer om de Senaat bij zijn politieke beslissingen te betrekken. Zo wordt de schijn opgehouden dat dit orgaan nog werkelijke politieke macht heeft, hetgeen al sinds Augustus feitelijk niet meer zo is. Zoals te verwachten was, is het voorstel van Claudius niet in goede aarde gevallen bij de senatoren, die niet van zins zijn hun bevoorrechte positie met anderen te delen. Hun argument hiervoor is dat Galliërs 'buitenlandse barbaren' zouden zijn. Het lijkt erop dat zij vooral bang zijn dat het straks niet meer mogelijk zal zijn het lidmaatschap van de Senaat van vader op zoon door te geven zoals tot nu toe gebruikelijk is. Het is overigens niet voor het eerst dat provincialen toegelaten worden tot de Senaat, maar tot op heden betrof het individuele gevallen. Opmerkelijk is dat het nieuwe plan voor iedere aanzienlijke burger van Gallië geldt.

Al eerder verleende de als liberaal bekend staande keizer op grote schaal het Romeinse burgerrecht aan inwoners van de provincies. Hij zette daarmee de politiek van Caesar en Augustus voort om provincialen geleidelijk volwaardige Romeinse burgers te laten worden met volledige politieke rechten. De maatregel om Galliërs tot de Senaat toe te laten is een volgende stap om provincialen te betrekken bij het bestuur.

# Paulus en Barnabas terug in Jeruzalem

JERUZALEM, 47 - De apostel Paulus en zijn metgezel Barnabas zijn teruggekeerd van hun missionaire reis naar Antiochië, Ikonium, Lystra en Derbe. Hoewel hun reis soms misverstanden opriep - in Lystra bijvoorbeeld werden zij aangezien voor de Griekse goden Zeus en Hermes - kan van een succes gesproken worden; velen hebben zich onder invloed van hun genezend werk en hun retorische gaven tot het christendom bekeerd. Bij hun missie hebben zij veelvuldig gebruik gemaakt van reeds bestaande joodse structuren als synagogen en gemeenten. Daarnaast wisten zij ook niet-joden te overtuigen.

Zij werden bij hun terugkeer in Jeruzalem met gemengde gevoelens ontvangen. Enerzijds bestaat binnen de christelijke gemeenschap blijdschap over het succes van hun reis, anderzijds staan sommigen - met name de Farizeeën (schriftgeleerden) - sceptisch tegenover de bekering van heidenen. In hun optiek is dit laatste uitsluitend mogelijk en waardevol indien de bekeerlingen bereid zijn zich aan de Mozaïsche wetten te onderwerpen en besnijdenis te ondergaan.

Na overleg heeft Petrus beide partijen tot een compromis weten te bewegen.

*De apostel Paulus, afgebeeld op een mozaïek uit het midden van de 6de eeuw.*

Hij is van mening dat het christendom in principe moet openstaan voor iedereen, maar vindt wel dat bekeerlingen zich dienen te houden aan sommige van de wetten van Mozes zoals onthouding van afgoderij en hoererij.

## Opstand Trung-zusters ten einde

ME LINH, 43 - De aanvankelijk succesvolle opstand van de Trung-zusters is na twee jaar alsnog neergeslagen. Vietnamese boeren waren onder hun leiding in opstand gekomen nadat de Chinese bezetters zich in toenemende mate met hun dagelijks leven waren gaan bemoeien.

Door de economische crisis die onder keizer Wang Mang in China was uitgebroken, zijn vele Chinezen naar Chiao Chi [Vietnam] gevlucht. Onder hen bevonden zich veel ambtenaren en geleerden die door de hervormingen van keizer Wang Mang hun positie zagen aangetast. Zij vestigden zich op de landgoederen die tot dan toe aan Vietnamese grootgrondbezitters behoorden en streefden een assimilatie van het Vietnamese bestuurs- en levenspatroon met het Chinese na. De Chinese gouverneur van Chiao Chi, Si Kuang, die had geweigerd Wang Mang te erkennen en zijn loyaliteit aan de oude Han-dynastie betuigde, sterkte hen slechts in dit streven.

Met de gevluchte Chinezen richtte hij een opleidingsinstituut voor ambtenaren op. Daarnaast werden de Vietnamezen gedwongen Chinese huwelijksrituelen te volgen, schoenen en een hoed te dragen en moesten voortaan in de landbouw ploegen en trekdieren gebruikt worden. Ook de schatplicht van de bevolking aan de Chinezen werd steeds drukkender. Naast tropische vruchten zoals lychees, mandarijnen en bananen moesten rinoceroshoornen, slagtanden van olifanten, parels, goud en zilver worden betaald. Tevens stelden de Chinezen een monopolie op zout en ijzer in.

Twee dochters van het hoofd van het in de noordelijke provincie Son Tay gelegen dorp Me Linh leidden een opstand van boeren tegen de Chinese gouverneur Su Ting die de echtgenoot van Trung Trac, een van de dochters, had laten vermoorden.

Zonder eerst de gebruikelijke begrafenisrituelen af te wachten vielen Trung Trac en haar zuster met een leger dat grotendeels uit boeren bestond, de residentie van Su Ting aan. Deze wist op het nippertje te ontkomen. De rijkdommen van de gouverneur en andere Chinese ambtenaren werden verdeeld onder de arme boeren en alle Vietnamezen die door Chinezen gevangen waren genomen, werden vrijgelaten. De soldaten die gedwongen waren dienst te nemen in het Chinese leger, schaarden zich nu eveneens aan de kant van de Trung-zusters.

In 40 werd Me Linh tot nieuwe hoofdstad uitgeroepen nadat meer dan zestig vestingen in het land waren ingenomen. De Trung-zusters namen het gedeelde leiderschap over het nieuwe koninkrijk op zich. Zij hebben echter niet stand kunnen houden.

---

**50.** Claudius adopteert Nero, de zoon van zijn vrouw Agrippina uit haar eerste huwelijk.

**50** (circa). Kushana's vallen Noordwest-India binnen.

**51.** Burrus wordt tot praefectus praetorio benoemd.

**52.** Pallas krijgt van de Senaat ornamenta praetoria. →

**53.** Nero trouwt met Octavia, de dochter van keizer Claudius.

**54.** Claudius wordt door zijn vrouw Agrippina Minor vergiftigd. Hij wordt als keizer opgevolgd door Nero.

**55.** Nero laat zijn stiefbroer Britannicus vermoorden.

**55.** De Romeinse legerleider Gnaeus Domitius Corbulo krijgt het opperbevel in een oorlog tegen Parthië en Armenië.

**56.** In Rome wordt de functie van praefectus aerarii, schatmeester van de staatskas, ingesteld.

**58.** Corbulo verovert Artasjat, de hoofdstad van Armenië.

**58.** Gaius Suetonius Paulinus wordt benoemd tot gouverneur van Britannia.

**59.** Corbulo verovert Tigranokerta, de op één na belangrijkste stad van Armenië.

**59.** Nero introduceert Griekse Spelen in Rome.

**59.** Nero laat zijn moeder Agrippina Minor vermoorden. →

Geboren:

**51.** Domitianus († 96), Romeins keizer
**53.** Traianus († 117), Romeins keizer
**55** (circa). Epictetus († circa 135), Grieks filosoof
**56** (circa). Publius Cornelius Tacitus († circa 120), Romeins geschiedschrijver

Gestorven:

**54.** Claudius (10 v.C.), Romeins keizer
**55.** Britannicus (41), zoon van Claudius en Messalina
**59.** Agrippina Minor (15), vrouw van Claudius

---

## Hoge positie van Pallas bevestigd

ROME, 52 - Pallas, een vrijgelaten slaaf die voor keizer Claudius de financiën verzorgt, heeft van de Senaat de ornamenta praetoria gekregen. Dit betekent dat hij privileges krijgt als zou hij een ex-consul zijn. De verlening van deze eretitel is een bevestiging van de hoge positie die deze ex-slaaf zich verworven heeft. Pallas behoorde tot de huishouding van de moeder van Claudius en was in 37 door haar vrijgelaten. Het is niet ongewoon dat de keizer voor allerlei staatszaken gebruik maakt van zijn eigen hofhouding. De keizer heeft immers geen administratieve staf waarmee hij het land kan besturen. Hij regeert niet vanuit een paleis maar vanuit zijn privé-woning met behulp van zijn eigen personeel. Augustus en Tiberius deden dat ook, maar kozen hun vertrouwelingen voor belangrijke zaken uit de senatoren of de hoge equites. Toen al begonnen de vrijgelatenen een factor van betekenis te worden omdat zij zo dicht bij de keizer staan. Julius Agrippa, de latere koning van Ituraea, spendeerde een fortuin om bij de vrijgelatenen van Tiberius in de gunst te komen. Pas onder Claudius heeft een aantal ex-slaven carrière gemaakt.

## Nero laat zijn moeder doden

BAIAE, maart 59 - Keizer Nero heeft zijn moeder, Agrippina, door een van zijn vrijgelatenen in haar buitenhuis in Baiae aan de baai van Napels laten vermoorden.

Agrippina was de vierde vrouw van keizer Claudius. Nero is een zoon uit een eerder huwelijk. In 50 wist zij Claudius over te halen Nero te adopteren hoewel de keizer zelf al een zoon had, Britannicus. Deze was evenwel jonger dan Nero. In 51 ontving Nero op 13-jarige leeftijd de titel Princeps Iuventutis en het imperium. Hoewel hiermee al vaststond dat Nero de opvolger van Claudius zou zijn, besloot Agrippina Claudius uit de weg te ruimen. Zij vergiftigde hem in 54. Waarschijnlijk hoopte zij grote invloed op de regering te kunnen uitoefenen wanneer haar zoon op jeugdige leeftijd de troon zou bestijgen. In het eerste jaar van Nero's regering was zij inderdaad nagenoeg co-regent. Nero voelde zich echter ongemakkelijk onder de heerschappij van zijn moeder en probeerde haar te verhinderen invloed op bestuurszaken uit te oefenen. Uit woede hierover richtte Agrippina nu haar affectie op haar stiefzoon Britannicus. Deze was inmiddels meerderjarig geworden en betekende dus een politiek gevaar voor Nero. Britannicus werd daarom door Nero vergiftigd. Agrippina bleef haar zoon echter dwars zitten en velde daarmee haar eigen doodvonnis.

---

**60.** Corbulo voltooit de verovering van Armenië. Tigranes wordt tot koning van Armenië benoemd.

**60.** Corbulo wordt tot gouverneur van Syrië benoemd.

**60.** In Britannia komen de Iceni, onder leiding van hun koningin Boudicca, in opstand. →

**62.** Nero vermoordt zijn echtgenote Octavia en trouwt met Poppaea Sabina.

**62.** Nero zet zijn adviseurs Burrus en Seneca aan de kant. Tigellinus wordt benoemd tot praefectus praetorio in de plaats van Burrus.

**63.** Rome sluit met de Parthen een akkoord over Armenië.

**64.** In Rome woedt een negen dagen durende brand die grote delen van de stad verwoest. Nero geeft de christenen de schuld van deze brand en ontketent de eerste christenvervolging in Rome. →

**65.** Een samenzwering tegen Nero onder leiding van Piso mislukt.

**65.** Poppaea Sabina, de echtgenote van Nero, overlijdt na mishandeling door Nero.

**66.** Nero kroont te Rome Tiridates tot koning van Armenië.

**66.** In Judea breekt een opstand uit tegen de Romeinse procurator Gessius Florus.

**67.** Vespasianus wordt benoemd tot opperbevelhebber in de oorlog in Judea.

**67.** De Chinese keizer Ming Ti laat boeddhistische monniken uit India naar China komen om de heilige geschriften van het boeddhisme in het Chinees te vertalen.

**68.** Nero pleegt zelfmoord, nadat een nieuwe opstand hem uit Rome verdreven had. De Senaat roept Galba, de gouverneur van Hispania Citerior, uit tot keizer.

**68.** Julius Vindex wordt door Verginius Rufus verslagen. →

**69.** In Rome breekt een periode van anarchie uit. Binnen één jaar tijd kent Rome vier keizers; dit is het zogenaamde vierkeizerjaar. →

Geboren:

**60** (circa). Decimus Iunius Iuvenalis († circa 138), Romeins satirendichter
**61** (circa). Plinius Minor († circa 112), Romeins auteur

Gestorven:

**62.** Aulus Persius Flaccus (34), Romeins satirendichter
**65.** Lucius Annaeus Seneca (circa 4 v.C.), Romeins filosoof en tragediedichter →
**65.** Marcus Annaeus Lucanus (39), Romeins dichter
**68.** Nero (37), Romeins keizer
**69.** Galba (3 v.C.), Romeins keizer →
**69.** Otho (32), Romeins keizer →
**69.** Vitellius (15), Romeins keizer →

*'Seneca's dood' (Rubens, 17de eeuw).*

## Filosoof Seneca pleegt zelfmoord

ROME, april 65 - Om aan gerechtelijke vervolging te ontsnappen heeft de filosoof Seneca zelfmoord gepleegd. Hij wordt ervan verdacht deelgenomen te hebben aan de samenzwering van C. Calpurnius Piso tegen keizer Nero. Deze samenzwering is er één uit een reeks van samenzweringen die tot doel hebben een einde te maken aan het wanbestuur van Nero en diens extravagante levensstijl.

Ondanks de wandaden jegens zijn familie was Nero de eerste jaren na zijn troonsbestijging een goed bestuurder. Geholpen door zijn twee adviseurs, de filosoof Seneca en de praetoriaanse prefect Burrus, wist Nero zowel de Senaat als de praetoriaanse garde te vriend te houden. Hij voltooide de onder Claudius begonnen aanleg van een nieuwe haven in Ostia om de graantoevoer naar Rome te vergemakkelijken. Hij schonk de inwoners van Rome geld en stichtte diverse veteranenkoloniën in Italië. Maar na verloop van tijd ging hij zich steeds meer als een hellenistische alleenheerser gedragen en liet zich toejuichen als toneelspeler en atleet. Na de dood van Burrus drie jaar geleden was Seneca, die de keizer sedert diens jeugd begeleid had, gedwongen zich bij gebrek aan steun van de nieuwe praetoriaanse prefect terug te trekken. Nero werd nu door niemand meer in bedwang gehouden en kon zich ongeremd aan zijn absolutistische neigingen overgeven. Net als Tiberius schakelde hij met behulp van de wet op majesteitsschennis vele senatoren uit. Zijn oogmerk was daarbij tevens dat hij beslag kon laten leggen op de bezittingen van de veroordeelden. Hiermee kon hij de tekorten aanvullen die waren ontstaan door zijn uitspattingen, en de herbouw van Rome na de brand van vorig jaar bekostigen.

De vermoedens dat Seneca medeplichtig aan de samenzwering was, zijn gebaseerd op diens afkeuring van de uitspattingen van de keizer. Seneca was een aanhanger van de stoïsche school, die zelfbeheersing als voornaamste deugd ziet. In overeenstemming met deze stoïsche waarde heeft Seneca zich in gelatenheid het leven benomen.

## Rome verslaat Boudicca

ENGELAND, 61 - De Romeinse gouverneur van Engeland, Suetonius Paulinus, is erin geslaagd met een klein leger de Britse opstandelingen te verslaan. Hun leidster, koningin Boudicca, heeft zelfmoord gepleegd.

Boudicca was koningin van de Iceni, een volk dat binnen de grenzen van de provincie Britannia woonde, maar een onafhankelijke status had zolang Boudicca's echtgenoot Prasutagus leefde. Deze overleed twee jaar geleden en vermaakte zijn koninkrijk aan zijn twee dochters en keizer Nero. Hij hoopte zo zijn rijk een Romeinse militaire bezetting te besparen. Dit verliep echter geheel anders. Boudicca werd gegeseld, de beide dochters werden verkracht en de adel van de Iceni werd van al zijn rijkdommen beroofd. Bovendien heerste er bij de Iceni en andere Britse stammen grote woede over het gedrag van de veteranen die zich in Colchester gevestigd hadden. Dezen verdreven de autochtone bevolking uit haar boerderijen en van haar akkers. Ook de keizercultus was de Britten een doorn in het oog. Niet alleen symboliseerde deze hun onderdrukking, maar ook werden van de priesters van de cultus grote sommen geld geëist om de tempel te onderhouden.

In de eerste fase van de opstand ondervonden de Britten geen Romeinse tegenstand. Gouverneur Suetonius Paulinus was namelijk een aanval begonnen tegen het eiland Anglesey (ten noorden van Wales). Dit eiland was een toevluchtsoord voor de tegenstanders van de Romeinse overheersing van Engeland. Met name veel druïden hebben er een veilig heenkomen gezocht, nadat keizer Claudius hun religieuze praktijken verboden had. De in-

*19de-eeuwse voorstelling van de Britse koningin-rebel Boudicca.*

vloed die deze priesters vanuit hun ballingsoord uitoefenden was voor Paulinus waarschijnlijk de reden om tot een aanval over te gaan.

Terwijl Paulinus bezig was orde op zaken te stellen op Anglesey, bereikte hem het bericht over de opstand van Boudicca. De Britse rebellen hadden inmiddels Colchester aangevallen en alle Romeinse inwoners van deze onverdedigde stad vermoord. Een kleine groep zag kans zich in een tempel te verschansen, maar ook voor hen kwam Romeinse hulp te laat. Een aansnellend legioen werd door de Britten verslagen. Paulinus slaagde er niet in op tijd een grote legermacht te verzamelen en moest toestaan dat de Britten nog twee steden, waaronder de Romeinse handelspost Londen, plunderden en verwoestten. Pas hierna was hij in staat de opstandelingen te verslaan. Boudicca had weliswaar een enorm leger verzameld, maar dit was veruit inferieur aan het Romeinse leger.

## Rijnlegers maken einde aan opstand in Romeins-Gallië

BESANÇON, 68 - De Rijnlegers hebben onder aanvoering van Verginius Rufus het opstandelingenleger van de gouverneur van Gallië, Julius Vindex, verslagen. Na deze overwinning hebben de zegevierende legers van Verginius Rufus hun aanvoerder het keizerschap aangeboden. Verginius Rufus heeft geweigerd op het voorstel van zijn troepen in te gaan en blijft trouw aan de zittende keizer, Nero.

Er heerst al enige tijd grote onvrede onder de legers over Nero. De keizer is in de eerste plaats legeraanvoerder, op welke functie de macht van de keizer is gebaseerd. In ruil daarvoor verwachten de legers dat de keizer langs de grenzen reist en zorgt dat het hun in materieel opzicht aan niets ontbreekt. Zoals bekend houdt Nero zich echter liever onledig met atletiekwedstrijden en toneelvoorstellingen.

Met steun van enkele Gallische stammen was de opstandeling Julius Vindex erin geslaagd een leger van 100 000 man tegen Nero op de been te brengen. De gouverneur van Gallië zocht ook steun bij de gouverneurs van een aantal andere westelijke provincies en vond deze bij Servius Sulpicius Galba, de gouverneur van Hispania Tarraconensis. Galba weigerde echter op het verzoek van Vindex in te gaan om zich tot tegenkeizer uit te roepen en noemde zichzelf 'afgezant van de Senaat en het volk van Rome'.

Met de val van Julius Vindex lijkt ook aan de politieke aspiraties van de gouverneur van Gallië een definitief einde te zijn gekomen.

# Christenen krijgen schuld van brand

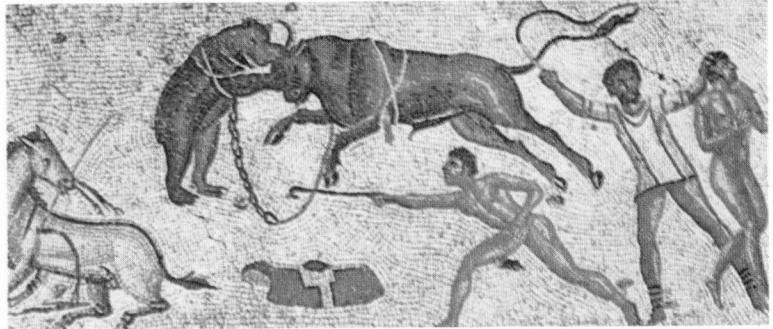

*Christenen in de arena, afgebeeld op een mozaïek uit de 2de eeuw.*

ROME, 64 - Een negen dagen durende brand heeft een groot deel van de sloppenwijken van Rome in de as gelegd. Over de precieze oorzaken tast men nog in het duister, maar boze tongen beweren dat de brand op bevel van keizer Nero zelf is aangestoken.

Om deze geruchten de kop in te drukken heeft de keizer een groot aantal christenen laten arresteren op beschuldiging van brandstichting. Door het heersende klimaat van onverschilligheid jegens de christenen leidde de golf van arrestaties nauwelijks tot protesten. De meeste arrestanten zijn, na martelingen te hebben ondergaan, terechtgesteld. Tacitus beschrijft de executies: 'Men begon alzo met gevangen te nemen diegenen die van hun geloof openlijk belijdenis aflegden; vervolgens op hun aanwijzing een zeer groot aantal mensen die schuldig werden verklaard, niet zozeer aan de hun ten laste gelegde brandstichting, als wel aan haat jegens het mensdom. En men dreef ook nog de spot met deze ter dood gedoemden: zo vonden sommigen de dood door hen met wilde-beestenhuiden bedekt door honden te laten verscheuren; velen werden óf aan het kruis genageld, óf moesten, ter vuurdood bestemd en wanneer het daglicht was afgenomen, branden bij wijze van nachtverlichting. Nero had zijn eigen park voor dit schouwspel opengesteld en gaf circensische spelen (wedrennen), zich onder het volk mengend in wagenmennerskostuum of werkelijk op een wagen staande.'

Onder de slachtoffers bevinden zich Petrus en Paulus, twee belangrijke christelijke leiders.

# Keizer Galba vermoord

*Marmeren bustes van keizer Galba (links) en zijn voorganger Nero (rechts).*

ROME, 15 januari 69 - Leden van de praetoriaanse garde hebben op het Forum keizer Galba en diens geadopteerde zoon om het leven gebracht. Dit gebeurde nadat zij Otho tot keizer hadden uitgeroepen.

Tijdens de opstand van Vindex vorig jaar had de praetoriaanse prefect, Nymphidius Sabinus, de zijde van Galba gekozen. Hoewel Vindex verslagen werd, had de stemming in Rome zich al definitief tegen Nero gekeerd. Deze vluchtte de stad uit en pleegde zelfmoord na te hebben gehoord dat de Senaat hem had ter dood veroordeeld. Galba kon nu van Spanje naar Rome trekken en het keizerschap opeisen. Hij was afkomstig uit een goed bekend staande familie en had republikeinse sympathieën. Er was dus alle reden voor de Senaat om verheugd te zijn over de nieuwe keizer. Galba was echter niet op de hoogte van de verplichtingen van het keizerschap die inhouden dat men de legers te vriend moet houden. Hij onthield de soldaten van de praetoriaanse garde het geld dat Sabinus hun uit zijn naam beloofd had als zij naar hem zouden overlopen. Galba eiste van de soldaten gehoorzaamheid zonder dat daar een geldelijke beloning tegenover stond. Om zijn positie te versterken koos hij zijn geadopteerde zoon tot opvolger. Otho, een provinciale gouverneur die tot de eerste aanhangers van Galba behoorde, verwachtte de opvolger van Galba te zijn en besloot op zijn beurt de praetorianen om te kopen. Dezen waren maar al te bereid hun steun te verlenen aan een machtsgreep van iemand die hun direct uitbetaalde.

# Vespasianus neemt Rome in

*Vitellius (links, marmeren buste) en zijn opvolger Vespasianus (stenen buste).*

ROME, 20 december 69 - De stad Rome is ingenomen door een generaal van Vespasianus, de nieuwe keizer. Al in oktober versloeg hij bij Cremona op overtuigende wijze de legers van Vitellius. De bevolking van Rome wenste echter geen afstand te doen van Vitellius en bleef zich tot nu toe verzetten.

Vitellius, de aanvoerder van de Rijnlegioenen, werd eerder dit jaar door zijn leger tot keizer uitgeroepen. Zijn legioenen keerden zich van Galba af omdat zij zijn beloningssysteem afkeurden. Bovendien had Galba hun toenmalige aanvoerder, de bij de soldaten populaire Verginius Rufus, naar Rome teruggeroepen. Vitellius versloeg Otho, die inmiddels keizer Galba had opgevolgd, maar verzuimde een adequate legermacht op de been te brengen toen hij vernam dat Vespasianus met een groot leger op weg was naar Rome. Deze Vespasianus was door Nero naar Judea gestuurd om de joodse opstand te onderdrukken. Hij had zodoende de beschikking over een grote troepenmacht. Achtereenvolgens zwoer hij trouw aan Galba en Otho, maar besloot na de dood van de laatste zelf troepen te verzamelen om een gooi naar het keizerschap te doen. Hij betwistte de troonsbestijging van Vitellius en trok tegen hem ten strijde.

Vespasianus lijkt beter dan zijn drie voorgangers in staat macht te behouden. De nieuwe keizer heeft het merendeel van de Romeinse legioenen onder controle.

**70.** In Jabne wordt het Sanhedrin ingesteld door Jochanan ben Zakkai. Naast de staatsgodsdienst is de joodse godsdienst de enig wettelijk toegestane.

**70.** Titus, de zoon van de Romeinse keizer Vespasianus, verovert en verwoest Jeruzalem. De in 66 uitgebroken oorlog in Judea is hierdoor geëindigd.

**70.** Een opstand van de Bataven tegen Rome onder leiding van Julius Civilis wordt neergeslagen. →

**71.** Titus keert naar Rome terug en viert samen met zijn vader een triomf.

**72.** Koning Antiochus IV van Commagene wordt door Vespasianus afgezet. Commagene wordt bij Syrië gevoegd.

**72.** Armenia Minor wordt door Vespasianus bij Cappadocië gevoegd.

**73.** De Romeinse legerleider Lucius Flavius Silva verovert na een lange belegering de joodse vesting Masada. De 960 mensen die zich in de vesting bevinden, plegen zelfmoord. Het joodse verzet tegen de Romeinse heerschappij is nu definitief gebroken. →

**73.** Vespasianus wordt met zijn zoon Titus tot censor benoemd. →

**74.** Agricola wordt benoemd tot gouverneur van Aquitania.

**75.** De Alani dringen Medië en Armenië binnen.

**78.** In Noord-India wordt Kanishka koning van de Kushana. Tijdens zijn regering beleeft het Kushana-rijk een culturele bloeiperiode.

**78.** Agricola wordt benoemd tot gouverneur van Britannia. Hij breidt Romes macht uit tot in Schotland.

**79.** Keizer Vespasianus overlijdt. Hij wordt opgevolgd door zijn zoon Titus.

**79.** Door een uitbarsting van de vulkaan de Vesuvius worden de steden Pompeji, Herculaneum en Stabiae verwoest. →

Geboren:

**70** (circa). Gaius Suetonius Tranquillus († circa 140), Romeins geschiedschrijver
**76.** Hadrianus († 138), Romeins keizer

Gestorven:

**79.** Vespasianus (9), Romeins keizer
**79.** Gaius Plinius Secundus (23-24), Romeins auteur

*Romeinen met hun oorlogsbuit.*

# Laatste joodse bolwerk gevallen

MASADA, 73 - In Masada, een vesting gebouwd op een granietrots in de woestijn van Judea, hebben 960 mensen collectief zelfmoord gepleegd. Keizer Titus kan tevreden zijn, het laatste joodse bolwerk in de oorlog tegen Rome is hiermee gevallen.

De oorlog brak zeven jaar geleden spontaan uit in Caesarea tijdens een sabbat. Velen herinnerden zich de tirannie onder procurator Pontius Pilatus tussen 26 en 36. De moord op keizer Caligula voorkwam toen op het nippertje een opstand van de joden tegen hun stadhouder.

Deze keer braken tussen heidenen en joden wel straatgevechten uit. De door stadhouder Florus, na betaling van een som gelds, toegezegde hulp bleef echter uit. Florus greep pas in toen hij vernam dat enkele joden een schaal hadden laten rondgaan om hun 'verarmde procurator financieel te steunen'. Uit wraak voor deze belediging liet hij enkele joden ter dood brengen. Het kleine Palestina radicaliseerde. Masada, waar een Romeins garnizoen werd verslagen, viel in joodse handen. Eleazar ben Simon, een van de leiders van de verzetsgroep der Zeloten, weigerde een offer ten behoeve van keizer Nero. Deze daad werd als een openlijke oorlogsverklaring opgevat.

De Romeinse opperbevelhebber Flavius Vespasianus hervatte de oorlog in 68, maar werd naar Rome teruggeroepen vanwege de zelfmoord van keizer Nero. De ommekeer in de oorlog kwam een jaar later toen Titus, zoon van de inmiddels keizer geworden Vespasianus, het opperbevel overnam. In korte tijd wist hij geheel Palestina aan zich te onderwerpen, op de hoofdstad na. In mei 70 werd in de buitenste van de drie muren om Jeruzalem een bres geslagen.

Enkele maanden later legde een enorm vuur geheel Jeruzalem in de as. De strijd leek gestreden maar Eleazar wist naar Masada te ontkomen. Na twee jaar belegering troffen de Romeinse soldaten slechts vijf vrouwen en twee kinderen levend aan.

# Grote uitbarsting van vulkaan Vesuvius

BAAI VAN NAPELS, 24 augustus 79 - Een uitbarsting van de vulkaan de Vesuvius heeft een aantal steden rond de Baai van Napels onder as en lava doen verdwijnen. Bij de ramp zijn zeker 15 000 mensen omgekomen.

Aan de uitbarsting gingen vier dagen van aardschokken vooraf. Deze zijn echter in het gebied rond de baai, dat rijk is aan vulkanen, niet ongewoon zodat de inwoners niet tijdig uit het gebied zijn weggetrokken.

De uitbarsting begon om tien uur 's morgens met een geweldig lawaai toen door een inwendige gasexplosie een nieuwe krater werd gevormd. Als gevolg van de explosie werden stukken lavasteen duizenden meters weggeslingerd. Hierna stootte de vulkaan een hoge kolom van as en stof uit die zich op grote hoogte tot een paddestoelachtige wolk uitbreidde en het daglicht verduisterde. In de loop van de middag daalden stof en as op de omgeving neer, vergezeld van gifgassen die velen het leven kostten. Om vier uur 's middags was de belangrijkste getroffen stad, Pompeji, bedekt met twee tot drie meter vulkanisch gesteente en een ruim twee meter dikke aslaag. Veel mensen slaagden er niet in de stad op tijd te verlaten maar ook buiten de stad vonden velen de dood. Minder slachtoffers vielen er in Herculaneum, dat bedekt werd door een circa achttien meter dikke laag lavamodder. Deze werd veroorzaakt door de stoom uit de krater die neersloeg op de lava van de bergwand, deze vloeibaar maakte en zo een kokende stroom vormde. De stroom had echter een geringe snelheid en liet daarom de inwoners van Herculaneum tijd om te vluchten.

Ondertussen werden de aardschokken heviger en werd de zee zo woest dat deze onbevaarbaar werd. De kapitein

*Afgietsels van enkele slachtoffers na de uitbarsting van de vulkaan Vesuvius.*

van de vloot die aan de noordzijde van de Baai van Napels gestationeerd was, moest zijn reddingswerkzaamheden staken.

Behalve Pompeji en Herculaneum werden nog zeven andere steden in dit gebied ernstig getroffen. Napels zelf bleef gespaard. Het gebied rond de Baai van Napels is een bij de Romeinen geliefde streek. Vele vooraanstaande Romeinen hebben er een buitenhuis aan zee laten bouwen of hebben een grote villa in een van de steden. Deze huizen hebben naar Grieks voorbeeld

*Een Romeinse villa bij Pompeji.*

enorme tuinen, omgeven door schaduwrijke zuilengalerijen en het interieur is verfraaid met wandschilderingen en vloermozaïeken.

Het is niet de eerste keer dat dit gebied door een natuurramp getroffen wordt. In 62 was er een zware aardbeving. Sommige mensen hebben nu hun leven te danken aan het feit dat zij niet in Pompeji aanwezig waren omdat hun huizen herbouwd werden na de verwoestingen van 62.

Keizer Titus heeft naar aanleiding van de ramp van vandaag een commissie ingesteld die de zorg voor het getroffen gebied op zich moet nemen. De bezittingen van de omgekomenen vervallen aan de staat die deze zal aanwenden ten bate van de daklozen. De keizer zal extra middelen verschaffen aan een aantal steden in de buurt van Pompeji die aangewezen zijn om de slachtoffers op te vangen.

## Financieel herstel onder Vespasianus

*Offerscène op een reliëf uit de tempel van keizer Vespasianus.*

ROME, 74 - Het censorschap dat keizer Vespasianus en zijn zoon Titus vorig jaar op zich namen om de belastingen te herzien, lijkt van belang te zijn geweest voor het herstel van de financiële orde in het Romeinse Rijk. De extravagantie van keizer Nero en de burgeroorlogen in het Vierkeizerjaar hebben de Romeinse staatskas uitgeput. Vespasianus stond voor de opgave de tekorten aan te vullen. Hiervoor en voor het herstel van alle oorlogsschade schatte hij het gigantische bedrag van 40 miljard sestertiën nodig te hebben.

Als censor registreerde hij de bezittingen van inwoners van de provincies. De bevolking van Italië is sinds 167 v.C. vrijgesteld van directe belasting, maar betaalt wel indirecte belasting op ingevoerde goederen, vrijgelaten slaven en erfenissen. Verscheidene steden buiten Italië waren ook vrijgesteld van directe belastingen. Vespasianus herriep dit voorrecht en verhoogde overal in de provincies de belastingen. Sommige van zijn eigen bezittingen verkocht hij en de keizerlijke domeinen bracht hij weer onder zijn directe controle.

## Opstand van de Bataaf Julius Civilis

TRIER, 70 - De Bataafse leider Julius Civilis heeft geweigerd de wapenen neer te leggen, hoewel Vespasianus, aan wiens zijde hij vocht, de overwinning in de strijd tegen Vitellius heeft behaald. Julius Civilis is van plan een onafhankelijke Gallische staat te stichten met Trier als hoofdstad.

Aanvankelijk had hij op verzoek van Vespasianus de troepen die Vitellius aan de Rijngrens had achtergelaten toen deze naar Rome trok om zijn keizerschap te bevestigen, aangevallen. Vespasianus wilde op deze manier verhinderen dat ze als versterkingen naar Vitellius in Rome gestuurd zouden worden.

De kern van het leger van Civilis bestaat uit acht Bataafse en Cananefaatse cohorten uit het Romeinse leger. Steeds meer Gallische en Germaanse stammen die voor de Romeinen vochten, lopen naar hem over. Hijzelf heeft 25 jaar als officier dienst gedaan in het Romeinse leger en daarmee het burgerrecht verworven. Civilis is niet alleen op de hoogte van de militaire strategie van de Romeinen, maar kent ook hun buitenlandse politiek. Hij weet dat de verovering van Germanië niet meer de prioriteit heeft, maar dat de aandacht van de Romeinen zich vooral op Engeland richt. Waarschijnlijk wil hij de noordgrens van het Romeinse Rijk naar de Waal terugdringen. Misschien spelen ook gefrustreerde politieke ambities een rol in die zin, dat hij verwacht had dat hij in ruil voor zoveel jaar trouwe dienst aan de Romeinen een grotere politieke macht in zijn gebied zou krijgen.

Generaal Quintus Petillius Cerialis is met negen legioenen naar het gebied van de opstand gestuurd.

# Flavisch amfitheater feestelijk geopend

*Vlnr.: een zwaargehelmde gladiator, een tweegevecht en een portret van een onbekende zwaardvechter.*

ROME, 80 - Het nieuwe amfitheater dat de Flavische keizers hebben laten bouwen [Colosseum], is feestelijk geopend met gladiatorengevechten en wilde-dierenspelen die honderd dagen zullen duren.

Het amfitheater is aan de buitenkant opgebouwd uit drie verdiepingen van bogengalerijen waarvan de bovenste twee versierd zijn met beelden. Het meet 188 bij 156 meter en biedt plaats aan ruim 45 000 toeschouwers. Onder de vloer van de arena bevinden zich de hokken voor de wilde dieren. In de zomer kan er een zonnescherm over de zitplaatsen gespannen worden.

Waren vroeger wagenrennen en toneelstukken het voornaamste vermaak van de Romeinse bevolking, sinds het begin van de keizertijd zijn gladiatorengevechten steeds populairder geworden. Oorspronkelijk werden deze gevechten alleen bij begrafenissen van belangrijke personen gehouden. In 264 v.C. namen de Romeinen dit gebruik van de Etrusken over. Langzamerhand werd het begrafenisritueel een vermaak voor de adel waarbij het excuus gebruikt werd dat de gevechten ter nagedachtenis aan een overleden persoon werden gehouden. Julius Caesar was de eerste die gladiatorenspelen gaf zonder directe aanleiding. In Rome was er tot 29 v.C. geen vast theater. De gevechten werden gehouden in houten gelegenheidsgebouwtjes op het Forum. Het oudste amfitheater staat in Pompeji. De arena ligt in een kuil en de muren en zitplaatsen rusten tegen een wal die met de uitgegraven aarde is opgeworpen. In de keizertijd slaagden de architecten erin gebouwen te ontwerpen die het gewicht van de stenen tribunes zelf konden dragen, doordat zij ontdekten hoe zij beton konden gebruiken voor dragende constructies.

De voorstelling begint met een optocht voor degene die de gevechten gefinancierd en georganiseerd heeft. Daarna tonen de gladiatoren hun wapens en houden zij een schijngevecht. Een hoornsignaal geeft aan dat het echte gevecht begonnen is. De gladiatoren vechten meestal twee aan twee, een enkele keer in groepen. Er zijn verschillende typen gladiatoren, afhankelijk van de bewapening die zij hebben. Zo heeft een 'Retiarius' alleen een visnet en een drietand waarmee hij zijn tegenstander, die een schild en een zwaard kan hebben, moet zien te overmeesteren. Een gevecht eindigt meestal met de overgave van een van de twee gladiatoren. Degene die de Spelen georganiseerd heeft mag dan beslissen of de verliezer zal blijven leven. Hij neemt deze beslissing op grond van de stemming onder de toeschouwers; meestal zal hij hem sparen.

Gladiator wordt men niet uit vrije keus. De meesten zijn krijgsgevangenen of veroordeelde misdadigers. Een enkele vrije burger wordt gladiator omdat hij geen andere middelen van bestaan heeft. De aankomende gladiatoren worden opgeleid in gladiatorscholen, gedreven door ex-gladiatoren. Zware criminelen krijgen geen opleiding; voor hen is het gladiatorschap slechts een verhulde doodstraf. Soms vinden gladiatoren in een gevecht de dood, maar een goede gladiator heeft alle kans in zijn beroep oud te worden en de sympathie van het publiek te winnen. Het nieuwe amfitheater is gebouwd op de plaats waar het park lag dat bij Nero's paleis hoorde. Hiermee willen de Flavische keizers aangeven dat zij voor het volk hebben gekozen en zich afzetten tegen de tirannie van Nero en diens ongebreidelde uitgaven voor zijn eigen genoegens.

## Triomfboog voor overleden Titus

*Triomfboog aan de Via Sacra.*

ROME, circa 81 - Ter nagedachtenis aan de onlangs overleden keizer Titus en diens verovering van Jeruzalem tijdens de joodse opstand heeft zijn broer en opvolger Domitianus een triomfboog opgericht.

De boog is gebouwd aan de Via Sacra, de heilige weg die over het Forum loopt en die gebruikt wordt door zegevierende veldheren om hun triomftocht te houden. Aan de binnenzijde van de boog zijn reliëfafbeeldingen aangebracht van de triomf die Titus tien jaar geleden heeft gehouden naar aanleiding van zijn overwinning op de joden. Men ziet onder andere de buitgemaakte schatten uit de joodse tempel die in de processie meegedragen worden.

De verwoesting van de tempel in 70 betekende het einde van de joodse opstand die vijf jaar tevoren was begonnen. Vespasianus was door keizer Nero naar Judea gestuurd om de opstand te onderdrukken. Toen Vespasianus in 69 tot keizer werd uitgeroepen droeg deze het commando over aan zijn zoon Titus.

Hoewel al in de 2de eeuw v. C. triomfbogen gebouwd werden zijn er in Rome niet veel opgericht. In de provincies staat er daarentegen bij veel steden een. Zij staan er niet naar aanleiding van een gehouden triomf, maar als symbool van de grote militaire macht van Rome, dat de autochtone bevolking moet waarschuwen tegen pogingen deze macht te betwisten.

*Standbeeld van keizer Domitianus.*

## Alle filosofen en astrologen uit Italië verbannen

ROME, 93 - Op bevel van keizer Domitianus moeten alle filosofen en astrologen Italië verlaten. De keizer is bang dat de nu verbannen groepen een rol zouden kunnen spelen in samenzweringen tegen zijn regering. Domitianus is met name bang voor de welomschreven ideeën van stoïcijnen en cynici over hoe een heerser zich zou moeten gedragen.

Niet dat deze filosofen het herstel van de republiek nastreven, maar zij verlangen dat een keizer het goede voorbeeld geeft wat betreft gematigd gedrag en gehoorzaamheid aan de wet en dat hij regeert door middel van overleg en niet door middel van geweld. Ook vinden zij dat een keizer zijn vrienden - de senatoren - als gelijken moet behandelen en geen onderdanig gedrag van hen moet eisen. Met deze politieke theorieën zouden filosofen vijanden van de keizer kunnen inspireren een eind aan diens regering te maken.

Ook het raadplegen van astrologen wordt door de keizer opgevat als een teken van een ophanden zijnde samenzwering. Hij gelooft immers, net als de meeste Romeinen, dat astrologen in staat zijn de juiste sterfdatum van iemand te voorspellen, en beschouwt het als verraad wanneer zijn onderdanen een te grote belangstelling hebben voor de zijne. Bovendien maken samenzweerders soms gebruik van de voorspellingen van astrologen om het volk in de juiste stemming te brengen voor een regeringswisseling.

Het is al zeker tien keer eerder voorgekomen dat filosofen of astrologen uit Rome of Italië verbannen zijn. Meestal gebeurde dit in tijden van crisis of wanneer een machthebber aan vervolgingswaanzin leed. Dit laatste was bij Domitianus het geval.

## Gan Ying bezoekt Babylonië

DAQIN, 97 - Een afgevaardigde van de gouverneur van Centraal-Azië, Ban Zhao, is in Daqin (Romeins Syrië) aangekomen. Daarbij heeft deze afgevaardigde, Gan Ying, Tiaozhi (Babylonië) en de Perzische Golf bezocht.

De reis van Gan Ying vindt plaats in het kader van de succesvolle pogingen van de keizers van de Oostelijke Handynastie om het gezag van China over gebieden in Centraal-Azië te herstellen. Deze gebieden zijn tachtig jaar geleden verloren gegaan als gevolg van de nederlagen van keizer Wang Mang tegen de Xiongnu.

In 48 vond een splitsing van de Xiongnu plaats, hetgeen in aanzienlijke mate heeft bijgedragen tot de restauratie van de Chinese macht over de Westelijke Gebieden. Onder aanvoering van Ban Zhao, de broer van de bekende historicus Ban Gu, hebben tussen 73 en 91 alle ministaatjes in het Tarimbekken zich wederom in een vazalrelatie tot de keizer geplaatst.

Een van de resultaten van de herovering is de Chinese beheersing van de zijderoute.

*Rijtuig met parasol uit de Han-tijd.*

Deze handelsweg verbindt China nu direct met het Romeinse Rijk. Behalve zijde exporteert China ook kunstnijverheid. Uit het Romeinse Rijk worden glas, nefriet, ivoor, edelstenen, wol, linnen en paarden door China geïmporteerd.

## Nerva ondersteunt armen

*Romeinse burgers in de rij bij een voedseluitdeling (reliëf).*

ROME, circa 98 - Om kleine zelfstandige boeren en arme kinderen te steunen heeft keizer Nerva een bijstandsplan geïntroduceerd. Deze 'alimenta' houdt in dat de staat tegen een lage rente geld leent aan boeren. De rente wordt door de boer niet terugbetaald aan de staat, maar aan zijn eigen gemeente, welke verplicht wordt dit geld te besteden aan het levensonderhoud van de arme kinderen onder haar inwoners. Om in aanmerking te komen mogen jongens niet ouder dan zestien en meisjes niet ouder dan veertien zijn.

Afgezien van de graanuitdelingen in Rome, die een direct politiek doel dienen, is het voor het eerst dat de staat het initiatief neemt om grote groepen van de bevolking te ondersteunen. Rijke particulieren hadden echter al de gewoonte om arme kinderen van een stad financieel te adopteren.

Het bijstandsplan van de overheid is waarschijnlijk bedoeld om de daling van de Italische plattelandsbevolking tegen te gaan. De combinatie met leningen aan boeren is gemaakt om de produktie in Italië te stimuleren. Langzamerhand is er namelijk een verschuiving ontstaan van produktie in Italië naar produktie in de gebieden waar de legers gestationeerd zijn. Het leger is immers een van de grootste afnemers van produkten als graan, olijven en wijn. Het economisch verval is dan ook niet in Noord-Italië opgetreden omdat dit gebied als achterland voor de Donaulegers fungeert.

# Herinnering aan Domitianus taboe

*In het kader van de 'damnatio' werd een kop van Domitianus veranderd in dit portret van keizer Nerva.*

ROME, 96 - De Senaat heeft bepaald dat alle herinneringen aan keizer Domitianus uitgewist zullen worden. Met deze 'damnatio memoriae' heeft de Senaat, die tijdens de regering van keizer Domitianus geheel machteloos was, zijn kans gegrepen om zijn ongenoegen over de onlangs vermoorde keizer te laten blijken. De damnatio memoriae houdt in dat van alle openbare gebouwen de naam en het portret van Domitianus verwijderd, en al zijn standbeelden vernietigd worden.

Deze postume veroordeling door de Senaat heeft Domitianus vooral te danken aan zijn onverzettelijke opstelling tegenover dit orgaan. Door bij voortduring het consulschap en met name het censorschap te bekleden liet hij merken dat hij de absolute macht had. In de laatstgenoemde functie kon hij immers de Senaat naar eigen goeddunken samenstellen. Ook streek hij de Senaat tegen de haren in door zich 'Dominus et Deus', Heer en God, te laten noemen. Hij was echter geen slecht bestuurder. Aan het begin van zijn regering schold hij belastingschulden kwijt om daarna de inning efficiënt ter hand te nemen. Hij verhoogde de soldij met een derde en hield de bevolking van Rome rustig door het organiseren van Spelen en het schenken van geld zonder evenwel de staatskas uit te putten.

Na de winter van 88-89 ontstond voor de Senaat een gevaarlijke situatie. De gouverneur van Boven-Germanië riep zichzelf namelijk tot keizer uit. Hoewel diens aspiraties snel de kop ingedrukt werden, verdacht Domitianus in het vervolg iedereen van samenzweringen tegen zijn keizerschap en zijn leven. De laatste jaren van zijn regering werden gekenmerkt door de talloze processen die hij op grond van valse beschuldigingen tegen senatoren voerde. Enkelen, onder wie zijn vrouw Domitia, besloten te handelen voordat ook zij slachtoffer zouden worden van de achterdocht van de keizer. Op 18 september werd hij vermoord.

**100** (circa). Het Vierde Groot Boeddhistisch Concilie wordt gehouden. →

**100.** Trajanus sticht in Numidië de stad Thamugadi [Timgad] als militair steunpunt.

**101.** De Romeinse keizer Trajanus begint zijn veldtocht in Dacië tegen koning Decebalus.

**102.** Trajanus verslaat de Dacische koning Decebalus en verovert de Dacische hoofdstad Sarmizegethsa. Decebalus mag als cliëntkoning op de Dacische troon blijven.

**105.** Tussen de Romeinen en de Daciërs breekt opnieuw oorlog uit.

**105.** De architect Apollodorus van Damascus bouwt voor Trajanus een stenen brug over de Donau.

**105** (circa). De Chinese hofdienaar Ts'ai Lun vindt het papier uit.

**106.** Trajanus verslaat de Dacische koning Decebalus en herovert de Dacische hoofdstad Sarmizegethsa. Decebalus pleegt na zijn nederlaag zelfmoord. Dacië wordt een Romeinse provincie. →

**106.** Trajanus houdt in Rome een triomf voor zijn overwinning op de Dacische koning Decebalus.

**106.** De Romeinse legerleider Aulus Cornelius Palma verovert Arabia Petraea (het rijk van de Nabateeërs), dat als de provincie Arabia bij het Romeinse Rijk wordt ingelijfd.

**107.** De Romeinse keizer Trajanus stuurt een gezantschap naar India, vermoedelijk naar het Kushana-rijk.

**109.** Trajanus bouwt in Dacië een monument voor Mars Ultor ter ere van de definitieve overwinning op de Daciërs.

Geboren:

**100** (circa). Salvius Julianus († circa 169), Romeins jurist
**100** (circa). Lucius Aelius († 138), adoptiefzoon van Hadrianus.
**100** (circa). Claudius Ptolemaeus († circa 160), Grieks wiskundige

Gestorven:

**100** (circa). Flavius Josephus (37), joods geschiedschrijver
**104** (circa). Marcus Valerius Martialis (circa 40), Romeins dichter
**106.** Decebalus, Dacisch koning

*Romein in gevecht met een geknielde Daciër (Tropaeum Trajani, Roemenië).*

# Trajanus verovert Dacië

DONAUGEBIED, 106 - Keizer Trajanus heeft de hoofdstad van Dacië [ongeveer Hongarije en Roemenië] ingenomen en dit land als nieuwe provincie aan het Romeinse Rijk toegevoegd.

Al direct bij de aanvang van zijn regering was het voor Trajanus duidelijk dat hij Dacië moest veroveren. In tegenstelling tot andere volkeren langs de Romeinse grenzen vormden de Daciërs een verenigd en machtig koninkrijk. In 85 waren zij al de Donaugrens overgestoken en hadden de gouverneur van Moesia [Bulgarije] verslagen. De toenmalige keizer Domitianus joeg ze met inderhaast verzamelde versterkingen terug naar hun eigen grondgebied, maar werd bij een poging Dacië zelf binnen te vallen verslagen.

In 88 waren de Romeinen meer succesvol bij een invasie. Zij konden hun overwinning echter niet consolideren omdat stammen uit het zuidoosten van Germanië het Romeinse Rijk binnenvielen. Deze bedreiging eiste de aandacht van Domitianus, die nu genoodzaakt was een voor de Romeinen ongunstige vrede met Dacië te sluiten. De Dacische koning Decebalus hoefde alleen in theorie de Romeinse overheersing te erkennen en kreeg in ruil voor de Romeinse krijgsgevangenen leden van de Romeinse genie tot zijn beschikking.

Trajanus meende echter dat een machtige staat zo dicht bij de rijksgrens een veel te grote bedreiging vormde. Vijf jaar geleden verzon hij een aanleiding voor een invasie waarbij zeker ook de wens toegang te verkrijgen tot de rijke goudmijnen van Dacië een rol gespeeld zal hebben. Aanvankelijk bleef deze militaire operatie zonder resultaat, maar in 102 drong hij door tot het hart van het koninkrijk. Decebalus werd gedwongen akkoord te gaan met de Romeinse vredesvoorwaarden. Deze hielden onder andere in dat hij zijn met behulp van de Romeinse genie gemaakte oorlogsmachines moest afstaan en voortaan de Romeinen militaire bijstand moest verlenen. Dacië behield wel zijn autonomie.

Vorig jaar werden de vijandelijkheden door Decebalus hervat. Hij viel een naburige stam aan die bondgenoot was van Rome; vervolgens werd het in Dacië gestationeerde Romeinse garnizoen uitgemoord. Deze schending van het verdrag met Rome gaf Trajanus de gelegenheid tot een grootscheepse invasie waarbij de hoofdstad werd ingenomen. Koning Decebalus pleegde zelfmoord. De inwoners van zijn land werden massaal uitgeroeid en 50 000 van hen werden als slaaf naar Italië gevoerd. Hun plaatsen zullen ingenomen worden door kolonisten.

# Concilie erkent Mahayana

*Reliëf uit het boeddhistisch rotsklooster Shotorak in Afghanistan. Afgebeeld is de 'bodhisattva' Maitreya op een leeuwentroon (2de/3de eeuw na Christus).*

PURUSHAPURA, circa 100 - In Kashmir, in het noorden van het machtige Kushana-rijk van koning Kanishka, is het Vierde Groot Boeddhistisch Concilie gehouden. Het belangrijkste resultaat van het concilie is dat de boeddhistische missie zal worden uitgebreid. Missionarissen zullen naar Azië en China worden gezonden. Een ander belangrijk punt is de erkenning van een nieuwe stroming in het boeddhisme, het 'Mahayana' genaamd.

Deze nieuwe stroming van het 'Grote Voertuig', die geenszins het oudere 'Hinayana' ('Kleine Voertuig') wil verdringen, gaat er eveneens vanuit dat door grote inspanningen het nirvana, het Boeddha-schap, te bereiken is. Het ideaal van het Hinayana is echter slechts de verlossing van het individu zelf terwijl het Mahayana het universele heil nastreeft. Volgelingen van het Mahayana willen daarom 'bodhisattva' worden, dat wil zeggen dat zij na enorme inspanning het Boeddha-schap op de laatste trap na willen bereiken en de bovennatuurlijke macht en kennis waarover ze dan beschikken, aanwenden tot heil van andere wezens, in het bijzonder door hen de weg naar de verlossing te wijzen. Een bodhisattva wacht tot het kleinste wezen op aarde het nirvana heeft bereikt voordat hij zelf Boeddha zal worden.

Koning Kanishka werd zelf tot het boeddhisme bekeerd door de dichter Asvaghosa die de *Boeddhacarita*, 'Het leven van de Boeddha', schreef. Net als de koningen Asjoka en Menander, die ook tot het boeddhisme werden bekeerd, breidde Kanishka daarvoor zijn rijk aanzienlijk uit. Hij regeert nu over een gebied dat reikt van Bactrië tot Banaras en van de Himalaja tot de Sind en Sanchi.

Kanishka wordt aangeduid met de titel 'Maharaja Rajatiraja Devaputra' ofte wel Grootkoning, koning der koningen en zoon van de hemel, dat laatste in navolging van Chinese keizers.

In de hoofdstad Purushapura, waar de schitterendste bouwwerken zijn opgericht, valt de veertien verdiepingen tellende, bijna tweehonderd meter hoge, houten toren voor relikwieën wel het meest op. De vele handelsroutes die door het rijk lopen brengen grote welvaart, wat onder meer blijkt uit het schitterende zilverwerk dat hier gemaakt wordt en aan het goudgehalte dat in munten wordt gestopt.

*Blik op de restanten van het centrum van de stad Aphrodisias. Dit is de hoofdstad van de provincie Carië in Klein-Azië. De stad, gelegen in het oosten van de provincie, is door de Romeinse stichters gewijd aan de godin Aphrodite en is een belangrijk centrum van cultuur.*

**111.** Plinius Minor wordt benoemd tot gouverneur van Bithynië en Pontus. →

**112.** Plinius Minor vraagt keizer Trajanus in een brief om advies over de vervolging van christenen. →

**113.** In Rome wordt door de architect Apollodorus van Damascus het Forum Trajani aangelegd. Op dit Forum bevindt zich de zuil van Trajanus.

**113.** Trajanus onderneemt een veldtocht naar het oosten tegen de Parthen.

**114.** Trajanus verovert Armenië en Mesopotamië.

**114.** Pulumayi wordt de nieuwe koning van Satavahana. →

**115.** Trajanus verovert Ctesiphon, de hoofdstad van de Parthen.

**115.** De joden in het oosten komen opnieuw in opstand tegen Rome.

**116.** Trajanus kroont in Ctesiphon Parthamaspates tot koning van de Parthen.

**117.** Trajanus overlijdt in Cilicië op de terugreis van zijn veldtocht tegen de Parthen. Hij wordt als keizer opgevolgd door zijn adoptiefzoon Hadrianus.

**118.** Hadrianus, die Trajanus vergezeld had op zijn veldtocht tegen de Parthen, komt in Rome aan. Hij besluit om financiële redenen de veroveringen van Trajanus in het oosten weer prijs te geven.

**119.** Transsylvanië wordt een deel van de provincie Dacia Superior. Het bestuurscentrum wordt Apulum. Na het vertrek van generaal Q. Marcius Turbo blijft de situatie in Dacia en Pannonia Inferior rustig.

Geboren:

**117.** Aelius Aristides († 181), Grieks filosoof

Gestorven:

**112** (circa). Plinius Minor (circa 61), Romeins auteur
**117.** Trajanus (53), Romeins keizer

# Plinius vervolgt christenen

BITHYNIE, 112 - Keizer Trajanus heeft de handelwijze van gouverneur Plinius van Bithynië ten aanzien van de christenen goedgekeurd. De keizer heeft tegelijkertijd erop aangedrongen anoniem ingediende beschuldigingen niet in behandeling te nemen, want 'dat zou een zeer slecht voorbeeld zijn, onze moderne tijd onwaardig'. Gouverneur Plinius had de keizer om richtlijnen gevraagd voor een beleid ten aanzien van christenvervolgingen. Aangezien deze tot nu toe onder jurisdictie van verschillende magistraten vielen, bestaat er geen uniforme praktijk. In een brief gaf Plinius zijn visie en beschreef het gebruik van de zogenaamde offertest. 'In afwachting van nadere instructies heb ik ten aanzien van hen die bij mij als christenen werden aangebracht, de volgende gedragsregels gevolgd: Ik heb hun persoonlijk allemaal gevraagd of ze christenen waren. Wanneer ze dat toegaven ondervroeg ik hen voor de tweede en ook voor de derde maal onder bedreiging van straf. Wie volhield liet ik naar de gevangenis overbrengen en wat ook de inhoud van hun geloof mocht zijn, ik heb er volstrekt niet over getwijfeld dat hun halsstarrigheid en hun koppigheid moesten worden gestraft. Anderen heb ik, omdat ze Romeinse burgers waren, op de lijst gezet om op transport naar Rome gesteld te worden.

Er werd mij een anonieme lijst voorgelegd, waarop van velen de namen stonden. Hen die ontkenden christen te zijn of geweest te zijn, meende ik te moeten vrijlaten: met de woorden die ik hun voorzei, riepen ze de goden aan en Uw beeltenis, die ik tot dit doel met andere godsbeelden had laten brengen; ze offerden wierook en wijn en zeiden een gebed, vervolgens vervloekten ze Christus. Men zegt dat men werkelijke christenen tot geen van deze handelingen kan brengen. Anderen zeiden eerst dat ze christenen waren, maar later ontkenden ze het weer.[...] Dezen hebben dan ook allemaal Uw beeltenis en die der goden eer bewezen en Christus vervloekt.'

*Keizer Trajanus met lauwerkrans.*

# Plinius naar Bithynië

KLEIN-AZIE, 111 - De grote zorg van keizer Trajanus over de financiële positie van de steden in zijn rijk heeft hem ertoe gebracht om een speciale afgezant, de schrijver en staatsman Gaius Plinius Caecilius Secundus (Plinius Minor), naar de provincie Bithynië-Pontus [Noord-Turkije] te sturen.

Er bestaat tussen de steden in het oostelijk deel van het Romeinse Rijk grote rivaliteit. Omdat zij onder Romeins gezag staan kunnen zij elkaar niet meer door oorlogen beconcurreren. Hun strijd om de voornaamste stad te worden speelt zich nu af op het gebied van stadsverfraaiing en het elkaar de loef afsteken met prachtige feesten. De lokale magistraten kunnen hierin ongeremd hun gang gaan omdat er geen tegenwicht meer bestaat voor hun macht. De Romeinen zelf hebben deze situatie veroorzaakt door in alle steden een vermogensgrens voor bestuursdeelnemen in te stellen en ambten voor het leven te scheppen. Hiermee hebben zij het bestaan van democratieën onmogelijk gemaakt.

De interventie van Trajanus in lokale affaires is een uitzondering op het Romeinse bestuurssysteem. Het bestuur van steden werd in het algemeen overgelaten aan de lokale magistraten. Hiermee bespaarde de Romeinse overheid zich de kosten van een gigantisch ambtenarenapparaat dat zij anders had moeten creëren.

# Nieuwe koning in Andhara

*Fragment van een serie wandschilderingen in een rotsklooster in het religieus centrum Ajanta (5de eeuw).*

PRATISHTHANA, 114 - Na de dood van zijn vader Gautamiputra heeft Pulumayi de troon van het grote Satavahana-rijk bestegen. Het Satavahana-rijk verbindt de oost- met de westkust van de Krishna rivier in het zuiden tot voorbij de Narmada rivier in het noorden. Door de centrale ligging van het rijk, dat ook wel Andhara wordt genoemd, vormt het de verbindende schakel tussen het noorden en het zuiden. Niet alleen op politiek gebied, maar vooral ook op het terrein van de handel en van de uitwisseling van ideeën komt deze middenpositie van Andhara tot uiting.

Gautamiputra, die in 86 op de troon kwam, bestreed in het westen van zijn rijk met succes de Saka's, die het gebied rond Nasik waren binnengedrongen. Hij blies het kastenstelsel nieuw leven in en beklemtoonde opnieuw het belang van de wedergeboorte. Amaravati aan de oever van de Krishna, groeide uit tot een belangrijk handelscentrum. Via de handelsroutes naar Rome, Sri Lanka en Zuidoost-Azië worden de hindoe-boeddistische ideeën van Amaravati over de wereld verspreid.

De eerste koning van betekenis van Satavahana was Satakarni. Aan het eind van de 2de eeuw voor Christus voerde deze koning vanuit Andhara een politiek van militaire expansie naar alle richtingen. Na zijn veroveringen die reikten tot aan Oost-Malva ten noorden van de Narmadarivier liet Satakarni volgens orthodox-brahmaanse traditie een paardenoffer brengen. Zo'n offer, 'ashvamedha' genaamd, heeft tot doel het domein en de macht van een koning te vergroten. Een grote witte hengst wordt een jaar lang vrij gelaten om te gaan waar hij wil, waarbij hij wordt gevolgd door een groep koninklijke ruiters. Het gebied dat het paard betreedt wordt aan het domein van de koning toegevoegd. Na een jaar wordt het paard teruggebracht naar huis, waar het na een rituele paring wordt gedood en in vieren (de vier windrichtingen) wordt gesneden waarmee de universaliteit van het paard en dus van de koning wordt gesymboliseerd.

---

**120** (circa). Hadrianus herbouwt in Rome het Pantheon, dat in 80 bij een brand verwoest was.

**121.** De Romeinse keizer Hadrianus bezoekt de westelijke provincies.

**122.** Hadrianus bezoekt Britannia. Hij beveelt de bouw van de naar hem vernoemde Muur van Hadrianus. →

**123-124.** Hadrianus brengt een bezoek aan Klein-Azië. Dacia wordt verdeeld in drie provincies: Dacia Superior, Dacia Inferior en Dacia Porolissensis.

**125.** De Chinese generaal Pan Yong verovert het Tarimbekken op de Hunnen.

**125 -126.** Hadrianus bezoekt Athene en overwintert daar. Hij keert via Sicilië naar Rome terug.

**126.** De bouw van de Muur van Hadrianus in Britannia wordt voltooid.

**128.** Hadrianus brengt een bezoek aan Noord-Afrika.

**128-129.** Hadrianus bezoekt voor de derde keer Athene. Hij verfraait de stad en breidt haar uit met een nieuwe wijk.

**129.** Hadrianus brengt zijn tweede bezoek aan Klein-Azië.

**130** (circa). Claudius Ptolemaeus vervaardigt een wereldkaart. →

Geboren:

**120** (circa). Lucianus († circa 180), Grieks satiricus
**121.** Marcus Aurelius († 180), Romeins keizer
**123** (circa). Apuleius († ?), Romeins auteur
**126.** Pertinax († 193), Romeins keizer
**129.** Claudius Galenus († 199?), Romeins arts

Gestorven:

**120** (circa). Publius Cornelius Tacitus (circa 56), Romeins geschiedschrijver
**125** (circa). Mestrius Plutarchus (circa 46), Grieks filosoof en biograaf

---

# Hadrianus bouwt verdedigingsmuur in Noord-Engeland

*Restanten van verdedigingsmuur van Hadrianus in Noord-Engeland.*

ENGELAND, 122 - Soldaten zijn begonnen met de bouw van een grensversterking in het noorden van Engeland. Het plan om een muur te bouwen komt voort uit de behoefte van keizer Hadrianus de bestaande grenzen te versterken. Hij breekt hiermee met de expansiepolitiek van zijn voorgangers. De grensversterking in Engeland wordt tachtig kilometer lang en loopt van de Ierse Zee naar de Noordzee. Zij bestaat uit een aarden wal met een diepe sloot erachter, dan een stenen muur die circa vijf meter hoog is met daarachter weer een sloot. De muur verbindt een serie van zeventien forten waarvan in elk 1000 man gestationeerd zullen worden. Op regelmatige afstanden bevinden zich poorten in de muur voor vreedzaam handelsverkeer.

Ook langs de grens van Germanië versterkt Hadrianus de al door Domitianus begonnen verdedigingswerken. Hier bouwen soldaten langs de ruim vijfhonderd kilometer lange grens een palissade van eikestammen.

Van bouwkundige vaardigheden van soldaten wordt door de keizers overigens niet alleen gebruik gemaakt bij militaire constructies. Ook wanneer er in de provinciesteden openbare gebouwen worden gebouwd, wordt het leger ingezet.

*Beeld van keizer Hadrianus.*

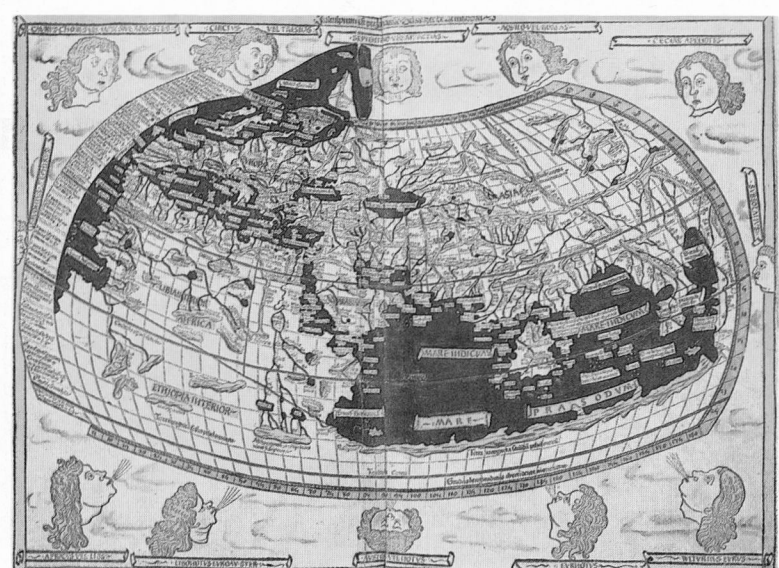

*Een wereldkaart uit 1486, gebaseerd op de kaart die de Alexandrijnse astronoom en geograaf Ptolemaeus circa 130 heeft vervaardigd (Royal Geographical Society).*

# Ptolemaeus' wereldkaart

ALEXANDRIE, circa 130 - De Alexandrijnse astronoom en geograaf Claudius Ptolemaeus heeft de wereld in kaart gebracht. In dit werk vindt de kennis, opgedaan in de zeevaart en handel, haar weerslag. Uit de kaart blijkt dat hij over India en het oorsprongsgebied van de Nijl goed is geïnformeerd. Alleen wordt de Indische Oceaan als een binnenzee voorgesteld. Blijkbaar heeft het zeilen om het Afrikaanse continent onder Necho II weinig geloof gevonden. Bovendien is de interesse in deze route afgenomen. Men vaart nu via een kanaal van de Nijl naar de Rode Zee, naar het oosten. Er bestaat een levendige handel met de oostkust van Afrika en India. In de eerste eeuw voor Christus ontdekte men hoe men door open zee kon oversteken door handig gebruik te maken van de moessonwinden. Het Arabische monopolie op het vervoer van, onder andere, specerijen was daarmee doorbroken want omgekeerd maakten de Arabieren en de Indiërs al lang gebruik van deze winden.

Opvallend is de locatie van de bronnen van de Nijl. Hiervoor heeft Ptolemaeus zich laten leiden door een verslag van een zekere Diogenes, over wie verder niets bekend is. Zeilend langs de oostkust van Afrika was hij uit de koers geraakt en naar Rhapta, een Arabische handelspost, gevoerd. Vandaar ondernam hij een tocht landinwaarts. Hij rapporteerde over een bergketen in het binnenland: de 'bergen van de maan'. Het smeltwater van hun besneeuwde toppen zou twee meren voeden. De twee stromen die hieruit lopen, verenigen zich tot één stroom.

De vraag naar de bronnen van de Nijl heeft reeds velen beziggehouden. Steeds concentreerde het onderzoek zich op de oorzaak van de overstroming van de rivier. Anders dan bij andere rivieren gebruikelijk is doet de overstroming van de Nijl zich voor in het heetst van de zomer. Omdat het zo'n uitzonderlijk verschijnsel was, kreeg het veel aandacht.

Volgens de religieuze Egyptische opvatting welt het water jaarlijks op uit twee brongaten, die bij de eerste cataract (stroomversnelling) te Elefantine liggen. Dit denkt men waarschijnlijk omdat het water daar tekenen van onderaardse turbulentie vertoont. Incidenteel vermelden Egyptische teksten ook stortregens in Ethiopië als oorzaak. Een expeditie uitgerust door Alexander de Grote naar de bovenloop van de Nijl, concludeerde hetzelfde.

Over land heeft men het hart van Afrika nog niet kunnen bereiken. Toen keizer Nero een expeditie langs de Witte Nijl zuidwaarts zond, strandde deze op de uitgestrekte moerassen van de Sudd. Twee soldaten vertelden na afloop: '...Zelfs de bewoners kennen het einde van de moerassen niet en niemand kan hopen het te weten te komen, zó verstrengeld zijn de planten in het water; men kan er niet doorheen worstelen te voet of per boot...'

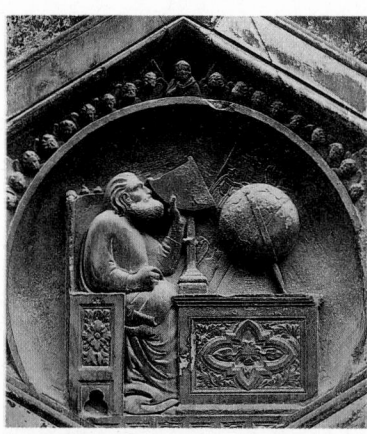

*Ptolemaeus (Florence, 14de eeuw).*

**130.** Hadrianus bezoekt het in 70 verwoeste Jeruzalem. Hij besluit de stad te laten herbouwen onder de naam Aelia Capitolina met een tempel voor Jupiter op de plaats van de oude tempel van Jeruzalem.

**130.** Hadrianus bezoekt Egypte. Zijn gunsteling Antinoüs verdrinkt in de Nijl. Op de plaats van het ongeluk sticht Hadrianus de stad Antinoopolis.

**131.** De Romeinse keizer Hadrianus keert naar Rome terug na een bezoek aan Athene. →

**131** (circa). De bouw van de villa van Hadrianus in Tibur [Tivoli] wordt voltooid.

**132.** Onder aanvoering van Simon Bar Kochba, die zichzelf als de Messias presenteert, komen de joden in Judea in opstand tegen Rome.

**134.** Flavius Arrianus, de Romeinse gouverneur van Cappadocië, verslaat een invasie van de Alani.

**133-134.** Keizer Hadrianus sticht een academie. →

**135.** De joodse opstand in Judea wordt bedwongen. Dit betekent het einde van de joodse politieke zelfstandigheid. De naam Judea wordt in Syria Palaestina veranderd en Aelia Capitolina, de nieuwe stad op de plaats van Jeruzalem, wordt een voor de joden verboden stad. →

**136.** Hadrianus adopteert Lucius Aelius als zijn zoon en opvolger.

**138.** Hadrianus adopteert, nadat Lucius Aelius overleden is, Antoninus als zijn zoon en opvolger. Antoninus adopteert, op bevel van Hadrianus, Marcus Aurelius en Lucius Verus als zijn zonen en opvolgers.

**138.** Hadrianus overlijdt en wordt als keizer opgevolgd door zijn adoptiefzoon Antoninus. De Senaat verleent Antoninus de eretitel 'pius'.

**139.** In Rome wordt het mausoleum van Hadrianus (Engelenburcht), gebouwd door de architect Decrianus, ingewijd.

**139.** De Chinese geleerde Zhang Heng overlijdt. →

Geboren:

**130.** Lucius Verus († 169), Romeins keizer
**130** (circa). Aulus Gellius († circa 180), Romeins auteur
**133.** Didius Julianus († 193), Romeins keizer
**137** (circa). Pescennius Niger († 193), Romeinse keizer

Gestorven:

**138** (circa). Epictetus (circa 50), Grieks filosoof
**138.** Lucius Aelius (circa 100), adoptiefzoon van Hadrianus
**138.** Hadrianus (76), Romeins keizer

# Hadrianus steunt Griekse cultuur

ATHENE, 131 - Tijdens zijn bezoek aan Athene heeft keizer Hadrianus de stad een gymnasium en een Zeustempel geschonken. Het is al de vierde keer dat Hadrianus deze stad, waarop hij bijzonder gesteld is, een bezoek brengt. Hij is zeer geïnteresseerd in de Griekse cultuur, waarvan Athene nog steeds het centrum vormt. Bij eerdere bezoeken schonk hij de stad ook al gebouwen en geld omdat hij haar weer de vooraanstaande positie wil geven die zij in zijn ogen verdient.

Zoals vele Romeinen uit gegoede families heeft Hadrianus een Griekse opvoeding genoten. Velen van hen gaan naar Athene om hun opleiding af te ronden. Ook in artistiek opzicht geldt Griekenland als het grote voorbeeld waaruit Romeinse kunstenaars hun inspiratie putten. In de woorden van de dichter Horatius: 'Het overwonnen Griekenland overwint op zijn beurt de barbaarse veroveraar.' Soms worden de beroemde bronzen Griekse beelden zelfs gewoonweg door Romeinen in marmer gekopieerd. Alleen historische reliëfs en het realistische portret zijn originele Romeinse genres.

De culturele overmacht van de Griekse steden leidt ertoe dat zij niet of nauwelijks geromaniseerd worden. De enkele keer dat er een Romeinse kolonie gesticht wordt, assimileert deze al snel met haar omgeving. Dit heeft weer consequenties voor de politieke rol die de Griekse steden in het Romeinse Rijk spelen. Zij krijgen geen burgerrechten en er worden dus nooit senatoren uit Griekenland benoemd. Ook op andere niveaus van Romeins bestuur worden zij niet toegelaten; zij spreken immers geen Latijn. De meeste steden proberen zoveel mogelijk hun zelfstandigheid te behouden en met name vrijstelling van belasting te verkrijgen. Afgezien van Vespasianus, die de vrijheid van de steden in dit opzicht juist beperkte, hebben de meeste keizers altijd een bereidwillige houding tegenover de Grieken aangenomen.

Het bezoek van Hadrianus vormt een onderdeel van zijn lange reizen door de provincies. Zijn doel is naast inspectie van de rijksgrenzen met name de provincies in het oosten meer bij het bestuur van het rijk te betrekken en tot een geïntegreerd deel ervan te maken. Zijn politieke wens komt ook tot uitdrukking in de munten die hij laat slaan; was het tot nu toe de gewoonte om een provincie voor te stellen als een geboeide gevangene, omringd door de symbolen van de Romeinse militaire macht, nu wordt de provincie door een godin gepersonifieerd. Zij is omgeven door attributen die enerzijds typerend voor die provincie zijn en anderzijds laten zien wat Hadrianus verwacht van de provinciebijdragen aan het Romeinse Rijk.

*Leraar (links) met twee leerlingen tijdens de les (reliëf uit Neumagen, circa 190).*

# Bouw Romeins Athenaeum

ROME, 133/134 - Keizer Hadrianus heeft naar Grieks voorbeeld een academie gesticht, Athenaeum genaamd. Het is de bedoeling dat in dit gebouw, dat op een theater lijkt, openbare redevoeringen gehouden zullen worden door beroemde redenaars. Deze zullen tevens jongemannen onderwijzen in de kunst van het redevoeren.

Het is voor het eerst dat er voor dit doel een speciaal gebouw wordt neergezet. In het Romeinse Rijk is onderwijs geen staatsaangelegenheid. Ouders die dat kunnen betalen, sturen hun kinderen naar een onderwijzer die zitting houdt in een soort winkeltje bij het Forum. Hij leert jongens en meisjes tussen zeven en elf jaar lezen, schrijven en rekenen. Thuis worden kinderen van welgestelde ouders begeleid door een paedagogus die een meer algemeen opvoedende taak heeft.

Tussen hun twaalfde en vijftiende jaar worden jongens onderwezen door een grammaticus. Deze leest met hen de Griekse en Latijnse klassieken en geeft aan de hand van deze teksten geschiedenis- en mythologieonderricht.

Nadat ze op deze manier algemeen gevormd zijn, vervolgen sommige jongens hun opleiding bij een rhetor. Deze brengt hun rechts- en wetskennis bij en leert hun op overzichtelijke en overtuigende wijze hun argumenten uiteen te zetten. Deze scholing is voor iedereen gelijk, ongeacht het beroep dat men later zal uitoefenen. Overigens komt het merendeel van de studenten in de advocatuur terecht.

De school die Hadrianus laat bouwen is bedoeld voor het laatstgenoemde type onderwijs. Vóór hem hebben keizers ook incidenteel getracht het onderwijs te bevorderen. Vespasianus ontsloeg de in het algemeen slecht betaalde leraren van belastingplicht en Trajanus stichtte een fonds om arme jongens en meisjes in staat te stellen basisonderwijs te volgen.

# Bar Kochba leidt opstand van joden

BETAR, 135 - Drie jaar heeft keizer Hadrianus nodig gehad om de tweede opstand van de joden tegen de Romeinen neer te slaan. Hiervoor had hij de steun nodig van de inderhaast uit Britannia te hulp geroepen generaal Sextus Severus, die het commando over het tiende legioen op zich nam. Wat drie jaar geleden begon als een zorgvuldig voorbereide opstand is geëindigd met de dood van verzetsleider Simon Bar Kosiba nabij de vesting Betar.

Bar Kochba, zoals zijn bijnaam luidde, (Hebreeuws voor sterrenzoon), beschouwde zichzelf als de Messias. Hij wist dat de keizer vanaf 129 in het oosten van zijn rijk verbleef maar kon zich toen nog niet van voldoende steun verzekeren.

Hierin kwam verandering toen hij werkelijk als 'nassi' (messianistisch wereldlijk leider) werd erkend door de, inmiddels door de Romeinen verbannen, schriftgeleerde rabbijn Akiba.

Na de eerste, spontane, oorlog tegen de Romeinse onderdrukkers in 66 was deze onrust nooit geheel verdwenen. Aanleiding van de opnieuw opgelaaide onlustgevoelens was de weigering van keizer Hadrianus in 120 de joden toestemming te verlenen hun tempel te herbouwen. In plaats daarvan liet hij het bevel uitvaardigen om in Jeruzalem een militaire kolonie te stichten. Ook deze tweede oorlog verliep aanvankelijk gunstig voor de joden hoewel alleen de provincies Judea en Samaria meededen en een bovenlaag van de bevolking, onder wie vele rechters, gekant was tegen de onderneming. Door hun numerieke overwicht veroverden de Romeinen echter steeds meer terrein. Van Bar Kochba werd verwacht dat hij voor een messianistische ommekeer in de oorlog zou zorgen. Naar nu is gebleken tevergeefs.

# De wiskundige en literator Zhang Heng overleden

LUOYANG, 139 - Astronoom, astroloog, wiskundige en literator Zhang Heng is overleden. Hij gaat door voor de uitvinder van de seismograaf en de armillairsfeer - een hemelglobe samengesteld uit beweegbare ringen.

Zhang Heng bekleedde tot twee keer toe de positie van tianshiling, een titel die men als 'hofastroloog' kan vertalen maar ook als 'keizerlijk astronoom'.

In 120 gaf Zhang Heng de correcte verklaring voor maansverduistering: 'Het licht dat van de zon stroomt kan niet altijd de maan bereiken vanwege de obstructie van de aarde zelf - dit noemen we maansverduistering. [...] Als de maan het pad van de zon kruist is er een zonsverduistering.'

Zeven jaar geleden deed Zhang de uitvinding van een globe die de beweging van hemellichamen kan nabootsen. Het instrument wordt voortbewogen door een wateruurwerk, hetgeen de nauwkeurigheid van voorspellingen aanmerkelijk verbetert vergeleken met andere armillairsferen, zoals die in China in gebruik zijn.

Eveneens in 132 vond Zhang Heng een 'aardbevingsweerhaan' - een seismograaf uit. Deze bestaat uit een bronzen vat waaraan acht drakehoofden bevestigd zijn. Tijdens een aardbeving liet een draak een bal vallen in de bek van één van de acht kikkers die rondom het instrument waren geplaatst. Het drakehoofd in kwestie wees in de richting van het epicentrum van de aardbeving. 'Op een dag liet een draak een bal uit zijn bek vallen terwijl niemand iets van een aardschok merkte. Alle geleerden in de hoofdstad verbaasden zich ten zeerste dat zoiets gebeurde zonder enig verband. Maar verscheidene dagen later kwam er een boodschapper met nieuws over een aardbeving in Longxi. Toen erkende een ieder de mysterieuze krachten van het instrument. Daarna werd het de plicht van de functionarissen van het Bureau van Astronomie en Kalender om aantekening te maken van de richting waaruit de aardschokken kwamen.'

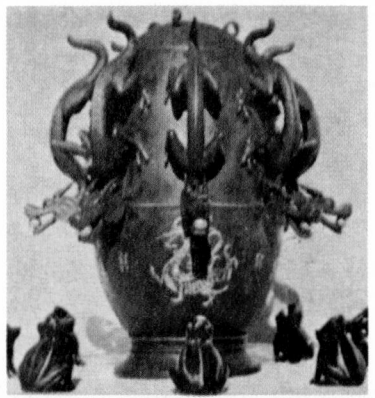

*De seismograaf van Zhang Heng.*

*Romeinse thermen in Carthago, gebouwd door keizer Antoninus Pius (138-161).*

# Rome bestaat 900 jaar

ROME, 147 - Dank zij zijn voorzichtige financiële beleid kan keizer Antoninus Pius de stad Rome op grootse feesten onthalen ter viering van haar 900-jarig bestaan. De festiviteiten staan in het teken van Romes rijke historie. Steden in en buiten Italië die belangrijk zijn geweest in de Romeinse geschiedenis krijgen privileges of gebouwen ten geschenke.

Het eeuwfeest is tekenend voor de welvaart en rust die het rijk onder Antoninus geniet. Hij herstelde de door zijn voorganger Hadrianus verstoorde relatie met de Senaat. Hadrianus had namelijk de wetgeving en de rechtspraak uit handen van de Senaat genomen en in het adviescollege, dat ook door eerdere keizers geraadpleegd werd, tot een formeel orgaan gemaakt dat wetten vaststelde, en deze zodanig vastlegde dat ze ook na beëindiging van de ambtstermijn van een keizer geldig bleven. Ze werden uitgevaardigd in de vorm van een keizerlijk edict waarover de Senaat geen zeggenschap meer kon uitoefenen. Ook de rechtspraak in Italië was de Senaat ontnomen. Hadrianus had het land in vier districten verdeeld, elk onder een door hemzelf benoemde rechter. Antoninus Pius maakte deze laatste maatregel ongedaan en wist daardoor de sympathie van de Senaat te winnen.

Hij wordt ook alom geprezen omdat hij geen buitenlandse reizen maakt die de staat veel geld kosten. Hij voert geen oorlogen, maar legt net als Hadrianus de nadruk op effectieve grensverdediging. De financiële reserve die hij zo weet op te bouwen gebruikt hij voor uitgebreide bouwprogramma's.

# Elf christenen ter dood veroordeeld

SMYRNA, 155 - Na schuldig te zijn bevonden aan het aanhangen van de christelijke religie zijn elf mensen ter dood gebracht in het amfitheater van Smyrna. De aanklacht was, zoals gebruikelijk, gericht tegen het 'nomen Christianum', hetgeen inhoudt dat christen zijn reeds voldoende grond is voor vervolging.

Bij het opsporen van christenen wordt veelal gebruik gemaakt van 'delatores' of aanbrengers, die persoonlijk een aanklacht indienen tegen (vermeende) christenen en bereid zijn de eigenlijke (juridische) vervolging te leiden. Het aantal Romeinse burgers dat hiertoe bereid is, is echter beperkt, daar bij een eventueel ongegrond verklaren van de aanklacht een proces wegens laster kan volgen.

De afkeer van christenen onder de Romeinse burgerij is vooral gebaseerd op de hun toegeschreven misdaden en vertredingen. Hieronder vallen de weigering tot deelneming aan de keizercultus en ontkenning van het bestaan van de Romeinse goden. Onder de lagere klassen leeft daarnaast een hele scala van vooroordelen jegens de christelijke gebruiken; de christenen worden onder andere losbandigheid en kannibalisme toegeschreven. In een antichristelijk pamflet wordt gesteld: 'Terwijl de zeden dagelijks verder vervallen, schieten de walgelijke heiligdommen van deze goddeloze bende als paddestoelen uit de grond.(...) Zij nemen met elkaar zonder aanzien des persoons deel aan een soort Cultus der Lusten, en noemen elkaar broeders en zusters.(...) (Sommigen) beweren dat ze de geslachtsdelen van hun hogepriester en hun priester aanbidden, en dat ze die vereren als die van hun vader. De verhalen die de ronde doen over hun inwijdingsriten zijn al even afschuwelijk als bekend. Een kind wordt met meel bedekt om argelozen te misleiden en voorgezet aan degene die in de riten ingewijd wordt. Dit kind wordt door de neofiet in alle onschuld gedood, aangezien hij, misleid door de laag meel, niet bemerkt dat hij het verwondt. Het bloed van het kind likken zij gulzig op (...)'

In de juridische praktijk is echter van dergelijke beschuldigingen weinig terug te vinden.

**161.** De Romeinse keizer Antoninus Pius overlijdt. Hij wordt opgevolgd door zijn adoptiefzoon Marcus Aurelius. Deze benoemt Lucius Verus, de andere adoptiefzoon van Antoninus Pius, tot medekeizer.

**161.** De Parthische koning Vologeses III verklaart Rome de oorlog en valt Armenië binnen. Lucius Verus neemt het opperbevel in deze oorlog op zich.

**162.** Herodes Atticus laat in Athene het Odeion bouwen.

**163.** De Romeinen heroveren Armenië.

**164.** Avidius Cassius, die feitelijk het opperbevel van Lucius Verus heeft overgenomen, verslaat de Parthische koning Vologeses III en verwoest Seleucia en Ctesiphon.

**166.** De oorlog tussen de Parthische koning Vologeses III en Rome wordt beëindigd door het sluiten van een vredesverdrag.

**166.** Gezanten van Marcus Aurelius komen aan in China. →

**167.** In Rome breekt een pestepidemie uit, die vermoedelijk is overgebracht door de uit het Oosten teruggekeerde Romeinse legers.

**167.** De Germaanse Quaden en Marcomannen steken de Donau over en vallen Noord-Italië binnen.

**168-169.** Marcus Aurelius en Lucius Verus slagen erin de Germanen uit Noord-Italië te verdrijven. Op de terugtocht van deze campagne overlijdt Lucius Verus.→

**173.** Avidius Cassius, de Romeinse gouverneur van Syrië, onderdrukt een opstand in Egypte.

**173.** In China breekt een pestepidemie uit die elf jaar zal duren.

**174.** Marcus Aurelius schrijft tijdens zijn veldtochten zijn filosofische werk *Zelfbespiegelingen*.

**175.** Avidius Cassius roept zichzelf uit tot keizer. Hij wordt echter na drie maanden door een van zijn onderbevelhebbers gedood.

**176.** Marcus Aurelius en Commodus keren terug naar Rome. Zij vieren een triomf voor hun overwinning op de Marcomannen, Quaden en Sarmaten.

**177.** Marcus Aurelius benoemt Commodus tot zijn mederegent en opvolger.

Geboren:

**175** (circa). Ammonius Saccas († 242), stichter van het neoplatonisme

Gestorven:

**160** (circa). Claudius Ptolemaeus (circa 100), Grieks wiskundige, astronoom en geograaf

*Een verbitterd gevecht tussen Romeinse en Germaanse soldaten (op een Romeins reliëf).*

# Germanen door Marcus Aurelius teruggedreven

NOORD-ITALIE, 169- Met de grootst mogelijke krachtsinspanning is keizer Marcus Aurelius erin geslaagd de Germaanse invallers naar het noorden terug te drijven. De Germanen waren twee jaar geleden de Donaugrens overgestoken en Italië tot aan de Adriatische Zee binnengedrongen, waar zij de stad Aquileia [vlak bij Triëst] belegerden. Het leger langs de Donaugrens wist hen niet tegen te houden omdat het een groot aantal troepen naar het oosten had moeten sturen om het rijk tegen de invallende Parthen [uit Irak/Iran] te verdedigen. De soldaten die terugkeerden leden aan een besmettelijke ziekte die zij in Europa verspreidden en die veel slachtoffers maakte. Een tekort aan manschappen door de ziekte en geldgebrek door de langdurige oorlog in het oosten (161-166) maakten de situatie in Italië voor Rome bijzonder kritiek.

In een wanhopige poging geld te verzamelen verkocht de keizer zelfs de schatten van de keizerlijke familie in een veiling op het Forum van Trajanus. Om zijn troepen aan te vullen ronselde hij gladiatoren en zelfs slaven en kocht hij de diensten van Germaanse en Scythische huurlingen. Hiermee wist keizer Marcus Aurelius de stad Aquileia te ontzetten.

Voorlopig lijken de Romeinen aan de winnende hand maar de Germanen hebben zich aan de andere kant nog niet op hun eigen grondgebied hoeven terugtrekken.

# Grote zuivering van hofeunuchen onder ambtenaren

*Houten beeldje van een Chinese eunuch, gekleed in zijden kleren, gevonden in het graf van een adellijke dame die in de eerste eeuw na Christus leefde.*

CHINA, 166 - Tweehonderd functionarissen en intellectuelen die op bevel van keizer Huan waren aangehouden, zijn weer vrijgelaten. Ze zijn echter voor de rest van hun leven uitgesloten van openbare functies.

De zuivering van hoge ambtenaren is het gevolg van de machtsstrijd tussen de hofeunuchen die tot de onmiddellijke omgeving van de keizer behoren en de keizerlijke bureaucratie die in toenemende mate hinder ondervindt van de zwakke regering van de keizer en de groeiende macht en corruptie van de eunuchen. De kritiek van de Chinese hoge ambtenaren vond weerklank onder 30 000 studenten aan de regeringsuniversiteit.

De achtergrond van de problemen wordt overigens gevormd door een financiële crisis die het gevolg is van teruggelopen belastingopbrengsten. Deze is weer het gevolg van een toenemende verpaupering van de boeren in Noord-China en het daarmee samenhangende banditisme, alsmede de rebellie.

Door de gebeurtenissen aan het hof is de opwinding over de komst van buitenlandse schepen in Zuid-China inmiddels grotendeels vergeten. De kooplieden die met deze vreemde schepen kwamen, beweerden afgezanten te zijn van de Romeinse keizer Marcus Aurelius.

## 180

**180.** Marcus Aurelius overlijdt tijdens zijn veldtocht tegen de Marcomannen in Vindobona [Wenen]. Hij wordt als keizer opgevolgd door zijn zoon Commodus.

**180.** Commodus sluit vrede met de Marcomannen.

**180.** In Rome wordt begonnen met de bouw van de zuil van Marcus Aurelius.

**180.** In Carthago vindt een proces tegen christenen plaats.→

**182.** Perennis wordt benoemd tot praefectus praetorio.

**183.** Lucilla, een zuster van de Romeinse keizer Commodus, leidt een samenzwering tegen hem. De samenzwering mislukt en Lucilla wordt geëxecuteerd.

**184.** In China breekt de opstand van de 'Gele Hoofddoeken' uit. Deze opstand zal leiden tot de val van de Han-dynastie.→

**185.** De praefectus praetorio Perennis wordt terechtgesteld, omdat hij verdacht wordt van een samenzwering tegen Commodus. Hij wordt opgevolgd door Cleander.

**185.** De Muur van Antoninus in Britannia wordt door de Romeinen ontruimd.

**186.** Helvius Pertinax onderdrukt een muiterij onder de Romeinse troepen in Britannia.

**186.** Irenaeus, de bisschop van Lugdunum [Lyon], schrijft *Tegen de ketters.*→

**188.** Een opstand in Germania wordt door Rome onderdrukt.

**189.** Cleander, de praefectus praetorio, wordt vermoord. In Rome komt de feitelijke macht in handen van een driemanschap bestaande uit Laetus (de nieuwe praefectus praetorio), Eclectus (de kamerheer van Commodus) en Marcia (de concubine van Commodus).

Geboren:

**185.** Origenes Adamantius († 254), vroeg-christelijk theoloog
**188.** Caracalla († 217), Romeins keizer
**189.** Geta († 212), Romeins keizer

Gestorven:

**180.** Marcus Aurelius (121), Romeins keizer
**180** (circa). Lucianus (circa 120), Grieks satiricus
**180** (circa). Aulus Gellius (circa 130), Romeins auteur
**181.** Aelius Aristides (117), Grieks filosoof
**183.** Lucilla (circa 148), zuster van Commodus
**185.** Perennis, praefectus praetorio
**189.** Cleander, praefectus praetorio

# Christenen veroordeeld

*Vroeg-christelijk doopvont uit Sufetula (Sbeitla, Noord-Afrika).*

CARTHAGO, 17 juli 180 - Het proces tegen de zogenoemde 'martelaren van Scili' is beëindigd. De aangeklaagden Speratus, Natzalus, Cittinus, Donatus, Secunda en Vestia werden schuldig bevonden en veroordeeld tot de dood door het zwaard. Proconsul Saturninus stelde de verdachten tijdens het proces verscheidene malen in de gelegenheid zich vrij te pleiten ('Gij kunt gratie verkrijgen van onze heer, de keizer, als gij tot betere gedachten komt'), maar bij monde van hun woordvoerder Speratus ontkenden de martelaren ook maar enige misdaad te hebben begaan en volhardden in hun geloof.

Een opvallend element binnen het proces was de vreugde van de verdachten over hun veroordeling. Speratus: 'Wij danken God.' Natzalus: 'Vandaag nog zijn wij martelaren in de hemel. God zij dank!'

Dit verschijnsel lijkt haast typerend te zijn voor processen tegen christenen, en talrijk zijn dan ook de voorbeelden van een vrijwillig martelaarschap waarbij christenen zich soms - tot verbazing van de autoriteiten - zelf uitleveren met het verzoek hen te executeren.

De martelaren hopen door een dergelijke zelfopoffering het voorbeeld van Jezus Christus te evenaren en worden in deze opvatting gesterkt door velen van hun leiders. In 110 bijvoorbeeld schreef bisschop Ignatius van Antiochië, op weg naar zijn eigen executie, een brief aan de leden van de christelijke gemeenschap te Rome met het uitdrukkelijke verzoek geen pogingen te ondernemen zijn leven te redden: 'Ik schrijf alle gemeenten en druk allen op het hart dat ik graag voor God sterf. Als u het mij maar niet verhindert. Ik vermaan u: laat uw welwillendheid mij niet ongelegen komen. Laat me toch voedsel zijn voor de dieren. Daardoor kan ik tot God komen. Ik ben de tarwe van God en door de tanden van de dieren word ik gemalen opdat ik zuiver brood van Christus zal blijken te zijn. [...] Ik verheug me op de beesten die voor me in gereedheid worden gehouden en ik bid dat ze het kort met me zullen maken. Ik zal ze ophitsen om me vlug te verslinden. Het zal anders gaan dan wanneer ze uit angst niet durven aanvallen. Als ze onwillig zijn en niet willen dan zal ik ze dwingen.'

## Conflict over apostolische autoriteit

LYON, 186 - Bisschop Irenaeus van Lyon heeft *Tegen de ketters* voltooid, een geschrift waarin gepleit wordt voor een waarlijk katholieke (dat wil zeggen universele) Kerk, toegankelijk voor een ieder die doctrine, ritueel en politieke structuur onderschrijft.

Het geschrift richt zich specifiek tegen de gnostici, wier opvattingen onderling sterk verschillen, maar die allen uitgaan van de gedachte dat het verwerven van gnosis (kennis) de essentie vormt van het christendom. Gnosis verwijst daarbij niet naar feitelijke, maar naar spirituele kennis. Gnostici richten zich op het bereiken van een staat van verlichting, waarbij Jezus als inspiratiebron en 'gids' kan dienen.

Gnosis is niet objectief meetbaar, maar manifesteert zich in ieder individu anders, niet zelden door middel van profetieën en visioenen. Autoriteit en leiderschap dienen dan ook uitsluitend te worden toegekend op basis van persoonlijke kwaliteiten, aldus de gnostici. En hoewel zij erkennen dat de apostelen gnosis bezaten, verwerpen zij de gedachte van een 'afgeleide autoriteit' die de apostelen op hun opvolgers - de bisschoppen en priesters - zouden hebben overgedragen.

Irenaeus beklemtoont als vertegenwoordiger van de Orthodoxe Kerk juist de betekenis en validiteit van de kerkelijke hiërarchie. 'Buiten de Kerk om is geen verlossing mogelijk,' stelt hij, en lidmaatschap van de Kerk vereist in zijn visie conformering aan de gevestigde structuur. 'De traditie die door de apostelen overal werd verkondigd, kan iedereen die de waarheid wil zien in elke kerk terugvinden.(...) Alle kerken, dat wil zeggen alle gelovigen moeten met de Kerk van Rome overeenstemmen vanwege haar bijzondere voorrang. Want in de Kerk van Rome is de van de apostelen stammende traditie steeds bewaard gebleven.'

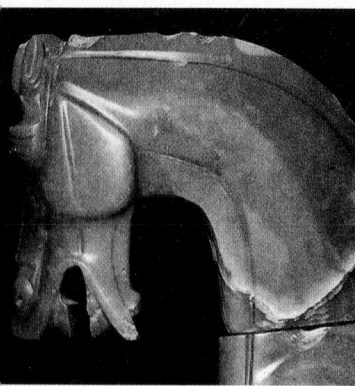

*Paardehoofdje gemaakt van jade, gedateerd in de Han-tijd.*

# Boerenopstanden teisteren China

LUOYANG, december 184 - In grote delen van China zijn boerenopstanden uitgebroken. De rebellie volgt op de mislukte poging tot staatsgreep in de hoofdstad Luoyang, die zorgvuldig werd voorbereid voor februari. Een voortijdig verraad door een van de deelnemers doorkruiste alle plannen en duizend samenzweerders werden ter dood gebracht.

Het was echter inmiddels te laat om de opstand in de provincie af te gelasten, zodat die in maart begon. De opstandelingen kregen aanvankelijk de overhand in acht prefecturen tussen de Gele Rivier en de Yangzi-rivier. Het rebellenleger omvatte enkele honderdduizenden mensen, verdeeld over 36 eenheden. Een grote eenheid bestond uit meer dan tienduizend man en een kleine uit zes- à zevenduizend.

De opstandelingen beroepen zich op de filosofie van het taoïsme vermengd met populair bijgeloof. Zij volgen de Taiping Dao (De weg van Grote Vrede) maar ze worden algemeen aangeduid met de naam van hun herkenningsteken: de Gele Hoofddoek. Overal verkondigen ze de leuze 'De dagen van de Han-dynastie zijn geteld. De Gele Dag gaat beginnen.' In de gebieden die door de opstandelingen werden veroverd gingen boeren over ot instelling van een autonoom lokaal bestuur.

Onder leiding van hun aanvoerder Zhang Jue begonnen eenheden van de Gele Hoofddoeken een aanvankelijk succesvolle mars op de hoofdstad Luoyang, die door de ambtenaren en hoffunctionarissen in paniek werd verlaten. Spoedig ging het keizerlijke leger echter met succes tot de tegenaanval over. In augustus stierf Zhang Jue en enkele maanden later was de nederlaag van het opstandelingenleger volkomen. De overwinning van de keizerlijke troepen werd gevolgd door grootscheepse moordpartijen. De overlevenden van de slachting zijn naar ongankelijke gebieden gevlucht, waar zij opereren onder de naam 'Het Leger van de Zwarte Berg'.

# Severus zuivert de garde

ROME, 193 - Met het vervangen van de praetoriaanse garde door veteranen uit zijn eigen leger lijkt Septimius Severus, de nieuwe keizer en voormalig gouverneur van Pannonië (een Donauprovincie), zijn machtsovername veilig gesteld te hebben. Severus is al de derde keizer dit jaar, nadat op 31 december 192 keizer Commodus werd vermoord. Vanaf keizer Nerva heeft iedere keizer al tijdens zijn leven een capabele opvolger geadopteerd. Marcus Aurelius was de eerste die weer zijn zoon als opvolger aanwees. Deze Commodus bleek echter in het geheel niet geschikt om te regeren. Hij streefde uitsluitend zijn eigen persoonsverheerlijking na en leefde zich uit in processen tegen senatoren die hij niet mocht. Hij velde zijn eigen doodvonnis door aan te kondigen dat hij zijn nieuwe consulschap zou aanvaarden in gladiatorkostuum.

Na zijn dood ontstond er een situatie die sterk leek op die na de dood van Nero in 68. De praetoriaanse garde verhief de stadsprefect tot keizer. Deze bleek echter niet bereid om een marionet van de praetorianen te worden en herstelde de discipline in hun gelederen. Samen met het zuinige economische beleid dat de nieuwe keizer voerde, maakte dat al gauw dat hij zijn aanhang verloor. Nadat zij ook hem vermoord hadden, boden de praetorianen het keizerschap aan de meest biedende aan. Dit bleek een rijke senator, die echter weinig verstand van staatszaken had. Ondertussen hadden zowel de legers in Syrië als aan de Donaugrens hun eigen aanvoerder tot keizer uitgeroepen. Severus had het voordeel dat hij dichter bij Rome gestationeerd was en op 9 juni nam hij de stad met steun van de Rijnlegers in.

## Tertullianus publiceert zijn 'Apologie'

*Fresco met christelijke symbolen, gevonden in een catacombe op het eiland Malta.*

ROME, 197- De bekende christelijke filosoof Tertullianus heeft zijn *Apologie* gepubliceerd waarin hij het christendom verdedigt tegen heidense beschuldigingen van onder andere atheïsme en zwarte magie. Zowel de beschuldigingen als de *Apologie* maken deel uit van wat men zou kunnen omschrijven als een 'debat' tussen christenen en niet-christenen, waarin beide partijen met elkaars standpunt worden geconfronteerd. Het debat vindt plaats in alle lagen van de Romeinse samenleving, maar de 'ideologische lijn' van de verschillende partijen krijgt vooral vorm door middel van filosofische polemieken.

Met het verschijnen van de zogenaamde apologieën zoals die van Tertullianus, en eerder, circa 150, die van Justinus, is een nieuwe fase in het debat ingeluid: een 'intellectualisering' van het christendom en daardoor van de dialoog in zijn geheel.

In eerste instantie vormde geen van beide godsdiensten (de christelijke en de Romeinse) een gesloten of eenvormig systeem, en de vroege kerkvaders schreven dan ook vooral voor hun medegelovigen. Met de komst van de apologeten wordt deze isolatie opgeheven en richt men zich direct tot de heidenen. Hierdoor wordt het debat nu gevoerd tussen (intellectuele) gelijken.

In zijn *Apologie* verzekert Tertullianus de Romeinen dat de christenen goede staatsburgers zijn die zich bekommeren om het heil van de keizer. Aan het slot van zijn pamflet betoogt hij dat het voortbestaan van het Romeinse Rijk ook voor christenen van groot belang is: 'Er bestaat voor ons nog een andere, nog grotere noodzaak, om te bidden voor de keizers en tevens voor de voorspoed van het rijk en de macht van Rome; wij weten namelijk, dat de grote catastrofe, welke de gehele wereld te wachten staat en het einde der tijden zelf, dat ons bedreigt met afschuwelijke rampen, vertraagd wordt door het uitstel dat aan het Romeinse Rijk verleend wordt. Dit einde nu wensen wij niet te beleven en terwijl wij bidden dat het uitgesteld wordt, werken wij mee aan de lange duur van het Romeinse Rijk.'

# 200

*De 'Kolossen van Memnon' in het Koningsdal bij Thebe (foto, 1968).*

## Severus beveelt restauratie 'Kolos van Memnon'

THEBE, 199 - Met de restauratie van één van de 'kolossen van Memnon' door de Romeinse keizer Septimius Severus is een einde gekomen aan een merkwaardig fenomeen, dat eeuwenlang toeristen trok.

Het begon allemaal na een aardbeving in het jaar 27 voor Christus. Vanaf die tijd werd één van de kolossale beelden, door de vader van Echnaton in 1400 voor Christus neergezet, muzikaal. Iedere ochtend vlak na zonsopgang kon men de kolos van Memnon even horen zingen.

Over dit verschijnsel deden de wildste geruchten de ronde. Slechts een enkeling bleef sceptisch; het merendeel zocht het in een bovennatuurlijke oorzaak. De faam van de kolossen groeide in de eerste eeuw buiten proporties. Dagelijks kon men zien hoe, nog voor zonsopgang, een schare Griekse en Romeinse toeristen zich verzamelde bij dit 'wereldwonder'. Het zingende beeld werd door hen vereenzelvigd met de legendarische Ethiopische koning Memnon. Deze streed voor Troje en werd daar door Achilles gedood. Met zijn gezang begroette hij zijn moeder Eos, de godin van de dageraad, zo heette het.

Septimius heeft het beeld, dat bij de aardbeving barsten had opgelopen, laten herstellen. Ook was het een mooie gelegenheid zijn nieuwsgierigheid te bevredigen en uit te vinden waar dat gezang vandaan kwam. Het bovenstuk van het beeld werd gesloopt en kop en lijf werden van nieuwe steenlagen voorzien. Het mysterie werd niet opgelost. Maar de restauratie is geslaagd, op één punt na: het beeld is zijn stem verloren.

**202.** De Romeinse keizer Septimius Severus keert naar Rome terug en viert er een triomf voor zijn overwinningen in het Oosten.

**202.** Het Mithraeum S. Prisca wordt gebouwd. →

**203.** In Rome wordt op het Forum Romanum de triomfboog van Septimius Severus ingewijd.

**203.** Plautianus, de praefectus praetorio, wordt benoemd tot consul. Hij heeft grote invloed op Septimius Severus.

**203-204.** Septimius Severus brengt een bezoek aan de Afrikaanse provincies.

**205.** Caracalla beschuldigt Plautianus van het opzetten van een samenzwering tegen de keizer. Plautianus wordt hierop door een hofdienaar vermoord. De jurist Papinianus is zijn opvolger als praefectus praetorio.

**206.** De bandiet Bulla Felix maakt Italië onveilig. →

**208.** Septimius Severus vertrekt met zijn beide zonen Caracalla en Geta naar Britannia om daar de noordgrens te gaan versterken.

**208-210.** Septimius Severus onderneemt veldtochten in het noorden van Britannia en herstelt de Muur van Hadrianus.

Geboren:

**200.** Tacitus (†276), Romeins keizer
**201** (circa). Thascius Caecilius Cyprianus (†258), vroeg-christelijk theoloog
**201** (circa). Postumus (†268), keizer van een zelfstandig Gallië
**204.** Elagabalus (†222), Romeins keizer
**204** (circa). Philippus Arabs (†249), Romeins keizer
**205.** Plotinus (†269/270), neoplatonisch filosoof
**208.** Alexander Severus (†235), Romeins keizer

Gestorven:

**205.** Plautianus, praefectus praetorio

*Romeinse wandschildering met de Perzische god Mithras als stierendoder.*

# Tempel aan Mithras gewijd

ROME, circa 202 - Op een van de heuvels van Rome, de Aventijn, is een nieuwe tempel voor de god Mithras gebouwd. Mithras is afkomstig uit Perzië, waar hij de handlanger en boodschapper van de lichtgod Ahoera Mazda was. Namens deze vertegenwoordiger van het goede bestrijdt hij het kwade in de persoon van de god van de duisternis, Ahriman. Mithras wordt door de Romeinen afgebeeld in een Perzisch kostuum, meestal terwijl hij bezig is een stier te doden, hetgeen de overwinning van het leven op de dood, en van het goede op het kwade symboliseert. Om tot de cultus toegelaten te worden moet men een doop ondergaan met het 'levenbrengende' bloed van een stier. Hierna is men herboren en heeft men toegang tot de verschillende stadia van inwijding. De diepst ingewijden, de 'vaders', leiden de ceremonies. Er zijn geen professionele priesters.

Omdat de god vaak in zijn strijdende kwaliteit wordt weergegeven, heeft de cultus, die alleen toegankelijk is voor mannen, sterke aantrekkingskracht op soldaten. Waarschijnlijk hebben zij de cultus na beëindiging van hun diensttijd meegebracht uit het Oosten. Het mithraïsme is niet de enige oosterse religie die steeds meer aan populariteit wint. In deze tijd wordt de preoccupatie met de dood groter; men hecht meer belang aan graftomben, en de gedachten van de mensen gaan meer en meer uit naar wat er na de dood is. Men wil zich verzekeren van een plaats in het hiernamaals. Deze kan men alleen verkrijgen als men zich al tijdens het leven aan de zorgen van een reddende god heeft overgegeven, een god die de grenzen tussen dood en leven kan over-

schrijden. De traditionele Romeinse goden hebben deze pretentie niet en daarom zoeken Romeinen steeds vaker hun heil bij oosterse religies. Overal in het Romeinse Rijk verrijzen tempels voor onder anderen Isis en Osiris, Cybele en Attis, en Mithras.

Sommige keizers hebben geprobeerd de Romeinse godsdienst te doen herleven, maar laten de oosterse religies verder ongemoeid, mits de aanhangers hiervan ook voldoen aan de eisen die de officiële religie aan hen stelt. Dit houdt voornamelijk in dat zij deel moeten nemen aan de keizercultus.

De nieuwe Mithrastempel is, zoals de meeste van zijn tempels, gebouwd in een kunstmatige grot [onder de Santa Prisca] die de grot voorstelt waarin Mithras de stier doodde. Deze scène is in stucco in de nieuwe tempel afgebeeld. Op de zijwanden zijn schilderingen aangebracht van een processie van gelovigen en teksten die instructies geven voor de juiste manier van leven.

*Mithras de stierendoder (reliëf).*

# Bendeleider Bulla Felix opgepakt

ZUID-ITALIE, 207 - De bandiet Bulla Felix, die met zijn bende twee jaar lang het zuiden van Italië onveilig maakte, is door een lid van de praetoriaanse garde gearresteerd. Bulla Felix had een bende van 600 man verzameld, voor het merendeel weggelopen slaven en vrijgelatenen.

Dank zij zijn uitstekende informaties was hij altijd goed op de hoogte van belangrijk vervoer van kostbaarheden. De meesten van zijn slachtoffers liet hij meteen weer gaan, maar handwerkslieden hield hij een tijdje bij zich om gebruik te maken van hun vaardigheden. Hij kocht de juiste mensen om, om zo uit handen van de justitie te blijven, of verzon brutale listen. Zo vermomde hij zich als een hoge ambtenaar om twee van zijn mensen die op het punt stonden geëxecuteerd te worden uit de gevangenis te bevrijden. Ook heeft hij zich eens als iemand anders voorgedaan, en een centurion aangeboden hem de schuilplaats van Bulla Felix te wijzen. Hij leidde de centurion en zijn mannen naar moeilijk terrein en overmeesterde hen eenvoudig. Hij stuurde de centurion terug met de woorden: 'Zeg tegen je meesters dat zij hun slaven voldoende te eten moeten geven zodat ze geen bandieten hoeven te worden.'

De tot wanhoop gebrachte keizer stuurde uiteindelijk een lid van de praetoriaanse garde om de rover te vangen. Deze kende de enige zwakke plek van Bulla Felix: zijn omgang met een getrouwde vrouw. Met de belofte dat zij niet vervolgd zou worden wist hij haar over te halen om de schuilplaats van de bandiet te verraden.

Sinds enige tijd vormt het banditisme weer een ernstig probleem in het Romeinse Rijk, vooral in de bergachtige streken van Klein-Azië. Keizer Septimius Severus heeft over het gehele rijk militaire posten geïnstalleerd om de inwoners en met name belangrijke Romeinse handelsroutes te beschermen. Dit betekent voor de inwoners niet altijd een verbetering omdat de soldaten in ruil voor hun 'bescherming' geld of goederen eisen.

*Romeinse postkoets (reliëf kerk van Maria Saal [Oostenrijk], 1ste eeuw).*

**211.** De Romeinse keizer Septimius Severus overlijdt in Ebocarum [York]. Zijn zoons Caracalla en Geta volgen hem op. Zij keren terug naar Rome. →

**212.** Caracalla laat zijn broer Geta vermoorden en wordt zo de enige keizer.

**212.** Caracalla laat de jurist Papinianus vermoorden, omdat deze weigert een juridische verdediging te schrijven voor de moord op Geta.

**212.** Caracalla vaardigt de Constitutio Antoniniana uit, waardoor alle vrije inwoners van het Romeinse Rijk het burgerrecht krijgen.

**213.** Caracalla verslaat de Alamannen.

**215.** Caracalla richt een bloedbad aan in Alexandrië, omdat hij een Egyptische opstand vreest.

**215.** Caracalla introduceert een nieuwe munt, de Antoninianus, om de inflatie tegen te gaan. →

**216.** Caracalla valt Parthië binnen.

**216.** In Rome worden de thermen van Caracalla in gebruik genomen.

**217.** Caracalla wordt bij Carrhae door zijn soldaten vermoord. Macrinus, de praefectus praetorio, roept zichzelf tot keizer uit.

**217.** Macrinus lijdt een nederlaag tegen de Parthen bij Nisibis. Hij sluit hierna vrede met de Parthen.

**217.** Calixtus I wordt bisschop van Rome. Tijdens zijn ambtsperiode eist hij dat de bisschop van Rome een hogere positie krijgt dan de overige bisschoppen.

**218.** Julia Maesa, een tante van Caracalla, laat haar kleinzoon Elagabalus tot keizer uitroepen. Macrinus wordt verslagen en gedood.

Geboren:

**213.** Cassius Longinus (†273), Grieks redenaar en filosoof
**214.** Claudius II (†270), Romeins keizer
**214.** Aurelianus (†275), Romeins keizer
**216.** Mani (†277), stichter van het manicheïsme
**219.** Gallienus (†268), Romeins keizer

Gestorven:

**211.** Septimius Severus (146), Romeins keizer
**212.** Geta (189), Romeins keizer
**212.** Papinianus, Romeins jurist
**217.** Caracalla (188), Romeins keizer
**217.** Juda-ha-Nasi', Israëlisch patriarch
**218.** Macrinus (circa 164), Romeins keizer

# Keizer Severus overleden

YORK, februari 211 - Tijdens zijn verblijf in Engeland is keizer Septimius Severus op 65-jarige leeftijd overleden. De keizer was in Engeland om een eind te maken aan de invallen van de Schotten.

De versterking van de rijksgrenzen was voor de keizer gedurende zijn hele regering zijn eerste zorg. Het leger had echter te kampen met een rekruteringsprobleem. Om de nog altijd vrijwillige dienstneming aantrekkelijker te maken, verbeterde Septimius Severus de arbeidsomstandigheden van de soldaten. Hij verhoogde hun soldij met een derde en stond hun toe handel te drijven en te trouwen. Dat laatste gebeurde in de praktijk al op grote schaal, maar de uit deze huwelijken geboren kinderen waren bijna geheel rechteloos. Severus hoopte dat soldaten nu meer kinderen zouden krijgen die hun vaders zouden kunnen opvolgen in het leger. Tevens maakte hij het makkelijker voor soldaten om na hun diensttijd carrière in het civiele leven te maken.

Om het leger te onderhouden voerde Severus in het hele rijk een nieuwe belasting in, de 'anonna', die echter zwaar drukt op de gebieden waar legers gestationeerd zijn omdat de belasting in natura afgedragen moet worden. Bij invallen in het Romeinse Rijk was keer op keer gebleken dat het voor de verdediging geheel afhankelijk was van de aan de grenzen gestationeerde legioenen. Als de invallers deze eenmaal voorbij waren, was er niets dat hen op hun weg naar Rome kon tegenhouden. Om dit in de toekomst te voorkomen vormde Severus een nieuw legioen dat

*Keizer Severus, zijn vrouw Julia Domna en Caracalla. Het gezicht van Geta, de andere zoon, is verwijderd.*

hij vlak bij Rome legerde. Dit kan ook gezien worden als een maatregel om alle oppositie tegen de heerschappij van de keizer onmogelijk te maken.

In het begin van zijn regering had Severus zich nog welwillend opgesteld tegenover de Senaat, later verhulde hij niet meer dat hij autocratisch vorst was. Wat de senatoren nog aan macht restte werd hun langzamerhand ontnomen. Op posten die vroeger voor senatoren gereserveerd waren, werden nu leden van de ridderstand benoemd. Senatoriale bezittingen werden geconfisqueerd omdat hun eigenaren Clodius Albinus, de gouverneur van Engeland die in 197 het keizerschap had geambieerd, hadden gesteund. In het rijk dat Caracalla en Geta van hun vader geërfd hebben, is de rol van de senatorenstand uitgespeeld.

# Keizer Caracalla voert nieuwe munt in

*Zilveren munt van Caracalla's voorganger Antoninus Pius.*

ROME, 215 - Keizer Caracalla heeft een nieuwe munt met een laag zilvergehalte ingevoerd in een poging de tekorten van de staat aan te vullen. Met name de kosten van het leger vormen een grote belasting voor de schatkist. Sinds de tijd van Augustus is het leger steeds groter geworden, van 150 000 naar 220 000 legionairs, en zijn er ook meer 'auxilia', hulptroepen, bij de verdediging van de grenzen betrokken. Ook de bouw en het onderhoud van verdedigingswerken en civiele gebouwen die de romanisatie van de provincies moeten bevorderen, kosten de staat handen vol geld. Omdat er echter sinds Trajanus een einde is gekomen aan de territoriale expansie, groeien de inkomsten uit de provincie niet. Men denkt dan ook dat de invoering van Romeins burgerrecht voor alle vrije inwoners van het Romeinse Rijk in 212, de 'Constitutio Antoniniana', voornamelijk bedoeld is geweest om de inkomsten aan successierechten, die iedere vrije burger moet betalen, te vergroten. De opbrengst van deze successierechten, door Caracalla bij de invoering van de Constitutio Antoniniana verhoogd van 5 naar 10 procent van de waarde van de erfenis, worden gebruikt voor de pensioenen van veteranen.

Een ongunstig neveneffect van de Constitutio Antoniniana zal waarschijnlijk zijn dat minder mensen dienst in het leger zullen nemen. Vroeger gingen veel mensen immers in dienst omdat ze op die manier het burgerrecht konden verdienen. Deze motivatie valt nu weg.

**222.** In China komt de Han-dynastie ten val. China valt uiteen in drie onafhankelijke rijken: Wei, Shu Han en Wu. →

**222.** De Romeinse keizer Elagabalus wordt samen met zijn moeder Julia Soaemias door de praetorianen vermoord. Hij wordt opgevolgd door zijn neef Alexander Severus. Deze bevindt zich geheel in de macht van zijn moeder Julia Mamaea.

**222.** De Vandalen en de Longobarden beginnen op te dringen naar de Donau- en Rijngrens.

**223.** Julia Mamaea wordt tot augusta benoemd.

**223.** De praefectus praetorio en jurist Ulpianus wordt door zijn soldaten vermoord.

**224.** Ardasjir I verslaat de Parthische koning Artabanus V. Het rijk van de Parthen houdt op te bestaan. Ardasjir sticht het Nieuw-Perzische Rijk van de Sassaniden.

**229.** Cassius Dio wordt tot consul benoemd.

**230.** De Perzen vallen onder koning Ardasjir I Mesopotamië binnen en belegeren Nisibis.

**231-233.** De Romeinse keizer Alexander Severus onderneemt een veldtocht tegen de Perzische koning Ardasjir I, die zich terugtrekt.

**233.** De Alamannen doorbreken de Donau- en Rijngrens. Alexander Severus trekt tegen de Alamannen ten strijde.

**234.** Maximinus Thrax wordt door de Pannonische troepen tot keizer uitgeroepen.

**235.** Severus Alexander wordt in Mogontiacum [Mainz] door zijn soldaten vermoord. Maximinus Thrax wordt door de Senaat als keizer erkend. →

**238.** Gordianus, de proconsul van Africa, wordt tot keizer uitgeroepen. Hij regeert samen met zijn zoon Gordianus II. Nadat zij beiden gedood zijn door Capellianus, de gouverneur van Numidië die keizer Maximinus Thrax trouw blijft, roept de Senaat Pupienus en Balbinus tot keizer uit. De eigenlijke keizer Maximinus Thrax wordt door zijn soldaten bij Aquileja vermoord, wanneer hij tegen Pupienus en Balbinus optrekt. Pupienus en Balbinus keren terug naar Rome waar zij op hun beurt door de praetorianen vermoord worden. Deze roepen Gordianus III, een zoon van Gordianus II, tot keizer uit.

**238.** De Goten steken de Donau over en vallen voor de eerste keer het Romeinse Rijk binnen.

Geboren:

**233.** Porphyrius († circa 305), neoplatonisch filosoof

# Romeinse keizer vermoord

*Detail van sarcofaag (derde eeuw): links strijd tussen Romeinen en barbaren; rechts Romeinse soldaten met krijgsgevangenen.*

MAINZ, maart 235 - De uit Thracië afkomstige generaal Maximinus heeft keizer Severus Alexander en zijn moeder Julia Mamaea afgezet en vermoord. De woede van de Rijnlegers, waartoe Maximinus behoorde, was gewekt doordat Severus op aandringen van zijn moeder liever onderhandelde met de Germaanse stammen die de Rijngrenzen bedreigden dan hen te bevechten.

Hoewel de Severische dynastie zich sinds Septimius Severus door de inspanning van haar vrouwelijke leden op de troon had weten te handhaven, slaagden zij er niet in het rijk te beheersen. Hun voornaamste zwakte was dat zij geen militaire ervaring hadden en niet tegemoetkwamen aan de eisen die de soldaten stelden. Severus Alexander probeerde de positie van de Senaat te versterken maar ging voorbij aan het feit dat de legers al lang de grootste macht in het rijk vertegenwoordigden. Vier jaar geleden moest hij zich als generaal waarmaken en tegen de Perzen optreden die de provincie Syrië binnenvielen. Hij wist Syrië ten koste van zware verliezen te behouden en zijn gezicht tegenover de soldaten te redden. Aan de Rijngrens lukte hem dat niet; zijn falen is hem nu noodlottig geworden.

# China valt in drie landen uiteen

WU, 222 - In Zuid-China is door generaal Sun Quan de staat Wu gevestigd. Wu omvat ook het noorden van Vietnam. Met de vestiging van Wu is China opgesplitst in drie landen (Wei, Shu Han en Wu) die in voortdurende oorlogshandelingen met elkaar zijn verwikkeld. Elk van de drie landen acht zich een legitiem erfgenaam van het keizerrijk.

De Vestiging van de Drie Koninkrijken volgt op de ondergang van de Han-dynastie, die zich over twee generaties heeft voltrokken. De ontbinding uitte zich in teruglopende belastingopbrengsten en boerenopstanden en werd veroorzaakt door toenemende macht van grote lokale families ten koste van het centrale gezag.

Het koninkrijk Wei werd twee jaar geleden opgericht toen de zoon van de beroemde generaal Cao Cao de laatste Han-keizer tot aftreden dwong en zichzelf tot vorst uitriep. Wei omvat heel Noord-China ten noorden van de Yangzi. Door de bouw van grote irrigatiewerken is de agrarische produktie van dit gebied met sprongen omhoog gegaan, hetgeen ook de militaire macht van Wei ten goede is gekomen. De poging van Cao Cao in 208 om met een enorm leger een mars naar het zuiden te volbrengen en zo het land te verenigen, liep op een fiasco uit. Tijdens een slag op de Yangzi werd de vloot van de generaal in brand gestoken en zijn leger vernietigd.

Het derde koninkrijk Shu Han werd vorig jaar gevestigd door Liu Bei, een arme verwant van een van de eerste keizers van de Han-dynastie. Shu is de oude naam van de provincie Sichuan, het grondgebied van het nieuwe koninkrijk.

Liu Bei dankt zijn troon vooral aan zijn belangrijkste minister en adviseur Zhu Geliang. Ofschoon Shu het kleinste en minst bevolkte van de Drie Koninkrijken is, heeft het een goede strategische ligging en kan als zodanig met een minimale inzet verdedigd worden.

*Penseeltekening op grafsteen.*

**240.** De Perzische koning Ardasjir I overlijdt. Hij wordt opgevolgd door zijn zoon Sapor I.

**243.** Timesitheus verslaat de Perzen en drijft hen terug over de Tigris. Hij wordt echter ziek en overlijdt. Zijn opvolger als praefectus praetorio is Philippus Arabs.

**244.** De Romeinse keizer Gordianus III wordt in Mesopotamië, op instigatie van Philippus Arabs, door zijn soldaten vermoord. Philippus Arabs wordt zelf de nieuwe keizer. Hij sluit vrede met de Perzische koning Sapor I en keert naar Rome terug.

**247.** Koningin Himiko brengt eenheid in Japan. →

**247.** In Rome wordt het 1000-jarig bestaan van de stad gevierd.

**249.** Decius wordt door zijn troepen in Pannonia tot keizer uitgeroepen. In een slag bij Verona worden Philippus Arabs en zijn zoon verslagen en gedood.

**249-251.** Onder keizer Decius komt het tot de eerste systematische christenvervolging in het Romeinse Rijk.

**251.** De Romeinse keizer Decius sneuvelt in de strijd tegen de Gotische invallers. Trebonianus Gallus wordt door de troepen tot keizer uitgeroepen.

**252.** De Perzische koning Sapor I verovert Armenië.

**253.** Aemilianus wordt door de troepen in Moesia tot keizer uitgeroepen. Hij verslaat en doodt Trebonianus Gallus en diens zoon Volusianus in de Slag bij Interamna. Na drie maanden wordt Aemilianus door zijn eigen troepen vermoord, als deze horen dat Valerianus door de Rijnlegioenen tot keizer is uitgeroepen. Valerianus komt naar Rome en benoemt zijn zoon Gallienus tot mederegent.

**254.** De Marcomannen vallen Pannonia binnen en de Goten Thracië.

**256.** De Perzische koning Sapor I valt Mesopotamië en Syrië binnen. →

**257.** Valerianus begint een nieuwe christenvervolging.

**257-259.** De Goten steken de Zwarte Zee over en dringen tot in Klein-Azië door.

**258.** De Franken dringen tot in Spanje en Marokko door.

**258.** De Alamannen doen een inval in Italië, maar worden door Gallienus bij Mediolanum [Milaan] teruggedreven.

**259.** De Romeinse legerleider Postumus wordt in Gallië tot keizer uitgeroepen. Hij sticht in Gallië een van Rome onafhankelijk rijk.

# Koningin brengt eenheid in Japan

KIOESJOE, 247 - De dertig gebieden waarin Japan tot nu toe verdeeld was, zijn eindelijk tot een eenheid gesmeed door de ongetrouwde koningin Himiko. Tot nu toe werd elk van deze gebieden bestuurd door een koning of koningin en in een enkel geval door een stamhoofd. Himiko voert een streng geordend hiërarchisch bestuurssysteem in. Vele ambtenaren worden aangesteld en belastingen worden centraal geïnd.

Onder haar bestuur floreren naast binnenlandse handel ook de handelscontacten met China en Korea. Daarnaast worden door Japan met het laatste land diplomatieke contacten onderhouden. Behalve koningin is Himiko ook nog priesteres. Hierdoor is haar invloed op geestelijk gebied aanzienlijk. Zij wordt in haar land ook wel Himeko genoemd, wat zoveel betekent als zonneprinses.

# Sapor I neemt keizer gevangen

PERZIE, 260 - De Romeinse keizer Publius Licinius Valerianus is gevangengenomen door Sapor I, koning der Sassaniden. Hij heeft de voor de Romeinen smadelijke nederlaag op een rotsreliëf laten vereeuwigen. Vier jaar geleden al heeft Sapor, zoon van Ardasjir, Antiochië (Antakya) ingenomen en Dura vernietigd.

Toen Ardasjir in 224 de laatste Parthenische koning had vermoord stichtte hij het Sassanidenrijk. Het rijk breidde zich uit dank zij de gecentraliseerde regering en een sterk leger. Het volk werd verplicht om belasting aan de staat te betalen en elk binnenlands verzet werd snel uitgeschakeld. Ardasjir veroverde Nisibis en Carrhae in Noord-Mesopotamië. In 241 werd hij opgevolgd door zijn zoon Sapor.

De stichting van het Sassanidenrijk is te vergelijken met het Perzische Rijk dat door de vorsten van de Achaemeniden werd gesticht. De Sassanidenkoningen gebruiken de geschiedenis van de Achaemeniden als inspiratiebron en stimuleren een Perzisch nationalistisch gevoel. In de verschillende provincies worden gouverneurs benoemd, die de titel 'Sjah' (de koning) kregen.

De officiële godsdienst is het zoroastrisme; de 'Shahinshah' Shapur I stimuleert veel mannen om priester te worden. De Perzische uitgave van het heilige boek van het zoroastrisme, Zend-Avesta, wordt verspreid. Shapur is echter tolerant ten aanzien van andere godsdiensten, met name het jodendom en het christendom. Hij heeft opdracht gegeven om boeken uit het Grieks en het Indisch te vertalen, op het gebied van geneeskunde, astronomie en filosofie.

# Aurelianus lijft Gallië in

GALLIE, 274 - Zonder slag te hebben geleverd heeft de keizer van het Gallische Rijk, Tetricus, zich aan keizer Aurelianus overgegeven waardoor Gallië weer een Romeinse provincie wordt.

In 259 riepen de Rijnlegers hun aanvoerder Marcus Cassianus Latimius Postumus tot keizer uit omdat zij geen hoge dunk hadden van de militaire capaciteiten van keizer Gallienus, die niet in staat was gebleken Gallië voor invallen van barbaren te behoeden. Postumus deed geen poging om het hele rijk te veroveren, maar stelde zich tevreden met de heerschappij over Gallië en de steun van Engeland en Spanje. Hij zette een eigen keizerlijke regering op in Trier en bevocht met succes de Germanen langs de grens. Zijn macht werd niet bedreigd door Gallienus maar hij viel ten prooi aan de ontrouw van zijn eigen troepen. Pas Aurelianus heeft het aangedurfd een einde aan deze afsplitsing te maken.

Een soortgelijke situatie heeft zich enige jaren geleden voorgedaan in Syrië. Koningin Zenobia van de stad Palmyra zag in dat zij gebruik kon maken van de door de vele barbareninvallen verzwakte militaire macht van Rome. Vanuit Palmyra breidde zij haar territorium uit tot het een groot gedeelte van de provincie Syrië besloeg. In 271 verklaarde zij zich onafhankelijk van Rome, maar een jaar later werd zij door Aurelianus verslagen. Mede door zijn efficiënte optreden tegen barbaren die Noord-Italië binnenvielen en tegen samenzweringen in Rome, lijkt Aurelianus de crisis in het Romeinse Rijk tijdelijk bezworen te hebben.

Deze crisis duurt al sinds 235 en wordt gekenmerkt door een eindeloze rij keizers die allen afkomstig zijn uit het leger. Zij waren allen succesvolle generaals en hadden om die reden de steun van hun leger. Eenmaal op de troon gekomen moesten zij echter met de door andere legioenen verkozen tegenkandidaten afrekenen. Hierdoor had geen enkele keizer de kans om het door vijandelijke aanvallen geteisterde rijk efficiënt te besturen of te verdedigen. De reden dat de legers in de provincie steeds opnieuw met een eigen kandidaat het keizerschap opeisten was niet alleen gelegen in de zwakte van de centrale regering. De soldaten in de provincies blijken namelijk steeds minder binding met Rome en zijn constitutionele idealen te hebben. Zij worden immers gelegerd in die provincie waar zij ook gerekruteerd zijn en blijven hun hele diensttijd - met hun uit de plaatselijke bevolking afkomstige vrouw - op dezelfde plaats. Daarom geldt hun loyaliteit eerder hun eigen omgeving dan het verre Rome.

# China verenigd onder nieuwe dynastie

*Wandschildering van predikende Boeddha met een groep leerlingen (derde eeuw).*

WU, 280 - 250 000 man van het leger van Jin zijn de Yangzi overgetrokken en hebben snel de verovering van het koninkrijk Wu voltooid. Hiermee is China weer verenigd onder een nieuwe dynastie.

De vereniging van China na het intermezzo van de Drie Koninkrijken begon in 263 met de onderwerping van Shu Han door Wei. Twee jaar later werd de laatste keizer van Wei uit de familie Cao door zijn generaal Sima Yan afgezet. Sima riep zich meteen tot keizer van de nieuwe Jin-dynastie uit.

De nieuwe keizer heeft ondanks zijn overwinning op geen enkele wijze het centraal gezag en de welvaart in China kunnen herstellen. Zijn interesse in staatszaken is gering. Het grootste deel van zijn tijd en energie steekt hij in de instandhouding en uitbreiding van zijn harem, die al uit 10 000 vrouwen schijnt te bestaan. Het land is feitelijk verdeeld onder de vijftien zonen van de keizer, die elkaar naar het leven staan en de boerenbevolking op ongehoorde wijze uitbuiten en onderdrukken. Een volkstelling leverde een totale bevolking van 16 miljoen op: twee vijfde van de bevolking van de volkstelling van 156. Bij zijn militaire overwinning maakte Sima Yan gebruik van barbaarse nomadenstammen. Maar deze stammen oefenen nu met hun militair zeer effectieve ruiters-boogschutters de feitelijke macht in Noord-China uit.

# Diocletianus hervormt het rijksbestuur

*Beelden van de vier keizers die te zamen het Romeinse Rijk besturen (circa 300).*

NICOMEDIA, 293 - Keizer Diocletianus, nu acht jaar aan de macht, heeft de ingrijpende reorganisatie van het rijksbestuur waaraan hij al eerder begonnen was, nu goeddeels voltooid. Hij wil daarmee eens voor altijd afrekenen met de chaotische toestanden die het rijk al vanaf 235 bijna zonder onderbreking hebben geteisterd. Vooral het probleem van de usurpatoren die elkaar de troon betwistten en zo nooit echt aan regeren toekwamen, lijkt nu te zijn opgelost.

Diocletianus' maatregelen zijn even simpel als doeltreffend. In de eerste plaats heeft hij, omdat hij inziet dat het hele rijk eigenlijk niet meer door één man bestuurd kan worden, een 'collega-keizer' aangesteld die, net als hijzelf, de titel van Augustus mag voeren. Zijn keus is gevallen op zijn vertrouweling Valerius Maximianus, die zeven jaar geleden zijn nut heeft bewezen bij het neerslaan van een opstand in Gallië. Verder heeft hij twee andere vertrouwelingen, Galerius en Constantius, benoemd tot 'onderkeizers' met de titel van caesar. Zo is een tetrarchie, een 'regering-van-vier', ontstaan. Diocletianus zelf zal de oostelijke rijkshelft besturen, vanuit de nieuwe regeringszetel Nicomedia, strategisch gelegen aan de Zee van Marmora. Zijn caesar Galerius krijgt de Donauprovincies onder zijn beheer, met als hoofdstad Sirmium. De nieuwe bestuurscentra in het Westen zijn nu Milaan (Maximianus) en Trier (Constantius).

De oude hoofdstad Rome heeft daarmee als machtscentrum afgedaan. De Senaat, in de tijd van de republiek het kloppend hart van de Romeinse staat en nog onder de eerste keizers de kern van het bestuur, telt niet meer mee - zijn rol is overgenomen door professionele en loyale beambten uit de ridderklasse.

Met dit alles is de greep van de keizer op het rijk belangrijk toegenomen, ook al omdat het aantal ambtenaren op alle niveaus enorm is uitgebreid.

Diocletianus en zijn medewerkers kunnen die uitgedijde bureaucratie natuurlijk niet meer persoonlijk controleren; dat doen nu de door iedereen gevreesde spionnen, de zogenaamde 'agentes in rebus'.

## Plunderingen van Gallische boeren

*Strijd tussen Romeinen en Germanen op een sarcofaag uit de 4de eeuw.*

GALLIE, 286 - Valerius Maximianus, de co-regent van keizer Diocletianus, is erin geslaagd de Bacaudae te verslaan door gebruik te maken van dezelfde tactiek als de rebellerende boeren. De Bacaudae vormden geen georganiseerd leger, maar opereerden in kleine groepjes die eenvoudiger van voedsel te voorzien zijn en zich snel kunnen verplaatsen. Deze groepjes legden hinderlagen en voerden verrassingsaanvallen uit.

Circa 283-284 doken voor het eerst in het gebied tussen de Loire- en Seinemonding de zich Bacaudae noemende rebellen op. Het zijn allen verarmde pachters die zwaar geleden hebben onder de oorlogen in het midden van deze eeuw. Zij overvielen steden om goederen te krijgen die niet op het land geproduceerd kunnen worden en confisqueerden landgoederen waarop zij hun voormalige meesters en uitbuiters laten werken.

*'Een vorst leidt zijn geliefde naar het bed'. Deze miniatuur is afkomstig uit de 'Kamasutra', een handleiding voor erotiek die omstreeks 300 in Noord-India wordt geschreven. Het boek is in eerste instantie bedoeld om het zinnelijk genot van de man te verhogen. Behalve seksuele verwijzingen bevat het ook gegevens over gebruiken tijdens het huwelijk, courtisanes en allerlei magische richtlijnen.*

# Galerius beëindigt 'Grote Vervolging'

ROME, 311 - Keizer Galerius heeft door het uitvaardigen van een tolerantie-edict een eind gemaakt aan acht jaar christenvervolgingen, meestal aangeduid als de Grote Vervolging. Zijn voorganger Diocletianus beëindigde in 303 een periode van relatieve harmonie tussen christenen en niet-christenen door het uitroepen van drie edicten waarin confiscatie en verwoesting van kerkelijke goederen, arrestatie van de geestelijkheid en een verbod op christelijke samenscholingen werden afgekondigd.

De oorzaken van de Grote Vervolging kan men zoeken in de persoonlijke afkeer van de verschillende keizers jegens het christendom - Diocletianus met name benadrukte sterk de goddelijke oorsprong van het keizerschap - en de verslechterende economische situatie binnen het rijk, die het zoeken naar zondebokken aantrekkelijk maakte.

De afgelopen acht jaar hebben grote aantallen slachtoffers en afvalligen opgeleverd die zich vaak onder bedreiging en uit opportunisme van het christendom afkeerden. Het is echter de vraag of men van een succes voor de autoriteiten kan spreken. Want niettegenstaande anti-propaganda, intimidatie en daadwerkelijke vervolging heeft het christendom geenszins zijn greep op de bevolking verloren. Integendeel, gedurende de afgelopen 50 à 100 jaar maakte de godsdienst vooral op het platteland een enorme groei door. De gewoonte christelijke leiders naar het platteland te verbannen heeft hier zeker toe bijgedragen, maar daarnaast valt ook een zeker verloop van veel inheemse religies te constateren waar het christendom door actieve bekering op in heeft weten te spelen. De vervolgingen hebben deze ontwikkelingen vertraagd, maar niet gestopt. Deze greep van het christendom op een aantal graanschuren van het Romeinse Rijk maakt vervolging voor Rome daarom tot een riskante zaak.

# Nieuwe dynastie Jin in Zuid-China

CHANGAN, 318 - Sima Rui, een neef van de eerste keizer van de Jin-dynastie, heeft zich tot keizer uitgeroepen van een nieuwe dynastie, Oostelijk Jin, in het zuiden van China. Het noorden van China is uiteengevallen in tal van ministaten onder invloed van nomadische veroveraars.

De vestiging van de nieuwe dynastie is een gevolg van de verovering van de hoofdstad van Oostelijk Jin, door de Xiongnu (Hunnen) twee jaar geleden onder leiding van Liu Cong. Een generaal van Liu Cong, Shi Le, legde tegelijkertijd Changan in de as. Niet meer dan 100 Chinese families overleefden de slachting terwijl slechts twee procent van de bevolking van de Wei-vallei na de invasie van de Xiongnu nog in leven was. Met deze massamoorden kwam ook het einde van de heerschappij van de Chinese dynastie Westelijk Jin over China. De nomaden, die het nu overal in het noorden voor het zeggen hebben, staan voor het dilemma hoe ze hun macht moeten consolideren. Van Shi Le (die, hoewel zelf van Chinese afkomst, een diepe haat tegen alle Chinezen koestert) is het voorstel afkomstig om alle Chinese boeren uit te roeien en het bouwland in weidegronden te veranderen. In de praktijk worden de veroveraars echter bijna overal de heersende kaste, bijgestaan door Chinese ambtenaren die in hun naam het land besturen.

Liu Cong, die zich keizer van China noemt en beweert (door huwelijken van Han-prinsessen met Xiongnuheersers in afgelopen eeuwen) af te stammen van vroegere Han-keizers, noemt zijn land Han. Dit land is slechts één van zestien landen die in Noord-China zijn ontstaan.

In het zuiden van China is het voortbestaan van de nieuwe Jin-dynastie overigens verre van zeker. Er is een conflict tussen de Chinese vluchtelingen uit het noorden die de macht binnen het nieuwe bewind hebben en de autochtone bevolking. Slechts onderlinge strijd tussen de nomadenkoninkrijken in het noorden staat een algehele bezetting van China door niet-Chinese volkeren in de weg.

# Concessies Constantijn aan christenen

MILAAN, 313 - Keizer Constantijn, nog maar sinds kort heer en meester over de westelijke rijkshelft, heeft samen met zijn collega-keizer voor het Oosten, Licinius, een edict uitgevaardigd dat een eind moet maken aan alle godsdienstvervolgingen. Dat deze maatregel vooral bedoeld is om aan de groeiende schare christenen tegemoet te komen, daarover laten de beide keizers geen misverstand bestaan: 'Het is onze wens dat een ieder die de god der christenen wil vereren dat vrijelijk kan doen, zonder angst en zonder schade voor hemzelf.'

Het edict sluit een voor de christenen uiterst roerige tijd af. Jarenlang heeft de Kerk kunnen groeien, zonder noemenswaardige tegenwerking van het centrale gezag. Maar tien jaar geleden kwam er aan die rust een eind. Toen besloot keizer Diocletianus dat de bevolking van het rijk zich openlijk moest uitspreken vóór de keizer, vóór de staat, en vóór de heidense goden. De christenen konden en wilden zover niet gaan. Ze hadden weliswaar niets tegen de keizer en ook niets tegen de Romeinse staat, maar ze vereerden nu eenmaal hun eigen god en konden dat niet verenigen met het offeren aan de Romeinse staat.

De gevolgen waren ernaar: kerken werden in brand gestoken, christelijke boeken verbrand, priesters en bisschoppen gevangen gezet en soms zelfs gedood. Diocletianus' motieven waren naast religieus ook duidelijk politiek van aard: hij zag in de goed georganiseerde en snel groeiende Kerk een staat in de staat (een angst die hij trouwens deelde met velen van zijn voorgangers - soms was zelfs de oprichting van een lokale brandweer in de ogen van de keizers al een poging tot samenzwering).

Toch waren na een aantal jaren de acties tegen de christenen al weer over hun hoogtepunt heen. Het christendom had eenvoudig te veel aanhangers en bovendien was het enthousiasme van veel niet-christenen om hun medeburgers te vervolgen niet bijster groot. Dikwijls ging het om bekenden of zelfs familieleden en dan wogen de familie- en vriendschapsbanden zwaarder dan de religieuze verschillen. Vandaar dat twee jaar geleden Galerius, een van Diocletianus' opvolgers, aan de vervolgingen een eind maakte. Het edict van Constantijn en Licinius is in feite de bevestiging van die eerdere maatregel.

Dat Constantijn de nieuwe godsdienst een warm hart toedraagt bleek trouwens nog geen jaar geleden, toen hij bij Rome zijn rivaal Maxentius versloeg. Kort voor het treffen kreeg hij een visioen; hij zag een teken aan de hemel in de vorm van de eerste twee letters van het woord Christos, met daaronder de veelzeggende spreuk: 'In dit teken zult gij overwinnen.' Terstond droeg hij zijn soldaten op hun schilden met dat teken te versieren en het heeft er, gezien Maxentius' verpletterende nederlaag, alle schijn van dat dat heeft geholpen.

*Constantijns visioen (9de eeuw).*

*Het Concilie van Nicea (325), met op de voorgrond keizer Constantijn, die zelf heeft deelgenomen aan de besprekingen over de christelijke dogma's.*

# Eerste algemeen concilie

NICEA, 325 - Uit het hele rijk zijn zo'n 220 bisschoppen bijeengekomen in Nicea bij Nicomedia, om een aantal zaken in de nog jonge en roerige christelijke gemeenschap vast te leggen in wetten en regels. De plaats van dit eerste algemeen concilie, zo dicht bij de oostelijke hoofdstad, is uitgekozen door de keizer zelf; Constantijn geeft daarmee te kennen dat hij zichzelf niet alleen in wereldse, maar ook in geestelijke zaken een dominerende positie toedicht.

Het belangrijkste agendapunt betreft de opvattingen van een priester uit Alexandrië, Arius, die voor een felle theologische tweespalt hebben gezorgd. Arius is van mening dat van de drie elementen van de heilige Drieëenheid, de Zoon en de Heilige Geest in feite niet meer zijn dan de aardse afsplitsingen van God. De Zoon staat volgens Arius dus 'onder' God, en verliest daarmee een deel van zijn heiligheid. Al snel nadat Arius deze doctrine ongeveer zeven jaar geleden begon te propageren, kwamen anderen ertegen in verzet, zoals Arius' eigen bisschop Alexander en de aan het hof zeer gezaghebbende bisschop van het Spaanse Cordoba, Hosius. Maar Arius kreeg ook sympathisanten, van wie de kerkhistoricus Eusebius van Caesarea misschien wel de bekendste is.

Onder druk van Hosius, en niet in de laatste plaats van Constantijn, heeft het concilie met een verrassend grote meerderheid (218 tegen twee!) besloten dat de ariaanse leer in strijd is met de christelijke dogma's. God de Vader en de Zoon zijn 'van dezelfde substantie', zo is vastgelegd.

# Nieuwe hoofdstad ingewijd

CONSTANTINOPEL, 330 - Het Romeinse Rijk heeft een nieuwe hoofdstad, en die stad draagt de naam van de keizer. Toen Constantijn zes jaar geleden zijn laatste rivaal Licinius versloeg besloot hij dat in het Oosten, waar sinds Diocletianus immers het centrum van de macht lag, een nieuwe stad moest verrijzen. Hij koos daarvoor de plaats van de oude Griekse kolonie Byzantium, ideaal gelegen aan de Bosporus, middelpunt van vele land- en zeeroutes tussen Europa en Azië. Al direct in 324 werd met de bouw begonnen, en dit jaar is de stad plechtig ingewijd.

De 'stad van Constantijn' is in verschillende opzichten een kopie geworden van het oude Rome. Tussen vele nieuwe christelijke kerken staan nog verscheidene tempels uit Byzantium (op een van de grote forums heeft Constantijn zelfs een beeld van Apollo laten oprichten). De titels en functies van de stadsbestuurders zijn in veel gevallen identiek aan die van Rome, en ook is de gewoonte overgenomen aan de bevolking van Constantinopel gratis graan uit te delen.

Niet iedereen is even ingenomen met de nieuwe hoofdstad. Vooral de lokale aristocraten uit de steden van Griekenland en Klein-Azië zijn bang dat de lange arm van het keizerlijk gezag nu opeens een stuk dichterbij is gekomen. Ze zijn al eeuwen gewend hun steden zo veel mogelijk naar eigen goeddunken te besturen, en hebben de keizer altijd het liefst op een afstand bemind. Constantinopel ligt echter heel wat dichterbij dan Rome.

# Tempelrijkdommen door Constantijn geconfisqueerd

CONSTANTINOPEL, 331 - Met de confiscatie van de rijkdommen van een groot aantal tempels heeft keizer Constantijn niet alleen een gevoelige slag toegebracht aan de heidense godsdienst, maar ook (en dat was ongetwijfeld de bedoeling van zijn maatregel) de hand gelegd op een grote hoeveelheid goud, nodig voor de uniformering van het muntstelsel in het hele rijk.

Meer dan twintig jaar geleden begon Constantijn in het Westen met de invoering van een nieuwe gouden munt, de 'solidus'. Door erop toe te zien dat het gewicht van deze munt (1/72 van een pond) constant bleef, probeerde hij een eind te maken aan de hardnekkige inflatie die het rijk al vanaf Gallienus teisterde. Verscheidenen van zijn voorgangers probeerden dat overigens ook, maar faalden: Aurelianus tracht te tevergeefs de waarde van de kleine koperen munten te stabiliseren, en Diocletianus vaardigde in 301 een algemene prijsstop uit die ook al niet veel geholpen heeft.

Constantijn lijkt meer succes te hebben. De solidus is sinds de invoering niet van gewicht of legering veranderd en bovendien sinds 324, toen Constantijn keizer werd van het hele rijk, overal de standaard waaraan de andere munten worden afgemeten. Toch heeft hij de waardevermindering van de meer courante koperen munten niet helemaal kunnen stoppen, zodat de prijzen van de meeste goederen zijn blijven stijgen. En aangezien hij vasthoudt aan de gouden standaard van de solidus, is het nodig geworden de verhouding tussen de solidus en het kopergeld om de paar jaar opnieuw vast te stellen.

*Buste van Constantijn (de Grote).*

# Beroemde asceet Antonius Abt overleden

*Rechts de heilige Antonius, links de schedelkamer van het klooster Sint-Catharina in de Sinaï.*

EGYPTE, 356 - Antonius Abt, de 'vader' van het kloosterwezen, is op 105-jarige leeftijd in Egypte overleden. In 270 besloot hij, onder de indruk gekomen van een preek over de gelijkenis van de Rijke Jongeling, zijn aardse bezittingen op te geven en zich terug te trekken in een hut nabij zijn huis. Vijftien jaar later trok hij de woestijn in om daar gedurende zeventig jaar een eenzaam en ascetisch bestaan te leiden. Antonius verkreeg de bijnaam 'abbas' (abt, spiritueel leider), een titel die in gebruik raakte ter aanduiding van de leider van een kloostergemeenschap. Deze benaming geeft reeds aan dat Antonius respect afdwong vanwege de enorme geestelijke en lichamelijke dis-cipline die hij zichzelf oplegde. 'Antonius bloosde zelfs als hij moest eten', herinnert een van zijn volgelingen zich. De levenswijze van Antonius werd door anderen nagevolgd, en in 320 stichtte Pachomius de eerste kloosterorde in Egypte, waar voor het eerst niet individueel maar binnen een hiërarchisch gestructureerde gemeenschap ascese werd beleden. Daardoor werd gehoorzaamheid toegevoegd aan de reeds bekende elementen van ascetisch leven: soberheid en kuisheid. Na de dood van Pachomius tien jaar geleden telde de orde al zo'n 3000 leden.
De veronderstelde heroïek van het kloosterleven heeft zeker tot het succes van de beweging bijgedragen; de mon-niken beschouwen zichzelf veelal als 'frontlijnsoldaten in de strijd tegen het kwaad' en trachten door hun levenswijze het voorbeeld van Jezus en de apostelen te benaderen.
De leefregels van de verschillende kloosterorden in Egypte lopen onderling sterk uiteen, maar nederigheid, kuisheid, soberheid, contemplatie en zware arbeid vormen altijd een essentieel onderdeel. Anders dan bijvoorbeeld in de kloosters van Syrië komt zelfkastijding in de kloosters van Egypte weinig voor. De hoogste autoriteit binnen een klooster berust bij de reeds genoemde abt, evenals Antonius meestal een charismatische persoonlijkheid.

# Bloei van Aksoem-rijk onder koning Ezana

AKSOEM, 350 - Sinds koning Ezana bijna dertig jaar geleden het naburige rijk van Méroé onderwierp en het christendom tot staatsgodsdienst uitriep, maakt zijn rijk een periode van ongekende bloei door. Mede dank zij de strategische ligging van de havenstad Adulis, het knooppunt van de handelsroutes over de Rode Zee en de Indische Oceaan, is Aksoem in minder dan drie eeuwen het machtigste rijk van Noordoost-Afrika geworden.
Met de overwinning op Méroé - waardoor een einde kwam aan het bijna duizendjarige rijk der Kush - beheerst Aksoem nu de wierookhandelsroute, die de Middellandse-Zeehavens met donker Afrika verbindt.
Langs deze zeer belangrijke handelsweg worden in noordelijke richting behalve wierook eveneens goud en mirre vervoerd en in zuidelijke richting onder andere ijzerwaren.

*De Marjam Sejon-kathedraal in Aksoem (na een brand in 1535 door Portugezen herbouwd).*

Maar ook vanwege zijn culturele bloei, getuige bijvoorbeeld de recente bouw van de Marjam Sejon-kathedraal, kan Aksoem voortaan, naast Rome, Byzantium en Perzië, tot de grootmachten gerekend worden.

# Offensief van Julianus tegen christenen

CONSTANTINOPEL, 29 juli 362 - Keizer Julianus heeft een onderwijswet uitgevaardigd die voor nogal wat opschudding heeft gezorgd onder christelijke leraren. In een toelichting op de wet staat onder andere: 'Als de leraren de klassieke teksten willen onderwijzen moeten ze ook de oude goden met het verschuldigde respect behandelen. Als ze dat niet willen, laten ze dan Matteüs en Lukas gaan uitleggen in de kerk...' Deze maatregel maakt eens te meer duidelijk dat het Julianus ernst is met zijn kruistocht tegen het christendom.

De carrière van de nog jonge keizer, die bijna twee jaar geleden het roer overnam van zijn neef Constantius, is op zijn minst opmerkelijk te noemen. Zoals alle leden van de familie van de grote Constantijn opgevoed als een christen, voelde hij zich desondanks meer aangetrokken tot de oude godenwereld - als jongeman kwam hij onder invloed van allerlei hele en halve heidense filosofen en brak uiteindelijk definitief met zijn christelijk verleden. Hij hield zijn 'bekering' echter verborgen, en zo kon het gebeuren dat de keizer hem zeven jaar geleden tot caesar benoemde. Julianus werd naar Gallië gezonden en de onhandige en intellectuele jongeling ontpopte zich tot veler verrassing als een bekwaam en populair generaal. Zo populair zelfs, dat

*'Sol Invictus', de onoverwinnelijke zonnegod, op een strijdwagen.*

zijn troepen hem in februari 360 tot keizer proclameerden. Pogingen van Julianus' kant om tot een vergelijk met Constantius te komen mislukten; voordat het echter tot een treffen tussen beiden kwam, stierf Constantius. Julianus kon nu, als nieuwe keizer, openlijk uitkomen voor zijn antichristelijke opvattingen.

Julianus' tegenoffensief komt op een moment dat het christendom zich stevig heeft geworteld in de Romeinse samenleving. Tot aan Constantijns bekering was het overgrote deel van de bevolking nog heidens, en waren er alleen onder de eenvoudige handwerkslieden in de steden (de bakkers,

de timmerlieden, de smeden en dergelijken) relatief veel christenen. Noch de stedelijke aristocraten, noch de boeren (de overgrote meerderheid van de bevolking) hadden veel met de nieuwe godsdienst op. Maar de bekering van Constantijn veranderde dat. Het werd toen opeens een stuk aantrekkelijker om christen te zijn, en tallozen volgden het voorbeeld van de keizer - vaak uit opportunistische overwegingen, maar even zo vaak uit overtuiging. Het resultaat was dat het christendom ophield een sekte te zijn, een beweging die slechts een kleine groep mensen beroerde. Christenen bezetten nu sleutelposities en zijn in de elite van de steden en in het rijksbestuur al bijna even talrijk als elders.

En juist dat laatste lijkt Julianus te willen keren. Tegen het christendom als sekte had hij geen bezwaar; hij begon zijn regeerperiode met voor de christenen geruststellende en tolerante verklaringen. Maar al snel ging hij in de aanval. Hij benoemde heidense medestanders op hoge posten en maakte plannen voor een hecht georganiseerde, op christelijke leest geschoeide heidense 'Kerk'.

Zijn acties zijn niet overal met gejuich ontvangen, ook niet bij de heidenen; ze vinden zijn fanatisme haast nog verfoeilijker dan de kwaal die hij ermee tracht te bestrijden.

# Goten verslaan Romeins leger in Thracië

HADRIANOPEL, 378 - In Thracië, op Romeins grondgebied, is een grote troepenmacht met aan het hoofd de keizer zelf vernietigend verslagen door het leger van de Visigoten. Van het Romeinse leger is weinig meer over; de keizer, Valens, is gesneuveld - zijn ontzielde lichaam is zelfs niet meer teruggevonden. Naar het zich laat aanzien hebben de Goten zich door deze overwinning nu blijvend in deze Balkanprovincie gevestigd.

Het probleem van de Visigoten is niet nieuw. Samen met vele andere Germaanse volken zoals de Oostgoten, de Sueven, de Vandalen en de Alamannen vormen ze al tientallen jaren een bedreiging voor de noordgrenzen van het rijk. De Romeinen hebben die bedreiging tot nu toe echter het hoofd kunnen bieden; als er slag werd geleverd, zoals bijvoorbeeld twintig jaar geleden door Julianus in Gallië, gaf de superieure Romeinse gevechtstechniek meestal de doorslag en bovendien wisten de keizers gewapende conflicten vaak te vermijden door het sluiten van verdragen en het opnemen van Germanen in Romeinse dienst.

De Germanen van hun kant hadden trouwens ook lang niet altijd belang bij conflicten met de Romeinen. Ook voor hen was een of andere vorm van 'vreed-

*Romeinse legionairs en barbaren in gevecht (detail Marcus Aurelius-zuil, 2de eeuw).*

zame coëxistentie' meestal veel aantrekkelijker. Maar soms hadden ze geen keus. In 373 werden de Oostgoten onder de voet gelopen door de oprukkende Hunnen, afkomstig uit Centraal-Azië. De Visigoten wachtte een zelfde lot, waaraan ze trachtten te ontsnappen door de Romeinen te vragen zich op hun grondgebied te mogen vestigen. De keizer, Valens, willigde hun verzoek in; hij hoopte zo gemakkelijk nieuwe soldaten te kunnen re-

kruteren voor de legers die steeds moesten worden aangevuld. De Visigoten kregen Thracië toegewezen.

Dat ze vorig jaar aan het muiten sloegen, is vooral te wijten aan corrupte Romeinse bestuurders die goed verdienden aan door henzelf kunstmatig hoog gehouden voedselprijzen. De keizer besefte de ernst van de situatie, maar wachtte niet af totdat er versterking uit het Westen was gekomen. Zijn ongeduld is hem fataal geworden.

**381.** In Constantinopel wordt een concilie gehouden.

**382.** De Romeinse keizer Theodosius neemt de Visigoten als foederati in het Romeinse Rijk op.

**382.** Het Victoria-altaar wordt uit de Senaat verwijderd.

**382.** Op het concilie van Rome proberen de westerse bisschoppen de machtsaanspraken van de Kerk van Constantinopel een halt toe te roepen. →

**383.** Een leger van Fu Jian wordt vernietigd. →

**383.** Magnus Maximus grijpt de troon in het westen van het Romeinse Rijk. Keizer Gratianus wordt op de vlucht voor hem door zijn eigen troepen gedood.

**384.** Valentinianus plaatst het Victoria-altaar niet terug. →

**385.** De H. Hiëronymus vertrekt naar het Heilige Land om daar zijn bijbelvertaling te voltooien. →

**386.** In China sticht de Tuoba-stam de Wei-dynastie.

**388.** Magnus Maximus wordt door Theodosius verslagen en gedood.

**388.** De Griekse redenaar Libanius stelt het verval in Antiochië aan de kaak. →

**391.** De heidense culten worden in het Romeinse Rijk verboden.

**392.** De Frankische legerleider Arbogastus laat Valentinianus II, de Romeinse keizer in het westen, vermoorden. Hij benoemt Eugenius tot keizer in het westen.

**8 november 392.** Theodosius verklaart het christendom tot officiële godsdienst. →

**394.** Theodosius verslaat in de Slag bij de Frigidus Arbogastus en Eugenius, die beiden omkomen. Theodosius wordt heerser over het hele Romeinse Rijk.

**395.** De Romeinse keizer Theodosius overlijdt. Het Romeinse Rijk wordt na zijn dood onder zijn zoons Honorius en Arcadius verdeeld in een Westromeins Rijk en een Oostromeins Rijk.

**396.** Stilicho, een Vandaalse generaal in Romeinse dienst, oefent in feite de macht uit in het Westromeinse Rijk. Hij verslaat de Visigotische koning Alarik in Griekenland.

Gestorven:

**388.** Magnus Maximus, Romeins keizer als usurpator

**393** (circa). Libanius (314), Grieks redenaar

**395** (circa). Ammianus Marcellinus (circa 330), Romeins geschiedschrijver

**395** (circa). Ausonius (circa 310), Romeins dichter

**397.** Ambrosius (circa 339), kerkvader

*Het Concilie van Constantinopel (381), volgens een 9de-eeuwse miniatuur.*

# Rome wil machtspositie

ROME, 382 - Op het Concilie van Rome hebben de aanwezige westerse bisschoppen gepoogd de machts-aanspraken van de Kerk van Constantinopel een halt toe te roepen. Sinds kort meent deze recht te kunnen doen gelden op macht en voorrang binnen de Kerk als geheel. Deze houding vloeit voort uit de omstandigheid dat ze in de nieuwe keizerstad, het tweede Rome, gevestigd is.

De westerse bisschoppen brengen daar tegenin dat de Romeinse Kerk op een oudere, rijkere traditie kan bogen; zij heeft - uniek onder de Kerken - haar ontstaan te danken aan de apostelen Petrus en Paulus, terwijl de Kerk van Constantinopel op grond van een concilliebesluit is gesticht. In het voordeel van Rome spreekt dan nog dat volgens de bijbel Christus zelf aan Petrus, de 'eerste bisschop' van deze stad, opdracht had gegeven over de gehele Kerk te heersen.

De gedachte dat Rome de voorrang heeft boven alle Kerken in zowel het Oosten als het Westen is overigens niet nieuw, daar ze al eerder door enkele gezaghebbende kerkvaders is geuit. En de bisschoppen sluiten zich hierbij aan door te verklaren dat vanuit de oude rijkshoofdstad, de zetel der apostelen, het christelijke geloof in de wereld zal worden verspreid.

# Victoria-altaar niet terug in Senaat

MILAAN, 384 - Door toedoen van de aan het hof zeer invloedrijke bisschop Ambrosius is een lang en taai debat tussen heidenen en christenen nu definitief beslecht in het voordeel van de Kerk. De westelijke keizer, Valentinianus, heeft namelijk besloten dat het zogenaamde Victoria-altaar, symbool van Romes onoverwinnelijkheid en lotsverbondenheid met de oude goden, niet wordt teruggezet op zijn oude plaats in het senaatsgebouw.

Het altaar werd daar samen met een standbeeld van de godin Victoria door Augustus opgericht en bleef in gebruik tot april 357, toen Constantius tijdens zijn bezoek aan de oude hoofdstad opdracht gaf het te verwijderen. De overwegend heidense Senaat zette het altaar snel terug, maar twee jaar geleden liet keizer Gratianus het opnieuw weghalen. De kwestie zorgde daarna ook binnen de Senaat voor grote verdeeldheid - de heidense senatoren pleitten bij monde van hun woordvoerder Symmachus voor herstel van het altaar, waartegen de groeiende christelijke fractie, gesteund door paus Damasus, weer in het geweer kwam.

Symmachus' pleidooi maakte veel indruk. Hij betoogde dat de geschiedenis had uitgewezen dat de heidense goden

*Victoria, de omstreden godin.*

Rome altijd goedgezind waren geweest en dat het dus verkeerd zou zijn die zelfde goden nu voor het hoofd te stoten. Bovendien, zo stelde hij, kan de waarheid nooit het monopolie zijn van één god en één religie. Maar het mocht niet baten. Ambrosius schreef de keizer een even welsprekende weerlegging van Symmachus' argumenten. En dat de christelijke keizer uiteindelijk de zijde van de bisschop heeft gekozen komt natuurlijk niet als een verrassing.

## Klein Jin-leger verslaat Fu Jian in Yangzi-vallei

*Maitreya, de bodhisattva.*

YANGZIVALLEI, 383 - Het enorme leger van Fu Jian is in de vallei van de Yangzi door een veel kleiner Jin-leger vernietigd. De nederlaag betekent het einde van de Tibetaanse Vroege Qin-dynastie die zeven jaar geleden Noord-China heeft verenigd.

Fu Jian, wiens oom zich in 351 tot 'Hemelkoning' liet kronen en in 352 tot keizer, besteeg in 357 de troon en slaagde erin in 376 al zijn tegenstanders in Noord-China te verslaan.

In de herfst stuurde Fu Jian zijn jongere broer Fu Rong aan het hoofd van een enorm leger op expeditie naar het zuiden. Er wordt gesproken over 'een leger van een miljoen man' en dit was slechts weinig overdreven: het bestond uit 600000 voetsoldaten en 270000 ruiters. Tussen de voorhoede en de achterhoede was een afstand van 500 kilometer. De generaals van Oostelijk Jin, Xie Xuan en Xie Shi hadden slechts 80000 man tot hun beschikking. Ze besloten gebruik te maken van de afstand tussen de legeronderdelen van de vijand en gingen over tot een aanval op de voorhoede, waarop ze een overwinning behaalden. Vervolgens trokken ze zich terug over de Feishui.

Fu Rong besloot, eenmaal aangekomen bij de Feishui, om zich op enige afstand van de rivier terug te trekken, in de hoop dat het Jin-leger de rivier weer zou oversteken en zich in een ongunstige positie zou laten manoeuvreren. Deze tactische terugtrekking liep uit op een paniekvlucht. De Jin-eenheden zetten onmiddellijk een achtervolging in. In de slachting die daarop volgde kwam de helft van alle manschappen van het enorme Qin-leger om.

De nederlaag van Qin is terug te voeren op onbekwame leiding, verraad in eigen kamp en het feit dat dit leger van de Tibetaanse dynastie voor een groot deel uit Chinese soldaten bestond die tegen hun wil waren gerekruteerd. Bovenal was de nederlaag echter te wijten aan de arrogantie van de Qin-keizer.

# Griekse steden in financiële problemen

*Keizer Theodosius (midden boven) tijdens een officiële plechtigheid.*

ANTIOCHIE, 388 - In een hartstochtelijk pleidooi heeft de Griekse redenaar Libanius de deplorabele toestand van de steden, en vooral van zijn eigen vaderstad Antiochië, onder de aandacht van keizer Theodosius gebracht. Het is niet voor het eerst dat Libanius zich bekommert om het verval van het stedelijk bestuur, en het probleem is dan ook allerminst nieuw.

Vroeger, in de tijd van de eerste keizers, kenden de steden een grote mate van autonomie. Vooral voor de Griekse steden in het Oosten veranderde er met de komst van de Romeinen weinig. De stadsraad (curia) waarin de plaatselijke aristocraten zitting hadden, regelde de lokale zaken - uit eigen zak betaalden de raadsleden allerlei voorzieningen zoals de bouw van tempels en badhuizen, het onderhoud van wegen en aquaducten, en het organiseren van spelen en festivals. Ze kregen daar veel achting van hun medeburgers en een hoge status voor terug; het raadslidmaatschap was een door velen benijde en eervolle functie.

De reorganisatie van het rijk door Diocletianus en Constantijn veranderde dat alles. De almaar groeiende uitgaven voor de centrale bureaucratie en het leger konden alleen maar worden betaald door steeds hogere belastingen, en de raadsleden van de steden werden voor de inning daarvan verantwoordelijk gesteld.

Zo werd het raadslidmaatschap van een lust tot een last. Steeds meer raadsleden probeerden dan ook aan hun verplichtingen te ontsnappen, bijvoorbeeld door dienst te nemen in het rijksbestuur in Constantinopel of in het leger. Voor de rijke raadsleden die over de nodige connecties beschikten was dit een aantrekkelijk alternatief, maar dit betekende wel dat de financiële nood voor de armere raadsleden steeds groter werd. Libanius beseft dit terdege en schrijft dan ook: 'U, keizer, hebt geprobeerd de raad in zijn oude luister te herstellen en hem weer aan te vullen tot de omvang die hij vroeger

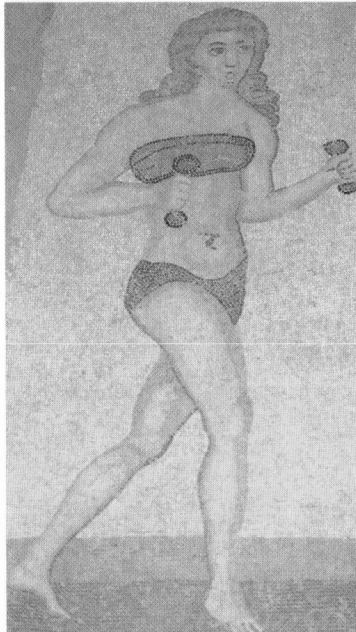

*Een meisje oefent in een worstelschool; mozaïek uit Sicilië (3de/4de eeuw).*

had. Maar het effect daarvan is tenietgedaan door de raadsleden zelf.'

Uit Libanius' woorden blijkt ook dat de keizer het probleem onderkent en graag een grote en vitale stadsraad ziet. Maar die grootte en die vitaliteit moeten wel worden afgedwongen.

## Keizer Theodosius stelt verbod in op heidense culten

CONSTANTINOPEL, 8 november 392 - Keizer Theodosius heeft een wet uitgevaardigd waarnaar velen al lang hadden uitgezien en waarvoor anderen gevreesd hadden: iedere vorm van heidense godsdienstuitoefening is illegaal verklaard, en het christendom is nu de enig toegestane religie in het Byzantijnse rijk.

De wet komt natuurlijk niet als een verrassing. De kortstondige opleving van de oude godsdienst onder keizer Julianus blijkt achteraf niet meer te zijn geweest dan een intermezzo in een onomkeerbaar proces. De tolerantie van Constantijn en Constantius (die de heidenen een kwaad hart toedroeg, maar tegen het afbreken van tempels was omdat 'sommige spelen, circusspektakels en sportwedstrijden, de traditionele geneugten van het Romeinse volk, onverbrekelijk met die tempels verbonden zijn') heeft plaats gemaakt voor een rigoureuze keuze voor het christendom door Theodosius.

Sommigen beweren dat het besluit van de keizer is ingefluisterd door bisschop Ambrosius, wat nog eens aangeeft hoe hecht de band tussen Kerk en staat geworden is.

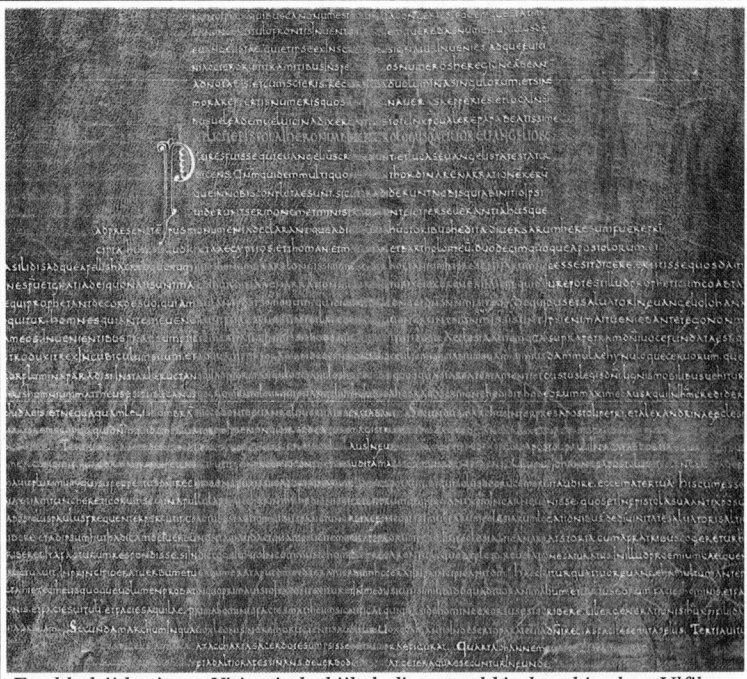

*Een bladzijde uit een Visigotische bijbel, die vertaald is door bisschop Ulfilas. In 385 verlaat Hiëronymus, de geleerde die in opdracht van paus Damasus een aanvang heeft gemaakt met de vertaling van de Heilige Schrift in het Latijn, Rome. Gaandeweg kwam hij tot het besef dat in deze mondaine wereldstand niet het juiste geestelijke klimaat heerste waarin zijn wetenschappelijke arbeid kon gedijen. Het is alom bekend dat Hiëronymus zich de afgelopen jaren mateloos ergerde aan de wufte levenswandel van zowel geestelijken als leken die slechts voor de vorm de christelijke godsdienst belijden, maar in feite slechts oog hebben voor de geneugten des levens. In het Heilige Land wil Hiëronymus in alle rust zijn omvangrijke werk voltooien.*

# Chandragupta verslaat Sakas

*Een Vandalen-krijgsman te paard, mozaïek daterend uit de 6de eeuw.*

## Vandaal Stilicho slachtoffer van samenzwering

RAVENNA, 408 - De Vandaal Stilicho, de hoogste militaire leider in het Westen en de afgelopen jaren de feitelijke machthebber in dit deel van het rijk, is het slachtoffer geworden van een komplot onder leiding van een hoge officier, Olympius, en in de nieuwe westelijke hoofdstad Ravenna geexecuteerd. Stilicho's carrière is het duidelijkste bewijs van de zeer sterk toegenomen invloed van Germaanse generaals in het Westromeinse leger, en daarmee ook in de Westromeinse politiek.

De eerste keizer die systematisch Germaanse troepen in de legers opnam was Constantijn. De Germanen bleken goede en betrouwbare soldaten te zijn, en waren dan ook al spoedig in alle onderdelen van het leger te vinden. Aanvankelijk bleven de meeste officieren nog Romeins, maar na de slag bij Hadrianopel (378) en vooral onder keizer Theodosius was de behoefte aan bekwame aanvoerders zo groot dat ambitieuze Germanen het ver konden brengen (al is de carrière van Stilicho, die met een nicht van Theodosius trouwde en als voogd van diens zoons en opvolgers Arcadius en Honorius werd aangewezen, wel érg uitzonderlijk).

De meeste Germaanse troepen pasten zich snel en grondig aan de Romeinse samenleving aan, zo grondig dat ze bijna allemaal vloeiend Latijn leerden spreken en hun moedertaal verwaarloosden. Toch werd vaak kritiek geleverd op hun groeiende invloed. Zo pleitte in 399 de Afrikaanse bisschop Synesius ervoor alle 'barbaren' uit de legers te verwijderen; hij vond dat ze bezig waren het rijk van binnenuit te hollen.

De recente ontwikkelingen lijken Synesius gelijk te gaan geven. Nu de Germaanse invallen zo massaal zijn geworden dat de 'Romeinse' Germanen constant ingezet moeten worden tegen de 'echte' Germanen, is het nog maar de vraag of ze Rome trouw zullen blijven.

*Dienares met een schaal bij de inhuldiging van een koning (fragment van een wandschildering uit Adjanta, 5de eeuw).*

AYODHYA, 409 - Na een veldtocht die in 388 begon heeft Chandragupta II van het Noordindische Guptarijk de Sakas verslagen. De westelijke grens van Chandragupta's rijk is daarmee verlegd tot voorbij de Indus. Een van de belangrijkste gevolgen hiervan is dat de grote havensteden aan de Arabische Zee van waaruit handel met Arabië en het Middellandse-Zeegebied wordt gedreven, binnen de grenzen van het Guptarijk zijn gekomen. Aangezien Chandragupta II, die in 375 op de troon kwam, tevens getrouwd is met een dochter van de plaatselijke machthebber op het westelijke Dekkanplateau, kan het hele noordelijke deel van het Indische schiereiland tot zijn machtsgebied worden gerekend.

Het Guptarijk vond in 320 zijn oorsprong in Magadha in de Gangesvallei, toen Chandragupta I de titel aannam van 'Maharajadhiraja', Grootkoning der koningen. Door te trouwen met een koningsdochter uit de machtige Lichavi-clan ten noorden van de Ganges, verzekerde hij zich van de controle over de belangrijke handelslijn die via deze rivier liep.

Vanuit dit machtige centrum veroverde Chandragupta's zoon Samudragupta vanaf 335 de Punjab en Kashmir in het westen en Bengalen in het oosten. In het zuiden voegde hij delen van het Dekkanplateau aan zijn rijk toe. Op de lijst met zijn vazallen kwamen Sakakoningen voor en de koning van Sri Lanka. Samudragupta bekroonde zijn reeks overwinningen met een 'ashvamedha', het Brahmaanse rituele paardenoffer.

Chandragupta II is, naar verluidt, niet de directe opvolger van zijn vader Samudra. Het verhaal gaat dat zijn oudere broer Rama hun vaders troon erfde. Hij bleek echter een zwak koning die na

*Een met diadeem, bloemen, parels en edelstenen getooide koningin (wandschildering uit Adjanta, 6de eeuw).*

een nederlaag zijn vrouw aan een barbaarse Sakakoning beloofde. Chandragupta nam echter de plaats van de koningin in. Hij verkleedde zich als vrouw en zodra hij de harem van de vijand bereikte, doodde hij de Sakakoning. Bij zijn terugkomst vermoordde hij vervolgens zijn broer Rama en trouwde met de achtergebleven koningin. Dit alles gebeurde in het jaar 375.

De Chinese boeddhistische monnik Fa Xian, die de afgelopen vier jaar op het Indische schiereiland van klooster naar klooster trekt om boeddhistische manuscripten te verzamelen, beschrijft het Gupta-rijk als een vredig land waar opmerkelijke persoonlijke vrijheid en tolerantie heersen. Hij schrijft: 'De koning regeert zonder onthoofdingen of lijfstraffen; criminelen worden slechts beboet in overeenstemming met de ernst van hun misdaden. Zelfs voor een tweede poging van rebellie is de straf slechts het verlies van de rechterhand.'

Over Magadha, het oostelijk deel van het rijk, zegt hij: 'Dit land heeft de grootste steden van Centraal-Indië. De bewoners zijn rijk en welvarend en wedijveren met elkaar in liefdadigheid en hulp aan hun naasten.'

Chandragupta II wordt ook geroemd om zijn patronage van kunst en literatuur. De beroemde Sanskriet dichter en toneelschrijver Kalidasa maakt deel uit van zijn hofhouding. Hindoeïsme, boeddhisme en jainisme krijgen alle drie koninklijke steun. Vele hindoeïstische tempels zijn er al verrezen in het Gupta-rijk. Maar ook daarbuiten komt men deze rijk versierde tempels met reliëfs van mythische verhalen tegen. Via handelscontacten met het zuidelijke deel van het schiereiland en ook met Zuidoost-Azië worden ideeën en gebruiken uit het Gupta-rijk tot ver buiten de grenzen verspreid.

# Fa Xian sluit India-reis af

SHANDONG, 412 - De boeddhistische monnik Fa Xian is geland in de provincie Shandong na een India-reis die dertien jaar heeft geduurd. Reeds tientallen Chinezen hebben de reis naar India gemaakt, op zoek naar originele boeddhistische geschriften en andere devotionalia. Maar het door Fa Xian verzamelde materiaal is uitzonderlijk en veelzijdig. Behalve boeddhistische teksten bracht de monnik ook veel aantekeningen mee over de geografie, folklore en geschiedenis van India en Zuidoost-Azië.

De reis van Fa Xian voerde hem door Midden-Azië, India, 'Leeuwenland' [Sri Lanka] en Java. Fa Xian verklaarde bij zijn terugkeer dat hij de rest van zijn leven zal besteden aan de vertaling van de door hem meegebrachte boeddhistische teksten uit het Sanskriet in het Chinees alsmede aan de beschrijving van zijn reizen.

Het toenemen van bedevaarten naar India wordt verklaard door een snelle verspreiding van het boeddhisme in China (waar het overigens al vijfhonderd jaar bekend is) in de afgelopen honderd jaar. Er zijn in China ongeveer 30 000 boeddhistische kloosters en twee miljoen monniken en nonnen.

Door deze verspreiding van het boeddhisme, dat in de maatschappelijke bovenlaag is begonnen maar nu in het noorden van China al door 90 procent van het volk wordt omarmd, is de behoefte aan meer materiaal in het Chinees eveneens snel toegenomen. Er is overigens ook veel kritiek op de kwaliteit van de meeste vertalingen. Zo verklaarde Kumarajiva, de boeddhistische missionaris uit India, recentelijk: 'Vertalingen uit het Sanskriet in het Chinees lijken op het voeden van de mens met rijst die door een ander is voorgekauwd; het is niet alleen zonder smaak maar ook nog braak-opwekkend.'

De recente populariteit van het boeddhisme in China wordt niet zozeer bevorderd door introductie van de oorspronkelijke teksten voor een Chinees lezend publiek als wel door de wijze waarop propagandisten van het uitheemse geloof tot een modus vivendi met het inheemse taoïsme en confucianisme zijn gekomen. Het eerste wordt voorgesteld als een lager niveau van dezelfde waarheid die door het boeddhisme wordt verkondigd, en het tweede als een sociale filosofie die vergelijkbaar is met de boeddhistische doctrine.

*Een muurschildering uit Lanka met voorstelling van twee hofdames (5de eeuw).*

# Boeddhisme op Java gering

JAVA, 410 - Na een verblijf van vijf maanden heeft de Chinese reiziger Fa Xian zijn reis hervat. Bij zijn vertrek toonde hij zich teleurgesteld over het geringe aantal boeddhisten in het rijk Ya-va-di: 'In dit land bloeien de ketterse brahmanen, maar het boeddhisme verdient nauwelijks vermelding.'

Fa Xian, zelf een vroom boeddhist, heeft enige tijd in India doorgebracht om heilige teksten te verzamelen. Kort na vertrek uit Lanka werd het schip, waarop hij zijn reis maakte, door een storm uit de koers geslagen. Na een tocht van negentig dagen bereikte men Java, een eiland met een sterk agrarische samenleving, gebaseerd op de natte rijstbouwcultuur. Deze produktiewijze vereist een zeer nauwe samenwerking tussen de leden van de dorpsgemeenschap en een strakke maat-

schappelijke indeling op Java.

In deze samenleving hebben zich sinds het begin van de jaartelling immigranten uit India gevestigd: een kleine, maar gestage stroom handelaars, vrijbuiters, politieke ballingen en priesters. Zij hadden een meer ontwikkelde cultuur, beïnvloedden hun omgeving in hoge mate en vormden na verloop van tijd een klasse van edelen in de zich langzaam ontwikkelende vorstendommetjes. De nieuwkomers brachten ook hun godsdiensten met zich mee: het boeddhisme en het brahmanisme. Beide religies werden snel door de bevolking overgenomen, zij het vermengd met elementen uit de oorspronkelijke animistische godsdiensten. Omdat het brahmanisme eerder geïntroduceerd werd zijn er nog weinig boeddhisten op Java.

# Rome geplunderd door Visigoten

ROME, 24 augustus 410 - Achthonderd jaar na de inval van de Galliërs is Rome ten prooi gevallen aan plunderingen door de Visigoten onder leiding van Alarik. Hoewel de bezetting slechts drie dagen heeft geduurd, hebben veel Romeinen de gebeurtenissen als een schok ervaren.

De plundering kwam zeer plotseling maar niet als een verrassing. Alarik bevindt zich immers al jaren met zijn troepen binnen de rijksgrenzen. De Visigoten versloegen in 378 de Romeinen en vestigden zich in Thracië, en hun koning Alarik zag onmiddellijk na de dood van Theodosius in 395 zijn kans schoon om zijn macht uit te breiden. Hij maakte handig gebruik van de interne verdeeldheid onder de Romeinen - Theodosius' zonen Honorius en Arcadius hadden het rijk definitief gesplitst in een westelijk en een oostelijk deel, maar betwistten elkaar de provincies Dacië en Macedonië. En juist daar sloeg Alarik toe. Hij bedreigde zelfs Constantinopel, maar richtte in 401 zijn blik naar het westen.

Toen Italiës verdediger Stilicho twee jaar geleden werd vermoord en keizer Honorius zich in de onneembare vesting Ravenna verschanste, lag de weg naar Rome voor hem open. Na vruchteloze onderhandelingen (en chantagepogingen van Alariks kant) trokken de Goten Rome binnen. De rijkste burgers en de heidense gebouwen werden niet gespaard, maar de armen en de kerken werden ontzien - de Visigoten zijn tenslotte al jaren christen.

Als deze plundertocht één ding duidelijk maakt, dan is het wel dat het Westen niet meer te verdedigen is. Alarik kon jarenlang zijn gang gaan in Italië, en bovendien heeft het laatste decennium invasies en opstanden te zien gegeven in Afrika, Gallië en Spanje. Nog niet eerder was een Romeins keizer zo machteloos als Honorius, opgesloten in Ravenna. Hulp van zijn collega-keizer en broer Arcadius hoeft hij niet te verwachten.

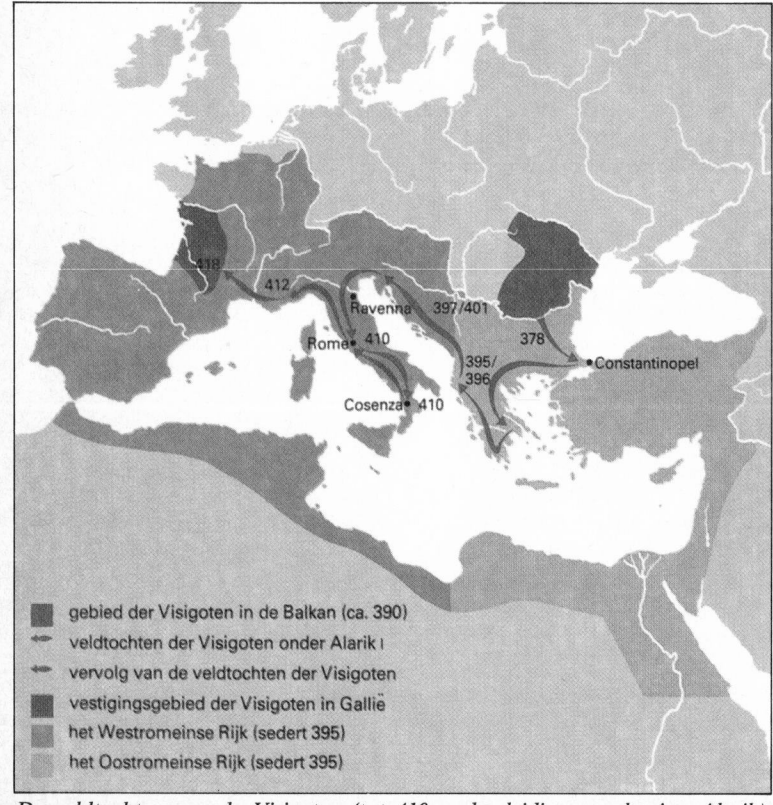

gebied der Visigoten in de Balkan (ca. 390)
veldtochten der Visigoten onder Alarik I
vervolg van de veldtochten der Visigoten
vestigingsgebied der Visigoten in Gallië
het Westromeinse Rijk (sedert 395)
het Oostromeinse Rijk (sedert 395)

*De veldtochten van de Visigoten (tot 410 onder leiding van koning Alarik).*

*De Visigotische koning Alarik.*

# 'De Civitate Dei' voltooid

HIPPO REGIUS, 426 - Bisschop Augustinus van Hippo in Noord-Afrika heeft zijn levenswerk voltooid: *De Civitate Dei*, 'Over de Stad van God'.

Het is een monumentaal theologisch werk geworden, maar de aanleiding tot het schrijven ervan was een heel pragmatische: hoe moet de 'val van Rome', nu zestien jaar geleden, verklaard en beoordeeld worden?

Heidenen als de dichter Claudianus en de historicus Ammianus Marcellinus konden vóór Alariks plundering nog schrijven dat 'er nooit een einde zal komen aan Romes macht' en dat 'zolang er mensen zijn Rome zal blijven overwinnen'. Maar na 410 kon dit soort retoriek de mensen niet meer overtuigen. Bisschop Hiëronymus schreef vanuit Betlehem, Psalm 18 citerend: 'Toen het helderste licht op aarde doofde, toen het Romeinse Rijk onthoofd werd, toen de hele wereld ten onder ging in de ondergang van één stad, toen was ik met stomheid geslagen. Ik zweeg, zelfs over het goede, en mijn smart roerde zich in mij.'

De heidenen reageerden net zo geschokt, en hadden bovendien een simpele verklaring. Rome was groot geworden door zijn band met de oude goden; nu de band verbroken was, volgde de onvermijdelijke catastrofe. Sommige christenen beweerden dat de barbaren juist moesten worden gezien als bevrijders, die aan het heidense juk

*De beroemde kerkvader Augustinus.*

waaronder de Romeinen eeuwenlang hadden gezocht, een einde maakten.

Augustinus heeft het probleem nu een filosofische wending gegeven: de 'aardse stad', het heidense Rome, was weliswaar gelukkig en welvarend geweest, maar haar verwoesting was een vingerwijzing Gods dat welvaart en geluk voor christenen eigenlijk niet tellen. Wat telt is slechts de Civitas Dei, de Stad van God. Hij heeft ons dat via Alarik duidelijk willen maken.

# Wetgeving sinds Constantijn gebundeld

CONSTANTINOPEL, 438 - Met de publikatie van de zogenaamde *Codex Theodosianus* is in één keer een overzicht beschikbaar gekomen van alle nog van kracht zijnde wetten die vanaf Constantijn het licht zagen. De *Codex* is vooral bedoeld als naslagwerk voor juristen en genoemd naar de huidige keizer Theodosius, kleinzoon van de keizer met dezelfde naam.

Wie dit overzicht leest, kan niet anders dan bewondering hebben voor de indrukwekkende wetgevende activiteit die de keizers de laatste anderhalve eeuw tentoongespreid hebben. Maar die activiteit heeft wel een schaduwzijde gehad, want voor de gemiddelde Romein is het leven er niet vrijer op geworden. Om de economie op peil te houden hebben de keizers telkens opnieuw verordonneerd dat zonen verplicht het beroep van hun vader moeten uitoefenen.

Dit heeft vooral voor de veruit grootste bevolkingsgroep, de boeren, grote gevolgen gehad. Diocletianus begon met een uitgebreide inventarisatie van alle landbouwgrond in het Rijk, zodat precies bekend was hoeveel ieder gebied kon opbrengen. Vervolgens stelde hij een belasting in natura in (de 'annona' of 'iugatio'), die overeenkwam met de maximaal haalbare opbrengst. Die op-

brengst werd echter zelden en dan nog met veel inspanning gehaald, zodat het de boerenzonen verboden werd het land te ontvluchten en hun geluk in de stad te beproeven (wat ze natuurlijk toch veelvuldig probeerden). Ze degradeerden zo tot onvrije horigen. Maar ook andere beroepsgroepen zijn in hun vrijheid beknot. Typerend is een wet van Constantijn uit 314, die bepaalt dat schippers verplicht zijn lid te blijven van het schippersgilde waarvan ook hun vader al lid was.

# Vandalen stichten rijk in Afrika

NOORD-AFRIKA, 439 - Tien jaar nadat koning Geiserik met zijn 80 000 Vandalen vanuit Spanje naar Afrika overstak, heeft hij op Afrika's noordkust, vanouds de korenschuur van Rome, een Vandalenrijk gesticht.

Na de verovering van Hippo Regius (431), tijdens welks beleg diens beroemde bisschop Augustinus overleed, en Carthago hebben de Vandalen niet alleen vaste voet op het Afrikaanse continent gekregen, maar vormen ze ook weer een serieuze bedreiging voor het Romeinse Rijk, ditmaal voor de zuidflank.

## 450

**450.** De Oostromeinse keizer Theodosius II overlijdt. Hij wordt opgevolgd door Marcianus.

**450** (circa). In Ravenna wordt het met mozaïeken rijkversierde mausoleum voor Gallia Placida, de moeder van de Westromeinse keizer Valentinianus III, gebouwd.

**450** (circa). De Angelen, Saksen en Juten beginnen met de verovering van Britannia.

**450** (circa). De Slaven beginnen in de richting van de Elbe op te dringen, waarbij ze de door de Germanen achtergelaten open gebieden bezetten.

**451.** De Romeinse generaal Aetius verslaat de Hunnenkoning Attila in de Slag op de Catalaunische velden. →

**451.** In Chalcedon wordt een concilie gehouden. →

**452.** Attila valt Italië binnen en verwoest Aquileia.

**453.** De Hunnenkoning Attila overlijdt. Zijn rijk wordt verdeeld onder zijn zoons.

**454.** De Westromeinse keizer Valentinianus III vermoordt generaal Aetius.

**454.** In de Slag bij de Nedao verslaan de Gepiden onder koning Arderik de zonen van Attila. Het Hunnenrijk houdt op te bestaan.

**454.** De Ostrogoten vestigen zich in Pannonia.

**455.** Valentinianus III wordt door aanhangers van Aetius vermoord. Na zijn dood komt de macht in het Westromeinse Rijk in handen van Ricimer, die naar believen keizers aanstelt en laat vermoorden.

**455.** De Vandalenkoning Geiserik verovert Rome en laat de stad veertien dagen lang plunderen. →

**457.** De Oostromeinse keizer Marcianus overlijdt en wordt opgevolgd door Leo I.

**459.** De heilige Simeon Stylites overlijdt. →

**466.** Eurik laat zijn broer Theodorik II vermoorden en wordt zelf koning van de Visigoten. Hij verovert delen van Spanje en Gallië.

**468.** Een gezamenlijke vlootexpeditie van het West- en Oostromeinse Rijk tegen de Vandalenkoning Geiserik mislukt.

**470** (circa). De Witte Hunnen vernietigen het Gupta-rijk in India.

**474.** De Oostromeinse keizer Leo I overlijdt. Hij wordt opgevolgd door Leo II, die nog in hetzelfde jaar wordt opgevolgd door Zeno.

Gestorven:

**450.** Theodosius II (401), Oostromeins keizer
**453.** Attila (circa 410), Hunnenkoning

# Aetius weerstaat Attila de Hun

CATALAUNISCHE VELDEN, 451 - De opmars van de gevreesde Hunnen onder leiding van hun koning Attila (die de veelzeggende bijnaam 'gesel Gods' heeft gekregen) is tot staan gebracht door de opperbevelhebber van het Westen, Aetius. De slag tussen de verzamelde Romeins-Germaanse troepen van Aetius en het Hunnenleger op de uitgestrekte vlakten van Midden-Gallië is onbeslist geëindigd, maar Attila heeft zijn macht nog niet verder naar het westen kunnen uitbreiden.

De Hunnen zijn niet altijd Romes vijanden geweest, integendeel - het waren uitgerekend uit de Hunnen gerekruteerde troepen die Aetius in 433 hielpen zijn rivaal Bonifatius te verslaan en de feitelijke machthebber van het Westen te worden (de keizer, Valentinianus III, heeft tegen hem niet veel in te brengen; het is Aetius die de troepen aanvoert, buitenlandse gezantschappen ontvangt en verdragen sluit). Pas toen Attila door zijn voorgenomen huwelijk met Valentinianus' zuster Honoria aanspraken op het hele westelijke rijk leek te gaan maken, keerde Aetius zich tegen hem. Met als resultaat dat de koning der Hunnen noch Honoria, noch het rijke Gallië aan zijn zegekar heeft kunnen binden.

Toch is de situatie voor de Romeinen niet al te rooskleurig. De Visigoten zijn na Alariks dood in 411 in het zuidwesten van Gallië neergestreken en gedragen zich als half onafhankelijke bondgenoten; de Vandalen hebben zich na veel omzwervingen in Italië en Spanje uiteindelijk in Noord-Afrika genesteld en zijn sinds 442 onafhankelijk (zodat de belangrijke graanvelden aldaar voor Rome verloren zijn gegaan); in Britannia is de Romeinse invloed, die toch al niet groot meer was, door de invasies van de Saksen vanaf 428 volledig verdwenen. Bovendien zijn in het noorden en oosten de Hunnen voorlopig nog heer en meester.

Het Westromeinse Rijk is dus een rompstaat geworden, eigenlijk alleen nog maar bestaande uit het centrale en zuidelijke deel van Gallië en uit Italië, en bovendien volledig afhankelijk van Germaanse troepen.

*De Hunnen vallen Gallië binnen.*

*Voorbeeld van vroeg-christelijke kunst (circa 370, Museo Cristiano - Brescia).*

# Conflict over Drieëenheid

CHALCEDON, 451 - Enkele honderden bisschoppen, bijna allemaal uit het Oosten, zijn in Chalcedon aan de Bosporus bijeengekomen ter gelegenheid van een door keizer Marcianus uitgeschreven oecumenisch concilie, het vierde sinds Nicea. Een dergelijke algemene (en als het aan de keizer ligt verzoenende) kerkvergadering is nodig geworden door een nieuw theologisch conflict dat de christelijke gemeenschap in twee kampen heeft verdeeld: de 'monofysitische controverse'.

Ging het bij de ariaanse kwestie om de natuur van de Heilige Drieëenheid, nu is de natuur van één van de delen van die Drieëenheid in het geding: moeten we de figuur van Christus beschouwen als een samenstelling van goddelijke en menselijke elementen, of is het goddelijke element in Christus zo dominant dat het menselijke element daarbij vergeleken te verwaarlozen is? Aanhangers van die laatste opvatting, de monofysieten, verhieven voor het eerst hun stem in Alexandrië. Hun belangrijkste woordvoerder was aartsbisschop Cyrillus, die in 429 de aanval opende op Nestorius, patriarch van Constantinopel. Daarmee is tegelijk aangegeven dat de controverse meer dan alleen dogmatisch van aard is - de bloeiende Egyptische (en in iets mindere mate ook de Syrische) Kerk heeft de laatste decennia de behoefte gekregen zich af te zetten tegen de steeds dominanter wordende Kerk van Constantinopel, die zich in de comfortabele nabijheid van de keizer weet.

In 431 behaalde Cyrillus een belangrijke overwinning: op het Concilie van Efeze leed zijn tegenstander Nestorius een pijnlijke nederlaag en werd de visie van de monofysieten de dominante opvatting.

Een opmerkelijke rol werd gespeeld door de Kerk van Rome, die Cyrillus steunde in weerwil van diens onorthodoxe opvattingen, en daarmee duidelijk maakte dat het indammen van de groeiende invloed van de zetel van Constantinopel voor haar zwaarder woog dan de theologische geschillen.

De laatste jaren is het conflict weer in alle hevigheid losgebarsten; keizer Marcianus, zelf anti-monofysiet, wil nu op dit concilie proberen de tegenstellingen te overbruggen.

# Vandalen zien af van Rome

*Attila's plundering van Rome door paus Leo I afgewend (Rafaël, 1513).*

ROME, 455 - Na moeizame onderhandelingen heeft paus Leo de aanvoerder van de Vandalen, Geiserik, uiteindelijk kunnen overreden af te zien van nog meer bloedvergieten, brandstichting en martelingen. Deze paus heeft zich hiermee wederom gemanifesteerd als een krachtdadige persoonlijkheid. Nog maar drie jaar geleden had hij al succes als leider van een gezantschap, toen het erom ging de opmars van Attila, de vorst van de Hunnen, naar Rome te stuiten. Doordat Leo bij die gelegenheid al zijn diplomatieke talenten aanwendde, bleef Italië gespaard voor verdere verwoestingen. Niet alleen in wereldlijke, ook in kerkelijke aangelegenheden gaf Leo door de jaren heen blijk van zijn grote leidinggevende kwaliteiten. Zo heeft hij er nimmer misverstand over laten bestaan dat er maar één aan het hoofd van de christelijke Kerk staat, en dat is hij;

*Miniatuur van paus Leo I de Grote.*

hij zal niemand anders naast zich dulden. Hij heeft zelfs de keizer zover gekregen dat deze het gezag erkent dat de paus over de westerse bisschoppen uitoefent. Met meer nadruk dan zijn voorganger baseert Leo, als opvolger van Petrus op de bisschoppelijke zetel van Rome, zijn exclusieve bestuursmacht over de Kerk op de woorden van Christus, zoals die in het Evangelie van Matteüs zijn weergegeven: 'En ik zeg u, dat gij Petrus zijt, op deze rots zal ik mijn Kerk bouwen en de poorten van het dodenrijk zullen haar niet overweldigen. Ik zal u de sleutels geven van het koninkrijk der hemelen, en wat gij op aarde binden zult, zal gebonden zijn in de hemelen, en wat gij op aarde ontbinden zult, zal ontbonden zijn in de hemelen.' Overigens is Leo de mening toegedaan dat zijn gezag niet alleen de geestelijkheid, maar alle christenen geldt. Wil de keizer als een waarlijk christelijk heerser regeren, dan dient hij in alles onvoorwaardelijk de paus te gehoorzamen. Deze opvatting stuit in Constantinopel op grote bezwaren.

# Simeon de 'Pilaarheilige' gestorven

TELANISSOS, 459 - In de Syrische woestijn even buiten Telanissos, tussen Antiochië en Aleppo, is een van de bekendste en opmerkelijkste kluizenaars van de laatste tijd gestorven: Simeon, bijgenaamd 'de Pilaarheilige'.

Die bijnaam dankte hij aan zijn langdurige verblijf op een zuil, die uiteindelijk meer dan twaalf meter boven de grond verrees en die hij slechts zelden verliet.

Simeon begon zijn geestelijke 'loopbaan' als monnik in een klooster niet ver hier vandaan, maar werd al snel gegrepen door een fenomeen dat vooral in Syrië en Egypte een enorme vlucht heeft genomen, namelijk de behoefte om een leven te leiden in afzondering van de mensen, buiten en boven de beschaafde wereld, om zo als het ware opnieuw te beginnen en de band met God sterker te maken dan ooit. Simeon nam dat 'boven de wereld' heel letterlijk en trok zich op een pilaar terug, maar echt 'buiten de wereld' stond hij niet; hij kreeg integendeel een grote schare volgelingen die in hem een wijze en een wonderdoener zagen. Men vroeg hem om raad in alle mogelijke aardse en geestelijke zaken, men riep zijn hulp in bij ziekte en tegenslag, men vroeg zijn advies bij meningsverschillen. En zo werd Simeon de patroon van de Syrische dorpsbewoners, en zijn zuil een pelgrimsoord. Weldra verrezen er een kerk en een klooster onder hem en was zijn kluizenaarsbestaan eigenlijk afgelopen.

Het idee dat bepaalde stervelingen een wonderbaarlijke, goddelijke kracht in zich hebben is overigens al langer populair. In 387 vonden de keizerlijke beambten na rellen in Antiochië plotseling de toegang tot de stad versperd door een aantal Syrisch sprekende heilige mannen. Hun woorden werden in het Grieks vertaald; 'de beambten', schrijft een getuige, 'stonden stil en huiverden.' De bevolking van Antiochië ontliep op deze wijze de verwachte straf van de Byzantijnse keizer.

**476.** De Westromeinse keizer Romulus Augustulus wordt door de Germaanse legeraanvoerder Odoaker afgezet. Odoaker wordt koning van de Germanen in Italië. →

**477.** Geiserik, de koning van de Vandalen, overlijdt. Hij wordt opgevolgd door zijn zoon Hunerik.

**481.** Clovis wordt koning van de Franken.

**486.** Clovis verslaat Syagrius, de Romeinse stadhouder in Gallië, en begint zijn Frankische koninkrijk uit te breiden.

**488.** De Oostromeinse keizer Zeno wijst Italië aan de Ostrogotische koning Theodorik de Grote toe.

**489.** Theodorik verslaat Odoaker en verovert Milaan.

**490.** Odoaker trekt zich in Ravenna terug.

**491.** De Oostromeinse keizer Zeno overlijdt en wordt opgevolgd door Anastasius.

**493.** Odoaker capituleert voor Theodorik in Ravenna. Na verraad wordt hij door Theodorik vermoord. Theodorik sticht een Ostrogotisch Rijk in Italië met Ravenna als hoofdstad.

**493.** De Frankische koning Clovis trouwt met Chlotilde, een nicht van de Bourgondische koning. Zij is een christen.

**493.** Luoyang wordt de nieuwe hoofdstad van China. →

**494.** Paus Gelasius verklaart dat zijn gezag superieur is aan dat van de keizer. →

**494.** Clovis verslaat de Alamannen bij Tolbiac.

**496.** De Alamannen worden door Clovis definitief onderworpen.

**496.** Clovis laat zich door bisschop Remigius van Reims tot rooms-katholiek dopen.

**500** (circa). Aan het Titicaca-meer ontstaat de Tiahuanaco-cultuur. →

Geboren:

**480** (circa). Boëthius († 524), filosoof
**480.** Benedictus van Nursia († 547), stichter van de orde der benedictijnen
**482** (circa). Justinianus († 565), Oostromeins keizer
**490** (circa). Cassiodorus († circa 583), Romeins geschiedschrijver
**500** (circa). Procopius († circa 570), Grieks geschiedschrijver

Gestorven:

**477.** Geiserik (389), koning van de Vandalen
**479.** Sidonius (circa 430), Gallo-Romeins auteur
**491.** Zeno, Oostromeins keizer
**493.** Odoaker, koning van de Germanen in Italië

# Westromeinse Rijk verliest zijn laatste keizer

RAVENNA, 476 - Als een keizerrijk zonder keizer geen keizerrijk is, dan heeft het Westromeinse Rijk nu opgehouden te bestaan. Nog geen jaar geleden zette opperbevelhebber Orestes zijn zoon Romulus Augustulus op de troon, maar die is nu tot aftreden gedwongen door de echte machthebber in Italië, Odoaker, aanvoerder van de Germaanse troepen in Romeinse dienst.

De ongelukkige Romulus Augustulus (hij heette eigenlijk Romulus Augustus, naar de stichters van stad en keizerrijk, maar zijn onderdanen noemden hem spottend Augustulus, 'Augustusje') was de laatste in een reeks van negen keizers zonder macht sinds de dood van Valentinianus in 455. Odoaker is nu de zelfgekroonde 'koning van Italië', maar heeft duidelijk laten blijken dat hij zich als een soort erfgenaam van Rome beschouwt. Met zijn goedvinden namelijk heeft de Romeinse Senaat, nu het enig overgebleven instituut dat herinnert aan vroeger tijden, de oostelijke keizer Zeno verzocht als keizer voor het hele rijk op te treden; 'de majesteit van één monarch is voldoende om zowel Oost als West te omvatten en te beschermen.' Zeno is natuurlijk op dit verzoek ingegaan, zodat Odoaker formeel ondergeschikt is aan Constantinopel. Maar in feite is hij een van niemand afhankelijke koning.

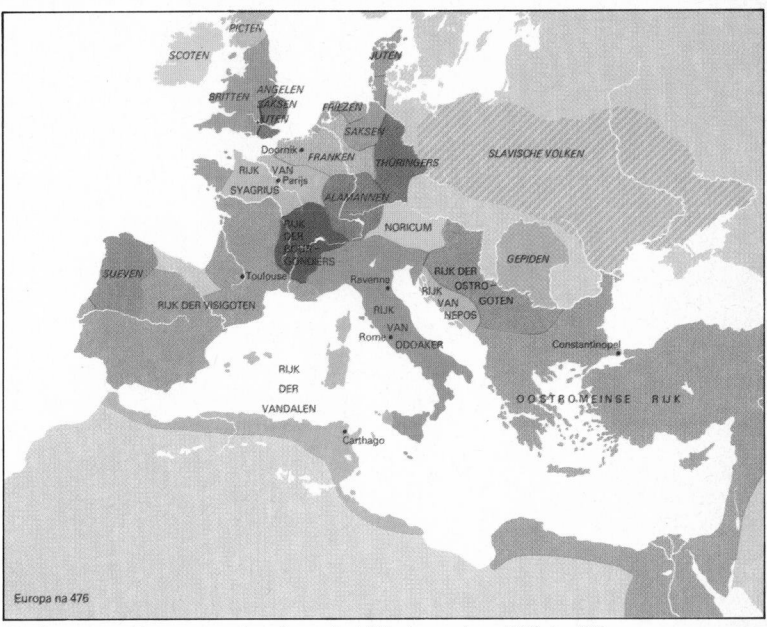

*De kaart van Europa na de val van het Westromeinse Rijk in 476.*

# Hunnen verslaan Gupta's

*Beeltenis van een 'bodhisattva', een wezen dat uit naastenliefde het Nirvana opgeeft (wandschildering uit Adjanta, 5de eeuw).*

AYODHYA, circa 470 - Een inval van de Hunnen in Noord-India heeft een eind gemaakt aan de dynastie van de Gupta. Vanaf 320 zijn de Gupta in India voortdurend aan het bewind geweest. Zij hebben een belangrijke bijdrage aan de bloeiperiode van de Indiase cultuur geleverd.

In tegenstelling tot de starheid die vroegere cultuuruitingen van India kenmerkte, maakte de kunst in India in deze periode een vrije indruk door ronde vormen, gratie en elegantie. Weliswaar werd Boeddha nog traditioneel rechtop afgebeeld, andere figuren kregen maar een gebogen houding waarbij de gezichten veelal een introverte indruk maken. Om de uitdrukking van het lichaam te benadrukken werd kleding spaarzaam weergegeven.

*Visigotische voetsoldaat.*

*Vechtende Hunnen (ingekleurde houtsnede, 19de eeuw).*

# Luoyang wordt nieuwe hoofdstad van Wei

LUOYANG, 493 - De hoofdstad van de Wei-dynastie is uit Pingcheng naar de oude keizerlijke hoofdstad Luoyang verplaatst. Deze beslissing markeert de definitieve assimilatie van deze nomadendynastie.

De verplaatsing van de hoofdstad naar Luoyang geschiedt onder druk van Chinese ambtenaren en ondanks tegenstand van een deel van de Tuoba-adel. De verplaatsing was mede noodzakelijk vanwege de dreiging door de noordelijke nomaden, die nu de door de Tuoba's gevestigde dynastie op dezelfde wijze belagen als de Tuoba's dat eerder met hun voorgangers hebben gedaan. Uit vrees voor aanvallen van de noordelijke nomaden zijn de Wei-keizers overgegaan tot herstel en versterking van de Grote Muur.

De uitbreiding van de macht van de Tuoba's vond plaats in het vacuüm dat door de val van het Vroege Qin-keizerrijk van Fa Xian was ontstaan. Vanaf het begin maakten de Tuoba's bij consolidatie van hun veroveringen gebruik van het Chinese ambtenarenapparaat. In 439 hadden ze heel Noord-China in handen. Dit was het eigenlijke begin van de Wei-dynastie. In 485 werd een landhervorming doorgevoerd die onder andere staatsland onder boeren verdeelde. Tevens werd de controle op het doen en laten van de plattelandsbevolking strakker door een verplicht registratiesysteem en het principe van

*Gevechtsscène uit de grotten van Doeng Hoean (Westelijke Wei-dynastie, 538/539).*

collectieve verantwoordelijkheid. Aanvankelijk stonden de Tuoba-heersers zeer positief tegenover het boeddhisme, dat ze als nuttig tegenwicht tegenover het confucianisme van de Chinese bureaucratische klasse beschouwden. Naarmate de dynastie steeds Chineser werd, herstelde het confucianisme zich echter als staatsideologie. Bovendien is de grote wereldlijke macht van boeddhisten velen een doorn in het oog, wat een verklaring vormt van de periodieke vervolgingen van boeddhisten, zoals die in 444.

## Paus Gelasius wil macht over keizer

ROME, 494 - In een brief aan keizer Anastasius heeft paus Gelasius verklaard dat er twee overheden in de wereld bestaan, een wereldlijke en een geestelijke. Beide zijn aan God ontleend en toevertrouwd aan de keizer en de paus. Uitgangspunt is dat elk soeverein is op zijn eigen terrein, zonder inmenging van de ander te hoeven dulden. De keizer regeert het rijk, de paus de Kerk. De twee machten zijn echter verstrengeld, in die zin dat wereldlijke heersers ondergeschikt zijn aan geestelijke als zij binnen de invloedssfeer van de laatstgenoemde geraken, en omgekeerd. Uiteindelijk is het gezag van de geestelijke overheid echter superieur, omdat, zo verdedigt de paus zijn stelling, priesters op de Dag des Oordeels rekenschap zullen moeten afleggen van de daden van wereldlijke heersers. Bovendien staan zij als uitdelers van de sacramenten boven de vorsten. In geestelijke zaken dient de keizer zich aan de paus te onderwerpen.

*Links een masker en rechts een keramische schenkkan van de Mochica-cultuur (tussen 200 en 600). Rond 500 wordt deze cultuur uit Noord-Peru verdrongen door de uit het zuiden oprukkende Tiahuanaco-cultuur. De Mochica's hadden vanaf circa 300 het kustgebied tussen de rivieren Moche en Santa met uitgebreide irrigatiewerken vruchtbaar gemaakt. Daarnaast hielden zij zich bezig met het vervaardigen van gouden, zilveren en koperen voorwerpen. De keramiek van de Mochica's was hoog ontwikkeld: realistische scènes uit het dagelijkse leven, over de jacht, de oorlog en mythologie. De samenleving was hiërarchisch geordend in priesters, soldaten, boeren, vissers en slaven (krijgsgevangenen). Hoewel de Mochica's zich meer militair gingen organiseren, konden zij zich niet voldoende tegen de Tiahuanaco-cultuur te weer stellen. Het centrum van deze cultuur bevindt zich ten zuiden van het Titicaca-meer, waar de culturele en religieuze stad Tiahuanaco gelegen is. De veroverde gebieden worden geïntegreerd door nieuwe bestuurscentra en steden met garnizoenen te stichten. Voor het eerst sinds de Chavin-cultuur omvat een enkele cultuur zowel het hoogland als de kusten van Zuid-Amerika.*

**500** (circa). Vedastus, een priester uit de buurt van Toul, wordt door bisschop Remigius van Reims tot bisschop van Atrecht gewijd.

**501.** Gundobald wordt alleenheerser over het Bourgondische Rijk.

**502.** Hsiao Yen, een lid van de keizerlijke familie in het Zuidchinese Rijk, roept zichzelf tot keizer uit.

**504.** Te Ravenna wordt in opdracht van de Ostrogotische koning Theodorik de Grote begonnen met de bouw van de basiliek San Apollinare Nuovo.

**2 februari 506.** De Visigotische koning Alarik II vaardigt de *Lex Romana Visigotorum* (ook wel *Breviarium Alaricianum* genoemd) uit. Dit wetboek geldt uitsluitend voor het Gallo-Romeinse deel van de bevolking.

**507.** De slag bij Vouillé (in de buurt van Poitiers) eindigt voor de Visigoten in een nederlaag. →

**507.** De Byzantijnse keizer Anastasius erkent Clovis als koning van de Franken.

**507.** De Frankische koning Clovis laat het Salische recht in één wetboek samenvatten. Hiermee is voor de eerste maal in de Frankische geschiedenis het recht op schrift gesteld. Een van de opvallendste wetten van de *Lex Salica* is dat vrouwen geen land mogen erven.

**509.** De Ripuarische Franken erkennen Clovis, koning van de Salische Franken, als hun koning. De Franken zijn nu in één rijk verenigd. Clovis maakt Parijs tot de nieuwe hoofdstad.

**511.** Clovis, koning van de Franken, roept te Orléans een synode van alle katholieke bisschoppen uit zijn rijk bijeen. Op deze synode slaagt Clovis erin de controle van de koning op de investituur (benoeming) van de bisschoppen vast te leggen.

**511.** Het Frankische Rijk wordt na de dood van Clovis onder zijn vier zonen verdeeld. →

**511.** Theodorik de Grote neemt als voogd van zijn kleinzoon Amalarik het bestuur van het Visigotische Rijk op zich.

**515.** De Hunnen veroveren onder aanvoering van hun vorst Mirakula grote delen van het Noordindiase Gupta-rijk.

**516.** In het Bourgondische Rijk volgt Sigismund zijn vader Gundobald op. De nieuwe koning is in tegenstelling tot zijn vader een aanhanger van het katholicisme.

**519.** De Byzantijnse keizer Justinus I verzoent zich met paus Hormisdas in Rome. Hiermee is een eind gekomen aan het schisma dat sinds 494 de christelijke Kerk verdeeld hield.

# Nederlaag van Visigoten

VOUILLE, 507 - De Frankische koning Clovis heeft bij Vouillé (in de buurt van Poitiers) een klinkende overwinning geboekt op een leger van de Visigoten (Westgoten) onder leiding van koning Alarik II. Zij vormde de bekroning van een indrukwekkende militaire loopbaan, die ruim 25 jaar geleden begon. Door deze overwinning komt Clovis in het bezit van een groot rijk, dat zich uitstrekt van het Maas-Rijngebied tot aan de Pyreneeën.
Clovis (eigenlijke naam: Chlodovech), kleinzoon van de stamhouder van de Merovingische dynastie Merovech, volgde in 481 zijn vader Childerik I op als koning van een groep Salische Franken, die rond Doornik vertoefde. In 486 versloeg hij Syagrius, de laatste Romeinse stadhouder in Noord-Gallië, en zette daarmee een belangrijke stap op weg naar de heerschappij over alle Frankische stammen.
Na de zege op Syagrius verplaatste Clovis de zetel van zijn macht naar het gebied ten oosten van Parijs. Van hieruit ontplooide hij verdere initiatieven tegen de verschillende buurvolkeren. In het noorden werden de Thüringers teruggedreven, in het oosten de Alamannen (circa 497).
Bij de verovering van het rijk had Clovis behalve de dreiging van buitenaf re-

*Omringd door edelen en bisschoppen laat koning Clovis zich dopen.*

gelmatig te maken met binnenlandse tegenstanders. Op hardhandige wijze rekende hij af met vrijwel alle familieleden en stamhoofden die hem belemmerden in zijn streven de Salische en Ripuarische Franken te overheersen. Gregorius van Tours schreef in zijn *Geschiedenis van de Franken* dat Clovis op een rijksvergadering daarover opmerkte: 'Wee mij, ik die al dolende tussen vreemden heb verkeerd en zonder verwanten ben, die mij in tegenspoed kunnen helpen.' Volgens Gregorius zei hij dit niet uit berouw, maar om de nog levende familieleden te doden.

## Clovis, koning der Franken, overleden

PARIJS, 27 november 511 - Clovis, de grondlegger van het Merovingische rijk der Franken, is op 45-jarige leeftijd overleden. Hij gaat de geschiedenis in als een succesvol militair, maar ook als de eerste Germaanse koning die metterdaad toenadering tot de Kerk zocht. Vooral de steun van de machtige bisschoppen kwam Clovis goed van pas. Bij zijn dood laat hij een rijk na dat weliswaar pas aan het begin staat van het proces van politieke eenwording, maar waar in ieder geval de versmelting tussen de Gallo-Romeinse en Germaanse cultuur in gang is gezet. De Frankische traditie bepaalt overigens dat het rijk wordt verdeeld over zijn vier zonen Theodorik, Chlodomer, Childebert en Chlotarius.
De talrijke overwinningen op het slagveld bezorgd Clovis de heerschappij over een uitgestrekt rijk. Door middel van een uitgekiende huwelijkspolitiek bond hij verschillende buurvolkeren aan zich. Hij zelf nam in 493 Chlotilde (eigenlijke naam: Chrotchilde), nicht van de Bourgondische koning Gundobald, tot vrouw.
Zij was degene die Clovis in 498 wist over te halen zich tot het christendom te bekeren. Overigens ging daaraan wel het een en ander vooraf, zoals in Gregorius van Tours' *Geschiedenis van de Franken* te lezen is. Toen Chlotilde hun eerste zoon wilde laten dopen, was Clovis, die toch al niet gecharmeerd was

van het geloof van zijn echtgenote, daar niet bepaald voor te vinden. Ook niet nadat Chlotilde haar voornemen kracht had bijgezet met de woorden: 'De goden die gij vereert zijn niets en niet in staat om zichzelf en anderen te helpen.'
Tot overmaat van ramp stierf het kind in het doopkleed. Clovis was furieus, maar de koningin liet zich daardoor niet van haar stuk brengen. Ook de volgende zoon die ze ter wereld bracht, liet ze dopen. Het kind werd ziek, maar herstelde door de gebeden van Chlotilde voorspoedig, hetgeen zij als een bevestiging van haar geloof ervoer.
Voor Clovis, de krijgsman, kwam het moment waarop hij de god van Chlotilde erkende pas tijdens een veldslag tegen de Alamannen. De Franken stonden op het punt om een grote nederlaag te lijden. Ten einde raad hief Clovis zijn armen ten hemel en riep: 'Als u ervoor zorgt dat ik mijn vijanden overwin, zal ik in u geloven en mij in uw naam laten dopen.' Op hetzelfde ogenblik sloegen de Alamannen op de vlucht. Clovis was bekeerd en liet zich kort daarna met een groot aantal manschappen dopen.
Deze gebeurtenis had niet alleen militaire, maar ook politieke betekenis. Clovis was er namelijk alles aan gelegen om de invloedrijke Kerk voor zich te winnen en zodoende greep op de lokale bevolking te krijgen.

**520.** In een oorlog tussen de Franken en de Bourgondiërs wordt de Bourgondische koning Sigismund gedood. Nadat de gevluchte koning door de Franken in een klooster ontdekt is, wordt hij in een put verdronken.

**524.** In Italië wordt de belangrijke filosoof en staatsman Boëthius terechtgesteld. In 523 werd hij te Pavia gevangengezet op beschuldiging van hoogverraad tegen de Ostrogotische koning Theodorik de Grote. →

**524.** De Frankische koning Chlodomer sneuvelt in de Slag bij Véseronce. Het Frankische leger wordt door de Bourgondiërs verslagen.

**524.** De Frankische koningen Childebert I en Chlotarius I vermoorden de erfgenamen van hun gesneuvelde broer Chlodomer. Het rijk van Chlodomer, Aquitanië, verdelen zij onder elkaar.

**525.** Te Rome voert Dionysius Exiguus, pauselijk archivaris en chronoloog, in opdracht van paus Johannes I een nieuwe jaartelling in. De nieuwe jaartelling begint vanaf de geboorte van Christus.

**526.** Paus Johannes I is in gevangenschap gestorven. De Ostrogotische koning Theodorik de Grote had enkele dagen daarvoor de paus na een mislukte missie gevangen gezet. De paus had de Byzantijnse keizer moeten overhalen de aanhangers van het ariaanse (leer van Arius, die de godheid van Christus loochende) geloof niet te vervolgen.

**526.** De Ostrogotische koning Theodorik de Grote wordt opgevolgd door zijn tienjarige kleinzoon Athalarik. Zijn moeder Amalaswintha zal voor hem als regentes het Ostrogotische Rijk besturen.

**1 augustus 527.** Justinianus I wordt de nieuwe keizer van het Byzantijnse Rijk. Hij is de neef van de onlangs gestorven keizer Justinus I. Eerder dit jaar is hij al tot mederegent benoemd. Zijn vrouw Theodora, een voormalig toneelspeelster, wordt aangesteld als mederegentes.

**528.** De Byzantijnse keizer Justinianus I maakt een begin met de invoering van het *Corpus Iuris Civilis*. Het grootste deel van dit werk is een compilatie van juridische geschriften uit de bloeitijd van de Romeinse wetenschap.

**529.** De Byzantijnse keizer Justinianus I sluit de filosofische school te Athene. →

**529.** Benedictus van Nursia sticht met enkele volgelingen op de Montecassino (tussen Rome en Napels) een klooster.

*9de eeuwse kopie van Boëthius' 'De Institutione Arithmetica'.*

# Filosoof Boëthius door Theodorik ter dood gebracht

TICINUM, 524 - De filosoof Boëthius, groot kenner van het werk van Aristoteles en schrijver van het merkwaardige door platonische en christelijke opvattingen beïnvloede werk *De Consolatione Philisophiae* (De vertroosting der wijsbegeerte), is op bevel van Theodorik, de Ostrogotische koning van Italië, geëxecuteerd. Boëthius had jarenlang gevangen gezeten in Ticinum bij Milaan. Naast schrijver was hij ook staatsman; en het is dan ook in die hoedanigheid (Theodorik beschuldigde hem ervan de van hoogverraad verdachte ex-consul Albinus gesteund te hebben) dat de filosoof ter dood is gebracht.
De figuur Boëthius laat goed zien hoezeer de filosofische erfenis van de Grieks-Romeinse wereld nog steeds doorwerkt in de intellectuele wereld van het Westen.
Het optreden van Theodorik laat iets geheel anders zien: op het wat prozaïscher niveau van macht en politiek is de breuk met de Romeinse wereld compleet, en de vroegere eenheid onder de westelijke keizers nog slechts een vage herinnering.
De lotgevallen van Theodorik en zijn Ostrogoten doen sterk denken aan die van zijn beroemde voorganger Alarik en diens Visigoten, zo'n honderddertig jaar geleden. Toen hij in 481 koning werd, bevonden de Ostrogoten zich als 'foederati' in Pannonië. De Byzantijnse keizer Zeno zag in de ambitieuze Theodorik een gevaarlijke onruststoker en haalde hem over Italië binnen te vallen, waar sinds 476 Odoaker de scepter zwaaide. Theodorik bood aan samen het Germaanse koninkrijk te regeren; Odoaker ging daarmee akkoord, maar vergiste zich in de ambities en het gebrek aan scrupules van zijn rivaal. In 493 brak Theodorik zijn belofte en liet Odoaker en diens belangrijkste getrouwen ter dood brengen. De Ostrogoten waren daarmee heer en meester over Italië geworden.

*Athene, de godin van de wijsheid, door Myron.*

# Justinianus sluit Atheense school

ATHENE, 529 - Keizer Justinianus heeft opdracht gegeven tot de sluiting van de filosofische school in Athene. Hiermee verdwijnt het laatste bolwerk van de heidense cultuur en wetenschappen in het Oostromeinse Rijk.

De positie die Athene eeuwenlang als cultureel en wetenschappelijk centrum innam werd al eerder ondermijnd toen Constantijn, de eerste christelijke Romeinse keizer, Constantinopel tot hoofdstad van zijn rijk maakte. Door de reorganisatie van de hogere school te Constantinopel in de vorige eeuw boette de Atheense school verder aan betekenis in.

De huidige maatregel, die het definitieve einde van de school betekent, maakt onderdeel uit van de onverzoenlijke politiek die Justinianus niet alleen tegen heidenen, maar ook ten aanzien van ketters en joden voert. De keizer is namelijk overtuigd van de noodzaak van één religie in het qua bevolking toch al zeer diverse rijk. Bij de onderdrukking van niet-christenen en ketters wordt gebruik gemaakt van militaire en civiele autoriteiten.

De maatregel van Justinianus betekent overigens niet dat het met de Griekse heidense cultuur is afgelopen. Er zijn (in Athene maar ook daarbuiten, zoals in belangrijke intellectuele centra als Alexandrië, Efeze en Antiochië en zelfs in Constantinopel) nog veel heidenen die zich trots 'Hellenen' noemen, en daarmee aangeven dat ze zich als de enige erfgenamen en bewakers van het Griekse erfgoed beschouwen. De Griekse filosofie van Plato en Aristoteles is altijd opvallend levend en invloedrijk gebleven, ook in de christelijke omgeving van de laatste eeuwen. Het is dan ook niet toevallig dat er veel christelijke denkers zijn die beweren dat het christendom in feite het uiteindelijke antwoord is op de problemen die Plato opwierp.

**531.** Bij Narbonne lijden de Visigoten een nederlaag tijdens een veldslag tegen de Franken. De Visigotische koning Amalarik sterft. Aanleiding tot de strijd waren de mishandelingen waarmee de ariaanse koning Amalarik zijn vrouw van het katholieke geloof trachtte af te brengen. Haar broer, de Frankische koning Childebert, heeft haar met deze veldslag gewroken.

**18 januari 532.** De volksopstand die op 13 januari te Constantinopel uitbrak, is door generaal Belisarius onderdrukt. →

**532.** Keizer Justinianus I sluit met de Perzische heerser Chosroës I Anoesjerwan de 'eeuwige vrede'. Hiermee is een eind gekomen aan de in 526 uitgebroken oorlog tussen het Byzantijnse Rijk en Perzië.

**533.** De Byzantijnse generaal Belisarius verovert het Noordafrikaanse Vandalenrijk (hoofdstad Carthago). Noord-Afrika wordt een provincie van het Byzantijnse Rijk.

**534.** De tweede editie van de *Codex Justinianus* is voltooid. →

**534.** De Frankische koning Theodorik I verovert met hulp van zijn broer Chlotarius I en de Saksen het rijk van de Thüringers.

**535.** Pulakesjin I sticht de Tsjalukya-dynastie op het zuidelijke Dekkanplateau in India.

**30 april 535.** Amalaswintha, koningin van het Ostrogotische Rijk, wordt op een eiland in het Lago di Bolsena door haar neef en echtgenoot Theodahat vermoord. →

**536.** De Ostrogoten hebben hun koning Theodahat afgezet en gedood. Hun aanvoerder Vitiges hebben zij tot nieuwe koning gekozen. Door de moord op zijn vrouw, koningin Amalaswintha, heeft Theodahat in zijn rijk veel steun verloren.

**9 december 536.** Rome wordt door Byzantijnse legers op de Ostrogoten veroverd. De Byzantijnse keizer is Italië binnengevallen om de moord op de Ostrogotische koningin Amalaswintha te wreken. Byzantium heeft nu Zuid- en Midden-Italië onder zijn heerschappij.

**538.** Een boeddhabeeld en enige boeddhistische geschriften zijn door de koning van Paekche (een koninkrijk in het zuidwesten van Korea) aan de heerser van Jamato [Japan] gezonden. Het boeddhisme wordt daarbij als de grondslag voor een goede en gelukkige regering aangeprezen. Hiermee doet het boeddhisme zijn intrede in Japan.

Gestorven:

**533.** Theodorik (circa 486), koning van de Franken

# Nika-oproer neergeslagen

*Afbeelding van ongeregeldheden binnen en buiten een circus (fresco uit Pompeji).*

CONSTANTINOPEL, 532 - Onder leiding van generaal Belisarius is een einde gemaakt aan de massale opstand in de hoofdstad van het Oostromeinse Rijk die naar schatting dertig- à veertigduizend mensen het leven heeft gekost en die Justinianus' troon heeft doen wankelen.

Sinds zijn troonsbestijging heeft de keizer te kampen gehad met oppositie uit verschillende hoeken. De rechtmatigheid van zijn keizerschap werd betwist door de neven van de vroegere keizer Anastasius die plannen smeedden om Justinianus af te zetten. Zij werden hierbij gesteund door de 'Groenen', een van de facties die zijn voortgekomen uit de populaire wagenrennen in het Hippodroom (Circus) en die tot politieke partijen zijn uitgegroeid. De Groenen vertegenwoordigen de lagere klassen en koesteren sympathieën voor het monofysitisme, een afwijkende stroming binnen de christelijke Kerk.

Het verzet tegen de keizer werd sterker toen de 'Blauwen', waartoe de betere standen behoren en die, kerkelijk gezien, de orthodoxe richting vertegenwoordigen, hun verschil van mening met de Groenen tijdelijk overboord zetten; de gezamenlijke afkeer van het bewind woog zwaarder.

Het keizerlijke regime heeft de publieke opinie tegen zich gekregen als gevolg van de uitbuiting door hoge functionarissen en hun wrede optreden. De verbittering geldt met name de jurist Tribonianus en de praetoriaanse prefect Johannes van Cappadocië.

Dit alles ligt ten grondslag aan het zogenaamde Nika-oproer (Nika = overwin!) dat zes dagen geleden is uitgebroken. Justinianus' belofte om Tribonianus en Johannes van Cappadocië te ontslaan, noch een persoonlijk beroep op het volk in het Hippodroom had enig resultaat. Een neef van Anastasius werd tot keizer uitgeroepen. Justinianus en zijn adviseurs overwogen reeds te vluchten toen keizerin Theodora ingreep. Zij sprak haar echtgenoot vermanend toe: 'Als u, o Keizer, zich wilt redden, dan is dat geen enkel probleem; we hebben voldoende fondsen. Maar bedenkt of u, eenmaal ontsnapt naar een veilige plaats, niet de dood boven de veiligheid zoudt verkiezen.' Hierop herstelde de keizer zich en gaf generaal Belisarius opdracht om de rebellie neer te slaan. Deze dreef de rebellen in het Hippodroom waar ze werden afgeslacht. Kort daarna werden de neven van Anastasius geëxecuteerd.

*Wagenrennen met vierspannen ('quadriga') zijn bij het publiek zeer in trek.*

*Keizer Justinianus met enkele leden van zijn gevolg (mozaïek uit Ravenna, 547).*

# Codex Justinianus herzien

CONSTANTINOPEL, november 534 - De tweede editie van de *Codex Justinianus* is gereedgekomen en onder de titel *Codex repetitae praelectionis* uitgebracht.

Keizer Justinianus is al sinds 528, een jaar na zijn troonsbestijging, druk doende met de legislatieve arbeid. Hij motiveerde het als volgt: 'Een keizer moet niet alleen door wapens worden verheerlijkt, maar ook gewapend zijn met wetten, zodat zowel in tijden van oorlog als van vrede juist leiding gegeven kan worden.'

Reeds voor Justinianus' tijd waren er pogingen ondernomen om de veelheid van keizerlijke decreten in één enkele verzameling onder te brengen; de *Codex Theodosianus* is hiervan een goed voorbeeld. Aan de systematisering en schifting van de enorme hoeveelheid juridische literatuur was keizer Theodosius II (408-450) niet toe gekomen. Justinianus riep in 528 een commissie van tien deskundigen bijeen, onder wie de jurist Tribonianus en Theophilus, een professor in de rechten te Constantinopel. De commissie kreeg tot taak om eerdere codificaties te herzien en om de wetten die sinds Theodosius II waren uitgevaardigd te systematiseren. Het resultaat van de inspanningen was de *Codex Justinianus*, die in april 529 uitkwam. Deze uit tien boeken bestaande codificatie bevat wetten die uitgevaardigd zijn sinds keizer Hadrianus. Daarna werd een selectie van uittreksels en citaten van Romeinse juristen gemaakt. Deze zeer omvangrijke onderneming resulteerde in de uit vijftig boeken bestaande *Digesta* (of *Pandectae*) welke vorig jaar verscheen. Eveneens vorig jaar kwam een hand-

boek voor civiel recht uit dat onder de titel *Institutiones* het licht zag.

Daar er sinds 529 een hele reeks wetten bijgekomen is bleek de *Codex Justinianus* gedeeltelijk verouderd. De tweede editie van de *Codex* vervangt die van 529 en bevat decreten vanaf Hadrianus tot nu toe.

*Afbeelding van de Ostrogotische regentes Amalaswintha (circa 530). Nadat zij sinds de dood van haar vader Theodorik de Grote de staatszaken had behartigd, wordt zij in 535 vermoord.*

540

540-549

**540** (circa). De Slaven trekken in grote aantallen de Sava en de Donau over. Zij rukken op tot diep in de Balkan.

**540.** De Byzantijnse veldheer Belisarius verovert Ravenna, hoofdstad van het Ostrogotische Rijk. Koning Vitiges en zijn vrouw Mataswintha zijn daarbij gevangengenomen en met de kroonschatten van de Ostrogoten naar Byzantium gevoerd.

**540.** De Byzantijnse keizer Justinianus I roept zijn generaal Belisarius uit Italië terug, om strijd tegen de Perzen te leveren.

**540.** De Longobardische koning Wacho is gestorven. Onder zijn regering hebben de Longobarden zich in het gebied van de Donau gevestigd.

**542.** De Frankische koningen Childebert I en Chlotarius I hebben tevergeefs getracht het Visigotische Rijk ten zuiden van de Pyreneeën te veroveren. De belegering van Zaragoza hebben zij zonder enig succes moeten opheffen.

**543.** De Ostrogotische koning Totila herovert Napels en grote delen van Zuid-Italië. Totila krijgt daarbij hulp van de inheemse bevolking, die zwaar lijdt onder de Byzantijnse belastingdruk.

**543.** Vanuit Marseille verspreidt de builenpest zich over grote delen van Europa. De pestepidemie eist talloze slachtoffers onder de bevolking.→

**544.** Justinianus I, keizer van het Byzantijnse Rijk, stuurt generaal Belisarius terug naar Italië, om de verloren gebieden op de Ostrogoten te heroveren.

**544.** De Perzen veroveren Antiochië op het Byzantijnse Rijk. Het oosten van dit rijk wordt voortdurend geteisterd door Perzische aanvallen.

**546.** De Longobardische koning Audoin sluit een verdrag met de Byzantijnse keizer Justinianus I. Het verdrag geeft de Longobarden het recht zich in Pannonia en in Noricum te vestigen.

**547** (circa). Benedictus van Nursia overlijdt in het klooster Montecassino (Italië). In dit door hem gestichte klooster heeft hij zijn beroemde regel opgesteld, waarin de leer en levenswijze van de oosterse monniken zijn aangepast voor het Westen. →

Gestorven:

**542.** Mihirakula, koning van de Witte Hunnen →

**3 juni 545.** Chlotilde (475), heilige en weduwe van de Frankische koning Clovis

**548.** Theodebert I, koning van het Frankische deelrijk met hoofdstad Reims

**548.** Theodora (circa 500), keizerin van het Byzantijnse Rijk

# Koning van Witte Hunnen gestorven

*Terracotta muzikantje (5de eeuw).*

KASHMIR, 542 - In Kashmir is de koning van de Witte Hunnen, Mihirakula, overleden. In 515 erfde hij de troon van zijn vader Toramana die in 484 Perzië had veroverd en vervolgens, vlak voor de eeuwwisseling, het Indische subcontinent was binnengevallen en de Punjab aan het Gupta-rijk had onttrokken. Mihirakula voegde daar Kashmir aan toe evenals grote delen van het Gangesgebied.

Hoewel Mihirakula in 530 werd teruggedreven naar Kashmir, bracht hij toch de genadeslag toe aan het twee eeuwen oude Gupta-rijk, dat nu is uiteengevallen in een aantal kleinere koninkrijkjes.

De eerste tekenen van een nieuwe invasiemacht achter het Hindu-Kushgebergte (waarlangs al zoveel volkeren de Indische gebieden zijn binnengevallen) signaleerde men tijdens de regering van Kumaragupta (415-454), de zoon van Chandragupta II. Een serieuze bedreiging vormden de Hunnen echter nog niet voor het Gupta-rijk en tijdens de regering van Kumara was de situatie vredig. Kumara's zoon en opvolger Skandagupta kreeg wel problemen met de Hunnen. Hij bestreed hen heftig maar interne problemen - behalve met een economische crisis had hij te maken met een aantal ontrouwe vazallen - verzwakten zijn slagvaardigheid. In de verwarde periode na de regering van Skandagupta volgde een groot aantal koningen elkaar snel op. Van die chaos maakte Toramana gebruik om vlak voor het einde van de vorige eeuw de Punjab in te lijven. Het gebied waarover hij regeerde, strekte zich uit tot aan het Centraalindische Eran. Mihirakula zette de aanval voort, niet alleen gedreven door territoriale ambities, maar ook door zijn haat tegen het boeddhisme. En het is juist die niets ontziende vervolging van deze godsdienst geweest die hem in het stof heeft doen bijten. Want na zijn aanvankelijke successen in Kashmir en in de Gangesvallei werd hij in 530 verslagen door Yasodharman, een vazal van de koning van Magadha die genoeg had van de boeddhistenvervolgingen.

# Benedictus overleden

*Benedictus (miniatuur uit 10de eeuw).*

MONTECASSINO, 547 - Benedictus van Nursia, patriarch van het westerse monnikendom, is gestorven nadat hij door hevige koortsaanvallen was getroffen. Als door een voorgevoel geleid, had hij kort tevoren zijn graf in orde laten maken.

Gedurende vele jaren was Benedictus abt van het klooster te Montecassino, dat hij in 529 op de ruïnes van een Romeinse Apollotempel had gesticht. Hier schreef hij zijn *Regel*, 'voor beginners' zoals hij zelf zegt, die te beschouwen is als een soort grondwet. Hij bestaat uit algemene regels, de rechten en plichten van de kloosterling, die door hun karakter moeiteloos aan specifieke plaatselijke omstandigheden zijn aan te passen. De verdienste van Benedictus bestaat er vooral in dat hij leer en levenswijze van de oosterse monniken aanpaste aan de meer gematigde westerse maatstaven.

In de visie van Benedictus heeft de abt, de leider van een klooster, een groot gezag: hij is de vader van zijn monniken, maar tevens hun heer. Zijn macht is onbeperkt. Bij de ideale abt wordt echter de strengheid door mildheid getemperd. Naast het afleggen van de geloften van armoede, kuisheid en gehoorzaamheid aan de abt wordt van de monniken geëist dat zij beloven zich aan een bepaalde abdij te binden. Dit verhoogt niet alleen hun onderlinge gevoel van solidariteit, het geeft ook de abt een aanzienlijke controle over de gemeenschap. Een belangrijk aspect van de *Regel* is het feit dat de monniken naast hun bezigheden van gebed en gewijde lezing handwerk moeten verrichten voor de gemeenschap, onder het motto: 'Ledigheid is de vijand van de ziel'.

Het streven van Benedictus, die door zijn wijsheid en goedheid vele leerlingen aantrok, was de monniken te leren bewust in Gods tegenwoordigheid te leven. Hij wenste een juist evenwicht te bereiken tussen gemeenschappelijke eredienst, persoonlijk gebed, gewijde lezing en handenarbeid. 'We moeten een school vormen', aldus Benedictus, 'voor de dienst van de Heer.'

# Pestepidemie eist veel slachtoffers

*Voor- en achterkant van een munt van de Byzantijnse keizer Justinianus.*

CONSTANTINOPEL, 543 - De pest, die een jaar geleden is uitgebroken in Egypte en via Palestina en Syrië Constantinopel bereikte, heeft een spoor van vernielingen achtergelaten. De vier maanden durende plaag heeft een groot aantal slachtoffers geëist. Steden en dorpen zijn verlaten; de landbouw ligt stil; hongersnood, paniek en de vlucht van talloze mensen uit de besmette gebieden hebben het rijk ontwricht. Alle hoffuncties zijn stilgelegd. Ook keizer Justinianus is door de ziekte getroffen, zij het niet dodelijk.

Voor de bevolking betekent deze epidemie een extra bezoeking. Zij heeft het de laatste jaren steeds moeilijker gekregen, onder meer door de toenemende belastingdruk. Want ofschoon de keizer zich in verschillende decreten heeft uitgesproken tegen de uitbuiting en onderdrukking van zijn onderdanen, acht hij zich niettemin genoodzaakt de schatkist op peil te houden. Dit is een lastige opgave gezien de dure oorlogen van deze keizer, die zich tot doel heeft gesteld het oude Romeinse Rijk te doen herleven.

---

**550.** De Byzantijnse keizer Justinianus I stuurt een leger naar Italië onder bevel van zijn veldheer Narses, om geheel Italië te heroveren op de Ostrogoten.

**551.** De Ostrogoten lijden een verpletterende nederlaag bij Tadinae (ten noorden van Spoleto) tegen het Byzantijnse leger. Vele Ostrogoten, onder wie koning Totila, komen hierbij om. De legeraanvoerder Teja wordt tot koning uitgeroepen.

**1 oktober 552.** De Ostrogoten worden aan de voet van de Vesuvius door het Byzantijnse leger definitief verslagen. Koning Teja en de meeste Goten sneuvelen. Dit betekent het einde van het Ostrogotische Rijk.

**552.** De Turken veroveren het rijk van Schuan-Schuan in het oosten van Centraal-Azië.

**14 augustus 554.** Ravenna wordt tot zetel van de Byzantijnse militaire gouverneur in Italië uitgeroepen. De Byzantijnse keizer Justinianus I benoemt zijn veldheer Narses tot gouverneur.

**554.** Agila, koning van de Visigoten, wordt door katholieke onderdanen vermoord. Sinds de dood van koning Amalarik (531) is er in het Visigotische Rijk een hevige strijd ontbrand tussen het koningshuis, de adel en de katholieke bisschoppen, die zich verzetten tegen het ariaanse koningschap.

**554.** Een Byzantijnse expeditie verovert het zuiden van Spanje op de Visigoten. De Visigotische koning Athanagild tracht de Byzantijnse bezetters uit de steden te verdrijven. →

**Winter 555-556.** De Frankische koning Chlotarius I slaat een opstand van de Saksen neer en verwoest het land van de Thüringers, die de Saksen geholpen hebben.

**558.** Na de dood van Childebert I bemachtigt Chlotarius I het Frankische deelrijk met Parijs als hoofdstad en wordt hierdoor alleenheerser in het gehele Frankische Rijk.

**559.** Procopius, Byzantijns geschiedschrijver en secretaris van de Byzantijnse veldheer Belisarius, is gestorven. Hij heeft drie belangrijke werken geschreven: *Historikon* (over de oorlogen van de Byzantijnse keizer Justianus I), *Ktismata* (over de bouwwerken van Justianus I) en *Anekdota* of *Historia arcana* (een schandaalkroniek, waarin hij Belisarius, Justinianus I en vooral diens vrouw Theodora fel bekritiseert).

Geboren:

**550** (circa). Brunhilde (†613), Frankisch koningin
**550** (circa). Fredegonde (†597), Frankisch koningin

---

# Byzantium wil vrede met vorst Chosroës I

*Sassanidenkoning Chosroës I, gezeten op zijn troon.*

CTESIPHON, 560 (circa) - Koning Chosroës I van het Sassanidenrijk is vredesonderhandelingen begonnen met keizer Justinianus I.

Chosroës I Anoesjerwan (de Rechtvaardige of Vrome) is een zoon van koning Kavadh I. Na diens dood raakte Chosroës met zijn broers in een bittere opvolgingsstrijd gewikkeld waaruit hij in 543 als overwinnaar te voorschijn kwam.

Tijdens Chosroës' bewind breidde de macht van het Perzische Rijk zich belangrijk uit. In 540 deed hij een succesvolle inval in Syrië en dwong keizer Justinianus I van het Byzantijnse Rijk tegen een jaarlijkse schatting een wapenstilstand af; nu is een 'vijftig jaar durende vrede' tussen de buurstaten gesloten.

Chosroës' betekenis ligt vooral in de bestuurlijke hervormingen die hij in het uitgestrekte rijk heeft doorgevoerd. De hervorming van het belastingstelsel, geënt op het systeem van de Byzantijnse keizer Diocletianus, is een van zijn belangrijkste regeringsdaden. Daarnaast reorganiseerde de Perzische koning de bureaucratie van zijn rijk. De indeling van het bestuur in 'diwans', departementen, is een idee van hem.

*Bij de belegering van Rome door de Ostrogoten verdedigen de Romeinen zich door marmeren beelden van de muren van de stad naar beneden te gooien (volgens een 19de-eeuwse houtsnede).*

# Hereniging Oost en West

CONSTANTINOPEL, 554 - Na een offensief van meer dan twintig jaar, waarin successen werden afgewisseld met tegenslagen, is het de legers van keizer Justinianus eindelijk gelukt Italië en Afrika te herenigen met het Oostromeinse Rijk. Justinianus' droom, de volledige hereniging van Oost en West, is daarmee slechts voor een gedeelte werkelijkheid geworden. Van een herovering van Gallië is niets terechtgekomen, en van Spanje is alleen de zuidoostelijke kuststrook weer in Romeinse handen.

Het rijk heeft in Justinianus een van de krachtigste en bekwaamste keizers sinds tijden, en bovendien één met een opmerkelijke carrière. Hij kwam op de wereld als een eenvoudige boerenzoon in de provincie Moesia, maar had het geluk dat zijn oom Justinus zich via de keizerlijke lijfwacht opwerkte tot het keizerschap zelf. Zelf geen krachtdadige persoonlijkheid liet Justinus het regeren voor een groot deel over aan zijn ambitieuze neef. In 527 werd Justinianus medekeizer, en na Justinus' dood in dat zelfde jaar alleenheerser.

De situatie in het Westen was voor Justinianus' offensieve bedoelingen vrij gunstig. Rond 530 bestond het voormalige machtsgebied van Rome uit vier afzonderlijke koninkrijken: dat van de Franken in Gallië, dat van de Visigoten in Spanje, dat van de Ostrogoten in Italië en dat van de Vandalen in Afrika. De laatste twee waren echter ernstig verzwakt: de Vandalen hadden te kampen met voortdurende opstanden van de inheemse Moorse bevolking, en in Italië was een interne strijd om de troon aan de gang. In september 533 landde Belisarius, de opperbevelhebber van de Oostromeinse troepen, in Afrika. Hij verraste en versloeg de Vandalenkoning Gelimer (die zich zo anti-Romeins had opgesteld dat hij Justinianus een bruikbaar excuus had gegeven om aan te vallen) en bezette Carthago. De Moorse bevolking bood nog lang en hardnekkig verzet (waarom zou ze zich tenslotte niet bij een Vandaalse maar wel bij een Romeinse overheersing neerleggen?) maar schikte zich uiteindelijk in Belisarius' overmacht. Afrika was weer een Romeinse provincie.

In 535 viel Belisarius met 7500 man Sicilië binnen. Hij veroverde het eiland snel en rukte via Zuid-Italië naar Rome op. Tegelijkertijd trok een ander leger noordwaarts via Illyricum en nam zo de Ostrogoten in de tang. Rome viel in december 536; pas bij de verovering van Ravenna in 540 echter was de laatste Gotische weerstand gebroken. Belisarius werd daarna met zijn beste troepen door de keizer naar de bedreigde grens met het Perzische Sassanidenrijk gestuurd. Prompt kwamen de Goten in Italië in opstand, en pas nu is, na jarenlange strijd tussen de Gotische leider Totila en zijn Romeinse tegenspeler en Belisarius' opvolger Narses, het pleit in Romeins voordeel beslecht.

Justinianus is niet van plan de nieuw verworven gebieden snel op te geven, maar de prijs die hij ervoor moet betalen is hoog: de Donaugrens is ernstig verwaarloosd, in het oosten vormen de Perzen een groeiende bedreiging, en de uitgaven voor het leger zijn een steeds grotere belasting voor de schatkist. Bovendien zijn juist Italië en Afrika verarmd en verzwakt uit de strijd gekomen.

## 560

**560** (circa). De Heftalieten (Witte Hunnen) worden door de Sassaniden (Perzië) en de Turken verslagen. Hiermee komt een eind aan het rijk van de Witte Hunnen langs de Oxus, ten oosten van het Perzische Rijk. Het rijk van de Witte Hunnen wordt tussen de Turken en de Sassaniden opgedeeld.

**561.** Na de dood van Chlotarius I wordt het Frankische Rijk onder zijn zonen verdeeld. Charibert I heerst in Parijs over het zuidwesten van Gallië, Chilperik I in Soissons over het noordwesten, Guntram in Orléans over Bourgondië en Sigebert I in Reims/Metz over het oosten (Austrasië). →

**562.** Bij Regensburg zijn de Avaren (een nomadisch ruitervolk dat door de Turken uit Centraal-Azië is verdreven) door de Franken verslagen. Na hun nederlaag hebben de Avaren zich in Pannonia (ten westen van de Donau) gevestigd.

**562.** Vele immigranten trekken uit Korea naar Japan. →

**562.** De Byzantijnse keizer Justinianus I en de Sassanidische koning Chosroës I hebben een 'vijftig jaar durende vrede' gesloten. Hiermee komt een eind aan de in 540 uitgebroken oorlog tussen Byzantium en Perzië.

**563.** De Ierse monnik Columbanus sticht op het eiland Iona (aan de Schotse westkust) een klooster om van daaruit met de kerstening van de Picten in Schotland en de Angelsaksen in Northumbria te beginnen.

**563.** In Constantinopel wordt de kerk Aya Sophia (kerk der H. Wijsheid) gewijd. De kerk is in opdracht van keizer Justinianus door Anthemius van Tralles en Isidorus van Milete gebouwd.

**565.** Justinus II wordt de nieuwe Byzantijnse keizer. Hij is de neef van de overleden keizer Justianus I.

**567.** Chilperik I wordt na de dood van zijn broer Charibert I heerser over het gehele westen (Neustrië) van het Frankische Rijk. →

**568.** De Longobarden, die door de Avaren uit hun woonsteden in Pannonia zijn verjaagd, vallen Italië binnen.

**569.** De Longobarden hebben onder aanvoering van hun koning Alboin Noord- en Midden-Italië veroverd. Milaan en andere steden zijn gevallen. Ze zijn nu tot Rome en Ravenna doorgedrongen.

**569** (circa). Chilperik I, koning van Neustrië, laat zijn vrouw Galswintha, zuster van de Austrasische koningin Brunhilde, wurgen. Hij neemt zijn vroegere concubine Fredegonde tot vrouw.

*Theodorik, Chlodomer, Childebert en Chlotharius (vier zonen van Clovis).*

# Opnieuw deling van Frankenrijk na dood Charibert

FRANKENRIJK, 567 - Vlak na de deling van het Frankenrijk in 561 staat als gevolg van het overlijden van koning Charibert I een nieuwe deling op stapel. Omdat geen van zijn zonen meerderjarig is, wordt het bezit van Charibert in drieën gedeeld.

Chilperik krijgt het in het noordwesten gelegen Neustrië toegewezen, met als hoofdstad Soissons. Ook de gebieden rond Bordeaux en Limoges vallen hem toe. Sigibert I wordt koning van Austrasië, gesitueerd in de Rijnstreek, met als residenties Reims en Metz. Guntram ten slotte neemt bezit van Bourgondië en Orléans, alsmede van de steden Angoulême en Périgueux.

Parijs, de hoofdstad van het rijk van Charibert, komt onder gezamenlijke heerschappij van de drie broers. Geen van hen mag zonder toestemming van de anderen de stad binnengaan.

*Detail van een Frankisch kistje.*

# Koreanen bevolken Japan

*Terracotta krijger (circa 130 cm hoog). Grafgift (Japan, 6de eeuw).*

KIOESJOE, 562 - De grote immigratiestroom vanuit Korea houdt de gemoederen in Zuid-Japan danig bezig. De laatste jaren is er sprake van een opzienbarende toename van het aantal Koreanen, met name uit het in het zuidoosten van Korea gelegen Mimana, dat voor kort nog een Japanse enclave was. Aan het eind van de 5de eeuw hadden de machtigste clans in Japan slechts oog voor de bestendiging of uitbreiding van hun macht in Japan. Terzelfder tijd werd Mimana bedreigd door de Koreaanse koninkrijken Silla en Paekche en het rijk van Koguryo. Sommige Japanse clanhoofden op Kioesjoe, het eiland dat pal voor Mimana ligt, hadden gepoogd hun macht op het Kore-

aanse schiereiland uit te breiden door een verbond met een van deze koninkrijken te sluiten. Op het ogenblik dat men op centraal niveau probeerde de corrupte clanhoofden in het zuiden van Japan en in Mimana aan de kant te zetten, stuitten de legers op fel verzet van hen en van de vele Koreanen die met Japanners waren getrouwd. De Japanners konden tijdelijk hun macht in Mimana handhaven omdat zij zich gesteund wisten door het koninkrijk Paekche dat op dat moment door Silla en Koguryo werd bedreigd. Het merendeel van de bevolking van Mimana sympathiseerde echter met Koguryo en Silla.

Een Japans leger dat tien jaar geleden in Mimana aankwam kon echter niet verhinderen dat Paekche in 554 door Silla werd verslagen. In 555 werd er wel een wapenstilstand gesloten maar Mimana werd hetzelfde jaar ingelijfd bij Silla. In Japan realiseerde men zich toen dat de militaire kracht van de Koreanen sterk was toegenomen omdat zelfs de keurtroepen van de centrale regering onder Yamato de nederlaag niet hadden kunnen afwenden. Dit was echter ook deels te wijten aan de tegenwerking van de clanhoofden in het zuiden van Japan en in Mimana die zich verzetten tegen het centraal gezag.

Na de Japanse nederlaag trekken niet alleen de Japanners zich uit Mimana terug, maar ook tienduizenden Koreanen maken de oversteek naar Japan. Zij nemen niet alleen hun eigen gewoonten en gebruiken mee maar met hen vindt ook de invoering van het boeddhisme in Japan plaats. Het lijkt erop dat de integratie van de Koreanen in Japan tamelijk soepel verloopt. Het gevaar bestaat echter dat de Japanners op den duur een minderheid gaan vormen.

*Keizer Justinianus (links) biedt de tronende Moeder Gods een model van de 'Aya Sophia' (Kerk van de Heilige Wijsheid) aan. Dit mozaïek in de koepel van de kerk verwijst naar de rol van Justinianus bij de financiering van de wederopbouw van de oorspronkelijke kerk, die tijdens de Nika-rebellie in 532 was vernield. De door Justinianus herbouwde kerk werd vijf jaar later ingewijd. Nadat de koepel in 558 als gevolg van een aardbeving was ingestort, kwam het herstel van de kerk in 562 gereed. Constantijn I (rechts) overhandigt symbolisch de stad Constantinopel aan de Madonna.*

# 570

**572.** In Noord-Italië wordt de stad Pavia door de Longobarden veroverd. →

**572.** De Longobardische koning Alboin wordt door zijn echtgenote Rosamunde, een Frankische koningsdochter, vermoord. Kleph volgt Alboin als koning van de Longobarden op.

**572.** In Japan komt Sjotokoe, een aanhanger van het boeddhisme, aan de macht. Het boeddhisme begint de inheemse religie, het sjintoïsme, te overvleugelen.

**572.** De Sassanidische vorst Chosroës I Anoesjerwan heeft opnieuw de oorlog verklaard aan Byzantium nadat keizer Justinus II geweigerd heeft de verplichte jaarlijkse schatting aan Perzië te betalen.

**573.** Gregorius wordt door de Merovingische koning Sigebert I tot bisschop van Tours benoemd.

**573.** De Longobardische koning Kleph wordt kort na zijn troonsbestijging vermoord.

**574.** De Merovingische koning Chilperik I van Neustrië brengt in Austrasië, het rijk van zijn broer Sigebert, grote verwoestingen aan.

**575.** Op aanstichting van Fredegonde, koningin van Neustrië, is koning Sigebert van Austrasië vermoord.

**579.** In het Visigotische Rijk komt Hermenigild tegen zijn vader, koning Leovigild in opstand.

**582.** Inneming van Sirmium door de Avaren. →

**583.** Cassiodorus, Romeins staatsman en een van de belangrijkste schrijvers van deze eeuw, is gestorven.

**584.** De Byzantijnse keizer Mauritius heeft bepaald dat de militaire gouverneur die vanaf 554 in Ravenna zetelt, nu ook de burgerlijke macht in handen krijgt. Hij heet voortaan exarch en regeert vanuit Ravenna als vertegenwoordiger van de keizer over Byzantijns Italië.

**584.** De Longobarden, bedreigd door de Byzantijnen en de Franken, hebben Authari, zoon van de in 573 vermoorde koning Kleph, tot koning uitgeroepen.

**584.** Koning Chilperik I van Neustrië is door zijn vrouw Fredegonde vermoord. Fredegonde heeft nu als regentes voor haar zoon Chlotarius II de macht in handen gekregen.

**589.** De Visigotische koning Rekkared bekeert zich tot het katholieke geloof. →

**589.** Keizer Yang Jian verovert het Zuidchinese Rijk. Yang Jian is hierdoor alleenheerser geworden in het gehele Chinese Rijk.

**590.** De opstand in het nonnenklooster van Poitiers loopt ten einde. →

# Avaren nemen de vesting Sirmium in

*Martelaar. Mozaïek uit de 5de eeuw.*

CONSTANTINOPEL, 582 - Na een twee jaar durend beleg is Sirmium [Sremska Mitrovic] in handen van de Avaren gevallen. Hiermee is het Byzantijnse Rijk beroofd van een strategisch uiterst belangrijke versterking in het noordwesten van de Balkan.

De Avaren zijn een nomadisch volk bestaande uit Mongoolse en Turkse stammen en oorspronkelijk afkomstig uit het noorden en westen van China. Byzantium maakte voor het eerst met hen kennis in 558, toen een Avaars gezantschap naar Constantinopel reisde met onder andere het verzoek om vruchtbare gronden teneinde zich er te vestigen. Dit werd genegeerd, maar wel kregen zij giften en een jaarlijkse toelage in ruil voor militaire bijstand tegen vijanden van het rijk ten noorden van de Zwarte Zee. De Avaren speelden hun rol als keizerlijke foederati (bondgenoten) zo bekwaam dat zij, nadat ze in hun trek westwaarts een aantal stammen hadden onderworpen, in 561 aan de Donaumonding stonden. Opnieuw eisten zij land. De Byzantijnse diplomatie werkte op volle toeren om hen ervan te weerhouden zich in de vruchtbare Dobroedsja te vestigen.

In 565 weigerde keizer Justinus II de vernederende politiek van zijn voorganger, namelijk het afkopen van de noordelijke barbaren, voort te zetten. Niet lang na de migratie van de Longobarden naar Italië namen de Avaren de aldus vrijgekomen woongebieden in bezit. Hiermee werden zij de dominerende macht in Centraal-Europa.

De heerser der Avaren, khagan Bajan, een meedogenloos veroveraar en geslepen diplomaat, probeerde acht jaar geleden Sirmium in te nemen, maar moest toen genoegen nemen met uitsluitend het gebied rondom deze Romeinse versterking. In de daaropvolgende jaren betoonde hij zich een goed bondgenoot van het rijk en voerde actie tegen de Sclavini [Slaven] in Wallachije. Hij gaf echter de verovering van Sirmium niet op en sloeg twee jaar geleden het beleg. De keizer, die met handen en voeten was gebonden aan de oorlog met Perzië, kon niet verhinderen dat de stad zich ten slotte moest overgeven.

# Longobarden tot in Pavia

PAVIA, 572 - Na een jarenlange belegering is de Noorditaliaanse stad Pavia door de Longobarden veroverd. Deze voormalige residentie van de Ostrogotische koning Theodorik de Grote heeft het langst weerstand geboden tegen de oprukkende Longobarden. De stad is van groot strategisch belang: met de val van Pavia is bijna geheel Noord-Italië in handen van 'dit zeer woeste Germaanse volk'. De Byzantijnen hebben alleen nog Noordoost-Italië en het gebied rond Ravenna in handen.
De Longobarden zijn Oostgermanen die oorspronkelijk aan de beneden-Elbe gevestigd waren. Tijdens de grote volksverhuizing verplaatsten zij zich naar het zuiden. In het begin van de 6de eeuw zijn ze de Donau overgesto-

ken en hebben zich in Pannonië gevestigd. Bedreigd door de Avaren trokken zij in april 569 onder aanvoering van koning Alboin de Alpen over en drongen Italië binnen, gevolgd door benden Slaven, Saksen en Bulgaren. In Italië ondervonden zij weinig weerstand. De Byzantijnen, die enige jaren tevoren Italië hadden veroverd, waren ernstig verzwakt vanwege het terugroepen van de Byzantijnse bevelhebber Narsus. De bevolking zelf, door oorlogen en pestepidemieën gedecimeerd, bleef passief. Reeds in 569 raakte het grootste deel van Noord-Italië in handen van de Longobarden. Alleen Pavia heeft drie jaar weerstand geboden. Na de verovering is Pavia tot hoofdstad van het Longobardische Rijk gemaakt.

# Koning Rekkared I bekeerd

*Een voorbeeld van Iberische kunst: de zogenaamde 'Dame van Elche'.*

TOLEDO, 589 - Tijdens het Derde Concilie van Toledo heeft de Visigotische koning Rekkared I officieel zijn bekering tot het katholieke geloof bekendgemaakt. Velen van zijn ariaanse bisschoppen hebben zijn voorbeeld gevolgd. Hiermee is het katholicisme de staatsgodsdienst van het Iberisch schiereiland geworden.
Rekkareds bekering tot het katholicisme heeft behalve religieuze ook politieke en sociale betekenis. Ze versterkt de relatie tussen Kerk en staat en bevordert de assimilatie tussen de oorspronkelijke Hispano-Romeinse bevolking en de Visigoten. De rechten van de joden echter zijn door het Concilie van Toledo ingeperkt.
Omstreeks 415 trokken de eerste Visigoten onder leiding van hun koning Athaulf over de Pyreneeën. Binnen 50 jaar hadden de Visigoten vanwege hun militaire overwicht het Iberisch schiereiland, het noordwesten uitgezonderd, onder controle. Aanvankelijk leefden zij naast de overwonnen, katholieke Hispano-Romeinse bevolking; van

eenheid was geen sprake omdat beide bevolkingsgroepen verschillende godsdienst, taal en gewoonten, alsmede een ander rechtssysteem hadden.
Koning Leovigild (568-586), Rekkareds vader, hief tijdens zijn bestuur het huwelijksverbod tussen Visigoten en de oorspronkelijke bevolking op. Rekkared heeft deze politiek van assimilatie uitgebouwd door twee jaar geleden officieus van het arianisme op het katholicisme over te gaan om zo de unificatie van het eiland verder te stimuleren. Dit leidde tot voor kort tot enkele ariaanse opstanden en samenzweringen, welke onderdrukt konden worden. Rekkared heeft het Concilie van Toledo aangegrepen om zijn bekering officieel bekend te maken. Om zijn besluit kracht bij te zetten heeft hij de geloofsbelijdenis van Nicea voorgelezen en zijn onvoorwaardelijke bescherming aan de Kerk beloofd.
Koning en Kerk kunnen verzekerd zijn van wederzijdse steun. Bisschoppen worden nog steeds door de koning aangesteld maar hebben meer politieke invloed gekregen. De Visigotische monarchie profiteert op haar beurt van de steun van de Kerk in haar nimmer aflatende strijd tegen de verschillende adelsfacties.
Voor de joden in Hispania betekent het Concilie van Toledo een inperking van hun rechten. Romeinse wetten uit de 4de eeuw zijn opnieuw ingevoerd. Joden mogen niet met christenen trouwen, geen christelijke slaven bezitten en geen openbare functies bekleden waarbinnen de mogelijkheid om straffen te geven besloten ligt.
De bekering van Rekkared symboliseert de overwinning van de Hispano-Romeinse beschaving over die van de 'barbaarse' Visigoten. Door de stap van Rekkared kunnen de Visigoten vanaf heden rekenen op de loyaliteit van de Hispano-Romeinen, echter niet op die van de joden.

*Reliëf uit een vroeg-Romaanse kerk (11de eeuw), voorstellende drie vrouwen.*

# Nonnen geven verzet op

POITIERS, 590 - In het klooster van het Heilig Kruis zijn meer dan veertig nonnen teruggekeerd, die vorig jaar in opstand waren gekomen. Ze waren ontevreden over hun levensomstandigheden en verweten de kloosterleiding dat de regels niet in acht werden genomen. De rebellerende kloosterzusters deden uiteindelijk hun beklag bij de koning, die een tribunaal van bisschoppen aanstelde om de zaak te onderzoeken. Na het horen van beide partijen besloot men tot vrijspraak van de kloosterleiding. De opstandelingen kregen toestemming om naar de gemeenschap terug te keren, waarmee een einde aan de opstand kwam.
Gregorius van Tours schreef in zijn *Geschiedenis van de Franken* uitgebreid over de gebeurtenissen in Poitiers, ook al omdat hij direct erbij betrokken was. Vanwege de verstoorde verhouding tussen het klooster en bisschop Maroveüs van Poitiers zochten de opstandige nonnen namelijk hun toevlucht bij de bisschop van Tours, de stad waar ze na een barre voettocht over de slechte en drassige wegen uitgehongerd arriveerden.
Gregorius was evenwel niet in staat hen tot inkeer te brengen. Chrodilde, woordvoerster van de groep en van koninklijken bloede, zette haar plan door om de zaak bij koning Guntram aan-

hangig te maken. In afwachting van de komst van een door hem geformeerde onderzoekscommissie van bisschoppen, namen de nonnen hun intrek in de St.-Hilariuskerk te Poitiers.
De maanden daarop vonden er verscheidene ongeregeldheden plaats tussen voor- en tegenstanders. De abdis van het klooster werd zelfs tijdelijk ontvoerd en mishandeld door handlangers van de rebellerende nonnen. Nadat de onrust door de plaatsvervanger van de koning definitief de kop was ingedrukt, kon er een begin worden gemaakt met de hoorzittingen door het bisschoppelijk tribunaal.
Chrodilde stelde namens de gehele groep de abdis verantwoordelijk voor het slechte eten, de gebrekkige kleding en de harde behandeling die de kloosterzusters moesten ondergaan. 'Bovendien verborg zij een man in haar vertrekken, ontving ze regelmatig bezoek van buiten, werden er feestjes gehouden en werd er triktrak gespeeld', aldus Chrodilde.
De abdis weerlegde de beschuldigingen en wist de bisschoppen van haar gelijk te overtuigen. Terwijl zij er met een berisping afkwam en de meeste nonnen mochten terugkeren naar het klooster, werden de leidsters van de opstand in de ban gedaan totdat ze berouw hadden getoond.

# Zware pestepidemie teistert de stad Rome

ROME, april 590 - Evenals de rest van Europa is Rome door een pestepidemie getroffen. Om Gods genade af te smeken, zijn duizenden mensen in processie door de straten van de stad naar de grote basiliek op het Esquilijn getrokken. Zij zongen het Kyrie eleison en weenden en baden tot God. Tijdens de processie vielen binnen één uur tachtig mensen ter aarde neer en bezweken aan de pest. De bevolking gelooft dat deze vreselijke ziekte een straf van God is. De abt van het Sint-Andreasklooster, Gregorius, zei in een preek: 'Het gehele volk wordt getroffen door het zwaard van de Goddelijke toorn en een plotselinge dood heerst over de stad. Een ieder die wordt neergeslagen, sterft nog voor hij de tijd heeft gehad om berouw te tonen. Niet één noch één worden de bewoners van de stad uit het leven weggerukt, maar in grote groepen haasten zij zich naar hun graf. De huizen worden leeg achtergelaten: ouders staan aan het graf van hun zonen; hun eigen erfgenamen sterven eerder dan zijzelf.' Vanaf 543 wordt Europa door een steeds weer oplevende pestepidemie geteisterd. De pest heeft zich, vermoedelijk vanuit Egypte, via Marseille over geheel Europa verspreid. Reeds de helft van de Europese bevolking is ten prooi gevallen aan deze afschuwelijke ziekte, waar de mens hulpeloos tegenover staat. Er zijn niet genoeg artsen om de zieken te verzorgen en niet alle lijken kunnen begraven worden. In geheel Europa verzamelt de bevolking zich voor gebeden. Zij draagt zo onbewust bij tot de verspreiding van de pestbacil die door rattevlooien op mensen wordt overgedragen.

# Bisschop Gregorius van Tours overleden

GALLIE, 17 november 594 - Gregorius, bisschop van Tours, is op circa 55-jarige leeftijd overleden. Hij is vooral bekend geworden als schrijver van de *Geschiedenis van de Franken.* Daarin vertelt hij op vaak kleurrijke wijze de gebeurtenissen in het Merovingische Gallië. Op grond van dit werk wordt Gregorius van Tours wel beschouwd als een van de grootste geschiedschrijvers van deze tijd in West-Europa.

Op 30 november van het jaar 538 of 539 werd Gregorius in Clermont-Ferrand geboren en gedoopt met de naam Georgius Florentinus. Zowel zijn vader als zijn moeder was afkomstig uit de Gallo-Romeinse adel. Er bestonden sterke bindingen met de Katholieke Kerk, gezien het grote aantal bisschoppen en andere geestelijke gezagsdragers onder de wederzijdse familieleden. In 563 werd Gregorius tot diaken gewijd en tien jaar later volgde hij Eufronius op als bisschop van Tours. In deze belangrijke functie, die hij tot aan zijn dood bekleedde, droeg Gregorius onder meer zorg voor de wederopbouw van de St.-Maartensbasiliek.

Behalve hoogwaardigheidsbekleder was hij ook een produktief schrijver. Zijn bekendste werk is ongetwijfeld de *Geschiedenis van de Franken (Historia Francorum)*, een uit tien boeken bestaand relaas van de wederwaardigheden in Merovingisch Gallië. Gregorius voelde zich als het ware geroepen om

*Koningin Chlotilde knielt voor het beeld van Sint Maarten in het klooster van Tours.*

deze enorme taak op zich te nemen, 'want', schreef hij, 'er is geen redenaar te vinden die een boek kan schrijven over wat er vandaag de dag gebeurt'. Door zijn publieke functie was Gregorius goed geïnformeerd over het wel en wee binnen zijn diocees en ook ver daarbuiten. Zonder blikken of blozen beschreef hij de vaak bloedige gebeurtenissen uit zijn tijd.

Hoewel zelf geen Frank, erkende Gregorius de Merovingische koningen als de wettige dragers van het overheidsgezag. In zijn geschiedschrijving nemen zij een belangrijke plaats in. Met name Clovis, de eerste Frankische koning die zich tot het christendom bekeerde, wordt door de schrijver aan het nageslacht ten voorbeeld gesteld.

Naast het koningshuis besteedt hij veel aandacht aan de ontwikkelingen binnen de Kerk en de positie van haar functionarissen.

In bredere zin vormt de *Historia Francorum* een rijke bron van informatie op velerlei gebied, zoals het kloosterleven, de natuur en verschillende takken van wetenschap als de geneeskunde en de astronomie.

# Byzantium succesvol in Balkanstrijd

CONSTANTINOPEL, 596 - Een Byzantijns leger onder leiding van generaal Priscus is erin geslaagd Belgrado te heroveren op de Avaren en Slaven. Dit tegenoffensief is het resultaat van een gewijzigde politiek ten aanzien van deze barbaren die met grote regelmaat de noordgrenzen van het rijk bedreigen.

De gebeurtenissen van de afgelopen jaren hebben aangetoond dat de tot nu toe gevoerde politiek van militaire verdediging, gecombineerd met pogingen om de barbaren af te kopen en tegen elkaar uit te spelen, niet langer voldoet. Slechts een rechtstreekse aanval op de woongebieden van Slaven en Avaren kan een einde aan de periodieke invasies maken.

Tot voor enige jaren geleden waren de keizerlijke troepen in Italië gebonden door de strijd tegen de Longobarden, terwijl ze in het oosten tegen de Perzen vochten. Nu echter het Byzantijns gezag op de Povlakte stevig is gevestigd en er sinds 591 vrede met de Perzen is, zijn er troepen vrijgekomen om het Balkanprobleem aan te pakken.

*De planeet Saturnus; zijdetekening met astrologische voorstelling (6de eeuw; Osaka).*

# Sui-keizer Wen vermoord

LUOYANG, 604 - De eerste keizer van de Sui-dynastie, Yang Jian (keizersnaam: Wen) is door zijn zoon en aangewezen troonopvolger Yang Guang om het leven gebracht. Yang heeft de troon bestegen als keizer Yang (Yang Di). De vermoedelijke reden van de moord op keizer Wen is de angst van Yang Guang, de gewezen vice-koning van het Zuiden, dat zijn vader uiteindelijk een ander tot troonopvolger zou kiezen.

Keizer Wen, hertog van Sui in het Noordelijk Zhou, riep zich in 581 uit tot keizer van de Sui-dynastie na het verwijderen van zijn 8-jarige kleinzoon, de laatste keizer van Noordelijk Zhou en het uitmoorden van de hele keizerlijke clan. De dochter van Yang Jian was de laatste keizerin van Noordelijk Zhou.

In 589 begon keizer Wen aan een plan tot onderwerping van het zuiden. Zijn taak werd vergemakkelijkt doordat het gros van de vorsten van de zuidelijke dynastieën uit dronkaards en moordenaars bestond. De invasie van het zuiden werd voorafgegaan door het verspreiden van een propagandistisch geschrift in een oplage van 300 000 exemplaren waarin echte en vermeende wandaden van de laatste vorst van de Chen-dynastie, Hou Zhu, breed uit de doeken werden gedaan. Met een leger van een half miljoen man werd het zuiden daarop onderworpen en de laatste Chen-keizer naar Changan gevoerd waar keizer Wen hem genadiglijk in leven liet en hem een staatstoelage toekende. De Vereniging van China volgde op vier eeuwen verdeeldheid waarin kortstondige dynastieën als zeepbellen barstten en een verzameling onafhankelijke koninkrijken met elkaar in bloedige en uitzichtloze conflicten was verwikkeld.

Keizer Wen herstelde vrijwel onmiddellijk een sterk centraal gezag in China. Er werd een strikt toezicht op het ambtenarenapparaat ingevoerd. Voorts werd een verbod op het privébezit van wapens in het hele land afgekondigd. Bijzonder succesvol waren de maatregelen die het herstel van de landbouwproduktie beoogden. Net als onder Noordelijk Wei werd nu braakliggend land onder de boeren verdeeld in ruil voor belastingheffing en corveediensten. Er werden grote opslagsilo's voor graan gebouwd en er werd begonnen met het graven van kanalen. Ook op het vlak van de buitenlandse betrekkingen en diplomatie behaalde keizer Wen grote successen. Door de sluwe politiek van het tegen elkaar uitspelen van nomadenvolkeren aan China's noordelijke grens veroverde China snel de gebieden in het noordwesten terug die het onder de Han-dynastie was kwijtgeraakt. Het hof van Sui in Changan zag weldra een komen en gaan van gezanten uit alle naburige landen waaronder Japan.

Keizer Yang heeft de hoofdstad van het land naar Luoyang verplaatst. Naar verluidt wil hij de expansiepolitiek van zijn vader voortzetten met een militaire expeditie naar Vietnam.

## Gloriedagen van Fu-nan zijn definitief voorbij

FU-NAN, 600 - Niet alleen binnen Fu-nan [Kambodja] maar ook in de buurlanden India, China en Tsjen-la heeft men met verbazing geconstateerd dat het eens zo machtige rijk van Fu-nan in korte tijd al zijn macht en glorie heeft verloren.

Nog geen eeuw geleden moesten de koningen van Tsjen-la schatting betalen aan de koningen van Fu-nan en werden diplomatieke missies uit Fu-nan met de hoogste ceremoniën ontvangen aan de hoven in India en China. Nu is Fu-nan de schatplichtige van Tsjen-la en stellen China en India geen prijs meer op diplomatieke contacten met het land. In het begin van de 3de eeuw schreef de Chinese kroniekschrijver Liang dat de beroemde generaal Fan Shi-man tot koning van Fu-nan was gekozen en dat hij het rijk naar het oosten uitbreidde tot de Chinese Zee, naar het zuiden tot over de helft van het schiereiland en in het westen tot het stroomgebied van de Irrawaddy. Tevens werden grote vloten uitgerust om maritieme expedities in zuidelijke en westelijke richting te ondernemen. Toen zijn neef Fa Chan onder de naam Su Wu op de troon kwam werd een gezantschap naar India gestuurd. Men kwam terug met grote geschenken, waaronder vier Indoscythische paarden. Enkele jaren later werd een gezant naar China gestuurd met produkten uit Fu-nan en een dansgroep met orkest. De Chinezen beantwoordden deze missie met het zenden van enkele missies naar Fu-nan gedurende de daaropvolgende jaren; ze gaven hoog op over het niveau van de cultuur van het rijk.

De contacten met India werden zelfs zo nauw aangehaald dat in Fu-nan spoedig een Indische religie werd beleden, begrafenisrituelen werden ingevoerd en vele elementen van de materiële cultuur van de Indiërs werden overgenomen. Zo werd bijvoorbeeld de god Shiva, gesymboliseerd door een 'linga', vereerd.

Veel van zijn macht dankte Fu-nan aan de geografische ligging van het rijk: het knooppunt van handel tussen India, het Nabije Oosten, het Middellandse-Zeegebied en Oost-Azië. Tot voor kort kon men hier betalen met munten uit Rome, Byzantium of Canton.

De neergang van de handel door de aanvallen op het rijk vanuit Tsjen-la hebben ook de inkomsten van de staat danig aangetast. Men kan nu niet meer grote bouwwerken financieren en gerenommeerde kunstenaars opdrachten geven om beelden te maken. Ook het leger is in verval geraakt en kan de verdediging van het uitgestrekte grondgebied van Tsjen-la niet langer waarborgen.

# Paus Gregorius overleden

ROME, 12 maart 604 - Paus Gregorius, de eerste monnik-paus, is gestorven. Deze 'dienaar der dienaren Gods', zoals hij zich nederig placht te noemen, stond vanwege zijn milddadigheid en sympathieke persoonlijkheid in hoog aanzien bij het volk van Rome.
Gregorius was geboortig uit een oude, welgestelde senatorenfamilie en werd na een voorspoedige ambtelijke carrière benoemd tot stadsprefect, de hoogste burgerlijke autoriteit. Zijn belangstelling was echter in wezen godsdienstig gericht. Zijn voorkeur voor een beschouwend leven kwam tot uiting toen hij na de dood van zijn vader de opbrengst van al zijn, geërfde, bezittingen gebruikte om zes kloosters te stichten. In één ervan trok Gregorius zich als monnik terug. Zijn verblijf in het klooster zou hij later de gelukkigste periode van zijn leven noemen.
Hieraan kwam evenwel abrupt een eind toen hij op verzoek van de paus tot diens gezant in Constantinopel werd benoemd. Toen hij na jaren weer in Rome terugkeerde, werd hij tot paus gekozen, in welk ambt hij als geen ander de kunst verstond zijn organisatorische talenten uit te buiten. Op efficiënte wijze beheerde Gregorius de bezittingen van de Heilige Stoel, die over geheel Zuid-Europa verspreid lagen. Met de inkomsten hieruit financierde hij niet alleen het kerkelijk apparaat, maar, opmerkelijk genoeg, ook de diverse takken van het keizerlijk bestuur, zoals de bezoldiging van de garnizoenssoldaten, het onderhoud van de bolwerken, evenals de instandhouding van scholen, wees- en ziekenhuizen.
De reden van deze belangrijke taakuitbreiding was gelegen in de omstandigheid dat de keizer in Constantinopel niet langer in staat bleek het westelijk deel van zijn rijk, met inbegrip van Rome, nog langer naar behoren te regeren en te beschermen. De paus zag

*Paus Gregorius I de Grote: miniatuur uit 'Registrum Sancti Gregorii' (983).*

zich derhalve genoodzaakt behalve het bestuur ook de verdediging tegen zijn vijanden, de Longobarden, ter hand te nemen. Daarnaast was Gregorius, steunend op de kerkelijke organisatie, die als enige nog functioneerde, de aangewezen persoon om de noodzakelijke hulpverlening op gang te brengen.
Op religieus terrein waren zijn verrichtingen minstens zo indrukwekkend. Hij zond een gezantschap naar Engeland om de Kerk aldaar nader tot die van Rome te brengen. Tevens deed hij alles wat in zijn vermogen lag om andere Germaanse volkeren als de Visigoten, Sueven en Longobarden tot het christendom te bekeren. Deze kerkelijke politiek werd in hoge mate begunstigd doordat hij met hun leiders hartelijke betrekkingen onderhield.
Gregorius was befaamd om zijn donderpreken, waarin hij in schrille kleuren de verschrikkingen van het hellevuur afschilderde. Ook als auteur van brieven en verhandelingen heeft Gregorius zijn naam gevestigd. Zo schreef hij onder meer een werk waarin hij zijn visie gaf op de wijze waarop een bisschop als zielenherder moet handelen.

## Keizer Yang opent nieuwe Bian-kanaal

LUOYANG, 605 - Met de reis van keizer Yang en zijn hof over de nieuwe waterweg is het Bian-kanaal officieel voor het verkeer geopend. Het kanaal verbindt de twee belangrijkste centra van China met elkaar: de vallei van de Gele Rivier en die van de Yangzi.
De reis van de keizer ging van Luoyang naar Jiangdu over de volle lengte van het Nieuwe Kanaal, dat Xin Bian Qu wordt genoemd - het Nieuwe Kanaal van Kaifeng. De keizer voer in een vier verdiepingen tellende en 200 voet lange drakenboot. Hij voerde een vloot aan die zich over 100 kilometer uitstrekte. Langs de oever zijn ten behoeve van deze tocht 40 paleizen gebouwd. Het voedsel, nodig om het keizerlijk gevolg te onderhouden, werd aangevoerd uit een achterland van 300 kilometer diep

aan weerszijden van het kanaal. Het kanaal, waarvan de voorlopers al in de 4de eeuw zijn aangelegd, is ongeveer 1000 kilometer lang.
De vele en grote bouwwerken die door de keizer worden bevolen, leggen de bevolking zeer zware lasten op. Bij de bouw van nieuwe paleizen in Luoyang waren 2 miljoen mensen betrokken van wie velen tijdens de werkzaamheden zijn omgekomen. Ten behoeve van het herstel van de Grote Muur zijn 1,2 miljoen mensen naar het noorden gedreven. 5,4 miljoen mensen waren betrokken bij de aanleg van het Bian-kanaal. Ze werden bewaakt door speciale politie-eenheden van 50 000 man. De dwangarbeiders kregen bij gebrek aan arbeidsinzet zware lijfstraffen opgelegd.

# 610

**610.** Pulakesjin II, koning van de Tsjalukyas, verovert het eiland Elephanta.

**610.** Heraclius, zoon van de exarch van Carthago, verovert de rijksmacht op de Byzantijnse keizer Phocas. Hiermee komt een eind aan het schrikbewind van laatstgenoemde.

**612.** Harsja-vardhana, koning van Thanesar, breidt zijn gezag over bijna geheel Noord-India uit. Hij neemt de titel aan van Keizer der Vijf Indiën.

**612.** De Merovingische koning Theodorik II van Bourgondië verslaat zijn broer Theodebert II van Austrasië. Theodebert wordt als gevangene meegevoerd naar Keulen, waar hij in het openbaar van zijn koninklijke waardigheid ontdaan en vervolgens terechtgesteld wordt.

**612.** Koningin Brunhilde roept haar achterkleinzoon Sigebert II, zoon van Theodebert II, tot koning van Bourgondië en Austrasië uit. Brunhilde zal als regentes het rijk besturen.

**613.** Koning Ethelfrit van Northumbria verslaat de Britten bij Chester.

**613.** Jeruzalem komt onder een gedeeld bestuur van joden en Parthen.

**613.** Op aanraden van zijn hofmeier Pippijn de Oudere, valt Chlotarius II het Frankische deelrijk Bourgondië en Austrasië binnen. Koning Sigebert II wordt gedood en koningin Brunhilde wordt na een schijnproces doodgefolterd. Chlotarius II wordt daardoor alleenheerser over het Frankische Rijk. →

**614.** De derde aanval van China op Korea mislukt. →

**614.** De Ierse monnik Columbanus sticht het klooster Bobbio in Lombardije. →

**614.** Koning Chlotarius II vaardigt het 'Edictum Chlotarii' uit. In het edict komt Chlotarius tegemoet aan de eis van de Frankische adel en de hoge geestelijkheid wat betreft inspraak in het bestuur. De hofmeier, vroeger hoofd van de koninklijke hofhouding, wordt leider van het leger en hoofd van het bestuur der koninklijke domeinen.

**614.** Jeruzalem wordt door de Perzen veroverd en verwoest. Een groot deel van de bevolking wordt gevangengenomen en samen met belangrijke relieken naar Perzië meegevoerd.

**618.** Een samenzwering veroorzaakt de val van de Chinese keizer Yang. →

**619.** De Byzantijnse keizer Heraclius sluit vrede met de Avaren.

# Columbanus als balling gestorven

*Sint Lucas in het 'Book of Kelts'.*

BOBBIO, 23 november 615 - In het Lombardische klooster Bobbio is Columbanus overleden, een van de bekendste Ierse missionarissen in het Frankische Rijk en stichter van het klooster Luxeuil in Bourgondië.
Hij introduceerde bij de Franken de Ierse kloostertraditie, die sterk geënt was op de individuele biecht en boetedoening. Als pleiter voor een strenge, christelijke levensregel kwam Columbanus gaandeweg in conflict met het episcopaat. Toen hij kort voor zijn dood ook in onmin geraakte met de Bourgondische koning Theodorik II, vluchtte hij naar Noord-Italië, waar hij het klooster Bobbio liet bouwen.
Columbanus werd omstreeks 543 in het Ierse district Leinster geboren. Al op jonge leeftijd trad hij toe tot de kloostergemeenschap van Bangor, die werd geleid door haar oprichter Comgall. Na jaren van strenge scholing vertrok Columbanus in 590 met twaalf monniken naar het vasteland. De groep vestigde zich in Oost-Gallië, alwaar men het klooster Luxeuil stichtte. Van hieruit verkondigde Columbanus de Ierse kloostertraditie. Van zijn hand verschenen kloosterregels en boeteboeken, reglementen waarin voor elke overtreding of moreel vergrijp de omvang van de boete wordt aangegeven. In korte tijd waren de naam van Columbanus en die van het klooster Luxeuil wijd en zijd bekend, niet in de laatste plaats vanwege de goede contacten met de Frankische adel. Daarentegen ondervonden de Ierse monniken steeds meer tegenwerking van de hoge geestelijken. Volgens Columbanus hielden zij er een veel te losse levensstijl op na. Een ander geschilpunt betrof de berekening van de paasdatum, die in Ierland immers naar joodse traditie werd bepaald.
Door de bescherming van de Frankische koningen kon Columbanus zich lange tijd handhaven. Toen hij Theodorik II van echtbreuk beschuldigde en ook in confrontatie met diens grootmoeder Brunhilde was aangegaan moest Columbanus vluchten.

# Frankische koningin Brunhilde sterft gruwelijke dood

BOURGONDIE, najaar 613 - Bij het dorpje Renève-sur-Vingeanne is Brunhilde, koningin van Austrasië, door de Neustrische koning Chlotarius II gevangengenomen en ter dood gebracht. Ruim 35 jaar speelde zij een vooraanstaande, doch controversiële rol in de Merovingische rijkspolitiek. Verscheidene keren trad ze op als regentes van minderjarige familieleden. Het aantal tegenstanders van haar politieke optreden nam zo sterk toe, dat haar lot daardoor bezegeld werd. Aan het stormachtige leven van Brunhilde

kwam een gruwelijk einde: ze werd vastgebonden aan een wild paard en in stukken gereten.
Brunhilde, geboren als jongere dochter van de Visigotische koning Athanagild, trad in 567 in het huwelijk met de Austrasische koning Sigebert. Gregorius van Tours schreef over haar: 'Ze was elegant in alles wat ze deed, mooi van uiterlijk, onberispelijk van gedrag, verstandig en voorkomend.' Oorspronkelijk ariaans werd ze door haar echtgenoot overgehaald zich tot het christendom te bekeren.

Al spoedig raakte zij betrokken bij allerlei vetes binnen de koninklijke familie, vooral toen haar oudere zuster Galswintha, getrouwd met Sigeberts broer Chilperik, dood werd aangetroffen. Fredegonde, een andere vrouw van Chilperik, zou daarin de hand hebben gehad. Deze was in ieder geval schuldig aan de dood van Sigebert (575) en werd daarmee de grote rivale van Brunhilde.
De politieke positie van de Austrasische koningin werd aanmerkelijk versterkt doordat haar zwager Guntram van Bourgondië zijn rijk aan haar en haar nakomelingen naliet. Meermalen trad Brunhilde op als regentes van verscheidene Austrasische en Bourgondische koningen, eerst van haar zoon Childebert II, later van haar kleinzoon Theodorik II en achterkleinzoon Sigebert II.
Bij het aantreden van de laatste werd de onvrede onder de edelen, die het niet eens waren met de centralistische politiek van Brunhilde, zo groot, dat ze de hulp inriepen van de Neustrische koning Chlotarius II, een zoon van de in-

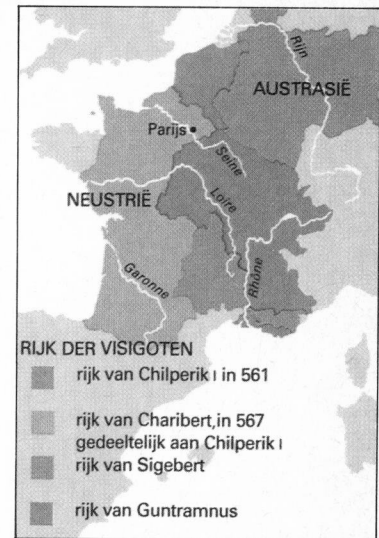

*Kaart van de Frankische deelrijken (tweede helft van de 6de eeuw).*

**RIJK DER VISIGOTEN**
- rijk van Chilperik I in 561
- rijk van Charibert, in 567 gedeeltelijk aan Chilperik I
- rijk van Sigebert
- rijk van Guntramnus

middels overleden Fredegonde.
Door dit verbond werd de macht van de oude koningin Brunhilde definitief gebroken.

# Korea weerstaat Chinezen

*Versterkte Chinese buitenpost: wandschildering daterend uit de 7de eeuw.*

LUOYANG, 614 - De derde aanval van China op Korea is niet met succes bekroond. Keizer Yang heeft het vredesaanbod van de koning van Korea aangenomen. De eerste aanval van China vond in 611-612 plaats. Na een heldhaftige verdediging van de Koreanen werden de aanvallers teruggeslagen. Van de 300 000 Chinese soldaten die de Yalu waren overgetrokken, kwamen slechts 2700 terug.
In 613 begon de tweede expeditie, die door keizer Yang persoonlijk werd aangevoerd. Tijdens de veldtocht brak in China een rebellie uit onder leiding

van leden van de keizerlijke familie. Keizer Yang moest in aller ijl uit Korea terugkeren en slaagde erin de rebellie te onderdrukken. Daarna liet hij 30 000 mensen terechtstellen.
De derde campagne tegen Korea werd vanaf het begin geplaagd door massale deserties. Daarom nam keizer Yang meteen het eerste vredesaanbod van de Koreaanse koning aan. Hij nodigde daartoe de koning naar Luoyang uit. Toen deze de uitnodiging afwees liet Yang de ambassadeur van Korea koken en als gerecht voor zijn generaals opdienen.

# Keizer Yang slachtoffer samenzwering

*Chinese pagode, het voornaamste monument van de boeddhistische architectuur.*

CHANGAN, 618 - Li Yuan, de vroegere militaire gouverneur van Taiyuan, heeft de keizerlijke hoofdstad Changan veroverd. Hij riep meteen de nieuwe dynastie uit genaamd Tang (zijn adellijke titel was: hertog van Tang) en gaf zijn regeerperiode waarvan dit het eerste jaar is de naam van Krijgshaftige Deugd. Voorts beweerde hij dat hij en zijn clan afstammen van Li Guangli, een generaal uit de Handynastie. Maar dit laatste wordt door deskundigen in twijfel getrokken.
Het succes van Li Yuan is niet zozeer zijn eigen werk als wel dat van zijn 17-jarige zoon Li Shimin, die vorig jaar zijn vader overhaalde om zich aan het hoofd van een leger van 200 000 man te stellen waarvan een groot deel gevormd wordt door Oostelijke Turken, met wie de Li-clan altijd goede betrekkingen heeft onderhouden.
De verovering van Changan komt twee

maanden na de moord op de laatste keizer van de Sui-dynastie, Yang. De sterke positie van de jonge Li Shimin aan het nieuwe hof wordt onderstreept door de aan hem verleende titel: koning van Qin.
Van de hele keizerlijke familie is slechts Gong in leven gelaten.
De moord op keizer Yang vond in Jiangdu plaats. Deze stad was oorspronkelijk door Yang gepland als de zuidelijke hoofdstad. Maar uiteindelijk was dit de stad waarheen hij vluchtte nadat twee jaar geleden wegens de nederlagen tegen Korea in het oosten en Turken in het westen en de daarmee gepaarde algemene verarming 'het volk als bijen begon te zwermen' en tegelijkertijd tachtig opstanden tegen de regering uitbraken. Zijn laatste levensjaren bracht keizer Yang door met zijn geliefde tijdpasseringen - dronkenschap en seks.

# Mohammed verlaat Mekka

JATHRIB, 20 september 622 - Na tien dagen reizen door de woestijn is profeet Mohammed met zijn vriend Aboe Bakr gearriveerd in de stad Jathrib (Medina). De profeet en zijn vriend waren met hun gids stilletjes uit Mekka vertrokken. Ze hebben zich drie dagen verborgen gehouden in een grot van de berg Thaur, een uur gaans van Mekka. Het vertrek van Mohammed uit zijn geboortestad kwam op het moment dat het steeds moeilijker werd hem in Mekka te beschermen. Zijn boodschap van een nieuwe godsdienst werd door verschillende stammen gezien als een bedreiging van hun eigen geloof. Zelfs zijn eigen clan was tegen hem en de sterksten en de invloedrijksten onder zijn volgelingen, Aboe Bakr, Hamza en Omar, waren niet in staat hem voldoende bescherming te geven. Daarom wendde Mohammed zijn blik naar een ander toevluchtsoord, op ongeveer 350 km ten noordoosten van Mekka, naar de stad Jathrib.

Profeet Mohammed werd in 570 of 571 geboren te Mekka uit de verarmde tak Hasjim van de machtige stam der Koeraisjiten. Mekka was een centrum van handelaren en een heilige plaats voor verschillende stammen. De stam Koeraisj waartoe Mohammed behoort, is de sterkste en de belangrijkste in Mekka, omdat er zich veel handelaren onder bevinden.

Op 25-jarige leeftijd huwde hij de vijftien jaar oudere rijke koopmansweduwe Chadidja. Na een aantal visioenen

*Mohammed wordt in Mekka gestenigd.*

waarin hem de engel Gabriël verscheen, begon hij omstreeks 610 op te treden als prediker met vermaningen tot de Mekkanen om zich af te keren van hun materialistische levenswijze en afgoderij. Mohammed gelooft in een god, 'Allah'.

Degenen die als eerste de boodschap van Mohammed aanvaardden, waren de mensen van zijn eigen huisgezin: zijn vrouw Chadidja, zijn dochter Fatima en de jonge Ali, zijn neef en pleegkind en de bevrijde slaaf Zaid ibn Haritha. Een van de bekeerlingen van het eerste uur was Aboe Bakr.

## Li Shimin keizer Tang-dynastie

CHANGAN, 626 - Li Yuan, de eerste keizer van de Tang-dynastie, is afgetreden ten gunste van zijn zoon Li Shimin. De 'vrijwillige' abdicatie van Li Yuan in zijn achtste regeerjaar volgt op de moord op twee broers van Li Shimin. Zij zijn door de nieuwe keizer postuum beschuldigd van een samenzwering tegen zijn persoon en hun gezinnen zijn uitgeroeid om 'wraak te voorkomen'. Li Shimin wordt beschouwd als een uitermate capabele heerser. Hij was medeverantwoordelijk voor de bestuurlijke reorganisatie van China die twee jaar geleden werd afgekondigd. Volgens dit systeem, waarvan een variant al onder de Sui-dynastie werd ingevoerd, is China verdeeld in 10 provincies, 350 prefecturen, 1500 districten en 16 000 gemeenten.

De nieuwe heerser heeft een grote interesse in het landbouwbeleid. De praktijk van het verdelen van staatsgrond onder de boeren begon twee jaar geleden. Het doel van de landbouwpolitiek is het garanderen van stabiele staatsinkomsten door het beschermen van vrije boeren die in staat zijn om belastingen te betalen en corvee te verrichten. De druk van beide moet volgens de nieuwe keizer binnen redelijke grenzen blijven: 'Het is gevaarlijk om het volk met overmatige dwangarbeid te belasten... de keizer die te grote belastingen int lijkt op een mens die zijn eigen lichaam opeet: als het hele lichaam opgegeten is, is de mens dood.'

# Shotoku lanceert politieke hervormingen

*Twee voorbeelden van vroeg-middeleeuwse Japanse kunst (525-710).*

JAPAN, 622 - Kroonprins Shotoku heeft de grondslag gelegd voor zeer ingrijpende politieke hervormingen. In 604 kwam zijn 'Grondwet van 17 artikelen' uit. Deze vormden de basis voor hervormingen op staatsrechtelijk gebied. Het is niet zozeer een verzameling van juridische regels, maar meer een complex van morele en politieke stelregels volgens welke veranderingen moeten worden doorgevoerd. Veel van deze stelregels zijn ontleend aan de Chinese ordening.

Zo wordt er uitgegaan van de oppermachtigheid van de heerser en centralisatie van het bestuur. Ook zullen ambtenaren naar verdiensten worden beoordeeld bij het verwerven van ambten. Daarnaast blijft echter het stelsel van erfelijke overdracht van functies gehandhaafd. Hiertoe wordt een ingewikkeld systeem van functiewaardering ingevoerd. De hoogte van de functie kan worden afgelezen naar gelang de graad die een ambtenaar heeft verworven op grond van zijn prestaties en

afkomst. Daarnaast wordt de Chinese kalender ingevoerd. Hierdoor gaat men ervan uit dat de Japanse staat in 660 v.C. is gesticht. Hoewel vanuit de belangrijkste familieclans grote oppositie tegen de aantasting van de exclusieve positie van de 'uji' (rangen naar erfelijkheid) wordt gevoerd, lijkt deze hervorming toch met succes doorgevoerd te worden.

De contacten met het Chinese Rijk op diplomatiek niveau zijn door Shotoku hersteld door zeer omvangrijke missies naar China te sturen, in 607, 608 en 614. Door de samenstelling en de omvang van deze missies liet hij duidelijk blijken hoe belangrijk men in Japan het herstel van deze contacten vond. De Chinezen hebben hierop prompt gereageerd door eveneens zeer zware delegaties naar het Japanse hof te sturen.

Als boeddhist heeft Shotoku ten slotte nog een belangrijke rol gespeeld in de verbreiding van het boeddhisme in Japan.

De persoonlijke interesse van kroonprins Shotoku in boeddhistische literatuur en de Chinese klassieken is op intellectueel gebied duidelijk merkbaar.

# Overwinning van moslems

*'Mohammeds tocht door het aardse paradijs', miniatuur in handschrift over zijn hemel- en hellevaart.*

BADR, HEDJAZ, 8 januari 624 - Bij de put Badr zijn gevechten uitgebroken tussen de moslems (aanhangers van de profeet Mohammed) en hun tegenstanders uit Mekka. Mohammed had zijn mannen gemobiliseerd om een aanval te doen op een zeer belangrijke karavaan die uit Gaza en Syrië terugkeerde naar Mekka. De karavaan werd begeleid door mensen van de Koeraisjitische stam. De begeleide handelswaar zou een totale waarde van 50 000 dinar hebben. Mohammed had ongeveer driehonderd mannen op de been gebracht, onder wie negentig emigranten uit Mekka. De anderen waren mannen uit Jathrib (Medina). De karavaan stond onder leiding van Aboe Soefjaan ibn Harb, een Koeraisjitisch stamhoofd, die met zijn karavaan richting Badr was gegaan vanwege een dreigend gebrek aan water. Mohammed en de zijnen wachtten de karavaan op bij de put Badr, waar zij langs moest komen. Het verloop van het gevecht was nogal verward. Het leger van Mohammed had niettemin een groot tactisch overwicht. Het was in rijen opgesteld en doorzeefde de vijand met pijlen zonder in wanorde te geraken. Er waren tweegevechten, waarbij de kampioenen van het ene kamp met verheffing van stem die van het andere kamp uitdaagden zich met hen te komen meten. Terwijl de aanhangers van Mohammed lieten zien dat zij onder zijn leiding een eenheid vormden, waren de Koeraisjieten aan de andere kant onderling verdeeld en vochten als onafhankelijke clans. Bovendien kregen zij de zon in de ogen en konden dus niet goed zien. Ze hadden dorst, omdat de aanhangers van Mohammed de put in handen hadden. Hun belangrijkste leiders werden gedood, waarschijnlijk al in het begin van het gevecht, voor een deel in tweegevechten. Zij hadden zevenhonderd kamelen en honderd paarden, maar maakten geen enkel gebruik van het voordeel dat dit overwicht in cavalerie hun wel had moeten bieden.

De gevechten kwamen ten einde met een grote overwinning voor Mohammed. De materiële winst was aanzienlijk; de losgelden die voor de gevangenen betaald werden, waren hoog: van duizend tot vierduizend dirhem, al naar gelang ieders vermogen. Maar de morele winst was veel belangrijker. Eigenlijk was dit het eerste grote succes van de nieuwe sekte. Men kan de betekenis van Mohammed en de zijnen niet meer ontkennen; zij zijn een macht geworden waarmee men rekening moet houden.

# Constantinopel is gered

CONSTANTINOPEL, augustus 626 - De belegering van de hoofdstad van het Oostromeinse Rijk door Avaren en Slaven is op een fiasco uitgelopen. Voor de bevolking van Constantinopel betekent dit niet alleen een militaire maar ook een morele overwinning.

Op 29 juli verscheen khagan Bajan aan het hoofd van een naar schatting tachtigduizend man sterk leger van Avaren, Slaven en Bulgaren voor Constantinopel. Tegelijkertijd nestelde zich een Perzisch leger aan de Aziatische kust van de Bosporus. Wat Byzantium altijd probeerde te vermijden leek werkelijkheid te zijn geworden: de noordelijke en oostelijke vijanden dreigden zich te verenigen in een gezamenlijke aanval. Bajan was goed toegerust voor de strijd. Naast infanterie en cavalerie beschikte hij over een contingent kano's die door de Slavische bondgenoten waren gebouwd en door Slaven werden bemand.

Op 7 augustus vond de beslissende slag plaats. Constantinopel werd gered door het feit dat de keizerlijke oorlogsschepen (dromons) op dat moment in de thuishaven voor anker lagen. Dank zij de Byzantijnse marine, die de Slavische boten vernietigde, kon worden voorkomen dat de Avaren en de Perzen zich aaneensloten. Die zelfde nacht nog hief khagan Bajan het beleg op en trok zich terug.

De Byzantijnse overwinning heeft een belangrijk moreel gevolg gehad. In afwezigheid van keizer Heraclius wierp patriarch Sergius van Constantinopel zich op tot inspirator van de verdediging. Hij wist de bevolking ervan te doordringen dat zij een heilige strijd leverde tegen de heidense, barbaarse krachten. Ofschoon het geloof dat het Byzantijnse Rijk goddelijke bescherming geniet, niet nieuw is, heeft het gedurende dit beleg een nieuwe impuls gekregen.

**630.** De Chinezen veroveren het Turkse Rijk. Hiermee komt een eind aan het Turkse gezag in Mongolië.

**631.** In de Slag bij Wogatisburg verslaan de Slaven, onder aanvoering van hun koning Samo, de Franken.

**632.** Mohammed maakt de Ka'ba (heiligdom van de Arabieren in Mekka) tot Allah's huis en stelt de cultus van de hadj (bedevaart) in. Elke islamiet moet eens in zijn leven deze bedevaart naar de Ka'ba in Mekka ondernemen. Ook de gebedsinrichting wordt van nu af door de Ka'ba bepaald (tevoren door Jeruzalem).

**8 juni 632.** In Medina is de profeet Mohammed gestorven. Hij is de stichter van de islam. Tot deze nieuwe religie is reeds het gehele Arabische schiereiland bekeerd. →

**632.** Aboe Bakr wordt gekozen tot de eerste kalief van het door Mohammed politiek en religieus verenigd Arabië. →

**633.** De Merovingische koning Dagobert maakt zijn driejarige zoon Sigebert III tot koning van Austrasië. Sigebert III staat onder voogdij van bisschop Kunibert van Keulen en hertog Ansegisel.

**633.** Tijdens de Vierde Synode van Toledo voert de Visigotische adel het gekozen koningschap in. De Visigotische koning zal voortaan door de adel en de bisschoppen gekozen worden.

**634.** Na de dood van Aboe Bakr wordt Omar ibn al-Chattab gekozen tot kalief.

**635.** In Britannia wordt het Lindisfarne-klooster door Ierse missionarissen gesticht.

**635.** Tsjen-la neemt de machtspositie van Fu-nan over. →

**636.** Bij de slag aan de Jarmoek behalen de Arabieren een overweldigende overwinning op de Byzantijnse legers.

**638.** Kalief Omar I verovert Jeruzalem. De Arabieren hebben nu Palestina en Syrië op het Byzantijnse Rijk veroverd. →

**639.** Na de dood van Dagobert volgt diens zevenjarige zoon Chlodovech II in het Frankische deelrijk Neustrië en Bourgondië op. De macht ligt bij de hofmeier Aega en koningin Nanthilde, de weduwe van Dagobert.

**639.** De Arabische legerleider Amr ibn al-As, veldheer van kalief Omar I, begint met de verovering van Egypte op het Byzantijnse Rijk.

Gestorven:

**636.** Isidorus van Sevilla (circa 560), geleerde en aartsbisschop van Sevilla

**632.** Fatima (606), dochter van de profeet Mohammed

*'De hemelvaart van de profeet Mohammed' (miniatuur; Londen).*

# Mohammed wordt opgevolgd door Aboe Bakr

MEDINA, 8 juni 632 - Na een korte ziekte is profeet Mohammed overleden. Al enige tijd, misschien vanwege de vermoeienissen van de bedevaart, misschien ten gevolge van een nachtelijk bezoek aan de graven van zijn metgezellen, had de profeet koorts en hevige hoofdpijnen. Hij kon de gebeden niet meer leiden. Sinds verscheidene dagen moest dit door Aboe Bakr gedaan worden.

De verbijstering na Mohammeds overlijden is groot. Stellig hadden zijn volgelingen de profeet niet als onsterfelijk beschouwd, maar niemand had verwacht dat hij zo vroeg zou sterven en vooral op zo'n onverwachte wijze. Omar, een belangrijke volgeling van Mohammed, wilde het ontstellende feit niet aanvaarden. Hij verklaarde dat Mohammed niet dood was, maar tijdelijk naar Allah (God) was gegaan. Aboe Bakr vertelde de waarheid en zei: 'Mensen, die Mohammed aanbaden, weten dat Mohammed dood is; voor hen die Allah aanbidden, leeft Allah!' De Koeraisjitische emigranten uit Mekka proberen zich nu als de nieuwe leiders op te werpen. De stam Chazradj heeft voorgesteld om een van hun vooraanstaande mannen, Saäd ibn Oebad, als leider van Medina te kiezen. De leiders van een andere stam, Aus genaamd, heeft echter verklaard dat ze nooit iemand van Chazradj als opvolger van de profeet zullen accepteren. Na lange discussies valt de keus uiteindelijk toch op één man: Aboe Bakr. De familie van de profeet blijft echter weigeren Aboe Bakr te erkennen als kalief, omdat de profeet verklaard zou hebben dat Ali hem na zijn dood moest opvolgen.

# Tempelberg Heilige Plaats

*Recente opname van de Tempelberg in Jeruzalem met de Omar-moskee en de Klaagmuur.*

JERUZALEM, 638 - Met de verovering van Syrië en Palestina door Omar I is de stichting van een Arabisch wereldrijk weer een stapje dichterbij gekomen. Toen de profeet Mohammed zes jaar geleden overleed zou hij vanaf de Tempelberg ten hemel gevaren zijn, reden waarom Omar, zijn tweede opvolger, deze plek nu tot Heilige Plaats voor de moslems heeft verheven.

Toen in 632 Mohammed op 61-jarige leeftijd stierf, had de islam zich uitgebreid over het gehele Arabische schiereiland en delen van West-Azië en Noord-Afrika. Het snelle succes van de kleine legers was voor een belangrijk deel te danken aan de hulp en sympathie die de plaatselijke bevolking hun bood. Een minderheid tussen alle mohammedanen werd gevormd door de zogenaamde 'dhimmi', beschermde ongelovigen. Dit is de status van christenen en joden die hebben geweigerd tot de nieuwe godsdienst over te gaan. Zij betalen een schatting en daarmee kunnen de dhimmi hun religieuze vrijheid behouden.

In de tijd van de Tweede Tempel waren er ongeveer 3 miljoen joden in de landen die eens behoorden tot het Romeinse Rijk; dit aantal was aan het begin van deze eeuw inmiddels geslonken tot een half miljoen. De joden in Arabië vormen een actieve en zichtbare gemeenschap met vele scholen en synagogen. Ze wonen er tenslotte al vele eeuwen; hun aantal nam vooral na 135 enorm toe, toen Romeinse troepen erin slaagden de opstand van Bar Kochba de kop in te drukken. De naam Judea werd door de Romeinen vervangen door de niet-joodse naam Palestina. De toestand van de joden in Babylon was aan het begin van deze eeuw gunstiger dan in veel christelijke landen. Behalve de nieuwe hoofdstad van Babylonië met vele joden als inwoners,

was Bagdad ook de residentie van de joodse exilarch, die aan het hoofd van de joden in de Babylonische ballingschap stond.

Van Omar I kregen 70 joodse families toestemming zich in Jeruzalem te vestigen en de joodse gemeenschap in Palestina was net bezig zich te herstellen en te verjongen toen dezelfde vorst de Tempelberg tot Heilige Plaats voor de moslems verklaarde.

## Rijk van Tsjen-la sterk uitgebreid

TSJEN-LA, 635 - Tsjen-la heeft onder de zojuist gestorven koning Isanavarman niet alleen de machtspositie van het rijk van Fu-nan overgenomen maar onder deze koning ook zijn grondgebied aanzienlijk kunnen uitbreiden.

Toen Isanavarman in 616 zijn vader Mahendravarman opvolgde, was Tsjen-la al machtiger dan het vervallen rijk van Fu-nan. Dit moest tribuut betalen en had een deel van zijn territorium moeten prijsgeven.

Ook het handelscentrum was verschoven naar Tsjen-la. Isanavarman slaagde erin het rijk uit te breiden tot de Zuidchinese Zee en over heel Kambodja.

Terwijl eerst het machtscentrum in Bassak [in het zuiden van Laos] gelegen was, verschoof dit nu naar het zuidoosten. De Chinese pelgrim Hsuang-tsuang beschrijft het gebied van Tsjen-la en spreekt over 'het rijk dat zich uitstrekt van Dvaravati [de benedenloop van de rivier de Menam] en Mahachampa [Champa ofte wel het zuiden van Vietnam]'. Isanavarman heeft zijn rijk een hogere status gegeven door gezantschappen uit te wisselen met het Chinese Rijk.

**640.** De Austrasische hofmeier Pippijn de Oudere is gestorven. Hij was een van de belangrijkste en invloedrijkste raadgevers van de Merovingische koning Dagobert I en diens zoon koning Sigebert III van Austrasië.

**641.** De Byzantijnse keizer Heraclius is gestorven. Onder zijn regering zijn bestuur, financiën en leger hervormd. Overeenkomstig de uitdrukkelijke wens van de overleden keizer volgen zijn beide zonen Constantijn en Heracleonas hem op. →

**641.** Koning Songzan Ganbu van Tibet trouwt met een boeddhistische prinses van de Chinese Tang-dynastie. Dit huwelijk versterkt de positie van het boeddhisme in Tibet. →

**17 september 642.** De Arabieren veroveren de Egyptische stad Alexandrië. De bibliotheek van Alexandrië (300 000 boekrollen) wordt daarbij verwoest. →

**642.** De Arabieren veroveren Egypte en Armenië op het Byzantijnse Rijk.

**643.** Grimoald, zoon van Pippijn de Oudere, slaagt erin het ambt van hofmeier in Austrasië te bemachtigen.

**643.** De Longobardische koning Rothari laat het Longobardische recht op schrift stellen (*Edictus Rothari*).

**3 november 644.** In Medina wordt kalief Omar I door een christelijke Pers vermoord. De zware belastingdruk zou de moordenaar tot zijn daad hebben gebracht. →

**14 december 644.** Na grote onenigheid over de opvolging van kalief Omar wordt Osman ibn Affan tot derde Kalief van de Islam benoemd. →

**645.** De monnik Xuan Zhuan keert terug uit India.

**645.** In Japan wordt een begin gemaakt met de Taika-hervormingen (taika = grote verandering). Het bestuur wordt naar Chinees voorbeeld hervormd.

**647.** Koning Harsja-vardhana wordt vermoord. →

**647.** Na de dood van Harsja, koning van Thanesar, valt zijn rijk [Noord-India] in vele afzonderlijke staatjes uiteen.

**647.** De Arabieren, die reeds Egypte, Syrië, Palestina en delen van het Sassanidische Rijk veroverd hebben, beginnen nu ook met de verovering van Klein-Azië.

**648.** De Chinese keizer Tai Zong zendt een diplomatieke missie naar Tibet, onder leiding van Wang Xuanzi.

Gestorven:

Li Shimin, Chinees keizer →

# Heraclius I zegen voor Byzantium

*Keizer Heraclius I op Romeinse munt.*

CONSTANTINOPEL, 641 - Het begint ernaar uit te zien dat de dit jaar overleden keizer Heraclius I een erfelijke dynastie, namelijk die der Heracliden, heeft gevestigd. Na kortstondig te zijn opgevolgd door een zoon, Constantijn III, die al snel werd gevolgd door een andere zoon, Heracleonas, is nu Heraclius' kleinzoon aan de macht gekomen. Deze regeert onder de naam Constans II.

Het bewind van Heraclius was, zeker in vergelijking met dat van zijn voorganger Phocas, een zegen. In 610 zette Heraclius, die een zoon was van de exarch van Afrika, Phocas af en maakte daarmee een einde aan acht jaar van terreur en wanbeleid. Heraclius' geliefde uitspraak was dat 'macht meer in liefde moet schijnen dan in terreur'. Hij bracht dit tot uitdrukking in zijn godsdienstpolitiek die was gericht op de verzoening van het monofysitisme (532) met de orthodoxie. Het door zijn vriend patriarch Sergius ontworpen compromis van het monotheletisme zoals dat in het geschrift *Ekthesis* in 638 tot uitdrukking werd gebracht stuitte echter op een afwijzing van de paus.

Al heeft de keizer de opmars van de Arabieren, die drie jaar geleden Syrië en Palestina veroverden, niet kunnen stuiten, toch was hij militair in het algemeen succesvol. Armenië was de eerste provincie waar de nieuwe thema-organisatie, dat wil zeggen een militair district bestuurd door een militaire gouverneur (de strateeg), werd doorgevoerd.

Sinds de nederlaag van de Perzen is de keizer officieel de titel 'basileus' gaan voeren, een titel die Byzantium tot dan reserveerde voor de Perzische vorst (de koning van het verre Abessinië niet meegerekend). Deze titel verving de gangbare titel van 'imperator'. Voorts introduceerde Heraclius de Perzische heerserscultus in Byzantium.

Tijdens de regering van keizer Heraclius heeft het Grieks het Latijn als officiële ambtstaal in het Byzantijnse Rijk definitief verdrongen; een ontwikkeling die reeds in de jaren dertig van de vorige eeuw was ingezet.

# Egypte opgenomen in het Islamitische Rijk

ALEXANDRIE, 17 september 642 - Het Arabisch-islamitische leger is Alexandrië, de hoofdstad van Egypte, binnengevallen en heeft het land onder het bewind van het Islamitische Rijk gebracht. De overwinning is het gevolg van een oorlog met het Byzantijnse Rijk, dat uiteindelijk werd gedwongen een akkoord te sluiten met de moslems, waarbij de Byzantijnse bezetter Egypte moest verlaten. De islam begint naar Afrika op te rukken na een reeks oorlogen en overwinningen.

Toen Omar kalief werd, wilde hij de expansieplannen van de eerste Kalief van de Islam, Aboe Bakr, voortzetten. In een snel tempo drong de islam de omliggende landen binnen. Een groot aantal steden, landstreken en rijken werd in ongelooflijk korte tijd veroverd: Damascus (635), Jeruzalem, Mesopotamië (640), Alexandrië en Egypte.

De overwinningen van het leger van de islam zijn waarschijnlijk te danken aan de volgende factoren:

1. langdurige oorlogen tussen het By-

*Koptische vrouwenfiguur, circa 500.*

zantijnse Rijk en het Sassaniden-rijk hadden beide rijken verzwakt; 2. de Arabieren voelden zich thuis in een woestijnoorlog; 3. grote ontevredenheid bij de onderdanen van het Byzantijnse Rijk, vooral in Syrië en Egypte.

De expeditie tegen Egypte begon aan het einde van 639. Amr ibn al-As, de leider van het islamitische leger in Palestina, had in dat jaar zijn legertje erop voorbereid om richting Egypte op te rukken. Kalief Omar stuurde 5 000 soldaten, onder leiding van Zoebaier, om de troepen van Amr ibn al-As te versterken. In juni 640 overwonnen de islamieten het Byzantijnse leger bij de plaats Aien Al-Schams.

De dood van de Byzantijnse keizer Heraclius op 11 februari 641 veroorzaakte grote paniek onder de Byzantijnse soldaten. Op 9 juni 641 stak het islamitische leger de Nijl over en trok richting Alexandrië.

De Kopten, de christelijke bevolking van Egypte, verwelkomden de binnenvallers. Zij voelden zich onderdrukt door het Byzantijnse Rijk en de Byzantijnse Kerk, en beschouwden het islamitische leger als hun bevrijder. In ruil voor de sympathie en steun van de Kopten gaven de moslems hun vrijheid van godsdienst en plaatsten zij veel Kopten in hoge functies.

# Prinses Wen aan de koning van Tibet uitgehuwelijkt

*Aardewerken model van een 7de-eeuwse buffelwagen (China).*

TUFAN, 641 - Prinses Wen Cheng is in Tufan, de voormalige hoofdstad van Tibet, aangekomen waar ze in het huwelijk zal treden met koning Songzan Ganbu. Dit staatshuwelijk is nodig door de toegenomen invloed van Tibetanen in Centraal-Azië.

Het huwelijk kwam tot stand op initiatief van koning Songzan die in 634 een verzoek van die strekking aan het Chinese hof had gericht. Voor zijn bruid heeft de Tibetaanse koning vijfduizend liang goud betaald alsmede 'honderden kostbaarheden'.

Tot de geschenken die prinses Wen naar Tibet brengt, behoort een grote boekenverzameling waaronder klassieke boeddhistische teksten, alsmede verhandelingen over bouwkunde, techniek en medicijnen.

*Mohammed (zonder gezicht) en de eerste drie kaliefen van het Islamitische Rijk.*

# Nieuwe Kalief van de Islam

MEDINA, 14 december 644 - Osman ibn Affan is de derde Kalief van de Islam geworden. Na de dood van Omar werden zes mensen gekozen als leden van de 'Shoera' (Raad) waaruit zijn opvolger gekozen moest worden. Dat waren de volgenden: Ali ibn Aboe Talib (neef van profeet Mohammed), Osman ibn Affan, Abdoel Rahman ibn Aoof, Zoebaier ibn al-Awaam, Sa'ad ibn Abi Wakaas en Talha ibn Oebaidallah. Omar overleed op 8 december, nadat hij door een Perzische man was neergestoken. Door zijn plotselinge dood had hij geen kans gehad de juiste opvolger te benoemen.

Er waren grote tegenstellingen tussen de zes leden van de raad over de vraag wie de derde Kalief moest worden. Uiteindelijk viel de keuze op Osman. Ali, de belangrijkste tegenstander, werd weer uitgeschakeld.

De nieuwe kalief, een zeer rijk man, behoort tot de clan der Omajjaden van de Koeraisjitische stam. Deze clan werd als een vijand van profeet Mohammed beschouwd. De leider ervan, Aboe Soefjaan, was een van de belangrijkste tegenstanders van Mohammed. Hun vijandschap duurde voort, totdat de Omajjaden de islam als godsdienst accepteerden.

# Moord op koning Harsja-vardhana van Gangesrijk

KANAUJ, 647 - Koning Harsja-vardhana van het Gangesrijk dat wel 'De Vijf Indiën' genoemd wordt, is het slachtoffer geworden van een komplot waarbij zijn leger heeft gehandeld in opdracht van de brahmaanse minister Senapati Arjuna. Harsja, afkomstig uit Thanesar aan de Jumna, kwam in 606 op 16-jarige leeftijd aan de macht waarna hij zijn territorium uitbreidde globaal aan dat van de Gupta's, het rijk dat een halve eeuw voordien in verval was geraakt. Na veroveringen in het oosten verplaatste hij zijn hoofdstad naar Kanauj aan de Ganges. Harsja was echter niet in staat zijn gebied zuidwaarts op het Dekkan-plateau uit te breiden. Het was zelfs tegen een Dekkan-koning, Pulakesjin II, dat Harsja zijn enige echte nederlaag leed.

Harsja was een energiek leider die vaak op reis ging door zijn land om zich op de hoogte te houden van de stand van zaken en om dichter bij zijn volk te staan. Hij was een man met grote literaire belangstelling en talenten wat onder meer tot uiting komt in enkele toneelstukken die hij schreef, twee komedies en een tragedie.

Op latere leeftijd stimuleerde Harsja het boeddhisme zoals Asjoka dat in de 2de eeuw had gedaan. Hij liet bij de boeddhistische universiteit van Nalanda, waar zo'n 4000 studenten onder meer uit Zuidoost-Azië en China studeren, een groot klooster bouwen. Net als Asjoka richtte hij zich op weldaden voor het volk, zoals rusthuizen langs de weg, apotheken en verzachting van juridische straffen door gebruik te maken van morele overreding en de sancties van sociale controle. Dit neemt echter niet weg dat de criminaliteit ook op bloediger wijze werd bestreden. Voor ernstige misdrijven waren verminkingen van neus, oren, handen of voeten als straf gewoon en godsoordelen met vuur, water, vergif en weegschaal werden vaak gebruikt.

Jaarlijks organiseerde Harsja een bijeenkomst van boeddhisten waar discussies werden gehouden en waar degene die het meeste succes in de discussies had, werd beloond. De Chinese pelgrim Hsuang-tsang, die acht jaar lang de gast en speciale beschermeling van Harsja was, was getuige van nog een ander, vijfjaarlijks festival in Prayaga, waar de Jumna en de Ganges samenstromen. Hier ligt namelijk het gebied dat genoemd wordt 'de Arena van de liefdadigheidsgiften', van oudsher een plaats waar koningen aan liefdadigheid kunnen doen. Harsja gaf hier in drie maanden tijd alles wat hij in vijf jaar aan inkomsten had verkregen aan volgelingen van verschillende religieuze stromingen, aan armen, wezen en behoeftigen.

# Welvaart in China onder bewind van keizer Li Shimin

CHANGAN, 649 - De tweede keizer van de Tang-dynastie is in zijn 23ste regeringsjaar na een ziekte overleden. Hij wordt opgevolgd door zijn negende zoon Li Zhi.

Li Shimin is in de tijd dat hij China regeerde erin geslaagd om het land te verenigen, welvaart te brengen, een doeltreffende staatsadministratie op te bouwen en het gevaar van invasies te keren.

In 627-628 werd door de toen zeer jonge keizer een einde gemaakt aan de macht van de Oostelijke Turken, die tien jaar daarvoor de Li-clan aan de macht hadden geholpen maar daarna een bedreiging gingen vormen.

In de oorlog van 639-640 werden de Westelijke Turken in Centraal-Azië verdreven. Daarbij maakte Li Shimin gebruik van de animositeit tussen Westelijke Turken en de Oeigoeren, een volk van Turkse afkomst.

Gedurende de laatste jaren van zijn leven heerste Li Shimin over vrijwel de hele hem bekende wereld. Hoewel Korea slechts in naam een vazal was de Tang, was de invloed van de Tang-instituties aldaar enorm te noemen. Dit geldt ook voor Japan, waar de nieuwe hoofdstad Nara een kopie van Changan is.

Tot de gezanten die naar het hof van Li Shimin in Changan werden gezonden behoren die van Perzië en Byzantium. In 643 werd in Kanton een Arabische handelsnederzetting gevestigd.

De regeerperiode van Li Shimin werd ook gekenmerkt door een grote culturele openheid jegens het buitenland. Naast de islam werd ook het nestoriaans christendom, alsmede het manicheïsme in China geïntroduceerd. De postume naam van de keizer is Tai Zong - Grote Voorvader.

*Keizer Tai Zong, de Grote Voorvader.*

**651.** Koning Yezdigird wordt vermoord. →

**653.** In opdracht van kalief Osman wordt een herziene versie van de koran vervaardigd. De koran (= wat gereciteerd moet worden) bevat de openbaringen van de profeet Mohammed. Kalief Aboe Bakr heeft in 633 een eerste versie van de koran gepubliceerd.

**653.** De Arabieren veroveren het eiland Rhodos. De restanten van de Colossus van Rhodos (het 32 m hoge bronzen beeld van Helius, een van de zeven wereldwonderen) worden door de Arabieren afgebroken en meegenomen.

**655.** Penda, koning van het Angelsaksische rijk Mercia, wordt verslagen en gedood in de Slag bij de rivier Winwaed (in de buurt van Doncaster). Penda is een van de laatste heidense koningen in Engeland.

**17 juni 656.** In Medina dringen opstandelingen het paleis van kalief Osman binnen en vermoorden hem. Verdeling van belangrijke machtsposities onder verwanten uit de dynastie der Omajjaden heeft tot grote ontevredenheid in zijn rijk geleid. →

**656.** Ali ibn Aboe Talib, neef en schoonzoon van de profeet Mohammed, wordt gekozen tot vierde kalief van de islam.

**656.** Bij Khoraiba [in Irak] wordt de opstand van Moe'awijja (behorende tot de dynastie der Omajjaden), door kalief Ali neergeslagen. Aisja, weduwe van de profeet Mohammed, strijdt aan de zijde van de opstandelingen. Zij voert op een kameel gezeten haar troepen aan. Deze slag wordt ook wel de 'Slag der Kamelen' genoemd.

**656.** Na de dood van koning Sigebert III van Austrasië wordt Childebert, de zoon van hofmeier Grimoald, tot koning uitgeroepen. Dagobert II, de vier jaar oude zoon van Sigebert en rechtmatige troonopvolger, wordt door Grimoald in ballingschap naar een Iers klooster gestuurd.

**657.** Bij Siffin heeft kalief Ali opnieuw slag moeten leveren tegen de op het kalifaat aanspraak makende Moe'awijja en zijn aanhangers. De slag eindigt onbeslist. Men komt overeen dat een door beide partijen daartoe aangewezen onafhankelijk scheidsgerecht uitspraak zal doen over de rechtmatigheid van Ali's kalifaat.

**657.** Na de dood van Clovis II wordt zijn oudste zoon Chlotarius III koning van Neustrië en Bourgondië. Het regentschap is in handen van zijn moeder Bathilde.

**658.** Samo, de eerste leider van de Slaven, wordt vermoord. →

# Einde van Sassaniden-rijk

*Een Arabische ruiter bespiedt een prinses, die aan het baden is.*

KHORASAN, 651 - Met de moord op de Sjah in sjah (de koning der koningen) Yezdigird is het Sassaniden-rijk tot een einde gekomen. Het rijk werd gesticht door koning Ardasjir in 224; vanaf 634 werd het verscheurd door oorlogen.

De onrust begon met het oprukken van het islamitische leger, onder leiding van Sa'ad ibn Abi Wakaas, richting Perzië tijdens het kalifaat van de tweede Kalief van de Islam Omar ibn al-Chattab (634-644).

In Kadisiya, een plaats ten zuiden van Babylon, kwam het in 636 tot een botsing tussen het leger van de Arabische moslems en dat van het Perzische Rijk, aangevoerd door Roestam, de gouverneur van Khorasan. In deze oorlog werd niet alleen gebruik gemaakt van manschappen, maar ook van olifanten aan Perzische zijde, en paarden aan Arabische zijde. Vooral in het begin vielen er veel slachtoffers onder de moslems. Versterkingen uit Al-Schaam (Syrië) deden de balans echter doorslaan naar islamitische zijde.

In 642 raakten de twee legers opnieuw slaags bij Nahawand, hetgeen weder-om uitliep op een grote nederlaag voor de Perzen. De Arabieren trokken dieper het land in en veroverden Isfahan, Kerman, Kuhistan. Met de expeditie in Perzië heeft de islam verscheidene andere volken zoals de Koerden, de Perzen en de Azari's onder zijn invloed.

Het Perzische Rijk omvatte onder de dynastie van de Sassaniden het grootste deel van Mesopotamië, delen van Afghanistan en Sind. De Sassanidische vorsten hadden daar een vrijwel absolute macht. De Perzische maatschappij was sterk hiërarchisch opgebouwd; overgangen tussen de standen en klassen waren nagenoeg onmogelijk. De godsdienst was het mazdeïsme, een verdere ontwikkeling van de godsdienst van Zarathoestra. Het absolute koningschap en de nauwe band tussen wereldlijke en geestelijke macht werden in Perzië benadrukt: gehoorzaamheid aan de vorst was een religieuze plicht.

Een opmerkelijk aspect van het Sassaniden-rijk was het feit dat verschillende vrouwen voor een lange periode aan de macht waren, zoals Purun-Dukht, Azarmi-Dukht, Firoez en Hormoezd.

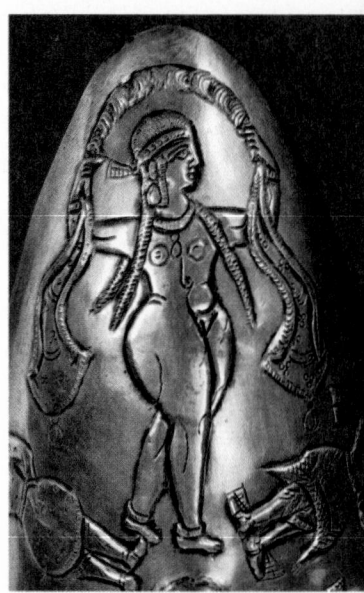

*Vrouw op ovale Perzische schaal.*

# Samo, leider van de Slaven, overleden

MORAVIE, 658 - Met de dood van de eerste leider van de Slaven, Samo, lijkt een einde gekomen te zijn aan het rijk dat hij de afgelopen 35 jaar ten noorden van het Midden-Donaugebied heeft gevormd.

Na de volksverhuizing vestigden de Avaren, een volk van Aziatische herkomst, in het Donaugebied hun chaganaat (aan het hoofd van het volk stond de chagan). De Avaren gebruikten de Slaven als voetvolk bij hun veroveringsoorlogen. Door toenemende onenigheid tussen de Avarische leiders wisten de Slaven zich, onder leiding van de Frankische koopman Samo, in 623 los te maken, waarna zij hun eigen rijk stichtten. Onder Samo werden vele militaire successen geboekt, vooral tegen het verzwakte Avarische Rijk. Na een gewonnen oorlog tegen de Franken (631) sloten de Sorben zich bij het rijk van Samo aan.

Ofschoon Samo, als Frank, oorspronkelijk hoogstwaarschijnlijk christen was, duurde het niet lang of hij paste zich geheel aan zijn heidense omgeving aan. Hij had 12 echtgenoten van Slavische afkomst, die hem 22 zonen en 15 dochters schonken.

*Afbeelding van Ali ibn Aboe Talib.*

## Moord op derde kalief Osman

MEDINA, 17 juni 656 - Osman ibn Affan is in zijn eigen huis vermoord. De moord op de derde Kalief van de Islam is het gevolg van grote onrust in de islamitische wereld. Toen Osman in 644 tot kalief werd benoemd, begon hij zijn familie en leden van zijn clan aan te stellen in de belangrijkste functies van het Islamitische Rijk. Bovendien deelde hij het geld van de 'Baaiet Al-Maal' (de Schatkist van het Islamitische Rijk) uit aan zijn eigen mensen. Moe'awijja ibn Aboe Soefjaan, de 'Walie van Al-Schaam' (gouverneur van Syrië), een neef van Osman, kreeg bijvoorbeeld veel macht en voerde een beleid dat niets weg had van theocratie. In Egypte werd Amr ibn al-As door Osman ontslagen en Abdoella ibn Sa'ad ibn Abi Saarh, die een familielid van Osman was, in zijn plaats benoemd.
In juni vorig jaar kwamen de mensen in Al-Koefa (Mesopotamië), onder leiding van Maliek al-Aschtar, in opstand tegen kalief Osman. Maliek al-Aschtar was een van de aanhangers van Ali ibn Aboe Talib, die Osman ervan beschuldigden dat zijn regering niet meer gebaseerd was op de wetten van de islam. In Egypte werd de opstand tegen Osman geleid door onder anderen Mohammed ibn Abie Hoethaefa, een geadopteerde zoon van de eerste Kalief van de Islam Aboe Bakr. Deze Mohammed was ook een trouwe aanhanger van Ali ibn Aboe Talib. De opstandelingen in Egypte besloten om richting Medina te trekken. Vijfhonderd mensen namen deel aan de mars. In april arriveerden ze in Medina. Zij eisten het aftreden van Osman als kalief, hetgeen deze weigerde. Zijn huis werd omsingeld, waarna men binnendrong en hem vermoordde.
De moord op Osman is tekenend voor de verdeeldheid onder de islamieten. Enerzijds was Osman de Kalief van de Islam, maar anderzijds werd hij door vele moslems als corrupt beschouwd. Zijn belangrijkste regeringsdaad was de opdracht om de koran, het heilige boek van de islam, te verzamelen en te vermenigvuldigen.

---

**24 januari 661.** In Koefa [Irak] wordt kalief Ali ibn Aboe Talib door charidjiten vermoord. De charidjiten vormen de eerste islamitische sekte, die na de slag bij Siffin (657) is ontstaan. Deze streng-gelovigen waren erop tegen dat Ali zijn recht op het kalifaat door een scheidsgerecht liet beslissen. →

**661.** Moe'awijja, de nieuwe kalief, sticht het Kalifaat der Omajjaden in Al-Schaam [Syrië]. Damascus wordt de hoofdstad van het rijk.

**661.** Na de dood van kalief Ali vormen zijn aanhangers de islamitische sekte der Sji'iten (Sji'at Ali = Partij van Ali). Zij erkennen Ali als enige rechtmatige kalief na de dood van de profeet Mohammed en eisen het kalifaat op voor Ali's nakomelingen (tevens de enige mannelijke nakomelingen van Mohammed, daar Ali getrouwd was met diens dochter Fatima).

**662.** In Austrasië is de regering van de hofmeier Grimoald ten val gebracht door de adel. Grimoald is aan Neustrië uitgeleverd, en te Parijs in gevangenschap doodgefolterd.

**663.** De Byzantijnse keizer Constans II brengt een bezoek aan Rome. Hij is de eerste keizer sinds 190 jaar die Rome met een bezoek vereert. Constans' verblijf in Italië is te verklaren uit zijn plan geheel Italië op de Longobarden te heroveren.

**663.** Paekche [Korea] bezwijkt onder de druk van Silla. →

**664.** Koning Oswin van Northumbria roept de Synode van Whitby bijeen. Op de synode wordt de band tussen de Angelsaksische Kerk en Rome verstevigd. De Angelsaksische Kerk besluit de roomse paasberekening en liturgie over te nemen.

**666.** In Japan worden hervormingen geëist. →

**668.** Op Sicilië wordt de Byzantijnse keizer Constans II vermoord. Constans' poging om Italië op de Longobarden te heroveren is volledig mislukt.

**668.** Koguryo [Korea] gaat ten onder. →

**669.** De Griekse geleerde Theodorus van Tarsus wordt tot aartsbisschop van Canterbury benoemd.

**669.** De Arabieren veroveren de Siciliaanse stad Syracuse.

Gestorven:

**661.** Childebert (?), koning van Austrasië, zoon van de hofmeier Grimoald

**662.** Grimoald (circa 620), hofmeier in Austrasië

**663** (circa). Kunibert (?), heilige en bisschop van Keulen; raadgever van de Merovingische koningen

---

# Opnieuw kalief vermoord

*Mohammed en Ali verwijderen afgodsbeeldjes uit de Ka'ba.*

DAMASCUS-AL-SCHAAM, 24 januari 661 - Ali ibn Aboe Talib is in een moskee in Al-Koefa (Mesopotamië) door Abdal Rahman ibn Moeldjam Al-Moeradi vermoord. Moe'awijja ibn Aboe Soefjaan is de Kalief van de Islam geworden.
Moe'awijja, al jarenlang gouverneur van Al-Schaam, heeft een lange strijd geleverd tegen Ali om zelf de islamitische wereld in handen te krijgen.
Ali werd op 17 juni 656 gekozen als kalief nadat Osman was vermoord. Van het begin af aan werd hij niet erkend door Moe'awijja, een neef van Osman, die Ali van de moord op Osman beschuldigde.
Tijdens zijn kalifaat moest Ali verscheidene oorlogen voeren, onder andere tegen Aisja, de weduwe van profeet Mohammed en dochter van de eerste Kalief van de Islam, Aboe Bakr, die gesteund werd door twee bekende islamitische leiders, Talha en Zoebaier. De oorlog tussen Ali en deze groep wordt de oorlog van Al-Jamal (de kameel) genoemd. Vanuit militair oogpunt kwam Ali als overwinnaar te voorschijn. In politiek opzicht leed hij een nederlaag, omdat veel moslems een oorlog tegen de weduwe van de profeet niet tolereerden. Ali moest ook strijden tegen Al-Khawaarij, een groep moslems die noch de standpunten van Ali noch die van Moe'awijja erkende. Ali was een van de eerste mensen die tot de islam werden bekeerd. Tijdens de oorlogen die Mohammed voerde om zijn geloof te verdedigen en te verspreiden, was hij een van de beste militaire leiders. Na de dood van profeet Mohammed werd Ali door de clan van de profeet beschouwd als de meest geschikte man om de eerste Kalief van de Islam te worden. Aboe Bakr werd echter in zijn plaats benoemd (632). Ali was een geleerde, een intellectuele leider, vooral op het gebied van de rechtsregels van de islam. Tijdens zijn kalifaat is echter een duidelijke breuk in de islam ontstaan. Eén stroming werd geleid door Moe'awijja, de andere door Ali. Al voor de moord op Ali had Moe'awijja zich uitgeroepen tot Kalief van de Islam. Hij heeft de Omajjadische staat gesticht, waarvan Damascus in Al-Schaam de hoofdstad is.

## Paechke in handen van koninkrijk Silla

WOONGJIN, 663 - Ondanks de steun van het Japanse Rijk is het koninkrijk Paekche [Korea] toch bezweken onder de militaire druk die van het naburige koninkrijk Silla uitging.
In 18 v.C. was Onjo tot koning uitgeroepen, nadat hij zich met zijn stam ten zuiden van de Han-rivier had gevestigd. Na herhaaldelijke gevechten met het noordelijker gelegen koninkrijk Koguryo verwoestte koning Kunch'ogo in 371 de hoofdstad Pyongyang en doodde hij de koning van Koguryo, Kogugwon. Kunch'ogo wist de positie van het koninkrijk te verstevigen door goede handelsbetrekkingen met de Oostelijke Chin, de dynastie die toen in het zuiden van China regeerde, en Japan te onderhouden.
Paekche werd een van de toonaangevende landen in Oost-Azië. In de 6de eeuw trokken boeddhistische missionarissen naar Japan om daar het boeddhisme te verbreiden. Ook introduceerden de Koreanen de sericultuur, het gebruik van ijzer, het ijzersmeden, de kalender en medische wetenschappen in Japan. Een Koreaanse letterkundige, Wang-In, onderwees de Japanse kroonprins Ojin 1000 Chinese karakters en legde op die manier de basis voor geschreven bronnen op het eiland.
Japan stond Paekche dan ook militair bij toen het werd aangevallen door Koguryo en Silla. Dit heeft echter niet mogen baten.

*Koreaanse muurschildering (6de eeuw).*

# Koguryo onderworpen door rijk van Silla

*Dansscène op een muurschildering uit de Koguryo-periode, waarschijnlijk uit de 6de eeuw.*

PYONGYANG, 668 - Slechts een noodlottige samenloop van omstandigheden heeft een einde kunnen maken aan het eens zo machtige rijk van Koguryo [Korea]. De succesvolle weerstand tegen Chinese invasies en de oorlogen tegen de zuidelijker gelegen rijken van Silla en Paekche hebben naast de interne conflicten bijgedragen aan de ondergang.

Vanuit Puyo, het stamgebied in Mantsjoerije, is de bevolking in de 4de eeuw v.C. naar het zuiden getrokken waar zij, na de verovering van het zuidelijk deel van Mantsjoerije, de Yalurivier hebben bereikt en overgestoken. In het begin van de 4de eeuw is het rijk van Lolang vernietigd en is Pyongyang tot hoofdstad van het rijk uitgeroepen. In Woohyolli, 30 km ten westen van Pyongyang, bevinden zich nu nog de enorme, rijkversierde graftomben van de koningen uit die tijd. Schilderingen met symbolen uit de Chinese filosofie sieren de muren: in het oosten de blauwe draak, in het westen de witte tijger, in het noorden de schildpad en in het zuiden de rode feniks. Dit zijn de wachters die de veiligheid van de koningen uit die tijd moesten garanderen. Uit de muur- en plafondschilderingen blijkt ook dat de mensen al eeuwen van sport en verfijnde kunst houden.

Deze eeuw heeft Koguryo echter twee grote aanvallen van de Chinezen moeten afslaan. In 612 heeft generaal Ulchi Moon Duk het leger van keizer Sui Yangti, dat meer dan een miljoen soldaten telde, met succes bij de Yalu kunnen weerstaan. In 645 leidde de Chinese keizer T'ang Tai-tsung zelf een groot leger. Nog voor de strijd goed en wel begonnen was werd de keizer door een pijl in zijn oog geraakt, waarna het Chinese leger in paniek vluchtte. In dezelfde tijd heeft Koguryo aanvankelijk enkele veldslagen tegen Silla en Paekche gewonnen. Door deze oorlogen was Koguryo echter al danig verzwakt. Daarnaast nam de wedijver over de be-

zetting van machtsposities in het rijk toe en bestreden verschillende facties elkaar intern. Dit heeft ertoe geleid dat het rijk van Silla uiteindelijk aan Koguryo een beslissende slag heeft kunnen toebrengen en het rijk heeft onderworpen. Silla is nu heer en meester op het hele schiereiland.

## Keizer Tenchi voert hervormingen door

JAPAN, 666 - De despotische regeringen die na de dood van Shotoku elkaar hebben opgevolgd, hebben de roep om nieuwe hervormingen door te voeren versterkt.

Keizer Tenchi tracht door hervormingen de adel, die zich door het despotisme en de willekeur tegen het hof heeft gekeerd, opnieuw voor zich in te nemen. Omdat de eerste reeks maatregelen vorig jaar is afgekondigd en deze periode in China als 'de periode van veranderingen' bekendstaat, wordt deze tijd in Japan 'Taika' genoemd. De hervormingen staan ook bekend als de Taika.

Dit jaar is de 'Kaishin no Cho' (Hervormingsedict) afgekondigd. Dit edict bestaat uit vier artikelen. In het eerste artikel wordt de privé-titel op land afgeschaft en kunnen degenen die de grond bewerken voortaan de grond via erfelijke lijn overdragen. De regering zal vanaf deze tijd zijn gevestigd in een hoofdstad en de provincies rond de hoofdstad zullen de 'Kinai' ofte wel kernprovincies vormen. De contacten met de buitengebieden moeten worden verbeterd en de gouverneurs van de kernprovincies worden direct door de centrale regering aangewezen. Het derde artikel voorziet in de instelling van een bevolkingsregister. Aan de hand hiervan kan worden nagegaan welke hoeveelheid land bepaalde bebouwers van land voor het verbouwen van rijst toekomt, dit om een oneerlijke verdeling zoals die tot nu toe geldt tegen te gaan. Tevens kunnen dorpshoofden aan de hand van de registers worden aangewezen. In het laatste artikel worden de oude belastingen en gedwongen arbeidsdiensten afgeschaft en een

nieuw belastingsysteem aangekondigd. Deze hervormingen verraden duidelijk een sterke invloed vanuit China. Hier is men immers al enige jaren bezig maatregelen in te voeren.

Evenals in China wordt ook hier in Japan op het nodige verzet gerekend. Daarom heeft de centrale regering een aantal maatregelen afgekondigd waardoor de kleine, middelgrote en grote landeigenaren compensatie krijgen voor het geleden verlies. Deze compensatie zal meestal geschieden door hen in hoge functies zoals gouverneur van een provincie of een district te benoemen. Als ambtenaren krijgen zij in deze functies een salaris van de overheid. Vele landeigenaren zullen waarschijnlijk met genoegen ingaan op de verandering van hun positie. Hoewel zij veel van hun vrijheid lijken te verliezen, zullen zij nu een geregeld inkomen krijgen en brengt een officieel ambt een hogere status met zich. Dit laatste geldt vooral voor de buitengewesten.

De (pacht)boeren hebben het nieuwe belastingstelsel met enthousiasme begroet omdat de lokale belastinginners voortaan slechts een van tevoren vastgesteld bedrag mogen innen en niet zoals in het verleden naar willekeur de boeren mogen belasten. De zware diensten die naast de gewone belastingen nog moesten worden verricht door de boeren, zijn nu afgeschaft, zodat men kan kiezen of men hetzelfde werk tegen een loon wil doen of een ander soort arbeid verkiest.

Het valt echter nog te bezien of de centrale regering voldoende macht heeft om de hervormingen in heel Japan door te voeren en of men zich aan de letter van de wet zal houden.

# Palavas verslaan Chalukyas

*Het in de rotsen uitgehakte tempelcomplex van Ajanta (6de tot 9de eeuw).*

URAIYUR, circa 675 - Bij Uraiyur aan de Kaveri-rivier hebben de Pallavas een invasiemacht van Chalukyas, die iets noordelijker aan de westkust het Dekkanplateau beheersen, weten terug te slaan. Het is de zoveelste slag in een jarenlang slepend conflict tussen het Pallava-rijk aan de Coromandelkust en hun buren uit het noordoosten. Vikramaditya, koning van de Chalukyas werd gedwongen slechts 'gehuld in een oude lap' te vluchten. Hij was een, aanvankelijk succesvolle, veldtocht begonnen in antwoord op een aanval op Badami, de hoofdstad van de Chalukyas.

Halverwege de vorige eeuw begonnen de Chalukyas vanuit Badami aan de Krishna-rivier het ten noorden daarvan gelegen gebied van de Vatakatas te annexeren. Deze Vatakatas waren bondgenoten van de machtige Gupta's die twee eeuwen lang de Noordindische gebieden bestuurden. Toen dit rijk rond 540 ineenstortte, verloren de Vatakatas hun bescherming waarna de Chalukyas hun gebied innamen.

Over de herkomst van de Pallavas verkeert men in het ongewisse. Men zegt dat lang geleden een jonge prins verliefd werd op een prinses uit de onderwereld. Toen hij haar uiteindelijk moest verlaten zei hij haar dat ze haar kind met een twijgje op het lijf gebonden moest wegsturen. Zo zou de prins het kind kunnen herkennen als hij het vond en hem een deel van zijn koninkrijk geven. Aldus geschiedde en zo werd de Pallava- (wat letterlijk 'jonge twijg' betekent) dynastie gesticht.

Hoe het ook zij, de Pallavas bevonden zich al lang in de buurt van Kanchipuram toen Mahendravarman I in 600 op de troon kwam en de macht van de Pallavas vergrootte. Behalve op politiek gebied werd de Pallava-dynastie ook op het culturele vlak belangrijk. Net als zijn noordelijke tijdgenoot Harsja van Thanesar was koning Mahendravarman een dichter van kaliber. Tijdens zijn regering werden de beroemde uit monolieten gehakte tempels van Mamallapuram gebouwd.

*Keltische kloosterruïne, 11de eeuw.*

# Zelfmoorden in Sussex na zware hongersnood

SUSSEX, 680 - In uiterste wanhoop hebben veertig tot vijftig mannen gezamenlijk zelfmoord gepleegd. De zware hongersnood, die Sussex al twee jaar teistert en ontelbaar veel slachtoffers heeft gemaakt, dwong de mannen tot deze daad. Bisschop Wilfrid beschreef het drama: 'De hongerige mannen sprongen hand in hand van een steile rotswand en sloegen te pletter of verdwenen in de golven.'

Hongersnoden zijn in deze periode geen zeldzaamheid. Sinds het vertrek van de Romeinen bestaat er een grote rivaliteit tussen de verschillende staatjes. Deze voeren bijna onophoudelijk oorlog met elkaar. De rondtrekkende legers brengen grote schade toe aan de gewassen op de akkers en veroorzaken veel lokale hongersnoden in het verscheurde land.

In principe kan Engeland voldoende opbrengen om de bevolking te voeden. Door de introductie van nieuwe technieken, zoals het ploegen, zijn de oogstresultaten verbeterd. Maar de economische groei wordt belemmerd door de voortdurende staat van oorlog waarin het land verkeert. Het is nog geen gewoonte om na een goede oogst een reservevoorraad aan te leggen, waarop de bevolking bij een misoogst kan terugvallen.

Als zo'n misoogst zich voordoet zijn de gevolgen vaak desastreus. De sterftecijfers kunnen enorm oplopen. De honger drijft sommigen er zelfs toe mensenvlees te eten.

# Constantijn sluit vrede met Moe'awijja I

CONSTANTINOPEL, 678 - Keizer Constantijn IV heeft een gunstig vredesverdrag met de Arabische kalief Moe'awijja I gesloten. Dit betekent een keerpunt in de Arabisch-Byzantijnse relatie. Tot nu toe werd deze bepaald door het Arabische expansionisme waarop Byzantium onvoldoende antwoord had.

Na de dood van de profeet Mohammed in 632 wisten de Arabieren zich in de loop van enige tientallen jaren meester te maken van de oostelijke en zuidelijke provincies van het Byzantijnse Rijk: op de verovering van Syrië en Palestina volgden Egypte en een gedeelte van de Byzantijnse provincies in Noord-Afrika.

In het algemeen stuitten de veroveraars op weinig weerstand. De onbuigzame politiek van de Byzantijnse keizers ten aanzien van sekten als het monofysitisme en het nestorianisme, die met name in Syrië, Palestina en Egypte veel navolgers hadden, had geleid tot religieuze onvrede. De Arabieren daarentegen staan bekend om hun religieuze verdraagzaamheid. Het gaat hun voornamelijk om de inning van reguliere belastingen in de bezette gebieden. Bij de verovering van Syrië en Palestina speelde voorts het feit dat de bevolking in meerderheid van semitische oorsprong en grotendeels van

*Een Grieks schip bestookt de vijand met het Griekse vuur (14de eeuw).*

Arabische afkomst is, een rol. Ook werkte de uitputting van de Byzantijnse legers, de prijs van de oorlogen tegen de Perzen, mee aan het verlies van de oostelijke en zuidelijke provincies.

De afgelopen tien jaar is Constantinopel zelf herhaaldelijk door aanvallen van de Arabieren bedreigd. Bij de verdediging van de stad heeft het 'Griekse vuur', dat op water blijft branden, onschatbare diensten bewezen. Dit 'Griekse vuur' is een sterk brandbaar mengsel van pek, zwavel en aardolie, dat uit bronzen buizen aan de boeg van het schip op het water stroomt. Vorig jaar heeft kalief Moe'awijja zijn vloot onverrichter zake teruggetrokken. Op weg naar Syrië werd deze door een zware storm verwoest. Kort erna leden de Arabieren in Klein-Azië verliezen. De kalief zag zich nu gedwongen tot het sluiten van vrede met Byzantium. Hiermee lijkt het Arabische gevaar voorlopig tot staan te zijn gebracht.

# Hoessein bij Al-Koefa gedood

KERBELA, 10 oktober 680 - Het leger van Yazid ibn Moeawijja ibn Aboe Soefjaan heeft Hoessein, de zoon van de vierde Kalief van de Islam en de kleinzoon van profeet Mohammed, vermoord. Yazids leger werd aangevoerd door Omar ibn Sa'ad ibn Abi Wakaas, die Hoesseins hoofd als bewijs naar Yazids paleis in Damascus bracht.

De strijd tussen Hoessein en Yazid heeft een historische achtergrond. De grootouders van Yazid vormden de rijkste clan binnen de Koeraisjitische stam, terwijl de grootouders van Hoessein, onder wie profeet Mohammed, tot de armste clan van deze stam, de Hasjimieten, behoorden.

In het begin van de islam was de clan van Yazids ouders, de Omajjaden, een belangrijke tegenstander van Mohammed en de islam. Zij bekeerden zich in een later stadium tot de islam.

Tijdens het kalifaat van Osman, de derde Kalief van de Islam, wist deze clan alle belangrijke functies van het Islamitische Rijk onder zijn gezag te brengen. Osman gaf veel macht aan zijn neef, Moe'awijja, die tevens gouverneur van Al-Schaam was. Moe'awijja vocht tegen Ali, de vader van Hoessein, en weigerde hem als kalief te erkennen. Tijdens zijn regering als kalief van de Omajjadische staat (gesticht in 661) probeerde Moe'awijja een dynastie op te richten. Hij vroeg zijn aanhangers in de regering om zijn zoon Yazid als zijn opvolger te benoemen. Deze benoeming veranderde veel in de islamitische rechtsregels en staatstheorie. Het was duidelijk dat de islamitische regering voor een monarchie had gekozen. Dit stuitte op verzet, omdat Yazid niet geschikt werd geacht om een islamitische kalief te zijn. In zijn dagelijks leven hield hij zich bezig met allerlei zaken die tegen de islamitische wet-

*De bewening van een gestorvene, miniatuur uit de 15de eeuw.*

ten indruisten. Hij dronk alcohol en was corrupt. Hij gaf weinig aandacht aan het islamitische geloof en leidde een luxe-leven. Dit alles maakte verschillende groepen in het rijk ontevreden.

Toen Moe'awijja op 18 april overleed, nam Yazid, zoals geregeld was, de macht over. Hoessein erkende hem echter niet als Kalief van de Islam. De bevolking van Al-Koefa in Mesopotamië weigerde eveneens Yazid te erken-

nen en vroeg Hoessein, die in Mekka was, om naar Al-Koefa te komen. Hoessein ging daarop met zijn familie en een kleine groep aanhangers naar Mesopotamië. In de buurt van Al-Koefa, in de stad Kerbela, werden zij omsingeld door het leger van Yazid. Hoessein en zijn aanhangers werden op bloedige wijze afgemaakt; de vrouwen en kinderen werden evenmin gespaard. Hoessein, de kleinzoon van de profeet, werd onthoofd.

# Constantijn sluit vrede met Asparuch

CONSTANTINOPEL, 681 - Keizer Constantijn IV heeft vrede gesloten met de Bulgaarse khan Asparuch en zich verplicht tot de betaling van een jaarlijks tribuut. Voor het eerst in zijn geschiedenis is het Byzantijnse Rijk gedwongen om formeel de soevereiniteit over een belangrijk gebied van de Balkan af te staan.

Een aantal jaren geleden verschenen de Onoguren (een Bulgaarse stam), afkomstig uit de steppen ten noorden van de Zwarte Zee, aan de Donaumonding. Evenals de Avaren vóór hen wilden zij de Donau oversteken en zich vestigen op veilige, vruchtbare gronden. Vanuit zuidelijk Bessarabië en een eiland in de Donaumonding begonnen de horden van Asparuch druk in zuidwaartse richting, op het oosten van

Moesia [Dobroedsja] uit te oefenen. Van oudsher had Byzantium potentiële bondgenoten aan de noordelijke oever van de Donau verwelkomd, maar zich te weer gesteld tegen iedere poging deze rivier over te steken. Vorig jaar zeilde dan ook de Byzantijnse oorlogsvloot onder persoonlijk bevel van de keizer in noordelijke richting en landde in een gebied ten noorden van de Donaumonding.

Tegelijkertijd snelde een detachement cavaleristen via Thracië naar de Donau. De Bulgaren echter vermeden een openlijke confrontatie en trokken zich terug in de moerassen van de delta. De keizer moest wegens een jichtaanval uitwijken naar Mesembria [stad aan de westelijke Zwarte-Zeekust tussen de Donau en Constantinopel] en zijn

troepen volgden. Bij het oversteken van de Donau werden zij onverhoeds aangevallen door de Bulgaren, die hen onder zware verliezen terugdrongen. Daarop namen de Bulgaren bezit van oostelijk Moesia.

Niet in staat de invallers te verdrijven zag keizer Constantijn zich gedwongen dit gebied, dat wil zeggen de streek tussen het Balkangebergte, de Donau en de Zwarte Zee, op te geven.

Hier woonden sinds het begin van de eeuw Sclaviniae [Slaven] in losse stamverbanden over wie Byzantium de fictie van soevereiniteit had kunnen handhaven. Met de overdracht van dit gebied aan de militair en politiek veel hechter georganiseerde Bulgaren verliest Byzantium iedere zeggenschap over deze streek.

# Pippijn verslaat leger van Neustrië

TERTRY, 687 - De Austrasische hofmeier Pippijn II (van Herstal) heeft in een veldslag bij Tertry in Noord-Gallië het leger van Neustrië verslagen. Daardoor heeft hij zich meester gemaakt van het gezag over beide gebieden en de eenheid binnen het Frankische Rijk hersteld. Door deze gebeurtenissen heeft het centrum van het Merovingische Rijk zich van de traditioneel sterke gebieden als Neustrië en Bourgondië naar het oosten verplaatst. Andere vorstendommen als Aquitanië, Beieren, Alamannië en Bourgondië krijgen er een geduchte concurrent bij.

Eens te meer is duidelijk geworden dat de feitelijke macht niet meer bij de koning, maar bij de hofmeier ('major domus') berust. Pippijn neemt echter niet de titel van koning aan, maar blijft zijn oude titel dragen. Het bestuur over Neustrië geeft hij in handen van wereldlijke en kerkelijke aanhangers; zelf verkiest hij in het oosten te blijven.

Na het bewind van Clovis is het rijk stapsgewijs uiteengevallen. Geen enkele koning was bij machte om de andere vorsten aan zich te onderwerpen. Vaak waren nieuwe koningen veel te jong en te zwak om hun gezag te doen gelden. Toch ontwikkelden zich in deze eeuw twee belangrijke nieuwe koninkrijken: Neustrië (Noord- en West-Gallië) en Austrasië (Noordoost-Gallië en Rijnland).

In beide gebieden was evenwel niet de koning, maar de hofmeier de sterke man geworden. Deze functionaris was oorspronkelijk belast met de leiding over de dagelijkse gang van zaken in het paleis. Aangezien private en publieke aangelegenheden sterk met elkaar verweven waren, kreeg hij geleidelijk aan steeds meer zeggenschap over rijksbestuurlijke zaken, zoals het beheer van de schatkist, het innen van belastingen en het schenken van land.

*Frankische grafsteen met krijgsman.*

## 690

**690.** Wu, de weduwe van de Chinese keizer Gao Zong, roept zichzelf tot keizerin uit. Wu neemt de titel Huang-ti aan en sticht de Chou-dynastie.

**695.** De Chinese pelgrim I Zing verlaat Sjriwijaya. →

**695.** In Rome wordt Willibrord tot aartsbisschop der Friezen gewijd. Willibrord vestigt zijn zetel te Utrecht, waar hij op een door Pippijn II toegewezen terrein begint met de bouw van twee kerken.

**695.** De Byzantijnse generaal Leontius roept zichzelf tot Byzantijns keizer uit. Keizer Justinianus is gevangengenomen en - nadat zijn neus is afgesneden - naar Cherson verbannen.

**697.** In de onder Byzantijnse soevereiniteit staande stadstaat Venetië wordt door geestelijkheid en adel een hertog als hoofd van het bestuur gekozen.

**698.** De Angelsaksische missionaris en aartsbisschop Willibrord sticht met behulp van de Austrasische adel een abdij te Echternach.

**698.** De Arabieren veroveren Carthago en maken de stad met de grond gelijk. Met de verwoesting van Carthago is de laatste Byzantijnse vesting op Afrikaans grondgebied gevallen.

**700** (circa). In het Westen verdringt de zilveren standaard de gouden munt als betaalmiddel. Door de waardeverhoging van het goud in het Arabische Rijk vindt er een goudvlucht plaats. (In het Westen is de waardeverhouding tussen goud en zilver 1:12.)

**700** (circa). De Varjagen (Zweedse Vikingen) vallen het Baltische gebied binnen, waarna zij langs de Dnepr en de Wolga tot aan de Zwarte Zee en de Bosporus doordringen.

**700** (circa). In het hoogland van Oaxaca [Mexico] is het Indiaanse volk der Zapoteken gevestigd.

**702.** In Japan worden de Taika-hervormingen afgesloten. Japan is nu een gecentraliseerde ambtenarenstaat naar Chinees model.

**8 oktober 705.** In Damascus overlijdt kalief Abd al-Malik.

**705.** De naar Cherson verbannen Byzantijnse keizer Justinianus II keert met de hulp der Chazaren en Bulgaren terug op de troon. →

**705.** De Chinese keizerin Wu overlijdt.

**708.** De Bulgaren vallen Thracië binnen en verslaan de Byzantijnen bij Anchialos.

**Begin 8ste eeuw.** In Midden-Java is het shivaïstische Kalingga-rijk gevestigd.

# Boeddhisme verbreidt zich

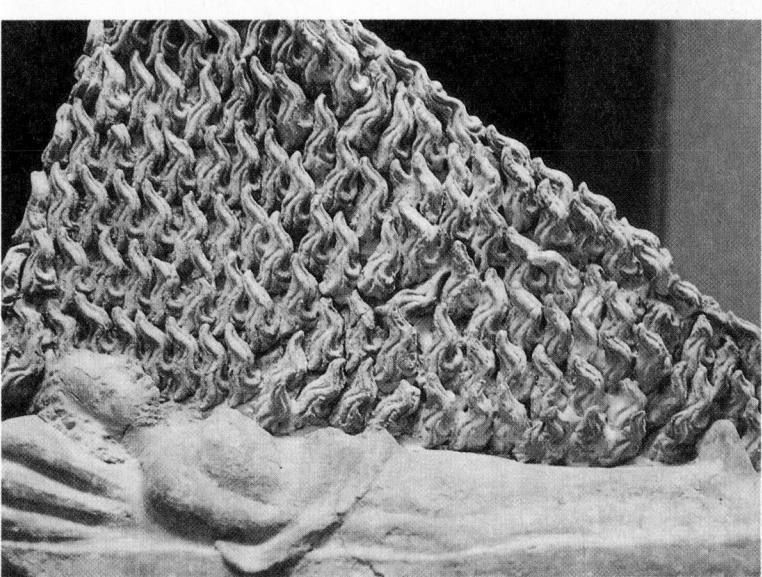

*Beeld uit een boeddhistisch klooster in Fondukistan, Afghanistan 7de eeuw.*

PALEMBANG, 695 - Na een verblijf van enige jaren in het rijk Sjriwijaya heeft de Chinese pelgrim I Zing de thuisreis aanvaard. Hij toonde zich verheugd over de grote bloei van het boeddhisme: 'Veel koningen en opperhoofden op de eilanden van de Zuidelijke Oceaan bewonderen het boeddhisme en geloven erin en hun harten gaan uit naar het opstapelen van zoveel mogelijk goede daden.'

Aanvankelijk had het boeddhisme niet zoveel aanhang op Java en Sumatra, waar de meerderheid van de bevolking de shivaïstische riten volgde. Maar in de loop van de 5de eeuw begon de leer van Boeddha aan invloed te winnen, met name in het zich snel ontwikkelende handelsrijk Sjriwijaya [Zuid-Sumatra]. Men bekeerde zich tot de Hinayana-leer, die vooral aandacht schonk aan het verkrijgen van het persoonlijk heil, maar in de 7de eeuw kreeg het Mahayana-boeddhisme, gericht op het universele heil, de overhand.

Sjriwijaya ligt zeer gunstig ten opzichte van de handelsroute tussen China en India (door de straten van Malakka en Sunda) en voert een politiek die erop gericht is deze zoveel mogelijk te beheersen. Men wist het noordelijk gelegen rijkje Melayu [Jambi] aan zich te onderwerpen en de kusten van West-Malakka en -Java onder controle te brengen. Het rijk heeft een grote handelsvloot, heft tol en maakt zich soms ook schuldig aan rooftochten en piraterij.

Rondom de hoofdstad Palembang bevinden zich vele instellingen voor religieuze studie, die in de boeddhistische wereld een grote faam genieten. Meer dan duizend priesters houden zich bezig met vele takken van wetenschap. Het lag dan ook voor de hand dat I Zing, toen hij in 672 op weg was naar de Boeddhistische Universiteit van Nalanda, besloot eerst zes maanden Sanskriet te gaan studeren in Palembang. Hij trof er een grote verzameling zeldzame heilige geschriften aan en kwam in 685 terug om ze te kopiëren en te vertalen. Het waren er zoveel dat hij in Kanton een nieuwe voorraad papier en inkt moest gaan halen. Vier jaar geleden arriveerde de geleerde, vergezeld van vier assistenten, opnieuw in Sjriwijaya om zijn werk te voltooien.

*Paus Johannes VII (mozaïek, Vaticaanse grotten, 8ste eeuw) overlijdt op 18 oktober 707 in Rome. Tijdens zijn korte pontificaat (705-707) werd hij geconfronteerd met de terugkeer van de Byzantijnse keizer Justinianus II, die de Byzantijnse hiërarchie trachtte te herstellen. Paus Johannes VII was een begunstiger van de kunsten; hij liet onder andere de S. Maria Antiqua in Rome bouwen.*

# Dood keizerin Wu betekent groot verlies

**710.** Nara wordt de eerste 'vaste' hoofdstad van Japan. Tot nu toe werd de hoofdstad bij de dood van een keizer verplaatst. →

**711.** Onder leiding van Tarik ibn Ziyad steken de Arabieren de 'Straat van Gibraltar' over. →

**711.** Granada is door de islamieten veroverd. De joden in het Visigotische (Westgotische) Rijk verwelkomen de islamieten als bevrijders van de christelijke vervolgingen. →

**711.** Bij Jerez de la Frontera sneuvelt de Visigotische koning Roderik in de strijd tegen de Arabieren. →

**712.** De Arabieren veroveren Sind [tegenwoordige provincie van West-Pakistan]. →

**714.** Na de dood van hofmeier Pippijn II neemt zijn weduwe Plectrudis de voogdij van de Merovingische koning Dagobert III op zich.

**714.** De Arabieren worden door de Chinezen bij Tasjkent verslagen.

**715.** Plectrudis, weduwe van de Frankische hofmeier Pippijn II, wordt bij Cuise verslagen door Rainfroi, de hofmeier van Neustrië.

**716.** De Arabieren hebben bijna het gehele Iberische schiereiland veroverd.

**717.** De Arabieren sluiten een verbond met de Tibetanen tegen China.

**717.** Leo, een Syrische generaal, dwingt de Byzantijnse keizer Theodosius III tot troonsafstand. Leo roept zichzelf tot keizer uit en sticht de Isaurische (of Syrische) dynastie. Hiermee komt een einde aan de anarchie in het Byzantijnse Rijk.

**718.** De Byzantijnse keizer Leo III heeft een aanval van de Arabieren op Constantinopel met succes afgeslagen. →

**719.** Karel Martel, de bastaardzoon van Pippijn II, onderwerpt Neustrië en benoemt de Merovinger Chilperik II tot koning van het gehele Frankische Rijk.

**719.** Na de dood van de Friese koning Radboud herovert Karel Martel Frisia Citerior (het Friese rijk tot de grote rivieren). Onder protectie van Karel keert de gevluchte bisschop Willibrord naar Utrecht terug en begint de missionaris Bonifatius met de prediking onder de Friezen.

Gestorven:

**11 december 711.** Justinianus II (669), Byzantijns keizer
**711.** Roderik (?), laatste Visigotische koning →
**16 december 714.** Pippijn (?), Frankisch hofmeier
**715.** Al-Walid I (?), kalief

*Fresco uit de graftombe van prinses Yung Tai, die in 701 op bevel van keizerin Wu ter dood werd gebracht.*

CHANGAN, 705 - Op 82-jarige leeftijd is in de hoofdstad keizerin Wu overleden. Zij heeft China gedurende de afgelopen halve eeuw geregeerd. In 690 riep ze zichzelf uit tot keizerin van een nieuwe dynastie, Zhou.

De dood van keizerin Wu komt na een ziekte van tien maanden. Aan het begin van die ziekte werd ze als staatshoofd afgezet maar tot het einde door haar omgeving nog als zodanig behandeld.

Keizerin Wu werd in 623 geboren als Wu Zetian in de provincie Shanxi als dochter van een houthandelaar die zich aansloot bij de rebellie van Li Yuan en door deze, nadat hij de eerste keizer van de Tang-dynastie was geworden, tot overheidsfunctionaris werd benoemd. Wu Zetian kwam op 14-jarige leeftijd als concubine in het paleis.

Na de dood van keizer Tai Zong in 649 werd ze met andere concubines gedwongen om non in een boeddhistisch klooster te worden. Maar de volgende keizer Gao Zong nam haar weer in het paleis op. In 655 werd ze, tegen het advies van keizerlijke ministers in, tot keizerin benoemd. In 660 begon ze op verzoek van de zieke Gao Zong politieke activiteiten te ontplooien die haar binnen korte tijd de macht over de keizer en de staat in handen gaven. Deze macht werd absoluut toen in 664 een

poging van de keizer om zich van haar te ontdoen mislukte. Tot zijn dood in 683 regeerde ze in zijn naam over China en zette deze regeerwijze via haar twee zonen voort. In 690 zette ze haar tweede zoon als keizer af en riep de Zhou-dynastie uit.

Keizerin Wu was een buitengewoon veelzijdig heerser. Zij bevorderde landbouw en kunstnijverheid. Ze versterkte het systeem van vergelijkende staatsexamens en zette zich in voor benoeming van personen van lage komaf in hoge staatsfuncties. Onder haar lei-

ding werden belangrijke militaire overwinningen in het Westen behaald die China's positie in Centraal-Azië verstevigden. Voorts steunde zij de boeddhistische religie.

Tot de keerzijde van haar bewind behoort het uitbouwen van een uitgebreid apparaat van de geheime politie en informanten dat haar een totalitaire macht over haar onderdanen verschafte. Zij koos een nieuwe naam voor zichzelf en bedacht een nieuw Chinees teken om hem te schrijven: een combinatie van zon, maan en hemel.

## Justinianus II keert terug op de troon

CONSTANTINOPEL, 705 - Met behulp van de Bulgaarse khan Tervel is keizer Justinianus II erin geslaagd zijn troon terug te krijgen. Als dank heeft de keizer de khan de eretitel caesar verleend, op de keizerswaardigheid na de hoogste in de hiërarchie van Byzantium.

Keizer Justinianus II was ten gevolge van een revolutie in Constantinopel afgezet en in 695 naar Cherson verbannen. Achtervolgd door zijn vijanden ontvluchtte hij naar de Krim om ten slotte aan de Donaumonding terecht te komen. Daar deed hij een beroep op khan Tervel, de zoon en opvolger van

Asparuch. Tervel zag hier een gouden kans om zich in de interne aangelegenheden van het Byzantijnse Rijk te mengen. Dit jaar verscheen hij dan ook met zijn leger voor de muren van Constantinopel. De stad bleek eens te meer onneembaar. Keizer Justinianus II slaagde er echter in om in het holst van de nacht met een groep volgelingen via een pijp van het aquaduct in de stad te komen en in de paniek die losbarstte de troon te bemachtigen.

Tervel is voor zijn bijstand ruimschoots beloond: behalve de rang van caesar heeft hij er een gebied bij gekregen aan de zuidkant van zijn rijk.

# Japans bestuur in Taiho-wetten geordend

NARA, 710 - De installatie van een centrale regering in de nieuwe hoofdstad die nu de vaste zetel van het landsbestuur wordt, kan worden beschouwd als een definitieve bekrachtiging van de 'Taihoryo', welke in 702 werd aangenomen in de tijd van de Taiho (Grote Schat). In de Taiho is een zeer uitvoerig bestuurssysteem vastgelegd.

De centrale regering kent nu twee departementen: de 'Jingi-kan' ofte wel het departement van Religie en de 'Dajo-kan' of departement van Staat. Het departement van Religie staat boven het departement van Staat. Het houdt zich bezig met de organisatie en uitvoering van grote religieuze plechtigheden zoals de troonsbestijging van nieuwe keizers, festivals ter ere van de eerste vruchten die worden geoogst en dankfeesten voor een goede oogst. Verder houdt het toezicht op de graven, de opleiding en het moreel gedrag van de bewakers van de graven en het registreren en waarnemen van orakels en voorspellingen.

Het departement van Staat houdt zich bezig met de wereldse aangelegenheden. Aan het hoofd staat de Grote Staatsraad met daaronder acht ministeries en twee raadgevende lichamen. Het land is verdeeld in 66 'kuni'

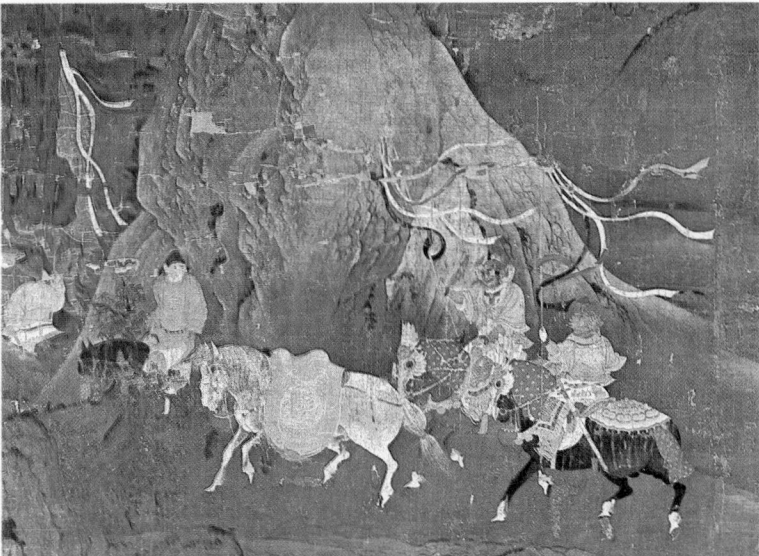

*De reis van de Chinese keizer Ming-Huang naar Shu: detail van een zijden wandrol uit de Nara-tijd (8ste eeuw).*

(provincies) die worden bestuurd door 'kami' (gouverneurs) die meestal uit de hogere ambtenaren in de hoofdstad worden geselecteerd. De provincies zijn onderverdeeld in 592 'gun' of 'kori', aan het hoofd waarvan districtsgouverneurs staan. Dezen worden uit de regionale landadel gerekruteerd. De voornaamste taken van de provincie- en districtsgouverneurs zijn toezicht houden op het innen van belastingen en het ronselen van mensen voor arbeidsdiensten voor openbare werken. Ook zien zij toe op de handhaving van de openbare orde, het bijhouden van de bevolkingsregisters en de verdeling van het land.

De kleinste bestuurseenheid bestaat uit 50 families die door een hoofdman worden geleid.

De hoofdman is verantwoording verschuldigd aan de districtsgouverneur. Op het eerste gezicht lijkt de ordening een kopie van de Chinese staatsinrichting onder de Tang. Er zijn echter markante verschillen. Door het departement van Religie boven het departement van Staat te stellen laat men duidelijk blijken dat de Japanners, in tegenstelling tot de Chinezen, vasthouden aan het traditionele koningschap waarbij de vorst religieuze functies heeft en tenminste in theorie heilig en onaantastbaar is. De troon kan alleen in erfelijke lijn worden overgegeven en een 'mandaat van de hemel' (waarbij de vorst kan worden afgezet indien hij niet goed functioneert) zoals dat in China bestaat is hier ondenkbaar. Ook het verwerven van ambtelijke functies is hier anders geregeld dan in China. De erfelijke overdracht is tot nu toe het belangrijkste criterium voor het verkrijgen van een baan. Talent komt op de tweede plaats, dit eveneens in tegenstelling tot China.

# Arabieren veroveren Sind

*De Omar-moskee (Koepel van de Rots) op de Tempelberg in Jeruzalem (669-692).*

DAMASCUS, 712 - De Arabieren hebben Sind veroverd. Deze verovering komt zeven jaar na de dood van kalief Abd al-Malik van de Omajjaden-dynastie. Nadat Abd al-Malik tijdens een burgeroorlog, die meer dan tien jaar duurde, tegenkalief Abd Allah Ibn As Subair verslagen had, heeft hij verscheidene hervormingen doorgevoerd. Zo reorganiseerde hij het geldstelsel en voerde het Arabisch als voertaal in zijn rijk in.

De onrust in het rijk dat sinds 661 door de Omajjaden-dynastie wordt bestuurd, werd veroorzaakt door het Arabische deel van de bevolking dat bevreesd was zijn bevoorrechte positie te verliezen. Tijdens het tot 692 durende tegenkalifaat, dat in Mekka was gevestigd, liet Abd al-Malik de Koepel van de Rots (Omar-moskee) in Jeruzalem als islamitisch bedehuis oprichten.

De geleidelijke invoering van het Arabisch als voertaal was van grote betekenis voor het herstel van de eenheid in zijn rijk. Bovendien betekende dit het begin van een cultureel versmeltingsproces.

*De Aya Sophia ('Kerk van de Heilige Wijsheid') in Constantinopel op 19de-eeuwse litho.*

## Moslemaanval op Constantinopel faalt

CONSTANTINOPEL, 718 - Onder de kundige leiding van keizer Leo III zijn de Arabieren teruggedrongen. Niet alleen in het Byzantijnse Rijk, maar ook bij de westerse christenheid heersen gevoelens van grote opluchting naar aanleiding van het succes van de keizer bij het bedwingen van de islamitische vijand.

Sinds zijn succesvolle greep naar de macht vorig jaar heeft de keizer, voormalig militair gouverneur van Anatolië, met grote problemen te kampen gehad. Binnen het rijk heerste complete anarchie, een erfenis van de strijd van Leo's voorgangers tegen de aristocratie. Daarbij kwam, dat een paar maanden na zijn triomfantelijke intocht in Constantinopel de Arabieren voor de hoofdstad verschenen. Vanaf land en zee werd de stad belegerd.

De Arabieren slaagden er echter niet in een doorbraak te forceren. Het Griekse vuur bracht hun vloot ernstige schade toe. Bovendien was de afgelopen winter ongewoon streng en kregen de belegeraars te kampen met voedselgebrek. Dit alles heeft de Arabieren een jaar na het begin van het beleg tot de aftocht gedwongen.

# Berbers behalen militair succes in Noord-Spanje

SPANJE, 9 juli 711 - Een leger van ongeveer 12 000 uit Noord-Afrika afkomstige Berbers heeft onder leiding van de mohammedaanse veldheer Tarik-ibn Ziyad een geslaagde invasie uitgevoerd in Noord-Spanje: de moslems hebben het Visigotische leger verslagen. Koning Roderik heeft in deze slag de dood gevonden en Spanje lijkt open te liggen voor de mohammedanen.

Voor de Spaanse joden betekent dit dat zij vanuit de positie van slavernij plotseling tot een status van bondgenoten van de nieuwe heersers in Spanje zijn verheven.

In de Romeinse tijd leefden de joden in Spanje als provincialen met dezelfde burgerrechten als andere bewoners van het Peninsula. Ze bewerkten de grond, bezaten olijvenplantages en waren betrokken bij de handel. In 305 kwam in Elvira een raad bijeen van christelijke geestelijken. Hierbij werd het celibaat geïntroduceerd maar de belangstelling ging voornamelijk uit naar de positie van de joden. Het werd hun voortaan verboden gastvrijheid te verlenen aan christenen, of het nu geestelijken of leken betrof. Wanneer joden weigerden zich te bekeren waren huwelijken tussen christenen en joden uit den boze. Het betreft hier de eerste wetten van een Kerk tegen joden.

Spanje werd katholiek toen in 587 de Visigotische koning Reccared tot het katholicisme overging. Twee jaar later werden kinderen van joods-christelijke ouders verplicht zich te laten dopen. Dit proces van verplichte doop kwam langzaam op gang en in 680 verordonneerde koning Erwig dat elke jood binnen een jaar het christelijk geloof moest aanhangen op straffe van verbanning. Geruchten van een geheim bondgenootschap tussen Spaanse joden en de gevreesde moslems in Noord-Afrika staken de kop op, nadat landerijen en slaven van joden voor een door de koning vastgestelde prijs waren verkocht. Op 9 november 694 beschuldigde koning Egica de joden van verraad. Hun bezittingen werden geconfisqueerd en alle joden werden slaven in het bezit van de christenen. Hun religie mochten ze niet langer uitoefenen. Joodse kinderen werden op 7-jarige leeftijd bij hun ouders weggehaald en door speciale leraren opgevoed tot christenen. Vele joden weigerden zich te onderwerpen en ontvluchtten het land.

Córdoba was de eerste belangrijke stad op het Iberisch Schiereiland die door de mohammedaanse invallers werd belegerd; de joden zagen de islamieten als bevrijders. Uit dankbaarheid voor hun hulp stelden de moslems hen aan als bewakers van de stad.

# 720

**720.** In Japan wordt de *Nihon-sjoki* (Kronieken van Japan) gepubliceerd. Het uit dertig hoofdstukken bestaande werk behandelt de geschiedenis van Japan vanaf de 'godentijd' tot 697. →

**720.** Na de verovering van het Iberisch schiereiland zetten de Arabieren hun 'heilige oorlog' voort. Zij steken de Pyreneeën over en veroveren delen van Zuid-Gallië.

**721.** Bij Toulouse worden de Arabieren door hertog Eudo van Aquitanië verslagen.

**30 november 722.** In Rome wordt de Angelsaksische missionaris Bonifatius door paus Gregorius II tot missiebisschop van het gebied ten oosten van de Rijn gewijd. De Frankische hofmeier Karel Martel zegt Bonifatius zijn bescherming toe in alle door de Franken veroverde gebieden.

**722.** Pelayo I van Asturië biedt als eerste christen op het Iberisch schiereiland de moslems tegenstand. Hij verslaat de Saracenen bij Covadonga. Het begin van de Reconquista.

**722.** Tsjen-la valt in twee delen uiteen. →

**725.** Paus Gregorius II weigert schatting aan de Byzantijnen te betalen; hij verjaagt de Byzantijnse exarch van Ravenna met hulp van de Longobardische hertogen van Spoleto en Benevento.

**725** (circa). In Arizona wordt de Casa Grande, een Indiaans fort met uitgestrekte bevloeiingswerken, gebouwd.

**726.** In het Byzantijnse Rijk wordt de *Ekloga* gepubliceerd. Het is een wetboek, waarin het recht van het Corpus iuris justiniani aangepast wordt aan de veranderde levensomstandigheden.

**726.** De Byzantijnse keizer Leo III laat het Christusbeeld boven zijn paleispoort verwijderen. Leo III treedt voor het eerst openlijk tegen de beeldenverering op.

**726.** Een islamitische ambassadeur arriveert in China. →

**727.** Paus Gregorius II veroordeelt het iconoclasme (het breken van beelden). In Byzantijns Italië ontstaat verzet tegen keizer Leo III.

**727.** Op het Griekse vasteland en de Cycladen komt de bevolking in opstand tegen de belastingverhogingen en iconoclastische maatregelen van de Byzantijnse keizer Leo III.

**30 mei 727.** In Tervuren bij Brussel is bisschop Hubertus na een koortsaanval overleden. In 722 heeft hij zijn zetel van Maastricht naar Luik verplaatst.

*Beeld van een Japanse godheid in de Todaidji-tempel in Nara (8ste eeuw).*

# Japanse kroniek voltooid

KIOTO, 720 - Met de publikatie van de *Nihon-sjoki* (Kronieken van Japan) is nu de volledige geschiedenis van Japan vanaf zijn ontstaan tot op heden te boek gesteld. Samen met de *Kojiki* (Boekstaving van de Oude Meesters) vormt deze publikatie een totaalbeeld van wat zich in Japan zoal heeft afgespeeld en vormt zij de bron waaruit geput kan worden wanneer men de herkomst van de rijke Japanse tradities wil nagaan. Aan de *Nihon-sjoki* is vanaf 672 door een groot aantal schrijvers gewerkt.

Het werk begint met het ontstaan van Hemel en Aarde die gevormd zijn vanuit chaos. Daarna worden successievelijk de eerste goden geboren, die nog geen namen hebben. Pas bij de komst van de god Izanagi en de godin Izanami wordt de godenwereld aanschouwelijker. Zij vormen beide een paar en weldra brengt Izanami de zeeën, meren, rivieren, bergen, vlakten en de vegetatie die te zamen Japan vormen, ter wereld. Vervolgens brengen zij de Maangod en de Zonnegod voort; deze worden naar de hemel gestuurd. Bij het baren van haar laatste zoon, Ho-musubi, de god van het vuur, sterft Izanami door verbranding.

Nu gaat Izanagi op zoek naar zijn vrouw in *Yomi no kuni*, het Land van Duisternis, en vindt zijn vrouw daar in een verderfelijke wereld. Hij keert daarop terug naar Japan en reinigt zichzelf door het nemen van een bad in een rivier. Het motief van het streven naar zuiverheid en daarmee de afschuw van al wat onrein is, loopt sindsdien als een rode draad door de geschiedenis van Japan. Vóór het betreden van een huis was het niet ongebruikelijk eerst met groene takken de deur-post te bestrijken ('sakaki') of deze met water te besprenkelen ('misogi') als reinigingsritueel.

Zowel in de *Kojiki* als in de *Nihon-sjoki* vinden we verder veel informatie hoe de Japanse maatschappij zich cultureel heeft ontwikkeld. Vele zeden en gewoonten die in onbruik zijn geraakt of waarvan de oorsprong niet meer bekend is, worden in een historisch kader geplaatst. Het blijkt bijvoorbeeld dat de rouwplechtigheden ook vroeger al zeer kort en uiterst sober waren. De voorouders worden nog wel geëerd, maar eromheen is geen uitgebreide cultus ontstaan, zoals in China het geval schijnt te zijn. Ook ontbreken grote heiligdommen of permanente plaatsen voor verering. Soms heeft een stuk grond een speciale religieuze betekenis door de aanwezigheid van graftomben, bepaalde bomen of planten en andere voorwerpen zoals stenen.

Beide boekwerken vermelden ook dat volgens mythen en legenden mensenoffers werden gebracht. Het offeren van ossen komt nu nog steeds voor, hoewel dit gebruik onder invloed van het boeddhisme is afgenomen. Veelvuldig worden nog granen, fruit, groenten, ongekookte vis en pluimvee geofferd. Hierbij mag geen bloed vloeien omdat dit de offerande bezoedelt. Om die reden mogen dieren ook niet doodgeslagen of aan stukken gesneden worden.

Het blijkt dat vele festivals die nu jaarlijks worden gehouden, hun oorsprong in het verre verleden hebben. Het is echter niet altijd even duidelijk of de *Kojiki* en *Nihon-sjoki* zich baseren op feiten of dat geput wordt uit de vele mythen en legenden die in Japan de ronde doen.

# Moslems aan Chinese grens

DAMASCUS, AL-SCHAAM, 726 - Een islamitisch-Arabische ambassadeur is dit jaar in China gearriveerd om namens de kalief van het Omajjaden-rijk, Heschaam ibn Abdoel Malik, een boodschap aan de Chinese keizer Hsu-an Tsung over te brengen. De ambassadeur, 'Süleyman' is echter niet de eerste ambassadeur van de Arabieren in China.

Voor het ontstaan van de islam bestonden er al handelsbetrekkingen tussen de Arabieren en de Chinezen, zowel over zee via Lanka [Sri Lanka] als over land via Perzië. Toen de islam onder de Arabieren werd verbreid, waren het de Arabische handelaren die de kennis van deze godsdienst naar China brachten. In de vorige eeuw gingen de eerste islamitische handelaren naar Kanton. Er wordt gezegd dat profeet Mohammed in een vroeg stadium zijn oom (van moederszijde), Wahab ibn Kabsha, naar de keizer van China stuurde met veel cadeaus en het verzoek om moslem te worden. Wahab ibn Kabsha bleef enkele jaren in China; vooral in Kanton bekeerde hij tientallen mensen tot de islam.

Ondanks deze diplomatieke benadering en de handelsbetrekkingen tussen de moslems en de Chinezen, kan men niet stellen dat de islam op grote schaal in China bekend is geworden. Daarom kozen de islamieten in een later stadium een andere weg om China te bereiken, namelijk de militaire weg.

Tijdens de oorlog tussen het Sassaniden-rijk en de Arabische moslems stuurde koning Yazdagird, de laatste koning van het Sassaniden-rijk, zijn zoon Firuz naar China om de hulp van de Chinese keizer in te roepen tegen de Arabieren. De Chinezen stuurden geen militaire hulp naar Perzië, maar daarentegen een ambassadeur naar de Kalief van de Islam, Osman ibn Affan. Toen de Chinese ambassadeur terug-

*Gevechtsscène; muurschildering uit grotten van Doen Hoeang (6de eeuw).*

ging naar China werd hij vergezeld door een islamitische ambassadeur. Naar verluidt werd deze bijzonder hartelijk ontvangen door de Chinese keizer.

Tijdens de regering van Walid ibn Abdoel Malik (705-715) werd er voor een expeditie naar China gekozen. De gouverneur van 'Khorasan' was toen de bekende islamitische militaire leider Qoetaijbah ibn Moeslim. Hij rukte met zijn leger op naar Oxus; later bereikte hij Bukharä en Samarkand en de westelijke gebieden van het Chinese Rijk.

In 713 stuurde hij zijn vertegenwoordiger naar de Chinese keizer met het verzoek de islam te accepteren. De keizer stuurde hem echter weg. In datzelfde jaar trok vanuit het zuiden van Perzië een andere islamitische leider, Mohammed ibn Kasim, met zijn leger richting Sind en Moeltaan en uiteindelijk Punjab. Met deze twee expedities bereikten de moslems de grenzen van China en India.

## Tsjen-la valt in twee helften uiteen

TSJEN-LA, 722 - Vooralsnog duurt de chaos die is ontstaan na de dood van koning Jayavarman I voort. Het land lijkt definitief in twee helften te zijn verdeeld: Tsjen-la [Vietnam] van het land en Tsjen-la van het water.

De oorzaak moet vooral worden gezocht in het feit dat Jayavarman I zonder directe mannelijke erfgenamen is gestorven. Hierdoor brak niet alleen aan het hof maar in het hele land anarchie uit. Onduidelijk is wie in het zuidelijke gedeelte van het rijk van Tsjen-la, dat nu Tsjen-la van het water wordt genoemd, de macht in handen heeft. In ieder geval valt dit gebied uiteen in vijf kleine koninkrijken. Het strekt zich uit van de benedenloop van de rivier de Mekong tot de rivier de Menam.

Wel is duidelijk dat twee oude dynastieën proberen de macht aan zich te

trekken: de zonnedynastie van Sambhupuras en de maandynastie van Aninditapuras. Deze laatste familie werd ondergeschikt aan de koning van Tsjen-la ten tijde van de regering van Isanavarman I.

De zwakte van het in twee delen uiteengevallen Tsjen-la komt ook tot uiting in het binnendringen van buitenlandse mogendheden in beide rijken. In Tsjen-la van het water krijgen de heersers van het Javaanse rijk van Sailendra en de machthebbers van het rijk van Sriwijaya invloed. Na invasies vanuit deze rijken lijkt het Mahayana-boeddhisme grote invloed te verwerven in Tsjen-la van het water.

Tsjen-la van het land staat sterk onder invloed van het Chinese Rijk en moet zich uit geopolitieke overwegingen wel daarop oriënteren.

---

**730.** De Byzantijnse keizer Leo III vaardigt een decreet uit tegen de verering van iconen. →

**730.** Germanus, patriarch van Constantinopel, sluit zich aan bij de opstand tegen de iconoclastische politiek van de Byzantijnse keizer en wordt afgezet.

**730.** Johannes van Damascus, een gezaghebbend oosters theoloog, werpt zich op als verdediger van de beeldenverering.

**730.** Engeland, Schotland en Wales worden getroffen door een zware hongersnood.

**730** (circa). In China sterft de landschapschilder Li Chao Tao. Zijn bekendste schilderij is *De reis van keizer Ming Huang naar Shu.*

**November 731.** De nieuwverkozen paus Gregorius III excommuniceert de Byzantijnse keizer Leo III.

**731.** De Angelsaksische monnik Beda Venerabilis (de Eerbiedwaardige) schrijft in de benedictijnenabdij van Jarrow een geschiedenis van de Angelsaksen: *Historia Ecclesiastica Gentis Anglorum.*

**731.** Bij Arles wordt hertog Odo van Aquitanië door de moslems verslagen. De hertog trekt zich terug naar het noorden en zoekt hulp bij Karel Martel.

**733.** Karel Martel verslaat bij Poitiers een leger van de moslems. →

**734.** Karel Martel slaat een opstand van de Friezen neer.

**735** (circa). In China verdringt onder de Tang-dynastie het confucianisme geleidelijk het boeddhisme.

**736.** De Arabieren worden uit Kasjgar [Sjoefoe in China] verdreven door Hioen-tsong.

**737.** In Japan wordt het boeddhisme officieel tot staatsgodsdienst gemaakt.

**737.** Na de dood van de Merovingische koning Theodorik IV regeert de hofmeier Karel Martel als alleenheerser in het Frankische Rijk.

**739.** Paus Gregorius III verzoekt de Frankische hofmeier Karel Martel om bescherming tegen de Longobarden en geeft hem de titel 'Patricius Romanus'.

**739.** De apostel Willibrordus is in het klooster van Echternach gestorven. →

Geboren:

**735** (circa). Alcuinus van York († 19 mei 804), Angelsaksisch geleerde in dienst van Karel de Grote

# Leo II verbiedt iconenverering

CONSTANTINOPEL, 730 - Keizer Leo III van het Byzantijnse Rijk heeft bij decreet de iconenverering verboden. Patriarch Germanus, die weigerde het decreet te ondertekenen, is afgezet en vervangen door de gewilliger Anastasius. Aldus is het verbod op de verering van beelden nu ook door de Kerk gesanctioneerd.

De oppositie tegen de iconenverering dateert al vanaf de 4de eeuw. In de oostelijke rijksprovincies, in Klein-Azië, zijn de iconoclastische tendenties enigermate beïnvloed door het jodendom en door de islam, die beide de beeldenverering verbieden. Deze tendenties zijn de laatste jaren aanzienlijk sterker geworden.

Maar ook de iconenverering is hand over hand toegenomen. De verering geldt vooral die iconen welke niet gemaakt zouden zijn door mensenhanden en waaraan wonderbaarlijke krachten worden toegekend. Vaak wordt niet alleen de persoon of de idee die een icoon vertegenwoordigt aanbeden, maar ook de afbeelding zelf of het materiaal waarvan deze is gemaakt.

Keizer Leo, afkomstig uit het oosten van het rijk, heeft vier jaar geleden al een edict tegen de iconenverering uitgevaardigd. Teneinde dit kracht bij te zetten gaf hij opdracht tot de vernietiging van het vereerde Christusbeeld boven een van de toegangen tot het keizerlijk paleis. Dit was aanleiding tot een rel waarbij vooral vrouwen waren betrokken. De keizerlijke functionaris die belast was met de vernietiging van het beeld werd hierbij gedood. Ook elders in het rijk braken in 726 rellen uit die door het leger werden onderdrukt. De van zijn ambt ontheven patriarch Germanus vindt in zijn verzet tegen de keizerlijke iconoclastische politiek een medestander in de persoon van paus Gregorius II.

*Koptische icoon; de vlucht van Jozef en Maria naar Egypte (7de eeuw).*

# 740

# Opmars moslems gestuit

*De Frankische hofmeier Karel Martel (rechts) verslaat de Omajjaden bij Poitiers.*

POITIERS, 17 oktober 733 - De Frankische hofmeier Karel Martel heeft bij Poitiers het leger van de Omajjaden, moslims die vanuit Spanje waren binnengevallen, tot staan gebracht. Hoewel niet beslissend is deze overwinning van groot belang voor de verdediging van de zuidelijke grenzen. De veldslag bij Poitiers betekent een versterking van de positie van Karel Martel. Tevens is het een leerzame krachtmeting voor de Frankische aanvoerder geweest: in navolging van zijn tegenstander besluit hij tot de opbouw van een sterke ruiterafdeling in het leger.
Karel Martel ('strijdhamer'), zoon van Pippijn II, heeft de afgelopen decennia de macht die hij van zijn vader had geërfd verder uitgebreid. Het was dan ook begrijpelijk dat hertog Odo van Aquitanië een beroep op hem deed in de strijd tegen de moslems, die via de Pyreneeën het zuiden van Gallië waren binnengetrokken.
Op het veld bij Poitiers stonden aan de ene kant de Franken, die hoofdzake-

lijk te voet streden, en aan de andere kant de moslems, onder leiding van Ab-er-Rahman, met hun snelle en wendbare cavalerie. De numerieke meerderheid van de Franken gaf na een dag vol strijd ten slotte de doorslag. De verslagen Omajjaden zagen in de daaropvolgende nacht wel kans om ongemerkt te vertrekken. De kennismaking met de islamitische strijdmacht is voor Karel Martel aanleiding om zijn leger grondig te reorganiseren. Voortaan moet de kern van zijn troepen worden gevormd door een sterke ruiterij. De oprichting van een dergelijk elitekorps brengt enorme kosten met zich (paarden, harnassen, wapens). Karel Martel financiert deze operatie onder andere met de inkomsten van kerkelijke instellingen, hetgeen aanvankelijk tot protesten vanuit de geestelijkheid heeft geleid. Toch gaat men akkoord, omdat het terugdringen van de heidenen en de daarmee gepaard gaande herovering van de zuidelijke provincies ook in het belang van de Kerk zijn.

## Willibrordus overlijdt in Echternach

ECHTERNACH, 7 november 739 - Op 81-jarige leeftijd is de apostel van de Friezen, Willibrordus, in het door hem gestichte benedictijnenklooster van Echternach overleden. Met hem hebben de christenen een man verloren die als geen ander verantwoordelijk is geweest voor de kerstening van de Lage Landen.
Willibrordus is rond het jaar 658 in de buurt van het Engelse York geboren. Na op zijn dertigste jaar als benedictijn tot priester te zijn gewijd, kreeg hij van zijn abt de opdracht de bekering van de Friezen ter hand te nemen. Hij streefde daarbij voortdurend naar een samenwerking tussen de Engelse missies en de Karolingische vorsten.
In 695 werd hij benoemd tot aartsbisschop van de Friezen met als zetel Utrecht. In deze stad bouwde hij de

Sint-Salvatorkerk en ook nog een kerk ter ere van de patroon van Gallië, Sint Maarten. Vanuit Utrecht werden tal van predikers naar de kustgebieden gestuurd en in allerlei plaatsen heiligdommen gesticht (onder andere in Vlaardingen, Velsen, Heiloo, Petten, Walcheren en Maaseik).
Tijdens de ineenstorting van het Frankische gezag (715-719) werd de kersteningsarbeid van Willibrordus voor een groot deel tenietgedaan: de Friese koning Radboud voerde in die jaren een vernietigende campagne tegen de christenen en besloot Willibrordus te verbannen. Na Radbouds dood in 719 wist Willibrordus zijn apostolaat te herstellen. Hij werd daarbij geholpen door de man die zijn apostolaat nu zal moeten voortzetten, Wynfrith (Bonifatius).

---

**740.** Koning Alfonso I van Asturië onderneemt een eerste contra-offensief tegen de Moren. →

**741.** De Frankische hofmeier Karel Martel verdeelt het Frankische Rijk onder zijn twee zonen Karloman I en Pippijn III. Karloman krijgt de heerschappij over het oosten, Pippijn over het westen.

**22 oktober 741.** In Quierzy is Karel Martel gestorven. Deze Frankische hofmeier heeft het Frankische Rijk sinds 737 als alleenheerser zonder koningstitel bestuurd. →

**742.** Op verzoek van Karloman en Pippijn III begint Bonifatius met de reorganisatie en de unificatie van de Kerk in het Frankische Rijk.

**743.** De Frankische hofmeiers Karloman en Pippijn roepen Childerik III, de zoon van de in 737 overleden Merovingische koning Theodorik IV, tot koning uit. Mogelijk doen zij dit om tegemoet te komen aan een nog bestaande loyaliteit jegens het oude Merovingische koningshuis.

**743.** Introductie van de *Regula Benedicti* (regel van Benedictus) in het Frankische Rijk door Bonifatius.

**743.** Paus Zacharias haalt de Longobardische koning Liutprand over te stoppen met zijn expansionistische politiek in Italië. Liutprand zegt toe Ravenna en het Byzantijnse exarchaat te ontruimen.

**744.** Sturmius, een discipel van Bonifatius, sticht de benedictijnenabdij Fulda.

**747.** De Austrasische hofmeier Karloman doet afstand van het bestuur en trekt zich in een klooster terug. Zijn broer Pippijn III wordt nu alleenheerser over het Frankische Rijk.

**748.** Onder aanvoering van hertog Tassilo komen de Beieren in opstand tegen de Frankische overheersing.

**748.** Paus Zacharias beveelt kooplieden uit Venetië te stoppen met de verkoop van Afrikaanse slaven aan de Arabieren.

**749.** In Koefa (Perzië) roept Aboe al-Abbas, afstammeling van de profeet Mohammed, zich tot kalief uit. Aboe sticht het kalifaat der Abbasiden.

**749.** De Chinezen verdrijven de Tibetanen uit de Pamir (hoogland in zuidelijk Centraal-Azië) en herstellen de verbinding met Indië.

Gestorven:

**741.** Leo III (circa 675), keizer van het Byzantijnse Rijk
**741.** Gregorius III (?), paus sinds 731
**744.** Liutprand (?), koning van de Longobarden

---

*Een bladzijde uit de Visigotische 'Codex Vigiland'.*

## Alfonso I begint met Reconquista

ASTURIE, 740 - Vlak na het aanvaarden van het koningschap van Asturië heeft Alfonso I het eerste contra-offensief tegen de Moren ondernomen. De Noordafrikaanse, islamitische Berbers die zich in Noord-Spanje ophielden, zijn verslagen. Delen van Noord-Spanje (van Galicië, León en Santander) zijn in handen van de christelijke Asturiërs gevallen. De rivier de Duero is de scheidslijn tussen christelijk en islamitisch Spanje geworden.
Toen in 711 de Saracenen vanuit Marokko naar Spanje overstaken, hadden ze ongeveer vijf jaar nodig om het gehele Iberische schiereiland onder hun gezag te brengen. Alleen in enkele bergachtige streken in het noorden hadden ze niet kunnen doordringen.
Pelayo I, schoonvader van Alfonso en grondlegger van het koninkrijk Asturië, hield zich daar op met een groepje edelen en de oorspronkelijke bewoners van die streken. In 722 sloeg hij een aanval van de Saracenen af in de legendarische Slag bij Covadonga. Hoewel deze eerste overwinning op de moslems strategisch gezien van weinig betekenis was, versterkte ze bij de christelijke Spanjaarden het geloof dat God hen zou helpen bij het verdrijven van de 'infidels' (ongelovigen) uit Spanje.
In elk Spaans stadje ten zuiden van de Duero zijn moslem-garnizoenen gevestigd. Het verzet tegen hen kwam pas langzaam op gang vanwege de interne problemen waarmee de Visigotische koningen kampten. Toch heeft het idee van de Reconquista (Spaans voor herovering) al vroeg post gevat. De christelijke bevolking van Spanje wil de 'infidels' onder meer terugdrijven vanwege hun godsdienst en omdat ze geen schatting wil betalen aan deze nieuwe machthebbers. Koning Alfonso is de eerste die het idee van de Reconquista in praktijk heeft gebracht. Door op het juiste moment toe te slaan, heeft hij van de onderlinge verdeeldheid van de moslems gebruik kunnen maken; de door hem overwonnen Berberstam was namelijk in opstand gekomen tegen zijn Arabische heersers.

# Hofmeier Karel Martel herstelt Frankische gezag

QUIERZY, 22 oktober 741 - Op circa 65-jarige leeftijd is de Frankische hofmeier Karel Martel overleden. Vanaf 714 heeft de zoon van Pippijn II zich ingezet voor het herstel van het centrale gezag in de Frankische deelrijken Neustrië en Austrasië. Nadien breidde hij zijn macht uit naar het zuiden, oosten en noorden. Daarvoor deed hij een beroep op de rijke Gallische Kerk. Op zijn beurt bood hij haar bescherming en steunde het zendingswerk van Bonifatius.

Karel Martel werd circa 676 geboren als zoon van Pippijn II van Herstal en diens concubine Alpaïda. Na de dood van zijn vader (714) dreigde het Frankische Rijk, door Pippijn zo moeizaam tot een begin van eenheid gebracht, aan anarchie ten prooi te vallen. In Neustrië kwamen edelen in opstand tegen de Austrasische overheersing; in andere naar onafhankelijkheid strevende rijken als Bourgondië, Aquitanië en Provence waren de vorderingen van Pippijn ook bijna tenietgedaan. Daarnaast bestookten de Friezen en Saksen keer op keer de rijksgrenzen.

Karel bracht eerst de binnenlandse zaken enigszins op orde, alvorens met succes veldtochten tegen de voornoemde volkeren te ondernemen. De meeste roem vergaarde hij ongetwijfeld in de jarenlange strijd tegen de vanuit Spanje opererende moslems (733-739).

Toen in 737 de Merovingische koning Theodorik IV overleed, nam Karel Martel diens positie over zonder de koninklijke titel te dragen. Wel verdeelde hij, als was hij koning, voor zijn dood het rijk onder zijn twee zonen Karloman en Pippijn.

De resultaten van Karels optreden waren voor een belangrijk deel te danken aan de steun van de Kerk. In politiek opzicht vormde zij een stabiele factor, in economisch opzicht was zij onmisbaar bij de financiering van het kostbare expansieprogramma van Karel Martel. Hoewel deze zich nogal eens ongevraagd meester maakte van kerkelijke bezittingen, spande hij zich in het algemeen in voor het welzijn van de Kerk en voor de verbreiding van het geloof. Hij ondersteunde metterdaad het zendingswerk van Bonifatius onder de Friezen en de Saksen, alsmede diens hervormingsprogramma ten behoeve van de Frankische Kerk en haar functionarissen.

Daarentegen legde Karel een verzoek van paus Gregorius III (739) om hulp tegen de Longobarden naast zich neer. Hij had namelijk met de Longobardische Liutprand een overeenkomst gesloten, waarin zij elkaar steun toezegden in de strijd tegen de moslemaanvallen in het Rhône-dal.

# 750

**750.** De dood van kalief Marwan ibn-Mohammed betekent het einde van het Omajjadische Rijk. →

**750** (circa). Gopala sticht de Paladynastie in Oost-India.

**751.** Bij Talas lijden de Chinezen een nederlaag tegen de Arabieren. →

**751.** Met goedkeuring van de paus laat de Frankische hofmeier Pippijn III 'de Korte' de Merovingische koning Childerik III opsluiten. →

**752.** Na de verovering van Ravenna belegeren de Longobardische legers Rome. De paus vraagt de Byzantijnse keizer tevergeefs om hulp.

**752.** De Japanse keizer Shomu schenkt een groot bronzen beeld aan de boeddhistische tempel van Todaji. →

**7 januari 754.** Paus Stefanus II is na een barre tocht over de Alpen te Ponthion aangekomen om Pippijn, koning van de Franken, te smeken Italië van de Longobarden te bevrijden. →

**14 april 754.** In Quierzy belooft de Frankische koning Pippijn het door de Longobarden veroverde exarchaat van Ravenna (voormalig Byzantijns bezit) aan de paus 'terug te geven'.

**5 juni 754.** Bij Dokkum wordt de Angelsaksische missionaris en bisschop Bonifatius, door heidense Friezen vermoord. →

**28 juli 754.** In Saint-Denis zijn Pippijn en zijn twee zonen Karel en Karloman voor de tweede maal door paus Stefanus tot koning gezalfd. →

**755.** In China is een burgeroorlog uitgebroken nadat An Lushan, een Tataarse militaire gouverneur, in opstand is gekomen tegen keizer Hsuan Tsung. De keizer doet afstand van de troon ten gunste van zijn zoon. →

**756.** Abd al-Rahman I sticht het Omajjadische Emiraat van Córdoba op het Iberisch schiereiland.

**Mei 756.** De Frankische koning Pippijn verslaat de Longobardische koning Aistulf en dwingt hem het veroverde exarchaat van Ravenna af te staan. Pippijn schenkt dit voormalige Byzantijnse exarchaat aan de paus en sticht aldus de Kerkelijke Staat.

**759.** Na een slechte oogst wordt Ierland geconfronteerd met ernstige voedseltekorten. Er breekt een hongersnood uit.

**759.** In Japan is een bloemlezing van de literatuur in twintig delen eindelijk voltooid.

**759.** De Frankische koning Pippijn I verdrijft de Arabieren uit Narbonne, hun laatste bezit ten noorden van de Pyreneeën.

# Omajjaden-rijk ten onder

*Het woestijnfort Quasr el-Charana in Jordanië, een bolwerk van de Omajjaden.*

AL-KOEFA, augustus 750 - In een oorlog tussen de Omajjaden en het leger van de Abbasiden is de kalief van de Omajjaden, Marwan ibn Mohammed, vermoord. Zijn dood betekent het einde van het Omajjadische Rijk, dat door Moe'awijja in 661 werd gesticht en dat zich uitstrekte van Spanje tot Indië en China.

Ondanks het feit dat verschillende volken, zoals de Perzen, de Koerden en de Turken, tot de islam werden bekeerd, bleef het Omajjadische systeem gebaseerd op de Arabische cultuur. In 696 werd het Arabisch als officiële bestuurstaal van het rijk ingevoerd, hetgeen de arabisering van de veroverde gebieden bevorderde. Mede daardoor werd het conflict tussen de Arabieren en de andere islamitische volken, met name de Perzen en Koerden, verscherpt. De niet-Arabieren die zich bekeerd hadden en gelijkberechtiging eisten, wezen niet alleen op de fundamentele gelijkheid van alle moslems, maar ook op de bijdragen die zij aan de hele gemeenschap der gelovigen konden leveren. Deze beweging voor gelijkberechtiging wordt wel de Sjoe'oebijja-beweging genoemd: 'de beweging der volken'.

Niet alleen de Perzen deden hun aanspraken gelden, ook andere volken van het Omajjadische Rijk mengden zich in de strijd. De Abbasiden die de opstand tegen de Omajjaden leidden, waren een familie die van de clan van profeet Mohammed afstamde. Al-Abbas was een oom van de profeet. Zijn zoon Abdoellah werd bekend door zijn kennis en interpretatie van de koran. De kinderen en kleinkinderen van deze Abdoellah speelden een belangrijke rol bij de organisatie van de oppositie tegen de Omajjaden.

Hun aanhang onder de Perzen groeide snel. Een islamitisch-Perzische (soms wordt gezegd een Koerdische) leider, Aboe Moeslem al-Khoerasami, ging naar Khorasan waar hij een opstand tegen de Omajjaden uitriep. Aboe Moeslem stuurde een delegatie van de twaalf belangrijke leiders van Khorasan naar Aboe al-Abbas om hem te vragen het kalifaat op zich te nemen. Die opzet slaagde: op 28 november vorig jaar koos de bevolking van Al-Koefa in Mesopotamië Aboe al-Abbas tot Kalief van de Islam.

Marwan, de kalief van de Omajjaden, vluchtte na enkele nederlagen naar Egypte, waar hij vermoord werd. Alle Omajjaden werden op zeer bloedige wijze afgemaakt, behalve één van de prinsen, Abdoel Rahman al-Dakhal, die naar Spanje vluchtte.

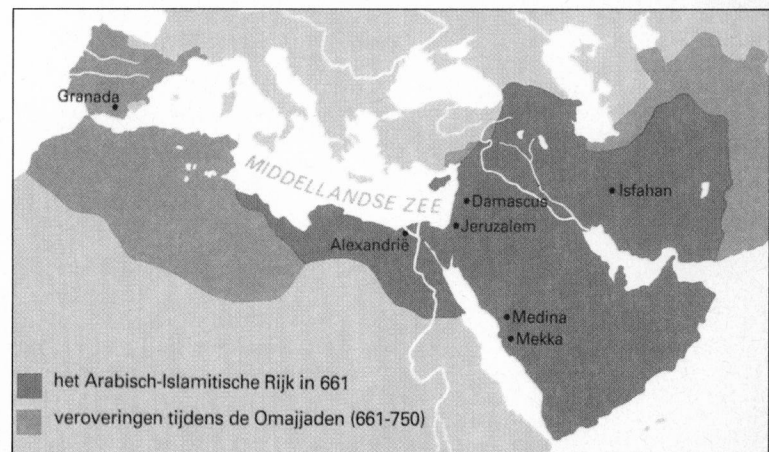

het Arabisch-Islamitische Rijk in 661

veroveringen tijdens de Omajjaden (661-750)

*Het rijk van de Omajjadendynastie in de periode 661-750.*

# Arabieren verpletteren groot Chinees leger

CHANGAN, 751 - Een groot Chinees leger is door Arabieren bij de Talas-rivier verslagen. Deze nederlaag markeert het einde van de Chinese expansie in Centraal-Azië en de mogelijke islamisering van dit gebied.

Het Chinese leger, dat onder leiding stond van generaal Gao Xianzhi, leed een verpletterende nederlaag. Bijna alle soldaten werden gedood of gevangengenomen. Onder de krijgsgevangenen zijn ambachtslieden die naar Samarkand zijn gevoerd om het geheim van de papierproduktie aan de overwinnaars door te geven.

De nederlaag bij de Talas-rivier kan het einde betekenen van alle veroverin-

## Franken kiezen Pippijn tot koning

SOISSONS, november 751 - Op de rijksdag is hofmeier Pippijn III door de Franken tot koning gekozen en gekroond. Aansluitend is hij door de bisschoppen gezalfd. De laatste koning, Childerik III, is uit zijn ambt ontheven, kaalgeschoren en in het klooster opgesloten. Daarmee is er een einde gekomen aan het Merovingische koningshuis en begint het tijdperk der Karolingen.

Pippijn III, bijgenaamd 'de Korte', werd in 714 als tweede zoon geboren uit het huwelijk van de Frankische hofmeier Karel Martel en Rotrudis. Samen met zijn oudere broer Karloman erfde hij de heerschappij van zijn vader. Pippijn kreeg daarbij Neustrië, Bourgondië en de Provence toebedeeld. In naam waren ze beiden hofmeier en om die reden plaatsten zij in 743 een schijnkoning op de troon, Childerik III.

Nadat Karloman in 747 zijn functie voortijdig had neergelegd, naar verluidt uit liefde voor het kloosterleven, kwam het rijksbestuur weer in handen van één persoon. Op ingenieuze wijze wist Pippijn de banden met de aristocratie en de Kerk te verstevigen. Deze ontwikkeling vond haar hoogtepunt op de rijksdag te Soissons.

De kroning van Pippijn werd volgens traditie voltrokken: gekozen door alle Franken. Vervolgens is Pippijn door de bisschoppen, onder wie Bonifatius, met gewijde olie gezalfd. Paus Zacharias had door middel van gezanten zijn steun aan de wijding kenbaar gemaakt: 'Het is beter dat diegene koning genoemd wordt en koning is, aan wie de macht in het rijk toebehoort, en niet hij die ten onrechte koning wordt genoemd.'

Het zalvingsceremonieel grijpt terug op de oudtestamentische kroningsrituelen ten tijde van Saul en David. Het is een duidelijk teken van de groeiende binding tussen Kerk en staat.

gen die China in de laatste honderd jaar in Centraal-Azië heeft behaald. Deze veroveringen herstelden niet slechts China's gezag in gebieden die sinds de Han-dynastie voor het Chinese Rijk verloren waren gegaan, maar brachten China voor het eerst in direct contact met grote rijken in het westen: Perzië en Byzantium. Een van de redenen van het debâcle bij Talas is een foutieve diplomatieke strategie van de Chinese regering. Zowel de heersers van Byzantium als die van Perzië zochten China's bondgenootschap in het aangezicht van de snelle Arabische expansie. Het verzoek om hulp van de koning van Perzië toen zijn koninkrijk aan de vooravond van een Arabische invasie stond, werd genegeerd.

De nederlaag vindt plaats op het ogenblik dat zowel de interne situatie van het keizerrijk China als zijn militaire positie een verslechtering ondergaat. De financiële positie van de staat maakt een crisis door als gevolg van een achteruitgang in de belastingopbrengsten. Bovendien tasten intriges aan het hof waarin de nieuwe concubine van de keizer, Yang Guifei, haar favoriet de Turk An Lushan en haar beschermer de kanselier Li Linfu de hoofdrol spelen, de besluitvaardigheid van de Chinese regering aan. Behalve voor Yang Guifei interesseert keizer Xuan Zong zich in hoge mate voor poë-

*Keizer Xuan Zong te paard; 11de-eeuwse muurrol naar voorbeeld uit 8ste eeuw.*

zie en andere schone kunsten.

Tegelijk met de nederlaag in Centraal-Azië werden de legers van de Tang-dynastie ook door de Thais in de provincie Yunnan verslagen. Dit houdt in dat China nu niet alleen zoals vanouds door nomadenstammen uit het noorden wordt bedreigd, maar tevens met invasies van Arabieren uit het westen, Tibetanen uit het zuidwesten en Thais van het nieuwe koninkrijk Nan Chao rekening moet houden.

# Friezen vermoorden Bonifatius bij Dokkum

*Links Bonifatius als doper, rechts zijn marteldood in 754 bij Dokkum (miniatuur).*

DOKKUM, 5 juni 754 - Tijdens een zendingsreis in Friesland is Bonifatius, aartsbisschop van Mainz, door een groep heidense Friezen in de omgeving van Dokkum vermoord. Ruim vijftig metgezellen van de 80-jarige bisschop hebben op deze pinksterzondag eveneens op gewelddadige wijze het leven verloren.

Het wordt niet uitgesloten geacht dat de bisschop het slachtoffer is geworden van een politieke moord. Bonifatius werd tenslotte gezien als een handlan-

ger van de koning der Franken, Pippijn de Korte. In zijn bekeringswerk werd hij door soldaten van deze koning gesteund en zij waren het die de prediker tegen de aanvallers hebben willen beschermen. Volgens de berichten heeft Bonifatius zijn metgezellen echter bezworen zich niet tegen de Friezen te verzetten om te voorkomen dat er aan beide kanten doden zouden vallen. 'Na de ellende van dit leven is de dood een welkome gast en een begin der eeuwige vreugde,' zouden de laatste woorden

van de bisschop zijn geweest.

Bonifatius is tachtig jaar geleden als Wynfrith geboren in het Engelse Wessex. Hij heeft zijn opleiding genoten in benedictijnenkloosters, trad ook zelf tot de orde toe en werd op zijn dertigste tot priester gewijd. Rond zijn veertigste verliet hij Engeland om zich geheel te wijden aan de verbreiding van het christendom op het Europese vasteland. Paus Gregorius II, die Wynfriths naam veranderde in Bonifatius, wees hem daartoe het gebied ten oosten van de Rijn aan.

Bij zijn eerste pogingen de Friezen te kerstenen stuitte Bonifatius steeds op het verzet van de Friese koning Radboud. Na de dood van Radboud in 719 keerde Bonifatius naar Friesland terug om zijn landgenoot Willibrordus te helpen met zijn zendingswerk. Een missiereis in datzelfde Friesland is hem nu noodlottig geworden.

Bonifatius heeft tijdens zijn leven een doorslaggevende rol gespeeld in de verbreiding van het christendom in Europa. Hij was een groot organisator en leider; hij was zo succesvol in zijn bekeringswerk dat hij wel de apostel van de Germanen wordt genoemd en zijn werk wordt vergeleken met dat van de apostel Paulus.

*Een boeddhabeeld uit de Nara-tijd.*

# Shomu begunstigt het boeddhisme

NARA, 752 - De gift van een 17 meter hoog bronzen beeld van Vairocana, de hoogste en meest algemene Boeddha aan de grootste en voornaamste boeddhistische tempel van Japan, de Todaji, is het zoveelste teken van de begunstiging van het boeddhisme door keizer Shomu.

Al eerder heeft Shomu blijk gegeven van zijn voorkeur voor het boeddhisme. In 741 liet hij in alle provincies en districten kloosters en conventen voor nonnen bouwen om op die manier de indeling van tempels parallel te laten lopen met de bestuurlijke ordening.

Korte tijd later doorbrak hij ten gunste van de boeddhistische kloosters de nieuwe regels over de verdeling van ontgonnen land. Aanvankelijk was in 711 en 713 bij edict vastgelegd dat prinsen, de aristocratie en kloosters zich geen 'konden' (ontgonnen bouwland voor rijst) mochten toeëigenen. Nu heeft hij vastgelegd dat de kloosters die na 741 zijn gesticht, door de staat aangewezen konden mogen opeisen.

*Jachtscène; muurschildering uit de 7de eeuw, gevonden in een graftombe.*

# Opstand van An Lushan

CHANGAN, 755 - Keizer Xuan Zong heeft moeten toestaan dat zijn geliefde concubine Yang Guifei door zijn soldaten werd geëxecuteerd. Het keizerlijk gezelschap was op de vlucht voor de oprukkende strijdmacht van An Lushan die Changan dreigt in te nemen.

An Lushan, die het voornemen heeft om een nieuwe dynastie te vestigen, is van Turkse afkomst. Hij was als hoveling bijzonder geliefd bij zowel Yang Guifei als de keizer zelf. Hij werd onlangs benoemd tot militair bevelhebber van het noordoosten waar hij tot taak had het keizerrijk tegen de Kitans te beschermen. Nadat hij in conflict kwam met de broer van Yang begon hij plannen voor een revolte te maken. Maar ondanks rapporten hierover werd daaraan door de keizer geen geloof gehecht. An Lushan staat aan het hoofd van het leger van 150 000 man. Het verzet tegen An Lushan wordt geleid door de zoon van de keizer die, naar verluidt, spoedig zijn vader formeel zal opvolgen. Hij heeft al boodschappers gestuurd naar het noordwesten om de Oejgoeren te hulp te roepen. Dit volk heeft in het verleden ook de grondleggers van de Tang-dynastie aan de macht geholpen.

*Boeddha in de natuur (8ste eeuw).*

NARA, 759 - Met een prachtig gedicht van Otomo no Yakamochi is eindelijk de 20-delige bloemlezing van de Japanse literatuur voltooid. De *Man'yoshu* (letterlijk betekent het 'Verzameling van 10 000 bladeren' maar in feite wordt bedoeld 'Verzameling van 10 000 generaties') bevat ruim 4200 'tanka' (kort gedicht), 260 'choka' (lang gedicht) en 60 'sedoka' (gedicht waarin eerste regel steeds wordt herhaald). Het heeft enkele decennia geduurd voordat het volledige werk is voltooid. Vooral de grote variëteit van stijlen die in de *Man'yoshu* aan bod komen, de weidsheid waarmee onderwerpen worden uitgebeeld en het hier en daar gewaagde experimentele karakter van met name recente gedichten maken de verzameling tot een monument. Het meest door de dichters bezongen thema is dat van de liefde. Niet zozeer een beschrijving van de verschillende gradaties van verlangen, maar meer de absolute toewijding van mensen ten opzichte van elkaar wordt op vele verschillende manieren tot uitdrukking gebracht. Veelal worden uitingen van liefde gesymboliseerd door motieven uit de natuur, met name door bloemen.

# Koning Pippijn III en paus Stefanus II sluiten verdrag

ST.-DENIS, 28 juli 754 - De Frankische koning Pippijn III en paus Stefanus II hebben een overeenkomst met elkaar gesloten. De laatste was over de Alpen gereisd om Pippijns hulp in te roepen tegen de Longobarden, die op het punt stonden Rome in te nemen. Na aankomst heeft de paus de Frankische koning gezalfd en hem de titel 'patricius Romanorum' verleend, op grond waarvan Pippijn voortaan zorg moet dragen voor de bescherming van Rome. Deze overeenkomst tussen de Heilige Stoel en de Frankische monarchie is voor beide partijen van grote betekenis: Rome heeft zich definitief losgemaakt van Byzantium, terwijl het Frankische koningschap er een nieuwe dimensie bij krijgt.

Vanaf het begin van deze eeuw rukten de Longobarden langzaam maar zeker op naar Rome. De paus verkeerde in een moeilijk parket. Als gevolg van een conflict over de Byzantijnse beeldenstrijd (725-731) was de relatie tussen Rome en de keizer op een dood spoor geraakt. Toen Byzantium drie jaar geleden ook nog eens het gezag over de diocesen in Zuid-Italië en op Sicilië aan de pauselijke bevoegdheden onttrok, was een verzoening van de baan. De keus tussen onderwerping aan de Longobarden of de hulp inroepen van de Franken was voor de paus niet zo moeilijk.

Het beeld dat Rome had van de barbaren ten noorden van de Alpen, is door het optreden van Karel Martel en zijn opvolgers in positieve zin bijgesteld. Weliswaar wezen de Franken in 739 een pauselijk verzoek om bijstand nog van de hand, maar nu zijn de omstandigheden duidelijk beter.

Pippijn, inmiddels officieel koning, heeft zich tegenover Stefanus bereid verklaard om Rome te bevrijden van de Longobardische dreiging. In ruil daarvoor zal de paus hem zalven en hem en zijn zonen Karel en Karloman de titel 'patricius Romanorum' geven, traditioneel verbonden met het stadhouderschap van de Italiaanse provincie Ravenna en tot dan toe voorbehouden aan de Byzantijnse keizer. Voor Pippijn is dit de kans om zijn politieke positie verder te versterken; voor de paus is het aantrekkelijk om een beschermheer te hebben die niet te dichtbij woont, zodat de onafhankelijkheid van Rome gewaarborgd lijkt.

*Een Frankische edelman afgebeeld als stichter van een kerk, 9de eeuw.*

# Al-Mansoer sticht Bagdad

BAGDAD, 762 - De tweede kalief van de Abbasiden, Aboe Dja'far Abdoellah al-Mansoer heeft een nieuwe stad gebouwd die 'Madienat al-Salam' (de stad van de vrede) wordt genoemd. Hij liet een paleis voor zichzelf bouwen en verscheidene andere gebouwen voor zijn staf. De bouw van deze nieuwe stad houdt in dat Damascus, de hoofdstad van het Omajjadische Rijk, niet langer wordt beschouwd als de hoofdstad van het Islamitische Rijk.

Aboe Dja'far Abdoellah al-Mansoer volgde in 754 zijn broer op als kalief. Zijn broer, Aboe al-Abbas, de eerste kalief van de Abbasiden, had de stad Al-Hashimiyya in het zuiden van Mesopotamië als zijn officiële residentie gekozen.

Toen Al-Mansoer aan de macht kwam, besloot hij een nieuwe stad te stichten. Zijn keuze viel op een klein dorp aan de Tigris, Bagdad genaamd. De voorkeur voor deze plaats had verschillende oorzaken: in de eerste plaats wilde hij het centrum van het Islamitische Rijk verplaatsen van Damascus naar een andere stad; Damascus was heel lang de hoofdstad van de Omajjaden, de vijanden van de Abbasiden, geweest. Veel Arabieren in Al-Schaam (Syrië) sympathiseerden nog steeds met het oude rijk. Door de hoofdstad te verplaatsen zou de macht van de bevolking van Al-Schaam worden verminderd. In de tweede plaats was Bagdad dichter bij de bevolking die de Abbasiden steunde, namelijk de bewoners van Mesopotamië en het Perzische volk. En ten derde was het dorp Bagdad op een strategische plek gelegen: aan de Tigris en in de buurt van de Eufraat. Grachten konden gemakkelijk worden aangelegd en over de rivieren waren andere plaatsen snel te bereiken.

Hij liet er een ronde stad van maken, waarbij duizenden mensen verplicht tewerkgesteld werden.

De ombouw van dorpje tot nieuwe hoofdstad van het Abbasiden-rijk is een geslaagde onderneming geworden.

*Het leven in de grote stad volgens een Arabische miniatuur uit de 11de/12de eeuw.*

*De beroemde Chinese dichter Li Bai, op een muurrol uit midden 13de eeuw.*

## Beroemde Chinese dichter Li Bai verdronken

CHANGSHA, 762 - De dichter Li Bai is op 61-jarige leeftijd overleden. Hij wordt beschouwd als de belangrijkste dichter van China.

De dood van Li Bai zou te wijten zijn aan misbruik van sterke drank. In beschonken toestand zou de dichter tijdens een wandeling langs de oever van de rivier de Yangzi bevangen zijn door het verlangen om de weerspiegeling van de maan in de rivier te omarmen en is hij verdronken bij de poging om dit te doen.

Li Bai heeft zich gedurende zijn leven bediend van een grote hoeveelheid poëtische vormen. In zijn jeugd was hij taoïst en later trok hij zich bij tijd en wijle als kluizenaar of zwerver terug. Samen met getalenteerde vrienden die evenals hij op zowel poëzie als wijn waren gesteld, richtte hij een gezelschap op dat zich 'De zes nietsnutten van het bamboebosje' noemde.

Hij bracht enige tijd door aan het keizerlijk hof in Changan, maar kwam al gauw in conflict met andere hovelingen vanwege zijn gewoonte om beleefdheidsfrasen te vermijden. Nadat hij in ongenade was gevallen, nam hij zijn zwervend leven weer op, waaraan nu op zo'n tragische wijze een eind is gekomen.

## Kailasja-tempel eindelijk voltooid

ELLORA, circa 770 - In Ellora, ten noorden van de Godavari-rivier op het Dekkanplateau is de aan de hindoegod Shiva gewijde Kailasja-tempel gereedgekomen. In opdracht van koning Krisjna I van de Rashtrakuta's, die zo'n twintig jaar geleden de macht op het Dekkanplateau overnamen van hun voormalige heren de Tsjaloekya's, werd deze tempel in één stuk uit het rotsgesteente van de Kailasjaberg gehakt.

Het werk werd begonnen op de top van de berg, vanwaar in een rechthoek een greppel van ruim 30 meter diepte uit de rots werd gehakt. Het granieten blok van 75 meter lang en 45 meter breed dat daardoor los van de berg kwam te staan, werd vervolgens omgevormd tot een tempel van twee etages. Van binnen werd de tempel uitgehold om plaats te maken voor het heilige fallusbeeld van Shiva, de Shivalinga.

Aan de buitenkant is de tempel rijkversierd met ornamenten, vele honderden beeltenissen van goden en godinnen en een grote verscheidenheid van dierfiguren. Vooral de levensgrote beelden van olifanten aan de voet van de tempel en van leeuwen erbovenop zijn opvallend.

Doordat de tempel midden uit de rots werd gehakt wordt hij omringd door rotswanden en is hij slechts bereikbaar door een smalle spleet. Van de architect van dit alles wordt beweerd dat hij, toen het werk gedaan was, een paar passen achteruit deed en riep: 'O, hoe heb ik dit voor elkaar gekregen!'

*'Shiva danst de Tandava'; reliëf uit de Kailasja-tempel.*

*Karel de Grote (links) en zijn zoon Pippijn op een middeleeuwse boekversiering.*

# Karel alleen aan de macht

CORBIGNY, december 771 - Karel de Grote heeft zich na het overlijden van zijn broer Karloman II meester gemaakt van de heerschappij over het gehele Frankische Rijk. De zonen van Karloman zien hun aanspraken op de erfenis door tussenkomst van hun oom in rook opgaan. Aldus is er opnieuw een eenheid binnen het rijk tot stand gekomen en krijgt het bewind van Pippijn een onverwacht vervolg. Op de fundamenten die zijn voorgangers hebben gelegd, bouwt Karel voort aan een binnenlands bestuursapparaat en een betere beveiliging van de rijksgrenzen.

Karel de Grote werd in 742 geboren als oudste zoon van Pippijn III (de Korte) en Bertrada. Evenals zijn vader en zijn broer Karloman ontving Karel in 754 uit handen van de paus de titel 'Patricius Romanorum'. In de toekomst zou hij de taak van Pippijn als beschermer van Rome moeten overnemen. Gedurende de eerste jaren van zijn regering - Pippijn was inmiddels overleden en

opgevolgd door zijn zonen (768) - kwam Karel evenwel ernstig in botsing met de paus.

Onder druk van de Frankische adel had hij de voorkeur gegeven aan een verbond met de Longobarden in plaats van met Rome. Karels moeder Bertrada probeerde haar oudste zoon zelfs te laten trouwen met de dochter van de Longobardische koning Desiderius. Paus Stefanus III huiverde bij de gedachte dat 'het illustere Frankische bloed bezoedeld zou worden met het stinkende, aan lepralijders ontsproten ras der Longobarden'.

Op het laatste moment zag Karel toch af van het voorgenomen huwelijk. Persoonlijke maar ook politieke redenen lagen daaraan ten grondslag. Bij de bestuurlijke organisatie van het grote Frankische Rijk was de steun van een machtige instelling als de Kerk immers onmisbaar. Zeker nu Karel door de dood van zijn broer Karloman de alleenheerschappij in handen heeft gekregen.

## Franken veroveren Pavia na lang beleg

PAVIA, juni 774 - De Franken hebben Pavia op de Longobarden veroverd. Na negen maanden te zijn belegerd, gaf de stad zich over. De honger en de ziekten die tijdens de belegering in Pavia waren uitgebroken, hebben uiteindelijk meer doden geëist dan de strijd zelf. De Longobardische koning Desiderius is gevangengenomen en met vrouw en dochter verbannen naar een klooster buiten Italië. Karel de Grote heeft zich te Pavia uitgeroepen tot koning van de Longobarden.

Met de verovering van de hoofdstad van het Longobardische Rijk is een einde gekomen aan de tweehonderdjarige heerschappij van de Longobarden in Italië. Vorig jaar trok Karel de Grote na een smeekbede van de paus de Alpen over en begon zijn zegetocht in Italië. Het Longobardisch hertogdom Spoleto onderwierp zich aan het pau-

selijk gezag (en men nam als teken daarvan de Romeinse haardracht over). In het zuiden van Italië hield het Longobardisch hertogdom Benevento zich afzijdig in de strijd.

Zonder veel verzet te ontmoeten veroverde Karel de Grote het grootste deel van het Longobardisch koninkrijk in Noord-Italië. Alleen Pavia (waar de Longobardische koning Desiderius zich had teruggetrokken) en Verona boden weerstand. Tijdens het beleg van Pavia werd Verona gedwongen de strijd op te geven. De zoon van Desiderius vluchtte na de val van Verona naar Constantinopel.

Na de verovering van Pavia is alleen het hertogdom Benevento nog zelfstandig Longobardisch gebied. De verdeeldheid onder de Longobarden heeft uiteindelijk tot de ondergang van hun rijk geleid.

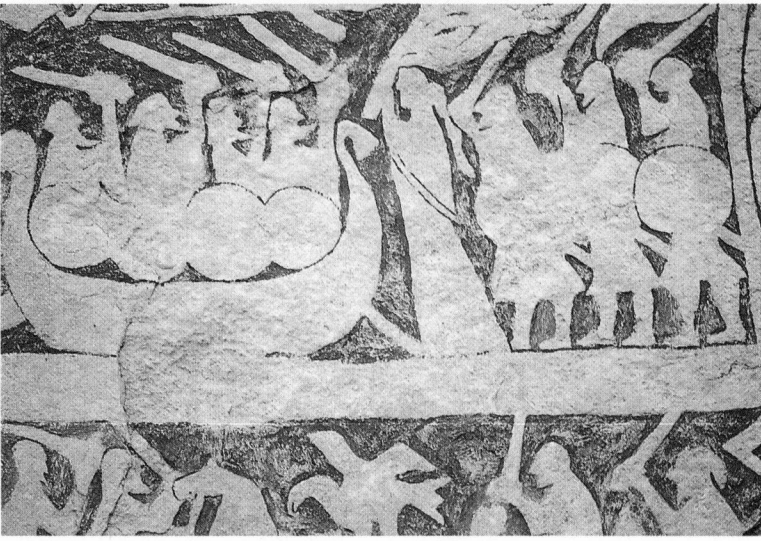

*Vikingen trekken ten strijde; beeldsteen uit de 8ste eeuw.*

# Vikingen verwoesten abdij

LINDISFARNE, 793 - De aanval van de Vikingen op het Engelse klooster van Sint Cuthbert op het eiland Lindisfarne voor de kust van Northumbria heeft op het vasteland een golf van protest veroorzaakt.

Alcuinus, de Engelse raadgever van de Frankische koning Karel de Grote, reageerde verontwaardigd : 'Nog nooit woedde er zo'n terreur in Britannia en nog nooit leefden we in zo'n angst als nu voor de heidenen. En nooit hadden we kunnen bevroeden dat we op zo'n gewelddadige manier vanuit zee konden worden aangevallen. Aanschouw de kerk van Sint Cuthbert, bespat met het bloed van de dienaren Gods, beroofd van al haar ornamenten; er bestaat geen heiliger plaats in Britannia dan deze en juist deze plaats is ten prooi gevallen aan heidenen.'

Vier jaar geleden bezochten de Vikingen voor het eerst de Engelse kust. Met drie schepen verschenen ze voor Wessex. De vertegenwoordiger van de koning ging op weg om hen uit te nodigen naar de hoeve des konings te komen, want hij wist niet wie ze waren - waarschijnlijk vermoedde hij met eerzame kooplieden te maken te hebben - maar ze sloegen hem dood.

Vanaf de 6de eeuw zijn de Vikingen erop uit getrokken om te plunderen. Een Vikingvloot onder leiding van Chlochilaicus, de koning van de Denen, verwoestte destijds een gouw in het noorden van het Frankische rijk. Het waren de Friezen die het onderspit moesten delven. Maar tegen de Franken hadden de Denen minder succes. Bij Hettergouw (ten oosten van Nijmegen) werd Chlochilaicus' leger verslagen door Theudebert, de zoon van de Merovingische koning Theuderic. De goederen die de Denen hadden buitgemaakt werden door de Franken in beslag genomen. Koning Chlochilaicus werd in de strijd gedood.

## Japan bouwt aan nieuwe hoofdstad

KIOTO, 794 - Koortsachtig wordt gebouwd aan de nieuwe hoofdstad, Kioto. De plaats waar de hoofdstad wordt gebouwd, ligt niet ver van Nagaoka, de vorige hoofdstad, die nog in aanbouw was toen de keizerlijke familie besloot hier een nieuwe stad te bouwen. De reden voor het stopzetten van de bouw van Nagaoka is gelegen in de vele tegenslagen die de keizer te verwerken heeft gekregen gedurende de eerste tien jaar van de bouw. Op deze stad of op de plaats waarop zij wordt gebouwd, moet wel een vloek rusten.

Vóór Kioto en Nagaoka was Nara de eerste hoofdstad van Japan. Bij een keizerlijk edict van 665 was bepaald dat eindelijk maar eens een permanent centraal bestuurscentrum moest worden ingericht. Tot dan toe was men er altijd van uitgegaan dat een plaats door de dood bezoedeld werd. Daarom moest elke opvolgende keizer en met hem ook de regering naar een nieuwe plaats trekken om zijn residentie op te zetten. Hoewel al in 665 besloten werd een vaste hoofdstad te bouwen, duurde het tot 710 alvorens met de bouw van Nara werd begonnen. De stad werd in de Yamato-vlakte gebouwd, omgeven door heuvels en riviertjes. De vele boeddhistische kloosters, in een schitterende stijl opgetrokken, domineerden mét de keizerlijke paleizen de stad. De invloed van het boeddhisme strekte zich echter weldra ook tot het hof en de binnenlandse politiek uit; naast de positieve kanten hiervan - het stimuleren van literatuur en ambachten en het doorvoeren van verbeterde landbouwtechnieken - werden de bemoeienissen van de monniken met de politiek naar de mening van de keizers te groot. Door de hoofdstad te verplaatsen heeft men niet alleen de kloosters maar ook de monniken achtergelaten.

# Concilie staat beeldenverering weer toe

NICAEA, 787 - Het Zevende Oecumenisch Concilie dat gehouden is te Nicaea heeft de beeldenverering in ere hersteld. Hiermee is de koers zoals die onder keizer Leo III was vastgesteld radicaal gewijzigd, en tevens een belangrijk geschilpunt tussen Rome en Constantinopel opgeheven.

De iconenstrijd bereikte een hoogtepunt tijdens de regering van keizer Constantijn V (741-775), de zoon van Leo III. Teneinde de iconenbestrijding een grotere legitimiteit te geven riep deze keizer in 754 een concilie bijeen dat zijn iconoclastische politiek sanctioneerde. Na dit jaar nam de beeldenvernieling ongekende vormen aan. Vele iconenvereerders werden gevangengezet, gefolterd of geëxecuteerd en raakten hun bezittingen kwijt. Ook ten aanzien van de kloosters stelde keizer

*Wandtapijt, 8ste eeuw; profane kunst bloeide in Byzantium tijdens het iconoclasme.*

Constantijn zich uiterst intolerant op. Kloosterlingen waren in zijn ogen 'afgodenvereerders en minnaars der duisternis'. Monniken en nonnen werden gedwongen hun habijt af te leggen en sommigen werden zelfs geprest te trouwen. Kloosters werden omgebouwd tot barakken en arsenalen.

Constantijns opvolger Leo IV nam een gematigder standpunt in en baande aldus de weg voor het herstel van de beeldenverering. Deze is nu, onder het bewind van zijn vrouw, keizerin-regentes Irene, een feit geworden.

# Candi Borobúdur op Java voltooid

MATARAM, circa 800 - Op de vlakte van Kedu is in de afgelopen jaren een indrukwekkend boeddhistisch heiligdom verrezen: de Candi Borobúdur. Tientallen jaren hebben duizenden Javaanse arbeiders en kunstenaars gewerkt aan deze reusachtige stupa. Kern van de candi (tempel) is een heuveltop, die terrasgewijs met steen is belegd. Hij maakt deel uit van een uit hout opgetrokken kloostercomplex, waarin de te verwachten stroom van pelgrims gehuisvest zal worden.

Opdracht tot de bouw werd gegeven door Pancapana, de raka (vorst) van Panangkaran, stichter van de boeddhistische Cailendra (Beheerser der Bergen)-dynastie, die momenteel over het Middenjavaanse rijk Mataram heerst. De raka maakte een einde aan de heerschappij van Sanjaya, de laatste vorst van het Shivaïstische Kalingga. De vorsten van dit rijk bouwden de vele aan Shiva en andere hindoegoden gewijde candi's op het Diëngplateau in het Prahugebergte. Op deze koude en nevelachtige vlakte, een op 1800 meter hoogte gelegen oude vulkaankrater waar men al in vroeger eeuwen de goden aanbad, vonden de Kalingga-vorsten hun laatste rustplaats.

De huidige dynastie heeft haar oppergezag over vele vazallen op Java weten te vestigen en de invloed van het agrarische Mataram belangrijk vergroot. Men onderhoudt goede relaties met het Sumatraanse handelsrijk Sjriwijaya en stuurt regelmatig tribuutmissies naar de keizer van China.

De Cailendra's zijn vrome boed-

*Het boeddhistische heiligdom Candi Borobúdur op Java.*

dhisten en hebben talloze candi's gewijd aan Boeddha laten bouwen. De Borobúdur kan worden gezien als de kroon op hun werk en is uniek in de gehele boeddhistische wereld. Wanneer we het bouwwerk naderen zien we eerst vier vierkante terrassen met gaanderijen, waarvan de balustrades met 432 kleine Boeddha-beeldjes zijn bezet. Daarboven verrijzen drie ronde terrassen met 72 Boeddha-beelden in opengewerkte stupa's, bekroond met een grote centrale stupa.

In het ruim 30 meter hoge heiligdom hebben de bouwers de grondbeginselen van het boeddhisme willen weergeven. De muren van de gaanderijen van de onderste vier terrassen zijn voorzien van reliëfs, die de pelgrim tijdens zijn omgang een overzicht geven van het leven van de Boeddha en van gebeurtenissen tijdens zijn andere verschijningsvormen; hij wordt hier geconfronteerd met het aardse, de verleidingen van het dagelijks leven. De drie bovenste terrassen geven een beeld van de heldere eenvoud, de universele zaligheid die men kan ervaren als men de leer van Boeddha volgt. De grote centrale stupa is het symbool van Boeddha als begin, middelpunt en einde van alle leven.

# Paus kroont Karel de Grote tot keizer

ROME, 25 december 800 - Tijdens de kerstviering in de Sint-Pieterskerk te Rome is Karel de Grote door paus Leo III tot keizer gekroond. Alle aanwezigen stonden vervolgens op en riepen: 'Lang leve Karel Augustus, de door God gekroonde, grote en vredebrengende keizer, victorie!' De koning der Franken en Longobarden, heerser over Beieren, Aquitanië en Bourgondië en beschermer van de Kerk staat nu officieel aan het hoofd van één groot (west-)christelijk rijk. Karel treedt daarmee in de voetsporen van de vroegere christelijk-Romeinse keizers.

Al geruime tijd bestonden er in de naaste kringen van Karel de Grote plannen om hem de keizerstitel te verlenen. Met name zijn voornaamste raadgever Alcuinus, meende dat zowel het rijk als de Kerk gediend was met de benoeming van een keizer in het Westen. Karel was daarvoor natuurlijk de eerst aangewezen persoon. Hoewel er aan het Frankische hof ook bezwaren bestonden tegen een eventueel keizerschap van Karel, waren de voorstanders in de meerderheid.

*Paus Leo III zegent de nieuwe keizer.*

Karel vertrok naar Rome met het doel orde op zaken te stellen. Paus Leo III was sedert zijn omstreden verkiezing (795) namelijk in een diepgaand conflict met een groot deel van de Romeinse adel verwikkeld. Vorig jaar werd hij zelfs gevangengenomen. Hij had ternauwernood kunnen vluchten en riep daarop persoonlijk de hulp in van Karel de Grote. De stap van Leo III paste in het politieke beleid binnen de pause-

lijke kringen, dat gericht was op verbreking van de banden met Byzantium. Door de Frankische koning tot keizer te verheffen, zou Rome een dergelijke stap rechtsgeldig kunnen maken.

Karel had bepaalde reserves tegenover het keizerschap. Hij wilde zijn betrekkingen met de Byzantijnse keizer niet te veel op het spel zetten. Bovendien zou een kroning door de paus een indirecte erkenning betekenen van de suprematie van Rome inzake het verlenen van de keizerstitel. Voor Karel en zijn raadgevers was dit onaanvaardbaar en, gezien de succesvolle interventie in de Romeinse aangelegenheden, in strijd met de werkelijkheid.

Toen hij op de eerste kerstdag de mis in de Sint-Pieterskerk bijwoonde, werd hij enigszins verrast door de actie van de paus, die hem tijdens het knielen een kroon op het hoofd plaatste. Volgens zijn biograaf Einhard heeft Karel naar aanleiding daarvan verklaard dat, 'als hij tevoren op de hoogte was geweest wat de paus van plan was, hij de kerstviering nooit zou hebben bijgewoond'.

# Copán niet langer religieus Maya-centrum

COPAN, 800 - Er is een einde gekomen aan het maken van inscripties en het bouwen van tempels in het religieuze Maya-centrum Copán. De priesters hebben de stad verlaten. Waarschijnlijk heeft de, grotendeels, boerenbevolking zich van de heiligdommen afgekeerd en zich aan de heerschappij van de priesters onttrokken.

Copán en Bonampak, dat dit jaar ook werd verlaten, waren de jongste religieuze centra van de Maya's. Copán werd in 455 gesticht; Bonampak in 540. Copán ligt in het zuidwesten van het Maya-gebied in een afgelegen vallei waar tropische planten groeien. De plaatselijke bevolking, die er al lang voor de stichting van de stad woonde, heeft meegeholpen met de bouw van het schitterende tempelcomplex. De godsdienst staat centraal in het leven van de Maya's. Alles is gewijd aan de natuurgoden die de vruchtbaarheid van de oogst moeten bevorderen. Aan het hoofd staat de vuurgod Itzamná. Volgens de Maya's is de wereld geschapen door Hunab Ku, de vader van Itzamná. Hij is de uitvinder van het schrift en de boeken en heeft de aarde onder de mensen verdeeld. Andere belangrijke goden zijn: de zonnegod Kinich Ahau, de maangodin Ixchel, de regengod Chac en de god van de maïs Yum Kax. Chac is nauw verwant aan de goden van de vier windstreken. Verder zijn er nog goden voor de dagen, de getallen en de maanden. Daarnaast worden ook de god van de dood en de negen Heren van de nacht vereerd.

*Speelveld waarop het rituele Maya-balspel werd beoefend (Copán, 7de/8ste eeuw).*

De offers bestaan uit voedsel, vogels en vissen, bloed en mensenharten. De offers werden gebracht door priesters die gekleed zijn in jaguarhuiden of bloedrode mantels met sieraden van groene jade en regenboogkleurige veren van de quetzalvogels. De hoofddeksels zijn versierd met bloemen. Er zijn voortdurend religieuze plechtigheden om al de goden gunstig te stemmen, waarbij niet alleen wordt geofferd door de Maya's maar ook wordt gebeden, gevast en wierook wordt verbrand.

Behalve met het vereren van hun goden houden de Maya-priesters zich bezig met wiskunde en astronomie. In Copán, het leidende astronomische centrum, werden hierover bijeenkomsten gehouden. De opschriften in stèlas en de hiërogliefen laten ingewikkelde astronomische berekeningen zien. Het getallensysteem van de Maya's is twintigtallig. De cijfers 1 tot 4 worden voorgesteld door punten, het cijfer 5 door een streep en de veelvouden daarvan tot 15; cijfers tot 19 staan onderaan, veelvouden van twintig tot 380 daarboven, gevolgd door veelvouden van 400 enzovoort.

Die getallen zijn van belang voor hun kalenders. De zonnekalender, de 'haab', heeft 365 dagen, verdeeld in 18 maanden van 20 dagen. De laatste 5 worden ongeluksdagen genoemd, waarop niet gewerkt wordt, maar de Maya's het nieuwe jaar afwachten. Daarnaast hebben ze ook een rituele kalender met een cyclus van 260 dagen, 'tzoltil', die wordt gebruikt om de feestdagen voor de goden vast te stellen.

In Copán ligt een veld tussen twee kleine tempels in, waar de Maya's een ritueel balspel gespeeld hebben. Op een rechthoekig vlak, aan beide zijkanten afgesloten met een hellend stenen blok waarop drie papegaaiekoppen stonden, werd door drie spelers aan elke kant een zware massieve rubberbal heen en weer bewogen, met het doel de bal zo lang mogelijk in de lucht te houden, waarbij alleen gebruik gemaakt mocht worden van heupen, dijbenen en ellebogen.

## Griekse gezangen in Latijn vertaald

AKEN, 13 januari 802 - De Griekse gezanten die al enige tijd in de stad verblijven, hebben keizer Karel na de metten enkele van hun eigen antifonen voorgezongen. De keizer was hierover zo enthousiast dat hij de teksten van de gezangen ('De Verlosser maakt de oude mens nieuw' en 'De Verlosser heeft de kop van de draak gespleten') ter plekke in het Latijn heeft laten vertalen, zodat ze voortaan binnen de Romeinse liturgie gebruikt kunnen worden; de Griekse melodieën zijn gehandhaafd.

De zorg van keizer Karel voor de liturgie en de uitvoering van de zang is bekend: in zijn 'capitularia' van 789 heeft hij verordend dat elke geestelijke goed moet kunnen lezen en zingen; wie in gebreke blijft, mag in geen geval de mis in de hofkapel opdragen. Ter bevordering van de eenheid van zang en liturgie in het gehele rijk - de gewoonten liepen op dit punt namelijk nogal sterk uiteen - heeft hij spoedig daarna twee monniken naar Rome gestuurd om de zang in de Sint-Pieterskerk te bestuderen. Een van hen heeft hij bij terugkomst benoemd tot cantor in de kathedraal van Metz: zoals in Metz wordt gezongen geldt sindsdien als maatstaf voor alle bisschoppelijke kerken. De andere monnik is op verzoek van de keizer naar het klooster Sankt Gallen gegaan, waar hij de zorg voor de zang op zich heeft genomen. Sankt Gallen is sindsdien voor alle andere kloosters het model geworden.

# Beroemde geleerde Alcuinus is overleden

TOURS, 19 mei 804 - In het Sint-Maartensklooster te Tours is Alcuinus, voormalig medewerker van Karel de Grote en een van de grootste geleerden van het rijk, op circa 74-jarige leeftijd overleden.

Hij is afkomstig uit het Engelse York en werd zeer bekend als leraar aan het Frankische hof. Zijn grootste verdiensten liggen op het terrein van het onderwijs en de letteren. Als hoofd van de paleisschool in Aken behoorde Alcuinus tot de voormannen van de 'Karolingische renaissance', een periode van culturele en wetenschappelijke bloei die tijdens de 8ste eeuw onder auspiciën van Karel de Grote op gang kwam. In 796 werd hij abt van het klooster in Tours, waar hij zich tot aan zijn dood actief heeft ingezet voor de ontwikkeling van de kloosterschool.

Alcuinus werd omstreeks 730 geboren in Northumbrië. Hij kreeg zijn opleiding aan de kloosterschool in York en werd in 758 tot hoofd van de zelfde school benoemd. Tijdens een reis naar Rome kwam hij in contact met Karel de Grote, die hem wist over te halen om

*Johannes de Evangelist; miniatuur uit het Medardus-evangeliarium.*

aan zijn hof onderwijs te geven. Mede door de komst van andere grote geleerden als Paulus Diaconus en Einhard ontwikkelde de paleisschool zich tot een vooraanstaand centrum van cultuur, waarvan de glans over het gehele rijk uitstraalde. In talloze steden en kloosters werden soortgelijke scholen opgericht, waar men zich kon bekwamen in theologie, literatuur en verschillende takken van wetenschap.

Alcuinus hield zich in het bijzonder bezig met de bevordering van het onderwijs, de verbetering en herziening van de bijbeltekst en de vermenigvuldiging van de klassieke en vroeg-christelijke literatuur. Onder zijn leiding werd ook een hervorming van de liturgie gerealiseerd. Karel beschouwde de liturgische eenheid als een middel tot versterking van de politieke eenheid in het rijk. Als dank voor de bewezen diensten werd Alcuinus door Karel de Grote tot abt van het Sint-Maartensklooster benoemd. Onder zijn bezielende leiding steeg de kloosterschool snel in aanzien in het Frankische rijk.

Al die jaren was Alcuinus ook een produktief schrijver. Van zijn hand verschenen vele theologische verhandelingen, bijbelcommentaren, onderwijskundige werken, brieven en gedichten.

# Rijk van Champa slaat Chinese aanval af

*Een overdekte stenen brug in de omgeving van Son Tay (9de-11de eeuw, Champa).*

*Kalief Haroen (houtsnede, 19de eeuw).*

## Dood van kalief Haroen al-Rasjid

BAGDAD-KHORASAN, 24 maart 809 - Haroen al-Rasjid, de vijfde kalief van het Abbasiden-rijk is tijdens een veldtocht tegen de rebellen in Khorasan overleden. Hij wordt beschouwd als een van de belangrijkste kaliefen van de Abbasiden. De hoofdstad van het rijk, Bagdad, kwam tijdens zijn regering tot grote bloei en werd het centrum van handel, politiek en cultuur. Haroen wisselde ambasseurs uit met Karel de Grote, de koning der Franken.

Haroen al-Rasjid kwam aan de macht in 786 op de leeftijd van tweeëntwintig jaar. Een groot deel van zijn macht delegeerde hij aan zijn minister en grootvizier. Veel hoge staatsfuncties kwamen in handen van een Perzische familie, de Barkamiden genaamd. Yaheh, een vooraanstaand lid van die familie, speelde een zeer belangrijke rol in de eerste jaren van de regering van Haroen al-Rasjid. Zijn zonen Al-Fathil en Ja'afr volgden hem op. Er wordt gezegd dat de werkelijke macht van 786 tot 803 in handen van de Barkamiden was. In 803 gaf Haroen opeens het bevel om alle familieleden van de Barkamiden te arresteren of te vermoorden.

In de tijd van Haroen al-Rasjid bloeide de literatuur en werden er boeken uit verschillende talen vertaald. In de periode dat de Barkamiden feitelijk aan de macht waren, zou Haroen voornamelijk bezig zijn geweest met zijn luxeleven. Hij woonde in mooie paleizen en bracht veel tijd door in zijn harems.

CHAMPA, 807 - De nederlaag die de Chinese generaal Zhang Zhou de koning van Champa [Vietnam] heeft toegebracht, kan een keerpunt betekenen in de machtsverhoudingen en territoriale uitbreidingen van het koninkrijk Champa naar het noorden. Al vele jaren hebben de Chinese keizers met lede ogen moeten aanzien hoe Champa met succes de hegemonie van de Chinezen in dit deel van Azië aantastte.

In de 2de eeuw was ten zuiden van de Chinese provincie Giao-chau [Vietnam] het rijk Lam Ap opgekomen. Dit rijk stond in cultureel opzicht onder invloed van India. Lam Ap heeft zijn opkomst mede te danken aan het verval van het Han-rijk in China. Al rond 100 hadden de 'barbaren' de meest zuidelijk gelegen commandopost van Nhatnam aangevallen en geprobeerd de Chinezen naar het noorden terug te dringen. Gedurende enkele decennia wisten de Chinezen weerstand te bieden aan dit soort aanvallen. In 192 doodde Khu Lien, een man van adellijke afkomst, de prefect Tuong-lam en riep zichzelf tot koning uit. De hoofdstad Ap van het nieuwe koninkrijk werd gevestigd in de buurt van Hue.

De Chinezen beschreven de bewoners van Lam Ap als 'mensen met een zwarte huid, diepliggende ronde ogen, rechte grote neuzen en kroeshaar. Zij hebben hun haar opgebonden en de vrouwen dragen hun haar zelfs in een knotje. Dezen dragen ook oorbellen van metaal. Zij zijn zeer schoon op hun lichaam, wassen zich meermalen per dag en gebruiken lekker ruikende middelen. Zowel de mannen als de vrouwen kleden zich in katoenen doeken die van rechts naar links en van de nek tot de voeten sluiten. De aanzienlijken dragen lage leren schoenen, de rest van de bevolking loopt blootsvoets rond.'

De mogelijkheden om naar het zuiden of het noorden uit te breiden waren voor Lam Ap gering: in het zuiden grensde het aan het machtige rijk van Fu-nan, in het noorden aan het Chinese Rijk. Ten westen werd de grens gevormd door de zogeheten Annamitische bergketen en in het oosten lag de zee. Daarom sloten de koningen van Champa aanvankelijk een verbond met Fu-nan, om op die manier zeker te zijn van steun van één van de twee machtige buren.

Met het Chinese Rijk bestond wel handel in specerijen, hout en geurstoffen waarvoor men zijde, thee, sieraden en andere Chinese produkten terugkreeg. Maar de voorwaarden waarop de handel werd gedreven waren zeer ongunstig. Chinese prefecten vroegen dikwijls 20 tot 30 procent commissie. Toen in 248 de Vietnamezen in Giao-chau dan ook in opstand kwamen tegen de Chinese overheersers, greep Champa zijn kans en viel de zuidelijkste provincie van het Chinese Rijk aan. Aanvankelijk werden aanzienlijke veroveringen gemaakt, maar in de loop van de eeuwen deden Chinese legers (in 420, 446 en 605) invallen in Champa om het verloren terrein te heroveren. Naast plunderingen en vernielingen slaagden zij niet echt in hun opzet.

De Cham zijn van hun kant ook vele malen Giao-chau binnengevallen en hebben er huisgehouden. De Chinezen beschrijven hen als 'oorlogszuchtige en wrede barbaren. Zij vechten met pijl en boog en speren van bamboe en gebruiken zelfs olifanten in de strijd. Zij zijn tevens zeer bedreven in het bouwen van fortificaties'. Het is de vraag of de Chinezen er nu in slagen de Cham zodanig te bestrijden dat deze de komende decennia niet opnieuw in staat zullen zijn het Chinese Rijk aan te vallen.

## Banden tussen Pyu en het Chinese rijk aangehaald

PROME, 802 - De koning van Pyu [Birma] heeft het raadzaam geacht diplomatieke betrekkingen met het Chinese Rijk aan te gaan na de onderwerping van hun noorderburen, Nanchao, door de Chinezen.

De Chinese gezanten zijn diep onder de indruk van Pyu en met name van de hoofdstad. Zij schrijven aan de Chinese keizer 'dat de koning in een draagstoel met gouden koorden reist. Als hij een lange reis moet maken gebruikt hij een olifant. Hij heeft enkele honderden vrouwen en bijvrouwen. De stad wordt omgeven door dikke muren, is toegankelijk door 12 poorten, elk met een hoge toren aan weerszijden, en telt enkele tienduizenden inwoners. Er zijn meer dan 100 boeddhistische kloosters, versierd met goud en zilver en vele geborduurde wandtapijten. Nabij het koninklijk paleis staat een standbeeld van een witte olifant van meer dan 30 meter hoog. Iedereen kan hier neerknielen en in stilte zijn klachten uiten. Door innerlijke overdenking kan men dan nagaan of deze al dan niet gerechtvaardigd zijn. Als er rampspoed over het volk is gekomen knielt de koning zelf voor het standbeeld om wierook te branden en zijn verontschuldigingen aan te bieden voor de dingen die hij heeft misdaan.'

Men hoopt nu dat de diplomatieke betrekkingen Pyu zullen vrijwaren van het lot dat Nanchao heeft ondergaan.

*Frankisch edelman (Karel de Grote?).*

## Karel en Michael I sluiten verdrag

AKEN, zomer 812 - In zijn paleis te Aken heeft Karel de Grote met afgezanten van de Byzantijnse keizer Michael I een overeenkomst gesloten. Daarin erkent de heerser over het voormalige Oostromeinse Rijk officieel de keizerstitel, die Karel sinds 800 draagt. Het verdrag vormt de afsluiting van een periode van onderhandelingen, die een oplossing moesten bieden voor de gespannen verhouding tussen de twee rijken. In ruil voor de erkenning van zijn waardigheid past Karel de titel zodanig aan, dat elke verwijzing naar Rome achterwege blijft ('imperator augustus'). Tevens laat hij zijn aanspraken op Venetië varen.

De slechte relatie tussen de twee rijken dateert reeds uit de 8ste eeuw. De Byzantijnse keizer en de paus waren met elkaar in conflict gekomen over de verdediging van Rome tegen de Arabieren en Longobarden, alsmede over de Byzantijnse beeldenstrijd ('iconoclasme'). Omdat de keizer de paus geen bescherming kon garanderen, zocht deze steun bij de Frankische koningen.

De goede betrekkingen tussen Rome en Aken leidden in 800 ten slotte tot de kroning van Karel de Grote tot keizer. Deze benoeming werd door het Byzantijnse hof met weinig instemming begroet: 'Sindsdien staat Rome onder de heerschappij van de barbaren,' zo vertolkte een ingewijde de heersende opvatting aldaar. Bovendien vreesde men dat van de keizerstitel een usurperende werking zou uitgaan. De jarenlange strijd over onder meer de status van Venetië heeft aangetoond dat deze angst niet zonder grond was.

Uiteindelijk achtte de Byzantijnse keizer het, mede vanwege de toenemende invallen van Bulgaren, raadzaam om in te gaan op Frankische vredesvoorstellen. De erkenning door Michael I van het keizerschap van Karel de Grote houdt in dat de titel zijn universele karakter heeft verloren.

# Keizer Nicephorus sneuvelt

CONSTANTINOPEL, 26 juli 811 - De Byzantijnse keizer Nicephorus I is in de strijd tegen de Bulgaren gesneuveld. Voor het eerst sinds bijna vijfhonderd jaar is er weer een keizer in de strijd tegen de barbaren gevallen. De Bulgaarse khan Krum zou van de schedel van Nicephorus een met zilver beslagen bokaal hebben laten maken en zijn bojaren hebben gedwongen eruit te drinken.

Chan Krum, een voortreffelijk strateeg en wijs organisator, is sinds het begin van deze eeuw heerser over de Bulgaren. Handig gebruik makend van de nederlaag van de Avaren tegen de Franken in 805, heeft hij een gedeelte van het Avaarse territorium aan zijn rijk toegevoegd: Transsylvanië en het gebied ten oosten van de Tisza [Theiss]. Hierdoor nam het economisch en militair potentieel van de Bulgaarse staat enorm toe. Teneinde de Bulgaarse dreiging een halt toe te roepen, heeft keizer Nicephorus vanaf 807 een aantal campagnes ondernomen. Dit jaar lukte het hem de Bulgaarse hoofdstad Pliska ten tweeden male in te nemen. De Bulgaren waren echter niet vernietigd. Zij slaagden erin de Byzantijnse troepen op de terugtocht in

*De Madonna met het Kind. Mozaïek uit de Aya Sophia (9de eeuw).*

een pas in het Balkangebergte in de val te lokken en slachtten hun tegenstanders tot de laatste man af.

# Mariakerk met een nieuw orgel verrijkt

*Middeleeuws orgel. Tijdens het spelen bedient een tweede geestelijk de blaasbalgen.*

AKEN, 812 - Keizer Karel heeft opdracht gegeven een orgel te bouwen voor de Mariakerk in Aken. Het orgel wordt vervaardigd naar het voorbeeld van een exemplaar dat de Byzantijnse keizer Constantijn V, bijgenaamd Copronymus, in 757 aan koning Pippijn, de vader van de huidige keizer, heeft geschonken. Dat orgel was het eerste in het Frankische Rijk.

Bij zijn bezoek aan keizer Karel de Grote vijf jaar geleden nam de Turkse kalief Haroen al-Rasjid ook een exemplaar mee, maar dat orgel was klein van omvang: het was in bezit van maar één octaaf en het kon per toets slechts

één klank voortbrengen.

Het te bouwen orgel heeft een groot bronzen luchtreservoir en de lucht wordt door rundlederen balgen naar de bronzen pijpen geblazen. De registers bieden verschillende mogelijkheden: men kan er de donder mee nabootsen, maar ook de lieflijke klank van lier en cimbaal.

In Byzantium schijnt het instrument alleen bij wereldlijke feesten te worden gebruikt; het ligt in de bedoeling van keizer Karel om met het nieuwe orgel de zang in de Mariakerk te ondersteunen en de intonatie van de zangers te verbeteren.

# Keizer Karel de Grote in Aken overleden

AKEN, 28 januari 814 - Keizer Karel de Grote is op 71-jarige leeftijd in zijn paleis te Aken overleden. Bijna een halve eeuw lang regeerde hij over een groot Westeuropees rijk, eerst als koning en vanaf 800 als keizer. Onder zijn bestuurlijke leiding is een groot aantal hervormingen gerealiseerd op het gebied van de politieke en gerechtelijke instellingen, de economie en het culturele leven.

Ter verdediging van de rijksgrenzen ondernam Karel met succes vele veldtochten tegen verschillende stammen en volkeren, zoals de Longobarden, de Saksen en de Friezen. De laatste tien jaar van zijn bewind moest Karel het hoofd bieden aan groeiende problemen als corruptie, nalatigheid en machtsmisbruik. Hij trok zich steeds vaker terug in Aken, waar hij zijn laatste levensjaren vrijwel onafgebroken vertoefde. Zijn enig overgebleven zoon Lodewijk (de Vrome) zal hem als keizer opvolgen.

Net als ten tijde van de Merovingische koningen was het gezag van Karel de Grote persoonlijk en absoluut. Elke misdaad of ander soort wetsovertreding betekende in feite ongehoorzaamheid tegenover de koning. De directe binding met alle onderdanen hield in dat Karel het gehele jaar door stad en land afreisde om bestuurlijke maatregelen te treffen, recht te spreken, belastingen te innen en geschenken in ontvangst te nemen.

Omdat hij niet overal tegelijk kon zijn verdeelde hij het rijk in 300 graafschappen. Binnen zijn ambtsgebied was de graaf als plaatsvervanger van de koning verantwoordelijk voor de rust en orde. Bovendien was hij voorzitter van de plaatselijke rechtbank en moest hij toezien op het naleven van de militaire verplichtingen jegens de koning. Om de lokale bestuurders te controleren stelde Karel de Grote koninklijke gezanten aan ('missi dominici'). Zij hadden tot taak om hem geregeld op de hoogte te houden van de situatie in de verschillende delen van het rijk. In een aantal gevallen waren ze ook bevoegd om zelf handelend op te treden. In het algemeen reisden ze met zijn tweeën: de één wereldrijk edelman, de ander een geestelijke. Immers, het gezag van Karel strekte zich uit over staat én Kerk.

Een belangrijke steunpilaar van het koningschap was het leger. Iedere vrije man was in principe dienstplichtig en moest voor zijn eigen uitrusting zorgen. Om de armen in de kosten tegemoet te komen, werd een systeem ingevoerd waarbij men naar draagkracht werd belast. Zo kon het gebeuren dat verscheidene mannen bij toerbeurt hun militaire plichten vervulden, omdat hun bezittingen alleen gezamenlijk het vereiste minimum haalden.

Economisch gezien vormde een dergelijke organisatie van de dienstplicht een welkome verlichting voor de staatskas. Andere belangrijke inkomstenbronnen waren de landerijen van de koning, de zogenaamde 'kroondomeinen', en niet te vergeten de gerechtelijke boetebepalingen.

De laatste jaren van zijn regeerperiode werden de binnenlandse problemen steeds groter, vooral omdat het bestuurlijke apparaat nog veel te wensen overliet. Het werpt een kleine schaduw op de indrukwekkende staat van dienst, die Karel de Grote tijdens zijn leven heeft opgebouwd en op grond waarvan hij een zeer voorname plaats in de Westeuropese geschiedenis inneemt.

*Links: eerste bladzijde van testament van Karel de Grote; rechts: miniatuur van keizer Karel als stichter van kerken.*

## Lodewijk de Vrome regelt opvolging

AKEN, juli 817 - Op een bijeenkomst van de rijksgroten heeft keizer Lodewijk de Vrome een regeling voor de troonopvolging bekendgemaakt. In dit statuut, wordt de oudste zoon Loharius benoemd tot medekeizer en toekomstig opvolger van Lodewijk. Tijdens de alleenheerschappij van Loharius zullen zijn jongere broers koning zijn van een semi-onafhankelijk deelrijk. Volgens de ontwerpers van deze regeling moet het keizerschap een vanzelfsprekend onderdeel van het Karolingische staatsbestel worden.

Amper drie jaar nadat hij Karel de Grote is opgevolgd, heeft Lodewijk dus zijn politieke testament gepresenteerd. De vroegtijdige bekendmaking houdt verband met het feit dat de keizer tijdens zijn verblijf in Aken ernstig gewond is geraakt, toen een zuilengalerij instortte.

In ijltempo werd een vergadering belegd door de voornaamste raadgevers van de keizer. Tijdens de discussie ontstond echter grote verdeeldheid over de vraag wat er met het keizerschap moest gebeuren. De ene groep, meest edelen, koos voor de oude Germaanse traditie van gelijke rechten voor alle (mannelijke) erfgenamen. De andere groep, vooral bestaande uit geestelijken, stelde zich op het standpunt dat de eenheid binnen de Kerk alleen gewaarborgd kon worden, als er één rijk was onder leiding van één keizer.

# Lodewijk de Vrome verleent immuniteit

SALZBURG, 5 februari 816 - Keizer Lodewijk de Vrome heeft het aartsbisdom Salzburg immuniteit verleend. Immuniteit betekent dat de rechthebbende niet hoeft te voldoen aan de gangbare verplichtingen. Deze kunnen inhouden dat aan de landsheer goederen moeten worden afgestaan, of dat voor hem diensten moeten worden verricht. Bovendien verschaft immuniteit aan degenen die eronder vallen, een bijzondere juridische status. Dat betekent dat zij niet vallen onder de jurisdictie van de landsheer, maar onder die van de 'eigen' - vaak kerkelijke - autoriteiten. Het aartsbisdom Salzburg is nu dus immuun: niet meer vatbaar voor het gezag van de keizer.

Het verwerven van immuniteit is een belangrijke mijlpaal in de machtsontplooiing van Salzburg en symbolisch voor de positie van het christendom en de Kerk in het gebied ten oosten van het Bodenmeer. Aan de kerstening van dit gebied zijn de namen verbonden van twee missionarissen, Severinus en Columbanus, en van twee bisschoppen, Rupertus en Vergilius. Severinus heeft er in het midden van de 5de eeuw, ten tijde van de turbulente Germaanse volksverhuizing, het christelijk geloof verkondigd.

In de 7de eeuw werd de verbreiding van het christelijk geloof zeer gestimuleerd door de zogenaamde 'Ierse missie'. Ascetisch levende Ierse monniken zagen het als hun roeping hun vaderland te verlaten om op het vasteland van Europa het christendom te prediken. In de omgeving van Bregenz was in het begin van de 7de eeuw de Ierse monnik Columbanus actief, die - met twaalf volgelingen, naar het voorbeeld van Jezus - in 590 Het Kanaal was overgestoken. De heidense Bregenzers verzetten zich evenwel heftig tegen de pogingen van Columbanus om hen tot het christendom te bekeren. De bisschopszetel Salzburg is gevestigd op de plaats van een verwoeste Romeinse nederzetting, Iuvavum. In 696 stichtte de Frankische bisschop Rupertus hier een benedictijnenklooster, gewijd aan Sint Petrus. Hiermee sloot hij aan bij een oudere christelijke traditie. Al in 511 was er in Iuvavum een kloosterkerk (basilica) gevestigd. In de 8ste eeuw werd Salzburg steeds belangrijker als centrum van waaruit de christianisering van het Alpengebied plaatsvond. In 745 werd de Ierse monnik Vergilius bisschop van Salzburg. Hij nam de kerstening van Karinthië systematisch ter hand.

Onder zijn leiding werd in 767 begonnen met de bouw van de Salzburger Dom, die in 774 werd ingewijd. In 798 werd het bisdom Salzburg verheven tot aartsbisdom.

# Japanse overheid wil gezag herstellen

KIOTO, 820 - Met de aanstelling van politiecommissarissen in de hoofdstad voor de handhaving van het openbaar gezag waagt de centrale regering weer een poging om de afbrokkeling van haar macht tot staan te brengen. Het ligt in de bedoeling ook in andere steden en districten commissarissen met deze taak te belasten.

Reeds lange tijd is de centrale regering geen machtig lichaam meer. Dat haar macht tanende was bleek al in de vorige eeuw toen families en kloosters op grote schaal land confisqueerden en minder of zelfs helemaal geen belasting over dit land afdroegen. Hierdoor viel het grootste deel van de staatsfinanciën weg en werd de regering nog afhankelijker van de machtige families.

Tegen alle voorschriften in eigenden grote families zich weer verspreid gelegen stukken land toe. Hierdoor waren in de 8ste eeuw in heel Japan weer 'shoen' (landgoederen) gevormd. Meestal zijn leden van de keizerlijke familie of de aristocratie eigenaar van deze shoen. Zij benoemen plaatselijke toezichthouders voor het beheer van de landgoederen. Dezen houden op hun beurt toezicht op boeren die op hun beurt weer landarbeiders in dienst hebben voor het bewerken van de grond.

Behalve de laatsten hebben alle anderen uit hoofde van hun functie recht op een deel van de winsten. De 'shiki' of ambten zijn erfelijk overdraagbaar. Ook vrouwen kunnen zich een plaats verwerven in deze shiki-hiërarchie en ambten erven.

Terwijl aanvankelijk het systeem van landbezit in Japan enigszins op dat in China leek, leidt de tendens tot privatisering van het landbezit nu tot markante verschillen met de ordening in het Chinese Rijk. De centrale regering bestaat nog wel maar is nu het toneel van onderlinge ruzies en machtsstrijd tussen de invloedrijkste families. Naast deze families proberen ook de boeddhistische kloosterorden een aandeel in de herverdeling van het land te krijgen en hun machtsposities in de regering te versterken. Op het ogenblik is meer dan 50 procent van het land in bezit van de staat maar het ziet ernaar uit dat dit niet lang meer zal duren.

Om deze afbrokkeling van de macht van de regering tegen te gaan is in 790 al een rekenkamer ingesteld met een omvangrijk ambtenarenapparaat ter controle van de inning van belastingen.

Tien jaar geleden heeft de regering een poging gedaan haar decreten meer kracht bij te zetten door een Bureau van de Archivistiek op te zetten. Dit bureau moet alle decreten optekenen zodat ze op schrift staan en er steeds naar kan worden verwezen. Het is echter de vraag of de eerdere maatregelen en het instellen van een politiecommissariaat door het hele land de decentralisatie kunnen tegenhouden.

# Opstand van Thomas de Slaaf ten einde

CONSTANTINOPEL, 823 - De hevige opstand die twee jaar geleden in Klein-Azië uitbrak is neergeslagen. De opstand stond onder leiding van Thomas, een man van Slavische afkomst. De ondergang van Thomas betekent voor diens bondgenoot kalief Mamun dat deze zijn offensieve plannen met betrekking tot het Byzantijnse Rijk voorlopig moet laten varen.

Sociale en religieuze factoren lagen aan de opstand ten grondslag. De in de loop van de tijd gegroeide haat van de lagere klassen tegen de grootgrondbezitters was niet meer te bedwingen. Daarbij kwam bovendien de religieuze onvrede naar aanleiding van de hernieuwde iconoclastische politiek van keizer Michael II (de stichter van de Amorische dynastie). Thomas kreeg vele iconenvereerders op zijn hand door zich tegen de godsdienstpolitiek van keizer Michael uit te spreken. De Slavische opstandeling schroomde niet zich uit te geven voor Constantijn, de zoon van keizerin Irene die in de vorige eeuw de beeldenverering had hersteld.

Thomas slaagde erin een grote aanhang te verwerven. De opstand breidde zich zeer snel uit en kreeg al spoedig het karakter van een burgeroorlog. In zijn leger vochten behalve Slaven, die enige grote koloniën hadden gevormd in Klein-Azië, ook Perzen, Armeniërs, en leden van verschillende Kaukasische stammen mee. Zijn troepenmacht was zo indrukwekkend dat kalief Mamun een alliantie met hem sloot. De kalief zegde Thomas hulp toe bij diens poging keizer Michael te onttronen, in ruil voor bepaalde grensgebieden van het Byzantijnse Rijk. Teneinde zijn positie meer grandeur te verlenen wenste Thomas zich tot 'basileus der Romeinen' te laten kronen. De slaaf vond patriarch Job van Antiochië, dat in Arabische handen was, tot deze kroning bereid.

Gesteund door de Arabische vloot in de Egeïsche Zee richtte Thomas vervolgens zijn legermacht tegen Constantinopel. Keizer Michael echter slaagde erin de dreiging te keren, niet in het minst met behulp van de steun van de Bulgaren. Thomas werd verslagen. Op zijn vlucht werd hij gevangen genomen en niet lang erna geëxecuteerd.

*In 827 vallen de Aghlabiden, een dynastie van Tunesische Arabieren, Sicilië en het zuiden van Italië binnen. Op de afbeelding het verhoor en de terechtstelling van een Italiaanse gevangene (uit de kroniek van de Byzantijnse historicus Skylitzes, 11de eeuw).*

**Lente 830.** De drie oudste zonen van de Frankische keizer Lodewijk de Vrome, Lotharius (medekeizer), Pippijn (Aquitanië) en Lodewijk de Duitser (Beieren) komen in opstand tegen hun vader. Zij zijn verbolgen over de beslissing van Lodewijk de Vrome, hun halfbroer Karel de Kale ook een aandeel in de erfenis te schenken.

**Oktober 830.** De door zijn oudste zoon gevangen genomen keizer Lodewijk de Vrome wordt in zijn keizerlijk gezag hersteld. Lodewijks vrouw Judith die in een klooster was opgesloten, wordt ook vrijgelaten.

**830.** In Bagdad sticht kalief al-Mamoen het Bait al-Hikma (Huis der Wijsheid), waaraan een bibliotheek en sterrenwacht verbonden zijn. De belangrijkste klassieken op het gebied van wetenschap en filosofie zullen hier worden vertaald.

**830.** Mojmir I verenigt Zuidoost- en Midden-Moravië en West-Slowakije in het Groot-Moravisch Rijk.

**Circa 830.** De Frankische geleerde Einhart schrijft de *Vita Caroli Magni*, een biografie van keizer Karel de Grote.

**831.** Na de dood van de Bulgaarse chan Omurtag hervatten de Bulgaren onder hun nieuwe chan Malamir de aanvallen op het Byzantijnse Rijk.

**Augustus 833.** In Bagdad overlijdt kalief al-Mamoen. Zijn regering betekende een bloeitijd voor de Arabische cultuur. Aan zijn hof werkten onder anderen de Perzische wiskundige al-Chwarizmi en de astronoom al-Farghani, die de astronomische berekeningen van Ptolemaeus verbeterd heeft.

**833.** In de Slag bij Colmar wordt de Frankische keizer Lodewijk de Vrome door zijn drie zonen verslagen en gevangengenomen.

**834.** Keizer Lodewijk de Vrome verzoent zich met zijn drie zonen. →

**834.** De bij de splitsing van de Rijn en Lek gelegen handels-nederzetting Dorestad wordt door de Vikingen geplunderd.

**835.** De Vikingen hervatten hun aanvallen op Engeland en Ierland.

**836.** De Saracenen plunderen Marseille en vestigen een basis in Zuid-Italië.

**836.** Kalief al-Moe'tasim verplaatst zijn residentie van Bagdad naar Samarra.

**839.** Na de dood van koning Pippijn I van Aquitanië wordt te Worms zijn deelrijk tussen Lotharius en Karel de Kale verdeeld.

## Lodewijk de Vrome met zonen verzoend

*Lotharius als koning en keizer (850).*

AKEN, voorjaar 834 - Keizer Lodewijk de Vrome en zijn drie zonen Lotharius, Pippijn en Lodewijk (de Duitser) hebben zich na een periode van grote onenigheid met elkaar verzoend. Vier jaar lang hebben de zonen, daarbij gesteund door een meerderheid van ontevreden rijksgroten, geprobeerd de politieke koers aan het hof bij te stellen. Tot tweemaal toe werd Lodewijk met geweld van zijn functie ontheven, maar telkens zag hij kans op de troon terug te keren.

Sinds de ambtsaanvaarding van Lodewijk de Vrome (814) viel zowel in wereldlijke als in kerkelijke kringen een toenemende kritiek op het regeringsbeleid te beluisteren. Er zouden onvoldoende maatregelen zijn genomen tegen corruptie. Daarbij kwam dat de economische situatie in het rijk ronduit slecht was, vanwege de jarenlange misoogsten en de invallen van Noormannen, Bulgaren en moslems.

Voornaamste mikpunt van kritiek was keizerin Judith, de tweede echtgenote van Lodewijk de Vrome. Zij was niet alleen jong en mooi, maar ook zeer ambitieus. In de loop van de tijd beroofde zij samen met haar Alemannische aanhangers de naaste familieleden en vertrouwelingen van de keizer van hun invloedrijke posities aan het hof. Toen in 829 op aandringen van Judith het politieke testament van Lodewijk de Vrome werd aangepast ten behoeve van een erfdeel voor hun zoon Karel (geboren 823), sloten de oppositionele rijen zich aaneen. Onder hen bevonden zich ook de drie zonen van de keizer uit diens eerste huwelijk.

Achtereenvolgens werden twee opstanden georganiseerd, die beide weinig succes opleverden. De oppositie bleek te veel verdeeld. Het beeld aan het hof is na de enerverende gebeurtenissen nauwelijks gewijzigd. Lodewijk de Vrome is teruggekeerd op de troon en Judith heeft na een periode van verbanning haar machtige positie weer ingenomen.

**20 juni 840.** Bij Ingelheim aan de Rijn overlijdt de Frankische keizer Lodewijk de Vrome. Zijn oudste zoon Lotharius volgt hem op.

**840.** Onder leiding van Turgeis veroveren de Vikingen het noorden van Ierland. →

**840.** Het Turkse volk der Oejgoeren wordt door de Kirgiezen uit Mongolië verdreven. De Oejgoeren vestigen zich nu in de oases van Oost-Toerkestan.

**25 juli 841.** De Frankische keizer Lotharius wordt bij Fontenoy verslagen door zijn broers Lodewijk de Duitser en Karel de Kale.

**20 januari 842.** De Byzantijnse keizer Theophilus overlijdt. Zijn zoon Michael III volgt op onder regentschap van zijn moeder keizerin Theodora.

**842.** De Tibetaanse koning Langdarma wordt vermoord. Na zijn dood stort het Tibetaanse Rijk ineen.

**10 augustus 843.** Bij het Verdrag van Verdun verdelen de drie zonen van Lodewijk de Vrome het Frankische Rijk in een Oost-, Midden- en Westfrankisch Rijk. Lotharius behoudt de keizerskroon en krijgt het Middenfrankische Rijk toegewezen, Lodewijk de Duitser het Oostfrankische Rijk en Karel de Kale het Westfrankische Rijk. →

**843.** De Vikingen bouwen op het eiland Noirmoutier, aan de monding van de Loire, een uitvalsbasis. →

**843.** De Byzantijnse regentes keizerin Theodora schaft op een synode van de Byzantijnse Kerk de iconoclastische decreten af en herstelt de beeldenverering. Dit betekent het einde van de beeldenstrijd (iconoclasme). →

**844.** De in het noordwesten van Britannia heersende Schotse koning Kenneth I MacAlpin onderwerpt het rijk van de Picten en sticht het koninkrijk van Alban.

**845.** In China worden op bevel van keizer Wu Zong alle kerkelijke goederen van het boeddhisme geconfisqueerd. →

**845.** De Vikingen plunderen Parijs. De Frankische koning Karel de Kale koopt hen met een grote som geld af. →

**845.** Onder aanvoering van de Deense Vikingenkoning Horik verwoesten de Vikingen Hamburg.

**846.** Onder druk van de Frankische koning Lodewijk de Duitser wordt Mojmir I, stichter van het Groot-Moravisch Rijk, van de troon gestoten. Rostislav, neef van Mojmir, volgt op.

**846.** De basiliek van Sint-Pieter en andere gebouwen buiten de muren van Rome worden door de Saracenen geplunderd.

## Turgeis de Viking verovert delen van Ierland

DUBLIN, 840 - Vikingenleider Turgeis, die vorig jaar voor het eerst in Ierland verscheen, heeft het gehele noorden van Ierland veroverd. Turgeis' leger, bestaande uit goedbewapende, in maliënkolder gestoken krijgers, versloeg de Ieren die zelf geen wapenrusting hadden. 'De Ierse troepen hadden niets ter bescherming van hun lichaam, hals en hoofd, behalve elegante tunieken met zachte franjes en schilden en prachtige, fijnbewerkte kragen,' aldus de Ierse annalen. Volgens deze zelfde annalen zag het Vikingenleger er daarentegen uit als 'een solide, handig en stevig bolwerk van sterke maliënkolders als een dik, donker, zwart ijzeren omhulsel met een groen gepolijste muur van gevechtsschilden rond hun leiders in slagorde opgesteld'.

Turgeis kwam in Ierland niet alleen om te plunderen maar ook om te veroveren en te heersen. Bij zijn aankomst trok hij eerst landinwaarts om Armagh, Ierlands voornaamste kerkelijke centrum, waar bisschop Forannan de plaatsvervanger van Sint Patricius was, te verwoesten. De bisschop vluchtte met de relikwieën van Ierlands beschermheilige naar het zuiden, om daar in handen van andere Vikingen te vallen.

Turgeis bleef in het noorden en plunderde kerken in de ene plaats na de andere. Zijn vrouw Ota gaf hij het oude Keltische klooster van Clonmacnoise, waar zij als priesteres overeenkomstig de Griekse orakels profeteerde vanaf het hoogaltaar.

De Vikingenleider leverde verscheidene veldslagen die hij vrijwel allemaal won. Zijn leger kon hij voortdurend versterken met van overzee aangevoerde krijgers. Bovendien profiteerde hij van de onderlinge strijd tussen de Ierse koningen die elkaar meer naar het leven stonden in plaats van gezamenlijk de strijd tegen de Vikingen aan te binden.

Turgeis heeft in het nu door hem beheerste noorden versterkte bases laten aanleggen om van daaruit zijn positie te consolideren en vooral uit te breiden.

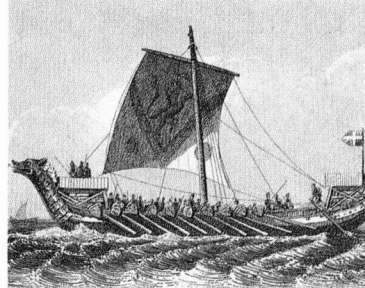

*Vikingschip; een gravure uit de 19de eeuw.*

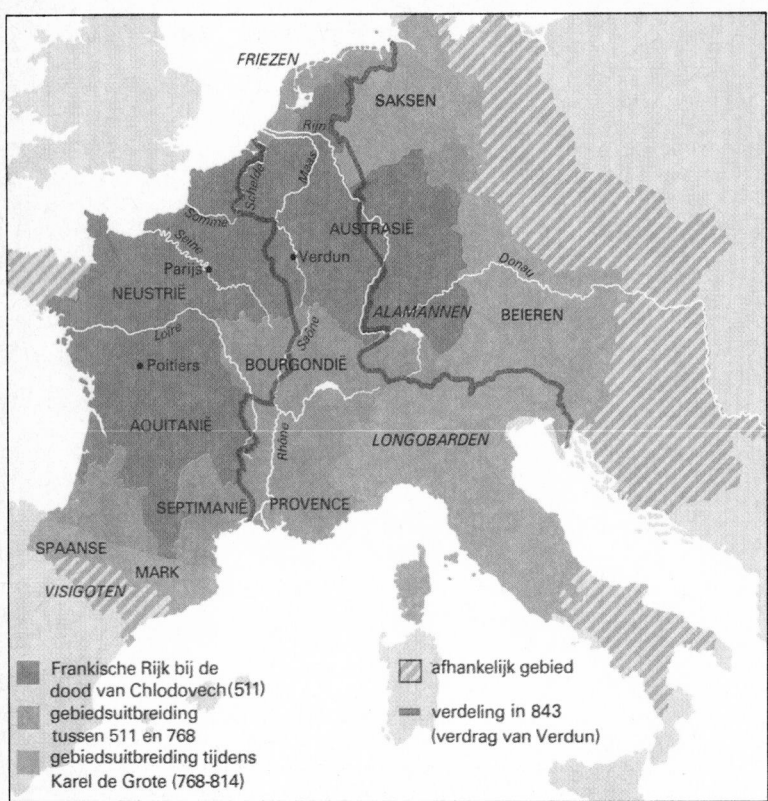

*Het Frankische rijk tussen 511 en 843 (driedeling van het grote rijk in Verdun).*

Kaartlegenda:
- Frankische Rijk bij de dood van Chlodovech (511)
- gebiedsuitbreiding tussen 511 en 768
- gebiedsuitbreiding tijdens Karel de Grote (768-814)
- afhankelijk gebied
- verdeling in 843 (verdrag van Verdun)

# Broers beëindigen oorlog

VERDUN, zomer 843 - In Verdun is een verdrag gesloten, dat een einde maakt aan de 'Karolingische broederstrijd'. Drie jaar lang hebben de zonen van Lodewijk de Vrome na diens dood in 840 om de erfenis van het rijk gestreden. Ten slotte bereikte men overeenstemming over een verdeling: Lotharius, de oudste zoon, erft de keizerstitel en het middelste rijk, terwijl Lodewijk (de Duitser) en Karel (de Kale) respectievelijk het oostelijke en westelijke deel krijgen.

De moeizame onderhandelingen die aan het verdrag voorafgingen, wijzen uit dat het geen gemakkelijke opgave is geweest. Een commissie van 120 afgevaardigden, 40 van elke partij, boog zich maandenlang over de vraag hoe men tot een rechtvaardige verdeling kon komen. Men reisde het gehele rijk door om zich een zo goed mogelijk beeld van de verschillende provincies te vormen. Alle graafschappen, bisdommen, kloosters, kroondomeinen en landgoederen van de adel telden mee bij de uiteindelijke waardering. Voorts werd gekeken waar ieder van de broers de grootste aanhang had.

Het delingsplan biedt dan ook een zeer kunstmatige aanblik. De lijnen op de kaart lopen vaak dwars over de natuurlijke grenzen heen, bisdommen worden in tweeën gesplitst en buren zijn plotseling vreemden voor elkaar geworden.

Hoewel Lotharius als eerste erfgenaam voorbestemd was om het keizerschap en daarmee het overkoepelende gezag over het gehele rijk uit te oefenen, moet hij genoegen nemen met het moeilijk verdedigbare middenrijk. De keizerlijke titel, die met name door de geestelijkheid als symbool van christelijk-politieke eenheid wordt gezien, heeft zijn oorspronkelijke waarde grotendeels verloren.

Voor de direct betrokkenen betekent dit verdelingsverdrag van Verdun het einde van een oorlog waarin 'vaders tegenover zonen, broers tegenover broers en ooms tegenover neven stonden'.

# Vikingen op Noirmoutier

NOIRMOUTIER, 843 - Na de verwoesting van Nantes op 24 juni, terwijl de bevolking het feest van Johannes de Doper vierde, hebben de Vikingen zich teruggetrokken op het eiland Noirmoutier, gelegen aan de monding van de Loire. De Vikingen zijn van plan de winter door te brengen op Noirmoutier 'alsof ze de bedoeling hebben er voorgoed te blijven', aldus de annalen. Het is voor het eerst dat een Vikingenleger voor de winter niet terugkeert naar het vaderland. Tot nu toe waren hun rooftochten beperkt tot de zomer, waarna ze zich tegen de herfst terugtrokken. Hoogst waarschijnlijk is het de bedoeling om op Noirmoutier een basis te stichten en van daaruit de aanvallen te organiseren. Door de gunstige ligging van het eiland aan de monding van de Loire hebben de Vikingen controle over de gehele rivier en het aangrenzende gebied. Noirmoutier heeft een levendige handel; schepen vanuit alle hoeken van Europa komen hier om zout en de wijnen van de Loire te laden. Al zo'n vijftig jaar verlaten de Vikingen vrijwel elk voorjaar hun land om in Engeland, Ierland en op het Europese vasteland te plunderen. Het is niet duidelijk waarom de Vikingen erop uit trekken. Sommigen beweren dat hun bevolking zo sterk is toegenomen dat de landbouwopbrengst niet meer voldoende is om iedereen te voeden. Anderen stellen dat hun schepen pas sinds een aantal jaren zeewaardig zijn. De Vikingaanvallen verlopen tot nu toe volgens een vast patroon: met hun snelle schepen waarmee ze op rivieren roeien en op zee zeilen verschijnen ze plotseling voor de kust, waarna ze de directe omgeving afstropen en weer verdwijnen voordat de plaatselijke machthebbers in actie kunnen komen. De Vikingen zijn niet alleen plunderen-

*Boegbeeld van een Vikingschip (grafgift, ca. 850).*

de zeelieden en handelaren maar vooral ook boeren. Het overgrote gedeelte van de bevolking bestaat uit vrije boeren - 'karls' -, kleine landeigenaren of pachters die van de heer land in leen krijgen in ruil voor diensten die zij voor hun heer verrichten. De vrije boeren zijn in het algemeen zeer gesteld op hun vrijheid en hun rechten en moeten niets hebben van onderdrukking door stamhoofd of koning. Zij hebben enige politieke en economische invloed omdat zij mogen stemmen in de plaatselijke vergaderingen - de 'things'. De jongere boerenzoons die geen land erven, proberen op de plundertochten rijkdom te vergaren. Het is voornamelijk deze groep die er in het voorjaar op uittrekt onder leiding van aristocraten, de stamhoofden.

De aristocraten - 'jarls' - zijn plaatselijke heersers en krijgslieden die land in bezit hebben en een aantal krijgers om zich heen verzameld hebben. Het gezag van de koning is vrij klein; in feite maken de aristocraten de dienst uit. Behalve boeren en aristocraten zijn er groepen slaven in Scandinavië.

# Byzantium laat beeldenverering weer toe

CONSTANTINOPEL, 11 maart 843 - Op de eerste zondag van de vasten is het herstel van de iconenverering plechtig bekrachtigd in de kerk van de H. Sofia [Aya Sofia] in de hoofdstad. Hiermee lijkt een lange periode van strijd ten einde.

De achtergronden van de strijd die meer dan een eeuw de gemoederen in het Byzantijnse Rijk heeft verhit, zijn bijzonder gecompliceerd. Wel valt vast te stellen dat de iconoclasten hun aanhang overwegend krijgen uit de hofpartij en het leger. De bevolking van Constantinopel en de meerderheid van de geestelijkheid staan echter sympathiek tegenover de beeldenverering.

De iconoclastische politiek van de verschillende keizers werd deels door religieuze, maar niet minder door politieke overwegingen ingegeven. Dit gold zeker voor hun onverdraagzame hou-

*De Byzantijnse keizer Leo V laat een icoon overpleisteren (11de-eeuwse miniatuur).*

ding tegenover de kloosters, die een schuilplaats boden aan jongemannen die zich aan de staatsdienst wensten te onttrekken.

Keizerin Theodora heeft in één jaar dat bewerkstelligd waarvoor haar illustere voorgangster Irene zeven jaar nodig had. Dit is een indicatie van de verzwakking van de positie van de iconenbestrijders.

*Rafaël Santi (1483-1520): brand in het Vaticaan in 847, ten tijde van paus Leo IV. Dit fresco werd in opdracht van paus Leo X (1475-1521) geschilderd.*

# Vikingen belagen Parijs

PARIJS, 845 - Karel de Kale, koning van het Westfrankische Rijk, heeft een gevoelige nederlaag geleden tegen de oprukkende Vikingen. Parijs, het hart van zijn koninkrijk, werd niet gespaard; op paaszondag werd de stad geplunderd. Iedere hoop op bekering van de Noormannen tot het christelijk geloof is door deze smadelijke nederlaag voorlopig verdwenen.

Parijs is een van de vele steden die sinds jaar en dag blootgesteld zijn aan de woeste aanvallen van de Vikingen. De afgelopen jaren moesten Londen, Rouen, Nantes, Antwerpen, Witla (aan de monding van de Maas) het ontgelden. Quentovic aan de monding van de Canche werd drie jaar geleden zelfs geheel en al verwoest. De havenstad Dorestad, aan de monding van de Rijn, is al herhaaldelijk het doelwit van Vikingaanvallen geweest. Hamburg, de stad van aartsbisschop en voormalig missionaris Angarius, werd dit jaar door de Deense vloot met de grond gelijkgemaakt.

Het geringe succes van Angarius' bekeringspogingen blijkt uit het feit dat zijn kerk in Hamburg, het symbool van het Frankische rijksgezag, in de as gelegd is maar dat daarentegen de koopmansnederzetting buiten de muren intact is gebleven. Het lijkt erop dat de Vikingen (of Denen) hun handelsbetrekkingen niet al te zeer willen schaden.

De aartsbisschop, die tevens pauselijk gezant is voor de noordelijke volken, probeerde in het begin van deze eeuw de Denen te bekeren. Samen met de Deense troonpretendent Harald, die christen was geworden en Friesland in leen had gekregen van de Frankische keizer Lodewijk de Vrome, bezocht Angarius Denemarken. Maar Harald werd verdreven met als gevolg dat Angarius zijn bekeringspogingen moest staken en Denemarken verliet.

# China onteigent kloosters

CHANGAN, 845 - Keizer Wu Zong heeft een onmiddellijke sluiting van boeddhistische kloosters in China verordend. Ook andere religies worden door deze campagne getroffen.

4000 boeddhistische kloosters en godshuizen, alsmede 40 000 kapelletjes zijn gesloten en onteigend. 260 500 monniken en nonnen hebben bevel gekregen om naar het wereldlijk bestaan terug te keren. 150 000 boeren die lijfeigenen waren op kloosterland, zijn vrijgemaakt. Het hele bezit van de boeddhistische Kerk is geconfisqueerd.

Tegelijk met het boeddhisme worden ook de Zarathoestra-Kerk en het nestoriaanse christendom in China vervolgd. Twee jaar geleden vond al de vervolging van de manicheïstische religie plaats: alle tempels zijn verwoest, de heilige boeken verbrand, een deel van de priesteressen vermoord en het hele bezit van de Kerk in beslag genomen. De vernietiging van de manicheïstische Kerk was mogelijk geworden door de nederlaag van de manicheïstische Oejgoeren in hun strijd tegen de Kirgiezen in 832.

Hoewel keizer Wu Zong een praktizerend taoïst is, wordt zijn handelwijze niet zozeer door godsdienstige onverdraagzaamheid bepaald als wel door de nijpende financiële positie van zijn regering. Uit grote delen van China komen geen belastingen meer binnen omdat militaire gouverneurs die in toenemende mate voor eigen gebruik bestemmen. Een eerdere poging om handel te belasten mislukte en blijkbaar de confiscatie van kerkelijke goederen een manier om de Chinese staatskas aan te vullen.

# Jayavarman legt grondslag voor rijk in Tsjen-la

PHNOM KULEN, 850 - In vijftig jaar tijds heeft Khmer-koning Jayavarman II gepoogd een nieuw rijk op te bouwen in het gebied waar eens de machtige koningen van Tsjen-la [Kambodja] heersten. Nu, bij zijn dood, is hij erin geslaagd een groot deel van het voormalige rijk van Tsjen-la weer onder een vorst te verenigen en heeft hij zijn hof in binnen- en buitenland respectabel weten te maken.

Koning Jayavarman II is omstreeks 800 van Java naar Tsjen-la teruggekeerd. Aanvankelijk vestigde hij zich in het zuidoosten in de stad Indrapura. Van daaruit heeft hij enkele jaren het land geregeerd en voorbereidingen getroffen voor de herovering en eenmaking van het totaal versnipperde land. Daarna heeft hij en met hem de hoofdstad enige tijd een zwervend bestaan geleid. Naar gelang de militaire omstandigheden dit vereisten vestigde hij op verschillende plaatsen het bestuurlijk centrum van het land. Enige tijd is de regering in de stad Hariharalaya gevestigd geweest, waarna zij werd verplaatst naar Phnom Kulen, dat ten noordwesten van het Tonle Sap-meer ligt. In deze stad heeft Jayavarman vele tempels laten bouwen die aantonen dat zowel de hedendaagse bouwstijl als die van enkele eeuwen geleden bij de koning in de smaak viel. Dat Jayavarman II een tijd op Java verbleef en intensief contact met de koningen van Champa heeft gehad blijkt wel uit de bouw- en beeldhouwkunst die hier nu te zien is.

Op religieus gebied heeft hij een staatsreligie ingesteld die tevens als bindend element voor de bevolking moet dienen en de band van het volk met de koning moet bestendigen. Hij heeft dit met name gedaan om te voorkomen dat het land weer in anarchie zou vervallen, zoals dat in het verleden is gebeurd.

## 'Geen hooghartig man'

Vlak voor zijn dood is koning Jayavarman teruggegaan naar zijn geliefde paleis in Hariharalaya. Daar werd over hem gezegd dat 'hij op de leeuwen zat waarmee zijn troon was versierd en dat hij zijn gezag aan andere koningen oplegde; maar hoewel hij op de top van de berg Mahendra resideerde, was hij desalniettemin geen hooghartig man'.

Phnom Kulen blijft de hoofdstad omdat het in het economisch centrum ligt en alle communicatielijnen met de rest van het land hier samenkomen. Ook het merendeel van de bevolking, dat in de landbouw werkzaam is en voornamelijk van de natte rijstbouw en de visvangst leeft, is geconcentreerd rond het Tonle Sap-meer.

# Verval van Teotihuacan

*De Mexicaanse god Quetzalcoatl.*

TEOTIHUACAN, 850 - De belangrijkste en grootste stad van Centraal-Mexico Teotihuacan (Zetel der Goden) is door een invasie van nomadische Tolteken-Chichimeken, afkomstig uit de woestijnstreken in het noordwesten, ten onder gegaan nadat de stad al eerder door onbekenden was geplunderd en in brand gestoken. De bewoners van de stad zijn vermoord of verjaagd.

Teotihuacan, waar volgens een oude legende de goden woonden, werd in de 2de eeuw gebouwd en heeft meer dan vierhonderd jaar grote invloed - godsdienstige, culturele en politieke - gehad in de vallei van Mexico en ver daarbuiten. De bouwstijl en -technieken zijn door andere steden nagebootst, dezelfde goden werden vereerd en er was een bloeiende handel in Teotihuacans aardewerk.

In Teotihuacan hebben meer dan vijftigduizend mensen gewoond die werden geregeerd door een aristocratische priesterklasse. Hoogst waarschijnlijk is de stad niet willekeurig gegroeid maar zorgvuldig gepland door vakbekwame architecten die een voorkeur hadden voor strakke lijnen en mooie verhoudingen. De kern van de stad werd gevormd door een brede weg, minstens drie kilometer lang, die van noord naar zuid liep. Aan de noordkant lag de Piramide van de Maan, geheel uit terrassen opgebouwd. Het grootste en hoogste (70m) gebouw, de Piramide van de Zon, had een platte top en een basis van 233 vierkante meter. Een derde belangrijke tempel was gewijd aan de god Quetzalcoatl (Gevederde Slang), de god van wijsheid, kennis en beschaving. Op één zijde van deze tempel waren enorme stenen slangekoppen aangebracht die werden afgewisseld door vreemde, starende hoofden die waarschijnlijk de regengod Tlaloc voorstellen.

Dit piramidencomplex werd omgeven door honderden heuvels met kleinere piramiden en paleizen waarin de priesters woonden. Op de paleiswanden waren religieuze versieringen aangebracht die optochten uitbeeldden van priesters, goden en allegorische dieren, geschilderd in heldere kleuren: rood, groen, blauw en geel. Een geliefd onderwerp was het rondstrooien van waterdruppels, het uitdelen van bloemen en vlinders door de regengod Tlaloc. Een van die bekendste schilderingen heet het 'Paradijs van Tlaloc' en toont het leven in het hiernamaals van mensen die door verdrinking omkwamen. Tlaloc nam de zorg voor hun zielen op zich; deze worden op de schildering uitgebeeld door kleine, vrolijke figuurtjes die dansen, zingen en vlinders vangen.

*De scepter en de kroon worden in 840 aan Karel de Kale overhandigd (miniatuur).*

## Keizer Lotharius als monnik gestorven

PRUM, 29 september 855 - In het klooster van Prüm (Elzas) is keizer Lotharius op 60-jarige leeftijd overleden. Sinds het Verdrag van Verdun was hij koning van het middenrijk en, zij het slechts in naam, keizer van het gehele rijk.

Zijn leven heeft vooral in het teken gestaan van de confrontatie, eerst met zijn vader Lodewijk de Vrome en later met zijn broers Lodewijk en Karel. Bij velen verwierf hij zodoende een slechte reputatie. De eerlijkheid gebiedt echter te zeggen dat zijn lot voor een belangrijk deel bepaald werd door de moeilijke omstandigheden waarin het rijk en zijn bestuurders verkeerden. De laatste twaalf jaar van zijn leven stelde Lotharius zich verzoenend op. Geheel in overeenstemming met zijn religieuze levenshouding trad hij, na zijn rijk onder zijn zonen te hebben verdeeld, toe tot de kloostergemeenschap van Prüm. Daar is hij korte tijd later als monnik gestorven.

Als oudste zoon van Lodewijk de Vrome werd Lotharius in 817 tot medekeizer en opvolger van zijn vader benoemd. Deze benoeming kwam daarna steeds meer op losse schroeven te staan, omdat Lodewijk rekening had te houden met de belangen van anderen, zoals zijn tweede vrouw Judith en hun zoon Karel.

Hij zelf, maar vooral ook zijn aanhangers, namen geen genoegen met een plaats op het tweede plan. Zij organiseerden zich in een pressiegroep, die zich onder meer beijverde voor het in stand houden van het keizerschap. Deze zogenaamde 'rijkseenheidspartij' maakte deel uit van de brede oppositie, die tot twee keer toe een opstand tegen het bewind van Lodewijk de Vrome ontketende (830-834).

Na de dood van zijn vader ondervond Lotharius opnieuw tegenstand, ditmaal van zijn jongere broers Lodewijk (de Duitser) en Karel (de Kale). De strijd om de erfenis werd in 843 afgesloten met het Verdrag van Verdun. Het leven van Lotharius kwam sindsdien in rustiger vaarwater.

Hij kreeg meer tijd om zich te wijden aan de studie van de bijbel en de geschriften van de kerkvaders. Zijn voorliefde voor een kloosterlijk bestaan stak hij niet onder stoelen of banken: 'De eenzaamheid van de bergen en het platteland stemt de innerlijke mens veel meer tot vreugde dan de koninklijke pracht van de steden,' schreef hij in een persoonlijke brief aan een beroemd geleerde.

# Yoshifusa tot Japans regent uitgeroepen

KIOTO, 858 - De rijke en machtige Foedjiwara-familie is er eindelijk in geslaagd een familielid als 'sessho' (regent) aan het hof benoemd te krijgen. Gedurende meer dan een eeuw heeft deze familie haar macht geleidelijk weten uit te breiden. Opvallend is dat de Foedjiwara zonder gebruik van militaire middelen deze machtspositie heeft weten op te bouwen. Andere families proberen door het formeren van privé-legers hun macht uit te breiden.

De Foedjiwara heeft tot nu toe consequent gebruik gemaakt van de banden die zij heeft met de keizerlijke familie langs de lijn van de moeder om haar macht te vergroten.

Door deze band en de ruime middelen waarover de familie beschikt komen kleinere landheren naar de familie toe en onderwerpen zich aan de Foedjiwara. Beiden hebben hierbij voordeel: de kleine landheer is verzekerd van zijn positie want een aanval op hem of een deel van zijn domein is tevens een aanval op de Foedjiwara. Andere families hoeden zich dan ook om aanspraak op deze landgoederen te doen gelden. Voor de Foedjiwara betekent de onderwerping van vele kleine landbezitters een vergroting van hun prestige en een extra bron van inkomsten.

De band met het hof was langzamerhand ontstaan doordat de Foedjiwara gedurende de laatste eeuw vele concubines voor de keizers heeft geleverd, waardoor vele Foedjiwara's invloedrijke posities aan het hof hebben gekregen. Na verloop van tijd kregen zij zelfs direct een stem in opvolgingskwesties. Yoshifusa is de eerste die het heeft gepresteerd zijn zeven jaar oude kleinzoon op de troon te zetten en zich zelf te laten uitroepen tot sessho. Vanuit deze positie kunnen hij en mogelijk later zijn opvolgers direct de politieke beslissingen nemen en is men zelfs niet meer afhankelijk van de concubines van de keizer. Het is nog onzeker hoe de andere vooraanstaande families hierop zullen reageren. Nu al doen geruchten over machtsmisbruik de ronde en wordt de Foedjiwara verweten dat zij geen rechtmatige aanspraken op de troon kan doen gelden omdat zij niet tot de oorspronkelijke keizerlijke familie behoort. De komende jaren zal blijken of deze vrees gegrond is en of de Foedjiwara machtig genoeg is om het ambt van sessho te behouden.

# Vikingen bedreigen Middellandse Zee

*De moskee van Kairouan (Tunesië), een belangrijk religieus centrum van de Moren.*

NOIRMOUTIER, 862 - De Viking-vloot onder leiding van Bjorn met de IJzeren Arm en Hastings, die drie jaar geleden met 62 schepen naar het zuiden zeilde, is teruggekeerd op haar basis aan de monding van de Loire. Slechts 22 schepen hebben de tocht overleefd. Op de terugweg stuitte de Vikingvloot in de Straat van Gibraltar op de Saracenen.

Drie jaar geleden maakte de vloot een eerste stop in het noordoosten van Spanje maar werd daar al spoedig verdreven. Spanje zou voor de Vikingen een onneembaar bastion blijven. Ze vervolgden hun tocht langs de westkust van het schiereiland en zeilden door de Straat van Gibraltar waar een zeeslag met de Moorse vloot werd geleverd. Vervolgens staken de Vikingen de moskee van Algeciras in brand waarna koers werd gezet naar Nekar op de Noordafrikaanse kust. 'De "madjus" - God vervloeke hen - plunderden Nekar en voerden de inwoners, voor zover dezen niet konden vluchten, gevankelijk weg,' aldus een Moors verslag. Met 'madjus' ('barbaarse tovenaars') worden de Vikingen bedoeld.

Na Nekar is waarschijnlijk een van de 62 schepen teruggegaan, vol met buit en bovengenoemde gevangenen die als slaven in Ierland terechtkwamen. De overige schepen zeilden de Middellandse Zee over en overwinterden op een eiland aan de monding van de Rhône van waaruit het Rhônedal tot aan Valence naar hartelust geplunderd werd.

Twee jaar geleden zetten Bjorn en Hastings hun zinnen op Noord-Italië en speciaal op Rome. Allereerst plunderden ze Pisa en trokken daarna op naar Luna dat ze voor Rome aanzagen. Maar Luna was voor een directe aanval te sterk en dus verzonnen ze een list: ze verzochten om een wapenstilstand en zonden een bericht dat een van hun aanvoerders ernstig ziek was en als christen wenste te sterven. Het verzoek werd gehonoreerd en gedienstige priesters kwamen naar het Vikingkamp om aanvoerder Hastings te dopen. De daaropvolgende dag ontving de stad het bericht dat de bekeerde was overleden en of het misschien mogelijk was hem in gewijde aarde te begraven. De stadspoorten werden vervolgens geopend voor de begrafenisstoet. Toen iedereen binnen de poorten was rees Hastings met het zwaard in de hand op uit zijn kist, waarna zijn mannen de stad veroverden.

## Bulgaarse Khan laat zich dopen

CONSTANTINOPEL, 865 - Khan Boris van Bulgarije en een aantal van zijn meest vooraanstaande onderdanen hebben zich door een Byzantijnse bisschop laten dopen. Dit is van grote politieke betekenis want Byzantium heeft hiermee zijn macht en invloed aan de noordelijke rijksgrenzen opnieuw bevestigd. Zulks ten koste van de invloed der Franken.

Aan de bekering van Boris en de zijnen is een periode van toenemende oriëntatie van het Bulgaarse Rijk op het Westen voorafgegaan. Sinds enige decennia onderhielden de Bulgaren betrekkingen met het Oostfrankische Rijk, dat gedeeltelijk aan Bulgarije grenst. In 832 sloot de Bulgaarse khan Malamir een verdrag met Lodewijk de Vrome. Bij de Bulgaarse relaties met het Karolingische Rijk speelden politieke en religieuze aspecten een rol.

Voor Byzantium was een dergelijke groei van de Frankische invloed op het Balkanschiereiland onverteerbaar. Keizer Michael III besloot dan ook tot een militaire demonstratie. Vorig jaar stuurde hij een leger naar de Bulgaarse grens. Boris, meer een diplomaat dan een militair, realiseerde zich dat hij geen partij was voor de Byzantijnse overmacht en capituleerde onmiddellijk. Hij aanvaardde de voorwaarden die onder meer behelsden dat hij de banden met het Karolingische Rijk verbrak en zich door een Byzantijnse prelaat liet dopen.

Door zijn doop is Boris de geestelijke zoon van keizer Michael III geworden. Byzantium stelt nu dat de bekering van de Bulgaren tevens de erkenning van de soevereiniteit van de keizer impliceert, maar of Boris dit ook zo ziet valt ten zeerste te betwijfelen.

# Conflict tussen Oost en West laait op

CONSTANTINOPEL, 867 - De verhouding tussen Rome en Constantinopel heeft een dieptepunt bereikt. Waren de verhoudingen vroeger al verstoord doordat de Kerken wedijverden om de kerkelijke trouw van de pasbekeerde Slaven, nu vormt de afzetting van de patriarch van Constantinopel aanleiding tot het zoveelste conflict.

De keizer heeft de patriarch wegens vermeend hoogverraad afgezet en een ander in diens plaats benoemd. Met deze daad heeft hij de toorn van de paus opgewekt. Sinds jaar en dag acht deze zich als hoofd van de universele Kerk als enige gerechtigd om geestelijken die zich misdragen hebben voor een kerkelijk tribunaal te dagen. Paus Nicolaas I is een halsstarrig verdediger van de Romeinse primaatsrechten. De Byzantijnse Kerk en het keizerlijk hof hebben deze aanspraken nimmer willen erkennen.

In zijn verbolgenheid over wat hij beschouwt als grove aanmatiging van zijn rechten, ging de paus zelfs zover dat hij de functie van de keizer, die immers in het vergriekste Constantinopel resideert, als keizer van de Romeinen ter discussie stelde, getuige zijn bitse uitval: 'U noemt zichzelf een Romeins keizer, maar u beheerst niet eens de taal van de Romeinen, het Latijn, dat door u veracht wordt.' Zijn tegenzet bestond erin dat hij de afgezette patri-

*De Byzantijnse keizer Basilius I.*

arch in zijn vroegere ambt bevestigde. Maar de kandidaat van de keizer reageerde op zijn beurt door een concilie bijeen te roepen, waarop paus Nicolaas geëxcommuniceerd en tot ketter verklaard werd zonder gelegenheid te krijgen zich te verdedigen. Sindsdien is er in de relaties tussen beide Kerken sprake van een impasse, waarin de partijen niet bereid zijn om elkaar ook maar een duimbreed toe te geven.

In de onderhavige kwestie is er maar één conclusie mogelijk: de eeuwenlange vervreemding heeft ten langen leste plaats gemaakt voor openlijke vijandschap tussen Oost en West.

# Koning Karel de Kale overleden

AVRIEUX, 6 oktober 877 - Op de terugweg uit Italië is de Westfrankische koning Karel II, bijgenaamd 'de Kale', op 54-jarige leeftijd in het Alpendorpje Avrieux overleden. Sinds het Verdrag van Verdun (843) bestuurde hij het westelijke deel van het Karolingische Rijk.

Tijdens zijn bewind moest Karel vele problemen het hoofd bieden. Ontrouw onder de adel en geestelijkheid, het streven naar onafhankelijkheid in Aquitanië en Bretagne en aanhoudende invallen van Noormannen eisten zijn aandacht op. Bij het Verdrag van Meerssen in 870 legde hij samen met zijn broer Lodewijk beslag op het middenrijk. In Rome kreeg hij op de valreep ook nog de weinig betekenisvolle keizerstitel in de schoot geworpen (875). Beide gebeurtenissen leidden niet tot een versterking van zijn politieke positie. Na zijn dood is zijn enig overgebleven zoon Lodewijk (de Stamelaar) hem opgevolgd.

Karel werd in 823 geboren uit het huwelijk tussen keizer Lodewijk de Vrome en diens tweede vrouw Judith. Het feit dat hem als nieuwe erfgenaam in 829 een toekomstig deelrijk toeviel, was voor zijn drie halfbroers mede aanleiding om tegen hun vader in opstand te komen. Na het mislukken van de rebellie bleven vooral de keizerin en haar aanhang streven naar een zo gunstig mogelijk erfdeel voor haar zoon, maar een definitieve regeling is er nooit gekomen.

De dood van Lodewijk de Vrome werd gevolgd door een langdurig gevecht om het rijk tussen de drie overgebleven erfgenamen. Karel sloot in deze jaren een verbond met zijn halfbroer Lodewijk de Duitser tegen hun oudste broer Lotharius.

Overeenkomstig het Verdrag van Verdun (843) werd Karel koning van het Westfrankische Rijk, een gebied dat lastig te besturen bleek. In verscheidene provincies, waar de bevolking traditiegetrouw weinig op had met het centrale gezag (Aquitanië, Bretagne), was het onrustig. Bovendien was de lange kustlijn met haar talrijke riviermondingen een ideale gelegenheid voor plunderende Noormannen. De economie leed daardoor enorme schade: landerijen werden verwoest, jaarmarkten gesloten en het handelsverkeer stilgelegd.

Op het terrein van de buitenlandse betrekkingen bood het Verdrag van Verdun maar weinig garantie. De rivaliteit binnen de koninklijke familie ging onverdroten voort. Karel was het meest in conflict met zijn voormalige bondgenoot Lodewijk de Duitser, die met steun van Westfrankische edelen enkele pogingen ondernam om Karels rijk te annexeren.

Tevergeefs trachtte Karel zijn binnenlandse positie te versterken door de loyaliteit van rijksgroten te kopen met schenkingen en belening. Dientengevolge is de afhankelijkheid van de koning alleen maar groter geworden. Deze ondergraving van het koninklijk gezag heeft de desintegratie van het rijk zeer bespoedigd.

*Karel de Kale, sinds 843 koning van het westelijke deel van het Karolingische Rijk.*

## Bulgaren krijgen eigen aartsbisschop

PLISKA, 870 - In gezelschap van een groot aantal geestelijken is de nieuwe aartsbisschop van Bulgarije in de Bulgaarse hoofdstad gearriveerd. Met de komst van deze prelaat lijken de strubbelingen tussen Bulgarije en Byzantium te zijn opgelost.

Sinds zijn bekering tot het christendom vijf jaar geleden heeft Boris I van Bulgarije geijverd voor een zelfstandige Bulgaarse Kerk. Daar Byzantium niet van zins bleek hieraan te voldoen probeerde Boris via de paus van Rome de felbegeerde kerkelijke onafhankelijkheid te verkrijgen. Hij noodde hiertoe Latijnse geestelijken naar zijn land. Maar Rome, dat Bulgarije als een voorhoede in de strijd met Byzantium om de kerkelijke controle op de Balkan beschouwde, bleek evenmin veel te voelen voor een onafhankelijke status van de Bulgaarse Kerk. Daarop opende Boris geheime onderhandelingen met Constantinopel.

Op het concilie in de Byzantijnse hoofdstad dit jaar werd door een Bulgaarse delegatie de kwestie voorgelegd aan wie de Bulgaarse Kerk nu gehoorzaamheid was verschuldigd. Daar de Romeinse afgevaardigden in de minderheid waren viel het antwoord ten gunste van Constantinopel uit. Vervolgens stuurde Boris de Latijnse clerus weg uit Bulgarije en keerden de Griekse priesters er terug.

De recentelijk benoemde aartsbisschop van Bulgarije staat in rang hoger dan de bisschoppen van de Byzantijnse Kerk en geniet een ruime mate van autonomie. Met dit compromis heeft Boris zijn doel Bulgarije binnen de christelijke wereld te brengen zonder een marionet van de keizer in Constantinopel te worden, gedeeltelijk bereikt.

*Koning Karel de Kale op zijn troon omringd door zijn hofhouding. Een pagina uit de Codex Aureus, een kostbaar manuscript dat rond 870 in opdracht van koning Karel geschreven wordt. De monniken Liuthard en Berengar schrijven de codex op perkament en voorzien deze van rijke versieringen.*

## Johannes Scotus was groot denker

WESTFRANKISCHE RIJK, circa 877 - Op circa 67-jarige leeftijd is Johannes Scotus Eriugena, een van de grootste denkers van deze tijd, overleden. Hij werd geboren in Ierland en kwam in het midden van deze eeuw naar het Westfrankische Rijk, waar hij op aandringen van Karel de Kale de leiding van de paleisschool op zich nam. Behalve als leraar genoot hij bekendheid als auteur van een groot aantal werken. Daarin kwam de veelzijdigheid van Johannes duidelijk tot uiting. Hij hield zich bezig met het becommentariëren en vertalen van Griekse literatuur in het Latijn. Ook schreef hij gedichten. Zijn interesse ging evenwel in het bijzonder uit naar filosofisch-theologische onderwerpen.

Zijn beroemdste publikatie op dit gebied is *De divisione naturae*, waarin de indeling van het universum en de relatie tot de Schepper ter sprake komen. Johannes beschouwde de Drievuldigheid van de Vader, de Zoon en de Heilige Geest als een onverbrekelijke eenheid Gods, die de bovennatuurlijke Schepper en tegelijkertijd het Wezen der dingen is. Uit deze oereenheid is de verscheidenheid voortgekomen, die aan het einde der tijden weer tot een harmonische, goddelijke eenheid zal voeren.

Op grond van zijn nogal neoplatonisch getinte oeuvre behoort Johannes Scotus onmiskenbaar tot de laatste grote representanten van de 'Karolingische renaissance', de culturele bloeiperiode die het Frankische Rijk in de 8ste en 9de eeuw heeft gekend.

---

**880.** Huang Chao verovert Tsjang-an en roept zich uit tot keizer van China. →

**880.** Verdrag van Ribémont. De Westfrankische koningen Lodewijk III en Karloman staan hun deel van Lotharingen af aan de Oostfrankische koning Lodewijk de Jongere.

**880.** Paus Johannes VIII besluit dat Moravië een zelfstandig aartsbisdom wordt. →

**882.** De Oostfrankische koning Karel de Dikke draagt aan de Noorman Godfried het bestuur in 'Friesland' op, om dit grensgebied tegen aanvallen van andere Noormannen te verdedigen.

**882.** De Viking Oleg verovert Kiëv en maakt dit tot centrum van de Vikingheerschappij in Rusland. →

**884.** In Japan beslist de Foedjiwara-familie de strijd aan het hof in haar voordeel. →

**884.** In het klooster Sankt-Gallen schrijft de monnik Notker Balbulus (de Stotteraar) de *Gesta Karoli Magni*. Het is een boek vol anekdoten over het leven van Karel de Grote.

**884.** De Chinese keizer Huang Chao wordt verslagen en gedood door de Turkse Sha-t'o. Hun leider Li K'o-yoeng betwist Tsjoe-Wen, Huangs luitenant, de controle over Noord-China.

**885.** Na de dood van de Westfrankische koning Karloman roepen de groten van West-Francië de Oostfrankische koning en rooms-keizer Karel III de Dikke tot koning uit. Hierdoor is het Frankische Rijk van Karel de Grote weer onder één vorst verenigd.

**885.** In de Betuwe wordt de Noorman Godfried, hertog van 'Friesland', vermoord. Hiermee komt een eind aan de Noormannenheerschappij in het voormalige Friese Rijk.

**885.** Bulgarije neemt leerlingen van Cyrillus en Methodius op. →

**885.** Het Europese vasteland wordt geteisterd door plundertochten van de Vikingen, die in 878 door Alfred de Grote uit Brittannië zijn verjaagd. →

**886.** De Angelsaksische koning Alfred de Grote bevrijdt de stad Londen: de verdeling van Engeland is een feit. →

**11 november 887.** Op de Rijksdag van Tribur dwingen de Oostfrankische groten keizer Karel III de Dikke tot troonsafstand en kiezen Arnulf von Karinthië tot koning van de Oostfranken.

**13 januari 888.** Na de dood van Karel de Dikke wordt Odo, hertog van Francië, tot koning van West-Francië gekozen.

---

# Boeren bezetten Changan

CHANGAN, 880 - Huang Chao, de leider van een boerenleger, heeft de hoofdstad Changan bezet. Alle gevangengenomen leden van de keizerlijke familie en andere hoogwaardigheidsbekleders zijn vermoord.

De verovering van de keizerlijke hoofdstad vindt plaats een maand nadat Huang Chao aan het hoofd van een leger van 600 000 man Luoyang was binnengetrokken. De overwinningen zijn de voorlopige bekroning van een opstand die door Huang Chao is geleid en zestien jaar geleden is begonnen.

Huang Chao, die uit een familie van handelaren stamt en zich oorspronkelijk bezighield met de smokkel van zout, werd leider van de boerenopstand nadat hij een pamflet had gepubliceerd waarin hij de regering aanviel vanwege de zware belastingen, wrede wetten en corruptie van ambtenaren.

De Tang-regering besloot in een bepaalde fase van de opstand om de boerenbevolking tegen de opstandelingen te bewapenen. Maar de regering was toen al zo impopulair dat deze maatregel slechts in een uitbreiding van het aantal bewapende opstandelingen resulteerde.

Gedurende de lange oorlogvoering tegen de centrale regering trok het leger van Huang Chao door alle provincies van Oost-China. Op een gegeven ogenblik bood Huang Chao vrede aan in ruil voor de post van gouverneur van

*'De nobele dame Kuo-Kuo en zusters'; handrol, 8ste eeuw (12de-eeuwse kopie).*

Kanton. Maar dit aanbod werd door de keizer niet aangenomen. Kanton werd vernietigd. Daarbij kwam de hele kolonie van buitenlanders in China om.

Huang Chao heeft meteen na de verovering van Changan een nieuwe dynastie uitgeroepen: de Qi. Maar de overlevingskansen van het nieuwe bewind worden niet hoog aangeslagen, nu de militaire gouverneurs voor het eerst serieus gevolg schijnen te geven aan de oproep van Tang-keizer Si Zong, die naar Sichuan is gevlucht, om zich onder zijn leiding tegen Huang Chao te weer te stellen.

## Paus keurt Slavische liturgie goed

ROME, 880 - Paus Johannes VIII heeft besloten tot de stichting van een zelfstandig Moravisch aartsbisdom en het toelaten van de Slavische liturgie. Dit is het resultaat van het bezoek van Methodius, aartsbisschop voor de Slavische landen. Hij was naar Rome gekomen op uitnodiging van de paus naar aanleiding van de hevige strijd tussen aanhangers van de Latijnse en Slavische liturgie in Moravië.

De Slaven waren tot in de vorige eeuw heidenen. Hun buren in het zuiden en het westen, het Romeinse Rijk en de Germanen, waren toen al lang tot het christendom bekeerd. De westerse Kerk beschouwde het daarom als haar taak om de Slaven voor het christendom te winnen. Het bisdom van Salzburg ontwikkelde zich tot een belangrijk missiecentrum, van waaruit voornamelijk Ierse monniken, die de Slavische taal machtig waren, naar de heidense gebieden werden gezonden.

Karel de Grote, keizer van het machtige Frankische Rijk, stimuleerde het westerse missiewerk in het Donaugebied, omdat hij zijn politieke invloed daar wilde vergroten. Maar omdat de Duitse priesters uit het Frankische Rijk zich superieur achtten aan de inheemse bevolking, wonnen zij slechts langzaam terrein. Bovendien hadden zij geen belang bij het opleiden van een eigen Slavische geestelijkheid. De eredienst moest een Duits monopolie blijven.

Daartegen verzette zich de Moravische vorst Rostislav (846-870). Hij wilde in zijn Groot-Moravische Rijk een van de Franken onafhankelijke kerkelijke organisatie opbouwen. Nadat Rome zijn verzoek om in Moravië een Slavisch bisdom in te stellen onbeantwoord had gelaten, stuurde hij in 862 gezanten naar de Byzantijnse keizer Michael III met hetzelfde verzoek. De keizer stuurde twee broers, Constantijn (zijn monnikennaam werd later Cyrillus) en Methodius, bekwame missionarissen, die de Slavische taal perfect beheersten. Konstantijn vond een schrift uit, het zogenaamde glagolitsa, om de kerkelijke teksten in de Slavische taal te kunnen vertalen. In de jaren 863-869 leidden zij vele discipelen op. De paus keurde aanvankelijk de Slavische liturgie goed (om zijn besluit in 873 weer ongedaan te maken) en wijdde in 869 Methodius tot aartsbisschop van de Slavische landen, het Pannonisch aartsbisdom. Cyrillus was inmiddels overleden. Na tien jaar strijd betekent de definitieve goedkeuring van de Slavische liturgie een belangrijk succes voor aartsbisschop Methodius.

*Twee Japanse 'hemelbewakers' uit 10de eeuw (Nationaal Museum, Kioto).*

# Japans bestuur vernieuwd

KIOTO, 884 - Na een machtsstrijd tussen keizer Yozei en de regent Mototsune uit de Foedjiwara-familie is ten slotte het pleit ten gunste van de Foedjiwara beslecht. Het ambt van 'sessho' (regentschap voor minderjarige keizers) is nu vervangen door dat van 'kampaku', het regentschap dat niet alleen wordt ingesteld voor de regering bij minderjarigheid van keizers maar ook van kracht blijft wanneer de keizer meerderjarig wordt. De Foedjiwara, die tot nu toe al het ambt van 'sessho' in handen had, heeft met de instelling van het ambt van 'kampaku' definitief haar invloed op de centrale regering bestendigd. Zij kan voortaan als een ware dictator gaan regeren.

Mototsune heeft een goed inzicht in tactiek getoond door bij de troonsbestijging van de minderjarige Seiwa eerst het secretariaat van het 'Kurandodokoro' aan zich te trekken. Dit overheidslichaam was aanvankelijk opgezet om de persoonlijke financiën en andere vertrouwelijke zaken van de keizer te regelen. Vanaf 810 heeft het

echter ook een brugfunctie voor de contacten tussen de verschillende ministeries en de keizer. Hierdoor is het in de loop van deze eeuw het belangrijkste overheidslichaam geworden.

Toen de minderjarige Yozei in 877 keizer Seiwa opvolgde beval Seiwa Mototsune als regent aan te blijven.

Mototsune kreeg echter al spoedig moeilijkheden met Yozei. Diens verstandelijke vermogens werden alom in twijfel getrokken en hij verkeerde meestal in criminele kringen. Mototsune gaf aanvankelijk van zijn afkeuring over het gedrag van Yozei blijk door zijn functie als 'sessho' neer te leggen. Door ministers en hofkringen is echter sterke aandrang op hem uitgeoefend om op zijn beslissing terug te komen. Het bleek dat Yozei binnen het hof en de regering nagenoeg geen steun ondervond. Hierop keerde Mototsune terug en werd keizer Yozei gedwongen af te treden. Dit was het moment waarop Mototsune de tijd rijp achtte het regentschap permanent te maken, ongeacht de leeftijd van de keizer.

# Kiëv hoofdstad Olegs rijk

*Vikingenleider Rurik (links) en zijn opvolger Oleg (18de-eeuwse kopergravures).*

KIEV, 882 - Vikingenleider Oleg, de opvolger van Rurik die drie jaar geleden gestorven is, heeft zijn hoofdstad verplaatst van Novgorod naar Kiëv en zichzelf tot prins uitgeroepen. Voordat het zover was heeft Oleg zijn rivalen Askold en Dir, de stichters van het koninkrijk Kiëv, omgebracht.

De Zweedse edelman Rurik heeft twintig jaar geleden in het noorden een rijk gesticht rond de handelsplaats Novgorod, het land van de Rus genoemd. Het schijnt dat de Slaven Rurik verzocht hebben hun land te besturen.

De Vikingen - 'Varaeger' - kwamen lang voordat Rurik zijn heerschappij vestigde, in Novgorod om handel te drijven in pelzen, honing, was, teer, wapens en slaven. In 839 bereikten kooplieden na een gevaarlijke tocht Constantinopel. Zij brachten twee handelswegen tot stand: langs de rivieren de Dnepr en de Wolga. Langs de Dnepr lagen de steden Kiëv, Smolensk, Novgorod en Staraja Ladoga en de handelsweg wordt als volgt beschreven: 'Deze route, die begint bij de Grieken, gaat verder langs de Dnepr, dan gaat een stuk over land naar Lovat. Wanneer men deze rivier afvaart komt men uit bij het grote Ilmenmeer. De rivier de Volkhov die uit dit meer stroomt, mondt uit in het grote Nevomeer, dat in verbinding staat met de

Warjagen [Baltische] zee.'
De tweede route langs de Wolga lag meer oostwaarts en bood weinig mogelijkheden om zich te vestigen omdat daar steden lagen die toezicht hielden op de bonthandel.

## Bulgarije neemt missionarissen op

PLISKA, 885 - De Bulgaarse vorst Boris I heeft de missionarissen die uit Moravië zijn verdreven in zijn land opgenomen. Het gaat om leerlingen van Cyrillus en Methodius, twee broers afkomstig uit het gebied rond Thessaloniki. Cyrillus (overleden in 869) is de uitvinder van een Slavisch alfabet.

Door nu de leerlingen van deze broers naar zijn rijk te nodigen hoopt Boris op een succesvolle kerstening van het overwegend Slavische bevolkingsdeel van Bulgarije. Tot nu toe heeft het weinig enthousiasme getoond voor het christelijke geloof, dat door buitenlanders, Grieken, in een vreemde taal, het Grieks, verkondigd werd. Voor Boris opent de missie bovendien nog andere perspectieven: de nu nog precaire onafhankelijkheid van de Bulgaarse Kerk zou stevig kunnen worden gevestigd als zij een eigen geestelijkheid zou kunnen opleiden.

# Londen door koning Alfred de Grote op Denen veroverd

LONDEN, 886 - Met de bevrijding van Londen door de Angelsaksische koning Alfred de Grote is de verdeling van Engeland in Deens en Angelsaksisch gebied een feit geworden.

Al in 878 was die tweedeling in een vredesverdrag vastgelegd: het noordoosten werd Deens - de Danelaw, het gebied waarin voortaan de Deense wetten en gewoonten zouden gelden - en het zuidwesten met inbegrip van Mercia werd Angelsaksisch. Dit verdrag was de bekroning van de overwinning van Alfred de Grote op de Vikingen nadat hij eerst een bijna vernietigende nederlaag had geleden. 'Het Vikingenleger ging ongemerkt voorbij Chippenham, overviel het land

van de Westsaksen en legerde zich daar; vele mensen dreven zij over zee, en zij die achterbleven werden onderworpen en gedwongen hen te gehoorzamen, behalve koning Alfred die zich met een kleine groep met grote moeite wist terug te trekken in de wouden en moerassen,' aldus een Angelsaksische kroniek. In de buurt van Edington versloeg Alfred 'het grote leger' van Vikingenleider Guthrum waarna hij hen dwong zich terug te trekken in het noordoosten en nooit meer een voet in Wessex te zetten. Alfred kreeg de Vikingen zelfs zover dat zij zich tot het christendom bekeerden.

Een nadelig gevolg van Alfreds overwinning was de uittocht van een gedeel-

te van het Vikingenleger dat, overgestoken naar het continent, schrik en ontsteltenis zaaide in het noorden van het Frankische Rijk. De Karolingische koning Karel de Dikke was niet in staat deze aanvallers effectief te bestrijden. Onlangs nog sloot hij een overeenkomst met de Vikingen die, tot nu toe zonder succes, al twee jaar Parijs belegeren. De overeenkomst houdt in dat het Vikingenleger op de Seine vrije doorgang naar zijn winterverblijf in Bourgondië wordt verleend en ook dat het nog eens zevenhonderd pond zilver krijgt als het in het voorjaar Karels koninkrijk verlaat. De Parijzenaars hebben, tevergeefs, heftig tegen deze overeenkomst geprotesteerd.

*Engelsen contra Denen (12de eeuw).*

**890 (circa).** Van de beroemde Egyptische arts Isaac Judaeus is een aantal spreuken opgetekend. →

**891.** De Oostfrankische koning Arnulf verslaat de Noormannen in september bij Leuven en in oktober definitief aan de Dijle in Brabant. Hierdoor is het Noormannengevaar in het Oostfrankische Rijk bezworen.

**15 oktober 892.** Na de dood van kalief al-Moetamid volgt diens gelijknamige zoon op. De jonge al-Moetamid maakt Bagdad weer tot hoofdstad van het kalifaat der Abbasiden.

**892.** De Arabische geschiedschrijver al-Baladhoeri overlijdt. Zijn belangrijkste boek is *Foetoeh al-Boedan* (Verovering van de landen - door de Arabieren).

**893.** Vladimir, chan van de Bulgaren wordt door zijn broer Simeon I van de troon gestoten.

**Juli 895.** Op een Rijksdag te Regensburg onderwerpen de Boheemse hertogen zich door middel van een handslag aan de Oostfrankische koning Arnulf van Karinthië.

**895.** Bij Etelköz worden de Magyaren door de Turkse Petsjenegen verslagen. De Magyaren steken de Karpaten over en beginnen met de verovering van de Pannonische vlakte [Hongarije].

**896.** Bij Bulgarophygon wordt het Byzantijnse leger door de Bulgaren verslagen. →

**896.** De Oostfrankische koning Arnulf van Karinthië verovert Rome en wordt door paus Formosus tot keizer gekroond.

**896.** Na het vertrek van keizer Arnulf uit Italië heersen hertog Lambert van Spoleto en zijn moeder Ageltrude over bijna geheel Italië.

**Januari 897.** Paus Stephanus VI, stroman van Lambert van Spoleto, laat het lijk van paus Formosus (tegenstander van Lambert van Spoleto) opgraven en in een plechtige synode veroordelen.

**1 januari 898.** Na de dood van Odo wordt Karel de Eenvoudige koning van West-Francië.

**26 oktober 899.** De Angelsaksische koning Alfred de Grote van Wessex is overleden. Hij heeft de bijnaam de Grote verkregen door zijn overwinning op de Denen (in 878), maar vooral door de bestuurlijke en economische wederopbouw van zijn rijk en zijn culturele activiteiten.

# Bulgaren dwingen Byzantium tot overgave

*Russische ruiters achtervolgen vluchtende Bulgaren; miniatuur uit de 10de eeuw.*

CONSTANTINOPEL 896 - De Bulgaarse heerser Simeon is erin geslaagd de Byzantijnse troepen een verpletterende nederlaag toe te brengen bij Bulgarophygon. Byzantium heeft hierop vrede gesloten en zich verplicht tot de betaling van een jaarlijks tribuut. De botsing, die een economische aanleiding had, is in feite het gevolg van de confrontatiepolitiek die Simeon tegen Byzantium voert. Hij wil voorkomen dat Bulgarije binnen de invloedssfeer van Byzantium komt.

Twee jaar geleden slaagden twee Griekse kooplieden erin het monopolie op de handel met Bulgarije te verkrijgen. Zij verplaatsten de markt van Constantinopel naar het meer excentrisch gelegen Thessaloniki alwaar zij zware belastingen op de goederen hieven. Simeon, die dit als een zware economische klap beschouwde, vroeg de keizer de maatregel ongedaan te maken. Keizer Leo VI weigerde echter. Dit was voor Bulgarije aanleiding om West-Thracië binnen te rukken. De Byzantijnen verkeerden in een militair ongunstige positie daar het grootste deel van de krijgsmacht tegen de Arabieren in het oosten vocht. Zij namen hun toevlucht tot de beproefde Byzantijnse diplomatie: het gelukte hun de Magyaren over te halen de Bulgaren in de rug aan te vallen. De Magyaren rukten op tot de nieuwe Bulgaarse hoofdstad Preslav, een spoor van verwoestingen achterlatend. Simeon vroeg de keizer vrede te sluiten. Daarop trokken de Byzantijnse troepen zich terug, wat een tactische fout was. De Bulgaarse heerser had namelijk intussen de Petsjenegen, een Turks volk dat aan de Dnestr woont, tegen de Magyaren weten op te zetten. Aldus verloor keizer Leo deze bondgenoten. Zijn beslissing alsnog troepen uit het oosten tegen de Bulgaren in te zetten kwam te laat.

# Egyptische arts schrijft aforismen

*Een Arabische tandarts behandelt een patiënt.*

CAIRO, circa 890 - Van Isaac Judaeus, de befaamde Egyptische arts, is een collectie aforismen bekendgemaakt. Judaeus, die officieel Abu Ya'gub Ishag Sulaiman al-Israeli heet, heeft zijn wijze spreekwoorden in het Hebreeuws opgesteld: 'De meeste ziekten worden zonder hulp van de dokter door de natuur genezen.'
'Als je de patiënt met behulp van een dieet kunt genezen, laat medicijnen dan achterwege.'
'Heb geen vertrouwen in middelen voor alle kwaaltjes. Zij zijn meestal het resultaat van onwetendheid en bijgeloof.'
'Geef de patiënt altijd het gevoel dat hij genezen zal, ook als je er niet zeker van bent, want dat helpt de natuurlijke geneeskracht.'

# Arpád de nieuwe leider van de Hongaren

HONGARIJE, 904 - Na de moord op het Hongaarse stamhoofd Kúrszan heeft 'gyula' (tweede stamhoofd) Arpád het leiderschap overgenomen. Kúrszan liep tijdens een van zijn rooftochten in Beieren in een hinderlaag van Beierse vorsten, die hem uitnodigden voor een feest, waar ze hem en zijn mannen ombrachten.

De afgelopen vijf jaar hebben Hongaarse legers in grote delen van Europa angst en verwarring gezaaid. In 899-900 trokken ze een jaar lang plunderend door Lombardije, twee jaar geleden teisterden ze ook Moravië.

In 889 waren de Hongaren zelf verdreven uit hun woonplaatsen langs de Wolga door de Petsjenegen en verhuisden zij naar het gebied tussen de Don en de Donau. Daar raakten ze verwikkeld in de politieke strijd om de hegemonie in de Balkan. In 892 waren ze bondgenoten van Arnulf, koning van de Oostfranken, tegen prins Svatopolk van Moravië. In 895 vielen ze, door Byzantium daartoe aangezet, tsaar Simeon van Bulgarije aan, maar werden verslagen.

Terwijl de beste krijgers afwezig waren vielen de Petsjenegen de achtergebleven Hongaren bij de Dnepr opnieuw aan, dat hierop onder leiding van Kurszán en Arpád naar de Donauvlakte trokken. Eind 8ste eeuw had Karel de Grote de hier woonachtige Avaren ver-

*'Het visioen van de prinsen Géza en László.'* Volgens de legende vonden zij het land Hongarije door een magisch hert te volgen (14de eeuw).

slagen, waardoor er geen sterke staat bestond om de ongeveer 400 000 binnentrekkende Hongaren tegen te houden.

Ook het Moravische Rijk was sinds het einde van de 9de eeuw aan het uiteenvallen, een proces dat nog werd versneld door de Hongaarse invasie. Omdat de Bulgaren in gevecht met Byzantium waren, konden de Hongaren de Donauvlakte snel veroveren.

Rond 900 heersten ze over grote delen van Transsylvanië en Pannonië (West-Hongarije). De Hongaarse nomaden namen de forten van de overwonnen Slavische 'zupans' en 'vojvoda's' over en tevens de gewoonte om landbouw te bedrijven.

Als gevolg van de anarchie in het desintegrerende Karolingische Rijk konden de Hongaren verder naar het westen trekken. Ze voerden verrassingsaanvallen uit op hun snelle paarden, plunderden en staken dorpen en steden in brand voordat de legers van de Karolingen gereed waren om ze te verdrijven: 'de moordzuchtige Hongaren verrasten de geeuwende christenen, want de meesten werden gewekt door de pijlen; de Turken [Hongaren] keerden zich om alsof ze probeerden te ontsnappen, maar toen de mensen van de koning hen in volle snelheid begonnen te achtervolgen kwamen de Turken uit hun hinderlaag en de overwinnaars werden vernietigd door hen die ze dachten verslagen te hebben,' schreef bisschop Liutprand.

## Japanse poëzie te boek gesteld

KIOTO, 905 - Met de publicatie van de *Kokinshu* of *Kokinwakashu* (Bloemlezing van de oude en moderne Japanse poëzie) in opdracht van keizer Daigo is eindelijk een goed overzicht van de ontwikkeling van de Japanse poëzie op de markt gekomen.

De *Kokinshu* omvat meer dan 1100 gedichten die in drie groepen kunnen worden verdeeld: de oude gedichten en volksliedjes uit de 8ste en 9de eeuw die meestal anoniem zijn, gedichten uit de zogeheten 'Rokkasen'-periode, geschreven door de 'zes geniale dichters' in de periode 840-880, en het werk van hedendaagse dichters.

De publicatie van de *Kokinshu* heeft vooral ten doel de inheemse Japanse poëzie nieuw leven in te blazen. De invloed vanuit China op de poëzie wordt naar de mening van het hof te groot en de traditionele inheemse dichtvormen dreigen naar de achtergrond te verdwijnen. Vandaar dat nu het hof officieel de 'waka' (oude Japanse poëzie) door deze uitgave probeert te stimuleren. In de hedendaagse poëzie staan de 'miyabi' (hoofse manieren), de 'sama' (juiste stijl) en de puurheid van de taal voorop. Door de subtiliteit die in de gedichten naar voren komt en de zorgvuldige uitwerking van de taal verschilt de *Kokinshu* sterk van de *Manyoshu*. De *Kokinshu* geeft ook aan welke regels men in acht moet nemen om in volmaakte vorm 31-syllabische 'tankas' te schrijven. Het werk moet daarom niet alleen als een literaire uitgave maar ook als een handboek voor vorm en stijl worden beschouwd.

# Moravische Rijk bezweken

*Hongaarse ruiters vallen een Bulgaarse stad binnen. Afbeelding van een 14de-eeuwse miniatuur.*

BREZALAUSPURC [Bratislava], 907 - Het Groot-Moravische Rijk is ten slotte bezweken onder de herhaaldelijke aanvallen van Hongaarse ruiternomaden. Het rijk was echter al danig verzwakt door opvolgingstwisten tussen de zonen van de laatste machtige heerser Svatopolk (871-894). Kort ge-

leden (895) wisten bovendien de Tsjechen, aangevoerd door het machtige geslacht der Premysliden, zich van de Moravische opperheerschappij te bevrijden.

Het Groot-Moravische Rijk wordt beschouwd als een rechtstreekse voortzetting van het rijk van Samo (623-658). Het was de grootste staatkundige en culturele eenheid van de Slaven in het gebied van Bohemen, Moravië en Slowakije. Op het toppunt van zijn macht maakten ook delen van Pannonië, Silezië en Zuid-Polen er deel van uit.

Sinds de oudheid kwamen hier de belangrijkste Europese handelswegen tussen noord en zuid en oost en west samen. In welvarende stedelijke nederzettingen (rond de burchten Pohansko, Mikulcice en Velehrad) leefden talrijke zelfstandige handwerkers, die juwelen, sieraden, glas, wapens en zadels vervaardigden. Andere bronnen van levensonderhoud waren smeden en metaalgieten. De opbrengst van de landbouw was gering.

Ondanks een primitief staatsbestuur werden er de eerste pogingen gedaan om heersende wetten schriftelijk vast te leggen. De instelling in 880 van het zelfstandige Moravische aartsbisdom was zelfs een uitgesproken politiek succes.

# Simeon tot keizer der Bulgaren gekroond

CONSTANTINOPEL, september 913 - Patriarch Nicolaas Mysticus heeft Simeon van Bulgarije gekroond tot 'basileus' (koning/keizer) der Bulgaren. Bij dezelfde gelegenheid is de ambitieuze vorst het huwelijk tussen zijn dochter met de minderjarige keizer Constantijn van het Byzantijnse Rijk toegezegd. Byzantium hoopt hiermee het Bulgaarse gevaar te hebben geneutraliseerd.

Simeon is de derde zoon van Boris I en zit sinds 893 op de Bulgaarse troon. Als jonge man bracht hij enige tijd door in Constantinopel waar hij grondig vertrouwd raakte met de Byzantijnse cultuur en religie. Dit bezorgde hem de bijnaam 'Half-Griek'. De leerlingen van Cyrillis en Methodius, die de Bulgaren door hun vertalingen in het Slavisch bekend maakten met de Byzantijnse cultuur, konden op Simeons steun rekenen. Simeon was zo in de ban van de Byzantijnse beschaving dat hij probeerde deze te imiteren. Van zijn hoofdstad Preslav wilde hij een tweede Constantinopel maken.

In 896 sloten Byzantium en Bulgarije een vrede waarbij de keizer zich verplichtte Bulgarije een jaarlijks tribuut te betalen. Formeel leefden Byzantium en Bulgarije in de volgende zeventien jaar in vrede, zij het dat Simeon niet schroomde hier en daar grenscorrecties ten koste van Byzantium aan te brengen. Na de dood van keizer Leo VI, vorig jaar, weigerde diens opvolger Alexander nog langer het vernederende tribuut te betalen. Dit bood Simeon de lang verwachte gelegenheid om naar Constantinopel op te rukken. Hij was niet langer meer uit op het verkrijgen van buit of territoriale aanwinsten maar koesterde ambitie om heerser te worden van een gigantisch rijk dat ook Bulgarije zou omvatten. Zoals zovelen voor hem ervoeren bleek de stad onneembaar. Simeon was gedwongen tot onderhandelen, zij het vanuit een positie van macht. Hij werd met ongekend eerbetoon binnen de muren van de hoofdstad ontvangen. Dank zij de kundige diplomatie van de patriarch werd Simeon, die in feite de keizerskroon van het Byzantijnse Rijk ambieert, tot 'keizer der Bulgaren' gekroond. Dit vergroot in ieder geval zijn internationale prestige. Bovendien appelleerde de huwelijksbelofte tussen de jonge keizer en Simeons dochter aan diens dromen ooit toch meester van het Byzantijnse Rijk te worden.

# Verdrag Kiëv en Byzantium

*Byzantijnse ruiters jagen Russen op.*

CONSTANTINOPEL, 911- In de Byzantijnse hoofdstad hebben gezanten uit Kiëv een voor Kiëv-Roes gunstig handelsverdrag ondertekend.

Kiëv-Roes is een nog jonge staat waar het Varjagische [Scandinavische] element duidelijk is vertegenwoordigd. De huidige heerser, Oleg, verenigde Novgorod en Kiëv en kan dus worden beschouwd als de oprichter van deze staat. Hijzelf is van Scandinavische afkomst en het zijn overwegend Varjagen die zijn directe gevolg uitmaken. De bevolking is voor het grootste gedeelte van Slavische afkomst.

De relaties van Kiëv met Byzantium bestaan uit een mengeling van handels- en plundertochten. Twee jaar geleden waagde Oleg het Constantinopel aan te vallen. Geheel in Vikingstijl sleepten de Russen hun schepen over land op plateaus op wielen en slaagden er aldus in de massief ijzeren ketting die het binnenwater, de Gouden Hoorn, van de Bosporus scheidt, te vermijden. De Byzantijnen zagen zich toen gedwongen vrede te sluiten en verleenden de Russen in een voorlopige overeenkomst verschillende handelsconcessies.

Het huidige verdrag bekrachtigt deze, terwijl er nog een en ander aan is toegevoegd. Interessant is de clausule die bepaalt dat de Russen slechts via één poort, ongewapend en met nooit meer dan vijftig man tegelijk, Constantinopel mogen binnenkomen.

*'Simeon I voor Constantinopel' (924).*

# Vikingleider krijgt Normandië in leen

PARIJS, 911 - Karel de Eenvoudige, koning van West-Frankenland, heeft Normandië in leen gegeven aan de Noorse zeekoning Rollo. Hij besloot hiertoe na aandringen van zijn raadslieden, die van mening waren dat het Frankische volk niet meer de kracht had weerstand te bieden aan de Viking-aanvallen en dat het land ten onder dreigde te gaan: 'Waarom helpt u het koninkrijk niet, waaraan u gebonden bent door uw scepter om voor te zorgen en het te regeren? Waarom wordt er niet onderhandeld om vrede te sluiten sinds gebleken is dat we die niet kunnen bereiken door strijd te leveren of door defensieve versterkingen? De koninklijke eer en macht zijn neergeslagen; de onbeschaamdheid van de heidenen is toegenomen. Het Frankische land is al bijna een woestenij en de bevolking sterft van de honger of door het zwaard of wordt gevangengenomen. Zorg voor het koninkrijk, als het niet met wapens gaat dan door te raadplegen.'

Karel de Eenvoudige stuurde hierop aartsbisschop Franco van Rouen naar Rollo. De aartsbisschop sprak tot de Noorse koning: 'Karel, een koning die al zo lang lijdt, is overgehaald door zijn raadgevers om zijn kustprovincie die u samen met Halstigno verwoest hebt aan u te geven. Eveneens wil hij u de hand van zijn dochter Gisela aanbieden zodat de vrede en eendracht en een hechte, stabiele en duurzame vriendschap tussen u en hem mogen voortduren voor nu en altijd.'

Karel de Eenvoudige stelde echter als voorwaarde dat Rollo tot het christendom zou overgaan, hem trouw zou zweren en hem bijstand zou verlenen bij het weren van de Vikingen uit het hart van het Frankische rijk. Rollo accepteerde deze voorwaarden en werd vervolgens tot hertog benoemd.

Het is niet voor het eerst dat een Vikingenleider met een hertogdom beleend wordt. Al in 882 had Karel de Dikke, koning van het Westfrankische land, Friesland in leen gegeven aan de Deense zeekoning Godfried. Friesland had voor die tijd veel geleden onder de vrijwel jaarlijks terugkerende plundertochten van de Vikingen. Godfried is niet lang hertog van Friesland geweest. In 885 werd hij vermoord, waarna inheemse vorsten hun gezag vestigden en de rol van de nazaten en landgenoten van Godfried uitgespeeld was.

# Notker van Sankt Gallen overleden

*Oogstende monniken (schilderij van Jörg Breu de Oudere, ca. 1500).*

SANKT GALLEN, 6 april 912 - Met de dood van Notker de Stamelaar - zoals hij zichzelf noemde - is een veelzijdig man heengegaan. Notker, omstreeks 840 geboren in het kanton van Sankt Gallen, trad op jeugdige leeftijd in het klooster van Sint Gallus. Ondanks zijn handicap - hij stotterde - werd hij daar een hooggeschatte leraar; bisschop Waldo van Freissing en Salomon van Konstanz behoorden tot zijn leerlingen. Ook als schrijver heeft Notker zijn sporen verdiend: hij stelde het *Martyrologium Sancti Galli* (het martelaarboek van Sint Gallus) tot 906 samen en schreef een metrische versie van de *Vita Sancti Galli* (het leven van Sint Gallus).
Toen keizer Karel III in december 883 het klooster bezocht, vertelde Notker hem over het leven van diens grootvader Karel de Grote. Notker heeft deze verhalen op verzoek van de keizer later in zijn boek *Gesta Karoli* (de daden van Karel) vastgelegd. De schrijver treedt hierin naar voren als een man met oog voor het anekdotische verhaal. Opvallend is zijn aandacht voor alles wat met muziek te maken heeft; toevallig is dit niet want Notker was zelf muzikaal zeer begaafd.

## 'Liber Hymnorum'
Notker was een van de eersten die de lange 'melismatische' slotzinnen ('sequensen') van de Alleluia-verzen voorzag van woorden ('prosa'), in de overtuiging dat de melodie van een 'syllabisch' becomponeerde tekst (waarbij elke lettergreep een noot heeft) beter was te onthouden dan de melodie van een 'melismatisch' becomponeerde tekst (waarbij elke lettergreep een lang uitgesponnen reeks noten heeft). In 884 voltooide Notker de Stamelaar zijn *Liber Hymnorum* (Hymnenboek).

---

**920 (circa).** De Deense koning Gorm verenigt de Denen in een groot rijk en verovert het Zweedse Viking-rijk Haithabu in Sleeswijk.

**7 november 921.** In een te Bonn gesloten verdrag erkennen Karel de Eenvoudige als 'rex Francorum occidentalium' (koning van de Westfranken) en Hendrik I als 'rex Francorum orientalium' (koning van de Oostfranken) de onafhankelijkheid van het West- en Oostfrankische Rijk.

**922.** Een opstand van de Westfrankische groten tegen Karel de Eenvoudige brengt de niet-Karolinger Robert I (broer van koning Odo I) op de troon.

**923.** In de Slag bij Soissons tegen Karel de Eenvoudige sneuvelt de Westfrankische koning Robert I. Karel de Eenvoudige wordt gevangengenomen. Roberts schoonzoon Rudolf van Bourgondië volgt op.

**923.** De Chinese keizer Tsjoe Wen wordt vermoord. Li k'ojoeng, leider van de Sha-t'o volgt hem op.

**27 oktober 925.** In Rajj (Perzië) overlijdt de beroemde Perzische arts en filosoof Rhazes. Hij heeft een geneeskundige encyclopedie samengesteld (*al-Hawi*), en een verhandeling over pokken en mazelen (*al-Mansoeri*), alsmede een boek over de levenskunst.

**925.** De Duitse koning Hendrik I onderwerpt het Lotharingse Rijk aan zijn gezag.

**925** (circa). In Mataram, een Hindoe-rijk op Midden-Java, begint men met de bouw van het grote Prambanan-tempelcomplex. →

**Oktober 927.** Peter, zoon en opvolger van de gesneuvelde Bulgaarse vorst Simeon I, sluit vrede met Byzantium. →

**28 september 929.** De Boheemse hertog Wenceslaus wordt na een samenzwering van zijn broer Boleslav I vermoord. →

**929.** In de Quedlinburger huisregel bepaalt koning Hendrik I dat zijn oudste zoon Otto (I de Grote) hem zal opvolgen en dat zijn jongste zoon Hendrik hertog zal worden. Hiermee is de eenheid van het Duitse (Oostfrankische) Rijk gewaarborgd.

**929.** Abd al-Rahman, de Omajjadische emir van Córdoba, neemt de titel van kalief, 'vorst der gelovigen' aan; hij verklaart zich hierdoor openlijk onafhankelijk van het kalifaat te Bagdad.

**929.** In Samarra [Irak] overlijdt de beroemde Arabische astronoom Albatenius. Albatenius definieerde de basisprincipes van de astronomie van Ptolemaeus opnieuw, ontdekte de draaiing van de baan van de zon en ontwikkelde de sferische trigonometrie.

---

# Bulgaarse tsaar erkend

*Keizerin-moeder Zoë van Byzantium; mozaïek in de Aya Sophia te Constantinopel.*

CONSTANTINOPEL, oktober 927 - Bulgarije en het Byzantijnse Rijk hebben een vredesverdrag ondertekend. Zo op het eerste gezicht lijken de voorwaarden bijzonder gunstig voor Bulgarije. Immers, de Byzantijnse regering erkent de titel 'tsaar' voor Peter, zoon en sinds mei dit jaar opvolger van Simeon van Bulgarije. Voorts beschouwt Byzantium het vorig jaar door Simeon ingestelde patriarchaat van Bulgarije als wettig. En ten slotte is onlangs het huwelijk van tsaar Peter met Maria Lecapenus, de kleindochter van keizer Romanus I, gesloten. Hiermee is een Bulgaars-Byzantijnse huwelijksalliantie, die in 913 al was overeengekomen tussen de dochter van Simeon en de jonge keizer Constantijn maar die door tussenkomst van keizerin-moeder Zoë geen doorgang kon vinden, ten slotte een feit geworden.
Maar de Byzantijnen kunnen het zich permitteren om royaal te zijn in protocollaire kwesties. Het Bulgarije van tsaar Peter is immers nog maar een schim van wat het in Simeons hoogtijdagen was. Uitgeput door ruim dertig jaar van bijna onophoudelijke oorlogen is Bulgarije economisch en militair verzwakt. Bovendien mist de huidige tsaar de krachtige persoonlijkheid van zijn vader. In feite is Bulgarije gereduceerd tot een dociele satelliet van het Byzantijnse Rijk.

*De moord op Wenceslaus I, hertog van Bohemen, door opstandige edelen (boekverluchting). Op 28 september 929 wordt hertog Wenceslaus slachtoffer van een opstand die door zijn broer Boleslav I in samenwerking met een aantal hoge edelen is georganiseerd. Wenceslaus is een telg uit het geslacht der Premysliden, dat zich begin 10de eeuw, tijdens de ineenstorting van het Karolingische gezag, tracht meester te maken van het gezag over Bohemen. Voor dat doel zoeken de Premysliden onder andere steun in Beieren en bij het bisdom Regensburg. Zij kunnen de kerkelijke steun goed voor hun politieke doeleinden gebruiken. Hoewel de clerus scherp tegen dit streven protesteert, zet Wenceslaus na zijn aantreden (circa 921) zijn plannen door en steunt hij daadwerkelijk de verbreiding van het christendom.*

# 930

*Een aan Shiva gewijde hindoetempel (Candi Laradjonggrang, ca. 900).*

## De regeringszetel van Mataram-rijk naar Oost-Java

MATARAM, circa 925 - De nieuwe koning van het rijk Mataram, Sindok, heeft bekendgemaakt dat op korte termijn de kraton (regeringszetel) verplaatst zal worden naar de vallei van de Brantas-rivier (Oost-Java). Alhoewel de vorst niet heeft meegedeeld waarom hij deze maatregel treft, zal de angst voor een mogelijke aanval door de Cailendra-vorst van het Sumatraanse rijk Sjriwijaya wel de belangrijkste oorzaak zijn.

De boeddhistische Cailendra's regeerden vanaf het midden van de 8ste eeuw over Midden-Java, waar zij de shivaïstische koning Sanjaya hebben afgezet.

Diens nakomelingen vluchtten naar Oost-Java, van waaruit zij rond 860 de macht over Mataram wisten te heroveren en het shivaïsme herstelden. De Cailendra's bezetten inmiddels (als gevolg van diverse huwelijksallianties) de troon van Sjriwijaya en maken nog steeds aanspraak op het oppergezag over Java.

De verplaatsing van de hoofdstad zal ernstige gevolgen hebben voor Midden-Java, omdat een groot deel van de bevolking moet meeverhuizen naar het geïsoleerde en onontwikkelde Oost-Java. Alleen door de candi's van het Prambanan-complex zal het oude Mataram nog enige betekenis blijven houden. Deze bijna 160 dodentempels werden circa 915 gebouwd bij de ruïnes van het Cailendra-paleis. Overleden vorsten worden hier bijgezet in een schrijn gewijd aan de godheid waar zij zichzelf mee identificeerden. Mataram wordt dus één groot mausoleum, of zoals de koning het uitdrukte 'de kraton van de vergoddelijkten'.

---

**930.** In Bagdad verschijnt een grote medische encyclopedie. →

**930.** De Foedjiwara-familie behoudt de macht in Japan. →

**930.** Op IJsland komt de wetgevende vergadering voor het eerst bijeen. →

**932.** Alberik II wordt door het volk van Rome aan het hoofd van de stad gesteld. →

**933.** Bisschop Adalbero van Metz maakt de abdij Gorze tot hervormingscentrum van de benedictijnenkloosters in Lotharingen.

**15 maart 933.** Bij Riade verslaat de Duitse koning Hendrik I de Magyaren. Door herorganisatie van het leger en door de bouw van versterkte burchten had Hendrik I zijn rijk terdege voorbereid op nieuwe aanvallen van de Magyaren.

**934.** Magyaren vallen Bulgarije binnen.

**934.** De Duitse koning Hendrik I verovert de Vikingkolonie in Sleeswijk.

**935.** Mohammed Ibn Toeghddsch al-Ichsjid sticht in Egypte de Turkse dynastie der Ichsjiden, welke alleen in naam afhankelijk van het kalifaat der Abbasiden blijft.

**2 juli 936.** In Memleben overlijdt de Duitse koning Hendrik I. →

**8 augustus 936.** Otto I (de Grote), zoon van de overleden Duitse koning Hendrik I, laat zich in de oude Karolingische hoofdstad Aken tot koning van Duitsland kronen.

**936.** Schotland lijdt onder een zware hongersnood. Er doen zich gevallen van kannibalisme voor.

**937.** Bij Brunanburh [Brunswarh of Birrenswarh - heuvel in het zuidoosten van Dumfriesshire] verslaat Aethelstan, koning van Wessex en Mercia, een coalitie van de Schotten, Britten van Strathclyde en Vikingen uit Ierland.

**937.** De Duitse koning Otto de Grote richt twee markgraafschappen op ter verdediging van de oostelijke grenzen tegen de Slaven.

**2 oktober 939.** Bij Andernach verslaat de Duitse koning Otto de Grote de legers van de tegen hem in opstand gekomen Eberhard en Giselbrecht, hertogen van respectievelijk Frankenland en Lotharingen.

**939.** De Vietnamezen verkrijgen de onafhankelijkheid. →

**27 oktober 939.** De Angelsaksische koning Aethelstan III overlijdt. Hij was de eerste vorst wiens titel 'rex totius Britanniae' (koning in geheel Brittannië) aan de werkelijkheid beantwoordde.

---

# Kennis van arts gebundeld

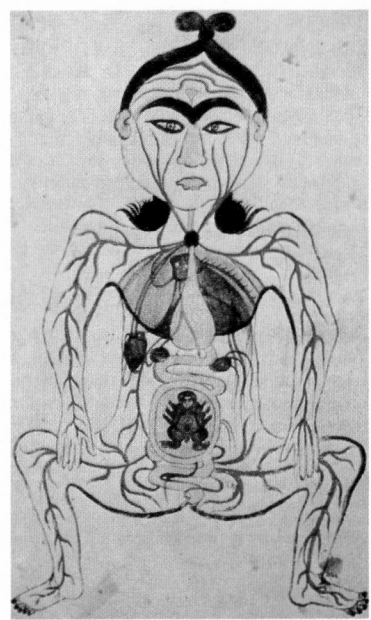

*De anatomie van een zwangere vrouw volgens een Arabisch manuscript.*

BAGDAD, 930 - Een leerling van de in 923 overleden arts Rhazes heeft alle medische geschriften van deze beroemde geneesheer verzameld. Het omvangrijke, 24-delige werk, heeft hij 'het alles inhoudende', ofwel *al-Hâwî* (in het Latijn: *Liber continens*) genoemd. Deze medische encyclopedie bevat alle kennis die Rhazes in zijn lange, werkzame leven verzameld heeft op het gebied van de medicijnen en chirurgie.

Rhazes werd omstreeks 850 in Rajj, nabij Teheran geboren, vandaar zijn roepnaam Rhazes (dat 'van Rajj' betekent). Na zijn scholing in de geneeskunst, werd hij al spoedig directeur van het plaatselijke ziekenhuis. Later kreeg hij deze functie in het grote medische centrum van Bagdad. Daar verwierf hij de bijnaam: de Arabische Galenus. Hij schreef verhandelingen over onder meer pokken en mazelen, jicht, reumatiek, nier- en galstenen. Alles bij elkaar bestaat zijn werk uit 113 grote boeken en 28 kleinere. Ook is hij de auteur van enkele gedichten. In de *Liber continens* worden van elk ziektegeval de naam en leeftijd van de patiënt gegeven, waarna de symptomen, de onderzoeksgegevens, de discussies over de diagnose, de prognose, de behandeling en het eventuele resultaat van de behandeling uitgebreid worden beschreven. Naar Grieks voorbeeld van hoofd tot voet.

De geneeskunst staat in de Arabische wereld in hoog aanzien. Begin deze eeuw stelde de kalief van Bagdad het met goed gevolg afleggen van een examen verplicht voordat iemand de geneeskunde mag uitoefenen. Een sterke nadruk wordt gelegd op de werking van geneeskrachtige kruiden en met technieken als distilleren, kristallisatie en oplossing worden nieuwe geneesmiddelen gemaakt. Een vluchtige substantie - in het Arabisch 'alcohol' genoemd -, alkali, elixer, siroop en julep, komt uit de Arabische laboratoria. Veel belang wordt door de medische wetenschap gehecht aan de uroscopie (het onderzoek van urine); daarom hebben vele Arabische artsen als symbool een fles gevuld met urine.

Een goede medische verzorging is echter alleen voor de rijken weggelegd. Maar Rhazes heeft zich geliefd gemaakt omdat hij ook arme, onbemiddelde patiënten behandelde. Daarnaast was hij als docent zeer gewaardeerd. Observaties en verwerking van ervaringen waren Rhazes' sterke kanten, aan boekenkennis hechtte hij veel minder waarde. Bij de behandeling gaf hij de voorkeur aan een goede voeding boven het gebruik van medicijnen. Rhazes werd aan het eind van zijn leven blind (staar). Waarom hij zich niet liet behandelen, is onduidelijk. Sommigen beweren dat hij het vak zo goed kende dat hij geen chirurg vertrouwde.

# Foedjiwara behoudt macht

KIOTO, 930 - Nu na de dood van keizer Daigo het ambt van 'kampaku' (regent) opnieuw is bezet door Tadahira, een telg uit de Foedjiwara-familie, is duidelijk dat de pogingen van de overleden keizer om aan de almachtige positie van de Foedjiwara een einde te maken, zijn mislukt.

Na de dood van de laatste kampaku, Mototsune, in 891, was er geen nieuwe regent aangesteld. Onderlinge wedijver tussen de verschillende clans binnen de familie hadden dit verhinderd. Toen keizer Daigo in 897 op 13-jarige leeftijd de troon besteeg was hij vast van plan de invloed van de Foedjiwara verder in te perken. Hij wist zich hierbij gesteund door andere families die al meer dan een eeuw met afgunst de tomeloze machtsuitbreiding van de Foedjiwara hadden gadegeslagen. Aanvankelijk slaagden zij erin ambten te bekleden die tot nu toe altijd in handen van de Foedjiwara waren. Toen deze tendens zich echter dreigde voort te zetten heeft de Foedjiwara de rijen gesloten en nu, na een onderbreking van bijna 40 jaar, is het regentschap weer in ere hersteld en wordt het door een Foedjiwara bezet. De vastberadenheid van de Foedjiwara om alle verloren posities voor familieleden terug te winnen, lijkt de vrees binnen de andere families te rechtvaardigen dat zij spoedig weer met lagere ambten genoegen zullen moeten nemen.

## Aanvoerster van de Romeinse adel gevangengenomen

ROME, december 932 - Na een aanval op het Castel S. Angelo is de leidende vrouw in Rome, senatrix Marozia, gevangengezet. Vanaf 925 stond zij aan het hoofd van de Romeinse adel en had in Rome de macht in handen. Haar zoon Alberik II voert nu het bewind over de stad.

Marozia is de dochter van hertog en senator Theophylactus en senatrix Theodora, die jarenlang over Rome hebben geheerst. Na de dood van haar vader trad zij in zijn voetsporen en leidde de Romeinse aristocratie. Driemaal trouwde zij: eerst in 905 met Alberik I van Spoleto, in 925 met Guido van Toscane en na de dood van haar tweede echtgenoot dit jaar met koning Hugo van Arles. Evenals haar ouders beheerste zij het pontificaat: paus Johannes X, die op voorspraak van haar moeder (vermoedelijk zijn geliefde) was aangesteld, werd in 928 door Marozia gevangengenomen en kort daarna vermoord. Leo VI, Stephanus VII en haar zoon Johannes XI werden door Marozia achtereenvolgens tot paus aangewezen (boze tongen beweren dat paus Johannes XI een bastaardzoon is uit een verhouding van Marozia met paus Sergius III).

Het verzet van adel en volk tegen de heerschappij van Marozia (en haar Bourgondische echtgenoot) werd geleid door Alberik II, een zoon uit haar eerste huwelijk. Bij de verovering van het Castel S. Angelo is ook haar zoon, paus Johannes XI, gevangengenomen. Hugo van Arles wist in de nacht te ontsnappen.

# Rebellen verslaan Kyongsun

*Grafschildering uit Koguryo met een afbeelding van een man te paard (5de eeuw).*

KAESONG, december 936 - Koning Kyongsun van Silla [Korea] heeft zich met zijn regering overgegeven aan de rebellenleider Wang Kon die eerder al de macht had gegrepen in Koryo. Hiermee lijkt het pleit op het schiereiland beslecht in het voordeel van Koryo en is zowel Silla als het opnieuw gevormde koninkrijk Paekche in enkele decennia te gronde gericht.

Het koninkrijk Silla was in de 4de eeuw ontstaan toen Kim Naemul, de leider van de Saro-stam, de titel 'maripkan' (koning) had aangenomen. Hiermee kwam de leiding van de Saro, die aanvankelijk bij toerbeurt aan drie families toeviel, voorgoed aan de familie Kim. Het stammenelement blijft sterk vertegenwoordigd in het rijk van Silla omdat het Chinese bestuurssysteem aan de gewoonte van erfelijke overdracht van functies binnen de adellijke families werd aangepast. Stamleiders kregen nieuwe titels en kregen verschillende functies binnen de regering, maar de echte macht bleef bij degenen die veel land bezaten en uit bepaalde families kwamen. Het bezetten van hoge ambten was van minder belang. De koning stond aan het hoofd van het leger en de aristocratie kreeg belangrijke officiersposten. Jonge mannen brachten hun tijd slechts door met de training in gevechtstechnieken. De belangrijke beslissingen werden nog steeds genomen in de 'Hwabaek', een vergadering waarin slechts de hoofden van de belangrijkste clans een stem hadden.

Op militair gebied was de instelling van de 'Hwarang' (Bloemenridders) van groot belang. Jongeren uit de aristocratie hadden hierin zitting en dit gold ook voor de meest vooraanstaande militairen. Zij werden niet zelden onderwezen door boeddhistische monniken. Naast de gewoonten en zeden van de stammen werd de maatschappij van Silla in ideologisch opzicht sterk beïnvloed door het boeddhisme en confucianisme. Deze invloed is duidelijk zichtbaar in de *Sesok Ogye*, of Vijf geboden: dien de koning loyaal, dien je ouders met eerbied, wees trouw aan je vrienden, trek in het gevecht niet terug en dood niet zonder onderscheid des persoons.

De hechte militaire structuur maakte het voor Silla mogelijk om weerstand te bieden aan de druk vanuit Paekche in de 7de eeuw. Door de aanvallen vanuit het Chinese Rijk op Koguryo en Paekche werden deze koninkrijken danig verzwakt, zodat Silla ze na een korte overheersing door China zonder veel moeite kon innemen en op die manier voor het eerst het schiereiland onder één regering en koning verenigen. De Chinese keizers ondernamen nog 60 jaar lang tevergeefs pogingen om Silla te onderwerpen.

In het midden van de 8ste eeuw was Silla een bloeiend en welvarend koninkrijk. Daarna raakte het echter in verval door onderlinge strijd tussen de adellijke families. In 150 jaar kwamen er 20 koningen op de troon. Ook met de economie van het land ging het snel bergafwaarts wat ontevredenheid bij de bevolking wekte. De laatste 50 jaar waren opstanden aan de orde van de dag. Een van de leiders van die opstanden, Wang Kon, heeft ten slotte met succes de uitgeholde aristocratische elite van Silla tot overgave kunnen dwingen, nadat hij eerst al een nieuwe dynastie in Paekche terzijde had geschoven. Voortaan zullen de verschillende delen van het schiereiland onder de naam Koryo verenigd zijn.

# Althing in IJsland voor het eerst bijeen

THINGVELLIR, 930 - De eerste wetgevende vergadering - het Althing - van de republiek IJsland heeft plaatsgevonden. Het Althing is in het leven geroepen om een einde te maken aan de anarchie die IJsland de afgelopen zestig jaar heeft geteisterd.

Aanvankelijk bestond er op IJsland geen bestuursvorm, geen koning of heerser. Alle grondbezitters waren gelijk en onafhankelijk. Na verloop van tijd, naarmate meer kolonisten uit Noorwegen, Ierland en Schotland zich op het eiland vestigden, werd duidelijk dat er toch enige vorm van bestuur noodzakelijk was om onderlinge problemen op te lossen op een meer praktische wijze dan door bloedwraak. De landeigenaren gingen zich verenigen in 'godords' en kozen uit hun midden een leider, de 'godi'. De macht van de 'godi' was beperkt omdat hij geheel en al afhankelijk was van zijn overredingskracht. Hij was voornamelijk de religieuze leider. Al spoedig raakten de verschillende 'godords' in conflict en omdat er geen centraal gezag was dat de gerezen geschillen oploste gold het recht van de sterkste.

Het nu gevormde Althing heeft als taak wetten te maken en recht te spreken. Het Althing is samengesteld uit 32 'godi' en zetelt in Thingvellir - 'de vlakte van het parlement'. De vlakte is een acht kilometer lange groene strook aan de oever van een rivier, vanwaar een bergweide glooiend oploopt tot aan de voet van een steile rotswand. De leden van het Althing zitten op deze glooiing, de berg boven hen heet de 'logberg' - wetberg.

Het is de bedoeling dat elk jaar alle vrije landeigenaren hier bijeenkomen om te stemmen. Iedereen mag de vergadering bijwonen. De gezinnen en de bedienden van de parlementsleden zijn bij de jaarvergadering aanwezig en bivakkeren in tenten aan de voet van de helling. Tussen de bijeenkomsten door worden er spelletjes gedaan, wordt er sport beoefend, gepraat en 's avonds rond het vuur worden de saga's verteld.

In hoeverre het Althing in staat zal zijn de gemaakte wetten te handhaven valt nog te bezien. De IJslanders nemen nog steeds graag het recht in eigen hand en lossen hun meningsverschillen vaak op door te duelleren. Er zijn twee soorten duels, de 'einvigi', waarbij alles is toegestaan en die meestal eindigen met de dood, en de 'holmganga', een duel waaraan strenge regels gesteld zijn: een mantel of een huid wordt op de grond uitgespreid en daaromheen wordt met stenen een ruimte afgebakend waarbij men op de mantel gaat staan en niet buiten de afbakening mag komen. Iedere strijder heeft de beschikking over een zwaard en drie schilden. De uitdager opent het duel. Als een van de twee gewond raakt en zijn bloed op de mantel druipt kan hij het duel beëindigen zonder zijn eer te verliezen.

# Koning Hendrik I overleden

*De Duitse koning Hendrik I (miniatuur uit een 14de-eeuws handschrift).*

MEMLEBEN, 2 juli 936 - De grondlegger van het nieuwe Duitse Rijk, Hendrik I, is overleden; zijn zoon Otto zal hem opvolgen. Hendriks macht is dermate groot dat deze opvolging algemeen aanvaard wordt.
Hendrik I van Saksen, in 919 door zijn voorganger Koenraad I als opvolger aangewezen, heeft er zijn hele regeringsperiode naar gestreefd de eenheid van het rijk te bevorderen en de koninklijke macht te versterken. Immers, na de Karolingen was de macht van de koning tot het nulpunt gedaald. De feitelijke macht berustte bij de stamhertogen van respectievelijk Sak-

sen, Zwaben, Beieren en Franken. Hendriks eerste taak was dan ook door de andere hertogen als koning erkend te worden. In 919 werd hij slechts door de Franken en Saksen erkend. De Beieren hadden hun eigen hertog Arnulf tot koning uitgeroepen. Burchard van Zwaben had nog geen keuze gemaakt. De tijd om dat wel te doen kreeg hij niet van Hendrik; onder druk van het Saksische leger moest Burchard zich aan de nieuwe koning onderwerpen.
Arnulf van Beieren gaf zich niet zo gemakkelijk gewonnen. Pas in 921 sloot hij een akkoord met Hendrik, waarbij hij de toezegging kreeg dat hij de Beierse bisschoppen mocht benoemen en een eigen buitenlandse politiek mocht blijven voeren. In 925 slaagde Hendrik erin, gebruik makend van binnenlandse politieke verwikkelingen in het Westfrankische Rijk, ook Lotharingen bij het Duitse Rijk te voegen. Eenmaal algemeen erkend als koning kreeg Hendrik te maken met problemen aan de oostgrens. Slaven en Hongaren vormden daar een immer aanwezige bedreiging. Door de opbouw van een ruiterleger en het bouwen van versterkingen wist hij de strijd een belangrijke wending te geven. Hij was nu in staat een offensieve oorlog te voeren. De Slaven werden in 928 onderworpen. De Hongaren werden tijdens Hendriks regering weliswaar niet definitief verslagen, doch leden in 933 wel een belangrijke nederlaag.

# Vietnamezen vieren onafhankelijkheid

TONG-BINH, 939 - Na meer dan tien eeuwen Chinese overheersing vieren de Vietnamezen nu de instelling van de onafhankelijke staat Dai-Co-Viet [Vietnam].
De Chinese bezetting van het land begon in 111. In de daaropvolgende eeuwen kwamen de Vietnamezen vele malen tegen de Chinezen in opstand. In de 1ste eeuw waren het de Trung-zusters die een opstand leidden. Omstreeks het midden van de 3de eeuw leidde opnieuw een vrouw, Trieu Thi Trinh, een opstand, die slechts met veel moeite werd onderdrukt. Deze opstand is mede te verklaren doordat een Chinese prefect, Shi Xie, tegen het einde van de 2de eeuw zijn prefectuur min of meer zelfstandig maakte van het Chinese Rijk. Shi Xie benoemde Vietnamezen op hoge posten en wist op die manier steun onder de bevolking te krijgen. Na de dood van deze prefect werden de Vietnamezen weer uit hun ambten gezet en deelden de Chinezen opnieuw de lakens uit.
Ondanks een aantal hervormingen bleef de bevolking zich tegen de overheersing van haar land en met name tegen de economische en culturele onderdrukking verzetten. De belastingen werden steeds hoger en op een gegeven

ogenblik moest zelfs op de bouw en reparatie van huizen belasting worden betaald. Daarnaast kwam het herhaaldelijk voor dat Vietnamezen die niet in staat waren hun belastingen te betalen, hun vrouw en kinderen moesten verkopen, over wier verkoop ook nog eens veertig procent belasting moest worden betaald.
Aangezien de Chinezen zich in cultureel opzicht superieur waanden en alle niet-Chinezen als barbaren beschouwden, voelden zij zich geroepen de zeden van deze barbaren te veranderen.
Op bestuurlijk gebied is het Chinese examensysteem overgeplant. Dit betekende dat een aantal Vietnamezen ook aan examens zou kunnen deelnemen en hogere posten zou kunnen gaan bezetten. Het aantal kandidaten dat voor examens kon opgaan werd echter sterk beperkt, zodat het ambtenarenkorps toch gedomineerd bleef worden door Chinezen. Wel werden Vietnamezen die excelleerden, uitgenodigd bij het Chinese hof om de keizer te dienen. Juist de opleiding van een aantal Vietnamezen tot bestuursambtenaar heeft, nu de onafhankelijke staat Dai Co Viet is uitgeroepen, grote voordelen, omdat nu capabele mensen beschikbaar zijn die de staat kunnen besturen.

---

**942.** Door bemiddeling van Arnulf, graaf van Vlaanderen, vindt er in Visé een verzoening plaats tussen de Franse koning Lodewijk IV van Overzee en de Duitse koning Otto de Grote.

**944.** De Byzantijnse medekeizer Romanus I wordt door zijn zoons afgezet en naar een klooster verbannen.

**944.** De Frankische edelman Koenraad de Rode wordt door de Duitse koning Otto de Grote benoemd tot hertog van Lotharingen.

**944.** Bisschop Balderik van Utrecht krijgt een aantal goederen in de gouw Lake et Isla (Lek en IJssel) van de Duitse koning Otto de Grote in leen.

**945.** Na de dood van de Russische vorst Igor bestuurt zijn weduwe Olga zijn rijk. →

**945.** De Franse koning Lodewijk IV van Overzee, wordt door Hugo de Grote, hertog van Francië, gevangengenomen.

**947.** De Khitan vernietigen de Tjin-dynastie en stichten de Liau-dynastie in Noord-China.

**948.** De Duitse koning Otto de Grote maakt Brandenburg en Havelberg tot bisschopszetels voor de bekering van de Slaven en Ripen; Aarhus en Sleeswijk voor de missionering in het noorden.

**December 954.** Op de Rijksdag in Arnstadt sluit Otto de Grote vrede met zijn opstandige zoon Liudolf en benoemt zijn bastaardzoon Willem tot aartsbisschop van Mainz.

**954.** De Angelsaksische koning Aedred verovert York. Aedred heerst nu over geheel Engeland.

**10 augustus 955.** De Duitse koning Otto de Grote verslaat de Hongaren op het Lechfeld. →

**956** (circa). Onder leiding van Seldjoek trekt het Turkse nomadenvolk der Ghoezen van Toerkestan naar Transoxiana.

**957.** Bezoek van Olga, regentes van het 'Russische' Viking-rijk in Kiëv, aan Constantinopel. →

**957.** De Angelsaksische koning Edwin, opvolger van Aedred, verbant Dunstan, abt van Glastonbury, uit Engeland. De Merciërs en Northumbriërs erkennen hierdoor Edwin niet langer en roepen zijn broer Edgar tot koning uit.

**958.** In Korea, waar het bestuur naar Chinees (confuciaans) voorbeeld is georganiseerd, wordt een examensysteem voor de ambtenaren ingevoerd.

**9 november 959.** In Constantinopel overlijdt de Byzantijnse keizer Constantijn VII.

---

# Byzantium en Kiëv bevestigen goede onderlinge banden

CONSTANTINOPEL, 945 - Byzantium en Kiëv hebben een verdrag gesloten dat de overeenkomst van 911 met enige wijzigingen bekrachtigt.
Na dertig jaar in vrede te hebben geleefd besloot Igor, die Oleg als heerser over Kiëv is opgevolgd, in 941 tot een aanval op het Byzantijnse Rijk. Hij rustte een expeditie uit tegen Constantinopel en plunderde de buitenwijken van deze hoofdstad van het rijk. De Grieken slaagden er echter in Igors vloot te verdrijven met behulp van het befaamde 'Griekse vuur'. In 944 achtte Igor de situatie rijp om een tweede poging te wagen en trok op naar de Donau. Daar ontmoetten de Russen en hun bondgenoten, de Petsjenegen, gezanten en de Byzantijnse keizer die rijke geschenken en vrede aanboden. Igor besloot, na zijn gevolg te hebben geraadpleegd, vrede te sluiten. In hoeverre de schrik voor het Griekse vuur deze beslissing beïnvloedde, is niet met zekerheid te zeggen.
Er is een verdrag overeengekomen dat, in vergelijking met dat van 911, voor de Russen tamelijk ongunstig uitvalt: Russische kooplieden genieten niet langer tolvrijheid in Constantinopel. Niettemin blijkt uit het verdrag hoezeer beide landen hechten aan goede (handels)connecties.

*Een islamitische heerser omringd door zijn hofhouding op de troon. In 945 veroveren de Boejiden, een oorspronkelijk Iraans-Arabische stam, de hoofdstad van het grote Abassidenrijk Bagdad. De nieuwe heerser Ahmad noemt zich voortaan 'Mn'izz ad Daoela'. Formeel laat hij de Abassidische kalief in zijn ambt, maar de werkelijke macht is nu in handen van de sji'itische Boejiden terechtgekomen.*

# Hongaren lijden vernietigende nederlaag

LECH, 10 augustus 955 - Aan de al zestig jaar durende bedreiging die de Hongaren voor West-Europa vormden is door de geweldige overwinning van de Duitse koning Otto I in de slag bij de Lech een einde gemaakt. De Hongaren zijn vernietigend verslagen. Otto heeft alle vluchtende Hongaren genadeloos laten vervolgen en doden. Hun leider Bulcsu is gevangengenomen. Het prestige van koning Otto is hiermee dermate gestegen dat zijn macht in Duitsland alom wordt erkend.

De Hongaren zijn, sinds zij in 895 vanuit de gebieden ten westen van de Dnepr naar het Donaudal trokken, een voortdurende bedreiging voor Duitsland geweest. In 924 sloot Hendrik vrede en betaalde hun tribuut. Dit duurde tot 933, toen de Duitse koning een zege bij Unstrutt behaalde. Vanaf ongeveer 930 ontstond een mentaliteitsverandering in het verdeelde Duitsland: men ging de Hongaren als een gemeenschappelijke vijand zien die alleen met vereende krachten verslagen kon worden. Op last van de koning werden versterkingen gebouwd, niet alleen bedoeld als verdedigingsplaatsen tegen de Hongaren maar ook als centra van waaruit de aanval geopend kon worden. Vanaf dat moment leden de Hongaren hun eerste nederlagen. Een steeds sterker wordend Duits Rijk als buur betekende dat hun de mogelijkheid werd ontnomen West-Europa te plunderen. Zij beraamden daarom een grote aanval op het Duitse Rijk.

*De overwinning van Otto I op de Hongaren in de Slag bij Lech (miniatuur, 1457).*

Het moment van de aanval was goed gekozen. De Duitse koning Otto was in een felle strijd om de macht gewikkeld met zijn zoon Liudolf en diens aanhangers. Van een vereend Duits Rijk was op dat moment geen sprake. Het besef echter dat de Hongaren een bedreiging voor iedereen waren ontkrachtte de opstand van Liudolf. Velen van zijn aanhangers zagen liever een krachtig Duits leger tegen de Hongaren dan een dat door tweedracht was verzwakt.

# Russische vorstin bezoekt Constantinopel

*De Russische vorst Igor van Kiëv met zijn echtgenote en opvolgster Olga.*

CONSTANTINOPEL 957 - Olga, de weduwe van vorst Igor van Kiëv en de eerste christelijke heerser aldaar, is luisterrijk ontvangen aan het Byzantijnse hof. Bij het banket dat ter ere van de Russische vorstin werd gegeven, zat Olga aan de keizerlijke tafel, een voorrecht dat slechts aan de hoogste zes rangen in de Byzantijnse hiërarchie is voorbehouden.

De ongebruikelijke eer die haar werd bewezen illustreert haar hoge positie binnen de groep christelijke heersers over wie de keizer presideert.

Olga is sinds de plotselinge dood van Igor in 945 heerseres over Kiëv-Roes. Zij neigde al enige jaren tot het christendom, dat sinds de tweede helft van de vorige eeuw in Kiëv aanhangers heeft.

Tijdens haar huidige bezoek aan Constantinopel heeft de patriarch haar plechtig gedoopt. Na haar doop heeft zij de naam van Helena aangenomen, naar de vrouw van keizer Constantijn VII Porphyrogenetus. Zij geniet aldus de status van spirituele dochter van de keizerin, terwijl het tevens een erkenning van het hoogste gezag van keizer Constantijn symboliseert. Immers, men gaat er in Byzantium algemeen van uit, dat overgang tot het christendom niet alleen de erkenning van het geestelijke gezag van de patriarch van Constantinopel impliceert, maar eveneens van de politieke suzereiniteit van de keizer.

---

**960.** In Noord-China roept generaal Zhao Kuangyin zichzelf tot keizer uit. →

**2 februari 962.** In Rome wordt de Duitse koning Otto de Grote tot keizer gekroond. →

**963.** Keizer Otto de Grote zet de onbekwame en liederlijke paus Johannes XII af en kiest Leo VIII tot paus.

**963.** Keizer Otto de Grote neemt Berengarius, 'koning van Italië', gevangen.

**965.** De kalief van Córdoba bezoekt Centraal-Europa. →

**965.** De Deense koning Harald Blaatand (Blauwtand) bekeert zich tot het christendom.

**966.** De Poolse koning Mieszko I sluit een verbond met de Tsjechen. →

**967.** De Russische vorst Svjatoslav vernietigt de Chazaren, een Turkse stam die in de loop van de 7de eeuw de Zwarte-Zeesteppen veroverde.

**Oktober 968.** Maagdenburg wordt een aartsbisdom. De 'Ostpolitik' van keizer Otto de Grote bereikt een hoogtepunt.

**968.** Dinh Bo Linh volgt als heerser op in Daicoviet. Hij onderdrukt alle verzet en roept zichzelf tot keizer uit (onder de naam Dinh-Tien hoang).

**10-11 december 969.** De Byzantijnse keizer Nicephorus II Phocas wordt vermoord door de minnaar van zijn vrouw.

**970.** De Paasspeltraditie waait van het vasteland over naar Engeland. →

**970.** De Bulgaarse priester Cosmas schrijft een verslag over de bogomielen-ketterij. →

**971.** Byzantium verjaagt de Russen uit Bulgarije. →

**973.** In Egypte bouwen de Fatimiden een nieuwe hoofdstad. →

**7 mei 973.** In Memleben overlijdt keizer Otto I de Grote. →

**973.** Keizer Otto II sticht het bisdom Praag en plaatst het onder het aartsbisdom Mainz.

**974.** De Hongaarse vorst Géza laat zich dopen en begint met de kerstening van de Hongaren.

**Juli 976.** Keizer Otto II beleent Leopold I Babenberger met de 'marchia orientalis'. →

**14 november 976.** De Chinese keizer T'ai tsu, stichter van de Soeng-dynastie, overlijdt.

**976.** Al-Hakam, emir van Córdoba, overlijdt. Onder zijn regering is de universiteit van Córdoba de grootste en belangrijkste van Europa en de Arabische wereld geworden.

# Uitvoerig verslag over Polanen-rijk geschreven

CENTRAAL-EUROPA, 965 - De Moorse jood Ibrahim-Ibn-Jakub heeft de kalief van Córdoba op zijn missie naar Centraal-Europa vergezeld en een verslag over de Slavische volkeren geschreven. Ibrahim-Ibn-Jakub beschrijft het koninkrijk van de koning der Polanen Mieszko (Mesko) als een welvarend en militair goed georganiseerd gebied. De koning '...onderhoudt drieduizend gewapende mannen en [...] geeft ze alles wat ze nodig hebben. Kleding, paarden en wapens.' Wat betreft het land van Mesko: het is het grootste onder de Slavische landen. Het produceert een overvloed van voedsel, vlees, honing en vis.

Verder schrijft Ibrahim-Ibn-Jakub over het nationale karakter dat gewelddadig schijnt te zijn; over succesvolle landbouw en over handel die 'reikt tot de Ruteners en Constantinopel'. Hij beschrijft het klimaat, woon- en leefgewoonten, de manier van reizen en het baden in stoomsauna's. Over het gezinsleven schrijft Ibrahim-Ibn-Jakub: 'Hun vrouwen, eenmaal getrouwd, plegen geen overspel. Maar een verliefd meisje zal naar haar geliefde toe gaan om haar lusten te bevredigen. Als een man trouwt en zijn bruid nog steeds in een maagdelijke staat vindt dan zegt hij: "als er iets goeds en aantrekkelijks in je was zou je zeker al lang iemand hebben gevonden die je je maagdelijkheid had ontnomen," dan stuurt hij haar weg.'

## Polen en Tsjechen sluiten verbond

KRAKAU, 966 - Door het huwelijk met de dochter van de Tsjechische koning Boleslav heeft de Poolse koning Mieszko I een verbond met de Tsjechische koning gesloten. Tegelijkertijd heeft Mieszko zich tot het christendom bekeerd door zich door Boleslav te laten dopen. Met deze stap heeft Mieszko zijn onafhankelijkheid kunnen behouden ten opzichte van het Saksische Rijk van keizer Otto de Eerste. Keizer Otto heeft pauselijke toestemming gekregen om missieposten in de Slavische landen te openen om de Slavische volkeren onder dwang te bekeren en te onderwerpen.

Koning Mieszko I stamt uit het legendarische geslacht Piasten, waarvan de eerste een boer was die de troon van de slechte koning Popiel had overgenomen. Hij regeert over een aantal Slavische stammen, verbonden in het koninkrijk der Polanen, die het gebied tussen de rivieren de Wisla en de Oder bewonen. Naar schatting zijn er 1,25 miljoen Polanen die afgezonderde en zelfstandige nederzettingen bewonen.

*Zhao Kuangyin, de eerste keizer van de Song-dynastie.*

# Song-dynastie gevestigd

KAIFENG, 960 - Een van de generaals van het koninkrijk Zhou, Zhao Kuangyin, is door andere legerofficieren tot keizer benoemd. Hij wordt de eerste keizer van de Song-dynastie.

De vestiging van een nieuwe dynastie komt 53 jaar na de definitieve ondergang van de Tang-dynastie. De hoofdstad van de nieuwe dynastie ligt oostelijker dan die van eerdere Chinese keizerrijken. Het is de stad Kaifeng in de provincie Henan.

De nieuwe keizer is tegen zijn zin door de legerofficieren naar voren geschoven. Hij aanvaardde de gele keizersmantel na een belofte van absolute gehoorzaamheid van hun kant. Na zijn ambtsaanvaarding stelde hij een eerste krachtige daad: alle generaals die hem aan de macht hadden gebracht, werden via royale toelagen aangemoedigd zich in de provincie terug te trekken. Met deze maatregel hoopt de nieuwe monarch Zhao Kuangyin zijn dynastie het lot te besparen dat de ondergang van de Tang-dynastie werd: bedreiging van het centrale gezag door machtige militaire leiders.

# Maagdenburg eindelijk verheven tot aartsbisdom

RAVENNA, oktober 968 - De instelling van het aartsbisdom Maagdenburg betekent voor Otto een kroon op zijn 'Ostpolitik'. Hiermee heeft de keizer duidelijk gemaakt dat hij de Slaven aan de oostgrens niet alleen wil onderwerpen, maar ook tot het christendom wil bekeren.

De Slaven hadden de dood van koning Hendrik I (in 936) aangegrepen om in opstand te komen. Na het onderdrukken van de opstand benoemde Otto Hermann Billung en Gero tot markgraven met als voornaamste taak het verdedigen van de oostgrens.

Tegelijkertijd stichtte de keizer in Maagdenburg het Moritzklooster. Gelet op de rijke gaven die hij het klooster deed toekomen is Otto vanaf het begin van plan geweest dit klooster tot centrum van de missie in het oosten te maken.

Ruim tien jaar later - in 948 - kwam de volgende stap: de bisdommen Brandenburg en Havelberg werden gesticht. Beide bisdommen vielen onder het aartsbisdom Mainz. Twee jaar later onderwierp Otto koning Boleslav I van Bohemen. Daarmee werd het missiegebied naar het zuidoosten uitgebreid. Pogingen om Maagdenburg tot aartsbisdom te verheffen liepen stuk op het verzet van met name de aartsbisschop van Mainz, Otto's eigen zoon Wilhelm.

Nu heeft keizer Otto dan eindelijk zijn zin gekregen. Na de dood van Wilhelm benoemde Otto abt Hatto van Fulda tot aartsbisschop van Mainz. Uiteraard had hij iemand gekozen die zijn plannen met betrekking tot Maagdenburg niet zou dwarsbomen. Met goedkeuring van de paus werd Adalbert van Weissenburg de eerste aartsbisschop van Maagdenburg.

# Duitse koning Otto I tot keizer gekroond

ROME, 2 februari 962 - Voor het eerst sinds Karel de Grote is de machtigste vorst van West-Europa tevens de bekleder van het hoogste wereldlijke ambt in de middeleeuwse christelijke wereld.

Al sinds 950 is Otto nauw betrokken bij de gang van zaken in Italië. Berengarius van Ivrea, die eerder aan Otto de eed van trouw had afgelegd, liet zich in dat jaar tot koning van Italië uitroepen. Tevens liet hij Adelheid, de weduwe van de vorige koning, gevangennemen. Haar aanhangers riepen daarop Otto te hulp.

Otto, die Karel de Grote als zijn voorbeeld zag, kreeg hiermee de kans net als hij in Italië in te grijpen. Daar aangekomen bleek Berengarius gevlucht. Otto riep zichzelf uit tot koning van

*Otto I en zijn eerste vrouw Editha.*

Italië en trouwde met Adelheid. Tot een keizerskroning kwam het echter niet, enerzijds omdat de paus dat niet wilde, anderzijds omdat er uit Duits-

land verontrustende geluiden over een naderende opstand onder leiding van Otto's zoon Liudolf kwamen.

Na het onderdrukken van de opstand en het verslaan van de Hongaren nam Otto de draad weer op. Hij zond Liudolf naar Italië om Berengarius definitief te verslaan. Liudolf was aanvankelijk zeer succesvol, maar sneuvelde voor hij zijn werk kon afmaken.

De volgende mogelijkheid deed zich vier jaar later voor. Paus Johannes XII, 22 jaren jong en bepaald geen toonbeeld van onberispelijk zedelijk gedrag, was in conflict met Berengarius gekomen en riep Otto te hulp. Otto verjoeg Berengarius naar diens sterkste kasteel en is nu door de paus tot keizer gekroond. De rust in Italië is daarmee echter nog lang niet hersteld.

## Priester bericht over ketterij van de bogomielen

PRESLAV, 970 - Van de hand van de Bulgaarse priester Cosmas is een verslag afkomstig dat nadere informatie verschaft over de ketterij van de bogomielen die sinds enige tientallen jaren in Bulgarije opgeld doet.

De naam van deze dissidente beweging is ontleend aan de oprichter ervan, de priester Bogomil. Deze droeg in de beginjaren van de regering van tsaar Peter van Bulgarije (927-969) zijn leer uit. Tot de kernpunten van de leer behoort de overtuiging dat de materiële wereld de schepping is van de Duivel, de eerste zoon van God die wegens een opstand tegen zijn vader uit de hemel was gestoten. Deze is inferieur aan God en in uiterste instantie van Hem, de Schepper van de onzichtbare wereld en de menselijke ziel, afhankelijk. Deze dualistische opvatting staat lijnrecht tegenover de judeo-christelijke traditie. Het is in wezen een poging om het bestaan van het kwaad in een wereld, gemaakt door een goede God, te verklaren.

De beweging heeft een duidelijk sociale component: de leer slaat aan bij de verarmde, Slavische boeren en vergroot de kloof tussen hen en de aristocratie die steeds meer vergriekst. Cosmas is niet al te zeer te spreken over de ketterij: 'Zij leren hun mensen om hun meesters niet langer te gehoorzamen; ze haten de vorst, veroordelen de bojaren, en verbieden iedere lijfeigene om voor zijn heer te werken.'

# Keizer Otto I laat rijk in vrede achter

MEMLEBEN, 7 mei 973 - Na een regeringsperiode van 37 jaar is keizer Otto in zijn palts Memleben overleden. Daarmee is de belangrijkste vorst van de 10de eeuw heengegaan. Otto heeft gedurende zijn hele regeringsperiode Karel de Grote als voorbeeld gehad.

De toestand van het rijk is dermate rustig dat de opvolging van Otto niet ter discussie staat. Herstel van het keizerrijk en uitbreiding van het christendom waren de belangrijkste doelen van zijn regering. In 962 werd hij keizer en met de stichting van het aartsbisdom Maagdenburg zette hij een kroon op zijn pogingen de Slaven te kersten.

Probleemloos is dit alles niet verlopen. Otto moest verscheidene opstanden binnen het Duitse Rijk neerslaan, waaronder een van zijn zoon Liudolf. De onderwerping van de Slaven kostte veel tijd en moeite. De oostgrens werd definitief beschermd door zijn overwinning op de Hongaren in 955.

Om in de toekomst niet meer afhankelijk te zijn van de diensten van graven en hertogen, die toch in de eerste plaats aan de belangen van hun eigen familie denken, heeft hij de positie van de Kerk aanzienlijk versterkt. Uitgaande van het feit dat de Duitse koning het recht had bisschoppen en belangrijke abten te benoemen en in de wetenschap dat zij niet door hun zonen opgevolgd worden, heeft hij de grote abdijen en bisdommen aanzienlijke stukken land, tollen, munten en rechtspraak geschonken. Daarmee maakte hij deze geestelijken even machtig als de hertogen en graven. De mogelijkheid belangrijke functies aan trouwe geestelijken te schenken heeft de macht van de Duitse koning in dezen versterkt.

Zes jaar verbleef Otto in Italië om daar orde op zaken te stellen. De Romeinen werden na moeizame strijd gedwongen de keuze van Otto's paus Johannes XIII te accepteren. Ook met de in Italië nog steeds over een belangrijke machtspositie beschikkende Byzantijnen sloot Otto ten slotte vrede. Een vrede die bekrachtigd werd door het huwelijk van prinses Theophano en Otto's zoon, Otto II.

Zo hoog was zijn aanzien in Europa dat op de laatste hofdag in Quedlinburg gezanten uit Rome, Byzantium, Rusland, Hongarije, Polen en Denemarken aanwezig waren.

*Otto II en Theophano met hun kind (Otto III) aan Christus' voeten; ivoren reliëf uit Milaan (circa 980).*

# Russen verlaten Bulgarije

CONSTANTINOPEL, 971 - Vorst Svjatoslav van Kiëv is akkoord gegaan met de door keizer Tzimisces gestelde voorwaarden voor een vrije aftocht van de Russen uit Bulgarije. Hiermee is aan de Russische bemoeienis in Bulgarije een einde gekomen.

De Russische interventie was aanvankelijk geschied op verzoek van keizer Nicephorus van Byzantium, die Bulgarije wenste te vernietigen, het liefst door de ene 'barbaarse' staat tegen de andere uit te spelen. Daartoe was een patriciër uit de Byzantijnse stad Cherson (op de Krim) naar vorst Svjatoslav gezonden met vijftienhonderd pond goud. De Russische vorst voelde wel voor een campagne tegen de Bulgaren. Vier jaar geleden stak hij aan het hoofd van een reusachtig leger de Donau over en bezette de Dobroedsja. Het Bulgaarse leger trok zich terug in Silistria [Dorostol].

Spoedig realiseerde keizer Nicephorus zich de mislukking van zijn diplomatie. Svjatoslav bleek namelijk niet de gewillige huurling te zijn voor wie hij hem had gehouden. De Rus had zelf plannen met de Balkan en wilde Klein-Preslav, een Bulgaarse marktplaats bij de Donaudelta en aldus een zeer gunstig handelspunt, tot hoofdstad van zijn rijk maken. Twee jaar geleden, kort na de dood van zijn moeder Olga, benoemde Svjatoslav drie van zijn zonen als plaatsvervangers over zijn Russische gebieden.

Nicephorus besefte dat de zaken niet naar wens verliepen. Hij stuurde in aller ijl een gezant naar de Bulgaarse hoofdstad Preslav om vrede met de Bulgaren te sluiten teneinde met vereende krachten tegen de Russen op te trekken.

Tegen het einde van 969 was geheel oostelijk Bulgarije in handen van de Russen. Svjatoslav, die intussen een bondgenootschap had gesloten met de Petsjenegen en de Magyaren, wilde een tocht naar Constantinopel ondernemen, alwaar kort tevoren een troonswisseling had plaatsgevonden. Hierbij was keizer Nicephorus vervangen door Tzimisces. Deze opende onderhandelingen met de Russen, die echter afstuitten op hun buitensporige eisen.

Maar dit jaar keerde het tij ten gunste van Byzantium. De Russen leden verscheidene nederlagen, en trokken zich terug in Silistria. Spoedig waren zij, uitgeput door honger en verlies aan manschappen, gedwongen om over een vrije aftocht te onderhandelen.

# Paasspeltraditie dringt door in Engeland

*Een 10de-eeuwse miniatuur met gemaskerde acteurs (Terentius Comedie, Milaan).*

WINCHESTER, 970 - Het paasspel is de afgelopen jaren op het vasteland van Europa steeds populairder geworden. Onder invloed van liturgische spelen uit het Franse klooster Fleury en de beide Gentse abdijen (Sint-Pieter en Sint-Baafs) is nu ook in Winchester een paasspeltraditie van de grond gekomen.

Bisschop Ethelwold geeft in zijn *Regularis Concordia*, hét handboek voor de ceremoniële liturgische gebruiken in de Engelse benedictijnenkloosters, een beschrijving van het spel, zoals dat al enkele malen in de kathedraal van Winchester is opgevoerd: 'Tijdens de derde lezing van de paasmetten moeten vier monniken zich gaan verkleden. Een van hen gaat op de rand van een nagebouwd graf zitten, als was hij een engel, een palmtak in de hand. De andere drie gaan als vrouwen verkleed met doeken, zalf en wierook naar dit graf en kijken zoekend om zich heen. Met zoete stem zingt de engel: "Quem quaeristis?" (Wien zoekt gij?) en de drie antwoorden: "Ihesu Nazarenum" (Jezus van Nazareth), waarop de engel zingt: "Non est hic, surrexit" (Hij is niet hier, Hij is verrezen). De drie zingen, naar het kerkvolk toegekeerd: "Alleluia! Resurrexit Dominus!" (Alleluja, de Heer is verrezen!). De engel pakt vervolgens de lijkwade uit het graf en laat hem aan alle andere geestelijken zien: Jezus is er niet meer in gewikkeld. Gevieren leggen ze de doek op het altaar en zingen: "Surrexit Dominus de sepulchro" (de Heer is verrezen uit het graf). Na deze antifoon zet de prior of de abt het "Te Deum laudamus" (U, God, zingen wij lof) in en hierna worden alle klokken geluid.'

*Leopold I, de eerste Babenberger markgraaf van de Oostmark, tijdens een gevecht (fragment uit de stamboom van de Babenbergers, 15de eeuw).*

# Beierse Oostmark beleend

OOSTENRIJK, 21 juli 976 - Keizer Otto II heeft graaf Leopold I beleend met de 'marcha orientalis', het meest oostelijke deel van het hertogdom Beieren, gelegen aan de Donau. Leopold staat bekend als een trouwe volgeling van de keizer. Dit in tegenstelling tot zijn afgezette voorganger Burchhard, die zich in het voorjaar aansloot bij de mislukte opstand die Hendrik II, hertog van Beieren, tegen de keizer had ontketend. Nu deze opstand is neergeslagen, is er ook een einde gekomen aan de invloed van Hendriks medestanders. De nieuwe leenman, Leopold I 'Babenberger' behoort tot de hoge Beierse adel en kan bogen op een

lange staat van dienst. Hij maakte in 962 deel uit van het gevolg dat Otto I begeleidde naar zijn keizerskroning in Rome.
Het is voor de keizer van groot strategisch belang om zich juist in de marken, de grensgewesten, te verzekeren van zulke betrouwbare leenmannen. De markgraaf is er de vertegenwoordiger van de keizer en de leider van de militaire operaties tegen vijandelijke invallen.
In de nu opnieuw beleende Oostmark heeft hij te kampen met geduchte tegenstanders die zich in gesloten staatsverbanden hebben georganiseerd: Bohemers, Moraviërs en Hongaren.

# Caïro nieuwe hoofdstad van Fatimiden

CAÏRO, 973 - Dit jaar is de leider van het Fatimidische leger, Jawhar, begonnen met de bouw van al-Kahira (Caïro = overwinnaar), een nieuwe stad in de buurt van al-Foestat, als residentie van het Fatimiden-kalifaat.
Na de verovering van Egypte werd dit gebied gekozen als centrum van de Fatimiden-staat. De Fatimiden beschouwen zichzelf als de afstammelingen van Fatima, de dochter van profeet Mohammed en zijn eerste vrouw Chalidja. Fatima trouwde met Mohammeds neef, de vierde Kalief van de islam, Ali. Haar bekendste zoon, Hoessein, werd in een bloedige strijd vermoord door het leger van Jazid ibn Moe'awijja in Kerbala (680).
Rond 890 verklaarde Mohammed al-Habieb dat hij tot de familie van Ali en Fatima behoorde. Hij beschouwde zichzelf als sji'iet. Toen Mohammed al-Habieb stierf, nam zijn zoon Obaidulla zijn plaats in als vertegenwoordiger van de Fatimiden.

In Noord-Afrika waren de aanhangers van de Fatimiden sterk genoeg om hem te beschermen en tot leider te kiezen. In 914 rukte Obaidulla richting Alexandrië (Egypte) op, maar dat liep op een mislukking uit. Zijn zoon, Aboe al-Kasim, probeerde in 921 nogmaals Egypte te veroveren, hetgeen wederom op een nederlaag uitliep.
In 946 stierf de sterke gouverneur van Egypte, Mohammed ibn Taghi. Zijn zoon was nog jong en niet in staat de macht over te nemen, waardoor er geen duidelijke leider was. De vierde Kalief van de Fatimiden, Al-Moeizz Le-Diem Allah, organiseerde daarop zijn leger. Hij voerde het Fatimiden-leger in 958 aan en veroverde alle Westafrikaanse kustgebieden. Op 5 februari 969 leidde Jawhar zijn leger richting Egypte. In juni behaalde hij een overwinning in een veldslag in de buurt van de piramiden van Gizeh, waarmee de Fatimiden hun macht in Egypte vestigden.

**980** (circa). Mahipala, koning van de Bengalen, herovert zijn troon en verdrijft de Kamboja's, een stam van bergbewoners, uit zijn rijk.

**981.** Keizer Le Dai Hanh van Dai co Viet slaat een inval van Chinezen uit Vietnam af.

**981.** In China overlijdt de geschiedschrijver Chü-cheng. Zijn bekendste werk is een officiële geschiedenis van de 'Vijf dynastieën', die in China van 907 tot 959 achtereenvolgens hebben geheerst (*Chiu Wu-tais-shih*).

**7 december 983.** In Rome overlijdt keizer Otto II. Zijn 3-jarig zoontje Otto III volgt hem op. Het kind wordt onder de voogdij van aartsbisschop Warin van Keulen gesteld.

**Juni 984.** Keizerin-weduwe Theophano neemt voor haar onmondige zoon Otto III de heerschappij in het Duitse Rijk over.

**986.** Sven Gabelhart stoot zijn vader Harald Blaatand van de troon en neemt het gezag in het Deense Rijk over.

**986.** De Bulgaren verslaan de Byzantijnse keizer Basilius II.

**986.** De Noorse Viking Eric de Rode vertrekt met vijfhonderd kolonisten naar Groenland. Slechts veertien van de vijfentwintig schepen bereiken Groenland. →

**3 juli 987.** Na de dood van de Karolingische koning Lodewijk V wordt Hugo Capet, graaf van Parijs en hertog van Francië, tot koning van Frankrijk gekozen. →

**30 december 987.** De Franse koning Hugo Capet kroont zijn zoon Robert tot medekoning en benoemt hem tot zijn erfgenaam. Hiermee wordt de dynastie der Capetingers van het Franse koningshuis gesticht.

**987** (circa). De Mexicaanse stam der Tolteken verovert onder aanvoering van hun vorst Kulkulkan het oude bedevaartcentrum van de Mayavolkeren, Chichén Itzá, in het noorden van het schiereiland Yucatán. De Tolteken vestigen van hieruit hun heerschappij over het gehele schiereiland.

**988.** De Russische vorst Vladimir van Kiëv laat zich naar Byzantijnse (orthodoxe) ritus dopen en neemt de titel van 'grootvorst' aan. Wladimir laat in zijn rijk alle heidense godenbeelden en tempels vernietigen.

**1 juni 989.** In Aquitanië wordt een synode gehouden, die in het teken van de vrede staat. →

**989.** Grootvorst Vladimir van Kiëv huwt met een Byzantijnse prinses. →

# Hugo Capet koning van Frankrijk

NOYON, 3 juli 987 - Graaf Hugo Capet, door de rijksgroten tot koning van 'Frankrijk' (Westfrankische Rijk) gekozen, is in Noyon gekroond en gezalfd. Daarmee is de langdurige strijd tussen de Karolingen en Robertingen om het bezit van de troon definitief in het voordeel van laatstgenoemde familie beslist.
De koninklijke titel die Hugo heeft gekregen, stelt echter weinig voor. De eigenlijke macht is sinds jaar en dag in handen van graven en hertogen, die als vorsten over hun gebied regeren. Het zwakke koningschap rust voorlopig op twee pijlers: het gebied tussen Parijs en Orléans, het zogenaamde 'Ile-de France', en de eed van trouw die de rijksgroten als vazallen aan de koning hebben gezworen.
Hugo Capet is de zoon van Hugo de Grote, graaf van Parijs, die zichzelf had getooid met de titel 'Hertog van Francië'. Hij was de invloedrijke aanvoerder van de Robertingen, afstammelingen van de Neustrische graaf Robert de Sterke (gestorven 866). Deze familie was sedert het einde van de 9de eeuw met de Karolingische koningen in een felle troonstrijd gewikkeld.
Krampachtig probeerden de koningen het verlies aan gezag te compenseren door het kopen van loyaliteit. Land en bestuurlijke rechten werden in leen gegeven of simpelweg geschonken aan edelen en kerkelijke instellingen. Het resultaat was alleen maar een sneeuwbaleffect, waardoor de macht van de koning nog verder werd verzwakt.
Toen de kinderloze Lodewijk V overleed, besloten de rijksgroten uit hun midden een opvolger aan te wijzen. Hugo Capet, grondlegger van de Capetingische dynastie, staat voor de moeilijke opgave om het koningschap nieuw leven in te blazen en tegelijkertijd de vrede onder de rijksgroten te bewaren.

*Stamboom van Karel de Grote tot de Capetingers (handschrift uit 1317).*

# Eric de Rode sticht kolonie op Groenland

GROENLAND, 986 - De kolonisten die een jaar geleden onder leiding van Eric de Rode vanuit IJsland naar Groenland vertrokken, hebben een nederzetting gesticht bij de boerderij van Eric in Brattahlid en proberen onder zeer moeilijke omstandigheden in hun levensonderhoud te voorzien. Het land is namelijk niet zo groen als de naam suggereert. De eeuwige ijskap, die het eiland voor het overgrote deel bedekt, laat alleen aan de westkust een smalle strook vrij waar leven mogelijk is. Langs de fjorden is echter genoeg gras voor het vee. Het land is rijk aan wild, zeehonden, vis, walrussen en zeevogels. De winter, die Groenland bijna acht maanden in zijn greep houdt, maakt het bedrijven van akkerbouw en

De Jellingesteen (10de eeuw).

veeteelt vrijwel geheel onmogelijk. Voordat de kolonisatie begon had de ontdekker van Groenland Eric de Rode al drie jaar lang het eiland verkend. Eric de Rode was in Groenland terechtgekomen nadat hij door het Althing - de wetgevende vergadering van de republiek IJsland - vogelvrij verklaard was vanwege het doden van twee mannen tijdens een gevecht. Erics vader was om dezelfde reden uit Noorwegen verbannen.

Vorig jaar keerde Eric de Rode terug naar IJsland om kolonisten voor Groenland te werven. Hij vertrok met vijfhonderd van hen op vijfentwintig schepen waarvan er slechts veertien Groenland bereikten; de andere keerden terug of vergingen.

# Kerk neemt initiatief tot godsvrede

CHARROUX, 1 juni 989 - In het vooraanstaande klooster Charroux (tussen Poitiers en Angoulême) is een synode gehouden met als centraal thema, hoe het aanhoudend geweld in de omstreken kan worden beteugeld. Onder leiding van aartsbisschop Gumbald van Poitiers is daartoe het volgende besloten: ieder die kerken schendt of kerkelijke goederen ontvreemdt, vee van boeren of andere armen steelt, of ongewapende geestelijken aanvalt, moet worden gestraft met de kerkelijke ban. Ook elders vinden soortgelijke bijeenkomsten plaats, waar in naam van God maatregelen worden afgekondigd tegen de schenders van rust en orde. Dit iniatief van de Kerk wordt ook wel de

'beweging van de Godsvrede' ('pax Dei') genoemd.

De roep om vrede is uit nood geboren. In deze eeuw is het overheidsgezag stilaan in handen gekomen van de lokale machthebbers. Voor de weerloze groepen in de samenleving (geestelijken, armen, vrouwen en kinderen) zijn moeilijke tijden aangebroken. Voorheen stonden ze onder bescherming van de koning, nu vielen ze ten prooi aan de krijgslust van rivaliserende edelen of de grijpgrage handen van rovers en bandieten.

Het meest getroffen door de plunderingen zijn de kerken en kloosters, van oudsher rijk en welvarend, alsook de boeren, wier land bovendien vertrapt

wordt onder de paardehoeven. 'Zoveel zondaars als er waren, zoveel gewassen en struiken werden er verstikt en landerijen van de Heer verwoest,' schreef een monnik vol droefenis.

Het zijn vooral de kerkelijke leiders, de bisschoppen en abten, die zich beijveren voor het beteugelen van het geweld. Ze genieten daarbij de brede steun van de bevolking, die immers niets liever wil dan dat er zo snel mogelijk een einde wordt gemaakt aan deze situatie van bandeloosheid. In Charroux zijn de bisschoppen van Poitiers, Saintes, Périgueux, Angoulême en Limoges bijeengekomen, met in hun kielzog vele andere geestelijken en een grote menigte gewone mannen en vrouwen.

Vanuit een naburig klooster zijn de relieken van Sint Junianus aangevoerd om het welslagen van de synode te bevorderen en te zegenen. Aan de hand van de besluiten worden de ridders opgeroepen om de rechten van alle ongewapende mensen te eerbiedigen.

Aldus werpt de Kerk zich in naam van God op als beschermster van hen die zich niet kunnen verdedigen. De plaats van de koningsvrede wordt nu ingenomen door de vrede Gods.

# Vladimir huwt Byzantijnse

CHERSON 989 - In de Byzantijnse stad Cherson is het huwelijk gesloten tussen Vladimir, heerser over Kiëv-Roes, en Anna, de zuster van keizer Basilius II. Met dit huwelijk, waaraan Vladimirs bekering tot het christendom voorafging, is het internationale prestige van het Russische vorstendom Kiëv-Roes aanzienlijk toegenomen.

Het huwelijk is de uiteindelijke beloning van keizer Basilius II voor de Russische steun bij de onderdrukking van de opstandige generaal Phocas in Klein-Azië. Deze riep zich vorig jaar tot keizer uit en rukte naar Constantinopel op. Basilius verkeerde in een precaire positie. De Russische steun in de vorm van zesduizend Varjagen (Noormannen) deed de balans in het voordeel van de Byzantijnse keizer doorslaan en redde zijn troon.

Als beloning had Basilius Vladimir de hand van zijn zuster beloofd, mits de Russische vorst zich liet dopen. Toen de keizer echter zijn positie had hersteld maakte hij absoluut geen aanstal-

ten zijn zuster naar Vladimir te sturen. Vermoedelijk vond hij de prijs voor de Russische bijstand uiteindelijk te hoog. Anna was namelijk 'Porphyrogeneta' (in purper geboren), dat wil zeggen geboren als kind van een regerend soeverein en als zodanig het voorwerp van speciale eerbied in Byzantium. In 968 had Constantinopel een verzoek van Duitse zijde om een in purper geboren prinses aan de Duitse keizer tot echtgenote te geven, hooghartig van de hand gewezen. En wat de Duitse keizer, die in internationale status en macht ver boven vorst Vladimir uitstak, toen was geweigerd, had Basilius, wanhopig als hij was, in 988 aan Vladimir toegezegd.

Vladimir besloot druk uit te oefenen en nam Cherson in. Daarop zond hij de keizer een ultimatum. Basilius capituleerde en stuurde zijn zuster naar Cherson. Vervolgens werd de Russische vorst plechtig gedoopt en het huwelijk gesloten. Als een gebaar van verzoening heeft Vladimir Cherson aan Basilius II teruggegeven.

Pelgrim; afbeelding uit de 11de eeuw.

**990.** Op een concilie te Puy in Aquitanië wordt een initiatief genomen om de gewelddadigheden tijdens de 'feodale anarchie' te beteugelen. Er worden besluiten genomen ter bescherming van kerkelijke bezittingen, lagere geestelijkheid, armen (pauperes) en boeren (villani).

**991.** De Byzantijnse keizer Basilius onderwerpt Albanië en maakt een begin met de pacificatie van Bulgarije.

**994.** De christelijke bedevaartplaats Santiago de Compostela wordt door de Moor al-Mansoer, regent van Córdoba, verwoest.

**995.** Onder koning Olaf Tryggvason neemt Noorwegen officieel het christendom aan.

**995.** De Duitse koning Otto III benoemt Ansfried, graaf van verscheidene gebieden in Midden-Nederland, tot bisschop van Utrecht. Het goederenbezit van de Utrechtse Kerk wordt door Ansfried aanzienlijk uitgebreid.

**995** (circa). De Japanse Foedjiwara-familie bereikt onder Michinaga Foedjiwara het toppunt van haar macht. Vier schoonzoons en drie kleinzoons van Michinaga Foedjiwara werden keizer.

**21 juni 996.** De Duitse koning Otto III wordt in Rome door paus Gregorius V tot keizer gekroond.

**September 996.** Paus Gregorius V wordt door de Romeinen uit Rome verdreven.

**1 november 996.** In een oorkonde wordt voor het eerst de naam 'Ostarrichi' voor Oostenrijk gebruikt.→

**997.** Keizer Otto III arriveert in Polen.→

**997.** Mahmoed, stadhouder der Samaniden (onafhankelijke Perzische dynastie) in Khorasan, verovert Ghazna [Ghazni in Afghanistan]. Mahmoed maakt zich onafhankelijk van de Samaniden, en kiest Ghazna tot zijn residentie. Tijdens de eerste van zijn 17 plundertochten in India overwint hij de Indische vorst Jayapala.

**997.** In Tours wordt de Sint-Maartensbasiliek, het nationale heiligdom van Frankrijk, door brand verwoest.

**997.** Santiago de Compostela (Spanje) wordt door al-Mansoer in de as gelegd.

**998.** Keizer Otto III zet de door de Romeinen gekozen paus Johannes XVI af en herstelt paus Gregorius V in zijn ambt.→

**999.** Quetzalcoatl, stichter van het Mexicaanse Toltekenrijk, wordt uit zijn hoofdstad Tollan verbannen naar Mayapan.

# Oostenrijk officieel als gebied erkend

*'De vier rijksdelen huldigen keizer Otto III', uit het evangelieboek van Otto III.*

OOSTENRIJK, 1 november 996 - In een schenkingsoorkonde van keizer Otto III wordt voor de eerste maal de naam 'Ostarrichi' (gebied in het oosten) vermeld. Deze in het Latijn gestelde oorkonde bekrachtigt de overdracht van enkele keizerlijke bezittingen in de Oostmark van het hertogdom Beieren, om precies te zijn in de omgeving van Niuvanhova [Neuhofen], gelegen aan de rivier de Ybbs. Begunstigd wordt de bisschoppelijke kerk van Freising, die geleid wordt door 'onze trouwe Gottschalk de eerwaarde bisschop', zoals het in de oorkonde staat.

Het gebied waarin de bezittingen liggen wordt omschreven als: 'in regione vulgari vocabulo Ostarrichi in marcha et in comitatu Heinrici comitis filii Liutpaldi marchionis' - in het gebied dat in de volkstaal Ostarrîchi heet, in de mark en het graafschap van graaf Hendrik, de zoon van markgraaf Leopold. De schenking van keizer Otto III omvat dertig boerderijen 'met bebouwd en onbebouwd land, met weiden, bossen, opstallen, met bronnen en beken, met jachtvelden, bijenkorven, viswater, molens, met roerende en onroerende goederen, met wegen en onbegaanbaar land, met in- en uitgangen, met de opbrengsten die ze hebben opgeleverd en nog zullen opleveren'. Kortom: 'met alles wat naar recht en wet tot deze hoeven behoort'.

Het woord 'regio' dat in deze oorkonde voorkomt duidt niet alleen een landstreek, een gebied in geografische zin aan. Een andere betekenis van 'regio' die ook in 'richi', het tweede lid van Ostarrichi en in 'regnum' (heerschappij) is terug te vinden, heeft betrekking op een machtssfeer. In het gebied 'Ostarrichi' maakt dus de Oostenrijkse markgraaf de dienst uit. Hij spreekt recht, een lucratieve functie. Wanneer hij in een geschil een verzoening tot stand brengt, zijn de partijen hem 'boetegeld' verschuldigd. Ook kan hij de onderdanen verplichten om een gedeelte van hun oogst aan hem af te staan, of om bepaalde werkzaamheden voor hem te verrichten. In Ostarrichi hangen deze verplichtingen samen met de verdediging van de grenzen. De boeren moeten een deel van de haveroogst inleveren. Deze haver, het 'Marchfutter', dient als voedsel voor de paarden van het leger. Bovendien moet de bevolking meewerken aan de bouw van vestingen. De Oostmark van Beieren, nu ook aangeduid als Ostarrichi, is immers een omstreden grensgebied.

*Otto III op de troon (evangelieboek).*

## Duitse invloed in Italië groeit door optreden Otto III

ROME, 998 - Keizer Otto III is in Rome teruggekeerd om definitief orde op zaken te stellen. De 'patricius' Crescenzi is onthoofd, zijn medestanders zijn uit hun functies ontheven en tegenpaus Johannes XVI is zwaar mishandeld. De keizer maakt hiermee duidelijk dat hij de Duitse invloed in Italië wil versterken en naar een herstel van het Romeinse keizerrijk streeft.

Dit is Otto's tweede verblijf in Italië. Twee jaar geleden is hij door de door hem benoemde paus Gregorius V tot keizer gekroond. Gregorius, een neef van de keizer, was de eerste Duitser op de pauselijke troon. Toen de keizer weer naar Duitsland vertrokken was, bleken de Romeinen weinig met hun Duitse paus op te hebben. Ze verjoegen hem en zetten Johannes Philagathos, de gewezen leraar van de keizer, op de troon. Ook keerde de door Otto verbannen 'patricius Crescenzi' in Rome terug.

### Romeins keizerrijk

Het is de keizer ernst met zijn 'Renovatio imperii Romanorum', het herstel van het keizerrijk der Romeinen. Een herstel waarnaar Karel de Grote al streefde. Otto ziet een nieuw Westromeins Rijk voor zich waarin Duitsers, Slaven en Italianen onder een christelijke keizer zijn verenigd.

Om dit te verwezenlijken moet eerst de Duitse macht in Italië versterkt worden. Daartoe worden alle belangrijke functies, niet alleen in Rome maar ook in de rest van Italië, nu bekleed door aanhangers van Otto.

## Otto III krijgt in Polen groots onthaal

GNIEZNO, 997 - Keizer Otto III is op aandringen van de paus in Gniezno gearriveerd. Hij is met groot ceremonieel ontvangen door koning Boleslav Chrobry, de zoon van Mieszko I. Het bezoek van Otto III onderstreept het belang van de Adalbert (Vojtech)-cultus en daarmee de plaats van Gniezno als godsdienstig centrum.

Vorig jaar verwelkomde koning Boleslav een pauselijke missie onder leiding van de verbannen bisschop van Praag Vojtech (Adalbert) in Gniezno. Na een kort verblijf vertrok Adalbert uit Gdansk naar het land van de heidense Pruisen. Tijdens zijn bekeringsmissie werd hij door de Pruisen vermoord. Zijn lichaam werd door de Poolse hertog teruggekocht en begraven voor het altaar van de kathedraal van Gniezno; Adalbert is nog hetzelfde jaar heilig verklaard.

Gniezno krijgt de status van aartsbisdom; het wordt het centrum van het onafhankelijke Poolse christendom.

*Fragment van een Polynesische houtsculptuur. Vanuit Tahiti maken Polynesische zeelieden verre reizen met catamaran-zeilschepen, die meer dan 100 man aan boord hebben. Ze ontdekken onder meer Nieuw-Zeeland. Het is niet alleen de lust naar avontuur die hen tot reizen aanzet; vaak worden ze door de situatie in eigen land - oorlog, gebrek aan land - gedwongen elders een bestaan op te bouwen.*

*Otto III met rijksgroten; miniatuur uit zijn evangelieboek (10de eeuw).*

Hierdoor is de onafhankelijkheid van de Piasten-dynastie gewaarborgd. Tijdens zijn bezoek heeft keizer Otto het document *Dagome Ludex* bekrachtigd, waarin wijlen koning Mieszko zijn koninkrijk omschrijft en de paus vraagt zijn land onder rechtstreekse pauselijke bescherming te stellen.

**1000.** De rooms-Duitse keizer Otto III bezoekt in Gniezno het graf van de heilige Adalbert van Praag, die in 997 bij de missionering onder de heidense Pruisen de dood heeft gevonden. Otto III maakt de Poolse stad Gniezno tot zetel van een aartsbisschop.

**1000.** Bekering van IJsland tot het christendom door een besluit van de wetgevende vergadering, het Althing.→

**1000.** Bij Swolder verslaat de Deense koning Sven I Gaffelbaard de Noorse koning Olaf I en verkrijgt zo de heerschappij over een deel van Noorwegen.

**25 december 1000.** De Hongaarse vorst István laat zich met een door paus Silvester II gezonden kroon tot eerste koning van Hongarije kronen.→

**1001.** De moslems vallen India vanuit West-Punjab binnen.

**24 januari 1002.** Te Paterno in Italië sterft op 21-jarige leeftijd de rooms-Duitse keizer Otto III aan malaria.

**7 juni 1002.** Hertog Hendrik van Beieren wordt door aartsbisschop Willigis van Mainz tot koning Hendrik II gekroond.

**10 augustus 1002.** In Medinacelli overlijdt Al-Mansoer, regent van Córdoba. Door meer dan vijftig veldtochten tegen de christelijke staten in Spanje versterkte hij zijn macht en verwierf hij grote populariteit.

**13 november 1002.** Op instigatie van koning Aethelred wordt een slachting aangericht in de Deense Vikingkolonie in Zuid-Engeland.

**1002.** Na de dood van keizer Otto III moet paus Silvester II wijken voor de roomse adel en uiteindelijk hun leider Johannes Crescentius als patricius van Rome erkennen.

**1002.** De Viking Leif Ericsson wordt op zijn tocht van Noorwegen naar Groenland door een storm van de koers gedreven naar de oostkust van Noord-Amerika.→

**1004.** In het Verdrag van Shan-yüan erkent het Chinese Song-rijk de vestiging van het Liao-rijk der Khitan in Noord-China.→

**September 1006.** Gezamenlijke strijd van de Duitse koning Hendrik II en koning Robert van Frankrijk tegen de machtige graaf Boudewijn IV van Vlaanderen.

**1006.** In de Nederlanden heerst hongersnood. In geschriften wordt melding gemaakt van 'talrijke doden'.

**1006.** Op Java wordt koning Dharmawamsa van het hindoerijk Mataram vermoord door het leger van Sjiriwijaya.→

*Koning István van Hongarije verricht met harde hand bekeringswerk (miniatuur).*

# István koning van Hongarije

HONGARIJE, 25 december 1000 - Met toestemming van de Duitse keizer Otto is vorst István gekroond tot koning van Hongarije. Hij werd gekroond met de kroon die paus Silvester II hem op zijn verzoek gestuurd heeft. Hiermee heeft Hongarije de kant van de Kerk van Rome gekozen in het conflict met Byzantium.

De Hongaren dreigden de afgelopen tijd steeds meer uiteen te vallen tussen de twee machtscentra, Byzantium en het Duitse Rijk. In 948 nog was 'horka' Bulcsu van Transsylvanië naar Byzantium vertrokken voor vredesonderhandelingen en daar tot het christendom bekeerd. Bisschop Hierotheos en zijn Griekse missionarissen hadden vervolgens groot succes bij hun bekeringswerk in Transsylvanië [Oost-Hongarije]. In 955 echter werd Bulcsu door keizer Otto I verslagen bij Augsburg (aan de Lech), gevangengenomen en samen met zijn bevelhebbers opgehangen. Dit betekende het definitieve einde van de Hongaarse rooftochten naar het westen, die hen de afgelopen eeuw over de Alpen en Pyreneeën tot aan de Atlantische kust en de Middellandse Zee gebracht hadden. De Byzantijnse keizer, Duitse en Italiaanse vorsten waren tientallen jaren lang gedwongen geweest een jaarlijkse schatting te betalen. 'De sagittis Hungarorum libera nos Domine' (red ons van de Hongaarse pijlen, Heer) hoefde door de gelovigen in West-Europa niet meer gebeden te worden.

Na 970 probeerde de nieuwe Hongaarse vorst Géza met behulp van eerst Russische, later Duitse en Italiaanse rid-ders een feodale staat te organiseren. Hij dwong de afzonderlijke stamhoofden hem te erkennen en plaatste zijn eigen ambtenaren (ispáns) in hun forten. In 973 zond hij een ambassadeur naar keizer Otto I met het verzoek missionarissen te sturen om zo een eventuele Duitse aanval te vermijden. Zichzelf en zijn familie liet hij dopen door Bruno, een monnik uit Sankt Gallen. Door middel van een uitgekiende huwelijkspolitiek trachtte Géza vreedzame relaties met de omringende landen te verzekeren. Zelf trouwde hij met een familielid van zijn rivaal uit Transsylvanië, zijn drie dochters huwde hij uit aan de doge van Venetië, de vorst van Polen en de zoon van de Bulgaarse tsaar. Zijn zoon Vajk, die tot István gedoopt werd, trouwde met prinses Gisela van Beieren (een dochter van Hendrik II). István werd opgevoed door Adalbert, bisschop van Praag.

Na de dood van Géza, drie jaar geleden, eiste Koppány, vorst van Somogy, als oudste lid van de Arpád-familie de weduwe van Géza en het leiderschap over de Hongaren op. István stuurde daarop de Duitse ridders die met zijn vrouw waren meegekomen, op hem af. Koppány werd gedood en zijn lichaam gevierendeeld. Drie delen werden aan de poorten van forten in het westen genageld als waarschuwing aan zijn vijanden, het vierde deel stuurde István naar zijn oom in Transsylvanië.

Bij zijn kroning heeft István de eerste bisschoppen en gouverneurs in Hongarije benoemd. Ook heeft hij de eerste Hongaarse munten laten slaan naar Beiers voorbeeld.

## IJslanders moeten christen worden

THINGVELLIR, 1000 - Het Althing - de wetgevende vergadering van IJsland - heeft een wet aangenomen die stelt dat alle inwoners van IJsland zich tot het christelijke geloof moeten bekeren. Degene die nog aan de heidense goden offert zal, als dat door getuigen bewezen wordt, ten minste vogelvrij verklaard worden.

De wet is aangenomen na een lang en verbeten debat. De IJslanders Gizur de Witte en Hajalti waren met een aantal priesters uit Noorwegen teruggekeerd met de opdracht van de Noorse koning Olaf Tryggvason IJsland te bekeren. Zij drongen door tot het Althing en kregen steun van de christelijke minderheid die de vergadering zover kreeg dat deze toestemde het christendom tot staatsgodsdienst te maken.

IJsland is het derde Noordeuropese land dat overgegaan is tot het christendom. Denemarken is in het begin van de jaren zestig tot het christendom overgegaan nadat verscheidene missionarissen de afgelopen eeuwen bekeringspogingen ondernomen hadden. Al in het begin van de 8ste eeuw heeft de Engelse missionaris Willibrord Denemarken bezocht maar 'de koning toonde zich woester dan een wild beest en harder dan een steen'. Later veranderde dat. Op de grafsteen van Harald Blaatand, de Deense koning (940-985), staat de volgende inscriptie ingebeiteld: 'Koning Harald gaf bevel deze steen op te richten ter nagedachtenis van Gorm zijn vader en Thyra zijn moeder. Hij was die Harald die heel Denemarken en Noorwegen overwon en alle Denen tot het christendom bekeerde.'

Vijf jaar geleden heeft Noorwegen officieel het christelijke geloof aangenomen toen Olaf Tryggvason aan de macht kwam. Koning Olaf is een militant christen en wil zodoende ook de IJslanders bekeren. Enkele jaren geleden stuurde hij een missionaris naar IJsland die direct na aankomst de tempels met de grond gelijk maakte en de afgodbeelden vernietigde, waarop hij prompt van het eiland verwijderd werd. Er kwam spoedig een tweede missionaris, die aanvankelijk succes had maar naast veel bekeerlingen ook nogal wat vijanden maakte. Ook hij werd door de IJslanders verbannen. Toen koning Olaf dit te horen kreeg waren er net twee IJslanders op bezoek, die door de woedende koning ogenblikkelijk ter dood veroordeeld werden. Zij ontsnapten aan de dood door Olaf voor te stellen hun landgenoten te bekeren. Olaf stemde toe en afgelopen jaar vertrokken Gizur de Witte en zijn schoonzoon Hajalti met een aantal priesters naar IJsland. Zij hadden vrij snel succes omdat ze zich richtten tot het Althing in plaats van direct te proberen bekeerlingen te maken.

# Chinese keizers verzoend

*Barbaarse vorsten bezoeken het hof van de Song-keizer (inkt/verf op zijde, 960-975).*

CHANZHOU, december 1004 - Tussen het Song-keizerrijk en het noordelijk keizerrijk Liao is een vredesovereenkomst gesloten. De Song wordt daarbij verplicht om een jaarlijkse schatting aan Liao te betalen.

De overeenkomst is het gevolg van de invasie door Liao-keizer Shen Zong en zijn moeder Xiao. De invasie begon in september. Op advies van zijn premier Kou Zhun nam Song-keizer Zhen Zong in november de militaire leiding van het leger op zich en hield het Liao-leger bij Chanzhou in de provincie Henan tegen. Hij negeerde echter het advies van Kou om tot een tegenoffensief over te gaan en ging in plaats daarvan op het vredesvoorstel van de Liao in om jaarlijks 100000 ons zilver en 200000 rollen zijde als schatting te betalen. In ruil daarvan ziet Liao af van territoriale aanspraken.

Het afkopen van vrede is tekenend voor de positie van het keizerrijk Song.

Het keizerrijk is veel rijker dan welk regime ook uit de Chinese geschiedenis. Ook beschikt het over een uiterst efficiënte administratie. Maar de meesterzet van de eerste keizer van de dynastie om een einde te maken aan de relatieve autonomie van de lokale militaire leiders, die bedreigend was voor de interne politieke stabiliteit en voor het inkomen van de centrale regering, heeft tevens geresulteerd in een verlies van militaire slagvaardigheid tegenover bedreiging van buitenaf.

De waarde van de schatting aan de Liao bedraagt ongeveer 2% van het jaarlijkse inkomen van de Song-regering. Maar de politieke kosten zijn groot. Naast de Liao wordt Song van-uit het noorden ook bedreigd door Westelijk Xia en de overeenkomst van Chanzhou wordt door de laatstgenoemde niet-Chinese dynastie als precedent voor eigen plannen met de rijke zuidelijke dynastie beschouwd.

---

*Vikingschepen in volle zee volgens een 19de-eeuwse voorstelling.*

# Vikingen bereiken Amerika

AMERIKA, 1002 - De Viking Leif Ericsson, zoon van de ontdekker van Groenland Eric de Rode, is met een bemanning van vijfendertig man geland op de Noordamerikaanse kust, respectievelijk op Helluland [Newfound-land], Markland [Nova Scotia], en Vinland [Cape Cod].

Leif Ericsson is niet de eerste die bij toeval in Amerika verzeild raakt: Bjarni Herjulfson zeilde zestien jaar geleden van IJsland naar Groenland op zoek naar zijn vader Herjulf; hij werd uit de koers geblazen, bereikte toen de noordoostkust van Amerika en zeilde zonder aan land te gaan verder totdat hij in Groenland was. 'Zij koersten daarheen en landden tegen de avond onder een kaap, waar zich een boot bevond en waar Herjulf bleek te zijn. Bjarni gaf zijn zwerversbestaan op om bij zijn vader te blijven zolang deze leefde,' aldus de saga.

Leif hoorde van Bjarni's tocht en besloot de reis opnieuw te maken. Het eerste gebied noemde hij 'Helluland' - het land van de vlakke rots. Over het tweede gebied zei Leif: 'Dit land verdient de toepasselijke naam Markland - bebost land.' De derde keer kwamen

zij terecht in een gebied met een overvloed van zalm, groot wild en gras. Zij besloten hier te overwinteren. Leif noemde dit gebied, waar zijn bemanning volop druiven plukte, 'Vinland' - wijnland.

# Mataram ontredderd na aanval Sumatra

OOST-JAVA, circa 1006 - In het Mataram-rijk heerst volledige ontreddering, nu bekend is geworden dat Sumatraanse troepen de kraton in de Brantasvallei veroverd en in brand gestoken hebben. Koning Dharmawamsa kwam daarbij om, de troonopvolger, prins Airlangga, is ontsnapt, maar het is onbekend waar hij zich ophoudt. De vazalvorsten hebben gebruik gemaakt van het wegvallen van het oppergezag om hun posities te verstevigen.

Toen Dharmawamsa in 985 aan de macht kwam was het door Mataram beheerste gebied nog beperkt tot de Brantasvallei. Door diplomatie en oorlogvoering wist de koning op het grootste deel van Java, Bali en Borneo zijn oppergezag erkend te krijgen. De han-

delscontacten met Sumatra en de Molukken werden uitgebreid, het bestuur gecentraliseerd en de bestaande wetten gecodificeerd. Grote naam kreeg de vorst ook als bevorderaar van de literatuur. Het was geen geheim dat de koning naar heerschappij over de gehele archipel streefde. Dat bracht hem in conflict met het machtige Sumatraanse handelsrijk Sjriwijaya. Ruim tien jaar geleden besloot Dharmawamsa tot een invasie van Sumatra. Aanvankelijk behaalden de Javanen grote successen en werd de hoofdstad Palembang enige malen achtereen belegerd. Korte tijd geleden kreeg Sjriwijaya echter steun van zijn vazallen op het Maleise schiereiland en werden de Mataramse troepen verdreven, waarna de Sumatranen overgingen tot een strafexpeditie.

*IIde-eeuwse koningsgraven op Bali.*

193

# Thang-Long nu hoofdstad

*Sculptuur uit 8ste eeuw [Vietnam].*

THANG-LONG, 1010 - De hoofdstad van Dai Co Viet [Vietnam] is van een bergachtig terrein verplaatst naar de delta van de Rode Rivier. De vorige hoofdstad, Hoa-lu, lag in de bergen en was voor de communicatie met de rest van het land te excentrisch gelegen. Om deze reden zou zij zich ook nooit tot het economische centrum van het land hebben kunnen ontwikkelen.

Daarom heeft keizer Ly Thai-to bij de bestijging van zijn troon vorig jaar besloten de hoofdstad te verplaatsen naar Dai-la. Deze plaats wordt in de keizerlijke annalen omschreven als 'centraal gelegen, in gunstige aardmagnetische velden, uitziend over een weidse vlakte, tevens hooggelegen op een lichte plaats zodat de bewoners niet bang hoeven te zijn voor overstromingen, en planten en bloemen er goed kunnen bloeien, een zetel voor meer dan 10 000 generaties koningen, een unieke plaats in het land van de Viets'.

Toen de koninklijke jonken over de rivier de stad naderden, zag de keizer een gouden draak uit de wolken komen en neerdalen in de nieuwe hoofdstad. Daarop besloot hij de plaats de naam Thang-long, de stad van de opkomende draak, te geven.

# Romualdus sticht nieuw klooster in Toscaanse bergen

CAMALDOLI, 1012 - De heilige Romualdus heeft in de beboste bergen van het ten noorden van Arezzo gelegen Toscane een benedictijnenklooster en een aantal kluizenaarswoningen gesticht.

Op deze afgelegen plaats wil Romualdus, van oorsprong een cluniacenser monnik, trachten, te zamen met zijn volgelingen, een leven van afzondering, ascese en meditatie te leiden. Zij wensen het ideaal van de eerste kluizenaars te verbinden met de gemeenschapszin van de kloostermonniken. Het klooster is bedoeld voor beginners. Op de bergtop is voor degenen die doorkneed zijn in het gemeenschapsleven en de eenzaamheid zoeken, een rij kluizen ingericht, elk met een eigen tuin. Iedere heremiet kan zich zo lang als hij dat wenst in zijn cel terugtrekken. Bij elkaar komt men slechts voor de heilige mis en voor het gebed.

# Bulgaar Samuel door hartaanval geveld

OHRID, 6 oktober 1014 - De Bulgaarse heerser Samuel is overleden aan de gevolgen van een hartaanval die hem twee dagen geleden trof.

Zijn dood houdt vermoedelijk direct verband met de terugkeer van de trieste restanten van zijn troepen die in juli dit jaar een zware nederlaag tegen het Byzantijnse Rijk hebben geleden. Bij de slag in de Strumitsavallei werden zeker veertienduizend Bulgaren gevangengenomen. Op last van keizer Basilius II werden van ieder honderdtal bij 99 soldaten beide ogen uitgestoken, terwijl de honderdste een oog behield om de rest naar hun meester terug te voeren. Bij het zien van de treurige stoet schijnt Samuel een hartaanval te hebben gekregen.

Door de dood van Samuel verliest het Bulgaarse Rijk een man aan wie Bulgarije zijn opleving dankt. Na de inlijving bij Byzantium in 971 ontstond in het westelijke deel van het voormalige Bulgaarse Rijk, in de berglanden van Macedonië, een nieuwe machtskern rond de persoon van Samuel. Samuel was een der zonen van de provinciale gouverneur aldaar. Het centrum van deze rompstaat was Ohrid. Samuel breidde zijn rijk gestaag uit ten koste van Byzantium. Het hoeft geen betoog dat Byzantium een sterke Bulgaarse staat aan zijn grenzen absoluut niet kon dulden. Keizer Basilius II wijdde dan ook een goed deel van zijn energie aan het Bulgaarse probleem en uiteindelijk met succes. Door een mengeling van diplomatie - hij slaagde erin een aantal Bulgaarse bevelhebbers aan zijn kant te krijgen - en strategie wist hij de Bulgaren langzaam maar zeker terug te

*Keizer Basilius II van Byzantium neemt hulde van zijn hofhouding in ontvangst.*

dringen tot hun machtscentrum in het Westmacedonische bergland.

De overwinning, die Basilius II de titel 'Bulgarendoder' heeft opgeleverd, betekent vermoedelijk het begin van het einde van de Bulgaarse staat.

# Dood Vladimir van Kiëv

KIEV, 1015 - Met de dood van vorst Vladimir verliest het rijk Kiëv-Roes een groot heerser. Vladimir, een van de zonen van Svjatoslav, verkreeg in 969 van zijn vader het bestuur over Novgorod. Na Svjatoslavs dood brak er een burgeroorlog uit tussen de drie zonen en circa 980 had Vladimir zijn gezag over het toen nog heidense rijk van Kiëv stevig gevestigd.

In de meeste opzichten continueerde hij de politiek van zijn voorgangers. Na het gezag binnenslands over de Oostslaven te hebben hersteld, breidde hij de grenzen van het rijk in het noorden uit tot de Baltische Zee, terwijl hij in het zuiden de Petsjenegen terugdrong tot in de steppen.

In één belangrijk aspect verschilde Vladimirs politiek echter van die van zijn voorgangers: onder zijn bewind werd Kiëv-Roes een christelijke staat, hetgeen verregaande politieke en culturele gevolgen had. Het christendom op zich was in Kiëv geen onbekend verschijnsel. Tijdens de regering van Igor (gestorven in 945) bestond er reeds een christelijke Kerk in Kiëv, en Olga, Vladimirs grootmoeder, had zich laten dopen, wat overigens geen gevolgen had

gehad voor het heidense geloof van haar onderdanen. Dit veranderde onder Vladimirs regering. Volgens de legende over de manier waarop de Russen hun godsdienst kozen, wezen zij de islam af omdat deze alcohol verbiedt en het judaïsme omdat dit een geloof zonder staat is. Met het naar zich toe trekken van het Byzantijnse christendom zetten de Russen niet alleen de poorten open voor het christelijke geloof, maar eveneens voor de Byzantijnse cultuur. Het christendom betekent een unificerende kracht binnen het rijk van Kiëv-Roes en daarnaast een vrij sterke oriëntatie op Constantinopel, waar de patriarch zetelt. Het feit dat Kiëv-Roes het christendom via Byzantium en niet via Rome heeft overgenomen vergemakkelijkt de verspreiding van de nieuwe religie. In tegenstelling tot de Kerk van Rome, die zich van een internationale kerktaal (het Latijn) bedient, maakt de Oosterse Kerk sinds ruim een eeuw bij de bekering van Slavische volken gebruik van het Kerkslavisch als liturgische taal. Daar deze taal zeer dicht bij de Slavische spreektaal staat, kan het nieuwe geloof gemakkelijker doordringen.

*Vikingen gaan aan land.*

## Denen landen weer op Engelse kust

WINCHESTER, 1013 - Engeland, dat al zoveel te lijden heeft gehad van de Noormannen, is slachtoffer geworden van een nieuwe inval van Noormannenkoning Sven. De dreiging die van een dergelijke inval uitgaat is dit keer nog groter dan anders. Sven heeft gezegd dat hij geen genoegen zal nemen met enkele strooptochten en een grote afkoopsom, maar van plan is koning Aethelred van de troon te stoten en zelf het land te veroveren.

Koning Aethelred is niet populair. Gedurende zijn hele regering al heeft het land te lijden van invallen van de Noormannen, die uit Denemarken komen. Na afloop van hun strooptochten zoeken de Denen niet zelden een schuilplaats in het nabijgelegen Normandië waar de bevolking van de Noormannen afstamt.

In 991 zag Aethelred kans een verdrag met de graaf van Normandië te sluiten waarin bepaald werd dat zij elkaars vijanden geen onderdak zouden bieden. Tien jaar later trouwde Aethelred zelfs met de dochter van de graaf van Normandië.

Aan de invallen van de Denen kwam met dit verdrag echter geen einde. Daarom beval de koning in 1002 alle Denen die in het land waren, te vermoorden. Dit leidde tot een groot bloedbad, want er wonen erg veel Denen in Engeland; in sommige gebieden zijn zij zelfs de bijna enige bewoners. De Noormannenkoning Sven viel het jaar daarna Engeland binnen en keerde sindsdien bijna jaarlijks terug. Zijn plundertochten worden door Aethelred met grote sommen geld afgekocht. Nu is Sven binnengevallen om het land te veroveren. Winchester, Oxford en Londen heeft hij inmiddels al in handen gekregen. Koning Aethelred is naar Normandië gevlucht.

# Knut koning van Engeland

LONDEN, 1017 - De Deense koning Knut is koning van heel Engeland geworden nadat de Angelsaksische koning van Wessex Edmund Ironside op 30 november van het vorig jaar plotseling op 22-jarige leeftijd is overleden. Knut is gekozen door de edelen van Wessex, die zich tot hem gewend hebben omdat hij de enige is die vrede en veiligheid kan garanderen.

Het Engelse koningschap van Knut is een mijlpaal in de geschiedenis van de Vikingen. Nog nooit, sinds de eerste aanval op een Engels klooster in 793, hebben de Denen het voor het zeggen gehad in geheel Engeland, al is de Deense invloed vrij groot. Al sinds 886 hebben de Denen in Engeland een eigen gebied, de Danelaw geheten, waar hun eigen wetten gelden.

Begin vorig jaar was Knut met Edmund overeengekomen dat Knut Mercia en de Danelaw kreeg en Edmund de beschikking over Wessex hield. De bewoners van Londen kochten Knut af in ruil voor vrede. Al enkele tientallen jaren wordt er door de Angelsaksische bevolking een heffing betaald waarmee de Deense aanvallers afgekocht worden. Deze heffing wordt danegeld genoemd.

Knuts vader Sven Gaffelbaard heeft de Deense heerschappij in Engeland voorbereid. Vier jaar geleden viel hij met een groot, goedgeorganiseerd leger Engeland binnen en veroverde het eiland. De Angelsaksische koning Aethelred, die vanaf 979 regeerde,

*Koning Knut van Denemarken.*

vluchtte naar Normandië, waarna Sven de Engelse troon opeiste. Sven stierf plotseling in het begin van 1014, waarop onmiddellijk een strijd om de troon losbrak. Het Deense leger koos Svens achttienjarige zoon Knut tot koning. Deze keuze werd in Denemarken, waar Knuts oudere broer Harald zijn vader opgevolgd was, echter niet geaccepteerd. De Angelsaksen maakten van de gelegenheid gebruik om Aethelred terug te roepen. De strijd brak nu in alle hevigheid uit en resulteerde uiteindelijk, één jaar geleden, in een Deense overwinning.

*Japanse Boeddha (9de-11de eeuw).*

## Gensjin geeft boeddhisme elan

KIOTO, 1017- Alom worden beschouwingen gegeven over de betekenis van Gensjin voor de veranderingen in het boeddhisme in Japan. Zijn beroemde boek *Ojoyoshu* (Voornaamste regels voor redding) heeft een revolutie binnen het boeddhisme teweeggebracht. Tot het midden van de 10de eeuw waren aan het hof naast de vele bestuurlijke ceremonies uitgebreide religieuze rituelen van groot belang. De esoterische culten van de twee belangrijkste sekten, de sjingon en de tendai, verschaften alle mogelijkheden daartoe. Vanuit het hof vonden de culten van deze sekten ook hun weg in de maatschappij. Zij vermengden zich daarbij gemakkelijk met de reeds bestaande Sjinto-culten. Toch konden deze sekten niet genoeg troost aan de verpauperende bevolking geven. Door de economische neergang in de tweede helft van de 10de eeuw zocht de bevolking naar religieuze praktijken waarin zij enige verlichting voor haar ellende zou kunnen vinden.

In deze tijd van verval kwam de verering van de Boeddha Amida ineens op. In deze cultus wordt ervan uitgegaan dat na dit leven een beter leven kan volgen zonder dat men in dit leven veel moet lijden. In zijn *Ojoyoshu* beschrijft de monnik Gensjin hoe men door het steeds maar aanroepen van Boeddha Amida redding kan krijgen. Men hoeft niet, zoals vroeger bij de andere sekten, allerlei moeilijke rituelen te volgen en ontberingen te lijden voor een beter lot in het volgende leven.

Maar niet alleen de armen en verstoten vinden tijdelijk verlichting door het aanroepen van Boeddha Amida. Ook in kringen van hooggeplaatste functionarissen aan het hof heeft het aanroepen van deze boeddha ingang gevonden. Er wordt zelfs beweerd dat de regent Michinaga zich meer dan eens tot Boeddha Amida wendt om steun te krijgen.

# Positie Michinaga onaantastbaar

KIOTO, 1017 - Nu Michinaga officieel afstand heeft gedaan van zijn titel van Sessjo' (regent voor een minderjarige keizer) blijkt pas hoe machtig hij in Japan was en nog is.

In 995 kreeg Michinaga voor het eerst een hoge post als minister. Op dat ogenblik was de post van Sessjo of 'Kampaku' (regent voor een keizer, ongeacht diens leeftijd) al meer dan twee jaar vacant. Michinaga heeft op geen enkele manier duidelijk gemaakt dat hij maar de minste behoefte aan een officiële benoeming tot regent heeft omdat hij toch al alle macht had die dit ambt met zich brengt. Hij was vertrouwelijk adviseur van de keizer met de eretitel 'Nairan'. Daarnaast was hij nog leider van de Foedjiwara. Michinaga kon op dat ogenblik geen aanspraak maken op het regentschap aangezien hij geen 'gaiso shuto ni mo arazu' (geen schoonvader noch grootvader) van de keizer was. In het verleden was er door de Foedjiwara scherp op toegezien dat de regels omtrent het regentschap precies werden nageleefd.

Een aantal topfuncties waarin werkelijk macht kon worden uitgeoefend, is bovendien door de Foedjiwara geleidelijk aan uitgehold. Onder Michinaga is bijvoorbeeld de positie van de Dajo Daijin' (kanselier) volledig ondergraven. Slechts de meest vooraanstaande staatslieden konden deze post bekleden, maar door toedoen van de Foedjiwara is de functie van elk gezag ontdaan. De regenten hebben in feite de macht van de kanselier overgenomen.

De Foedjiwara is zich er tot nu toe goed van bewust geweest dat het regentschap een dubbele functie heeft. In de eerste plaats moet het keizerschap in stand gehouden en de troon beschermd worden. Verder hangen het prestige en de macht van de Foedjiwara niet alleen af van haar talenten maar ook van het intact houden van de bloedband met de keizerlijke familie. Dit geeft tevens de tegenstelling aan tussen de legende van de heilige oorsprong van de keizerlijke familie en de manier waarop de Foedjiwara's daarmee omgaan.

Mede op grond hiervan heeft Michinaga gepoogd het keizerschap weer wat meer aanzien te geven en de wanorde in de hoofdstad en de corruptie en losbandigheid van ambtenaren aan banden te leggen. Aangezien de keizer niet over troepen beschikt en de politie van Kioto door en door corrupt en ongeschikt is, heeft Michinaga aan kleine privé-legers van de Taira- en Minamoto-families toegestaan hun mensen in te zetten. Hiermee gedoogt hij ook dat de macht van deze families aan het hof toeneemt. Desalniettemin betekent het nog niet dat Michinaga en de Foedjiwara hun machtspositie willen opgeven.

# 1020

# Sultan verwoest Somnath

SOMNATH, 1025 - Na drie dagen van moedige weerstand is Somnath, op het Kathiawar-schiereiland, gevallen voor het islamitische geweld van de legers van sultan Mahmoed van Ghazna. 50 000 Hindoes vonden de dood. De heilige Shivalinga, het fallusbeeld van Shiva, dat zich in de tempel van Somnath bevond, werd door Mahmoed eigenhandig in stukken geslagen, waarna stad en tempel geplunderd en verwoest werden. Dat is de droevige balans van de zeventiende plundertocht van 'het Zwaard van de Islam' sultan Mahmoed in de Indische gebieden.

Mahmoed stootte na de dood van zijn vader Seboektigin, in 997, zijn jongere broer van de troon die door Seboektigin als opvolger was aangewezen. Zijn investituur door de kalief van Bagdad gaf hem recht op de sultanstitel. Seboektigin had al pogingen ondernomen de islam in de Indische gebieden te verbreiden. Ondanks tegenstand van een confederatie van Indische vorsten onder aanvoering van Jayapala wist Seboektigin zijn rijk in de loop der jaren tot de rivier de Indus uit te breiden. Zijn zoon zette deze agressieve politiek op een veel grotere schaal voort. Met 10 000 uitgezochte paarden trok hij op tegen Jayapala en versloeg hem bij Peshawar. Hij liet Jayapala gaan op voorwaarde dat deze schatting zou betalen, maar Jayapala wilde die schande niet ondergaan en gooide zich op een door hem zelf aangestoken brandstapel. Hierna herhaalde Mahmoed bijna jaarlijks zijn plundertochten in de Indische gebieden. Anandapala, een zoon van Jayapala, organiseerde in 1009 een nieuwe confederatie tegen Mahmoed, maar ondanks het vuur waarmee de heilige zaak werd verdedigd, was Mahmoed niet te verslaan. Opnieuw werden de Hindoes bij Peshawar verslagen; 20 000 van hen sneuvelden. Tien jaar later was de schitterende en luisterrijke stad Kanauj het doelwit van de rooftochten. Kort daarna bood Jayapala II, de zoon van Anandapala, tegenstand aan Mahmoed, met het gevolg dat hij de Punjab aan de sultan verloor.

# Guido verbetert muzieknotatie

*Een banket wordt opgeluisterd door muzikanten (15de eeuw).*

AREZZO, 1025 - Guido, een monnik van het Italiaanse klooster Arezzo, is teruggekeerd van een reis naar Rome, waar hij paus Johannes XIX op de hoogte heeft gebracht van de door hem voorgestelde verbeteringen in de muzieknotatie.

In navolging van het nu al bijna honderd jaar oude muziektraktaat de *Enchiridion Musicae*, de 'Dialoog over de muziek', van abt Odo van Cluny (gestorven in 942), waarin consequent gebruik wordt gemaakt van letters om de verschillende toonhoogten aan te geven, heeft Guido in zijn *Antiphonarium* een systeem ontwikkeld om de toonhoogten nu nog nauwkeuriger aan te geven: de noten zijn zo gegroepeerd dat elke toon, hoe vaak die ook in een melodie voorkomt, altijd op een zelfde lijn staat. Een terts (een afstand van drie tonen) erboven en een terts eronder zijn eveneens lijnen getrokken. Een toon bevindt zich dus op een lijn, een andere toon staat daarboven of daaronder op een lijn of tussen twee lijnen in, afhankelijk van de afstand, het interval, tussen de tonen. Opdat de lijnen duidelijk van elkaar kunnen worden onderscheiden, hebben ze alle drie een eigen letter of eigen kleur (hoofdzakelijk rood, geel en groen).

In het voorwoord van zijn *Antiphonarium* verklaart Guido hoe hij tot deze verbetering is gekomen: 'In onze tijd zijn zangers wel de domste mensensoort: zangmeesters en leerlingen - hoewel ze elke dag zingen, jaar in, jaar uit - kunnen nooit uit zichzelf zonder de hulp van weer een andere meester een antifoon zingen, zelfs geen korte.'

Elders voegt de monnik hieraan toe: 'Met het nieuwe systeem kunnen we in één jaar, of hoogstens twee, perfecte zangers maken, waar vroeger tien jaar studie meestal resulteerde in een gebrekkige kennis van de zangkunst. Zangers kunnen nu voortaan melodieën zingen die zij niet van tevoren gehoord hebben.'

*Miniatuur uit de 'Sjahname' (Perzië).*

## Bekende Perzische dichter overleden

TOES, 1020 - Een van de grootste epische dichters van Perzië, Aboe al-Kasim Mansoer, die onder de naam Firdausi bekend staat, is overleden. Men neemt aan dat hij in 934 werd geboren. Firdausi werd beroemd door het schrijven van een boek dat de *Sjahname* (de brief van de Sjah of het boek van de Sjah) heet. In de *Sjahname*, die circa 50 000 verzen omvat, wordt de geschiedenis van de Perzische koningen vanaf de oertijd tot de islamitisch-Arabische verovering beschreven.

De geschiedenis van de Perzische koningen werd eeuwenlang mondeling overgeleverd. In 907 gaf een Perzische ambtenaar, Aba al-Mansoer al-Mo'amari, aan vier mensen de opdracht om de verhalen op te schrijven. Deze poging mislukte. Tijdens de regering van Noah ibn Mansoer al-Samani (976-997) werd de dichter Dakiekie gevraagd om de taak op zich te nemen. Hij had 1000 verzen geschreven toen hij vermoord werd. De 60-jarige Firdausi moest de taak overnemen.

Na elf jaar werken was hij klaar met zijn boek, dat hij aan sultan Mahmoed gaf. In dit boek beschreef hij deze sultan als een van de beste regeringsleiders die Perzië ooit had gekend. Firdausi verwachtte daarom veel waardering voor zijn werk van de sultan, maar werd daarin teleurgesteld. Uit wraak schreef Firdausi een opdracht in dichtvorm in zijn boek, waarin hij de sultan beledigde. Daardoor moest hij uit Perzië naar Bagdad vluchten. Daar schreef hij *Yousit en Zeliedra*, een van de mooiste liefdesgedichten die de Perzische literatuur rijk is.

Sultan Mahmoed verleende Aboe al-Kasim Mansoer amnestie, waarna deze naar zijn geboortestad Toes terugkeerde.

**1030.** De Perzische geleerde Ibn Sina voltooit een medische encyclopedie. →

**29 juli 1030.** In de Slag bij Stiklestad (nabij Trondheim) sneuvelt de Noorse koning Olaf II Haraldson. Olaf II poogde zijn rijk op de Deense koning Knut de Grote (1028) te heroveren.

**1030.** In Japan verschijnt de *Geschiedenis van Genji*. →

**1030.** Jaroslav I, de Russische heerser van Novgorod, sticht de stad Joerjev [Tartoe].

**1031.** Het Omajjadische kalifaat van Córdoba in Spanje valt uiteen in verschillende onafhankelijke, islamitische deelstaten.

**2 februari 1033.** Na de dood van koning Rudolf van Bourgondië wordt Koenraad II, rooms-Duits keizer, ook koning van Bourgondië.

**Juli 1033.** Bij de Vrede van Merseburg doet de Poolse koning Mieszko afstand van zijn koningschap en geeft het Lausitz en Milzener land terug aan de Duitse keizer.

**1035.** In Shaftesbury overlijdt Knut de Grote, koning van Denemarken, Engeland en Noorwegen. Hij was een der machtigste vorsten van Europa.

**1036.** Jaroslav I van Novgorod wordt heerser over het gehele Russische Kiëv-rijk. →

**1036.** In opdracht van grootvorst Jaroslav I de Wijze wordt het eerste Russische wetboek, de *Pravda roesskaja* samengesteld.

**28 mei 1037.** De Duitse keizer Koenraad II vaardigt tijdens zijn tweede veldtocht naar Italië de *Constitutio de Feudis* uit. Aan ondervazallen (vazallen van vazallen) wordt de erfelijkheid van het leen verzekerd.

**1037.** In de Russische hoofdstad Kiëv begint men met de bouw van de Heilige-Sophiakerk.

**1037.** In de Slag bij de Carrion sneuvelt Bermudo, koning van León. Ferdinand I de Grote, koning van Castilië, maakt zich meester van Bermudo's rijk. León en Castilië worden in één rijk verenigd.

**1037.** In Hamadan is de grote Arabische filosoof en medicus Avicenna (Aboe Ibn-Sina) overleden. Avicenna was van Perzische afkomst en schreef over filosofisch-theologische onderwerpen van de meest uiteenlopende aard. Zijn grootste verdienste is de schepping van een synthese van de klassieke filosofie (vooral die van Aristoteles) en het mohammedanisme.

**1039.** Koning Ferdinand I van Castilië wordt tot koning van Léon gekroond. →

# Arts voltooit naslagwerk

*Arabische sterrenkundige observeert een komeet (8ste-14de eeuw).*

BAGDAD, 1030 - De vermaarde Perzische geleerde Ibn Sina - beter bekend als Avicenna - heeft zijn *Canon Medicinae* voltooid. Deze medische encyclopedie geeft een overzicht van alle bekende ziekten. Daarnaast heeft Avicenna zijn inzichten op het gebied van de astronomie, de wiskunde en de filosofie in dit vijfdelige boek verwerkt.

Op jeugdige leeftijd al bleek Avicenna aanleg voor de wetenschap te hebben. Als 21-jarige schreef hij zijn eerste wetenschappelijk overzichtswerk. Als filosoof, schrijver van onder meer *Over de ziel en het noodlot*, verwierf hij grote bekendheid. Daarnaast schreef hij meer dan 150 boeken, deels in het Arabisch, deels in het Perzisch, onder meer over wiskundige en astronomische vraagstukken. Maar zijn roem heeft hij vooral te danken aan zijn kennis van de Griekse en Romeinse anatomie, fysiologie en chirurgie.

Als medisch onderzoeker trok hij zich weinig aan van het islamitische verbod om in dode lichamen te snijden. Dit verbod was gebaseerd op het geloof dat uit het dode lichaam een levensvonk naar het paradijs zou opstijgen. Door zijn weinig orthodoxe opvattingen heeft Avicenna een aanzet kunnen geven voor de studie van het inwendige menselijke lichaam. Veel opzien baarde zijn vermoeden dat tuberculose een besmettelijke ziekte is. In de *Canon* besteedt hij ook aandacht aan ziekten van de ziel, zoals slapeloosheid, verliefdheid, amnesie en melancholie.

De bekwaamheid van deze in Bochara geboren zoon van een ambtenaar werd al spoedig onderkend door enkele hooggeplaatste personen die hem vroegen hun lijfarts te worden. Maar hij heeft nooit lang achtereen de goedkeuring van de autoriteiten genoten. Steeds raakte hij met hen in conflict over staatszaken; conflicten die hij moest bekopen met vlucht of gevangenisstraf. Als arts is hij echter onomstreden, zoals ook zijn vijanden na lezing van *Canon Medicinae* zullen moeten toegeven.

## Boek over Japans hofleven verschenen

KIOTO, 1030 - Met de publicatie van de *Genji-monogatari* (de geschiedenis van Genji) is de kennis omtrent het hofleven in Japan aanzienlijk toegenomen. De schrijfster, Moerasaki Shikibu, heeft zelf vele jaren aan het hof doorgebracht en kan als zodanig als een deskundige op dit gebied worden beschouwd.

De hoofdpersoon in het eerste deel van het boek is Genji, de zoon van de regerende keizer. Moerasaki voert de lezer mee in diens dagelijks leven, waarin zijn avonturen met vrouwen een grote rol spelen. Opvallend is dat naast Moerasaki een vrouw uit de lagere klasse, Yugao, een vooraanstaande rol speelt in het leven van Genji. De dood van Yugao na een kortstondige ziekte, betekent in feite een ommekeer in het verhaal. Nu wordt ook het leven van

Genji vreugdelozer. Genji weet dat de zoon van zijn beste vriend, To no Chujo, een verhouding met zijn vrouw heeft. Hieruit wordt Kaoroe geboren die in de latere hoofdstukken van het boek de hoofdpersoon is. Kaoroe gaat na enige tijd naar een dorp waar hij als een ware anti-held voortleeft. In alle dingen die hij onderneemt, maar speciaal in zijn liefdesaffaires, zit het hem tegen. Het boek eindigt met de onmogelijke liefde die Kaoroe koestert voor zijn zuster Ukifune. Zij trekt zich terug in een klooster en weigert haar broer Kaoroe te zien.

Het meest opvallend van de *Genji-monogatari* is dat het boek zowel de verwording aan het hof als het algehele verval in de maatschappij gedurende de laatste 50 jaar op een indringende manier beschrijft.

# Castilië en León één koninkrijk

*De imposante muren van Avila, de hoofdstad van Oud-Castilië, die eind 11de eeuw zijn gebouwd.*

LEON, 1039 - Na de overwinning van twee jaar geleden op Bermudo III, koning van León, is Ferdinand I, koning van Castilië, met alle plechtigheid ook tot koning van León gekroond. Ferdinand I had het koninkrijk León voor zich opgeëist in naam van zijn vrouw, de zuster van de overwonnen koning Bermudo III.

Onder Ferdinands vader, Sancho de Grote, kwam een kortstondige unificatie van het grootste gedeelte van christelijk Spanje (behalve Catalonië) tot stand. Bij zijn dood ging de eenheid echter weer verloren aangezien het gebied tussen zijn drie zoons werd verdeeld.

Ferdinand I is begonnen aan de heropbouw van die eenheid. Van de drie broers is hij de machtigste gebleken. Zijn gezag is versterkt nu onder hem de koninkrijken Castilië en León zijn samengevoegd. Het lijkt erop dat het koninkrijk Castilië het zwaartepunt van Spanje begint te worden.

Naast koning van de twee rijken is Ferdinand I ook nog opperheer van de verschillende islamitische 'taifa's' (onafhankelijke deelstaten). De moslemheersers van Zaragoza, Toledo, Sevilla en Badajoz betalen hem allen schatting ('parias') in ruil voor militaire bescherming tegen vijandige moslem- of christelijke heersers. De onderlinge verdeeldheid van de islamitische machthebbers wordt zo door koning Ferdinand in zijn eigen voordeel uitgebuit.

Vanwege deze verdeeldheid onder de Moren intensiveren zich de contacten tussen christenen en moslems. De gedachte aan de Reconquista is naar de achtergrond geschoven. Veeleer probeert men nu van de uitbreiding van de contacten tussen christenen en moslems te profiteren. Een ware uitwisseling tussen twee verschillende culturen is zich op deze wijze aan het voltrekken.

## Jaroslav verplaatst zetel naar Kiëv

KIEV 1036 - Vorst Jaroslav (de Wijze) heeft de bestuurszetel van Novgorod naar Kiëv overgebracht en zijn zoon Vladimir als plaatsvervanger in Novgorod benoemd. Met de dood van zijn broer Mstislav dit jaar is Jaroslav ten slotte als de onbetwiste alleenheerser uit de jarenlange broederstrijd te voorschijn gekomen.

Na de dood van Vladimir (de Heilige) in 1015 brak er een strijd uit tussen zijn vijf zonen, die ieder een deel van het rijk onder hun bestuur hadden gekregen. Gesteund door de plaatselijke bevolking kreeg de broedertwist het karakter van een burgeroorlog. Twee zonen, Boris en Gleb, kwamen hierbij om het leven. Boris omdat hij, geheel volgens de christelijke leer, weigerde tegen zijn oudste broer Svjatopolk ten strijde te trekken; Gleb was bij zijn overlijden in 1015 nog maar een kind. Aanvankelijk behaalde de oudste zoon, Svjatopolk, de overwinning. Deze slaagde er echter niet in zich te ontdoen van zijn gevaarlijkste rivaal, zijn broer Jaroslav van Novgorod. Deze twee broers schroomden niet in hun strijd de hulp in te roepen van het buitenland. Svjatopolk kreeg steun van de Poolse koning Boleslav, terwijl Jaroslav Varjagen (Noormannen) uit Scandinavië huurde. In 1019 versloeg Jaroslav Svjatopolk en onderwierp

*Vorst Svjatoslav († 972) met gezin.*

Kiëv. Hiermee had hij echter nog geen sterke greep op het rijk. Tien jaar geleden zag hij zich gedwongen de heerschappij met een andere broer, Mstislav, te delen. Deze heerste over de gebieden ten oosten van de Dnepr, met als centrum Chernigov. Jaroslav behield zeggenschap over de gebieden ten westen van deze rivier, met Kiëv als centrum. Pas dit jaar, met de dood van Mstislav, is Jaroslav de heerser van de gehele staat Kiëv-Roes geworden, uitgezonderd het district Polotsk, dat een eigen vorst heeft.

**1041.** De Duitse koning Hendrik III dwingt Břetislav, hertog van Bohemen, zijn leenheerschappij te erkennen en de veroverde Slavische gebieden te ontruimen.

**1043.** Na het uitsterven van de Deense dynastie - door de dood van koning Harthanacnut, die zich tijdens zijn huwelijksfeest heeft doodgedronken - wordt Eduard de Belijder, zoon van de laatste Angelsaksische koning Aethelred II, koning van Engeland.

**1043.** De Duitse koning Hendrik III verslaat de Hongaren. De Hongaarse koning Aba moet hem leenhulde doen.

**1044.** Rajendra, koning van de Chola's, sterft. →

**1045.** Rome heeft drie pausen. Paus Benedictus IX is in 1044 door de Romeinen afgezet ten gunste van Silvester III, maar heeft in maart van dit jaar zijn pausschap teruggekocht om het in mei weer aan Gregorius VI te verkopen. Benedictus, Silvester en Gregorius blijven zich paus noemen.

**1045.** De Byzantijnse keizer Constantijn IX reorganiseert de universiteit van Constantinopel. Hij stelt de faculteiten van recht en filosofie in.

**20 december 1046.** Op een synode te Sutri zet de Duitse koning Hendrik III de drie pausen af en vervangt hen door de bisschop van Bamberg, Siutger, die de naam Clemens II aanneemt. →

**25 december 1046.** In Rome kroont paus Clemens II Hendrik III tot keizer.

**1047.** In Noorwegen wordt Harald III alleenheerser door het overlijden van zijn halfbroer Magnus. →

**12 februari 1049.** Bruno, graaf van Egisheim en Dagsburg en bisschop van Toul, wordt in het Lateraanpaleis tot paus gekroond en neemt de naam Leo IX aan. Bruno was reeds op de Rijksdag van Worms (25 december 1048) door zijn neef keizer Hendrik III tot paus aangesteld.

**1049.** De grote opstand van de Lotharingse hertog Godfried met de Baard tegen de Duitse keizer Hendrik III is onderdrukt. Godfried werd gesteund door de Lotharingse vorsten en Boudewijn V van Vlaanderen. De Westfriese [Hollandse] graaf Dirk IV is in de strijd gesneuveld.

**1049.** Airlangga, koning van Mataram, overlijdt. Na zijn dood valt zijn rijk uiteen. →

**1049.** De Turkse Petsjenegen plunderen de Balkan.

# Rajendra, koning van de Chola's, dood

*De Laksjmana-tempel in Khajuraho, 10de-eeuwse Hindoe-bouwkunst.*

GANGAIKONDASOLAPURAM, 1044 - In de door hem zelf gestichte hoofdstad Gangaikondasolapuram is Rajendra I, koning van de Chola's, overleden. Hij wordt opgevolgd door zijn zoon Rajadhiraja die al sinds 1018 als onderkoning fungeert. Dat is ook het jaar waarin Rajendra I op de troon kwam en in navolging van zijn vader zijn militaire campagnes in alle windrichtingen begon.

Chola-stammen bevonden zich al in de 1ste eeuw n.C. in de Tamil-nad, het gebied aan de zuidoostkust van het schiereiland. Vanaf de 7de eeuw waren de Chola's politiek ondergeschikt aan de Pallava's, die iets noordelijker aan de Coromandelkust regeerden.

Halverwege de 9de eeuw veroverde een Chola-leider, Tanjore, het hart van de Tamil-nad en verklaarde zich leider van een onafhankelijke staat. Tussen 900 en 950 stelde een van zijn opvolgers de zuidgrens van het rijk veilig in een campagne tegen de Pandya's, die het uiterste puntje van het schiereiland bezetten. Daardoor kwamen de Chola's in contact met Lanka, het eiland waarmee de Pandya's goede relaties onderhielden.

Rond 950 werd het Chola-rijk echter verzwakt door aanvallen vanuit het Dekkanplateau in het noordwesten. Net als de Pallava's in de 7de eeuw, hadden de Chola's telkens conflicten met de Dekkanvolken. Toen deze volken echter door interne strijd werden verzwakt, zag koning Rajaraja (985-1018), de vader van Rajendra, kans om de Chola-macht te herstellen en uit te breiden. In zijn acties tegen Cherala aan de westkust, Pandya en Lanka, bestreed hij bovendien het monopolie op de westerse handel dat deze landen bezaten. De Arabieren, in deze landen stevig gevestigd, vormden bovendien een concurrent voor de Chola's in de handel met Oost-Azië, waarin de Chola's inmiddels een belangrijk aandeel hadden.

Rajendra I, ook wel Rajendra Chola genoemd, zette vanaf 1018 deze politiek van zijn vader voort. Zijn ambities reikten zelfs nog verder. In een expeditie naar het noorden bereikte hij de Ganges waarvan hij, naar men zegt, het heilige water door de overwonnen koningen naar de Chola-hoofdstad liet brengen.

In 1025 leidde hij een campagne van vloot en leger naar Srivijaya, het machtige handelsrijk op Sumatra en het Maleise schiereiland. Een aantal strategische plaatsen langs de Straat van Malakka wist hij te bezetten, waardoor de handel tussen India en China sindsdien zonder tussenkomst van Srivijaya mogelijk is geworden.

## Hendrik III laat zich tot keizer kronen

ROME, 25 december 1046 - Met de keuze van de Duitse bisschop Siutger van Bamberg tot paus is de rust in de Kerk teruggekeerd. De eerste daad van Siutger, die als paus de naam Clemens II heeft aangenomen, was de keizerskroning van Hendrik III.

Wederom is aangetoond hoe groot de invloed van de Duitse koning op het pausdom is. Immers, voorafgaande aan de keuze van Clemens II heeft de koning op de Synodes van Sutri en Rome de pausen Gregorius VI, Benedictus IX en Silvester III afgezet. Het pausdom was in de voorafgaande decennia een speelbal van de verschillende Romeinse partijen geworden, die ieder een eigen paus naar voren geschoven hadden. De Duitse koning, diep doordrongen van de noodzaak van kerkelijke hervormingen, heeft nu een einde aan deze chaos gemaakt.

Hendrik, die de afgelopen jaren verschillende binnenlandse moeilijkheden heeft moeten overwinnen, verkeert op dit moment op het toppunt van zijn macht. Zijn tocht naar Rome lijkt sprekend op die van Otto III in 996.

Ook toen greep de Duitse koning in en ook toen werd een Duitser door de koning op de pauselijke troon gezet.

# Harald III alleenheerser over Noorwegen

NOORWEGEN, 1047 - Harald III Hardhrádi is door de vroegtijdige dood van zijn halfbroer Magnus alleenheerser van Noorwegen geworden. Een jaar geleden heeft Magnus, die al vier jaar koning van Noorwegen was, de helft van zijn koninkrijk aan Harald gegeven in ruil voor de helft van Haralds rijkdommen.

Die rijkdommen heeft Harald in de loop der jaren verworven in dienst van de Byzantijnse keizer Michael IV. Harald had in Constantinopel het commando over de Vaeringer garde: de lijfwachten van de keizer. In deze garde zaten alleen Vikingen, die een eed van absolute trouw aan de keizer aflegden. Niet lang nadat Harald de leiding van de garde op zich had genomen, werd hij met zijn garde naar het oosten gestuurd waar ze tot aan de Eufraat kwamen. Het schijnt dat Harald meer dan tachtig Arabische steden veroverde en de buit naar de keizer in Constantinopel stuurde. Vervolgens bereidde hij een aanval voor op Jeruzalem, die ten slotte niet doorging omdat de keizer een overeenkomst sloot met de kalief waarbij de christenen toegang tot de heiligdommen kregen. Harald werd teruggeroepen om met zijn Vaeringer garde naar Sicilië uit te varen, waar hij

*Vikingruiter op 12de-eeuws tapijt.*

vier sterk ommuurde steden innam door verschillende krijgslisten toe te passen. De ene keer maakte hij gebruik van een verzakte rivierbedding onder de muren van een kasteel en kwam toen uit in de eetzaal waar men op het punt stond te gaan eten. Een andere keer omsingelde hij een stad zonder aanstalten te maken voor een aanval en liet zijn mannen spelletjes doen. Na verloop van enkele dagen kwamen de verdedigers, nieuwsgierig naar de vreemde spelletjes, voorzichtig de poort uit. Ondertussen schoven de spelende Vikingen dichterbij totdat ze dicht genoeg bij de poort waren om die te bestormen. Het lukte en ze hielden stand tot hun leger kwam.

Door deze veldtochten was Harald een uitzonderlijk rijk man geworden. Bovendien genoot hij verscheidene privileges aan het hof van de keizer waardoor hij zich nog meer verrijkte. Na de dood van de keizer kwam hierin verandering. De nieuwe keizer, Michael V, liet de weduwe van zijn voorganger vervolgen. Dit nam Harald de keizer zeer kwalijk en toen er een opstand in de stad uitbrak waarbij de keizer in het nauw werd gedreven door een woedende menigte, stak Harald geen vinger uit om hem te helpen.

Vijf jaar geleden verliet Harald Constantinopel nadat hij gehoord had dat zijn halfbroer Magnus op de Noorse troon was gekomen. Harald meende dat hij daar recht op had en besloot terug te keren. Hij bereikte uiteindelijk Zweden na een kort verblijf in Kiëv. In Zweden, zijn zwager was daar koning, bereidde hij een oorlog voor tegen Magnus. Die wilde echter geen strijd en besloot een jaar geleden zijn koninkrijk met Harald te delen.

*Hendrik III en zijn vrouw bij Maria.*

# Mataramrijk valt uiteen

*Tempelbeeld van Sjiva uit Lukhuk (Bali): voorbeeld van 11de-eeuwse hindoekunst.*

MATARAM, 1049 - De as van de onlangs overleden maharadja Airlangga is bijgezet in een, met een prachtig beeld van Vishnu gesierd, mausoleum te Belahan. Al in 1041 heeft de koning zijn rijk verdeeld tussen twee zonen van concubines (zijn vorstelijke huwelijken zijn kinderloos gebleven). Om de grens te bepalen werd de hulp ingeroepen van de boeddhistische tovenaar Baharada. Diens werk moet door kwade geesten verstoord zijn geweest, want vanaf het begin werd de verdeling betwist. De vorsten van de nieuwe rijken Yanggala en Panjulu (Kediri) bestrijden elkaar nu reeds te vuur en te zwaard.

De overleden vorst was de zoon van een achterkleindochter van Sindok (de stichter van het Oostjavaanse Mataram) en was door zijn schoonvader koning Dharmawamsa als troonopvolger aangewezen. Java werd echter aangevallen door troepen van het Sumatraanse rijk Sjriwijaya; de kraton van Mataram werd in de as gelegd en de koning vermoord. Airlangga wist te ontvluchten, maar de onderling oorlogvoerende vazalvorsten maakten het de jonge vorst onmogelijk de troon te bestijgen.

In 1010 nam hij het gezag over Mataram op zich, maar pas in 1019 was de situatie zodanig gestabiliseerd dat Airlangga door boeddhistische en shivaïtische priesters officieel ingehuldigd kon worden.

Aanvankelijk beheerste de vorst alleen het kerngebied van Mataram, tussen Surabaya en Pasuruan, maar in 1028 voelde hij zich sterk genoeg om ook in de rest van Java zijn macht te vestigen en de opstandige vorsten te onderwerpen. Tijdens zijn regering ging Airlangga's meeste aandacht uit naar het beheersen van de boeddhistische en shivaïtische organisaties.

Beide religies verwierven aanzienlijke macht en bezittingen en gingen een bedreiging voor de staat vormen. Daarom bracht de koning ze onder in een strikte organisatie (met koninklijke opzichters) en gaf hij de priesters de status van ambtenaar, waardoor ze aan het koninklijk gezag onderworpen werden.

Dit jaar trad Airlangga in het klooster, nam de titel 'Zijne Majesteit de Allereerbiedwaardigste' aan, maar bleef het bestuur strak in handen houden: als rishi (asceet) kon hij het wereldlijk en geestelijk gezag combineren. Bij deze gelegenheid kwam ook de deling van het rijk tussen zijn twee zonen tot stand om opvolgingsproblemen te voorkomen.

---

# 1050

**1050.** Tijdens het bewind van Suryavarman I is de rijkdom van het Khmer-rijk aanzienlijk toegenomen. →

**1050.** (circa). In Noord-Frankrijk past men voor het eerst het drieslagstelsel in de landbouw toe. →

**1051.** Jaroslav I, grootvorst van Kiëv, sticht het eerste Russische klooster in Kiëv en benoemt - zonder hiervoor eerst de goedkeuring van de patriarch van Constantinopel te hebben gevraagd - de Russische monnik Ilarion tot aartsbisschop van Kiëv.

**12 maart 1054.** Paus Leo IX keert na zijn vrijlating in Rome terug. →

**19 april 1054.** In Rome overlijdt de hervormingsgezinde paus Leo IX, kort na zijn vrijlating door de Noormannen.

**1054.** Een breuk ontstaat tussen de Oosterse en Westerse Kerk. De pauselijke gezant kardinaal Humbertus da Silva Candida legt de excommunicatiebul van Michael Caerularius, patriarch van Constantinopel, op het altaar van de Aya Sophia in Constantinopel. De patriarch excommuniceert op zijn beurt de paus. →

**1055.** Toghril Beg, stichter van de Turkse dynastie der Seldjoeken, verovert Bagdad en maakt een einde aan de overheersing van de sji'itische Boewaihiden. Toghril Beg wordt bevelhebber van het beroepsleger van de kalief en de feitelijke heerser in Perzië. Hij neemt de titel 'sultan' aan. →

**5 oktober 1056.** In het kasteel Bodfeld in de Harz overlijdt de Duitse keizer Hendrik III. Zijn vijfjarige zoon Hendrik IV, voor wie keizerin Agnes het regentschap voert, volgt hem op.

**1057.** Bij Dunsinan vermoordt Malcolm de Schotse koning Macbeth. Malcolm is de zoon van de Schotse koning Duncan, die in 1040 door Macbeth vermoord is.

**1057.** In Rusland wordt het *Ostromirowo-Evangelie* vervaardigd.

**April 1059.** Paus Nicolaas II vaardigt het decreet *In Nomine* uit. Het is een ordonnantie die de pauskeuze regelt. Alleen de kardinaal-bisschoppen hebben kiesrecht; de clerus en het volk behouden slechts het recht van acclamatie, de koning het recht van consensus (instemming).

**Augustus 1059.** Op een synode te Melfi erkent de Normandiër Robert Guiscard het oppergezag van de paus in Zuid-Italië. Als tegenprestatie beleent paus Nicolaas II Robert Guiscard met Apulië, Calabrië en Sicilië. →

---

# Constantinopel in conflict met Rome verwikkeld

*Jezus Christus (mozaïek, Aya Sofia).*

CONSTANTINOPEL, mei 1054 - Pauselijke gezanten hebben op het altaar van de kerk van de H. Sofia [Aya Sofia] een bul gedeponeerd waarbij patriarch Michael Caerularius van Constantinopel en diens volgelingen in de ban worden gedaan. Als reactie hierop heeft de patriarch op een concilie de pauselijke gezanten geëxcommuniceerd.

Er schuilt een zekere ironie in deze situatie. Tot nu toe waren Oost en West, zeker na de politieke desintegratie in de 8ste eeuw, eenvoudigweg uit elkaar gegroeid. De eenheid, voor zover daarvan sprake was, kwam eerder voort uit een gebrek aan contact. In zekere zin is de scheuring het directe gevolg van de intensivering der betrekkingen waartoe de situatie in het door de Noormannen bedreigde Italië noopte. De paus hoopte opnieuw het kerkelijk gezag aldaar in handen te krijgen, terwijl de keizer zijn politieke autoriteit wenste te herstellen.

Deze gunstig lijkende samenwerking werd echter reeds in de inleidende fase doorkruist door een brief van de Bulgaarse metropoliet aan de Byzantijnse bisschop van Trani (in Apulië), waarin hij kritiek uitte op Latijnse gebruiken. Hij verzocht de bisschop om de paus en diens bisschoppen van deze kritiek in kennis te stellen. Dit maakte het probleem van het gezag van Rome weer zeer actueel. In een uitvoerig schrijven aan keizer en patriarch bracht de paus vervolgens de pauselijke aanspraken naar voren. Tegenover de keizer drukte hij zich zeer diplomatiek uit, aangezien hij hoopte op een verdrag tegen de Noormannen. De patriarch echter kreeg de wind van voren. Constantinopel werd betiteld als een ongehoorzame, onbeschaamde en corrupte dochter van moeder Rome.

Deze pauselijke brieven die door een legatie onder leiding van kardinaal Humbertus in Constantinopel werden afgeleverd, hebben een ware storm teweeggebracht en geleid tot de scheuring.

# Modernisering van landbouw leidt tot betere oogsten

*Een Engelse ploeg met wiel en ijzeren ploegschaar, hier nog getrokken door een span ossen.*

FRANKRIJK, circa 1050 - Na een lange periode van stabiliteit wordt het duidelijk dat er zich al geruime tijd verscheidene vernieuwingen in de landbouw aan het voltrekken zijn, met het gevolg dat er makkelijker meer graan geoogst kan worden en dat de boeren voor meer personen voedsel kunnen produceren.

In grote delen van West-Europa maken de boeren gebruik van een zwaardere ploeg die, in tegenstelling tot zijn voorganger, van twee wielen is voorzien. De oude ploeg was van Romeinse oorsprong en bij uitstek geschikt voor de drogere mediterrane gronden. De nieuwe ploeg is door zijn gewicht en wielen speciaal geschikt voor de rijke en zwaardere gronden van het noorden. Deze ploeg wordt nog steeds verder verfijnd, onder meer wordt nu in plaats van een houten een ijzeren ploegschaar toegepast. Deze snijdt de aarde en de zode wordt door middel van een strijkbord gekeerd.

De nieuwe ploeg speelt ook een rol bij een andere belangrijke agrarische innovatie: het gebruik van het landbouwareaal door middel van een drieslagstelsel. Hiertoe wordt het land in drie gelijke stukken verdeeld, waarbij telkens een van de drie stukken voor een jaar braak ligt. Dit levert in vergelijking met het oude tweeslagstelsel een hogere graanopbrengst op (in plaats van 50 procent ligt 33 procent van het land braak) en men hoeft minder te ploegen. Daarnaast is het nog een voordeel dat de verschillende bewerkingen van de drie stukken land beter over het jaar kunnen worden verdeeld. Dit stelsel werd het eerst in Noord-Frankrijk toegepast omdat daar het land voldoende vruchtbaar is. In weinig vruchtbare gebieden put dit systeem het land namelijk te snel uit.

Ten slotte is er nog een andere verbetering van een oud agrarisch gebruik te bespeuren: de vervanging van de traditionele os door een paard. Paarden zijn aanzienlijk sneller dan ossen, zodat minder spannen paarden noodzakelijk zijn om een zelfde oppervlakte te ploegen. Voorwaarde was wel de uitvinding van een verbeterd en minder knellend juk, waarmee het paard zijn volledige kracht kan overbrengen, en het gebruik van hoefijzers. Een bijkomend voordeel van het gebruik van paarden in combinatie met het drieslagstelsel is het feit dat ze aanmerkelijk minder grasland nodig hebben dan ossen. Een nadeel is weer dat ze minder sterk zijn en daarom niet op zware kleigronden kunnen worden gebruikt.

# Khmer-rijk bloeit op

ANGKOR, 1050 - Na meer dan veertig jaar regeren door Suryavarman I is het uiterlijk van Angkor en andere steden in het Khmer-rijk aanzienlijk veranderd. Grote paleizen en tempels, die in de laatste decennia zijn voltooid, geven de gegroeide rijkdom en macht van het rijk aan. Hier in Angkor heeft met name de beroemde architect Rajendravarman zijn stempel op het uiterlijk van de stad gedrukt. De tempelcomplexen zijn imposant en worden nu intensief voor allerlei religieuze ceremoniën gebruikt.

Daarnaast nemen de khleangs (pak-huizen) een centrale plaats in. Aan hun omvang en aantal is de groeiende economische macht van de stad Angkor af te lezen.

Ook elders heeft deze architect zijn sporen nagelaten. In Ta Keo en Phimeanakas staan bijvoorbeeld tempels die hij heeft ontworpen. Deze zijn geheel uit zandsteen opgetrokken.

Suryavarman I heeft daaraan zelf nog de schitterende Preah Vihear en de Vat Phu toegevoegd. Tevens is onder zijn leiding een kunstig stelsel van dijken en kanalen in en rond de hoofdstad aangelegd.

## Paus en Normandiërs sluiten verbond

MELFI, augustus 1059 - Paus Nicolaas II heeft vrede gesloten met de Normandiërs in Zuid-Italië, die nu zijn bondgenoten zijn geworden. Dit in tegenstelling tot zijn voorganger Leo IX, die nog maar vijf jaar geleden zijn heil zocht in een gewapende confrontatie met zijn zuiderburen.

De voorwaarden van het verdrag, waarmee Nicolaas nu als leenheer van Zuid-Italië en Sicilië wordt erkend, omvatten onder meer de verplichting de paus te verdedigen. Voortaan kan hij rekenen op de loyale steun van zijn nieuwe bondgenoten tegen de Romeinse adel en de Duitse keizer, hetgeen hem een grote politieke speelruimte verschaft.

In dit licht bezien is het van belang dat de Normandiërs zich eveneens verplicht hebben vrijheid van pausverkiezingen te garanderen, waarmee in feite een ontwikkeling van enkele maanden geleden bestendigd wordt.

Op initiatief van paus Nicolaas is immers op het Lateraans Concilie van januari besloten dat de pauskeuze voortaan uitsluitend een zaak van de kardinaal-bisschoppen zal zijn. Met deze radicale opstelling heeft de paus zijn zo felbegeerde onafhankelijkheid ten opzichte van de wereldlijke overheid vergroot. Want was het tot nu toe zo gesteld dat in naam de geestelijkheid en het volk van Rome de paus kozen, in werkelijkheid was het, naar gelang de machtsverhoudingen, de Romeinse adel of de Duitse keizer, die zijn respectieve kandidaten naar voren schoof, waarbij wapengeweld door de respectievelijke tegenstanders vaak niet geschuwd werd.

*Olifanten, uit een Arabische studie ('Kalilah wa Dimnah', vroeg-islamitisch).*

# Bagdad in Turkse handen

BAGDAD, 19 december 1055 - Toghril Beg, de leider van de Seldjoeken, is Bagdad binnengevallen. De overwinning in Bagdad is belangrijk vanwege het feit dat deze stad het centrum van het Islamitische Rijk en de residentie van de Kalief van de Islam is.

De Seldjoeken worden beschouwd als een Turkse stam. Seldjoek, het eerste stamhoofd, emigreerde rond 956 uit Toerkestan met zijn clan naar de provincie Bochara, waar hij en zijn stam zich tot de islam bekeerden. De Seldjoeken bouwden hun macht op door strijd te voeren tegen andere stammen en steden. In 1040 vielen de twee zonen van Seldjoek, Toghril Beg Mohammed en Jagrië Beg Da'oed, met hun leger Khorasan binnen waar zij de Ghaznawiden verdreven. Na korte tijd veroverden de Seldjoeken de steden Tabaristan en Khoarizim. In 1043 rukte het Seldjoekenleger op naar Mesopotamië en veroverde het noorden van het land. Na overwinningen in Perzië en Mesopotamië, begon het Seldjoekenleger een offensief om Bagdad te bereiken.

Met de overwinning van Toghril Beg beginnen de Turken een belangrijke en leidende rol in de islamitische wereld te spelen.

# Paus Leo IX terug in Rome

*Mozaïek in het Noormannenpaleis van Roger II (Palermo, 12de eeuw).*

ROME, 12 maart 1054 - Na een gevangenschap van negen maanden is paus Leo IX in Rome teruggekeerd. De oorzaak van zijn vrijheidsberoving werd gevormd door het conflict met de Normandiërs die in Zuid-Italië gevestigd zijn. In zijn streven de in hun gebieden gelegen kerken weer binnen zijn invloedssfeer te brengen, koos Leo voor een gewapende oplossing, die hem evenwel noodlottig werd.

De gevangenschap vormde een geduchte tegenslag voor een ieder die het goed voor heeft met de Kerk. Want sinds zijn ambtsaanvaarding is paus Leo de stuwende kracht achter kerkhervormingen die erop gericht zijn uitwassen als de lekeninvestituur, de benoeming van geestelijken door leken, priesterhuwelijken, de schending van de celibaatsplicht enzovoort uit te bannen.

De hervormingsgezindheid van Leo trad al aan het licht bij zijn benoeming tot paus door zijn neef, de Duitse keizer. Zeker van zijn aanstelling, gaf hij er de voorkeur aan ook volgens de kerkelijke wetten gekozen te worden door de geestelijkheid en het volk van Rome. Na eveneens door hen uitverkoren te zijn, reisde Leo verscheidene jaren door Frankrijk, Duitsland en de Lage Landen, waar hij concilies bijeenriep om de al eerder gesignaleerde misstanden in de Kerk aan de kaak te stellen. Deze ontwikkeling leidde ertoe dat de paus aan de overzijde van de Alpen zijn oude invloed herkreeg, waar deze tot voor kort tot lokaal niveau, Italië, beperkt bleef.

Ondanks zijn gevangenneming is Leo sedert het optreden van Nicolaas I, in de 9de eeuw, de eerste paus die Europa de kracht van zijn persoonlijkheid doet voelen.

*Twee leeuwen (Palermo, 12de eeuw).*

---

# 1060

**1061.** De Noormannen (Normandiërs) veroveren onder aanvoering van Roger, de jongste broer van Robert Guiscard, de stad Messina op Sicilië. Hiermee is er een begin gemaakt met de verovering van Sicilië op de Arabieren.

**April 1062.** Met steun van de Duitse hertogen en bisschoppen ontvoert aartsbisschop Anno II van Keulen de twaalfjarige koning Hendrik IV, om hem zo aan de macht van zijn moeder, keizerinweduwe Agnes, te onttrekken.

**1062.** Bij Florence wordt de bouw van de abdijkerk San Miniato al Monte voltooid.

**1062.** De Turkse Komanen (in Rusland Polovtsen genoemd) vallen Zuid-Rusland binnen en vestigen zich daar voor lange tijd.

**1064.** Ferdinand I de Grote, koning van Castilië en León, verovert Coimbra op de Moren.

**1065.** Harold, graaf van Wessex, keert terug uit Normandië, waar hij zijn aanspraken op de troon zou hebben opgegeven. →

**1065.** In Bagdad wordt een theologische school, de Nizamiyah, gesticht.

**1065.** De Duitse koning Hendrik IV beleent Godfried met de Baard met het hertogdom Neder-Lotharingen.

**6 januari 1066.** Na de dood van de Angelsaksische koning Edward de Belijder laat zijn belangrijkste raadsman Harold zich tot koning van Engeland kronen. →

**25 september 1066.** De Engelse koning Harold verslaat en doodt de Noorse koning Harald Hardrada, die eveneens aanspraak maakt op het Engelse koningschap. →

**14 oktober 1066.** In de Slag bij Hastings verslaat Willem de Veroveraar, hertog van Normandië, de Engelse koning Harold. Deze sneuvelt in de strijd. →

**25 december 1066.** Willem I de Veroveraar wordt tot koning van Engeland gekroond. →

**1067.** Voor het eerst wordt het Russische Rijk geconfronteerd met ernstige aanvallen van de Polovtsen (Turkse Komanen).

**1067.** De Seldjoeken (Turkse heersers in Perzië) verslaan de Byzantijnse legers bij Malatiya en Sebastea en veroveren Caesaria.

**1068.** Ly Thanh-tong van Dai co Viet verslaat Rudravarman III van Champa. Rudravarman wordt gevangengenomen en de noordelijke provincies van zijn gebied worden door Ly Thanh-tong geannexeerd.

**1068.** Bij Pereyslavl verslaan de Turkse Komanen de Russische legers.

---

# Engelse troon zou aan Normandische graaf zijn beloofd

*Harold legt de eed af.*

LONDEN, 1065 - Volgens sommigen beschaamd, volgens anderen na een weloverwogen politieke daad, is Harold, graaf van Wessex en de gedoodverfde troonopvolger, teruggekeerd van een bezoek aan de graaf van Normandië.

Harold zou in Normandië een eed afgelegd hebben dat Engeland na de dood van koning Edward de Belijder aan Willem, graaf van Normandië gegeven zal worden. Daarmee zou hij zijn eigen aanspraken op de troon intrekken.

Het verhaal dat Harold deze eed afgelegd heeft, is afkomstig van de Normandiërs. Sommige Engelsen menen dat als Harold deze eed heeft afgelegd hij waarschijnlijk daartoe gedwongen is. Harold zelf maakt niet de indruk dat hij van zijn aanspraken op de Engelse troon afziet.

Koning Edward, die de bijnaam 'de belijder' heeft, is al oud. Hoewel hij getrouwd is, is al lang bekend dat hij uit vrome overwegingen een celibatair leven leidt en dat er geen erfgenaam uit zijn huwelijk geboren zal worden.

Talloze troonpretendenten hebben zich in de loop der jaren rond zijn troon geschaard. Momenteel zijn er nog drie over. Harold is niet van adellijke afkomst, maar is de enige van de drie die in Engeland woont. Daarnaast maakt de Noorse prins Harald Hardrada aanspraken op de Engelse troon. Ook Willem, de graaf van Normandië, kan verwantschap met de Engelse koning aantonen en eist de troon op.

De oude koning zou al eerder in zijn regering de troon aan de graaf van Normandië hebben beloofd; zeker is dat niet. Edward heeft echter veel op met de graaf en is bovendien aan Normandië gehecht, waar hij gedurende vijfentwintig jaar gewoond heeft toen Engeland voor hem niet veilig was.

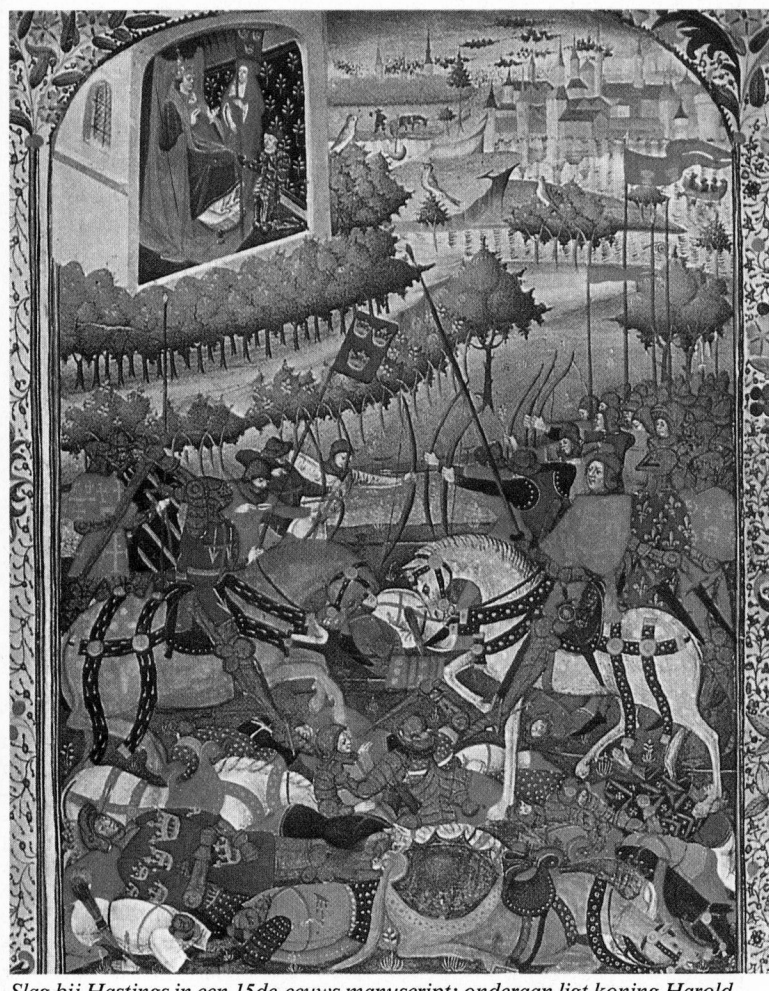
*Slag bij Hastings in een 15de-eeuws manuscript; onderaan ligt koning Harold.*

# Willem in Londen gekroond

LONDEN, 25 december 1066 - In de Westminster Abbey is de hertog van Normandië, Willem de Veroveraar, tot koning van Engeland gekroond. Voor het Engelse volk is de koning nog geen goede bekende. Hij bezette het land pas twee maanden geleden, toen hij op 14 oktober de slag bij Hastings won van de vorige koning, Harold. Willem viel Engeland binnen, nadat zijn aanspraken op de Engelse troon, die door de paus en andere Europese vorsten waren erkend, door Harold waren genegeerd.

De inval van de nieuwe koning kwam voor Harolds leger onverwacht. De vloot met Willems krijgers had wegens slecht weer lang in de Normandische haven moeten blijven liggen. De oversteek naar Engeland kon pas op 28 september gemaakt worden.

De troepenmacht van koning Willem telde niet meer dan zesduizend krijgers, een aantal dat te weinig leek voor een overwinning. Koning Harold bevond zich op het moment van de inval echter in het noorden van het land, waar hij de strijd had aangebonden met de Noorse koning Harold Hardrada, een andere troonpretendent. De snelle tocht naar het zuiden, op het bericht van Willems landing, heeft hem-zelf en zijn leger verzwakt.

Maar niet alleen hieraan is Willems overwinning te danken. Ook de vergevorderde krijgstechniek van de Normandiërs heeft hen geholpen. Zij vechten te paard en met lansen, terwijl het Engelse leger, gewapend met pijl en boog, nog te voet het veld in gaat. Onder Willems soldaten bevonden zich vele huurlingen, maar er vochten ook leden van de lagere Normandische adel mee. Deze laatsten hebben aan het hof de plaatsen van de Engelse edellieden ingenomen.

De kroning van de koning op deze eerste kerstdag is niet geheel vlekkeloos verlopen. In de Westminster Abbey hieven de aanwezigen, als teken van hun instemming, luide bijvalsbetuigingen aan. De Normandische garde die de kerk tijdens de plechtigheid bewaakte, schrok hier zo van dat zij de huizen rond de kathedraal in brand stak. Hierop verliet het grootste deel van de kerkgangers in paniek het gebouw.

De koning bleef achter met de geestelijkheid die de kroningsplechtigheid voortzette. Een van de aanwezige monniken vertelde: 'De koning heeft gedurende de rest van de ceremonie hevig zitten beven.'

**1070** (circa). In Bayeux is een reusachtig tapijt tentoongesteld, waarop de Normandische verovering van Engeland is uitgebeeld. →

**19 augustus 1071.** In de Slag bij Manzikert in Oost-Anatolië wordt de Byzantijnse keizer Romanus IV Diogenes verslagen en gevangengenomen door de Seldsjoekensultan Alp Arslan. Het Byzantijnse Rijk verliest hierdoor een groot deel van Klein-Azië. →

**1071.** Willem de Veroveraar heeft de verovering van Engeland voltooid. →

**1071.** De Noormannen veroveren Bari, het laatste Byzantijnse bolwerk in Zuid-Italië.

**1072.** De Bulgaren en Serven komen in opstand tegen de Byzantijnse overheersing. →

**22 april 1073.** Tijdens de begrafenis van paus Alexander II wordt diens belangrijkste adviseur, Hildebrand, bij acclamatie van het Romeinse volk tot paus uitgeroepen. Hildebrand neemt de naam Gregorius VII aan.

**9 juni 1075.** De Duitse koning Hendrik IV verslaat de Saksische vorsten vernietigend in de Slag bij Homburg aan de Unstrut. →

**1075.** Demetrius Zvonimir wordt tot koning van Kroatië gekroond door gezanten van paus Gregorius VII.

**24 januari 1076.** Op een synode in Worms onder voorzitterschap van de Duitse koning Hendrik IV wordt paus Gregorius VII afgezet. →

**14 februari 1076.** Tijdens de vastensynode in Rome verklaart paus Gregorius VII Hendrik IV niet langer als Duitse koning te erkennen en excommuniceert hem. Gregorius VII ontslaat de onderdanen van hun eed van trouw aan Hendrik IV. (Begin van de investituurstrijd.)

**1076.** De Almoraviden hebben zich meester gemaakt van het koninkrijk Ghana. →

**1076.** De medische geleerde Constantinus Africanus heeft zich in Montecassino gevestigd. →

**1076.** In China is premier Wang Anshi afgetreden. →

**28 januari 1077.** In boetekleed smeekt de Duitse koning Hendrik IV paus Gregorius VII om vergiffenis aan de poort van de burcht Canossa. De paus ontslaat hem van de kerkelijke ban. →

**1077.** In Pagan [Birma] is koning Anoratha tijdens de jacht verongelukt. →

**1077.** Michael van Servië ontvangt de koningskroon van paus Gregorius VII.

## Engels hof onder Franse invloed

LONDEN, 1071- Koning Willem de Veroveraar beschouwt de verovering van Engeland als voltooid. De leiding van de strijdkrachten denkt dat dit jaar het eerste zal zijn, sinds de kroning van Willem vijf jaar geleden, waarin er geen opstanden van de Engelse adel verwacht hoeven te worden.

Bijna geen enkele Engelse edelman bezit op dit moment nog voldoende land om een leger te betalen; opstanden zijn op die manier moeilijk te organiseren. De afgelopen jaren heeft de koning systematisch land aan de oorspronkelijke adel ontnomen en het aan Franse vertrouwelingen gegeven. Ook heeft de koning vorig jaar twee Engelse bisschoppen van hun ambt ontheven en in hun plaats Fransen benoemd. Aanvankelijk leek het niet de bedoeling van Willem de Veroveraar om de Engelsen van alle invloedrijke posten te weren, maar de tegenwerking van de edelen was te groot om hen bij de regering te betrekken.

Er zijn ook Engelsen die wel met de huidige heerser samenwerken. Mede daardoor zijn veel Engelse instellingen opgenomen in het van oorsprong Normandische regeringssysteem van de nieuwe koning.

De invloed van de Franse taal en cultuur is echter overal in het land merkbaar en breidt zich uit. In muziek, literatuur en architectuur zijn ontegenzeglijk Franse elementen aan te wijzen.

Hoe optimistisch de koning ook is over de huidige stand van zaken in de pacificatie van Engeland, het blijft duidelijk dat Willem op zijn hoede is. Zijn hof heeft nog steeds geen vaste verblijfplaats, maar reist meestal rond. Dit heeft voor de koning zelf het voordeel dat hij zich steeds kan begeven naar de plaatsen waar op dat moment het beste gejaagd kan worden.

Drie keer per jaar, op grote feestdagen, roept de koning de grote raad (council) bijeen. Ook hiervoor kiest hij steeds een andere belangrijke stad in het land.

*Angelsaksische kunst (circa 1060).*

# Slag bij Hastings op tapijt vastgelegd

*Twee fragmenten van het tapijt van Bayeux: de inscheping van Willem (links) en de vrijlating van Harold door Guy de Ponthieu.*

BAYEUX, circa 1070 - In Bayeux is een reusachtig tapijt te zien van zeventig meter lang en een halve meter hoog. Het tapijt geeft de roemruchte Slag bij Hastings van 1066 weer, waarbij de Normandische hertog Willem - sindsdien 'de Veroveraar' genoemd - Engeland op koning Harold veroverde. Eveneens is de hele voorgeschiedenis tot de slag uitgebeeld.

Het tapijt is vlak na het gebeuren door bisschop Odo van Bayeux besteld. Odo was na de verovering van Engeland door zijn halfbroer Willem graaf van Kent gemaakt. Hij stelde toen een groot aantal instructies op voor de Engelse borduursters die het enorme werk in twee jaar hebben kunnen klaren. Het tapijt is gemaakt met acht verschillende kleuren wol die op een betekende linnen ondergrond werden geborduurd. De borduursters hebben 626 menselijke figuren, 190 paarden, meer dan 500 andere dieren, 37 schepen en 33 gebouwen met grote levensechtheid afgebeeld. Waar nodig zijn aan het beeldverhaal verduidelijkende teksten toegevoegd, zodat een ieder de dramatische gebeurtenissen tot aan de dood van Harold op 14 oktober 1066 kan volgen.

Het tapijt pretendeert een historisch juiste weergave van de gebeurtenissen uit 1066 te zijn, maar door Odo's toedoen is het meer een propagandaverhaal geworden om Willems ongemotiveerde inval in Engeland te rechtvaardigen.

Overigens hoeft dit niets af te doen aan de schoonheid van het tapijt zelf. Integendeel, het is een fraai en indrukwekkend kunstwerk geworden.

## Constantinus in Montecassino

SALERNO, 1076 - De eeuwige zwerver Constantinus Africanus heeft eindelijk rust gevonden in het klooster van Montecassino. Hij wil in de nabijheid van de beroemde medische school van Salerno zijn medische studies voortzetten.

Veertig jaar lang heeft de in Noord-Afrika geboren Constantinus gezworven. Zijn reizen brachten hem in Syrië, Indië, Egypte en Ethiopië. In al deze landen verzamelde hij de medische geschriften die voorhanden waren. Daarnaast vertaalde hij Griekse en Arabische medische teksten in het Latijn. Bij terugkomst in zijn geboortestad Carthago, waar de medische kennis nog in de kinderschoenen staat, werd hij beschuldigd van het plegen van magie. Vandaar dat hij zijn toevlucht zoekt in het medische eldorado in de buurt van Salerno. In het klooster van Montecassino, dat vlak bij de medische school is gevestigd, kan hij profiteren van de hoogontwikkelde medische praktijk en het milde geestelijke klimaat.

De medische school heeft zich losgemaakt van de klerikale invloeden van het door de benedictijnen opgerichte klooster. Het behandelen van patiënten en het verder ontwikkelen van de geneeskunde heeft de hoogste prioriteit in Salerno. Al in de vorige eeuw werd het hoge medische niveau erkend. Zo liet in 984 de bisschop van Verdun zich in deze stad behandelen.

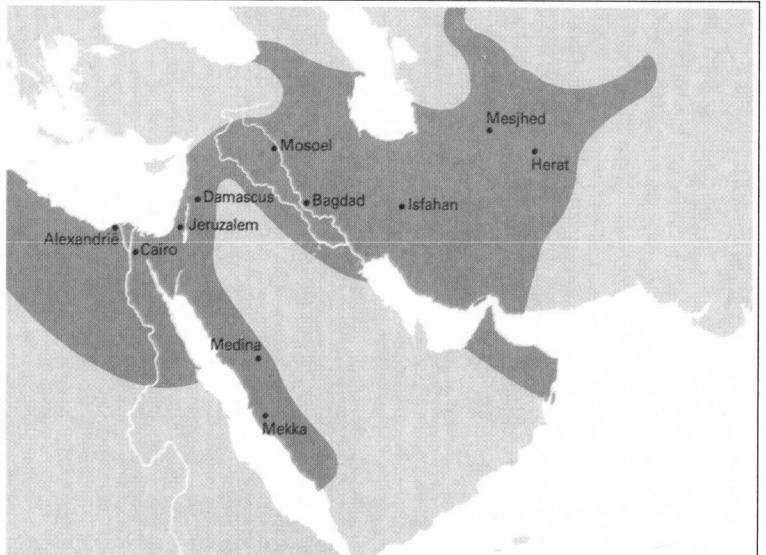

*Het rijk van de Seldjoeken op het hoogtepunt van zijn macht (eind 11de eeuw). Onder leiding van sultan Alp Arslan verslaan de Seldjoeken in 1071 het Byzantijnse leger bij Manzikert (Oost-Anatolië). Keizer Romanus IV, bijgenaamd Diogenes, wordt daarbij gevangengenomen. Naast Oost-Anatolië veroveren de Seldjoeken ook geheel Klein-Azië. Na het bewind van sultan Malik Sjah (1072-1092) valt het Seldjoeken-rijk in verschillende deelrijken uiteen.*

## Byzantijns leger verslaat Bulgaren

CONSTANTINOPEL, 1072 - De opstand van de Bulgaren, gesteund door de Serven, is door Byzantijnse troepen neergeslagen.

Het is voor de tweede maal dat de Bulgaren, sinds de inlijving van hun rijk bij Byzantium, in opstand zijn gekomen. Dit wijst op een groeiende ontevredenheid onder de Slaven op het Balkanschiereiland over het bestuur van lokale gouverneurs en endogene vorsten die trouw aan Constantinopel zijn verschuldigd. De opstand brak uit op een voor Byzantium ongunstig moment. De verpletterende nederlagen vorig jaar bij Bari en Manzikert, waardoor het Byzantijnse Rijk van zijn vleugels (Zuid-Italië en het grootste deel van Klein-Azië) is beroofd, staan nog vers in het geheugen gegrift.

# Duitse koning en bisschoppen keren zich tegen de paus

WORMS, 24 januari 1076 - De Duitse bisschoppen, in meerderheid bijeen op een synode in Worms, hebben onder leiding van koning Hendrik IV paus Gregorius VII afgezet. Hiermee heeft de investituurstrijd een hoogtepunt bereikt. Volgens de Duitse bisschoppen is de paus drie jaar geleden op onwettige wijze gekozen en leidt hij een uiterst onzedelijk leven.

Gregorius heeft vanaf het begin van zijn pausschap duidelijk gemaakt dat hij zichzelf ziet als de vertegenwoordiger van de Heilige Petrus die moet heersen over Kerk en christendom. Hij alleen is de hoogste autoriteit in de Kerk. Paus en koning zijn volgens Gregorius beiden op hun gebied de machtigste personen, maar de paus heeft de taak koningen te straffen en af te zetten als zij ongehoorzaam zijn.

Op de vastensynode vorig jaar verbood de paus iedere vorm van lekeninvestituur. Alleen de paus kan kerkelijke functionarissen als bisschoppen en abten benoemen. Koning Hendrik nam de handschoen onmiddellijk op. De investituur is immers sinds de Ottonen een koninklijk prerogatief. Zij stelt de Duitse koning in staat betrouwbare personen in hoge kerkelijke functies te benoemen.

Naast hun kerkelijke functies oefenen de bisschoppen en abten allerlei wereldlijke taken uit. Sinds de Ottonen is dit rijkskerkensysteem de basis van de koninklijke macht geweest.

Het is de vraag of de koning er wel verstandig aan doet de paus te laten afzetten. Tot nu toe gold de paus door zijn onverzoenlijke maatregelen als agressor. De koning is nu nog een stap verder gegaan en heeft door dit besluit zelf voor de aanval gekozen.

*Paus Gregorius VII (rechts).*

# Opstand Saksen mislukt

HOMBURG a.d. Unstrut, 9 juni 1075 - De Duitse koning Hendrik IV heeft met behulp van een sterk leger de Saksische opstandelingen verslagen. Daarmee is, voor het moment althans, zijn positie als Duits koning onomstreden. Aan de basis van deze strijd met de Saksen liggen de pogingen van de koning zijn machtspositie te versterken. Na de dood van Hendrik III in 1056 is de macht van de koning in Duitsland sterk verminderd. De minderjarige Hendrik IV heeft dat allemaal lijdzaam moeten toestaan. Eenmaal volwassen geworden wilde hij zijn positie versterken. Hij zocht met name naar een nieuwe territoriale basis voor het koningschap. Nadat Otto van Northeim hertog van Beieren geworden was (1061), beschikte het koningshuis namelijk niet meer over een hertogdom. Een nieuwe territoriale basis zocht Hendrik vooral in Saksen.

Hij hoopte dit te bereiken door de oude burchten te versterken en gebruik te maken van Zwabische ministerialen als hoeders van de koninklijke rechten. Daarbij moest hij wel in conflict komen met Otto van Northeim, die ook over grote gebieden in Saksen gezag uitoefende.

In 1070 kwam het tot een openlijke strijd. Hendrik beschuldigde Otto ervan een moordaanslag tegen hem te beramen, zette hem vervolgens af en confisqueerde zijn gebieden.

Hendrik was ervan overtuigd dat de rust in Duitsland hersteld was en bereidde een krijgstocht tegen de Polen voor, maar de Saksen kwamen opnieuw in opstand onder leiding van Otto van Northeim en gesteund door de Zuidduitse vorsten die bang waren hetzelfde lot als Otto te ondergaan. In feite steunden alleen enkele steden aan de Rijn de koning, waarvoor ze later dan ook rijkelijk met privileges werden beloond.

Hendrik bewees zijn diplomatieke gaven door een afzonderlijke vrede met de Saksen te sluiten. Hij beloofde hierbij dat de gehate burchten vernietigd, de opstandelingen niet vervolgd en hun bezittingen hun niet ontnomen zouden worden.

De koning had daarmee tweedracht onder zijn tegenstanders gezaaid. Hij kon rustig afwachten en het initiatief aan anderen overlaten. Toen de Saksische boeren de kerk in Harzburg aanvielen en enkele graven van het koningshuis schonden, kon de koning toeslaan. Het verdrag was nu immers gebroken.

*Het leven van alledag; wandschildering uit een tempel in Pagan (Birma).*

# Pagan-rijk komt tot bloei

PAGAN, 1077 - Onder koning Anoratha is Pagan [Birma] een koninkrijk met veel aanzien geworden. Slechts door zijn plotselinge dood heeft hij zijn plannen met betrekking tot de uitbreiding van zijn rijk niet kunnen voltooien.

Toen Anoratha in 1044 vanuit het boeddhistische klooster waar hij het grootste gedeelte van zijn jeugd had doorgebracht, de troon besteeg, was Pagan nog maar een tamelijk onaanzienlijk koninkrijk. Onmiddellijk begon hij door maatregelen op het gebied van de binnenlandse politiek de basis te leggen voor de uitbreiding van zijn rijk. Hij verstevigde de economie van het land door in de Kyauksevlakte ten oosten van de hoofdstad uitgebreide irrigatiewerken aan te leggen.

Daarnaast nam hij zich voor het Theravada-boeddhisme in zijn land te stimuleren. Met dit doel zond hij onder andere zijn ministers naar Thaton met de opdracht een aantal heilige geschriften in het Pali mee te nemen. De ministers keerden echter onverrichter zake terug omdat koning Makuta weigerde de heilige boeken te geven. Hierop ondernam Anoratha in 1057 een veldtocht naar Thaton. De stad werd na drie maanden belegering door de koning ingenomen.

De onderwerping van Thaton had tot gevolg dat Anoratha nu de hele delta van de Irrawaddy beheerste. In westelijke richting drong hij zelfs door tot Chittagong en veroverde hij het noorden van het rijk van Arakan. Naar het oosten toe boekte hij militaire successen ten koste van het Khmer-rijk. In het noorden wist hij grote delen van Nanchao te onderwerpen.

Naast de militaire gevolgen van de verovering van Thaton is deze campagne van grote betekenis op religieus gebied gebleven. Het Theravada-boeddhisme is nu in het oorspronkelijke gebied van Pagan al de belangrijkste religie en ook in het zuiden van het rijk wordt langzamerhand het hindoeïsme erdoor verdrongen. Daarnaast gaat van de vele geletterden die als gevangene uit Thaton zijn meegevoerd, een stimulerende werking op literair gebied uit.

Door een noodlottig ongeval tijdens een jachtpartij kan koning Anoratha zijn werk niet meer voltooien.

# Almoraviden veroveren koninkrijk Ghana

*Een Arabische koopman trekt door de Afrikaanse woestijn (13de-eeuwse miniatuur uit Bagdad).*

GHANA, 1076 - Het machtige koninkrijk Ghana in West-Afrika is door de agressieve heersers van Marokko, de Almoraviden, veroverd. Deze door de vernieuwing van de islam geïnspireerde vorsten, sinds vijftien jaar gezeteld in hun nieuwe hoofdstad Marrakech, hebben daarmee een belangrijk succes geboekt in hun Heilige Oorlog. Eerder al hebben zij de omliggende Berbervolken onderworpen en opgenomen in hun legers om daarmee in zuidelijke richting ten strijde te trekken.

Ghana is een van de belangrijkste koninkrijken van Afrika. Belangrijk vooral vanwege de levendige handel in zout en goud. De koning van Ghana wordt wel de rijkste man ter wereld genoemd. Ongeveer twee derde van het goud dat in Europa in omloop is, komt uit Afrika via de karavaanroutes die de Sahara van noord naar zuid doorkruisen. Hoe gastvrij de blanke kooplieden uit het noorden ook altijd ontvangen mochten worden, de precieze herkomst van het goud werd altijd angstvallig voor hen verborgen gehouden. Het zou afkomstig zijn van planten en via stomme ruilhandel verkregen worden van producenten die zich nooit vertoonden. Maar onder de groeiende pressie van de steeds talrijker toestromende moslemhandelaren uit het noorden, moest de almachtige koning van Ghana, die de handel in goud in feite monopoliseert, de laatste tijd belangrijke concessies doen die de handelscontacten tussen de handelaren en de goudproducenten vergemakkelijken.

De hoofdstad van Ghana bestaat eigenlijk uit twee steden. De ene wordt bewoond door de vorst en zijn uitgebreide hofhouding en de andere, negen kilometer verderop, door zijn onderdanen en de kooplieden. Daar staan ook de twaalf moskeeën, hoewel de koningen tot nu toe vasthielden aan de traditionele Afrikaanse religies en slechts gaandeweg die elementen van de islam overnamen die aan hun praktische behoeften voldeden. Een van die tradities, ook bekend in andere delen van Afrika, is bijvoorbeeld dat een koning die oud en gebrekkig is gedood moet worden.

Of de numeriek zwakke Berbertroepen erin zullen slagen het uitgestrekte rijk van Ghana blijvend te onderwerpen, is nog zeer de vraag. Zekerder lijkt dat de verbreiding van de islam in Afrika belangrijke vooruitgang heeft geboekt.

*Terracotta begrafenismasker.*

# Chinese premier Wang Anshi treedt af

KAIFANG, 1076 - Premier Wang Anshi heeft ontslag genomen. Zijn aftreden is het gevolg van diepgaande controverses binnen de Chinese bureaucratie over economische, politieke, administratieve en onderwijshervormingen die onder zijn leiding zijn doorgevoerd.

Wang werd in 1068 door de toen 20-jarige keizer bij zijn troonsbestijging als vice-kanselier aangesteld. Het land verkeerde bij zijn aanstelling in een crisis. Het staatsinkomen was met een kwart gedaald ten opzichte van de situatie van veertig jaar daarvoor. Deze daling was vooral het gevolg van stijgende pachten onder de boerenbevolking. Ondertussen was het nodig om de omvang van de strijdkrachten vier keer zo groot te maken als honderd jaar tevoren: militaire uitgaven bedroegen in 1045 al 80 procent van de Chinese staatsbegroting.

Wang Anshi is afkomstig uit de provincie Jiangxi, uit een familie van hereboeren. In zijn jeugd reisde hij veel en kwam daardoor veelvuldig gevallen van ambtelijke corruptie en uitbuiting van de gewone boerenbevolking tegen. Na het afleggen van staatsexamens verwierf hij tevens een solide reputatie als geleerde, schrijver, polemicus en dichter.

Na zijn benoeming tot vice-kanselier werd door Wang de Permanente Commissie voor Hervormingen ingesteld. Op basis van het werk van deze commissie werd een programma voor hervormingen ingesteld dat tot doel had de landbouwproduktie te verhogen en zodoende zowel het staatsinkomen als het defensiepotentieel van het land te verbeteren. Het programma hield onder andere in: een striktere belasting-controle om tot een evenredige belasting van arm en rijk te komen en een beperking van de mogelijkheden voor belastingontduiking door de rijken. Het corvee werd omgezet in vervangende belastingen, en speculatie in graan werd tegengegaan door de instelling van staatsinkoopcentra.

Onder Wang werd tevens op het Chinese platteland het principe van collectieve verantwoordelijkheid ingevoerd met de daarbij behorende dorpscollectieven. In het systeem van staatsexamens werd onder Wang meer nadruk gelegd op praktische vakken zoals geschiedenis, economie, rechten en medicijnen, ten koste van klassieke poëzie.

Hoewel Wang Anshi vanaf het begin zijn hervormingen onderbouwde met uitgebreide exegesen van het confuciaanse klassieke geschrift *De Rituelen van Zhou*, werd zijn programma in toenemende mate door de neoconfuciaanse elite bekritiseerd, hetgeen uiteindelijk tot zijn aftreden heeft geleid.

De hervormingen van Wang Anshi zijn overigens niet uitgedraaid op de catastrofe die door de tegenstanders werd voorspeld, maar ze zijn ook niet als een onverdeeld succes te beschouwen. Dit ligt hoofdzakelijk aan de tegenstand van de grootgrondbezitters en een vleugel van de bureaucratie die voor verlies van privileges is beducht. Maar ook het gewone volk oefent een passieve weerstand tegen de hervormingen, omdat die met name een aanzienlijke verscherping van het politietoezicht door de semi-staatsorganen op het dagelijks leven inhouden.

Naar verluidt is, ondanks het aftreden van Wang Anshi, keizer Shen Zong voornemens zijn hervormingsprogramma voort te zetten.

# Hendrik IV naar Canossa

*Hendrik IV (midden) en markgravin Mathilde van Tuscië op haar kasteel Canossa, links abt Hugo van Cluny.*

CANOSSA, 28 januari 1077 - In Canossa heeft de Duitse koning Hendrik IV zich aan paus Gregorius VII onderworpen. De koning is daarop door de paus ontslagen uit de kerkelijke ban waarin hij bijna een jaar geleden was gedaan. De koning hoopt zo zijn macht in Duitsland te kunnen behouden.

De Duitse vorsten besloten Hendrik, nadat hij in februari vorig jaar door de paus in de ban was gedaan, niet langer als koning te erkennen, tenzij binnen een jaar de ban was opgeheven. Om een voor hem waarschijnlijk fatale ontmoeting tussen paus en Duitse vorsten te verhinderen, trok de koning met zijn vrouw en twee jaar oude zoon Koenraad - ondanks de zeer winterse omstandigheden - de Alpen over en knoopte vanuit Reggio onderhandelingen met de paus aan. De paus verbleef in Canossa in Noord-Italië omdat hij daar door vertegenwoordigers van de Duitse vorsten opgewacht en naar Duitsland gebracht zou worden. Drie opeenvolgende dagen verscheen de koning in boetekleding voor de poorten van het kasteel in Canossa. Pas op de derde dag besloot de paus hem toe te laten. De koning heeft de paus beloofd zijn conflict met de Duitse vorsten binnen een bepaalde termijn op te lossen. Tevens heeft hij beloofd de paus bij een eventuele reis naar Duitsland niet te zullen hinderen. Daarna heeft hij van de paus de absolutie ontvangen, waardoor de kerkelijke ban is opgeheven. Deze gebeurtenissen zijn een nieuw hoogtepunt in de investituurstrijd. Paus en keizer betwisten elkaar het recht bisschoppen en abten te benoemen.

*Keizerin Li, de vrouw van Shen Zong.*

# Investituurstrijd treft ook Oostenrijk

*Episode uit de investituurstrijd: Hendrik IV kust de schoen van de paus.*

MAILBERG, 12 mei 1082 - Bij Mailberg in Neder-Oostenrijk heeft het leger van Vratislav II van Bohemen de strijdmacht van Leopold II Babenberger verpletterend verslagen.

De inval van de Boheemse hertog in de Oostmark is het gevolg van het feit dat markgraaf Leopold II vorig jaar de zijde van de paus koos in diens conflict met de Duitse koning Hendrik IV. De Duitse koning onttrok daarop de Beierse Oostmark aan het gezag van Leopold en wees dit gebied toe aan Vratislav II van Bohemen.

Over het verloop van de strijd bericht een pausgezinde kroniek, gewijd aan het leven van bisschop Altmann van Passau, de zogenaamde *Vita Altman-*

*ni*: 'De wrede hertog (Vratislav II) drong met Slavische en Beierse troepen het gebied van Altmann en van Leopold binnen en verwoestte alles te vuur en te zwaard; Leopold bracht hem met zijn volk tot staan bij de plaats Muoriberg (Mailberg) en verhinderde zijn verdere opmars. In slagorde ging men elkaar eerst met speren en werptuigen te lijf, daarna trok men de zwaarden voor het gevecht van man tegen man. Met een groot aantal strijdkrachten werd een verschrikkelijke slag geleverd en aan beide kanten vielen vele mensen gewond ter aarde. Ten slotte zegevierde de vijand, volgens een ondoorgrondelijk raadsbesluit van God.'

Het is niet verwonderlijk dat zo'n belangrijke veldslag in de investituurstrijd juist in Oostenrijk plaatsvindt. Het gehele Alpengebied met zijn bergpassen die de grens tussen Italië en Duitsland markeren, is zowel voor de paus als voor de koning van grote betekenis. De Oostenrijkse bisschoppen zijn zich terdege bewust van het strategische belang van de Oostmark en spelen een gewichtige rol in de investituurstrijd. Bisschop Gebhard van Salzburg laat omvangrijke versterkingen aanleggen die cruciale verbindingswegen beheersen, zoals de burcht Hohenwerfen bij Salzburg. De eerder genoemde bisschop Altmann van Passau heeft sterk geijverd voor de invoering van de uit Cluny stammende hervormingen in de onder Passau ressorterende kloosters. Hij heeft waarschijnlijk een belangrijke invloed uitgeoefend op de beslissing van Leopold de koning afvallig te worden.

*Apocalyptische ruiters; miniatuur van Beatus (Spanje, circa 1100).*

## Toledo weer onder christelijk beheer

TOLEDO, 6 mei 1085 - Het verzwakte 'taifa' ('deelstaat')-rijk van de moslems in Spanje is een geduchte nederlaag toegebracht. Alfons VI, koning van Castilië en León, heeft met behulp van enkele Bourgondische kruisvaarders de stad Toledo en omstreken tot overgave gedwongen. De voormalige zetel van de Visigotische monarchie is weer in christelijke handen. De grens tussen christelijk en islamitisch Spanje is verplaatst van de Duero naar de rivier de Taag.

De verschillende islamitische staten ('taifa's') waren zo verzwakt en onderling verdeeld dat de gevolgen niet uit konden blijven. Al-Qadir, de moslemkoning van Toledo en Valencia, was gedwongen schatting aan Alfons VI te betalen in ruil voor diens bescherming tegen andere moslemheersers. Om deze schatting te kunnen opbrengen was al-Qadir genoodzaakt zijn bevolking steeds hogere belastingen op te leggen. Dit leidde tot algemene onvrede waardoor er zich onder de bevolking van Toledo twee groepen vormden: één groep die wilde dat een andere, krachtiger moslemheerser al-Qadirs plaats zou innemen, en één die volledige overgave aan Alfons VI voorstond. De laatste groep kreeg de overhand zodat Alfons zonder veel moeite Toledo heeft kunnen innemen.

Voorlopig heeft Alfons besloten een politiek van tolerantie te voeren ten opzichte van de overwonnen moslems en de mozarabieren (gearabiseerde christenen). Hierdoor blijven vele Moren in de overwonnen gebieden. Ze kunnen hun eigen godsdienst blijven uitoefenen, maar moeten wel belasting aan de christelijke Alfons VI betalen.

# Willem de Veroveraar hervormt bestuur

SALISBURY, 1 augustus 1086 - In Salisbury is de onderdaneneed afgelegd. De eed houdt in dat iedereen gezworen heeft dat een achtervazal slechts trouw aan zijn leenheer verschuldigd is als hij daarmee zijn trouw aan de koning niet schaadt. Samen met het *Domesday Book* dat dit jaar gereedkomt, is dit waarschijnlijk de belangrijkste staatkundige regeling die getroffen wordt tijdens de regering van Willem de Veroveraar.

Concreet betekent het afleggen van de eed dat vazallen op de eerste plaats de koning moeten gehoorzamen en pas daarna de heer van wie zij land in leen hebben. Op die manier is het juridisch gezien moeilijk tegen de koning ten strijde te trekken. Dit is belangrijk voor de handhaving van de vrede.

De rechtvaardigheid is gediend met de andere maatregel van de koning: de Domesday Inquest. Bij dit onderzoek zijn alle materiële en menselijke bronnen van inkomsten geïnventariseerd. Nu de koning van ieder huis en iedere akker de waarde en de jaarlijkse op-

*Boeren aan het werk; afbeelding uit een 11de-eeuwse Angelsaksische kalender.*

brengst weet, kan hij zijn ambtenaren opdracht geven op rechtvaardige wijze de grondbelasting, het danegeld geheten, te heffen. De gegevens die bij de Domesday Inquest verzameld zijn, staan opgeschreven in het *Domesday Book*.

Het Engelse rijk is sinds de verovering door de Normandische hertog uitzonderlijk goed georganiseerd. Er zijn ook niet veel vorsten die zo'n efficiënte belasting kunnen heffen als het danegeld. De koning regeert met ferme hand en

laat zich daarbij adviseren door de Curia Regis, de raad der groten.

De instellingen die de koning helpen om zijn gezag te handhaven, zijn voor een deel van Normandische afkomst. Het danegeld stamt echter uit de tijd dat de Denen het land bezetten. Het recht van de koning om het laatste woord te hebben in de rechtspraak is gebaseerd op een oude Engelse gewoonte. Op die manier wordt in stand gehouden wat genoemd wordt ' 's konings vrede'.

# Ziekte velt hertog Robert

*Saracenen bij Palermo op de vlucht voor de Normandiërs (schildering uit 1072).*

VENOSA, 1085 - Op zeventigjarige leeftijd is de Normandische hertog van Apulië en Calabrië Robert Guiscard na een ziekte overleden. Hij is begraven in zijn klooster te Venosa. Op de graftombe wordt hij gememoreerd als 'de schrik van de wereld'.

De laatste drie jaar voerde Guiscard oorlog tegen het Byzantijnse Rijk en nam de Griekse havens Avlona en Durazzo - de sleutelposten van de Adriatische Zee - in. Tegelijkertijd leverde hij op zee de ene na de andere slag met de Venetianen.

Robert Guiscard heeft een turbulent leven geleid. Als een van de twaalf zonen van Tancred d'Hauteville kwam hij veertig jaar geleden naar Zuid-Italië waar zijn oudere broers in tien jaar tijd grote gedeelten op de Byzantijnen veroverd hadden. Robert Guiscard verwierf al snel enige faam tot grote ergernis van zijn broers. Hij trouwde met de dochter van een machtige baron in het zuiden en begon vervolgens met de verovering van Calabrië. In 1057 werd hij na de dood van zijn broer Humphrey gekozen tot leider van de Noormannen. Hij liet de verovering van Calabrië en Sicilië over aan zijn zo juist gearriveerde jongste broer Roger en hield zich zelf bezig met het noordelijker gelegen Apulië. Met de verovering van Bari in 1071 kwam het hele zuiden in Normandische handen.

De toenemende macht van de Normandiërs vormde een bedreiging voor de paus, Leo IX, die in 1053 de strijd met hen aanbond bij Civitate. De troepen van de paus leden een verpletterende nederlaag. De Normandiërs schaamden zich enigszins over hun overwinning en boden de paus hun excuses aan. In 1059 erkende paus Nicolaas II Robert Guiscard als hertog van Apulië en prins van Calabrië. Robert was nu vazal van de paus en moest voor zijn domeinen de kerkvorst jaarlijks huur betalen. Enkele jaren later excommuniceerde de nieuwe paus, Gregorius VII, hem omdat hij de pauselijke domeinen schond.

Een jaar geleden riep de paus noodgedwongen de hulp in van Robert Guiscard. Rome was bezet door de Duitse keizer Hendrik IV. De Noormannen namen Rome zonder slag of stoot in omdat de Duitse keizer zich had teruggetrokken naar het noorden. De stad werd door de Noormannen geplunderd en grotendeels verwoest. Paus Gregorius kon zich nu niet meer handhaven en durfde niet achter te blijven. Met de Noormannen vertrok hij naar Salerno en stierf daar in ballingschap omdat hij 'hield van gerechtigheid en onrechtvaardigheid haatte'.

# Bruno sticht nieuwe orde

LA GRANDE CHARTREUSE, december 1084 - Bruno van Keulen heeft in het woeste berggebied van Oost-Frankrijk een op nieuwe regels gebaseerde kloostergemeenschap gesticht. Hij heeft hiervoor ontslag genomen als hoofd van de kathedraalschool van Reims. Meester Bruno ziet zijn monastieke ideaal in een samengaan van een heremitische (solitaire) en een kloosterlijke (gemeenschappelijke) organisatie.

Dit ideaal krijgt bij hem gestalte in een kloostergebouw met enkele gemeenschappelijke ruimten - bijvoorbeeld de kapel en de refter - en een aantal zelfstandige 'kluizen' (woninkjes met tuinen) waarin de kloosterlingen geheel onafhankelijk van elkaar het grootste deel van de dag moeten doorbrengen. De scheiding van de wereld buiten de kloostermuren en de afzondering van de broeders onderling moeten hen door middel van arbeid, contemplatie en strikte ascese tot een hoger geestelijk leven brengen.

*Monniken plukken druiven en bereiden de wijn (miniatuur, 12de eeuw).*

# Cluny krijgt derde kerk

CLUNY, 1088 - Abt Hugo heeft de aanzet gegeven tot de bouw van een enorme derde kerk bij de benedictijnenabdij te Cluny, die op de resten van twee vroegere kerken opgetrokken zal worden. De Spaanse vorsten Ferdinand en Alfons hebben door uitzonderlijk gulle giften de abt hiertoe in staat gesteld. Het ontwerp van de kerk is in de karakteristieke stijl, die door de benedictijnen wordt gepropageerd voor alle kloosters en kerken die bij de cluniacenzer beweging zijn aangesloten. Deze onderneming toont aan tot welk een macht en rijkdom de abdij van Cluny inmiddels is gekomen.

De abdij werd in 910 gesticht door de hertog van Aquitanië als reactie op de verregaande verwereldlijking van de Kerk, en kreeg snel bekendheid vanwege de strenge toepassing van de regel van Benedictus van Nursia. Het doel van het in Bourgondië gelegen klooster was herstel van de kloosterdiscipline en verdieping van het religieuze leven. Deze hervormingen verspreidden zich doordat abten en monniken, die uit het moederklooster naar andere abdijen geroepen werden, de daar heersende geest en gebruiken introduceerden. De aangesloten abdijen hadden een grote uitstraling op hun omgeving, die bijdroeg tot de godsdienstige vorming van de bevolking.

Als moederklooster staat Cluny nu aan het hoofd van vele nieuw gestichte of hervormde abdijen. Zijn abt is tevens het hoofd van al deze dochterkloosters: de monniken zijn aan hem persoonlijk gehoorzaamheid verschuldigd. De abdij en de aangesloten huizen staan rechtstreeks onder pauselijk gezag en zijn in principe vrij van elke bisschoppelijke en wereldlijke inmenging. In de praktijk komt het er echter maar al te vaak op neer dat goede relaties met vorsten en bisschoppen uitermate gewenst zijn teneinde het bezit van hun landerijen en kerken veilig te stellen. Hoewel de economie van de abdijen bijna geheel afhankelijk was van de landerijen rondom, kregen zij veel schenkingen, vaak in de vorm van grote sommen gelds. Bovendien schonken belangrijke en minder belangrijke personen een aanzienlijk deel van hun bezittingen aan de kloosters, waar monniken en nonnen bij wijze van tegenprestatie baden voor het zieleheil van de schenkers.

De invloed van Cluny heeft zich ook uitgestrekt tot Italië en Spanje, dank zij leerlingen van de abten of door middel van dochterhuizen die door Cluny hervormd zijn.

Bedroeg het aantal monniken te Cluny in de beginperiode nog maar honderd, nu, in 1088, is het aantal verdrievoudigd, hetgeen niet in de laatste plaats te danken is aan de reeks voortreffelijke abten, die de abdij in de loop van de tijd geleid hebben, en die door hun wijdverbreide faam voor een regelmatige toevloed van kloosterlingen zorgden. Dit houdt in dat de kerk voor het vieren van de eredienst aangepast moet worden aan het zo sterk gegroeid aantal monniken. Het ligt in de bedoeling dat de kerk-in-aanbouw na de Sint-Pieter in Rome de grootste kerk van de christenheid zal worden.

# Engelse koning wil Normandië inlijven

ENGELAND, 1089 - De conflicten tussen Robert, de graaf van Normandië en Willem II Rufus, de koning van Engeland, hebben voorlopig een nieuw hoogtepunt bereikt. Koning Willem II, de jongere broer van graaf Robert, heeft Normandië opgeëist als zijn eigen bezit.

De strijd tussen de beide adellijke broers stamt van 9 september 1087. Toen stierf hun vader, Willem de Veroveraar. De oude koning had geen degelijk testament achtergelaten, maar bekend was dat hij ertegen was dat zijn oudste zoon al zijn bezittingen zou erven. Deze gedachte zal wel mede ingegeven zijn door het feit dat Robert tijdens het leven van zijn vader verscheidene pogingen tot opstand heeft ondernomen.

Besloten werd daarom dat Robert het oorspronkelijke familiebezit, het hertogdom Normandië, zou krijgen en dat de tweede zoon, Willem II Rufus, koning van Engeland zou worden. De jongste zoon, Hendrik, kreeg een bedrag in geld.

De regeling lijkt niet helemaal te voldoen. Niet alleen zijn de broers jaloers op elkaar, de grote landbezitters, baronnen genoemd, zijn ook niet gelukkig met de verdeling. Zij bezitten bijna allemaal land in zowel Normandië als Engeland en worden doordat hun bezittingen onder verschillende heersers vallen, in problemen gebracht. Aan wie moeten zij trouw zijn als de ene vorst oproept tot rebellie tegen de andere?

Het is om die reden dat de baronnen aanvankelijk in opstand zijn gekomen tegen de koning. Zij meenden dat het beter was als de oudste zoon al het land bezat. Graaf Robert heeft de opstandelingen echter in de kou laten staan en is niet naar Engeland gekomen om hen te steunen. Willem II Rufus heeft inmiddels Normandië opgeëist en is bezig om met Engels zilver steun voor zijn plannen te kopen. Het is duidelijk dat de opvolgingskwestie nog niet definitief geregeld is.

*De Engelse koning Willem II Rufus.*

## 1090

**29 april 1091.** De Byzantijnse keizer Alexius I verslaat de Turkse Petsjenegen vernietigend bij Monte Levunium. →

**1091.** De Noormannen verdrijven de Fatimiden (Arabieren) voorgoed van Sicilië en Malta.

**1091.** Tijdens zijn tweede expeditie naar Italië verovert de Duitse keizer Hendrik IV Mantua en verslaat de Toscaanse markgravin Mathilde, een bondgenote van de paus.

**1093.** Voedseltekorten veroorzaken een groot aantal hongerdoden in Engeland.

**15 juni 1094.** De Spaanse edelman Rodrigo Diaz de Vivar, bijgenaamd El Cid, verovert Valencia op de Moren en vestigt er zijn heerschappij.

**1094.** In Venetië wordt de San Marcokerk ingewijd.

**25 februari 1095.** Op een concilie in Rockingham strijdt Anselmus, aartsbisschop van Canterbury, met de Engelse koning Willem II Rufus over de vraag of de bisschoppen gehoorzaamheid aan de koning of de paus verschuldigd zijn. →

**27 november 1095.** Op een nationaal concilie te Clermont roept paus Urbanus II op tot een kruistocht tegen de Turkse Seldjoeken.

**1095.** In de Zuidelijke Nederlanden ontstaan grote voedseltekorten. Het aantal hongerdoden blijft beperkt, omdat het gebied dunbevolkt is en aan de behoeftigen hulp geboden kan worden.

**Mei en juni, 1096.** In het Duitse Rijk worden de joden door kruisvaarders aangevallen.

**1096.** De Normandische hertog Robert Curthose gaat op kruistocht en verpacht zijn hertogdom Normandië aan zijn broer, de Engelse koning Willem II Rufus.

**1097.** In Salerno is de beroemde vrouwelijke arts Magistra Trotula overleden. →

**1097.** In Bohemen heeft de Latijnse liturgie definitief de overhand gekregen. →

**1097.** In Liubech komen de Russische vorsten in vergadering bijeen. →

**1098.** Abt Robertus verlaat het benedictijnen-klooster Molesme en sticht het eerste klooster van Cîteaux de cisterciënzerorde. →

**15 juli 1099.** De kruisvaarders veroveren Jeruzalem en stichten hier een christelijk rijk. →

**1099** (circa). In het te Jeruzalem gevestigde pelgrimshospitaal (in 1023 gesticht) wordt de geestelijke ridderorde der johannieters gesticht.

# Koning roept raad bijeen

ROCKINGHAM, 25 februari 1095 - De Engelse koning heeft in Rockingham de raad (council) bijeengeroepen om daar te spreken over kerkelijke zaken. Zo hoopt Willem II Rufus een einde te maken aan de meningsverschillen met de aartsbisschop van Canterbury, Anselmus.

De problemen zijn gerezen toen de koning Anselm twee jaar geleden benoemde. De bisschop is een aanhanger van de hervorming van de Kerk zoals die door wijlen paus Gregorius VII is voorgesteld. Zo vindt de bisschop bijvoorbeeld dat de geestelijkheid op de eerste plaats gehoorzaamheid verschuldigd is aan de paus en niet door een koning benoemd kan worden.

Willem II Rufus is furieus over dit standpunt van de aartsbisschop. Voor hem is de benoeming (investituur) van bisschoppen en abten een machtsmiddel. Hij kan op die manier zorgen dat er geen mensen benoemd worden die hem niet goedgezind zijn. Bovendien verdient de koning aan deze benoemingen. Sterft er bijvoorbeeld een bisschop en wacht de koning enige tijd met het aanstellen van een nieuwe, dan zijn in de tussentijd de opbrengsten van het bisdom voor de koning. Voordat Anselmus tot aartsbisschop benoemd werd was die post vier jaar vacant.

Willem II Rufus heeft nu de council bijeengeroepen om een einde aan deze loyaliteitskwestie te maken. Bisschop Anselm laat zich echter niet zo gemakkelijk afschepen. Hij heeft geweigerd om in Rockingham te verschijnen. Tot woede van de koning heeft de aartsbisschop de hulp van de paus ingeroepen om het conflict te beslechten. De paus is uiteraard voor de hervormingen zoals die door zijn voorganger zijn voorgesteld. Ook hij heeft er belang bij de benoemingen in eigen hand te krijgen.

## Trotula's geneeskunst vindt navolging

*Een vrouw verpleegt een gewonde; afbeelding uit een medisch handschrift.*

SALERNO, 1097 - Het medische boek van de onlangs overleden Magistra Trotula is vele malen gekopieerd. Dit werk, *De Passionibus mulierum et de Remediis mulieribus* (Het lijden van de vrouw en de genezing van vrouwen), geeft een overzicht van de Griekse, Romeinse en nieuwste kennis op het gebied van de verloskunde, de ziekten en de verzorging van de vrouw.

Het werk is vooral in trek omdat het vele praktische aanwijzingen bevat, met name op het gebied van het gebruik van kruiden. Zo raadt Trotula aan om bij borstpijn, waaraan zogende vrouwen kunnen lijden, de borsten met warm water te bevochtigen en ze dan in te smeren met een papje van pottenbakkersaarde, vermengd met azijn. Bij de bevalling adviseert zij het gebruik van stevige banden en stenen. De stenen kunnen de patiënten het beste vasthouden, zodat een tegenwicht aan de baarpersingen wordt gegeven. Bij de verzorging van pasgeborenen raadt zij aan: 'de ogen moeten bedekt worden en er moet voor gezorgd worden dat de pasgeborene niet in het felle licht komt.'

In andere hoofdstukken geeft zij tips op het gebied van de lichaamsverzorging en het wassen van haren. Ook vermeldt zij hoe de vagina van een vrouw die verkracht is, behandeld kan worden, zodat deze vrouw weer op een maagd lijkt. Zij raadt aan om daartoe een zalf te maken van 'slangebloed, eiwit, granaatappelbast en mastik', waarmee de vagina ingesmeerd kan worden.

Magistra Trotula, zoals zij door haar leerlingen genoemd werd, was een van de vele vrouwelijke beoefenaren van de geneeskunst aan het Collegium Hippocraticum van de universiteit van Salerno. De vrouwen op deze medische school houden zich vooral bezig met de verloskunde. Zij zijn als vroedvrouwen aangesteld, omdat het de mannelijke artsen verboden is in aanraking te komen met het naakte vrouwelijke lichaam. Daarom behandelen deze vrouwen ook de ziekten van de vrouwelijke geslachtsorganen. Ernstige vrouwenziekten worden echter wel door mannelijke artsen behandeld.

De kennis die de 'vrouwen van Salerno' sinds het bestaan van de medische school - die volgens sommigen al uit de 7de eeuw stamt - hebben opgebouwd, is door Trotula in haar overzichtswerk verzameld.

*Byzantijnse kerk uit de 12de eeuw.*

## Byzantium in actie tegen Petsjenegen

CONSTANTINOPEL, 29 april 1091 - Na een lange winter van bedreiging door de Petsjenegen, een Turks nomadisch volk uit het Dnestrgebied, kan de bevolking van Constantinopel weer opgelucht ademhalen, want het heeft ernaar uitgezien dat keizer Alexius Comnenus er niet in zou slagen voldoende hulp van buitenaf te verkrijgen, en dat Byzantium bij het afslaan van de Petsjenegen op zichzelf was aangewezen. Helemaal kritiek werd de toestand toen de Petsjenegen een verbond sloten met de ambitieuze Turkse piraat Tzachas, een bondgenoot van de Seldjoeken-Turken.

Keizer Alexius wist de dreiging te keren. Nederig verzocht hij de Polovtsen (Komanen) om hulp, aldus gebruik makend van de beproefde Byzantijnse methode van het opzetten van de ene barbaarse stam tegen de andere. Op deze wijze versterkt wist Alexius de Petsjenegen te verslaan.

# Roger tot legaat benoemd

*Het kloosterhof van het paleis in Monreale op Sicilië (eind 12de eeuw).*

PALERMO, 1098 - De Normandische graaf van Sicilië Roger heeft van paus Urbanus II voor hemzelf en zijn opvolgers de waardigheid van apostolisch legaat ontvangen. De paus kan nu slechts via de koning met de Siciliaanse Kerk in contact komen. Dit uitzonderlijke privilege heeft Roger verworven door, na zijn heerschappij over Sicilië veilig gesteld te hebben, eigenhandig de problemen van de Kerk op te lossen. De Siciliaanse diocesen waren onder mohammedaanse heerschappij verdwenen zodat Roger de vrije hand had de Kerk naar eigen inzicht te reorganiseren.

Zeven jaar geleden, na een strijd van dertig jaar, nam Roger het laatste Saraceense bolwerk Noto in. Vanaf dat moment zijn Sicilië en het zuiden van Italië één sterk en hecht vorstendom, waar Grieken en mohammedanen vrijheid van meningsuiting en godsdienst genieten, waar in elke stad een Normandisch fort is gebouwd en waar de baronnen, die in het algemeen kleine en verspreide landgoederen in leen hebben, gehoorzaam zijn aan hun graaf aan wie ze hun positie en rijkdom te danken hebben. Het hertogdom Apulië, waar de zoon van Rogers broer Robert Guiscard, Roger Borsa heerst, wordt daarentegen verscheurd door interne strijd. De plaatselijke Normandische leiders accepteren Roger Borsa niet als hun meester.

*Vladimir Monomach, heerser over he vorstendom Kiëv-Roes, met gevolg.*

## Russische vorsten in Liubech bijeen

LIUBECH, 1097 - Op instigatie va vorst Vladimir Monomach en dien zoon Mstislav is in Liubech een verga dering van Russische vorsten bijeenge komen met als doel een verzoening to stand te brengen. Teneinde verder on derling bloedvergieten te voorkome hebben de vorsten zich uitgesproke voor de erkenning van de opvolgin van vader op zoon, naast de bestaand gewoonte van opvolging van broer o broer.

Sinds de dood van Jaroslav de Wijze i het rijk van Kiëv-Roes verbrokkeld Kort voor zijn overlijden had Jarosla de afzonderlijke vorstendommen aa verschillende zonen toegewezen, ve moedelijk in de hoop dat dezen in fede ratieverband het rijk in stand zoude houden. De oudste zoon kreeg Kiëv e was daardoor een soort primus inte pares. In geval van overlijden van d oudste zoon zou de broer die na her komt hem opvolgen als vorst van Kië en schoven de anderen op in de hiëra chie. Dit systeem van opvolging per ge neratie, ook wel 'senioriaat' geheter leidde tot complicaties. Vaak liepen d generaties door elkaar heen.

De vorsten die nu in Liubech bijeen zij gekomen hebben zich uitgesproke voor de opvolging van vader op zoo zodat de vorstendommen erfelijk wor den.

# Latijnse liturgie in gehele Slavische Kerk ingevoerd

SAZAVA (Bohemen), 1097 - Het laatste en enige bastion van de Slavische liturgie in Bohemen, Sázava, is overgedragen aan de benedictijner monniken van de Latijnse liturgie. Dit betekent de definitieve overwinning van de Latijnse liturgie in het land.

Na de kerstening van Bohemen en Moravië werd daar de eredienst in twee talen gehouden: in het Latijn en in het Slavisch. Omdat de meeste priesters echter uit het naburige Frankenland afkomstig waren, kreeg op den duur de Latijnse liturgie de overhand. De Heilige Stoel steunde de Frankische geeste-

lijkheid - en daarmee de Latijnse liturgie - omdat ze volstrekte uniformiteit nastreefde.

In 885 stierf de Moravische aartsbisschop Methodius, die zelf het christendom in het Slavisch had verkondigd. Zijn opvolger, een Duitser, verbood onmiddellijk het gebruik van de Slavische ritus. Een jaar later werden de Slavische monniken uit het land verjaagd.

Na de ondergang van het Groot-Moravische Rijk (907), tevens het einde van het Moravische aartsbisdom, waren Bohemen en Moravië kerkelijk op de

Duitsers aangewezen. De latinisering zette door en werd bezegeld met de stichting van het Praagse bisdom (973) dat deel van de kerkprovincie Mainz ging uitmaken. De eerste Praagse bisschop was de Saksische monnik Detmar. Zijn opvolger, Sint Adalbertus Vojtech, behoorde tot de meest geleerde mannen van zijn tijd. Hij maakte zich verdienstelijk bij missiewerk in Hongarije en Pruisen, waar hij tien jaar geleden de marteldood stierf. Na zijn dood werd hij heilig verklaard.

In de vorige eeuw werden in Bohemen de eerste kloosters gesticht: in 965 op

de Praagse Burcht een benedictijne nonnenklooster bij de kerk van Sin Jiri (Georg) en in 993 het eerste monni kenklooster in Brevnov bij de Boheem se hoofdstad.

Ofschoon de Kerk geheel onder in vloed van de vorst stond, was zij toc machtig genoeg om hem zorgen te ba ren. Het bewijs hiervoor was de stich ting van het tweede bisdom in de Bo heemse landen (in 1063 in het Mora vische Olomouc), waarmee de land vorst Vratislav II de ambities van d machtige Praagse bisschop aan ban den probeerde te leggen.

# Christenen in Jeruzalem

*Kruisvaarders steken de Omar-moskee in Jeruzalem in brand (Perzisch miniatuur).*

JERUZALEM, 15 juli 1099 - Jeruzalem, de Heilige Stad, is in handen van de kruisvaarders gevallen. Na een beleg van ruim zes weken hebben de christelijke troepen onder leiding van de vooraanstaande edelman uit de Nederlanden, Godfried van Bouillon, de stad op de islamitische Arabieren veroverd. Godfried van Bouillon is uitgeroepen tot 'Heer van Jeruzalem en Beschermer van het Heilige Graf'.

De kruisridders hebben zodoende hun goddelijke opdracht uitgevoerd. Op 27 november 1095 werden zij door paus Urbanus II op het concilie van Clermont-Ferrand hiertoe opgeroepen: 'De Turken en de Arabieren zijn [het Heilige Land] binnengedrongen... Daarom spoor ik u onder smeekbeden aan - niet ik, maar de Heer - dat gij, herauten van Christus, door herhaalde oproepen allen van welke stand ook, zowel voetvolk als ridders, arm en rijk, overreedt om de christengelovigen in het Oosten met alle inspanning bij te staan om dit goddeloze ras tijdig in onze gebieden uit te roeien.'

De christenen in West-Europa reageerden enthousiast op de noodkreet van de paus. Daarbij bood de Kerk degenen die het kruis opnamen, enkele materiële voordelen: iedere deelnemer kreeg een algemene aflaat, vrijstelling van belasting, opschorting van betaling van schulden en bevrijding van lijfeigenschap.

In 1096 trok een grote troepenmacht onder leiding van een aantal voorname edelen naar het Byzantijnse Rijk waar zij eind van het jaar in de hoofdstad Constantinopel aankwam. Keizer Alexius I weigerde de kruisvaarders over de Dardanellen te zetten indien zij niet bereid waren om zijn soevereiniteit over de te heroveren gebieden in Klein-Azië te erkennen. Na enig aarzelen waren de meeste edelen daartoe bereid en kon de tocht door Klein-Azië beginnen. Op 3 juni vorig jaar werd na zware beproevingen de stad Antiochië ingenomen; het kruisleger viel daarna uiteen; de Frankische baron Boudewijn van Boulogne vestigde in Edessa een graafschap, Bohemund van Tarente en Raimond van Toulouse raakten in conflict over het bezit van Antiochië. De hoofdmacht onder aanvoering van Godfried van Bouillon trok echter door naar Palestina waar het beleg voor Jeruzalem werd geslagen.

## Franse monniken stichten orde der cisterciënzers

*Bernard van Clairvaux preekt voor de cisterciënzers (miniatuur).*

CITEAUX, 21 maart 1098 - De abt Robert van het klooster van Molesme heeft, te zamen met 21 monniken, zijn klooster verlaten. Zij hebben zich nu in de buurt van Dijon gevestigd om de oude kloosterregel van Benedictus van Nursia beter te gaan onderhouden. Robert staat een nieuwe kloosterbeweging voor, waarbij men terugkeert naar de oorspronkelijke leer van Benedictus door het strikt beoefenen van de armoede, door de landarbeid in ere te herstellen en door de uitgedijde liturgie te versoberen. Zij verwerpen in feite alles wat door de traditie, tegen de regel van Benedictus, in de monastieke gebruiken was ingevoerd. Behalve door het kloosterlingzijn moet men zich niet van de leken onderscheiden.

**2 augustus 1100.** Tijdens een jachtpartij wordt de Engelse koning Willem II Rufus (de 'roodharige') door een pijl dodelijk getroffen. Zijn jongere broer Hendrik I wordt tot koning van Engeland gekroond. →

**25 december 1100.** Na de dood van Godfried van Bouillon laat zijn broer Boudewijn, graaf van Edessa (sinds 1098) zich tot koning van Jeruzalem kronen.

**1100** (circa). In Frankrijk wordt het *Roelantslied* gepubliceerd. →

**1101.** Hendrik I, graaf van Limburg en Aarlen, krijgt van de Duitse keizer Hendrik IV de titel hertog van Neder-Lotharingen.

**1101.** Robert Curthose, hertog van Normandië, valt Engeland binnen.

**1102.** Koning Hendrik I van Engeland slaat een opstand onder leiding van Robert Belleme, graaf van Shrewsbury, neer.

**December 1105.** De Duitse keizer Hendrik IV wordt door zijn zoon Hendrik V gevangengenomen en gedwongen afstand van de troon te doen.

**7 augustus 1106.** In Luik overlijdt de Duitse keizer Hendrik IV. →

**1106.** De Franse koning Filips I doet afstand van het recht tot benoeming (investituur) van bisschoppen. Daarmee komt een eind aan de investituurstrijd in Frankrijk.

**1106.** In Pagan wordt de tempel van Ananda feestelijk geopend. →

**1106.** Bij Tinchebrai verslaat de Engelse koning Hendrik I de Normandische hertog Robert III Curthose. →

**1106.** De Duitse koning Hendrik V ontneemt Hendrik I van Limburg de hertogstitel en schenkt deze aan Godfried van Leuven. De hertog had in de strijd om de Duitse troon tussen Hendrik IV en zijn zoon Hendrik V de zijde van eerstgenoemde gekozen.

**1107.** Het Concordaat van Westminster beëindigt de investituurstrijd in Engeland.

**1108.** Bohemund van Tarente, vorst van Antiochië sinds 1098 en een der voornaamste leiders van de Eerste Kruistocht, moet de soevereiniteit van Byzantium over Antiochië erkennen.

**21 april 1109.** In Canterbury overlijdt Anselmus van Canterbury, aartsbisschop en groot scholastisch filosoof. Zijn beroemde stelregel was 'Credo ut intelligam' (Ik geloof opdat ik begrijp). Zijn twee bekendste geschriften zijn: *Prosologion* en *Monologion*.

**1109.** De kruisvaarders veroveren Tripoli op de mohammedanen.

# Koning Willem II Rufus tijdens de jacht vermoord

*De dood van de Engelse koning Willem II Rufus (19de-eeuwse afbeelding).*

LONDEN, 2 augustus 1100 - Koning Willem II Rufus is tijdens een jachtpartij door een opstandige edelman vermoord. De dood van de koning komt nadat hij vorig jaar erin geslaagd was alle bezittingen van het hertogdom Normandië, die zijn broer Robert verloren had laten gaan, te heroveren. Willem II Rufus heeft geen wettige nakomelingen en wordt opgevolgd door zijn broer Hendrik.

De moord op de koning vormt een voorlopig hoogtepunt in de spanningen tussen de koning, zijn broer de hertog van Normandië en de rebellerende baronnen. Vier jaar geleden leek een oplossing in zicht te zijn. Toen besloot hertog Robert gehoor te geven aan de oproep van paus Urbanus II om op kruistocht te gaan. Hij verpachtte zijn land voor 10 000 mark aan Willem II Rufus. Deze had reeds in 1089 aanspraak op het hertogdom Normandië gemaakt.

Willem II Rufus toonde zich een gedreven bestuurder van het hertogdom. Vorig jaar wist hij het gebied uit te breiden tot de Maine en de Vexin, zodat het hertogdom weer de grenzen heeft die het ook in de tijd van zijn vader, Willem de Veroveraar, had. Ondanks het feit dat Normandië en Engeland in deze jaren door een vorst bestuurd zijn, is het echter blijven gisten onder de hoge edelen. Ook de nieuwe koning zal hiermee te maken krijgen. Zolang niet duidelijk is wat er gebeurt als hertog Robert van zijn kruistocht terugkeert, zullen de baronnen blijven vrezen dat zij onder twee verschillende heren moeten dienen.

# Keizer Hendrik IV plotseling overleden

LUIK, 7 augustus 1106 - Terwijl hij een nieuwe veldtocht tegen zijn zoon koning Hendrik V voorbereidde, is keizer Hendrik IV plotseling overleden. Daarmee is een turbulente periode in de Duitse geschiedenis afgesloten.

Een halve eeuw heeft Hendrik IV over het Duitse Rijk geregeerd. Een halve eeuw waarin de verhouding paus – keizer drastisch is veranderd, evenals de positie van de koning in Duitsland zelf. Tot het aan de macht komen van Hendrik in 1056 had het pausdom steeds onder keizerlijke bescherming gestaan. In de volgende decennia heeft het pausdom zich niet alleen losgemaakt van de keizer, maar is het zelfs in een strijd op leven en dood met hem verwikkeld geraakt. Dramatische hoogtepunten als het afzetten van paus Gregorius VII, het excommuniceren van Hendrik IV en diens gang naar Canossa kenmerkten deze strijd. Beëindigd is het conflict nog steeds niet.

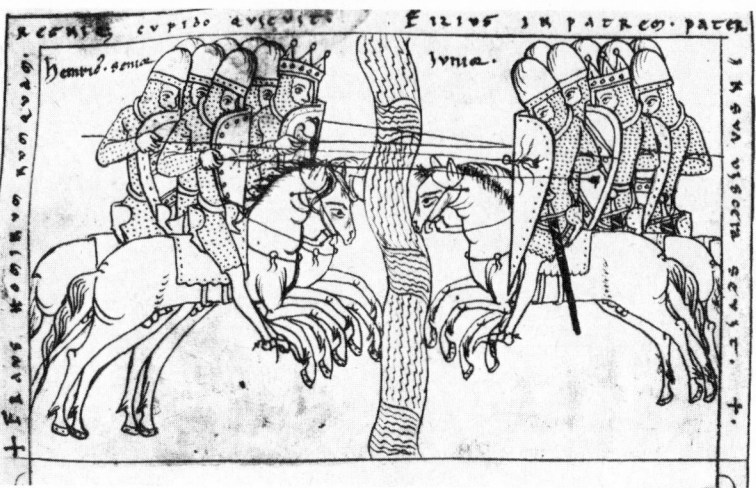

*Hendrik IV in gevecht met zijn zoons (uit de kroniek van Otto van Freising).*

Hendrik heeft grote moeite gedaan de macht van de koning tegen de Duitse vorsten te verdedigen. Hij heeft een nieuwe territoriale basis voor het koningschap moeten zoeken. Een grote opstand van de Saksen (1073-1075) heeft hij overleefd, evenals de pogingen van de tegenkoningen Rudolf van Zwaben en Herman van Salm om hem te verdrijven.

Hendrik heeft daarentegen de macht van de hervormingsbeweging in de Kerk onderschat. Onder zijn bewind heeft de Duitse koning het contact met deze belangrijkste geestelijke stroming van het moment verloren. Het belang van de steden en haar burgers heeft hij wel goed ingeschat. Hij heeft de steden gesteund met vele privileges en ze tot een steunpilaar van de koninklijke macht gemaakt. Door het afkondigen van de godsvrede in 1085 en van de algemene rijksvrede voor vier jaar in 1103 heeft hij getracht het geweld in het rijk terug te dringen en het leven van de sociaal zwakkeren, die het meest van al dat geweld te lijden hadden, te veraangenamen.

Het familieleven van de keizer is niet bepaald gelukkig geweest. In 1093 kwam zijn zoon Koenraad tegen hem in opstand. Zijn tweede zoon Hendrik volgde twee jaar geleden diens voorbeeld. Deze slaagde er met pauselijke steun in zijn vader af te zetten en is nu na de plotselinge dood van Hendrik IV de onbetwiste leider van Duitsland.

# Roelantslied bezingt Frankische helden

*De dood van markgraaf Roelant; een miniatuur uit de 14de of 15de eeuw.*

FRANKRIJK, circa 1100 - De moed van Karel de Grote en zijn vazallen is door een Franse geestelijke vereeuwigd in het eerste Franse 'chanson de geste', het *Chanson de Roland (het Roelantslied)*. Dit episch heldendicht grijpt terug op de nederlaag die Karel de Grote op 15 augustus 778 leed toen de achterhoede van het op de terugtocht zijnde Frankische leger door de Basken bij Roncesvalles werd aangevallen. Einhard, de persoonlijke biograaf van Karel, schreef destijds in zijn *Vita Karoli Magni Imperatoris* hoe onder anderen Karels dappere vazal Roelant, markgraaf van Bretagne en een van Karels twaalf paladijnen, tijdens dit gevecht sneuvelde.

Een 'chanson de geste' is een lang verhalend gedicht waarin de daden van historische of legendarische personen geroemd worden. Moed, toewijding ten opzichte van het christelijke geloof en trouw aan de suzerein staan centraal in het gedicht en dienen als voorbeeld voor de lezer.

Deze middeleeuwse feodale idealen zijn alle terug te vinden in het *Chanson de Roland*. Een historisch feit vormt de basis maar is geflatteerd en veranderd ten behoeve van het verhaal. Zo zijn de Basken in het *Chanson de Roland* veranderd in niet in het christendom gelovende Saracenen, zoals de moslims in Spanje genoemd worden. De geest van de vroege Reconquista komt in het gedicht duidelijk naar voren.

De moedige Roland heeft in het gedicht een bijna bovennatuurlijke dimensie gekregen. Hij weigert de hulp van de voorhoede van het Karolingische leger in te roepen en sterft zo een heldendood. Hij geeft zijn leven als waardig christen en trouwe vazal van de koning. Karel de Grote wreekt zijn dood alsnog. De verrader Ganelon komt jammerlijk aan zijn einde en de Saracenen, aangevoerd door hun koning Marsile, worden door Karel de Grote verslagen.

Door zich te laten dopen kunnen ze aan de dood ontsnappen.

# Normandië delft onderspit in slag tegen de Engelsen

TINCHEBRAI, 1106 - Koning Hendrik van Engeland heeft een beslissende veldslag gewonnen van zijn broer de hertog van Normandië. Hertog Robert is gevangengenomen en Hendrik zal nu ook Normandië gaan regeren. Hiermee komt een einde aan een strijd tussen de zonen van Willem de Veroveraar die jarenlang heeft gewoed.

De strijd laaide vijf jaar geleden opnieuw op toen hertog Robert terugkeerde van een kruistocht die hij in 1096 was begonnen. Om zijn hertogdom opnieuw in bezit te krijgen besloot hij naar Engeland te gaan, waar hij in juli 1101 landde. Onmiddellijk bij zijn aankomst schaarde een groep baronnen, onder leiding van Robert van Belleme, zich achter de hertog. Koning Hendrik zag toen kans om een treffen met zijn broer te vermijden. Er werden onderhandelingen gevoerd en daarbij werd afgesproken dat Hendrik koning van Engeland zou blijven, maar dat hij zijn broer jaarlijks een pensioen van 2000 pond zou betalen.

Met deze regeling waren Normandië en Engeland echter wederom verdeeld en keerden voor de grote baronnen de oude problemen weer. Deze invloedrijke edellieden bezitten in het algemeen land zowel in Engeland als in Normandië. Wanneer de landen door twee vorsten geregeerd worden, moeten de baronnen trouw zweren aan twee verschillende heren, wat hen in sommige gevallen in loyaliteitsproblemen kan brengen. Het bleef daardoor onrustig onder de hoge adel.

Hendrik heeft de nadelen van de regeling ondervonden. Hij probeerde degenen die bij de landing van hertog Robert diens zijde hadden gekozen te straffen door hun hun land te ontnemen. Het bleek echter dat deze edelen steeds weer naar hun bezittingen in Normandië konden vertrekken om daar legers te formeren teneinde in Engeland hun landgoederen te heroveren. Uiteindelijk hebben konings- en hertoggezinden elkaar bij Tinchebrai getroffen.

# Kyanzitta steunt boeddhisme in Pagan

PAGAN, 1106 - De bloei van het boeddhisme in Pagan [Birma] onder de regering van koning Kyanzitta mag opmerkelijk worden genoemd. Niet alleen heeft hij Pagan tot een toevluchtsoord gemaakt voor boeddhisten die door vervolging uit India zijn gevlucht, maar ook heeft hij de schitterende tempel van Ananda (Oneindige Wijsheid) laten bouwen. De architect van de tempel en diens zoon hebben de opening van de tempel niet meer mogen meemaken: zij werden vóór de ingebruikneming levend begraven om de beschermende geesten gunstig te stemmen.

Voorts zijn nu de benodigde gelden verzameld om de Shwezigon-tempel te voltooien. De financiën hiervoor zijn vooral gekomen uit de belastingen op agrarische produkten. Kyanzitta heeft dit geld niet bijeengebracht door de belastingen te verhogen maar door de infrastructuur te verbeteren. Irrigatiewerken hebben geleid tot vergroting van het landbouwarsenaal. Hierdoor hebben de boeren geprofiteerd van de bouw van de tempels.

# István koning Hongarije

ESZTERGOM, 1116 - Na een succesvolle regering, waarin hij Kroatië aan het Hongaarse koninkrijk toevoegde, is de Hongaarse koning Kálmán, bijgenaamd 'de man van boeken', overleden. Hij zal worden opgevolgd door zijn zoon István.

Tien jaar geleden erkende paus Urbanus II Kálmán als koning van Hongarije, Kroatië en Dalmatië in ruil voor een vrije doortocht door Hongarije van de kruistochtlegers. De Hongaarse bemoeienis met Kroatië stamt uit 1089, toen de legendarische koning László Kroatische vorsten te hulp kwam tegen Venetiaanse troepen. De uitbreiding van het Hongaarse grondgebied met Kroatië vormt echter een uitzondering op de gebeurtenissen van de afgelopen honderd jaar, waarin Hongarije de grootste moeite had zich staande te houden tegenover de dreiging van het Duitse Rijk en de pogingen van de pausen om invloed in het land te verkrijgen.

Het overleven van het Hongaarse koninkrijk is voornamelijk het gevolg van de eenheid die geschapen is door koning István (Sint Stefanus) in het begin van de vorige eeuw. István bracht

*Lodewijk VII van Frankrijk en keizer Koenraad III trekken door Hongarije op weg naar het Heilige Land.*

de oorspronkelijke Hongaarse stamgebieden als bestuurlijke eenheden van zijn rijk onder direct koninklijk gezag, onder leiding van 'ispáns', die de belasting moesten innen. Daarnaast gaf hij grote stukken land aan benedictijnenkloosters en bisdommen. Het concept van een christelijk feodaal koninkrijk diende om de gehoorzaamheid aan feodale heren te verzekeren. De heilige Stefanus, zoals István later genoemd werd, aarzelde niet de heidense Hongaarse nomaden met geweld tot het christendom te bekeren: Tanuzaba, een Petsjenegenleider, die zich verzette, werd levend begraven; ispáns ge-

bruikten soldaten om mensen en masse te bekeren, te dwingen om kerken te bouwen, priesters te onderhouden en regelmatig kerkdiensten bij te wonen. Terwijl kerkelijke scholen de cultuur van West-Europa over Hongarije verspreidden, kon de Byzantijnse religie echter ongestoord blijven bestaan.

Na een mislukte samenzwering van Istváns neef Vászoly werd deze voor straf blind gemaakt en werd er gesmolten lood in zijn oren gegoten. Het was de voorbode van een lange tijd van dynastieke strijd en opstanden van heidense Hongaarse vorsten tegen de opgedrongen christelijke godsdienst. Na de dood van István in 1038 riep zijn opvolger Peter Orseolo, een zoon van zijn zuster en de doge van Venetië, Italiaanse en Duitse ridders te hulp, wat tot grote spanning met de Hongaarse vorsten leidde. Na het uitbreken van een heidense opstand onder leiding van Vata, die op grote schaal kerken plunderde en priesters vermoordde (onder wie de bekende schrijver bisschop Gellért) riepen de Hongaarse vorsten de zoons van Vászoly te hulp: András, getrouwd met een dochter van Jaroslav de Wijze van Kiëv, en Béla, de grootvader van Kálmán. Met hulp van een Russisch leger versloegen zij Peter en Vata en maakten zich bovendien los van het Duitse vazalschap.

Om de christelijke organisatie te herstellen werden geestelijken uit het Franse Lotharingen gehaald in plaats van uit Duitsland.

Kálmán, die in 1095 aan de macht kwam, heeft de Kerk in Hongarije sterk gesteund. Hij is beroemd om zijn wet tegen heksenprocessen: 'quia non sunt' (die niet bestaan).

## Situatie in Kiëv na oproer rustig

KIEV 16 april 1113 - Vladimir Monomach, de kleinzoon van Jaroslav de Wijze, heeft ermee ingestemd heerser van Kiëv te worden. Hiermee is aan de onrust die in de stad was ontstaan na de dood van vorst Svjatopolk II een einde gekomen.

Na de dood van Svjatopolk II van Kiëv op 16 april kwam de vetsje (stadsvergadering) in een noodzitting bijeen. Normaal wordt een dergelijke bijeenkomst na de dood van een vorst op last van de metropoliet en de bojaren (adel) bijeengeroepen, dit keer echter niet. In deze spoedvergadering hadden democratische elementen de overhand. Er werd besloten om Vladimir Monomach, op dat moment vorst van Pereiaslav, te vragen zijn neef Svjatopolk op te volgen. In eerste instantie bedankte Monomach voor de eer. Waarschijnlijk vond hij de machtsbasis te smal. Hij was immers niet met instemming van Kerk en adel gevraagd. Na zijn weigering braken er rellen uit in de stad. Het paleis van de gehate tysjatski, het hoofd van de stadsmilitie, werd geplunderd, terwijl diens financiële adviseurs, joden, het eveneens moesten ontgelden. Toen de rellen heviger werden zagen de kerkelijke autoriteiten en de aristocratie van de stad geen andere oplossing dan Vladimir Monomach te smeken de orde te herstellen. Monomach heeft aan deze uitnodiging gehoor gegeven.

*Het Alcázar van Segovia. In 1079 slaagde de koning van Castilië, Alfons VI, - in het kader van de Reconquista - erin Segovia op de Moren te veroveren. In 1085 boekte Alfons VI met de inneming van Toledo en Madrid wederom een belangrijk succes in de herovering van het Iberisch schiereiland. Na zijn dood in 1109 wordt onder leiding van zijn schoonzoon, koning Alfons I van Aragón, de strijd onverminderd voortgezet.*

# Cisterciënzerorde krijgt 'Liefdewet' van abt Harding

*Houtgravure uit het privilegeboek van de orde der cisterciënzers (1491).*

CÎTEAUX, 1119 - Stephanus Harding, een van de stichters van het klooster te Cîteaux en nu de derde abt in successie, heeft de orde een grondwet voorgelegd. Deze 'Carta Caritatis' of Liefdewet regelt de verhouding tussen het moederklooster en de inmiddels uit Cîteaux voortgekomen kloosters en tevens de levenswijze van de nieuwe monniken.

Een verbeterde richtlijn voor de cisterciënzers was ondertussen zeer noodzakelijk geworden. Nadat de paus het klooster had erkend waren er weliswaar enkele regels opgesteld, maar de toevloed van vele monniken bij wie het hernieuwde ideaal van de regel van Benedictus zeer aansloeg, noodzaakte een striktere regulering. Dit te meer aangezien er tussen 1112 en 1115 verscheidene nieuwe dochterkloosters zijn gesticht.

De grondwet van Harding is door paus Calixtus II goedgekeurd. Hierin wordt onder meer bepaald dat er tussen de kloosters van de cisterciënzers geen andere band is dan die der liefde, dat elk klooster onder een eigen abt zelfstandig is en dat het moederhuis door middel van jaarlijkse bezoeken toezicht op de dochterkloosters houdt. Dit laatste is een novum in de kloostergeschiedenis. Daarnaast is er een jaarlijkse bijeenkomst van de abten van de kloosters - het generaal kapittel - voorgeschreven.

Door het samengaan van autonomie en toezicht hoopt Stephanus de nadelen van de oude benedictijnse decentralisatie te beperken en de straffe centralisatie volgens de cluniacenser kloosterhervorming, waarbij alle huizen strikt onderworpen zijn aan de abt van Cluny, te omzeilen.

# 1120

**1120.** Hugo van Payns en Godfried van Saint-Omer stichten met zes volgelingen in Jeruzalem de orde der tempeliers (tempelridders). Het is een ridderlijke orde, gesticht om de pelgrims in het Heilige Land te beschermen.

**1121.** In Frankrijk sticht Norbertus van Xanten met een aantal kanunniken te Prémontré nabij Laon de premonstratenzer orde. Norbertus en zijn volgelingen besluiten kanunniken te blijven maar tevens een apostolisch leven te leiden naar het voorbeeld van de eerste christengemeente.

**23 september 1122.** Met het Concordaat van Worms wordt de investituurstrijd tussen de keizer en de paus beëindigd. →

**Zomer 1124.** De Duitse keizer Hendrik V komt koning Hendrik I van Engeland te hulp in zijn strijd tegen Frankrijk. →

**30 augustus 1125.** De Saksische hertog Lotharius van Supplinburg wordt tot koning van Duitsland gekozen.

**1125.** Grote delen van West-Europa worden getroffen door misoogsten. Karel de Goede reageert op de dreigende hongerramp met een aantal unieke maatregelen. →

**1125.** Vladimir Vsevolodovitsj Monomach, grootvorst van Kiëv, overlijdt. Uitzonderlijk is dat hij aan zijn zoons een testament (poetsjenie) nalaat. →

**1125** (circa). De Italiaanse rechtsgeleerde Irnerius overlijdt. Irnerius is de grondlegger van de school der Glossatoren (rechtsschool) van Bologna. De glossatoren zijn geleerde juristen die het oude Corpus Iuris (Romeins recht) verklaren, bewerken en aanpassen aan de eisen van hun tijd.

**1126.** Norbertus van Xanten wordt tot aartsbisschop van Maagdenburg benoemd. →

**2 maart 1127.** In de Sint-Donatiaanskerk te Brugge wordt Karel de Goede, graaf van Vlaanderen, vermoord. →

**1127.** In China wordt Gao Zong tot keizer uitgeroepen. →

**1128.** In Londen wordt het huwelijk tussen Mathilde van Engeland en Geoffrey Plantagenet aangekondigd. →

**1128.** Na 53 jaar komt de bouw van de nieuwe kathedraal van Santiago de Compostela gereed. →

**1128.** Door het opdringende nomadenvolk der Toengoezen wordt de Chinese Soeng-dynastie genoodzaakt haar hoofdplaats van K'ai-feng naar het zuidelijker Hang-tsjow te verplaatsen.

**1129.** In Japan is het tijdperk van de Foedjiwara-familie voorbij. →

# Compromis paus en keizer

*Bisschop Anno van Keulen, omringd door kloosters (13de eeuw).*

WORMS, 23 september 1122 - De reeds vijftig jaar durende investituurstrijd tussen de paus en de Duitse keizer is met een compromis beëindigd. Bij het in Worms gesloten concordaat ziet de Duitse keizer af van het benoemen van abten en bisschoppen. Het recht van investituur met ring en staf behoort hem niet langer toe. De katholieke Kerk kan van nu af aan haar geestelijke leiders vrij kiezen. Paus Calixtus II staat de keizer wel toe bij de keuze van abten en bisschoppen aanwezig te zijn. Daarmee behoudt de keizer de mogelijkheid alleen al door zijn aanwezigheid de keuze te beïnvloeden. De Duitse prelaten zullen nog voor de wijding van de keizer de wereldlijke bevoegdheden ontvangen. Ze moeten hem trouw beloven voor wat betreft hun wereldlijke functies.

Nadat al eerder - in 1106 - de Franse koning tot een akkoord met de paus over de investituur is gekomen en een jaar later de Engelse koning zijn conflict dienaangaande met de paus beëindigde, is nu ook in Duitsland een einde aan de investituurstrijd gekomen. Deze strijd, die bijna vijftig jaar geleden onder paus Gregorius VII en koning Hendrik IV begon, heeft vooral in de jaren zeventig van de vorige eeuw dramatische hoogtepunten bereikt. In 1075 verbood Gregorius iedere vorm van lekeninvestituur. Het jaar daarop zette Hendrik de paus af. Deze reageerde met het in de ban doen van de koning. Een ban die Hendrik slechts door de gang naar Canossa (januari 1077) ongedaan kon maken. De strijd heeft zich vervolgens tot dit concordaat voortgesleept. Hoewel de koning door zijn recht aanwezig te zijn bij de keuze van bisschoppen en abten de mogelijkheid heeft behouden invloed op de keuze te blijven uitoefenen, moet de paus toch als de morele overwinnaar in dit conflict gezien worden.

# Duitse inval in Frankrijk

REIMS, zomer 1124 - De Franse koning Lodewijk VI de Dikke is, door goed gebruik te maken van de feodale verplichtingen van de vazalvorsten, erin geslaagd om een Duits-Engelse coalitie onder leiding van keizer Hendrik V tegen te houden.

De aanval van Hendrik was op Reims gericht omdat daar in de kerk een ampul met 'hemelolie' wordt bewaard die, naar men zegt, door een engel aan bisschop Remigius van Reims zou zijn gegeven toen deze rond 500 de Merovingische koning Chlodovech doopte. Bij elke kroning en zalving van een nieuwe Franse koning te Reims behoort tevens deze olie gebruikt te worden; het ondersteunt de goddelijke beroeping van de Franse vorsten. De olie speelt mogelijk een rol bij de wonderdoende gaven die de Franse koningen schijnen te bezitten.

Het grote aanzien dat Lodewijk door de onderwerping van zijn vazallen in Frankrijk had verworven, mishaagde de Duitse keizer: een dergelijke machtsvorming was een serieuze bedreiging. Lodewijk was de eerste Capetinger met een effectieve koninklijke autoriteit in geheel centraal Frankrijk. Door zijn aanzien kreeg de oproep tot verdediging tegen de keizer een onge-

*Zegel van koning Lodewijk de Dikke.*

kend grote respons van de leenmannen. Vooral de inbreng van de hertog van Bourgondië en van de graven van Vlaanderen en Anjou deed de keizer zijn inval in Frankrijk snel opgeven.

De succesvolle weerstand tegen de Duitse keizer betekent overigens een verdere consolidatie van de Franse monarchie.

*Het dorsen van het graan; illustratie uit een handschrift uit de 13de/14de eeuw.*

# Maximumprijs voor wijnen

VLAANDEREN, 1125 - Karel de Goede heeft maximumprijzen bepaald voor de wijnen die in zijn gebied verkocht worden. Met deze maatregel hoopt de vorst de wijnhandel te ontmoedigen en de handelaren te dwingen graan in plaats van wijn te gaan invoeren.

Dit besluit vormt een onderdeel van een reeks maatregelen, die door Karel worden getroffen tijdens een ernstige hongersnood. Het enorme voedseltekort, waarmee heel West-Europa kampt, heeft al ontelbaar veel slachtoffers gemaakt. Veel mensen lijden aan hongeroedeem. Tallozen verlaten ziek en uitgehongerd hun huizen en gaan op zoek naar voedsel.

Behalve het unieke wijnbesluit heeft Karel de Goede nog een aantal bijzondere maatregelen getroffen. In verscheidene plaatsen opent hij bedelingscentra waar behoeftigen brood, kleren en geld kunnen krijgen. Tevens heeft hij de bakkers gelast niet alleen broden van één penning, maar ook van een halve penning te bakken. Dit biedt de armen de mogelijkheid ook een beetje brood te kopen en zo de ergste nood te lenigen.

De vorst heeft een verbod op bierbrouwen afgekondigd. Hierdoor komt de gerst, die bij het bereiden van bier gebruikt wordt, vrij om in broden verwerkt te worden.

De boeren krijgen de opdracht om op een stuk land erwten en bonen te zaaien. Deze gewassen rijpen vroeger dan graan en helpen daardoor een moeilijke periode te overbruggen als de graanvoorraden opraken en de nieuwe oogst nog niet binnen is gehaald.

Een dergelijk overheidsingrijpen is alleen bekend van Karel de Grote, die herhaaldelijk per capitularia (koninklijke verordeningen) heeft ingegrepen om een hongersnood te verzachten.

De kooplieden trekken zich echter weinig aan van de maximumwijnprijs. Dat hoeven zij ook niet, omdat de naleving van het prijsbesluit nauwelijks wordt gecontroleerd.

Het is niet duidelijk of het aantal hongerdoden door het overheidsbeleid vermindert. Dit kan men niet vaststellen, omdat precieze gegevens over de bevolkingsomvang aan het begin van de 12de eeuw ontbreken.

# Vladimir Monomach van Kiëv overleden

KIEV 1125 - Met de dood van Vladimir II Monomach is een vorst heengegaan die bekendstond om zijn mildheid en rechtvaardigheid. Hij wordt opgevolgd door Mstislav, de oudste zoon uit zijn eerste huwelijk met een dochter van koning Harold II van Engeland.

Vladimir Monomach slaagde erin de staat Kiëv-Roes, die een halve eeuw lang was verscheurd door twisten tussen de verschillende vorsten, iets van zijn vroegere stabiliteit terug te geven. Reeds lang voordat hij vorst van Kiëv werd speelde hij een prominente rol in het politieke leven van het land. Hij trad met en voor zijn vader Vsevolod in menige kwestie op en leidde conferenties van vorsten in 1097 en 1100 die een einde aan de twisten moesten maken. In 1103 riep hij de vorsten bijeen teneinde de krachten te bundelen tegen de steppenvolken die de zuidgrenzen teisterden. Hij voerde vele oorlogen, de meeste tegen de Polovtsen [Komanen] uit de zuidelijke steppen.

Daarnaast onderscheidde Vladimir zich als een organisator, bestuurder en bouwer. Op zijn instigatie werd de naar hem genoemde stad Vladimir in het noordoosten aan de rivier de Kljazma gebouwd. Van zijn hand is een sociale wetgeving afkomstig, die bedoeld was om de armen, met name schuldenaren, te steunen. In zijn *Testament*, een instructie aan zijn zonen, zegt hij: 'Ik liet niet toe dat de machtige de arme boer of de door armoede getroffen weduwe kwelde.' In dit zelfde geschrift spoort Vladimir zijn zonen aan zoveel mogelijk kennis te verwerven. Hijzelf had een goede opleiding genoten en was een verwoed lezer.

# Norbertus aartsbisschop

MAAGDENBURG, 1126 - Op de Rijksdag te Spiers is Norbertus van Xanten tot aartsbisschop van Maagdenburg benoemd. De leiding van zijn premonstratenzer- of norbertijnenorde heeft hij daarom overgedragen aan zijn trouwe medewerker Hugo van Fosses.

Zo is de nog jonge orde, in 1120 gesticht in het dal van Prémontré in de Champagne, binnen korte tijd beroofd van haar stichter. Nog maar vijf jaar geleden, op Kerstmis 1121, legde een groep van twaalf man, een symbolisch getal dat naar Christus en zijn apostelen verwijst, de kloostergelofte af tegenover hun leider Norbertus. Zij zijn reguliere kanunniken, wat inhoudt dat zij volgens een bepaalde orderegel levende kloosterlingen zijn, die de zielzorg verbinden met het gemeenschappelijke kloosterleven en de plechtige koordienst.

Toen bij Norbertus het denkbeeld rijpte een orde te stichten, zag hij zich gesteld voor de keuze welke levensvorm te kiezen: het kluizenaarsbestaan of het samenlevingsverband van bijvoorbeeld de succesrijke cisterciënzer monniken. Beïnvloed door Cîteaux en Cluny, koos hij voor het leven in groepsverband. Maar anders dan deze monniken, die ervoor gekozen hebben om afgezonderd van de wereld te leven, wenste Norbertus contact met de bevolking te houden door zielzorg, vooral door prediking. Als ideaal streefden

*Kerkvader Augustinus.*

hij en zijn volgelingen een herstel van de oorspronkelijke evangelische geest na, zoals Christus en zijn discipelen en ook de eerste christengemeenschappen die hadden beleefd.

Als reguliere kanunniken volgen zij de regel van de kerkvader Augustinus na, die volgens hen het meest de geest van dit vernieuwd evangelisch en kerkelijk besef belichaamt, en die naar zij menen nauwer aansluit bij het leven der apostelen. Bovendien wordt hierin meer ruimte geboden voor de apostolische deugden van armoede, eenvoud en goede werken.

# Gunstig huwelijk voor Plantagenet

LONDEN, 1128 - Koninklijke herauten hebben het huwelijk aangekondigd van Mathilde, de enige wettige erfgenaam van de Engelse koning Hendrik I, en Geoffrey Plantagenet, de zoon van de graaf van Anjou. De Engelse koning heeft zijn dochter overgehaald tot dit huwelijk om haar rechten op de troon veilig te stellen. Voor de Plantagenets is dit een belangrijke stap voorwaarts in hun streven om een rol te spelen in de Europese politiek.

Dat koning Hendrik zijn dochter, een volwassen vrouw en weduwe van de Duitse keizer, laat trouwen met een veertienjarige jongen, toont hoezeer hij zich zorgen maakt om zijn opvolging. Hendrik heeft vele kinderen buiten het officiële huwelijksbed verwekt en heeft niet minder dan acht dochters uitgehuwelijkt. In het krijgen van wettige opvolgers is hij echter minder gelukkig. In 1120 is zijn enige manlijke erfgenaam omgekomen.

Toen vier jaar geleden de Duitse keizer stierf, riep de koning zijn dochter Mathilde terug en liet alle edelen zweren haar als zijn troonopvolgster te erkennen. Aanvankelijk leek hiermee de kous af, maar onlangs is de koning zeer verontrust door het feit dat Willem Clito, de zoon van zijn broer Robert, de voormalige hertog van Normandië, erkend is als graaf van Vlaanderen. Uit het rijke land Vlaanderen heeft de graaf omvangrijke opbrengsten en dit zou hem in staat kunnen stellen om Normandië aan te vallen en eventueel na Hendriks dood zowel Normandië als Engeland op te eisen.

# Strijd om de macht na moord op graaf Karel de Goede

BRUGGE, 2 maart 1127 - Karel de Goede, die sinds 1119 over Vlaanderen regeert, is vermoord terwijl hij lag te bidden in de kerk van Sint-Donatiaan te Brugge. De moordaanslag is gepleegd door de familie der Erembouts, leden van de nieuwe adel, opgeklommen als dienaren van de oude adel. De Erembouts zijn wat aanzien en macht betreft gelijk aan de oude adel, maar van geboorte zijn zij onvrij, afhankelijk van de oude adel. Graaf Karel de Goede, die een onderzoek wilde instellen naar de juridische status van zijn onderdanen, zou hun in wezen ondergeschikte positie aan het licht hebben gebracht. Door Karel te vermoorden hebben de Erembouts hun machtspositie veilig gesteld.

Karel stond al lange tijd op gespannen voet met de adel. Vanaf het moment dat hij aan de macht kwam, was hij erop uit de macht van de adel te breken. Hij schaarde zich aan de zijde van de door de handel rijk geworden steden, waarvan hij voor zijn inkomsten afhankelijk was.

Karel was de zoon van de Deense koning Knut IV en van Adela, dochter van Robert de Fries. Hij is kinderloos overleden. Zowel de steden als de adel hebben kandidaten voor de opvolging op het oog.

# Foedjiwara uit machtspositie verdreven

KIOTO, 1129 - Na ruim 57 jaar regeren heeft Sjirakawa bijna alle leden van de Foedjiwara-familie uit hun machtsposities verdreven. Hiermee heeft hij het werk dat door zijn vader, keizer Go-Sanjo, was begonnen, voltooid.

Keizer Go-Sanjo had gezien hoe de opvolger van Michinaga, Yorimichi, als regent ruim 50 jaar naar willekeur onder drie keizers de staatszaken had behartigd of juist had nagelaten dit te doen. Deze manier van handelen was ook andere families niet ontgaan. Zij hadden meer dan eens hun beklag gedaan over de manier waarop de regent alle regels overtrad en, zonder te letten op het belang van het land, slechts uit was op persoonlijk gewin of op voordeel voor andere leden van de Foedjiwara-familie. Go-Sanjo besloot dat alle middelen moesten worden aangewend om een einde aan de monopoliepositie van de Foedjiwara te maken.

Bij zijn troonsbestijging in 1068 had hij een gunstige uitgangspositie: zijn moeder was prinses Yomeimon-In; zij had geen directe band met de Foedjiwara. Daarom had de nieuwe keizer ook officieel geen enkele verplichting ten opzichte van die familie. Zijn antipathie voor de Foedjiwara was nog versterkt omdat Yorimichi als regent had geprobeerd hem voor zijn troonsbestijging door roddels zwart te maken. Go-Sanjo zou onder andere door betovering hebben geprobeerd zijn oudere

*Een Japanse prins met een pasgeboren kind (11de eeuw).*

halfbroer Go-Reizei om het leven te brengen, en veelvuldig gewelddadig opgetreden zijn. Daarom is het niet verbazingwekkend dat Go-Sanjo de opvolger van Yorimichi nagenoeg buiten alle bestuurlijke zaken hield. Deze regent verzuchtte in 1069 al dat 'aan zijn ambt geen enkele reële macht meer verbonden was en dat het eigenlijk slechts een ornament was'.

De keizer had een aantal nieuwe bekwame adviseurs aangesteld om de chaos die door de Foedjiwara was aangericht, te herstellen. Een van zijn eerste daden was het instellen van de 'Kirokujo', het bureau dat zich bezighield met de registratie van land en dat moest nagaan of de aanspraaktitels op land wel in orde waren. Dit zou moeten bijdragen aan het breken van de economische macht van de Foedjiwara. Hun positie steunde immers voor een aanzienlijk deel op het bezit van land dat in de meeste gevallen niet rechtmatig was verworven. Ook moest dit bureau nagaan of grote delen van landgoederen wel terecht vrijgesteld waren van het betalen van belasting. Go-Sanjo stierf echter al in 1073, een jaar na de instelling van een nieuwe bestuursstructuur. Hij had namelijk in 1072 officieel afstand gedaan van de troon ten gunste van zijn zoon Sjirakawa.

Sjirakawa is slechts van 1072 tot 1086 keizer geweest. Daarna is ook hij afgetreden ten gunste van zijn zoon. Via hem en twee opvolgers van hem is Sjirakawa tot nu toe blijven regeren.

# Kerk Santiago de Compostela ingewijd

SANTIAGO DE COMPOSTELA, 1128 - 53 jaar nadat met de wederopbouw van de kerk van de heilige stad Santiago de Compostela werd begonnen, is dit grootschalige project voltooid en de nieuwe kathedraal ingewijd. De kathedraal is herrezen op de plaats waar de oude kerk vóór haar verwoesting door al-Mansoer stond: boven het graf van de apostel Jacobus de Meerdere.

Een wonderlijke droom van een kluizenaar leidde aan het begin van de 9de eeuw tot de ontdekking van het graf van de heilige Jacobus. Op de plaats waar men meende dat hij ooit begraven was, werd een kerk gebouwd, waaromheen zich in korte tijd het stadje Santiago de Compostela vormde. De stad en de kerk met de unieke relikwieën van de apostel werden op een van de plunder- en veroveringstochten van grootvizier al-Mansoer en zijn moslemtroepen in 997 met de grond gelijk gemaakt. De christenen waren diep geschokt door de verwoesting van hun heilige plaats, maar bleven geloven dat Jacobus, de beschermheilige van Spanje, hen zou helpen in hun strijd tegen de islamieten.

De verwoesting van de kerk kon niet beletten dat Santiago de Compostela een van de drukst bezochte bedevaartsoorden werd. Pelgrims uit vele Europese landen hebben de tocht naar de stad van de heilige Jacobus al ondernomen. Via de pelgrimsroute, die door het noorden van Spanje loopt tot aan de heilige stad, zijn er veel contacten met heel christelijk Europa ontstaan. Het handelsverkeer langs de pelgrims-

*Spaanse edelman in devotie.*

route kreeg hierdoor een enorme impuls.

De inwijding van de nieuwe kathedraal, gebouwd boven de botten van Jacobus, betekent een nog grotere aantrekkingskracht van Santiago de Compostela op de pelgrims.

# Gao Zong nieuwe keizer van China

*Pijnlijke medische behandeling; tekening op zijde uit de Song-periode.*

ZUIDELIJKE HOOFDSTAD, 1127 - In een kleine stad in de provincie Henan die voor deze gelegenheid de naam Zuidelijke Hoofdstad kreeg, is Gao Zong tot de nieuwe keizer van China uitgeroepen.

Gao Zong, een van de zonen van de voorlaatste Song-keizer Hui Zong, ontsnapte aan het lot van zijn familieleden die als gevangenen naar het noorden zijn meegevoerd na de verovering van de hoofdstad K'aifeng door het leger van de Jin.

De Jin vernietigde twee jaar geleden het noordelijk keizerrijk Liao, een erfvijand van de Song. De Song was daarbij aanvankelijk hun bondgenoot, maar een ruzie over de verdeling van het Liao-koninkrijk leidde tot het begin van de vijandelijkheden tussen Song en Jin. Bij de verovering van K'aifeng werd de hele schatkist van de Song-dynastie buitgemaakt alsmede de prachtige keizerlijke schilderijencollectie. Bij hun mars naar het zuiden ondervindt de cavalerie van de Jin in toenemende mate hinder van de vele rivieren en kanalen die kenmerkend zijn voor het stroomgebied van de Yangzi.

# Paus kroont Roger tot koning van Sicilië

PALERMO, 1130 - Op kerstdag heeft Roger II de koninklijke waardigheid ontvangen van paus Anacletus II. In de hoofdstad Palermo werd hij gekroond en gezalfd en ontving de titel 'bij de gratie Gods koning van Sicilië, Apulië en Calabrië, steun en schild van de christenen, erfgenaam en zoon van de grote graaf Roger'. Roger II, een telg uit het geslacht d'Hauteville, heeft het werk van zijn oom Robert Guiscard en zijn vader Roger voltooid: de eenwording van Zuid-Italië en Sicilië is na bijna honderd jaar Normandische heerschappij tot stand gekomen.

Het koninkrijk is wat betreft samenstelling beslist géén eenheid. Er zijn grote geografische, politieke, religieuze en raciale verschillen. Het gebied strekt zich uit van de subtropische tuinen van Sicilië tot aan de hoogste bergen van de Apennijnen, gescheiden door de zee en bergen die de communicatie tussen de regio's - de geïsoleerde valleien van Abruzzi, de grote vlakte van Apulië, de 'granieten citadel' van Calabrië, de rijke velden van Campania, de handelssteden aan de baai van Napels en de Golf van Salerno, en de bergen en kuststroken van Sicilië - ernstig belemmeren. Het overgrote gedeelte van de bevolking is van Italiaanse oorsprong behalve Calabrië dat

*Christus kroont Roger II tot koning van Sicilië en Zuid-Italië (mozaïek; kathedraal van Palermo).*

Grieks is, zowel in taal als religie. Het Griekse element overheerst in de Apulische steden en is ook doorgedrongen op Sicilië waar de Afrikaanse en mo-

hammedaanse elementen overheersen. Politiek gezien is er een vermenging van Lombardisch en Romeins recht, van Griekse en Saraceense bureaucratie, van stedelijke onafhankelijkheid en Normandische feodaliteit. Koning Roger II zal al deze strijdige elementen moeten verenigen in één sterke staat.

De Normandische bevolking is zeer gering in aantal en het is voor hen onmogelijk grote culturele invloed uit te oefenen. In het algemeen passen de Normandiërs zich snel aan en nemen de taal en gewoonten over. Al sinds het begin van de Normandische bezetting stellen de leiders zich tolerant op ten opzichte van politieke en religieuze zaken. De Grieken, joden en mohammedanen genieten volledige godsdienstvrijheid. De hiërarchie van de Griekse Kerk wordt door de Normandiërs erkend. De wet houdt rekening met de lokale rechten en gewoonten en bevat verscheidene elementen uit de Latijnse, Griekse, Hebreeuwse en Saraceense bevolkingsgroepen. Bij het lokale bestuur zijn waardigheidsbekleders van de steden en Byzantijnse beambten - 'strategos' en de 'capetan' - betrokken; de Normandiërs hebben eveneens het fiscale apparaat van de Saracenen overgenomen.

# Belastingen in Engeland beter geregeld

LONDEN, 1130 - Koning Hendrik heeft opdracht gegeven om na te gaan welke soorten wetgeving er op verschillende plaatsen in Engeland van toepassing zijn. De wetten waarvan beweerd wordt dat zij door Edward de Belijder gemaakt zijn, heeft hij laten optekenen; zij vormen de grondslag voor wat de 'common law' wordt genoemd. In de afgelopen dertig jaar is de omvang van de administratie van het Engelse rijk verveelvoudigd. De uitgebreidheid van allerlei voorschriften is toegenomen. Koning Hendrik heeft tijdens de vele jaren dat hij nu regeert veel gedaan om de rechtspraak en de belastingen in het hele land op dezelfde wijze te regelen.

Deze stroomlijning heeft ervoor gezorgd dat er steeds meer ambtenaren nodig zijn. De nieuwe functies worden in toenemende mate bekleed door mannen die niet uit de adel afkomstig zijn en die voor hun diensten niet meer, zoals vroeger het geval was, met land worden betaald, maar een salaris krijgen.

De belastinghervormingen houden met name in dat de steden zijn vrijgesteld van het danegeld, maar daarvoor in de plaats de veel zwaardere tallage moeten betalen.

De veranderingen in de staatsfinanciën zijn nodig om de veldtochten van de koning in Normandië te kunnen financieren. Bij afwezigheid van de koning

*Koning Hendrik I 'Beauclerc'.*

controleert een klein comité of de koning genoeg geld van zijn onderdanen krijgt. Twee keer per jaar worden op een kleed dat in vakjes verdeeld is, gelijk een schaakbord, de belastingen afgedragen en geteld. Het bureau waar deze halfjaarlijkse afrekening plaatsvindt heet naar het kleed, de 'exchequer.' De opbrengsten worden keurig opgetekend op lange repen perkament, de 'pipe rolls'.

*Bronzen hanger in de vorm van een hoofd (circa 1000, Ibo-Ukwu-cultuur, Nigeria). Het volk van de Ibo-Ukwu woont in het zuiden van Nigeria, langs beide oevers van de Niger. Op kunstzinnig gebied geniet het vooral bekendheid vanwege de in brons gegoten beelden. Uit de prachtige versieringen blijkt hoe bedreven de Ibo's in de techniek van het bronsbewerken zijn.*

# Keizer Hui Zong overlijdt

JILIN, 1134 - In een verbanningsoord in het noordoosten is ex-keizer Hui Zong in gevangenschap overleden. Hij was de voorlaatste keizer van de Noordelijke Song-dynastie. Keizer Hui genoot bekendheid als een groot kunstenaar, maar was een uiterst onbekwaam staatsman.

De dood van keizer Hui betekent tevens het einde van de hoop van circa drieduizend van zijn hovelingen, die zeven jaar geleden door de Jin bij de verovering van K'aifeng gevangen zijn genomen, om ooit naar het zuiden terug te keren.

Keizer Hui Zong regeerde China van 1101 tot 1126. In de laatste jaren van zijn regering bereikte de economische ontwikkeling van China een tot dan toe ongeëvenaarde hoogte. De bevolking bedroeg 100 miljoen mensen, twee keer zo veel als op het hoogtepunt van de T'ang-dynastie. De produktie van zilver was 13 keer zo groot als toen, die van koper 8 keer zo groot en die van ijzer 14 keer. Er vond een enorme expansie van handel plaats, hetgeen onder andere tot uiting kwam in het ontstaan van nieuwe handelscentra zoals Kanton, Chengdu en Linan (Hangzhou) en het algemeen gebruik van papiergeld en geld gemaakt van geparfumeerde zijde.

Keizer Hui Zong was een van de grootste schilders van zijn tijd, die als een hoogtepunt van de Chinese schilderkunst wordt gezien. Onder de talloze schilders-geleerden die aan zijn hof leefden dienen in het bijzonder Mi Fei en Li Longmian genoemd te worden. De laatste was vooral beroemd als portretschilder.

China onder Hui Zong was de meest geürbaniseerde samenleving ter wereld, hetgeen een beweging van terug-naar-de-natuur in het leven riep. In de religie uitte zich dat in de hernieuwde aantrekkingskracht van het taoïstisch naturalisme. Hui Zong was zelf taoïst. In zijn tijd bloeiden met name landschapschilderingen en penseeltekeningen van bamboe, bloemen en vogels.

Hui Zong was ook oprichter van de Keizerlijke Schildersacademie en een revolutionair vernieuwer op het gebied van schone kunsten. Aan zijn hof kregen schilders aanstellingen en eretitels zoals die van de Gouden Riem. Voordat K'aifeng door de Jin in 1127 werd geplunderd, had de keizerlijke collectie de omvang aangenomen van 6396 schilderwerken, gemaakt door 231 kunstenaars. De meeste schilders van het hof van Hui Zong zijn eveneens gevangengenomen en uiteindelijk in ballingschap gestorven.

De geringe belangstelling van Hui Zong voor staatszaken wordt gezien als een van de redenen van de ondergang van zijn bewind. Zijn buitenlandse politiek versterkte de positie van de Jin die hem uiteindelijk ten val brachten. Zijn binnenlands beleid was grillig: er vonden voortdurend regeringswisselingen plaats, de macht van de eunuchen nam toe en het bureaucratische apparaat werd verscheurd door partijstrijd en ondermijnd door corruptie.

*Keizer Lotharius III (links) en paus Innocentius II (illustratie uit de 'Saksenspiegel')*

# Lotharius III steunt missie

DUITSE RIJK, 1136 - Tijdens de regering van keizer Lotharius III wordt de kolonisatie van Noordoost-Duitsland weer hervat. Reeds als hertog van Saksen toonde de keizer grote belangstelling voor dit gebied; vroom als hij is, is voor hem de kerstening ervan van groot belang. Tevens probeert de keizer de handel tussen het Duitse rijk en de Oostzeelanden te verbeteren. Daartoe heeft hij de kooplieden op Gotland, verbindingspost met de Baltische landen, bescherming in zijn rijk aangeboden.

Al in 1114 benoemde de keizer Adolf van Schauenburg tot graaf van Holstein om het grensgebied tegen indringers te beschermen. Vanaf dat moment kon aan nieuwe kolonisatie en kerstening gedacht worden. Boleslav III van Polen verzocht in 1123 bisschop Otto van Bamberg het door hem veroverde gebied in Pommeren te kerstenen. Otto vertrok in 1124 en predikte onder meer in Stettin en Wollin. In 1128 en 1129 keerde hij in dezelfde gebieden terug, nu samen met Lotharius, de aartsbisschop van Maagdenburg, en Albrecht de Beer. De laatste werd vanwege zijn grote verdiensten tijdens de eerste Italiëtocht van de keizer in 1134 met de Noordmark beleend. Nu, twee jaar later, heeft Albrecht zijn gebied met Prignitz uitgebreid.

*Keizer Lotharius III tijdens een rechtszitting.*

# Omar al-Chajjam: dichter en filosoof

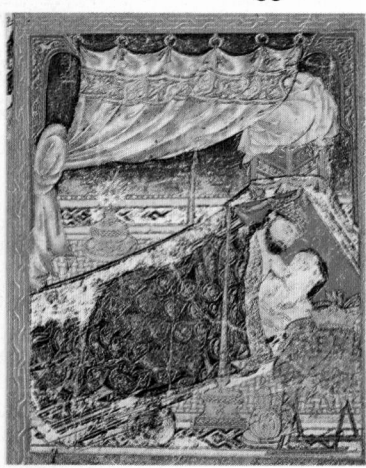

*Arabische prins in bed met een slavin (14de eeuw).*

PERZIE, 1132 - De Perzische geleerde, Omar ibn Ibrahim al-Chajjam is gestorven; hij was dichter, wiskundige en astronoom.

Wanneer hij werd geboren is niet bekend, wel dat dit gebeurde in de buurt van de stad Nisjapoer. Vanwege zijn grote kennis van de wiskunde en astronomie werd hij door de Seldjoeken-sultan, Maliksjah Jalal al-Dien, gevraagd om de Jalali Kalender te verbeteren. Omar voltooide zijn werk op 6 maart 1079.

Door zijn gedichten werd Omar al-Chajjam heel beroemd. Zijn *Roeba'ijjat* (kwatrijnen) is een verzameling van ongeveer 500 puntdichten. Tijdens een bepaalde periode van de Seldjoekenstaat werd er veel aandacht gegeven aan godsdienstige onderzoeken, natuurkunde, wiskunde en literatuur, hetgeen Omar in staat stelde zijn vooruitstrevende gedachten op papier te zetten. Naast de traditionele religieuze geschriften en lofliederen op de Profeet groeide een poëtische cultus van grote verfijning, dienstbaar gemaakt aan de verheerlijking van de liefde en van de wijn, vaak niet alleen zinnelijk maar ook in een ethisch en mystiek licht gezien. Omar al-Chajjams *Roeba'ijjat*, is een filosofische dialoog tussen hem en zijn God. Door de vorm en inhoud van deze gedichten moet Omar niet alleen als een groot dichter, maar ook als een belangrijk filosoof beschouwd worden.

## Abélard schrijft levensverhaal

*Abélard en Héloïse (fragment uit 'Roman de la Rose').*

ST.-GILDA DE RUYS [Bretagne], 1133 - De beroemde filosoof en theoloog Pierre Abélard heeft een korte autobiografie geschreven, getiteld *Historia calamitatum* ('De geschiedenis van mijn rampspoeden'). Abélard beschrijft in dit boek de ellende in zijn leven. Zo wordt hij als abt van St.-Gilda voortdurend door zijn eigen monniken (die hem te streng vinden) belaagd. Een van de 'rampen' is Abélards liefdesgeschiedenis met Héloïse. Héloïse was, hoewel nog erg jong, befaamd om haar grote geleerdheid. Abélard, die tot dan toe in kuisheid had geleefd, besloot dat zij zijn maîtresse moest worden. Om zijn doel te bereiken koos hij een eenvoudige, maar effectieve strategie. Hij bood zich bij Héloïses oom en voogd Fulbert aan als inwonend privé-onderwijzer.

Na een paar maanden van ongestoord liefdesgeluk werden de beide minnaars ontdekt. Inmiddels was Abélard heimelijk met Héloïse getrouwd en was Héloïse in Bretagne bevallen van zijn zoon. Fulbert was zo verbolgen over de hele gang van zaken dat hij als wraak op een nacht Abélard liet overvallen en castreren. Vervuld van schaamte trok Abélard zich terug in een klooster. Vanaf dat moment leefden de echtgenoten gescheiden.

Het belang van Abélards filosofische en theologische werk ligt met name in zijn pleidooi voor een wetenschappelijke aanpak van alle vragen, ook wanneer deze op het theologische vlak liggen. Zijn methodologisch credo heeft hij geformuleerd in zijn werk *Sic et non* ('Ja en nee'), waaraan hij in 1122 begon.

Hierin zet hij de regels voor een wetenschappelijke discussie uiteen. Men moet 'door twijfel tot vraagstelling en door vraagstelling tot begrip van de waarheid komen', zo schrijft Abélard in de proloog. Op deze wijze tracht hij zijn leerlingen in te leiden in de belangrijke theoretische vragen van zijn tijd - niet door stil te blijven staan bij de traditionele theologische formuleringen, maar door alle uitspraken ter discussie te stellen.

**1140** (circa). In Spanje wordt het epos *Cantar de mio Cid* opgetekend. →

**November 1141.** Het Zuidchinese Song-rijk sluit vrede met het Jin-rijk in het noorden van China. →

**21 april 1142.** In het klooster Saint-Marcel bij Chalon-sur-Saône overlijdt de Franse theoloog en filosoof Pierre Abélard. Zijn filosofische opvattingen zijn in 1141 door toedoen van Bernard van Clairvaux op een concilie te Sens veroordeeld. Een van zijn beroemdste werken is het methodologische *Sic et Non*.

**Mei 1142.** Te Frankfurt wordt de Welf Hendrik de Leeuw, zoon van Hendrik de Trotse, met Saksen beleend. Hendrik de Leeuw doet afstand van zijn aanspraken op het hertogdom Beieren.

**1143.** De ketterbeweging der katharen verspreidt zich vanuit de Balkan naar Zuid-Europa.

**1146.** Nadat de Seldjoeken in 1144 het christelijke Edessa-rijk hebben ingenomen, roept abt Bernard van Clairvaux op tot de Tweede Kruistocht.

**1147.** Met hulp van kruisvaarders verovert koning Alfons I van Portugal Lissabon. Lissabon heeft sinds 715 onder de heerschappij van de Moren gestaan. Koning Alfons maakt Lissabon tot hoofdstad van zijn rijk en tot zetel van een aartsbisschop. →

**1147.** De Franse koning Lodewijk VII gaat op kruistocht en stelt zijn raadgever abt Suger van Saint-Denis tot regent aan.

**1147.** Op aandringen van de heilige Bernardus besluit de Duitse koning Koenraad III op kruistocht te gaan. Koenraad kondigt een algemene rijksvrede af en laat zijn zoon Hendrik tot koning kiezen.

**1147.** Hendrik de Leeuw, Albrecht de Beer, Koenraad van Zähringen en andere Duitse vorsten ondernemen een succesloze veldtocht tegen de heidense Slaven.

**1147.** In Italië ontstaan de 'Montes', kapitaalverenigingen die het kerkelijke verbod van rente op geleend kapitaal omzeilen.

**28 juli 1148.** Het kruisvaardersleger staakt het beleg van Damascus. →

**1149.** De Tweede Kruistocht is op een mislukking uitgelopen. Lodewijk VII keert terug naar Frankrijk.

**1100-1150.** In Japan ontstaan twee nieuwe schildervormen die zich in zeer nauwe verbinding met de literatuur ontwikkelen: het album en de lange, geïllustreerde rol. Beide illustreren literaire teksten, waarbij de afbeeldingen vaak een grotere betekenis hebben dan de tekst.

## Heldendicht voor El Cid

*Fragment van het tweede couplet uit het Spaanse epos 'Cantar de mio Cid'.*

SPANJE, circa 1140 - Ongeveer 50 jaar na de dood van de Spaanse nationale held El Cid (circa 1040-1099) is het 4000 regels tellende epos *Cantar de mio Cid* in het Castiliaans door een onbekende opgetekend. Het epos beschrijft de heldendaden van Rodrigo Díaz de Vivar, een edelman van lage adellijke afkomst in dienst van koning Alfons VI, in het Spanje van de laat-11de eeuw. El Cid is de bijnaam die de Moren hem gaven en die, afgeleid uit het Arabisch, 'de heer' betekent.

Een van de hoogtepunten uit het leven van El Cid was de inname van de stad Valencia. Aanvankelijk was hij beschermheer van Valencia, dat in ruil hiervoor schatting aan koning Alfons VI betaalde. In oktober 1092 echter kwamen de inwoners van Valencia in opstand tegen hun zwakke moslimkoning al-Qadir; het lag in hun bedoeling zich over te geven aan de steeds verder oprukkende islamitische Berberstam uit Noord-Afrika, de Almoraviden, wiens hulp door verscheidene moslimkoningen was ingeroepen om zich tegen de christenen te verdedigen.

El Cid kon de overgave van Valencia aan de Almoraviden voorkomen. Na een belegering van 20 maanden gaf Valencia zich op 17 juni 1094 aan hem gewonnen. Zijn houding ten opzichte van de overwonnen Moren die in Valencia woonden getuigde van tolerantie; hij behandelde hen met respect. Na de belegering van Valencia wist El Cid de aanvallen van de Almoraviden, die al hele delen van het 'taifa' ('deelstaat')-rijk van de moslimkoningen onder de voet hadden gelopen, een halt toe te roepen.

Behalve een indruk van het leven van El Cid krijgt de lezer van het *Cantar de mio Cid* een beeld van krijgers (zowel edellieden als vrije mannen die hun vechtersdiensten aanboden) aan het eind van de 11de eeuw in Spanje. Velen brachten hun leven al vechtend door, strijdend tegen de Moren of de Moren beschermend in ruil voor schatting. Deze manier van leven vergrootte zowel de kans op een verhoogde sociale status alsook op een zekere rijkdom. Hiernaast speelde ook het religieuze ideaal van een christelijk Spanje een rol voor deze krijgers.

Na de dood van El Cid is Valencia toch in handen gevallen van de Almoraviden, die toen, in 1102, heel islamitisch Spanje onder hun beheer hadden, uitgezonderd het koninkrijk Zaragoza.

## Gerechtelijke moord op Yue Fei in China

HANGZHOU, 29 december 1141 - in de hoofdstad Hangzhou is generaal Yue Fei op last van de regering samen met zijn zoon terechtgesteld. Yue Fei had zich verzet tegen een vrede tussen Zuidelijk Song en Jin.

De terechtstelling van Yue Fei is een daad van grote willekeur. In het executieformulier staat onder 'aard van de misdaad': 'geen naam'. Deze gerechtelijke moord moet dan ook gezien worden als een signaal aan de Jin dat de in november gesloten overeenkomst tussen beide landen door de Zuidelijk Song-dynastie nageleefd zal worden. Het verdrag houdt in dat Zuidelijk Song zich vazal van Jin verklaart en jaarlijks aan de laatstgenoemde 250 000 ons zilver en 250 000 rollen zij-de zal overdragen. Het verdrag is voornamelijk het werk van Qin Kuai, die in 1138 premier is geworden na een wonderbaarlijke ontsnapping uit Jin-gevangenschap. Volgens geruchten is hij in feite agent van de Jin-dynastie. Met zijn uitspraak dat 'het Noorden is voor mensen van het Noorden, en het Zuiden voor mensen van het Zuiden', verzet hij zich in elk geval tegen een poging om het gebied dat de Song in Noord-China is kwijtgeraakt te heroveren. De geruchten over Qin Kuai worden gevoed door het feit dat de vernederende vrede met Jin en de executie van Yue Fei juist in het jaar komen waarin de Chinese legers voor het eerst sinds lange tijd weer militaire overwinningen op de Jin hebben behaald.

# Alfons verovert Lissabon

LISSABON, 1147 - Na een maanden-lang beleg door de troepen van koning Alfons I de Veroveraar van Portugal is Lissabon op de Moren veroverd. De stad was meer dan vierhonderd jaar in islamitische handen. Alfons I werd gesteund door Engelse, Franse, Duitse en Vlaamse kruisridders die vanuit Keulen op weg waren naar het Heilige Land.

Met de verovering van Lissabon is weer een belangrijke stap gezet in de Reconquista, de herovering van het Iberisch schiereiland op de Moren. De eerste belangrijke aanval op de Moorse aanwezigheid in Spanje en Portugal werd uitgevoerd door Alfons VI van Aragón en Castilië (1065-1109). Hij ondernam met wisselend succes aanvallen op Moorse bevelhebbers en was zelfs gedurende enige tijd meester van Lissabon, Sintra en Santarém. Bij gebrek aan opvolging liet hij zijn onwettige dochter Teresa trouwen met de Bourgondische graaf Hendrik die hij de titel graaf van Portugal verleende. Hendrik en zijn zoon Alfons I zetten de strijd tegen de Moren energiek voort - zo behaalde Alfons I op 25 juni 1139 bij Ourique een grote overwinning - met nu als voorlopig hoogtepunt de verovering van Lissabon.

# Kruisleger staakt beleg

*De Duitse keizer Koenraad III met de adelaar van het geslacht van de Staufen op zijn schild en vaandel, voert het kruisleger aan.*

DAMASCUS, 28 juli 1148 - Het kruisvaardersleger van zo'n 50000 man heeft het beleg van Damascus, dat vijf dagen geleden was begonnen, moeten staken. Het vervaarlijk oprukken van het Seldjoekenleger onder aanvoering van Noer al-Din noopte tot deze beslissing. Hiermee is een roemloos einde gekomen aan de Tweede Kruistocht, die vorig jaar zo hoopvol is begonnen.

De directe aanleiding voor de oproep tot een nieuwe kruistocht door paus Eugenius III was de val van de kruisvaardersstaat Edessa die in 1144 door het leger van sultan Noereddin Mahmoed werd veroverd. Bij de pogingen de christenen in Europa voor zijn plan te winnen kreeg de paus steun van de invloedrijke monnik Bernard van Clairvaux, die in Frankrijk en in het Duitse Rijk de gelovigen opriep het kruis op te nemen.

Vooraanstaande vorsten voerden het bevel over het nieuwe kruisvaardersleger. Een deel van de troepenmacht, die in mei vorig jaar vertrok, stond onder leiding van de Duitse keizer Koenraad III, een ander deel werd aangevoerd door Lodewijk VII van Frankrijk. Het Duitse leger raakte al vrij snel in grote moeilijkheden. Koenraad, die de raad van de Byzantijnse keizer Manuel I om langs de kust te trekken in de wind had geslagen, trok dwars door Anatolië waar het leger op 25 oktober bij Doryleum door de Arabieren verpletterend werd verslagen. Het Franse leger, dat een maand later was vertrokken, zette intussen koers langs de Middellandse-Zeekust naar Antiochië, dat na veel moeilijkheden in maart dit jaar werd bereikt. Tegen het advies van de vorst van Antiochië, Raymond van Poitiers, besloten de kruisvaarders de stad Aleppo, de machtsbasis van de Seldjoekensultan Noereddin Mahmoed, links te laten liggen en direct naar Damascus op te trekken.

**1150** (circa). Door de kruistochten herleeft de handel. De opbloei concentreert zich enerzijds op de Middellandse-Zeesteden (Constantinopel, Venetië, Genua en Pisa), anderzijds op de havens aan de Noordzee (Londen en Brugge) en de Baltische Zee (hanzesteden).

**1151.** De benedictines Hildegard van Bingen voltooit haar eerste visionaire geschrift *Liber Scivias*.

**15 februari 1152.** In Bamberg overlijdt de Duitse koning Koenraad III. Hij was de eerste Hohenstaufische koning.

**4 maart 1152.** De Hohenstaufer Frederik I Barbarossa, neef van Koenraad III, wordt in Frankfurt am Main tot koning gekozen. →

**1152.** Het huwelijk tussen Lodewijk VII van Frankrijk en Eleonora van Aquitanië wordt ontbonden.

**1152.** Hendrik II Plantagenet, hertog van Normandië en graaf van Anjou en Maine, huwt met Eleonora van Aquitanië. Door dit huwelijk verwerft Hendrik II geheel Zuidwest-Frankrijk. →

**6 november 1153.** Het Verdrag van Winchester tussen de Engelse koning Stefanus van Blois en Mathilde, dochter van Hendrik I, maakt een einde aan de in 1139 uitgebroken burgeroorlog in Engeland: Hendrik II Plantagenet, zoon van Mathilde, wordt als troonopvolger aangewezen.

**19 december 1154.** Na de dood van Stefanus van Blois wordt Hendrik II Plantagenet tot koning van Engeland gekroond. Hierdoor ontstaat een groot Anglo/Anjourijk. →

**1155** (circa). Arnold van Brescia, hervormingsprediker, wordt door de Romeinse stadsprefect terechtgesteld. Arnold was leider van de democratisch-senatorische beweging die zich tegen de wereldlijke heerschappij van de paus verzette.

**8/17 september 1156.** Hendrik II Jasomirgott doet afstand van zijn aanspraken op Beieren en Hendrik de Leeuw van zijn aanspraken op Oostenrijk. →

**1156.** Novgorod verwerft zelfstandigheid in kerkelijk bestuur. →

**11 januari 1158.** Vladislav II van Bohemen wordt door keizer Frederik I Barbarossa beloond met de koningstitel. →

**11 november 1158.** Op de Roncalische Rijksdag proclameert keizer Frederik I Barbarossa zijn absolute heerschappij over de Noorditaliaanse steden.

**1158.** Keizer Frederik I Barbarossa heeft aan de universiteit van Bologna een statuut toegekend. →

# Franse ex-koningin trouwt met hertog van Normandië

*Een troubadour overhandigt een gedicht aan een dame (14de eeuw).*

LONDEN, 1152 - Na haar scheiding twee maanden geleden van de Franse koning Lodewijk VII is Eleonora van Aquitanië getrouwd met Hendrik Plantagenet, hertog van Normandië en graaf van Anjou. Door dit huwelijk met de kleinzoon van de Engelse koning Hendrik I krijgt Eleonora, de kleindochter van de eerste troubadour Willem van Aquitanië, belangrijke invloed aan het Engelse hof.

Eleonora is een van de machtigste vrouwen van deze tijd. Zij is een belangrijke patrones van de kunst: aan haar hof in Poitiers, waar ze meestal verbleef, had ze een groot aantal kunstenaars om zich heen verzameld. Op haar reizen laat ze zich altijd door de troubadour Bernard de Ventadour vergezellen. Eleonora is een groot stimulator van de hoofse literatuur, die ongeveer een halve eeuw geleden in Zuid-Frankrijk is ontstaan.

In deze poëzie is vooral de liefde het onderwerp. Het gaat hier om hoofse liefde: de dichter bemint een hoogstaande, mooie, vaak adellijke vrouwe. Zij is het gevierde en bewierookte idool, de belichaming van de hoofse 'joie'. De minnaar is haar volkomen toegewijd, zoals de vazal zijn leenheer. Haar liefde is moeilijk of niet te veroveren; in de oorspronkelijke Zuidfranse traditie is zij een gehuwde vrouw en is de ware liefde altijd overspelig. Soms wordt de hoofse liefde geïntegreerd in een breder kader van morele voorschriften: de hoofsheid in het algemeen. Naast hoofse liefde behoren daartoe verfijnde manieren en ridderlijk gedrag. De minnaar wordt door zijn liefde geïnspireerd tot hoofs gedrag.

*De paus kroont Frederik I Barbarossa in Rome tot keizer; 1155.*

# Frederik koning Duitsland

FRANKFURT AM MAIN, 4 maart 1152 - Na de dood van Koenraad III in februari hebben de Duitse vorsten Frederik van Zwaben als zijn opvolger gekozen, geheel in overeenstemming met Koenraads wens. De Duitse vorsten hebben hiermee de machtigste onder hen tot koning benoemd en geven te kennen na twee zwakke vorsten behoefte te hebben aan een sterke koning die een einde kan maken aan de voortdurende strijd tussen Welfen en Hohenstaufen. De Hohenstaufer Frederik is via zijn moeder namelijk verwant met de Welfen.

Na de dood van Hendrik V was niet overeenkomstig diens wil Frederik van Zwaben, de vader van de nieuwe koning, als opvolger aangewezen, maar - onder invloed van de aartsbisschop van Mainz - Lotharius van Supplinburg, hertog van Saksen. Zowel de Kerk als de vorsten wilden af van het principe van de erfopvolging en maakten gebruik van hun recht van vrije koningskeuze. Lotharius, bejaard, zonder zonen en vroom, leek hun de juiste keuze.

Lotharius bleek een sterkere koning dan was verwacht. Hij herstelde de leenhoogheid over Bohemen (1126) en Denemarken (1131-1134), bood de paus de helpende hand tegen Sicilië en maakte een nieuw begin met de kolonisatie van Noordoost-Duitsland. In Duitsland zelf versterkte hij zijn positie door zijn enige dochter uit te huwelijken aan hertog Hendrik de Trotse van Beieren. Lotharius kwam in conflict met de Hohenstaufen toen hij van Frederik van Zwaben het door deze sinds de dood van Hendrik V bestuurde rijksgoed terugeiste. Koenraad, Frederiks broer, werd tijdens dat conflict zelfs tot tegenkoning uitgeroepen. De beide Hohenstaufen onderwierpen zich pas in 1135.

Na Lotharius' dood in 1138 zegevierde weer het principe van de vrije konings-keuze. Niet de door Lotharius aangewezen Hendrik de Trotse werd koning, maar Koenraad. Deze begon de strijd tussen Welfen en Hohenstaufen opnieuw door Hendrik de hertogdommen Saksen en Beieren te ontnemen. Een burgeroorlog brak uit maar eindigde alweer snel door de plotselinge dood van Hendrik de Trotse (1139). In 1142 volgde de Vrede van Frankfurt: de Welfen kregen Saksen terug maar raakten Beieren kwijt.

De Welfen, nu onder leiding van Hendrik de Leeuw, de zoon van Hendrik de Trotse, blijven echter streven naar herovering van Beieren. Met de keuze van Frederik van Zwaben, dertig jaar oud, een goed politicus en uitstekend diplomaat, hopen de Duitse vorsten een nieuwe burgeroorlog te kunnen voorkomen.

# Engeland sterker dan ooit

PARIJS, 19 december 1154 - Met de kroning van Hendrik II tot koning van Engeland is een groot Engels rijk ontstaan dat zich tevens over geheel West-Frankrijk uitstrekt.

Hendrik is de zoon van de graaf van Anjou en Maine wiens bezittingen hij heeft geërfd. Daarna werd hij in 1150 hertog van Normandië en is hij twee jaar geleden, door een huwelijk met Eleonora van Aquitanië, in het bezit van Zuidwest-Frankrijk gekomen. Hendrik is een echte Franse feodale vorst die zelfs geen Engels kan spreken. Hij vindt Engeland vooral interessant vanwege het prestige dat aan een ko-ninklijke titel is verbonden en vanwege de voor zijn continentale aspiraties noodzakelijke geldelijke inkomsten uit dit land.

Omdat Hendrik II de zoon is van de dochter van de Engelse koning Hendrik I, heeft hij vorig jaar al geprobeerd om de erkenning van zijn opvolgingsrechten af te dwingen. Nu dit gelukt is, heeft dat voor Frankrijk een niet ongevaarlijke situatie geschapen. Hij is de grootste feodale heerser van Europa geworden en het ontstane Anglo-Angevijnse Rijk kan een zware bedreiging voor de Franse monarchie gaan vormen.

# Novgorod gaat eigen weg

NOVGOROD, 1156 - De vetsje (stads-vergadering) van Novgorod heeft het recht verworven om een eigen aartsbisschop te kiezen. Dit is een stap verder op weg naar de onafhankelijkheid van deze stadstaat, een stap die nauw samenhangt met de geleidelijke desintegratie van het rijk Kiëv-Roes.

Novgorod, gelegen in het noordwesten van de Russische landen en in de 8ste eeuw gesticht, is gedurende de periode van de hegemonie van Kiëv een stad van belang gebleven. De stad vormde de noordelijke basis van de handels-route die van de Scandinavische landen tot het Byzantijnse Rijk voerde, terwijl Novgorod eveneens het handelscentrum voor het oost-westverkeer via de Wolga was. Soms betekende de stad de springplank voor de grootvorsten van Kiëv - Vladimir I de Heilige, Jaroslav de Wijze en Mstislav, de zoon van Vladimir II Monomach, waren allen ooit vorst van Novgorod. Jaroslav de Wij-ze kreeg steun van de stad in zijn strijd tegen zijn broer Svjatopolk (1015-1019).

Sinds 1136 volgt Novgorod een geheel eigen politieke koers. In dat jaar weigerde het een vorst die aan de stad was toegewezen, te accepteren en verbande hem. Er werd toen ook een resolutie aangenomen waarbij het recht op landaankoop uitsluitend is voorbehouden aan de burgers van de stad. Sindsdien is de vorst van Novgorod louter een gehuurde functionaris wiens gezag strikt omschreven is.

Deze ontwikkeling naar een onafhankelijke stadstaat heeft nù ook op kerkelijk gebied haar beslag gekregen. De vetsje kiest voortaan drie kandidaten die in aanmerking komen voor het ambt van aartsbisschop. Uit dit drietal wordt er een gekozen door loting. Deze wordt dan door de metropoliet, het hoofd van de Russische Kerk, in zijn ambt bevestigd.

# Koning Stefanus van Engeland overleden

LONDEN, 25 oktober 1154 - Koning Stefanus is gestorven. Hij is bijna twintig jaar vorst van Engeland geweest, maar heeft gedurende zijn regering nauwelijks in vrede kunnen leven. Tussen 1139 en 1153 was het land in een burgeroorlog gewikkeld tussen zijn partij en de aanhangers van Mathilde en Geoffrey Plantagenet, het echtpaar dat door Hendrik I, die geen wettige zoon achterliet, tot zijn opvolger was benoemd.

Stefanus van Blois was de neef van de oude koning. Toen Hendrik I in 1135 overleed, kwam Stefanus onmiddellijk naar Engeland en eiste de troon op. Hij verwierf de steun van de edelen en zag de eerste jaren kans het land in rust te regeren.

In 1138 koos een van de belangrijkste baronnen, Robert van Gloucester, de zijde van zijn halfzuster Mathilde. Het jaar daarop voegde Mathilde zich bij haar opstandige broer en vestigde een

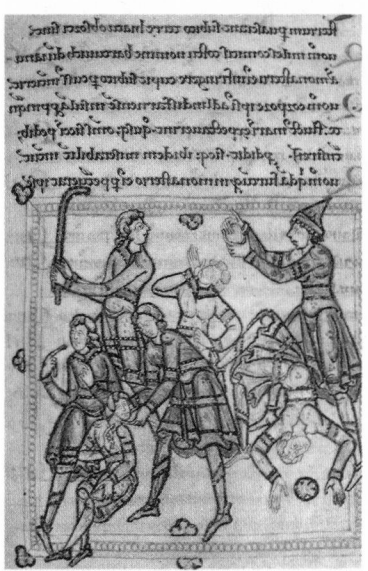

*Uit een Engelse kroniek: jongelui spelen met een bal.*

hof in Bristol. Hiermee waren er twee hoven in het land en de burgeroorlog brak uit.

De oorlog had snel beslist kunnen zijn. In februari 1141 behaalde het leger van Mathilde de overwinning bij Lincoln en Stefanus werd door haar gevangengenomen.

Koningin Mathilde gedroeg zich echter zo aanmatigend dat het volk van Londen zich tegen haar keerde en de vrouw van de gevangen Stefanus steunde in een opnieuw oplaaiende strijd. In november van dat jaar werd Stefanus geruild tegen Mathildes halfbroer Robert van Gloucester die door koningsgezinde troepen gevangengenomen was.

Pas met afgelopen Kerstmis kwam een einde aan de burgeroorlog. Koning Stefanus behield daarbij de heerschappij die hij sinds 1142 had, maar moest de zoon van Mathilde, Hendrik Plantagenet, als zijn erfgenaam en opvolger aanwijzen.

# Oostenrijk wordt zelfstandig hertogdom

REGENSBURG, 17 september 1156 - Met de opstelling van een keizerlijke oorkonde, het Privilegium minus, is schriftelijk vastgelegd dat het markgraafschap Oostenrijk tot zelfstandig hertogdom verheven wordt. In deze oorkonde wordt tevens bepaald dat de Oostenrijkse hertog afziet van zijn aanspraken op het hertogdom Beieren.

De symbolische rechtshandeling heeft op 8 september plaatsgevonden, tijdens een feestelijke hofdag in Regensburg, de hoofdstad van Beieren. Otto van Freising, de bisschop en geschiedschrijver en zelf een Babenberger, was bij de plechtigheid aanwezig. Hij beschrijft hoe de Oostenrijkse heerser, Hendrik II Jasomirgott (deze merkwaardige bijnaam is waarschijnlijk een verbastering van een Arabische titel, verworven tijdens zijn deelname aan de Tweede Kruistocht, en niet terug te voeren op zijn uitspraak 'Ja so mir Gott helfe') uit de dynastie der Babenbergers, afstand heeft gedaan van Beieren. Hij overhandigde aan de Duitse keizer, Frederik I Barbarossa, zeven vaandels, zinnebeeld van Beieren. Vervolgens stelde de keizer ze ter hand aan Hendrik de Leeuw. Deze telg uit het geslacht der Welfen is door dit keizerlijke gebaar beleend met het hertogdom Beieren. Hendrik de Leeuw gaf daarop twee van de zeven vaandels, symbool van het markgraafschap Oostenrijk dat immers steeds met Beieren verbonden is geweest, aan zijn keizerlijke leenheer terug. Tot besluit van de cere-

*Hendrik II Jasomirgott (afbeelding uit ca. 1290, klooster Heiligenkreuz).*

monie droeg de keizer deze twee vaandels over aan Hendrik II Jasomirgott. Met dit vlagvertoon is een einde gekomen aan de jarenlange conflicten tussen de drie hoofdrolspelers.

In 1139 kwam de Welfische hertog van Beieren, Hendrik de Trotse, in opstand tegen de Hohenstaufische keizer Koenraad III. De keizer ontnam hem zijn hertogdom en beleende het aan een Babenberger. Toen deze kinderloos stierf kwam Beieren in handen van Hendrik II Jasomirgott, die er zijn invloed uitbreidde door te trouwen met de Welfische Gertrud, weduwe van

Hendrik de Trotse en moeder van Hendrik de Leeuw. Als gevolg van dit huwelijk moest de onmondige Hendrik de Leeuw afzien van zijn rechten en werd Hendrik II Jasomirgott met Beieren beleend.

De Welfen zagen deze ontplooiing van de Babenbergse macht met lede ogen aan. Toen Gertrud in 1143 stierf eisten zij dat Hendrik II Jasomirgott Beieren opgaf. Toen hij dit weigerde braken er gevechten uit tussen de Welfen en de legers van Hendrik II Jasomirgott en keizer Koenraad III, die vele jaren duurden. De positie van Hendrik II Jasomirgott werd echter verzwakt toen de Hohenstaufische keizer Koenraad III vier jaar geleden werd opgevolgd door Frederik I Barbarossa. Deze keizer is geparenteerd aan de Welfen en kan - met het oog op zijn ambitieuze politiek in Italië - niet zonder hun militaire steun. Hij kan het zich niet veroorloven om Hendrik de Leeuw tegen zich in het harnas te jagen; een verzoening van Hendrik II Jasomirgott en Hendrik de Leeuw dient het belang van de keizer. Dat Hendrik II Jasomirgott uiteindelijk instemt met het compromis van 1156 komt niet alleen doordat hij niet langer kan rekenen op de onvoorwaardelijke steun van de Duitse keizer aan zijn zaak. De bepalingen van het Privilegium minus zijn zeker niet onvoordelig voor de nieuwe Oostenrijkse hertog. Weliswaar raakt hij Beieren kwijt, maar 'eer en roem' van de Babenberger dynastie worden door de keizer gewaarborgd.

*Frederik I Barbarossa (rechts), afgebeeld op een 12de-eeuws reliëf.*

## Boheemse kroon wordt erfelijk

REGENSBURG, 11 januari 1158 - De Duitse keizer Frederik I Barbarossa heeft op de Rijksdag in Regensburg de Boheemse vorst Vladislav II beloond voor zijn hulp (deelnemen aan de Duitse oorlog tegen de Noorditaliaanse steden) door Bohemen tot een erfelijk koninkrijk te verklaren. Frederik is de tweede Duitse heerser die aan een Boheemse vorst de koningstitel verleent. De eerste was keizer Hendrik IV, die in 1085 Vratislav II tot koning van Bohemen maakte. De titel gold echter alleen voor de persoon van Vratislav.

Vladislav II (evenals Vratislav II) behoort tot het machtige Tsjechische geslacht der Premysliden. Eind 9de eeuw liet de Premyslidenvorst Borivoj zich in Moravië dopen, werd vazal van de Groot-Moravische heerser Svatopluk en breidde zijn macht uit over het grootste deel van Bohemen. Onder zijn zonen maakte Bohemen zich los van het Groot-Moravische Rijk. De beroemdste der Premysliden, Sint Wenceslaus, werd na zijn dood heilig verklaard.

De Premysliden moesten echter voortdurend met de andere families vechten om de heerschappij in Bohemen. In 995 hadden ze de tweede machtigste familie, de Slavníkovci, geheel uitgemoord. Maar hun dynastie moest vooral het hoofd bieden aan de veroveringszuchtige Germanen. In 950 zag Boleslav de Wrede zich genoodzaakt de Duitse opperheerschappij te erkennen. Sindsdien kregen de Boheemse vorsten van de Duitse keizers hun land in leen. Door het stichten van het Praagse bisdom (973) raakte Bohemen ook kerkelijk onder Duitse invloed. Toch wisten de Premysliden een relatieve zelfstandigheid ten opzichte van het Duitse Rijk te handhaven. In 1114 kregen de Boheemse vorsten zelfs de erfelijke functie van rijksschenker. Dat betekende dat ze medezeggenschap hadden bij de verkiezing van Duitse keizers.

# Nieuwe opzet universiteit van Bologna

*Een professor geeft college aan de universiteit (miniatuur, 14de eeuw).*

BOLOGNA, 1158 - Het nieuwe universiteitsstatuut, toegekend door keizer Frederik I Barbarossa aan de universiteit van Bologna, zal naar wordt verwacht van wezenlijke invloed zijn op de stichting van universiteiten elders in Europa. De Italiaanse universiteiten lijken met deze al eerder ingezette ontwikkeling naar een grotere onafhankelijkheid ten opzichte van de plaatselij-

ke Kerk, het voortouw te hebben genomen op de, uit de kathedraalscholen voortgekomen, universiteiten ten noorden van de Alpen.

Professoren en studenten hebben, sinds dit besluit, de 'Authentica Habit', de wetenschappelijke en juridische vrijheid onderwijs te geven en te genieten. Deze privileges zijn persoongebonden, waardoor het professoren en studenten mogelijk wordt gemaakt naar andere universiteitssteden te gaan. De studenten beschikken over veel macht, niet alleen tegenover de stedelijke autoriteiten maar ook tegenover de professoren. Die zijn voor hun inkomen afhankelijk van de belangstelling van de studenten voor hun colleges.

Voor de hoofdstudie moeten de studenten een studium generale volgen dat bestaat uit de zeven 'artes liberales': grammatica, retorica, dialectica, wiskunde, geometrie, muziek en astronomie. Maar anders dan in de rest van Europa vormt dit studium generale vooral een voorbereiding op de hoofdstudies theologie, medicijnen, rechten en filosofie.

In de acht jaar geleden opgerichte uni-

versiteit van Salerno wordt al sinds de 9de eeuw medicijnen onderwezen, gebaseerd op de kennis van Griekse, joodse en Arabische bronnen.

Waar Salerno studenten uit heel Europa trekt voor de studie der medicijnen, doet Bologna hetzelfde voor de studie van het Romeinse recht. Dat is te danken aan de grote reputatie van de rechtsgeleerde Irnerius, die vanaf 1088 in Bologna de rechtswetenschap vernieuwde. Hij scheidde retorica en rechten in twee verschillende disciplines en onderwees als eerste systematisch uit het 'Corpus Iuris Civilis' van Justinianus. Zijn leerling Gratianus publiceerde in 1139 de eerste code van het canonieke recht.

Irnerius was destijds overgelopen van het kamp van de Welfen naar dat van de Ghibellijnen. Hij interpreteerde de vernieuwde jurisprudentie dan ook ten gunste van de keizerlijke aanspraken. Dat had tot gevolg dat de tevreden Duitse keizers de universiteit van middelen voorzagen en Bologna nu dus de genoemde privileges en immuniteiten van Frederik Barbarossa heeft gekregen.

# 1160

# Khmer-rijk komt tot grote bloei

*De ruïnes van de tempelstad Angkor Vat (gewijd aan de hindoeïstische godheid Visjnu).*

ANGKOR VAT, 1160 - Bijna vijf decennia heeft Suryavarman II de scepter gezwaaid in het rijk van Angkor [Kambodja]. In die tijd heeft hij het land tot het politieke en culturele centrum van Zuidoost-Azië gemaakt. Bij zijn dood strekt Angkor zich uit tot Luang Prabang.

Bij zijn troonsbestijging in 1113 zag het daar niet naar uit. Suryavarman trof het land in anarchie aan. Door de politieke intriges was ook de economie van het land achteruitgegaan en waren de contacten met de omringende landen op een dieptepunt gekomen. De koning besloot eerst dit laatste probleem aan te pakken. Er werd een diplomatieke missie naar het Chinese Rijk gezonden om de betrekkingen te herstellen die sinds de regering van Jayavarman II waren verbroken. Tegelijkertijd stelde hij een zeer bekwame eerste minister aan, Divakara, aan wie als eerste nog tijdens zijn leven goddelijke eerbewijzen ten deel vielen vanwege zijn optreden.

Suryavarman II wilde naast het nemen van initiatieven op diplomatiek gebied ook het aanzien van zijn land en van zichzelf verhogen door met militaire middelen het grondgebied van zijn land uit te breiden. Hierin is hij deels geslaagd. In het noorden heeft hij vele kleine koninkrijken van Lao veroverd, in het westen is hij succesvol geweest door het grootste deel van de vallei van de rivier de Menam te onderwerpen en in zuidelijke richting wordt op het ogenblik zelfs een deel van de Isthmus van Kra [Maleisië] tot het territorium van Angkor gerekend.

Alleen in oostelijke richting zijn de militaire campagnes van Suryavarman II weinig succesvol verlopen. Weliswaar werd het zeer dunbevolkte zuidelijke gedeelte van het rijk van Champa veroverd, waardoor de voor de internationale zeehandel belangrijke kust in handen van de Khmer kwam, maar een aantal pogingen om de rest van Champa en Dai Viet te veroveren liep op een mislukking uit.

Met de diplomatieke successen en de uitbreiding van het gebied van Angkor bloeide ook de handel op. Dit gaf de koning de mogelijkheid grote bouwwerken te laten construeren. Van de vele tempels en paleizen is de Angkor Vat (de pagode van de hoofdstad) de grootste en volgens velen ook de mooiste. Dit tempelcomplex, dat in een recordtijd (tussen 1122 en 1150) is gebouwd, is zeer rijk aan sculpturen. Het complex heeft een concentrische constructie en overdekte galerijen. Rond de centrale toren zijn vijf torens gebouwd die men al op grote afstand kan zien.

Naast thema's die gebaseerd zijn op de Vishnu-cultus kan men op de zuidelijke galerij ook zien welke militaire successen Suryavarman II heeft geboekt. Nu Suryavarman is gestorven heeft men zijn as dan ook naar Angkor Vat overgebracht, waar deze bewaard blijft.

## Marrakech centrum van nieuw kalifaat

*Een Moors oorlogsschip in volle zee (13de-eeuws miniatuur).*

NOORD-AFRIKA, 1162 - Nu Abd al-Mumin door zijn recente veroveringen geheel Noord-Afrika tot aan de kust der Syrten onderworpen heeft, kent het mohammedaanse rijk naast Bagdad en Caïro een nieuw kalifaat met als hoofdstad Marrakech. Het is het grootste mohammedaanse rijk dat ooit in het Westen bestaan heeft.

Abd al-Mumin is de favoriete volgeling van Ibn Tumart die zich in 1125 tot Mahdi uitriep en een soort theocratie in het leven riep om het in zijn ogen gedegenereerde regime van de Almoraviden (1050-1140) te vervangen door dat van de Almohaden. Beide vorstengeslachten ontlenen echter hun kracht aan het verzet van de Berberboeren tegen de gecorrumpeerde machtigen uit de steden. Na Ibn Tumarts dood, in 1130, werd wat de Almohaden hun Heilige Oorlog noemen met veel succes voortgezet door Abd al-Mumin.

De Maghreb beleeft nu een periode van ongekende welvaart, waarbij het fundamentalisme blijkbaar geen afbreuk doet aan de verdraagzaamheid van de regering of aan de schoonheid van de architectuur, getuige fraaie steden als Fez en Tlemcen. En evenmin staat het de bloei van de wetenschappen in de weg, getuige de unieke universiteitssteden Córdoba en Granada.

# Thomas Becket gevlucht

*Becket (rechts) weigert akkoord te gaan met de Constituties van Clarendon.*

CLARENDON, januari 1164 - De aartsbisschop van Canterbury, Thomas Becket, is naar het vasteland gevlucht om steun te zoeken bij de paus. Zijn bezittingen zijn verbeurd verklaard door de Engelse koning Hendrik II nadat Becket verklaard had het niet eens te zijn met de zogenaamde Constituties van Clarendon. In dit stuk zet de koning uiteen welke macht een wereldlijk vorst zijns inziens heeft over de Kerk. Hij heeft het stuk opgesteld, omdat hij de laatste tijd over deze kwestie onenigheid heeft met Thomas Becket.

Becket werd in juni 1162 door de koning op zijn post benoemd, nadat hij hem zeven jaar lang als kanselier had gediend. Hendrik II zag de benoeming tot aartsbisschop als een eervolle promotie voor Becket. Vrome geestelijken waren echter ontevreden over de benoeming. De kans dat Becket konink-

lijke en kerkelijke belangen, na zoveel jaren trouwe dienst aan de koning, niet gescheiden zou weten te houden, werd door hen groot geacht.

Onmiddellijk na zijn inwijding toonde Thomas Becket dat deze vrees ongegrond was. Becket deed alles om de belangen van de Kerk te dienen en ging hierbij aanvaringen met de koning niet uit de weg.

Hendrik raakte door dit gedrag zeer ontstemd en besloot het op een confrontatie met Becket te laten aankomen. In de Constituties van Clarendon heeft hij de zaken voor altijd willen regelen.

Thomas Becket heeft twee dagen met de koning en diens adviseurs gediscussieerd alvorens akkoord te gaan met de bepalingen van de koning. Nadat ook de andere hoge geestelijken het document hadden ondertekend, heeft de aartsbisschop zich echter bedacht.

*Vier kolossale beelden van de Tolteekse hoofdtempel lin Tula.*

# Tula door brand verwoest

TULA, 1168 - De Tolteekse hoofdstad Tula is verwoest en in brand gestoken door groepen barbaren uit het noorden die worden aangeduid met de verzamelnaam Chichimeken. Hierdoor is het Tolteekse Rijk, dat meer dan twee eeuwen heeft bestaan, uiteengevallen. Volgens de berichten waren de aanvallers gekleed in huiden en uitgerust met pijl en boog. Het is mogelijk dat de Azteken, een van die Chichimeekse groepen, verantwoordelijk zijn voor de ondergang van Tula.

De laatste tien jaar is Tula het toneel geweest van onderling strijdende partijen, waarvan de Chichimeken waarschijnlijk geprofiteerd hebben. Huemac, de laatste heerser, die al zestig

jaar in Tula regeerde, vluchtte na het uitbreken van een revolte met zijn geringe aanhang naar een grot te Chapultepec. Een andere groep Tolteken heeft, na de inval van de Chichimeken, de wijk naar Cholula genomen.

Tula is in 856 gesticht en werd de hoofdstad van het Tolteekse Rijk tijdens de regering (967-999) van de legendarische heerser Topiltzin. Hij was de zoon van koning Mixcoatl en werd geboren op de dag 'Ce Acatl', (één rietstengel), in 947. Hij kreeg een priesteropleiding en werd hogepriester van Quetzalcoatl (Gevederde Slang), de god van wijsheid, kennis en beschaving. Toen Topiltzin de troon besteeg veranderde hij zijn naam in Quetzalcoatl. Hij maakte van Tula een grote, mooie stad en voerde de aanbidding van Quetzalcoatl in, die de belangrijkste god zou moeten worden.

De cultus van deze zachtmoedige god viel niet in de smaak bij de Tolteekse heerserklasse van de stad, omdat zij al goden bezat die beter bij haar krijgshaftige aard pasten. De belangrijkste daarvan was Tezcatlipoca (Rokende Spiegel), de oorlogsgod die voortdurend hongerde naar bloedige, nog kloppende mensenharten. De door Tolteken in oorlogen gemaakte gevangenen werden aan hem geofferd. Het gevolg hiervan was dat er een hevige strijd uitbrak tussen de partij van Topiltzin-Quetzalcoatl en die van de aristocraten van Tula, die door eerstgenoemde partij verloren werd. Vervolgens deed Topiltzin-Quetzalcoatl afstand van de Tolteekse troon en begaf zich met een groepje trouwe aanhangers in ballingschap. Ze trokken naar de Golfkust en zeilden weg. Topiltzin beloofde dat hij terug zou keren in het jaar 1-riet; 1363, 1467 of 1519.

# Vorst Andrej Bogoljoebski plundert Kiëv

KIEV, maart 1169 - Andrej Bogoljoebski, vorst van het noordoostelijk gelegen Vladimir-Soezdal, heeft Kiëv, de 'moeder der Russische steden', meedogenloos geplunderd. Na zich te hebben verzekerd van de titel van grootvorst heeft hij de zetel verplaatst naar zijn favoriete stad Vladimir. Dit betekent het definitieve einde van de politieke prominentie van Kiëv.

De suprematie van Kiëv en de eenheid van Rusland waren al tijdens het bewind van Jaropolk II (1132-1139), een zoon van Vladimir Monomach, ernstig aangetast. De voornaamste reden hiervoor was het onvermogen van Jaropolk om zijn eigen clan in bedwang te houden. Een van zijn broers, Joeri Dolgoeroeki (met de lange arm), toentertijd vorst van Soezdal, kwam tegen hem in opstand. Hiervan maakten andere vorsten op hun beurt weer handig gebruik. Slechts onder vorst Rostislav

*Ridders uit Kiëv in verbitterd gevecht met een vijandige stam (12de-eeuwse kroniek).*

I (1159-1167) herkreeg Kiëv weer iets van zijn vroegere welvaart en bloei, maar hieraan heeft de agressieve politiek van Andrej Bogoljoebski een einde gemaakt.

Deze Andrej, een zoon van Joeri Dolgoeroeki en kleinzoon van Vladimir Monomach, is een arrogante persoon-

lijkheid die wordt geobsedeerd door de Byzantijnse monarchale idee. Hij beschouwt zijn bojaren (adel) als dienaren in plaats van als adviseurs. Teneinde de macht van de vetsje (stadsraad) van Soezdal te besnoeien heeft hij als hoofdstad het veel kleinere Vladimir gekozen.

# 1170

**29 december 1170.** Thomas Becket, aartsbisschop van Canterbury, wordt voor het altaar van de kathedraal in Canterbury vermoord. →

**1170.** In Korea richten de paleiswachten een slachting aan onder de civiele ambtenaren en onttronen de nieuwe koning. Een burgeroorlog breekt uit.

**1171.** Salah al-Din al-Ajjoebi (Saladin), vizier van de kalief der Fatimiden, komt in Egypte aan de macht. Hij maakt een einde aan de dynastie der Fatimiden en sticht de dynastie der Ajjoebiden.

**1172.** Koning Hendrik II van Engeland verovert een groot deel van Ierland.

**1173.** De rijke koopman Petrus Waldus bekeert zich te Lyon tot een apostolisch leven van armoede. Hij sticht de armoedebeweging der Waldenzen.

**13 juli 1174.** Koning Willem van Schotland wordt bij een inval in het noorden van Engeland door de Engelse koning Hendrik II gevangengenomen.

**1174.** Na de dood van de Seldjoekenheerser van Damascus, Noer al-Din, brengt Saladin, heerser van Egypte, Syrië onder zijn heerschappij. Saladin neemt de titel van sultan aan.

**1174.** De opstanden tegen de Engelse koning Hendrik II volgen elkaar op. →

**1175.** In Rome wordt de Latijnse vertaling van Ptolemaeus' *Almagest* gepubliceerd. →

**1176.** Bij Myriokephalon wordt de Byzantijnse keizer Manuel I door de Turken (Roem-Seldjoeken) verslagen. Deze nederlaag betekent het einde van de Byzantijnse macht in Klein-Azië. Constantinopel behoudt alleen nog de kustgebieden.

**1 augustus 1177.** Verdrag van Venetië. De Duitse keizer Frederik I sluit vrede met de Lombardische steden, Sicilië en paus Alexander III. →

**1178.** In Engeland wordt een permanent gerechtshof gevormd. →

**Maart 1179.** Het Derde Lateraans Concilie (bijeengeroepen door paus Alexander III) tracht door een nieuwe regeling van de pauskeuze het gevaar van een schisma te bezweren. Voor de geldigheid van een pauskeuze is voortaan een tweederde meerderheid nodig. Verder wordt een kruistocht tegen de Albigenzen van Toulouse (katharen) geautoriseerd.

**17 september 1179.** Bij Bingen overlijdt in het klooster Rupertsberg de Duitse benedictines Hildegard van Bingen. →

# Rebellie tegen Hendrik II duurt voort

LONDEN, 1174 - Al bijna twee jaar heerst er onrust in Engeland. Deze wordt in de eerste plaats veroorzaakt door de opstand van de zonen van koning Hendrik II tegen hun vader. Tegelijkertijd is in Wales onder lokale heersers rebellie uitgebroken en is de koning veldtochten tegen de Ieren en de Schotten begonnen. Een en ander leidt ertoe dat er overal in het land gestreden wordt en het volk bovendien de financiële middelen moet opbrengen om de oorlog te betalen.

In zekere zin heeft Hendrik II de opstand aan zichzelf te wijten. Hij heeft jaren geleden reeds bekendgemaakt hoe al zijn land op het vasteland en in Engeland na zijn dood onder zijn drie oudste zonen verdeeld moet worden. Op die manier heeft hij willen tegengaan wat veel van zijn voorgangers is overkomen, namelijk dat de zonen na hun dood een burgeroorlog veroorzaken.

Bij de inmiddels volwassen zonen heeft deze verdeling echter valse verwachtingen gewekt. Zij weten dat zij later ieder zullen heersen over een groot rijk, maar zolang hun vader

*Hendrik II wordt in zijn dromen gekweld door de problemen van zijn onderdanen. Op deze miniatuur verstoren geestelijken zijn nachtrust.*

leeft delegeert hij geen enkele taak. Dit heeft hen ontevreden gemaakt. Zij hebben hun legers verzameld. De opstandelingen krijgen steun van de Franse koning, die hoopt op die manier iets van de Franse bezittingen van Hendrik II in handen te krijgen.

De zoon die buiten al deze ruzies blijft staan, is Jan, de vierde zoon van Hendrik. Voor hem had de koning tot voor kort geen land bestemd; hij wordt daarom Jan zonder Land genoemd. Het feit dat hij geen belang heeft bij een opstand zorgde ervoor dat hij de lieveling van zijn vader is geworden. Ierland, dat de koning kort geleden heeft veroverd, is dan ook voor Jan bestemd.

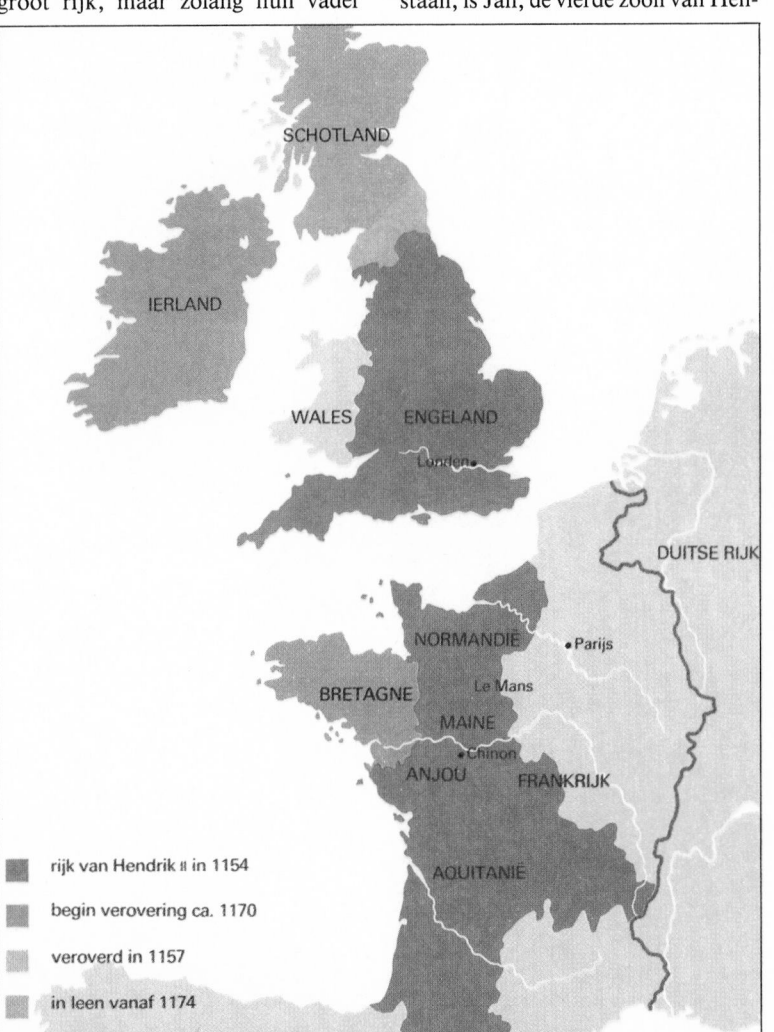

SCHOTLAND

IERLAND

WALES ENGELAND

Londen

DUITSE RIJK

NORMANDIE • Parijs

BRETAGNE Le Mans

MAINE

ANJOU • Chinon

FRANKRIJK

AQUITANIE

- ■ rijk van Hendrik II in 1154
- ■ begin verovering ca. 1170
- veroverd in 1157
- in leen vanaf 1174
- ■ Engelse invloed vanaf 1171

*De ontwikkeling van het rijk van Hendrik II tussen 1154 en 1189.*

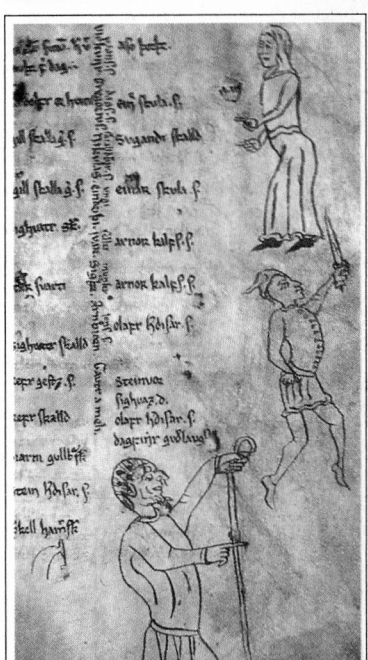

*Een bladzijde uit een 13de-eeuwse, IJslandse Edda. Het ene deel van dit Scandinavische verzamelwerk, de zogenaamde proza-Edda of 'Snorra-Edda' geldt als een standaardwerk voor versbouw en mythologische godenleer. Het tweede deel is de poëtische Edda of 'Soemundar-Edda', een verzameling gedichten die eveneens betrekking hebben op goden en helden. De oudste delen van de Edda werden al in de 9de eeuw geschreven en de laatste gedeelten ontstonden in de 12de. Als ontstaansplaatsen worden behalve IJsland ook Noorwegen en Groenland genoemd.*

# Paus en keizer sluiten verdrag

*Keizer Frederik I Barbarossa knielt neer voor paus Alexander III (detail van een fresco uit het stadhuis van Siena, 1404).*

*Ridders vermoorden Becket in de kathedraal van Canterbury.*

## Moord op bisschop Becket wekt grote verontwaardiging

CANTERBURY, 29 december 1170 - Een verkeerd opgevatte uitroep van de koning heeft geleid tot de moord door vier ridders op de aartsbisschop van Canterbury. Tot afgrijzen en verontwaardiging van velen is aartsbisschop Becket vermoord in zijn eigen kathedraal.

Becket vertrok zes jaar geleden na een conflict met koning Hendrik II naar het vasteland van Europa. Onlangs keerde hij terug naar Engeland met het vaste voornemen zich te wreken op diegenen die zich destijds tegen hem hadden gekeerd.

Toen de koning hoorde van Beckets terugkeer en rancuneuze voornemens, heeft hij volgens de ridders in wanhoop geroepen: 'Kan dan niemand mij van die man af helpen?' Enkele ridders hebben deze woorden van de koning letterlijk opgevat. Vier van hen zijn naar Canterbury gereden. Nadat hij hen had zien aankomen, zocht de aartsbisschop zijn toevlucht in de kathedraal. Hij dacht dat de ridders de onschendbaarheid van een godshuis zouden respecteren, maar vergiste zich: de ridders gingen met hun wapens de kerk binnen en vermoordden hem.

## Ptolemaeus' 'Almagest' nu ook in Latijn

ROME, 1175 - Het sterrenkundeboek van Claudius Ptolemaeus - de Griekse astronoom, geograaf en wiskundige uit de 2de eeuw na Christus - is vertaald in het Latijn. De Arabieren, die het werk van Ptolemaeus al ruim twee eeuwen geleden vertaalden, noemden het 'het grootste' en daarom gaven zij het de naam 'Almagest'. De Latijnse vertalers hebben dit Arabische woord als titel overgenomen. Zij hebben echter niet het hele astronomische overzichtswerk van Ptolemaeus vertaald. Veel wiskundige passages, die de Arabieren geen problemen hebben opgeleverd, zijn eruit gelaten. Ook andere delen van het boek zijn weggelaten, zodat de westerse wereld het met een samenvatting van dit belangrijke werk moet doen.

VENETIE, 1 augustus 1177 - Paus Alexander III en keizer Frederik I Barbarossa hebben in Venetië het in juli gesloten verdrag geratificeerd. Daarmee is het schisma in de Katholieke Kerk beëindigd: paus en keizer erkennen elkaar nu. Tevens is er een wapenstilstand voor zes jaar tussen de keizer en de Lombardische steden en een voor vijftien jaar tussen de Duitse keizer en Sicilië gesloten.

Het paus-keizerconflict dateert van 1159 toen een meerderheid van de kardinalen de antikeizerlijk gezinde Alexander tot paus koos. Een minderheid koos de pro-Duitse Victor IV. Dit conflict was al snel onverbrekelijk verbonden met de pogingen van Frederik I de Lombardische steden te onderwerpen. Een van de eerste daden van de paus was de excommunicatie van de keizer: diens onderdanen hoefden hem niet meer trouw te zijn.

In 1158 had de keizer tijdens de Rijksdag op de Roncalische Velden van de Lombardische steden de teruggave geëist van de ooit door graven en bisschoppen beheerde regalia (aanstelling van magistraten, tolheffing voor wegen, bruggen, wouden, molens en dergelijke). Onder leiding van Milaan waren de Lombardische steden vervolgens in opstand gekomen.

In 1162 werd Milaan na een beleg van een jaar door de keizer veroverd en met de grond gelijkgemaakt. In de herfst van 1166 kwam de keizer opnieuw met een zeer sterk leger naar Italië. Na een schitterende overwinning bij Tusculum werd eind juli 1167 Rome veroverd. Paus Alexander moest vluchten. Een vreselijke malaria-epidemie, die 2000 ridders het leven kostte, maakte een einde aan Frederiks plannen. Slechts met grote moeite wist hij via Lombardije, waar zestien steden zich tot de Lombardische Liga hadden aaneengesloten, naar Duitsland te ontkomen.

In 1174 keerde de keizer naar Italië terug. Nu met een veel minder sterk leger omdat, ondanks herhaalde smeekbeden van de keizer, Hendrik de Leeuw, hertog van Saksen en Beieren, de keizer niet met troepen wilde steunen. Het keizerlijke leger leed daarop vorig jaar bij Legnano een nederlaag tegen de Lombarden. Hierna besloot de keizer via diplomatieke weg een einde aan het geschil met de paus te maken. Het Verdrag van Venetië is van deze nieuwe politiek het resultaat.

## Engeland krijgt permanent gerechtshof

LONDEN, 1178 - Koning Hendrik II heeft besloten de rechtspraak een sterkere positie in de Engelse samenleving te geven. Hij doet dit door de instelling van een permanent hof van justitie.

Tot nu toe werd een gerechtshof alleen bij elkaar geroepen als er zaken waren die moesten worden afgehandeld. De toenemende ingewikkeldheid van het juridische stelsel en de uitbreiding van het koninklijk bestuur leiden ertoe dat er bijna altijd zaken af te handelen zijn.

Het gerechtshof zal nu niet langer met het koninklijk hof door het land reizen, maar wordt gevestigd in Westminster. Op die manier kunnen ook belangrijke zaken worden afgehandeld wanneer de koning van Engeland met zijn hofhouding elders, bijvoorbeeld op het vasteland, vertoeft.

Het hof volgt een geordende bewijs- en onderzoeksprocedure en bij de rechtszaken is een jury aanwezig van gezworenen die gekozen zijn door het volk.

De instelling van het permanente gerechtshof komt niet zomaar uit de lucht vallen, maar is te plaatsen in een ontwikkeling, die door de koning bewust wordt gestimuleerd. Koning Hendrik II is een groot voorstander van een beter geregeld en efficiënt geleid bestuur van het land. De common law krijgt steeds duidelijker vorm en de rekenkamer heeft de laatste jaren ook een functie gekregen als financieel gerechtshof. Naast het permanente gerechtshof in Westminster blijven ook de reizende rechters, justiciars genoemd, in functie.

# Hildegard van Bingen gestorven

BINGEN, 17 september 1179 - Op 81-jarige leeftijd is abdis Hildegard in het door haar zelf gestichte klooster overleden. Deze componiste die van zichzelf zei dat ze 'geen noot muziek kon lezen en nooit enig gezang had geleerd', laat een indrukwekkend oeuvre na van 17 sequensen, 15 antifonen, 19 responsoriale gezangen (beurtzangen), 7 hymnen en een allegorisch muziekspel, *Ordo virtutum* (het spel der deugden), waarin in 82 liederen de strijd tussen de duivel en de 16 deugden om het bezit van de ziel worden bezongen.

Op de synode van Trier in 1148 werd haar door paus Eugenius III de eretitel 'prophetissa Teutonica' (Duitse profetes) verleend. Vóór alles was Hildegard van Bingen mystica, wat ook duidelijk blijkt uit haar denken over muziek. Zij sprak over haar composities als de 'harmonische samenklank van de Hemelse Openbaringen'. Deze samenklank werd ontvangen uit 'de klank van het Levende Licht'. Zij was zelf de bazuinklank van dit licht: 'Zoals de bazuin niet uit zichzelf kan klinken, maar pas geluid geeft wanneer iemand erin blaast, zo is ook Hildegard niet meer dan een instrument waarmee de adem, de Geest van God tot klinken komt.'

De laatste jaren van haar leven werden overschaduwd door een slepend conflict met de prelaten van Mainz die, vanwege een kerkelijke begrafenis van een geëxcommuniceerde in de kloosterkerk, het klooster Bingen een verbod op het onderhouden van de getijden hadden opgelegd. Dit betekende een verbod op muziek. Vorig jaar schreef Hildegard hun over deze kwestie het volgende: 'Alle gewijde zang voert de mens terug naar zijn bestaan van voor de zondeval: Gods Geest werd immers in de eerste mens geblazen. Toen de duivel hoorde dat de mens door Gods inblazing begon te zingen, deed hij er alles aan om het uitvoeren van psalmen en hymnen te verhinderen. Die lieden nu die het zingen van de getijden hebben verboden, hebben God van zijn eigen middel tot dankzegging beroofd. Als ze daarvoor op aarde geen vergeving hebben gekregen, zullen ze het in de hemel zonder de lofzang van de engelen moeten stellen.'

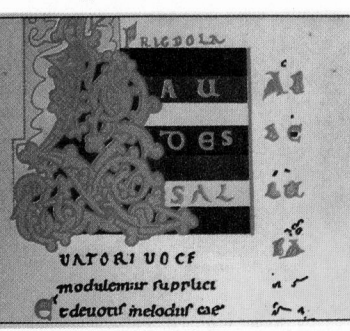

*Het begin van een sequens, 12de eeuw.*

**April 1180.** Op de Rijksdag van Regensburg worden de hertogdommen Saksen en Beieren van Hendrik de Leeuw verbeurd verklaard. Het hertogdom Saksen wordt in tweeën gedeeld.

**1180.** In Japan wordt het bewind van keizer Kijomori door rebellie bedreigd. →

**1180 (circa).** Stefan Nemanja, groot-zupan van de Byzantijnse provincie Rascië (Servië) maakt zich onafhankelijk van het Byzantijnse Rijk.

**1180 (circa).** In Vlaanderen wordt het dierenverhaal *Van den Vos Reynaerde* gepubliceerd. →

**November 1181.** Hendrik de Leeuw wordt verslagen door het rijksleger van Frederik I Barbarossa. →

**1181.** De Hongaarse koning Bela III verovert Dalmatië en delen van Kroatië en Sirmium op het Byzantijnse Rijk.

**1183.** Engeland en Wales lijden onder een zware hongersnood.

**1184.** De stad Abbeville wordt door graaf Jan van Ponthieu met privileges begunstigd. →

**25 april 1185.** Tijdens de Zeeslag van Dan-no-ura wordt de Taira-familie verslagen. Minamoto Joritomo wordt de feitelijke heerser in Japan. →

**12 september 1185.** De Byzantijnse keizer Andronicus I wordt na een volksopstand afgezet. Einde van de Comneni-dynastie. →

**1185.** Bij Mosinopolis verslaat de Byzantijnse keizer Isaäk II Angelus de Normandiërs (uit Sicilië). Zij worden uit Griekenland verdreven.

**1187.** De Bulgaren herwinnen hun onafhankelijkheid. →

**1187.** Saladin, sultan van Egypte en Syrië, verovert Jeruzalem op de kruisvaarders.

**1188 (circa).** De beroemde Franse schrijver Chrétien de Troyes schrijft in opdracht van de Vlaamse graaf Filips van de Elzas *Perceval* of *Le conte du graal.*

**21 januari 1189.** De Franse koning Filips II August, koning Hendrik II van Engeland en diens zoon Richard Leeuwenhart 'nemen het kruis aan' te Gisors in Normandië en stellen troepen voor de Derde Kruistocht samen.

**6 juli 1189.** In Chinon overlijdt koning Hendrik II van Engeland. Zijn zoon Richard Leeuwenhart volgt hem op.

**1189.** Tijdens het beleg van Akko stichten Duitse kooplieden een hospitaal, dat later tot een geestelijke instelling verheven wordt: de Duitse orde.

# Positie Kijomori onzeker

*Tijdens de bezetting van Kioto in 1159 wordt de keizer ontvoerd (13de eeuw).*

KIOTO, 1180 - Hoewel Kijomori als telg van de Taira-familie de centrale regering volledig beheerst, is hij er niet in geslaagd het platteland van Japan onder controle te krijgen. Dit is des te verbazingwekkender omdat Kijomori in de loop van de tijd kans heeft gezien in meer dan 30 provincies een hem welgezinde gouverneur aan het hoofd te stellen. De basis van het verzet tegen zijn alleenheerschappij moet dan ook niet zozeer gezocht worden in zijn onervarenheid op politiek gebied maar meer in het onderschatten van de wraakgevoelens van oude tegenstanders met wie hij meende afgerekend te hebben.

De militarisering van Japan is aan het eind van de 11de en het begin van deze eeuw met rasse schreden voortgegaan. Zowel kloosters als enkele grote families hielden er grote privé-legers op na, benden gewapende mannen die zij waar en wanneer dan ook inzetten ten gunste van deze of gene. Het hof en de centrale regering werden steeds afhankelijker aan de steun van deze benden. De toenemende macht van de militairen werd pas goed duidelijk toen in het midden van deze eeuw kort na elkaar twee oorlogen in en rond de hoofdstad uitbraken.

Kijomori, een telg uit de Taira-familie die in 1146 al gouverneur van de provincie Aki was geworden, toonde in 1150 dat hij over grote strategische gaven beschikte in de Hogen-oorlog, genoemd naar de naam van die periode. In 1160 bewees hij opnieuw dat hij een goed militair strateeg was. Nadat hij als leider van de Taira bij een ruzie over de opvolging van de keizer in 1156 de leider van de Minamoto, Tamejosji, had verslagen, meende diens zoon Josjitomo, die de kant van Kijomori had gekozen, dat hij niet voldoende compensatie voor de door hem geboden steun had gekregen.

Hij bezette, gesteund door ontevreden elementen uit de Foedjiwara-familie, in 1159 de hoofdstad. In 1160 werd hij met zijn aanhangers echter door Kijomori verslagen en vanaf dat moment vestigde deze zijn gezag in de hoofdstad en in het westen van Japan.

Hoewel Kijomori formeel geen post als kampaku bezette, hadden degenen die op hoge posten waren benoemd, in feite weinig in te brengen tegen zijn dictatoriale manier van optreden. Hij organiseerde een uitgebreid netwerk van spionnen in het hele land om na te gaan wat de verschillende lokale machthebbers in hun schild voerden en welke coalities er door machtige families tegen hem werden gevormd. Uit de vele pogingen een staatsgreep te plegen blijkt wel dat het voor Kijomori een noodzaak was goed geïnformeerd te blijven.

Toch lijkt het dat de te ver doorgevoerde politiek van nepotisme van Kijomori hem nu spoedig van zijn macht zal beroven. De onvrede met zijn politiek, met name onder de lokale machthebbers in het oosten van Japan, heeft zodanige vormen aangenomen dat men spoedig een aanval op de hoofdstad verwacht. Joritomo, de zoon van Josjitomo, de voormalige leider van de Minamoto, heeft een opstand ontketend in het bergachtige schiereiland Izoe. Het lijkt erop dat bijna alle lokale heersers in het oosten van Japan zich bij hem aansluiten. Als dit het geval is heeft Kijomori geen enkele kans in de ophanden zijnde confrontatie.

# Duitse keizer verslaat Hendrik de Leeuw

ERFURT, november 1181 - Hendrik de Leeuw, hertog van Saksen en Beieren, heeft zich aan de keizer onderworpen. Vorig jaar al waren hem alle rijkslenen ontnomen. Lachende derde in dit conflict tussen hertog en keizer zijn de overige vorsten, die in ruil voor steun vele privileges van de keizer hebben gekregen.

Het conflict tussen Hohenstaufen en Welfen, van wie Hendrik de voorman is, begon onder koning Koenraad III. Deze beleende Albrecht de Beer en Leopold van Oostenrijk om de macht van Hendrik de Trotse, vader van Hendrik de Leeuw, te breken. Weliswaar zag Albrecht de Beer in 1142 van Saksen af maar Beieren moesten de Welfen voorlopig prijsgeven. Vanuit Saksen begon Hendrik de Leeuw al snel aan de uitbreiding van zijn macht; hij dwong de Slavische Obodriten het heidendom op te geven en hem tribuut te betalen. Om een einde aan het Hohenstaufisch-Welfische conflict te maken kozen de vorsten in 1152 Frederik I tot koning. Hij was immers én Hohenstaufer én neef van Hendrik de Leeuw. De keizer koos verscheidene keren de kant van Hendrik als deze ruzie had met zijn buren. In 1156 werd Hendrik met Beieren beleend. Vanaf dat moment was hij de op één na belangrijkste man van Duitsland. Hij ging zich gedragen als de ongekroonde koning van het rijk; steeds verder breidde hij zijn gebied uit, en

*Hertog Hendrik de Leeuw.*

verwierf onder meer Lübeck en West-Mecklenburg. Hendrik steunde Lübeck door de stad handelsprivileges in het oosten te bezorgen en haalde duizenden kolonisten uit Duitsland en Vlaanderen naar de veroverde gebieden.

Vijf jaar geleden kwam het tot een breuk met de keizer. Hendrik weigerde de verlangde troepenhulp voor 's keizers veldtocht tegen de Lombarden te geven. Toen de keizer in datzelfde jaar een zware nederlaag tegen de Lombarden leed, was de breuk definitief. Toen in 1178 weer allerlei klachten over Hendriks handelen bij de keizer werden gedeponeerd, probeerde deze niet zoals voorheen te bemiddelen, maar nodigde de hertog uit voor een landsrechtelijk proces. Toen de hertog aan drie uitnodigingen geen gehoor gaf, sprak de keizer de rijksban over hem uit. Gelijktijdig begon een leenrechtelijk proces wegens minachting van de keizer. Ook daar verscheen Hendrik niet; hij liet het op een gevecht aankomen.

Op de Rijksdag van Gelnhausen (april vorig jaar) werd Hendrik van al zijn lenen beroofd. Het hertogdom Saksen werd gedeeld: Westfalen viel toe aan de aartsbisschop van Keulen, het oostelijk gedeelte viel toe aan Bernhard van Anhalt. Stiermarken werd van Beieren losgeweekt en tot een zelfstandig hertogdom gemaakt. Beieren ten slotte werd toegewezen aan Otto van Wittelsbach.

Het gevecht waarop Hendrik het liet aankomen, is van korte duur geweest. Zijn medestanders lieten hem in de steek, zodat hem niets anders restte dan zich over te geven.

## Veel spot in 'Van den vos Reynaerde'

OOST-VLAANDEREN, circa 1180 - In navolging van Franse dierenverhalen is in Vlaanderen het dierenverhaal *Van den Vos Reynaerde* verschenen. Over de schrijver is weinig bekend. Gezien zijn taalgebruik en zijn bekendheid met Oost-Vlaanderen, speciaal het Land van Waas, moet hij een Oostvlaming zijn.

*Van den Vos Reynaerde* is een verhaal over dieren, maar gaat in feite over mensen, in het bijzonder over menselijke gebreken als oneerlijkheid, ijdelheid en domheid. Zowel met de gebreken van het gewone volk als met die van de hogere standen wordt de spot gedreven.

Zo kunnen deftige lieden die graag pronken met hun Frans, zich herkennen in het 'hondekijn, hiet [dat heet] cortoys', dat 'claghede den coninc in francsoys'. Zelfs de vorst wordt te kijk gezet. Hij laat zich als koning Nobel, een leeuw, door de slimme vos Reinaert misleiden.

De hogere standen, vooral gesteld op verhalen waarin hun verrichtingen worden verheerlijkt, zullen de *Vos Reynaerde* een brutaal werkje vinden. Maar wie de spot weet te waarderen, zal er veel genoegen aan beleven.

## Keizer Andronicus I na opstand afgezet

CONSTANTINOPEL, 12 september 1185 - Keizer Andronicus I is na een opstand in Constantinopel afgezet en vervangen door Isaäk Angelus. Dit betekent het einde van de Comnenidynastie die ruim een eeuw lang over het Byzantijnse Rijk heeft geheerst.

Andronicus I, die drie jaar geleden de macht aan zich trok en een jaar later keizer werd, is er in de korte tijd van zijn bewind niet in geslaagd zijn plannen te verwezenlijken. Zijn politiek stoelde op twee uitgangspunten: de bescherming van de boeren tegen de grootgrondbezitters en de eliminatie van het Latijnse overwicht in de staat. Hiermee stond hij diametraal tegenover zijn voorgangers, en dat maakte hem aanvankelijk zeer populair bij de bevolking.

Andronicus nam de hervormingen energiek ter hand. Hij verhoogde de salarissen van de ambtenaren teneinde hen minder gevoelig voor corruptie te maken, benoemde eerzame mannen tot rechter en verlaagde de belastingen. Tegenover de grootgrondbezitters trad de keizer hard op. Vele leden van de By-

*Het zegel van Hendrik de Leeuw.*

zantijnse aristocratie werden ter dood gebracht. Het is niet verwonderlijk dat de keizer zich onder de adel onverzoenlijke vijanden maakte.

Een andere reden voor Andronicus' aanvankelijke populariteit was zijn rabiate latinofobie. Tijdens de regering van zijn neef en voorganger Manuel (overleden in 1180) die zeer gecharmeerd was van westerse zeden en gebruiken, waren vreemdelingen uit het Westen met open armen in het Byzantijnse Rijk ontvangen. Zij bekleedden er de meest verantwoordelijke en lucratieve posten. Andronicus trachtte een einde te maken aan dit Latijnse overwicht in de staat.

Hij verloor echter de volksgunst. Overal verraad en komplotten vermoedend, voerde hij een systeem van terreur in dat ten slotte ook de lagere klassen trof. Geleidelijk aan ontstond er een atmosfeer van haat jegens de keizer. Nu er na de verovering van Thessaloniki door de Noormannen gevaar dreigt voor de hoofdstad, is het volk opnieuw in opstand gekomen en heeft de keizer van de troon gestoten.

## Succes generaal Josjitsoene wekt afgunst in Japan

KIOTO, 1185 - Het aanzien van generaal Josjitsoene is aanzienlijk gestegen door de succesvolle campagne die hij vorig jaar te zamen met generaal Norijori tegen Josjinaka no Minamoto heeft gevoerd. Door dit succes wordt hij echter wel van twee kanten belaagd: enerzijds door zijn broer Joritomo die in het oosten van Japan verblijft waar hij in Kanto zijn zetel heeft. Joritomo is jaloers omdat zijn broer zich heeft verzekerd van de steun van vele hoge ambtenaren. Van de andere kant wordt Josjinaka belaagd door keizer Go-Sjirakawa die aanvankelijk blij was dat Josjitsoene hem bevrijd had van de onberekenbare Minamoto's, die nu ook wel weer van Josjitsoene af wilde omdat deze geen grote steun van de verschillende groepen krijgers in de provincies had en hem dus nauwelijks enige bescherming kon bieden.

Joritomo heeft nu de aanval op de positie van zijn broer geopend door hem te vragen naar Kanto te komen. Hij heeft dit verzoek via Go-Sjirakawa gedaan, zodat het min of meer een bevel van de keizer was. Het aanzien van Josjitsoene in hofkringen is te groot om hem onmiddellijk weg te sturen. Omdat de laatste opstandelingen van de Taira-familie nog actief zijn heeft Josjitsoene wel de opdracht gekregen hen definitief uit te schakelen. De keizer weigerde hem echter naar Kanto te sturen. Dan zou immers de hoofdstad open liggen voor de aanvallen van militaire benden.

In plaats daarvan zijn aan Josjitsoene enkele titels verleend door de keizer. Hij heeft onder meer direct toegang tot de keizer gekregen. Josjitsoene aan zijn kant heeft meer dan eens getoond dat het leven aan het hof met alle luxe en pleziertjes hem best bevalt.

Joritomo gaat nu snel tot actie over. Hij beveelt Norijori naar Kioesjoe in het zuidwesten van Japan te gaan en daar de laatste bolwerken van de Taira te veroveren. Norijori volgt dit bevel op en er vallen zodoende nu vele landgoederen in handen van Joritomo waarmee hij medestanders kan belonen. Niemand uit de streek van Kanto mag ambten of giften van het hof aannemen omdat men dan toont niet loyaal tegenover hem te staan. Indien men dit toch doet zullen de landgoederen door hem worden geconfisqueerd. Hiermee tart hij het gezag van de keizer.

Gezien de kracht van Joritomo en de geringe militaire aanhang die zijn broer Josjitsoene en keizer Go-Sjirakawa zich hebben weten te verwerven, lijkt het voor de hand te liggen dat de laatsten in de komende machtsstrijd in Japan het onderspit zullen moeten delven.

# Meer rechten voor steden

ABBEVILLE, 1184 - Met de schenking van het recht van commune heeft graaf Jan van Ponthieu de stad Abbeville bescherming gegeven tegen de onrechtvaardigheden en lasten van de adel uit de omgeving van de stad. Abbeville is een van de vele steden uit een rij die dergelijke rechten hebben verkregen, steden die door een groeiende autonomie worden gekenmerkt.

De groei van steden in Frankrijk vond vooral sinds het einde van de 11de eeuw plaats. Toen konden door verbetering van de landbouwtechnieken meer mensen worden gevoed, mensen die zich niet per se met landbouw hoefden bezig te houden. De steden konden daardoor in die periode sterk groeien. Hiermee verkreeg men de macht om ook politieke eisen te kunnen stellen. De burgers vormden een nieuwe stand die zich tegen de adel ging afzetten.

De heerschappij over de stad en het gerecht van de stad lagen echter meestal nog in handen van de bisschoppen (in de bisschopssteden) of van de feodale vorsten. Deze oude feodale machten waren geneigd de steeds rijker wordende burgers als bron van inkomsten te beschouwen. Hierdoor kon het gebeuren dat de bevolking van Laon in 1111-1112 in opstand kwam. 'Immers,' zo schrijft Guibert van Nogent,

'de burgers werden bestolen en overvallen en 's nachts is niemand veilig op straat; hij wordt onvermijdelijk geplunderd, gevangen of gedood.'

Een dergelijke feodale manier van optreden was voor de burgers niet te verdragen. Zij gingen zich verweren en zorgden voor orde en vrede in de stad. Tegen het einde van de 11de eeuw zag men overal hoe steden zich tegen hun feodale overheersers verdedigden. De burgers probeerden zich te versterken door de vorming van communes. Het begrip commune houdt in dat de onvrijen in de stad geen of nauwelijks nog verplichtingen hebben ten opzichte van hun heren en dat ze tegen de willekeur van de heer beschermd zijn. Zij kunnen alleen wettelijk worden gestraft.

Belangrijk is dat de burgers van een commune wederzijdse eedverbonden sluiten om bij dreigend gevaar gezamenlijk te kunnen optreden.

Om de verantwoording te dragen werd het noodzakelijk om bestuursorganen in te stellen: er kwamen burgemeesters en gezworenen met gerechtelijke bevoegdheden ten opzichte van de burgers. Met de instelling van deze besturen zijn veel steden nu onafhankelijk en autonoom geworden; een nieuw fenomeen in de maatschappij.

# Bulgarije eindelijk weer onafhankelijk

*Bulgaarse ruiters (miniatuur).*

TRNOVO, 1187 - De Bulgaren zijn erin geslaagd om na 170 jaar hun onafhankelijkheid terug te winnen. Aldus heeft de Byzantijnse politiek om Bulgarije in het rijk te absorberen uiteindelijk gefaald.

Bij de opstand die twee jaar geleden on-

der leiding van de broers Peter en Asen in het noorden van Bulgarije uitbrak, waren naast Bulgaren ook Polovtsen (Komanen) en Walachen betrokken. Er waren verschillende factoren die bijdroegen tot het groeiende verzet tegen de Byzantijnse overheersing: het veelal willekeurige bestuur van plaatselijke Byzantijnse functionarissen; een fiscale politiek die gelijk stond aan uitbuiting; de invasies van buitenlandse legers; de populariteit van sektarische bewegingen als bijvoorbeeld die der Bogomielen en vermoedelijk ook de herinnering aan het vroegere grote Bulgaarse Rijk.

Het tijdstip van de opstand was gunstig voor de Bulgaren: het Byzantijnse Rijk verkeerde na de revolutie die keizer Andronicus ten val had gebracht in een precaire situatie. De nieuwe keizer Isaäk II Angelus moest eerst vrede sluiten met de Noormannen en de Seldjoeken in Klein-Azië afkopen voordat hij zijn aandacht op het Balkanprobleem kon richten. Hij slaagde er niet in de opstandelingen te onderwerpen en was gedwongen een onafhankelijk Bulgarije, gelegen tussen de benedenloop van de Donau en het Balkangebergte, te erkennen. In Trnovo, de hoofdstad van dit herleefde Bulgarije, is een onafhankelijk aartsbisdom gevestigd. De eerste ambtshandeling van de nieuwe aartsbisschop was de kroning van Asen tot tsaar.

---

**10 juni 1190.** Keizer Frederik I Barbarossa, aanvoerder van het Duitse kruisvaardersleger, verdrinkt in de Saleph-rivier in Cilicië. →

**1190.** Stefan Nemanja, grootzupan van Rascië [Servië], sluit een verdrag met de Byzantijnse keizer Isaäk II Angelus. Byzantium erkent de autonomie van Servië. →

**1190.** De vrede tussen Ceylon en Pagan [Birma] brengt een scheuring in het boeddhisme teweeg. →

**1190.** Sultan Saladin benoemt de joodse medicus Maimonides tot hofarts. →

**1190 (circa).** De Franse schrijver Chrétien de Troyes overlijdt. →

**1 juni 1191.** Filips van de Elzas, graaf van Vlaanderen, sterft tijdens het beleg van Akko aan een epidemische ziekte. →

**2 september 1192.** Een wapenstilstand tussen de Egyptische sultan Saladin en de Engelse koning Richard Leeuwenhart beëindigt de Derde Kruistocht.

**1192.** In Japan wordt Joritomo de titel van opperbevelhebber verleend. →

**1192.** Mohammed van Ghor, sultan van Ghazni [Afghanistan], verslaat Prithviraja Chauhan, heerser van Delhi. →

**maart 1193.** Saladin ibn Najm al-Din al-Ajjoebi overlijdt. →

**4 februari 1194.** Richard Leeuwenhart betaalt losgeld aan Leopold V van Oostenrijk. →

**Maart 1194.** Richard Leeuwenhart keert terug naar Engeland en onderwerpt zijn broer Jan zonder Land aan zijn gezag. →

**19 juli 1195.** Bij Alarcos (Spanje) behalen de Almohaden (Moren) een grootse overwinning op koning Alfons VIII van Castilië.

**28 september 1197.** In Messina overlijdt de Duitse keizer Hendrik VI. →

**1197.** Misoogsten veroorzaken grote voedseltekorten in de Zuidelijke Nederlanden en Noord-Frankrijk. →

**10 december 1198.** In Marrakech overlijdt de Moorse wijsgeer Averroës (Ibn Roesjd). Zijn commentaren op de werken van Aristoteles zijn in het Westen beroemd geworden.

**26 december 1198.** Bisschop Odo van Parijs keert zich tegen het Zottenfeest. →

---

# Chrétien de Troyes beroemd om zijn ridderverhalen

*Een liefdespaar op de vlucht, miniatuur uit het 'Mannessischen-handschrift', begin 14de eeuw.*

FRANKRIJK, circa 1190 - De schrijver Chrétien de Troyes is overleden. Chrétien - die bekend is door zijn Arthur-romans, verhalen op rijm over de avonturen van een ridder uit het gevolg van de legendarische koning Arthur - leefde aan het hof van Marie, hertogin van Champagne, die net als haar beroemde moeder Eleonora van Aquitanië een groot beschermvrouwe van de hoofse literatuur was.

Een van Chrétiens romans, de onvoltooide *Lancelot*, is aan haar opgedragen. Deze roman behandelt het bij uitstek hoofse onderwerp van de overspelige liefde. Andere problemen binnen de hoofse ethiek die door Chrétien in zijn werk aan de orde werden gesteld zijn: de waarde van aangeleerde manieren tegenover aangeboren deugden (*Perceval*), en de spanning tussen liefde en avontuur. In *Erec en Enide* verwijt de echtgenote haar man dat hij sinds hun huwelijk alleen nog maar van de liefde geniet en nooit meer moedige daden verricht. Dat kan de ridder niet op zich laten zitten. Hij trekt er samen met zijn vrouw op uit, en na vele beproevingen verzoenen de twee zich weer.

Een nieuw element in deze verhalen is Chrétiens belangstelling voor het individu. Terwijl de epische ridders van de Karel-romans strijden voor een collectief ideaal: Kerk, koning of familie, gaat het bij Chrétien om het speciale lot en de bijzondere opdracht van de enkeling. De avontuurlijke reis, het hoofdbestanddeel van het verhaal, is tevens een leerproces waarin de hoofdpersoon zichzelf en zijn wereld leert kennen.

# Frederik I tijdens kruistocht verdronken

*De kruisridders houden onderweg krijgsraad (14de-eeuwse miniatuur).*

CILICIE, 10 juni 1190 - Op weg naar het Heilige Land is keizer Frederik I tijdens de Derde Kruistocht in de rivier de Saleph verdronken. Daarmee is een einde gekomen aan de lange regeringsperiode van een der belangrijkste Duitse vorsten.

Bijna de hele regeringsperiode van Frederik werd gekenmerkt door zijn pogingen Italië in zijn macht te krijgen.

Zes keer trok de keizer naar Italië, waarvan vijf maal tussen 1154 en 1178 en ten slotte nog eens in 1184, om de Lombardische steden te onderwerpen en de paus aan zich te binden.

Na de nederlaag bij Legnano in 1176 zag Frederik in dat hij de Noorditaliaanse steden niet met geweld kon overwinnen. Daarom sloot hij met de paus in 1177 de Vrede van Venetië waarbij onder andere een wapenstilstand voor zes jaar met de Lombarden werd overeengekomen. In 1183 ten slotte sloot de keizer de Vrede van Konstanz met de Lombarden. Daarin werd bepaald dat de steden de regalia binnen hun muren zullen behouden, maar dat die van de landstreken rond de steden aan de keizer toevallen. De steden kiezen dus hun eigen consuls, maken zelf hun wetten en oefenen zelf rechtspraak uit. Ze erkennen de soevereiniteit van de keizer en worden door hem met hun rechten beleend. Na deze vrede concentreerde de keizer zich op een bondgenootschap met Sicilië. Zijn grootste diplomatieke succes behaalde hij vier jaar geleden toen zijn zoon Hendrik in Milaan trouwde met Constanza, erfgename van het koninkrijk Sicilië.

Met de Vrede van Venetië gaf de keizer toe dat zijn Italiëpolitiek had gefaald. Zijn op Karel de Grote geïnspireerde streven naar een Europees keizerrijk stoelde echter niet alleen op nostalgische overwegingen. Het Duitse koningschap heeft door de toenemende macht van de vorsten geen territoriale en financiële basis meer. Deze zocht Frederik in Italië; hij heeft geprobeerd daar een bestuur op te bouwen met behulp van Italiaanse adviseurs en aan de plaatselijke omstandigheden aangepast. Daarin is hij niet geslaagd.

Hij is er wel in geslaagd het keizerschap glans te geven. Zeker toen hij als hoofd van het christendom vorig jaar het kruis opnam om tegen de ongelovigen in het Heilige Land op te trekken.

## Sultan Saladin wijst Maimonides als hofarts aan

CAIRO, 1190 - De joodse wijsgeer en medicus Maimonides is tot hofarts van sultan Saladin benoemd. Daarnaast is hij benoemd tot rabbi van de joodse gemeente. Ook heeft hij zijn *Gids der onzekerheden*, een wetenschappelijke studie waarin hij het belang van de traditionele joodse leer tracht aan te geven, voltooid.

Al op jeugdige leeftijd, in zijn geboortestad Córdoba, hield de jonge Mozes ben Maimon zich met geneeskunde bezig. Vooral de betekenis van gezonde voeding, een ingetogen levenswijze en de hygiëne hadden zijn belangstelling. Zijn vertaling in het Hebreeuws van Avicenna's *Canon* getuigt van een grote kennis van algemene medische zaken. In Marokko, waarheen het gezin na de jodenvervolgingen in zijn geboortestreek rond 1148 moest vluchten, maakte hij kennis met het werk van Averroës. Deze filosoof - net als Maimonides uit zuidelijk Spanje afkomstig - vond dat de religie niet tot het terrein van de kennis behoorde. Er bestond volgens hem geen onsterfelijkheid, maar een vorm van versmelting van de ziel met de natuur na de dood. Deze aristoteliaanse, door sommigen als 'ketters' beschouwde, zienswijze maakte grote indruk op Maimonides. Ook uit Marokko werden de joodse bewoners verjaagd. Maimonides ging eerst naar Palestina, voor hij in Caïro aankwam.

## Serven behouden zelfstandigheid ondanks nederlaag

CONSTANTINOPEL, 1190 - De expeditie van keizer Isaäk II Angelus tegen de Serven heeft voor Byzantium het gehoopte resultaat opgeleverd: Stefan Nemanja van Servië is verslagen en gedwongen vrede te sluiten. De vredesvoorwaarden zijn bijzonder mild: de Serven mogen een aanzienlijk deel van het op Byzantium veroverde territorium behouden; de keizer erkent in feite het bestaan van een autonoom Servië; en voor het eerst in de geschiedenis is er een huwelijksalliantie gesloten tussen Servië en Byzantium, namelijk tussen Nemanja's zoon Stefan en een nicht van de Byzantijnse keizer.

De vermoedelijke reden voor de voor Servië zo gunstige vrede is het besef in Byzantium dat het beter toeven is met een welwillende buur, dan met opstandige onderdanen. Van pogingen van het Byzantijnse Rijk om de Slavische staten gewapenderhand te onderdrukken, zoals in het verleden veelvuldig is geprobeerd, is het bankroet langzamerhand wel aangetoond.

# Boeddhistische Kerk na verdrag verdeeld

PAGAN, 1190 - Door een schisma in de boeddhistische Kerk lijkt het Singalees boeddhisme een eigen plaats in te gaan nemen in Pagan [Birma].

Reeds lange tijd is de relatie tussen Lanka [Sri Lanka] en Pagan aan veranderingen onderhevig. De koning van Pagan, Narapatisithu, kreeg elf jaar geleden onenigheid met een gezant van de Ceylonese koning Parakramabahu. Deze gezant, die in de havenstad Bassein zetelde, wilde in het geschil met Narapatisithu niet toegeven, waarop de koning de gezanten van Lanka en alle handelslieden uit dat land gevangennam.

Alle koopwaar werd geconfisqueerd en schepen van Lanka mochten voortaan de havens van Pagan niet meer aandoen. Uit vergelding zond koning Parakramabahu een vloot naar Pagan om 'orde op zaken te stellen'. Deze vloot leed echter schipbreuk. De gestrande zeelieden en soldaten plunderden nog wel de kust maar de expeditie als zodanig was mislukt.

De relatie tussen Pagan en Lanka werd daarna door toedoen van boeddhistische geestelijken hersteld.

*Liggende boeddha uit de 12de eeuw, afkomstig uit Polonnaruwa op Lanka.*

Het hoofd van de boeddhistische Kerk in Pagan, Panthagu, was al in 1167 naar Lanka vertrokken en keerde kort nadat koning Narapatisithu de troon had bestegen terug in Pagan. Hij stierf in 1173, maar liet als erfenis het Singalees boeddhisme na dat toen nog nauwelijks verbreid was in Pagan. Zijn opvolger, Uttarajiva, is in 1180 in gezelschap van een grote groep monniken met een vredesboodschap voor de koning naar Lanka vertrokken. Hij heeft er een 20-jarige novice achtergelaten, die nu tien jaar later met een aantal monniken is teruggekeerd. Op diplomatiek niveau heeft het boeddhisme op deze manier bijgedragen tot het sluiten van vrede tussen de rijken van Pagan en Lanka.

Op religieus gebied heeft de toevloed van monniken die het minder orthodoxe Singalese boeddhisme aanhangen, een scheuring in de boeddhistische Kerk teweeggebracht.

# Joritomo nieuwe opperbevelhebber Japan

KIOTO, 1192 - Joritomo heeft uiteindelijk na vele intriges de titel 'Sei-taisjogoen' ('Barbaren bedwingende stafchef') of sjogoen gekregen. De naam werd in vervlogen tijden aan legerleiders die tegen de Ainoe vochten, gegeven. Nu betekent het dat de sjogoen het militaire opperbevel over heel Japan heeft. Joritomo's militaire bestuur, dat niet zoals het burgerlijk bestuur in de hoofdstad is gevestigd maar in Kanto, wordt dan ook 'bakoefoe' genoemd. Dit betekent zoveel als 'tentregering'.

Hiermee heeft Joritomo de legitimiteit gekregen die hij tot nu toe ontbeerde bij de uitoefening van zijn macht. Zijn werkelijke macht is besloten in de persoonlijke band die hij heeft met zijn militaire vazallen, de 'gokenin', die zich vooral in de streek van Kanto ophouden.

De basis voor zijn succes vond Joritomo door het uitschakelen van zijn broer Josjitsoene die door zijn militaire successen veel prestige had onder de bevolking van Kioto en erg gezien was aan het hof. Hij wist veel mensen als vazal aan zich te binden doordat hij zich vele landgoederen had toegeëigend die eerst aan de Taira behoorden. Deze landgoederen verdeelde hij onder

*Joritomo, benoemd tot 'Sei-tai-sjogoen'.*

loyale militairen. Zijn invloed nam nog toe nadat hij zich een positie veroverde waarin hij ambten kon toewijzen. Op die manier legde hij de basis voor een brede aanhang in de provincies.

Andere militairen, die tot nu toe niet ondergeschikt aan hem waren en over landgoederen beschikten, onderwierpen zich 'vrijwillig' aan hem in ruil voor bescherming die hij hun bood. Op deze manier breidde het aantal gokenin van Joritomo zich snel uit.

Door in 1185 op elk landgoed een 'jito' (rentmeester/beheerder) aan te stellen voor het administreren van de inkomsten en het heffen van een kleine belasting voor het militaire apparaat, kreeg hij nog meer greep op het land. Zij werden betaald uit de inkomsten van de landgoederen. De vazallen moesten door de controle van deze jito meer aandacht aan hun landgoed besteden. Door deze maatregelen vormde hij in feite een staat in de staat.

De laatste twee jaar was er sprake van toenemend verzet van voormalige keizers tegen deze ongebreidelde machtsuitbreiding. Zij zien niet alleen dat een deel van hun macht hun door Joritomo wordt ontnomen, maar voelen zich nog meer dan voorheen een ornament. Slechts pro forma worden zij nog zo nu en dan geraadpleegd, maar beslissingen over de te volgen politiek staan al bij voorbaat vast.

In Kioto hebben vele ambtenaren aan het hof eveneens met lede ogen moeten aanzien hoe het machtscentrum zich heeft verplaatst naar Kamakoera, de zetel van Joritomo.

*Filips II August scheept zich in voor de kruistocht.*

## Dood Filips van de Elzas in Palestina

AKKO, 1 juni 1191 - Filips van de Elzas, graaf van Vlaanderen, deelnemer aan de Derde Kruistocht, is gestorven aan een ziekte tijdens de belegering van Akko (Palestina). Zijn overlijden, zo ver weg van zijn Vlaamse land, heeft voor het graafschap Vlaanderen ingrijpende gevolgen, daar de Franse koning, Filips II August, nu aanspraak maakt op Zuid-Vlaanderen.

De koning baseert zich op een overeenkomst uit 1180, opgesteld ter gelegenheid van het huwelijk van de koning met een nichtje van de graaf. Hierin heeft graaf Filips zich ertoe verbonden na zijn dood Zuid-Vlaanderen aan de Franse kroon af te staan. De graaf heeft dit gulle gebaar destijds gemaakt, omdat hij meende zeer sterk te staan ten opzichte van de Franse koning. Vlaanderen heeft evenwel in de jaren na 1180 aan macht moeten inboeten. De verworvenheden op Frans grondgebied zijn verloren gegaan. Niet langer meer reiken de grenzen van het graafschap tot aan de Seine. Door het verlies van Zuid-Vlaanderen, met welvarende steden als Atrecht en Sint-Omaars, zal het graafschap in een nog ongunstiger positie komen te verkeren.

# Hoog losgeld voor Richard Leeuwenhart

OOSTENRIJK, 4 februari 1194 - Koning Richard I Leeuwenhart van Engeland kan na betaling van 100 000 mark zilver als vrij man naar zijn land terugkeren. Hij werd vastgehouden als gevangene van keizer Hendrik VI en hertog Leopold V van Oostenrijk, die dit bijzonder hoge losgeld hebben geëist. Met deze transactie vereffent zowel de Duitse keizer als de Oostenrijkse hertog oude rekeningen met de Engelse koning. Leopold V wreekt zich voor een belediging die Richard Leeuwenhart hem drie jaar geleden, tijdens de Derde Kruistocht, aandeed. In de strijd om de havenstad Akko veroverde Leopold V een belangrijke toren en hees er zijn vlag. Door Richard Leeuwenhart werd dit opgevat als een aan-

*Richard Leeuwenhart is getuige van een massa-executie in Akko (15de eeuw).*

tasting van zijn eigen positie als leider van de kruistocht. Hij liet de rood-wit-rode Babenberger vaan neerhalen en sleurde hem door de modder. De Hohenstaufische keizer Hendrik VI was gegriefd omdat Richard Leeuwenhart een pro-Welfische politiek voerde.

Voor zijn thuisreis uit het Heilige Land koos de Engelse vorst de route over zee om een ontmoeting met zijn vijanden te voorkomen. Hij leed echter schipbreuk en moest zijn reis over land voortzetten. Ondanks zijn vermomming als pelgrim werd hij herkend toen hij door Oostenrijk trok. Op 21 december 1192 werd koning Richard Leeuwenhart gearresteerd en overgebracht naar het kasteel van een vazal van hertog Leopold.

De buitensporig hoge som van 100 000 mark zilver is zelfs voor een welvarend land als Engeland moeilijk op te brengen. Er moeten zware belastingen geheven worden over het inkomen en het vermogen van de Engelse bevolking.

# Mohammed van Ghor overwint Rajputen

TARAORI, 1192 - Nabij Taraori bij de Sutlej-rivier heeft Mohammed van Ghor het leger van de Rajputen, die de Gangesvallei bewonen, verslagen. De leider van de Rajputen, Prithviraja, verloor daarbij het leven. Zijn rijk, het koninkrijk van Delhi, komt nu aan Mohammed van Ghor. Enkele maanden geleden wisten de Rajputen nog weerstand te bieden aan de invasiemacht van Mohammed, eveneens in een slag bij Taraori. Toen deze echter met versterkingen terugkeerde konden

de Rajputen niet meer tegen de Arabische legers op.

De Rajputen, een verzameling van verschillende Hindoe-vorstendommen in het Gangesgebied die onderling veel strijd leverden, verenigden zich toen een gemeenschappelijke bedreiging vanuit het westen opdoemde. Begin jaren tachtig was Mohammed van Ghor het gebied van de Indus binnengevallen en in 1182 erkenden de leiders in de Sind, bij de monding van de Indus, zijn heerschappij. Dit gebied is al eerder

het toneel van islamitische invallen geweest, namelijk in 712, toen Arabieren hier binnenvielen en rond 1000, toen Mahmoed van Ghazna er zijn plundertochten hield.

In tegenstelling tot zijn voorganger Mahmoed wie het slechts om buit en islamitische zending te doen was, dacht Mohammed van Ghor aan de vestiging van een koninkrijk. In 1185 veroverde hij Lahore, waarna hij de Rajputen begon aan te vallen, die hij nu dus heeft verslagen.

## Saladin tijdens reis overleden

DAMASCUS - AL-SCHAAM, maart 1193 - Saladin ibn Najm al-Din al-Ajjoebi is overleden. Hij was onderweg naar Damascus, toen hij ziek werd en onverwacht stierf. Zijn laatste belangrijke daad was het bereiken van een vredesakkoord met de leider van de christenen op 2 november vorig jaar.

Saladin al-Ajjoebi was een Koerd die in Mesopotamië werd geboren. Zijn vader, Ajjoeb, was de gouverneur van de stad al-Tikriet, tijdens het Abbasidenkalifaat. Sherkoe, de broer van Ajjoeb, werd beschuldigd van moord; beide broers vluchtten en kwamen terecht bij een Turkse leider, Noer al-Din Zengi genaamd. Deze veroverde Damascus en benoemde Ajjoeb tot gouverneur van die stad en zijn broer Sherkoe tot gouverneur van Hoemoes. Na de machtsstrijd in Egypte tussen de Fatimiden onderling besloot Noer al-Din zijn leger daarheen te sturen. Toen Saladin eenmaal in Egypte was, probeerde hij zijn macht uit te breiden, hetgeen hem lukte toen in 1171 de laatste Fatimiden-leider, al-A'did, stierf. Saladin was een soennitische moslem, terwijl de Fatimiden tot de sji'itische moslems behoorden. Door zijn macht in Egypte maakte Saladin een einde aan het Fatimiden-kalifaat en de sji'itische sekte moest plaats maken voor de soennitische tak van de islam.

Saladin bleef zijn macht uitbreiden en noemde zichzelf de belangrijkste leider van de islam.

# Richard Leeuwenhart terug in Engeland

LONDEN, maart 1194 - Koning Richard, die vanwege zijn moedige optreden tijdens de Derde Kruistocht de bijnaam Leeuwenhart verwierf, is na een afwezigheid van ruim vier jaar naar Engeland teruggekeerd. Hij is daar onmiddellijk begonnen zijn opstandige broer, Jan zonder Land, in te tomen. Het lijkt erop dat Richard in staat zal zijn zijn macht snel te herstellen.

Richard volgde zijn vader op bij diens dood in 1189. Aanvankelijk had de oude koning zijn land verdeeld onder zijn oudste drie zonen, en zijn jongste zoon, Jan, heer van Ierland gemaakt. Twee van de drie oudere broers, Hendrik en Geoffrey, stierven echter eerder dan hun vader. Zo bleef Richard als enige troonopvolger over. Hij vreesde echter de concurrentie van Jan en sloot daarom een bondgenootschap met de Franse koning, de ambi-

*Richard wordt gevangengenomen.*

tieuze Filips II August. Dit was een gevaarlijke overeenkomst, want zodra Richard van zijn vader bezittingen in Frankrijk kreeg, liet de Franse bondgenoot daar een begerig oog op vallen. Richards belangstelling bleef echter niet beperkt tot Engeland en Frank-

rijk. Toen hij hoorde dat een ver familielid in het koninkrijk Jeruzalem in moeilijkheden was, besloot hij samen met Filips II August op kruistocht te gaan.

Ondanks zijn afwezigheid in eigen land was koning Richard in staat zijn macht hier te handhaven. Zijn gezag kreeg echter een deuk toen hij bij te rugkeer uit het oosten in Oostenrijk werd gevangengenomen. Omdat aanvankelijk niet was te overzien hoe lang hij gevangen zou blijven, begonnen anderen, die meenden dat zij recht op zijn verschillende tronen hadden, zich te roeren. Zo ook Jan zonder Land die een poging deed om de macht over te nemen. Die poging is nu door Richards optreden mislukt. De koning zal echter niet lang zelf de regering van Engeland ter hand nemen. Hij is van plan nog voor de zomer naar zijn Franse bezittingen te vertrekken.

# Dood Hendrik VI breekt Staufische macht

MESSINA, 28 september 1197 - De plotselinge dood van de pas 32-jarige keizer Hendrik VI heeft het trotse gebouw van de Hohenstaufische macht doen ineenstorten. Zijn zoon Frederik is pas drie jaar oud. Een andere opvolger is voorshands niet aanwezig. In Sicilië zijn opstanden tegen het Duitse gezag uitgebroken.

Hendrik, tweede zoon van Frederik Barbarossa, was in 1186 gehuwd met Constanza, de erfgename van de Siciliaanse troon. Daarmee werd de macht van de Hohenstaufen, die nu Duitsland en Sicilië bestuurden, enorm vergroot.

Na de dood van Willem II van Sicilië in 1189 werd Tancred van Lecce, bastaardbroer van de overleden koning, met pauselijke steun op de troon gezet. Tancred sloot meteen in ruil voor grote sommen gelds een verbond met Ri-

chard Leeuwenhart. Hendrik trok in 1191 naar Italië, werd door de paus tot keizer gekroond maar zag een verder optrekken tegen Tancred door een epidemie verstoord.

Inmiddels had zich uit angst voor de grote macht van Hendrik in Duitsland een vorstenoppositie gevormd. Door een toeval werd de keizer uit deze benarde positie verlost: de gevangenneming van Richard Leeuwenhart. Hendrik verwierf een losgeld van 100 000 mark (als herstelbetaling voor het geld dat Richard Tancred ontfutseld had) en kreeg de Duitse vorsten op de knieën door te dreigen Richard aan zijn aartsvijand Frankrijk uit te leveren. Drie jaar geleden werd Hendrik in Sicilië tot koning gekroond. In datzelfde jaar kwam ook Frederik ter wereld.

Vorig jaar werd in Sicilië een grote samenzwering beraamd, waarbij naar verluidt de paus en de keizerin betrokken waren. Deze samenzwering werd echter verraden en vervolgens door de keizer gruwelijk onderdrukt.

# Honger bedreigt Vlaanderen en Frankrijk

ZUIDELIJKE NEDERLANDEN, 1197 - De misoogsten van de afgelopen twee jaar hebben de boeren en de burgerbevolking in de Zuidelijke Nederlanden en Noord-Frankrijk in grote moeilijkheden gebracht. Door het wegvallen van twee oogstopbrengsten kregen de Vlaamse boeren met grote financiële problemen te kampen. Zij verbouwden bijna alleen graan en juist de graanoogst was tweemaal achtereen mislukt. In Noord-Frankrijk is geen sprake van een dergelijke monocultuur. Daar worden de korenvelden afgewisseld door wijngaarden. Er brak echter paniek onder de boeren uit, toen behalve de graanoogst ook de druivenoogst ver onder de maat bleef. Veel boeren konden door de uitblijvende verdiensten hun leningen niet op tijd aflossen. Zij vluchtten en probeerden elders werk te vinden.

De rampzalige misoogsten zijn veroorzaakt door uitzonderlijk slechte weersomstandigheden. Twee jaar geleden regende het 'van Sint Jan tot Kerstmis'. De minimale oogsten hadden een catastrofale uitwerking. De voedselvoorraden konden nauwelijks worden aangevuld en de prijzen stegen tot on-

gekende hoogten. Voor een mud rogge betaalde men in Luik normaal een paar schellingen. In mei vorig jaar werd hiervoor echter al achttien schellingen gevraagd en op 25 juni was de prijs zelfs veertig schellingen. Het aantal doden liep onder deze omstandigheden snel op. Duizenden mensen stierven van de honger. Zelfs leden van de hogere standen kwamen in de problemen. Een aantal edellieden zag zich gedwongen geld te lenen bij woekeraars. Als zij het geleende bedrag niet op de overeengekomen dag konden terugbetalen, werd de schuld automatisch verdubbeld. De edelen gebruikten de leensom om voedsel te kopen. Niet alleen voor zichzelf, maar ook voor de horige bevolking die voor hen werkte. Hun vrijgevigheid werd behalve door menslievendheid echter vooral ingegeven door de angst dat zij de inkomsten uit hun grondgebied zouden moeten missen als de horigen niet meer in staat waren om voor hen te werken.

De behoeftigen kunnen voor hulp aankloppen bij kerken en kloosters, die door het geloof verplicht zijn hen te helpen. De meeste geestelijken helpen de hongerlijdende bevolking naar eer

en geweten, ook in deze zware hongersnoodjaren. Aan de armen wordt 'brood, iets om erop te smeren en dun bier verstrekt', soms in ruil voor enige werkzaamheden.

Maar niet alle kerkelijke instellingen blijken een toevluchtsoord voor behoeftigen. De kroniekschrijver van de abdij van La Vicogne bekende beschaamd dat zijn klooster de armen niet had geholpen. De voorraden waren te klein en het klooster had grote schulden: '...dat wat aan de armen gegeven diende te worden, werd voor onze gemeenschap gebruikt, zodat de hongerlijdenden voor de poorten van de geestelijken de hongerdood stierven.' De abdij bleek echter nog wel haver te kopen om de trekdieren te voeden, omdat deze onmisbaar waren bij het bewerken van de landerijen.

De kroniekschrijver was zich ervan bewust gezondigd te hebben tegen het woord van God: '...door ons gouden en zilveren vaatwerk en andere sieraden en onze talrijke stukken vee voor onszelf te behouden. De bron van alle mededogen moge het ons vergeven dat wij niet alles van de hand gedaan hebben ten bate van de armen.'

*Keizer Hendrik VI.*

*Martelingen in de 12de eeuw.*

# Parijse bisschop tegen Zottenfeest

PARIJS, 26 december 1198 - Odo van Sully, sinds 1196 bisschop van Parijs, heeft een brief tegen de traditionele viering van het Zottenfeest (het feest van de besnijdenis van de Heer op 1 januari) in de Notre-Dame te Parijs, uitgevaardigd.

Eerder dit jaar had kardinaal Petrus van Sinte-Marie hem geattendeerd op de wantoestanden die daar heersten; de heilige plaats zou niet alleen door liederlijke taal, maar ook door geweldplegingen en zelfs bloedvergieten bezoedeld zijn.

Ook de traditionele processie, waarbij de Zottenkoning onder gezang van zijn huis naar de kerk wordt geleid, behoort tot het verleden. In het vervolg mag hij nog slechts zijn narrenkap opzetten als hij in het koor van de kerk het zottenlicht *Letemur gaudiis* ('Laat ons uitbundig vrolijk zijn') voordraagt.

Hij mag daarbij de staf van de cantor vasthouden en twee gewijde diakens zullen hem assisteren. Daarna neemt de bisschop het echter van hem over.

In de nieuwjaarsmis en de getijden van die dag wordt eenvoudige vierstemmige zang of organum geprefereerd. In de vespers begint men ook met het zottenlicht *Letemur gaudiis* en daarna moeten vier subdiakens met zijden kappen op een eenstemmig wisselgezang voorzingen.

De meerstemmige zang in de Notre-Dame heeft de afgelopen veertig jaar een grote bloei gekend. Vanaf de bouw van de kerk in 1163 hebben beroemde componisten als Leoninus en Perotinus het koor geleid en is Parijs een centrum geworden voor bestudering van de meerstemmigheid. Leoninus hanteerde twee verschillende compositiestijlen: de organumstijl, waarbij de oorspronkelijke melodie in lang aangehouden noten wordt gezongen en vergezeld wordt van een vloeiende tegenmelodie in de bovenstem, en de discantstijl, waarbij de onderstem beweeglijker is en vrijwel elke noot met een andere gecontrasteerd wordt. Perotinus heeft zich toegelegd op imitatietechnieken, waarbij de stemmen elkaar imiteren.

## 1200

**1200.** Onder aanvoering van Manco-Capac vestigen de Indiaanse Inca-stammen zich in het dal van Cuzco in Peru.

**1200.** Koning Filips II van Frankrijk en graaf Boudewijn IX van Vlaanderen sluiten het Verdrag van Péronne.

**1200** (circa). In het *Igorlied* ofwel *Slovo o polkoe Igorjeve* wordt de veldtocht van de Russische vorst Igor tegen de Polovtsen (Komanen) bezongen.

**28 april 1202.** De Engelse koning Jan zonder Land wordt door de Franse koning Filips II August van zijn Franse lenen vervallen verklaard.

**13 april 1204.** Constantinopel valt in handen van de kruisvaarders. →

**12 december 1204.** In Caïro overlijdt de belangrijke joodse filosoof Maimonides (Rabbi Mozes ben Maimon). →

**1204.** Filips II August verovert Normandië. De Engelse koning Jan zonder Land bezit op het continent enkel nog Aquitanië en delen van Poitou.

**15 april 1205.** Bij Adrianopel wordt de Latijnse keizer van Constantinopel Boudewijn van Vlaanderen verslagen, gevangengenomen door de Bulgaarse koning Kalojan en gedood. →

**Juli 1205.** Hubert Walter, aartsbisschop van Canterbury en kanselier van koning Jan zonder Land van Engeland, overlijdt. Tijdens het verblijf van Richard Leeuwenhart in Europa bestuurde hij als 'opperrechter' het land. →

**1206.** Djingiz Chan verenigt alle Mongoolse stammen.

**1207.** Paus Innocentius III wijdt Stephen Langton tot aartsbisschop van Canterbury.

**1208.** Paus Innocentius III plaatst Engeland onder een interdict omdat koning Jan zonder Land weigert Stephen Langton als aartsbisschop van Canterbury te erkennen.

**1209.** De prediker Franciscus van Assisi begeeft zich met enige aanhangers naar Rome, waar paus Innocentius III hem toestemming geeft voor zijn predikerswerk en levenswijze. Hij en zijn volgelingen vestigen zich in Portiuncula, waar zij de bedelorde der minderbroeders (franciscanenorde) stichten.

Gestorven:

**1 april 1204.** Eleonora van Aquitanië (1122), koningin van Frankrijk (1137-1152), later koningin van Engeland

# Constantinopel gevallen

*De bestorming en verovering van Constantinopel door de kruisvaarders in 1204 volgens een 16de-eeuws schilderij van Tintoretto.*

CONSTANTINOPEL, 13 april 1204 - Vandaag zijn de kruisridders erin geslaagd Constantinopel in te nemen. Keizer Mourtzouphlos (Alexius V) is gevlucht. Drie dagen en nachten hebben de kruisridders de stad geplunderd.

Wat begon als Vierde Kruistocht tegen de islam is uitgemond in de verovering van de steunpilaar van het christendom in het Oosten. Deze koerswijziging werd indirect veroorzaakt door de dynastieke strubbelingen in Constantinopel. Daar was in 1195 Isaäk II Angelus van de troon gestoten en door zijn broer, Alexius III, opgevolgd. Isaäks zoon, prins Alexius, vluchtte naar het Westen in de hoop daar hulp te krijgen tegen zijn oom. Dank zij de bemiddeling van zijn zwager Filips van Zwaben slaagde hij erin Venetië en de kruisridders te interesseren voor zijn plannen de troon voor zijn vader te heroveren. Met name de doge van Venetië, Enrico Dandolo, toonde grote belangstelling voor een campagne in het Byzantijnse rijk. In de verovering en openlegging van nieuwe handelsmarkten in het Oosten zag hij ongekende mogelijkheden.

Eind juni vorig jaar verscheen de vloot der kruisridders voor Constantinopel. Zij forceerden de ijzeren ketting die de Gouden Hoorn van de Bosporus scheidt en staken een groot aantal By-zantijnse schepen in brand. Ondanks een verbeten verdediging namen de kruisridders in juli van hetzelfde jaar Constantinopel in. Alexius III vluchtte en Isaäk II en zijn zoon Alexius werden tot keizer uitgeroepen. Vervolgens werd hun de rekening gepresenteerd: een grote som gelds en de deelname van Alexius aan de kruistocht naar Egypte, het oorspronkelijke doel van de kruisvaart. De keizers verzochten om uitstel en haalden de Latijnen over zich buiten de stad te installeren. Intussen was het stadsvolk roerig geworden; het voelde zich verraden door Isaäk II Angelus en zijn zoon.

Er brak een opstand uit die de keizers met de dood moesten bekopen. Mourtzouphlos, een exponent van de nationale partij, werd als keizer aangewezen.

Aangezien de kruisridders en Venetië zich niet gebonden achtten door een verdrag met deze nieuwe keizer, besloten zij tot de overname van de stad. Hierin slaagden zij na een strijd van enige dagen.

De grote overwinnaar in dit avontuur is Venetië. Deze republiek is een groot aantal economische steunpunten rijker geworden. Tot keizer van het nieuwe Latijnse keizerrijk van Constantinopel is de tamelijk onbeduidende graaf Boudewijn IX van Vlaanderen en Henegouwen gekozen.

## Verslagenheid na dood Maimonides

CAIRO, 12 december 1204 - Onder de joodse bevolking in de diaspora heerst grote verslagenheid nu bekend geworden is dat de invloedrijke filosoof, rabbijn Mozes ben Maimon, Maimonides, op 70-jarige leeftijd is overleden. Hij is inmiddels in Tiberias begraven.

In 1135 werd Maimonides in Córdoba geboren. Toen Spanje te kampen had met de fanatieke Almohaden, vluchtte hij met zijn ouders naar Fez om vervolgens in Palestina te belanden. Maimonides was niet uitsluitend de hofarts van Saladin maar schreef ook enkele zeer belangrijke medische werken. Daarnaast wendden joodse gemeenten zich in het gehele Middellandse-Zeegebied tot hem om advies op het gebied van de wet en religieuze aangelegenheden.

Dat ondanks de maatschappelijke en wettelijke hinderpalen de Arabieren de deskundigheid van veel joden enorm waardeerden, moge blijken uit een gedicht dat door een mohammedaanse arts aan Maimonides werd gewijd. Enkele veelzeggende regels hieruit luidden: 'Zijn kennis maakte hem tot de arts van deze eeuw; hij wist met zijn wijsheid de ziekte der onwetendheid te genezen.'

Een van de belangrijkste werken van Maimonides is zijn *Gids voor de Verwarden*, in het Arabisch geschreven en in vele Europese talen vertaald, waarin hij het bewijs probeert aan te dragen dat het jodendom verenigbaar is met de wijsbegeerte van Aristoteles. Maimonides heeft tijdens zijn leven de aanzet gegeven voor een intensieve studie van Aristoteles. Voor zijn geloofsgenoten berust de faam van Maimonides op zijn omvangrijke *Misjne Thora*, de codex van de talmoedische wetten. Het is een systematische rangschikking, naar onderwerp, van alle in de talmoed behandelde wetten. Bepaalde wetten zouden aan de omstandigheden moeten worden aangepast: 'De rituele wetten zijn gegeven aan de mens, en niet de mens aan de rituele wetten.'

*Mozes Maimonides.*

*Boudewijns rivaal Filips II August vertrekt naar het Heilige Land (13de eeuw).*

# Boudewijn IX vermist

VLAANDEREN, 15 april 1205 - Boudewijn IX, sedert 1194 graaf van Vlaanderen, is in de strijd tegen de Bulgaren bij Adrianopel vermist. Hij is gevangengenomen en vermoedelijk gedood. Graaf Boudewijn was al geruime tijd uit Vlaanderen weg. Drie jaar geleden nam hij het besluit om deel te nemen aan de Vierde Kruistocht en verliet zijn graafschap. De kruistocht leidde tot de stichting van het Latijnse Keizerrijk van Constantinopel. Sinds mei 1204 was Boudewijn keizer van dit rijk. Zijn vrouw, Maria van Champagne, die intussen over Vlaanderen regeerde, maar begin vorig jaar haar man achterna was gereisd, overleed in augustus 1204 te Akko, vóór ze Boudewijn had ont-

moet. Door het verdwijnen van de graaf is Vlaanderen nu dus helemaal in de steek gelaten.

De oudste dochter van Boudewijn, Johanna, is pas vijf jaar, dus veel te jong om haar vader op te volgen. De koning van Frankrijk, Filips II August, kan van deze situatie profiteren. Al lange tijd koestert de koning de wens, Vlaanderen aan de Franse kroon te onderwerpen. Zonder krachtig grafelijk gezag, is Vlaanderen een makkelijke prooi. Bovendien verschaft het leenrecht van de koning de mogelijkheid, Johanna onder zijn hoede te nemen. Het lot van het graafschap Vlaanderen ligt de komende jaren in handen van de Franse koning.

## Kanselier Hubert Walter overleden

LONDEN, juli 1205 - Hubert Walter, kanselier, pauselijk vertegenwoordiger in Engeland en aartsbisschop van Canterbury, is overleden. Met zijn dood verdwijnt een man van het toneel die het laatste decennium verantwoordelijk is geweest voor de voortgang in de ontwikkeling van een sterke centrale regering, terwijl de koning zelf vaak afwezig was.

Door de vele functies die Hubert Walter in zijn persoon verenigde, stond hij garant voor een harmonieus samengaan van kerkelijk en wereldlijk bestuur. Tijdens de afwezigheid van Richard Leeuwenhart en later van diens opvolger Jan zonder Land leidde hij het bestuur van het land.

Voor de onderdanen betekende dit dat er steeds zwaardere belastingen geheven werden. Dit geld was niet alleen nodig om kruistochten en oorlogen op het Europese vasteland te bekostigen, maar ook omdat er de laatste jaren sprake was van een zeer hoge inflatie, waardoor de gelden die de koninklijke domeinen opbrachten minder waard werden.

Er zijn meer redenen voor het gemor in het land aan te geven. Koning Jan is

de laatste twee jaar vrijwel voortdurend in Engeland. Niet alle baronnen zijn gediend van de duidelijke aanwezigheid van de koning. Men voelt zich bedreigd en de koning op zijn beurt verdenkt iedereen ervan tegen hem een komplot voor te bereiden. Voorlopig hebben de Engelsen weinig plezier van het feit dat hun koning voor het eerst sinds de regering van koning Stephen geregeld thuis is.

## Kruisleger lijdt zware verliezen

*De Rus Demetrius overwint Kalojan van Bulgarije (16de-eeuws icoon).*

ADRIANOPEL, april 1205 - In een ge wapend treffen tussen Bulgaren en La tijnse kruisridders hebben de laatste zware verliezen geleden. Hun keize Boudewijn van Vlaanderen, is door c Bulgaren gevangengenomen.

De kruisridders, die vorig jaar bezit na men van Constantinopel en er een La tijnse staat vestigden, hebben van By zantium een lastige buurstaat geërfe De ouvertures van de Bulgaarse ko ning Kalojan (Johannitsa) aan he adres van de nieuwe machthebbers i Constantinopel waren weliswaar zee vriendschappelijk, maar de Latijne reageerden uiterst beledigend op c voorstellen van de koning. Daarme verwierven zij zich een onverzoenlijk tegenstander. Bovendien wisten z zich door hun grove, kwetsende gedra ten aanzien van het Griekse geloof bir nen de kortste keren nog van een and re vijand te verzekeren: de Griekse b volking van Thracië en Macedonie Koning Kalojan heeft dit handig wete uit te buiten en zich opgeworpen tot d verdediger van de orthodoxie van d Grieks-Bulgaarse bevolking tegen d Rooms-Latijnse overheersers. D heerser van Bulgarije begeert de By zantijnse keizerskroon.

*Twee 15de-eeuwse illustraties bij de roman 'Leila en Madsjnoen' van de in 1209 overleden Perzische dichter Nesami.*

**18 oktober 1210.** Paus Innocentius III excommuniceert de Duitse keizer Otto IV, omdat deze tegen zijn belofte in aanspraak maakt op de heerschappij in Midden-Italië en het koninkrijk Sicilië.

**1210** (circa). In Oostenrijk ontstaat het *Nibelungenlied*. →

**1210** (circa). De Duitse dichter Gottfried van Strassburg schrijft zijn meesterwerk *Tristan und Isolde*. Hij gebruikt als voorbeeld een Franse Tristanroman van de Anglo-Normandiër Thomas.

**1211.** Iltoetmisj volgt zijn schoonvader, Aibek, als sultan van Delhi op. Zijn eerste taak is de consolidatie van de islamitische veroveringen in Noord-India.

**1211.** Door een brand worden in Novgorod vijftien kerken en 4300 huizen verwoest.

**1211.** De Mongolen vallen onder aanvoering van Djingiz Chan China binnen.

**Lente 1212.** Grote aantallen kinderen uit Frankrijk en Duitsland gaan op kruistocht.

**16 juli 1212.** Bij Las Navas de Tolosa verslaan de verenigde legers van de christelijke rijken Castilië, Aragón, Navarra en Portugal onder aanvoering van koning Alfons VIII van Castilië de islamitische Almohaden. →

**Augustus 1212.** Duizenden kinderen komen in de Franse havenplaats Marseille en in de Italiaanse havenplaats Genua aan om zich in te schepen voor het Heilige Land. Daar de meeste kinderen de overtocht niet kunnen betalen wordt de kruistocht hier al beëindigd. Een deel van de kinderen wordt door de Marseillaanse of Genuaanse kooplieden als slaven aan de Arabieren in Egypte verkocht.

**25 september 1212.** In Basel vaardigt keizer Frederik II de Gouden Bul uit ten behoeve van Bohemen. →

**15 mei 1213.** De Engelse koning Jan zonder Land draagt Engeland en Ierland op als leen aan paus Innocentius III en erkent Stephen Langton als aartsbisschop van Canterbury. De paus heft het interdict op. →

**27 juli 1214.** In de Slag bij Bouvines verslaat koning Filips II August van Frankrijk een coalitie van de Duitse keizer Otto IV, de Engelse koning Jan zonder Land en de graaf van Vlaanderen. →

Gestorven:

**November 1210.** Koeth-oed-din Aibak (?), sultan van Delhi en grondlegger van de moslemmacht in India

# Hartstocht en geweld in 'Nibelungenlied'

*Miniatuur uit de in deze tijd eveneens zeer populaire ridderroman 'Parzifal' in de bewerking van Wolfram von Eschenbach (1200-1210).*

OOSTENRIJK, circa 1210 - In het Donaugebied, in de omgeving van Passau, is in de afgelopen jaren het *Nibelungenlied* ontstaan, het eerste heldenepos dat in de Duitse taal is opgetekend. Het 2400 strofen tellende heldendicht verhaalt de lotgevallen van Siegfried, Kriemhilde en Brünhilde. Er zijn historische feiten uit de 5de eeuw in verwerkt: de verdrijving van de Bourgondiërs door de Hunnen in 436, en de dood in 453 van Attila de Hun, die in het *Nibelungenlied* Etzel heet. Het *Nibelungenlied* bezingt vele diepe menselijke emoties. De liefde doet haar intrede als de uitzonderlijk sterke Merovingische koningszoon Siegfried

Kriemhilde, de beeldschone zuster van de Bourgondische koning Gunther ontmoet. Siegfried belichaamt de heldenmoed. Voordat hij zijn opwachting aan het Bourgondische hof maakt heeft hij immers de schat van de Nibelungen' ('de kinderen van de nevel', een legendarisch dwergenvolk) bemachtigd. Siegfried zal Kriemhilde tot vrouw krijgen als hij Gunther helpt de IJslandse koningsdochter Brünhilde te veroveren. Brünhilde is even sterk als mooi, en zij wil alleen trouwen met de man die haar meerdere is in het verspringen en speerwerpen. Gunther en Siegfried doen het voorkomen of Gunther de krachtproeven volbrengt, maar in werkelijkheid is het Siegfried, die Brünhilde verslaat. Met dit bedrog worden rampzalige ontwikkelingen in gang gezet. Het dubbelhuwelijk vindt plaats, maar Brünhilde krijgt achterdocht. Jaloezie geeft aanleiding tot een twist tussen Brünhilde en Kriemhilde, waarin de waarheid wordt onthuld. Brünhilde zweert wraak en geeft de vazal Hagen opdracht om Siegfried te vermoorden. Dit gebeurt met medeweten van koning Gunther, die bang is voor Siegfrieds invloed en macht, en hem zo verraadt.
Dat niemand zich aan de macht van het noodlot kan onttrekken blijkt uit het tweede deel van het *Nibelungenlied*. Kriemhilde heeft het huwelijksaanzoek van Etzel de Hun geaccepteerd omdat zij met zijn steun de moord op Siegfried wil wreken. Het bezoek dat de Bourgondiërs aan het land van de Hunnen brengen, eindigt in een bloedbad, waarin alle personages omkomen.
In welke plaats en in welk jaar het *Nibe-*

*lungenlied* precies is ontstaan is onbekend. Evenmin valt met zekerheid te zeggen wie de dichter is. Waarschijnlijk is het epos eeuwenlang mondeling overgeleverd voordat het schriftelijk is vastgelegd. Mogelijk heeft bisschop Wolfger van Passau, die ook als beschermheer van de minnezanger Walther von der Vogelweide bekendstaat, de opdracht tot het op schrift stellen van het *Nibelungenlied* gegeven.

*Een ander heldenepos dat uit het begin van de 13de eeuw dateert is 'Tristan' door Gottfried von Strassburg. Aangenomen wordt dat de volledige Tristansage, waarvan de kern Keltisch is, reeds rond 1150 bekend was en dat kort voor 1160 in Frankrijk een Tristanroman ontstond. Afgebeeld is de tweekamp tussen Tristan en Morolf.*

# Alfons VIII boekt overwinning op Moren

*Het moslem-rijk van de Almohaden in het begin van de 13de eeuw.*

LAS NAVAS DE TOLOSA, 16 juli 1212 - De naam van koning Alfons VIII van Castilië is in ere hersteld na de overwinning van de christenen bij Las Navas de Tolosa. In 1195 leed Alfons VIII nog een enorme nederlaag tegen de Almohaden, een islamitische Ber-

berstam uit Noord-Afrika, bij Alarcos. Maar bij Las Navas de Tolosa heeft hij zijn naam gewroken. De macht van de Almohaden is gebroken en de verovering van het zuidelijk gedeelte van Spanje begint in zicht te komen. Paus Innocentius III riep in 1196

op tot een kruistocht tegen de Moren. De kruisvaarders konden door mee te strijden aflaten verkrijgen van de Kerk. Diegenen die met de moslems samen zouden werken, zouden direct door de Kerk geëxcommuniceerd worden. Kruisvaarders uit Frankrijk, Castilië, Navarra en Aragón vertrokken op 20 juni uit Toledo. Een ieder was vol goede moed: sinds de komst van de Almoraviden in Spanje was men weer van het idee van de Reconquista doordrongen.
Vóór de strijd werd de kruisvaarders hun zonden vergeven. Zo zouden ze, indien ze zouden sneuvelen op het slagveld, zuiver voor God geleid kunnen worden. Dit is echter maar in enkele gevallen noodzakelijk gebleken. Op het slagveld zijn maar enkele christenen gestorven. Aanvankelijk wilden de christenen nog verder naar het zuiden oprukken, maar het uitbreken van de pest en het gebrek aan voorzieningen noopten hen direct terug te keren.

# Gouden Bul voor Bohemen

*Frederik de Siciliaan (rechts) verleent een privilege.*

BASEL, 25 september 1212 - Keizer Frederik II, bijgenaamd de Siciliaan, heeft in Basel de Gouden Bul uitgevaardigd, die voor Bohemen van het grootste belang is. De Bul garandeert de erfelijkheid van de koninklijke titel en verklaart Moravië en het Praagse bisdom een ondeelbaar bestanddeel van het Boheemse koninkrijk. Verder zegt de keizer toe Bohemen aan een alleen in het land zelf aanvaarde koning in leen te geven. Bovendien wordt de titel van rijksschenker van de Boheemse koning bevestigd (een titel die hem het recht geeft deel te nemen aan de verkiezing van de Duitse keizer).

De Gouden Bul is een belangrijk politiek succes voor de Boheemse koning Premysl Otokar I (sinds 1198 aan de macht), die daarmee de Tsjechische onafhankelijkheid veilig heeft gesteld. Hij wist handig gebruik te maken van de burgeroorlog in het Heilige Roomse

Rijk, die daar in de eerste jaren van deze eeuw woedde. Hij maakte zich ook verdienstelijk door twee jaar geleden geldhervormingen uit te voeren. De oude 'denar' was van slechte kwaliteit. Om de behoefte aan zilver te kunnen bevredigen, werden er nieuwe mijnen geopend en in de buurt ervan steden gesticht (Jihlava, Kutná Hora). Een munt van goede kwaliteit is voorwaarde voor een soepel verlopende ruilhandel tussen het platteland en de steden. In de 12de eeuw waren de stedelijke nederzettingen nog voornamelijk handelscentra, in deze eeuw ontwikkelen ze zich meer als middelpunt van ambachtelijke produktie. Met hun toenemende economische betekenis groeit ook hun rol in de landelijke machtsverhoudingen. De steden krijgen zelfbestuur, waarvan het hoofd door de koning wordt benoemd.

Daarnaast heeft de ondergang van de lange-afstandhandel met Bagdad en Centraalaziatische markten een grotere belangstelling voor landbouw en grondbezit tot gevolg. De koning geeft grond in leen of schenkt deze voor bewezen diensten, waardoor de kerkvaders wereldlijke heren en grootgrondbezitters worden. Tussen de koning en het volk stond vervolgens de grondheer. De grondheren stichten deelvorstendommen, wat een bedreiging van de koninklijke macht inhoudt. Ze proberen van de koning immuniteitsrechten voor hun heerlijkheden te verwerven. In Bohemen lukte dit met de Statuten van vorst Konrád Ota (1189) - het oudste wetboek in het land.

*Beeld van Jan zonder Land op zijn graftombe in de kathedraal van Worcester.*

# Engeland kiest voor Rome

ROME, 15 mei 1213 - De twist tussen paus Innocentius III en koning Jan, bijgenaamd 'zonder Land', van Engeland, met als inzet de benoeming van een nieuwe aartsbisschop van Canterbury, is na veel strubbelingen dan toch bijgelegd.

Het punt waarom alles draaide was de weigering van koning Jan de kandidaat van de Heilige Stoel te erkennen. Innocentius reageerde furieus door Engeland onder een interdict te stellen, hetgeen inhoudt dat bij wijze van straf alle kerkelijke bedieningen worden opgeschort. De onenigheid laaide ten slotte zo hoog op dat de Engelse koning werd geëxcommuniceerd en van de troon vervallen werd verklaard. Daar Jan bij al deze problemen bovendien geconfronteerd werd met de rebellie van zijn baronnen, was hij genoodzaakt toe te geven. Jan zonder Land

sloot vrede met de paus en verklaard zich als teken van zijn onderwerpin tot diens vazal.

De loop van deze gebeurtenissen toor haarfijn aan, dat paus Innocentius e wederom in geslaagd is zijn wil aan d wereldlijke leiders op te leggen. Na S cilië en Portugal is nu ook Engelan een pauselijk leen geworden. En als h hem van pas komt, deinst Innocentiu er niet voor terug zich met het persoon lijke leven van de vorsten te bemoeiei Een voorbeeld hiervan is zijn inmer ging in de huwelijksperikelen van d Franse koning en zijn vrouw, de Dee se prinses Ingeborg.

Zijn interventies in de particuliere e politieke aangelegenheden van de w reldlijke leiders vloeien voort uit d hoge opvatting die Innocentius van h pausschap heeft. Net als zijn voorga gers hamert hij er onvermoeibaar o dat het pauselijk gezag te allen tijde b ven de wereldlijke macht staat. H gaat zelfs nog een stap verder door verklaren dat hij als hoofd van de un versele Kerk niet alleen plaatsbeklede van Petrus, maar ook van Christus i In deze hoedanigheid beschouwt h zich als de feitelijke leider van c christenheid, naar wie alle vorsten m onderdanige eerbied behoren op zien. Innocentius acht zich vooral g rechtigd in te grijpen, als zij dreigen zondigen. Dit gevaar is levensgro aanwezig, als de vorsten voornemer zijn met elkaar oorlog te voeren. Mee malen heeft de paus duidelijk gemaa dat hij het dan als zijn taak ziet de w derzijdse aanspraken te beoordele de partijen zijn bemiddeling aan te bi den en deze zelfs, bij eventuele weig ring, op te leggen. Daarbij komt no dat paus Innocentius III niet schroon om gebruik te maken van geestelijk wapens als het interdict of de excor municatie, als men zich niet aan zijn g zag onderwerpt.

Ofschoon het pausschap in zijn doe stellingen niet altijd even succesvol gebleken - de mislukte kruistocht v 1204 - vormt het in de huidige Europe verhoudingen een factor van doorsla gevend belang.

# Paus roept Jan zonder Land tot de orde

LONDEN, 15 mei 1213 - Stephen Langton wordt de nieuwe aartsbisschop van Canterbury. Zo is er een einde gekomen aan het conflict tussen koning Jan zonder Land en de paus. Oorzaak van het meningsverschil was de vraag wie de bisschoppen en abten mag benoemen in Engeland. Zowel de paus als de koning eist dit recht op.

De dood in 1205 van Hubert Walter, de aartsbisschop van Canterbury, leidde tot een twist over de benoeming van een opvolger. De koning wenste de benoeming van een nieuwe aartsbisschop enige tijd uit te stellen om in de tussentijd zelf de inkomsten van het bisdom op te strijken. In 1207 wijdde paus Innocentius III echter in Rome Stephen Langton als aartsbisschop van Canterbury. Koning Jan weigerde deze benoeming te accepteren.

De koning onderwierp zich pas aan het gezag van de paus toen vorig jaar enkele baronnen tegen hem samenzwoeren en hij merkte dat zij daarin gesteund werden door de Franse koning Filips II August, die een invasie in Engeland voorbereidde. Jan moest

*Paus Innocentius III afgebeeld op een fresco in het klooster Sacro Speco in Subiaco, midden-Italië, vervaardigd rond 1219.*

toen onder ogen zien dat een koning die een pauselijke ban over zich heeft laten afroepen mensen makkelijk argumenten in handen speelt om een opstand te rechtvaardigen.

Jan zonder Land heeft daarop onderhandelingen aangeknoopt met Inno-

centius die ertoe hebben geleid dat de koning Stephen Langton als aartsbisschop van Canterbury heeft erkend en dat de paus het interdict en de ban heeft opgeheven. Jan kan zich nu beter voorbereiden op de komende strijd met de Franse koning.

# Fransen heersen in Slag bij Bouvines

BOUVINES, 27 juli 1214 - De Franse koning, Filips II August, heeft zijn macht opnieuw versterkt door een glansrijke overwinning te behalen op het coalitieleger van Engeland, Duitsland en Vlaanderen. De veldslag tussen de beide legers vond plaats bij het Franse dorpje Bouvines.

Het leger van de graaf van Vlaanderen, Ferrand van Portugal, bezweek na ongeveer drie uur strijd. Daarna werden de Duitse en Engelse legereenheden verslagen. De zwakheid van de bondgenoten school in hun haastige en slordige wijze van opmarcheren. De Fransen, hoewel numeriek in de minderheid, konden domineren door hun goed geregelde marsorde.

De graaf van Vlaanderen is, evenals vrijwel alle hoge Vlaamse edelen die de graaf hebben bijgestaan op het slagveld, als gevangene naar Parijs gevoerd. De gevangen edelen kunnen tegen hoge losprijzen worden vrijgekocht; de graaf echter moet zijn straf in het Louvre uitzitten als boete voor zijn ontrouw jegens de koning. Hij verbrak op 8 januari van dit jaar de banden met Filips II August en sloot zich aan bij de vijanden van de koning, in de hoop de aan Frankrijk verloren gebieden, Sint-Omaars en Aire, terug te kunnen veroveren. De Franse koning was niet bereid tot teruggave, omdat deze gebieden in 1180 voorgoed waren afgestaan aan Frankrijk door de toenmalige graaf van Vlaanderen, Filips van de Elzas.

De poging de gebieden weer in handen te krijgen, is op een grote mislukking uitgelopen. Een groot aantal Vlaamse steden, waaronder Damme, Kortrijk, Rijsel, Kassel, Steenvoorde, Belle en Hazebroek, betaalde de ontrouw van hun graaf met verbranding of verwoesting .

Vlaanderen komt na de nederlaag te Bouvines onder bestuur van de 14-jarige gravin Johanna van Constantinopel. Zij moet een verdrag tekenen, dat bepaalt, dat de vestingen van de voornaamste Vlaamse steden zullen worden gesloopt. De gravin regeert voorlopig onder toezicht van het hoofd van de Franse partij, Jan van Nesles.

*De Slag bij Bouvines (fragment).*

---

# 1215

**15 juni 1215.** De Engelse koning Jan zonder Land verleent aan de baronnen het 'Magna Charta Libertatum' (Groot Charter van de Vrijheid). →

**23 juli 1215.** Frederik II laat zich in Aken opnieuw tot Rooms-koning (titel van de koning van het Duitse Rijk) kronen (eerste maal op 9 december 1212). Hij wordt na de nederlaag van keizer Otto IV bij Bouvines algemeen als Duits koning erkend.

**24 augustus 1215.** Paus Innocentius III verklaart de door de Engelse baronnen afgedwongen 'Magna Charta' ongeldig en excommuniceert de Engelse rebellen.

**30 november 1215.** Onder voorzitterschap van paus Innocentius III vindt de slotzitting van het Vierde Lateraans Concilie plaats (op 11 november geopend). →

**1215.** De Mongolen veroveren onder aanvoering van Djingiz Chan Peking, de hoofdstad van het Noordchinese Tsjin-rijk.

**1215.** In het rijk van Angkor [Kambodja] groeit de ontevredenheid onder de bevolking over de gigantische uitgaven van koning Djayavarman VII. →

**1215.** Koning Alfons IX van León richt de Universiteit van Salamanca op.

**21 mei 1216.** De Franse kroonprins Lodewijk landt in Engeland. De opstandige Engelse baronnen bieden hem de Engelse kroon aan.

**16 juli 1216.** In Perugia overlijdt paus Innocentius III. Tijdens zijn ambtsperiode heeft het pausdom een toppunt van politieke macht bereikt.

**22 december 1216.** Paus Honorius III keurt in de bul *Religiosam vitam eligentibus* de door Dominicus te Toulouse gestichte bedelorde van de predikbroeders (dominicanen) goed. →

**12 september 1217.** De Franse troonopvolger Lodewijk en de Engelse rebellen sluiten vrede met koning Hendrik III van Engeland. →

**1217.** Stefan I Nemanja, vorst van Servië, wordt met toestemming van paus Honorius III tot koning gekroond. →

**1219.** Minamoto Sanetomo, sjogoen van Japan, wordt vermoord. Hij was het laatste nog levende lid van de Minamoto-familie, die sinds 1192 als sjogoens (militaire heersers) de feitelijke macht in Japan hebben uitgeoefend. De Hôdjô-familie krijgt nu de macht in handen.

---

# Magna Charta van kracht

*De baronnen presenteren hun eisen aan koning Jan (19de-eeuws).*

RUNNYMEDE, 15 juni 1215 - De grootste opstand van baronnen die Engeland ooit geteisterd heeft, is bezworen. De koning en zijn belangrijkste edelen hebben een verdrag gesloten waarin in 61 artikelen precies wordt uiteengezet hoe het land bestuurd moet worden en wie welke rechten en plichten heeft. De Magna Charta, zoals het stuk genoemd wordt, zal gekopieerd en door het hele land gezonden worden.

Koning Jan is tot het tekenen van de Magna Charta min of meer gedwongen. Vorige maand, op 12 mei, zegden de baronnen hun koning defi aan. Dat wil zeggen dat zij vinden dat de koning als feodaal heerser niet voldoet en dat zij zich daarom ontslagen achten van hun eed van trouw.

De redenen waarom de edelen vinden dat hun koning als leenheer niet goed functioneert, is het feit dat hij de afgelopen decennia zijn land in Frankrijk heeft verloren. Veel baronnen zijn hierdoor rijke lenen kwijtgeraakt. Vorig jaar heeft Jan geprobeerd zijn land terug te winnen, maar bij Bouvines werd hij door de Franse koning verslagen.

De Engelse edelen waren niet in de eerste plaats eropuit om Jan als vorst af te zetten. Zij vonden alleen dat een leenheer die wel hoge belastingen eist, maar niet in staat is daarmee hun landgoederen terug te winnen, hun weinig te bieden heeft.

Na het opzeggen van hun trouw gingen de baronnen met de koning in onderhandeling bij Runnymede. De feodale en staatsrechtelijke maatregelen zijn nu in de Magna Charta vastgelegd. In het laatste artikel is geschreven dat een commissie van vijfentwintig baronnen toezicht zal houden op naleving van het contract door de koning. Met name hiertegen heeft de koning bezwaren. Hij is dan ook van plan het verdrag door de paus ongeldig te laten verklaren. Paus Innocentius is hiertoe waarschijnlijk bereid. Het is echter de vraag of dit op den duur veel uitmaakt. De tijden veranderen en het is duidelijk dat het feodale systeem niet meer op dezelfde manier kan functioneren als in de tijd van Willem de Veroveraar. Ook de koning zal dit niet kunnen tegenhouden.

---

# Vierde Lateraans Concilie beëindigd

ROME, 30 november 1215 - Het Vierde Lateraans Concilie, het grootste dat tot nu toe bijeengeroepen is, is beëindigd. Aanwezig waren 70 patriarchen en aartsbisschoppen, ruim 400 bisschoppen en 800 abten en priors, alsmede talrijke gezanten van de wereldlijke overheid. Zij allen waren samengekomen om over het welzijn van de Kerk te beraadslagen. Belangrijke punten van discussie vormden de kerkhervormingen en de verovering van het Heilige Land. Ook wereldlijke kwesties, zoals de Duitse troonstrijd, stonden op de agenda. Ten slotte is Frederik, beschermeling van paus Innocentius, als keizer van het Heilige Roomse Rijk erkend.

Tijdens de laatste zitting - er zijn er in totaal drie geweest - zijn er maar liefst 71 besluiten genomen, die onder meer betrekking hebben op de aanvaarding van een nieuwe geloofsbelijdenis. Voortaan dient een christen te geloven dat tijdens de viering van de eucharistie de 'substantie' van brood en wijn op wonderbaarlijke wijze verandert in het lichaam en bloed van Christus. Andere bepalingen betreffen de veroordeling van ketterijen, zoals die van de Albigenzen in Zuid-Frankrijk; de erkenning van nieuwe kloosterorden; de verering van relieken, die voortaan onderworpen moet worden aan pauselijke goedkeuring; maatregelen tegen joden en Saracenen. En elke christen wordt uitdrukkelijk voorgeschreven op geregelde tijdstippen bij de eigen pastoor te biecht en ter communie te gaan, liefst met Pasen. In nauwe samenhang hiermee is het priesters met klem verboden enige vergoeding te vragen voor het toedienen van de sacramenten. Bovendien mogen zij geen wereldse kleding dragen, noch zich bezondigen aan kansspelen, zoals het dobbelspel.

Ten slotte sprak paus Innocentius zich uit, en de conciliegangers vielen hem daarin bij, voor een nieuwe kruistocht, die naar verwachting in 1217 zal plaatsvinden, en die, zo is de opzet, geleid zal worden door de nieuwe keizer van Duitsland, Frederik II.

# Djayavarman VII heeft grootse plannen

*Een bouwwerk van de Khmer uit de 13de eeuw.*

ANGKOR THOM, 1215 - Het merendeel van de bevolking van het rijk van Angkor [Kambodja] vraagt zich af of de volgende koning evenveel of wellicht nog meer inspanningen van de burgers zal vragen ten behoeve van de bouw van grote tempels en duizenden herbergen langs de wegen naar de hoofdstad.

Djayavarman VII heeft de afgelopen tientallen jaren honderdduizenden voor zich laten werken om zijn ambitieuze bouwprogramma te verwezenlijken. Hij heeft een nieuwe hoofdstad, Angkor Thom, laten bouwen met in het midden van de stad het zogeheten Bayon, een gigantisch monument waaraan vele duizenden mensen jaren hebben moeten werken. Rond de nieuwe hoofdstad is een diepe gracht gegraven ter bescherming. Vijf grote poorten geven toegang tot de stad. Langs de toegangswegen heeft Djayavarman VII vele herbergen laten bouwen voor de mensen die op weg zijn naar de stad of terugkeren naar hun woonstede.

Men had wel uit verhalen van ouderen gehoord dat een vorige koning, Suryavarman II, veel mensen had gedwongen hun arbeidskracht te geven voor de bouw van onder andere Angkor Vat, maar Djayavarman heeft deze verhalen overtroffen.

Naast de zware lasten waaronder de bevolking nu gebukt ging in verband met de bouwactiviteiten, heeft Djayavarman VII ook nog vele mannen bevolen bij te dragen aan de verdediging en uitbreiding van het rijk.

Naast de groeiende ontevredenheid over het opleggen van deze lasten is men ermee ingenomen dat Djayavarman VII zelf heeft bijgedragen aan het leggen van contacten met monniken, die nu in toenemende mate vanuit het rijk van Pagan [Birma] naar Angkor komen om het Theravada-boeddhisme te prediken. De mogelijkheid om in zijn geheel als Khmer-volk het Hinayana te betreden spreekt de mensen aan. Ook over het directe contact met de missionarissen zijn de mensen enthousiast. Zij wensen slechts eenvoudig te leven, regelmatig te mediteren en op deze wijze te streven naar innerlijke vrede. Het strakke hiërarchische karakter van het Mahayana-boeddhisme of het shivaïsme ontbreekt in deze vorm van boeddhisme. Juist daardoor lijkt het Theravada-boeddhisme een bevrijdende werking te hebben.

*De paus verleent goedkeuring aan de orde der dominicanen (Pisano, 1267)*

## Paus erkent de dominicaner orde

ROME, 22 december 1216 - Paus Honorius heeft de stichting van een nieuwe kloosterorde goedgekeurd. Deze orde is tien jaar geleden, in 120., gesticht door de Spanjaard Dominic Guzman met als doel de prediking onder de 'Kathaarse' Albigenzen in Zuid-Frankrijk. Werkzaam in het diocees Toulouse, leeft hij met zijn volgelinge volgens de regel van Augustinus, hee geen hen tot reguliere kanunnike bestempelt.

Deze geestelijken, naar hun sticht dominicanen genoemd, zijn niet g bonden aan een klooster, noch verric ten ze handenarbeid. Zij wijden zic uitsluitend aan de studie, die wordt b schouwd als de noodzakelijke gron slag voor de prediking van het evang lie, dat zij al rondtrekkend uitdrage Omdat de dominicanen, net als de fra ciscanen, het armoede-ideaal nastr ven en derhalve geen persoonlijke b zittingen mogen hebben, moeten oo zij van aalmoezen leven. Men noer hen daarom wel bedelmonniken.

## Stefan Nemanja koning van Servië

RAS, 1217 - Een pauselijke legaat hee Stefan Nemanja tot koning (kral) g kroond. Hiermee stelt Servië zich o der de jurisdictie van Rome.

Deze stap kenschetst de positie van Se vië tussen Oost en West. Dit kerkelij dualisme was onder Stefan Nemanja vader, Nemanja, reeds evident: r eerst door een Latijnse priester te zi gedoopt liet hij zich later opnieuw d pen, zij het nu door de orthodoxe bi schop van Ras. In 1196 deed hij afstan van de troon en trok zich terug in ee orthodox klooster op de berg Athos. De huidige heerser heeft zich enige j ren geleden van zijn Byzantijnse ech genote laten scheiden en is hertrouw met de dochter van doge van Veneti Dandolo.

# Engelse troepen verslaan rebellenleger

*Een zeeslag tussen de Engelsen en de Fransen: miniatuur uit de 'Chronica Maiora' van Matthew Paris.*

LINCOLN, 12 september 1217 - Een verdrag tussen de Engelse koning en Lodewijk, de Franse troonopvolger, heeft een eind gemaakt aan de burgeroorlog die Engeland anderhalf jaar heeft geteisterd. De Franse koningszoon heeft zich teruggetrokken nadat hij en de opstandige baronnen die hem steunden, zowel op het land als ter zee verslagen waren.

De nieuwe onrust onder de baronnen was vrijwel onmiddellijk na de ondertekening van de Magna Charta ontstaan. Toen duidelijk werd dat de koning niet van plan was zich aan de bepalingen van het document te houden en beroep aantekende bij de paus, voelden de baronnen zich bedrogen. Zij riepen daarom de Franse troonopvolger naar Engeland om zich als de leider van hun opstand op te werpen. Lodewijk gaf gehoor aan de oproep en landde in mei vorig jaar. Zijn leger was succesvol en toen koning Jan op 18 oktober

stierf, liet deze zijn negen jaar oude zoon Hendrik als troonopvolger achter.

De jonge koning heeft echter goede regenten. Het leger van Hendrik versloeg Lodewijk en de baronnen in mei bij Lincoln en vorige maand in een zeeslag bij Dover. Daarna taande het enthousiasme voor de strijd van de kant van de opstandelingen.

Het verdrag maakt nu definitief een einde aan de burgeroorlog.

# Avonturier grijpt macht op Oost-Java

KEDIRI, 1222 - Angrok, de opstandige regent van Singasari (nabij Malang), heeft zich door de shivaïtische en boeddhistische priesters van Kediri tot Bhatara Guru (God-koning) laten wijden. De befaamde avonturier versloeg tijdens een bloedige slag bij het dorpje Ganter koning Kertajaya van Kediri, die na deze verbijsterende nederlaag zelfmoord pleegde.

Door de overwinning is een einde gekomen aan de sinds 1049 bestaande deling van het oude Oostjavaanse rijk Mataram in Kediri en Yanggala. In dat laatste gebied begon de boerenzoon Angrok (Hij die alles omverwerpt) zijn opmerkelijke loopbaan. Hij begon al jong een avontuurlijk en misdadig leven te leiden. Als rechtvaardiging hiervoor voerde hij aan dat hij een reïncarnatie van Vishnu was en daarom boven de wet stond. Hij trad in dienst van de regent van Singasari, Tunggul Ametung, en liet het oog vallen op diens beeldschone echtgenote Dedes.

*Een tempel van het Panataran-complex op Oost-Java, 13de eeuw.*

Angrok besloot de regent uit de weg te ruimen en bestelde een kris bij de beroemde smid Gandring. Toen hij de kris kwam halen weigerde de smid hem te geven omdat deze nog niet klaar was. Angrok ontstak in woede en stak de smid met de kris dood. Stervend sprak deze een vloek uit: 'Angrok, zijn kinderen en zijn kleinkinderen; zeven koningen zullen door deze kris sterven.' De kris werd vervolgens aan een vriend geschonken, die ermee liep te pronken. Toen Angrok de regent vermoordde, de kris bij het lijk achterlatend, werd de vriend aangewezen als de moordenaar en terechtgesteld. Angrok huwde de weduwe Dedes en werd regent van Singasari, vazal van de vorst van Kediri. Deze nu had zich de vijandschap van de geestelijkheid op de hals gehaald door van hen te eisen dat zij hem als goddelijk heerser zouden erkennen. De priesters riepen de hulp in van Angrok, die hun steun beloofde. Koning Kertajaya vertrouwde op zijn goddelijke, magische kracht en besloot met zijn leger tegen de rebellerende vazal op te trekken. Na zijn nederlaag is een nieuwe dynastie gesticht.

# Russen delven onderspit tegen Mongolen

KIEV, 1223 - Een leger van Russen en Polovtsen heeft bij de rivier de Kalka het onderspit moeten delven tegen de Mongolen en Tataren. Het is de eerste botsing met deze veroveraars uit het oosten.

De Polovtsen [Komanen], die sinds de jaren zestig van de vorige eeuw een gesel waren voor de zuidelijke grenzen van het rijk Kiëv-Roes, hebben de laatste jaren sterk aan kracht ingeboet. Tegelijkertijd zijn de bondgenootschappen tussen Polovtsen-chans en Russische vorsten in aantal toegenomen.

Dit jaar, met het verschijnen van de Mongolen in het zuidoosten, is een Polovtsen-chan, Kotian, naar zijn schoonzoon Mstislav van Kiëv gekomen en heeft hem om hulp gevraagd. 'Vandaag hebben de Tataren ons land genomen. Morgen nemen zij het uwe,' zo sprak hij tot Mstislav. Deze realiseerde zich het nieuwe gevaar en organiseerde een verbond van Russische vorsten tegen de Mongolen. Een poging van de Mongolen om de Russen los te weken van de Polovtsen resulteerde in moord op de Mongoolse gezanten.

Het grote treffen tussen de coalitie van Russen en Polovtsen én de Mongolen vond plaats aan de Kalka, bij de Zee van Azov. Ten gevolge van de afwezigheid van een overkoepelend commando konden de Mongolen onder leiding van de ervaren generaals Dzjebe en Soeboetai eerst de Polovtsen en een deel der Russische troepen verslaan, voordat de troepen van Kiëv aan de strijd konden deelnemen. Mstislav van Kiëv, die zich in een kamp aan de Kalka had verschanst, wist drie dagen de vijand te weerstaan maar was ten slotte gedwongen de vrije terugtocht af te kopen. De Mongolen braken hun belofte en vielen de Russen, die niet meer op hun hoede waren, aan. Mstislav en twee andere vorsten die hun levend in handen vielen werden op de grond gelegd en met planken bedekt. De overwinnaars hielden op deze planken hun overwinningsmaal, en zo werden de Russen doodgedrukt.

*Martinus van Tours, later bekend als Sint Maarten, schenkt de helft van zijn mantel aan een bedelaar.*

*Met zwaarden bewapende Mongoolse ruiters in de aanval (Perzisch handschrift).*

# Koning Filips II van Frankrijk overleden

*Filips II August van Frankrijk (met kroon), tweemaal afgebeeld (13de eeuw).*

NANTES, 14 juli 1223 - Koning Filips II van Frankrijk is overleden. Vanwege zijn succesvolle strijd tegen de Engelsen in West-Frankrijk, de vergroting van het koninklijk domein en de versterking van het koninklijk gezag heeft men hem de eretitel 'august' gegeven. Het prestige en de macht van de dynastie der Capetingen zijn dank zij hem tot grote hoogte gestegen.

Filips' loopbaan begon toen hij in 1179 door zijn vader als mederegent werd aangesteld. Reeds op 18 september van het volgende jaar overleed zijn vader en moest hij hem op 15-jarige leeftijd opvolgen. Filips was op dat moment enigszins ziekelijk en had allerminst het voorkomen van een krachtdadig vorst. Daarentegen gaf hij algauw blijk van een goede intelligentie. Zijn 43-

jarig koningschap werd door een drietal zaken gekenmerkt: de beëindiging van het conflict met Engeland, zijn kruistocht naar het Heilige Land en zijn verwezenlijking van de opbouw van een sterke monarchie in Frankrijk. Het was steeds de grootste ambitie van de jonge vorst het koninklijk domein en zijn macht te vergroten. Allengs is het hem gelukt om het oorspronkelijke domein rond Parijs en Orléans tot een groot complex uit te bouwen. Een eerste stap hiertoe was zijn huwelijk in 1179 met Isabelle van Henegouwen, de nicht van de graaf van Vlaanderen. Dit huwelijk leverde hem het graafschap Artois op.

Het conflict met Engeland speelde ook bij de gebiedsuitbreiding een niet onbelangrijke rol. Hendrik II Plantagenet van Engeland hield namelijk bijna geheel Zuidwest-Frankrijk van Filips in leen. Toen de latere Engelse koning Jan zonder Land weigerde Filips als leenheer te erkennen, besloot deze in 1202 tot confiscatie van de Engelse goederen. In 1206 werd een eerste deel geannexeerd, en in 1214, toen Engeland definitief in de Slag bij Bouvines werd verslagen, kwam de rest van de voormalige Engelse lenen bij Frankrijk. Dit succes was overigens niet mogelijk geweest als Filips niet tevens voor een sterke interne structuur van het land had gezorgd.

# Djingiz Chan valt Noord-Tibet binnen

*De heilige stad Lhasa in het Himalajagebergte (afbeelding uit de 13de eeuw).*

TIBET, circa 1225 - Onder de bezielende leiding van Djingiz Chan hebben de Mongolen hun zegereeks met de verovering van het noorden van Tibet voortgezet. In de 7de eeuw werden de verschillende nomadenstammen van het Himalaja-gebergte door koning

Srong-Tsan Gram-Po voor het eerst onder één gezag verenigd. Tijdens zijn bestuur kwam het lamaïsme tot ontwikkeling. Kri-Srong-Ide-Btsan (circa 755-795) breidde de macht verder naar het noordwesten uit. Uiteindelijk viel het rijk in de 9de eeuw uiteen.

*Lemen hoofd van een negerin; een typisch voorbeeld van Afrikaanse kunst uit de 12de/13de eeuw. Dergelijke beelden worden onder meer aangetroffen in de graven van de Joruba, een volk dat in het zuidwesten van Nigeria woont.*

**1225.** Door een lange, strenge winter mislukt een belangrijk deel van de oogsten in West- en Midden-Europa. Er ontstaan voedseltekorten, die gevolgd worden door sterke prijsstijgingen.

**1225.** De bisschop van Pruisen verzoekt ridders van de Duitse orde om hulp bij de kerstening van de heidense Pruisen.

**Maart 1226.** Door de Gouden Bul van Rimini verleent de Duitse keizer Frederik II de Duitse orde de heerschappij over 'Pruisen'.

**19 maart 1227.** Na de dood van paus Honorius III wordt Ugolino, graaf van Segni, tot nieuwe paus gekozen. Hij neemt de naam Gregorius IX aan.

**25 augustus 1227.** Tijdens een veldtocht in China tegen de Tibetaanse Tangoeten sterft Djingiz Chan, stichter van het Mongoolse wereldrijk. Zijn rijk wordt verdeeld onder zijn drie zonen, Tsjagatai, Ögedei en Toloei, en zijn kleinzoon Batoe. Door verkiezing van een nieuwe groot-chan blijft de eenheid bewaard.

**29 september 1227.** Paus Gregorius IX excommuniceert de Duitse keizer Frederik II wegens diens niet nagekomen belofte (in 1215 gedaan) om op kruistocht te gaan.

**1227.** De Ierse bevolking wordt door een ernstige hongersnood geteisterd.

**1228.** De Italiaanse stadstaat Florence krijgt een min of meer democratische grondwet. Florence is de belangrijkste markt van Midden-Italië voor koren, wol, laken en geld.

**18 maart 1229.** In de Heilige-Grafkerk te Jeruzalem plaatst de Duitse keizer Frederik II zichzelf de kroon van Jeruzalem op het hoofd. De keizer heeft de heilige steden Jeruzalem, Bethlehem en Nazareth op sultan al-Kamil veroverd.

**12 april 1229.** In Parijs sluiten de Franse koningin Blanche van Castilië en graaf Raymond VII van Toulouse vrede. →

**1229.** Koning Jaime van Aragón verovert Majorca op de muzelmannen (moslems).

**1229.** Iltoetmisj, sultan van Delhi, verkrijgt van de kalief van Bagdad de legalisering van zijn sultanaat in Noord-India.

Geboren:

**1225.** Thomas van Aquino († 7-3-1274), een der grootste theologen en filosofen van zijn tijd
**Maart 1226.** Karel I van Anjou († 7-1-1285), koning van Napels en Sicilië; broer van koning Lodewijk IX van Frankrijk

# Albigenzen staken verzet

MEAUX, 12 april 1229 - Pas nadat Raymond VII van Toulouse in de Notre-Dame een geseling had ondergaan, was hij bereid het verdrag te bezegelen waarmee eindelijk de twintigjarige strijd van de katholieke Kerk en de Franse koningen tegen de Albigenzen en hun beschermers, de graven van Toulouse, kan worden beëindigd.

De oorlog tegen de Albigenzen begon in 1209 met de oproep van paus Innocentius III aan de christenheid om een kruistocht tegen deze ketterse groepering te ondernemen. De Albigenzen kwamen oorspronkelijk uit de stad Albi (Languedoc), maar hadden zich gedurende de 12de eeuw over geheel Zuid-Frankrijk verspreid. Als grootste groepering binnen de grote groep van kathaarse ketters, kennen de Albigenzen een zeer strenge dualistische religie. In plaats van in één god geloven ze in twee goden: de god van het licht en de god van de duisternis (de duivel). Het leven op aarde is volgens de Albigenzen een constante strijd tussen deze twee goden en hun belangrijkste krachten: de geest en de materie. Het juiste leven bestaat er volgens hen uit dat men zich zoveel mogelijk van aardse en materiële zaken verwijdert. De wereld en zijn bewoners zijn immers, zoals ze beweren, door satan geschapen: 'quod diabolus fecit hunc mundum et omnia quae in ea sunt'. Het lichaam van de mens is daarom slecht en zijn ziel moet naar de goddelijke oorsprong worden teruggevoerd. Hierom veroordelen zij huwelijk, voortplanting en veel en nietvegetarisch eten. Een goede kathaar (= reine) moet geweldloos, streng-ascetisch en absoluut kuis leven. Het geloof in een satanische god die bovendien de schepper zou zijn geweest, is voor de Kerk het meest onverteerbare van de kathaarse leer.

De directe aanleiding voor de strijd in 1209 was de moord op de pauselijke legaat Pierre de Castelnau. Deze legaat had kort tevoren de excommunicatie door de paus van graaf Raymond VI van Toulouse uitgesproken. Raymond, hoewel katholiek, was namelijk de beschermheer van de Albigenzen. Na deze moord werden er door de Kerk ridders uit heel Frankrijk bijeengeroepen. Zij verzamelden zich in Lyon. Na een zeer bloedig beleg van Béziers volgde onder leiding van Simon van Montfort een kruistocht - de eerste gericht tegen ketters binnen Europa - door geheel Occitanië. Grote gebieden met belangrijke kathaarse bolwerken werden achtereenvolgens veroverd. Het verzet van de ketters bleek echter allerminst gebroken.

De daaropvolgende jaren werden gekenmerkt door een constante strijd tussen de graaf van Toulouse, met steun van de andere lokale vorsten, en de steeds van samenstelling wisselende kruislegers. Toen in 1218 Simon van

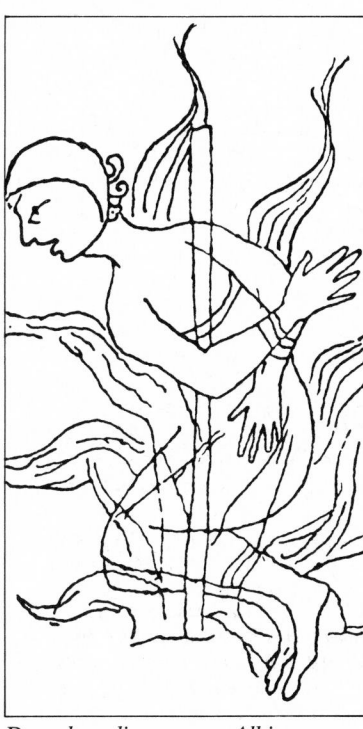

*De verbranding van een Albigenzer ketter.*

Montfort sneuvelde, wist Raymond VI zijn land vrijwel geheel te heroveren. Hierdoor raakten de paus en de pauselijke troepen hun steunpunten in dit gebied kwijt en verloren zij allengs hun invloed op de bestrijding van de Albigenzen. De Franse koning kwam de paus te hulp, maar nam geleidelijk de rol van de paus in de strijd tegen het katharisme over.

Na de dood van Raymond in 1222 ontstond er in Zuid-Frankrijk een machtsvacuüm. Koning Lodewijk VIII probeerde meteen zijn invloed in dit gebied te vergroten. De strijd met Raymond VII, de nieuwe graaf van Toulouse, laaide met volle kracht op. Raymond VII was echter aanzienlijk zwakker dan zijn vader. Toen ook hij in 1226 werd geëxcommuniceerd zag hij in dat de situatie hopeloos was en trad in onderhandeling met het hof te Parijs. Bij deze vrede is nu bepaald dat Raymond een deel van zijn graafschap mét de stad Toulouse mag behouden. Uiteindelijk is echter de Franse kroon de grote overwinnaar in de lange strijd geworden. Hij heeft namelijk definitief enkele belangrijke steden en grote gebieden aan het koninklijk domein kunnen toevoegen. Daarmee is nog niet gezegd dat voor Lodewijk alle problemen zijn opgelost. Weliswaar zijn duizenden Albigenzen in de afgelopen oorlogen gedood, de kathaarse leer is daarentegen allerminst dood. Er zijn nog vele ketterse gemeenschappen en het ziet er niet naar uit dat die binnen korte tijd zullen verdwijnen. De aanhangers van de leer blijken standvastiger dan men had gedacht.

**23 september 1230.** Na de dood van koning Alfons IX van León volgt zijn zoon Ferdinand op. Doordat in 1217 Ferdinand reeds via moederszijde het koninkrijk Castilië geërfd heeft, worden Castilië en León nu in één rijk verenigd.

**September 1230.** De jaarmarktsteden in Champagne krijgen van graaf Thibaud IV privileges. →

**1231.** Paus Gregorius IX legt de grondslag voor de Romeinse inquisitie. Hij stelt pauselijke inquisiteurs (meest dominicanen), als hoofd van geloofsrechtbanken aan, die belast worden met het opsporen en straffen van ketters.

**1231.** In het 'Statutum in favorem principum' staat de Duitse koning Hendrik enkele koninklijke rechten aan de wereldlijke territoriale vorsten af. →

**27 augustus 1232.** In Kioto wordt een nieuwe wetgeving bekrachtigd. →

**1234.** Het keizerrijk Jin valt ten prooi aan de legers van de Song-dynastie en de Mongolen. →

**1235.** Rooms-koning Hendrik VII wordt door zijn vader keizer Frederik II afgezet en naar een gevangenis in Sicilië gestuurd. →

**14 januari 1236.** Koning Hendrik III van Engeland huwt met Eleanora van Provence. →

**1236.** Batoe Chan, Mongools vorst en kleinzoon van Djingiz Chan, sticht in Zuid-Rusland het Rijk van de Gouden Horde met als hoofdstad Saraj aan de monding van de Wolga.

**1236.** Guillaume de Lorris schrijft in het Oudfrans de poëtische, allegorische roman *Roman de la rose*. Het ruim vierduizend verzen tellend meesterwerk heeft als enig onderwerp de liefde.

**27 november 1237.** Keizer Frederik II brengt in de Slag bij Cortenuova in Lombardije de Lombardische Liga een verpletterende nederlaag toe.

**1237.** De Russische stad Moskou wordt door de Mongolen veroverd en in brand gestoken.

**1238.** Ibn Ahmar, de Moorse heerser van Granada, maakt zich onafhankelijk van de dynastie der Almohaden en sticht de dynastie der Nasriden. Als residentie laat hij het Alhambra bouwen.

**1238.** De Mongolen veroveren onder aanvoering van Batoe Chan het Russische grootvorstendom Vladimir.

## Jaarmarkten van Champagne worden druk bezocht

*Een jaarmarkt wordt ingezegend.*

CHAMPAGNE, september 1230 - Graaf Thibaud IV van Champagne heeft de belangrijkste jaarmarktsteden van zijn graafschap privileges verleend waarmee hun jaarmarktrechten voortaan gegarandeerd zijn. De graven van Champagne hebben deze jaarmarkten altijd al gestimuleerd. Bovendien boden zij traditiegetrouw de bezoekende kooplieden bescherming. De verschillende tollen en belastingen die op deze markten worden geheven, zijn voor hen een belangrijke bron van inkomsten. Eveneens ontvangen zij gelden uit de boeten die worden opgehaald door de speciale jaarmarktrechtbank. Door middel van snelrecht moeten de ontstane ruzies en meningsverschillen tussen de kooplieden worden opgelost.

Opnieuw is dit jaar de jaarmarkt in volle gang. De grote vlakte van het graafschap Champagne is zoals gewoonlijk een uitstekende ontmoetingsplaats van de internationale handel. Op deze vlakten van de boven-Seine en de Marne komen de grote wegen van en naar de Middellandse-Zeelanden en de landen rond Het Kanaal alle te zamen. Reeds in de 12de eeuw ontstond er in Europa door het toenemen van de handel een behoefte aan grotere jaarlijkse en tweejaarlijkse groothandelsmarkten. De beroemdste markten zijn die welke ten oosten van Parijs, in het gebied van Champagne, worden gehouden. Elk jaar worden daar tussen de vroege lente en late herfst, gedurende zes verschillende perioden, in vier verschillende steden internationale jaarmarkten gehouden. De duur van een markt wisselt van enkele dagen tot twee of maximaal drie weken. De belangrijkste markten zijn die van Troyes, Provins, Lagny en Bar-sur-Aube.

*Keizer Frederik II treedt in het huwelijk met Isabella van Brienne - Jeruzalem.*

# Frederik II doet concessies

DUITSE RIJK, 1231 - Door het bekrachtigen van de reeds het vorig jaar door de vorsten aan koning Hendrik afgedwongen concessies heeft de keizer de macht van deze vorsten bevestigd en ogenschijnlijk de koninklijke macht verminderd.

De keizer kon weinig anders doen dan dit verdrag ondertekenen. Zijn zoon Hendrik heeft zich immers in het Duitse Rijk vrijwel geheel onmogelijk gemaakt.

Toen koning Frederik in 1220 naar Sicilië ging, liet hij Hendrik, nadat deze tot koning was gekozen, in Duitsland achter onder bescherming van aartsbisschop Engelbert van Keulen. Na de moord op Engelbert in 1225 nam Hendrik steeds meer het heft in handen. De jonge koning wilde zijn koninklijk gezag uitbreiden en zocht daarvoor vooral steun bij de lagere adel en de ministerialen. Dit en zijn pro-stedelijke politiek waren de vorsten een doorn in het oog. Het kwam dan ook al snel tot openlijke conflicten, waarbij de vorsten te sterk bleken voor Hendrik. Zij dwongen hem het 'Statutum in favorem principum' af (1231). Dit verdrag ligt ook in het verlengde van de 'Confederatio cum principibus ecclesiasticus', een verdrag met de geestelijke vorsten uit 1220. In ruil voor de koningskeuze van zijn zoon, had - toen nog - koning Frederik verregaande concessies aan de geestelijke vorsten gedaan. Hij zag af van het spoliarecht, volgens welk recht de koning beslag kon leggen op de bezittingen van de overleden geestelijke vorst. De koning bevestigde reeds verleende tol- en muntrechten en beloofde zonder toestemming van de geestelijke vorsten geen nieuwe tol- en muntplaatsen in te stellen. Hij beloofde tevens geen nieuwe steden te zullen stichten.

Deze rechten worden in het 'Statutum' bekrachtigd en tot de wereldlijke vorsten uitgebreid. Tevens worden er nog andere maatregelen tegen de steden genomen: nieuwe markten zijn verboden zodat eventuele concurrentie van de vorstelijke markten beperkt zal blijven; de steden mogen geen vorstelijke onderdanen meer opnemen (tegen het idee 'stadslucht maakt vrij'); de lokale jurisdictie zal volledig bij de vorsten komen te liggen.

# Japan past wetgeving aan

KIOTO/KAMAKOERA, 27 augustus 1232 - In Japan is het ontwerp voor de nieuwe wetgeving door de Staatsraad aangenomen. Het is vernoemd naar het jaar waarin het is aangenomen: Joei-wetgeving.

Al langer bestond er behoefte aan nieuwe regels volgens welke men zich dient te gedragen. Dit komt voornamelijk omdat de laatste decennia twee gescheiden optredende regeringen opereren: de burgerregering in Kioto die volgens de tot nu toe geformuleerde regels recht sprak, en de militaire regering in Kamakoera die niet alleen in militaire aangelegenheden maar ook in vele zaken betreffende eigendom en bezit van land, verstoring van de openbare orde, meningsverschillen, moorden en andere vergrijpen haar eigen regels is gaan toepassen. De vele veranderingen in de Japanse maatschappij hebben een aanpassing of verandering van regels noodzakelijk gemaakt.

De leden van de rechterlijke macht moeten zweren dat 'zij zich niet laten leiden door bepaalde banden of door persoonlijke afkeuring of vooroordelen, maar een oordeel zullen vellen zonder angst of begunstiging, overeenkomstig de rede. De beslissing moet unaniem door het gerechtshof worden genomen, waarbij geen enkel lid van dit lichaam persoonlijk verantwoordelijk of aansprakelijk is voor de bevindingen tot welke men anoniem komt.' Wanneer men maar even afwijkt van deze principes, zullen de goden straffend optreden.

De eerste twee artikelen van de wet betreffen het in stand houden van graftomben en kloosters, en het waarne-

*Japanse afbeelding van Mongoolse krijgers (13de eeuw).*

men van religieuze praktijken. De volgende vier artikelen gaan over de functies van toezichthouder en rentmeester. Hieraan zien wij al dat vernieuwing van de wetgeving nodig was omdat deze functies bij het opstellen van de vorige wetgeving nog niet bestonden. Dan komen er twee artikelen over het bezit van landgoederen en het erven van bezittingen, met name van land. Dan pas komt er een groot aantal regels over het bestraffen van overtredingen van velerlei aard: verraad, moord, banditisme, verminken, overvallen en het gebruik van onwelvoeglijke taal. Een vergelijking met de oude regels maakt duidelijk dat gedurende de laatste eeuwen zowel op economisch als op sociaal en cultureel gebied het een en ander veranderd is.

# Keizer pleegt zelfmoord na inval Mongolen

CAIZHOU, 1234 - De geallieerde legers van de Song-dynastie en van de Mongolen zijn het laatste bolwerk van het keizerrijk Jin binnengedrongen. De kort geleden gekroonde keizer Mo heeft zelfmoord gepleegd.

De inname van Caizhou vond plaats onmiddellijk na de abdicatie van keizer Ai Zong en de kroning van Wanyan Chenglin tot keizer Mo. De geallieerde legers drongen op dezelfde dag door de zuidelijke poort de stad binnen.

Met de val van Caizhou heeft de Song-dynastie een definitieve overwinning op de Jin behaald. Maar tegelijkertijd is hiermee de laatste bufferstaat verdwenen die de Zuidelijke Song scheidt van de angstaanjagende expansie van het wereldrijk der Mongolen. Vorig jaar hebben de Mongolen onder leiding van Djingiz Chan K'aifeng ingenomen. Bijna zeven miljoen mensen zijn tijdens het beleg van de stad omgekomen. De stad zelf is echter niet totaal vernietigd. De Mongoolse vorst Ögedei Chan negeert daarmee de richtlijn

*Djingiz Chan houdt krijgsraad.*

van zijn vader Djingiz Chan, die bepaalde dat elke stad waaruit een pijl of een steen tegen Mongolen gericht was,

met de grond gelijkgemaakt moest worden. Het optreden van Ögedei is het gevolg van de invloed van zijn adviseur, de Jin-prins Yelu Chucai die reeds eerder ook Djingiz Chan van diens voornemen heeft afgebracht om na de val van Yenjing de hele bevolking van Noord-China uit te roeien en het land in grasland te veranderen.

De vernietiging van het keizerrijk Jin komt tien jaar na de verovering van Westelijk Xia. Djingiz Chan is bij die uitroeiingsoorlog, die slechts door één à twee procent van de bevolking van Westelijk Xia werd overleefd, gestorven. Om voor zijn zoon Ögedei de overname van de troon te vergemakkelijken, werd zijn dood geheim gehouden. Tijdens de tocht van de rouwstoet met het lijk van Djingiz naar Noord-Mongolië werd iedereen gedood die men onderweg tegenkwam.

Het is nu een kwestie van tijd voordat de lang verwachte invasie van het zuiden door de Mongolen zal plaatsvinden.

# Frederik II herstelt gezag

DUITSE RIJK, 1235 - Voor het eerst sinds 1220 is keizer Frederik II uit Italië naar Duitsland gekomen. Hij heeft een aantal belangrijke maatregelen genomen, waaronder het afzetten van zijn opstandige zoon Hendrik en het uitvaardigen van de Mainzer Landvrede. Nadat de Duitse vorsten Hendrik het 'Statutum in favorem principum' hadden afgedwongen, kon Frederik weinig anders doen dan dit verdrag ook ondertekenen. Wel liet hij Hendrik beloven in het vervolg gehoorzaam te zijn aan zijn vader en met de vorsten samen te werken.

Hendrik besloot echter vorig jaar tot een openlijke opstand tegen zijn vader. Hij wilde een echte koning zijn en niet louter mederegent. Hij beging de, in de ogen van Frederik, onvergeeflijke fout zich zelfs met de Lombarden te verbinden. Hendrik was echter kansloos; Frederiks positie was zo sterk dat hij zonder leger naar Duitsland kwam, Hendrik afzette en gevangennam. Vervolgens sloot Frederik vrede met de Welfen door voor Otto het Kind een eigen hertogdom te creëren: Brunswijk-Lüneburg. In juli huwde hij Isabella van Engeland om haar meteen daarop naar Sicilië te sturen. Ten slotte organiseerde hij in augustus in Mainz een Rijksdag.

Als een triomfator op het toppunt van zijn macht zat hij deze Rijksdag voor; geheel anders dan in 1220, toen hij volledig afhankelijk was van de steun van de vorsten. Hij kondigde de Mainzer Landvrede af, een in het Duits geschreven poging tot het opstellen van een grondwet. Frederik is hier wetgever, niet de verdragspartner zoals in de twee overeenkomsten met wereldlijke en geestelijke vorsten. De eerste veertien

*De burcht van Frederik in Napels.*

artikelen behandelen de openbare vrede, de volgende vijftien de criminele jurisprudentie. Zo worden de rechtspraak van bisschoppen in hun diocesen beschermd, straffen voor brekers van een wapenstilstand bepaald, de muntrechten geregeld, onrechtvaardige belastingen afgeschaft. Lieden die door de rijksban getroffen zijn, mogen niet gevoed of geherbergd worden, getuigen mogen niet aan elkaar verwant zijn, een getuigenis mag echter wel afgedwongen worden. Opvallend zijn de bepalingen over het verraad van een zoon jegens zijn vader en de instelling, naar Siciliaans model, van een hofrechter. Deze, een vrij man die betaald wordt door het rijk, moet dagelijks zitting houden om klachten van mensen aan te horen.

Al met al heeft de keizer zijn prestige in Duitsland vergroot. Maar gezien zijn plannen om weer snel tegen de Lombarden op te trekken en Duitsland te verlaten moet afgewacht worden hoe lang zijn invloed zo groot zal blijven.

# Frans-Engels huwelijk schept onvrede

LONDEN, 14 januari 1236 - Vier jaar nadat hij feitelijk de macht is gaan uitoefenen over het land dat zijn vader hem twintig jaar geleden naliet, heeft de Engelse koning Hendrik III besloten in het huwelijk te treden met Eleonora van Provence. Terwijl Hendrik nu bijna al zijn land in Frankrijk verloren heeft, komen via dit huwelijk de Franse belangen weer om de hoek kijken. Toen de vader van de koning, Jan zonder Land, om het leven kwam, was Hendrik pas negen jaar oud. Hij werd eerst onder regentschap geplaatst van William Marshal, hertog van Pembroke, en na diens dood in 1219 van Hubert van Burgh. Deze hoge edelen hebben het idee dat het land geregeerd moet worden op basis van een goede samenwerking tussen de vorst en de baronnen. Zij hebben voor een vorm van bestuur gekozen waarbij steeds minder binnen het koninklijk huishouden geregeld wordt en steeds meer zaken worden overgelaten aan open-

bare lichamen in Engeland.

De koning compenseert deze taakverlegging door aan zijn hof nieuwe functies te creëren en de mensen die ze bekleden allerlei bijzondere machten toe te kennen.

Op deze manier heeft Hendrik kans gezien zijn macht te herwinnen en in 1232 heeft hij, terwijl hij inmiddels achter in de twintig was, zijn voogd en rechter van het opperste gerechtshof, Hubert van Burgh, van diens macht beroofd.

Nu heeft de koning beslist dat hij wil gaan trouwen. Edelen vrezen dat dit hun tijdens Hendriks kinderjaren verworven macht nog verder zal inperken. Niet alleen zijn de koning en zijn bruid verliefd op elkaar, wat maakt dat de koningin aanzienlijke invloed op hem kan uitoefenen, de koning heeft ook allerlei uit Frankrijk afkomstige familieleden functies aan het hof gegeven die sommige Engelse baronnen ook wel hadden willen bekleden.

**Juli 1240.** Een Zweedse aanval op de welvarende handelsstad Novgorod mislukt. →

**6 december 1240.** Kiëv wordt door de Mongolen onder aanvoering van Batoe Chan bestormd, uitgemoord en platgebrand.

**13 april 1241.** Koning Béla IV van Hongarije wordt bij de Slag aan de Theiss door de Mongolen verslagen.

**5 april 1242.** Alexander Nevski, hertog van Novgorod, verslaat de ridders van de Duitse orde op het Meer van Pskov. →

**1242.** De Universiteit van Salamanca wordt door Ferdinand III van Castilië opnieuw gesticht.

**1242.** De Mongoolse vorst Batoe Chan voltooit de verovering van Rusland. →

**23 augustus 1244.** De moslems veroveren Jeruzalem. Dit betekent het einde van het koninkrijk van Jeruzalem van de kruisvaarders.

**1244.** Gravin Johanna van Constantinopel overlijdt kinderloos. Haar zuster Margaretha volgt haar op. Een verwoede strijd breekt los tussen Margaretha's kinderen uit haar eerste en tweede huwelijk, de Avesnes en de Dampierres, met het oog op de erfenis van hun moeder.

**17 juli 1245.** Op het Concilie van Lyon excommuniceert paus Innocentius IV keizer Frederik II. De paus erkent hem niet langer als Duits keizer.

**1245.** Paus Innocentius IV zendt de franciscaan Giovanni Piano Carpini naar de Mongoolse grootchan in Karakoroem.

**15 juni 1246.** Hertog Frederik II van Oostenrijk sneuvelt in de Slag aan de Leitha tegen de Hongaren. →

**Juli 1246.** De Franse koning Lodewijk IX doet uitspraak in het conflict tussen Avesnes en Dampierres (zie 1244). →

**3 oktober 1247.** Graaf Willem II van Holland wordt door toedoen van de Brabantse hertog Hendrik II en met steun van de aartsbisschop van Keulen tot Rooms-koning gekozen, als tegenkoning van de afgezette keizer Frederik II.

**1248.** De zeer vrome Franse koning Lodewijk IX neemt als aanvoerder deel aan de Zesde Kruistocht.

**1249.** De Zweedse graaf Birger verovert West-Finland. Een begin wordt gemaakt met de verovering en kerstening van Finland door de Zweden.

Gestorven:

**11 april 1240.** Llewelyn de Grote (?), koning van Gwynned (Noord-Wales)

*Alexander Nevski; fresco.*

# Nevski verslaat Teutoonse Ridders

NOVGOROD, 5 april 1242 - Alexander van Novgorod, die sinds zijn overwinning op de Zweden aan de Neva de bijnaam 'Nevski' draagt, heeft met de belangrijkste westerse vijand, de Teutoonse Ridders, afgerekend.

De cruciale slag vond plaats op het ijs van het Peipusmeer [Estland]. De zwaar geharnaste Duitse ridders en hun Finse bondgenoten wisten een bres te slaan in de Russische linies. Alexander Nevski slaagde er echter in een omtrekkende manoeuvre te maken en viel de vijand in de flank aan. Hierdoor ontstond er chaos in de vijandelijke gelederen die compleet was toen het voorjaarsijs het begaf.

De orde van de Teutoonse Ridders is in het Heilige Land opgericht met als doel de bestrijding van de 'ongelovigen' aldaar. Mettertijd hebben deze kruisridders zich in de Baltische streken gevestigd. De constante druk die zij in oostelijke richting uitoefenen, is in zekere zin de continuering en uitbreiding van een al langer bestaande 'Drang nach Osten'. Deze heeft al geleid tot de onderwerping of vernietiging van vele Baltische, Slavische en westelijke Litouwse stammen en heeft zich uitgebreid tot de Estische, Lettische en Litouwse buren van Noordwest-Rusland.

De Teutoonse Ridders hebben zich ten doel gesteld om niet alleen deze heidense volkeren te onderwerpen aan het rooms-katholicisme; de afgelopen drie jaar zijn zij ook actief op Russisch grondgebied, waar zij vorig jaar Pskov innamen. Alexander Nevski is pas onlangs de confrontatie met hen aangegaan, daar hij eerst met de Zweden wilde afrekenen en een aantal meningsverschillen met de burgers van Novgorod moest oplossen.

Nevski verdreef de Teutoonse Ridders uit Pskov en zag kans de strijd naar vijandelijk gebied te verplaatsen.

# Zweedse aanval op Novgorod wordt mislukking

NOVGOROD, juli 1240 - De Zweden zijn er niet in geslaagd de machtige handelsstad Novgorod van de toegang tot de zee af te sluiten. Vorst Alexander van Novgorod heeft hun met een klein doch fel vechtend leger een geduchte nederlaag toegebracht. Hiermee is het gevaar dat Novgorod vanuit het westen bedreigt echter nog niet geweken. Sinds vorig jaar zijn ook de Teutoonse Ridders actief in het noordwesten van Rusland.

Novgorod bleef twee jaar geleden min of meer toevallig gespaard voor vernietiging door de heidense Mongolen. In het christelijke Westen heeft het echter de ergste vijanden, namelijk de Zweden en de Teutoonse Ridders. Dezen maken gebruik van de algehele verzwakking van Rusland - een gevolg van de terreur der Mongolen - en het isolement van Novgorod om hun macht in oostelijke richting uit te breiden. Het idee dat de Russen christenen zijn die zouden moeten worden gesteund tegen de Mongolen speelt bij hen geen rol. Zij beschouwen de Grieks-Orthodoxe Russen eerder als afvalligen (sinds het Schisma van 1054). Bij de Zweden wegen bovendien economische motieven zwaar. Novgorod is immers het centrum bij uitstek van de Baltische Zeehandel. Dank zij het verpletterende succes dat vorst Alexander bij de Neva tegen de Zweden behaalde heeft Novgorod uit die hoek voorlopig weinig meer te duchten.

# Mongolen te sterk voor Russische legers

SARAJ, 1242 - Bij het bericht van de dood van de Groot-Chan Ugedej is het Mongoolse leger onder leiding van Batoe Chan uit Klosterneuburg [bij Wenen] weggetrokken. Alvorens naar de Wolga-steppen terug te keren hebben de Mongolen Bulgarije, Moldavië en Walachije onderworpen. Hiermee is een einde gekomen aan de grote campagne die vijf jaar geleden is ingezet en die heeft geresulteerd in de onderwerping van bijna het gehele Russische gebied.

Na de slag bij de Kalka (1223) waren de Mongolen vrij plotseling verdwenen om in 1237 in volle hevigheid een veroveringstocht westwaarts te lanceren. Aan het hoofd van deze expeditie stond Batoe, een kleinzoon van Djingiz Chan. Hij had aan de Wolga een leger verzameld dat circa 150 000 ruiters telde, onder wie Toerkmenen uit Centraal-Azië. Eerst onderwierp hij het chanaat van de Wolga-Bulgaren en nam de hoofdstad Groot-Bulgar in. Daarna concentreerde hij zich op het noordoosten van de Russische landen. Eind 1237 naderde hij Rjazan, een stad aan de Oka. Op beestachtige wijze vernietigden de Mongolen deze stad. Zij richtten een bloedbad aan onder de inwoners: 'Iedereen was dood. Er was zelfs niemand om over de doden te rouwen. Dit was de straf voor onze zonden,' aldus een ooggetuige.

Vervolgens rukten de Mongolen op naar Moskou, een niet al te grote stad die door haar strategische ligging van belang was. Na Moskou volgde Vladimir, de residentieplaats van de groot-

*Mongoolse boogschutter te paard. De ruiterij is veruit het belangrijkste onderdeel van het Mongoolse leger; zij staat bekend om haar snelheid, discipline en harde strijdwijze.*

vorst wiens familie, samen met alle andere inwoners, werd afgeslacht. Grootvorst Joeri II verloor een maand later zelf het leven in de strijd. Daarop trokken de Mongoolse legers westwaarts, via Tver, naar Novgorod. Het is louter toeval dat Novgorod voor vernietiging gespaard bleef. Toen Batoe in 1238 op 100 km van de stad was genaderd, trad

er een plotselinge dooi in die het land in een moeras omtoverde. Batoe sloeg af in zuidelijke richting. Vervolgens gunde hij zijn krijgers een lange rustperiode: in 1239 vonden er slechts kleine operaties plaats. Het jaar erop hervatte Batoe met volle kracht het offensief en trok nu in westelijke richting naar Kiëv. De Mongolen eisten de onderwerping van deze stad, die bestuurd werd door een gouverneur van vorst Daniel van Galicië. Het antwoord van Kiëv was de moord op de boodschappers die hiervoor naar de stad waren gekomen. Aldus was het lot van de hoofdstad van het oude rijk Kiëv-Roes bezegeld. Na een enige dagen durend wanhopig verzet viel ook Kiëv in handen van de Mongolen.

Zo heeft Batoe Chan dus in drie jaar tijds het grootste deel van het oude Kiëv-Roes veroverd, bijna overal een spoor van verwoesting achterlatend. Het is zeer de vraag of de Russische vorsten, als zij onderling minder verdeeld waren geweest, effectief weerstand hadden kunnen bieden aan Batoes machtige troepen. Tegen deze goed georganiseerde, tactisch superieure en uitstekend bewapende Mongoolse legers valt nauwelijks op te tornen.

Batoe heeft zich met zijn legers in het door hem opgerichte chanaat Kyptsjak (Kiptsjak) in Zuid-Rusland (het Rijk der Gouden Horde) genesteld. Een van zijn eerste daden was het ontbieden van de overwonnen Russische vorsten naar de hoofdstad van zijn rijk, Saraj, om de eed van trouw af te leggen.

# Vlaanderen-Henegouwen weer gesplitst

PARIJS, juli 1246 - De koning van Frankrijk, Lodewijk IX, heeft uitspraak gedaan in het conflict tussen de zonen van gravin Margaretha over de vraag wie van hen in het graafschap van hun moeder, Vlaanderen-Henegouwen, zal gaan opvolgen. De zonen uit het eerste huwelijk van Margaretha (met de Henegouwse edelman Bouchard van Avesnes), Jan en Boudewijn van Avesnes, is Henegouwen toegewezen. De zonen uit het tweede huwelijk van de gravin (met Willem van Dampierre), Willem en Gwijde van Dampierre, hebben Vlaanderen gekregen.

De problemen over de opvolging zijn ontstaan met de dood van de zuster van Margaretha, gravin Johanna van Constantinopel, anderhalf jaar geleden. Enig erfgenaam was Margaretha, die het graafschap met haar twee huwelijken in grote moeilijkheden heeft gebracht.

Door de beslissing van de Franse koning wordt Vlaanderen, dat sedert het einde van de 12de eeuw met Henegouwen verbonden is geweest, een apart graafschap.

*Lodewijk IX (links, met gouden helm) verovert met zijn leger een Arabische vesting.*

Het is nog de vraag of de Avesnes, aan wie het graafschap Henegouwen is toegewezen, zich bij de uitspraak van de koning zullen neerleggen, want Henegouwen levert hun heel wat minder inkomsten op dan Vlaanderen.

# 1250

*De dood van Frederik II (vooraan, links) in de slag bij de rivier de Leitha.*

# Einde geslacht Babenberg

EBENFURTH aan de LEITHA, 15 juni 1246 - Op zijn 35ste verjaardag is hertog Frederik II (de Strijdbare) van Oostenrijk omgekomen in de strijd tegen de Hongaren aan de rivier de Leitha. Doordat zijn twee huwelijken wegens kinderloosheid ontbonden zijn, sterft met hem het geslacht der Babenbergers, dat 270 jaar lang over Oostenrijk geheerst heeft, uit.

De Hongaarse koning Béla IV was Oostenrijk binnengevallen om grondgebied te heroveren. Dit was in 1241 in Oostenrijkse handen gekomen, toen Béla en Frederik samen tegen de Mongolen streden, een zeer kortstondig monsterverbond. De grensoorlog tegen de Hongaren is het laatste van de gewapende conflicten die zich sinds 1230, het begin van de regering van Frederik II, hebben voorgedaan. De strijdbare hertog nam niet alleen de wapens op tegen Bohemers, Beieren, Mongolen en Hongaren, maar ook tegen de Duitse keizer. Die confrontatie was de hevigste die een Babenberger met een keizer van het Duitse Rijk heeft gehad.

Op grond van de vele klachten die keizer Frederik II over Frederik II van Oostenrijk ontving, besloot hij om hem te straffen en de keizerlijke ban over de hertog uit te roepen.

Niet alleen de vorsten van Oostenrijks buurlanden beklaagden zich over het oorlogszuchtige gedrag van hertog Frederik II. Ook de Oostenrijkse adel, steden en clerus koesterden grieven jegens hun hertog vanwege de zware belastingen die hij oplegde. Maar de belangrijkste reden voor de keizer om Frederik in de ban te doen was dat hij in het eigenmachtig optreden van zijn Oostenrijkse leenman een bedreiging van zijn eigen positie in het rijk zag.

Eind 1236 leidde de keizer een strafexpeditie naar Oostenrijk en bezette een groot deel van het land. In 1237 trok hij Wenen binnen. Hij maakte de hoofdstad 'reichsunmittelbar', direct afhankelijk van het rijk, waarmee hij de hertog uitschakelde. Bovendien verleende hij de stad verscheidene privileges. De weerstand tegen de pogingen van de keizer om Oostenrijk bij zijn eigen bezittingen in te lijven nam echter toe. Bovendien zocht de keizer met het oog op zijn conflict met de paus weer toenadering tot de Babenbergers. Frederik II heroverde zijn hertogdom en nam eind 1239 Wenen in. Zo werd Frederik van Oostenrijk weer heer in eigen huis. Tot zijn dood is hij bezig geweest de indringers buiten de deur te houden.

---

**Mei 1250.** In Parijs nadert de bouw van de Notre-Dame zijn voltooiing. →

**13 december 1250.** In Fiorentino bij Foggia overlijdt keizer Frederik II aan de gevolgen van buikloop. →

**1250.** Na de dood van de Ajjoebiden-sultan al-Salih (1249) grijpt de Mamelukken-generaal Moe'izr al-Din de macht in Egypte. Hij huwt met al-Salihs weduwe Sjadjarat al-Doerr, en laat zich tot sultan uitroepen.

**1250.** Na de dood van koning Erik XI Eriksson wordt Waldemar Birgersson uit het geslacht der Folkunger tot koning van Zweden gekozen.

**1250.** Christenen brengen in de Slag bij Jerez de la Frontera de Moren een verpletterende nederlaag toe.

**1250-1251.** De Franse koning Lodewijk IX wordt als aanvoerder van de Zesde Kruistocht in Egypte gevangengenomen en pas na betaling van een hoge losprijs vrijgelaten.

**1252.** In de constitutie 'Ad exstirpanda' machtigt paus Innocentius IV de pauselijke inquisiteurs de wereldlijke macht in te schakelen om door foltering ketters tot een bekentenis te dwingen.

**11 augustus 1253.** Clara van Assisi stelt voor haar volgelingen de clarissen een nieuwe leefregel op. →

**1253.** Bonaventura, franciscaan en magister in de theologie te Parijs, schrijft zijn *Commentaren op de vier boeken Sententiën* van Petrus Lombardus.

**1255.** Paus Alexander IV verleent de Universiteit van Salamanca de 'licentia ubique docendi'. →

**1256.** Paus Alexander IV erkent de stichting van de 'Ordo Erimitarum Sancti Augustini' (de orde van de augustijner heremieten).

**1258.** Robert de Sorbon, hofkapelaan van koning Lodewijk IX van Frankrijk, sticht een aan de Universiteit van Parijs verbonden college voor onbemiddelde seculiere priesters (of clerici) die theologie willen studeren. →

**1258.** De Engelse baronnen onder leiding van Simon van Montfort dwingen koning Hendrik III van Engeland de 'Provisions of Oxford' te ondertekenen, waardoor hij aan democratische regels gebonden wordt. →

**4 december 1259.** Met het Verdrag van Parijs sluiten koning Hendrik III van Engeland en koning Lodewijk IX van Frankrijk vrede. →

Gestorven:

**28 januari 1256.** Willem van Holland, Duits koning en graaf van Holland →

---

# Rouw om dood keizer Frederik II

CASTEL FIORENTINO, 13 december 1250 - Na een kortstondige ziekte is keizer Frederik II onverwacht overleden. De keizer leed sinds eind november aan dysenterie, leek begin december te herstellen maar is nu toch nog vrij plotseling overleden. Met de dood van de keizer is een einde gekomen aan de Staufische plannen tot vereniging van Sicilië en Duitsland en herstel van het Karolingische wereldrijk.

Frederik II werd in 1194 geboren als zoon van Constanza, erfdochter van Sicilië, en Hendrik VI, keizer van het Duitse Rijk. Na de plotselinge dood van zijn vader in 1197 duurde het enige jaren voordat Frederik de macht op Sicilië aan zich kon trekken. In 1215 werd hij na een machtsstrijd met Otto de Welf in Aken tot koning van het Duitse Rijk gekroond. Vijf jaar later volgde de keizerskroning in Rome.

Frederiks leven werd vooral gekenmerkt door zijn strijd met de paus. Hij betwistte hem diens wereldlijke gezag. Frederik was van mening dat de paus zich slechts met geestelijke zaken diende bezig te houden. De conflicten met de paus liepen dermate hoog op dat paus Gregorius IX de keizer tweemaal excommuniceerde. Paus Innocentius IV ging nog een stap verder: hij liet Frederik in 1245 op het Concilie van Lyon afzetten.

Niet alleen Frederiks denkbeelden over de beperktheid van de pauselijke macht, ook zijn vriendschappelijke omgang met de ketterse Saracenen en zijn grote interesse voor wiskunde, sterrenkunde en filosofie joegen de pausen angst aan. Frederik sloot op zijn kruistocht vrede met de sultan en liet aan zijn hof onder anderen de beroemde filosoof Michael Scotus werken. Scotus vertaalde onder meer werken van Aristoteles die door de pausen verfoeid werden omdat daarin de almacht van God ter discussie stond.

Frederik, wiens belangstelling zich tot bijna alle wetenschappen uitstrekte, werd Stupor Mundi, Verbazing der Wereld genoemd. Men mag echter niet uit het oog verliezen dat de keizer ook negatieve eigenschappen had. Hij kon zeer wreed zijn en had er geen moeite mee kinderen voor zijn wetenschappelijke experimenten te misbruiken.

Het familieleven van de keizer is niet bepaald gelukkig geweest. Geen van zijn vier echtgenotes heeft hem overleefd. Zijn oudste zoon Hendrik is tegen hem in opstand gekomen en sleet zijn laatste jaren in de gevangenis. Zijn lievelingszoon Enzo zit nu al jaren in Bologna gevangen. De keizer heeft in zijn testament bepaald dat zijn zoon Koenraad, de Duitse koning, hem zal opvolgen. Afgewacht moet worden of deze bestand zal zijn tegen de door de paus geleide vijanden van de Hohenstaufen.

*De verschillende stadia van de bouw van een kathedraal: vooraan steenhouwers en een speciemenger, daarachter metselaars en dakbedekkers.*

# Notre-Dame bijna voltooid

PARIJS, mei 1250 - De bouw van de immense kathedraal op het Ile de la Cité nadert nu na tientallen jaren van grote activiteit zijn voltooiing. Het opmerkelijke van het gebouw is dat de constructie niet meer zwaar, gesloten en sober kan worden genoemd, maar dat er dank zij nieuwe technische mogelijkheden en veranderde kunstzinnige ideeën een hoge, ranke, lichte en rijk versierde kerk is ontstaan. Men noemt dit nu het 'opus modernum', het moderne werk.

Het idee voor een nieuwe kerk is opgeworpen door bisschop Maurice de Sully die de stad een waardige kathedraal wilde geven. De eerste bouwactiviteiten vonden reeds in 1163 plaats. De drie indrukwekkende gebeeldhouwde portalen van de façade en een groot deel van het schip kwamen gedurende de 12de eeuw gereed. Momenteel is op onderdelen van de kooromgang na bijna de hele kerk klaar. Tevens wordt er nog door opzichter Jean de Chelles de laatste hand gelegd aan het magnifieke Portaal van het Klooster aan de noordzijde van de kerk. De kerk is nu 130 meter lang en 48 meter breed en kan ongeveer 9000 mensen bevatten, van wie 1500 op de galerijen. Tot op heden is er nog maar zelden een gods-

huis van een dergelijke omvang gebouwd. Binnen zal men zich bovendien kunnen verbazen over de grote hoeveelheid gekleurd licht dat door rozetramen en grote glas-in-loodvensters de kerk binnenkomt. Dit noemt de abt Suger van Saint-Denis het 'wonderlicht'.

Niet alleen in Parijs zijn dergelijke nieuwe, gotische kerken te vinden, in heel Noord-Frankrijk zijn op het ogenblik grootschalige kerkbouwactiviteiten gaande.

Omdat het bouwen daar later is gestart worden de nieuwe stijlprincipes daar nog sterker toegepast. Deze kerken zijn dus hoger en lichter. Typerend hierbij is het gebruik van de geknikte boog in plaats van de ronde boog. De uitvoering van de gebouwen neemt bovendien steeds flamboyantere vormen aan. Men kan hierbij onder meer denken aan het overvloedig gebruik van decoratieve elementen als heiligenbeelden. Voorbeelden van dergelijke kerken zijn die van Amiens (begonnen in 1220 en bijna klaar), Beauvais (begonnen in 1247, uit prestige-overwegingen op een grotere schaal, maar spoedig na de bouw ingestort), Chartres (1194-1220) en Reims (begonnen in 1225).

# Clara sticht nieuwe orde

ASSISI, 11 augustus 1253 - Terwijl haar stervensuur nabij is, heeft abdis Clara van het vrouwenklooster van Assisi nog voor een nieuwe en zelfgeschreven leefregel voor haar volgelingen, gemeenlijk clarissen genoemd, gezorgd.

Deze nieuwe orde is in feite ontstaan toen Clara in de nacht van 18 op 19 maart 1212 uit het rijke ouderlijk huis vertrok en zich bij haar arm geworden medeburger Franciscus en zijn monniken aansloot. Clara en haar eerste gezellen kregen van hen als onderkomen een kloostertje dat even buiten Assisi is gelegen.

De vrouwen in dit klooster wensten de regels en idealen van Franciscus te volgen. Dit komt neer op een leven van extreme armoede en soberheid, met aalmoezen als bron van inkomsten. Deze regel van Franciscus kreeg direct veel respons, zodat op verscheidene plaatsen in Europa nieuwe clarissenkloos-

ters konden worden gesticht.

Omdat er nog geen duidelijke eigen kloosterregel was opgesteld, bestond er in het begin nogal eens onduidelijkheid omtrent de interpretatie van verschillende bepalingen. Daarom besloot paus Innocentius IV in 1247 aan de verwarring een einde te maken: hij vaardigde een geheel nieuwe kloosterregel uit. Maar omdat deze regel niet door alle clarissenkloosters werd erkend, nam de verwarring alleen maar toe. Vervolgens besloot Clara op haar beurt een geheel nieuwe regel op te stellen. Belangrijke elementen hierin zijn de onttrekking van de clarissen aan de jurisdictie van de franciscanen en het feit dat clarissen geen recht hebben op gemeenschappelijk eigendom, zoals paus Innocentius dat had geformuleerd. Tegen dat laatste punt blijkt nog wel de nodige weerstand te bestaan, zodat een nieuwe aanpassing van de regel niet ondenkbaar is.

# Licentie voor universiteit Salamanca

*Miniatuur uit het schaakboek van koning Alfons X de Wijze van Castilië.*

SALAMANCA, 1255 - Paus Alexander IV heeft de universiteit van Salamanca de 'licentia ubique docendi' verleend. Dit houdt in dat alle afgestudeerden van deze universiteit de bevoegdheid hebben gekregen om overal in christelijk Europa te doceren. De rechten van deze universiteit zijn in de pauselijke bul vastgelegd; hiermee is de universiteit van Salamanca 'een van de vier toortsen van de wetenschap' in de wereld geworden, de andere drie zijn de universiteiten van Parijs, Bologna en Oxford.

De universiteiten hebben zich spontaan gevormd door de aaneensluiting van plaatselijke studenten ('scolares') en docenten ('magistri') in een universitas, een soort van wetenschappelijk gilde. Door overeenkomsten met de paus of de koning kunnen bepaalde privileges verkregen worden, zoals bijvoorbeeld fiscale en militaire vrijstellingen en eigen rechtspraak.

De eerste Spaanse universiteiten vormden hierop een uitzondering. De universiteiten van Palencia en Salamanca werden door Alfons IX (1188-1230), koning van León, gesticht. De universiteit van Salamanca was aanvankelijk een school voor algemene studiën (studium generale'). In 1242 werd deze universiteit heropgericht door Ferdinand III van Castilië. Ze beschikt over drie faculteiten: die van de rechtsgeleerdheid, de kunsten en de medicijnen. Het zwaartepunt van de studie ligt op het burgerlijk en kanoniek recht. Deze faculteit van de rechtsgeleerdheid trekt studenten van ver, zoals Parijs en Bologna, wat tekenend is voor de kwaliteit van de opleiding aan de universiteit van Salamanca.

Op dit moment geniet de universiteit het patronagat van Alfons X de Wijze, koning van Castilië, die bekendstaat om het stimuleren van kunsten en wetenschappen.

*Graaf Willem II van Holland.*

## Hollandse graaf sneuvelt in strijd tegen Westfriezen

HOOGWOUD, 1256 - Willem II, graaf van Holland en de afgelopen negen jaar ook Rooms-koning, is in een veldtocht tegen de Westfriezen, wier gebied hij onder het gezag van het Hollandse gravenhuis wilde brengen, om het leven gekomen. Volgens de berichten is de 29-jarige Willem op een van de Westfriese plassen met paard en al door het ijs gezakt, waarna het de Friezen weinig moeite kostte hun tegenstander af te maken.

Met de dood van Willem II is een abrupt eind gekomen aan wat een glansrijke loopbaan leek te worden. Hij wist al op zijn negentiende jaar dat hij voorbestemd was keizer van het Duitse Rijk te worden. Zijn neef, Hendrik II van Brabant, de machtigste man in de Nederlanden, had namelijk voor de eer bedankt en de jeugdige Willem van Holland naar voren geschoven. Willem werd in aller ijl in Woeringen tot koning gekozen en direct daarop in Keulen tot ridder geslagen. Iedereen zag de jonge Willem als een bruikbare pion en een handig wapen in de strijd van de pauselijke partij tegen Frederik II. Die verwachting kwam niet uit. Na de dood van Frederik II zag Willem kans om ook in Duitsland heel wat aanhangers te krijgen en een min of meer zelfstandige politiek te voeren, vooral na de dood van Frederiks zoon, Koenraad IV. Deze stierf twee jaar geleden, vier jaar na zijn vader. Willem was toen de enige kandidaat voor het keizerschap en stond dan ook al enige tijd op het punt naar Rome te vertrekken om de titel uit handen van de paus te ontvangen. Willem zal in het graafschap Holland worden opgevolgd door zijn zoon Floris.

# Universiteit van Parijs wordt uitgebreid

PARIJS, 1258 - Met een aanzienlijke schenking van koning Lodewijk IX is de stichting van een apart aan de universiteit verbonden college - de Sorbonne - een feit geworden. Het is bedoeld voor onbemiddelde clerici die theologie willen studeren. Hiermee is de groei tot een volwaardige universiteit belangrijk gestimuleerd.

De ontwikkeling van de universiteit van Parijs is al vroeg begonnen. Reeds in de 12de eeuw bestond er een min of meer vaste universitaire gemeenschap waarbij de professoren zich hadden georganiseerd. Later, in 1200, werd er een koninklijke oorkonde uitgevaardigd waarbij de rechten en privileges van professoren én studenten een juridische basis kregen. Opmerkelijk is dat dit pas geschiedde nadat er rellen rond de universiteit uitbraken waarbij een student werd gedood. Ook een pauselijke bul met extra universitaire rechten uit 1231 vindt zijn oorsprong in een soortgelijk conflict tussen stad en universiteit.

Maar voordat de paus dit conflict kon bezweren was het noodzakelijk dat de professoren twee jaar hun collegezalen sloten. De universitaire gemeenschap trok de stad uit en kwam zodoende in een gunstige onderhandelingspositie te verkeren. Zij was immers een belangrijke consument en bezorgde de stad als intellectueel centrum een enorm prestige. Haar belangrijkste grief waren de grote rechten die de lokale koninklijke ambtenaren konden laten gelden. Met de bul van 1200 waren de macht van de kanselier van de Notre Dame tot het geven van doceervergunningen aan professoren en de rechtsbevoegdheid van de bisschop van Parijs over de studenten definitief ten einde.

Een volgende stap in de groei van de universiteit was de zorg voor de levensomstandigheden van de universitaire gemeenschap: goede ruimten, huizen,

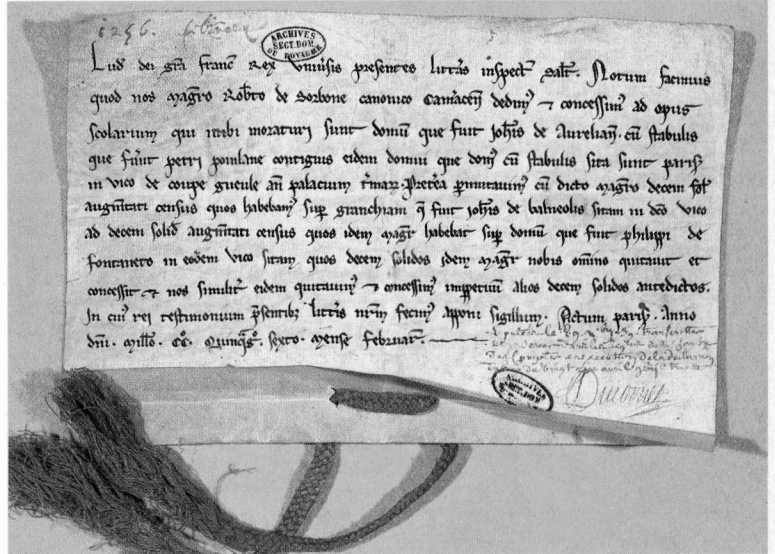

*De stichtingsoorkonde van de Sorbonne, gedateerd februari 1257.*

bibliotheken en beurzen voor studenten. Vanaf 1245 heeft Robert de Sorbon ervoor geijverd om aan dergelijke voorwaarden voor de theologiestudenten te kunnen voldoen. Nu ook koning Lodewijk IX nog een belangrijke geldelijke bijdrage heeft gegeven, is het mogelijk om dit college definitief op te richten.

De onbemiddelde maar goede studenten kunnen nu gratis huisvesting en voedsel krijgen.

# Engelse adel dwingt koning tot akkoord

LONDEN, 1258 - Na een grote opstand van de Engelse edelen heeft koning Hendrik III ingestemd met de 'Provisions of Oxford', een document waarin de verhouding tussen de vorst en zijn onderdanen opnieuw wordt vastgelegd.

De opstand ontstond door de hoge belastingen die de koning heft. De adel is bovendien ontevreden over de wijze waarop Hendrik III zijn gunstelingen belangrijke functies geeft in het bestuur van het land. De koning heeft ambitieuze plannen buiten Engeland. Zo is hij niet tevreden met de geringe omvang van het Franse gebied dat de Engelse koningen nog in leen hebben van de Franse vorst; hij heeft geprobeerd de oude Normandische gebieden te heroveren. Daarnaast heeft Hendrik het aanbod van de paus geaccepteerd om Sicilië te veroveren op Manfred, een zoon van de Duitse keizer, om het daarna aan zijn eigen tweede zoon, Edmund, te kunnen geven. Al deze militaire acties zijn zonder succes gebleven.

De in financiële moeilijkheden verkerende koning Hendrik III heeft vervolgens geprobeerd de macht van zijn huishouding verder uit te breiden en belastingen te heffen waarover de

*Koning Hendrik III van Engeland.*

ambtenaren van de instellingen die door de adel worden gecontroleerd, geen controle hebben.

De baronnen ervaren deze groei van de macht van de koninklijke huishouding als onterecht en zijn in opstand gekomen. Om hieraan een einde te maken heeft de koning er ten slotte in toegestemd de Provisions of Oxford te ondertekenen.

De Provisions bevatten bepalingen waarin beperkingen worden opgelegd aan het recht van de koning om zelf ambtenaren te benoemen. De belangrijke openbare functies, bijvoorbeeld die van rechter van het opperste gerechtshof (justiciar), gerechtsambtenaar van een gebied (sheriff), schatkistbewaarder (treasurer) en kanselier, zullen voortaan steeds voor de duur van een jaar bekleed worden, waarna de dienstdoende ambtenaar verantwoording moet afleggen aan de koning en zijn raad.

Om ervoor te zorgen dat de koning zich aan de bepalingen van de Provisions houdt, is uit de grote raad een permanent orgaan gekozen waarin vijftien baronnen zitting hebben. En daarnaast is bepaald dat er minstens drie parlementen per jaar moeten plaatsvinden.

# Vrede van Parijs gesloten

*Arabieren nemen Lodewijk IX gevangen; episode uit de kruistocht van 1249.*

PARIJS, 4 december 1259 - Koning Lodewijk IX en Hendrik III van Engeland hebben een verdrag ondertekend dat een einde maakt aan de al decennia voortdurende vijandelijkheden. Het moet tevens de problemen over de aanspraken op de verschillende gebieden - onder meer Gascogne - in Frankrijk oplossen.

De langdurige strijd - die in 1204 begon met de verovering van Normandië door Filips II August - van de Plantagenets om de verloren Engelse gebieden te heroveren, was een voortdurende last voor Lodewijk IX. Toen in 1242 Hendrik III met hulp van het rebelse zuiden van Frankrijk het land binnenviel, wist Lodewijk hem weliswaar te verslaan, maar het lukte hem niet om een definitieve regeling te treffen. In de kruistocht naar Palestina die hij na deze gevechtshandelingen ondernam, was hij evenmin erg succesvol en werd hij zelfs gevangengenomen. Van oorlog had hij zijn buik meer dan vol. Daarom heeft hij sinds zijn terugkeer in Frankrijk constant aangestuurd op het sluiten van goede vredesverdragen. Hij wil rust brengen in het land en in zijn ogen is het de plicht van een christelijk vorst om de vrede te handhaven.

Allereerst heeft hij in mei vorig jaar met koning Jacob I van Aragón het verdrag van Corbeil gesloten. Hiermee werden wederzijdse aanspraken op gebieden ten noorden en ten zuiden van de Pyreneeën geregeld.

Met dit nieuwe verdrag worden de betwiste gebieden bij Gascogne aan Engeland afgestaan en bevestigt Lodewijk Hendrik in zijn bezit van Aquitanië, waarvoor Lodewijk van Hendrik de leenhulde ontvangt en daarmee de erkenning van zijn suzereiniteit over dit gebied. Hendrik belooft als tegenprestatie verder af te zien van zijn aanspraken op Normandië, Bretagne, Maine, Anjou en Poitou. In feite is Lodewijk hiermee nog ruim aan de wensen van Hendrik tegemoet gekomen. Meer dan misschien nodig zou zijn geweest. Immers, het zou voor Lodewijk niet zo moeilijk zijn geweest om de problemen met Hendrik op het slagveld definitief te beslechten. Maar een dergelijke oplossing is volgens hem niet betamelijk voor een goed christelijk vorst. Hij heeft er slechts voor willen zorgen dat de problemen zo snel mogelijk, vreedzaam en in rechte zouden worden opgelost. Hierin is Lodewijk voorlopig zeker geslaagd.

---

# 1260

**4 september 1260.** Bij Montaperti verslaat koning Manfred van Sicilië de Florentijnen. Hij verwerft door deze overwinning de heerschappij over geheel Toscane.

**1260.** Koebilai, een kleinzoon van Djingiz Chan, wordt de nieuwe Mongoolse groot-chan.

**25 juli 1261.** De Byzantijnse keizer Michael VIII Paleologus van Nicea verovert met hulp van Genua de oude Byzantijnse hoofdstad Constantinopel. Dit betekent het einde van het Latijnse keizerrijk van Constantinopel. →

**1262.** De Noorse koning Haakon IV de Oude verkrijgt de soevereiniteit over IJsland.

**1262.** De Russische grootvorst Alexander Nevski brengt een bezoek aan Saraj, de hoofdstad van het Mongoolse rijk de Gouden Horde. →

**1263.** Venetië verslaat Genua in een zeeslag.

**14 mei 1264.** In de Slag bij Lewes behaalt de Engelse baronnenleider Simon van Montfort de beslissende overwinning op het leger van koning Hendrik III.

**1264.** Koning Boleslav V van Polen verleent een charter aan de joden, die zich in Polen vestigen. →

**1264.** In de 'Mise van Amiens' verklaart koning Lodewijk IX van Frankrijk de 'Provisions of Oxford' ongeldig (zie 1258). →

**4 augustus 1265.** De Engelse troonopvolger prins Edward verslaat in de Slag bij Evesham Simon van Montfort. →

**1265.** Graaf Karel van Anjou, broer van koning Lodewijk IX van Frankrijk, krijgt het koninkrijk Napels en Sicilië in leen van paus Clemens IV.

**1266.** Balban wordt de nieuwe sultan van Delhi. →

**1267.** Béla IV probeert de macht van de Hongaarse hoge adel te beperken. →

**29 oktober 1268.** Hertog Konradin van Zwaben, de laatste mannelijke afstammeling van het Duitse geslacht der Hohenstaufen, wordt in Napels terechtgesteld. Hij was in de slag bij Tagliacozzo door Karel van Anjou verslagen en gevangengenomen.

**December 1268.** Thomas van Aquino keert terug naar Parijs om te doceren aan de dominicanenschool van Saint-Jacques en om verder te werken aan zijn hoofdwerk: de *Summa Theologica*. →

Geboren:

**9 mei 1265.** Dante Alighieri († 14-9-1321), de 'sommo poeta' (opperste dichter) van het Italiaanse volk

**1265-1266.** Johannes Duns Scotus († 1308), filosoof

---

*Joods bruidspaar (afbeelding uit een 13de/14de-eeuws gebedenboek).*

# Prins van Krakau geeft joden meer recht en vrijheid

KRAKAU, 1264 - Prins Boleslav de Bescheidene van Krakau heeft het *Algemene Handvest van de Joodse Vrijheden* uitgevaardigd. De joden wonen al vele eeuwen in Polen maar tot nu toe was hun positie nooit juridisch gewaarborgd. Door de groeiende macht van de steden wordt het jodendom in Polen echter steeds meer bedreigd.

De Poolse steden hebben zich verbonden met de Duitse steden door middel van de 'Maagdenburger Wetten'. Veel burgers zijn van Duitse origine; de Poolse steden worden bekender onder hun Duitse namen, zoals Breslau [Wroclaw], Krakau [Krakow], Posen [Poznan]. Om de concurrentiepositie en het bestaan van de joden zelf veilig te stellen heeft prins Boleslav van Krakau nu vastgesteld dat de joden recht hebben om zonder tol te betalen door het land te reizen; de joden hebben het recht om zich vrij met handel bezig te houden; ze hebben het recht om hun godsdienstige praktijken in vrijheid te beoefenen alsmede de diensten in de synagogen bij te wonen. Verder zijn de joden uitgesloten van slavernij en onderdanigheid.

Deze juridische bepalingen geven de joden echter geen recht om zich binnen de stadsgrenzen te vestigen; ze zullen dan ook niet dezelfde positie krijgen als de christenen.

# Nicea herenigt Byzantijnse Rijk

CONSTANTINOPEL, augustus 1261
Nadat zijn legers zonder slag of stoot op 25 juli Constantinopel hebben heroverd, heeft Michael Paleologus zich in deze stad tot keizer laten kronen. Hij plukt hiermee de vruchten van wat de Lascaris-keizers van Nicea hebben voorbereid.

Na de val van de hoofdstad in 1204 bleven er drie onafhankelijke Griekse staten bestaan: Epirus (West-Griekenland), Trebizonde (ten zuidoosten van de Zwarte Zee) en Nicea in Klein-Azië. In Nicea werd in 1208 Theodorus Lascaris, die er sinds 1204 als despoot had geregeerd, tot keizer gekroond door de recentelijk benoemde patriarch aldaar. Aldus kon Nicea zich presenteren als 'keizerrijk in ballingschap' en als verdediger van het orthodoxe geloof. Tijdens het Lascaris-bewind heroverde Nicea aanzienlijke gebieden op de Balkan, en schakelde zo andere concurrenten voor de rol van hersteller van het Byzantijnse Rijk - Thessalië, Epirus en Bulgarije - uit. Voor Michael Paleologus, die drie jaar geleden de feitelijke macht aan zich trok, was de weg naar Constantinopel vrij. Daar hij dringend behoefte had aan een vloot sloot hij met Genua, de aartsrivaal van Venetië, een bondgenootschap waarbij hij deze stad de handelssuprematie in de Levant verleende.

Zo is nu een einde gekomen aan de gehate regering van de Latijnen. De verovering van de stad door de kruisridders in 1204 had zeer tegen de zin van de paus plaatsgevonden, maar deze berustte erin toen hij voor een voldongen feit stond. Van meet af aan deden de pausen pogingen om een verzoening

*Boudewijn II, de laatste keizer van het Latijnse keizerrijk, ontvangt kooplieden.*

met de Griekse clerus, die voor het merendeel was gebleven, te bewerkstelligen. De Grieken weigerden echter een paus als hoofd van de Kerk te erkennen. Een tijd lang onderhandelden Rome en Nicea over pauselijke hulp aan de Byzantijnen bij het herstel van Constantinopel, in ruil voor erkenning van de pauselijke suprematie over de oosterse christelijke Kerk. De dood in 1256 van zowel de paus als de Niceense keizer Johannes Vatatzes maakte hieraan een einde. Michael Paleologus nu is erin geslaagd om Constantinopel te heroveren zonder hulp van Rome en zich tot keizer te laten kronen.

*De eerste landkaart van de Britse eilanden, gemaakt circa 1250.*

## 'Modelparlement' in Engeland van korte duur

EVESHAM, 4 augustus 1265 - Er is een einde gekomen aan het bestuur van het land door wat genoemd wordt het 'modelparlement'. Vandaag is bij Evesham de leider van dit parlement, Simon van Montfort, verslagen door kroonprins Edward. Deze heeft zijn vader uit gevangenschap bevrijd en hem zijn troon teruggegeven.

De opstand van Simon van Montfort vorig jaar kwam niet onverwacht. Al lange tijd waren de edelen het niet eens met de wijze waarop koning Hendrik III de macht aan zich trok. De dreigende burgeroorlog trachtte Hendrik nog te voorkomen door de bemiddeling van Lodewijk de Vrome van Frankrijk te vragen. Dit mocht echter niet baten en op 14 mei van het vorige jaar werd de koning door Simon van Montfort, die gesteund werd door de lage adel en de grote steden, bij Lewes verslagen en gevangengenomen.

Daarop vestigde Simon, die sinds 1231 graaf van Leicester was en getrouwd was met de zuster van de koning, het modelparlement. In dit parlement kregen ook burgers en ridders die deel uitmaken van de lagere adel, zitting terwijl daarvóór het parlement uitsluitend een zaak was van de hoge adel en de geestelijkheid.

Weliswaar kregen reeds in de Magna Charta de gewone burgers rechtsbescherming, maar sedertdien was er weinig aan hun positie veranderd. De toelating tot het parlement was een nieuwe fase in hun bestaan als groep die meetelt in het rijk. De koning had daarentegen niets meer te zeggen in het modelparlement, dat slechts vijftien maanden bestaan heeft. Vandaag heeft prins Edward de opstandelingen verslagen. Simon van Montfort is daarbij om het leven gekomen.

# Alexander wil met Mongolen samenwerken

SARAJ, 1262 - Naar het zich laat aanzien heeft grootvorst Alexander Nevski de reis naar de hoofdstad van de Gouden Horde niet tevergeefs gemaakt. Het doel van zijn bezoek is chan Berke te bewegen af te zien van vergeldingsmaatregelen tegen de opstandige stad Rostov.

Het is niet de eerste keer dat Alexander Nevski naar Saraj reist. Kort na de dood van zijn vader bezocht hij deze stad om de chan eer te bewijzen. Overtuigd van de nutteloosheid van verzet tegen de Mongoolse veroveraars koos hij van meet af aan voor een politiek van samenwerking. Dit leverde hem niet onmiddellijk de titel van grootvorst op; aanvankelijk moest hij zich tevreden stellen met een jarlik (genadebrief van de chan) waarin hij tot vorst van Kiëv en Novgorod werd benoemd. In 1252 overreedde hij de chan om hem te steunen tegen zijn broer, de grootvorst van Vladimir. Met behulp van Mongoolse troepen nam hij Vladi-

*Banket aan het hof van de chan.*

mir in en verwierf, na zijn broer te hebben afgezet, de begeerde titel van grootvorst.

De Mongoolse overheersers hebben nooit reden gehad om het in Alexander gestelde vertrouwen te betreuren. Zij zijn bijzonder gebaat bij trouwe vazallen, omdat de Mongolen zelf het Russische land niet bezet houden. Ze geven de voorkeur aan de vruchtbare steppen waar handelsroutes samenkomen boven de veelal beboste Russische gebieden in het noorden. Zij beschouwen het Russische land vooral als bron van inkomsten en reservoir van rekruten. Teneinde het aantal rekruten vast te stellen houden zij volkstellingen. De tribuut wordt geïnd door 'basqaqs', die even impopulair zijn als de volkstellers. Grootvorst Alexander Nevski heeft de chan regelmatig goede diensten bewezen bij de onderdrukking van de opstanden die in verscheidene Russische steden tegen deze zeer gehate functionarissen uitbraken.

# Oxfords verdrag ongeldig

*Een jonge ridder krijgt het zwaard aangegord en de sporen aangebonden.*

AMIENS, 1264 - De Franse koning is als bemiddelaar opgetreden in het conflict tussen zijn Engelse collega en de adel van Engeland. Dit heeft tot resultaat gehad dat de 'Mise van Amiens' zijn opgesteld, waarin koning Hendrik III ontslagen wordt van de Provisions van Oxford, een verdrag dat hij in 1258 met de adel van zijn land sloot.

De Provisions van Oxford werden opgesteld door de adel die zeer ontevreden was over de wijze waarop de koning zijn functie vervulde. De koning tekende, omdat het land aan de rand van een burgeroorlog stond. Het jaar daarop werden de afspraken opnieuw bevestigd in de Provisions van West-

minster. De koning, die door de verdragen zijn macht ingeperkt zag, was niet erg te spreken over deze ontwikkeling. In 1261 wendde hij zich tot de paus met een verzoek om hem te ontslaan van de verplichting zich aan de Provisions te houden. De paus verklaarde dat Hendrik III onder dwang getekend had en zich daarom niet gebonden hoefde te voelen de verdragen na te komen. Dit leidde tot een conflict, zo ernstig dat het land lange tijd wederom op de rand van een burgeroorlog bleef wankelen. Om deze te bezweren werd de hulp van de Franse koning Lodewijk IX ingeroepen. Deze is als scheidsrechter opgetreden en heeft beslist dat Hendrik zich inderdaad niet aan de verdragen hoeft te houden. De Franse koning heeft er natuurlijk wel belang bij om Hendrik, die tenslotte zijn leenman is, te vriend te houden. Het is dan ook de vraag of deze uitspraak een einde zal maken aan het conflict tussen koning en adel in Engeland. Een conflict overigens dat om een steeds kleiner probleem gaat. Aanvankelijk stelden de baronnen dat de koning niet alleen mocht regeren, maar steeds moest samenwerken met allerlei organen waarin de edelen vertegenwoordigd zijn. Nu draait het formeel alleen nog om de vraag of de koning het recht heeft om buitenlandse adviseurs aan te stellen. Vreemd genoeg is Simon van Montfort de leider van de edelen die vinden dat de koning zijn adviseurs in Engelse kringen moet zoeken. Hij is namelijk zelf een buitenlander.

*Dzjingiz Chan spreekt recht in een pasveroverde stad (Perzische miniatuur).*

# Balban sultan van Delhi

DELHI, 1266 - Balban, de eerste minister van sultan Bahram is, nu deze is overleden, de nieuwe sultan van Delhi geworden. Al in zijn functie van eerste minister bestuurde hij feitelijk het Delhi-sultanaat zonder nog veel rekening met Bahram te houden. Onder sultana Raziyya was Balban de belangrijkste functionaris aan het hof. In de zes jaar na haar dood maakte hij deel uit van 'de Veertig' die het bestuur van het sultanaat in handen hadden. Daarna bekleedde hij de ministerspost onder Bahram.

Het Delhi-sultanaat ontstond na de dood in 1206 van Mohammed van

Ghor, die in 1192 Delhi op de hindoeïstische Rajputen had veroverd. Zijn generaal, Qutb-ud-din-Aibak, verklaarde zichzelf toen sultan van de Indische delen van het Afghaanse Rijk. Uit angst dat vanuit Ghazna weer pogingen tot restauratie zouden worden gedaan, verplaatste Aibak zijn hoofdplaats naar Lahore.

In Delhi bleef echter een factie van Turkse edelen achter die ervoor zorgde dat na de dood van Aibak zijn schoonzoon Iltoetmisj op de troon kwam, die weer in Delhi werd neergezet. Deze Iltoetmisj voorkwam dat de edelen te veel macht kregen waardoor het sultanaat in kleine staatjes uiteen zou kunnen vallen. Rond 1220 liet hij de noordelijke grens samenvallen met de Indus. Hij leverde vervolgens strijd met de Rajputen in de eerste van een hele serie onbesliste slagen tussen de Rajputen en de Turken.

In de jaren dertig van deze eeuw was hij niet in staat de Mongolen van Djingiz Chan ervan af te houden West-Punjab in te nemen.

In 1237 stierf Iltoetmisj. Als zijn opvolger had hij zijn oudste dochter boven zijn zoons verkozen. De oppositie bleek echter te groot. De kroniekschrijver Siraj schreef: 'Sultana Raziyya was een groot vorstin. Ze was wijs, eerlijk en genereus, een weldoenster voor haar koninkrijk die gebruik maakte van het recht, een beschermster van haar onderdanen en een leidster van haar legers. Ze bezat alle kwaliteiten van belang voor een koning, alleen was ze geboren met het verkeerde geslacht en dus waren, naar het oordeel van de mannen, al deze deugden waardeloos.'

In 1240 werd Raziyya vermoord en de regering werd overgenomen door de paleiswachten van haar vader, meestal 'de Veertig' genoemd. Eerste-minister Balban was een van hen en hij wist in de navolgende periode snel de macht aan zich te trekken.

# Béla IV wil macht van hoge adel breken

BOEDA, 1267 - De Hongaarse koning Béla IV heeft bepaald dat van ieder graafschap twee of drie edelen de nationale vergadering in Székesfehérvár mogen bijwonen. Hiermee heeft de koning duidelijk gemaakt dat hij de lagere adel met een bescheiden grondbezit wil steunen tegen de machtige feodale heren.

In zijn poging om de hogere adel onder controle te krijgen steunt Béla ook de steden. De Hongaarse steden krijgen zo steeds meer macht, sinds Székesfehérvár halverwege de 12de eeuw de eerste privileges verwierf. De groei van de steden is overigens vooral het gevolg van de economische ontwikkeling van West-Europa. Op zoek naar edelmetalen breiden de hanzesteden Venetië en Genua hun invloed uit naar het oosten; Hongarije levert hun koper in ruil voor textiel.

De groei van de handel en mijnbouw moet de koning nieuwe inkomsten verschaffen, nu hij steeds minder bijdragen van de hoge adel ontvangt. In 1222 werd de vader van Béla, András II, zelfs gedwongen om een Gouden Bul uit te vaardigen, waarbij de macht van

*Koning Béla IV op de vlucht.*

de koning en de Kerk sterk werd beknot en de adel werd uitgesloten van belastingheffing.

Vanaf het moment dat hij in 1235 op de troon kwam heeft Béla geprobeerd zijn positie te versterken. Om de macht van

de hoge adel te breken liet hij de stoelen uit de koninklijke raadzaal verbranden om te verhinderen dat de edelen in zijn aanwezigheid konden gaan zitten. De relatie tussen koning en hoge heren raakte hierdoor ernstig verstoord. Toen in de lente van 1241 de Mongolen onder Batoe Chan Hongarije binnenvielen, kwamen dan ook maar weinig vorsten de koning te hulp. Béla werd bij Mohi verslagen en vluchtte naar hertog Frederik van Babenberg, die hem echter gevangen nam en pas voor een zeer hoge losprijs liet gaan.

De nederlaag tegen de Mongolen betekende een harde klap voor het koninklijk prestige. Béla IV was gedwongen land aan de hoge adel te geven in ruil voor het bouwen van stenen forten met garnizoenen, om een mogelijke nieuwe invasie tegen te gaan.

Met zijn maatregelen probeert de koning opnieuw de feodale macht te breken. Esztergom heeft hij afgestaan aan de aartsbisschop om de Kerk op zijn hand te krijgen. Béla heeft Boeda als nieuwe residentie gekozen en de door de Mongolen verwoeste stad laten herbouwen op een heuvel aan de Donau.

# Filosoof Thomas in Parijs

*Thomas van Aquino tijdens de maaltijd in gesprek met de koning van Frankrijk.*

PARIJS, december 1268 - De grote Italiaanse theoloog en wijsgeer Thomas van Aquino, die al eerder aan de Parijse universiteit heeft gedoceerd, is onlangs teruggekeerd om opnieuw les te gaan geven en om verder te werken aan zijn groots opgezette theologische werk: de *Summa Theologica*.

Thomas van Aquino werd in 1225 in de buurt van Napels geboren. Al op 5-jarige leeftijd werd zijn verdere opvoeding aan kloosterlingen toevertrouwd. Toen hij veertien was kwam hij op de universiteit van Napels, alwaar hij kennis maakte met de wijsbegeerte van Aristoteles. De volgende stap in zijn theologische vorming waren de colleges van Albert de Grote die hij in Keulen volgde. In 1252 was hij uiteindelijk rijp om aan de dominicanenschool van Saint-Jacques te mogen doceren. Door zijn colleges daar verwierf hij de bijnaam van 'doctor angelicus', de engelachtige leraar. Enkele jaren later vertrok hij weer naar Italië.

Ondertussen werkte Thomas gestaag aan de ontwikkeling van zijn eigen scholastieke denken. Bij de scholastiek wordt aan de hand van de logische geschriften van Aristoteles de 'dialectica' als instrument van het theologisch denken ingevoerd. Het is Thomas gelukt om hiermee een synthese te laten ontstaan tussen de antieke heidense werkelijkheidsfilosofie en de christelijk dogmatische denkwijze.

Thomas bevestigde met Aristoteles dat waarneembare kennis mogelijk én echt is en dat men met behulp van die kennis en met een rationele benadering van de oorzaken opnieuw bij God kan komen. De rede is voor hem de verbintenis tussen de natuurlijke en de bovennatuurlijke delen van het universum. Het denken is bij Thomas dus primair om tot een verdiept begrip van het geloof te komen. Hoewel van verschillende kanten bekritiseerd, is Thomas op het hoogtepunt van zijn roem naar Parijs teruggekeerd.

*Konradin van Hohenstaufen wordt op 19 oktober 1268 op de markt van Napels onthoofd. Dit als straf voor Konradins poging om Karel van Anjou uit Italië te verdrijven; Karel versloeg Konradin bij Tagliacozzo en nam hem gevangen.*

**25 augustus 1270.** Koning Lodewijk IX van Frankrijk sterft ten gevolge van een epidemische ziekte tijdens een succesloze kruistocht tegen de moslems van Tunis. →

**1271.** Koebilai Chan roept zich uit tot keizer van China. →

**20 november 1272.** Na de dood van zijn vader Hendrik III volgt Edward I hem als koning van Engeland op.

**1 oktober 1273.** De Duitse keurvorsten kiezen graaf Rudolf van Habsburg tot Rooms-koning. Hiermee komt een eind aan een periode waarin het Duitse Rijk in feite geen keizer of koning had (het interregnum).

**1274.** De Kennemer boeren komen in opstand. Zij verbinden zich met de ambachtslieden van de stad Utrecht en de Stichtse edelman Gijsbrecht van Amstel tegen graaf Floris V en de elect van Utrecht, Jan van Nassau.

**1274.** De Noorse koning Magnus VI Lagaböte (de wetsverbeteraar) laat land- en stadsrecht unificeren en brengt zo rechtseenheid in Noorwegen.

**1274.** Tokimoene Hôdjô, regent van Japan, slaat een inval van de Mongolen onder aanvoering van Koebilai Chan af. De Mongoolse vloot wordt door een tyfoon vernietigd.

**1275.** In opdracht van de Mongolen wordt er in Rusland een volkstelling gehouden. Er worden circa 10 miljoen inwoners geteld.

**1276.** De Mongolen veroveren onder aanvoering van Koebilai Chan de hoofdstad Hanghzou van het Chinese Song-rijk. →

**26 augustus 1278.** In de Slag op het Marchfeld bij Dürnkrut verslaat de Duitse koning Rudolf I de opstandige koning Ottokar II van Bohemen, die op de vlucht gedood wordt. →

**1278.** De grote Italiaanse beeldhouwer Niccolò Pisano vervaardigt, samen met zijn zoon Giovanni, de Fontana Maggiore (de grote fontein) te Perugia. Niccolò geeft in zijn werk blijk van een nieuw gevoel voor plastiek; het reliëf is gevarieerder, bewogener en veel hoger dan bij zijn onmiddellijke voorgangers.

**1279.** Koebilai Chan voltooit de Mongoolse verovering van China. Hij verplaatst zijn hoofdstad van Karakoroem naar Ta-toe (Peking) en noemt zich keizer van China; hij sticht de Mongoolse Juan-dynastie. →

Gestorven:

**15 juli 1274.** Bonaventura (circa 1217) theoloog en generaal van de franciscanenorde

# Duits succes in slag met Bohemen

*Rudolf van Habsburg in Basel (1273).*

DURNKRUT, 26 augustus 1278 - In de slag op het Marchfeld heeft koning Rudolf I van Habsburg Ottokar van Bohemen verslagen. Ottokar is op de vlucht geslagen, werd vervolgens gevangengenomen en door persoonlijke vijanden gedood. De positie van de Habsburger is nu onaangevochten. Hij kan dus verder gaan met het uitbreiden van zijn macht en zijn gebied. Sinds de dood van Willem van Holland in 1256 was de Duitse koningstroon vacant. Weliswaar werd zowel Alfons van Castilië als Richard van Cornwall door de keurvorsten gekozen, maar zij werden niet algemeen erkend en hadden geen feitelijke macht. Die lag bij de keurvorsten. Bij de verkiezingen in 1257 werd bepaald dat slechts zeven personen de Duitse koning mochten kiezen: de aartsbisschoppen van Mainz, Trier en Keulen, de koning van Bohemen en de vorsten van de Palts, Brandenburg en Beieren. Alle vorsten waren erbij gebaat de centrale macht zo klein mogelijk te houden om zo hun eigen macht flink te kunnen uitbreiden. De keurvorsten grepen de dood van Richard van Cornwall in 1272 echter aan om maatregelen te nemen. Zij zagen in dat zij om orde in Duitsland te scheppen niet weer een zwakke vorst moesten kiezen. Hun keus viel op Rudolf van Habsburg. Zijn gebieden maakten hem niet zo groot dat de keurvorsten verontrust zouden kunnen raken, maar ook weer niet zo klein dat hij volstrekt machteloos was. Rudolfs regeringsprogramma werd al snel duidelijk: vrede met de paus en de Kerk, herstel van de rust in het rijk en het terugwinnen van de sinds 1245 onrechtmatig van het rijk ontvreemde gebieden. Hierdoor moest hij wel in conflict komen met Ottokar van Bohemen, die op dubieuze wijze beleend was met de hertogdommen Oostenrijk en Stiermarken. In 1276 trok Rudolf ten strijde tegen Ottokar, verbond zich daartoe met de Hongaren en heeft nu een glansrijke overwinning behaald.

# Koebilai Chan keizer China

*Koebilai Chan (miniatuur, 15de eeuw).*

CAMBALIG [Yenjing, Peking], 1271 - Koebilai Chan heeft zich in het vroegere Yenjing uitgeroepen tot keizer van China. De naam van zijn hoofdstad betekent hoofdstad van de Chan. De naam van zijn dynastie betekent: de Oorsprong.

Het uitroepen van de dynastie is tegelijkertijd het gevolg van het feit dat de militaire verovering van heel China door de Mongolen nu voltooid wordt geacht, en een bewijs van een zekere normalisering en civilisering van het Mongoolse bewind in China. Onder leiding van Yelu Chucai worden sinds 1230 al scholen gesticht waar Chinezen gerekruteerd worden voor de nieuwe bureaucratie onder het Mongoolse bewind. De nieuwe bureaucratie volgt rechtstreeks het administratieve model zoals dat onder de Tang en de Song heeft bestaan. Het nieuwe bewind moedigt ook de ontwikkeling van de Chinese kunst aan. Dichters worden betrekkelijk ongemoeid gelaten, de opera komt tot grote bloei terwijl schilders zich in een toenemend patronaat van leden van het Mongoolse hof mogen verheugen.

# Mongoolse zege in Gele Zee

YANSHAN, 1279 - In de Gele Zee voor de kust van Guangdong is de laatste vloot van de Song-strijdkrachten verslagen door een Chinese vloot in dienst van de nieuwe Mongoolse dynastie. Daarbij is ook de vorig jaar tot keizer gekroonde 9-jarige Duan Zong omgekomen.

De strijdkrachten van de Song-dynastie werden aangevoerd door Lu Xiufu en Zhang Shijie. Zij vertegenwoordigden de laatste Chinezen die de strijd tegen de Mongolen niet wilden opgeven na de val van de hoofdstad van Zuidelijk Song, Linan en de gevangenschap van het merendeel van de keizerlijke familie in 1276. Bijna de hele elite van China gaf na de val van Linan de strijd op. Maar Lu en Zhang trokken met een slinkende schare getrouwen en twee Song-prinsjes naar het zuiden. Het ene prinsje werd in Fuzhou tot keizer gekroond onder de naam Gong Zong maar stierf twee jaar later. Daarop werd Duan Zong keizer.

Nadat duidelijk was geworden dat zijn vloot bij Yanshan voor de kust van Guangdong een nederlaag zou lijden, besloot Lu Xiufu om zich niet over te geven. Hij nam de 9-jarige keizer in zijn armen en sprong overboord. De laatste schepen die ontkwamen, werden door een storm vernietigd. Daarbij kwam Zhang Shijie om. En zo is de val van de Zuidelijke Song-dynastie definitief; China bevindt zich nu voor het eerst in zijn geheel onder een vreemde bezetting.

De tragedie in de Gele Zee vormt de bekroning van het laatste, 11-jarige militaire offensief van de Mongolen tegen het Song-imperium. Dit offensief werd eerst vijf jaar opgehouden door de

*Wandelende figuur; penseeltekening op zijde (China, circa 1200).*

heldhaftige verdediging van de steden Fancheng en Xiangyang aan de Hanrivier. De verovering van Xiangyang in 1273 werd mogelijk gemaakt door een uitvinding van Yisimayin, een moslem-ingenieur uit Centraal-Azië. Deze uitvinding kreeg de naam het 'kanon van Xiangyang'. Het gaat in feite om een gigantische katapult.

Na de val van Fancheng en Xiangyang werden door Mongoolse legers in het hele stroomgebied van de Yangzi massamoorden gepleegd. Alleen al na de overgave van de stad Hanghzou in Jiangsu in maart 1273 werd meer dan een miljoen mensen omgebracht.

*De Franse koning Filips de Stoute keert in zijn land terug met de stoffelijke resten van zijn vader Lodewijk IX, die in Tunis tijdens de kruistocht is gestorven.*

# Pest treft ook Lodewijk IX

TUNIS, 25 augustus 1270 - De vrome koning Lodewijk IX die zich altijd zo heeft ingezet voor het handhaven van de vrede tussen de christelijke vorsten onderling en voor de strijd tegen de heidenen, is aan dit streven ten onder gegaan. Terwijl hij op kruistocht in Tunis was, raakte ook hij besmet met de in het kruisleger uitgebroken pest. Reeds na enkele dagen werd de ziekte hem noodlottig.

Lodewijk werd in 1214 geboren. Omdat Lodewijk VIII onverwacht stierf kwam hij al op 12-jarige leeftijd op de troon. Zijn moeder was tot aan zijn meerderjarigheid in 1234 regentes. Op dat ogenblik was Frankrijk een sterke monarchie en Lodewijk kon zich vrijwel geheel inzetten voor zijn ideaal van het koningschap: handhaver van recht en vrede.

De eerste jaren van zijn koningschap werden gekenmerkt door de strijd met de Plantagenets. Toen er met hen geen definitieve regeling van de problemen mogelijk bleek, besloot hij een kruistocht naar het Heilige Land te ondernemen. Lodewijk vertrok in 1248 naar Egypte, maar het kruisleger viel in de Nijldelta aan ziekten ten prooi. Vervolgens werd het verzwakte leger door de Mamelukken in de pan gehakt. Bij deze strijd werd koning Lodewijk ge-

vangengenomen. Na zijn bevrijding bleef hij nog vier jaar in het Heilige Land. Het lukte hem echter niet om het land van de 'heidenen' te bevrijden.

Teleurgesteld keerde Lodewijk naar Frankrijk terug om opnieuw te proberen de langdurige ruzie met Engeland te beslechten. In 1259 hadden zijn onderhandelingen eindelijk succes. Bij de Vrede van Parijs werden de problemen over de aanspraken op gebieden in Frankrijk voorlopig bezworen. Dit typeert Lodewijk: hij ging liever conflicten uit de weg. Daarom ging hij ook voorbij aan de oproep van de paus om te helpen in de strijd tegen de Duitse keizer. Hiermee liet hij zelfs een goede mogelijkheid tot vergroting van zijn eigen bezit voorbijgaan. Lodewijk was geen pacifist, maar zag het als zijn doel om de vrede tussen christelijke vorsten zoveel mogelijk te bewaren.

De godsdienstzin van Lodewijk was zeer groot, en omdat hij er de levensstijl van een kloosterling op na hield spraken de mensen op het hof over 'frater Ludovicus' of zelfs over de Heilige Lodewijk. Doordat hij bovendien zijn koninkrijk goed bestuurde en belangrijke administratieve verbeteringen doorvoerde, zijn het prestige en de macht van de Franse monarchie tot een ongekende hoogte gestegen.

# Verrassend vervolg op 'Roman de la Rose'

PARIJS, juli 1280 - Na een periode van ongeveer vijf jaar is Jean de Meung erin geslaagd om zijn vervolg op het succesvolle eerste deel van de *Roman de la Rose* af te ronden. De auteur, geboren in Meung-sur-Loire, stelde het gedicht samen uit niet minder dan 17 720 verzen. Wat de uiterlijke vorm betreft borduurde hij op het eerste werk voort, maar inhoudelijk biedt het werk een keur van nieuwe visies en opvattingen.

Het nu nog zo geliefde en veel gelezen eerste deel werd tussen 1225 en 1240 geschreven door Guillaume de Lorris

en omvat circa 4000 verzen. Het is een allegorisch gedicht van een hoofse en mystiek-erotische aard. Het draait om de roos die het symbool is van de vrouwelijke schoonheid en de liefde. De Meung zegt het ook met zoveel woorden in zijn inleiding: 'Het boek is geheel vol van de kunst van het liefhebben.' De dichter laat het verhaal verder afspelen als een droom waarin hijzelf terechtkomt in een geheimzinnige tuin der liefde. In die tuin staat de roos die hij wil plukken, maar hij wordt daarvan door de te voorschijn tredende gestalten, die zijn uitgerust met goede en kwade eigenschappen, voorlopig afgehouden.

Jean de Meung heeft nu dit verhaal afgemaakt en laat de hoofdpersoon, na vele omzwervingen en avonturen, uiteindelijk de roos plukken. De uitwerking van dit tweede deel is echter geheel anders van aard. De hoofs-idealistische sfeer heeft plaats gemaakt voor een vaak meer satirische

*Illustratie uit de door Jean de Meung geschreven 'Roman de la Rose'.*

en cynische toon. Het werk vertoont bovendien een sterk didactische inslag vanwege de vele en vaak lange theologische, filosofische, astronomische en medische beschouwingen. De nieuwe tijdgeest komt in dit tweede gedicht duidelijk naar voren.

# Thai bevrijd van overheersing door Khmer-koningen

SUKHOTHAI,1280- Na enkele militaire successen tegen de Khmer heeft de voormalige gouverneur van Bang Yang, Khun Bang Klang Tao, zichzelf in het bestuurscentrum Sukhothai tot koning uitgeroepen onder de naam Sri Intrati.

Hiermee lijkt een einde te zijn gekomen aan de overheersing van de Thai door de Khmer in het noordoosten van het rijk van Angkor.

Samen met de gouverneur van de provincie Rad, Khun Pa Muang, had Khun Bang Klang Tao plannen gesmeed om de Khmer te verdrijven. Zij weigerden tribuut af te dragen aan het hof en lieten op die manier merken dat zij het gezag van Angkor over hun gebied niet langer erkenden. Met hulp van de bevolking pleegden zij vervolgens een overval op Sukhothai. Khun Pa Muang kwam voor het koningschap niet in aanmerking omdat hij wegens zijn huwelijk met de dochter van de koning van Angkor niet helemaal te vertrouwen was. De Thai drukten hun vreugde over hun bevrijding uit in het verlenen van de titel Pra Ruang (glorieuze vorst) aan de koning. Sri Intrati heeft als koning van Sukhothai meteen een aantal maatregelen getroffen om de gunst van de bevolking te behouden. Zo werden de zware belastingen die door de Khmer waren opgelegd, afgeschaft en wordt het ambtenarenapparaat gezuiverd van Khmer en collaborateurs. Naast de eigen cultuur van de Thai blijven elementen van de Khmer-cultuur in het nieuwe koninkrijk echter een grote rol spelen. De Thai, die vroeger naar China zijn gevlucht voor de opdringende Khmer zijn nu in groten getale naar Sukhothai teruggekeerd en vormen de kern van het leger dat het koninkrijk verdedigt. In tegenstelling tot de Khmer-koningen legt Sri Intrati zich toe op de consolidering van zijn koninkrijk en niet zozeer op militaire expedities die het territorium moeten vergroten.

# Succes Brugse opstand

*Het Belfort van de Halle (circa 1300) aan de Grote Markt te Brugge.*

BRUGGE, 27 mei 1281 - De graaf van Vlaanderen, Gwijde van Dampierre, heeft in een verordening bepaald dat het stadsbestuur van Brugge verplicht is verantwoording over het gebruik van de gemeenschapsgelden af te leggen. Daarmee komt de graaf tegemoet aan een belangrijke eis van de in opstand gekomen ambachtslieden. De opstandelingen krijgen evenwel ook zware boeten opgelegd. Het is nog onzeker of het grafelijk optreden een einde aan de opstand zal maken.

De opstand in Brugge is het gevolg van een al enige tijd durende strijd tussen

het regerend patriciaat, meest rijke kooplieden, en de voor hen werkende ambachtslieden. Deze laatste groep betwist de machtspositie van het patriciaat binnen het stadsbestuur, en eist toezicht op zijn doen en laten. Ook in Gent, Ieper en Dowaai zijn de ambachtslieden tegen de rijke en machtige kooplieden in verzet gekomen.

De Vlaamse kooplieden hebben hun rijkdom te danken aan de bloeiende lakenhandel. De wol die zij in Engeland kopen is van uitstekende kwaliteit. Op de Europese markten vinden hun produkten, na te zijn bewerkt door de Vlaamse ambachtslieden, gretig aftrek. In de Vlaamse steden hebben zij het bestuur in handen gekregen. Van hun rijkdom en macht zijn de ambachtslieden evenwel verstoken.

De opstand in Brugge is niet alleen het werk van de ambachtslieden, maar ook van de pas rijk geworden kooplieden, wie de toegang tot het stadsbestuur wordt ontzegd. Zij hebben de opstandelingen gesteund om zodoende de positie van het regerende patriciaat te verzwakken.

De opstand is ook door de kooplieden aangegrepen om hun onvrede te uiten over de Engeland-politiek van de graaf. Als gevolg van deze politiek namelijk zijn de prijzen van de Engelse wol flink gestegen en lijden de kooplieden enorme verliezen. Door de opstand hopen zij het stadsbestuur tot een anti-grafelijke opstelling te bewegen.

De graaf van Vlaanderen beschouwt de macht van het patriciaat als een bedreiging. Hij is daarom geneigd, zoals uit de verordening van vandaag is gebleken, aan de eisen van de opstandelingen tegemoet te komen.

*Karel van Anjou, koning van Sicilië.*

## Paus doet Pedro III van Aragón in ban

ARAGON, 9 november 1282 - De problemen die tussen de Kerk in Rome en Pedro III van Aragón zijn gerezen naar aanleiding van diens annexatie van Sicilië, hebben geleid tot de excommunicatie van de Aragonese koning door paus Martinus IV.

Het sinds 1137 verenigde Catalaans-Aragonese koninkrijk, kortweg de Kroon van Aragón genoemd, heeft de laatste eeuw zijn macht uitgebreid en bestendigd. Eigenlijk is de Kroon van Aragón een misleidende naam, aangezien het droge achterland van Aragón het minst belangrijke deel van de federatie uitmaakt; het is het vorstendom Catalonië dat het zwaartepunt van de Kroon van Aragón vormt.

De inname van Majorca (1229) en Valencia (1238) door Jaime I, Pedro's vader, was de eerste belangrijke stap in de expansie van de Kroon van Aragón. De toch al bloeiende handel (export van textiel) van de zeemacht Catalonië werd door de inname van Majorca enorm gestimuleerd. De annexatie van Sicilië op 4 september door Pedro III, volgend op de Siciliaanse opstand tegen Frans gezag - bekend als de 'Siciliaanse Vespers'-, was de tweede grote stap in de overzeese expansie van Catalonië. Paus Martinus IV, pauselijk leenheer van Sicilië, verzet zich nog steeds uit alle macht tegen deze inlijving; hij heeft Sicilië als leengoed bestemd voor de Franse Karel van Anjou. Door het in de ban doen van Pedro III hoopt hij te bewerkstelligen dat Pedro Sicilië weer zal afstaan. Pedro III is dit geenszins van plan; hij heeft zijn zoon Jaime al als erfgenaam van het koninkrijk Sicilië aangewezen.

Al sinds het eind van de 11de eeuw mengen pausen zich in Spaanse aangelegenheden. In 1204 werd Pedro II van Aragón in Rome gekroond, daarmee uitdrukking gevend aan het feit dat de paus zijn suzerein was. Pedro III heeft destijds geweigerd deze suzereiniteit te erkennen. Dit incident wordt nu door Martinus IV aangehaald ter rechtvaardiging van zijn excommunicatie van Pedro III.

# Mongoolse invasie mislukt

*Japanse 'samoerai' op het slagveld.*

HET EILAND PINGHU (JAPAN), 1281 - De aanval van een Mongools invasieleger op Japan is mislukt. Nagenoeg de hele invasievloot werd voor de Japanse kust door een taifoen vernietigd.

Het mislukken van de invasie van Ja-

pan is een ernstige tegenslag voor de expansieplannen van keizer Koebilai, die tot nu toe betrekkelijk succesvol zijn verlopen. In 1258 was heel Korea onderworpen. De eerste invasie van Japan met 22 000 soldaten, 300 grote schepen en 400 jonken mislukte in 1274. Deze keer namen aan de invasie 140 000 soldaten deel, het merendeel van Chinese of Koreaanse afkomst. Aanvankelijk verliep de invasie zeer succesvol. Op het eiland Pinghu werd onder de Vijf Draken Bergen een groot bruggehoofd veroverd. In juli werd het grootste deel van de vloot die voor de kust lag door een taifoen vernietigd die door de Japanners 'Kamikaze'- Goddelijke Wind - werd genoemd. In augustus vluchtte generaal Fan Wenhu met zijn generale staf op de overgebleven schepen en liet het invasieleger op Pinghu aan zijn lot over. Van de 100 000 soldaten die op het bruggehoofd waren achtergelaten, zijn uiteindelijk slechts enkelen aan de Japanse omsingeling ontkomen en naar China teruggekeerd. Na het aanhoren van alle verslagen van de invasie liet Koebilai Chan generaal Fan terechtstellen.

## Hanzebond beëindigt Noorse blokkade

BERGEN, 1284 - Aan de hongersnood in Noorwegen is een einde gekomen. De Hanzesteden hebben de blokkade van de havenstad Bergen opgeheven na de belofte van de Noorse koning dat zij volledige vrijhandel en vrijstelling van belasting in Noorwegen tegemoet kunnen zien.

De Hanzesteden hadden de haven met schepen geblokkeerd, nadat de koning geweigerd had op hun eisen in te gaan. De actie tegen Noorwegen leverde al snel succes op. Het land heeft weinig vruchtbare gebieden en is daarom afhankelijk van de import van levensmiddelen. De Noorse akkers leverden te weinig op om de bevolking te kunnen voeden. Toen de invoer werd lam gelegd waren de gevolgen snel merkbaar. De voedselvoorraden bleken volstrekt onvoldoende. Het land werd getroffen door een zware hongersnood.

De onderhandelingen met de Hanzesteden maakten duidelijk dat de blokkade pas opgeheven zou worden als de koning hun vrijstelling van belasting en volledige vrijhandel toezegde. Onder druk van de grote ellende in zijn land gaf de vorst uiteindelijk toe. Noorwegen wordt bovendien verplicht voortaan zijn graan van de Hanzesteden te kopen en vervalt daarmee tot een status van volledige afhankelijkheid. De Hanzesteden hebben zich vaker van economische wapens bediend om privileges af te dwingen. In 1277 werd de Russische stad Novgorod door een boycot getroffen, terwijl Brugge in 1280 het slachtoffer werd van een soortgelijke actie. De afgedwongen

*Detail van het Baldishol-tapijt, een wandkleed uit Noorwegen uit de 12de eeuw. Afgebeeld is een mannenfiguur te midden van natuur- en diermotieven.*

concessies bevestigen de grote macht van de Hanzesteden.

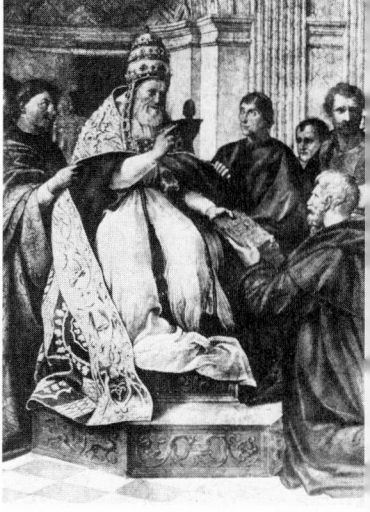

*Paus Gregorius IX, die in 1234 de rechten van de Duitse Orde bevestigt.*

## Duitse Orde sticht Pruisische staat

DUITSE RIJK, 1283 - De verovering van Pruisen door de ridders van de Duitse Orde is afgesloten. De verdere interne opbouw van de Ordenstaat kan ter hand genomen worden.

De Duitse Orde werd in 1198 door de 'Duitse Broeders van de H. Mariakerk in Jeruzalem' opgericht. Net als bij de tempeliers en de johannieters was haar voornaamste doel de verzorging van zieke pelgrims in het Heilige Land. De orde werd in 1199 door paus Innocentius III erkend en nam de regel van de tempeliers over. De broeders beloven derhalve een leven van armoede, kuisheid en gehoorzaamheid. Ook in de regels vermeld is de plicht tegen de vijanden van het geloof te vechten. Aan het hoofd van de orde staat de grootmeester.

In 1226 vroeg hertog Koenraad I van Masovië de orde hem te helpen tegen de heidense Pruzzen. In ruil daarvoor kreeg ze Kulmerland. Tegelijkertijd ontving ze van keizer Frederik II in de Gouden Bul van Rimini de rechten op Kulmerland en heel Pruisen. Paus Gregorius IX bevestigde deze rechten in 1234. Het gebied van de Ordenstaat valt rechtstreeks onder de keizer en de paus en niet onder het Duitse Rijk. Dat is de juridische basis van de onafhankelijke staat van de ridders.

Vanaf 1226 begon een gewelddadige verovering van Pruisen tot aan Letland, waar de orde zich in 1237 met de Zwaardbroeders verbond. Een verdere opmars naar het oosten werd in 1242 door vorst Alexander Nevski van Novgorod gestuit. Daarna hebben de ridders zich vooral geconcentreerd op de verdere verovering van Pruisen en het koloniseren van dat gebied. Daartoe werden honderden dorpen gesticht en kwamen duizenden kolonisten uit vooral Westfalen en Nedersaksen naar Pruisen.

# Filips de Stoute na terugkeer uit Spanje overleden

PERPIGNAN, 5 oktober 1285 - Zojuist teruggekomen van een mislukte veldtocht tegen Pedro III van Aragón, is koning Filips III, bijgenaamd de Stoute, van Frankrijk overleden.

Filips, geboren in 1245, moest in 1270 zijn vader Lodewijk IX vrij onverwacht opvolgen toen deze tijdens een kruistocht aan de pest stierf. Na zijn kroning was hij aanvankelijk weinig krachtdadig, maar wist dank zij vererving en huwelijken toch grote gebieden als Poitou, Auvergne, Toulouse, Champagne en Navarra aan het Franse kroondomein toe te voegen. Vervolgens heeft Filips getracht zich voor het keizerschap van het Duitse Rijk kandidaat te stellen. Mede door de tegenstand van paus Gregorius X is hem dat echter niet gelukt.

Gedurende Filips' regeringsperiode was Karel van Anjou, de broer van zijn vader en koning van Sicilië, het eigenlijke hoofd van de Capetingenfamilie. Toen deze in 1282 tijdens een opstand werd afgezet en vervangen door Peter van Aragón, besloot Filips om ten gunste van zijn oom in te grijpen. Hij organiseerde een 'kruistocht' tegen Aragón. Maar helaas liet ook bij deze actie het geluk de koning in de steek. Toen hij tot halverwege Barcelona was opgetrokken wist de vloot van Aragón Filips van zijn bevoorradingstroepen af te snijden. Hierdoor werd zijn leger ondermijnd en kon Aragón hem uit zijn gebied verdrijven. Terug in eigen land bleek alles te veel geweest te zijn en heeft hij in de Zuidfranse stad Perpignan het leven gelaten. Zijn falen op politiek en militair gebied heeft nogmaals aangetoond dat de macht van de Franse monarchie nog niet veel verder dan de Franse grenzen reikt.

# Edward I verovert Wales

LONDEN, 1284 - Koning Edward I is een stap verder gekomen in zijn streven om van het hele Britse eiland een koninkrijk te maken. Hij heeft de afgelopen twee jaar kans gezien Wales definitief te onderwerpen. Afgevaardigden van Wales hebben een verdrag ondertekend, de Statuten van Wales, waardoor de onderwerping aan Engeland een feit is geworden.

Twaalf jaar geleden volgde Edward zijn vader Hendrik III op. Aan het begin van zijn regering werd duidelijk dat hij ernaar zou streven van het eiland een koninkrijk te maken. De herovering van Wales was daarbij een eerste vereiste. Dit deel van het land was weliswaar al onder Hendrik II aan het koninkrijk toegevoegd, maar onder de regering van Hendrik III werden de edelen van Wales onrustig en kort na Edwards troonsbestijging brak in Wales een opstand uit.

Tot in de 11de eeuw was Wales een verzameling kleine vorstendommen. In de 12de eeuw waren de heer van Deheubarth, Lord Rhys, en die van Gwynedd in staat om de andere grootgrondbezitters in Wales te onderwerpen. Door handige diplomatie en door het feit dat zij goede veldheren waren, wisten Llywelyn de Grote en zijn kleinzoon Llywelyn ap Gruffydd de Engelse koningen op afstand te houden en de laatste Llywelyn wist zelfs van de Engelse koning gedaan te krijgen dat hij zich 'Prins van Wales' mocht noemen. Llywelyn ap Gruffydd sneuvelde echter in 1282 en een jaar later wist Edward de rebellen te verslaan.

In de Statuten van Wales is de onderwerping van Wales nu vastgelegd en de Engelse wetten zullen vanaf heden ook op Wales van toepassing zijn. Edward heeft de broer van Llywelyn om het leven laten brengen en zijn eigen minderjarige zoon tot Prins van Wales benoemd. Deze titel moet in het vervolg door de oudste zoon van de koning van Engeland gedragen worden.

## Koryo betaalt schatting aan Mongolen

GANGWHA, 1285 - Na drie invallen door Mongoolse legers in Koryo zijn Koebilai Chan en de koning het eens geworden over de schatplichtigheid van Koryo aan het Mongoolse Rijk.

De onenigheid over de vorm van betaling kan echter mogelijk tot een nieuwe militaire confrontatie leiden.

In 1231 viel Djingiz Chan als leider van de Mongolen Koryo binnen. Hij verdreef daarmee de zeer stugge Khitan uit zijn rijk. In 1232 volgde een tweede aanval van de Mongolen, nu geleid door de Koreaanse verrader Hong Pok Wong uit Pyongyang. De steden Kaesong en Seoel werden ingenomen waarna het leger de Han-rivier overstak en naar het zuiden trok.

Nu hebben de Mongolen het voor de derde maal geprobeerd. De zuidelijke steden Chonju en Kyungju zijn ingenomen, maar de tocht over zee naar Gangwha durfden de Mongolen toch niet aan. Om het land te vrijwaren van herhaalde Mongoolse aanvallen heeft de koning ten slotte besloten tribuut aan de Mongoolse vorst te betalen. Deze heeft echter de eis gesteld dat de koning eigenhandig de schatting komt overhandigen. Deze vernedering is de koning te groot en hij heeft dan ook een prins met de schatting naar het Chinese hof gestuurd. Deze is nu gevangengenomen en de vorst schijnt vertoornd te hebben gereageerd. Onzeker is of deze toorn aanleiding zal zijn voor een nieuwe strafexpeditie van de Mongolen tegen Koryo.

*De heilige Franciscus van Assisi.*

# Aparte regel Derde Ordebroeders

ROME, 18 augustus 1289 - Met de nu uitgegeven pauselijke bul *Supra Montem* heeft de uit voornamelijk leken bestaande Derde Orde van Sint Franciscus een speciale kloosterregel gekregen voor hen die zich toch in een meer regulier (volgens een regel) verband willen organiseren.

Franciscus van Assisi had al snel na de stichting van de minderbroederorde voor mannen en de orde der clarissen voor vrouwen een derde orde voor leken opgericht. Deze was bedoeld voor al of niet gehuwde mensen die zich intensiever met het geloof wilden bezighouden, maar zich niet aan een strikte kloosterregel wilden binden. Wel hadden deze Derde Ordebroeders of tertiarissen reeds in 1221 bepaalde leefregels. Later ontstonden er verschillen doordat een deel van de tertiarissen een hogere volmaaktheid in groepsverband wilde nastreven. Paus Gregorius IX heeft in 1227 nog op deze ontwikkeling gewezen. Zo ontstond er allengs naast de wereldlijke, niet-gebonden groep tertiarissen, een groep van gebonden, reguliere tertiarissen. Om aan de behoefte van deze laatste en sterk groeiende groep tegemoet te komen, heeft de paus nu besloten een regel op te stellen en deze als universeel bindend voor te schrijven. Centraal in de regel staan zaken als armoede, kuisheid en gemeenschappelijk religieus leven.

Vooral het element van de door Franciscus gepredikte 'boetvaardigheid' is essentieel. Daarom wordt de orde ook wel de Derde Orde van Boetvaardigheid van Sint Franciscus genoemd.

# Opnieuw nederlaag voor Mongoolse leger

THANG-LONG, 1288 - Voor de derde maal in vier jaar zijn de legers van de Mongolen verslagen in Dai Viet [Vietnam] en Champa. Het lijkt erop dat de laatste nederlaag de definitieve slag voor de ambities van de Mongoolse heersers in Dai Viet is.

Nog nooit is een leger van een dergelijke omvang door het Vietnamese volk verslagen. De eerste poging om de territoriale integriteit van Dai Viet te schenden werd ondernomen door Ouriyangqudai in 1257. Hij vroeg keizer Thai-tong of zijn legers door Dai Viet mochten trekken om Champa aan te vallen. De keizer antwoordde hierop door de Mongoolse onderhandelaars gevangen te zetten en zijn neef Quoc Tuan met een leger naar de noordgrens te sturen om deze te verdedigen. De Vietnamese legers moesten weliswaar wijken voor het veel grotere Mongoolse leger, maar de keizer besloot de tactiek van de verschroeide aarde toe te passen en met de hele bevolking de hoofdstad te verlaten en zich in de bergen terug te trekken. De Mongolen staken de hoofdstad in brand maar kwamen spoedig in moeilijkheden aangezien zij niet tegen het vochtige en hete klimaat in de delta bestand waren. Toen ziekten in de Mongoolse gelederen toesloegen, kwamen de Vietnamezen uit de bergen en versloegen de Mongolen.

Na de dood van zijn broer Mongka werd Koebilai 'Groot Chan'. Hij wilde niet zozeer zijn prestige vergroten als wel een economische motieven een expeditie naar Dai Viet en Champa organiseren: naast specerijen en enkele andere produkten was de kust van Champa een knooppunt voor communicatie tussen zijn rijk en de Indische Oceaan, de Middellandse Zee en het Mongoolse chanaat van Iran.

In Dai Viet bereidde men zich voor op een volgende aanval. Prins Hung-dao richtte zich door middel van een manifest tot de weerbare Vietnamese mannen. Niet alleen het leger maar bijna iedereen in het land droeg bij aan de verdediging van het land. In 1285 stonden opnieuw Mongoolse legers aan de noordgrens, die door hun overmacht de Vietnamese legers terugdrongen. Bijna het gehele land werd bezet, maar de bevolking had zich in de bergen teruggetrokken zodat het Mongoolse leger niets te eten had. Daarnaast werd het opnieuw door ziekten getroffen. En weer konden de Mongolen slechts met grote verliezen het veld ruimen.

# Marco Polo verlaat Chinees hof

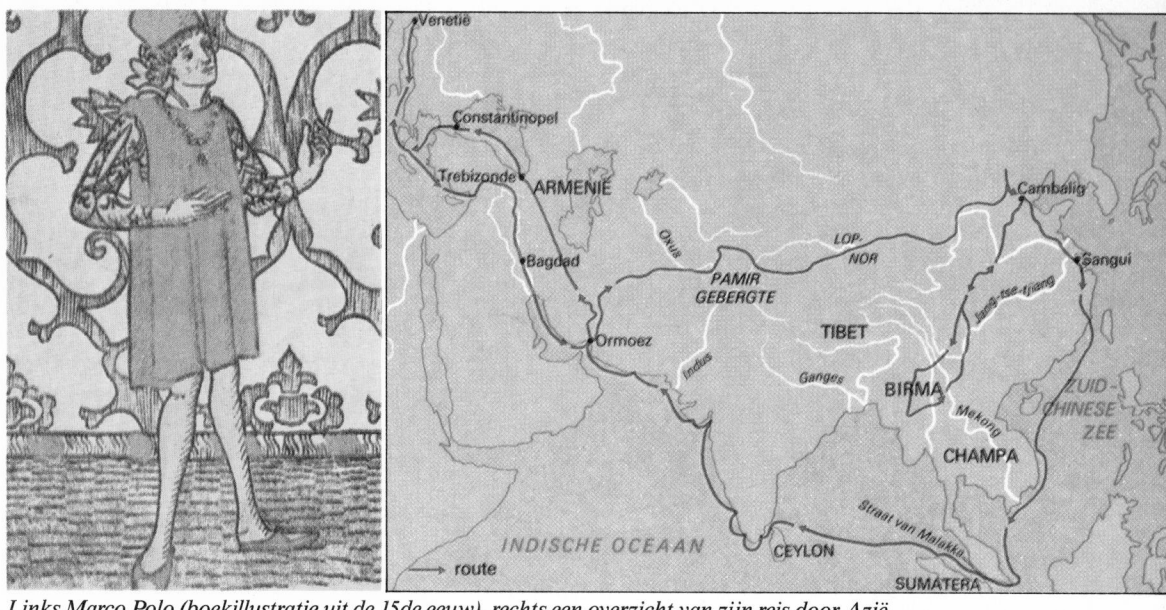

*Links Marco Polo (boekillustratie uit de 15de eeuw), rechts een overzicht van zijn reis door Azië.*

CAMBALIG, 1292 - Na een verblijf van zeventien jaar aan het hof van keizer Koebilai is de Venetiaanse koopman Marco Polo begonnen aan de terugreis naar zijn geboortestad.

Marco Polo, die aanvankelijk naar China kwam om handel te drijven, werd een hoge ambtenaar in dienst van Koebilai Chan, de Mongoolse keizer van China. Hij maakte in die hoedanigheid veelvuldig reizen door het imperium en aangrenzende landen, onder andere naar Birma. Tijdens zijn verblijf in China heeft Polo beter dan zijn Europese voorgangers kennis kunnen nemen van de geografie, geschiedenis en cultuur van het land.

Het verblijf van Marco Polo in China viel samen met een tot nu toe ongeëvenaard direct contact tussen Europa en China. Doordat de Mongoolse chanaten zich over het grootste deel van Eurazië uitstrekken, is het voor het eerst mogelijk om bijvoorbeeld van de Poolse grens tot Peking binnen een staatkundige eenheid te reizen. De veiligheid van deze reizen betekent dat de commerciële en diplomatieke contacten tussen Europa en China een hoge vlucht hebben genomen. In dit kader vonden naast Marco Polo ook andere Europese reizigers de weg naar China en tal van onderdanen van Koebilai Chan de weg naar het Westen. Een van de directe voorgangers van Polo was de franciscaner monnik Giovanni del Piano Carpini, die in 1246 het hof van de Grote Chan bezocht. Hij was een afgezant van de paus maar zijn diplomatieke missie werd niet met

succes bekroond. Even interessant is een gezantschap in omgekeerde richting, dat van de nestoriaanse monnik Rabban Sauma, die in 1278 door de Grote Chan naar het Westen werd gestuurd om hulp van de christenen tegen de mohammedanen in te roepen. In 1287 sprak hij met de koningen van Frankrijk en Engeland en droeg, bij wijze van demonstratie van de authenticiteit van zijn christendom, in Rome de mis op in aanwezigheid van de paus. Zowel deze missie als het verblijf van Marco Polo in Peking is tekenend voor de wijze waarop de Mongoolse bezetting van China steunt op diensten van buitenlanders en van leden van autochtone etnische en religieuze minderheden. Het Mongoolse bewind in China wordt dan ook gekenmerkt door een extreem despotisme en grote religieuze tolerantie.

Marco Polo is voornemens om op zijn terugreis de zuidelijke route te volgen, die hem over zee via Indo-China, Ceylon, de Perzische Golf en de Zwarte Zee naar Venetië moet terugvoeren.

*Uit een Cataluaanse atlas van 1375: een karavaan op weg naar China.*

## Engelse koning zet joden het land uit

LONDEN, 1290 - Koning Edward I is op het verzoek van het parlement ingegaan om de joden het land uit te zetten. Veel joodse bewoners van Engeland zijn bezig om naar Spanje en andere plaatsen op het Europese vasteland te vertrekken.

Deze maatregel, waardoor een groep mensen die geholpen hebben de handel en wetenschap te ontwikkelen nu als ongewenste vreemdelingen de wijk moeten nemen, is veroorzaakt door jaloezie.

De laatste decennia is de handel steeds belangrijker geworden. De koning stelde in 1275 vast welk deel van de douanegelden en de uitvoerrechten op wol en leder hij zelf wil hebben. Verder krijgt hij ook een part van de uitvoerrechten. De laatste jaren zijn deze inkomsten, die alle verband houden met de handel, de belangrijkste bron van inkomsten van de koning geworden,

hetgeen duidelijk maakt hoe belangrijk de handel voor Engeland geworden is.

Vooral bij de internationale handel echter zijn ook bankiers en geldschieters betrokken. Om de produktie te betalen moet vaak veel geld geleend worden.

De joden zijn veelal als geldschieters opgetreden en omdat zij niet christelijk zijn en door velen als buitenstaanders worden beschouwd, worden zij gemakkelijk van woeker verdacht.

Nu de joden het land verlaten zullen de winsten echter niet automatisch naar de Engelsen vloeien. Er zijn maar weinig mensen in Engeland vertrouwd met het ambt van bankier en nog minder mensen hebben daarvoor voldoende middelen. Het is daarom te verwachten dat het vooral de Italianen zijn die de opengevallen functies zullen veroveren.

# László IV door huurmoordenaars gedood

BOEDA, 1290 - De kleinzoon van András II, András III, is door de Hongaarse edelen gekozen tot nieuwe koning van Hongarije na de moord op László IV (Ladislaus IV), bijgenaamd de 'Koeman'. László werd gedood door huurmoordenaars, in opdracht van Hongaarse edelen, en is kinderloos gestorven.

László heeft tevergeefs geprobeerd met hulp van de Komanen zijn macht in Hongarije te vestigen. Hij volgde hiermee het voorbeeld van zijn grootvader Béla IV, die naast de steun van steden, lage adel en geestelijkheid ook de militaire macht van de Koemanen zocht in zijn strijd met de Hongaarse hoge adel. Béla riep de heidense nomadenstam terug uit de Balkan en gaf hen land tussen de Donau en Tisza. Om de vriendschap te bezegelen trouwde kroonprins István (Stefanus) met de dochter van de Komanenleider.

Béla slaagde er geruime tijd in de ambities van de Hongaarse vorsten te bevredigen door buitenlandse expedities. Samen met koning Ottokar II van Bohemen kwam hij tussenbeide in de dynastieke twisten na het uitsterven van de Oostenrijkse Babenbergs.

Na twintig jaar rust kwamen de Hongaarse edelen echter opnieuw in opstand toen Béla ruzie met zijn zoon

*Koning László en het stamhoofd van de Komanen (14de-eeuwse kroniek).*

kreeg. De heersende klasse splitste zich in twee facties en beheerste het land. Met de dood van Béla in 1270 bereikte ook de interventie van de paus, die openlijk partij koos, in Hongarije een hoogtepunt. Béla's zoon István

regeerde slechts twee jaar; ondertussen boden de Hongaarse edelen delen van het koninkrijk aan buitenlandse heersers aan.

Istváns zoon László, die in 1272 koning werd, probeerde onmiddellijk de koninklijke macht te versterken. Hij is echter de mindere gebleken van het verbond van de edelen onder leiding van Lodomér, aartsbisschop van Esztergom. Lodomér had bovendien de paus te hulp geroepen tegen de dreiging van de heidense Komanen. 'Beginnend met de aartsbisschop en de bisschoppen onder hem zal ik dat hele ras met Tataren-zwaarden uitroeien tot Rome toe,' zou László gedreigd hebben, volgens Lodomér in een klacht aan de paus.

De Hongaarse koning was inmiddels bij de Komanen gaan leven. Hij scheidde van zijn vrouw en zond haar naar een klooster. Volgens heidens ritueel trouwde hij met de Komaanse Edua, die hij koningin maakte. In 1280 werden de Komanen echter door een Hongaars leger verslagen. László riep hierop in 1285 de Mongolen te hulp, die samen met de Komanen Hongarije verwoestten.

Door zijn dood is de kruistocht, waartoe aartsbisschop Lodomér had opgeroepen, onnodig geworden.

# Marco Polo doet op zijn thuisreis Pandya aan

KAYAL, 1293 - Op zijn thuisreis uit China is de Venetiaanse reiziger Marco Polo in Kayal aan de monding van de Tamarparni-rivier in het koninkrijk Pandya geland. In 1271 vertrok de toen 17-jarige Marco Polo naar China waar hij enige tijd aan het hof van de Mongoolse keizer Koebilai Chan verbleef.

De pracht en praal van het Pandya-rijk beschrijft hij als volgt: 'Kayal is een grote en edele stad, waar alle schepen aanleggen die uit het Westen komen, uit Ormoez en van Kis (een eiland in de Perzische Golf), uit Aden en uit heel Arabië, beladen met paarden en andere koopwaar. Er wordt veel handel gedreven in deze stad. De koning bezit grote rijkdommen en draagt vele dure juwelen. Hij houdt zijn waardigheid hoog, bestuurt zijn land met grote rechtvaardigheid en beschermt kooplieden en vreemdelingen, die daarom graag zijn stad bezoeken.'

De Venetiaan maakt verder gewag van de vijfhonderd vrouwen van de koning. Hij vertelt dat de mensen van Pandya nauwelijks gekleed gaan en dat ze veel geloof hechten aan voortekens en astrologie. Bovendien meldt hij de praktijk van sati, waarbij weduwen zich op de brandstapel van hun overleden man storten.

*Koning Edward I ondertekent de akte die hem tot koning van Schotland maakt.*

# Schotland bij Engelse rijk

SCHOTLAND, 10 mei 1291 - Net zoals de Engelse koning zich enige jaren geleden meester heeft gemaakt van de heerschappij van Wales, zo heeft hij nu zijn oog op Schotland laten vallen. Koning Edward I is vast van plan om het noorden van het eiland aan zijn rijk toe te voegen. Hij heeft de opperheerschappij opgeëist nu het Schotse vorstenhuis is uitgestorven.

De Schotten zijn echter koppige mensen en bovendien is het moeilijk om met een leger in de Schotse hooglanden door te dringen. Minder dan in Wales is er in dit geval profijt van een verovering te verwachten. Grote delen van Schotland zijn erg arm en daarom eigenlijk niet interessant.

De Schotse opvolgingskwestie kwam voor het eerst aan de orde toen de Schotse koning Alexander III in 1286 stierf. Zijn dochtertje werd gedwongen op zeer jeugdige leeftijd te trouwen met de Engelse troonopvolger. Het meisje stierf echter voor zij volwassen was.

Daarna bleef de Schotse troon vacant. Schotse edelen vroegen de Engelse koning hen te helpen, en deze boog zich met toewijding over wat hij noemde 'the great cause'.

Edward heeft ervoor gezorgd dat hij erkend is als heerser over de edelen en heeft in zijn eigen plaats John Baliol benoemd om dit gezag daadwerkelijk uit te voeren.

# Grote vreugde op Java na vertrek van Chinese vloot

MADJAPAHIT, 1293 - De Chinese vloot die voor de monding van de Brantas lag, heeft de thuisreis aanvaard. Het ziet er niet naar uit dat er nog represailles genomen zullen worden tegen raden Widyaya, die met Chinese steun de macht in Oost-Java in handen wist te krijgen, maar zich vervolgens tegen hen keerde. De troonsbestijging van de prins als maharaja Kritarajasa maakt een eind aan twee jaar chaos en bloedvergieten. Hij verklaarde verheugd te zijn dat op Java 'de wereld weer helder en klaar was geworden'.

De moeilijkheden begonnen vorig jaar toen koning Kertanagara van Singasari vermoord werd door een van zijn vazallen. De vorst, een nazaat van de avonturier Angrok die zich in 1222 meester had gemaakt van de troon, propageerde de leer van Shiva-Boeddha, in de hoop op deze wijze de eenheid in zijn rijk te bevorderen. Zelf was hij volgeling van een tantristische boeddhistische sekte, die de wereld bedreigd zag door de krachten van het kwaad, die alleen door extreme zielsverrukking (het zich overgeven aan alcohol en seks) overwonnen zouden kunnen worden.

De oppositie aan het hof zag met lede ogen de orgiën aan en schilderde Kertarajasa af als een roekeloze en geperverteerde dronkelap. In werkelijkheid was hij een kundig vorst, die zich sterk maakte voor de vorming van een machtsblok tegen de expansiedrift van de Mongolen, die sinds 1276 in China heersen en niet tevreden lijken met het ontvangen van symbolische tribuutzendingen, maar daadwerkelijke onderwerping eisen. Kertarajasa was dit niet van plan en stuurde zelfs, vertrouwende op zijn magische kracht, in 1289 het Chinese gezantschap met afgesneden neuzen terug naar Koebilai Chan. Deze besloot tot een strafexpeditie: een vloot van 1000 schepen en provisie voor een jaar vertrok naar Java.

Ondertussen verscheen de Chinese vloot voor de kust van Java om de inmiddels vermoorde vorst te straffen. Widyaya verklaarde zich bereid hen te helpen de nieuwe koning te onderwerpen. Samen werd opgetrokken naar Kediri, waar Jayakatwang zich na een dag strijd overgaf. Vervolgens vermoordde Widyaya het escorte dat hem begeleidde en sneed de Chinese hoofdmacht af van de achterhoede aan de kust. Ten koste van grote verliezen wisten de Chinezen toch de kust te bereiken, waarna onder de generaals ruzie uitbrak over de vraag hoe nu gehandeld moest worden. Men besloot uiteindelijk te vertrekken, want er was hoe dan ook een koning van Java gestraft.

*Edward I in het parlement (volgens een 16de-eeuwse boekillustratie).*

# Nieuw Engels parlement

WESTMINSTER, 1295 - De Engelse koning heeft, zoals al vele jaren gebeurt, een parlement bijeengeroepen. Dit jaar zijn voor het eerst, sinds de opstand van Simon van Montfort, in dit parlement alle standen die in de samenleving voorkomen, vertegenwoordigd. Niet alleen de edelen en de hoge geestelijken, maar ook de lage geestelijkheid, de ridders van de graafschappen (shires) en de poorters van de steden zijn van de partij. De koning heeft in de uitnodiging geschreven dat hij tot deze uitgebreide lijst van parlementsleden is gekomen, omdat 'wat allen aangaat, door allen beslist hoort te worden'.

Een dergelijke argumentatie grijpt terug op een traditie in het Romeinse recht. Simon van Montfort stelde in 1265, toen hij zijn modelparlement bijeenriep, eveneens dergelijke veranderingen voor, maar zijn uitspraken werden toen nog als oppositie tegen de koningen van Engeland beschouwd. Nu komt de koning echter zelf met een voorstel voor een uitbreiding van zijn parlement.

Een parlement betekent van oorsprong niet meer dan een gesprek. Sinds geruime tijd roepen de Engelse vorsten geregeld parlementen bijeen om met de baronnen en de hoge geestelijkheid, eigenlijk dus met de feodale leenmannen, van gedachten te wisselen over met name nieuwe belastingen. Aanvankelijk noemde men deze raad de 'curia regis'.

De afgelopen jaren zijn het in toenemende mate de mensen uit de stad, die niet in een feodaal systeem in te passen zijn, die een groot deel van alle belastingen opbrengen. Ook de inning van belastingen is in toenemende mate uit de handen van de feodale adel genomen en toevertrouwd aan betaalde ambtenaren die afkomstig zijn uit de burgerij. Het lijkt daarom voor de hand te liggen de burgerij en de ridders te laten meepraten over de zaken van het land. De Engelse koning heeft toegezegd dat voortaan altijd twee ridders per graafschap en twee poorters per stad aan het parlement mogen deelnemen.

# Koning Edward wi
# meer rechten voor
# Engels parlement

WESTMINSTER, 1297 - De Engels koning heeft het parlement een aant vaste rechten toegezegd. Zo zullen i het vervolg nieuwe belastingen en to len door het parlement moeten worde goedgekeurd. De koning krijgt he recht wetten te initiëren.

De veranderingen zijn geen zwaktebo van de koning, maar kunnen gezie worden als een verstandige maatreg van de vorst, die zich ervan bewust i dat hij zonder de steun van zijn onder danen nooit in staat zal zijn om met be houd van de vrede wetten op te legge en belastingen te innen.

Twee jaar geleden heeft de konin reeds de lagere adel en de poorters va de steden bij de parlementaire beslui vorming betrokken. Nu heeft hij toe gezegd hun toestemming te vragen b het opleggen van nieuwe lasten aa de bevolking. Daarvoor werd slech overlegd met baronnen en hoge gees telijken. Het feit dat petities die de ko ning beloont nu wet kunnen worden, i eveneens in het voordeel van zowel d koning als de bevolking. Van oudshe staat het ieder vrij de koning een petiti aan te bieden waarin hij een gerechte lijke uitspraak van de koning verlang Men hoeft zo'n petitie of 'bill', zoa deze verzoeken ook wel worden ge noemd, niet per se aan de koning ze aan te bieden, maar men kan zich oo tot de sheriff wenden. De petities wor den in het parlement behandeld o in een speciale commissie van he parlement.

Uiteindelijk hecht de koning zijn goed keuring aan de beslissing die over d petitie genomen wordt. Een beslissin wordt een statuut genoemd. Langza merhand hebben de meeste van dez statuten de kracht van wetten gekre gen, wat betekent dat zij, hoewel z slechts door één persoon zijn inge diend, meestal voor allen van krach zijn.

# Huwelijk Servië-Byzantium

CONSTANTINOPEL, 1299 - Bij verdrag hebben Servië en Constantinopel het huwelijk tussen de Servische koning Stefan Uroš II Milutin en de vijfjarige dochter van de keizer te Constantinopel bekrachtigd. Als bruidsschat krijgt Milutin de Macedonische gebieden die hij op het Byzantijnse Rijk heeft veroverd officieel aan zijn staat toegevoegd.

De Servische veroveringen in zuidoostelijke richting hebben een definitieve heroriëntatie op het Byzantijnse Rijk tot gevolg gehad. Deze expansie werd mogelijk door de in de laatste jaren toegenomen rijkdom van Servië, het resultaat van mijnbouw en handel.

De oriëntatie op Byzantium is duide lijk zichtbaar aan het Servische hof Nog geen dertig jaar geleden waren ke zerlijke gezanten, te gast in de reside tie van de toenmalige vorst Uroš we weinig onder de indruk van hetgeen z zagen: zij troffen 's konings schoo dochter gekleed in vodden achter he spinnewiel aan. De afkeer toen was we derzijds: de Servische monarch wa zeer ontdaan over de luxe van het ge zantschap en vooral over de eunuche erin.

Alles wijst erop dat de culturele kloo steeds kleiner wordt, een ontwikkelin die hand in hand gaat met de groeiend macht van Servië.

**24 mei 1300.** Koning Filips IV van Frankrijk verovert Vlaanderen en neemt graaf Gwijde van Vlaanderen gevangen.→

**juli 1300.** Paus Bonifatius VIII heeft dit jaar tot het eerste Heilig Jaar (Jubeljaar) verklaard. Alle pelgrims die een bezoek brengen aan de grote basilieken van Rome krijgen een jubilee-aflaat.→

**1300.** Het Rijk van Angkor raakt in verval.→

**1300 (circa).** Osman I Ghazi, voormalig vazal van de Roem-Seldsjoeken (Turkse heersers in Klein-Azië), neemt de sultanstitel aan en sticht de dynastie der Osmanen.

**1301.** Koning Edward I van Engeland verleent zijn zoon en toekomstige opvolger Edward de titel 'Prins van Wales'.

**1301.** De Turken verslaan onder aanvoering van sultan Osman I de Grieken bij Nicea.

**18 mei 1302.** In de ochtend-schemering valt een groot aantal wanhopige Bruggelingen de te Brugge gelegerde Franse troepen van gouverneur Jacques de Saint-Pol (Châtillon) aan.→

**11 juli 1302.** Op de Groeningekouter onder de muren van Kortrijk lijdt het Franse ridderleger in de Guldensporenslag een zware nederlaag tegen een Vlaams leger van ambachtslieden en boeren.→

**19 november 1302.** Paus Bonifatius VIII vaardigt de bul *Unam Sanctam* uit waarin de pauselijke aanspraken op de wereldheerschappij geformuleerd worden.→

**1302.** De bevolking van Engeland, Schotland en Wales wordt door een hongersnood getroffen.

**1302.** Filips IV roept het Parlement van Parijs voor het eerst bijeen.→

**1302 (circa).** Het Seldsjoeken-rijk in Klein-Azië valt onder de stormloop van de Mongolen in kleine rijkjes uiteen.

**8 september 1303.** In Anagni wordt paus Bonifatius VIII door koning Filips IV van Frankrijk gevangengenomen.→

**9 september 1303.** Paus Bonifatius VIII wordt door een Romeins ridderleger en de burgers van Anagni uit gevangenschap bevrijd.→

Geboren:

**20 juli 1304.** Francesco Petrarca († 19-7-1374), Italiaans dichter en prozaïst; een der grondleggers van het humanisme

Gestorven:

**11 oktober 1303.** Bonifatius VIII (circa 1230), paus van 1294 tot 1303→

*De Franse koning Filips IV de Schone (1286-1314).*

# Vlaanderen bij Frankrijk

PARIJS, 24 mei 1300 - Vlaanderen heeft een verpletterende nederlaag geleden tegen Frankrijk. De graaf, Gwijde van Dampierre, en zijn zoon, Robrecht van Béthune, bevinden zich als gevangenen in Parijs. Het conflict is drie jaar geleden ontstaan toen de graaf een verbond aanging met de aartsvijand van Frankrijk, Engeland, en alle feodale banden met de Franse koning verbrak.

Achtergrond van het conflict vormt de bemoeienis van de Franse koning, Filips de Schone, met de binnenlandse problemen van Vlaanderen. Met name de problemen in Gent, het verzet van het Gentse volk tegen het willekeurig beleid van de regentenregering aldaar, buitte de koning uit om de positie van de graaf te ondermijnen. De graaf is steun gaan zoeken bij de koning van Engeland, Edward I, die Vlaanderen als bruggehoofd tegen Frankrijk goed kon gebruiken.

Vlaanderen heeft de strijd verloren; de steun van Engeland bleek onvoldoende. Frankrijk kan bijzonder tevreden zijn: het graafschap Vlaanderen bestaat niet meer. Het land wordt ingelijfd als kroondomein en komt onder gezag te staan van een gouverneur, een Frans edelman, Jacques de Châtillon.

## Rijk van Angkor ernstig in verval

ANGKOR, 1300 - Naar het zich laat aanzien zijn de gloriedagen van het eens zo machtige Rijk van Angkor [Kambodja] voorgoed voorbij.

Al spoedig na de dood van Djayavarman VII moest zijn opvolger, Djayavarman VIII, toegeven aan de eis van het volk van Champa het zijn onafhankelijkheid terug te geven. De koning werd hiertoe vooral gedwongen omdat de druk van de Thai op de westgrens van het rijk zo groot werd dat een oorlog op twee fronten tot de mogelijkheden zou behoren. Ondanks het inwilligen van de eisen van de Cham moesten ook in het westen territoriale concessies worden gedaan. Steeds verder drongen de Thai op, daarbij ook nog geholpen door de Mongolen, die in de tweede helft van de 13de eeuw in het noorden druk uitoefenden op de grenzen van Angkor. Hoewel de legers van Djayavarman VIII deze druk enige tijd wisten te weerstaan, besloot deze in 1285 toch zich gedeeltelijk te onderwerpen door toe te zeggen dat Angkor voortaan regelmatig tribuut aan zijn noorderburen zou gaan betalen.

Erg rijk was het land inmiddels niet meer. Door het zwakke binnenlandse bestuur waren de uitgebreide, door de staat aangelegde en onderhouden irrigatiesystemen in verval geraakt. Een van de gevolgen was dat het zeer dichtbevolkte centrum van het land niet langer in zijn voedselbehoefte kon voorzien en er hongersnoden uitbraken. Daarnaast werd de bevolking getroffen door malaria-epidemieën doordat het stilstaande water in de verwaarloosde irrigatiewerken een broedplaats voor malariamuggen was geworden. In geestelijk opzicht kregen de door het hof gepropageerde sekten concurrentie van het Theravada-boeddhisme. Hierdoor verloor de monarchie een deel van haar legitimiteit.

# Pelgrims voor jubilee-aflaat naar Rome

ROME, juli 1300 - Naar aanleiding van de door paus Bonifatius VIII uitgevaardigde bul van 22 februari waarmee het jubilee en heilig jaar van Rome werden ingesteld, zijn vele duizenden pelgrims uit alle delen van Europa naar de heilige stad getogen om 'Petrus te zien'. Het aantal bezoekers van de eeuwige stad is op hoogtijdagen zo groot dat de nauwe straatjes naar het Vaticaan helemaal verstopt raken. Verscheidene pelgrims zijn in die massa's gewond geraakt of zelfs omgekomen. Niet alleen de relieken van Petrus zijn voor de pelgrims van grote waarde, vooral ook de 'Santo Sudaria', de zweetdoek van Veronica, die tijdens de goede week in het openbaar werd getoond, is een van de trekpleisters. Het zíén van de relieken mag van be-

lang zijn, de pelgrims worden in de eerste plaats aangetrokken door de vele aflaten die met een bezoek aan een dergelijke heilige plaats te verdienen zijn. Als belangrijkste geldt wel de speciaal voor dit jubeljaar ingestelde aflaat. Maar om in aanmerking te komen voor deze jubilee-aflaat, moeten de pelgrims binnen vijftien dagen een speciaal programma afwerken: biechten, communiceren en onder andere de twee apostelkerken, de Sint-Pieter en de Sint-Paulus, bezoeken.

Als de pelgrim dit allemaal heeft volbracht dan zijn hem (alle) jaren van straf kwijtgescholden die hij na de vergeving van zijn zonden hier of in het vagevuur nog voor God zou moeten ondergaan. Met een gerust hart kan hij dan de thuisreis aanvaarden.

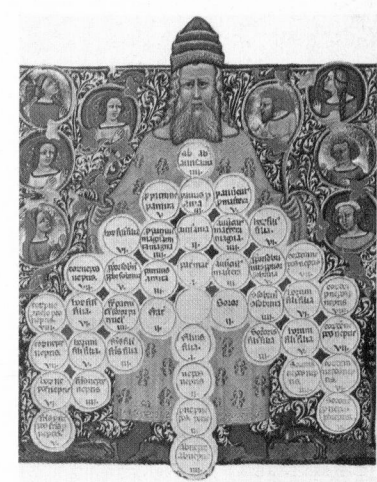

*Stamboom van paus Bonifatius VIII.*

# Vlamingen verpletteren Frans ridderleger

BRUGGE/KORTRIJK, 11 juli 1302 - De Vlamingen hebben de Franse troepen een beslissende nederlaag toegebracht. Plaats van handeling was het open veld bij Kortrijk, achter de Groeningebeek. Het Franse leger telde hooguit 2000 ridders, onder wie baronnen en graven, allen prachtig uitgerust. Tegenover hen stond een Vlaams leger van boeren en ambachtslieden, zo'n 8000 man, allen te voet, gewapend met pieken, hellebaarden en 'goedendags', die zowel als knots als als piek te gebruiken zijn. De Vlamingen, in rug en flank gedekt door de Leie en de stadsmuren, hebben het machtige ridderleger naar de drassige gronden bij de beek gedreven en vervolgens in de pan gehakt. Vluchtende ridders werden over een afstand van meer dan tien kilometer achtervolgd. Op het slagveld bestond de buit onder meer uit maliënhemden en ijzeren platen, paardetuig, banieren, vlaggen en een groot aantal gulden sporen, die als trofee in de O.L. Vrouwekerk te Kortrijk zijn opgehangen. De militaire betekenis van de slag is, dat voor het eerst sinds de oudheid de ridderschap in West-Europa door het voetvolk is verslagen. De overwinning is behaald door een zelfbewust en strijdlustig volk van ambachtslieden en boeren.
Op sociaal en politiek gebied zijn na de Slag bij Kortrijk veranderingen merkbaar. De ambachtslieden hebben hun

*De Guldensporenslag: Franse ridders tegenover Vlaamse boeren en ambachtslui.*

positie tegenover de kooplieden versterkt. Zij dringen door tot het stadsbestuur en introduceren er een democratische bestuursvorm. Uitgangspunt bij dit alles is het idee van 'gelijkheid, broederlijkheid en vrijheid'.
De koningen van Engeland, Frankrijk en Duitsland, evenals de paus, volgen de revolutionaire ontwikkelingen in

Vlaanderen met zorg.
De Guldensporenslag is te beschouwen als het vervolg op de gebeurtenissen in Brugge van 18 mei van dit jaar. Toen ondernamen gewapende Brugse ambachtslieden een verrassingsaanval op het in Brugge gelegerde Franse garnizoen. De Franse ridders waren in de minderheid. De Vlamingen kozen de

strijdkreet 'scilt ende vrient', omdat alleen een echte Vlaming deze woorde goed kan uitspreken. Zodoende ko vriend van vijand worden onderscheden.
De 'Vrijdag van Brugge' [Brugse Metten], zoals de Bruggelingen de gebeurtenissen van 18 mei noemen, markee het begin van het verzet van het Vlaamse volk tegen de Franse overheersing De Fransen werd in Brugge voor h eerst duidelijk gemaakt dat de bevoking van hen bevrijd wilde worden evenals van hun aanhangers in Vlaanderen, de 'Leliaerts', zo genoemd na hun trouw aan het Franse lelievaande Door het bezoek van de Franse konin Filips de Schone, aan de stad, een jaa geleden, werd de bevolking op koste gejaagd, zonder dat daar een financië tegemoetkoming van de vorst tege over stond. Het ongenoegen van de b volking werd verwoord door de lake wever Pieter de Coninck. Met steu van de zonen en de kleinzoon van d graaf, wist hij de Bruggelingen t daden aan te sporen. Zonder enig kennis van Latijn of Frans, maar ze welbespraakt in het Vlaams, heeft h de bevolking op zijn hand gekrege Hij is de eerste volksleider in Vlaand ren die werkelijk uit het volk is voortg komen. Door de 'Vrijdag van Brugg en de Guldensporenslag is Pieter d Coninck de held van het Vlaamse vo geworden.

# Omstreden paus Bonifatius VIII na korte gijzeling bevrijd

ANAGNI, 8 september 1303 - Na door aanhangers van kardinaal Colonna gedurende een halve nacht gegijzeld te zijn, hebben bewoners van het stadje Anagni, in Midden-Italië, paus Bonifatius VIII uit zijn benarde positie bevrijd. Inmiddels is de paus veilig en wel in Rome aangekomen.
Uit dit incident blijkt ondubbelzinnig dat Bonifatius gedurende de woelige jaren van zijn pausschap vele vijanden heeft gemaakt. Niet alleen door zijn onverzoenlijke opstelling jegens corrupte kardinalen, zoals Colonna; ook door uitspraken aangaande de suprematie van de Heilige Stoel, die aan duidelijkheid niets te wensen overlieten, heeft hij zich het ongenoegen van met name de wereldlijke vorsten op de hals gehaald.
De onvrede met de politiek van de weinig inschikkelijke paus uitte zich vooral op een ander terrein. Door de gestage groei van het kerkelijk bestuursapparaat, een ontwikkeling die al tijdens het pausschap van Innocentius III te bespeuren was, bestond er een allengs toenemende behoefte aan geldmiddelen. Deze werden verkregen door de geestelijkheid in de diverse landen steeds hogere belastingen op te

leggen. Hiertegen rees verzet van de zijde van de desbetreffende geestelijken, maar ook van de vorsten, die met lede ogen moesten toezien hoe gelden die hun eigenlijk toekwamen, naar Rome vloeiden. Daar werden ze aangewend om er profane ondernemingen als de binnenlandse oorlogen van de paus mee te financieren. Dit druiste zozeer in tegen de belangen van de vorsten dat de Engelse en Franse koningen het recht voor zich opeisten belasting op de geestelijkheid in hun gebieden te heffen. Het argument dat zij aanvoerden, was dat een ieder - ook de clerus - gelijkelijk diende bij te dragen tot de landsverdediging: het algemeen belang gaat voor het kerkelijk belang.
Paus Bonifatius bracht daar tegenin, dat wereldlijke leiders alleen na zijn uitdrukkelijke toestemming gerechtigd waren op geestelijken en hun bezittingen belasting te heffen, op straffe van excommunicatie.
Wederzijdse beledigingen en verdachtmakingen, alsmede de uitvaardiging van een uitvoerverbod op goud en zilver door Frankrijk, waardoor de pauselijke inkomsten werden verminderd, deden, een incidentele toenaderings-

*Paus Bonifatius VIII; fresco van de Italiaanse schilder Giotto.*

poging ten spijt, de situatie snel slech ter worden. Op een Romeinse synod vaardigde paus Bonifatius een bul ui *Unam Sanctam* genaamd, waarin hij op pertinente wijze het thema van d pauselijke superioriteit benadrukte De laatste zinsnede van deze beginse verklaring luidt dan ook veelbeteke nend: 'En verder verklaren wij dat h noodzakelijk is voor het heil van ied menselijk wezen, dat hij onderdanig aan de paus'.
Het definitieve breekpunt was een fei In opdracht van de Franse konin formuleerden zijn adviseurs een aar klacht, waarin Bonifatius werd be schuldigd van moord op zijn voorgar ger, overspel en ketterij. Ook wer hem aangewreven dat hij er een duive als lievelingsdier op na zou houden e gebruik zou maken van de diensten va een tovenaar als raadgever. Beslote werd de paus op een algemeen concili terecht te laten staan. Om deze opze te doen slagen zou Bonifatius gevan gengenomen moeten worden en naa Frankrijk overgebracht. Een lege macht werd naar Italië gestuurd, waa de paus in zijn zomerverblijf werd aan getroffen, en met behulp van kardina Colonna werd gearresteerd.

# 1305

**5 juni 1305.** Bertrand de Got, aartsbisschop van Bordeaux, wordt na de dood van Benedictus XI tot paus gekozen (Clemens V).

**23 juni 1305.** Te Athis-sur-Orge wordt vrede tussen Vlaanderen en Frankrijk gesloten. →

**4 augustus 1306.** Koning Václav III van Bohemen, Polen en Hongarije wordt door Tsjechische edelen vermoord. Met hem sterft de dynastie der Premysliden uit. →

**18 januari 1307.** De Duitse koning Albrecht I beleent zijn zoon Rudolf met Bohemen. Het rijkste keurvorstendom komt hierdoor in handen van de Habsburgers.

**15 juli 1307.** Na de onverwachte dood van koning Rudolf van Bohemen kiezen de Boheemse standen hertog Hendrik van Karinthië tot koning.

**13 oktober 1307.** Koning Filips IV van Frankrijk veroordeelt de tempelierenorde wegens ketterij. De tempeliers worden gevangengenomen en hun goederen worden geconfisqueerd.

**1 mei 1308.** Bij Bragg in Zwitserland wordt de Duitse koning Albrecht I door zijn neef Jan van Zwaben vermoord.

**15 augustus 1308.** De ridders van de johannieterorde veroveren Rhodos op de Grieken. Zij vestigen hier hun hoofdkwartier.

**1308.** In Keulen overlijdt op 42-jarige leeftijd Johannes Duns Scotus, bijgenaamd doctor subtilis. Hij was een der grootste filosofen van de middeleeuwen.

**1308.** De Hongaarse edelen roepen Karel I Robert van Anjou tot koning van Hongarije uit. Karel is via zijn moeder Maria van Hongarije verwant aan het Hongaarse koningshuis van Arpad.

**1309.** Op de vlucht voor de interne woelingen in Rome en Italië vestigt paus Clemens V - na een vierjarige zwerftocht door Frankrijk - het pauselijk hof in Avignon. →

Geboren:

**1308** (circa). Stefanus IX Uros IV († 20-12-1355), koning en tsaar van Servië

Gestorven:

**7 maart 1305.** Gwijde van Dampierre (circa 1226), graaf van Vlaanderen en markgraaf van Namen
**7 juli 1307.** Edward I (17-6-1239), koning van Engeland

---

*Filips IV met vertegenwoordigers van clerus, adel en burgers in voltallige vergadering van het Parlement van Parijs bijeen.*

## Parlement van Parijs voor het eerst nationaal

PARIJS, 1302 - De oude centrale rechtbank van de koning, ontstaan uit de koninklijke raad, de 'curia regis', heeft zich sinds enkele jaren ontwikkeld tot het Parlement van Parijs, een lichaam dat jaarlijks gedurende drie à vier maanden over allerlei staatszaken vergadert. Nu is voor het eerst door Filips IV een nationale vergadering van dit 'parlement bijeengeroepen. Bij deze vergadering zijn vertegenwoordigers van de drie standen van het land - clerus, adel en afgevaardigden van de steden - bijeen om te praten over de status en vrijheden van koning, Kerk, edelen en andere belangrijke personen en zaken.

De oude koninklijke raad vergaderde met de koning voornamelijk over politieke en gerechtelijke zaken. Sinds 1239 worden de rechtszittingen van de raad 'parlement' genoemd. Belangrijk voor de koning was dat het parlement controle over de rechtspraak van de feodale heren uitoefende. Hierdoor werd de positie van de Franse koning ten opzichte van deze heren aanmerkelijk verbeterd.

De versterking en uitbreiding van het parlement heeft vooral de afgelopen jaren plaatsgevonden omdat Filips in zijn moeilijkheden met paus Bonifacius VIII de steun van het gehele land nodig had. De feodale koninklijke raad was niet meer in staat om adequate hulp te geven.

Daarom heeft de koning nu de drie standenvertegenwoordigers uitgenodigd om in dit nieuwe parlement te Parijs samen te komen. Ze moeten in het parlement de koning ondersteuning in belasting- en andere zaken geven. Mogelijkheden om de Franse koning hierin te controleren of tegen te werken hebben de drie standenvertegenwoordigers vooralsnog niet.

# Koning Václav III gedood

OLOMOUC, 4 augustus 1306 - Door de moord op Václav III is de Premysliden-dynastie uitgestorven, die Bohemen gedurende vier eeuwen 31 heersers (van wie 7 koningen) heeft geschonken. Václav III dreigde drie koninklijke kronen (de Tsjechische, de Poolse en de Hongaarse) tegelijkertijd te gaan dragen. Dat veroorzaakte grote bezorgdheid bij de Duitse vorsten en de paus, die samen een machtige coalitie tegen hem vormden.

In de vorige eeuw waren de Boheemse koningen rijk en machtig. Václav II (1283-1305), de vader van Václav III, kreeg de Poolse kroon door de meerderheid van de Poolse adel aangeboden. In 1300 werd hij in Gviezdno tot Pools koning gekroond. In 1289 was hij tot een van de zeven keurvorsten benoemd, die uit hun midden de nieuwe Duitse keizer kozen.

De ware grondlegger van de macht die de Boheemse koningen hadden vergaard, was de vader van Václav II, Premysl Ottokar II (1253-1278). Zijn buitenlandse politiek was gericht op het uitbreiden van zijn grondgebied om de honger naar land van zijn edelen te kunnen stillen en daarmee op hun steun te kunnen blijven rekenen. Tijde-lijk behoorden hem zelfs Oostenrijk en de aangrenzende gebieden in het zuiden toe. In het noorden strekte zijn rijk zich uit tot aan de Baltische Zee. Als tegenwicht tegen de adel stichtte hij vele steden (bijvoorbeeld Plzen [Pilsen], Ceské Budejovice, Kolín) en stimuleerde de Duitse immigratie van handwerkers en kooplieden om zodoende een sterke burgerij in het leven te roepen.

Het interregnum (tussenregering) in het Roomse Rijk was voor Ottokar aanleiding om twee keer de Roomse kroon te ambiëren. Om de paus die grote zeggenschap in de aangelegenheden van het Roomse Rijk had, te behagen nam hij deel aan de kruistochten naar Pruisen. In 1255 werd daar de stad Königsberg gesticht.

De angst voor zijn macht bracht de Duitse keizer in 1277 tot herziening van de Gouden Bul (1212), die inperking van de macht van de Boheemse koning tot gevolg had. Voortaan moest hij aan alle veldtochten, ondernomen door het Roomse Rijk, deelnemen, evenals aan alle Rijksdagen, wat zeer kostbaar was. Premysl Ottokar II sneuvelde in 1287 in een slag tegen de Roomse koning Rudolf van Habsburg.

## Vlaanderen niet blij met verdrag

ATHIS-SUR-ORGE, 23 juni 1305 - Ondanks de glansrijke zege van de Vlamingen op het Franse leger bij de Guldensporenslag drie jaar geleden, heeft Vlaanderen een zeer ongunstig vredesverdrag met Frankrijk moeten sluiten. Dit is te wijten aan de minder succesvolle krijgsverrichtingen door de Vlamingen na de Guldensporenslag. De Franse koning, Filips de Schone, komt als overwinnaar met harde bepalingen voor de dag. De Vlamingen zijn ernstig teleurgesteld, maar kunnen zich troosten met de gedachte dat hun land, na enkele jaren van Franse overheersing, weer onafhankelijk is geworden. Het verdrag, afgesloten te Athis-sur-Orge, een plaatsje ten zuiden van Parijs, bevat zeer zware financiële eisen. Ook wordt erin bepaald dat Vlaanderen afstand moet doen van de kasselrijen (kasteel met omringend land) Rijsel, Dowaai en Orchies, evenals van de kastelen Kassel en Kortrijk. Als boete voor de Brugse Metten moeten drieduizend Bruggelingen een bedevaart ondernemen, van wie duizend overzee. De graaf, de ridders, de schepenen en ten slotte alle Vlamingen ouder dan veertien jaar, dienen een speciale eed op naleving van het verdrag af te leggen.

Het zal nog jaren duren voordat de Vlamingen van de verplichtingen, die voortvloeien uit het verdrag, bevrijd zullen zijn.

*Standbeeld van Jan Breydel en Pieter de Coninck, de leiders van de Vlamingen in de Guldensporenslag, op de markt in Brugge (begin 14de eeuw).*

# Pauselijk hof in Avignon

*Kroning van paus Clemens V in 1305. Tot dan was hij aartsbisschop van Bordeaux.*

AVIGNON, 1309 - Na een vierjarige zwerftocht door Frankrijk heeft paus Clemens V zich in de stad Avignon gevestigd. De Franse Clemens V is in 1305 tot paus gekozen, maar hij heeft nu, vanwege de sterke invloed van koning Filips de Schone en de moeilijkheden in Italië (vooral in Rome), besloten het pauselijk hof in het rustige zuiden van Frankrijk te vestigen.

Clemens V heet eigenlijk Bertrand de Got en was tot 1305 aartsbisschop van Bordeaux.

Vóór de benoeming van Clemens was er tussen koning Filips IV en paus Bonifatius VIII een grote machtsstrijd gaande. Uiteindelijk trok Filips aan het langste eind. De opvolger van Bonifatius VIII was een tussenpaus. Daarna hebben de kardinalen na een lang en moeilijk conclaaf een protégé van de Franse koning tot paus gekozen. De strijd van Filips tegen de aanspraken van de pausen op de wereldheerschappij moest Clemens als 'goed en juist' aanmerken. Tevens moest hij beloven dat hij Bonifatius zou veroordelen. Een volgende zet was zijn benoeming van zes Franse kardinalen die voor een continuïteit in Franse pausen zouden moeten zorgen.

De greep van Filips op Clemens en de

grote moeilijkheden en onveiligheid in Rome zijn de belangrijkste redenen voor de verhuizing van het pauselijk hof geweest. In Italië heerst anarchie: in Rome worden veten tussen verschillende adellijke families uitgevochten en vinden regelmatig schermutselingen tussen adellijke en pauselijke troepen plaats. Clemens bleef daarom over zijn woonplaats twijfelen en besloot uiteindelijk helemaal niet meer naar Rome te gaan. Bovendien wilde hij ook graag een actieve rol spelen bij de bemiddeling in het conflict tussen Frankrijk en Engeland en zou hij een nieuwe kruistocht beter vanuit rustiger oorden kunnen organiseren.

De enclave Avignon blijkt daarvoor een zeer goed gekozen plek te zijn. Zij ligt op de oostoever van de Rhône in de Provence, gunstig gelegen ten opzichte van het buurland Italië en omringd door het beschermende Frankrijk. Omdat Avignon in pauselijk gebied ligt is de stad autonoom. Zodoende kan de paus na verloop van tijd enigszins aan de druk van Filips ontkomen. Desalniettemin vindt de Italiaanse schrijver Dante hem maar een zwakkeling, hij schreef over hem: 'een slechtere zal komen, een herder zonder wetten, opgerezen van het westen.'

---

# 1310

**31 augustus 1310.** De Duitse koning Hendrik VII beleent zijn zoon Johan met het koninkrijk Bohemen. Hiermee wordt de strijd (sinds 1306) om de Boheemse troon beëindigd.

**1310.** Na een volksopstand wordt in Venetië de Raad van Tien geïnstalleerd. →

**1310.** Op 62-jarige leeftijd overlijdt de beroemde Chinese landschapschilder Kao K'o-kung.

**24 april 1311.** Generaal Malik Kafur keert terug in Delhi. →

**6 mei 1312.** Op het door paus Clemens V bijeengeroepen Concilie van Vienne wordt de orde der tempeliers opgeheven en worden besluiten inzake kloosterhervormingen genomen. →

**29 juni 1312.** De Duitse koning Hendrik VII laat zich in de basiliek van Sint-Jan-van-Lateranen te Rome door drie kardinalen tot keizer kronen.

**27 september 1312.** Hertog Jan II van Brabant vaardigt het Charter van Kortenberg uit.

**1313.** In Duitsland wordt voor het eerst buskruit als aandrijvende lading in een geweer gebruikt. De Duitse monnik Berthold Schwarz is de vermoedelijke uitvinder van de toepassing van buskruit in een vuurwapen.

**1314.** Koning Robert Bruce van Schotland stelt door zijn overwinning in de Slag bij Bannockburn de Schotse onafhankelijkheid veilig. →

**15 november 1315.** In de Slag am Morgarten verslaan de Zwitserse kantons Schwyz, Uri en Unterwalden een ridderleger van de Oostenrijkse hertog Leopold I en vernieuwen de eed van 1291. →

**1315/1316.** Op een missietocht in Tunesië wordt de Catalaan Raymundis Lullus te Bougie gestenigd. Hij overlijdt tijdens de terugtocht naar Majorca. Raymundis Lullus was naast missionaris onder de moslems een groot geleerde, mysticus en een van de voornaamste vertegenwoordigers van de Oudcatalaanse literatuur.

**1316.** Edward Bruce wordt koning van Ierland. →

**1317.** Bijzonder slechte weersomstandigheden zijn verantwoordelijk voor het mislukken van de oogsten sinds 1315. →

**1317.** De koning van Sukhothai overlijdt. →

**1318.** De beroemde Italiaanse schilder Giotto di Bondone vervaardigt in de Santa Croce in Florence verschillende series fresco's. →

---

*Indiase bestuurder uit de 14de eeuw.*

# Machtsuitbreiding sultan van Delhi

DELHI, 24 april 1311 - In de hoofd stad Delhi van het sultanaat van Ala ud-din Chalji is generaal Malik Kafu teruggekeerd van een succesvolle cam pagne in het zuiden van het Indisch schiereiland, die hij met een aantal vre desverdragen heeft afgesloten. Kafu leidde zijn legers helemaal tot Madura de hoofdstad van Pandya, het zuide lijkste gedeelte van het schiereiland De macht van sultan Ala-ud-din strek zich nu, indirect, over het hele schier eiland uit.

Sultan Ala-ud-din kwam in 1296 op d troon nadat een oom van hem in 129C in Delhi de Chalji-dynastie ha gesticht. Sultan Balban, die drie jaa eerder was gestorven, had geen dy nastie gesticht en de Chalji's wisten door hun Turks-Afghaanse afkomst de loyaliteit van zowel Turkse al Afghaanse facties voor zich te winnen Door Indische moslems hoge ambte te verlenen verkregen de Chalji's ool hun steun.

In 1296 voerde Ala-ud-din een succes volle strijd op het Dekkanplateau in op dracht van zijn oom, die hij echter bi terugkeer in Delhi om het leven bracht waarna hij zelf sultan werd. Officiee regeren de Delhi-sultans uit naam va de kalief van Bagdad. In de praktijk i de sultansheerschappij absoluut. Hij i slechts ondergeschikt aan de 'Sharia' 'de Heilige Wet van de Islam'.

Het sultanaat is onderverdeeld in pro vincies die worden bestuurd doo 'muqtis' of gouverneurs. Dienare kan de sultan belonen met een 'iqta' een stuk land dat de begunstigde in lee krijgt. Zowel de muqtis als de iqta houders moeten in hun gebied soldate voor de legers van de sultan rekruteren Tot 1306 was dat leger onder mee nodig om de Mongolen, die de noorde lijke gebieden van het sultanaat be dreigden, tegen te houden. Nadat dez dreiging was gekeerd door intern problemen bij de Mongolen, werden de legers ingezet voor de campagne van Malik Kafur in het zuiden.

# Raad van Tien in Venetië

*In de havenstad Venetië ontmoeten handelaren uit Oost en West elkaar.*

VENETIE, 1310 - In de republiek Venetië is een Raad van Tien gekozen 'om de vrijheid en de vrede van haar bewoners te garanderen en hen te beschermen tegen misbruik van persoonlijke macht'.

Eigenlijk is het een Raad van Zeventien, omdat de doge en de Signoria, zijn zes raadslieden, bij alle zittingen van de Raad aanwezig zullen zijn. De doge is, sinds 697, het voor het leven gekozen staatshoofd van Venetië. Hij wordt gekozen en, zoals onlangs nog in 1297, gecontroleerd door de Grote Raad, die bestaat uit de 287 leden van de belangrijke families van de adel. Deze Grote Raad is de basis van de oligarchische machtspiramide, van waaruit nu dus ook de Raad van Tien gekozen wordt.

De dagelijkse wetgeving is in handen van een minder log lichaam, de 120 leden tellende Senaat. Samen met de doge en de Signoria vormt de Senaat de feitelijke regering van de republiek.

De jaarlijks gekozen Raad van Tien kan, gezien de grote bevoegdheden waarover hij beschikt om de binnen- en buitenlandse komplotten te kunnen bestrijden, uitgroeien tot het machtigste orgaan van de republiek.

De republiek heeft de laatste eeuwen veel aan betekenis gewonnen. Het is de belangrijkste doorvoerhaven geworden tussen de rest van Europa en de Levant. De handel in graan, hout, zout, kruiden, wijn en olijven verloopt via Venetië, van waaruit ook een actieve kaapvaart bedreven wordt. Door de groter wordende economische en politieke macht heeft Venetië zich in 992 kunnen losmaken van de Byzantijnse overheersing en heeft het diverse nederzettingen aan de oostkust van de Adriatische Zee gesticht.

*Terwijl koning Filips langsrijdt, worden tempeliers doodgeslagen (voorgrond).*

# Hervormingen in de Kerk

VIENNE, 6 mei 1312 - Het door de Franse paus Clemens V bijeengeroepen vijftiende algemeen concilie, dat al sinds 16 oktober vorig jaar heeft vergaderd, is ten einde. Er zijn belangrijke beslissingen genomen. Na nauwkeurig onderzoek besloot de kerkvergadering de orde der tempelieren op te heffen en werden er beperkende bepalingen gesteld ten aanzien van de begijnen en de orde der franciscanen.

Het besluit om een nieuw concilie bijeen te roepen werd al in 1307 door paus Clemens V genomen. Deze paus stond sterk onder invloed van de Franse koning Filips IV. Filips had namelijk tevoren geëist dat het concilie de voormalige paus Bonifatius VIII zou veroordelen en dat de orde der tempelieren opgeheven zou worden. Het eerste wist Clemens door middel van geheime onderhandelingen te voorkomen, maar de opheffing van de tempelieren kon hij niet tegenhouden. Zij vormden een oude ridderlijke orde die voornamelijk in het Heilige Land werkzaam was. Toen ze gedwongen was het Heilige Land te verlaten verviel de orde en werd ze van immoraliteit en ketterij beschuldigd. Aanvankelijk hebben de circa honderd prelaten van het concilie getracht de tempelieren rechtvaardig te beoordelen, maar de invloed van de Franse koning bleek hiervoor te groot. Op 3 april werd de orde opgeheven en haar bezittingen door onder anderen Filips IV in beslag genomen.

Op deze laatste zitting van het concilie hebben de concilievaders stelling genomen tegen de al te sterke armoedestrijd van de franciscanen. Op aandrang van de Duitse bisschoppen heeft men tevens de begijnen veroordeeld omdat zij geen officiële vormen kenden. Vervolgens heeft het concilie de bisschoppen opgeroepen om deze 'sekte van begarden en begijnen', de verspreiders van een dwaalleer, te bestrijden.

# Zwitsers verstoren Habsburgse ambities

MORGARTEN, 15 november 1315 - De Zwitserse Eedgenoten hebben bij Morgarten op hertog Leopold I van Oostenrijk een overwinning behaald. Daarmee zijn de Habsburgse annexatieplannen van de baan.

In 1291 sloten de drie kantons Uri, Schwyz en Unterwalden met elkaar het Eeuwig Verbond. Zij wilden zo hun vrijheden en gewoonten beschermen tegen de Habsburgers. De Alpengebieden zijn na de opening van de Gotthardpas omstreeks 1200 van groot economisch en strategisch belang geworden. De Hohenstaufische keizers zagen dit al snel in en stelden Uri (in 1231) en Schwyz (in 1240) rechtstreeks onder het rijk. Zij wilden verhinderen dat deze gebieden aan een andere landsheer zouden toevallen. De handel tussen Italië en Duitsland maakte de inwoners welvarender en zelfbewuster. De Habsburgers, die grote stukken land ten noorden van de kantons beheersen, werden een dreigend gevaar toen Rudolf I in 1273 koning van het Duitse Rijk werd. Hij ontnam Schwyz onder meer zijn rechten. In het Eeuwig Verbond van 1291, meteen na de dood van Rudolf gesloten, beloofden de kantons elkaar bescherming en steun.

*De Zwitserse Eedgenoten sluiten het 'Eeuwig Verbond'.*

De Habsburger Albrecht van Oostenrijk echter onderwierp na zijn koningskroning in 1299 de Zwitsers en hief zware belastingen. Na de moord op Albrecht (1308) hernieuwde de nieuwe koning, Hendrik VII, evenwel de privileges en gaf ook Unterwalden de status van keizerlijk domein.

Toen na Hendriks dood een dubbele koningskeuze volgde, kozen de Eedgenoten de kant van Lodewijk van Beieren tegen Frederik van Oostenrijk. Diens broer Leopold besloot de Eedgenoten met geweld te onderwerpen. Zijn leger werd bij de pas van Morgarten door de bergbewoners letterlijk verpletterd. Eerst gooiden ze stenen vanaf de bergen op de dicht opeengedrongen ridders; vervolgens maakten ze met hellebaarden, waarmee ze de ridders van de paarden trokken, het werk af. De hertog is ternauwernood ontkomen. Zelfs de Zwitsers spreken met afschuw over deze slachtpartij.

# Nieuwe koning van Ierland

*William Wallace, leider Schots verzet.*

SCHOTLAND, 1316 - Robert Bruce, de man die kans heeft gezien zichzelf, ondanks de formele heerschappij van de Engelsen, tot koning van Schotland te laten kronen, heeft de Engelse koning opnieuw een nederlaag bezorgd. Nu is zijn broer Edward tot koning van Ierland gekroond. Deze acties van de familie Bruce zijn ongunstig voor de Engelse vorst, die ernaar streeft de macht op de Britse eilanden in handen te krijgen.
Wales werd vrij spoedig onder de voet gelopen, maar de Schotten hebben zich steeds verzet. Formeel hebben zij de Engelse koning tot hun hoogste heer

moeten verklaren. De Schotten trokken zich daar in de praktijk echter weinig van aan. In 1295 sloten zij een militair contract met de Fransen. Dit contract heeft tot nu toe geen directe gevolgen gehad voor de Engelse koning, maar het zet hem wel voortdurend onder druk.
De Schotten beraamden vervolgens een opstand, die geleid werd door William Wallace. Die rebellie mislukte in 1304, waarna Wallace gevangengenomen en ter dood veroordeeld werd door de Engelsen. Daarna wist Robert Bruce zich op te werpen als koning Robert I van Schotland. Hij heeft zijn titel definitief bevestigd door twee jaar geleden de Slag bij Bannockburn van de Engelsen te winnen. Toch moet de Schotse koning zich niet helemaal veilig voelen. Hij heeft nu getracht de problemen in Schotland enige rust te gunnen door de aandacht van de Engelsen op Ierland te vestigen.
Formeel hebben de Engelsen Ierland onder controle. Echter, de Ierse edelen kiezen nog steeds hun eigen leiders. Vorig jaar is Edward, de broer van Robert, erin geslaagd de Ierse edelen over te halen zich aan de zijde van de Schotten te plaatsen. Nu is hij nog vaster in het zadel komen te zitten doordat hij tot koning is gekozen.
Al deze allianties maken de Schotten niet zo sterk dat zij bijvoorbeeld de rol van de Engelse koningen zouden kunnen overnemen. Schotland blijft een arm land en de heersers zijn toch nog voortdurend in de verdediging.

*Giotto: de heilige Franciscus verschijnt in een droom aan paus Gregorius IX.*

# Grote reputatie Giotto

FLORENCE, 1318 - De twee bankiersfamilies Bardi en Peruzzi hebben de schilder Giotto di Bondone opgedragen het leven van de heilige Franciscus, van Johannes de Doper en van Johannes de Evangelist te schilderen. Deze fresco's zijn bestemd voor de drie kapellen die aan hen gewijd worden in de Santa-Crocekerk.
Met zijn werk in vele Italiaanse steden en vooral met zijn fresco's in Padua (1306), in de Santa Maria dell' Arena, heeft de nu 52-jarige schilder een grote reputatie verworven. Hij heeft gebroken met de streng schematische Byzantijnse schilderkunst en gekozen voor

een persoonlijker benadering. Giotto is niet, zoals zijn voorgangers, slecht een uitvoerder van een aan precieze regels gebonden opdracht, maar veeleer een zelfstandig schepper die nieuwe technieken ontwikkelt om aan de meer aardse waarden van deze tijd gestalte te kunnen geven.
Anders dan bijvoorbeeld de anonieme beeldhouwers van de kathedralen is Giotto nu een bekende persoonlijkheid. Een zelfbewuste kunstenaar die zijn werken signeert, is een al even ongekend verschijnsel als de omwenteling die Giotto in de schilderkunst zelf heeft teweeggebracht.

# Grote hongersnood in Europa eist duizenden slachtoffers

ERFURT, 1317 - De hongersnood, die grote delen van Europa teistert, heeft ook in Erfurt ongekend veel slachtoffers gemaakt. Het stadsbestuur besloot in verband met de grote sterfte speciale graven te laten maken. Dagelijks worden de doden door daartoe aangestelde burgers verzameld en op karren gelegd. Daarna worden zij zo snel mogelijk naar de begraafplaats buiten de stad gereden en ter aarde besteld. Het stadsbestuur hoopt zo te voorkomen dat er epidemieën uitbreken.
Ook uit andere delen van Europa komen berichten van grote aantallen slachtoffers. De lakenindustriestad Ieper verloor bijvoorbeeld binnen zes maanden meer dan tien procent van haar inwoners. Het voedseltekort is enorm. De kroniekschrijver van Gerstenburg schrijft dat 'veel mensen hun bezittingen achterlaten en naar vreemde landen gaan, op zoek naar voedsel'. De meeste voedselzoekers worden dood langs de weg gevonden, want ook in omringende gebieden zijn de voedselvoorraden uitgeput en sterven duizenden van de honger.

*Oogstende boeren (miniatuur uit 14de-eeuws psalterium; British Museum).*

Niet alleen stedelingen laten hun bezittingen achter, ook boeren doen dit. Zij zijn door de misoogsten van de laatste jaren financieel aan de grond geraakt en kunnen hun pacht niet meer betalen. Bovendien hebben velen geen zaaigoed apart kunnen houden voor het volgende jaar. In Engeland zorgde de veepest voor een extra schadepost. Complete kudden stierven aan de gevreesde ziekte. Door de nood gedwongen gingen duizenden boeren op zoek naar betere verdiensten. Hun boerderijen en lan-

derijen lieten zij onbeheerd achter.
De zware hongersnood staat direct in verband met de misoogsten van de afgelopen twee jaren. De boeren werden geconfronteerd met zeer ongunstige weersomstandigheden, die lange tijd niet waren voorgekomen. Kort geleden hadden veel Engelse boeren nog zo'n vertrouwen in het weer dat zij met wijnbouw begonnen. Maar de winters werden plotseling koud en lang, de zomers uitzonderlijk regenachtig. De gewassen op de akkers konden niet

rijpen. Een Engelse kroniek meld dat 'de regen het afgelopen jaar zo hevig was, dat de boeren hun gewassen nauwelijks konden oogsten en veilig opslaan. Door de enorme hoeveelheden regen waren bijna alle gewassen verrot.'
De meeste doden vielen onder het armste bevolkingsdeel. De armen werden vooral het slachtoffer van de exorbitante prijsstijgingen, die zich in de hongersnoodjaren voordeden. In Vlaanderen moest men voor graan elf tot twaalf maal de normale prijs betalen. In Engeland werd een vervijfvoudiging van de prijs waargenomen. De prijsstijgingen waren niet alleen het gevolg van de misoogsten, maar ook van de speculatiezucht van verscheidene handelaren. Zij verdienden een fortuin aan de hongersnood.
Het was onmogelijk de nood van de behoeftigen te verzachten door voedselaankopen te doen in verafgelegen gebieden. De slechte infrastructuur en het gebrekkige transport maakten dit onmogelijk. Alleen in gebieden die per zeeschip bereikbaar waren, kon tijdelijk verlichting worden gebracht.

# Sukhothai machtig rijk

SUKHOTHAI, 1317 - Als koning van een van de machtigste rijken op het vasteland van Zuidoost-Azië is Rama Kamhaeng van Sukhothai [Thailand] overleden. Hij was de tweede koning die om zijn prestaties de titel 'de Grote' heeft gekregen.

Al voor zijn troonsbestijging had hij als 'maha uparat' (plaatsvervangend koning) van zich doen spreken, nadat hij de vorst van Chot met succes bestreden had. In 1279 volgde hij zijn broer Ban Muang als koning op. Vanaf dat tijdstip heeft Rama Kamhaeng zich voortdurend beziggehouden met de uitbreiding van zijn koninkrijk. Bij zijn dood strekt dit zich nu uit van de Isthmus van Kra (Maleisië) tot Luang Prabang in het noorden. In het oosten ligt de grens bij Wiengchan [Vientiane] en in het westen bij Martaban en Pegu [Birma].

Als militair strateeg richtte hij ook het staatsapparaat op militaire wijze in. Ambtenaren vanaf de rang van gouverneur tot de lokale overheden werden in militaire rangen onderverdeeld. De koning stond als commandant aan het hoofd van hen. In vredestijd verrichtten zij civiele diensten. Als er oorlog gevoerd moest worden, werden deze ambtenaren ingezet in het leger. Daarnaast moesten alle mannen die lichamelijk gezond waren in tijd van oorlog alś soldaat dienen.

Door de uitbreiding van het grondgebied van Sukhothai kreeg het rijk vele minderheidsgroeperingen binnen zijn grenzen: Laotianen, Mons, Khmers, Birmezen, Maleiers en Chinezen. Met hun gewoonten en gebruiken werd zoveel mogelijk rekening gehouden, wat vooral uit de rechtspraak blijkt. Zij werden in voorkomende gevallen meestal beoordeeld naar de rechtsregels zoals die in hun gebied reeds bestonden voordat het deel van het koninkrijk ging uitmaken.

Rama Kamhaeng bevorderde ook het belijden van het eenvoudige boeddhisme. Het geven van bijdragen aan monniken, het regelmatig bijwonen van ceremonies en het verrichten van goede werken werden als zeer positief beoordeeld. Hij leefde zelf ook als een boeddhist, met uitzondering van de stelregel dat een goed boeddhist geen leven vernietigt.

De koning was erg geliefd omdat hij nauwelijks belasting hief op het land en op uit handel verkregen winsten. Hierdoor bloeide het zakenleven en is in de laatste decennia een uitgebreid geldstelsel tot ontwikkeling gekomen. En voor het eerst sinds mensenheugenis hebben de boeren op het land kunnen werken zonder onder buitensporige eisen van de regering gebukt te gaan. Al deze factoren te zamen hebben Sukhothai groot gemaakt.

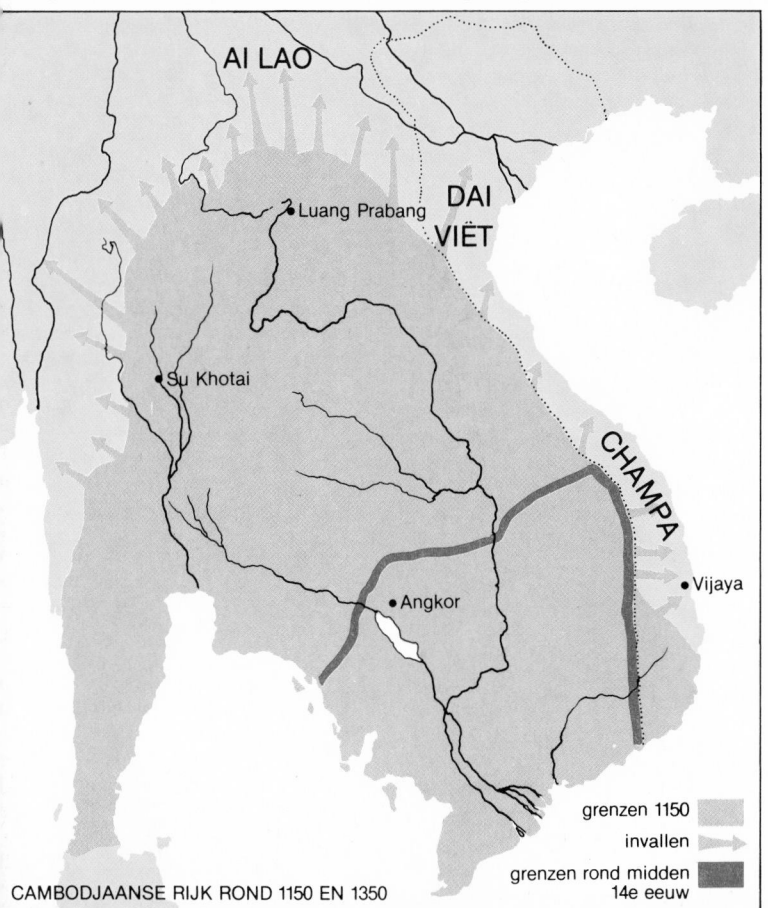

CAMBODJAANSE RIJK ROND 1150 EN 1350

| | |
|---|---|
| grenzen 1150 | |
| invallen | |
| grenzen rond midden 14e eeuw | |

*Kaart van het Kambodjaanse rijk rond 1150 (maximale omvang) en rond 1350.*

# 1320

**20 januari 1320.** Hertog Wladyslaw Lokietek (de Korte) van Polen laat zich in Krakau tot koning van Polen kronen. →

**14 september 1321.** Dante Alighieri overlijdt. →

**1322.** Jacoba Felicie wordt voor het gerecht gedaagd. →

**1322.** In de Slag bij Mühldorf am Inn verslaat de Duitse koning Lodewijk IV van Beieren de tegenkoning Frederik de Schone.

**1323.** In de 'armoedestrijd' met de franciscanen veroordeelt paus Johannes XXII de leer van de armoede van Christus en zijn apostelen. →

**1324.** Mansa Moesa, koning van het islamitische Mali-rijk in West-Afrika, maakt aan het hoofd van 12 000 man een bedevaart naar Mekka. →

**1324.** Op kerkelijk muzikaal gebied doet paus Johannes XXII een eerste pauselijke uitspraak. →

**1325.** De Azteken stichten de stad Tenochtitlan [Mexico-Stad] op het eilandje in het Meer van Tezcoco in Mexico.

**1326.** Koningin Isabella van Engeland en haar minnaar Roger Mortimer landen met een Nederlandse vloot en vele Henegouwse edelen onder bevel van ridder Jan van Beaumont in Noord-Engeland. De Engelse adel sluit zich bij hen aan.

**1327.** Koning Edward II wordt tot troonsafstand gedwongen ten gunste van zijn zoon Edward III. →

**1327.** Paus Johannes XXII veroordeelt vijf stellingen uit het traktaat 'Defensor Pacis' van Marsilius van Padua. Marsilius ontzegt in dit traktaat de Kerk elk wereldlijk gezag.

**30 april 1328.** De Duitse theoloog en mysticus Eckhard overlijdt tijdens een proces over de rechtzinnigheid van zijn leer aan het pauselijk hof te Avignon.

**27 mei 1328.** Na de dood van Karel IV, de laatste koning uit de dynastie der Capetingen, wordt Filips VI uit het Huis Valois tot koning van Frankrijk gekroond.

**23 augustus 1328.** In de Slag bij Kassel onderdrukt de nieuwe Franse koning Filips VI een opstand van Vlaamse boeren. →

**1328.** Ivan I Kalita, heerser van Moskou, wordt grootvorst van Vladimir. →

Gestorven:

**1326.** Osman, stichter van het Osmaanse rijk. →

# Arts Jacoba voor gerecht gedaagd

*Behandeling door het opzettelijk aanbrengen van brandwonden.*

PARIJS, 1322 - De medische faculteit van de Universiteit van Parijs heeft de bekende Parijse geneesvrouwe Jacoba Felicie voor het gerecht gedaagd. Het belangrijkste deel van de aanklacht luidt: 'Jacoba heeft patiënten genezen van inwendige en uitwendige gezwellen. Zij heeft hun medicijnen voorgeschreven, hun urine onderzocht en hun polsslag opgenomen, precies zoals artsen dat doen.'

In haar verdediging heeft Jacoba, die veel prominenten onder haar patiënten telt, naar voren gebracht dat haar patiënten bij haar behandeling baat hebben gehad. Dit wordt door vele getuigen bevestigd. Het ziet er echter naar uit dat dit eerder in haar nadeel dan in haar voordeel zal werken, want zij wordt niet van incompetentie beschuldigd maar van het uitoefenen van de geneeskunst. Alléén personen die een medische graad aan een universiteit hebben behaald, mogen als geneeskundige optreden. Voor vrouwen is het onmogelijk hieraan te voldoen omdat de universiteiten voor hen niet toegankelijk zijn.

Het proces tegen Jacoba staat niet op zichzelf. Op initiatief van medische faculteiten hebben reeds verscheidene heersers de uitoefening van de geneeskunst verboden aan mannen en vrouwen die niet over een universitair diploma beschikken. De universiteiten proberen bovendien greep te krijgen op de beroepsgroepen waaruit de ongediplomeerde artsen veelal afkomstig zijn: de kappers, apothekers, chirurgijns en vroedvrouwen. Onlangs is een vrouw uit Calabrië die de chirurgie bedrijft, door de medische faculteit van de universiteit van Salerno aan verschillende examens onderworpen. Dat vrouwen zich openlijk als algemeen geneeskundige presenteren, zoals Jacoba, komt zelden voor.

# Lokietek verenigt Poolse gebieden

KRAKAU, 20 januari 1320 - Vandaag is in de kathedraal van Krakau Wladyslaw Lokietek, prins van Kujawy, tot koning van Polen gekroond. Zijn kroning betekent het einde van twee eeuwen verdeeldheid en strijd tussen de Poolse prinsen. Verscheidene kandidaten voor de troon van Krakau wisselden elkaar af. De Poolse kroon kwam bovendien enkele malen in handen van de Boheemse dynastie van de Przemyslanen.

Lokietek ging naar Rome om bij de paus voor zijn zaak te pleiten en won de pauselijke steun. Hij keerde terug, vestigde zich in Krakau en begon een lange oorlog met als doel de hereniging van Polen.

Deze oorlog toont voor het eerst Pools chauvinisme. De Tsjechen werden voor 'buitenlanders' en 'dienaren van de Duitse keizer' uitgemaakt. De vijanden van Lokietek werden geëxcommuniceerd als de 'vijanden van de Polen', de prinsen van Glogau (Glogow) omdat zij 'Silezië in een nieuw Saksen veranderen'. De opstandelingen van Krakau werden aan een test onderworpen waarbij enkele puur Poolse woorden moesten worden uitgesproken. Degenen die faalden werden schuldig verklaard.

Lokietek verzekert zich van de loyaliteit van de ridders door grote giften van goederen en land. Zijn kroning is het sluitstuk van een langzame strijd om alle verdeelde prinsdommen onder één gezag te krijgen.

# Meesterwerk van Dante blijft onvoltooid

RAVENNA, 14 september 1321 - Terwijl hij bezig was de laatste hand te leggen aan zijn *Paradiso*, het laatste boek van *La Divina Commedia* (De goddelijke komedie), is de grote dichter Dante Alighieri op 56-jarige leeftijd overleden.

Dantes familie behoorde tot de oude Florentijnse adel en stond aan de kant van de Welfen, de pausgezinden. De Welfen en de Ghibellijnen, de aanhangers der rooms-Duitse keizers, voeren sinds de 13de eeuw een vaak felle en bloedige strijd in verschillende Italiaanse steden. Een strijd die tevens gestimuleerd wordt door allerlei interne politieke tegenstellingen tussen diverse adelsfacties en staatjes. De Welfen bijvoorbeeld splitsten zich in Florence in de Neri (Zwarten) en de meer gematigde Bianchi (Witten), waartoe ook Dante behoorde.

Toen in 1301 de Zwarten aan de macht kwamen, werd Dante tot levenslange ballingschap veroordeeld. Deze ervaring - hij zwierf sindsdien tussen de verschillende Italiaanse steden - sterkte hem in de overtuiging dat Italië een macht nodig had die alle individuen, klassen en steden zou bundelen in een vreedzame samenleving. Die macht zag hij in het herstel van het keizerlijk gezag van het Heilige Roomse Rijk, waardoor de Pax Romana van het oude Rome zou terugkeren. Hij zette deze ideeën uiteen in zijn verhandeling *De monarchia*, geschreven in de tijd dat de Duitse keizer Hendrik VI Italië binnenviel om het keizerlijk gezag op het schiereiland, dat sinds Frederik II verloren was gegaan, te herstellen. Met de dood van Hendrik VI werd Dantes hoop op een verenigd Italië de bodem ingeslagen en hij begon aan zijn *La Divina Commedia*.

Het bestaat uit honderd canti (zangen) in drie boeken: *Inferno* (hel), *Purgatorio* (vagevuur) en *Paradiso* (paradijs). De Romeinse dichter Vergilius, voor Dante de verpersoonlijking van kennis en wijsheid, leidt Dante door de hel en het vagevuur. Alleen Dantes jeugdliefde Beatrice, de verpersoonlijking van geloof en liefde, kan hem binnen de poorten van de hemel voeren.

Door dit van grote visionaire kracht getuigende gedicht in het Italiaans te schrijven in plaats van in het Latijn heeft Dante bijgedragen tot een nieuw literair bewustzijn in Italië.

# Kerk veroordeelt radicale franciscanen

*Franciscus en de vogels (Giotto).*

AVIGNON, 1323 - Paus Johannes XXII heeft de opvatting van de spirituelen, de radicale richting binnen de franciscanenorde, betreffende de armoede van Christus, als ketterij veroordeeld. Op niet mis te verstane wijze veroordeelden de spirituelen de weelderige levenswijze van de paus en de kardinalen en stelden dat Christus en zijn discipelen nimmer iets persoonlijk of gemeenschappelijk in eigendom hadden bezeten. Het is niet verwonderlijk dat deze strenge paus dergelijke gezagsondermijnende opvattingen niet wenste te tolereren.

Met de beslissing van Johannes XXII is naar velen hopen tevens een eind gekomen aan de problemen welke de franciscanenorde sedert jaar en dag verdeeld heeft gehouden. Twee groepen uit deze orde, de spirituelen en de conventuelen, twistten al vrij spoedig na Franciscus' dood over de uitleg van het armoede-ideaal. De spirituelen ijveren met groot idealisme en fanatisme voor de letterlijke uitleg van de regel. Zij wijzen elk bezit van aardse goederen af. De andere groep, conventuelen genoemd, omdat zij vooral in de conventen (kloosters) verblijven, staat een gematigde uitleg van de regel voor.

Het armoede-ideaal staat aan de basis van de franciscanenorde, die rond het jaar 1209 gesticht werd door Franciscus van Assisi. Deze zoon van een welgestelde Italiaanse lakenkoopman had de vurige wens een evangelisch leven te leiden, gekenmerkt door de volmaakte armoedebeleving, dat wil zeggen verwerping van alle bezit. Al snel sloten geestverwanten zich bij hem aan die, nadat ze al hun bezit aan de armen geschonken hadden, als broeders gingen samenleven 'op de wijze van het evangelie'.

Met deze volgelingen trok Franciscus omstreeks 1210 naar Rome, waar hen op zijn verzoek pauselijke goedkeuring van zijn sobere levenswijze wachtte. Als 'Fratres Minores', of mindere broeders, aldus aangeduid omdat zij zich de minderen voelden van monniken van andere orden, legden zij zich toe op prediken, biechthoren en zielzorg. Zij worden verondersteld te leven van hetgeen zij voor hun arbeid ontvangen. Als dat niet voldoende oplevert 'zullen zij bij de Heer aan tafel gaan en deur na deur om een aalmoes vragen', vandaar dat zij ook wel bedelmonniken genoemd worden. Voedsel mogen ze wel, geld daarentegen volstrekt niet aannemen.

De groei en de verspreiding van dez broederschap als reactie op de groeiende rijkdom van de Kerk, maakte het noodzakelijk dat een aantal vernieuwingen in de regel werd uitgewerkt. De aangepaste regel werd in 1223 door middel van een bul door de paus goedgekeurd, hetgeen echter niet kon verhinderen dat de orde, die nog in volle ontwikkeling verkeerde, verscheurd werd door problemen, die verband hielden met haar uitgangspunt de armoedebeleving.

# Paus verzet zich tegen nieuwe muziek

AVIGNON, 1324 - Paus Johannes XXII (Jacques Duese), de tweede paus die in Avignon zetelt, heeft een decreet uitgevaardigd tegen de nieuwe ontwikkelingen in de muziek. De aanleiding hiertoe is het theoretische traktaat van Philippe de Vitry: *Ars Nova* (de Nieuwe Kunst), dat vorig jaar werd geschreven.

Philippe de Vitry, secretaris van koning Karel IV, stelt in zijn *Ars Nova* een verregaande ritmische verfijning voor. Hij heeft een nieuwe onderverdeling van de 'perfecte' (driedelige) en 'imperfecte' (tweedelige) maatsoorten gemaakt door een uitsplitsing van de ritmische waarden. Nieuw is ook zijn pleidooi voor 'isoritmiek' (hierbij wordt het verloop van een stem bepaald door steeds herhaalde, elkaar overlappende ritmische ['taleae'] en melodische ['colores'] patronen).

De paus is onomwonden in zijn afwijzing: 'Tijdens het heilig Dankoffer moeten de gelovigen zich op het mysterie kunnen concentreren zonder aanstoot te hoeven nemen aan tekst of muziek. De zangers moeten dit door hun bescheiden en rustige manier van zingen ondersteunen. Zij dienen in het juiste ritme te zingen, op een melodie waarvan elke noot duidelijk herkenbaar is. Nu zijn er zekere aanhangers van een nieuwe school, die in hun rusteloosheid de oren eerder vergiftigen dan strelen. Ze doen zelfs moeite de strekking van hun lied met gebaren te verduidelijken; een verachting van elke

*De stad Avignon met het pauselijk paleis (miniatuur).*

werkelijke devotie', aldus de paus.

Een pleidooi dus voor de organum technieken van de Notre-Dame (de *Ars Antiqua*; de Oude Kunst). Het is de vraag of Avignon de ontwikkeling kan tegenhouden, gezien het feit dat de pauselijke kapel zich in een concurrentieslag met de kapellen van lokale vorsten uit de omtrek bevindt en gebaat is bij vernieuwende impulsen.

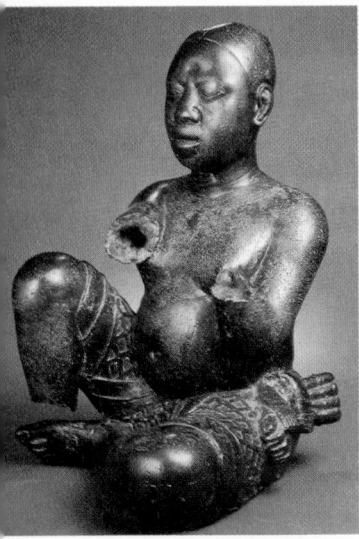

*Koperen beeld (Nigeria, circa 1300).*

# Koning van Mali gaat naar Mekka

MALI, 1324 - Koning Mansa Moesa van Mali heeft een bedevaartstocht naar Mekka ondernomen.

Twaalfduizend jonge slaven, gekleed in gewaden van brokaat en zijde, droegen zijn bezittingen', zo beschrijft een ooggetuige de karavaan van de 'Sultan der negers'. Dit mag overdreven zijn, zeker is dat door de geweldige hoeveelheden goud die de koning met zich meevoert, de koers van dit edele metaal op de markt van Caïro flink is gezakt. Met dat goud kon de koning vele Arabische geleerden, dichters en architecten mee terugbrengen. De laatsten zijn begonnen met de bouw van nieuwe moskeeën in Timboektoe en Jenne, waarvan Mansa Moesa gezaghebbende centra voor het onderwijs in de islam en het recht wil maken. Ook het landsbestuur wil hij op een hoger plan brengen door zich te omringen met zoveel mogelijk geletterden. Want het rijk dat deze populaire koning moet besturen, strekt zich nu uit van de Atlantische Oceaan tot de grote bocht in de Niger-rivier. Maar dat is voor deze koning waarschijnlijk nauwelijks een probleem.

# Osmaanse rijk gesticht

*Twee Osmaanse miniaturen uit begin 14de eeuw: links de troonsbestijging van Osman I; rechts een gevecht tussen leeuw en buffel (Topkapi-museum, Istanbul).*

KLEIN-AZIE, 1326 - Osman, die als de stichter van het Osmaanse Rijk wordt beschouwd, is na een ziekte gestorven. Hij wordt door zijn zoon opgevolgd.

Osman behoorde tot de Kai-stam. Nadat het stamhoofd, Süleyman, werd vermoord, nam Osman het leiderschap over en besloot zich met zijn stam in de plaats Kara-ja-Hiesaar te vestigen. Van daaruit rukte hij op naar Marmara met de bedoeling de Zwarte Zee te bereiken.

Dit was niet de eerste poging van de Turken om macht in de islamitische wereld uit te oefenen. De Turkse stam der Seldjoeken stichtte in de 11de eeuw een staat in West-Azië. Ze versloegen in 1071 de Byzantijnen, waardoor Klein-Azië voor het Byzantijnse Rijk verloren ging. Bij de veroveringen van verscheidene gebieden, tijdens de Mongoolse expansie, waren eveneens Turken betrokken. Met deze nieuwe gebiedsuitbreiding en de daarmee gepaard gaande veroveringen is een nieuwe Turks-islamitische staat in het noordwesten van Klein-Azië ontstaan.

# Moskou wordt centrum van Russische Kerk

MOSKOU 1328- Ivan I (Kalita) heeft de metropoliet, de hoogste kerkelijke prelaat in Rusland, overgehaald zijn zetel van Vladimir naar Moskou over te brengen. Als kerkelijk centrum van het land is het prestige van het nog jonge vorstendom Moskou enorm gestegen. Deze stap zal leiden tot een nauwe belangenverstrengeling tussen de Kerk en de Moskovische staat.

De Orthodoxe Kerk verkeert onder de Mongoolse heerschappij in een betrekkelijk gunstige positie. De overheersers tonen zich in de regel tolerant ten opzichte van andersgelovigen. Kerken en kloosters zijn vrijgesteld van tribuut en van de vele andere verplichtingen die zwaar op de bevolking drukken. Deze belastingvrijstelling moet overigens wel door iedere nieuwe chan worden bevestigd. De Kerk is dus gebaat bij een zo goed mogelijke vertegenwoordiging in Saraj.

In 1299 had de toenmalige metropoliet het besluit genomen de zetel over te brengen van Kiëv naar het noordelijker gelegen Vladimir. In de langdurige strijd tussen Moskou en Tver om de titel van grootvorst helde de metropoliet aanvankelijk over naar Tver. Met de vernietiging van Tver, vorig jaar door Ivan I van Moskou, is Moskou een macht van betekenis geworden. De verplaatsing van de metropolietzetel is te verklaren uit de welwillende houding van Ivan ten aanzien van de Kerk en daarnaast uit het feit dat Moskou goede betrekkingen onderhoudt met de Gouden Horde. Overigens blijft de metropoliet als vanouds de titel 'metropoliet van Kiëv en geheel Roes' voeren.

# Vlaamse rebellen moeten zwaar boeten

KASSEL, 23 augustus 1328 - De koning van Frankrijk, Filips VI, en de graaf van Vlaanderen, Lodewijk van Nevers, hebben een einde gemaakt aan de opstand van de kuststreek van Vlaanderen. De beslissende slag vond plaats bij Kassel tussen het ridderleger van de Franse koning en de bevolking van Veurne, Sint-Winoksbergen, Broeksburg, Kassel en Belle. Leider van het Vlaamse leger was Nicolaas Zannekin, die tijdens de gevechten is gesneuveld.

De opstand is vijf jaar geleden ontstaan in de kuststreek als reactie van de gegoede boeren aldaar op de onrechtvaardige wijze van inning van de grafelijke belastingen. Bovendien richtte het verzet zich tegen de adellijke Leliaerts, de Fransgezinde Vlamingen, die na de vrede van Athis-sur-Orge hun vroegere machtspositie in de kuststreek hebben heroverd.

Brugge en Ieper zijn in handen van de opstandelingen gevallen. Deze steden moeten nu zwaar boeten: de koning heeft beslist dat vijfhonderd Bruggelingen en duizend Ieperlingen als straf gedwongen zullen worden zich in Frankrijk te vestigen. De belangrijkste leiders van de opstand worden momenteel opgespoord en terechtgesteld.

# Edward III volgt vader op

LONDEN, 1327 - Voor het eerst sinds de komst van Willem de Veroveraar is een nieuwe koning gekroond, terwijl de oude koning nog niet gestorven is. Edward III is zijn vader voortijdig opgevolgd, omdat de laatste gedurende de twintig jaar van zijn regering niet in staat is gebleken zijn rijk goed te besturen.

De regering van Edward II is van het begin af aan niet gelukkig geweest. Gezegd werd dat de koning in zijn jeugd een ernstig tekort aan liefde, waardering en genegenheid heeft gehad, waardoor zijn persoonlijkheid zich ongelukkig zou hebben ontwikkeld. Hij was even koppig als zijn vader, maar miste diens begaafdheid.

Reeds in 1308, een jaar na zijn troonsbestijging, probeerde het parlement de rechten van de koning aan banden te leggen door hem nadrukkelijk te onderwerpen aan de Engelse wetten. In 1310 werd Edward gedwongen het toezicht van een regeringsraad te aanvaarden. In 1311 werd nogmaals de vrijheid van de koning tot het nemen van maatregelen beperkt.

Het onhandige bestuur van de koning te zamen met de slechte oogsten tussen 1315 en 1322 leidde tot grote spanningen. In de jaren 1321 en 1322 was er zelfs sprake van een burgeroorlog. Nu is de oude koning met medeweten van de koningin aan de kant gezet.

Het parlement heeft geprobeerd om een herhaling van een dergelijke mislukte regeringsperiode van een vorst in de toekomst te voorkomen door de verantwoordelijkheden in de regering zoveel mogelijk te spreiden over verschillende personen en ambtelijke instituten. De erfelijke factor is echter ook veilig gesteld doordat toch weer de zoon van de oude koning tot zijn opvolger is gekozen.

# 1330

**1330.** Vorst Bassarab van Walachije maakt zich onafhankelijk van Hongarije.

**1330.** Koning Edward III van Engeland laat Roger Mortimer, de minnaar van zijn moeder Isabella, gevangennemen en terechtstellen. Zijn moeder sluit hij voor de rest van haar leven in Castle Rising op.

**1331.** De Marokkaanse geleerde Ibn Battoeta bezoekt de Arabische handelsstad Kilwa Kisiwani aan de Oostafrikaanse Tanzania-kust.

**1333.** In Japan bevrijdt keizer Daigo zich van de voogdij der Hôdjô-familie.
Hiermee komt een eind aan de macht van de Hôdjô, die als regenten sinds 1219 de teugels in handen hebben. →

**November 1335.** De Hongaarse koning Karel van Anjou vormt een alliantie met Jan van Luxemburg, de koning van Bohemen. →

**1335.** In de Indiase steden Lahore en Delhi komen hindoes in opstand. →

**1336.** In Zuid-India wordt door de broers Boekka, Hakka en Kampa het hindoe-koninkrijk Vijayanagar gesticht.

**1336.** Engelse gezanten trachten in de Nederlanden bondgenoten te werven voor de ophanden zijnde oorlog van koning Edward III tegen Frankrijk.

**1336.** In Japan pleegt generaal Takaoedji Asjikaga verraad aan keizer Daigo. Hij sticht een eigen sjogoenaat met als zetel de wijk Moeromatji in Kioto en benoemt een keizer. Hierdoor zijn er nu twee keizerlijke hoven in Japan.

**Oktober 1337.** Koning Edward III van Engeland maakt aanspraak op de Franse troon. Als reactie hierop confisqueert koning Filips VI van Frankrijk Guyenne. Een oorlog breekt uit tussen Engeland en Frankrijk. →

**3 januari 1338.** In Gent wordt de burger Jacob van Artevelde met vier anderen tot hoofdman van een revolutionair bewind aangesteld, om te onderhandelen met Engeland. →

**16 juni 1338.** De Duitse keurvorsten laten weten dat de paus niet langer hun koningskeuze hoeft te bevestigen. →

**December 1339.** Jacob van Artevelde, feitelijk machthebber in Vlaanderen, geeft de neutraliteit in de oorlog tussen Frankrijk en Engeland op en kiest openlijk partij voor Engeland.

## Kioto weer onder keizerlijk gezag

KIOTO, 1333 - De situatie in Japan is zeer verward, nu de 28-jarige generaal Asjikaga Takaoedji uit naam van de keizer Kioto heeft heroverd en probeert de Hôdjô weer aan de macht te brengen. Deze familie is samen met de regering door een andere vooraanstaande vazal van Kanto vernietigd.
Dat er aan het Kamakoera-sjogoenaat een einde zou komen was de laatste jaren wel duidelijk. De invallen van de Mongolen hadden zeer veel mensenlevens gekost en ook de al wankele financiële positie van de Kamakoera verder aangetast. De Kamakoera waren geruime tijd geconfronteerd met de verpaupering van de landbezitters. Doordat de landgoederen erfelijk zijn en deze gedurende enkele generaties onder de zonen van landbezitters waren verdeeld, waren de stukken land steeds kleiner geworden en hadden de meeste landbezitters zich in de schulden moeten steken om alle financiële verplichtingen na te komen. Ten slotte had de Kamakoera besloten alle schulden kwijt te schelden, maar dit was op zich geen oplossing voor het probleem. Er kwam nu zelfs nog een probleem bij: niemand wilde de kleine landbezitters nog geld lenen.
De decentralisatie had aan het begin van deze eeuw zo snel om zich heen gegrepen dat de val van de Kamakoera slechts een kwestie van jaren kon zijn. In 1331 probeerde de Kamakoera keizer Go-Daigo tot aftreden te dwingen. Deze kwam daarop in opstand, met steun van de machtige kloosters in Kioto en omgeving. Onmiddellijk kregen zij steun van lokale machthebbers. De Kamakoera nam Go-Daigo gevangen en verbande hem naar een afgelegen eiland. Intussen sloten steeds meer lokale heersers door heel het land zich bij de opstand aan. Tot overmaat van ramp voor de Kamakoera wist de keizer te ontvluchten. Daarop is Asjikaga Takaoedji door de Kamakoera met een leger uitgezonden om de keizer opnieuw gevangen te nemen. Nu Takaoedji zich echter eveneens tegen de Kamakoera heeft gekeerd, lijken de overlevingskansen van de Kamakoera gering.

*Sjogoen Asjikaga Josjimasa.*

# Alliantie tegen Habsburg

*Twee afbeeldingen uit een 14de-eeuws Hongaars handschrift: koning Karel van Anjou wordt na een bloedig gevecht (links) verzorgd door zijn echtgenote (rechts)*

VISEGRAD, november 1335 - Dank zij de bemiddeling van de Hongaarse koning Karel van Anjou is het Pools-Boheemse conflict bijgelegd: Jan van Luxemburg, koning van Bohemen, ziet af van zijn aanspraken op de troon van Polen en Kazimierz, de opvolger van de Poolse koning Wladyslaw Lokietek, staat Silezië af aan de koning van Bohemen. De Hongaarse koning heeft hiermee een van zijn grote wensen, een Hongaars-Boheems-Pools-Beierse alliantie tegen de Habsburgers, vervuld, waardoor hij kan proberen de aan Oostenrijk verloren gebieden terug te winnen.
De alliantie heeft ook een economisch doel: de Hongaarse, Boheemse en Poolse handel heeft steeds sterker te lijden van het stapelrecht van Wenen. Om dit te omzeilen worden nu nieuwe routes voor de Zuidduitse handelaren ontwikkeld door Moravië naar Boeda en Kraków. Vanwege de grote vraag naar edele metalen in West-Europa worden namelijk vele Italiaanse en Duitse handelaren naar Hongarije gelokt om er westerse luxe-goederen te verhandelen voor zilver en goud. De Hongaarse florijn is een van de sterkste munten van Europa geworden.
Karel heeft de mijnwet van Béla IV veranderd om meer inkomsten uit de mijnbouw te halen; daarnaast stimuleert hij nieuwe mijnondernemingen. Ook zijn buitenlandse politiek is gericht op een economisch herstel van Hongarije; Karel voert geen oorlogen en heeft de Roemeense staat erkend.
Karel van Anjou, een Napolitaanse prins, werd op 11-jarige leeftijd door paus Bonifatius VIII beleend met 'het pauselijk leengebied Hongarije'. N de moord op László IV, 'de Koeman' die geen kinderen had, was in Honga rije opnieuw feodale anarchie uitge broken. Omdat ook kerkelijke bezi tingen en posten in toenemende ma door de Hongaarse hoge adel werde ingenomen, greep de paus in. Met zij hulp en een aanzienlijke lening va Italiaanse bankiers verzekerde Kar zich van de steun van de hoge geeste lijkheid in Hongarije. In 1308 slaagd de pauselijke legaat Gentilis er na lang onderhandelingen in erkenning va Karel door de hoge adel te verkrijger Vooralsnog had deze echter alleen i het zuidelijk deel van Hongarije en gezag. Pas toen ook de lage adel steu zocht bij de centrale macht om zijn be langen te verdedigen, kon Karel in 132 zijn macht zeker stellen en verhuisd hij zijn residentie van Temesvár naa Visegrád.
Karel reorganiseerde de bestuursstruc tuur van het land, plaatste overa kleine garnizoenen in de koninklijk kastelen en probeerde zijn macht t versterken door middel van 'regalia (belastingen, tolgelden, mijn- e muntmonopolies) naar voorbeeld va het Boheemse stelsel.
Om de Hongaars-Poolse vriendscha te bevestigen is Karel getrouwd met d dochter van Wladyslaw, Elizabeth 'Als teken van gulheid gaf de konin van Hongarije aan de Boheemse ko ning 2500 broden en koninklijk ete in grote hoeveelheden; paarden krege 25 maten voer per dag. De Poolse ko ning kreeg 1500 broden en ander ete en 180 vaten wijn,' meldde János Thu róczy.

# Paus buiten Duitse koningskeuze gehouden

RHENS, 16 juni 1338 - De Duitse keurvorsten, met uitzondering van de koning van Bohemen, hebben verklaard dat een door hen gekozen koning de bevestiging van de paus niet meer behoeft. Alleen de kroning van de keizer is aan de paus voorbehouden. Daarmee is de invloed van de paus op de Duitse koningskeuze definitief verdwenen.

De keurvorsten steunen hiermee de Duitse koning Lodewijk IV van Beieren, die al sinds 1323 in conflict met de paus is. Lodewijk had in de slag bij Mühldorf (1322) zijn tegenstrever Frederik van Habsburg verslagen en was sindsdien de onaangevochten koning van Duitsland.

De paus erkent Lodewijk echter niet omdat hij zijn goedkeuring niet gegeven heeft. Op Lodewijks antwoord dat de paus zich niet heeft te bemoeien met het Duitse koningschap deed de paus de koning in de ban.

Lodewijk trok in 1327 naar Italië, werd in Milaan tot koning van Italië gekroond en liet zich door vertegenwoordigers van het Romeinse volk tot keizer uitroepen (1328). Zelfs benoemde hij een tegenpaus maar deze vond geen erkenning in Europa. Uiteraard verklaarde paus Benedictus XII de kei-

zerskroning ongeldig en deed de Duitse koning vervolgens opnieuw in de ban.

Lodewijks positie in Duitsland kon hij echter niet aantasten. De koning heeft Henegouwen-Holland verworven, terwijl zijn zoon markgraaf van Brandenburg is geworden. Tevens heeft hij in 1330 een bondgenootschap met de Habsburgers gesloten. Van die kant kan de paus dus ook geen steun verwachten. En ten slotte hebben nu ook de keurvorsten, mede om de belangrijkheid van hun eigen positie te onderstrepen, de koning hun steun gegeven.

*Edward III belooft Filips VI trouw.*

# Engels-Frans conflict laait op

PARIJS, oktober 1337 - Nadat in mei Filips VI het Engelse hertogdom Guyenne had geconfisqueerd, heeft nu op zijn beurt de Engelse koning Edward III de Franse koningskroon voor zich opgeëist. Hiermee is het aloude conflict tussen beide landen weer geheel opgelaaid en is men opnieuw met elkaar slaags geraakt.

De oorsprong van het conflict is voor een groot deel dynastiek van aard. Toen in 1328 de Capetingse koningen in Frankrijk uitstierven en de kroon overging op Filips VI van Valois, voelde de Engelse koning Edward III zich gepasseerd omdat hij de zoon was van de dochter van de Capetingse koning Filips IV en hij een graad dichter bij de troon stond dan Filips VI. Twee punten pleitten echter tegen hem: het feit dat de vererving via een vrouw was geschied en het feit dat de Franse koninklijke raad nimmer de erfvijand van de Capetingen als koning van het rijk zou kunnen accepteren. Omdat Edward nog jong was durfde hij een strijd met Frankrijk niet aan. In 1329 deed hij zelfs manschap - aflegging van de leeneed - bij Filips VI voor het Engelse Guyenne in Frankrijk.

Maar in mei zijn de zaken anders gelopen. Filips zag de invloed van Engeland op het continent toenemen en verklaarde Edward uit het gebied van Guyenne vervreemd. Daarop raakte Edward meer en meer bevreesd voor verdere Franse betutteling en interventies, zodat hij zijn oude aanspraken op de Franse kroon herhaalde, daarbij refererend aan het erfrecht en het debat over de opvolging in 1328. Dit bracht Filips ertoe tot de confiscatie van Guyenne over te gaan.

Behalve de aanspraken op de kroon, speelde de interesse van beide vorsten in het economisch hoogontwikkelde graafschap Vlaanderen ook een rol in de aanleiding tot dit conflict. De graaf is op de hand van de Franse koning, terwijl de Vlaamse steden met hun belangrijke lakenindustrie van de toevoer van Engelse wol afhankelijk zijn en dus Edward niet ongenegen zijn.

# Hindoe-opstanden in Lahore en Delhi

DELHI, 1335 - Opstanden van hindoes in Lahore en Delhi hebben sultan Mohammed ibn Toeghloek genoodzaakt naar het noorden terug te keren van een expeditie tegen het opstandige Madoera op het zuidelijkste punt van het schiereiland. Eerder dit jaar werd in Madoera een onafhankelijk sultanaat uitgeroepen door een gouverneur van de sultan. Om zijn gezag te herstellen vertrok Mohammed Toeghloek uit Delhi naar het zuiden, met het gevolg dat in Lahore en in Delhi zelf hindoeleiders hun kans schoon zagen hetzelfde te doen als moslemofficieren in Madoera hadden gedaan en zich los te maken van het economisch verzwakte sultanaat.

Mohammed ibn Toeghloek wordt geroemd om zijn goedgeefsheid, zijn liefdadigheid en om zijn talenten en wetenschappelijke kennis. Hij is bedreven in filosofie, astronomie, logica, mathematica, natuurkunde en Perzische taalkunde. Hij houdt van kunst en schrijft zelf poëzie.

Daartegenover staat dat hij een wrede monarch is. Elke dag staan vele veroordeelden, handen aan de nek geboeid en voeten bij elkaar gebonden, voor zijn paleis op hun executie te wachten. De sultan bepaalt of ze na een marteling zullen worden vrijgelaten of dat ze direct door olifanten zullen worden vertrapt.

De Arabische reiziger Ibn Battoeta beschrijft zo'n executie. 'De slagtanden van deze olifanten', schrijft hij, 'zijn bedekt met scherpe ijzeren messen. De drijver bestijgt zijn olifant, die zodra een veroordeelde voor hem wordt gegooid deze met zijn slurf oppakt en in de lucht gooit waarna hij hem met zijn slagtanden opvangt. Daarna vertrapt de olifant het lichaam.'

Mohammed Toeghloek kwam in 1325 op de troon van Delhi als tweede sultan van de Toeghloek-dynastie die door zijn vader vijf jaar eerder was gesticht. Het was toen mogelijk geworden een nieuwe dynastie te stichten omdat die van de Chalji's, waarvan sultan Ala-

ud-din (1296-1316) de laatste grote vertegenwoordiger was, was uitgestorven. Mohammed Toeghloek kon de troon bestijgen nadat hij zijn vader die terugkeerde van een succesvolle veldtocht, een voor hem opgericht overwinningspaviljoen binnenlokte dat instortte zodra het betreden werd. Hij erfde een ordelijk rijk en een volle schatkist.

In een poging zijn gezag in het zuiden sterker te doen gelden besloot Mohammed in 1327 zijn hoofdplaats vanuit Delhi te verplaatsen naar Dalautabad (voorheen Devagiri) op het Dekkanplateau. Niet alleen het hof moest verhuizen, maar ook alle inwoners van Delhi kregen opdracht naar het zuiden te trekken. Toen niet iedereen hieraan direct gehoor gaf bepaalde Mohammed dat wie drie dagen later nog in de stad werd aangetroffen, zou worden

gedood. Drie dagen later werden slechts een lamme en een blinde in de stad gevonden. De lamme werd direct vermoord, de blinde werd achter een kar naar de nieuwe stad gesleept. De verhuizing werd een debâcle. Velen stierven onderweg en Dalautabad werd de begraafplaats van Delhi. Mohammed erkende zijn fout en verordonneerde een: 'terug naar Delhi!'.

Door deze en andere buitensporigheden van de sultan raakte de schatkist leger en leger. Mohammed besloot daarop koperen munten met de waarde van een zilveren tanka uit te geven. Deze munten waren echter makkelijk na te maken, wat weinigen dan ook nalieten. Wederom erkende de sultan zijn fout en vorig jaar nam hij alle koperen munten weer in tegen betaling van evenzovele tanka's. Achter zijn paleis ontstond een gigantische koperberg.

# Gentse bevolking kiest nieuw bestuur

*Wolbewerker bezig in zijn atelier.*

GENT, 3 januari 1338 - De bevolking van Gent heeft een nieuwe regering gekozen, bestaande uit vijf hoofdmannen: drie lakenhandelaars, een wever

en een volder (iemand die het lakenweefsel soepel maakt). Deze verkiezing is vooral een succes voor de wevers, daar zij sinds 1320 alle medezeggenschap in de stad hadden verloren. Onder de hoofdmannen neemt de lakenhandelaar Jacob van Artevelde de belangrijkste positie in.

De verkiezing van de hoofdmannen is een gevolg van de noodsituatie die is ontstaan door het besluit van de Engelse koning, Edward III, geen wol meer aan Vlaanderen te verkopen. De Vlaamse textielnijverheid is geheel afhankelijk van de Engelse wol.

Het besluit van Edward III vloeit voort uit zijn strijd met de koning van Frankrijk, Filips VI. Beide vorsten streven naar gebiedsuitbreiding. Vanwege de Fransgezinde houding van de graaf van Vlaanderen, Lodewijk van Nevers, heeft Engeland tot een wolembargo tegen het graafschap besloten. De nieuwe regering gaat proberen tot een akkoord met Engeland te komen. Jacob van Artevelde zal met Edward III de besprekingen gaan voeren.

# Grootvorst Ivan I van Moskou overleden

MOSKOU, 31 maart 1341 - Ivan I Kalita is overleden. Hij wordt opgevolgd door zijn zoon Simeon. Onder Ivans bewind is Moskou zeer in betekenis toegenomen. Naast territoriale uitbreiding, vaak ten koste van rivaliserende vorsten, groeide het prestige van Moskou doordat het kerkelijk centrum werd. De voornaamste oorzaak is echter de speciale positie die Ivan I innam ten aanzien van de Gouden Horde.

Van meet af aan waren de vorsten verplicht naar het hof van de chan in Saraj, soms zelfs naar Karakorum in Mongolië, te reizen om hun functie door de chan bevestigd te krijgen. Dit gebeurde door middel van een jarlik, een genadebrief van de chan. In geval van onderlinge conflicten plachten de vorsten eveneens naar de chan te gaan om bij hem hun recht te halen, waarbij omkoperij niet werd geschuwd. Saraj was een broeinest van corruptie waar de mate van bedrevenheid in het intrigeren vaak het verschil tussen leven en dood uitmaakte. Ivan I was een weinig scrupuleuze, politieke manipulator.

Bovendien beschikte hij over een uitstekend zakeninstinct. Niet voor niets kreeg hij de bijnaam 'Kalita', wat geldzak betekent. Op verschillende manieren wist hij zich een fortuin te verwerven. Dit stelde hem niet alleen in staat altijd op tijd zijn tribuut te betalen, maar tevens kon hij hierdoor de belasting van andere, minder fortuinlijke vorsten voorschieten. Dezen moesten dan wel hun staatstoelage in onderpand geven. Aldus waren de zwakkere vorsten aan zijn genade overgeleverd. Ivans belangrijkste binnenlandse rivaal was Tver, dat na de dood van zijn broer Joeri een grootvorstendom was geworden. Een opstand in Tver tegen de Mongolen in 1327 gaf Ivan gelegenheid met Tver af te rekenen. Aan het hoofd van een gecombineerde Mongools-Russische strafexpeditie verwoestte hij Tver en een groot gebied eromheen. Als beloning voor zijn loyaliteit verleende de chan hem de titel van grootvorst en benoemde hij hem tot hoofdtribuutvergaarder van Rusland. In deze functie had Ivan volop gele-

*Vorst Ivan I van Moskou.*

genheid zich te mengen in de interne aangelegenheden van andere vorstendommen. Bovendien verwierf hij zich in deze functie een monopolie op de toegang tot het hof van de chan. Hiervan gebruik makend, verplichtte hij de andere vorsten via hem in contact te treden met andere staten.

De goede verstandhouding met de Gouden Horde legde Moskou geen windeieren. Dit vorstendom werd niet zoals de andere Russische gebieden voortdurend geteisterd door plundertochten van de Mongolen. Moskou was relatief gezien een eiland van rust en dit oefende grote aantrekkingskracht uit op vele bojaren (edelen).

# Vlaanderen sluit verbond met Engeland

*Huwelijk van de Engelse koning Edward III met Philippine van Henegouwen.*

GENT, 26 januari 1340 - De koning van Engeland, Edward III, is door Vlaanderen erkend als koning van Frankrijk. Door deze erkenning heeft Vlaanderen, dat het gezag van graaf Lodewijk van Nevers negeert en door de Gentse hoofdman Jacob van Artevelde democratisch wordt bestuurd, de banden met de sinds 1328 regerende koning van Frankrijk, Filips VI van Valois, verbroken. De Engelse koning meent als kleinzoon van Filips IV dichter bij de Franse troon te staan dan Filips VI.

Na zijn erkenning heeft Edward de bepalingen van het bondgenootschap met Vlaanderen bekendgemaakt. Deze bepalingen blijken zeer gunstig te

zijn voor Vlaanderen. Zo heeft de Engelse koning zich ertoe verbonden Vlaanderen tegen Frankrijk te beschermen. De grote Vlaamse steden stelt hij een bedrag van 140 000 pond sterling in het vooruitzicht.

Door het bondgenootschap met Engeland wordt Vlaanderen partij in de Frans-Engelse oorlog [Honderdjarige Oorlog]. De Vlamingen hebben zich tot op heden afzijdig gehouden van deze oorlog. Hun keuze voor Edward vloeit voort uit verhoogde spanningen met Frankrijk, en de algemene vrees voor oorlog met dit machtige land. De toenadering tot Engeland was in het bijzonder de wens van Jacob van Artevelde, vriend van de Engelse koning.

# Volksopstand in Thessaloniki

THESSALONIKI, 1342 - Ten gevolge van een opstand is de adel uit de stad Thessaloniki verdreven, en is aldaar een republikeinse regering ingesteld.

De opstand is een van de vele die na de proclamatie van Johannes Cantacuzenus tot keizer vorig jaar in verscheidene Griekse steden uitbraken. Het verzet tegen Cantacuzenus, die met steun van de adel op de troon is gekomen, is het sterkst bij de lagere klassen. Deze steunen de elfjarige, rechtmatige keizer Johannes Paleologus. De troonstrijd heeft dus een duidelijk sociale component.

Het klassenstrijdelement is in ieder geval zeker aanwezig in Thessaloniki. De macht in dit economische centrum was geconcentreerd in handen van rijke kooplieden en de aristocratie. De bevolking, kleine boeren, ambachtslieden, zeelui en arbeiders, werd uitgezogen. Met name de boeren hadden het zwaar.

In Thessaloniki is nu een democratische regering gevormd die zich niet aan de bevelen vanuit Constantinopel gelegen laat liggen en een onafhankelijke koers lijkt te gaan volgen.

# Politieke moord in Gent

GENT, 17 juli 1345 - De vroegere hoofdman van Gent, Jacob van Artevelde, is vermoord tijdens een oproer van de wevers. Hoofdschuldige aan de moord is Gerard Denijs, die streeft naar de alleenheerschappij van de wevers. Jacob van Artevelde was in tegenstelling tot Gerard Denijs voorstander van samenwerking tussen de verschillende bevolkingsgroepen, de wevers, de volders en de kooplieden.

Op 2 mei van dit jaar wankelde de positie van Van Artevelde reeds. Op deze 'Quaden Maendach' braken bloedige gevechten uit tussen de volders en de wevers. Hierna verloor Van Artevelde aan gezag. Hij moest aftreden als hoofdman en werd vervangen door een aanhanger van Gerard Denijs.

Jacob van Artevelde heeft zijn land grote diensten bewezen. Door het tot stand brengen van een driestedenverbond met Ieper en Brugge heeft hij de positie van de Vlaamse steden versterkt. Voorts is hij erin geslaagd een akkoord met Engeland te sluiten over de hervat-ting van de wolhandel. Deze handel was namelijk door Engeland stopgezet om Vlaanderen te dwingen de zijde van Engeland te kiezen in de Frans-Engelse oorlog [Honderdjarige Oorlog]. Door het akkoord met Engeland echter is de wolhandel hervat en kon Vlaanderen neutraal blijven. Met dit akkoord heeft Van Artevelde de Vlaamse textielnijverheid, die zonder de Engelse wol niet kan bestaan, van de ondergang gered. In de jaren hierna zijn de banden tussen Van Artevelde en de Engelse koning steeds hechter geworden. Tegelijkertijd verslechterde de verhouding met Frankrijk. Van Artevelde heeft op een bondgenootschap met Engeland aangestuurd, hetgeen vijf jaar geleden is gelukt.

De vriendschap met Engeland is Van Artevelde noodlottig geworden. Toen hij enige dagen geleden probeerde de band met Engeland te versterken, om de leiding in Vlaanderen weer in handen te krijgen, zijn de aanhangers van Gerard Denijs in opstand gekomen.

*De Byzantijnse keizer Johannes VI, omringd door patriarchen.*

## Kerk kent Dušan keizerstitel toe

SKOPLJE [Skopje], april 1346 - De Servische vorst Stefan Dušan is door de patriarch van Pec tijdens een nationale vergadering tot keizer gekroond. Hierdoor is zijn titel 'keizer en autocraat van Servië en Romania' [Byzantijnse Rijk] door de Kerk gesanctioneerd.

Dušan is een bijzonder ambitieuze persoonlijkheid die streeft naar het Byzantijnse keizerschap. Sinds het begin van zijn regering (1331) heeft hij veel in die richting bereikt. Gebruik makend van de militaire verzwakking van Bulgarije heeft hij zich meester gemaakt van geheel Macedonië (behalve Thessaloniki), Albanië, Epirus en Thessalië, ofwel van de helft van het Byzantijnse territorium. In een brief aan de Republiek van Venetië noemde hij zich met enig recht dan ook 'heer van bijna het gehele Romeinse Rijk'.

Vorig jaar riep hij zich uit tot 'keizer en autocraat van Servië en Romania', maar deze aanspraak ontbeerde kerkelijke sanctionering. Daar dit volgens de Byzantijnse rechtsopvattingen de kroning door een patriarch inhield, verhief Dušan eigenmachtig de aartsbisschop van Pec tot de rang van 'patriarch der Serven en Grieken'. Hij wist hiervoor goedkeuring te verkrijgen van de hoogste kerkelijke functionarissen binnen zijn rijk en van de patriarch van Bulgarije.

Het is niet zeker of Dušan nu dichter bij zijn droom, de verovering van Constantinopel, is gekomen. De Serven beschikken niet over een vloot, zonder welke de Byzantijnse hoofdstad onneembaar is. Bovendien vindt hij in de Turken, die soortgelijke veroveringsplannen koesteren, geduchte tegenstanders.

*De burgers van Calais smeken Edward III om genade.*

## Engelsen veroveren Calais op Fransen

CALAIS, 1347 - De Engelsen hebben de stad Calais veroverd. In de nu tien jaar oude oorlog met Frankrijk is dit wederom een succes voor de Engelsen, die hiervoor al twee belangrijke veldslagen hebben gewonnen.

De moeilijkheden tussen de koningen van Engeland en Frankrijk zijn al oud en een conflict lag steeds op de loer. De Engelse koningen hadden de laatste decennia alleen nog Gascogne in leen van de Franse koningen. Gascogne bezorgde de Engelsen goede wijn en importeerde het Engelse laken en graan.

De Engels-Franse verhoudingen verslechterden toen de Fransen de Schotten steunden in hun streven onafhankelijk te blijven van de Engelse vorsten. De Franse problemen bij het vinden van een troonopvolger brachten de Engelse koning Edward III er in 1337 toe zijn eigen aanspraken, via de verwantschap van zijn moeder, op de Franse troon in de strijd te werpen.

Daarop brak een oorlog uit tussen Engeland en Frankrijk. Voor Engeland verloopt die oorlog tot nu toe voorspoedig. De koning behaalde de eerste grote overwinning op de Fransen bij Sluis in Vlaanderen in 1340. Vervolgens behaalde zijn zoon, die eveneens Edward heet en die de Zwarte Prins genoemd wordt, de overwinning bij Crécy. Deze overwinning was verbazingwekkend, omdat het Engelse leger uitgeput was na een mislukte expeditie naar Parijs.

Het Engelse leger heeft een goede training gehad. De laatste jaren heeft het, in tegenstelling tot het Franse leger, een ontwikkeling doorgemaakt van een oud-feodaal samengestelde groep soldaten naar een modern leger van geronselde soldaten die een loon krijgen voor hun krijgsdienst.

## Casimir bevordert Poolse hervorming

KRAKAU, 1347 - Koning Kazimierz (Casimir) heeft een korps van koninklijke ambtenaren gevormd. De bestaande wetten werden gecodificeerd en gepubliceerd in wetboeken, 'statuten'.
Casimir staat bekend als een kundig diplomaat en hervormer. Het is hem gelukt door middel van verdragen met kruisridders, Tsjechen, Hongaren en Duitsers de veiligheid van de grensgebieden te bewerkstelligen. Daarna breidde hij zijn koninkrijk uit door zorgvuldig voorbereide oorlogen. Tegelijkertijd werden verschillende aspecten van het staatsleven hervormd. Casimir voerde de nieuwe gotische architectuur in. Er worden vijftig militaire vestingen gebouwd; in de bestaande steden worden de houten huizen door stenen huizen vervangen en met verdedigingsmuren omringd. Krakau ondergaat een grondige verbouwing: er worden een nieuw stadhuis, een handelsgebouw en een kathedraal gebouwd en op de Wawelheuvel komt een nieuw koninklijk paleis.

# Builenpest houdt Frankrijk in haar greep

PARIJS, september 1348 - De dood en verderf zaaiende pestepidemie - door velen al 'zwarte dood' genoemd - die overal in Europa heerst, houdt geheel Frankrijk in haar greep. Tienduizenden sterven op onverklaarbare wijze. Velen spreken daarom over de 'toorn van God'. De zieken vertonen vreemde zwarte gezwellen ter grootte van een ei of een appel. Na enige tijd breken de gezwellen door en verliezen bloed en pus, waarna het gehele lichaam met puisten en builen overdekt raakt. De pestlijder krijgt tevens koortsen en bloedspuwingen. Vanaf de eerste symptomen heeft de zieke veel pijn en sterft meestal binnen drie tot vijf dagen. Maar sommigen getuigen zelfs van mensen die naar bed gingen en stierven voordat ze weer wakker werden.
Omdat de overbrenging van de 'zwarte dood' zeer snel kan plaatsvinden, raken de meeste steden in het land verlamd door de grote aantallen doden en de angstpsychose die zich bijna van iedereen meester maakt. Maar het

*Slachtoffers van de pest in Doornik worden begraven (Aegidius Muisis, 14de eeuw).*

platteland is evengoed aangetast, hoewel men daar de pestlijders gemakkelijker kan mijden.
De pest deed voor het eerst in januari van dit jaar in Marseille van zich spreken. Ze werd ongetwijfeld door de vele kooplieden uit het Nabije Oosten overgebracht. Bij hen had men voor het

eerst de genoemde ziekteverschijnselen gezien. De verspreiding daarna was goed te volgen. In maart was de pest via de Rhône tot Avignon, Narbonne en Toulouse doorgedrongen, in juni en augustus reeds tot Bordeaux, Lyon en Parijs. Van daaruit verder naar Bourgondië en Normandië.

*Uit de 14de-eeuwse kroniek van Aegidius Muisis: flagellanten in Doornik (1349).*

## Flagellanten trekken door Vlaanderen

VLAANDEREN, juli 1348 - In het Vlaamse land zijn flagellanten gesignaleerd. Een groep van ongeveer 100 mensen, zowel mannen als vrouwen, kan men dezer dagen in lange rijen door de straten van de dorpen zien trekken. Over hun kleren dragen zij witte gewaden, waarop aan voor- en achterkant het rode kruis duidelijk te zien is. Daarom worden ze ook wel kruisbroeders genoemd. In hun hand hebben zij een roede waarmee zij zich tot bloedens toe geselen.
Als de processiegangers op een dorpsplein aankomen, trekken zij zich de bovenkleren van het lijf, waarna zij zich met uitgestrekte armen op de grond werpen. De leider van de groep raakt hen vervolgens met zijn gesel aan, het sein om met de gezamenlijke tuchtiging te beginnen. Al ranselend bidden de deelnemers luid en zingen ze psalmen om Gods barmhartigheid af te smeken.
De gesels zijn voorzien van leren rie-

men met ijzeren uitsteeksels, die de geselaars op het ritme van speciale gezangen op hun ontblote bovenlijf laten neerkomen. De vrouwen onder hen mogen alleen de rug ontbloten.
De boetelingen mogen zich echter niet zodanig verwonden dat de dood erop volgt, of dat zij voor de rest van hun leven hiervan gevolgen ondervinden. Vermoedelijk houden deze boetetochten die ongeveer een maand duren, verband met de grote angst voor het naderend Godsoordeel. Velen menen de straffende hand Gods te ontwaren in de meedogenloze ramp die over de mensen is gekomen in de vorm van de pest, de Zwarte Dood. De flagellanten hopen het kwaad te kunnen afwenden door zelfkastijding als boetedoening. Het is opvallend dat deze fanatieke beweging zich openbaart in die gebieden waar de Zwarte Dood zich nog niet heeft laten zien. De geselaars hopen dat door openlijke boetedoening dit onheil hun bespaard zal blijven.

# Joodse wijk platgebrand

OOSTENRIJK 1349 - Het tragische hoogtepunt van dit zwarte jaar vormt de massamoord in Krems (Neder-Oostenrijk): talloze joden zijn in de vlammen omgekomen toen burgers van Krems, gesteund door bewoners uit de omliggende dorpen, de joodse wijk platbrandden. Op verscheidene plaatsen in Oostenrijk is de uit Azië afkomstige builenpest de aanleiding tot de vervolging van joden. De beschuldiging die tegen de joden wordt geuit, is dat zij de pest veroorzaken door het drinkwater van christenen te vergiftigen. Het eenvoudige volk, opgezweept door onverantwoordelijke priesters en door de flagellanten, zoekt een zondebok: een herkenbare, impo-

pulaire minderheid, die niet over een machtige beschermer beschikt. De hysterische massa raakt ervan overtuigd dat mét de joden de pest zal zijn uitgeroeid. Ook in Wenen keert de volkswoede zich tegen de joden.
Eind vorig jaar bereikte de pest Oostenrijk. In Stiermarken, dat in november werd getroffen, woedde de pest zeer hevig. Volgens een kroniek waren zelfs de wilde beesten ontzet over de gevolgen van de epidemie: 'Mannen en vrouwen, tot wanhoop gedreven, liepen verdwaasd in het rond [...] het vee werd aan zijn lot overgelaten omdat niemand meer aan de toekomst dacht. De wolven die uit de bergen te voorschijn kwamen om de schapen aan te vallen, gedroegen zich zoals men nog nooit eerder had gezien. Alsof zij werden gewaarschuwd door een onzichtbaar signaal, keerden ze om en vluchtten de wildernis weer in.'
Hoewel de ziekte in bergachtige en waterrijke streken heftig huishoudt, is vooral de stad Wenen het slachtoffer van de Zwarte Dood. De pest heeft hier van het vroege voorjaar tot de late herfst gewoed. De bevolking spreekt over de epidemie als over de 'Pest Jungfrau', een femme fatale die haar hand maar hoeft op te heffen om de slachtoffer te besmetten. Zij vliegt door de lucht als een blauwe vlam, en in die gedaante verschijnt ze ook als een stervende de laatste adem uitblaast. In Wenen is er sprake van massale sterfte. Vooral in de warme zomermaanden sterven er iedere dag honderden mensen, op één dag maakt de 'Pest Jungfrau' zelfs 960 slachtoffers.

*Duitse joden in het vuur (15de eeuw).*

# Pest treft ook Duitse rijk

DUITSE RIJK, 1350 - Een grote pestepidemie teistert het Duitse Rijk. Naar schatting is 20 à 30 procent van de bevolking aan de ziekte bezweken.

De epidemie, die door rattevlooien wordt overgedragen, verspreidt zich sinds juni 1348 vanuit Centraal-Europa over het gehele Duitse Rijk. Vooral in de steden vallen veel doden. In Mainz zijn zesduizend mensen gestorven, in Münster elfduizend. Vorig jaar stierven in Frankfurt am Main tweeduizend mensen in 72 dagen. De grote sterfte in de steden wordt veroorzaakt door de slechte hygiëne: er zijn geen vuilnisophaaldienst en geen riolering. Ook de persoonlijke hygiëne is slecht, baden doen de mensen nauwelijks. Er worden zelfs steeds meer badhuizen gesloten uit angst voor onzedelijke contacten tussen mannen en vrouwen. In het Duitse Rijk gaat de Zwarte Dood gepaard met het optreden van de flagellanten en jodenvervolgingen. Ook in andere landen kregen de joden bij gebrek aan een remedie tegen de Zwarte Dood de schuld van deze epidemie. Eind 1348 al werden joden vermoord in Stuttgart. In het daaropvolgende jaar in o.a. Mainz, Worms, Keulen en Frankfurt. Naar schatting 12 000 joden werden in Mainz vermoord. De aan de slachtingen ontsnapte joden vluchten naar Polen en Litouwen.

De sociaal-economische gevolgen van

*'Triomftocht van de dood', deel van een 14de-eeuwse muurschildering die verwijst naar de pestepidemieën.*

de Zwarte Dood zijn enorm. Doordat het aanbod van arbeiders sterk verminderd is, stijgen de lonen. Voor iedereen is er nu weer voldoende land, kolonisatie is niet meer noodzakelijk. De positie van de landheren is verzwakt omdat zij moeilijker aan arbeidskrachten komen en hogere lonen moeten betalen.

*Een Engelse bakkerij in het midden van de 14de eeuw.*

# Engelsen willen economie stimuleren

WESTMINSTER, 1351 - Het Engelse parlement heeft een statuut (wet) aangenomen door middel waarvan men hoopt het economische leven van het land, dat door de pestepidemieën is verstoord, opnieuw te reguleren.

In de jaren 1347 tot 1349 is Engeland door de pest getroffen. Naar schatting drie achtste van de Engelse bevolking vond hierdoor de dood. Dit heeft geleid tot een tekort aan arbeidskrachten. Vruchtbare velden kwamen braak te liggen en in de steden waren handen te kort om de nijverheid in stand te houden. De lonen van hen die nog wel werken konden, stegen daardoor.

De burgers die zich van hun waarde bewust werden, gingen betere betaling eisen en horige boeren zagen kans zich aan de greep van hun meesters te onttrekken, zich vrij te kopen en naar de stad te trekken.

In een poging de orde te herstellen heeft het parlement bepaald dat werklozen weer op de oude arbeidsvoorwaarden, dus tegen lagere lonen, aan het werk moeten gaan en dat mensen hun werk niet in de steek mogen laten om te verhuizen. In dit laatste geval gaat het vooral om boeren. Als zij hun land verlaten om naar de stad te trekken, zou er hongersnood kunnen ontstaan.

# Boek met preken in de Poolse taal geschreven

CZESTOCHOWA, 1350 - De prekenverzameling *Kazania Swietokrzyskie* (Preken van het Heilige Kruis) is in het Pools geschreven. Het boek met preken is samengesteld door een monnik van het klooster in Czestochowa. Het bevat talrijke aanwijzingen voor de leefgewoonten. Zoals op het moment gebruikelijk is, wordt het Pools met Latijnse woorden vermengd, zodat een merkwaardig talenmengsel is ontstaan.

Het culturele leven van Polen uit zich vooral in het gesproken woord; de niet-kerkelijken zijn analfabeten. De monniken schrijven vooral kronieken (*Gallus Anonimus*, *Kadlubek*) of apologieën. Jonge mensen reizen naar Italiaanse en Franse universiteitssteden om daar een studie te volgen.

De bekendste Poolse filosoof Witello of Vitellon (1230-1280) was een medewerker van Willem van Moerbecke en Thomas van Aquino. Hij heeft een traktaat over optiek, *Perspectiva*, geschreven, waarin hij verband legt tussen de mechanische werking van het oog en de onbewuste functies van de menselijke geest. Witello geloofde dat een onderzoek naar de fysische karakteristieken van het licht de metafysische problemen van het bestaan zou oplossen.

# Ayutthaya nieuwe Thai-hoofdstad

AYUTTHAYA, 1350 - Nog geen jaar na zijn troonsbestijging heeft de koning van de Thai, Rama Thibodi I, de hoofdstad van zijn koninkrijk van Utong naar Ayutthaya verplaatst.

De directe aanleiding voor het verplaatsen van de hoofdstad was de cholera-epidemie die in Utong is uitgebroken. Deze ziekte heeft de bevolking van de stad zo zwaar getroffen dat meer dan de helft van de inwoners is overleden.

Vóór de cholera-epidemie waren er echter al plannen gemaakt voor de stichting van een nieuwe hoofdstad. De rivier waaraan de hoofdstad lag viel regelmatig droog, waardoor de stad zonder water kwam te zitten en de boeren rond de stad hun land niet meer konden bevloeien. Daardoor was al verscheidene malen een nijpend voedseltekort ontstaan. Daarnaast had de stad een ongunstige ligging voor communicatie met de rest van het land.

Ayutthaya daarentegen ligt zeer gunstig. Drie rivieren stromen langs de stad en de afstand tot de kust bedraagt slechts 110 km, zodat ook internationale handelscontacten makkelijker kunnen worden onderhouden.

# Petrarca pleit voor ex-tribuun Rienzo

*Cola di Rienzo spreekt het volk toe.*

AVIGNON, augustus 1352 - De grote dichter Petrarca heeft vanuit zijn verblijfplaats Vaucluse in Zuid-Frankrijk een oproep gedaan aan het volk van Rome om de man te beschermen die de Romeinen vijf jaar geleden de vrijheid heeft gegeven: Cola di Rienzo.

Niccola di Rienzo Gabrini, zoals zijn naam voluit luidt, herstelde in het voorjaar van 1347 de republiek in Rome. Hij benoemde zichzelf tot tribuun en dwong de protesterende adel onder leiding van senator Stefano Colonna zich uit de stad terug te trekken. Zijn regering maakte weliswaar een einde aan de uitbuiting door de corrup-

tie van de adel, maar de plotselinge roem steeg hem algauw naar het hoofd. In augustus 1347 stuurde hij een decreet de wereld in waarin hij alle Italiaanse steden vrij verklaarde, hun het Romeinse burgerschap verleende en de bevoegdheid gaf een keizer te kiezen. De adel kwam in opstand, maar diens huurlingenleger werd op 20 november van dat jaar verslagen, waarbij Colonna en zijn zoon sneuvelden.

Paus Clemens VI, hoewel aanvankelijk zeer ingenomen met het vrome gedrag van de 'verheven Hersteller van de Heilige Romeinse Republiek bij gezag van Jezus Christus' zoals Rienzo zichzelf noemde, ging zich hoe langer hoe meer ongerust maken over de machtsaanspraken van Rienzo. Op 3 december 1347 vaardigde hij een bul uit waarin de tribuun tot misdadiger en ketter werd verklaard en de Romeinen werden opgeroepen hem te verdrijven, anders zou het Heilige Jaar in 1350 niet gevierd worden. Het volk van Rome liet Rienzo in de steek en de adel kon de stad zonder moeite innemen.

Na een kluizenaarsleven in de Abruzzen reisde Rienzo naar keizer Karel IV in Praag. Zijn eenzame ballingschap viel hem zo zwaar dat hij verzocht naar het pauselijk hof in Avignon gezonden te worden. Hier kwam hij op de 10de van deze maand in deerniswekkende toestand aan. Hij riep de hulp in van Petrarca, die antwoordde met een oproep aan het volk van Rome waarin hij Rienzo als volgt verdedigt: 'Hij

wordt beschuldigd, niet van het verraden van de vrijheid maar van het verdedigen daarvan...De grootste misdaad waarvan hij wordt beschuldigd en waarvoor men hem op het schavot wil, is dat hij het waagde te beweren dat het Romeinse Rijk nog steeds in handen van het volk van Rome berust. Welk een goddeloos tijdperk!' Voorlopig wordt Rienzo in de toren van het pauselijk paleis in Avignon gevangengehouden.

Het is niet toevallig dat juist de dichter Francesco Petrarca, geboren in 1304, het voor Cola di Rienzo opneemt. Hij geldt immers als een der eerste humanisten die zich beijveren voor de idealen van de Romeinse republiek. Zelf is hij een verwoed verzamelaar en uitgever van handschriften uit de oudheid. Met de negen jaar jongere Giovanni Boccaccio liet hij Homerus voor het eerst in het Latijn vertalen.

Hun beider betekenis is echter vooral gelegen in het gebruik van het Italiaans. Boccaccio is momenteel bezig met de voltooiing van zijn geheel in de volkstaal geschreven en door het heden geïnspireerde verhalencyclus *Decamerone*. En hoewel Petrarca zich in bijna alle literaire genres een meester betoont, is hij vooral bekend als de vormgever van het sonnet.

Net als Beatrice Dante tot zijn mooiste gedichten inspireerde, deed Laura dat bij Petrarca. Maar in zijn *Canzoniere* is de geliefde de verpersoonlijking van een heel wat wereldlijker ideaal dan de deugdzame engel bij Dante.

# Fagnum sticht rijk van Lan Chang

LUANG PRABANG, 1353 - Na dramatische gebeurtenissen gedurende de laatste maanden is prins Fagnum door de adel en de bevolking van Luang Prabang gevraagd de troon te bestijgen. Hiermee zijn eindelijk de verschillende Lao-staten tot één rijk verenigd: Lan Chang.

De totstandkoming van het rijk moet zowel aan externe als aan interne ontwikkelingen worden toegeschreven. Fagnum was samen met zijn vader, prins Khun Yakfah, verdreven uit het koninkrijk van zijn grootvader, koning Survana Kamphong. Deze had daartoe besloten omdat Khun Yakfah seksuele omgang had gehad met een van zijn bijvrouwen. Met Khun Yakfah, die ook wel Pheefah (duivel) werd genoemd, moest Fagnum lijden onder deze 'misdaad'. Behalve Fagnum en zijn vader ging ook een groot deel van hun gevolg mee in ballingschap. Zij vormden de ruggegraat van het leger waarmee Fagnum een aantal rijkjes rond Luang Prabang en ten slotte de hoofdstad zelf heeft veroverd.

Tijdens het beleg van de stad stierf zijn vader. Zijn grootvader stuurde een groot leger om 'zijn ambities tot juiste proporties terug te brengen'. Dit leger werd echter verslagen. Daarop pleegde zijn grootvader zelfmoord en was de weg naar de troon voor Fagnum vrij.

# Ibn Battoeta bericht over Afrika-reis

MALI, 1353 - De Marokkaanse reiziger Ibn Battoeta die al eerder Constantinopel, het rijk van de Gouden Horde, Egypte, India, China en de Oostafrikaanse stadstaatjes Mogadiscio, Mombasa en Kilwa bezocht, is onlangs van een reis door Mali teruggekeerd.

Deze meester van de 'rihla', het ruim twee eeuwen geleden in Spanje ontstane, mohammedaanse reisverslag, heeft ook dit keer zijn ervaringen opgetekend. Uit deze bron blijkt hoe moeilijk het is voor anderen dan kooplieden om het koninkrijk Mali binnen te komen. Hoezeer hij zich ook beklaagt over de behandeling die hem van de kant van de autoriteiten ten deel viel, over de negerbevolking van Mali heeft hij niets dan lof: 'Ze zijn zelden onrechtvaardig en hebben een grotere afkeer van onrecht dan enig ander volk... Nergens is men zo veilig. Geen reiziger of inwoner hoeft beducht te zijn voor rovers of geweld.' Wat Ibn Battoeta echter met afgrijzen vervult is de grote seksuele vrijheid onder de negers en hun gewoonte zich voor de koning ter aarde te werpen en stof over hun hoofd en rug te gooien.

Het koninkrijk Mali heeft zich ruim

*Lemen moskee in Mali, opgetrokken rond een houten geraamte (14de eeuw).*

een eeuw geleden gevestigd op de overblijfselen van het eens zo machtige koninkrijk Ghana. Net als Ghana destijds leeft Mali van zijn goud, dat via de transsahara-routes Europa en de Arabische landen bereikt.

# Huwelijksfeest loopt uit op een bloedbad

MADJAPAHIT, 1351 - Boven het toernooiveld van Bubat hangen zware rookwolken; op een enorme brandstapel worden de lijken verbrand van de Sundanese edelen die omkwamen toen een conflict over het voorgenomen huwelijk tussen maharadja Hayam Wuruk van Madjapahit met de dochter van de raja van Sunda tot een waar bloedbad leidde. Het huwelijk beoogde een alliantie tussen het machtige Madjapahit en Sunda, het enige Javaanse rijk dat niet onderworpen was. Kort geleden arriveerde de Sundanese koning met zijn gevolg en sloeg zijn kamp op bij Bubat. Daar kreeg hij bezoek van de mapatih (eerste minister Gajah Mada, die meedeelde dat hij als een vazalvorst zijn intocht zou maken en dat zijn dochter zou worden opgenomen in de harem. De Sundanezen ontstaken in grote woede over deze behandeling en wilden terugkeren, maar zagen zich omsingeld door een grote legermacht. Om de eer te redden besloten men zich dood te vechten; de prinses doorstak zichzelf met een kris bij het lijk van haar vader.

Het bloedbad is het gevolg van de door de mapatih gevoerde politiek van gewelddadige onderwerping. Hij ziet zichzelf als de voortzetter van de politiek van Kertanagara, de in 1292 vermoorde laatste koning van Singasari die in grote delen van de Indonesische archipel zijn gezag had gevestigd.

De machtige rijksbestuurder begon zijn loopbaan als hoofd van de paleiswacht. Hij hielp de zwakke koning Jayanagara de hoofdstad te ontvluchten, toen deze bezet werd door rebellen. Gajah Mada wist de koning in zijn macht te herstellen en werd als beloning benoemd tot patih van Kediri. Zijn grote kans kwam toen in 1328 de koning stierf zonder één erfgenaam en er een regentes werd benoemd. Ondanks heftige oppositie aan het hof werd Gajah Mada in 1331 tot rijksbestuurder benoemd en kon hij beginnen met het onderwerpen van Java, Madura en Bali. Ten aanzien van Borneo, de Molukken en Sumatra beperkte hij zich tot de erkenning van Java's oppergezag. Op binnenlands terrein zorgde de mapatih voor een sterk centraal bestuur; de wetten werden gecodificeerd en als ambtenaren werden veelal priesters ingezet.

Ook toen na de dood van de regentes in 1350 haar zoon Hayam Wuruk op de troon kwam, bleef Gajah Mada de teugels strak in handen houden. Zijn beleid ten opzichte van Sunda toont dat duidelijk aan: voor hem kan geen sprake zijn van een huwelijksalliantie, ook dat deel van Java diende zich te onderwerpen, al moest dit tot een bloedbad leiden.

# 1355

# Charter voor Brabant

BRABANT, 3 januari 1356 - De nieuwe hertogin van Brabant, Johanna, en haar man, Wenceslaus van Luxemburg, hebben aan hun onderdanen een landcharter verleend. In dit charter, waaraan de naam Blijde Inkomste is gegeven, zijn bepalingen opgenomen, die ten doel hebben, het wantrouwen tegenover een vreemdeling voor de Brabanders, en de daarmee gepaard gaande vrees onder de bevolking voor vreemde invloeden in het bestuur van Brabant, weg te nemen. Zo bepaalt de Blijde Inkomste dat in de raad van de hertog geen vreemdelingen zullen worden toegelaten, en dat een oorlog slechts kan worden begonnen, nadat de steden ermee hebben ingestemd.
Van belang is ook de bepaling dat Brabant één en ondeelbaar zal blijven, daar hieruit kan worden afgeleid dat Johanna niet zal berusten in mogelijke aanspraken op Brabants grondgebied door haar familieleden.
In het landcharter zijn voorts bepalingen opgenomen die de verhouding tussen de hertog en zijn onderdanen regelen. Deze bepalingen komen uit oudere documenten. Uit het Charter van Kortenberg van 1312 bijvoorbeeld, is de bepaling overgenomen dat de onderdanen de hertog slechts behoeven te gehoorzamen, zolang de hertog zijn verplichtingen tegenover hen nakomt. Uit het Charter van Vlaanderen van 1314 is de bepaling overgenomen dat de steden toezicht hebben op de muntslag.
Voor de steden is de Blijde Inkomste van grote betekenis. In de afgelopen honderd jaar hebben zij geprobeerd meer invloed op het beleid van de hertog te krijgen. Zij maakten gebruik van de voortdurende geldnood van de hertog door hem alleen op voorwaarde van medezeggenschap in het bestuur van het land geld te willen verstrekken. De door de steden in de loop der jaren verworven rechten, zoals onder meer vastgelegd in het Charter van Kortenberg, zijn in de Blijde Inkomste bijeengebracht en voor de toekomst veilig gesteld. Opvolgers van Johanna en Wenceslaus kunnen de steden moeilijk meer opzij zetten. De steden kunnen zelfs, als de hertog zijn verplichtingen tegenover hen niet nakomt, in de Blijde Inkomste een rechtvaardiging vinden om tegen de hertog in opstand te komen.

*Bladzijde uit de 'Gouden Bul' (handschrift van circa 1400).*

## Karel IV vaardigt 'Gouden Bul' uit

NEURENBERG, 10 januari 1356 - Keizer Karel probeert met de nu uitgegeven Gouden Bul de keuze van de Duitse koning definitief te regelen. Op dezelfde manier is vastgelegd dat Duitsland een keurvorstenrijk is. De koningskeuze wordt opgedragen aan de zeven keurvorsten die in de praktijk al lang de koning kiezen, namelijk de aartsbisschoppen van Mainz, Trier en Keulen, de paltsgraaf van Rijnland, de hertog van Saksen-Wittenberg, de koning van Bohemen en de markgraaf van Brandenburg. De volgorde van stemmen is nauwkeurig aangegeven, de aartsbisschop van Trier stemt als eerste en die van Mainz als laatste.
Tevens wordt bepaald dat keurvorstendommen ondeelbaar zijn en vererven in de mannelijke lijn. Dit om een verdere versplintering van de keurvorstendommen tegen te gaan. Ook wordt bepaald dat de koning alleen bij meerderheid van stemmen gekozen wordt. Dubbelkeuzes zoals in 1257 zijn van nu af aan onmogelijk. Karel IV heeft bepaald dat binnen drie maanden na de dood een koning het kiescollege bijeen moet komen. Nieuwe interregna zijn op deze manier uitgesloten. De pauselijke bekrachtiging van de keuze wordt nergens genoemd en is daarmee helemaal van de baan.
In de Gouden Bul worden stedenbonden verboden. Bepaald is ook wie burger van een stad is; degene die werkelijk in een stad woont heeft stadsrecht. Met de Gouden Bul is duidelijk gemaakt dat Duitsland geen eenheidsstaat is. Weliswaar staat een koning aan het hoofd van de staat, maar naast hem staan de zeven keurvorsten. In het rijk worden niet alleen verschillende talen gesproken en heersen er verschillende gebruiken, er zijn ook verschillende wetten van kracht.

# Zware nederlaag voor het Franse leger

*De Zwarte Prins zegeviert bij Maupertuis (14de-eeuwse kroniek van Jean Froissart).*

MAUPERTUIS, 19 september 1356 - In de oorlog tegen Engeland heeft het Franse leger opnieuw een grote slag verloren. In Maupertuis, in de buurt van Poitiers, moest koning Jan de Goede van Frankrijk in de erfgenaam van de Engelse kroon, de Zwarte Prins Edward, zijn meerdere erkennen. Net zoals tien jaar geleden in de Slag bij Crécy werd een grote Franse legermacht door een kleiner Engels leger met behulp van een betere tactiek en nieuwe verdedigingsmethoden verslagen.
Toen koning Jan de Goede weer met een van zijn vazallen in een conflict was verwikkeld, zag Edward kans om, gebruik makend van de oorlogsverwarring, vanuit Guyenne naar het noorden op te trekken. Bij Poitiers werd zijn weg door Jan versperd. Edward besloot niet aan te vallen. Zijn boogschutters moesten de Fransen rustig opwachten. De reactie van Jan kon voor hen nauwelijks gunstiger uitvallen. De Franse ridders werd namelijk bevolen om van hun paarden te stijgen en te voet de Engelse troepen aan te vallen. Het terrein bleek groter en moeilijker dan verwacht. Bovendien putte de zware wapenrusting de Franse ridders behoorlijk uit. De weinige Franse ridders die de regen van Engelse pijlen overleefden, werden vervolgens zonder enige moeite door de Engelse ridders en piekeniers uitgeschakeld.
De grootste pech voor de Fransen kwam aan het einde van de strijd: koning Jan die zelf ook op de grond met zijn soldaten meevocht, werd gevangengenomen. De nederlaag van de Fransen was daarmee compleet.

*Soldaten doen zich te goed aan de wijn, terwijl ze een huis plunderen (14de eeuw).*

# Franse boeren in opstand

MELLO, 10 juni 1358 - Koning Karel van Navarra heeft met de gevangenneming van Guillaume Cale, de leider van de oproerige 'Jacques' , een einde gemaakt aan de boerenopstand, de Jacquerie, die op 28 mei is losgebarsten.

Het begin van deze twee weken durende opstand vond in het dorpje Saint-Leu plaats. Hier overvielen boeren een klooster en doodden daarbij een negental ruiters, die in die streek op plundertocht waren geweest. Maar aangezien vier van hen tot de ridderstand behoorden, wist men dat hierop een strafexpeditie tot eerherstel zou volgen. De boeren uit de streek achtten de aanval de beste verdediging en bleven bij elkaar. Snel wierp Guillaume Cale zich als leider op. De bereidheid van de boeren om zich bij dit kleine boerenleger van 'Jacques' - genoemd naar de spotnaam voor een boer: Jacques Bonhomme - aan te sluiten, was vrij groot. Getuigen schatten het leger in zijn grootste omvang op circa 5000 man, voornamelijk bestaande uit boeren met een in het algemeen onvoldoende uitrusting en bewapening.

Het is duidelijk dat niet alléén de rooftocht van een paar ruiters een dergelijke reactie kon oproepen. De boeren van het Franse platteland verkeren namelijk al geruime tijd in een economisch slechte situatie en staan constant bloot aan oorlogs- en besmettingsgevaren. Bovendien kennen ze grote geldelijke verplichtingen: de oorlog met Engeland vraagt om vele belastingen en dat betekent een afkoopsom voor de feodaal georganiseerde militaire dienst. Tevens moeten de boeren de gebruikelijke jaarlijkse werkzaamheden voor hun heren afkopen. De grote pestepidemieën van de jaren 1348 en 1349 en hun nasleep hebben op het platteland voor materieel en moreel verval gezorgd. Maar de belangrijkste oorzaak voor de onvrede van de boeren is de grote oorlog tegen Engeland.

De gevechtshandelingen vonden tot op heden voornamelijk in Frankrijk plaats en hebben het Franse landschap in desolate toestand achtergelaten. De grootste plaag zijn daarbij de plunderende groepen soldaten, die de bevolking beroven en de bouwgronden vernietigen. De Jacques zijn hiertegen geheel hulpeloos en onbeschermd. De adel schiet vooralsnog in zijn taak als militaire beschermer van de boeren te kort. Na 28 mei trok het boerenleger vervolgens in het gebied ten noorden en ten oosten van Parijs rond. Kasteel na kasteel werd geplunderd en geslecht, de adel werd vermoord: niemand en niets werd gespaard. De leiders van de opstand zochten in de steden contact met de burgerij. Zij wilden de basis van de opstand verbreden en de bandeloosheid van hun volgelingen matigen. Dit lukte niet of nauwelijks. Wel kreeg men medewerking van Etienne Marcel, de leider van een Parijse radicale beweging. Daarop besloot men te zamen de vesting Meaux, die tevens een bedreiging voor Parijs was, aan te vallen. De expeditie verliep voor de Jacques en Etiennes mannen echter desastreus. Langzamerhand had de adel zich van de nederlagen hersteld en steun gezocht bij Karel de Slechte van Navarra. Op 7 juni trof Karel bij Mello een kleine groep boeren aan. De angst bij de edelen zat er na de vele verschrikkingen onder de Jacques nog goed in: zij wachtten nog twee dagen met de aanval. Intussen was Cale met de hoofdmacht van de Jacques in Mello gearriveerd. Maar in een directe slag met het groeiende ridderleger konden de boeren niet lang standhouden. Nadat hij Guillaume Cale met een list gevangen had genomen, durfde Karel de boeren op 10 juni aan te vallen. Een zware nederlaag van de Jacques was het gevolg. Daarop hebben de ridders een contraoffensief ingezet, zo mogelijk nog wreder dan de Jacquerie zelf.

## Rudolf IV stelt valse bewijzen op

WENEN, 1359 - De Habsburger Rudolf IV, sinds de dood van zijn vader Albrecht II vorig jaar hertog van Oostenrijk, heeft vijf valse oorkonden laten opstellen. De vervalsingen zijn vervaardigd in de Weense kanselarij van de hertog, onder leiding van de bisschop van Gurk, Johannes von Platzheim. Zij moesten bewijzen dat Oostenrijk altijd al een bevoorrechte positie in het Duitse Rijk heeft ingenomen.

Rudolf IV nam zijn toevlucht tot falsificatie omdat hij, hoewel hij in 1353 met Katharina, een dochter van keizer Karel IV, is gehuwd, zijn schoonvader niet kon vermurwen tot een herziening van diens in 1356 uitgevaardigde 'Gouden Bul'. Hij voelde zich ernstig benadeeld door de 'Gouden Bul', die de rechten van de Duitse keurvorsten omschrijft. Beieren en Oostenrijk worden van het kiesrecht uitgesloten, omdat zij de keizer hebben gedwarsboomd in zijn pogingen het hertogdom Tirol te verwerven. Om toch zijn rechten veilig te stellen en het aanzien van het Huis Habsburg te vergroten paste Rudolf deze, al eerder door miskende heersers beproefde, methode toe.

De belangrijkste van de vijf valse documenten is het zogenaamde Privilegium Maius, waaraan het authentieke door keizer Frederik I Barbarossa in 1156 bezegelde Privilegium minus ten grondslag ligt. In Rudolfs kanselarij werd het echte keizerlijke zegel aan de vervalsing gehangen. Veiligheidshalve liet men de originele oorkonde spoorloos verdwijnen.

De nu 'verbeterde' tekst begint als volgt: 'Uit bijzondere gunst, die wij jegens het land Oostenrijk, dat als schild en hart van het Heilige Roomse Rijk erkend wordt, koesteren...' Als verleende rechten worden genoemd: '... dat de hertog van Oostenrijk met heerban en leendienst tot niets verplicht zal zijn, noch jegens het Heilige Roomse Rijk, noch jegens iemand anders...' Ook meent Rudolf IV aanspraak te kunnen maken op de titel 'Pfalz-Erzherzog'.

*Het 'Privilegium Maius' (titelblad van een 16de-eeuws handschrift).*

# Koning Rama geeft nieuwe wetten uit

AYUTTHAYA,1360 - Met het in werking treden van de wet met betrekking tot de relatie tussen man en vrouw is het ambitieuze wetgevingsprogramma van koning Rama Thibodi I van Ayutthaya [Thailand] voltooid.

Als bijna absoluut vorst begon hij in het tweede jaar van zijn regering met het invoeren van de wet betreffende het beledigen van de regering. Op de naleving van deze wet werd toegezien door een van de vier ministers, de 'Khun Muang', ofte wel de minister van Binnenlands Bestuur en Handhaving van de Openbare Orde. Deze heeft ook gedeeltelijk het toezicht op de bestraffing van mensen die inbreuk op de openbare orde maken.

Deze wet is gevolgd door wetten met betrekking tot het indienen en behandelen van aanklachten, ontvoering, het beledigen van mensen en beroving. Een aparte wet is uitgevaardigd over het weglopen van slaven. Door het grote aantal slaven dat probeert te ontvluchten, is vanuit de ministerraad aangedrongen op een dergelijke wet.

De wet die de verhoudingen tussen mannen en vrouwen regelt, maakt het gemakkelijker te scheiden. Tevens is het mannen nu wettelijk toegestaan meer vrouwen te hebben.

# Frankrijk en Engeland beëindigen oorlog

*De Engelse koning wordt door de bliksem aangemoedigd om vrede te sluiten.*

BRETIGNY, 8 mei 1360 - De Engelsen en Fransen hebben een voorlopig einde aan hun oorlog gemaakt. In het vredesverdrag is vastgesteld dat de Engelsen hun veroverde gebieden, Calais, Poitou en het land rond Crécy, in bezit krijgen en dat de Franse koning, Jan de Goede, uit Engelse krijgsgevangenschap ontslagen wordt.

De Fransen werden min of meer gedwongen tot het sluiten van deze vrede.

Na de slag bij Poitiers, vier jaar geleden, is het land geteisterd door boerenopstanden en rondtrekkende afgedankte of gedeserteerde soldaten. Bovendien was de koning gevangengenomen. Frankrijk was zodoende bijna onregeerbaar.

Maar ook de Engelsen hebben hun offers moeten brengen voor deze oorlog, al is die voor hen tot nu toe uiterst succesvol geweest. In Engeland zijn de belastingen steeds zwaarder op de bevolking gaan drukken. De koning kan geen belastingen heffen zonder de toestemming van het parlement, waarin ook de burgers vertegenwoordigd zijn. Ook kunnen alleen extra heffingen verlangd worden in geval er sprake is van oorlog. Formeel wordt de oorlog vaak onderbroken door wapenstilstanden en de winter. De koning toont dan echter telkens weer aan dat er sprake is van bedreiging door de vijand en dan worden toch weer belastingen toegestaan. De gewone burgers moeten bij iedere heffing meer belasting betalen dan de edelen.

De burgers hebben door het vele geld dat de oorlog kost, langzamerhand bepaalde rechten verworven. Zo kunnen zij nu in het parlement de handelingen van corrupte ambtenaren aan de orde stellen.

Dit soort rechten heeft de koning moeten verlenen om het geld los te krijgen, maar voor het overige heeft koning Edward III de touwtjes stevig in handen. Zijn persoonlijk optreden is daarbij van groot belang. Hij is ridderlijk en bestuurt het land op onverdachte wijze. Op die manier maakt hij edelen noch burgers onnodig ontevreden. Hij en zijn zoon, de Zwarte Prins, zijn in het land zeer populair.

*College op de universiteit (miniatuur uit 14de-eeuws 'Liber Ethicorum').*

# Opening van de Universiteit van Krakau

KRAKAU, 1364 - Een weifelende paus Urbanus heeft uiteindelijk zijn toestemming gegeven voor de opening van een universiteit in Krakau. Het Handvest van de Universiteit is feestelijk openbaar gemaakt. De universiteit zal (wat zeer ongewoon is) door de koninklijke kanselier en niet door de bisschop van Krakau geleid worden; er zal onderwijs gegeven worden in de kunst, medicijnen, in kerkelijk en Romeins recht.

Krakau beleeft een periode van groei en geniet onder buitenlandse vorstendommen een hoog aanzien. Vorig jaar huwde de kleindochter van koning Casimir, Elisabeth van Slupsk, de Roomse en Boheemse koning. Elisabeth is het lievelingetje van de koning en van de stad vanwege haar goede karakter en haar kracht; zij is in staat om een paardehoefijzer of een ridderharnas met haar handen te verkreukelen. Het huwelijk van de toekomstige keizerin werd bijna tegelijk gevierd met het congres van elf Europese koningen ter gelegenheid van het bezoek van Pierre de Lusignan, de koning van Cyprus, die een nieuwe kruisvaart aan het voorbereiden is.

# Habsburgs Huis wil Wenen groot maken

WENEN, 12 maart 1365 - Zonder goedkeuring te vragen aan de paus of de keizer, heeft Rudolf IV van Habsburg, bijgenaamd 'de Stichter', in Wenen een universiteit gevestigd, de tweede in het Duitse taalgebied. De eerste Duitse universiteit is die van Praag, in 1348 door keizer Karel IV opgericht.

De stichting van de 'Alma mater Rudolphina' in Wenen kan gezien worden als een van de pogingen van Rudolf om de keizer, zijn schoonvader, naar de kroon te steken. In 1359 heeft Rudolf geprobeerd zijn eigen rechtspositie te verbeteren door verzonnen privileges vast te leggen in het valse 'Privilegium Maius', een reactie op de keizerlijke Gouden Bul uit 1356. Ook de verbouwing van de Weense Sint-Stephanskerk tot een grote gotische hallenkerk - sinds 1359 wordt er gewerkt aan het langschip, het zogenaamde 'Rudolfinisches Langhaus' - is een uiting van de jaloezie die Rudolf drijft. Praag, de keizerlijke residentie, bezit de Veitsdom, maar Wenen zal een minstens zo imposante kerk krijgen! De Sint-Stephanskerk wordt weliswaar letterlijk verhoogd - het dak van het nieuwe langschip wordt over de oude romaanse torens heen gebouwd - in figuurlijke zin gebeurt dat niet. De Habsburger slaagt er niet in om Wenen tot een bisschopszetel te verheffen.

De Oostenrijkse hoofdstad en een deel van haar burgerij, met name de kleine

*De Universiteit van Wenen (1365).*

kooplui en de ambachtslieden, varen wel bij de concurrentieslag die Rudolf met de keizer voert. Door de pest van 1349 en een enorme brand in 1361 is de bevolking van Wenen sterk in aantal verminderd. Om meer mensen te bewegen zich in Wenen te vestigen komt Rudolf hen financieel tegemoet: de nieuwkomers hoeven gedurende drie jaren geen stedelijke belasting te betalen en worden niet gedwongen om tot de gilden toe te treden. Andere belastingmaatregelen bevorderen vooral de gezondheid van de financiën van de Oostenrijkse hertog.

De speciale belangstelling die 'de Stichter' voor Wenen koestert is dus ingegeven door verscheidene motieven: geldingsdrang, eigenbelang en liefde.

# Brabantse rebel verbannen

*Touwslager in zijn werkplaats.*

LEUVEN, 13 mei 1364 - Peter Couthereel, de voormalige leider van de weversopstand in Leuven, is uit Bra-

## Adrianopel nieuwe Turkse hoofdstad

*De Osmaanse sultan Moerad I.*

ADRIANOPEL,1365 - Vier jaar nadat de Osmaanse sultan Moerad I de stad op het keizerrijk van Nicea veroverde, heeft hij Adrianopel tot de nieuwe hoofdstad van het Osmaanse Rijk uitgeroepen.
De stichter van deze op verovering beluste dynastie der Osmanen is Osman I Ghâzî (Ghâzî = strijder tegen de ongelovigen). Hij veroverde als Turks stamhoofd rond 1300 de provincie Bithynië en nam toen de sultanstitel aan. Symbool van de nieuwe dynastie werd het zwaard van Osman, dat elke opvolger omgegord krijgt.
Geleidelijk werd door Turkse guerrilla-activiteiten geheel Klein-Azië op Byzantium veroverd. In de jaren veertig staken de Osmanen over naar het Europese vasteland en veroverden in 1354 Gelibolu.

bant verbannen. Vorig jaar al heeft Wenceslaus, de hertog van Brabant, een einde aan zijn bewind in Leuven gemaakt.
Couthereel oefende in de jaren voor de opstand functies in dienst van de hertog uit. Hierdoor raakte hij in conflict met het bestuur van Leuven, dat de hertog vijandig gezind was. Samen met de wevers, die in het bestuur van de stad wilden worden opgenomen, heeft hij vier jaar geleden zijn tegenstanders uit Leuven verdreven. Hoewel de hertog zijn goedkeuring gaf aan het nieuwgevormde stadsbestuur, toonde hij zich in de jaren na de machtsovername geen vriend van de opstandelingen. Gedreven door voortdurende geldnood, eiste hij grote bedragen van de stad. Couthereel heeft geprobeerd zijn positie veilig te stellen door, ten koste van Leuven, aan de eisen van de hertog tegemoet te komen.
Ondanks zijn toegevingen is Couthereel bij de hertog uit de gratie geraakt en is er een einde aan zijn bewind gemaakt. Pogingen van Couthereel Leuven weer in handen te krijgen zijn nu met verbanning bestraft.

*De kroning van Hendrik II van Castilië (Jean Froissart, 14de eeuw).*

# Moord op Pedro de Wrede

CASTILIE, 23 maart 1369 - De bloedige burgeroorlog tussen Pedro de Wrede, voormalig koning van Castilië, en zijn halfbroer Hendrik van Trastamara is uitgelopen op de moord op Pedro. Hiermee is de Trastamara-familie, een onwettige tak van het Bourgondische Huis, in Castilië aan de macht gekomen.

In 1353 verliet Pedro de Wrede twee dagen na zijn huwelijk zijn vrouw Blanche, dochter van de hertog van Bourbon, voor zijn maîtresse. Zowel Frankrijk als de paus was woedend en Hendrik de Trastamara besloot, met de verdediging van Blanche als voorwendsel, de strijd met zijn halfbroer aan te binden. Na enkele vijandelijkheden moest Hendrik in 1356 naar Aragón vluchten.
Pedro besloot tot een aanval op Aragón over te gaan. Ook Aragón had reden de strijd tegen Castilië aan te binden. Er bestonden conflicten over de handel met het sinds korte tijd Castiliaanse Sevilla. De Genuezen, de handelsrivalen van Catalonië (dat deel uitmaakte van de Kroon van Aragón) hadden daar de centrale handelspositie ingenomen. Aragón was daar hoogst ontevreden over. Gevechten, moordpartijen en intriges wisselden elkaar af. In 1362 kon er door pauselijke bemiddeling een vredesverdrag tot stand komen waarvan Hendrik uitgesloten werd. Deze week vervolgens uit naar Frankrijk. Het vredesverdrag was echter snel vergeten en de vijandelijkheden werden hervat, ditmaal met buitenlandse bondgenoten. Karel V van Frankrijk stuurde Franse huurtroepen, die Frankrijk sinds 1360 onveilig maakten, onder leiding van Bertrand du Guesclin naar Aragón; in ruil voor enkele Noordspaanse steden beloofde de erfgenaam van de Engelse troon Edward van Wales, ook wel de Zwarte Prins genoemd, steun aan Castilië. Op 13 april 1367 won Castilië met behulp van de Zwarte Prins de Slag bij Nájera. Wederom werd een vredesverdrag gesloten. Hendrik echter wilde de strijd voortzetten. Met hulp van Du Guesclin dreef hij Pedro in het nauw en vermoordde hem op lafhartige wijze.
Met de dood van Pedro de Wrede is een einde gekomen aan de macht van het Bourgondische Huis in Castilië, dat sinds de 12de eeuw het koninkrijk heeft bestuurd. Hendrik de Trastamara zal hem opvolgen als Hendrik II.

# Mongolen geven China op

NANJING, 1368 - De troepen van Chu Yuanzhang zijn in augustus Dadoe, de hoofdstad van het Mongoolse keizerrijk, binnengetrokken. De laatste Mongoolse keizer is met de resten van zijn leger naar Mongolië gevlucht. In januari had Chu Yuanzhang al in Nanjing de Ming-dynastie uitgeroepen.
Na de verovering van Dadoe (Grote Stad), waarvan de Mongoolse naam Cambalig (Stad van de Chan) luidde en die vroeger Yanjing (Zwaluwstad) werd genoemd, kreeg de stad de naam Beiping, hetgeen betekent 'Vrede van het Noorden'.

De Noordelijke Campagne van de Ming-generaal Xu Da met 250 000 soldaten begon vorig jaar nadat het hele zuiden van China in handen van de opstandelingen was geraakt. Al in 1356 had de opstandelingenleider Chu Yuanzhang zijn hoofdstad in Nanjing gevestigd; hoewel de macht van de Mongolen toen al was uitgehold, had hij eerst zijn handen vol aan de machtsstrijd met andere rebellenleiders. Hun uitschakeling in 1363-1367 werd vergemakkelijkt door een burgeroorlog die juist toen de Mongoolse heersers verdeeld hield.

*Kaart van het Chinese Rijk ten tijde van de Juan-dynastie (1279-1368).*

# Margaretha huwt Filips de Stoute

*Margaretha (door Jan van Eyck).*

GENT, 19 juni 1369 - Margaretha van Male, enige dochter van de graaf van Vlaanderen, is in het huwelijk getreden met Filips de Stoute, de jongere broer van de Franse koning. Dit huwelijk zal belangrijke politieke gevolgen hebben. Margaretha is erfdochter van Vlaanderen en zal dus na de dood van haar vader de grafelijke titel gaan voeren. Filips de Stoute heeft in 1363, als beloning voor zijn jarenlange gevangenschap in Engeland, van zijn vader de titel van hertog van Bourgondië gekregen. Door zijn huwelijk met Margaretha verwerft hij in de naaste toekomst ook de titel van graaf van Vlaanderen.

Aanvankelijk was Margaretha voorbestemd om te huwen met de hertog van Cambridge. Margaretha is zelfs officieel met hem verloofd geweest. De Franse koning moest echter van een Vlaams-Engels verbond niets hebben en schoof daarom zijn jongere broer Filips als huwelijkskandidaat naar voren. Hij was zelfs bereid hiervoor een door Vlaanderen bedongen prijs te betalen: de teruggave van Waals Vlaanderen.

*Standbeeld van Filips de Stoute.*

# 1370

**17 februari 1370.** In de Slag bij Rudau verslaat de Duitse orde Litouwen. Onder hoogmeester Winrich van Kniprode bereikt de Duitse orde haar hoogste economische en politieke macht.

**22 april 1370.** In Parijs wordt de eerste steen voor het vestingwerk de Bastille gelegd.

**24 mei 1370.** In Stralsund sluiten de hanzesteden en hun bondgenoten vrede met koning Waldemar IV van Denemarken. →

**1370.** De Arabische historicus en 'socioloog' Ibn Chaldoen reist door West-Afrika.

**22 januari 1371.** Robert Stuart, neef van de laatste Schotse koning uit de Bruce-dynastie (David II), bestijgt als Robert II de Schotse troon en sticht de Stuart-dynastie.

**1372.** Olgerd, grootvorst van Litouwen, valt voor de derde keer binnen zes jaar Moskou aan.

**September 1374.** Koning Lodewijk van Anjou van Hongarije legt de privileges van de Poolse adel vast in de 'Statuten van Kosice'. →

**1375.** Dimitri Ivanovitsj I, grootvorst van Vladimir-Soezdal en Moskou, verslaat Michael van Tver. Hiermee vestigt hij zijn primaatschap onder de Russische vorsten.

**1375.** Acamapichtli wordt gekozen tot heerser van de Azteken en is daardoor de eerste 'Tlatoani'. →

**28 april 1376.** In Engeland eist het parlement toezicht op de koninklijke uitgaven.

**8 juni 1376.** In Westminster overlijdt de Engelse kroonprins Eduard. Hij werd ook wel de Zwarte Prins genoemd.

**11 juli 1376.** Het Engelse parlement gaat uiteen. →

**1377.** Op aandrang van Catharina van Siena verplaatst paus Gregorius XI zijn zetel van Avignon naar Rome. Hiermee eindigt de sinds 1309 durende ballingschap van de pausen in Avignon. →

**1377.** Stefan Tvrtko van Bosnië ontdoet zich van de Hongaarse opperheerschappij.

**20 september 1378.** De niet-Italiaanse kardinalen verklaren de keuze van paus Urbanus VI op 8 april van dit jaar voor ongeldig. Zij kiezen Clemens VII als tegenpaus. Hiermee ontstaat het Westers Schisma. →

**29 november 1378.** In Praag overlijdt de Duitse keizer Karel IV. →

**1378.** Stichting van de Witte en Zwarte Schaap-dynastie.

# Hanzesteden tonen macht

STRALSUND, 24 mei 1370 - De Bond van Hanzesteden heeft vrede gesloten met koning Waldemar IV van Denemarken. De koning garandeert de Hanze vrije doorvaart naar de Sont en heeft alle bestaande privileges hernieuwd. De Hanze bewijst hiermee haar macht.

De opkomst van de Hanze hangt nauw samen met de Duitse expansie naar het oosten. Lübeck, de voornaamste Hanzestad, werd in 1158 gesticht en in het begin van de 13de eeuw volgden de Wendische steden Rostock, Stralsund, Wettin en Wismar. Al deze steden liggen dicht bij de kust en zijn toegankelijk voor zeeschepen. Veel profijt hebben de steden gehad van de expansie van de Duitse Orde. In het begin dreef men vooral handel met de Baltische landen. Men maakte daarbij gebruik van al eeuwen bestaande handelsroutes die tot dan toe in Scandinavische handen waren.

In de loop van de vorige eeuw gingen de Duitse kooplieden zich steeds meer op West-Europa richten. Men vestigde een 'kontor' in Brugge (1252) en een in Londen (1281). In deze steden mogen de Hanzekooplieden op grond van hun privileges onbeperkt handel drijven.

In 1264 sloten de Wendische steden onder leiding van Lübeck de 'Wendische Bond'. Pas in 1356 ontstond de huidige Duitse Hanze. Niet alleen kooplieden uit de verschillende steden, maar de steden zelf zijn hierin georganiseerd. De deelnemers zijn onderverdeeld in 'Quartiere' waarvan de belangrijkste het Wendische (met Lübeck, Kiel en Hamburg), het Pommerse (met Rostock en Stettin), het Pruisische (met Danzig) en het Nederrijnse (met Dortmund en Keulen) zijn. Ook niet aan zee gelegen steden zijn dus lid. Buiten Duitsland zijn onder andere Kraków, Riga, Reval en Stockholm

*Schepen leggen aan in een drukke Hanzehaven (miniatuur, circa 1500).*

lid van de Duitse Hanze.

De voornaamste handelsprodukten zijn huiden, vis, graan, ijzer, koper, hout en laken. De Hanzesteden worden bijna allemaal bestuurd door een patriciaat, een kleine groep rijken die geen inspraak van anderen duldt.

Een eerste succes bereikte de Hanze in 1360 toen Brugge gedwongen werd de privileges uit te breiden. Koning Waldemar van Denemarken wilde zich echter niet bij de handelssuprematie van de Hanze neerleggen. In eerste instantie leek hij succes te boeken toen hij Visby verwoestte, maar nu heeft hij dan toch het onderspit moeten delven.

# Pauselijk hof verlaten

AVIGNON, 1377 - Na zeven Franse pausen heeft Gregorius XI het nieuwe Rome weer voor het oude Rome omgewisseld. Deze periode, die doet denken aan het lange verblijf van de joden in Babylon, is al gedoopt tot de 'Babylonische gevangenschap'.

In 1309 vestigde Clemens V zich aan de Rhône. Na hem kwamen nog eens zes Franse pausen. Omdat deze pausen vooral in het begin sterk onder invloed van de Franse koning stonden, noemt men ze wel de 'kapelaans van de Franse koning'.

Later, na het begin van de grote oorlog tegen Engeland, konden ze zelfstandiger gaan optreden. Men bleef in Avignon omdat de situatie in Rome maar niet verbeterde en een constant gevaar voor de paus zou hebben opgeleverd. Bovendien waren de rijkdom en praal in de Zuidfranse stad ook zeer aantrekkelijk.

Toen de situatie in Italië weer gunstig was besloot paus Gregorius XI, overigens pas na veel overredingskracht van de heilige Catharina van Siena, naar het Vaticaan te Rome terug te keren. De sterke Franse koning Karel V heeft dat niet kunnen tegenhouden.

Wat er nu nog aan de pausen herinnert is het majestueuze paleizencomplex dat door de verschillende pausen is opgebouwd. Te onderscheiden zijn het oude paleis, een kasteel dat oorspronkelijk de bisschoppelijke residentie was, en het nieuwe paleis. Dit laatste gebouw is een gedeeltelijke herbouw welke in 1364 gereedkwam. Bovendien maakt ook een indrukwekkende romaanse kathedraal deel uit van het complex.

# Engels parlement uiteen

WESTMINSTER, 11 juli 1376 - Het parlement, dat sinds 28 april bijeen was, is uiteengegaan. Dit parlement, dat langer aanbleef dan enig ander parlement hiervoor en dat functioneerde onder voor Engeland zeer moeilijke omstandigheden, wordt desondanks 'het goede parlement' genoemd.

De oorlog in Frankrijk, die tot 1360 zo gunstig voor Engeland verliep, levert nu voortdurend verliezen op. Dit maakt dat de burgers minder bereid zijn om belastingen te betalen. Daarbij wordt er getwijfeld aan de integriteit van sommige ambtenaren uit de hofkliek. Opmerkelijk is dat het staatsidee intussen zo ver ontwikkeld is dat niet de koning zelf verantwoordelijk gesteld wordt voor het wanbestuur, maar dat de verantwoordelijkheid daarvoor op de slechte ambtenaren geschoven wordt terwijl de koning als een ongeschonden symbool van de nationale eenheid overeind blijft. Dit is een heel verschil met de opstanden die zich in de feodale tijd tegen de koning als persoon voordeden.

De donkere wolken boven Engeland worden verder veroorzaakt door de paus, die momenteel niet in Rome, maar in het Franse Avignon zijn residentie heeft. De paus wil extra belastingen heffen om een kruistocht te kunnen voorbereiden. Dit stuit op verzet van de Engelse koning die alle belastinggelden zelf nodig heeft.

De belasting die de koning vraagt, werd tijdens dit parlement geweigerd. De burgers wilden dat eerst enkele slechte raadgevers, die naar hun mening belastinggelden verspilden, uit de kringen van het hof verwijderd werden. Ook aan enkele andere voorwaarden van de burgers werd voldaan. Daarna besloten de burgers echter toch om de extra belasting niet goed te keuren. De koning moest zich hierbij neerleggen.

## Poolse adel krijgt meer privileges

*Lodewijk van Anjou (14de eeuw).*

KRAKAU, september 1374 - Koning Lodewijk van Anjou heeft de privileges van de Poolse adel vastgelegd in de 'Statuten van Kosice'. Met deze stap heeft de koning de oppositie onder de Poolse adel gepaaid en de grond onder haar voeten weggehaald.

Lodewijk van Anjou, koning van Hongarije, werd vier jaar geleden tot koning van Polen gekozen en regeert via de regenten. Zijn gezag wordt echter in grote mate ondermijnd door de krachtige adellijke oppositie die door de ministers van wijlen koning Casimir geleid wordt. Verscheidene malen is het al tot bloedige schermutselingen gekomen.

Na een geslaagde overwinning op de Hongaarse baronnen door grote privileges aan hen toe te kennen, richt Lodewijk van Anjou zich nu op de Poolse oppositie. Volgens de 'Statuten van Kosice' wordt de autonomie van de Poolse provincies gegarandeerd en worden de plichten van de adel jegens de koning drastisch verminderd. De adel is slechts tot het onderhoud van zijn kastelen, tot militaire dienst en tot een kleine belasting verplicht. Grote gebieden die door wijlen Casimir tot koninklijke domeinen werden verklaard, worden nu onder de adel verdeeld.

*Deze figuurtjes geven een indruk van het dagelijks leven der Azteken (ca. 1300).*

# Azteken kiezen een leider

TENOCHTITLAN, 1375 - Vijftig jaar nadat de stadstaat Tenochtitlán gesticht is hebben de Azteekse calpulli, (de familiehoofden), Acamapichtli op 20-jarige leeftijd gekozen tot hueytlatoani (hij die spreekt). Hij is de eerste gekozen heerser van de Azteken. In Tenochtitlán zijn twintig families, verdeeld over vier stammen. Elke familie heeft een bepaalde zelfstandigheid, eigen grond, een eigen god en een eigen tempel. Elke familie stuurt een afgevaardigde naar de Hoge Raad die bestuurlijke, politieke en rechterlijke bevoegdheden heeft. Deze raad verdeelt de grond onder de families en benoemt de vier bevelhebbers over de strijdkrachten, van elke stam één. Uit deze vier wordt één opperbevelhebber, de Tlatoani, gekozen. Een andere hoogwaardigheidsbekleder, de Cihuacóatl, is verantwoordelijk voor de interne politiek bij afwezigheid van de heerser, en is meestal ook diens opvolger. Beide leiders zijn tevens priester en vervullen belangrijke religieuze taken. De raad heeft echter de mogelijkheid deze twee leiders te ontslaan.

*Het toernooi (van het Franse 'tournoyer' = [rond]draaien) vormt voor de ridders een geliefkoosd tijdverdrijf. Het is niet alleen een goede gelegenheid om de militaire talenten te demonstreren en roem te vergaren, maar ook een uitgelezen kans om de geldbuidel te spekken. Voor uitgeschakelde tegenstanders, buitgemaakte paarden en wapens kan men vaak goede prijzen bedingen.*

# Boheemse koning overleden

PRAAG, 29 november 1378 - De dood van 'de vader des vaderlands' Karel IV (geboren 1316) heeft een einde gemaakt aan het 'Gouden Tijdperk' in Bohemen. Onder zijn bewind was Bohemen van ondergeschikt aanhangsel tot het centrum van het Roomse Rijk geworden. Na zijn verkiezing tot Duits keizer en Rooms koning (1346) maakte Karel IV Praag tot zijn residentie.

Als zoon van Jan van Luxemburg en de Premysliden-prinses Eliska behoorde Karel IV tot de Luxemburg-dynastie, die het Boheemse grondgebied binnen twee generaties bijna verdrievoudigd had. Jan van Luxemburg, de zoon van de Duitse keizer Hendrik VII, kreeg de Boheemse kroon nadat de nationale dynastie der Premysliden was uitgestorven (1306).

In 1331 droeg Jan van Luxemburg, die voornamelijk in het buitenland vertoefde en aan allerlei veldtochten deelnam, het regeren van Bohemen over aan zijn zoon Karel, die in Frankrijk werd opgevoed, zeer erudiet was en vijf talen sprak. Karel bedreef een veelzijdige buitenlandse politiek. Door huwelijken (hij trouwde vier keer en werd telkens weduwnaar), door aankoop van grondgebieden en bekwame diplomatie vergrootte hij zijn machtsgebied aanzienlijk. Het was een vreedzame politiek, die zijn land zeer ten goede kwam.

Hij ondersteunde de ontwikkeling van de steden (hij stichtte bijvoorbeeld de Praagse stadswijk Nové Mesto) en versterkte de centrale macht van de koning ten opzichte van de adel. Aan zijn grote religiositeit was de ongekende bloei van de Kerk, nu de grootste grondbezitter in het land, te danken.

*Beeldje van koning Karel IV (kopie van het 14de-eeuwse origineel).*

Door het oprichten van het Praagse aartsbisdom (1344) onttrok Karel IV haar bovendien aan de Duitse invloed (aartsbisdom in Mainz) - voortaan kon de Praagse bisschop de Boheemse koning kronen. De immense rijkdom van de Kerk leidde echter ook tot haar verwereldlijking en tot het alarmerende verval van haar zeden.

Aan Karel IV, een groot bevorderaar van kunst, literatuur (als eerste moderne heerser hield hij zijn eigen biografie bij) en bouwkunst heeft Praag sommige van zijn mooiste bouwwerken te danken (de Karelsbrug, Sint-Vituskathedraal op de Praagse Burcht). Ook de wetenschappen hadden zijn volle aandacht. In 1348 stichtte hij, naar het voorbeeld van Parijs, in Praag de eerste universiteit in Midden-Europa, de Karelsuniversiteit.

# Dubbele pausverkiezing

FONDI, 20 september 1378 - Bijeengekomen in het Italiaanse dorpje Fondi heeft het college van kardinalen unaniem een nieuwe paus, Clemens VII, gekozen. Het baart allerwegen opzien dat deze prelaten binnen luttele maanden twee pausen gekozen hebben. Nog nimmer heeft zich een dergelijke sensationele dubbele pausverkiezing voorgedaan. De reden moet gezocht worden in de onvrede met de handel en wandel van paus Urbanus VI.

Voor zijn uitverkiezing stond deze aartsbisschop van Bari bekend als kleurloze, doch efficiënte en harde werker. Geheel tegen de verwachting in ontwikkelde Urbanus zich echter na zijn kroning tot paus tot een vurige, weinig tactvolle kerkhervormer die, indien dit maar even met zijn doeleinden strookte, uiterst hardvochtig kon optreden tegen het corrupte gedrag van de kardinalen.

Dezen betoonden zich hierover hevig verontwaardigd, vooral toen bij wijze van strafmaatregel hun inkomsten werden verminderd. De onenigheid die hierover ontstond, liep zo hoog op, dat de kardinalen besloten naar Anagni te vluchten.

Daar bezonnen zij zich op maatregelen om de paus af te zetten. Maar aangezien dit kerkrechtelijk niet mogelijk is, zochten de hoge geestelijken hun toevlucht tot de verklaring dat de verkiezing van Urbanus indertijd onrechtmatig was geweest: onder dwang hadden de kardinalen hem moeten kiezen.

Op grond van deze overweging was in hun opvatting de Heilige Stoel vacant, zodat er geen beletsel was een nieuwe paus, Clemens VII, te kiezen, met wie zij naar Avignon terugkeerden. Zo bestaat er nu grote verdeeldheid in de Kerk, doordat er tegelijkertijd twee pausen aan het bewind zijn, Urbanus VI in Rome en Clemens VII, een verwant van de Franse koning, in Avignon.

**8 september 1380.** In de Slag op het Koelikovo (het Snippenveld) brengt de Moskovische grootvorst Dimitri de Mongolen een zware nederlaag toe. →

**16 september 1380.** Op het slot Beauté bij Parijs overlijdt de Franse koning Karel V de Wijze. Zijn minderjarige zoon Karel VI volgt hem op. Hij wordt bijgestaan door een regentschap van hertog Lodewijk van Anjou, hertog Filips de Stoute van Bourgondië en hertog Lodewijk van Bourbon.

**1380.** Het Sulu-vorstendom op de Filippijnen bekeert zich tot de islam.

**30 mei 1381.** In het graafschap Essex breekt een boerenopstand uit. Deze breidt zich over geheel Engeland uit. →

**15 juni 1381.** Tijdens een ontmoeting met de Engelse koning Richard II wordt Watt Tyler, leider van de boerenopstand, gedood. →

**1381.** De Zwabische Liga en de Liga van Rijnsteden verenigen zich in de Zuidduitse Stedenbond.

**1381.** De Italiaanse stadstaten Genua en Venetië sluiten vrede. →

**15 maart 1382.** In Florence herstellen de 'Popolo Grasso' (conservatieven) het gezag.

**12 mei 1382.** Na de verovering van Napels laat Karel III van Durazzo koningin Johanna van Napels op het kasteel Muro in Basilicata doden. Karel III van Durazzo regeert nu in Napels. →

**1382.** Onder aanvoering van Toktamisj plunderen de Mongolen Moskou. →

**1382.** Op een concilie van de Engelse Kerk in Blackfriars wordt het werk van John Wyclif als ketters veroordeeld. →

**27 november 1382.** In de Slag bij Westrozebeke overlijdt Filips van Artevelde. Hij is een der leiders van de Gentse opstand tegen het grafelijk gezag. →

**1382.** Keizer Hong Wu voltooit de verovering van China op de Mongolen.

**20 augustus 1384.** In Deventer overlijdt de Nederlandse theoloog en boeteprediker Geert Groote. Door zijn preken heeft hij velen tot inkeer gebracht en een grote groep volgelingen om zich heen verzameld (de Moderne Devoten).

**1384.** Na de dood van de Vlaamse graaf Lodewijk van Male erven zijn enige dochter Margaretha van Male en haar echtgenoot Filips de Stoute Vlaanderen, Artois, Franche-Comté, Nevers en Rethel. Hiermee wordt de macht van de Bourgondische hertog Filips de Stoute aanzienlijk versterkt.

# Moskou verslaat Mongoolse leger

*Mongoolse ruiters in achtervolging.*

MOSKOU, 8 september 1380 - De grootvorst van Moskou, Dimitri, heeft bij Koelikovo aan de rivier de Don een overwinning behaald op de Mongolen. Het is voor het eerst dat de hegemonie van de Mongolen zo is getart. Het psychologische effect is dan ook niet gering: de overwinnaar van de Don is als de voorvechter bij de Russen tegen het gehate Mongoolse gezag te voorschijn gekomen. Ofschoon enige belangrijke vorsten hun steun aan de campagne hadden onthouden, werd Dimitri bijgestaan door een twintigtal vorsten, en bovendien had hij de zegen van de Kerk in deze onderneming.

In het Mongoolse Rijk woedde sinds 1357 een burgeroorlog tijdens welke de chans elkaar in snel tempo opvolgden. Moskou maakte gebruik van deze interne verdeeldheid. Zo waagde Dimitri het om de toewijzing van de titel van grootvorst door de chan aan de vorst van Tver te negeren en van deze de erkenning van Moskou als grootvorstendom af te persen. Verder versloeg hij de Wolga-Bulgaren, vazallen van de Gouden Horde. Twee jaar geleden al bracht hij Mongoolse troepen een nederlaag toe. Dit alles deed de Mongolen beseffen dat zij, wilden zij hun heerschappij over Rusland behouden, serieus tot actie moesten overgaan.

De Mongolen, die sinds kort een sterke leider in de persoon van chan Mamaj hebben, hadden kort voor de slag een bondgenootschap met vorst Jagiello van Litouwen gesloten. Dimitri sloeg echter toe voordat de Litouwse troepen waren gearriveerd. Met een leger van circa 150 000 man vochten de Russen uit alle macht tegen de 200 000 Mongoolse krijgers. Dimitri zelf zou in de slag buiten bewustzijn zijn geraakt en na afloop onder een stapel lijken zijn gevonden. Toen Jagiello twee dagen later met zijn troepen verscheen, besloot hij af te zien van de strijd en hij trok zich terug.

## Venetië en Genua beëindigen Chioggia-oorlog

*Oorlogs- en handelsschepen liggen in de haven van Genua voor anker.*

VENETIE, 1381 - De drie jaar durende Chioggia-oorlog tussen Genua en Venetië is in het voordeel van de laatste stad beslist. Na de vele oorlogen, die nu al meer dan een eeuw duren, hebben beide rivaliserende handelssteden besloten het Middellandse-Zeegebied in verschillende belangengebieden op te delen.

Genua blijft, ondanks zijn nederlaag, de leidinggevende handelsmacht in het westelijke Middellandse-Zeegebied. Venetië krijgt vastere voet in zijn achterland (de 'Terra ferma'-politiek) - van belang voor de voedselvoorziening, vanwege de ijzermijnen en de handelsverbindingen met Duitsland - en in het oostelijke Middellandse-Zeebekken.

## Werk van John Wyclif veroordeeld

LONDEN, 1382 - De theologische ideeën van de geleerde Wyclif zijn officieel door de Engelse bisschoppen als verkeerd aangeduid. Volgelingen van Wyclif (lollards) maken zich, als zij volharden in hun dwalingen, schuldig aan ketterij. Het is de eerste keer dat er in Engeland sprake is van een dwaling in de leer die met ketterij wordt aangeduid.

Reeds geruime tijd bestaat in Engeland een nationalistisch gevoel. De Kerk in Rome wordt, vooral sinds de pausen elkaar onderling bestrijden, met argusogen bekeken. De Engelsen regelen hun geloofszaken liever op hun eigen manier. Echter, ook op de Engelse kerkleiders is veel kritiek. Met name vinden veel gelovigen dat de hoge geestelijkheid veel te werelds is en zich te veel met het landsbestuur inlaat.

De laatste decennia is er naast de officiële theologische conflicten onder geletterde geestelijken en leken een mystieke stroming ontstaan. Hierin onttrekken gelovigen zich enigszins aan de Kerk zonder die officieel te verlaten en leggen nadruk op hun gevoelsmatige banden met het hogere.

Voor de eenvoudigen is een dergelijke mystieke stroming geen uitkomst. Zij hebben echter hun leider gevonden in Wyclif die op grond van het evangelie radicale veranderingen in de maatschappij voorstaat. Wyclif toont zich een voorstander van een bezitloze Kerk en van drastische inperking van de macht van de geestelijkheid. In veel gevallen hebben gelovigen helemaal geen tussenkomst van een priester nodig om met de Allerhoogste in contact te komen, meent hij.

Wyclif baseert zich, zoals gezegd, sterk op het evangelie en is twee jaar geleden met enkele volgelingen begonnen de bijbel in het Engels te vertalen. Zijn invloed onder het gewone volk is snel toegenomen. Dit was onder andere te merken bij de boerenopstanden van vorig jaar.

# Engelse koning bedwingt boerenopstand

LONDEN, 30 mei 1381 - Door hoogst persoonlijk zeer moedig op te treden heeft de 14-jarige koning Richard II een boerenopstand bedwongen. De revolte, die heel Engeland beroerde, was gericht tegen de corrupte adel, de dure oorlog in Frankrijk en het hoofdgeld dat sinds vorig jaar iedere Engelsman boven de vijftien jaar moet betalen.

Reeds lange tijd leeft in Engeland onder brede lagen van de bevolking een weerzin tegen de oorlog in Frankrijk. Deze strijd, die reeds in 1337 is begonnen, verliep aanvankelijk zeer gunstig voor de Engelsen. Maar sinds de jaren zestig heeft de oorlog een andere wending genomen en nu lijden de Engelsen steeds maar verliezen.

Om de oorlog te kunnen betalen moeten voortdurend extra belastingen geheven worden. De belasting die twee jaar geleden werd opgelegd en die hoger was dan andere jaren, werd 'de subsidie aan de duivel' genoemd. Daar bovenop kwam vorig jaar de invoering van het hoofdgeld voor iedere volwassen man. Deze belasting van slechts 1 shilling betekent voor de rijken weinig, maar drukt zwaar op de armen.

Juist die armen zijn nu dan ook in het geweer gekomen. Een boerenopstand onder leiding van Watt Tyler en John

*Twee episodes in één beeld: koning Richard II van Engeland spreekt in Smithfield de rebellen toe (rechts) en kijkt toe bij de standrechtelijke executie van Watt Tyler.*

Ball groeide uit tot een landelijke beweging. De opstandelingen trokken naar Londen, waar ze werden opgewacht door de koning, die verklaarde het met een deel van hun eisen eens te zijn en voorstelde zich aan het hoofd van de opstand te plaatsen. Op die manier kreeg hij de roerige massa onder controle en eindigde de opstand nog min of meer zonder grote schade. De kanselier en de justiciar waren toen echter al door het opstandige volk gelyncht.

# Lajos van Hongarije ambitieuzer dan ooit

BOEDA, 12 mei 1382 - Een jaar na de vrede van Turijn heeft de Hongaarse koning Lajos (Lodewijk) alsnog wraak genomen op zijn schoonzuster Johanna van Napels. Hongaarse huurlingen hebben Johanna, die in 1343 haar echtgenoot András, broer van Lajos, had laten vermoorden, gewurgd. Vorig jaar was al bepaald dat Dalmatië Hongaars is en dat de neef van Lajos, Karel van Durazzo, over Napels zal heersen.

In 1342 erfde Lajos van zijn vader Karel een volle schatkist en veilige westelijke en noordelijke grenzen. Lajos had echter grote territoriale ambities. Na de dood van koning Robert van Napels in 1343 eiste Lajos van de paus dat Johanna zou worden afgezet en dat Napels aan hem zou worden afgestaan. Om deze eisen kracht bij te zetten viel hij Italië binnen. Paus Clemens VI riep echter de koning van Frankrijk en de Duitse keizer Karel IV te hulp, waarop Lajos zijn plannen opgaf.

De Hongaarse koning bleef proberen de heerschappij in de Balkan en het Adriatische gebied te bemachtigen; vanaf 1356 voerde hij oorlogen met Venetië. Aan de andere kant had Lajos ook aanspraken op de troon van Polen. Na de dood van Kazimierz de Grote in 1370 erfde Lajos de Poolse troon, maar hij kon de Poolse vorsten niet onder controle krijgen.

Drie jaar geleden nam Lajos zijn lang gekoesterde droom ten aanzien van Italië weer op. Met hulp van Genua, Padua, Verona en Oostenrijkse hertogen probeerde hij opnieuw Napels te veroveren, wat vorig jaar bij de Vrede van Turijn is gelukt.

Al deze overwinningen hebben Lajos de naam 'de Grote' bezorgd, maar hij heeft er duur voor moeten betalen. De

*De Hongaarse koning Lajos; beeld van Márton Kolozsvári.*

buitenlandse oorlogen hebben de macht van de Hongaarse vorsten vergroot. De vorsten waren de enigen die uitgesloten bleven van de zware belastingen, die Lajos moest opleggen nadat hij zijn vaders rijkdom opgemaakt had. Deze vorsten profiteerden ook het meest van de aanzienlijke economische ontwikkeling, die Hongarije de afgelopen decennia doormaakt. De economische opgang heeft een bloeiend cultureel leven in Hongarije tot gevolg: rond 1360 illustreerde hofschilder Miklós Meggyesi, de Geïllustreerde Kroniek, geïnspireerd door Thomas van Aquino. De Hongaarse kunst heeft nauwe banden met het Italiaanse Trecento, getuige de beelden van Márton en György Kolozsvári.

*Strijdtoneel van de Slag bij Westrozebeke (kroniek van Jean Froissart, 14de eeuw).*

# Filips van Artevelde dood

WESTROZEBEKE, 27 november 1382 - Filips van Artevelde, leider van de Gentse opstand tegen de graaf van Vlaanderen en zoon van de vroegere hoofdman van Gent, Jacob van Artevelde, is omgekomen in de Slag bij Westrozebeke. Hiermee is de strijd om de macht in Vlaanderen tussen de steden en de graaf voorlopig in het voordeel van de graaf beslist.

Filips van Artevelde werd afgelopen januari tot leider van de opstand in Gent verkozen. Gent verkeerde toen in een noodsituatie. De voor de stad zo belangrijke lakenhandel was als gevolg van de opstand stil komen te liggen; hongersnood bedreigde de stad.

De opstand begon drie jaar geleden met de moord op een grafelijke baljuw die, in strijd met de privileges van de stad, een lid van de Witte Kaproenen, de stedelijke politie, had gearresteerd. Dadelijk na de moord werd een kasteel van de graaf in brand gestoken. De opstand leek aanvankelijk te slagen; ook Ieper en Brugge sloten zich aan. Het omringende platteland van Gent werd met geweld onderworpen.

In de jaren hierna werd de situatie voor Gent evenwel steeds moeilijker. Ieper en Brugge vielen af, de handel stagneerde en de gegoede burgers verlieten de stad. Toch bleven de radicalen die de strijd tegen de graaf tot het uiterste wilden doorzetten, de dienst in de stad uitmaken. Zij kozen Filips van Artevelde, een welgesteld grondbezitter en fel tegenstander van de graaf, als hun aanvoerder.

Afgelopen mei slaagde Gent er onder Van Artevelde in, de graaf uit Brugge te verjagen. Ook Ieper en Kortrijk kwamen weer in handen van de Gentenaren. Als gevolg van deze gebeurtenissen vonden ook opstanden ver buiten Vlaanderen plaats.

Het succes van Filips van Artevelde was maar van korte duur. Zijn gevaarlijkste tegenstander was niet zozeer graaf Lodewijk van Male, als wel de schoonzoon van de graaf, Filips de Stoute, die als erfgenaam van Vlaanderen groot belang had bij het herstel van het grafelijk gezag. Filips de Stoute, regent en de koning van Frankrijk, heeft met Franse troepen de opstandelingen bij Westrozebeke verslagen. Filips van Artevelde is in de gevechten gesneuveld; zijn lijk is op een rad tentoongesteld.

# Mongools leger steekt Moskou in brand

MOSKOU, 1382 - Door een list zijn de Mongolen erin geslaagd Moskou binnen te dringen. Zij hebben de stad geplunderd en in brand gestoken. Grootvorst Dimitri Donskoi, zo geheten na zijn overwinning op de Mongolen twee jaar geleden, is gedwongen de Mongoolse opperheerschappij te erkennen. De chan op zijn beurt heeft Dimitri Donskoi als grootvorst erkend.

De verwoesting van Moskou toont aan dat de Mongolen nog altijd een vuist kunnen maken. Dimitri was op het tijdstip dat de Mongolen voor Moskou verschenen in het noorden een leger aan het verzamelen. De Mongolen, geleid door chan Toktamisj, probeerden eerst de stad door middel van belegering op de knieën te dwingen. Toen dat mislukte namen zij hun toevlucht tot een list: Tochtamisj zwoer dat hij afzag van de strijd en dat hij, louter om zijn nieuwsgierigheid te bevredigen, met een klein groepje begeleiders binnen de wallen van de stad wenste te worden toegelaten. Eenmaal in de stad vielen zij hun gastheren aan en wisten een poort in handen te krijgen.

Na de plundering van Moskou hebben de Mongolen zich met een enorme buit teruggetrokken teneinde een confrontatie met het leger van Dimitri Donskoi te vermijden. Moskou is door deze wraakactie zwaar getroffen. Dimitri heeft opnieuw de Mongoolse suzereiniteit moeten erkennen, terwijl de chan op zijn beurt Dimitri van Moskou als grootvorst accepteerde.

**12 april 1385.** In Kamerijk wordt een dubbelhuwelijk gesloten tussen Bourgondië en Wittelsbach. Jan zonder Vrees, de oudste zoon van de Bourgondische hertog Filips de Stoute, huwt met Margaretha, dochter van Albrecht, graaf van Henegouwen, Holland en Zeeland. Willem van Oostervant, de oudste zoon van Albrecht, trouwt met Margaretha, dochter van Filips de Stoute. →

**14 augustus 1385.** Koning Jan I van Portugal verslaat met Engelse steun koning Jan I van Castilië bij Aljubarroto. Met deze overwinning wordt de onafhankelijkheid van Portugal veilig gesteld.

**9 juli 1386.** In de Slag bij Sempach verslaan de Zwitsers een ridderleger van hertog Leopold III van Oostenrijk. Oostenrijk moet de onafhankelijkheid van het Zwitserse Eedgenootschap erkennen. →

**1386.** In opdracht van Gian Galeazzo Visconti begint men in Milaan met de bouw van de Dom.

**Februari 1386.** De Litouwse grootvorst Wladyslaw II Jagiello wordt na zijn huwelijk met de Poolse koningin Jadwiga ook koning van Polen. Hij sticht de dynastie der Jagiellonen. Jagiello bekeert zich voor zijn troonsbestijging in Polen tot het christendom en laat zijn volk massaal dopen. →

**1387.** De Engelse dichter Geoffrey Chaucer schrijft zijn meesterwerk de *Canterbury Tales.* →

**1387.** Na de dood van haar zoon Olaf wordt Margaretha koningin van Denemarken en Noorwegen.

**1388.** Maarschalk Pak Wi uit Koryo verwoest in Tsushima de thuisbasis van de Japanse piraten. →

**1388.** Koning Karel VI van Frankrijk neemt persoonlijk het bewind in handen. Hij vervangt de regenten door een aantal oude adviseurs van zijn vader Karel V: de zogenaamde Marmousets.

**24 februari 1389.** Bij Falköping wordt koning Albert van Zweden verslagen en gevangengenomen. Koningin Margaretha van Denemarken wordt nu als vorstin van Zweden geaccepteerd.

**15 juni 1389.** In de Slag op het Merelveld (Kosovo Polje) verslaan de Osmanen (Turken) de Serven. Zowel de Osmaanse sultan Moerad I als de Servische vorst Lazar sneuvelt op het slagveld. →

**1389.** De Mongoolse heerser Timoer Lenk valt de Gouden Horde aan en plundert Saraj, de hoofdstad van dit Mongoolse rijk in Zuid-Rusland en West-Siberië.

**1389.** In Dai Viet [Vietnam] wankelt de dynastie van de familie Tran. →

# Litouwen wordt christelijk na unie met Polen

LUBLIN, februari 1386 - De grootvorst van Litouwen Jogajla (Jagiello) is in Lublin tot koning van Polen gekozen op de bijeenkomst van de Poolse baronnen en adel. Via zijn huwelijk met Jadwiga, de dochter van Lodewijk van Anjou, wordt een unie met Litouwen gesloten.

De unie en het huwelijk zijn voortgekomen uit puur pragmatische redenen: Litouwen is het laatste heidense prinsdom in Europa. Hoewel groot en krachtig, komt Litouwen in steeds grotere moeilijkheden door de druk van twee christelijke buren: Polen en de kruisridders. De Duitse Orde maakt geen geheim van het plan om Litouwen te veroveren en aan hetzelfde lot te onderwerpen als het langzamerhand totaal uitgeroeide heidense Pruisen. Grootmeester Winrich von Kniprode heeft in 1339 de pauselijke toestemming voor het bekeren van Litouwen gekregen; sindsdien zijn er op Litouws gebied enkele Duitse kolonies gesticht.

De Poolse baronnen hopen door de unie met Litouwen een koning te krijgen die krachtig en tegelijkertijd manipuleerbaar is. Daarom ook bestaat in Polen groot verzet tegen een koning die uit de Anjou- of Habsburg-dynastie afkomstig is.

De Litouwse prins aanvaardt het christendom, bekeert zijn land en laat de Poolse slaven en krijgsgevangenen vrij. Tevens wordt hij opperbevelhebber van de gezamenlijke militaire inspanningen gericht tegen de Kruisridder Orde.

*Ridder van de Duitse Orde (miniatuur uit een 14de-eeuws handschrift).*

# Politiek dubbelhuwelijk

*Links hertog Albrecht van Beieren, rechts hertog Filips de Stoute van Bourgondië.*

KAMERIJK, 12 april 1385 - Willem van Oostervant, zoon van Albrecht van Beieren, graaf van Henegouwen, Holland en Zeeland, en Margaretha van Bourgondië, de 10-jarige dochter van Filips de Stoute, zijn vandaag in het huwelijk getreden. Tevens is een huwelijk tot stand gekomen tussen Willems zuster Margaretha van Beieren en Jan, de 14-jarige broer van Margaretha van Bourgondië.

Het initiatief tot dit dubbelhuwelijk is uitgegaan van de oude, kinderloze hertogin van Brabant, Johanna. Haar beweegreden was, de belangen van de kinderen van haar nicht, Margaretha van Male, de vrouw van de Bourgondische hertog, veilig te stellen, daar zij van plan is een van hen in haar hertogdom te laten opvolgen.

Hertog Filips de Stoute, die sinds de dood van zijn schoonvader vorig jaar, nu ook over Vlaanderen regeert, kan tevreden zijn. Door het dubbelhuwelijk blijft Holland uit handen van Engeland, dat kort geleden nog geprobeerd heeft door huwelijkspolitiek vaste voet in Holland te krijgen. Bovendien heeft Johanna van Brabant aan het dubbelhuwelijk de belofte verbonden dat Jan [zonder Vrees], de zoon van de hertog, haar opvolger zal zijn in Brabant. Het dubbelhuwelijk is een bezegeling van de goede verstandhouding tussen Bourgondië, Vlaanderen, Brabant en Holland.

## Koreanen nemen Japans roversnest in

KAESONG, 1388 - Met een vloot van meer dan honderd oorlogsschepen is maarschalk Pak Wi naar Tsushima gevaren en heeft daar de thuisbasis van de Japanse zee- en landrovers verwoest. In Koryo [Korea] hoopt men dat hiermee een einde is gekomen aan de voortdurende plundering van Koreaanse schepen en de kusten van Koryo.

De situatie was uit de hand gelopen toen Japanse piraten tijdens de regering van koning Kongmin-wang tot diep in Koryo waren doorgedrongen en alles wat zij op hun weg waren tegengekomen, hadden verwoest. Aanvankelijk had men in Kaesong verondersteld dat met het zenden van een diplomatieke missie naar Japan de kwestie van de Japanse piraterij in der minne kon worden geschikt. De onderhandelingen die in 1366 begonnen en werden gevoerd door Kim Il, leidden tot niets. Japan was op dat ogenblik door de opstand van de Asjikaga in twee rivaliserende kampen verdeeld. Daardoor was het niet mogelijk om echt te onderhandelen. De Japanse gouverneur van Tsushima zond in 1368 wel een verzoeningsmissie met kostbare geschenken naar Kaesong, maar de aanvallen vanuit zijn gebied

bleven aanhouden. Als laatste poging om het conflict langs vreedzame weg op te lossen werd in 1379 Chung Mong Joo naar Japan gestuurd. Hij werd door Imagawa, een lokale gouverneur, met veel ceremonieel ontvangen en kon alle gevangengenomen Koreanen weer mee naar huis nemen.

In 1380 volgde echter opnieuw een aanval vanuit Tsushima en het ambtsgebied van Imagawa. Eerst werd generaal Yi Sung Gye met een leger naar streek van Unbong gestuurd omdat dat gebied nu permanent door Japanners werd bezet. Nadat de generaal de indringers had verdreven trok hij naar Chonju, het gebied waar zijn voorvaders waren geboren. Hier vielen de 'Waigoo', zoals de piraten werden genoemd, 'als herfstbladeren van de boom'. In 1383 volgde de eerste zeeslag. De boten van de piraten werden op de Namhaezee door admiraal Chung Chi in de grond geboord. Hierbij werd gebruik gemaakt van buskruit.

Met het laatste succes van maarschalk Pak Wi hebben de piraten hun thuisbasis verloren. Het is echter de vraag of deze Japanse zee- en landrovers daarmee volledig zijn uitgeschakeld.

*De Slag bij Sempach (1386): de Habsburgse ruiters tegenover het Zwitserse voetvolk.*

# Habsburg erkent Zwitsers

SEMPACH, 9 juli 1386 - De met de steden aan de Rijn en Zwaben verbonden troepen van Zwitserland hebben bij Sempach het ridderleger van hertog Leopold III van Oostenrijk verslagen. De Habsburgers moeten nu de onafhankelijkheid van het Eedgenootschap erkennen.

Reeds in 1315 sloegen de kantons bij Morgarten een grote aanval van de Habsburgers af. Ruim drie weken na die slag vernieuwden de Woudsteden op 9 december 1315 hun Eeuwig Verbond uit 1291. In de jaren na 1315 is het Eedgenootschap fors uitgebreid: in 1332 sloot Luzern zich aan, gevolgd door Zürich (1351), Glarus en Zug (1352) en Bern (1353). Het Eedgenootschap bestaat nu dus uit acht kantons. Met name het toetreden van Zürich en Bern is van groot belang geweest. In de vrije stad Zürich was al in 1336 het patriciaat uit de stad gejaagd en een burgemeester gekozen. De vrije stad Bern had in 1339 bij Laupen haar voornaamste vijanden verslagen en sindsdien zijn haar welvaart en macht sterk toegenomen. Beide steden zijn een voorbeeld van de algemene stedelijke ontwikkeling in veertiende-eeuws Europa. Steden streven naar autonomie en verzetten zich tegen de macht van de landsheren, in dit geval tegen de Habsburgse landhonger.

De groeiende eenheid van het Eedgenootschap blijkt onder meer uit de Pfaffenbrief van 1370 waarin maatregelen, geldend voor het hele gebied van de Bond, worden genomen tegen particuliere oorlogjes en straatrovers. In 1376 zijn de Zwitsers lid geworden van de Zuidduitse stedenbond onder leiding van Ulm.

Vorig jaar heropende hertog Leopold de oorlog tegen het Eedgenootschap, met desastreus resultaat. Net als in de slag bij Morgarten bleken de zwaarbewapende, onbeweeglijke ridders niet opgewassen tegen het wendbare landleger van het gewone volk. Een militaire ontwikkeling van groot belang die tevens aangeeft dat de macht van de adel tanende is.

## Chaucer schrijft 'Canterbury Tales' in de Engelse taal

LONDEN, 1387 - In Engeland is een boek verschenen dat de *Canterbury Tales* (Vertellingen van Canterbury) wordt genoemd. Het is geschreven door Geoffrey Chaucer en ditmaal is de taal die gebruikt is geen Latijn of Frans, maar Engels.

Het is een symptoom van de nieuwe tijd dat voor dit boek het Engels gebruikt is. Steeds meer wordt deze taal in alle lagen van de bevolking gesproken en steeds meer mensen kunnen deze ook lezen. Voorheen waren vooral de hogere kringen niet erg geneigd om Engels te spreken.

Vijftien jaar geleden werd het Engels echter als voertaal voor de gerechtshoven ingevoerd en ook in het parlement wordt, zelfs door de koning, regelmatig Engels gesproken. Nu begint de adel ook het Engels te bezigen.

Het gebruik van het Frans wordt steeds minder functioneel. De Engelsen voeren weliswaar nog oorlog met de Fransen, maar van echte betrokkenheid bij Frankrijk is steeds minder sprake.

# Tran-dynastie wankelt

THANG-LONG, 1389 - Het ziet ernaar uit dat de boerenopstand onder leiding van de boeddhistische monnik Pham Su On de dynastie van de familie Tran in Dai Viet [Vietnam] ten val zal brengen. De laatste maanden heeft het verzet zulke vormen aangenomen dat zelfs de ministers en hoge ambtenaren twijfelen aan het voortbestaan van de huidige dynastie.

Terwijl het zich aanvankelijk liet aanzien dat ook deze opstand met hard optreden van het leger de kop zou kunnen worden ingedrukt, blijkt nu dat in het hele land geweigerd wordt nog langer de hoge belastingen te betalen en mannen voor het leger te leveren. De moeilijkheden die zich nu voordoen zijn tot drie oorzaken terug te voeren.

In de eerste plaats hebben sinds de regering van keizer Du-tong, die in 1341 de troon besteeg, aan het hof slecht bestuur en spilzucht overheerst. Du-tong is zelfs afgetreden omdat hij theater en dans belangrijker vond dan het besturen van zijn land. Tegelijkertijd hebben ambtenaren de kans aangegrepen op grote schaal corrupte praktijken uit te oefenen. Land dat periodiek onder de boeren herverdeeld moest worden werd door hen ontvreemd en ten eigen bate aangewend. De bevolking leed ook onder de voortdurende oorlogen die met Champa werden gevoerd. Zij moest die niet alleen bekostigen maar ook nog de mensen daarvoor leveren. Ten slotte wordt in het hele land de arrogante houding van de ambtenaren als grievend en immoreel ervaren. Onlangs nog liet een hoge ambtenaar weten dat 'zij (de ambtenaren) de valken waren en de bevolking de eenden. Het is toch logisch dat de valken zich voeden met eenden!'

Sinds de regering van Du-tong zijn er al vele opstanden van boeren geweest maar deze hadden tot nu toe steeds een lokaal karakter. Nu echter schijnt de opstand onder leiding van Pham Su On op landelijke schaal te zijn uitgebroken. Door het overlopen van enkele hoge ambtenaren naar de kant van de opstandelingen wordt druk gespeculeerd over de val van de dynastie.

# Osmanen rukken op in Balkangebied

*Osmanen (onder leiding van sultan op olifant, rechts) voeren overleg met de vijand.*

SKOPLE, 15 juni 1389 - In een bloedig treffen op Kosovo Polje (Merelveld) hebben Osmaanse troepen een leger van Serven, Bosniërs en Albanezen verslagen. Beide opperbevelhebbers, sultan Moerad I en de Servische vorst Lazar I, zijn hierbij om het leven gekomen. De Osmanen hebben hun greep op de Balkan aanzienlijk verstevigd.

Deze Turken, naar hun leider Osman (1290-1326) Osmanen genoemd, hebben handig gebruik weten te maken van de verwarringen op het Balkanschiereiland. Het grote Servische rijk van Stefan Dušan is na diens dood, in 1355, uiteengevallen. Het Byzantijnse Rijk is niet bij machte gebleken om het aldus ontstane politieke vacuüm op te vullen. Behalve politieke chaos droegen religieuze en sociale controversen bij tot de desintegratie. Ketterijen tierden welig. Leden van de heersende Slavische families bestreden elkaar.

Tussen 1341 en 1355 vochten de twee keizers, Johannes V Paleologus en Johannes VI Cantacuzenus om de alleenheerschappij. Cantacuzenus riep hierbij de hulp in van Orhan, de zoon van Osman. In 1345 staken de eerste krijgers van het Huis van Osman de Dardanellen over.

Vorig jaar behaalde een coalitie onder leiding van Lazar I van Servië, Tvrtko van Bosnië en Ivan Stratsimir van Vidin-Bulgarije [rompstaatje] een overwinning bij Plotsjnic, maar dit werd onmiddellijk afgestraft door de onderwerping van Vidin-Bulgarije aan sultan Moerad I. Met behulp van christelijke troepen zijn de Osmanen er nu in geslaagd om de laatste belangrijke Balkanheersers te verslaan.

**1390** (circa). In Sjiraz overlijdt de Perzische dichter Sjams al-Din Mohammed Hafiz. Hij is de onbetwiste meester van de gazal, een kort Arabisch liefdesgedicht. →

**1391.** In Spanje worden joodse gemeenschappen op grote schaal vervolgd. →

**1392.** In Japan komt een eind aan een periode van 'feodale oorlog' (vanaf 1336). De 'zuidelijke' keizer doet afstand van de troon ten gunste van de 'noordelijke' keizer die in Kioto zetelt.

**1392.** In Korea wordt koning Kongyang-wang van de Korjedynastie door generaal Yi Sung Gye van de troon gestoten. De generaal bestijgt als Yi Taehi de troon en sticht de Yi-dynastie. De nieuwe koning erkent het oppergezag van de Chinese keizer. →

**1392.** De Franse koning Karel VI wordt krankzinnig. Een regentschapsraad neemt het bestuur over. De Bourgondische hertog Filips de Stoute en Karels broer Lodewijk van Orléans maken deel uit van deze raad.

**17 juli 1393.** De Turken veroveren de Bulgaarse hoofdstad Turnovo. Bulgarije wordt een provincie van het Osmaanse Rijk.

**1393.** Engeland wordt voor het tweede achtereenvolgende jaar geconfronteerd met een hongersnood.

**1394.** Koning Yi Taehi van Korea vestigt zijn residentie in Kyonsong [Seoel].

**1394.** De Mongolen vallen onder aanvoering van Timoer Lenk Centraal-Azië en India binnen.

**1394.** De joden worden uit Frankrijk verbannen.

**1396.** In Oostenrijk wordt vóor de eerste maal een landdag bijeengeroepen om te beraadslagen over de dreiging van de Turken in het oosten. →

**30 juni 1397.** De rijksraden van Denemarken, Noorwegen en Zweden sluiten de Unie van Kalmar. Onder de regering van koningin Margaretha worden deze drie Scandinavische landen in één rijk verenigd. Margaretha's achterneef Erik wordt als opvolger in alle drie de landen erkend.

**1398.** De Chinese keizer Hong Wu overlijdt te Nanjing. →

**1398.** Mongoolse strijdkrachten verwoesten onder leiding van Timoer Lenk, Delhi, de hoofdstad van het gelijknamige sultanaat. →

**5 augustus 1399.** Aan de Worskla worden een Russisch en Litouws leger door de Tataren (Mongolen van de Gouden Horde) verslagen.

**29 september 1399.** De Engelse koning Richard II wordt gedwongen afstand van de troon te doen. →

# Joodse getto's in Aragón getroffen

ARAGON, 1391 - Na de verschrikkelijke aanval op het joodse getto (judería) in Sevilla die op Aswoensdag plaatsvond, lijken nu de joodse gemeenschappen in Aragón het te moeten ontgelden. Een golf van uitbarstingen tegen joden teistert het Iberisch schiereiland.

Fernando Martínez, aartsdeken van Ecija, vormde door zijn gewelddadige preken de aanleiding voor de pogroms in Sevilla. Een door zijn preek opgehitste massa bestormde het getto in Sevilla, vermoordde alle joden die er woonden, veranderde synagogen in kerken en plunderde wat er maar te plunderen viel.

Na de heerschappij van de christelijke Visigoten gold Spanje nog als een van de meest tolerante landen in West-Europa. In tegenstelling tot christelijke landen hadden joden in islamitische landen zekere rechten. Joden, moslems en christenen in Spanje leefden in het algemeen vreedzaam naast elkaar en konden allen hun eigen godsdienst belijden. De joodse en islamitische gemeenschappen hebben veel aan de Spaanse cultuur bijgedragen.

Door de successen van de Reconquista en de onverdraagzaamheid van de islamitische berberstammen uit Noord-Afrika in de 11de en 12de eeuw gingen echter vele joden en moslems in christelijke staten in Spanje wonen. Joden vervulden vaak sleutelposities aan het hof inzake bestuur of financiën, traden veelal op als vertalers of voorzagen in hun onderhoud door het uitlenen van geld (de Kerk verbood dit aan christenen). De joodse minderheid was nauw met de heersende klasse verbonden.

De kruistochten waartoe in de laat-11de eeuw door de Kerk werd opgeroepen, kondigden het einde aan van het tijdperk van tolerantie. Dit proces heeft zich langzaam maar zeker voltrokken. Het uitbreken van de pest in 1348 bracht alles evenwel in een stroomversnelling. De pogroms tegen de joden vonden plaats binnen een context van vertwijfeling en onzekerheid die deze ziekte teweegbracht, met de dood voor ogen.

In 1380 kondigde Jan van Castilië een verordening af waarin joden verplicht werden in getto's te leven en waarin hun autonome rechtspraak werd ingeperkt. De koningen van de verschillende christelijke staten hebben de uitbarstingen van de afgelopen tijd echter niet voorzien. Ze hebben nog gepoogd de uitbarstingen tegen de joden in Sevilla en andere steden te voorkomen, deels vanwege hun afhankelijkheid van joodse staatsambtenaren en geldschieters. De koningen lijken echter machteloos te staan.

Vele joden hebben zich tot christen laten dopen, maar het lijkt allemaal niets meer uit te maken.

# Staatsgreep maakt einde aan Wang-gezag

KAESONG, 1392 - Met de verbanning van koning Kongyang-wang naar Gansung en de troonsbestijging van generaal Yi Sung Gye heeft de familie Yi het heft in handen genomen in Koryo [Korea]. Hiermee is een einde gekomen aan een factiestrijd die ruim tien jaar heeft geduurd.

Yi Sung Gye wordt algemeen gezien als het militaire genie van Koryo. Met veel succes heeft hij het banditisme van de Japanners weten te bestrijden. Zijn ontzag voor de machtige noorderburen is echter mateloos. Hierdoor kwam hij in conflict met de eerste minister, Choe Yung, die door middel van oorlog onder het zware juk van de schatplichtigheid die de Chinezen de Koreanen hebben opgelegd uit wilde komen. De schatting was gedurende de laatste 15 jaar al aanzienlijk verminderd: aanvankelijk moesten de Koreanen jaarlijks 1000 paarden, 50 kg goud, 100 tael zilver, 10 000 rollen zijde en katoenen stoffen en nog enkele andere zaken aan de Chinese keizer leveren.

Nu was het aantal paarden teruggebracht tot 50 en hoefde men slechts eens in de drie jaar te betalen. Desondanks wist de eerste minister de koning te winnen voor zijn plan een leger naar China te sturen.

Generaal Yi Sung Gye voerde het slecht bewapende leger van 38 000 man aan maar had zo zijn eigen gedachten over de expeditie. Hij wilde wel naar het Chinese hof maar dan om zijn ondergeschiktheid aan de keizer te tonen. Hij liet daarom zijn leger bivakkeren op het eiland Wihwa-do in de Yalu-rivier. Vandaar keerde hij met zijn soldaten terug naar de hoofdstad Kaesong, waar hij koning Wang Woo afzette. De eerste minister Choe Yung liet hij verbannen. De staatsgreep was al

*Afbeeldingen op een Chinees scherm (Yi-periode): links een processie, rechts het hof.*

gedeeltelijk geslaagd maar hij moest nog de twee zoons van Wang Woo aan de kant zetten. Eerst kwam Wang Chang op de troon als stroman van de Yi, maar na gebleken incompetentie werd hij afgezet. Hetzelfde gebeurde met zijn broer Kongyang-wang. Wang

Chang is evenals zijn vader naar Gangwha verbannen. Kongyang-wang is naar Gansung afgevoerd. Dit heeft de weg vrijgemaakt voor de Yi-factie om de macht volledig aan zich te trekken, iets wat Yi Sung Gye heeft nagestreefd sinds hij generaal werd.

# Hardvochtige keizer Hong Wu overleden

NANJING, 1398 - Keizer Hong Wu is op 70-jarige leeftijd gestorven, dertig jaar nadat hij de Ming-dynastie had gevestigd.

De overleden monarch werd in 1328 geboren in Anhui als zoon van arme pachters. Toen hij zeventien was kwam zijn hele familie om tijdens een epidemie. Om in zijn levensonderhoud te voorzien bracht de wees toen drie jaar door als boeddhistische bedelmonnik. Men beweert wel dat hij toen lid werd van het geheime revolutionaire genootschap 'De Witte Lotus', maar hij heeft dit later, toen hij al keizer was, altijd ontkend.

In 1353 sloot Chu zich aan bij het boerenleger van de Rode Hoofddoeken, een revolutionaire organisatie waarin inmiddels 'De Witte Lotus' was opgegaan. Ondanks zijn spreekwoordelijke lelijkheid kreeg hij algauw een leidende functie en werd hij na de dood

van opstandelingenleider Guo Zixing legerleider. De activiteiten van de opstandelingen richtten zich aanvankelijk in gelijke mate tegen de Chinese rijken als tegen de Mongoolse bezetters. Maar algauw gaf Chu gevolg aan de raad van enige volgelingen om, net als de vroegere boerenleider en oprichter van de Han-dynastie Liu Pang, de klassenstrijd tegen de grootgrondbezitters te staken en zo hun steun te verwerven in de strijd tegen de Mongoolse bezetter van het land.

Toen hij eenmaal keizer was geworden, toonde Hong Wu zich een capabel, hard werkend en spaarzaam vorst. Maar met de tijd werd hij ook steeds meer een paranoïde despoot. Hong Wu vermoedde voortdurend samenzweringen en onderdrukte deze vermeende komplotten met ongehoorde wreedheid. Het vermoeden dat iemand een grap over de keizer had verteld, was

voldoende om zo iemand te laten onthoofden.

In economisch opzicht volgde de keizer de methode die ook kenmerkend was voor het begin van de vorige dynastieën: de bevordering van landbouwproduktie door het in gebruik nemen van braakliggende gronden. Dit, alsmede het herstel van irrigatiewerken die onder de Mongoolse bezetting waren verwaarloosd, bracht een snelle stijging van de Chinese produktie met zich.

Tegenover Chinese handelslieden en ondernemers voerde de eerste Mingkeizer een weinig liberale politiek: hun activiteiten werden aan banden gelegd en succesvolle ondernemingen werden hetzij door de staat overgenomen, hetzij door belastingaanslagen in hun groeimogelijkheden beperkt.

Alle geheime genootschappen werden door de nieuwe keizer verboden.

# De 'Landdag' in Oostenrijk bijeengekomen

OOSTENRIJK, 1396 - Voor de eerste maal is de Oostenrijkse Landdag bijeengekomen. Deze vergadering van de verschillende maatschappelijke standen beraadslaagt over de manier waarop men zich moet verdedigen tegen het dreigende gevaar uit het Oosten, de Turken. Tegelijkertijd demonstreert deze bijeenkomst dat de Oostenrijkse standen aanzienlijk aan politieke invloed hebben gewonnen.

Met de dood van Rudolf IV in 1365 ontstond er in Oostenrijk een machtsvacuüm. Aanvankelijk regeerden de twee jongere broers van Rudolf, Albrecht III en Leopold III gezamenlijk. In 1379 kwam het echter tot een deling van de Habsburgse bezittingen. Deze bleef ook in de volgende generaties bestaan, waardoor er van een duidelijke scheiding tussen de 'albrechtinische' en de 'leopoldinische' tak kan worden gesproken. De verdeling van de gebieden is steeds omstreden gebleven.

Ook na 1379 hebben zich nog enkele delingen voorgedaan, die de positie van de Habsburgers ernstig hebben verzwakt. De meeste Zwitserse bezittingen gingen verloren, en het Donaubekken werd geteisterd door Boheemse roofridders en bandieten.

In deze instabiele situatie raken de bevoegdheden van de standen verankerd in het Oostenrijkse gewoonterecht. Hadden de standen - de hoge adel, de ridders, de geestelijkheid, de steden en incidenteel ook de boeren - voorheen slechts 'hulp, raad en bijstand' geleverd wanneer dat de landsheer schikte, nu worden ze steeds onafhankelijker. De grootste troef die de standen in handen hebben is evenwel hun beslissingsbevoegdheid in militaire aangelegenheden. Nu huurlegers in de plaats zijn gekomen van de feodale krijgsdienst is de financiering van deze troepen een groot probleem voor landsheren, die zoals de Oostenrijkse, vaak ten strijde trekken. Om aan extra geld voor de oorlogvoering te komen is de heer dus aangewezen op de standen. Maar wie geld levert verlangt ook rekenschap zodat wetgeving tot de taken van de 'gemain Landschaft' gaat behoren.

*De Oostenrijkse gebieden in 1378.*

# Mongolen plunderen Delhi

DELHI, 1398 - Vanuit het noordwesten zijn de Mongoolse legers van Timoer Lenk Delhi, de hoofdstad van het sultanaat, binnengevallen. Eerder werd de Punjab al geplunderd en geannexeerd. De plundering van Delhi ging gepaard met grote slachtpartijen, voornamelijk onder hindoes. Tienduizenden slaven werden als levende buit uit Delhi meegevoerd.

Tien jaar na de dood van sultan Firoez (1351-1388), de laatste grote sultan van de Tughluq-dynastie, kostte het Timoer Lenk weinig moeite het door rivaliserende facties verzwakte sultanaat binnen te vallen. Al onder Mohammed Tughluq hadden zich delen van het sultanaat afgescheiden. Tussen 1335 en 1342 werd het Indische schiereiland getroffen door een periode van droogte en hongersnood die samen met de falende politiek van Mohammed voor een groot aantal opstanden zorgde. In 1336 werd het hindoekoninkrijkje Vidyayanagar op het zuidelijke Dekkanplateau gesticht. Op het noordelijke deel van dat plateau riep, na een serie opstanden van ontevreden moslem-edelen, een van hen zich tot sultan van de Dekkan uit. In 1338 verklaarde Bengalen zich onafhankelijk van het sultanaat. In 1351 kwam Mohammed Tughluq om het leven toen hij een opstand in de Sind tevergeefs trachtte te breken.

Zijn neef Firoez probeerde nog Bengalen te heroveren, maar accepteerde al snel de gegeven situatie en deed vervolgens zijn best zijn macht in het overgebleven gebied te consolideren. Hij schafte de martelingen af, had een passie voor bouwwerken en was zeer orthodox in de islamitische leer. Hij liet een nieuw Delhi bouwen dat Firoezabad heette, waar vele moskeeën en scholen stonden. Ook liet hij grote irrigatiewerken aanleggen waarmee nieuwe gebieden produktief werden. Doordat hij echter zo orthodox in de leer was voerde hij een aantal vijandige acties tegen hindoes uit, waardoor uiteindelijk het grootste deel van zijn onderdanen van hem vervreemdde. Na zijn dood, tien jaar geleden, brak in Delhi een strijd tussen rivaliserende facties los. In de afgelopen tien jaar hebben zes verschillende sultans het steeds kleiner wordende sultanaat bestuurd.

## Engels parlement zet koning Richard af

LONDEN, 29 september 1399 - Het parlement heeft koning Richard II afgezet. De koning, wiens regering de laatste jaren een waarlijk tiranniek karakter droeg, was de hele Engelse bevolking tot last.

Richard II kwam al als kind aan de regering. Hij had enkele goede eigenschappen als koning, maar zijn onzekere en angstige jeugd had van hem een onevenwichtige persoonlijkheid gemaakt. Hij had daardoor de neiging vrienden overdadig te belonen voor hun diensten, maar zeer hardvochtig om te gaan met diegenen van wie hij dacht dat zij vijanden waren. In de afgelopen jaren had hij verscheidene edelen vermoord en andere verbannen. Onder de laatsten bevond zich Hendrik Bolingbroke uit het Huis van Lancaster, een neef van de koning.

Kwaad bloed zette verder dat de koning naast de slepende oorlog in Frankrijk overging tot expedities naar Schotland en Ierland. Deze oorlogen kostten immers allemaal veel geld, terwijl de Engelse bevolking het belang van deze strijd nooit heeft ingezien. Tijdens de laatste expeditie naar Ierland is Hendrik Bolingbroke teruggekeerd naar Engeland, heeft zijn gebieden weer in bezit genomen en van daaruit de koning bestreden tot deze uiteindelijk is afgezet.

*In het omvangrijke oeuvre van de beroemde Perzische dichter Mohammed Hafiz (gestorven in Chiras, 1390) komen twee thema's veelvuldig aan bod, te weten de liefde en de wijn (zie afbeelding; miniatuur uit Noord-India). Hafiz beschouwt de wijn niet alleen als een belangrijk middel om zo intens mogelijk van het leven te genieten, maar ook als symbool van bovennatuurlijke verrukking.*

**20 augustus 1400.** De vier Rijnse keurvorsten zetten de Duitse koning Wenceslaus af en kiezen de Wittelsbacher Ruprecht III van Palz tot koning.

**9 juli 1401.** De Mongoolse heerser Timoer Lenk verwoest Bagdad als bestraffing voor een daar uitgebroken revolutie.

**28 juli 1402.** Bij Ancyra [Ankara] verslaat Timoer Lenk de Osmaanse sultan Bajezid.

**3 september 1402.** Giangaleazzo, hertog van Milaan, overlijdt. →

**1402.** In Kioto gaat een nieuw toneelstuk van Seami Motokijo in première. →

**1402.** Keizer Ho Quy Ly voert in Dai Viet [Vietnam] hervormingen door. →

**1402.** Koning Sigismund van Hongarije verkoopt als markgraaf van Brandenburg de Neumark aan de Duitse orde.

**8 maart 1403.** In gevangenschap van Timoer Lenk overlijdt de Osmaanse sultan Bajezid. Zijn zoons Süleyman en Mohammed volgen hem op.

**1403.** In Chosun [Korea] verschijnen steeds meer boeken. →

**23 november 1407.** Hertog Lodewijk van Orléans wordt in opdracht van zijn neef de Bourgondische hertog Jan zonder Vrees vermoord. In Frankrijk breekt een burgeroorlog uit tussen de Armagnacs (aanhangers van de hertog van Orléans) en de Bourguignons (aanhangers van de hertog van Bourgondië).

**1407.** De roman *Het Boek van de Stad der Vrouwen* van Christine de Pisan verschijnt. →

**December 1408.** De Tataren (Mongolen van de Gouden Horde) belegeren Moskou tevergeefs.

**1408.** Een misoogst veroorzaakt een hongercrisis in de Noordelijke Nederlanden en de Duitse staten.

**1409.** Pisa door Florence onderworpen.

**1409.** Het Concilie van Pisa verklaart de twee pausen Gregorius XII en Benedictus XIII voor afgezet en kiest kardinaal Petrus Philarges tot paus Alexander V. →

**3 maart 1409.** Een scheidsrechterlijk vonnis maakt een einde aan een in Oostenrijk woedende burgeroorlog. →

**1409.** Koning Wenceslaus IV van Bohemen vaardigt het Kuttenberger Decreet uit, waardoor in de Praagse universiteit de Duitse 'natie' aan de Tsjechische ondergeschikt wordt gemaakt.

## Hertog Visconti bracht Milaan tot grote macht

MILAAN, 3 september 1402 - Giangaleazzo Visconti, sinds 1395 hertog van Milaan, is op 51-jarige leeftijd overleden. Hij wordt opgevolgd door zijn 13-jarige zoon Gianmaria.

Giangaleazzo, een geslepen politicus, slaagde erin grote delen van Noord-Italië te onderwerpen - Genua, Verona en Padua moesten voor zijn macht buigen - en maakte Milaan tot een geduchte concurrent van Venetië en Florence. Onder zijn tirannieke maar efficiënte bestuur kwamen de landbouw, handel en industrie tot grote bloei. Milaan werd een concurrent van Florence in wollen goederen en heeft bovendien een bloeiende wapenindustrie. Maar de economie van Milaan is geheel afhankelijk van de zijdehandel.

Ook Giangaleazzo behoorde tot de staatslieden die hun macht en rijkdom aanwenden voor de culturele verheffing van hun staat. Hij is begonnen aan de bouw van de kathedraal van Milaan, en steunde actief de kunsten en wetenschappen.

## Ho Quy Ly voert hervormingen door

THANG-LONG, 1402 - De gevolgen van de hervormingen die keizer Ho Quy Ly heeft doorgevoerd laten zich duidelijk voelen. In reactie op de wanorde die onder de laatste keizers uit de Tran-familie heerste, heeft Ho Quy Ly eerst als voornaamste ambtenaar aan het hof en vanaf 1400 als keizer, welke positie hij zichzelf had gegeven, zowel het financiële stelsel veranderd als de sociale en agrarische verhoudingen hervormd.

Door het invoeren van papiergeld probeert hij de circulatie van geld te stimuleren, wat een positief effect moet hebben op de handel en daardoor ook weer meer geld in de schatkist moet brengen. Het verzet tegen het papiergeld heeft echter grote vormen aangenomen en men kan nu al zeggen dat deze hervorming niet is geslaagd is.

Wel geslaagd zijn zijn pogingen om het grootgrondbezit terug te dringen en de belastingen voor de boeren te verlagen. Daarnaast zijn de aristocraten veel van hun slaven kwijtgeraakt en hebben zij aan macht moeten inboeten.

Ook heeft Ho Quy Ly in alle hoofdplaatsen van de provinciën scholen geopend zodat het onderwijs voor meer mensen toegankelijk is geworden. Ambtenaren moeten voortaan ook stukken gaan schrijven in het Vietnamees in plaats van in het tot nu toe gebruikte Chinees.

Ten slotte lijken hervormingen van het strafrecht ook in het voordeel van de boeren uit te vallen.

# Boekenoplage stijgt door druktechnieken

*Een 13de-eeuwse Koreaanse drukkerij: links de kasten met drukplaten.*

HAN'YANG, 1403 - Door toepassing op grote schaal van druktechnieken die al bijna twee eeuwen in gebruik zijn in Chosun [Korea], is het aantal boeken dat in omloop is aanzienlijk toegenomen. De toegenomen vraag van de kant van de intelligentsia en de geestelijken heeft bijgedragen tot de stijging van het aantal uitgeverijen en daarmee tot het aantal titels dat verschijnt. Naast wetenschappelijke en religieuze uitgaven is ook de belangstelling voor literaire uitgaven toegenomen.

De eerste koningen van Koryo hebben in het begin van de 11de eeuw universiteiten gesticht en de 'kwago', de examens voor het behalen van een graad die toegang geeft tot hoge ambtelijke functies, opgezet. In de toegenomen vraag naar boeken kon tamelijk snel worden voorzien toen onder koning Hyunjong bij het drukken voor het eerst met succes van houten blokken gebruik werd gemaakt. De *Taejanggyeong*, de Sino-Koreaanse versie van het klassieke boeddhistische *Tripitaka*, werd op deze wijze als eerste werk gedrukt. Onder de regering van koning Moonjong werd de eerste druk voltooid en later kwam er nog een tweede druk uit die vervaardigd is tussen 1232 en 1241. Naast een religieuze functie had het boek ook een bezweringsfunctie: het zou de invallen vanuit Mantsjoerije moeten afweren.

De tweede druk, die in opdracht van koning Kojong door Choe Yoon Ui is vervaardigd, verschilt echter van de eerste druk wat betreft het materiaal waarmee is gewerkt. Nu zijn voor het eerst bewegende metalen platen gebruikt waarop de tekst aangebracht is. Hierdoor kan een scherpere druk worden verkregen en is het zetsel minder aan slijtage onderhevig.

Op intellectueel gebied is de uitvinding van de boekdrukkunst van grote betekenis geweest. Al voor de toepassing van de techniek met de metalen platen werden vele wetenschappelijke werken met houten matrijzen gedrukt, waaronder de *Samgook Sagi* (De geschiedenis van Drie Koninkrijken), een 50-delig werk over de rijken van Silla, Paekche en Koguryo dat in 1145 is verschenen. In 1280 werd met metalen matrijzen de vijfdelige *Samgook Yoosa* (Herinneringen aan de Drie Koninkrijken) van de monnik Ilyun gedrukt en gepubliceerd en in dezelfde eeuw kwam eveneens *Jewang Woon-gi* (Bloemlezing over de Koningen) van de schrijver Yi Sung Hyoo in twee kloeke delen uit.

Naast boeken over astronomie en medicijnen werd *Haedong Birok* (Geografie van Korea) gedrukt. Opmerkelijk is nog de publikatie van een natuurwetenschappelijke verhandeling van Choo Moo Sun in 1377 over het maken van buskruit.

Op literair gebied verschijnen nu dichtbundels, verzamelingen van volksliedjes, humoristische verhalen zoals *Pahan Jip* (Nietszeggende praatjes van nietszeggende lieden) en bijvoorbeeld de roman *Baegoon Sosul* (De Witte Wolken) van Yi Gyu Bo.

Het grote aantal exemplaren dat met deze druktechniek in korte tijd gedrukt kan worden, vergroot ook de mogelijkheid voor een groter aantal mensen om te leren lezen en boeken te bemachtigen. De toenemende geletterdheid is niet in de laatste plaats merkbaar in het ambtelijk apparaat.

Door meer kennis van zaken kunnen ook lagere ambtenaren als bestuurder beter functioneren.

## Première nieuw nô-stuk van Motokijo

KIOTO, 1402 - 'Het toppunt van esthetica', dat was de eerste reactie van de sjogoen Asjikaga Josjimitsoe. Hij had zo juist de première van een nieuw nô-stuk bijgewoond. Dit stuk is evenals de meeste andere stukken geschreven door Seami Motokijo. Deze is vanaf zijn jeugd onder de hoede van de sjogoen opgegroeid. De sjogoen had al de gaven van de vader van Motokijo op het gebied van het nô-theater bewonderd, maar diens zoon mocht niet, noch in materieel noch in enig ander opzicht, afhankelijk zijn van het grote publiek bij het schrijven van zijn stukken. Hierdoor kon hij de hoogste graad van esthetische volmaaktheid bereiken.

De sjogoen droeg het nô-theater al vroeg een warm hart toe. Deze theatervorm is ontstaan uit het samengaan van de 'sangakoe', een ongekunstelde variété-show met dans, muziek en soms jongleren, 'dengakoe', volksdansen die direct verbonden zijn met de seizoensfeesten in de landbouwcyclus, 'kagoera', een rituele dans die wordt uitgevoerd in een sjinto-heiligdom, 'sjoesji', toverformules voor esoterische boeddhistische ceremonies en ten slotte 'imajo', volksliedjes die door beroepszangers ten gehore worden gebracht. Het acteren heet 'nô' en de stukken hebben de naam 'jokjokoe' (dramatische literatuur) gekregen.

De vader van Seami Motokijo, Kan'ami Kijotsoegoe, heeft zeker evenveel als zijn zoon bijgedragen aan de ontwikkeling van het nô-theater. Hij is namelijk de man geweest die als eerste een synthese tussen al deze verschillende culturele uitingen tot stand heeft gebracht. Omdat hij echter financieel afhankelijk was van het publiek dat naar het theater trok, moest hij wel toegeven aan hun smaak. Mede hierdoor hebben de eerste nô-stukken een veel dramatischer inslag dan de stukken die door zijn zoon geschreven zijn. In het werk van Kan'ami Kijotsoegoe is echter ook al een ontwikkeling naar hogere esthetische en meer verfijnde vormen te ontdekken. Hier en daar zijn al pogingen om meer poëtische beelden in de stukken te vervlechten. Zijn zoon heeft van de sjogoen de vrije hand gekregen dit tot het uiterste door te voeren. Veelvuldig worden schitterende metaforen gebruikt, waarbij men zich wel afvraagt of overdaad niet schaadt.

*Hertog Leopold VI van Oostenrijk.*

## Habsburgse twist wordt na bloedige strijd bijgelegd

WENEN, 3 maart 1409 - In de Oostenrijkse hoofdstad is een overeenkomst getekend die een einde moet maken aan de onderlinge strijd tussen de Habsburgers van de 'leopoldinische' tak. De twistende broers, Leopold IV en Ernst, bijgenaamd 'de IJzeren' worden verplicht om gezamenlijk het regentschap voor hun pas 11-jarige oomzegger Albrecht V uit te oefenen. Met dit compromis komt er tevens een einde aan de ongeregeldheden in Wenen, die ruim een jaar geleden zijn uitgebroken. In de hoofdstad waren toen twee kampen ontstaan: de 'Geschlechter', de rijke patriciërs, kozen partij voor Ernst, terwijl de handwerkslieden zich achter Leopold IV schaarden. Toen de Weense burgemeester Konrad Vorlaüf, aanhanger van hertog Ernst, in januari vorig jaar vijf leiders van de handwerkerspartij liet onthoofden, nam Leopold IV bloedig wraak. In de zomer bezette hij Wenen, en liet de burgemeester samen met enige leden van de gemeenteraad in het openbaar terechtstellen. De huidige verzoening is tot stand gekomen op initiatief van groeperingen die gebaat zijn bij orde en rust in Oostenrijk: de standen en de geestelijkheid.

## Keuze derde paus lost schisma niet op

PISA, 7 augustus 1409 - De belangrijkste uitkomst van het Concilie te Pisa is dat er een derde paus gekozen is. Bijeengeroepen door de meeste kardinalen, had het concilie ten doel een eind te maken aan de onduldbare situatie waarin de Kerk zich na ruim dertig jaren schisma bevindt. Want noch de in Rome zetelende paus Gregorius XII, noch de in Avignon verblijvende tegenpaus Benedictus XIII, is bij machte gebleken zich van de trouw van de gehele christenheid te verzekeren. Spoedig na de opening van het concilie op 25 maart werden beide pausen beschuldigd van ketterij, meineed en kerkscheuring. Het concilie meende derhalve dat het vanwege deze strafbare feiten het recht had beide pausen af te zetten en een nieuwe paus te kiezen: Alexander V, aartsbisschop van Milaan, die terstond de conciliebesluiten bekrachtigde. Men besloot binnen drie jaar de hervorming van Kerk en Curie door te voeren.

De situatie is echter momenteel nog gecompliceerd, aangezien de beide eerder benoemde pausen zich niet storen aan hun afzetting en dit concilie voor ongeldig verklaren, zodat de christenheid nu drie pausen als opperste leider heeft.

# 1410

## Vrouwen centraal in nieuwe roman

PARIJS, 1407 - In de roman *Het Boek van de Stad der Vrouwen* heeft Christine de Pisan een lans gebroken voor het verstand van vrouwen. Zij vraagt zich af waarom de vooroordelen dat vrouwen een klein bevattingsvermogen hebben en onbetrouwbaar zijn, zo wijdverbreid zijn. De Deugden van de Rede, van de Rechtvaardigheid en van het Recht geven haar antwoord. Deze antwoorden vormen de bouwstenen van de symbolische stad die Christine de Pisan in haar boek opbouwt.

Zo stelt Christine de vraag waarom de klassieke schrijver Ovidius en velen na hem zo vaak waarschuwden voor de onbetrouwbaarheid van vrouwen; naar hun eigen zeggen ten behoeve van het algemeen welzijn. Vrouwe Rechtvaardigheid antwoordt dat deze waarschuwingen nooit bedoeld kunnen zijn geweest om het algemeen welzijn te dienen omdat Ovidius in dat geval ook de vrouwen zou hebben moeten waarschuwen voor de sluwheid van mannen. Tegen de mening dat vrouwen dom zijn en niets weten, brengt Vrouwe Rede in dat indien het de gewoonte was om meisjes zoals jongens naar scholen en universiteiten te sturen zij even goed zouden leren als jongens.

Christine, die in 1364 in Venetië geboren is, heeft in haar eigen leven de nodige oefening en ervaring opgedaan. Van haar vader kreeg zij een intellectuele vorming die voor meisjes zeer ongebruikelijk is. Sinds de dood van haar echtgenoot, die secretaris was aan het Franse hof, voorziet zij met schrijven in het onderhoud van haar gezin. In 1393 debuteerde Christine met de bundel *Honderd balladen*. Sindsdien heeft zij haar naam als schrijfster gevestigd. Enkele jaren geleden kreeg zij van koning Filips de Stoute de opdracht om een levensbeschrijving van Karel V te vervaardigen. In *Het Boek van de Stad der Vrouwen* heeft Christine de Pisan aangetoond wat zij in haar eigen leven al bewezen had: vrouwen hoeven in deugd en verstand niet voor mannen onder te doen.

*Man slaat zijn overspelige vrouw.*

**15 juli 1410.** Bij Tannenberg wordt de ridders van de Duitse Orde een verpletterende nederlaag toegebracht door de gezamenlijke legers van Jagiello van Polen en Witold van Litouwen. →

**1410** (circa). In Chimay overlijdt de Franse geschiedschrijver en dichter Jean Froissart. Zijn hoofdwerk is de *Croniques de France, d'Engleterre et des païs voisins*, waarin de Europese oorlogen vanaf 1327 tot 1400 beschreven worden.

**20 maart 1413.** De Engelse koning Hendrik IV overlijdt. Hij wordt opgevolgd door zijn zoon Hendrik V. →

**7 juni 1413.** Koning Ladislaus van Napels verovert Rome. De in Rome zetelende paus Johannes XXIII vlucht naar Bologna.

**5 november 1414.** In Konstanz wordt een door paus Johannes XXIII bijeengeroepen concilie geopend.

**1414.** Koning Paramesjwara, stichter van een koninkrijk op het Maleise schiereiland Malakka (1402), bekeert zich tot de islam. →

**23 maart 1415.** Drie dagen na de vlucht van paus Johannes XXIII uit Konstanz proclameert het Concilie van Konstanz het oppergezag van algemene concilies boven het gezag van de paus.

**6 juli 1415.** In Konstanz wordt de Tsjechische hervormer Jan Hus levend verbrand. →

**25 oktober 1415.** Koning Hendrik V van Engeland verslaat de Fransen bij Azincourt. →

**1415.** Het noordelijk deel van het rijk Ifat wordt door de Ehtiopiërs ingelijfd. →

**11 november 1417.** In Konstanz wordt Oddone Colonna tot nieuwe paus gekozen. Hij neemt de naam Martinus V aan. De drie pausen Johannes XXIII, Gregorius XII en Benedictus XIII zijn gedwongen troonsafstand te doen. Hiermee is een eind aan het groot Westers Schisma gekomen. →

**30 juli 1419.** Na de dood van koning Wenceslaus IV van Bohemen stormen hussieten (aanhangers van Jan Hus) het Praagse stadhuis binnen en vermoorden de antihussitische raadsleden. De hussieten weigeren de Duitse koning Sigismund als opvolger van zijn broer Wenceslaus te erkennen.

**10 september 1419.** Tijdens vredesonderhandelingen met de Franse troonopvolger Karel (VII) wordt de Bourgondische hertog Jan zonder Vrees vermoord.

## Duitse Orde verliest slag

TANNENBERG, 15 juli 1410 - Het ridderleger van de Duitse Orde is door de Pools-Litouwse troepen verpletterend verslagen. Duidelijk is nu dat het sinds 1386 bestaande Pools-Litouwse Rijk de belangrijkste macht in Oost-Europa is geworden. Voor de Duitse Orde betekent deze nederlaag het einde van haar machtspositie.

De Duitse Orde was sinds 1226 actief in Pruisen en had dit gebied sedert 1283 volledig onder controle. Via ontginningen, stichtingen van dorpen en steden en Duitse kolonisten werd de controle versterkt. In de vorige eeuw verwierf de Orde Pommerellen en kwam daardoor in het bezit van een verbinding met het Duitse Rijk. Overal kwam een sterk centralistisch bestuur. Munten, maten en gewichten zijn voor het hele gebied dezelfde. De kolonisatie en de daaropvolgende organisatie van de dorpen verliepen strikt gereglementeerd. Na de overwinning op Litouwen in 1370 bereikte de Orde onder grootmeester Winrich von Kniprode haar hoogtepunt op politiek en economisch gebied.

In feite betekende deze bloeiperiode het begin van het einde. Hoe groter de successen van de Orde werden, des te meer waren haar vijanden geneigd zich aaneen te sluiten.

*Gepantserde ridders (circa 1320).*

De ridders zijn er nooit in geslaagd de Litouwers te onderwerpen, ondanks de steun van vele Westeuropese ridders aan deze veldtochten. De gevechten tegen de Litouwers golden als kruistochten omdat dit volk nog niet gekerstend was. Toen hun leider Jagiello zich in 1386 liet dopen kon er van een kruistocht geen sprake meer zijn en viel de Westeuropese steun weg. Bovendien huwde Jagiello in datzelfde jaar Hedwig, erfgename van het Poolse Rijk. Op slag werd dit Pools-Litouwse Rijk een zeer zware tegenstander voor de Duitse Orde. Met de overwinning bij Tannenberg heeft het nieuwe rijk de balans in zijn voordeel doen doorslaan.

## Vorst van Malakka bekeerd tot islam

MALAKKA, 1414 - De hoogbejaarde raja Paramesjwara heeft zich bekeerd tot de islam en aangekondigd verder te regeren als Iskandar Shah. Dit besluit schijnt te zijn genomen op aandrang van de islamitische vorst van Pasai, wiens dochter de raja kort geleden tot echtgenote heeft genomen. De islam wordt echter geen staatsgodsdienst en de meeste orang kaya (de rijken of machtigen) van het rijk lijken het voorbeeld niet te volgen.

Paramesjwara, een prins uit Sjriwijaya, moest aan het einde van de vorige eeuw de vlucht nemen toen troepen van het Javaanse Madjapahit definitief een einde maakten aan het bestaan van dit Sumatraanse rijk. Met een duizendtal volgelingen vluchtte de prins naar Tumasik of Singapura, waar hij door de vorst, een vazal van Siam, gastvrij ontvangen werd. Paramesjwara toonde zich weinig dankbaar, vermoordde de vorst en vestigde zich als onafhankelijk heerser. Met behulp van de orang laut (zeevarende stammen) plunderde hij de handelsschepen in deze drukbevaren wateren. Na vijf jaar werd hieraan door Siam een eind gemaakt: de regent van Pahang (een broer van de vermoorde vorst) verscheen met een vloot. Paramesjwara en de zijnen wisten te ontkomen, trokken naar het noorden en vestigden zich uiteindelijk in 1401 in een klein vissersdorpje aan de Malakka-rivier.

Aanvankelijk leek het erop dat ook deze vestiging niet meer zou worden dan een pasar gelap (dievenmarkt). Malakka ligt echter zeer gunstig ten opzichte van de handelsroute tussen China en India (aan begin en einde van de moessons) en heeft een beschutte en diepe riviermonding. Daarom besloot Paramesjwara zich te richten op het verschaffen van faciliteiten voor de handel: een stabiel bestuur, bescherming tegen piraterij, voedsel en drinkwater en opslag- en overslagmogelijkheden. Binnen enkele jaren groeide het dorpje uit tot een havenstad van betekenis, waar zich met name veel islamitische handelaren uit Gujarat (India) vestigden.

Paramesjwara maakte bij de ontwikkeling van zijn rijk gebruik van de chaotische situatie die was ontstaan door de op de dood van Hayam Wuruk van Madjapahit gevolgde burgeroorlog op Java. Hij speelde concurrenten (Pasai, Perak) tegen elkaar uit en zocht bescherming tegen Siam (welks vazal hij eigenlijk was) bij China, waar de heersende Ming-dynastie juist op dat moment een meer op het buitenland gericht beleid voerde. In 1404 werd Paramesjwara als koning en vazal van China erkend en drie jaar geleden ging hij met een gevolg van 540 man mee met de vloot van de roemruchte admiraal Zheng He om persoonlijk zijn tribuut te betalen.

# Magister Jan Hus sterft op brandstapel

*Hendrik V, de nieuwe koning.*

## Hendrik V nieuwe Engelse koning ondanks oppositie

LONDEN, 20 maart 1413 - De Engelse koning Hendrik IV is gestorven. Hij wordt opgevolgd door zijn zoon, die gekroond zal worden onder de naam Hendrik V.

Hendrik V heeft in de jaren 1403-1405 naast zijn vader gevochten in de opstanden van de edelen in het noorden van Wales. Onder hen bevonden zich lieden die zich niet hadden kunnen neerleggen bij de machtsovername door Hendrik IV. De oude koning was de eerste vorst uit het Huis Lancaster die de Engelse troon besteeg. De Welse edellieden maken zelf aanspraken op de troon en die zijn niet minder geldig dan die van Hendrik. Vooral het geslacht der Percy's heeft zich geweerd. De geestelijkheid bleef echter aan de zijde van de koning en zijn zoon staan. Om de aandacht van de meningsverschillen af te leiden, is de koning opnieuw begonnen met de achtervolging van ketters. Het zijn nog steeds de aanhangers van Wyclif, de lollards, die het moeten ontgelden. De koning heeft zijn goedkeuring gehecht aan bepaalde martelpraktijken, zoals het toebrengen van brandwonden, teneinde de lollards hun dwalingen te laten bekennen.

KONSTANZ, 6 juli 1415 - Het Hervormingsconcilie in Konstanz heeft magister Jan Hus, rector van de Praagse Karelsuniversiteit, tot de dood op de brandstapel veroordeeld. Hus, een Tsjechisch priester, die de noodzaak van hervormingen binnen de Kerk preekt, was naar het concilie uitgenodigd om zijn leer, gebaseerd op de stellingen van de Engelse hervormer John Wyclif, te verdedigen. Hus koesterde althans de hoop daartoe de gelegenheid te zullen krijgen. In plaats daarvan vroeg men hem zijn leer als geheel onvoorwaardelijk te herroepen. Omdat hij niet bereid was te buigen, moet hij de marteldood sterven.

Naar Jan Hus, geboren omstreeks 1372, worden de aanhangers van de hele reformatiebeweging in Bohemen genoemd (de hussieten). Hij is schrijver van talrijke belangrijke Latijnse en Tsjechische theologische werken. Zijn Tsjechische boeken hebben bovendien baanbrekende betekenis voor de Tsjechische taal. Hij trachtte in eenvoudige spreektaal te schrijven en moderniseerde de spelling. Hus predikte apostolische armoede om de verwereldlijking van de Kerk tegen te gaan. Tegelijkertijd sloot hij zich aan bij opkomende nationaal-Tsjechische bewegingen tegen de aanwezigheid van katholieke Duitsers in Bohemen.

De rijkdom die de Kerk in Bohemen onder Karel IV (1346-1378) heeft vergaard, leidde tot haar ontaarding: priesters die speelholen en bordelen exploiteerden, er concubines op na hielden en drankorgieën organiseerden, zijn geen uitzondering. Daarbij komen wrijvingen in de - vooral koninklijke - steden tussen de voornamelijk Tsjechische ambachtslieden en het overwegend Duitse patriciaat. Koning Wenceslaus IV (zoon van Karel IV) kon het noch met de Kerk noch met zijn edelen vinden. De Boheemse vorsten hebben hem zelfs herhaaldelijk gevangengenomen.

Het schisma binnen de roomse Kerk is vruchtbare grond voor mannen die Kerk en staat willen hervormen. Het middelpunt van de hervormingsgezinde beweging in Bohemen is de Karelsuniversiteit. Aanvankelijk genoot deze universiteit de nadrukkelijke steun van

*De Tsjechische priester Jan Hus wordt als ketter levend verbrand.*

het hof (Wenceslaus IV haalde zelfs priesters uit Wenen om in Bohemen tegen de immoraliteit van de Kerk te preken). De spanningen aan de universiteit tussen de orthodoxe partij (Duitsers) en de 'zuiveraars' (Tsjechen) liepen echter hoog op. Wenceslaus vaardigde daarop het Decreet van Kutná Hora uit (1409), waarmee hij de verhouding van de stemmen aan de universiteit wijzigde. Oorspronkelijk had ieder van de vier vertegenwoordigde nationaliteiten (Poolse, Tsjechische, Saksische en Beierse) één stem in de universitaire aangelegenheden. Voor aan kregen bij stemmingen de Tsjechen drie stemmen en de resterende nationaliteiten samen één. Het gevolg van deze maatregel was een massale uittocht van Duitse geleerden en studenten uit Praag, waarmee tegelijkertijd het internationale karakter van de beroemde Karelsuniversiteit verdween.

## Engelsen winnen opnieuw van Fransen

AZINCOURT, 25 oktober 1415 - De zware slag tussen de Franse en Engelse legers heeft een eclatante overwinning voor Hendrik V van Engeland opgeleverd. Zoals eerder in de veldslagen bij Crécy in 1346 en Maupertuis in 1356, moest een veel groter Frans ridderleger tegen de Engelsen het onderspit delven. De Engelsen hebben door deze overwinning weer een belangrijk steunpunt op het vasteland verkregen. Normandië is feitelijk weer Engels geworden.

De jonge ambitieuze Hendrik wilde voor zijn eigen positie in Engeland graag van de roem van een glansvolle overwinning profiteren. De situatie in Frankrijk was daartoe voor hem niet onfortuinlijk. Al jaren immers was koning Karel VI krankzinnig, hetgeen de Franse edelen in de gelegenheid had gesteld om hun onderlinge ruzies uit te vechten. De regenten van Karel VI, de hertogen van Bourgondië en Orléans en de graaf van Armagnac, streden om de macht. Het land was geheel in verval. Jan zonder Vrees van Bourgondië zond zelfs geen legeronderdeel naar het strijdtoneel van Azincourt; hij maakte

*De Slag bij Azincourt (15de eeuw).*

van deze gelegenheid gebruik om Parijs te bezetten en de kroonprins gevangen te nemen. Door weer de oude Engelse aanspraken op de Franse kroon naar voren te halen, verschafte Hendrik zich ook een legitieme basis om aan te vallen. De edelmoedigheid van Hendrik na de overwinning was ver te zoeken: slechts de ridders die een losgeld konden betalen werden gespaard, alle andere gevangenen werden in koelen bloede afgeslacht.

## Ethiopië beheerst toegang tot Rode Zee

ZEILA, 1415 - Het noordelijke deel van het rijk Ifat (gesticht in 1285) is ingelijfd door de Ethiopiërs. Zij beheersen met de inname van de handelsstad Zeila nu de toegang tot de Rode Zee. Het is het belangrijkste succes in de reeks overwinningen die de christelijke koningen van Ethiopië de afgelopen eeuw op hun mohammedaanse buurlanden hebben behaald.

De christelijke machtspositie in Oost-Afrika, die door het verval van Aksum in de 8ste eeuw was aangetast, lijkt voorlopig gewaarborgd.

De koningen van Ethiopië pretenderen afstammelingen te zijn van Menelik, de vermeende zoon van koning Salomo en de koningin van Seba (1 Kon.:10). Het legendarische rijk van Seba zou, zo beweren zij, gelegen zijn in Ethiopië, maar anderen situeren het eerder in Jemen, ook wel Arabia Felix genoemd, dat net aan de overkant van de Rode Zee ligt.

*Het Concilie van Konstanz vergadert in de dom (gekleurde houtsnede, 1482).*

# Eenheid in Kerk hersteld

KONSTANZ, 11 november 1417 - Na lange debatten is op het Concilie van Konstanz kardinaal Oddone Colonna tot paus gekozen. Hij heeft als naam Martinus V aangenomen. In plaats van drie pausen die elkaar de hoogste leiding in de Kerk betwistten, is er nu weer één Heilige Vader.

Op dit concilie, dat vanaf 5 november 1414 op het grondgebied van de Duitse keizer Sigismund is gehouden, was een indrukwekkend aantal bisschoppen, abten, geleerden, vorsten en hun gezanten aanwezig. Drie belangrijke punten stonden er op de agenda: herstel van de eenheid van de Kerk, hervorming van de Kerk en de zuiverheid van de christelijke leer. Op 6 april 1415 werd een decreet uitgevaardigd, waarin de conciliegangers verklaarden dat een algemeen concilie de gehele Kerk vertegenwoordigt, dat het zijn gezag rechtstreeks aan Christus ontleent en dat het door iedereen, met inbegrip van de paus, gehoorzaamd behoort te worden in zaken die betrekking hebben op het geloof, het schisma en de algemene hervorming van de Kerk in 'hoofd en leden'. Besloten werd dat er in de toekomst regelmatig algemene concilies zullen worden gehouden.

De drie pausen, Johannes XXIII te Konstanz, Gregorius XII te Rome en Benedictus XIII te Avignon, werden afgezet of traden vrijwillig af, waarna eerder genoemde Oddone Colonna tot paus kon worden gekozen. Met deze verkiezing is het voornaamste doel, herstel van de eenheid van de Kerk, gerealiseerd.

*Deze scène uit de 15de-eeuwse Kroniek van Monstrelet laat zien hoe de Bourgondische hertog Jan zonder Vrees in het dorpje Monterau bij Parijs door politieke tegenstanders wordt vermoord (1419). Hiermee vereffenen de Armagnacs een oude rekening, omdat hertog Jan als gevolg van zijn bemoeienissen met de Franse troon Lodewijk van Orléans, de broer van koning Karel VI, uit de weg had laten ruimen.*

# 1420

**1 maart 1420.** Paus Martinus V roept op tot een kruistocht tegen de Boheemse hussieten.

**21 mei 1420.** Bij het Verdrag van Troyes erkent de Franse koning Karel VI de Engelse koning Hendrik V als zijn opvolger.

**14 juli 1420.** De taborieten verslaan een leger van koning Sigismund van Bohemen (tevens koning van het Duitse Rijk en Hongarije) bij Vitkov Žižka's heuvel buiten Praag.

**1420** (circa). De Portugese zeevaarders João Gonçalves Zarco en Tristão Vaz ontdekken ten noordwesten van Afrika de eilanden Madeira en Porto Santo. Hun ontdekkingsreis is bekostigd en georganiseerd door de Portugese prins Hendrik de Zeevaarder.

**1421.** Keizer Yong Le van China verplaatst zijn residentie van Nanking naar Beijing [Peking]. →

**1421.** Tsjeng Ho, een moslem-admiraal van de Chinese keizer Yong-lo, brengt een bezoek aan het moslemrijk Bengalen in India. Tsjeng Ho heeft in dienst van de Chinese keizer reeds verscheidene grote zeereizen naar Zuid-Azië en Oost-Afrika ondernomen.

**31 augustus 1422.** Bij Vincennes overlijdt de Engelse koning Hendrik V. Hij wordt opgevolgd door zijn negen maanden oude zoontje Hendrik VI. Diens ooms voeren het regentschap: Jan van Bedford in Frankrijk en Humphrey van Gloucester in Engeland.

**28 oktober 1422.** Na de dood van de Franse koning Karel VI de Waanzinnige wordt zijn zoon Karel VII tot koning van Frankrijk uitgeroepen.

**1425.** In de Cappella Brancacci van de Santa Maria del Carmine te Florence schildert de beroemde Italiaanse renaissanceschilder Masaccio prachtige fresco's over het leven van Petrus. →

**1428.** Jacoba van Beieren, gravin van Henegouwen, Holland en Zeeland, sluit met de Bourgondische hertog Filips de Goede de 'Zoen van Delft'. Jacoba erkent Filips de Goede als ruwaard en erfgenaam van haar graafschappen.

**1428.** De Chinese legers trekken zich uit Dai Viet [Vietnam] terug. →

**1428.** Het Azteekse leger verslaat de Tepaneken onder leiding van legerleider Itzcoatl. →

**8 mei 1429.** De stad Orléans, belegerd door de Engelsen, wordt ontzet door een klein Frans leger. Het legertje wordt aangevoerd door het Lotharingse boerenmeisje Jeanne d'Arc.

# Keizer verplaatst hof van Nanjing naar Beijing

PEKING, 1421 - De nieuwe zetel van de Chinese regering en van het hof van de keizer van China is overgebracht van Nanjing naar Beijing [Peking]. Door keizer Yong Le werd de naam van de stad veranderd van Beiping - Vrede van het Noorden - in Beijing - Hoofdstad van het Noorden. Nanjing - Hoofdstad van het Zuiden - blijft de 'tweede hoofdstad' van het keizerrijk. Met de verhuizing van de regeringsresidentie zijn grote bouwwerkzaamheden in Beijing begonnen. De nieuwe keizerlijke stad zal alles moeten overtreffen wat tot nu toe op het gebied van de paleisbouw in China is vertoond. Tienduizenden mensen werken aan de bouw van het paleis, terwijl de materialen soms van duizenden kilometers ver worden aangevoerd. Het Paleis of de Verboden Stad zal de woonplaats vormen van de leden van het Keizerlijk Hof, onder wie duizenden eunuchen die behalve over de keizerlijke concubines ook het beheer voeren over dossiers van de ambtenaren van de keizerlijke bureaucratie waartoe alleen de keizer toegang heeft.

*De Sint-Elisabethsvloed van 1421 - hier in beeld gebracht door de 15de-eeuwse schilder die bekendstaat als de Meester van Rhenen - heeft vooral voor Holland en Zeeland catastrofale gevolgen. Het meest getroffen is de streek rond Dordrecht, waar tientallen dorpen zijn weggespoeld. De Biesbosch vormt tot op heden een overblijfsel van deze overstroming.*

# Masaccio vernieuwt de schilderkunst

FLORENCE, 1425 - De schilder Tommaso di ser Giovanni di Simone Guidi Cassai, beter bekend als Masaccio, heeft zijn werk in de kapel van de familie Brancacci onderbroken om in de San-Clementekerk te Rome een Kruisiging te gaan schilderen.

In de Brancacci-kapel van de Santa Maria del Carmine heeft de jonge Masaccio de laatste twee jaren met opmerkelijke resultaten het werk van Masolino da Panicale voortgezet. Deze laatste was in opdracht van Felice Brancacci begonnen aan een serie fresco's over het leven van de heilige Petrus.

'Dit lijkt geen schijnlichaam' luidt een versregel uit Dantes *Vagevuur* die bijvoorbeeld Masaccio's neofiet in de *Doop van de neofiet* op het lijf geschreven lijkt te zijn. Voor het eerst in de schilderkunst wordt men hier geconfronteerd met een lichaam van vlees en bloed. En ook uit de andere fresco's in

*Fresco van Masaccio: de verontwaardigde Petrus (Florence).*

de Brancacci-kapel blijkt Masaccio's vernieuwende oorspronkelijkheid in de schilderkunst.

Want hoeveel hij ook geleerd heeft van

de plasticiteit van Giotto, de ruimtelijke architectuur van Brunelleschi en de brutale menselijkheid van Donatello, de wijze waarop hij door licht- en schaduwwerkingen zijn fresco's een vitaal reliëf weet te geven, maakt deze 24-jarige jongeman nu reeds tot een uniek genie.

Masaccio lijkt zich vooral te interesseren voor mensen die vastbesloten zijn een oplossing te vinden voor het drama van het aardse bestaan, getuige bijvoorbeeld zijn verontwaardigde Petrus of deemoedige neofiet. De apostelen worden bij hem individuele karakters, zijn naakten zijn van een ongekend realisme en in de gebouwen en landschappen vindt men de jongste inzichten in de perspectiefwerking voor het eerst helder doorgevoerd. Met Masaccio's fresco's lijkt de schilderkunst in het 'Quattrocento' (Italiaans voor de 15de eeuw) definitief een nieuw tijdperk te zijn ingegaan.

## China trekt zich terug uit Dai Viet

THANG-LONG, 1428 - Na de overwinning op het Chinese hulpleger in het noorden van Dai Viet [Vietnam] nabij Lang-son heeft de leiding van het andere Chinese leger dat in en rond de hoofdstad was gelegerd, aangeboden terug te trekken naar China en een vredesverdrag te sluiten.

Verzetsleider Le Loi heeft dit aanbod aanvaard en de wens uitgesproken dat beide landen voortaan in vrede naast elkaar zullen leven. Hiermee is tevens een einde gekomen aan de Chinese bezetting van Dai Viet die ruim vijftien jaar heeft geduurd.

Nadat de Ming-keizer in 1413 had besloten tot de bezetting van Dai Viet

over te gaan trok Le Loi zich terug in de bergachtige streken van Lang-son en organiseerde van daaruit het verzet tegen de Chinezen.

De eerste jaren waren de successen gering: de Chinese troepen waren talrijker en beter bewapend en getraind.

Na vijf jaar was de organisatie van het verzet echter zo hecht geworden dat niet alleen in het noorden, maar ook in het zuiden van het land met goede resultaten tegen de bezetters acties werden gevoerd. De mislukking van de Chinese expeditie heeft ten slotte ertoe geleid dat de opstand van Le Loi een einde aan de bezetting van het land heeft gemaakt.

# Azteken beheersen nu Vallei van Mexico

TENOCHTITLAN, 1428 - Door de overwinning op de Tepaneken zijn de Azteken de heersende stam in de Vallei van Mexico geworden. De Azteekse heerser Itzcoatl leidde zijn leger - bestaande uit Azteken en hun bondgenoten van Tezcoco en Tlaxcala - naar de overwinning.

Itzcoatl is de zoon van Acamapichtli, de eerste Azteekse heerser (1375-1396), en broer van Huitzilhuitl, die regeerde van 1395 tot 1414. Itzcoatl kwam in opstand tegen de Tepaneken die na de dood van zijn vader de groeiende macht van de Azteken vreesden en hun zware belastingen oplegden. Doordat zijn broer trouwde met de dochter van de Tepaneekse heerser Tezozomoc, gingen die belastingen drastisch omlaag. Toen Huitzilhuitl stierf kozen de Azteken de populaire, slechts tien jaar oude, kleinzoon van Tezozomoc, Chimalpopoca, tot heerser. De vrede duurde enkele jaren en de Azteken kregen zelfs toestemming van Tezozomoc

*Tlazolteotl, de godin van de aarde, baart Centeotl, de god van de maïs.*

een aquaduct te bouwen. De jaloerse Tepaneken vernietigden het bouwwerk echter en beklaagden zich in toenemende mate over de arrogantie van

de Azteken: 'Straks willen ze ons nog belasting laten betalen.'

Een jaar geleden stierf Tezozomoc op 106-jarige leeftijd. Zijn oudste zoon Quetzalayatzin werd aan de kant geschoven door zijn ambitieuze broer Maxtla. Chimalpopoca, die niet op tijd zijn belastingen had betaald, koos de kant van Quetzalayatzin. Hij raakte daardoor in oorlog met Maxtla en werd op diens bevel vermoord. Maxtla ontdeed zich ook van verdere concurrentie: hij vermoordde zijn broer en liet de heerser van Tlatelolco verdrinken. De aanhangers van deze drie slachtoffers kozen nieuwe heersers, die op wraak zinnen. Itzcoatl, de nieuwe Azteekse leider, kreeg hulp na bemiddeling van Nezahualcoyotl, heerser-in-ballingschap van Tezcoco. De opstand tegen de Tepaneken, waarbij Itzcoatl tevens steun kreeg uit Tlaxcala, Tezcoco, Tlatelolco, Xaltocan en Tacuba, eindigde met de val van de Tepaneekse hoofdstad Azcapotzalco.

**10 januari 1430.** Filips de Goede sticht de Orde van het Gulden Vlies. →

**1430.** Leonardo Bruni schrijft in het Latijn de *Geschiedenis van het Florentijnse volk.* →

**1430** (circa). In Moskou overlijdt de beroemde Russische iconenschilder Andrej Roebljov. Door de bijzondere verwerking en samenvoeging van Russische en Byzantijnse elementen vormt zijn oeuvre een keerpunt in de Russische iconenschilderkunst.

**30 mei 1431.** Na een proces van enkele maanden wordt Jeanne d' Arc in Rouen op de brandstapel ter dood gebracht. →

**23 juli 1431.** Paus Eugenius IV opent in Basel het zeventiende oecumenisch concilie. Op het programma staan de volgende thema's: 1. Overwinning van de ketterij der hussieten. 2. Vrede onder de christelijke vorsten. 3. Kerkhervorming.

**1433.** De Chinese admiraal Cheng He keert terug uit Afrika. →

**1433.** Koning Wladyslaw Jagiello vaardigt de wet 'Neminem Captivabimus' uit. →

**30 mei 1434.** Bij Lipany worden de taborieten (radicale hussieten) verslagen door een coalitie van Boheemse katholieken en gematigde hussieten (de utraquisten). Prokopius, leider van de taborieten, sneuvelt in de strijd.

**28 juli 1434.** De ontdekkingsreiziger Gil Eanes keert terug van een reis naar Kaap Bojador. →

**1434.** De rijke Florentijnse bankier Cosimo de' Medici verkrijgt de feitelijke macht in Florence. →

**1435.** In Arras sluit de hertog van Bourgondië vrede met de koning van Frankrijk. →

**5 juli 1436.** De Duitse keizer Sigismund sluit vrede met de gematigde hussieten. →

**18 september 1437.** In Transsylvanië (Zevenbergen) breekt een boerenopstand uit.

**1437.** In Brugge en Gent ontstaan relletjes tegen de heerschappij van Filips de Goede.

**5 januari 1438.** Paus Eugenius IV verplaatst het oecumenisch concilie van Basel naar Ferrara.

**7 juli 1438.** Op een door de Franse koning Karel VII bijeengeroepen concilie van de Franse Kerk wordt de Pragmatieke Sanctie van Bourges uitgevaardigd. →

**1438.** Een lange strenge winter heeft een zware misoogst en hongersnood tot gevolg. In de Nederlanden en de Duitse staten stijgen de voedselprijzen snel. →

**1438.** In Peru stoot Inca Pachacuti zijn vader van de troon.

# Jeanne d'Arc op de brandstapel

ROUEN, 30 mei 1431 - Op de Place du Vieux Marché is de 19-jarige vrijheidsstrijdster Jeanne d'Arc door de Engelsen terechtgesteld. In de afgelopen twee jaar heeft ze een uiterst belangrijke rol gespeeld in het conflict met Engeland. Zij is op de brandstapel gebracht omdat men haar van ketterij verdacht.

Het politieke bewustzijn van deze jonge vrouw werd waarschijnlijk gewekt door de nu al bijna honderd jaar durende oorlog met Engeland en door het interne Franse conflict om de troon tussen de Armagnacs en de Bourgondiërs. Toen de hertog van Bourgondië samen met de Engelsen onder één hoedje begon te spelen en zij de machteloze kroonprins van Frankrijk onder controle kregen - de Engelse koning Hendrik VI regeerde in feite in Parijs - en vervolgens de Fransen in 1428 een zware belegering bij Orléans te verduren kregen, was het einde van de Franse monarchie nabij.

Terwijl het land in uiterste wanhoop verkeerde, dook Jeanne d'Arc vrijwel uit het niets op. Zij trad naar buiten met de mededeling dat ze 'stemmen van engelen' hoorde, boodschappen van God met de opdracht Frankrijk te bevrijden van de Engels-Bourgondische coalitie, de zwakke kroonprins Karel VII te steunen en ervoor te zorgen dat hij te Reims gekroond zou kunnen worden.

Het verhaal dat Frankrijk 'verloren was gegaan door een vrouw (Isabel), maar weer door een vrouw veroverd zou worden' maakte indruk en wist de lokale militaire gouverneur voor haar

*Jeanne d'Arc (15de-eeuws portret).*

missie te interesseren. Hij bracht haar naar het hof van Karel VII. Omdat ze kort haar had en gekleed was als een man, kostte het haar nog enige moeite de adviseurs van de koning te overtuigen. Uiteindelijk mocht ze toch met een legermacht proberen Orléans te bevrijden.

Door zich op de juiste ogenblikken te laten zien wist ze het Franse leger dermate te stimuleren dat een klinkende overwinning kon worden behaald. Het leger wilde verder naar het noorden -

naar Parijs - oprukken. Jeanne wilde per se dat eerst de koning te Reims zou worden gekroond. Toen men daarna aan de Franse bevolking een officieel gezalfde koning kon tonen, kreeg de monarchie weer volop steun. Vele bezette steden wezen de Engelsen en Bourgondiërs uit.

Vanwege te geringe militaire middelen gelukte het Jeanne sinds de kroning niet meer om verdere militaire successen te behalen. Daarop werd ze in mei, zoals haar 'stemmen' haar dat al hadden voorspeld, door de Bourgondiërs gevangengenomen en voor een hoge som geld aan de Engelsen verkocht. Omdat Jeanne van boerenafkomst was, heeft de koning ervan afgezien haar te redden. Dit betekende haar dood: ze werd van ketterij en hekserij beschuldigd en aan de inquisitie overgeleverd. Met gezond verstand bestreed ze de inquisiteurs en sprak de woorden die men zich nog lang zal herinneren: 'Ik weet niet of God de Engelsen haat of liefheeft, maar ik weet wel dat ze uit het koninkrijk Frankrijk zullen worden gegooid.'

In het proces kwamen de aanspraken op de Franse troon regelmatig ter sprake. Het was de Engelsen te doen om hun optreden in Frankrijk te kunnen rechtvaardigen en de kroning van de Franse koning als goddelijk ingrijpen te kunnen bestrijden. Daartoe moest de tussenkomst van Jeanne als ketterij of duivelswerk worden betiteld. Met de rechtelijke uitspraak dat ze een 'ketter, renegaat, afvallige en een bijgelovige was' bleek zij de brandstapel niet meer te kunnen ontlopen.

*Filips de Goede (geschilderd door Rogier van der Weyden, 1399-1464).*

## Filips sticht Orde van Gulden Vlies

BRUGGE, 10 januari 1430 - Filips de Goede, hertog van Bourgondië en graaf van Vlaanderen, heeft ter gelegenheid van zijn huwelijk met Isabella van Portugal, de Orde van het Gulden Vlies gesticht. De stichting van deze ridderorde biedt Filips de mogelijkheid zich te onttrekken aan de Engelse Orde van de Kouseband, waarvan hij geen lid wilde worden, ondanks zijn bondgenootschap met Engeland. Voorts stelt de ridderorde Filips in de gelegenheid, nauwe banden te scheppen tussen hem als hoofd van de orde en de erin opgenomen vliesridders. In de stichtingsoorkonde zijn vele bepalingen gewijd aan de verplichtingen van de ridders tegenover de vorst. Ontrouw jegens de vorst wordt bestraft met uitsluiting. De vorst van zijn kant heeft de verplichting advies in te winnen van de ridders.

Van de 24 vliesridders komen de meesten uit Bourgondië, Picardië, Artesië, Waals Vlaanderen en Henegouwen. Vlaanderen is in de orde ondervertegenwoordigd; Roeland van Uutkerke is de enige echte Vlaming. Hoge adellijke families als de Brimeus en de Luxemburgs mogen zich door meer dan één familielid laten vertegenwoordigen. Naast de gewone leden, onderscheidt de orde de grootmeester - dit is de vorst - en vier functionarissen: de kanselier, de thesaurier, de wapenkoning en de griffier.

De eerste vergadering van de ordeleden zal plaatsvinden op 20 november 1431 te Rijsel. De eerste twee dagen worden besteed aan godsdienstige plechtigheden en overvloedige maaltijden.

Zoals bij iedere ridderorde genieten de leden grote juridische voordelen. Tevens gelden voor hen strenge godsdienstige voorschriften: zo moeten zij dagelijks de mis bijwonen.

De symboliek van de vliesorde is ontleend aan Griekse mythen en sagen, en aan de Heilige Schrift. Het embleem van de orde - de ramsvacht - en de naam - het Gulden Vlies -, zijn ontleend aan de Griekse sage van de tocht van Jason.

# Bruni schrijft geschiedenis van Florence

FLORENCE, 1430 - Kanselier Leonardo Bruni (geboren circa 1369) heeft zijn omvangrijke *Geschiedenis van het Florentijnse volk* het licht doen zien.

De humanist Bruni, voorheen secretaris van vier pausen en sinds drie jaar kanselier van Florence, treedt met deze studie in de voetsporen van zijn grote leermeester Coluccio Salutati (1331-1406), die in 1375 kanselier van deze stad werd. Salutati heeft ontelbare brieven en manifesten op zijn naam staan waarin Florence geroemd wordt als het bolwerk van de vrijheid in een wereld vol despotisme. Met het laatste doelde hij op de strijd die Florence de afgelopen eeuw heeft moeten voeren - vanaf 1380 wordt het zelfs voortdurend belegerd - met vijanden als Napels en Milaan. Steden waar koningen en hertogen met ijzeren hand regeren, terwijl Florence een republiek is waar de verantwoordelijkheid van de burger, 'de virtu', in hoog aanzien staat. In tegenstelling tot wat men tot nu toe verkondigde, geloven Florentijnen als Sa-

lutati niet dat rijkdom en een actief leven in de maatschappij de deugdzaamheid in gevaar zouden brengen. Bruni beweert zelfs dat de mens 'zijn volmaaktheid alleen in een politieke samenleving kan bereiken'.

Salutati's propaganda was zo effectief dat de hertog van Milaan, Giangaleazzo Visconti (1347-1402), eens gezegd heeft dat diens pen gevaarlijker was dan een detachement van de Florentijnse cavalerie.

Waar despoten als de Visconti's zich vooral door het Romeinse keizerrijk laten inspireren, herleidt Bruni de Florentijnse vrijheidsliefde tot de Romeinse republiek. Volgens hem is Florence gesticht door de republikein Sulla en niet door Caesar, zoals men tot nu toe veronderstelde. De tekstkritiek die de humanisten ontwikkelden tijdens hun studie van de literatuur, wordt door Bruni nu toegepast op de geschiedenis. En dat betekent een belangrijke stap voorwaarts om eeuwenlang aanvaarde vooronderstellingen

op hun waarheidsgehalte te toetsen.

Bruni en enkele andere humanisten komen geregeld samen met de rijke bankier Cosimo de' Medici. Zowel de studie van de klassieke literatuur als de wereld van het geld is voor hen zonder problemen te verzoenen met hun christendom en dat is iets wat in de rest van Europa veel minder vanzelfsprekend is.

Ook in de bij het grote publiek veel populairdere schilder- en beeldhouwkunst kondigt zich duidelijk een nieuwe visie op de mens aan. Deze omwenteling in het denken, die het actieve en zelfbewuste leven van de mens op aarde centraal stelt, is ingezet in Italië. Een aantal factoren die deze omwenteling bevorderen is: het ontbreken van een sterke feodale monarchie, de bloei van het stadsleven, de overheersing van het Romeinse recht, het algemeen gebruik van het Latijn, en de vele resten die herinneren aan die eens zo glorieuze, maar heidense periode van het Romeinse Rijk.

*Levendige graanhandel in Florence (miniatuur uit de 15de eeuw).*

# Cosimo terug in Florence

FLORENCE, 1434 - Na een korte verbanning heeft de Signoria (het stadsbestuur) Cosimo de' Medici naar Florence teruggeroepen en hem met de hoogste macht bekleed. Hoewel de 45-jarige Cosimo geen officieel ambt wil bekleden regeert hij in feite door toch zijn aanhangers alle sleutelposities te laten innemen. Dat kan hij doen vanwege zijn enorme vermogen, vergaard in de handel, de wolindustrie en het bankwezen.

De Florentijnen hadden na de wrede onderdrukking van de eerste echte volksopstand, de opstand der 'ciompi' (wolkaarders) in 1378, gemerkt dat de min of meer democratische grondwet van de republiek (1228) hen geenszins beschermde tegen de willekeur der machtige families en klassen, die elkaar bovendien voortdurend bestreden. Daarom lijken zij nu de voorkeur te geven aan het dictatorschap der Medici, die populair zijn zowel bij de kooplieden als bij het volk door de grote sommen die zij aan charitatieve en culturele doeleinden spenderen. Want of het nu bankiers, kooplieden, legeraanvoerders of kerkvorsten zijn, iedereen in Italië doet zijn uiterste best de eigen stad in cultureel opzicht toonaangevend te laten zijn. En Florence heeft hierin het meeste succes.

Filippo Brunelleschi heeft na veertien jaar nu de koepel van de dom voltooid, een unieke prestatie die velen voor onmogelijk hadden gehouden, gezien de grote druk die zo'n immense koepel op de muren van de dom uitoefent. Brunelleschi is de schepper van een nieuwe stijl in de bouwkunst, die wordt gekenmerkt door een overheersend horizontale lijn, cirkelvormige boog en Romeins motief. Beeldhouwers als Donatello laten zich ook door de klassieken inspireren, zowel in onderwerp als in stijl. Maar het is geen slaafse navolging; daarvoor zijn zijn bronzen figuren te levendig en verraden ze te zeer een eigen karakter. Ook in de Italiaanse schilderkunst kan men een verschuiving van de belangstelling naar meer wereldse voorstellingen, naar de natuur of naar het menselijk lichaam, waarnemen.

# Eanes maakt wereldreis

*Hendrik de Zeevaarder.*

LISSABON, 28 juli 1434 - Gil Eanes is teruggekeerd van een reis naar Kaap Bojador (200 kilometer ten zuiden van de Canarische Eilanden), waarvan men zei dat zij het einde van de wereld vormt. Als bewijs dat hij daadwerkelijk voet aan wal heeft gezet bracht Eanes enkele wilde rozen mee, die hij op de onherbergzame rotsen heeft geplukt.

De ontdekkingsreiziger moest vele gevaren doorstaan: golven van meer dan vijftien meter hoog en dichte mistbanken gedurende de maanden oktober tot april. Zeelieden beweren bovendien dat er in deze zee, de Groene Zee van de Duisternis, een eenhoorn leeft die met zijn hoorn in één stoot drie schepen in de diepte kan doen verdwijnen. Ook zouden er sirenen zijn, die met hun schoonheid en zoet gezang reizigers lokken en vervolgens in het verderf storten. Eanes maakte daarvan overigens geen melding. Wel beweert hij dat Kaap Bojador niet echt het einde van de wereld kan zijn: daarachter bespeurde hij nog meer land.

Eanes verrichtte de reis (de zestiende poging om de Kaap te bereiken) in opdracht van prins Hendrik, de derde zoon van de vorig jaar overleden koning João I (stamvader van het Huis van Avis). Hendrik, die veel actiever is dan zijn broer, koning Eduard, heeft de bijnaam 'de Zeevaarder' gekregen omdat hij zich al vanaf 1415 intensief bezighoudt met het stimuleren van zeevaartkunde en ontdekkingsreizen. Op zijn thuisbasis Sagres in de Algarve (Zuid-Portugal) zijn de begaafdste cartografen en navigators van deze tijd verzameld.

Het geld voor de reizen int de prins voornamelijk uit de Orde van Christus, de voormalige ridderorde van de tempeliers waarin hij een hoge functie bekleedt. Hendrik hoopt eens het land van de legendarische priester Johannes te bereiken: een machtig christenvorst die leeft bij de bronnen van de Nijl en die mogelijk een bondgenoot tegen de Moren zou kunnen worden. Verder hoopt de prins de zogenaamde *Rio de Ouro* (Gouden Rivier) te ontdekken de plaats in Afrika waar de Arabieren hun goud vandaan halen. De verwerving van Madeira en de Azoren is het belangrijkste resultaat van de expedities tot nu toe. Op de Westafrikaanse kust bestaan mogelijkheden voor de handel in slaven.

# Cheng He keert terug van ontdekkingsreis

PEKING, 1433 - Admiraal Cheng He heeft verslag uitgebracht van zijn ontdekkingsreis naar Afrika. Het was de zevende en meest uitgebreide reis van de Grote Vloot tot nu toe.

De Grote Vloot verliet China twee jaar geleden met op de schepen een totale bemanning van 27 550 mensen. Tijdens deze reis werden meer dan twintig staatkundige eenheden aangedaan, vanaf Java via de Nicobar-eilanden tot aan Mekka in het noorden en de kust van Oost-Afrika in het zuiden.

De eerste reis van de Grote Vloot onder Cheng He vond in 1405 plaats op last van keizer Yong Le. Yong Le wilde het gerucht natrekken dat zijn neef, keizer Qian Wen die hij twee jaar daarvoor had afgezet, naar een land overzee was gevlucht. De tweede reis vond plaats onder andere leiding en ging naar Siam. Op de derde reis koos Cheng He Malakka als uitvalsbasis. Tijdens deze reis raakte de Chinese expeditie verwikkeld in interne aangelegenheden van Ceylon. India werd van 1413 tot 1415 opnieuw bezocht door de vierde expeditie. De vijfde expeditie (1416-1419) bracht een groot aantal Arabische ambassadeurs mee naar het keizerlijk hof zodat het nodig werd geacht om een zesde expeditie te organiseren teneinde ze naar huis te brengen. Tijdens de zesde expeditie werd voor het eerst Oost-Afrika aangedaan. De terugkeer van de grote vloot in 1422 was vooral spectaculair omdat er vreemde dieren zoals lange-nek herten (giraffen) en zwart-witte paarden (zebra's) door de expeditie waren meegebracht, evenals afbeeldingen van eenhoorn-koeien (neushoorns).

Ondanks de populariteit van Cheng He en zijn reizen zijn de expedities het onderwerp van heftige kritiek van confuciaanse ambtenaren die vinden dat China zich beter op de binnenlandse ontwikkeling en de kustverdediging kan richten.

# Jagiello verklaart adel onschendbaar

KRAKAU, 1433 - Koning Wladyslaw Jagiello heeft de wet 'Neminem Captivabimus' uitgevaardigd die voorziet in de onschendbaarheid van de edelman en zijn bezit. Alleen een veroordeling door de rechtbank kan deze status opheffen. Met deze wet legt Jagiello zich neer bij de eisen van de Poolse en Litouwse adel om een wet te hebben die gelijk is aan de Engelse 'Habeas Corpus'.

De positie van de adel als groep wordt steeds sterker. De privileges door de koning gegeven als beloning aan individuele personen worden de koningen nu vaker afgedwongen als corporatief recht.

Al twintig jaar geleden, in oktober 1413, bepaalden de Poolse en de Litouwse baronnen in Horodlo dat nadien niets belangrijks besloten mocht worden zonder hun deelname; er werd een wederzijdse erkenning van de adellijke status getekend. De Poolse baronnen mogen deelnemen aan verkiezingen van de Prins van Litouwen en de Litouwers hebben het recht zich met zaken van de Kroon te bemoeien. De Pools-Litouwse adel heeft hierdoor een beslissende stem gekregen bij het uitvaardigen van wetten, zij heeft een monopoliepositie in de politiek, ambtenarij en het landbezit. Van hun plichten is slechts de plicht voor onbezoldigde militaire dienst voor de koning in tijd van nood overeind gebleven.

*Krijgstafereel in Bourgondische stijl (wandkleed, circa 1470, Bern).*

# Engeland tegen verdrag

LONDEN, 1435 - Met gemengde gevoelens is in Engeland kennis genomen van het verdrag dat te Arras getekend is. De hertog van Bourgondië Filips de Goede heeft vrede gesloten met de Franse koning Karel VII. Dat betekent dat de belangrijkste bondgenoot van Engeland in de strijd tegen de Fransen afgevallen is. Voor het toch al niet zo succesvolle Engelse leger is dit een ramp.

Onder de regering van koning Hendrik V (1413-1422) hebben de Engelsen verscheidene opvallende overwinningen behaald. Grote delen van Frankrijk werden bij Engeland gevoegd en Hendrik VI werd in Frankrijk tot koning gekroond. Zonder het militaire leiderschap van Hendrik V was het echter snel gedaan met de successen in Frankrijk. Het onverkwikkelijke proces tegen Jeanne d'Arc heeft de Engelsen geen werkelijk voordeel opgeleverd en in de jaren dertig zijn in Engeland de discussies over de kosten van het leger en de wenselijkheid van landbezit in Frankrijk weer opgelaaid.

De opinies zijn echter verdeeld en dat was ook te merken binnen de Engelse delegatie die in Frankrijk de onderhandelingen heeft gevoerd. Door de onderlinge twist van de Engelsen heeft het congres in Arras voor hen geen vredesverdrag opgeleverd en hebben zij eigenlijk alleen maar verloren doordat de hertog van Bourgondië hen nu in de steek laat.

# Paus verliest greep op de Franse Kerk

BOURGES, 7 juli 1438 - De Franse koning Karel VII heeft een plechtige ordonnantie uitgevaardigd, de 'Pragmatieke Sanctie', die een beperking van het pauselijk gezag in Frankrijk beoogt. Tevens bepaalt de ordonnantie dat een aantal hervormingen van het Concilie van Basel betreffende een grotere controle over het pauselijk gezag ook voor Frankrijk bindend is. Toen is onder meer besloten dat een conciliebesluit sterker is dan een besluit van de paus.

Het wetsbesluit van Karel VII komt tegemoet aan een reeds langer bestaand verlangen naar grotere nationale autonomie betreffende de administratie en financiën van de Kerk in Frankrijk. Daarnaast wenst de regering in het algemeen een grotere invloed in kerkelijke zaken. Dit laatste hangt duidelijk samen met de toenemende vorming van een Franse nationale staat. Men vindt dat de paus geen directe macht in Frankrijk mag uitoefenen. Bij de meeste Franse bisschoppen bestaat bovendien de voorkeur om hun bisdom onafhankelijk van de paus te besturen. Zij hebben zich altijd sterk verzet tegen de pauselijke willekeur. Zij wilden de 'ecclesia gallicana' naar haar 'oude vrijheden' terugvoeren. Het zijn deze bisschoppen die tijdens hun vergadering de 'Pragmatieke Sanctie' hebben goedgekeurd.

Het besluit betekent in de praktijk een verdeling tussen de koning en de paus van de kerkelijke inkomsten - onder meer de aanzienlijke betalingen aan de curie - en de aanstellingen van de Franse clerus. Verder wordt bij kerkelijke processen het beroep bij de pauselijke curie beperkt; Franse instanties kunnen voortaan in dergelijke zaken ook beslissen. Kortom, in navolging van het concilie is met dit besluit de macht van de paus over de Franse Kerk sterk beknot.

# Succes voor Hussieten

*Wenceslaus IV van Bohemen (initiaal uit bijbel; Nationale Bibliotheek, Wenen).*

PRAAG, 5 juli 1436 - De erkenning van de Compactata, en tegelijkertijd de erkenning door de Tsjechen van keizer Sigismund van Luxemburg (zoon van Karel IV) als Boheemse koning - hij was al in 1420 in Praag gekroond, maar nooit in het land erkend - betekenen het einde van de zeventien jaar durende Hussietenoorlogen.

De Compactata, zoals overeengekomen in Basel, zijn een verzwakte versie van de befaamde Vier Praagse Artikelen, de eisen van de kerkhervormende beweging der hussieten. De belangrijkste hiervan waren de vrije prediking van Gods woord, ook door leken, volledige secularisering van het kerkelijk bezit en strafvervolging zonder verschil van stand van allen die openlijk in staat van doodzonde leven. Het Concilie van Basel erkende de hussieten als rechtzinnige christenen en beschouwde hen dus niet meer als ketters.

Dit is voor de hussieten een groot succes. In de loop van de afgelopen zeventien jaar zijn vijf kruistochten tegen hen ondernomen om een einde te maken aan hun 'ketterij'. Al deze kruistochten mislukten, vaak kwam het niet eens tot veldslagen. De hussieten waren namelijk, in de beginjaren onder aanvoering van de geniale veldheer Jan Žižka van Trocnov, bekwame en bezielde krijgers, die soms alleen al met hun gezang de kruisvaarders op de vlucht joegen. De paus, bevreesd voor de verspreiding van hun opstandige ideeën, verklaarde de hussieten tot ketters en excommuniceerde hen.

De hussietenbeweging begon vastere vormen aan te nemen na de verbranding van magister Jan Hus (1415), die in Bohemen tot hevige protesten leidde en als een nationale schande werd ervaren. Het signaal tot het uitbreken van de hussitische revolutie was de zogenaamde Eerste Praagse Defenestratie (30 juli 1419). Koning Wenceslaus IV benoemde in de Praagse Nové Mesto een nieuw antihussitisch stadsbestuur. Nadat dit bestuur de eisen van een delegatie der hussieten had afgewezen, drongen de opstandelingen het Nieuwe Raadhuis binnen en gooiden de raadsliden uit het raam.

Vanaf het begin waren de hussieten het in menig opzicht niet met elkaar eens. Hun verschillen varieerden van subtiele theologische vraagstukken tot problemen in de dagelijkse politieke praktijk. Algauw spleet hun kamp zich in de radicalen (vooral de plattelanders met als centrum de stad Tabor) en de gematigden (hoofdzakelijk de vier Praagse steden). Twee jaar geleden kwam het tot een beslissende slag tussen de twee vleugels (Slag bij Lipany), die door de gematigden, de meerderheid van het volk, werd gewonnen.

# Honger en pest in Noordwest-Europa

*Opzichter ziet toe op de graanoogst.*

THÜRINGEN, 1438 - De mislukte graanoogst van vorig jaar heeft in Thüringen tot een regelrechte ramp geleid. De voedseltekorten zijn zo groot dat dagelijks vele mensen de hongerdood sterven. De kroniekschrijver Adami Ursini beschreef vol afschuw de ellende onder de bevolking: 'De prijzen waren in Thüringen en omgeving zo gestegen dat de mensen van de honger stierven en in dorpen en langs wegen dood neervielen. Zij bleven lange tijd onbegraven liggen…, zodat de lucht er door vergiftigd werd en de pest snel om zich heen greep.' De wisselwerking tussen de honger en de pest maakt veel slachtoffers onder de verzwakte bevolking. De hongersnood heeft behalve de Duitse staten ook Engeland en de Nederlanden getroffen. De misoogst, die eraan ten grondslag ligt, kan minstens voor een deel verklaard worden door de lange en koude winter die eraan voorafgegaan is. De winter was zo streng dat sommige gebieden te maken kregen met uitzonderlijk actieve wolven.
De hongersnood heeft in alle gebieden dezelfde kenmerken. De misoogst werd overal gevolgd door een enorme stijging van de graanprijzen. Doordat de mensen bijna al hun geld aan voedsel moesten uitgeven, bleef er weinig over voor de aankoop van andere produkten. Luxe- en nijverheidsprodukten werden nauwelijks meer gekocht. Er ontstond een crisis in handel, ambacht en nijverheid met als directe consequentie inkomensdaling en werkloosheid voor de daarbij betrokkenen. De kerken en de armenzorginstanties worden geconfronteerd met een groeiend aantal behoeftigen. Het aantal klachten over bedelarij en criminaliteit neemt ook toe.
In crisisjaren geeft het aantal huwelijken een forse daling te zien. Veel huwelijkskandidaten zien van hun voornemen af, omdat zij het vertrouwen in de toekomst verloren hebben. Zij missen een economisch perspectief. Ook de geboortencijfers blijven ver beneden het normale niveau.

# 1440

**2 februari 1440.** De Habsburgse hertog Frederik V van Stiermarken wordt na de dood van zijn neef koning Albrecht II tot koning van het Duitse Rijk gekozen (Frederik III).

**26 oktober 1440.** In Nantes wordt de voormalige maarschalk van Frankrijk, Gilles de Rais, terechtgesteld. →

**1440.** Koning Itzcoatl van de Azteken overlijdt. Onder zijn regering is het rijk der Azteken het machtigste in Midden-Amerika geworden.

**9 juli 1441.** In Brugge overlijdt de Vlaamse schilder Jan van Eyck, een der grootste vernieuwers uit de geschiedenis van de schilderkunst. →

**1441.** De Liga van Mayapán valt uiteen. →

**12 juni 1442.** Koning Alfons V van Aragón verovert het koninkrijk Napels.

**1442.** In Dai Viet [Vietnam] wordt de dichter, geleerde en staatsman Nguyen Trai ter dood gebracht. →

**10 november 1444.** In de Slag bij Varna aan de Zwarte Zee verslaat de Osmaanse sultan Moerad II een kruisvaardersleger onder aanvoering van koning Wladyslaw III van Polen en Hongarije.

**maart 1444.** Onder aanvoering van Skanderbeg komen de Albanezen in opstand tegen de Turkse overheersing. →

**1444.** De grote Italiaanse architect en beeldhouwer Filippo Brunelleschi bouwt de Cappella Pazzi bij de Sante Croce in Florence. Brunelleschi is tevens de architect van de koepel van de Florentijnse Dom (voltooid 1432).

**1444.** In Chosun [Korea] wordt een nieuw alfabet ingevoerd. →

**1445.** In Malakka plegen Tamils een staatsgreep. →

**1447.** Nadat op verscheidene plaatsen in West-Europa pogingen zijn ondernomen om een bruikbare techniek voor de boekdrukkunst te ontwikkelen, is er nu voor het eerst een aanwijsbaar resultaat geboekt. Waarschijnlijk te Mainz wordt van een uit losse letters bestaande vorm een astronomische kalender voor het jaar1448 gedrukt.

**5 december 1448.** In Moskou wordt Jona, bisschop van Rjazan, tot metropoliet van Kiëv en geheel Roes gekozen. →

**1448.** De Duitse koning Frederik III en andere Duitse rijksvorsten sluiten met paus Nicolaas V het Concordaat van Wenen, dat de betrekkingen tussen het Duitse Rijk en de paus regelt.

**25 april 1449.** De door het Concilie van Basel gekozen tegenpaus Felix V treedt af. →

# Gilles de Rais veroordeeld

*Openbare executie van een misdadiger in het 15de-eeuwse Vlaanderen.*

NANTES, 26 oktober 1440 - Baron Gilles de Rais, die ter wille van zijn eigen zieleheil een groot aantal rituele kindermoorden heeft gepleegd, is door rechters aan ketterij schuldig bevonden en ter dood gebracht. De moorden lijken eerder sadistische misdaden te zijn dan 'hérésie', ketterij. Zelf was hij tijdens zijn proces over deze kwalificatie dan ook zeer verbaasd. Maar omdat hij deze moorden met een godsdienstig waas omgaf heeft men de zaak in de sfeer van ketterij en hekserij getrokken.
Enkele jaren geleden deed Gilles de Rais nog mee aan de heroïsche veldtochten van Jeanne d'Arc tegen de Engelsen. Hij speelde toen een doorslaggevende rol bij de bevrijding van Orléans. Tijdens deze belegering viel hij al op door zijn gewelddadigheid en brutaliteit. Maar nadat Jeanne d'Arc gevangengenomen was raakte ook hij uit de gratie. Daarop, vanaf 1435, trok hij zich terug op zijn uitgestrekte landerijen en raakte geïnteresseerd in alchemie en aanverwante toverpraktijken. Hij omringde zich met magiërs en tovenaars die hem voorspiegelden goud te kunnen maken. Zodoende meende hij een losbandig en zeer verkwistend leven te kunnen leiden. Hij was voortdurend in het gezelschap van zijn oude strijdmakkers, die zich op zijn kastelen met orgieën en slachtingen bezighielden. Dit kostte uiteindelijk meer dan 140 kinderen het leven. Deze kinderen werden door zijn bedienden bij arme gezinnen in de omtrek onder het mom van een goede opvang min of meer weggekocht.
Op een gegeven moment trachtte zijn familie het familiebezit te beschermen, maar toen zij in november 1437 op een van de kastelen twee kinderskeletten aantrof, kreeg ze zeer bange vermoedens.
Ondanks het feit dat er nog steeds kinderen verdwenen en er steeds meer verdenkingen tegen Gilles de Rais werden ingebracht, bleef hij voorlopig de bescherming van de hertog van Bretagne genieten. Zelfs koning Karel VII heeft tevergeefs nog getracht hier iets tegen te doen. Later kreeg ook de hertog een beter inzicht in de misdaden van Gilles de Rais en nam hij afstand van deze crimineel.

*Uitingen van Maya-kunst: links de regengod Chacmool bij de Tempel der Krijgers; rechts een doodvonnis.*

# Mayapán verwoest: de Liga valt uiteen

MAYAPAN, 1441 - De Liga van Mayapán is uiteengevallen na de verwoesting van de gelijknamige stad door een leger onder leiding van Ah Xupan Xiu, een sterke man van de machtige Tutul-familie uit Uxmal. Hij heeft verscheidene Maya-heersers achter zich gekregen door hun te vertellen dat de Cocom-familie, die al zeer lang aan de macht was in Mayapán, Maya's verkocht als slaven in het hoogland.

De heerschappij van de Liga, een alliantie tussen de steden Chichén Itzá, Uxmal en Mayapán, heeft eeuwenlang standgehouden. De Liga was al die tijd de bindende factor op het schiereiland.

Het ziet er niet naar uit dat de veten tussen de heersende families van de achttien stadstaten spoedig bijgelegd zullen worden.

Tot 1200 was Chichén Itzá de machtigste stad van de Maya-Tolteken en de Liga floreerde als nooit tevoren. Na deze bloeiperiode werd Mayapán de machtigste stad van het schiereiland. Deze stad is niet zo fraai als de oorspronkelijke Maya-steden; de tempelgebouwen zijn een zwakke afspiegeling van die in Chichén Itzá, inferieur in grootte en constructie. Uxmal en Chichén Itzá vielen omstreeks 987, na bijna een eeuw van verval, in handen van een uit het noorden verdreven Toltekenstam, de Itza's. De Itza's waren in tegenstelling tot de vredelievende Maya's een krijgersvolk. De invloed uit Tula is onmiskenbaar: er zijn grote overeenkomsten tussen de bouwstijlen van Tula en Chichén Itzá. Dit is vooral te zien bij de belangrijkste tempels. De Tempel der Krijgers in Chichén Itzá heeft bijvoorbeeld gevederde ratelslangkolommen bij de ingang en het dak wordt gedragen door vierkante kolommen waarop in bas-reliëf krijgers staan. Net als in de tempel van Quetzalcoatl te Tula zijn er veel afbeeldingen van adelaars en jaguars.

# Opwinding over executie van Nguyen Trai

*Links: een bordspel; rechts: leerlingen tijdens een les (14de-15de eeuw, Vietnam).*

THANG-LONG - 1442 - Vele Vietnamezen zijn geschokt door het bericht van de executie van de dichter, geleerde en staatsman Nguyen Trai. De keizer heeft, naar aanleiding van geruchten en onjuiste informatie uit hofkringen, besloten dat hij ter dood moest worden gebracht. Hij werd verdacht van beraming van een plan om de keizer te vermoorden.

Nguyen Trai werd in 1380 in de provincie Ha Dong geboren. Zijn familie was verwant aan de keizerlijke familie. Bij de bezetting van Dai Viet [Vietnam] door de Chinezen werden zijn vader en hij gevangengenomen. Zelf wist hij te ontkomen en hij sloot zich aan bij de verzetsbeweging van Le Loi. Daar heeft hij een van zijn grote gaven, het schrijven van officiële stukken en edicten, ten dienste van de onafhankelijkheidsbeweging gesteld. Vele proclamaties die door Le Loi zijn uitgevaardigd zijn van zijn hand. Tevens was hij de belangrijkste adviseur in staatszaken van Le Loi en twee keizers. Daarnaast was hij bekend en zeer geliefd door zijn dichtwerken. Hij schreef deze in het Vietnamees. Ook op het gebied van muziekwetenschappen heeft hij grote bijdragen geleverd. Ten slotte blijkt zijn veelzijdigheid nog uit de samenstelling van de eerste geografische beschrijving die van Dai Viet is gemaakt.

Zowel in zijn staatkundige geschriften als in zijn dichtwerken stelde Nguyen Trai, die ook wel onder het pseudoniem Uc-Trai publiceerde, de onafhankelijkheid van Dai Viet en het eigene van de Vietnamese cultuur centraal.

*Een prachtig voorbeeld van realisme in de 15de-eeuwse schilderkunst is dit natuurgetrouwe portret van kardinaal Albergati door Jan van Eyck († 9 juli 1441).*

# Nieuw Koreaans alfabet eindelijk goedgekeurd

HAN'YANG, 1444 - Na twee jaar experimenteren is het 'hunmin cheong' eum' (juiste klanken om het volk te onderrichten) uiteindelijk goedgekeurd als alfabet voor de Koreaanse taal. Het is een wetenschappelijk opgebouwd fonologisch alfabet van 28 letters.

Het blijkt dat de 'yangban' ofte wel de ambtenaren/geleerden, het meeste verzet plegen tegen de invoering van het alfabet. Zij hebben het nu al de naam 'eonmun' (vulgaire letters) gegeven.

In hun ambtelijke stukken proberen zij zoveel mogelijk vast te houden aan het Chinees als schrijftaal. Daarentegen zijn in de boekwinkels van Han'yang en andere steden van Chosun [Korea] nu al enkele literaire werken in het nieuwe schrift te koop. De toekomst zal uitwijzen of het verzet van de ambtenaren het gebruik van het nieuwe alfabet kan tegenhouden.

Naast het alfabet zijn in de eerste vijf decennia van de heerschappij van de Yi vele hervormingen doorgevoerd.

Nadat generaal Yi Seonggye, die later bekend werd als koning T'aejo, in 1392 de troon had bemachtigd met geweld (broedermoord), heeft hij eerst de macht van de boeddhistische kloosters aan banden gelegd. Hoewel hij zelf boeddhist was vond hij dat deze religie een te groot stempel op de landelijke politiek drukte. Zijn politiek en die van zijn opvolgers ten opzichte van het boeddhisme staat nu bekend onder de naam 'ch'eokpul sungyu': verdrijving van het boeddhisme en eerbied voor het confucianisme. Onder T'aejo werd de vrijstelling van belasting voor de boeddhistische kloosters opgeheven en in 1424 werd het aantal sekten teruggebracht tot de 'Seonjong' (sekte van de meditatie) en de 'Kyojong' (sekte van de leer), welke twee over slechts 36 tempels mochten beschikken.

T'aejo stichtte ook de Seonggyungwan ofte wel de Confucianistische Universiteit. Op het platteland werden de 'hyanggyo' ofte wel confucianistische streekscholen opgezet. Daarnaast is er een toename van het aantal particuliere scholen en vakscholen op confucianistische basis waar te nemen.

Onder de regerende koning Sejong is in diens paleis de 'Chiphyeon-jeon' (de hal van verzamelde talenten) opgericht. Dit is een academie waarin getalenteerde jongeren uit het hele land alle gebieden van wetenschap bestuderen. Na bijna 25 jaar is er door de leden van deze academie een indrukwekkend aantal studies op het gebied van geografie, geschiedenis, politieke wetenschappen, geneeskunde en literatuur gepubliceerd. Sejong heeft een voorliefde voor wetenschappelijk onderzoek dat voor praktische doeleinden kan worden aangewend.

## Albanese rebellen verenigen zich in anti-Turkse liga

LEZHI [Les, Alessio], maart 1444 - Albanese edelen hebben zich verenigd in een anti-Turkse liga onder leiding van George Kastriotis, bijgenaamd Skanderbeg. Behalve tot hoofd van de Albanese Bond is Skanderbeg tevens tot opperbevelhebber van het te vormen Albanese federale leger gekozen. Het is voor het eerst dat de feodale heren de rijen tegen de Turken sluiten en hun onderlinge rivaliteiten opschorten.

De Albanese gebieden werden in 1385 onder Turkse suzereiniteit gesteld. Behalve de Turken oefende ook de republiek Venetië, die geïnteresseerd was in de Albanese kuststeden, grote druk uit. In deze jaren desintegreerden de Albanese vorstendommen in versneld tempo.

De situatie werd er niet beter op toen in de jaren twintig van deze eeuw het zuiden zijn vazalstatus verloor en werd ingelijfd in het Turkse bestel. De annexatie van Centraal-Albanië volgde tien jaar later. De Osmanen voerden in vrijwel alle bezette gebieden het timarstelsel in.

De adel en de vrije boeren raakten hun land kwijt aan Turkse krijgslieden en leden van oude Albanese families die in ruil voor de opbrengsten van het land verplicht waren tot het leveren van militaire prestaties. De jurisdictie over de bewoners van hun landerijen bleef aan het centrale gezag voorbehouden. Dit timarsysteem stuitte op grote weerstand, vooral bij de voorheen vrije boeren. Tot voor kort was er van een georganiseerd verzet geen sprake. Dit veranderde echter onder de bezielende leiding van George Kastriotis.

Kastriotis, de zoon van een Osmaanse vazal, heeft als gijzelaar enige jaren aan het hof van de sultan in Edirne [Adrianopel] doorgebracht; het gevolg van eerdere Albanese opstanden. Na zijn talenten in dienst van de sultan te hebben getoond stelde deze hem aan tot 'sancak beg' (districtsgouverneur) van de Albanese streek Dibra. Kastriote, die hieraan de bijnaam Skanderbeg ontleent, zag vorig jaar zijn kans schoon om in opstand te komen. De troepen van de sultan waren toen namelijk grotendeels naar de Donau overgebracht om tegen de Hongaren te vechten. De rebellie die vervolgens uitbrak verspreidde zich als een lopend vuur over de Albanese gebieden. Op 28 november van het vorig jaar proclameerde Skanderbeg het herstel van het vorstendom Albanië. Zich de noodzaak van een verenigd front realiserend, riep hij een vergadering van Albanese edelen bijeen waarin ook de vrije boeren waren vertegenwoordigd. Hieruit is de Albanese Bond voortgekomen.

298

*'De Heilige Drievuldigheid' van Andrej Roebljov (1411, Sagorsk).*

# Russische Kerk autonoom

MOSKOU, 5 december - 1448 - In Moskou is Jona, bisschop van Rjazan, tot metropoliet van 'Kiëv en geheel Roes' gekozen zonder dat de patriarch van Constantinopel, zoals dat voorheen gebruikelijk was, om goedkeuring is gevraagd. Met deze verbreking van de traditie is de Russische Kerk nu in feite zelfstandig geworden.

De reden hiervoor moet worden gezocht in wat de Russen als het verraad van Byzantium beschouwen. Op het Concilie van Ferrara-Florence (1437-1439) had Byzantium onder druk van de opdringende Osmaanse Turken een hereniging van de oosterse christelijke Kerk met die van Rome geaccepteerd. De paus zou het hoofd van deze herenigde Kerk moeten zijn. Ofschoon deze beslissing ook binnen het Byzantijnse Rijk op grote tegenstand stuitte, was de Kerk van Constantinopel niettemin in Russische ogen haar erfenis ontrouw geworden.

Het Concilie van Florence werd ook bijgewoond door Isidoor, een Griek die metropoliet was van Kiëv en in die hoedanigheid de belangrijkste prelaat van de Russische Kerk. Isidoor was een fervent voorstander van een hereniging van de beide Kerken. Na het concilie keerde hij terug als pauselijk legaat en kardinaal. Hoewel hij in Kiëv voorstanders vond voor de hereniging van de Kerken onder pauselijke suprematie, was dit in Moskou duidelijk niet het geval. Daar aangekomen werd hij in 1441 op last van grootvorst Vasili II gearresteerd. Een vergadering van Russische bisschoppen wenste Isidoor niet langer als metropoliet te erkennen tenzij hij zijn standpunt herzag. Isidoor weigerde en de autoriteiten lieten hem gaan. De kwestie bleef jarenlang spelen, omdat Byzantium formeel achter de Unie van de Kerken bleef staan. Na grootvorst Kazimierz van Litouwen en vorst Alexander van Kiëv te hebben gepolst over een eventuele erkenning van de kandidaat van Moskou voor de functie van metropoliet, is bisschop Jona tot het ambt benoemd.

## Bewind in Malakka door staatsgreep Tamils ten val

MALAKKA, 1445 - Door een staatsgreep van Tamils is een einde gemaakt aan de regering van koning Sri Paramesjwara Dewa Shah. Hij vond de dood bij de bestorming van het paleis door de troepen van zijn broer raja Kasim; deze heeft zich geïnstalleerd als sultan Muzaffar Shah. Zijn oom Tun Ali, een vooraanstaande Tamil en het brein achter de staatsgreep, is onmiddellijk benoemd tot bendahara (eerste minister).

Achtergrond van de machtsovername is het verzet van de hindoeïstische Maleiers tegen de groeiende invloed van de overwegend islamitische Tamil-handelaren, die zich in de afgelopen jaren in groten getale gevestigd hebben in het snel groeiende handelsrijk Malakka. Daarom was onder koning Sri Maharajah, die in 1424 aan de regering kwam, een staatsinstelling ontwikkeld, die de Maleise groep in staat stelde de macht in handen te houden. De koning werd afgeschermd van de dagelijkse politiek, kreeg een sacrale functie (hij zou afstammen van raja Iskandar Zul-karnain, Alexander de Grote) en werd omgeven door een ingewikkeld hofritueel. Zijn ministers, afkomstig uit een door huwelijksbanden met de vorst verbonden oligarchie, regeerden in feite.

Zij beslisten ook over de troonopvolging, waarbij de positie van de moeder bepalend was; zij diende zeker van koninklijke bloede te zijn. Daarom werd, toen vorig jaar Sri Maharaja overleed, zijn jongste zoon (wiens moeder een prinses uit Sumatra was) tot koning verkozen boven raja Kasim de oudste zoon, geboren uit een niet vorstelijk huwelijk en bovendien islamiet. De raja werd verjaagd uit het paleis, moest als visser vermomd vluchten, maar wist zich van de steun van de ontevreden Tamils te verzekeren en heeft op deze wijze alsnog de troon kunnen bestijgen.

# Peking weerstaat aanval van Mongolen

PEKING, 1449 - Onder leiding van generaal Yu Qian is een Mongools beleg van Peking met succes afgeslagen. Keizer Ying Zong, die door de Mongolen gevangengenomen was, is opgevolgd door zijn broer onder de keizerlijke naam Dai Zong.

De aanvankelijke tegenslagen van de Chinese strijdkrachten zijn voornamelijk te wijten aan de onbekwame leiding van de eunuch Wang Chen. Deze persoonlijkheid aan het hof van keizer Ying Zong vroeg de keizer om samen met hem tegen de Mongolen ten strijde te trekken. De totale incompetentie van Wang leidde tot de omsingeling en

vernietiging van het keizerlijk leger in de buurt van Datong. Wang Chen kwam om en de keizer werd gevangengenomen. Toen de Mongolen daarop Peking wilden innemen, bleek tijdens het beleg dat de stad uitstekend met kanonnen werd verdedigd, dat er een nieuwe keizer was en dat de verdedigers bijzonder weinig interesse toonden in het lot van de gevangen keizer Ying Zong.

Na een paar dagen voor de stadsmuren van Peking gelegen te hebben trokken de Mongolen zich met hun nutteloze gevangene terug naar Datong en vandaar gingen ze door naar Mongolië.

*Tweegevecht tussen Mongolen (15de eeuw).*

# Concilie niet meer hoogste orgaan

BASEL, 25 april 1449 - Het algemeen concilie, als het hoogste gezaghebbende orgaan van de Kerk, heeft afgedaan. De paus wordt weer erkend als het hoofd van de Kerk, zonder in de uitoefening van zijn macht enige concurrentie te hoeven duchten.

De machtsstrijd tussen de paus en het concilie, dat zich de afgelopen tientallen jaren als een ware volksvertegenwoordiging van alle gelovigen heeft gemanifesteerd, heeft bijna achttien jaar geduurd. In juli 1431 werd het concilie door een onwillige paus Eugenius IV geopend. De beslissing in 1435 om de Curie minder gelden toe te kennen, stuitte op flinke weerstand. Eugenius protesteerde heftig en zijn verhouding met de conciliegangers verslechterde daarna in snel tempo.

Toen de Byzantijnse keizer voorstellen deed die de kerkelijke hereniging van Oost en West beoogden, was het breekpunt nabij. Paus en concilie konden het niet eens worden over de plaats waar de besprekingen zouden moeten worden gehouden. Hierover werd een bittere strijd gevoerd. Uiteindelijk doorbrak de keizer de impasse; hij sprak zich uit voor de Italiaanse stad Ferrara als plaats van samenkomst, een keus waarmee de paus zijn instemming betuigde.

Eugenius dreef de tegenstellingen ten top toen hij, met in zijn kielzog een aantal gematigde medestanders, in 1437 het concilie officieel naar deze stad verplaatste. De breuk was definitief. De meerderheid bleef namelijk in Basel, waar de radicalen onder hen de overhand kregen. Zij ageerden heftig tegen Eugenius en dreigden een geding tegen hem aan te spannen. De gematigde leden aarzelden. Desniettegenstaande werd Eugenius beschuldigd van ketterij, afgezet en vervangen door de tegenpaus Felix V. Deze beslissing van de radicale conciliaristen moest elke steun ontberen. De wereldlijke leiders, die aanvankelijk op de hand van de conciliaristen waren, keerden zich van hen af. Zij wensten geen nieuwe kerkscheuring. Bovendien hadden ze inmiddels gunstige concordaten met de paus afgesloten, waardoor hun greep op de eigen, nationale, Kerken werd versterkt.

Hierbij speelde ook een rol dat de koningen weinig gecharmeerd waren van de 'democratische' ideeën van de conciliaristen. Paus en koning, die vreesden voor een totale omverwerping van de maatschappelijke orde, waarin het lagere volk en de lagere geestelijkheid de dienst zouden uitmaken, hadden identieke belangen. Tegen de krachtenbundeling van paus en koning hadden de conciliaristen geen verweer. Uiteindelijk was tegenpaus Felix genoodzaakt af te treden, waarop het concilie uiteenging.

**Februari 1450.** De condottiere Francesco Sforza grijpt de macht in Milaan. Door deze staatsgreep verkrijgt hij de hertogelijke waardigheid van Milaan en sticht een erfelijke heerschappij voor het Huis Sforza.

**1450.** De Fransen veroveren Normandië op de Engelsen.

**1450.** De Inca's herstellen de hangbrug over de Apurimac-rivier. →

**1450** (circa). De Italiaanse beeldhouwer Donatello vervaardigt in Padua het eerste bronzen ruiterstandbeeld sinds de oudheid.

**19 april 1451.** Alam Sjah van Delhi doet afstand van de troon ten gunste van Boehloel Chan Lodi, een Afghaans heerser van de Punjab. De nieuwe sultan sticht de Lodi-dynastie.

**1451** (circa). In Keulen overlijdt Stephan Lochner, de belangrijkste laat-gotische schilder van de 'Keulse School'.

**9 maart 1452.** De Duitse koning Frederik III wordt in Rome door paus Nicolaas V tot keizer gekroond.

**1452.** In Gorodets wordt het Mongoolse chanaat Kasimov gevestigd. →

**6 januari 1453.** De Duitse keizer Frederik III bevestigt het valse 'Privilegium maius' van 1358 en verheft Oostenrijk tot een aartshertogdom.

**29 mei 1453.** De Turkse sultan Mehmed II verovert Constantinopel. →

**17 juli 1453.** Bij Castillon brengen de Fransen de Engelsen een zware nederlaag toe. →

**23 juli 1453.** Bij Gavere verslaat Filips de Goede de Gentse opstandelingen. →

**19 oktober 1453.** Na de Slag bij Castillon komt een einde aan de Honderdjarige Oorlog. →

**9 april 1454.** De Vrede van Lodi maakt een eind aan de oorlog tussen Milaan en Venetië. →

**1454.** Na de val van Constantinopel wordt de Venetiaanse doge Francesco Foscari gedwongen een verdrag met de Turkse sultan Mehmed II te sluiten. Venetië moet afstand doen van de heerschappij op de Middellandse Zee.

**1454.** Sultan Mehmed II benoemt de monnik Gennadius tot patriarch. →

Gestorven:

**24 december 1453.** John Dunstable (circa 1385), Engels hofcomponist →

*Het religieuze centrum Machu Picchu in het hooggebergte van de Andes.*

# Inca's repareren hangbrug

CUZCO, 1450 - De Inca's hebben de honderd jaar oude hangbrug die de kloof tussen de loodrechte oevers van de Apurimac-rivier overspant, hersteld. De hangbrug is vijftig meter lang en heeft gevlochten kabels die vijftig centimeter dik zijn. Tevens zijn er drie nieuwe bruggen over de Apurimac gebouwd.

De oude hangbrug heeft de enorme uitbreiding van het Inca-rijk naar het westen mogelijk gemaakt. In de twaalf jaar dat Inca Pachacuti Yupanqui nu aan de macht is, zijn er vele bruggen gebouwd en wegen aangelegd. Het uitgebreide net wordt gebruikt om verschillende boodschappen tussen de steden en dorpen over te brengen. Dit gebeurt door koeriers, de chasqui, die door middel van koorden met knopen, de quipu, berichten overbrengen. Elke knoop heeft een bepaalde betekenis.

De boodschappen worden volgens een estafettesysteem van post tot post doorgegeven. De koeriers zijn jongemannen die langs de wegen wonen en de berichten hardlopend overbrengen. Zo kan een boodschap in vijf dagen van Quito naar Cuzco, een afstand van 2000 kilometer, worden gebracht.

De quipu dient als geheugensteun. Een quipu bestaat uit een hoofdkoord met een lengte tussen de 0,30 m en 1,8 m, waaraan kortere, soms gekleurde, koorden zijn geknoopt. De koordjes geven getallen aan: onderaan 1 tot 9, daarna tientallen. De kleur bepaalt de te tellen eenheid. De boekhouder, de quipucamayoc, is belast met het 'boeken' van de getallen. Door het quipusysteem is de Inca op de hoogte van de aantallen stammen, inwoners, lama's, voedselvoorraden en meer van dergelijke zaken.

# Tataren erkennen gezag van Moskou

MOSKOU, 1452 - Grootvorst Vasili II van Moskou heeft een afstammeling van Djingiz Chan, Kasim, de stad Gorodets [Kasimov] aan de Oka gegeven. De oprichting van het vorstendom, dat onderworpen is aan de grootvorst van Moskou, wijst op het toenemende verval van de macht van de Mongoolse heersers, waarvan vooral Moskou profiteert.

Kasim is een van de Tataarse edelen - het Tataarse element is in de Gouden Horde steeds meer de boventoon gaan voeren - die het rijk van de Gouden Horde zijn ontvlucht en in dienst van de grootvorst van Moskou zijn getreden. Hij is de broer van de chan van

het sinds 1436 onafhankelijke chanaat Kazan en dus diens mogelijke opvolger. Hij heeft Gorodets [Kasimov] gekregen als beloning voor de steun die hij Vasili II heeft gegeven in diens strijd met een gevaarlijke rivaal, Dimitri Sjemjaka. Deze maatregel heeft verscheidene voordelen: de Russische verdediging in de steppen wordt erdoor versterkt; aan de aanwezigheid van de Tataren in Moskou, hoe loyaal ook, komt een einde, en, en het belangrijkste voordeel, het prestige van Moskou onder de Tataren is enorm gestegen, wat het voor anderen aantrekkelijk maakt om in dienst van de grootvorst te treden.

# Constantinopel ingenomen

*De Osmanen belegeren Constantinopel (miniatuur uit een 15de-eeuws handschrift).*

CONSTANTINOPEL, 29 mei 1453 - Na een beleg dat bijna twee maanden heeft geduurd zijn de Turken erin geslaagd Constantinopel in te nemen. Hiermee is het voornaamste bolwerk van het oosterse christendom en de erfgenaam van de Romeinse macht in luister in handen gekomen van een islamitische veroveraar.

Vanuit het standpunt van sultan Mehmed II bezien was de verovering van het hart van het Byzantijnse Rijk een politieke en strategische noodzakelijkheid. Het bestaan van een christelijk bolwerk te midden van de gebieden van de sultan betekende een bedreiging van de in- en externe veiligheid van het Osmaanse Turkse Rijk. Zolang er een christelijke keizer en patriarch onafhankelijk van het Turkse gezag waren, bleven de christelijke onderdanen van de sultan, dat wil zeggen het merendeel van zijn onderdanen, potentieel revolutionaire elementen. Bovendien zou de verovering van de stad een westers ingrijpen bemoeilijken. Tenslotte was de stad de laatste jaren een broeinest van intriges tegen de sultan geworden. Mehmed II had de belegering goed voorbereid. Hij liet aan de Europese zijde van de Bosporus, ten noorden van Constantinopel, een versterking bouwen die enerzijds dienst deed als uitvalsbasis naar de stad en aan de andere kant alle verkeer met het noorden en de havens van de Zwarte Zee afsneed. Vervolgens trok de sultan de Griekse bezittingen in Morea [Peloponnesos] binnen om te voorkomen dat van die kant versterking zou komen.

Van meet af was het een ongelijke strijd. De Turken vormden een overweldigende meerderheid, terwijl het Griekse garnizoen van de stad slechts enige duizenden manschappen telde. Bovendien beschikten de Osmanen over een compleet artilleriepark.

Keizer Constantijn XI, die het fatale gevaar zag aankomen, richtte zich tot het Westen met een dringend verzoek om militaire bijstand. In plaats daarvan echter arriveerde de roomse kardinaal Isidoor. Deze Griek van geboorte was enige tijd metropoliet van Moskou geweest en vanwege zijn steun aan de hereniging van de Oosterse Kerk met die van Rome daar van zijn ambt ontheven. De idee van een kerkelijke unie, zoals die op het Concilie van Florence in 1437 nog was overeengekomen, was bij de bevolking van Constantinopel altijd op fel verzet gestuit. Toen deze Isidoor kort na zijn aankomst in de hoofdstad ter herdenking van de herstelde vrede tussen de beide Kerken in de Aya Sofia een mis opdroeg, raakte de bevolking hooglijk geagiteerd. De Byzantijnse dignitaris Lucas Notaris liet zich naar aanleiding hiervan verleiden tot de uitspraak: 'Het is beter om de stad in de macht van de Turkse tulband te zien dan in die van de Latijnse tiara.'

Begin april ving het beleg aan. De verdediging van de stad steunde in belangrijke mate op een Genuees, Giovanni Giustiniani. Zoals gebruikelijk in tijden van gevaar was de Gouden Hoorn, het water dat de eigenlijke stad scheidt van het noordelijke gedeelte Galata, door een massief ijzeren ketting gebarricadeerd. Even leek het tij te keren toen vier Genuese schepen een overwinning op de Turkse vloot behaalden. Maar in de nacht van de 21ste april slaagden de Turken erin schepen vanuit de Bosporus over land te verslepen en in de Gouden Hoorn te meren, teneinde de ijzeren ketting te omzeilen. Hierdoor kwam de Grieks-Genuese vloot tussen twee vuren te liggen. Intussen werd de stad gebombardeerd door de Turkse artillerie.

De toestand bleek hopeloos. Westerse hulp bleef uit. De avond voor het grote offensief bracht de bevolking door in gebed. In de Aya Sofia werd de laatste christelijke dienst gehouden. Om één uur 's nachts barstte de aanval los en werd de stad van drie kanten tegelijk bestookt. Keizer Constantijn vocht dapper mee. Toen de Genuese bevelhebber Giustiniani buiten gevecht werd gesteld zonk het moreel tot een absoluut dieptepunt. Steeds meer bressen werden in de dikke stadsmuren geslagen. Op zeker moment kwam ook de keizer om. Spoedig daarna stroomden de Turken de stad binnen. Vele Grieken hadden hun toevlucht in de Aya Sofia gezocht. Zij werden zonder aanzien des persoons afgemaakt. Drie dagen en nachten duurden het geweld en de plunderingen. Vele kunstwerken vielen ten prooi aan de vlammen; iconen werden verbrand en Turken kookten hun vlees op dit vuur.

*Het 's Gravensteen in Gent, in 1180 door Filips van de Elzas gebouwd.*

## Gentse opstand in bloed gesmoord

GENT, 23 juli 1453 - De hertog van Bourgondië, tevens graaf van Vlaanderen, Filips de Goede, heeft onder de muren van het kasteel van Gavere aan de Schelde een einde gemaakt aan de opstand van Gent. Het Gentse leger verloor de slag door slechte leiding en door plotselinge paniek onder de troepen als gevolg van de ontploffing van een door henzelf meegebracht vat buskruit. Na de gevechten kleurde de Schelde rood van het bloed. 2000 Gentenaren hebben in hun hemd en op hun knieën Filips de Goede om vergiffenis moeten smeken.

Als straf voor de opstand tegen zijn bewind heeft Filips besloten de stad een zware geldboete op te leggen. Voorts zal een einde worden gemaakt aan de overheersende invloed van de ambachtslieden op het stadsbestuur. Tot voor kort maakten zij in de stad de dienst uit, hetgeen tot allerlei misstanden geleid heeft: willekeur, uitbuiting van de bevolking en verkwisting van de stadsgelden waren aan de orde van de dag. Filips zal Gent ook enkele privileges ontnemen waardoor het omringende platteland van Gent niet meer door de stad kan worden overheerst. Ten slotte komt de rechtspraak van de stad onder toezicht te staan van de Raad van Vlaanderen, een instelling van de vorst.

Gent bestrijdt al meer dan honderd jaar het gezag van de graaf. Jacob van Artevelde is er midden vorige eeuw zelfs in geslaagd, het grafelijk gezag voor jaren uit te schakelen. Onlangs nog is Filips de Goede door de Gentenaren gevangengenomen. Korte tijd daarna ontstond tussen de stad en Filips een conflict over een door Filips voorgestelde zoutbelasting, welke de stad weigerde te betalen. Vorig jaar is in Gent een nieuw bestuur aan de macht gekomen, dat op oorlog met Filips heeft aangestuurd. De stad bleek echter in de strijd tegen de vorst geen steun te krijgen van de rest van Vlaanderen.

Na de Slag bij Gavere kan Gent zich niet meer als zelfstandige politieke macht tegenover de vorst opstellen.

# Componist John Dunstable dood

LONDEN, 24 december 1453 - De hofcomponist van de hertog van Bedford, John Dunstable, is op 68-jarige leeftijd overleden. Dunstable was een van de eerste componisten die de muziek voor de mis als een eenheid schreef. Hij verenigde de verschillende onderdelen tot een cyclisch geheel door dezelfde basismelodieën te gebruiken voor het *Gloria*, het *Credo* en het *Sanctus*.

Dunstables missen op het thema van *L'homme armé* (De krijgsman) en *O rosa bella* (O schone roos) zijn het vermelden meer dan waard.

Dunstable heeft grote invloed uitgeoefend op de Franse componisten Guillaume Dufay en Gilles Binchois, met name in de toepassing van de 'cantus firmus'-techniek. Het contact met Dufay en Binchois kwam tot stand in de periode 1422-1435, toen Dunstable zijn broodheer volgde naar Frankrijk, waar deze eerst regent van Parijs en later gouverneur van Normandië was geworden.

De bekende dichter Martin Le Franc schreef rond 1440 in zijn gedicht *Le Champion des Dames* (De vrouwenverdediger) over Dufay, Binchois en Dunstable het volgende:

'Mij werd verteld door degenen die het kunnen weten, dat slechts weinigen een mooie melodie van een "discantus" (bovenstem) kunnen voorzien zoals Binchois en Dufay dat doen. Want zij hebben een nieuwe weg gevonden door in hun muziek het juiste evenwicht tussen beweeglijkheid, stilte en nuance aan te brengen; zij hebben de "Engelse manier" overgenomen en door Dunstable na te volgen, is hun muziek opgewekt en edel geworden.' Met de 'Engelse manier' worden wel de vloeiende melodieën, de sonore drieklanken en de afwezigheid van dissonanten op zware maatdelen bedoeld.

# 100-jarige Oorlog voorbij

*In 1415 konden de Engelsen nog juichen na hun zege bij Azincourt.*

CASTILLON, 19 oktober 1453 - Na een periode van meer dan honderd jaar - sinds 1337 - oorlog tussen Engeland en Frankrijk, lijken de Engelsen na de Slag bij Castillon definitief van het continent verdreven te zijn.

Al enige jaren geleden namen de zaken een keer. De coalitie tussen Engeland en Bourgondië liep op onderlinge onenigheid stuk. Daarop verzoende de Bourgondische Filips de Goede zich met de Franse koning Karel VII door in 1435 het Verdrag van Atrecht te ondertekenen. Daarmee erkende hij de soevereiniteit van Karel. Dit betekende een aanzienlijke verzwakking van de Engelse invloed in Frankrijk. Die werd er niet beter op toen in datzelfde jaar de uiterst bekwame Engelse generaal Bedford kwam te overlijden.

Vervolgens wisten de Fransen in 1436 Parijs op de Engelsen te heroveren en sindsdien waren de successen vrijwel alleen maar aan hun zijde. De koning zag zich in dezen geholpen door een zeer capabele staf van adviseurs. Bovendien stelde hij alleen uiterst betrouwbare personen aan met een onvoorwaardelijk geloof in de Franse monarchie en een centraal bestuur. De militaire operaties werden vrijwel foutloos uitgevoerd. Vanaf 1449 rukte het leger steeds verder naar het westen op, zodat in de zomer van 1450 Normandië kon worden veroverd. Reeds in het daaropvolgende jaar waren ook Bordeaux en geheel Guyenne bezet. De situatie was daar echter gecompliceerder. Omdat dit gebied zeer lang in Engelse handen is geweest, was de handel er sterk op Engeland gericht. Verzet bleef in dit gebied dan ook niet uit: in de herfst van vorig jaar werd Bordeaux opnieuw door de Engelsen ingenomen. De voor de Engelsen vernietigende Slag bij Castillon heeft nu echter Guyenne weer in zijn geheel bij Frankrijk gebracht. De enige stad waar de Engelsen zich nog hebben weten te handhaven is Calais.

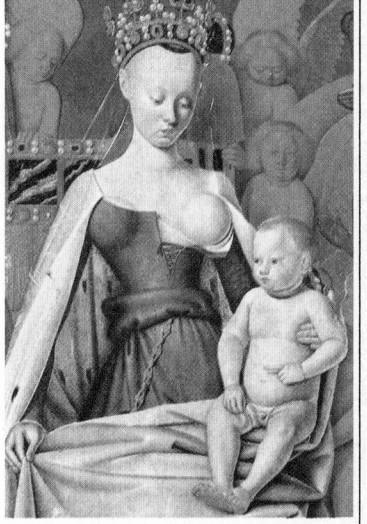

*De renaissanceschilder Jean Fouquet geldt als een van de belangrijkste schilders van Frankrijk. Tijdens een verblijf in Italië (circa 1445) heeft het werk van beroemde meesters als Paolo Uccello en Fra Angelico grote indruk op hem gemaakt. De Italiaanse invloed is waarneembaar in Fouquets schilderijen, zoals deze 'Maria met kind' (omstreeks 1450).*

# Koning Hendrik krijgt zenuwinzinking

LONDEN, 1453 - Enkele weken na zijn terugkeer uit Frankrijk heeft koning Hendrik VI een zenuwinzinking gekregen. De ziekte van de Engelse koning is het gevolg van de buitengewoon onfortuinlijke toestand waarin het Engelse koninkrijk is geraakt.

Ten eerste is de toestand in Frankrijk zeer ten nadele van Hendrik uitgevallen. In 1450 veroverden de Fransen zonder veel moeite Normandië. Daarna volgde dit jaar de verovering van Gascogne, het land dat al sinds de twaalfde eeuw bezit van de Engelse vorsten was. De Engelsen hebben nu alleen nog Calais in handen.

In Engeland leidde de zwakke regering van de koning, die zichzelf voortdurend omringt met de verkeerde raadgevers, drie jaar geleden tot de grootste opstand sinds 1381. Onder leiding van John Cade bezetten de rebellen enkele dagen Londen. De opstand werd bezworen, maar het imago van de koning was zwaar beschadigd.

De koning, die wel voelt dat hij niet populair is, vreest meer opstanden. De Lancaster-dynastie is nog niet zo oud; Hendrik VI is pas de derde koning uit dit huis. Hij is bang voor de hertog van York, Richard, die ook aanspraak op de troon kan maken. Hij was daarom zeer verheugd toen de koningin in oktober van dit jaar van een zoon beviel. Toch heeft deze gebeurtenis zijn gezondheid niet kunnen redden.

*John (Jack) Cade trekt door Londen.*

# Venetië en Milaan sluiten vredesverdrag

*Internationale geldhandel op een Italiaanse bank (14de-eeuwse miniatuur).*

LODI, 9 april 1454 - Er is een vredesverdrag gesloten tussen de Italiaanse stadstaten Venetië en Milaan waardoor de opvolgingsstrijd om het Milanese hertogdom, begonnen na de dood van Filippo Maria Visconti in 1447, definitief in het voordeel van de condottiere Francesco Sforza is beslecht. Hiermee lijkt een machtsevenwicht te zijn bereikt tussen de belangrijkste vijf staten van Italië: Venetië, Milaan, Florence, Napels en de Pauselijke Staten. Vooral Venetië, dat zijn handelsimperium door de Osmaanse Turken bedreigd ziet, heeft groot belang bij het sluiten van een vrede in Italië.

In aanvulling op dit verdrag is er besloten tot een 25-jarig, wederzijds defensief verdrag om de huidige grenzen te waarborgen. De daarvoor in het leven geroepen Italiaanse Liga zal volgend jaar maart officieel door paus Nicolaas V worden geproclameerd. De staten van de Liga beloven elkaar militaire bijstand indien een van hen door een vreemde mogendheid wordt aangevallen.

# Mehmed II stelt patriarch aan

*Mehmed II (Gentile Bellini, 1480).*

CONSTANTINOPEL (Istanbul), 1454 - Mehmed II heeft de monnik Gennadius bekleed met de onderscheidingstekenen van het ambt van patriarch. Hiermee treedt de sultan in de voetsporen van de vroegere Byzantijnse keizers.

Na de verovering van Constantinopel vorig jaar beschouwt de sultan zich als de rechtmatige opvolger van de keizer en wenst diens prerogatieven en positie ten aanzien van de christelijke Kerk te behouden. Hij realiseert zich dat de meerderheid van zijn christelijke onderdanen orthodox is en ten zeerste gekant tegen een hereniging met de Kerk van Rome. Vandaar dat hij in hen potentieel loyale onderdanen ziet van een heerser wiens voornaamste vijanden de rooms-katholieken zijn. Teneinde hen en andere niet-islamitische bevolkingsgroepen in te passen in het Osmaanse bestel heeft hij hen georganiseerd in millets, aparte rechtsgemeenschappen met zelfbestuur.

Officieel zijn er twee millets, een orthodoxe en een Armeense. In feite functioneert daarnaast een joodse, met een rabbijn aan het hoofd. De patriarch staat aan het hoofd van de grootste millet, de orthodoxe. Hij beschikt over volledige kerkelijke bevoegdheden en jurisdictie. Daarnaast heeft hij zeggenschap over zaken die onder het canonieke recht vallen, zoals huwelijken, echtscheiding en erfenissen.

Tot de orthodoxe millet behoren alle orthodoxe christenen van de Balkan. De patriarchaten van Ohrid [Zuidwest-Joegoslavië] en Pec [in Servië aan de grens met Albanië] zijn door dit systeem onderworpen aan de patriarch van Constantinopel. Het feit dat deze zetels voor de nationale identiteit van respectievelijk Bulgaren en Serviërs staan, en dat de liturgische taal op de Balkan veelal het Kerkslavisch en niet het Grieks is, doet volgens de sultan niet ter zake. Er bestaan immers geen verschillen van inzicht inzake theologische aangelegenheden.

**18 februari 1455.** In Rome overlijdt de dominicaner monnik en Italiaanse schilder Fra Angelico. Zijn oeuvre bevat uitsluitend religieuze werken, waarvan de composities rustig en helder zijn. Hij heeft vele fresco's en altaarstukken vervaardigd.

**22 mei 1455.** Richard van York, afstammeling van de in 1399 afgezette en vermoorde Engelse koning Richard II, valt het koninklijk hof bij St. Albans aan en ontvoert de krankzinnig geworden koning Hendrik VI.

**1 december 1455.** De Italiaanse beeldhouwer Lorenzo Ghiberti overlijdt in Florence.→

**1455.** De drukker Johann Gutenberg wordt voor de rechter gedaagd.→

**Juli 1456.** De Hongaarse legerleider Hunyadi overlijdt aan de pest, kort nadat hij het Turkse leger heeft verslagen.→

**25 november 1456.** Jacques Cœur, de rijkste bankier van Frankrijk, sneuvelt op het eiland Chios in de strijd tegen de Turken.→

**1456.** De Siamese vloot wordt bij Batu Pahat verpletterend verslagen.→

**24 januari 1458.** Na de dood van koning Ladislaus Postumus van Hongarije (en Bohemen) wordt Matthias I Corvinus tot koning van Hongarije gekozen.

**2 maart 1458.** George van Podiebrad wordt in Bohemen tot koning gekozen.

**25 maart 1458.** Inigo López de Mendoza, markies van Santillana, Spaans dichter en humanist, overlijdt in Guadalajara. Hij heeft veel didactisch-lyrische gedichten en allegorieën in de Spaanse taal geschreven.

**19 augustus 1458.** Na de dood van paus Calixtus III wordt Aenea Silvio Piccolomini, een der beroemdste humanisten van deze tijd, tot paus Pius II gekozen.

**1458.** De hertog van Alençon, Jan II, wordt ter dood veroordeeld.→

**1 juni 1459.** Paus Pius II opent in Mantua een congres van christelijke vorsten om een kruistocht tegen de Turken te organiseren.

**12 oktober 1459.** In Engeland wordt Richard van York bij Ludfor door de koninklijke troepen verslagen.

**1459.** Het conciliarisme wordt tot ketterij verklaard. Volgens deze leer wordt in de Kerk het hoogste gezag uitgeoefend door een algemeen concilie (het concilie staat boven de paus).

**1459.** Op de Balkan veroveren de Turken onder aanvoering van sultan Mehmed II Servië.

# Gutenberg voor de rechter

MAINZ, 1455 - De 60-jarige uitvinder van het lettergieten Johann Gutenberg is voor de rechter gedaagd wegens het niet inlossen van zijn schulden. De eiser is de Mainzer koopman Johannes Fust.

Reeds tien jaar drukt Gutenberg op zijn snelle drukpers belangrijke werken. Volgens kenners heeft hij het *Sybillenbuch* (een dichtwerk over het Laatste Oordeel) en de astronomische kalender uit 1447 gedrukt. Sinds enkele jaren is hij met een groots project bezig: het drukken van de *Latijnse Bijbel*. Al jaren wordt hij financieel gesteund door de koopman Fust. Tot twee keer toe leende deze Gutenberg 800 gulden om gereedschappen te kunnen aanschaffen. Nu de lettergieter echter weer niet kan terugbetalen, heeft Fust hem voor de rechter gedaagd.

De belangrijkste vondst van Gutenberg is het gieten van metalen letters, waardoor deze letters zeer vaak gebruikt kunnen worden. Het tot dusver bekende procédé, het in hout of metaal snijden van teksten en afbeeldingen die op papier worden afgedrukt, levert een onregelmatig beeld op, is snel aan slijtage onderhevig en bovendien een zeer tijdrovende bezigheid. Gutenberg, als goudsmid vertrouwd met graveren en gieten, vond een legering uit van klei, tin en antimonium, waarmee hij de basis legde voor een nieuw drukprocédé. Voor elke letter maakte Gutenberg uit een zwaar metaal een patrijs, waarin hij het negatief van die letter graveerde. Deze patrijzen worden in een stuk ijzer of koper geslagen waardoor het

*Boekdrukkerij in de 15de eeuw.*

correcte letterbeeld in reliëf zichtbaa[r] wordt. In de zo verkregen matrijze[n] wordt vervolgens de vloeibare legerin[g] gegoten. Als de legering is afgekoel[d] zijn de precieze afbeeldingen van d[e] letters zichtbaar. Daarnaast vervaar[-]digde Gutenberg een speciale drukper[s] die snel en nauwkeurig de matrijzen o[p] papier afdrukt.

Voor de rechtbank beklemtoonde d[e] gedaagde de grote toepasbaarheid va[n] zijn uitvindingen. Desondanks ver[-]klaarde de rechter de eis van Fust ont[-]vankelijk en werd de drukkerij van Gu[-]tenberg aan zijn geldschieter toege[-]wezen.

# Malakka weerstaat Siamese aanval

MALAKKA, 1456 - De Siamese vloot die voor een strafexpeditie onderweg was naar Malakka, is bij Batu Pahat vernietigend verslagen door de onlangs benoemde bendahara (eerste minister) Tun Perak. De Siamese aanval was het directe gevolg van de weigering van sultan Muzaffar Shah om nog langer tribuut te betalen. De in 1445 na een staatsgreep aan de macht gekomen sultan heeft Malakka in de afgelopen jaren ontwikkeld tot een machtige handelsstaat en het grondgebied uitgebreid met Pahang, Kampar en Indragiri.

Na een bescheiden begin, ruilhandel in oerwoudprodukten en tin, werd Malakka al snel de overslaghaven bij uitstek voor produkten als textiel uit India, kruidnagelen uit de Molukken en nootmuskaat en foelie uit Banda. Met de noordoostmoesson arriveren in januari Chinese, Siamese, Javaanse en Buginese schepen, die weer vertrekken met de zuidoostelijke winden in juli. In mei komen uit het zuidwesten de handelaren uit India en Arabië. De handelaren van Malakka kopen hun produkten die opgeslagen worden in grote voorraadschuren (meestal ondergronds gelegen), en verhandelen ze verder.

Toezicht op de handel wordt gehoude[n] door vier syahbandars (havenmeesters), die elk verantwoordelijk zij[n] voor een bepaalde groep handelaren[.] Verdere belangrijke functionariss[en] zijn de penghulu bendahari (belasting[-]gaarder), de temenggung (hoofd va[n] de politie en opperrechter), de laksa[-]mana (opperbevelhebber van de vloot[)] en als machtigste de bendahara. Zi[j] zorgen voor een stabiel bestuur, ter[-]wijl de door hen gecontroleerde orang[-]laut (zeeroversstammen) de handela[-]ren op zee beschermen.

Tot voor kort was Tun Ali, de Tamil[-]oom van de sultan, bendhara, maa[r] zijn bewind was dermate impopulai[r] dat hij vervangen werd door Tun Pe[-]rak. Deze zoon van een voormalig[e] Maleise bendahara en regent van he[t] noordelijke district Klang, wist in 144[5] een Siamese aanval vanuit Pahang af t[e] slaan en heeft zo het vertrouwen ge[-]wonnen van sultan Muzaffar Shah[,] wiens verlangen naar machtsuitbrei[-]ding hij deelt.

*De aartsengel Gabriël verkondigt de boodschap aan Maria (altaarstuk voor het San Domenicoklooster in Fiesole, circa 1440 geschilderd door Fra Angelico).*

# Lorenzo Ghiberti overlijdt

FLORENCE, 1 december 1455 - Na de dood van de schilder Fra Angelico eerder dit jaar is met het overlijden van de 77-jarige beeldhouwer Lorenzo Ghiberti een andere belangrijke representant van het 'Quattrocento' heengegaan.

Voor de dominicaner monnik Fra Angelico, geboren in 1371, was schilderen zowel een religieuze als een esthetische bezigheid. In de periode 1436-1445 schilderde hij zo'n vijftig fresco's op de muren van het door Cosimo de' Medici nieuw gebouwde San-Marcoklooster in Florence. En al betrof het altijd religieuze onderwerpen, hij gaf die in de voetsporen van Masaccio op een veel ruimtelijker en plastischer wijze vorm dan zijn voorgangers uit het 'Trecen-

to'. Niettemin verraden de wel erg bleke heiligen die zijn idealistische wereld bevolken, zijn traditionele opvattingen over religieuze kunst.

Ook de beeldhouwer Ghiberti was nog sterk gebonden aan de gotische traditie, zoals blijkt uit de bronzen deuren die hij voor het baptisterium van Florence vervaardigde. Na 1425 evenwel, toen hij aan de bronzen deuren voor de oostelijke ingang begon, maakte ook hij duidelijk gebruik van de nieuwe ontdekkingen van deze tijd.

Hij deed 27 jaar over de tien panelen met scènes uit het Oude Testament en die jaren vormden een leerschool voor velen die nu bekende kunstenaars zijn, zoals Paolo Uccello en Antonio del Pollaiuolo.

*In Brussel wordt de bouw van het stadhuis voltooid. Bijna vijftig jaar lang is onder leiding van de architect Jacob van Tienen gewerkt aan dit imposante bouwwerk. De laatgotische stijl valt ook af te lezen aan de 97 meter hoge toren.*

# Jacques Cœur gesneuveld

CHIOS, 25 november 1456 - Aan het hoofd van een pauselijke expeditie tegen de Turken is de in ongenade gevallen koninklijke financier en raadsheer Jacques Cœur gesneuveld.

Jacques Cœur was de zoon van een pelshandelaar in Bourges en heeft een snelle carrière gemaakt. Hij begon met het leveren van luxe-artikelen aan het hof van de Franse koning Karel VII. Deze contacten brachten hem tot de functie van koninklijke muntmeester. Hierdoor raakte hij zozeer bij het landsbestuur betrokken dat hij uiteindelijk de volledige controle over het Franse financiële en fiscale beleid kreeg. Zijn particuliere handel met de Levant en in het Middellandse-Zeegebied kon vooral floreren omdat hij vanuit zijn positie zonder scrupules van allerlei privileges gebruik maakte. Daarnaast exploiteerde hij nog enige zilver- en kopermijnen. De woonpaleizen die hij met zijn verworven rijk-

dom in Bourges en Parijs liet bouwen worden algemeen beschouwd als ware monumenten van fraaie architectuur, luxe en comfort.

De snelle carrière en grote inkomsten van deze koopman-bankier betekenden echter ook zijn ondergang. Bij de koning en de edelen raakte hij uit de gratie. Vooral toen men hem ten onrechte beschuldigde van de moord op een beschermelinge van de koning. Hij werd opgepakt en na een langdurig proces op 29 mei 1453 uit de raad van de koning verwijderd; bovendien werden al zijn bezittingen geconfisqueerd.

Cœur wist in het jaar daarop uit zijn gevangenschap te ontsnappen en vluchtte naar Rome. Daar genoot hij de bescherming van de paus. Hiervan heeft hij echter maar kort kunnen genieten: nu, twee jaar later, is de pauselijke expeditie Jacques Cœur noodlottig geworden.

# Hongaren verjagen Turken

NANDORFEHERVAR [BELGRADO], juli 1456 - De succesvolle opperbevelhebber van het Hongaarse leger János Hunyadi is enkele dagen na zijn schitterende overwinning op de Turken het slachtoffer geworden van de pestplaag.

Op 22 juli slaagden de 30 000 kruisvaarders en huurlingen erin het enorme Turkse leger van 100 000 man onder leiding van sultan Moerad II op de vlucht te jagen.

Deze opzienbarende overwinning is in feite een herhaling van het succes dat Hunyadi, die van Transsylvaanse adel is, veertien jaar geleden boekte, toen hij de sultan aan het hoofd van een even grote overmacht een vernietigende nederlaag toebracht. Hunyadi had indertijd zijn leger van 15 000 sekels (vrije boeren) en hussieten-huurlingen uit eigen middelen bekostigd. Na deze overwinning wilde de Hongaarse bevelhebber de Turkse vijand op eigen gebied definitief verslaan, veroverde Sofia en trok op naar Adrianopel, maar werd tegengehouden in de bergen van Bulgarije. In 1444 werd bovendien het leger van de Hongaarse koning Wladyslaw bij Varna door de Turken verslagen, waarbij de koning sneuvelde.

De invloedrijke bisschop van Váras, János Vitéz, zorgde er daarna mét steun van de lage adel voor dat Hunyadi regent werd. Vitéz zette daarmee de realisering van zijn ideaal van een krachtige gecentraliseerde monarchie tegen het Turkse gevaar voort door middel van een alliantie met de lage adel. Ook koning Wladyslaw had zijn macht gebaseerd op de steun van de lage adel tegenover de ambities van de hogere adellijke families.

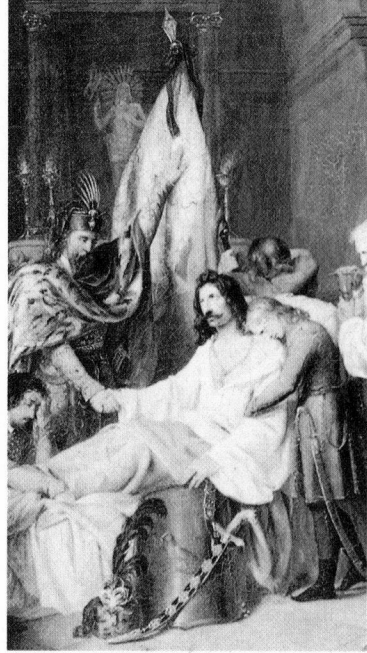

*János Hunyadi op zijn sterfbed (door Miklós Barabás, 19de eeuw).*

Deze families hadden met name tijdens de regeringsperiode van Sigismund van Luxemburg (1387-1437) hun bezit verdubbeld, terwijl het koninklijk bezit tot één derde inkromp. Dit was het gevolg van de strenge voorwaarden waaronder Sigismund, een jongere zoon van de Duitse en Boheemse koning Karel IV, van de hoge adel de Hongaarse kroon aangeboden had gekregen.

In 1396 vroeg Sigismund tevergeefs om internationale steun tegen de oprukkende Turken. Met slechts enkele duizenden Westeuropese ridders werd hij bij Nicopolis verslagen. Wel wist Sigismund nieuwe binnenlandse onrust te onderdrukken en moest de paus hem in 1417 het recht toestaan om zelf aartsbisschoppen en bisschoppen in Hongarije te benoemen. Sigismund zag als eerste Hongaarse koning het belang van de steden in en probeerde hun industriële groei te bevorderen. Hij maakte Boeda tot hoofdstad van het land, maar tegen 1428 had hij slechts nog bittere herinneringen aan zijn experiment: 'Ik wou dat er geen enkele stad in mijn rijk was!'

De onevenwichtige economische politiek van Sigismund en zijn voortdurende geldnood hadden een sterke geldontwaarding tot gevolg, die de boeren het hardst trof. Toen bovendien de Turken na 1416 hun aanvallen hernieuwden en Transsylvanië en de zuidelijke provincies jaarlijks plunderden, kon de hussietenbeweging ook in Hongarije vanuit Praag terrein winnen. In 1432 braken op grote schaal boerenopstanden uit in Bohemen, vervolgens ook in Nagyszombat, in het zuiden en in Transsylvanië.

*De hertog van Alençon Jan II wordt in 1458 ter dood veroordeeld wegens zijn aandeel in een samenzwering tegen de Franse koning Karel VII. Hij was in 1415 zijn vader Jan I opgevolgd, die in de strijd tegen de Engelsen tijdens de Slag bij Azincourt het leven had gelaten. Als gevolg van de Franse nederlaag bij Verneuil (1424) brengt Jan II korte tijd in Engelse gevangenschap door. Na zijn vrijlating sluit hij zich aan bij de troepen van Jeanne d'Arc, maar geleidelijk aan ontwikkelt hij zich tot een fervent tegenstander van de Franse kroon. Uiteindelijk krijgt de hertog na zijn veroordeling gratie.*

# 1460

**9 mei 1460.** Te Atrecht vinden heksenvervolgingen plaats. →

**1460.** Chan Chan, de hoofdstad van het Chimu-rijk, wordt door de Inca's ingenomen. →

**28 juni 1461.** Nadat de 'Lancasters' (aanhangers van de Engelse koning Hendrik VI en koningin Margaretha) bij Towton verslagen zijn, wordt Edward IV, zoon van Richard van York, tot koning van Engeland gekroond. →

**20 januari 1463.** De Franse dichter François Villon wordt wegens doodslag tot tien jaar verbanning veroordeeld. →

**9 januari 1464.** In Brugge komen voor het eerst de Staten-Generaal bijeen.

**Januari 1464.** Wenen onderwerpt zich aan de Habsburgse keizer Frederik III. →

**18 juni 1464.** In Brussel overlijdt de Zuidnederlandse schilder Rogier van der Weyden. Hij laat een zeer omvangrijk œuvre na. Enkele werken hieruit zijn: de *Kruisafneming*, het *Laatste Oordeel* en de *Bladelin-triptiek*.

**17 augustus 1464.** In Todi overlijdt de Duitse theoloog, filosoof en wiskundige Nicolaas van Cusa. Hij was de meest veelzijdige en oorspronkelijke denker van zijn tijd. Hij laat een omvangrijk œuvre na waarvan de drie filosofisch-theologische boeken *De docta ignorantia* zeer bekend zijn. →

**1465.** De afgezette en gevluchte Engelse koning Hendrik VI wordt gevangengenomen en in de Tower opgesloten.

**8 maart 1466.** Francesco Sforza, hertog van Milaan, overlijdt. →

**19 oktober 1466.** Bij Thorn sluiten de ridders van de Duitse Orde vrede met Polen. De hoogmeester van de Duitse Orde moet de Poolse koning als leenheer erkennen.

**1466.** Het chanaat van Astrachan scheidt zich van het Mongoolse Rijk de Gouden Horde in Zuid-Rusland af. De Gouden Horde wordt door interne twisten geteisterd.

**30 januari 1467.** Koning Matthias van Hongarije verslaat de hussieten. →

**17 oktober 1469.** Ferdinand, zoon en opvolger van koning Johan II van Aragón, huwt met Isabella, zuster en opvolgster van koning Hendrik II van Castilië.

**3 december 1469.** Na de dood van Piero de' Medici volgen zijn zonen Lorenzo en Giuliano hem als feitelijke machthebbers van Florence op.

# Inca's bezetten Chimu-rijk

CUZCO, 1460 - Chan Chan, de imposante hoofdstad van het Chimu-rijk, is ingenomen door het leger van de Inca Pachacuti. Hij heeft de schatten van Chan Chan laten overbrengen naar Cuzco.

Sinds de Inca's zich omstreeks 1200 in Cuzco en de omliggende hooglanden vestigden, is hun rijk enorm uitgebreid zodat het zich nu uitstrekt over enkele duizenden kilometers langs de kust van het noorden tot het Andesgebergte in het zuiden. Dit is vooral te danken aan Inca Pachacuti.

In de jaren dertig werd Cuzco aangevallen door de Chanca's, een machtige stam uit het westen van de vallei. Pachacuti's vader Viracocha vluchtte, evenals zijn oudste broer en troonopvolger Urcon. Pachacuti herenigde zijn legers en versloeg de Chanca's, waarop hij vervolgens zijn broer de opvolgingsrechten ontnam. In 1438 kwam hij op de troon. Eerst onderwierp hij de onafhankelijke gebieden rond Cuzco; daarop vervolgde hij zijn veroveringstocht naar het vruchtbare Urabamdal. De veroveringen verliepen volgens een weloverwogen plan om alle stammen en volkeren te verenigen. Die eenheid is echter niet alleen op gewelddadige wijze verkregen maar ook door diplomatie. Voordat de Inca's tot de aanval overgaan stuurt Pachacuti afgezanten om de voordelen van de vereniging met zijn keizerrijk duidelijk te maken. Hij belooft vrede, veiligheid en welvaart, autonomie en respect voor de eigen godsdienst. Tegenstand zou alleen maar leiden tot narigheid, zo delen de gezanten de stamhoofden mee.

De eenheid van het rijk wordt aanzienlijk bevorderd door de verspreiding van de Inca-taal Quechua. Het is de officiële taal, die de overwonnen volkeren en vooral de jeugd wordt bijgebracht.

Pachacuti probeert opstanden te voorkomen door vijandige volkeren over te plaatsen naar oorden waar zij een minder groot gevaar vormen. In het algemeen zorgt hij ervoor dat er géén onnodige problemen worden veroorzaakt. Hij probeert de overwonnenen op zijn hand te krijgen door hun levensomstandigheden te verbeteren; zo laat hij bekwame ingenieurs irrigatiesystemen aanleggen die de landbouw ten goede komen, terwijl het enorm uitgebreide wegennet, opgezet door de Chimu's, het mogelijk maakt goed contact tussen de diverse steden van het Inca-rijk te onderhouden.

# Hendrik VI moet aftreden

TOWTON, 4 maart 1461 - Koningin Margaretha, de echtgenote van Hendrik VI, is bij Towton verslagen door de hertog van York. Deze heeft beslag gelegd op de troon van Engeland en zal deze als Edward IV bestijgen. De nieuwe koning wordt hierbij gesteund door de graaf van Warwick.

De troonswisseling is de voorlopige uitkomst van een strijd die nu al zes jaar duurt en die aangeduid wordt als de Rozenoorlog. De naam is afkomstig van de rode roos die het Huis van Lancaster in zijn familiewapen voert en de witte roos van het Huis van York. Beide families zijn afstammelingen van broers van de Zwarte Prins en maken aanspraak op de troon.

Koning Hendrik VI leidde een buitengewoon onfortuinlijke regering en werd in 1453 ziek. Zijn neef Richard, de toenmalige hertog van York, nam daarop tot twee keer toe de regering waar. Dit wekte echter de toorn van de koningin, die bang was dat de hertog van York de troon definitief voor zichzelf zou opeisen.

Dit leidde tot de oorlog. Veldslagen in 1455 en 1459 brachten beurtelings de twee groepen aan de macht. Tijdens de Slag bij Northampton vorig jaar versloeg het leger van York het leger van de Lancasters; koning Hendrik VI raakte daarbij voor de tweede keer sinds het uitbreken van de Rozenoorlog in gevangenschap.

*Koning Hendrik VI van Engeland.*

Er werd daarop een compromis voorgesteld door Richard, de hertog van York. Hij wilde dat vastgelegd werd dat na het overlijden van Hendrik VI het Huis van York hem zou opvolgen. Als dit zwart op wit gesteld werd, zou hij de koning vrijlaten. De koningin ging met deze regeling echter niet akkoord. Zij verzamelde een leger en won de Slag bij Wakefield. Richard kwam bij dit gevecht om het leven. Zijn zoon Edward is hem opgevolgd als hertog van York.

Edward heeft nu het koninklijk leger verslagen en de troon veroverd.

*Links een voorstelling van heksenverbranding, rechts een bijeenkomst van heksen (minatuur).*

# Massale heksenverbranding in Atrecht

ATRECHT, 9 mei 1460 - Op de binnenplaats van het bisschoppelijk paleis zijn de van hekserij beschuldigde Jean Lavite en zijn medestanders op de brandstapel ter dood gebracht.

De zaak van Lavite en de zijnen kwam aan het licht toen vorig jaar te Langres een wegens ketterij veroordeelde kluizenaar hen van hekserij beschuldigde. Inquisiteur Pierre le Broussard hield daarop de 60-jarige Lavite, een schilder/rederijker die de 'abt zonder hersens' - hij was waarschijnlijk geestelijk niet helemaal in orde - werd genoemd, en het hoertje Deniselle aan. Zij wisten niet door wie ze werden aangeklaagd en kregen te horen dat ze van 'vauderie' ( hekserij) werden beschuldigd. Voordat ze tot de brandstapel werden veroordeeld werd er eerst een langdurig proces gevoerd. Hierbij werden Lavite en Deniselle aan vele folteringen onderworpen. Uiteindelijk heeft dat hen tot een bekentenis gedwongen. Jean Lavite verklaarde onder meer de leider van liederlijke heksensabbatten te zijn geweest. Maar op hun beurt beschuldigden zij ook weer anderen. Binnen korte tijd ontstond er in Atrecht en omgeving grote angst en niemand voelde zich meer veilig. Velen werden van hekserij beschuldigd, opgepakt en vervolgd. Ondertussen waren er onder de burgers enige kritische geluiden te horen.

Ten aanzien van de klakkeloos geloofde beschuldigingen, de snelle arrestaties en de toegepaste zware martelingen was men toch wat huiverig geworden. Daarbij kwam ook dat bij de berechting de beschuldigden uit lagere standen er duidelijk slechter af kwamen.

De aanklacht tegen Jean Lavite hield onder meer in dat hij het Heilig Sacrament aan padden te eten zou hebben gegeven. Vervolgens zou hij de beesten hebben verbrand. Van het bloed van jonge kinderen, de as van verbrande

gehangenen en verschillende kruiden maakte Lavite een papje dat hij bij het beheksen en zijn toverpraktijken zou hebben gebruikt.

Het 'bewijs' dat hij zich tot de duivel richtte werd volgens de rechters geleverd door het feit dat hij de rederijkersavonden placht te besluiten met de woorden: 'Mishaag mijn meester niet'. Een dergelijke verwijzing kon niet anders zijn dan een erkenning van de macht van de duivel.

Deze beschuldigingen tegen Lavite en de andere 'heksen' werden vóór het aansteken van de grote brandstapel door de inquisiteur Pierre le Broussard voorgelezen. Daarna heeft Lavite nog zijn bekentenissen herroepen. Zijn laatste woorden waren een citaat van Lucas: 'Maar Jezus, door het midden van hen doorgegaan zijnde, ging weg'. Het mocht niet baten en uiteindelijk heeft het vuur het vonnis langzaam voltrokken.

# François Villon spoorloos

PARIJS, 20 januari 1463 - Sinds de veroordeling van 5 januari, een tienjarige verbanning uit Parijs, van de grote dichter François Villon, is niets meer van hem vernomen. Villon wordt algemeen beschouwd als een van de belangrijkste Franse dichters. Hij dichtte op een zeer realistische wijze over de verschillende emoties in het leven van de mens. Voor deze gedichten heeft Villon zijn inspiratie niet in de laatste plaats uit zijn enerverende levensstijl kunnen putten.

Villon werd in 1431 te Parijs geboren. Zijn opvoeding werd aan de kanunnik Guillaume de Villon toevertrouwd. Deze man zorgde ervoor dat François tot de Sorbonne werd toegelaten. Op 21-jarige leeftijd voltooide hij reeds zijn rechtenstudie. In die tijd leidde hij een onstuimig studentenleven dat uitvoerig door hem op rijm werd beschreven. Na zijn studie kwam hij regelmatig in contact met de zelfkant van de maatschappij. Zo doodde hij in een gevecht om een vrouw zijn tegenstander, een jonge priester. Onder het argument van noodweer ontkwam hij aan rechtsvervolging. Later raakte hij bij inbraken betrokken. Daarvoor moest hij Parijs verlaten, waarna hij een tijd lang een zwervend bestaan heeft geleid. Hij trok toen onder meer op met de 'Co-

quillards', een roversbende. Deze ervaringen werden uitgewerkt in een serie balladen in boeventaal, het argot. Nadat hij uit de kathedraal van Orléans de altaarsieraden had gestolen, kwam hij in de bisschoppelijke kerker terecht. Niet lang daarna kreeg hij amnestie ter gelegenheid van een bezoek van de koning en schreef hij een van zijn belangrijkste werken: *Het testament*, dat ruim 2000 verzen telt.

Toen Villon ten slotte in Parijs terugkeerde werd hij vanwege een niet-verjaarde diefstal, enkele relletjes en vooral vanwege zijn slechte reputatie tot de galg veroordeeld. Deze situatie bracht hem tot het schrijven van misschien wel zijn belangrijkste ballade: *Het grafschrift van Villon*. Ten einde raad schreef Villon ook een verweerschrift op rijm tegen zijn veroordeling en, zoals nu is gebleken, niet zonder succes. Het doodvonnis werd in een tienjarige verbanning omgezet. Sinds zijn vertrek uit de stad is hij echter spoorloos verdwenen.

In ieder geval zijn er nog wel zijn geschriften. Dit werk, voornamelijk balladen, is vooral burlesk, spottend en satirisch van aard. De dichter François Villon houdt zich niet met allegorieën maar met de persoonlijke menselijke problematiek bezig.

## Cosimo bevorderde kunst in Florence

FLORENCE, 1 augustus 1464 - Cosimo de Oude is op 74-jarige leeftijd overleden. Op zijn tombe zal de hoogste titel gegraveerd worden: Pater Patriae, vader des vaderlands. Hij wordt opgevolgd door zijn zoon Piero, die bekendstaat om zijn rechtvaardigheid en zijn belangstelling voor het humanisme en de schone kunsten.

De familie der Medici is tijdens de afgelopen twee eeuwen rijk geworden in de handel en in het bankwezen. Cosimo leende geld aan verscheidene Europese vorsten en beheerde ook de financiën van de geleerde paus Nicolaas V. Ondanks zijn enorme vermogen leefde Cosimo zelf tamelijk sober en schonk hij grote sommen aan openbare werken. Zo liet hij de San-Lorenzokerk en het Palazzo Medici bouwen.

Bovendien was hij de mecenas van de grote kunstenaars en humanisten van het 'Quattrocento'; hij stichtte de Platoonse Academie (1440) en de Biblioteca Laurenziana. Hij stimuleerde de studie in het Grieks en met de grote humanist Marsilio Ficino bestudeerde hij zelf de klassieken uit Griekenland en Rome. Het belang van de studie van de geschriften uit de oudheid voor de zelfontwikkeling is sinds Petrarca in Florence algemeen aanvaard.

De studie van de humaniora bestaat uit grammatica, retorica, stijl, literatuur, filosofie en geschiedenis. Maar zij die deze studies onderwijzen - de humanisten - bemoeien zich in hun discussies over morele vragen ook met het openbare leven. Sommigen onder hen verkondigen een neo-platoonse filosofie, die de mens in het centrum van het universum plaatst. De invloed van deze filosofische stroming op de kunst valt duidelijk waar te nemen bij de zelfbewuste en gracieuze *David* van Donatello of in de toegenomen belangstelling voor de portretschilderkunst van Piero della Francesca.

Cosimo's buitenlandse politiek was gericht op het bereiken van politiek evenwicht in de Italiaanse verhoudingen. Verstoringen van dat evenwicht leiden in zijn ogen tot oorlogen die de bloei van de handel - de basis van zijn macht - bedreigen.

*Portret van de notabele door Piero della Francesca.*

# Wenen opnieuw keizerstad

*Keizer Frederik III.*

WENEN, januari 1464 - De stad Wenen heeft keizer Frederik III haar onderwerping aangeboden. Sinds oktober 1461 hebben de Habsburgse keizer en de Oostenrijkse hoofdstad met elkaar op gespannen voet gestaan.

In september 1461 was er nog sprake van een goede verstandhouding. Wenen ontving toen een nieuw stadswapen, een dubbele gouden adelaar, voor aan de keizer bewezen trouw. De Weners hadden namelijk verhinderd dat het 3000 man sterke leger van aartshertog Albrecht VI van Habsburg, de broer en doodsvijand van Frederik III, hun stad kon innemen.

In oktober 1461 zwoer Wenen de keizer echter af, nadat de stad hem tevergeefs om militaire steun had gevraagd ter bestrijding van plunderende huurlingen die de omgeving van Wenen onveilig maakten. In augustus 1462 zetten de standen de keizersgezinde burgemeester af. Frederik III werd in zijn eigen Weense burcht belegerd en op 1 november 1462 nam Albrecht VI Wenen in. Toen de keizer in april vorig jaar de Reichsacht (de rijksban) en daarna de Aberacht (de herhaalde rijksban) over Wenen uitriep waren de inwoners hier niet erg van onder de indruk. Zij spotten: 'Acht und Aberacht macht sechzehn.' Pas na de dood van aartshertog Albrecht VI op 2 december heeft Wenen zich weer aan de zijde van de keizer geschaard.

*De Brabantse schilder van Hollandse afkomst Dieric Bouts (geboren circa 1410) wordt onmiskenbaar gerekend tot de meest toonaangevende Vlaamse Primitieven tot wie ook Jan van Eyck en wijlen Rogier van der Weyden behoren. 'Het Laatste Avondmaal' (zie afbeelding) dateert van 1464-1467 en toont met welk een precisie Bouts zijn figuren in een perspectief weet te plaatsen, zodat personen en ruimte een natuurlijk geheel vormen.*

## Francesco maakte Milaan welvarend

MILAAN, 8 maart 1466 - Francesco Sforza, hertog van Milaan, is op 64-jarige leeftijd gestorven. Hij vergrootte niet alleen de politieke macht van Milaan, maar bezorgde, evenals de Medici in Florence, zijn stad ook een culturele reputatie. Hij wordt opgevolgd door zijn als verkwistend bekendstaande zoon Galeazzo Maria.

Sforza begon zijn loopbaan als een bekwaam condottiere (huurlingenleider), in welke functie hij zowel voor Napels, als voor de paus, Milaan en Venetië streed. Na de dood van de laatste Visconti (1447) wist hij met behulp van Venetië Milaan te veroveren, waar hij zich in 1450 tot hertog liet benoemen. Bedreigd door de intriges van Venetië, Napels en Frankrijk wist hij zich staande te houden door de steun van zijn vriend Cosimo de' Medici.

Evenals deze wist hij zich van de steun van het volk te verzekeren door zich actief om hun noden te bekommeren zoals blijkt uit de bouw van het grote hospitaal. En al was hun vrijheid beperkt, toch kennen de Milanezen dank zij Sforza's goede bestuur een nieuwe periode van welvaart.

# Nederlaag Hussieten

VELKE KOSTOLANY [SLOWAKIJE], 30 januari 1467 - De Hongaarse koning Matthias (Mátyás) Corvinus heeft na een lang beleg het laatste grote kamp veroverd van de 'bratríci' (de Slowaakse nazaten van de hussieten, de Boheemse kerkhervormers). Honderd van hen zijn terechtgesteld. Deze nederlaag betekent het definitieve einde van de hussieten-beweging.

De Hongaren hebben herhaaldelijk deelgenomen aan de kruistochten tegen de hussieten. Vanaf 1423 voerden de hussitische legers vergeldingsacties uit met invallen in Slowakije. Ze hielden de veroverde steden en dorpen bezet en verkondigden er met groot succes hun leer. Na de Slag bij Lipany (1434) zochten de verslagen radicale hussieten massaal hun toevlucht in Slowakije en hielden daar het verzet tegen de feodale heren en de Kerk levend. De Hongaarse heerschappij over Slowakije werd voor een periode van bijna twintig jaar (1438-1457) doorbroken door Jan Jiskra van Brandys, een Tsjechisch edelman. Jiskra trok de macht in het grootste deel van Midden- en Oost-Slowakije aan zich. Zijn leger bestond uit overwegend voormalige hussitische soldaten. De Hongaarse 'gubernator' in Slowakije, János Hunyadi, bewerkstelligde dat de Hongaarse koning László in 1452 Jan Jiskra van al zijn functies onthief en hem uit Slowakije verjoeg. Kort daarop werd Jiskra echter teruggeroepen om de toenemende opstanden van het

*Hussieten verschansen zich achter een verdedigingsring van wagens.*

volk, aangewakkerd door de hussieten, te onderdrukken. Na de dood van László (1457) daagde Hunyadi Jiskra uit tot een oorlog. In 1459 werd de vrede tussen hen getekend. Jiskra, de verliezer, moest Slowakije vier jaar geleden voorgoed verlaten.

*Engelse ridders tijdens een steekspel (geschilderd door Sir Thomas Holme, 1430).*

# Hendrik weer op de troon

LONDEN, juli 1470 - Koning Hendrik VI, de oude man die de afgelopen vijftien jaar al drie keer in gevangenschap is geraakt, is wederom op de Engelse troon teruggekeerd. Edward IV is naar zijn bondgenoot de hertog van Bourgondië gevlucht.

Koning Edward, die sinds 1461 aan de macht was, had een groot nadeel tijdens zijn regering, namelijk dat zijn rivaal, Hendrik, diens vrouw en zoon nog in leven waren. De koning zat sinds 1465 weliswaar veilig opgeborgen in de Tower, maar de koningin en de kroonprins waren in de gelegenheid om komplotten te smeden en medestanders te verzamelen.

Rampzalig voor Edward was de ruzie die hij kreeg met de graaf van Warwick, die hem aanvankelijk had geholpen de troon te veroveren. Toen de koning eenmaal in het zadel zat en verstand van regeren kreeg, stelde hij zich onafhankelijker op. Dat beviel Warwick niet. Hij liep over naar Margaretha, de vrouw van Hendrik VI.

De Franse koning en de Schotten, die belang hebben bij een zwakke koning, steunden Margaretha eveneens. Met vereende krachten hebben zij Edward nu op de vlucht gejaagd en de oude koning weer op de troon gezet. In hun achterhoofd hebben de meesten dat zij zo'n oude man die lang gevangen heeft gezeten gemakkelijk naar hun hand kunnen zetten.

# Boheemse koning overleden

PRAAG, 22 maart 1471 - In Praag is de Boheemse koning George van Podiebrad, de eerste 'ketterse' én gekozen koning overleden. Hij werd ook wel de 'nationale' koning genoemd, niet alleen omdat hij Tsjech (zoon van een hussitische leider) en door de Tsjechen gekozen was, maar tevens omdat hij de religieus verdeelde Tsjechen (katholieken tegenover hussieten) weer als volk verenigde.

In Bohemen vormde zich, na de dood van koning Albrecht II in 1439, 'landfridy', politieke organisaties van lagere adel en steden, die bedoeld waren om een centrale regering te vervangen. Aan het hoofd van de machtigste 'landfrid', de Oostboheemse, kwam in 1444 George van Podiebrad te staan. Vier jaar later veroverde hij Praag waarna hij de titel 'beheerder van het Tsjechische koninkrijk' voerde. Ondanks het feit dat hij een overtuigd hussiet was, werd hij door het Praagse parlement in 1452 in zijn functie herkozen. Op 2 maart 1458 werd hij tot Boheems koning gekozen en twee maanden later gekroond.

Inmiddels stabiliseerden de hussieten in Bohemen hun invloed. Ze werden niet meer hussieten genoemd, maar utraquisten (van het Latijnse 'sub utraque specie' - [communie] onder beide gedaanten: brood én wijn). In 1457 ontstond er bovendien een nieuwe religieuze bond 'Jednota bratrská' (Eenheid der broeders, ook wel de Tsjechische broeders genoemd), bestaande uit vroegere radicale hussitische predikers en aanhangers van Petr Chelčický. Deze was een belangrijk utopisch-so-

*Sorterende mijnwerkers in Bohemen.*

ciaal denker; in zijn leer zette hij het denken van Wyclif en Hus voort. Hij wees een gewelddadige oplossing van sociale en religieuze conflicten af.

George van Podiebrad streefde zonder succes een compromis met de Heilige Stoel na. Zijn voorstel dat de Praagse aartsbisschop wél een katholiek mocht zijn maar onder de voorwaarde dat hij óók de communie onder beide gedaanten zou verstrekken, werd door de paus ongelezen afgewezen. Paus Paulus II deed George als ketter in de ban en onttroonde hem in 1466. Hij kondigde een nieuwe kruistocht tegen Bohemen aan. Het land had, ondanks dappere zelfverdediging, plunderingen te verduren van de kruislegers onder leiding van de Hongaarse koning Matthias en keizer Frederik III. George van Podiebrad stierf zonder een regeling met de paus te hebben kunnen bereiken.

# Edward IV maakt glorieuze intocht in Londen

LONDEN, 22 mei 1471 - Edward IV, de koning die vorig jaar werd afgezet en vervolgens naar Frankrijk vluchtte, heeft gisteren opnieuw zijn glorieuze intocht in Londen gehouden. Zijn rivaal Hendrik VI is onder verdachte omstandigheden in de Tower gestorven.

Edward kreeg bij zijn pogingen om de troon te heroveren steun van de hertog van Bourgondië. In maart van dit jaar keerde hij met een groot leger terug naar Engeland. Inmiddels was de regering van Hendrik VI al aardig ondermijnd, doordat de groepen die hem aan de macht hadden geholpen onderling ruzie maakten. Edward versloeg en doodde eerst bij Barnet zijn vroegere medestander, de graaf van Warwick. Daarna versloeg hij de koningin en haar zoon bij Tewkesbury. Margaretha werd daarbij gevangengenomen en de troonopvolger kwam om het leven.

# Vietnamese leger bereikt rivier de Mekong

THANG-LONG, 1471 - Voor het eerst hebben legers van Dai Viet [Vietnam] de oevers van de rivier de Mekong bereikt.

Nog nooit hebben de Vietnamezen in de vier eeuwen dat zij hetzij vreedzaam hetzij met militaire middelen het grondgebied van hun land hebben uitgebreid dit diep in het zuiden gelegen punt bereikt. Hiermee is een nieuwe fase in de 'nam tien', de 'tocht naar het zuiden', ingetreden.

Reeds in de 11de eeuw zijn pogingen ondernomen het gebied van Dai Viet in zuidelijke richting uit te breiden. Soms ging dit langs vreedzame weg doordat Vietnamezen uit de zeer dichtbevolkte delta's naar het zuiden trokken waar zij zich vestigden en het door de Cham verlaten land in cultuur brachten. Hierbij brachten zij niet alleen hun landbouwtechnieken mee maar ook hun gewoonten en zeden. Daarnaast werd de sociale en bestuurlijke organisatie van de Vietnamezen ingevoerd.

De reactie van de Cham hierop was meestal vijandig. Zij poogden veelal met militaire middelen de verloren gebieden te heroveren, wat dan weer tegenreacties van de kant van de Vietnamese keizer opriep.

In sommige gevallen verliep deze kolonisatie in zuidelijke richting geordend en waren er afspraken tussen de Cham en de Vietnamezen over territoriale concessies. In 1307 kwamen de keizer van Dai Viet en de koning van Champa bijvoorbeeld overeen dat de koning een Vietnamese prinses mocht huwen en dat hij als bruidsschat de districten Or en Ri zou afstaan. Binnen het Vietnamese hof ontstond hierover nog een controverse omdat een aantal hoge ambtenaren het er niet mee eens was dat de beeldschone Huyen Tran, die ook wel de 'git-parel' werd genoemd, aan de barbaarse Cham werd gegeven. Uiteindelijk ging de ruil toch door en was weer een deel van Champa aan Dai Viet toegevallen.

Soms wist Champa tijdelijk succes te boeken in de strijd tegen de kolonisten uit het noorden. Maar altijd volgden

op deze successen militaire tegenacties van Dai Viet. Koning Che Cu bijvoorbeeld weigerde schatting te betalen en formeerde een groot leger en een vloot van meer dan honderd schepen. Na aanvankelijk succes werd hij echter toch teruggedreven en gevangengenomen. Nadat de hoofdstad van de Cham, Vijaya, in brand was gestoken en de koning naar Dai Viet was afgevoerd, kon hij slechts naar huis terugkeren als hij drie districten zou afstaan. Aldus geschiedde. In 1389 verloor Champa definitief alle provincies ten noorden van de Wolkenpas.

Nu zijn de legers van Dai Viet zelfs aan de oevers van de Mekong geweest en krijgen de Vietnamezen het gebied van Quang-nam in bezit. Meestal worden de gebieden eerst half-militaire koloniën, waarna mensen uit de overvolle delta's van het noorden een civiel karakter aan het gebied geven. De vraag die nu in Thang-long wordt gesteld is hoe lang het nog zal duren eer ook de zuidelijke Mekong-delta door Vietnamezen zal worden bewoond.

# Thomas van Kempen: schrijver en asceet

ZWOLLE, 8 augustus 1471 - In het klooster Windesheim op de Agnietenberg bij Zwolle is de bekendste schrijver uit de kring van de Moderne Devotie, Thomas van Kempen, op 91-jarige leeftijd overleden. Meer dan zeventig jaar van zijn leven heeft hij in dit klooster doorgebracht, waar hij was belast met het kopiëren van manuscripten en de begeleiding van novicen. Voor de buitenwereld is hij vooral bekend geworden als de schrijver van de *Imitatio Christi*.

Bijna tachtig jaar geleden trok Thomas van Kempen (toen nog Thomas Hemerken) naar Deventer, het religieuze centrum van de Broeders van het Gemene Leven, waar hij studeerde onder een leerling van Geert Groote, de theoloog Florens Radewijns, die enkele jaren eerder de Congregatie van Windesheim had gesticht. Thomas trad ook zelf tot de congregatie toe; in 1413 ontving hij zijn wijding. Hij heeft het klooster op de Agnietenberg sindsdien nauwelijks nog verlaten.

Thomas van Kempen heeft zijn meeste publikaties in het Latijn geschreven. Een van die geschriften, de *Dialogus Noviciorum*, bevat beschrijvingen van belangrijke personen uit de vriendenkring van Geert Groote, de vader van de Moderne Devotie en met Radewijns stichter van de Broeders en Zusters van het Gemene Leven. Sterk met Geert

*Thomas van Kempen voor het klooster Windesheim op de Agnietenberg.*

Groote verbonden is ook het belangrijkste geschrift van Thomas van Kempen, de *Imitatio Christi*; sommigen beweren zelfs dat het een bewerking is van het dagboek van Geert Groote, dat Thomas van Kempen van zijn oorspronkelijke felheid heeft ontdaan. Zeker is dat dit veelgelezen geschrift helemaal de geest van de Moderne Devotie ademt: ascese, een zekere gestrenge levenshouding en een grote afkeer van de verslapping en schijn-vroomheid waarmee veel priesters en kloosterlingen behept zijn. De beweging van de Moderne Devotie heeft de afgelopen decennia een godsdienstig reveil in de Nederlanden veroorzaakt en heeft steeds een welbespraakt pleitbezorger gehad in de persoon van Thomas van Kempen.

## Dantes 'Commedia' verschijnt in druk

ROME, 1472 - In een werkplaats in het dorpje Foligno vlak bij Rome, zijn twee Duitsers erin geslaagd om Dantes *Divina commedia* te drukken. Vele honderden malen is dit werk reeds met de hand gekopieerd, maar nu is het ook in druk beschikbaar.

Dit meesterwerk van Dante Alighieri, die leefde van 1265 tot 1321, is in de oorspronkelijke taal van het volk - het Italiaans - geschreven en niet in het Latijn, zoals in Dantes tijd gebruikelijk was. In dit poëtische blijspel zijn alle wetenschappelijke inzichten uit zijn tijd verwerkt, zoals de filosofische en astronomische kennis. Op natuurwetenschappelijk gebied is de invloed van Albertus Magnus terug te vinden; in de politieke en theologische passages zijn de inzichten van Thomas van Aquino te herkennen.

Hoe groot de invloed van de *Commedia* op het moderne denken is, blijkt uit het feit dat al in 1373 de eerste leerstoel voor de verklaring van dit werk ingesteld werd. De leerstoel werd vervuld door Giovanni Boccaccio. Sindsdien is de *Commedia* onafgebroken een object van navorsing, verklaring, vertaling en navolging geweest.

De drukkers hebben het werk in een oplage van ruim 300 exemplaren gedrukt volgens de nieuwste procédés, zoals het gebruik van gegoten letters, zodat een tweede oplage tot de mogelijkheden behoort.

# Ivan III huwt Byzantijnse

*Grootvorst Ivan III van Moskou.*

MOSKOU, november 1472 - In Moskou is grootvorst Ivan III in het huwelijk getreden met Zoë Paleologa, de nicht van de laatste Byzantijnse keizer. Het huwelijk werd gesloten door metropoliet Philip, hoofd van de Kerk in Rusland. Door dit huwelijk stijgt het prestige van de grootvorst, niet alleen binnen Rusland, maar ook internationaal.

Zoë, die bij haar huwelijk de naam Sofia heeft gekregen, ging op 14-jarige leeftijd naar Italië. Zij werd rooms-katholiek en de paus werd haar voogd.

In 1469 ontving Ivan III een brief van Zoës leraar, kardinaal Bessarion, waarin een huwelijk tussen de grootvorst en Zoë werd voorgesteld. Rome zag in een dergelijke alliantie mogelijkheden om het rooms-katholicisme in Rusland te verbreiden en hoopte op een bondgenootschap tegen de Osmaanse Turken.

Zoë en haar gevolg, waarin zich ook de pauselijke gezant bevond, vertrokken op 24 juni uit Rome. Al gauw bleek dat Zoë zich zo snel mogelijk de Russische gewoonten en het Russische geloof eigen wilde maken. Ofschoon het de pauselijke gezant spoedig duidelijk was dat Zoë aldus voor Rome verloren was, besloot hij niettemin de reis voort te zetten, in de hoop succes te hebben bij onderhandelingen over een anti-Turks verbond.

Bij zijn aankomst in Moskou werd hij, zoals te doen gebruikelijk, voorafgegaan door een begeleider die een 'Latijns kruis' (crucifix) droeg. Dit was aanleiding tot een incident. Metropoliet Philip maakte tegen een dergelijke publieke tentoonstelling van het 'Latijnse' kruis heftig bezwaar. Hij dreigde zelfs de stad te zullen verlaten. De pauselijke gezant haalde bakzeil en het kruis werd verwijderd. Nog op dezelfde dag is het huwelijk ingezegend.

# Fransen kopen Edward af

*Koning Lodewijk XI van Frankrijk.*

PICQUIGNY, 29 augustus 1475 - Aan de expedities naar Frankrijk van de Engelse koning is een einde gekomen. In een verdrag is Edward IV door de Franse koning Lodewijk XI financieel schadeloos gesteld op voorwaarde dat hij zijn pogingen om in Frankrijk land te veroveren nu voorgoed opgeeft.

De acties van Edward hadden hem bijna zijn troon gekost. De koning, die nog maar zo kort geleden de troon opnieuw wist te veroveren, heeft met zijn expedities naar Frankrijk veel gewaagd. Hij zag geen kans grote militaire successen te boeken en in Engeland is de situatie nog lang niet zo stabiel dat het geen kwaad kan als de koning in het buitenland verblijft.

Behalve deze ongelukkige acties getuigt Edwards regering in het algemeen van wijsheid. Hij doet veel om Engelands imago na de jarenlange Rozenoorlog wat te herstellen. Hij sluit verdragen met vreemde mogendheden als Bourgondië en Schotland en bevordert de handel. De meeste onderdanen vinden het gunstig dat Edward geen extra belastingen heft. Op die manier wordt het weer rustig in het land.

## Maria bekrachtigt het Groot Privilege

*Karel de Stoute in het Parlement van Mechelen (door J. Coessaert, 15de eeuw).*

GENT, 11 december 1477 - De Nederlandse gewesten, vertegenwoordigd door de Staten-Generaal, hebben de nieuwe vorstin, Maria van Bourgondië, in een document hun gemeenschappelijke eisen voorgelegd. Maria heeft het document, onder de naam Groot Privilege, bekrachtigd. Voor de afzonderlijke gewesten, waaronder Vlaanderen, zijn gelijkluidende teksten opgesteld.

Het Groot Privilege heeft tot doel de centralisatiepolitiek van de vader van Maria, Karel de Stoute, ongedaan te maken. Deze politiek beoogde de stad Mechelen tot administratief centrum van de Nederlanden te maken. Zo verenigde Karel verschillende rekenkamers tot één lichaam te Mechelen. In dezelfde stad vestigde hij als hoogste juridisch lichaam het Parlement van Mechelen, dat in de plaats kwam van de Grote Raad, een rondreizend gerechtshof.

Het Groot Privilege komt tegemoet aan de grieven van de gewesten tegen de centralisatiepolitiek: de vroegere instellingen, zoals de Grote Raad, worden weer in ere hersteld.

Door toe te geven aan de eisen van de Staten-Generaal kan Maria de sympathie van de gewesten, die haar vader door zijn eigenmachtig optreden had verspeeld, terugwinnen. Het Groot Privilege bevat bovendien, naast allerlei administratieve bepalingen, een lijst van privileges voor alle gewesten. Zo bepaalt het Groot Privilege dat de vorst zonder toestemming van de Staten-Generaal geen oorlog mag beginnen. Voorts krijgen de Staten het recht om op eigen gezag bijeen te komen. Tot nu toe zijn de afgevaardigden uit de gewesten op initiatief van de vorst bijeengeroepen. Ten slotte is vastgesteld dat de raadsheren in de Grote Raad uit verscheidene gewesten zullen komen en dat ook in de Nederlandse taal recht zal worden gesproken. Daarmee komt een einde aan de overheersing van de Frans-Bourgondische raadsheren, die uitsluitend Frans spraken.

De Staten-Generaal hebben met het Groot Privilege meer invloed op de landspolitiek gekregen. Maria kan nu op steun van haar onderdanen rekenen bij de verdediging van het rijk tegen Frankrijk, dat vorige maand een aanval op haar bezittingen in het zuiden heeft ondernomen.

*De Habsburgse en Bourgondische onderhandelingsdelegaties aan de dis (1473).*

## Innig verbond Bourgondië en Habsburg

GENT, 19 augustus 1477 - Het op 21 april bij volmacht gesloten huwelijk tussen Maximiliaan, de 18-jarige zoon van de Duitse keizer Frederik III van Habsburg, en de 20-jarige Maria van Bourgondië is in Gent gesloten. Maria heeft Maximiliaan gekozen uit een half dozijn koningszonen die naar haar hand dongen, maar het is niet alleen liefde die hen tot elkaar heeft gebracht. Deze echtverbintenis verenigt ook grote politieke belangen, zowel van het Bourgondische als van het Habsburgse huis. Maria heeft als enige erfgename van de in januari van dit jaar gesneuvelde Bourgondische hertog Karel de Stoute de steun van de Habsburgers nodig om haar bezittingen tegen de Franse koning te verdedigen. Voor Maximiliaan en zijn vader Frederik III betekent de vereniging met het welvarende Bourgondië een aanzienlijke uitbreiding van de macht van het Habsburgse Huis.

Frederik heeft als lijfspreuk AEIOU. Deze lettercombinatie is aangebracht op alle eigendommen van de keizer en op sommige gebouwen, zoals de dom van Graz en de burcht van Wiener Neustadt. Wat deze klinkers betekenen is niet geheel duidelijk. AEIOU wordt wel uitgelegd als een afkorting van 'Austriae est imperare orbi universo', in het Duits: 'Alles Erdreich ist Österreich untertan' (De gehele wereld is aan Oostenrijk onderworpen).

Van de grootse plannen van Frederik is in de praktijk echter niet veel terechtgekomen. Onder zijn bewind ging Bohemen verloren aan George van Podiebrad en veroverde Matthias Corvinus Hongarije. Hij slaagde er zelfs niet in om alle Habsburgers aan zich te onderwerpen: zijn broer Albrecht VI heeft zich met hand en tand verzet tegen de aanspraken van Frederik.

*Maria van Bourgondië.*

# Ivan III van Moskou onderwerpt Novgorod

NOVGOROD, 18 januari 1478 - In een campagne tegen Novgorod heeft Ivan III van Moskou de stad zonder slag of stoot onderworpen. Deze overwinning betekent voor Moskou een belangrijke stap voorwaarts in het proces van het 'verzamelen van de Russische landen'. Novgorod, dat in het noordwesten van Rusland ligt, beleefde zijn grootste bloei in de 12de en 13de eeuw. Niet gehinderd door interventie van de Mongolen - Novgorod besloot van meet af (1242) tot een politiek van coöperatie - kon de stad zich ontwikkelen tot een republiek, waarin de vetsje (stadsvergadering) een uiterst belangrijke rol speelde. Het rechtssysteem in Novgorod was hoog ontwikkeld. De stad had de jurisdictie over grote gebieden eromheen; de opbrengsten van deze gebieden werden geëxporteerd. Novgorod was het internationale handelscentrum van Rusland in een periode waarin handel met het buitenland goeddeels was verdwenen.

In de loop van de 14de en 15de eeuw ontwikkelde het democratische bestuurssysteem in Novgorod zich tot een oligarchie. Dit ging gepaard met grote sociale spanningen. Tegelijkertijd werd de bedreiging van buitenaf sterker. Novgorod verloor manoeuvreerruimte naarmate het proces van het 'verzamelen der Russische landen' door Moskou voortschreed. Daarbij kwam dat de staat Litouwen, die lange tijd een tegenwicht had gevormd tegen de groeiende macht van Moskou, in toenemende mate verbonden raakte met Polen en het rooms-katholicisme. De sociale tegenstellingen binnen Novgorod speelden Ivan III van Moskou in de kaart. Toen de partij van de bojaren (adel) zich op Litouwen richtte teneinde de Moskovische invloed ongedaan te maken, kostte het Ivan III in 1471 weinig moeite de republiek een

De inwoners van Soesdal strijden tegen Novgorod (15de-eeuwse icoon uit Novgorod).

nederlaag toe te brengen. In dat jaar liet Ivan het bestuur van de stad nog intact. Toen de autoriteiten van Novgorod daarna opnieuw probeerden hulp van Litouwen te krijgen en de soevereiniteit van Moskou verwierpen, besloot Ivan tot een tweede campagne. Deze liep voor Novgorod slecht af. De stad kreeg niet de verwachte steun van Litouwen. Ten gevolge van de interne verdeeldheid van de stad - het volk gaf duidelijk de voorkeur aan de groot-

vorst van Moskou boven de bojaren - slaagde Ivan erin de stad zonder slag of stoot op de knieën te krijgen.

Dit keer is Ivan vastbesloten de aristocratie van Novgorod te breken. Hij heeft een groot aantal bojarenfamilies gedeporteerd. Het wegvoeren van de vetsje-bel, waarmee de vergaderingen van de stadsraad gewoonlijk werden ingeluid, is symbolisch voor het feit dat er een einde gemaakt is aan de oude bestuursstructuur van de stad.

# Castilië en Aragon nu eindelijk verenigd

ALCACOVAS, 4 september 1479 - Alfons V van Portugal heeft alle rechten op de troon van Castilië opgegeven, waardoor deze geheel aan Isabella toevalt. Daarbij heeft haar man en neef Ferdinand II na de dood van zijn vader Juan II op 19 januari de Kroon van Aragón, welke naast Aragón ook Valencia, Catalonië, Majorca, Sardinië en Sicilië omvat, verkregen. De eenwording van het Iberisch schiereiland, met uitzondering van Portugal en het islamitische gebied rond Granada, is eindelijk een feit geworden.

In 1469 trouwden Ferdinand II van Aragón en Isabella van Castilië. Hiermee kwam de vereniging van de twee machtige Spaanse koninkrijken in zicht. Enrique IV, koning van Castilië en broer van Isabella, was het niet eens met dit huwelijk. Isabella had het zelf

geregeld omdat ze het samengaan van Castilië en Aragon nastreefde. Dit was ook de reden voor Juan II om zijn toestemming voor het huwelijk te geven; bovendien voorzag hij dat Castiliaanse steun voordelig zou zijn in de strijd tegen Catalaanse opstandelingen (in Catalonië kampte men met hevige sociale en economische crises) en voor zijn positie ten opzichte van Lodewijk XI van Frankrijk, die in 1463 twee Catalaanse graafschappen had geannexeerd. Enrique IV stierf vijf jaar geleden zodat Isabella tot koningin van Castilië werd uitgeroepen. De erfopvolging via vrouwelijke lijn werd toegestaan, maar Juana, dochter van Enrique IV, gaf haar aanspraken op de Castiliaanse troon niet op. Ze zou uitgehuwelijkt worden aan Alfons V van Portugal die in 1475 Castilië binnenviel.

Na een weigering van de Franse koning hem te steunen, ziet Alfons V nu namens Juana af van de claims op Castilië. Bovendien erkent hij in het Verdrag van Alcacovas de Canarische Eilanden als Castiliaans bezit in ruil voor Spaanse erkenning van Portugese veroveringen: de Azoren, de Kaapverdische Eilanden en Madeira.

De Kroon van Aragón is de laatste decennia danig verzwakt. Burgeroorlog en economische crises hebben het gebied geteisterd. Het 15de-eeuwse Castilië daarentegen is een zich uitbreidend, dynamisch gebied geworden. De wolproduktie blijft toenemen, de Cantabrische vloot in Noord-Spanje breidt zich uit en de haven van Sevilla wordt steeds belangrijker. Kortom, Castilië heeft een positie binnen de internationale handel verworven.

**maart 1480.** Lorenzo de' Medici, heerser van Florence, raakt verwikkeld in een oorlog met Napels en paus Sixtus VI. →

**1480.** De Tataren van de Gouden Horde trachten tevergeefs door middel van een veldtocht de Moskovische grootvorst Ivan III te dwingen alsnog zijn jaarlijkse tribuut te betalen. →

**1480.** Koning Matope van Zimbabwe overlijdt. →

**1480** (circa). Een der grootste Franse kunstenaars van de 15de eeuw, de schilder en miniaturist Jean Fouquet, overlijdt. Een van zijn beroemdste werken als schilder is de *Diptiek van Melun*, met het portret van de stichter op de ene en de Madonna met kind op de andere vleugel.

**30 augustus 1481.** Twee Litouwse vorsten worden geëxecuteerd wegens samenzwering tegen de Poolse koning Kazimierz IV. Zij deden dit op instigatie van de Russische grootvorst Ivan III.

**1481.** Azteekse beeldhouwers voltooien de Kalender-Steen, ook bekend als Steen der Cyclussen. →

**1 september 1482.** Kiëv wordt geplunderd door de Krim-Tataren, die Litouwen zijn binnengevallen.

**1482.** Diego Cao, een Portugees zeeman, bereikt de Kongo. De Portugezen vestigen een kolonie op de Goudkust.

**9 april 1483.** Na de dood van de Engelse koning Edward IV volgt zijn 12-jarige zoon Edward V hem op.

**30 augustus 1483.** Te Plessis-les-Tours overlijdt koning Lodewijk XI van Frankrijk. →

**Oktober 1483.** Richard van Gloucester roept zich uit tot koning Richard III van Engeland. →

**1483.** Ashikaga Yoshimasa, sjogoen van Japan, bouwt het Zilveren Paviljoen te Kioto.

**1483.** De Vlamingen komen onder leiding van de Gentenaar Jan van Coppenhole in opstand tegen Maximiliaan van Oostenrijk.

**28 augustus 1484.** Koning Johan II van Portugal probeert de koningsmacht te versterken ten koste van de hoge adel; hij vermoordt Diogo, de hertog van Viseu. →

**1484.** Paus Innocentius VIII vaardigt de bul *Summis desiderantis affectibus* tegen hekserij uit.

Geboren:

**6 maart 1483.** Francesco Guicciardini († 22-5-1540), Italiaans geschiedschrijver
**10 november 1483.** Maarten Luther († 18-2-1546), grondlegger van het lutheranisme

# Florence loopt uit voor Lorenzo de' Medici

FLORENCE, maart 1480 - Onder groot enthousiasme van de Florentijnse bevolking is Lorenzo de' Medici uit Napels teruggekeerd met een vredesverdrag.

De oorlog met koning Ferdinand I van Napels brak uit als gevolg van de Pazzi-opstand. Het bankiersgeslacht der Pazzi was de grootste concurrent van de Medici. Paus Sixtus IV, die Lorenzo verdacht van expansieplannen in de richting van de Adriatische Zee en zich toch al bedreigd voelde door de triple-alliantie van Venetië, Milaan en Florence, veranderde in 1478 van bankier. De Pazzi kregen het lucratieve privilege de pauselijke kas te beheren, een privilege dat sinds Cosimo bij de Medici berustte. Bovendien benoemde hij een vijand van de Medici tot aartsbisschop van het sinds 1409 aan Florence behorende Pisa. Lorenzo trof maatregelen tegen de Pazzi en beval Pisa zijn nieuwe bisschop te verstoten. Paus Sixtus gaf daarop zijn zegen aan een komplot tegen Lorenzo.

Op paaszondag 26 april 1478 zouden Lorenzo en zijn broer Giuliano tijdens de mis vermoord worden op het moment dat de priester de hostie zou opheffen. Giuliano werd inderdaad vermoord, maar Lorenzo verdedigde zich en wist via de sacristie te ontsnappen. Buiten probeerde men het volk tegen de Medici op te zetten, maar dat mislukte. Toen Lorenzo verscheen, uitte de vreugde van het volk zich in een gewelddadige lynchpartij tegen ieder die men van de samenzwering ver-

*Lorenzo de' Medici (geportretteerd door Giorgio Vasari, circa 1553).*

dacht. 's Avonds hingen drie leden van de Pazzi-familie en de aartsbisschop van Pisa ondersteboven uit de ramen van het Palazzo della Signoria. Botticelli moest hen schilderen en Lorenzo schreef de verzen die onder hun hoofden gehangen werden.

Sixtus IV, minder verontwaardigd over een moordaanslag in een kathedraal dan over het ophangen van zijn bisschop, excommuniceerde Lorenzo en verklaarde samen met koning Ferdinand van Napels Florence vorig jaar de oorlog. Het Florentijnse leger werd verslagen en Toscane geplunderd. Lo-

renzo besefte dat Florence niet lang bereid zou zijn zulke grote financiële offers te brengen voor zijn leider, want de oorlog was in de eerste plaats tegen hem gericht. Hij zeilde daarom in december zonder vrijgeleide en ongewapend naar Napels, waar hij om een onderhoud met de koning verzocht. Een daad van grote moed, want niet lang tevoren was een condottiere door de koning van Napels uitgenodigd en ondanks zijn vrijgeleide vermoord. Daarbij was het risico van een staatsgreep in zijn afwezigheid verre van denkbeeldig.

Lorenzo won aan het hof veel medestanders door zijn indrukwekkende culturele kennis en zijn genereuze karakter. Hij wist hen ervan te overtuigen dat Napels baat zou hebben bij een betrouwbare bondgenoot nu een Turkse invasie van Italië ophanden scheen. Bovendien had de energieke Lodovico Sforza in Milaan de macht in handen genomen en zowel hij als de koning van Frankrijk zou niet lijdzaam blijven toezien wanneer de paus en de koning van Napels Florence aan hun belangen zouden onderwerpen.

Koning Ferdinand tekende een vredesverdrag met zijn gevangene, schonk hem een prachtig paard en liet hem naar Florence terugvaren. Hoewel paus Sixtus over dit diplomatieke succes van Lorenzo in woede ontstoken is, verwacht men dat ook hij vrede met Lorenzo zal moeten sluiten, omdat de Florentijnse steun bij de strijd tegen de Turken niet gemist kan worden.

*Grootvorst Ivan III van Moskou.*

# Moskou werpt het Tataarse juk af

MOSKOU, 1480 - De Mongoolse chan Ahmed, leider van de Gouden Horde, is er niet in geslaagd de suzereiniteit over de Russen te herstellen. Hiermee is de onafhankelijkheid van het grootvorstendom Moskovië een feit geworden. De actie van de Tataren tegen Moskou was een rechtstreeks uitvloeisel van de publieke opzegging door Ivan III van de trouw aan de Gouden Horde.

De losmaking uit het Mongoolse gezag is al een dertigtal jaren geleden begonnen. Na 1452 besloot grootvorst Vasili II de regelmatige schatting aan de Mongoolse chan niet meer te betalen en beperkte zich tot het incidenteel sturen van geschenken. Zijn zoon Ivan III heeft deze gewoonte voortgezet. Toen hij zijn vader als grootvorst van Moskou opvolgde, achtte hij het niet nodig dit door de chan te laten bevestigen.

Het Rijk van de Gouden Horde is de laatste jaren in snel tempo gedesintegreerd. De oprichting van het van Moskou afhankelijke vorstendom Kasimov, de afscheiding van het Krim-chanaat van de chanaten Kazan en Astrachan, dit alles wees erop dat de dagen van het ooit zo geweldige rijk van Dzingiz Chan geteld zijn.

Teneinde Ivans ontrouw ongedaan te maken sloot chan Ahmed een bondgenootschap met Kazimierz IV van Polen-Litouwen en trok Moskovië binnen. Ivan III werd echter gesteund door Mengli-Geray (Girej), de chan van de Krim. De legers troffen elkaar aan de rivier de Ugra. De Tataren van de Gouden Horde kregen niet de verwachte hulp van Polen-Litouwen daar de Krim-Tataren een grootscheepse aanval op Litouws gebied hadden gelanceerd. Vermoedelijk uit angst voor een gecombineerde aanval van Russen en Krim-Tataren op de thuisbasis heeft chan Ahmed zijn troepen teruggetrokken.

# Koning Matope van Zimbabwe overleden

ZIMBABWE, 1480 - Portugese bronnen in de havensteden van Afrika's oostkust maken melding van de dood van koning Matope van Zimbabwe. Hij was de machtigste heerser in de zuidelijke helft van Afrika.

Over zijn rijk Zimbabwe weet men eigenlijk niet zo veel, omdat de koningen het monopolie van de goudproduktie bezitten en vreemde pottekijkers ver van de goudmijnen willen houden. Er moet al een andere cultuur van steenbouwers aan vooraf zijn gegaan, toen Matopes vader rond 1440 het hele gebied tussen de Zambezi- en de Limpo-porivier onderwierp. Na diens dood, rond 1450, zette zijn zoon de veroveringen voort tot vlak voor de haven Sofala aan de Indische Oceaan.

Sofala behoort met Mogadiscio, Malindi, Mombasa en Kilwa tot de belangrijkste stadstaatjes aan de Afrikaanse oostkust die bemiddelen in de handel tussen de Afrikaanse bevolking van het binnenland en de zeevarende kooplieden van elders, zoals de Portugezen en de Arabieren, met India als belangrijkste afzetgebied. In Sofala worden bijvoorbeeld goud en koper uit

*Een Afrikaanse koning wordt tegen de zon beschermd (16de-eeuws bronzen reliëf).*

Zimbabwe verruild voor gekleurde stoffen en kralen.

Koning Matope regeerde zijn rijk zoals alle machtige koningen in Afrika. Hij stond aan het hoofd van de vorsten die hij had overwonnen en die aan hem belastingplichtig waren. De hoofdstad, Groot Zimbabwe, is omgeven door

hoge muren en is waarschijnlijk nog door Moetota gebouwd. Hier woont in een groot stenen gebouw de Karanga-priester die over allerlei zaken een gezaghebbend oordeel uitspreekt. Zo moet hij bijvoorbeeld het gekrijs van de visarend, de vogel Gods voor de inwoners van Zimbabwe, verklaren.

# Azteekse kalender in steen weergegeven

*Azteekse kalendersteen in de vorm van een zonneschijf met middenin de zonnegod.*

TENOCHTITLAN, 1481 - Ruim twee jaar hebben Azteekse beeldhouwers gewerkt aan de kalendersteen, ook Steen der Cyclussen genoemd, die maar liefst vier meter hoog is en 24 ton weegt. Deze ronde steen, een meesterwerk van beeldhouwkunst, zal worden geplaatst op het plein tegenover het keizerlijk paleis.

De steen is een belichaming van 'een eindige verklaring over de oneindigheid van het Azteekse wereldbeeld', met het gelaat van de Zonnegod Tonatiuh, ook Nahui Ollin genoemd, in het midden. Volgens de Azteken is de wereld al vier keer vernietigd en zal Nahui Ollin, de vijfde zon, ook ten onder gaan, te zamen met de aarde die door aardbevingen zal worden vernietigd. Nahui Ollin wordt op de steen omgeven door de vier voorafgaande zonnen. In de cirkel eromheen worden door middel van hiërogliefen twintig dagen weergegeven.

De Azteken zijn beslist niet de enigen die een kalender hebben. De meeste volkeren om hen heen gebruiken er een, de Maya's al 1500 jaar. De Azteken kennen, evenals de Maya's, twee kalenders: een rituele, de tonalpohualli, van 260 dagen en een zonnekalender met jaren van achttien maanden van elk twintig dagen en vijf ongetelde dagen, de lege nemontemi. De tonalpohualli wordt gebruikt voor de religieuze feestdagen. De 260 dagen zijn verdeeld in twintig perioden van dertien dagen, en iedere periode heeft een eigen naam: huis (calli); slang (coatl); gras (malinali); konijn (tochtli). De dagen heten dus 1-konijn, 2-konijn enzovoort, tot de volgende periode. Dat herhaalt zich in een doorlopende cyclus van 52 jaar, 18 980 dagen. Elk zonnejaar heeft 365 dagen wat vermenigvuldigd met 52 ook 18 980 dagen oplevert. Azteekse priesters-astronomen maken berekeningen door beide kalenders te combineren. Het kleinste gemene veelvoud van 20 x 13 en 365 is $52 \times 365 = 18\,980$.

Die cyclus van 52 jaar heeft voor de Azteken een magische betekenis. Op het einde van elke 52 jaar, dat altijd valt op de dag 1-malinali, kan volgens hen de ondergang van de wereld geschieden. Ze nemen dan voorzorgsmaatregelen: vuren worden gedoofd, aardewerk stukgeslagen, men vast, zwangere vrouwen worden in graanschuren opgesloten voor het geval ze in wilde dieren veranderen, niemand werkt en kinderen worden wakker gehouden opdat ze niet in ratten veranderen. Vervolgens trekt een processie van priesters de Heuvel van de Ster op en daar wachten zij tot een bepaalde ster, Yohualtecuktli, passeert als teken dat de wereld blijft voortbestaan.

*Portret van koning Lodewijk XI van Frankrijk (1423-1483).*

# Lodewijk XI streed voor sterk gezag

PLESSIS-LES-TOURS, 30 augustus 1483 - Lodewijk XI van Frankrijk, de machtigste vorst van deze tijd, is overleden. Deze onscrupuleuze koning is er tijdens zijn leven in geslaagd om zijn gestelde doel, de opbouw van een min of meer absolutistische staat, te volbrengen.

De vertrouwensman van de koning, de chroniqueur Philippe de Commynes, noemt zijn koning 'een man die een vriend was van de middenstand en een vijand van alle grote heren die zonder hem konden leven'. Hij vulde namelijk zijn regeringsgebouwen met mensen van eenvoudige komaf en had juist geen enkel gevoel voor de ridderschap en edelen. Vooral aan het begin van zijn bestuur (vanaf 1461) speelde deze houding hem parten. De edelen - bekende namen als Anjou, Orléans, Armagnac en Bourbon - hebben toen geprobeerd de macht in de centrale regering, waaruit ze haast systematisch waren verwijderd, terug te winnen. Maar Lodewijk heeft deze behoefte aan macht en autonomie van de edelen handig gepareerd door veel te beloven en maar weinig waar te maken.

Zijn grootste tegenstander, hertog Filips de Goede van Bourgondië, noemde Lodewijk 'de alomvattende spin' omdat hij een efficiënt georganiseerd postverkeer wist op te zetten waardoor een betere controle tot in alle hoeken van Frankrijk mogelijk was. Dit ging recht tegen het streven van de Bourgondische hertogen in; namelijk te trachten een groot middenrijk op te bouwen. In de onderhandelingen hield de slimme Lodewijk zich aan geen enkele afspraak: hij kocht de Engelsen, de Bourgondische bondgenoot, om en zette de Zwitsers met succes tegen de Bourgondiërs op. Het resultaat was dat er een machtsvacuüm ontstond waardoor hij Bourgondië, Franche-Comté en Artois aan zijn rijk kon toevoegen. Door zijn opbouw van een sterke centrale regering en de uitbouw van het Franse Rijk, is Lodewijk de grondlegger van de Franse eenheidsstaat en de absolute monarchie.

# Edward V moet Engelse troon afstaan

LONDEN, oktober 1483 - Richard, de hertog van Gloucester, heeft zijn neefje, de 12-jarige Edward V, van de troon verdreven en zichzelf op 26 juni tot koning Richard III uitgeroepen. Inmiddels zijn de kleine koning en zijn jongere broertje Richard in de Tower om het leven gekomen, waarvan Richard III de schuld heeft gekregen. Een groep edelen onder leiding van de hertog van Birmingham is nu in opstand gekomen en de Rozenoorlog, waarvan velen hoopten dat hij afgelopen was, is weer in volle hevigheid losgebarsten.

Richards actie zou een halve eeuw geleden nog ondenkbaar zijn geweest. Een oorlog van dertig jaar heeft echter de politieke moraal danig bedorven. Richard heeft slechts één excuus aangevoerd voor zijn greep naar de macht: hij verklaarde dat de twee zonen van zijn overleden broer, de prinsjes Edward en Richard, bastaards zijn. Juri-

*De Britse kroonemblemen op een rij: (vlnr.) de Engelse Tudor-roos, de Schotse distel en het Ierse klaverblad.*

disch gezien is dit echter niet waar. Of Richard werkelijk de twee kleine prinsjes heeft laten vermoorden, is niet duidelijk. Er zijn meer mensen die er belang bij hadden om de twee kleine troonpretendenten te laten verdwij-

nen. Maar de verdachtmakingen aan Richards adres worden mede ingegeven door het feit dat hij als wreed bekendstaat. Hij heeft onder anderen de broer van de moeder van de twee prinsjes laten vermoorden.

# 1485

## Portugese koning steekt hertog neer

LISSABON, 28 augustus 1484 - Koning Johan II heeft in het bijzijn van drie getuigen Diogo, hertog van Viseu, om het leven gebracht. De jonge hertog, tegelijkertijd zwager en neef van de koning, was voor een gesprek in het paleis genodigd. Bij zijn aankomst nam de koning hem mee naar een van zijn privé-vertrekken. Daar greep hij naar zijn dolk en zonder dat er verder nog een woord werd gewisseld doorstak hij de hertog.

Aan het hof circuleren inmiddels de wildste geruchten. Men beweert dat Diogo aan het hoofd stond van een samenzwering tegen de koning, waarbij ook vele andere hoge adellijke en geestelijke leiders betrokken zouden zijn. Het was de bedoeling van de samenzweerders om na de moord op koning Johan zijn jonge zoon Alfons aan de macht te brengen. Te zijner tijd zou men ook met hem afrekenen en de kroon doen toevallen aan Diogo, terwijl de hoge edelen het land onder elkaar zouden verdelen.

De samenzwering is evenwel uitgelekt. Een van de betrokken personen, bisschop De Meneses van Evora, had zijn maîtresse op de hoogte gebracht van het komplot en zij had vervolgens de informatie weer laten doorspelen naar de koning. Zo kon het gebeuren dat op het moment van de geplande aanslag (gisteren) de koning in volle wapenrusting en in het gezelschap van een sterke lijfwacht verscheen. De moord ging toen uiteraard niet door. Vandaag kreeg Diogo een koekje van eigen deeg te verwerken. Van de overige samenzweerders zijn sommigen al achter slot en grendel verdwenen. Anderen proberen nog in aller ijl naar Engeland of Castilië te ontkomen. Al hun bezittingen zullen door de kroon worden geconfisqueerd.

Met deze gebeurtenissen lijkt het conflict tussen koning en hoge adel definitief in het voordeel van de koning te zijn beslecht. Dit conflict begon tijdens de eerste bijeenkomst van de Cortes (standenvertegenwoordiging) in 1481. De burgerij klaagde toen bitter over het machtsmisbruik van de adel. De koning besloot daartegen op te treden. Om te beginnen moesten de edelen een uitgebreide eed van trouw zweren, waarin hun rechten streng werden afgebakend. Velen weigerden dat. De belangrijkste van hen was de machtige hertog van Bragança, die 50 kastelen en 13 000 man krijgsvolk tot zijn beschikking had. Tijdens een onderzoek naar de precieze omvang van diens privileges kwamen tevens bezwarende documenten van een intrige uit het verleden aan het licht. De hertog werd van hoogverraad beschuldigd en uiteindelijk op 20 juni vorig jaar op het schavot te Evora onthoofd. Al zijn bezittingen vielen toe aan de koning.

**28 juni 1485.** De Vlaamse steden Gent, Brugge en Ieper erkennen Maximiliaan van Oostenrijk als regent van de Nederlanden. →

**25 augustus 1485.** Bij Bosworth Fields verslaat Hendrik Tudor koning Richard III van Engeland. →

**1485.** Ivan III de Grote, grootvorst van Moskou, onderwerpt het vorstendom Tver, dat bij Moskovië wordt ingelijfd.

**18 januari 1486.** Koning Hendrik VII van Engeland huwt Elizabeth, de oudste dochter van Edward IV. Door dit huwelijk worden de aanspraken van de Huizen Lancaster (zijn moeder was een afstammelinge van Jan van Gent) en York verenigd.

**11 maart 1486.** In Frankfurt am Main overlijdt Albrecht III Achilles, keurvorst van Brandenburg. Zijn residentie te Ansbach is een centrum van een bloeiend hofleven geworden. Beroemd is de briefwisseling van Albrecht met zijn tweede echtgenote Anna van Saksen.

**1486.** Koning Matthias van Hongarije benoemt Imre Zápolyai tot paltsgraaf. →

**1486.** De Italiaanse filosoof en humanist Giovanni Pico della Mirandola gaat naar Rome om zijn 900 stellingen te verdedigen. →

**Juli 1487.** De Russische grootvorst Ivan III de Grote onderwerpt het Mongoolse chanaat van Kazan en installeert een vazal-chan.

**1487.** In Innsbruck wordt het boek *Malleus maleficarum* (De heksenhamer) gepubliceerd. Het is een boek over alle vormen van hekserij, geschreven door de dominicaan Hendrik Institoris en Jakob Sprenger. →

**1487.** Het katholieke koningspaar Ferdinand II en Isabella van Aragón en Castilië verovert Malaga op de Moren.

**1487.** Koning Ahuitzotl van de Azteken offert 20 000 gevangenen bij de inwijding van een tempel voor de god Huitzilopochtli in Tenochtitlan [Mexico]. →

**15 december 1488.** De Portugese zeevaarder Bartholomeus Diaz vaart rond Kaap de Goede Hoop. →

**1488.** In Vlaanderen breekt een tweede opstand tegen Maximiliaan van Oostenrijk uit.

**1488.** In het koninkrijk Ayutthaya [Thailand] voert koning Boromtrailokanat hervormingen door. →

Gestorven:

**7 oktober 1488.** Andrea del Verrocchio (1436), Italiaans goudsmid, beeldhouwer en schilder →

*Mátyás' 'graduale' (boek waarin de koorzangen zijn gebundeld), 15de eeuw.*

# Mátyás komt adel tegemoet

BOEDA, 1486 - De Hongaarse koning Mátyás (Matthias) heeft een van zijn grootste tegenstanders, Imre Zápolyai, tot paltsgraaf moeten benoemen. Zápolyai krijgt door deze nieuwe functie het recht bij conflicten tussen de koning en de adel tussenbeide te komen. De concessie van Mátyás is het gevolg van het voortdurend verzet van de hoge adel tegen zijn centralisatiepogingen. Het ideaal van een gecentraliseerde monarchie, dat de Hongaarse koning koestert, heeft al eerder tot opstanden van de vorsten geleid. In 1468 verklaarde Mátyás, die geld nodig had voor zijn centralisatieplannen en inzag dat al het geld Hongarije verliet via buitenlandse, voornamelijk Duitse handelaren, Bohemen de oorlog. De koning wilde door Breslau te veroveren een deel van de handel controleren. Om de campagne naar het noorden te bekostigen legde Mátyás een zware belasting op. De Hongaarse heersende klasse beraamde hierop een samenzwering om de koning af te zetten onder leiding van János Vitéz, de aartsbisschop van Esztergom.

In 1469 werd Mátyás tot koning van Bohemen gekroond, met steun van de katholieke adel van Moravië en Silezië. Ongerust over zijn machtsuitbreiding sloten de Poolse prins Wladyslaw Jagiello en de Habsburgse keizer Frederik III een verbond en belegerden de Hongaarse koning in Breslau. In 1478 verdeelden Mátyás en Wladyslaw bij het Verdrag van Olmütz het land, waarbij Moravië en Silezië aan Mátyás toevielen.

Hierna isoleerde Mátyás door slimme diplomatie Frederik III en veroverde in de zomer van vorig jaar Wenen met zijn beroemde 'zwarte leger' van 20 000 ruiters en 8000 man infanterie. Hiermee had hij zijn tweede belangrijke doel, het controleren van de handel, bereikt.

Koning Mátyás probeert de steden en de industrie niet alleen te beschermen tegen het buitenlandse kapitaal, maar ook tegen de macht van de hoge adel. Hiervoor heeft hij een gecentraliseerd bestuur ingericht en de belastinginning georganiseerd met speciaal opgeleide ambtenaren. Deze ambtenaren zijn intellectuelen uit de steden of van boeren-komaf. Zij staan onder invloed van de humanistische cultuur (schrijven brieven, gedichten, geschiedenis en verzamelen boeken) en zijn veelal op Italiaanse scholen opgeleid.

Hoewel Mátyás een absolute monarchie nastreeft, kenmerkt zijn heerschappij zich door een sociaal karakter. Hij wil een evenwicht tussen de verschillende klassen bereiken en heeft iedere marteling verboden. Tijdens zijn regering hebben de renaissance en het humanisme grote invloed in Hongarije gekregen. Vele Italiaanse humanisten, onder wie de briljante Florentijn Pier-Paolo Vergerio, zijn uitgenodigd.

Mátyás heeft de kort geleden uitgevonden drukpers tot instrument van zijn politieke propaganda gemaakt; in 1472 werd de eerste Hongaarse pers in Boeda geïnstalleerd. Italiaanse architecten hebben de Hongaarse steden verfraaid en de verzameling boeken van Mátyás (Corvina-bibliotheek) met meer dan 500 000 kostbare werken is in heel Europa beroemd.

# Hendrik Tudor eist Engelse troon op

LONDEN, 25 augustus 1485 - Koning Richard III is bij Bosworth Fields door Hendrik Tudor verslagen. De laatste heeft bekendgemaakt koning van Engeland te willen worden en dan de naam Hendrik VII aan te nemen. Hij zal daarmee de eerste koning uit het Huis Tudor zijn.

Hendrik zegt bij zijn aanspraken op de troon de Lancasterlijn te vertegenwoordigen, omdat zijn moeder afstamt van een buitenechtelijk kind van de hertog van Lancaster, de zoon van Edward III. Met deze stamboom heeft hij kans gezien de aanhangers van Lancaster achter zich te krijgen.

Vervolgens is hij eerder dit jaar getrouwd met de dochter van Edward IV. Zij is het zusje van de twee vermoorde prinsjes. Op die manier heeft hij de aanhangers van York, die niet tevreden waren over de wrede koning Richard, aan zijn zijde gekregen. Van groot belang daarbij was dat de oude koningin, de moeder van zijn vrouw, hem steunde.

Nu heeft Hendrik de kinderloze Richard verslagen. Hiermee zou een einde kunnen komen aan de Rozenoorlog, tussen het Huis Lancaster en het Huis York, die dertig jaar heeft geduurd. Omdat Hendrik de aanspraken op de troon van beide huizen vertegenwoordigt en tegelijkertijd namens een nieuw huis de troon bezet, is er een kans dat de adel de wapens eindelijk zal neerleggen. De oorlog is zeer nadelig geweest voor het land en voor de edelen. De laatsten hebben zeer grote verliezen geleden en hun prestige heeft door hun onderlinge haat en nijd een deuk gekregen.

## Vlaamse steden erkennen Maximiliaan

GENT/BRUGGE/IEPER, 28 juni 1485 - De steden Gent, Brugge en Ieper hebben Maximiliaan van Oostenrijk erkend als voogd van de minderjarige Filips de Schone en als regent van de Nederlanden. Hiermee komt een eind aan het verzet van Vlaanderen tegen het gezag van Maximiliaan.

Maximiliaan is de zoon van de Duitse keizer. Hij is in 1477 met Maria van Bourgondië, die over de Nederlanden regeerde, in het huwelijk getreden. Maria overleed nog voordat hun zoon en troonopvolger, Filips de Schone, de meerderjarige leeftijd bereikt had. In haar testament heeft Maria haar echtgenoot als voogd en regent aangewezen. Vlaanderen was evenwel niet bereid Maximiliaan als regent te aanvaarden, omdat hij onvoldoende rekening hield met de belangen van zijn onderdanen.

Het conflict tussen Maximiliaan en de Vlamingen liep op een regelrechte oorlog uit toen Maximiliaan uit puur eigenbelang de Vrede van Atrecht, een

'De geboorte van Venus', een van de beroemdste schilderijen van Sandro Botticelli (1486, Uffizi, Florence).

# Romeins humanist komt met 900 stellingen

ROME, 1486 - De 24-jarige graaf Giovanni Pico della Mirandola heeft in Rome alle tongen in beweging gebracht door de publikatie van een lijst van 900 stellingen. Deze betreffen logica, metafysica, theologie, ethiek, wiskunde, natuurkunde, magie en de kabbala en tevens komt men er de ketterse stelling tegen dat zelfs de ergste doodzonde, in haar eindigheid, nooit een eeuwige straf kan verdienen. Drie van zijn stellingen zijn inmiddels door paus Innocentius VIII als ketters veroordeeld. Een arrestatiebevel zou door hem zijn uitgevaardigd.

Pico behoort zonder twijfel tot de meest fascinerende persoonlijkheden van de indertijd door Cosimo de' Medici opgerichte Platoonse Academie. Hij studeerde in Bologna en Parijs en werd met eerbetoon aan haast elk Europees hof ontvangen, voordat Lorenzo de' Medici hem overhaalde zich in Florence te vestigen. Iedereen die hem ontmoet heeft is vol bewondering voor zijn eruditie - hij studeerde zowel poëzie, filosofie, architectuur als muziek -, zijn geheugen, zijn karakter en zijn schoonheid.

Anders dan de meeste humanistische geleerden staat hij open voor de scholastieke filosofen en ook bewondert hij de joodse en Arabische denkers, die hij probeert te verzoenen met Plato en Plato weer met Aristoteles.

Pico heeft zich in Rome uitdrukkelijk uitgesproken tegen de tot nog toe door de Kerk gepropageerde opvattingen over de nietigheid der mensen. Anders dan de dieren, schrijft Pico in zijn *De hominis dignitate*, 'begiftigde God de Vader de mens, vanaf zijn geboorte met de zaadkiemen voor elke mogelijkheid en elk leven'. Zelden is op zo'n pregnante wijze de nieuwe visie op de vrijheid van de mens en zijn bestaan op aarde tot uitdrukking gebracht, of het moest zijn in de schilder- en beeldhouwwerken van de grote kunstenaars van het 'Quattrocento'.

In de wederopleving van de belangstelling voor de oudheid sinds Petrarca, hebben de humanistische filosofen de klassieke opvatting van de mens als individu, als zelfbewuste eenling in een wereld vol mogelijkheden teruggevonden. Verbonden met dit bewustzijn is het ideaal van de algemeen ontwikkelde mens de 'uomo universale'. Dit ideaal wordt nergens met meer energie nagestreefd dan in het Florence van de veelzijdige Lorenzo de' Medici, waar de vensters op de wereld wijd openstaan en iedere geleerde, zoals Pico, of kunstenaar, zoals Botticelli, wordt aangemoedigd de grenzen van zijn genie te verkennen.

Filips de Schone (eind 15de eeuw).

drie jaar geleden gesloten vredesverdrag met Frankrijk, waaraan Vlaanderen wilde vasthouden, afwees. Vlaanderen kon echter niet op steun van de andere gewesten rekenen en moest zich aan Maximiliaan onderwerpen.

# Inquisiteurs geven richtlijnen voor heksenvervolging

INNSBRUCK, 1487 - Twee pauselijke inquisiteurs hebben met hun boek *Malleus maleficarum* ofte wel *De heksenhamer*, een uitgebreide handleiding voor het identificeren en bestraffen van hekserij ter beschikking van de kerkelijke rechtbanken gesteld. Een heks is volgens hen een persoon die een bondgenootschap met de duivel heeft gesloten en Christus afwijst; daarom is een heks tevens een ketter en moet hij of zij door een kerkelijke instantie berecht worden.
Al eerder hebben de beide auteurs, Jacob Sprenger en Hendrik Institoris, dit uitgangspunt verdedigd, dat breekt met de opvattingen over hekserij die tot in het begin van deze eeuw door de Kerk gehuldigd werden. In Innsbruck werd twee jaar geleden een vrouw ervan beschuldigd haar dienstmeid een

ernstige ziekte bezorgd te hebben door magische poeders te verbergen in de stal waarin deze dienstmeid vaak werkte. Volgens Hendrik Institoris had zij deze misdaad slechts kunnen uitvoeren door een pact met de duivel te sluiten. Van oudsher geloven de mensen in het bestaan van toverij en in het aanwenden van magische middelen om anderen te helpen of juist kwaad te berokkenen. Wie van kwade toverij beschuldigd werd kon door een volksgericht of door een wereldlijke rechtbank tot zware straffen veroordeeld worden. De Katholieke Kerk ontmoedigde zulke vervolgingen echter omdat zij die beschouwde als een uiting van heidens bijgeloof. Weliswaar gaat de Kerk er nog steeds van uit dat een heks zelf niet over magische krachten beschikt, zoals het volk gelooft, maar zij beweert nu

wel dat een heks door een pact met de duivel te sluiten zulke krachten kan oproepen, meestal door tussenkomst van demonen. Ook wordt in *De heksenhamer* antwoord gegeven op de vraag waarom de duivel zich van mensen bedient. De duivel geeft aan deze methode de voorkeur omdat het God extra diep grieft wanneer het kwaad door een van zijn eigen schepselen bedreven wordt.
Tot aan het einde van de vorige eeuw vond er elk jaar misschien één heksenproces plaats in alle landen van Europa te zamen. Inmiddels is dat aantal opgelopen tot ruim veertig per jaar en is ook de inquisitie (de kerkelijke rechtbank) tot vervolging van heksen overgegaan. De toename van het aantal heksenprocessen houdt wellicht verband met het uitbreken van de pest, welke door velen

aan zwarte magie wordt toegeschreven. De kerkelijke bemoeienis met hekserij is waarschijnlijk beïnvloed door de vervolging van ketters in de vorige eeuw en aan het begin van deze eeuw. In de processen tegen de ketters werd voor het eerst de mogelijkheid van een pact tussen een mens en de duivel overwogen. Met het boek *De heksenhamer* is deze mogelijkheid het officiële uitgangspunt van de inquisitie bij de vervolging en berechting van heksen geworden.

## Bartholomeus Diaz rondt de zuidkaap

LISSABON, 15 december 1488 - Een nieuwe mijlpaal in de zeevaartgeschiedenis is bereikt. In zijn pogingen een zeeweg te vinden naar de oosterse specerijenlanden is Bartholomeus Diaz erin geslaagd om het meest zuidelijke punt van Afrika heen te varen. Vandaag keerde de ontdekkingsreiziger terug van zijn reis, waaraan hij vorig jaar augustus met drie schepen begonnen was.
In het begin voer hij in het kielzog van voorgangers. Daarbij werden gekerstende Afrikaanse mannen en vrouwen aan land gezet om uit te kijken naar het rijk van priester Johannes.
Diaz zeilde ver voorbij tot dusverre bekend gebied en kwam in een baai terecht, die hij 'Angra dos Voltas' [Lüderitzbaai] noemde. Na het verlaten ervan werd Diaz door een storm overvallen: bijna een maand lang blies de wind hem in zuidelijke richting over de oceaan. Toen de wind eindelijk ging liggen probeerde Diaz opnieuw land te bereiken door verder naar het oosten te varen.
Dat lukte echter niet. Plotseling werd het Diaz duidelijk wat er gebeurd moest zijn: hij was zonder het te weten om het zuidelijkste punt van Afrika heen gevaren! Toen hij zich dit realiseerde verlegde hij zijn koers naar het noorden om ten slotte, op 3 februari, land te bereiken dat hij 'Angra dos Vaqueros' [Mosselbaai] noemde.
Diaz voer verder naar het noordoosten en kwam bij een rivier, 'Rio de Infante' genaamd. Het werd hem duidelijk dat het continent in noordoostelijke richting verder liep en dat de doorgangsweg naar Indië dus mogelijk gevonden was. Diaz wilde zelf graag naar Indië doorvaren maar zijn morrende bemanning deed hem het roer omgooien. Toen hij op de terugweg de zuidkaap bereikte was het opnieuw slecht weer en Diaz doopte haar daarom 'Cabo Tormentoso' (Stormkaap). Koning Johan staat er echter op haar te herdopen in 'Cabo da Bona Esperança' (Kaap de Goede Hoop), omdat haar ontdekking een goede hoop geeft dat eens Indië zal worden bereikt.

# Azteken offeren duizenden gevangenen

TENOCHTITLAN, 1487 - De Azteekse keizer Ahuitzotl (Waterhond) heeft de nieuwe tempel van de oorlogs- en zonnegod Huitzilopochtli (Linkshandige Kolibrie) ingewijd door minstens twintigduizend gevangenen te offeren.
Gedurende vier dagen van zonsopgang tot zonsondergang werden de slachtoffers, die in rijen van zo'n vier kilometer stonden, één voor één naar de offersteen geleid. Elk slachtoffer werd op zijn rug over de schuinstaande steen gelegd en door vier priesters vastgehouden waarop een vijfde een vlijmscherp mes in de borst stiet en het kloppende hart eruit rukte. De keizer en zijn naaste familieleden, die allen hogepriesters zijn, hanteerden als eersten het mes totdat hun krachten het begaven en andere priesters het overnamen. Boven de stad hing een penetrante bloedlucht. Keizer Ahuitzotl had voor deze plechtigheid alle leiders, zelfs zijn vijanden, van de omliggende gebieden uitgenodigd.
De offerceremonie speelt een belangrijke rol in het leven van de Azteken. Vrijwel elke onderneming zoals bijvoorbeeld het zaaien en oogsten of het vertrek van een handelsexpeditie vereist de offergave van minstens één hart.
De belangrijkste god is de bovengenoemde oorlogs- en zonnegod Huitzilopochtli. Deze god hongert voortdurend naar verse, bloedende harten van menselijke slachtoffers. Als de Azteken Huitzilopochtli regelmatig voorzien van verse mensenharten dan beloont hij hen met een overwinning. Elke Azteekse overwinning brengt weer gevangenen binnen die geofferd worden aan Huitzilopochtli opdat nieuwe overwinningen in het verschiet liggen.
Karakteristiek voor de Azteekse godsdienst is het dualisme. De mannelijke

*Een Azteekse priester offert een strijder voor de zonnegod Huitzilopochtli.*

en vrouwelijke elementen schenken het leven aan de goden, de wereld en de mensen. De hemelse en natuurlijke krachten worden beheerst door de eeuwige strijd tussen vijandige goden die staan voor dag en nacht, leven en dood, licht en donker, bloei en verval, goed en kwaad, gezondheid en ziekte.
Huitzilopochtli is niet alleen de oorlogs- en zonnegod maar ook de god van de jacht en de speciale patroon van de adel. De Azteken geloven dat zij zijn uitverkoren volk zijn aan wie hij visioenen van toekomstige grootheid gegeven heeft. Huitzilopochtli zorgt

voor het voortbestaan van mensheid en heelal, waarvoor menselijke offers gebracht moeten worden.
De tegenpool van Huitzilopochtli is de god Quetzalcoatl (Gevederde Slang), de god van de wijsheid die de mens onderwijst in landbouw, kunst en nijverheid en ook een hekel heeft aan mensenoffers. Door bedrog van zijn rivaal, de god Tezcatlipoca (Rokende Spiegel) is Quetzalcoatl verdreven en is naar het oosten getrokken. Hij heeft gezworen in het jaar 'Ce Acatl' (één rietstengel) terug te keren om wraak te nemen.

## Trailok hervormt Ayutthaya-rijk

AYUTTHAYA, 1488 - In de 40 jaren dat koning Boromtrailokanat, die doorgaans koning Trailok genoemd wordt, regeert, zijn vele hervormingen doorgevoerd in het koninkrijk Ayutthaya [Thailand]. Op institutioneel gebied is de scheiding van het militaire en burgerlijke ambtenarenapparaat de belangrijkste hervorming.

Trailok heeft in het begin van zijn regeringsperiode een burgerlijk bestuur ingesteld dat aan de top door vijf ministers wordt geleid. De eerste minister is tevens minister van Binnenlandse Zaken. Naast hem is voor het bestuur van de hoofdstad Ayutthaya en de gelijknamige provincie een speciale minister verantwoordelijk. De minister van Financiën heeft het toezicht op de inkomsten en uitgaven en is tevens belast met de buitenlandse handel. De minister van Landbouw gaat over het verbouwen van rijst en andere gewassen, draagt zorg voor voedseldistributie en ziet toe op de toepassing van de wetten aangaande de verdeling van landbouwgronden. Ten slotte houdt de minister voor de Koninklijke Huishouding zich met alle zaken in en rond het hof bezig, alsmede met de registratie en uitvoering van alle juridische bepalingen.

Ook de militaire bureaucratie is nu opgedeeld in verschillende afdelingen die elk worden geleid door een minister.

Al lang voor de regering van Trailok bestond de 'sakdi na', een stelsel van rangen dat aangeeft hoeveel land iemand mag bezitten. Aan de hoeveelheid landbezit kan iemands aanzien in de maatschappij worden afgelezen. Trailok heeft dit stelsel grondig herzien. Hoewel in theorie al het land van de koning is, hebben de grondbezitters in de praktijk volledige zeggenschap. Ambtenaren in een hoge rang verwerven een riant inkomen uit het omvangrijke landbezit dat hun positie met zich brengt. Zelfs de laagste ambtenaren hebben nu een stuk land van redelijke grootte waarmee zij ruimschoots de kost kunnen verdienen. De titels zijn echter maar ten dele erfelijk: wanneer men de hoogste rang heeft zal de familie tot de vijfde generatie in dalende lijn een rang behouden. Alleen bij bewezen bekwaamheid kan een zelfde rang door de volgende generatie worden behouden of kan zelfs een hogere rang worden verworven. Trailok denkt met deze maatregel onbekwame erfgenamen zoveel mogelijk uit belangrijke functies te weren en andere mensen, die geen titel hebben maar wel over capaciteiten beschikken, een kans te geven.

Daarnaast heeft Trailok de Paleiswetten, die tot nu toe slechts op gewoonten waren gebaseerd, op schrift laten stellen. Hem was gebleken dat de wetten die door koning Rama Thibodi I waren opgesteld, nogal wat leemten vertoonden.

316

*Andrea del Verrocchio's ruiterstandbeeld van Bartolomeo Colleoni in Venetië.*

# Standbeeld voor Colleoni

VENETIE, 7 oktober 1488 - De beroemde kunstenaar Andrea di Michele di Francesco Cioni, beter bekend onder de naam van zijn leermeester, de goudsmid Verrocchio, is op 56-jarige leeftijd overleden. Hij had net de laatste hand gelegd aan het ruiterstandbeeld van condottiere Colleoni, die zoveel overwinningen voor de republiek heeft bevochten.

Bartolomeo Colleoni (1400-1475) verdiende zijn sporen in dienst van Venetië, hoewel hij, als alle condottieri, ook wel eens van broodheer wisselde wanneer hij vond dat die zijn verdiensten niet naar behoren beloonde. Hij bevocht met succes de Milanezen en de Fransen en hij vond de andere grote condottiere van deze eeuw, Francesco Sforza, daarbij zowel tegenover als naast zich. Sforza bracht het echter tot hertog van Milaan, terwijl Colleoni na de Vrede van Lodi zijn laatste jaren vreedzaam op zijn kasteel sleet.

'Geef nooit een andere generaal zoveel macht als jullie mij hebben gegeven. Ik had er veel meer kwaad mee kunnen stichten,' adviseerde hij op zijn sterfbed een delegatie van Venetiaanse senatoren. Hij vroeg hun ook om op het San-Marcoplein een standbeeld te zijner nagedachtenis op te richten.

En hoewel het nu het San Giovanni e Paoloplein zal worden zou Colleoni alle reden hebben gehad tevreden te zijn met het door Verrocchio bereikte resultaat. Met dit trotse ruiterstandbeeld zal Colleoni's naam bewaard blijven. Bovendien symboliseert het bij uitstek het zelfbewuste en energieke type mens, zo kenmerkend voor deze tijd.

Dat Verrocchio bijna tien jaar aan deze opdracht gewerkt heeft, komt mede door de moeilijkheden die hij daarbij ondervond. Op een gegeven moment kwam hem ter ore dat men erover dacht hem alleen het paard te laten maken. In zijn kwaadheid heeft hij toen het hoofd en de benen van zijn model gebroken en is naar Florence teruggekeerd. De Senaat heeft hem toen gedreigd dat, als hij zich ooit weer op Venetiaans grondgebied zou vertonen, hij dan letterlijk zijn hoofd zou verliezen. Hij antwoordde dat ze hem ook nooit meer zouden terugzien, omdat senatoren de bekwaamheid van beeldhouwers missen om afgebroken hoofden weer op hun plaats te zetten. De Senaat bedacht zich en gaf Verrocchio de hele opdracht terug.

Na zijn bronzen *David* heeft hij met dit ruiterstandbeeld bewezen een waardige opvolger van Donatello te zijn. Behalve een groot beeldhouwer was Verrocchio ook een verdienstelijk schilder en tekenaar, die veelbelovende leerlingen, zoals Leonardo da Vinci, de kneepjes van het vak heeft bijgebracht.

# Lorenzo 'il Magnifico' dood

FLORENCE, 8 april 1492 - Lorenzo de' Medici is op 43-jarige leeftijd overleden. Of de aan zijn doodsbed ontboden dominicaner priester Savonarola nog de absolutie heeft verleend aan degene die in zijn ogen verantwoordelijk was voor de gecorrumpeerde staat waarin Florence zich zou bevinden, is niet bekend.

Lorenzo regeerde, zoals zijn grootvader Cosimo en zijn vader Piero, door zelf geen functie te bekleden maar de regering over te laten aan een 'balia', een Raad van Zeventig waarin de aanhangers van de Medici uiteraard de overhand hebben. Na het Pazzi-komplot (1478), waarbij zijn broer om het leven kwam en hijzelf licht gewond werd, versterkte hij zijn macht.

Hoewel Florence in militair opzicht zwak is, boekte Lorenzo ook in zijn buitenlandse politiek, dank zij zijn geniale diplomatie, veel succes. Hij wist de meeste Italiaanse staten ertoe te brengen de Italiaanse Liga van wederzijdse bijstand van 1455 nieuw leven in te blazen. 'Deze man leefde lang genoeg voor zijn roem, maar te kort voor Italië', was dan ook de sombere reactie van koning Ferdinand van Napels op het overlijden van Lorenzo, waarmee hij zonder twijfel doelde op een mogelijke invasie van de Franse koning Karel VIII.

Die vrede van het laatste decennium betekende ook een economische en culturele bloeiperiode die zijn weerga in de Florentijnse geschiedenis niet kent. Toch bleef het verval van de republikeinse instellingen en de burgerdeugden na 1478 niet zonder gevolgen voor de Florentijnse humanisten, die zich meer in het contemplatieve leven terugtrokken. Daarom spreekt men de laatste tijd wel van een door pessimisme en mystiek getint neoplatonisme, waardoor ook een schilder als Botticelli beïnvloed lijkt.

Lorenzo zelf was als kind al met de verschillende kunsten en wetenschappen vertrouwd geraakt. Hij was een oorspronkelijk dichter en hevig geïnteresseerd in de filosofie. Wijsgeren als Pico della Mirandola en schilders als Botticelli, Leonardo da Vinci en het jongste talent, Michelangelo, kregen van hem ruimschoots de gelegenheid hun talenten te ontplooien. Dat genereuze maecenaat was mogelijk door de enorme rijkdom van de Medici. Zij bezitten het grootste bankiershuis in Europa. Bovendien is hun macht gebaseerd op de handel en de textielindustrie, waarin 10 000 arbeiders in honderden bedrijven werkzaam zijn. Naarmate Lorenzo zich meer met culturele activiteiten inliet en de bankzaken slechter gingen, verplaatste hij het familiekapitaal naar investeringen in stadsprojecten en landerijen.

# Karel VIII trouwt Anna van Bretagne

PARIJS, 6 december 1491 - Nadat koning Karel van Frankrijk eerst verloofd is geweest met Maria van Bourgondië en later met haar dochter Margaretha, is hij nu uiteindelijk met Anna van Bretagne in het huwelijk getreden.

Aanvankelijk had de raadsheer van Anna het plan om Bretagne onafhankelijk van Frankrijk te houden. Daartoe trachtte hij een huwelijk tussen Anna en de Duitse koning Maximiliaan te bewerkstelligen. De dreiging van het Franse leger was echter te groot om dit plan tot uitvoering te brengen en een huwelijk met Karel werd doorgedrukt. Omdat Maria de enige erfgename van het vorstendom Bretagne is, wordt met de inbreng van Bretagne de eenmaking van het Franse koninkrijk afgerond. Bretagne was het laatste leenvorstendom met een relatief grote zelfstandigheid. Door de aansluiting van dit gebied bij Frankrijk zijn de laatste voor Frankrijk zo typerende particularistische tendensen bezworen. Dank zij dit huwelijk is de staatsvorming nu vrijwel voltooid.

*Fragment van een miniatuur uit een 16de-eeuws talmoed-handschrift.*

# Spanje wijst joden uit

GRANADA, 30 maart 1492 - Enkele maanden na de inneming van Granada hebben Ferdinand en Isabella een decreet uitgevaardigd waarin de joden worden gedwongen zich óf binnen vier maanden tot het christendom te bekeren door zich te laten dopen óf Spanje te verlaten. Deze repressieve maatregel is een uitvloeisel van het religieuze fanatisme van Isabella en Ferdinand en past in hun streven de godsdienstige uniformiteit in Spanje te realiseren.

Dit streven begon vorm te krijgen in 1478 met de oprichting van de Spaanse inquisitie. Op verzoek van Isabella had paus Sixtus IV hier uiteindelijk zijn toestemming voor gegeven. Het doel van de inquisitie was de tot het christendom bekeerde joden ('conversos') die in het geheim nog het joodse geloof aanhingen aan het licht te brengen en te straffen.

De Spaanse inquisitie is een gevreesde instelling geworden. Ze opereert in het geheim, de verdachten wordt niet de naam van de aanklagers gegeven, martelmethoden worden gebruikt om bekentenissen af te dwingen en het bezit van veroordeelden wordt geconfisqueerd. Diegenen die schuldig bevonden worden, worden of verbannen of gevangengezet of op de brandstapel in het openbaar verbrand. De inquisitie is verworden tot een instrument van koninklijk absolutisme. Het is een centrale, koninklijke instelling; zelfs de paus heeft geen enkele mogelijkheid tot interventie. De Kerk in Rome heeft slechts de bevoegdheid de grootinquisiteur aan te wijzen.

De inneming op 1 januari van Granada en omstreken, het laatste islamitische gebied in Spanje, heeft de neiging tot orthodoxie versterkt. De Reconquista is voltooid, aanvallen uit Noord-Afrika kunnen vanuit het zuiden worden afgeslagen en Spanje is weer (sinds het Visigotische koninkrijk) christelijk. Deze ontwikkeling heeft de religieuze intolerantie heel sterk aangewakkerd.

Binnen deze context kon de eerste grootinquisiteur, de dominicaan Fray Tomás de Torquemada, Ferdinand en Isabella overhalen alle joden in Spanje die niet gedoopt willen worden, te verbannen.

# Pools tweekamerparlement van start

KRAKAU, 1493 - Het staatsbestel onder de dynastie van de Jagiellonen stabiliseert zich. De lokale adellijke vergaderingen, 'Sejmiki', zijn onlangs wettelijk bepaald en geordend. Het landelijke tweekamerparlement, de 'Sejm' van de adel, begon dit jaar te werken. De Sejm heeft het monopolie in de wetgeving: alle koninklijke besluiten moeten aan de Sejm worden voorgelegd.

Het land is duidelijk verdeeld in vier 'staten': adel, geestelijken, burgers en joden. Iedere 'staat' heeft door de wet gewaarborgde autonomie en vrijheden. De steden genieten van de handelsvoordelen, vooral nadat de havenstad Gdansk teruggekeerd is naar de Kroon. De stedelijke patriciërs beleven gouden tijden: de handel ontwikkelt zich stormachtig, de ambachtsgilden bloeien, grote bankiershuizen ontstaan. Buiten de steden worden manufacturen opgezet: zout wordt gewonnen in Wieliczka, zilver in Tatra, ijzer en kolen in Silezië.

De universiteit van Krakau (Jagiellon-universiteit) onder de wijze aartsbisschop Laski is het landelijk centrum van de nieuwe humanistische gedachte geworden. De eerste Poolse grammatica en de eerste gedetailleerde kaart van Polen zijn in voorbereiding. De drukpersen zijn in Krakau al twintig jaar geleden gearriveerd. Twee jaar geleden werd zelfs een boek dat in cyrillisch schrift gedrukt was door de kerkelijke rechtbank verboden.

Een nieuwe generatie geleerden, politici en kunstenaars treedt steeds meer op de voorgrond en wordt steeds belangrijker. De waarden die zij propageren verschillen duidelijk van de waarden van de vorige elites. De nieuwe waarden zijn: respect voor de klassieke oudheid, individualisme, neiging tot het verkennen van zoveel mogelijk terreinen van de wetenschap, interesse voor het openbare leven en het willen bereiken van een harmonieus bestaan.

*Het 'Ursula-schrijn' (Sint-Janshospitaal, Brugge), waarop de legende van de Heilige Ursula is uitgebeeld, door de Vlaamse schilder Hans Memling (circa 1435-1494).*

# Columbus keert terug uit Nieuwe Wereld

BARCELONA, 20 april 1493 - Al vijf dagen verblijft Christopher Columbus (Don Cristóbal Colón) in het koninklijk paleis te Barcelona. Hij is te gast bij Ferdinand en Isabella, in wier opdracht hij via het westen naar Indië is gevaren.

Columbus werd in 1451 in de belangrijke Italiaanse havenstad Genua geboren. Van jongs af voer hij al op handelsschepen mee. Op 25-jarige leeftijd belandde hij in Portugal na schipbreuk geleden te hebben. In Lissabon, hét maritieme centrum tijdens de Gouden Eeuw van Portugese exploratie en ontdekkingen, waar hij als kaartenmaker werkte, las hij boeken die speculeerden over de bolvorm van de aarde. Indien dit waar was zou Indië ook via het westen bereikt kunnen worden. Zo groeide het plan van Columbus om een reis naar Indië via het westen te ondernemen.

Met veel doorzettingsvermogen en volharding heeft Columbus zijn plan weten te realiseren. Na een negatief antwoord van de koning van Portugal besloot hij het Spaanse koningspaar te vragen zijn tocht te financieren. Ook Castilië kan wel op enige maritieme ervaring bogen sinds de inname van de Canarische Eilanden aan het begin van de eeuw. Na acht jaar soebatten gingen Ferdinand en Isabella vorig jaar uiteindelijk met hem in zee. Ze konden toen wel enig risico nemen na de succesvolle inname van Granada, het laatste isla-

De Italiaanse zeevaarder Columbus zet voet aan wal bij San Salvador (Bahama's).

*Christopher Columbus (16de eeuw).*

mitische bolwerk in Spanje. Columbus werd toegezegd dat hij admiraal van de oceaan en onderkoning van de te ontdekken gebieden zou worden. Tevens zou hij een tiende van de koloniale inkomsten en een achtste van de handels-

winst krijgen.

Op 3 augustus voer Columbus met drie schepen weg uit Palos om op 12 oktober op San Salvador, een van de Bahama-eilanden te landen. Na ook nog Cuba en Hispaniola [Haïti], waar hij

een 40-tal bemanningsleden achterliet, aangedaan te hebben, keerde hij begin dit jaar snel huiswaarts.

De hele reis is vol ontberingen geweest. Na een bezworen muiterij op de heenweg (de bemanning dacht dat ze van de aarde af zou varen), zijn de schepen op de terugweg door zware stormen overvallen. Het Spaanse koningspaar is vast van plan op zeer korte termijn een tweede tocht van Christopher Columbus te financieren. Ferdinand en Isabella willen niet dat de Portugese koning hen voor is.

# Gentse opstandelingenleider vermoord

GENT, 16 juni 1492 - Jan van Coppenhole, die in Gent de opstand tegen Maximiliaan van Oostenrijk leidde, is door tegenstanders vermoord. Hiermee is een eind gekomen aan de opstand van Gent tegen het gezag van Maximiliaan, die als regent voor Filips de Schone in de Nederlanden optreedt. Gent voerde de opstand samen met andere Vlaamse steden. De strijd richtte zich tegen de Frankrijk-politiek van Maximiliaan: Vlaanderen wenste vrede met Frankrijk, Maximiliaan daarentegen was uit op oorlog met dit land. Een bijkomend bezwaar van de Vlamingen tegen Maximiliaan was dat hij de handelsbelangen van Brabant bevoordeelde ten koste van die van Vlaanderen.

De onvrede in Vlaanderen leidde in 1488 tot de gevangenneming van Maximiliaan door Brugse ambachtslieden. Gent, waar Jan van Coppenhole toen al de leiding had, slaagde erin, een 'unie, alliantie en confederatie' tussen verscheidene Nederlandse gewesten tot stand te brengen. Deze unie legde Maximiliaan een aantal bepalingen voor, waarmee hij diende in te stemmen, wilde hij vrijkomen. Zo bepaalde de unie dat het regentschap van Maxi-

Het Van Eyck-monument met de broers Hubert en Jan in Gent.

miliaan in Vlaanderen zou worden afgeschaft en dat Maximiliaan alleen een oorlog zou mogen beginnen met toestemming van de gewesten.

Maximiliaan is, na de unie te hebben bezworen, vrijgelaten. Eenmaal op vrije voet, heeft hij zijn eed evenwel gebroken en de strijd tegen Vlaanderen hervat. De Vlaamse opstandelingen konden echter rekenen op steun van Frankrijk, Holland en Brabant. Maximiliaan, die steeds meer terrein verloor, heeft zijn positie gered door een overeenkomst te sluiten met de ko-

ning van Frankrijk, Karel VIII. Deze overeenkomst bepaalde onder meer dat Karel de opstandelingen geen steun meer zou verlenen. Karel heeft zelfs bij de opstandelingen aangedrongen op het sluiten van vrede met Maximiliaan. Op 30 oktober 1489 onderwierpen de Vlamingen zich inderdaad aan Maximiliaan. Enkele maanden later echter brak opnieuw opstand in Brugge en Gent uit. Brugge is snel weer onderworpen. Gent heeft, na de moord op Jan van Coppenhole, de strijd eveneens opgegeven.

# Portugal verdeelt met Spanje wereld

LISSABON, 7 juni 1494 - In Tordesillas hebben Castilië en Portugal de wereld onder elkaar verdeeld door op de wereldkaart een lijn te trekken van noord naar zuid. De grens is gelegd op 370 leguas (ongeveer 1850 kilometer) ten westen van de Kaapverdische Eilanden. Alles westelijk van die lijn komt toe aan Castilië, de gebieden ten oosten ervan zullen door Portugal geëxploiteerd mogen worden. Dit betekent dat het onlangs door Columbus ontdekte land in de Spaanse invloedssfeer valt. Portugal zal het monopolie krijgen over een mogelijke zeeroute naar Indië via Kaap de Goede Hoop.

Met het Verdrag van Tordesillas veranderen Spanje en Portugal in feite eigenmachtig de pauselijke bul *Inter Caetera* van 4 mei 1493, waarbij de grens op 100 leguas ten westen van de Kaapverdische Eilanden was gelegd. Portugal heeft op deze wijziging aangedrongen en dreigde zelfs met oorlog. Over het nieuwe verdrag toont koning Johan II zich bijzonder verheugd. Johan gelooft niet dat Columbus werkelijk een zeeroute naar Indië heeft gevonden maar dat er hierbij sprake moet zijn van een nog onbekend continent.

# 1495

## Franse leger valt Italië binnen

ASTI, 3 september 1494 - Aan het hoofd van een dertigduizend man tellend Frans leger is koning Karel VIII via de Monginèvre de Alpen overgetrokken en Italië binnengevallen. Hij is op weg naar Napels waarop hij op zeer twijfelachtige gronden aanspraak maakt. De Franse koning reageerde met zijn invasie op een uitnodiging van de Milanese heerser Lodovico il Moro. Karel VIII heeft zijn Italiaanse expeditie lang voorbereid. In 1492 al heeft hij voor het aanzienlijke bedrag van 745 000 écu's de Engelse koning Hendrik VII afgekocht. In januari 1493 werd bij de Vrede van Barcelona de instemming van de Spanjaarden verkregen ten koste van Roussillon en Cerdagne en in mei 1493 kreeg keizer Maximiliaan bij het Verdrag van Senlis Artois en de Franche-Comté. Op militair gebied heeft Karel zijn expeditie voorbereid door zijn neef Lodewijk van Orléans vooruit te sturen; deze houdt Genua en delen van Piemonte en Lombardije bezet.

Het sein voor de aanval werd gegeven door de dood, op 25 januari van dit jaar, van koning Ferdinand van Napels. Hij werd opgevolgd door de wrede Alfons II, met wie de Milanese heerser Lodovico Sforza op zeer slechte voet staat.

Lodovico Sforza, genoemd Il Moro, regeert Milaan namens zijn minderjarige neef Gian Galeazzo Sforza, die is getrouwd met een dochter van de huidige koning van Napels. De wijze waarop Lodovico zich ten koste van Gian Galeazzo van de macht in Milaan meester heeft gemaakt, heeft Alfons tot zijn bitterste vijand in Italië gemaakt. Alfons heeft herhaaldelijk gedreigd Lodovico te vergiftigen.

Dat familieruzies gedeeltelijk ten grondslag liggen aan Lodovico's invitatie aan de Fransen en dus de invasie, tekent de zwakte van Italië, dat is verdeeld in een reeks koninkrijkjes, republieken, prins- en hertogdommen en de Pauselijke Staat die elkaar driftig bestrijden en Italië aldus zwak en verdeeld houden.

Niet alleen twijfelachtige aanspraken op Napels drijven Karel VIII tot dit Italiaanse avontuur. Hij wil Napels gebruiken als springplank voor een kruistocht tegen de Turken. Daarnaast wordt de jonge koning gemotiveerd door ridderlijke ambities: roem en eer op het slagveld. Na zijn succesvolle campagne in Bretagne leent het zwakke Italië zich voortreffelijk daarvoor. Karel heeft 's werelds eerste staande leger op de been gebracht, 30 000 man sterk, onder wie 3000 cavaleristen, 5000 infanteristen uit Gascogne, 5000 Zwitserse infanteristen, 4000 Bretonse boogschutters en 2000 kruisboogschutters. Het leger is voorzien van zware artillerie.

**22 februari 1495.** Koning Karel VIII van Frankrijk trekt Napels binnen. →

**31 mei 1495.** In Venetië sluiten Milaan, Venetië, keizer Maximiliaan, paus Alexander VI en het Spaanse koningspaar Ferdinand en Isabella een verbond tegen de Fransen.

**6 juli 1495.** Bij Fornovo levert het Franse leger slag met troepen van de Heilige Liga. →

**21 oktober 1496.** Een dubbelhuwelijk bezegelt het verbond tussen de Habsburgers en het Spaanse heershuis Aragón en Castilië. Margaretha, de dochter van de Duitse keizer Maximiliaan, huwt met de Spaanse troonopvolger Johan van Aragón; de broer van Margaretha, Filips de Schone, huwt met de zuster van Johan van Aragón, Johanna (de Waanzinnige).

**6 februari 1497.** De componist Ockeghem overlijdt. →

**25 februari 1497.** Het Italiaanse Taranto, dat nog in Franse handen was, valt. →

**1497.** De Duitse keizer Maximiliaan I (tevens aartshertog van Oostenrijk) voert in Oostenrijk bestuurshervormingen in die van het land een moderne bureaucratie maken.

**1497.** De Portugese koning Emanuel dwingt de joden zich te laten kerstenen of zijn rijk te verlaten. →

**1497.** Leonardo da Vinci voltooit zijn beroemde muurschildering *Het Laatste Avondmaal* in het refectorium van de dominicanen van de Santa Maria delle Grazie te Milaan.

**20 mei 1498.** De Portugees Vasco da Gama komt in Calicut in India aan. →

**23 mei 1498.** Op de Piazza della Signoria te Florence wordt Girolamo Savonarola opgehangen en verbrand. →

**9 februari 1499.** In Blois sluit de Franse regering een verdrag met Venetië, gericht tegen Lodovico il Moro in Milaan. →

**22 september 1499.** Bij de Vrede van Basel verkrijgt het Zwitserse Eedgenoodschap de feitelijke onafhankelijkheid van het Duitse Rijk. →

**1499.** De Italiaanse zeevaarder Amerigo Vespucci verkent de noordoostkust van Zuid-Amerika.

**1499.** Perkin Warbeck, de man die zich voor koning Richard II uitgaf, wordt in de Londense Towergevangenis opgehangen. →

Gestorven:

**1497.** Benozzo Gozzoli (1420), Italiaans renaissanceschilder
**7 april 1498.** Karel VIII (30-6-1470), koning van Frankrijk

## Triomf Karel VIII in Italië

*Koning Karel VIII van Frankrijk bij zijn intocht in Napels (1495).*

NAPELS, 22 februari 1495 - Koning Karel VIII van Frankrijk is op feestelijke wijze Napels binnengetrokken. Daarmee is zijn Italiaanse invasie geslaagd, ten koste overigens van het toch al verstoorde politieke evenwicht op het Italiaanse schiereiland. De jonge koning van Napels, Ferdinand II, die een maand geleden Alfons opvolgde, is naar Ischia gevlucht.

De Italiaanse campagne van Karel VIII is bijna zonder slag of stoot verlopen. Alleen in september 1494 werd eerst bij Rapallo en later bij Novara serieus slag geleverd. De Napolitanen hebben zich als enigen verzet: de andere Italiaanse heersers, onderling verdeeld en dus zwak, waren te bang voor de Fransen om ten strijde te trekken.

Karel VIII is via Milaan, waar hij werd ingehaald door Ludovico il Moro, Pavia, Piacenza en Sarzana, naar Florence opgerukt. In Sarzana kreeg hij bezoek van de Florentijnse heerser Piero de' Medici, die hem smeekte Florence te sparen, en die instemde met Karels voorwaarden: de legering van Franse legioenen in vier Florentijnse steden voor de duur van de campagne.

Deze instemming heeft Piero Florence gekost. Na zijn terugkeer in deze stad op 8 november brak een opstand uit. Het stadsbestuur, de Signoria, verbande Piero en stelde een prijs op zijn hoofd. Het paleis van de Medici's werd voor plundering vrijgegeven, waarbij Europa's grootste kunst- en manuscriptencollectie verloren ging. Terwijl Piero via Bologna naar Venetië ontkwam, plaatste de Signoria Donatello's beeld 'Judith doodt Holofernes' op de Piazza della Signoria als 'waarschuwing voor iedereen die denkt Florence te kunnen tiranniseren'.

Op 18 november trok Karel Florence binnen. Aanvankelijk schroefde hij zijn eisen nog op maar toen de Signoria met een opstand dreigde nam hij genoegen met de legering van Franse gar-nizoenen in vijf Florentijnse steden en de betaling van honderdtwintigduizend dukaten. Na Karels vertrek greep de fanatieke prediker Savonarola - bekend om zijn felle preken tegen de tirannie van de Medici's en de corruptie van de Kerk - in Florence de macht. Hij riep een relatief democratisch bestuur uit dat zich vóór alles toelegde op de zuivering van de verdorven Florentijnse burgers. Dit leidde tot puriteinse uitwassen als openbare verbrandingen van 'ijdelheden', bijvoorbeeld boeken, schilderijen, goktafels, kostbare kleding en juwelen.

## Karel VIII verliest laatste bolwerk

NAPELS, 25 februari 1497 - Met de overgave van Taranto, het laatste Franse bastion in het koninkrijk Napels, is het Italiaanse avontuur van Karel VIII afgesloten.

Na het vertrek van de Franse koning uit Napels in mei 1495 kwam het in het bezette koninkrijk tot volksopstanden tegen de Fransen, waarbij duizenden Fransen werden vermoord. De Spaanse koning Ferdinand stuurde troepen naar Napels onder Gonzalo de Córdoba en al op 7 juli 1495 kon koning Ferdinand II van Napels naar de hoofdstad van zijn rijk terugkeren. De Franse onderkoning Montpensier moest zich met 10000 man op 20 juli vorig jaar in Atella overgeven. Gaeta opende zelf de poorten voor de Napolitanen en Spanjaarden en Taranto, het laatste Franse bolwerk, heeft nu gecapituleerd. Tegelijkertijd is in het hele koninkrijk een wapenstilstand afgekondigd.

De enige Italiaanse overwinnaars van de Franse campagne zijn de Venetianen, die als beloning voor hun strijd tegen Karel VIII van Ferdinand een aantal havens in Apulië hebben gekregen.

# Fransen verlaten Italië

FORNOVO, 6 juli 1495 - Bij Fornovo heeft het uit Napels terugkerende Franse leger onder koning Karel VIII een tien keer groter leger van de Heilige Liga weerstaan. Dit ging evenwel ten koste van bijna de hele buit van de Italiaanse campagne. Daarmee heeft Karels Italiaanse avontuur toch nog een rampzalige afloop gekregen.

De tocht van de Franse koning naar Napels had aanvankelijk het karakter van een triomftocht. Maar na zijn intocht in Napels in februari keerden de kansen. In Venetië verzamelden zich afgevaardigden van Europese mogendheden die door het Franse succes waren gealarmeerd: Venetië vreesde voor zijn handelsroutes; paus Alexander VI, die de Fransen gedwongen doortocht had moeten verlenen, zon op wraak; de Milanese heerser Ludovico il Moro, die Karel VIII zelf had uitgenodigd en die sinds de dood van de jonge Gian Galeazzo Sforza ook hertog van Napels is, waarmee zijn doel is bereikt, heeft zich plotseling herinnerd dat de Fransen óók aanspraak op Milaan maken. De Spaanse koning Ferdinand, die heeft moeten toezien hoe de Fransen 'zijn' Aragonese huis uit Napels hebben verdreven, en keizer Maximiliaan, krachtens zijn keizerschap beschermheer van Rome, hebben zich bij deze Italiaanse machten aangesloten. Op 31 maart werd aldus in Venetië de Heilige Liga tegen Frankrijk gesloten. Om het afsnijden van zijn verbindingswegen te voorkomen werd Karel VIII tot een haastige terugtocht gedwongen. Op 20 mei verliet hij Napels met achterlating van de helft van zijn leger en onderkoning Montpensier en met medeneming van 20 000 ezels beladen

*Paus Alexander VI, lid van het geslacht Borgia.*

met buit. De Fransen hebben in de slag van Fornovo met 4000 man een 40 000 man tellend leger van de Liga weerstaan, vooral dank zij strategische fouten van de vijand en een betere bewapening. En hoewel de buit van de Italiaanse campagne verloren is gegaan, zal de Franse invasie toch vooral culturele gevolgen hebben.

Voor het eerst hebben de heersers van Frankrijk, bewoners van grote, donkere, vochtige en tochtige gotische kastelen, op grote schaal kunnen kennismaken met de superieure renaissancecultuur van Italië, het land van het licht. En die cultuur heeft diepe indruk gemaakt.

## Frankrijk en Venetië sluiten verdrag

BLOIS, 9 februari 1499 - Frankrijk en Venetië hebben in Blois een verdrag getekend dat voorziet in gezamenlijke actie tegen het Milaan van Lodovico il Moro.

Met de oorlog tegen Lodovico wil de nieuwe Franse koning Lodewijk XII - die de Milanese hertog zeer goed kent uit de campagne van 1494-1495 - oude aanspraken op Milaan te gelde maken. Al sinds zijn troonopvolging voert Lodewijk de titel hertog van Milaan. Net als in 1494 het geval was bij de Franse aanspraken op Napels zijn die van Lodewijk twijfelachtig: ze berusten op het huwelijk van Lodewijks grootvader met een dochter van Gian Galeazzo I Visconti van Milaan.

Italië, het land van de renaissance, blijft de Fransen aantrekken. Met de Zwitserse kantons, Spanje, Engeland, Schotland, paus Alexander VI, zelfs met Portugal, Hongarije en Bohemen zijn het afgelopen jaar akkoorden gesloten of zijn de onderhandelingen gaande. Het verdrag met Venetië is echter belangrijker. Venetië heeft zich verplicht tegen Milaan een leger van 15 000 man in te zetten onder condottiere Pittigliano. Lodewijk heeft zich bovendien verzekerd van de steun van Lodovico's oude Milanese vijand Trivulcio.

## Hendrik VII laat bedrieger ophangen

LONDEN, 1499 - Perkin Warbeck, de man die zich heeft uitgegeven voor de vermoorde prins Richard en die heeft geprobeerd een opstand in Engeland uit te lokken, is in de Tower wegens hoogverraad opgehangen. Dit is de tweede zogenaamde troonpretendent die getracht heeft om de dynastie van de Yorks opnieuw aan de macht te brengen. Koning Hendrik VII, zelf de eerste vorst van de Tudor-dynastie, treedt beurtelings met harde hand en genadig tegen deze lieden op.

Perkin Warbeck veroorzaakte twee jaar geleden een opstand door te beweren dat hij Richard III was. Eerder had Lambert Simnel in 1487 een gooi naar de macht gedaan door zich uit te geven voor de graaf van Warwick en zich aan het hoofd te stellen van troepen die voor het Huis York de troon wilden heroveren. Zijn opstand was een serieuze bedreiging, omdat de Ieren hem krachtig met materieel en soldaten ondersteunden.

Simnel werd echter verslagen en ontmaskerd. De koning toonde zich toen uiterst lankmoedig. Hij nam de zogenaamde troonpretendent op in zijn huishoudelijke staf. Op die manier voorkwam hij dat Simnel een martelaar van samenzwerende groepen werd. Hendrik VII neemt meer van dit soort wijze beslissingen.

---

*Schepen in de monding van de Taag bij Lissabon (16de eeuw).*

# Portugese joden bedreigd

LISSABON, 25 oktober 1497 - De Portugese hoofdstad is de laatste dagen getuige geweest van grootscheepse pogingen om de Portugese joden christen te maken. Tot dat doel zijn 20 000 joden bijeengebracht in een groot paleis. Hun was verteld dat zij vanuit deze plaats zouden worden ingescheept naar elders. In het paleis probeerden twee bekeerde joden hen over te halen zich eveneens te laten kerstenen. Later volgden beloften en dreigementen en toen dat niet hielp werden de joden aan hun haren en baarden naar de doopvont gesleept om te worden gedoopt. Velen stribbelden tegen en sloegen om zich heen maar dat mocht niet baten. Slechts aan een handjevol werd toestemming verleend om als joden het land te verlaten.

De aldus ontstane 'nieuwe christenen', die ook wel 'maranos' worden genoemd, werd beloofd dat zij twintig jaar met rust zouden worden gelaten en dat geen onderzoek zou worden ingesteld naar hun geloofsbeleving.

Al eerder dit jaar, in maart, waren soortgelijke maatregelen genomen om alle joodse kinderen onder de veertien jaar te kerstenen. Het was de bedoeling dat zij daarna verspreid zouden worden over Portugese families om bij hen te worden opgevoed. Om het uiteenvallen van hun gezin te voorkomen lieten vele joodse ouders zich maar dopen, alhoewel sommigen in wanhoop zelfmoord pleegden.

De harde maatregelen tegen de joden komen voort uit de belofte die koning Emanuel aan zijn vrouw, Isabella van Castilië, heeft gedaan om alle joden het land uit te zetten wanneer zij zich niet zouden laten kerstenen. Isabella had dit als voorwaarde gesteld voor haar huwelijk met hem en Emanuel is daarvoor gezwicht omdat deze echtverbintenis goede uitzichten biedt op een uiteindelijke vereniging van het gehele Iberische schiereiland onder hun kinderen. En hoewel ook bij de Portugese bevolking antisemitische gevoelens leven hebben de maatregelen al tot diverse protesten geleid van onder anderen bisschop Coutinho. Ook de koning zelf wil de joden in zijn rijk liever niet kwijt. Zij verrichten waardevolle taken in bankwezen, handel, ambachten en wetenschappen. Ook als belastingbetalers worden de joden zeer gewaardeerd.

# Johannes Ockeghem meester in contrapunt

TOURS, 6 februari 1497 - Johannes Ockeghem, tot vandaag een van de laatste nog levende leerlingen van Gilles Binchois, is op bijna 90-jarige leeftijd overleden. Ockeghem is bekend geworden door zijn grote 'cantus firmus'-missen; hierin stamt hij duidelijk uit de school van Dunstable. Van zijn missen zijn vermeldenswaard: *Caput, Ecce ancilla Domini* (Zie de dienstmaagd des Heren), *L'homme armé* (De krijgsman) en *De plus en plus*. De techniek van Ockeghem verschilt in zoverre van die van zijn voorgangers, dat zijn cantus firmi ritmisch getransformeerd worden en in het stemmenweefsel van de andere partijen worden opgenomen. Hij was een meester in het contrapunt.

Naast zijn werkzaamheden als componist was Ockeghem zelf een virtuoos baszanger. Hierover schreef de dichter Theofilo Folengo: 'Als je hem gehoord had, zou je zeggen dat deze man een Vlaming was, want zijn strot was precies zo ingesteld als een orgelpijp. Voor hem is het een koud kunstje om een G beneden een lage G te zingen en hij kan nog lager, tot aan de bodem van de kelder.'

De Italiaan Florio schreef twintig jaar geleden: 'Hij is van alle zangers de enige zonder slechte gewoonten en hij blinkt uit in elke deugd. Van hém leert men de waarde van de muziek en de suprematie van de menselijke stem boven alle andere muziekinstrumenten.'

Ockeghem was als 'maître de chapelle' ruim veertig jaar verbonden aan de hofkapel, achtereenvolgens onder drie koningen: Karel VII, Lodewijk XI en Karel VIII. De laatste 35 jaar van zijn leven was hij thesaurier van de Sint-Martinuskerk in Tours.

# Vasco da Gama groots onthaald

LISSABON, 18 september 1499 - In triomf is de ontdekkingsreiziger Vasco da Gama met zijn vlaggeschip 'Sao Gabriel' ingehaald in de Portugese hoofdstad. Hij is de eerste Europeaan die erin geslaagd is Indië over zee te bereiken. Ruim twee jaar heeft zijn missie geduurd. Het was een tocht met vele ontberingen: slechts 55 van de 170 opvarenden overleefden de reis. Ook Vasco da Gama's broer Paulo is onderweg gestorven.

De expeditie verliet Portugal op 8 juni 1497. Tot de Kaapverdische Eilanden verliep de reis normaal. Vanaf hier begon Da Gama echter aan een manoeuvre die haar weerga in de scheepvaartgeschiedenis niet kent. De vloot verbrak namelijk alle contact met de kust en zeilde resoluut de Zuidatlantische Oceaan op om gunstige winden te treffen. Drie maanden, van de derde augustus tot de achtste november, bleven alle contacten met de buitenwereld verbroken. Ten slotte bereikte men weer land, een paar mijl ten noorden van Kaap de Goede Hoop.

Na een kort oponthoud op 22 november werd de Kaap gerond. Aan de oostkust ontwaarden de reizigers vreemde vogels, 'zo groot als eenden, die vederloze vleugels hadden en balkten als

*Vasco da Gama op audiëntie bij de heerser van Calicut in Indië (1498).*

ezels' [pinguïns]. Enige dagen later brak de hoofdmast van een van de drie schepen. Daarom zette Da Gama opnieuw voet aan wal. De Portugezen werden gastvrij opgevangen door de plaatselijke Bantoestam. Da Gama stuurde het stamhoofd een jasje en een rode pantalon en kreeg in ruil gierstepap.

Echte problemen ontstonden pas toen men in contact kwam met meer ontwikkelde culturen. Dat bleek toen de Portugezen binnenliepen in de havens van Mozambique en Mombasa, die be-

heerst werden door moslems, voor wie de komst van de christenen volstrekt onverwacht kwam. In Mombasa probeerden 's nachts gewapende mannen aan boord te klimmen maar zij werden tijdig door de wacht opgemerkt. In de volgende aanlegplaats, Malindi, verliep alles beter. Met de plaatselijke (moslem)heerser werden geschenken uitgewisseld en Da Gama vond een gids bereid hen over de Indische Oceaan te leiden. Deze reis verliep zeer voorspoedig en op 20 mei vorig jaar liep het eerste Europese schip de Indische havenstad Calicut binnen.

Daar zijn tal van specerijen verkrijgbaar en kostbaarheden als sandelhout, parels en edelstenen. Arabische kooplieden hadden tot dusverre het monopolie van de handel in al deze goederen. Zij probeerden daarom Da Gama bij de Samori, de Indische heersers van de stad, in diskrediet te brengen. Da Gama had al zijn diplomatiek talent nodig om zich staande te houden. De verlegenheid van de Portugezen nam nog toe toen zij hun rijke gastheren slechts wat waardeloze kralenkettingen ten geschenke konden geven. De Samori toonden zich echter grootmoedig: met een schip vol specerijen kon Vasco da Gama de stad weer verlaten.

# Savonarola in Florence terechtgesteld

FLORENCE, 23 mei 1498 - Op de Piazza della Signoria in Florence is de religieuze hervormer Girolamo Savonarola met twee medestanders door wurging terechtgesteld. Zijn lichaam is verbrand op een brandstapel - op dezelfde plaats waar hij vanaf 1494 zijn 'brandstapel der ijdelheden' had opgericht. En net als toen Savonarola de onomstreden held der Florentijnen

was, werd de brandstapel nu omgeven door juichend volk.

De in 1452 geboren Savonarola heeft vanaf 1486 als pater dominicaan in felle preken de zedeloosheid van het Florence van zijn tijd, de losse zeden van de renaissance, de tirannie van de Medici's en vooral de corrupte pausen Innocentius VIII en Alexander VI gehekeld.

De fanatieke mysticus had het aanvankelijk vooral begrepen op Lorenzo de' Medici, dichter en filosoof, die kunstenaars als Leonardo da Vinci, Verrocchio, Botticelli en Michelangelo steunde en Florence naar een cultureel hoogtepunt voerde. Voor Savonarola was Lorenzo de verpersoonlijking van 'hoogmoed, wellust en gierigheid'. Later was het vooral de gedegenereerde paus Alexander VI die Savonarola's woede wekte.

Na de door Savonarola voorspelde en begroete Franse inval in 1494 kreeg de prediker zijn kans. De Medici's werden verdreven en de monnik riep een republiek uit naar Venetiaans model. De vrijlating van politieke gevangenen en belastingverlichting maakten het nieuwe bewind populair, ook al drong Savonarola de Florentijnen een nieuwe, puriteinse moraal op.

Volgens Savonarola aanstootgevende boeken (Boccaccio) en schilderijen werden verbrand, gokken en prostitu-

tie werden verboden, godslastering werd wreed bestraft en de paters dominicanen riepen zichzelf uit tot een soort zedenpolitie die met uiterste strengheid optrad.

Op den duur leidden deze uitwassen tot ontevredenheid, nog versterkt door de teloorgang van Florentijnse bezittingen: diverse steden wendden zich van Florence af. Toen Savonarola Karel VIII van Frankrijk opriep de corrupte paus Alexander VI door middel van een speciaal concilie af te zetten, was voor de paus de maat vol. Hij trachtte Savonarola eerst met een kardinaalshoed om te kopen. Toen dat niet lukte, legde hij de Florentijnse prediker in mei vorig jaar een preekverbod op (waaraan deze zich niet hield) en werd Savonarola geëxcommuniceerd.

Toen Alexander Florence met economische maatregelen bedreigde, verloor Savonarola nog meer van zijn aanhang in zijn stad. De Signoria liet hem arresteren en folteren en dwong hem een bekentenis af. Die door de rechters nog aangedikte bekentenis werd naar de paus gestuurd, die Savonarola als hoogmoedige ketter ter dood veroordeelde.

Toen Savonarola over een bed van spijkers naar het executieplatform werd gevoerd, aanvaardde hij zijn dood met de woorden: 'De Heer heeft zoveel voor mij geleden.'

*De gezanten van de Zwitserse steden Bern, Freiburg en Solothurn eisen hun onafhankelijkheid op in het conflict met de Duitse koning Maximiliaan I. Nadat deze tevergeefs heeft geprobeerd om het Eedgenootschap tot gehoorzaamheid te dwingen, willigt Maximiliaan in 1499 bij het verdrag van Basel de eisen in.*

# Eindelijk rust aan de grenzen van Chosun

HAN'YANG - Na eeuwen te hebben geleden onder de aanvallen vanuit China, Mantsjoerije en Japan, zijn de koningen van de Yi-dynastie er uiteindelijk in geslaagd met alle buurlanden vreedzame betrekkingen te onderhouden. Hierdoor kunnen de kosten voor de verdediging van Chosun [Korea] en daarmee ook de belastingen worden verminderd.

Met het Chinese Rijk bestaan goede betrekkingen maar wel op gelijke voet. Chosun zendt regelmatig schatting naar Nanking en Peking in de vorm van goud, zilver, met parelmoer ingelegde luxevoorwerpen, matten met bloemmotieven en soms mooie vrouwen en slimme eunuchen. De Koreaanse vrouwen hebben het zelfs meer dan eens tot favoriete prinses van de Chinese keizers gebracht en de eunuchen uit Chosun hebben lange tijd vooraanstaande posities bekleed in de Verboden Stad in Peking. Het Chinese hof zond op zijn beurt gezantschappen naar Han'yang, die dan gekleurde zijde en brokaat, medicinale kruiden, boeken, gewaden voor speciale ceremonies en velerlei gebruiksvoorwerpen meenamen.

Met de noorderburen in Mantsjoerije, de Juchen-stam, hebben de Koreanen

*Een delegatie bij het keizerlijk paleis in de Chinese hoofdstad.*

lange tijd moeilijkheden gehad. Al voor de komst van de Yi-koningen werd het land herhaaldelijk vanuit het noorden aangevallen. Uiteindelijk werd toch vrede gesloten nadat de Koreaanse legers hen uit het noorden van het land hadden verdreven. Langs de

grensrivier Tumen zijn zes steden gebouwd die dienst doen als garnizoensplaats en als handelspost.

Langs de Yalu-rivier zijn vier grenssteden gebouwd met dezelfde functies. Van de Juchen krijgt Chosun nu tijgervellen, paarden, beren en herten. Deze produkten worden geruild tegen goud, zilver, katoenen kleren, rijst, sojabonen, wijn en sausen.

De verhoudingen met Japan zijn ook goed te noemen. Aanvankelijk vielen na de komst van de Yi-dynastie Japanse piraten in verhevigde mate Chosun aan, maar na enkele strafexpedities en de nodige veiligheidsmaatregelen langs de kusten is de piraterij afgenomen en zijn betere betrekkingen tot stand gekomen. De gouverneur van Tsushima heeft zijn excuses voor de aanvallen aangeboden en verzocht het (handels)verkeer te herstellen. Het hof heeft deze verontschuldigingen aanvaard en zeehavens geopend in Woongchun, Pusan en Ulsan. Per jaar mogen nu vijftig Japanse schepen deze havens aandoen en bedraagt de koninklijke schenking tweehonderd zakken rijst en sojabonen. Het Japanse sjogoenaat zendt zilver, koper, zwavel, hennep, katoenen kleren en boeken naar Chosun.

## Hertog van Milaan gevangengenomen

NOVARA, 5 februari - De Franse troepen die sinds augustus vorig jaar oorlog voeren tegen Milaan, hebben bij Novara de Milanese hertog Lodovico il Moro gevangengenomen. Hij wordt, in een ijzeren kooi opgesloten, naar Frankrijk overgebracht.

In augustus trokken de Franse troepen vanuit het westen en de Venetiaanse vanuit het oosten tegen Milaan op en spoedig zag Lodovico zich gedwongen de wijk te nemen naar Duitsland, het rijk van zijn aangetrouwde familielid keizer Maximiliaan. Al in oktober leek de campagne voorbij. Trivulcio werd tot gouverneur van Milaan benoemd. Lodovico gaf de strijd echter niet op. De afgelopen winter wierf hij op grote schaal troepen aan.

Lodewijk XII verving daarop gouverneur Trivulcio door de kardinaal D'Amboise en maarschalk La Trémoïlle. Bij Novara, waar zijn troepen en die van Lodovico uiteindelijk tegenover elkaar kwamen te liggen, kwam het tot een ongebruikelijke impasse: de Zwitserse huurlingen van Lodovico en de Zwitserse huurlingen van Lodewijk weigerden tegen elkaar ten strijde te trekken. Toen de impasse werd opgelost door Lodovico's Zwitsers een vrijgeleide uit Novara te geven, probeerde Lodovico met hen te ontsnappen. Na drie uur zoeken werd de vermomde hertog van Milaan gearresteerd.

*De arrestatie van de ontdekkingsreiziger Christophorus Columbus en zijn broer Bartholomeo in Santo Domingo, 25 november 1500. Columbus, de grondlegger van het Spaanse imperium in de Nieuwe Wereld, wordt op zijn derde reis naar Amerika, na een conflict met Spaanse kolonisten, in opdracht van gouverneur Francisco de Bobadilla, in de boeien geslagen en naar Spanje teruggestuurd. Dit is de tweede keer dat de kolonisten op Hispanolia zich tegen Columbus verzetten. Tijdens zijn vorige verblijf op het eiland hebben ze hem van machtsmisbruik beschuldigd.*

# 1501

**April.** Cesare Borgia bezet Faenza in de Romagna. De heer van Faenza, Manfredi, wordt vermoord.

**Mei.** Franse troepen verzamelen zich in Lombardije.

**Mei.** Amerigo Vespucci, varend onder Portugese vlag, verkent de Braziliaanse kust. Hij komt tot de overtuiging dat het hier niet om India, maar om een 'Nieuwe Wereld' gaat.

**25 juni.** Nadat Franse troepen Rome zijn binnengetrokken gaat paus Alexander VI akkoord met de verdeling van het koninkrijk Napels tussen Frankrijk en Aragón. Tevens wordt Cesare Borgia tot hertog van de Romagna uitgeroepen.

**15 juli.** Pedro Alvares Cabral keert na een reis van 16 maanden terug in Lissabon. Tijdens deze tocht ontdekte hij onder meer 'Terra da Vera Cruz' en Madagascar. →

**10 augustus.** In Lyon sluit Filips van Bourgondië een huwelijksverdrag voor zijn eenjarige zoon Karel en Claudia de Beaujeu. Claudia zal als bruidsschat Bretagne krijgen.

**Augustus.** Vanuit het noorden vallen Franse troepen Napels binnen. Vanaf Sicilië bezetten Spaanse troepen delen van Napels.

**13 oktober.** Maximiliaan I en Lodewijk XII van Frankrijk sluiten het Verdrag van Trente. Het verdrag maakt een voorlopig einde aan de strijd tussen beide vorsten.

**15 oktober.** De kroonprins van Engeland, Arthur, trouwt met Catharina van Aragón, de jongste dochter van Ferdinand en Isabella.

**4 november.** Filips en Johanna begeven zich op weg naar Spanje, waar zij zich willen laten huldigen als troonopvolgers. Na de dood van haar oudste dochter en diens zoon, heeft Isabella van Castilië Johanna als haar erfgename aangewezen.

- De Portugees Vasco da Gama vaart voor de tweede maal uit naar India. Hij heeft opdracht om de Arabische handelsroute met India te blokkeren.

- Baboer, sultan van Ferghana, wordt door Oezbeken uit Ferghana verdreven.

- Troepen van Ivan de Grote van Rusland trekken het door Polen beheerste Litouwen binnen.

Geboren:

**17 januari.** Leonhard Fuchs († 10-5-1566), medicus, botanicus en lutheraan
**6 mei.** Marcello Cervini († 1-5-1555), paus Marcellus II

# 1502

## Cabral terug van grote wereldreis

LISSABON, 15 juli - Nog geen twee jaar na de succesvolle tocht van Vasco da Gama naar Indië zijn de schepen van Pedro Alvares Cabral volgeladen met specerijen, Lissabon binnengelopen. Tevens bracht Cabral het bericht van de ontdekking van nieuw land, dat in naam van de koning voor Portugal is opgeëist.

Cabrals tocht begon in maart vorig jaar. Koning Emanuel had hem een vloot van dertien schepen meegegeven, waarop 1200 manschappen zaten, onder wie Bartholomeus Diaz en negen kapelaans, en geladen met proviand voor achttien maanden. Cabrals opdracht luidde: knoop goede relaties aan met de heersers van Indië.

Na aanvankelijk de route van Da Gama te hebben gevolgd, weken ze na de Kaapverdische Eilanden daarvan af en voeren westwaarts. Cabral had sterk het vermoeden dat hij ergens in het westen nieuw land zou vinden. Op 22 april kwam er inderdaad land in zicht. Een aantal mannen zette voet aan wal; zij ontmoetten er inboorlingen, naakt, maar wel bewapend met pijl en boog. Ze ruilden een verentooi tegen drie Portugese mutsen. Cabral noemde het nieuwe land Terra da Vera Cruz' (Land van het Ware Kruis). De naam van het land, dat volgens het Verdrag van Tordesillas in de Portugese invloedssfeer lag, werd spoedig veranderd in Brazilië.

Na een tijdje langs de kust gevaren te hebben voer men weer oostwaarts en rondde de zuidpunt van Afrika. De vloot kwam in een zware storm terecht en vele schepen vergingen, onder meer het schip van Bartholomeus Diaz. Na de storm ontdekte men een nieuw eiland dat men Madagascar noemde.

In september kwam Cabral in Calicut aan. De Arabieren hadden na Da Gama's vertrek de plaatselijke heersers (de Samori) voor zich weten te winnen en de Portugezen werden vijandig bejegend. Na kleine incidentjes voer Cabral zuidwaarts, naar Cochin, en stichtte daar een handelsfactorij. De bevolking was anti-Samori en leverde hem de zo begeerde specerijen. In januari van dit jaar begon Cabral aan de terugreis.

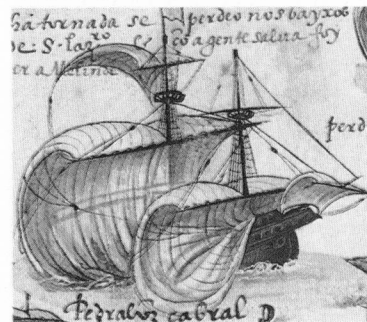

*Het schip van Cabral afgebeeld in het 16de-eeuwse 'Livro dos Armados'.*

# 1502

**12 februari.** Moslems in Granada worden voor de keus gesteld zich tot het christendom te bekeren of Spanje te verlaten. In heel Spanje worden de moslems vervolgd.

**25 februari.** De Oostenrijkse keizer Maximiliaan I voert bestuurshervormingen door. →

**11 maart.** In Tebriz word Isma'il I tot sjah van Perzië gekroond. Hij heeft zijn rijk met steun van Toerkmeense vorsten veroverd. Isma'il is de stichter van de Safawid-dynastie. Het sji'isme wordt de staatsgodsdienst.

**2 april.** De kroonprins van Engeland, Arthur, overlijdt. Hendrik VII brengt de verloving tot stand tussen de weduwe, Catharina van Aragón en zijn tweede zoon Hendrik. De paus moet voor dit huwelijk dispensatie verlenen.

**April.** In het bisdom Spiers komen ongeveer 20 000 boeren tegen de clerus in opstand. Leider van deze 'Bundschuh'-opstand is de voormalige lijfeigene Joss Fritz. De boeren eisen gelijkheid op basis van het 'goddelijk recht'. De opstand wordt neergeslagen.

**11 mei.** Columbus maakt zijn vierde en laatste reis naar 'Indië'. Hij komt in Honduras en Panama.

**19 juni.** In het Verdrag van Antwerpen tussen Engeland en koning Maximiliaan I, zegt Hendrik Maximiliaan een bedrag van 10 000 pond toe. Het geld is bedoeld voor een kruistocht.

**Juli.** In Napels bestrijden Frankrijk en Spanje elkaar. De Spanjaarden worden uit Cepignola en vervolgens uit Canossa verdreven.

**8 augustus.** Jacobus IV van Schotland trouwt met Margaretha Tudor. Het huwelijk moet de vrede tussen Schotland en Engeland waarborgen.

**Najaar.** Josquin des Prez wordt benoemd tot hofcomponist bij de hertog van Ferrara. →

**31 december.** Cesare Borgia bezet Urbino, nadat Franse troepen hem hebben geholpen de opstand van de Orsini's te onderdrukken.

- De Russen slaan het beleg voor Smolensk in het koninkrijk Litouwen. Koning Alexander van Polen is ook koning van Litouwen. De bondgenoten van de Russen, de Krim-Tataren, trekken door Galicië en Volynia.

- Venetië bezet Santa Maura, dat in Turkse handen was.

- In Estland overwint Wolter van Plettenberg, meester van de Teutoonse Ridders, de Russische troepen. Hierdoor is het voortbestaan van de ridderorden in Estland voor een halve eeuw verzekerd.

## Josquin des Prez kapelmeester aan hof van Ferrara

FERRARA, najaar - Na enige aarzeling heeft de hertog van Ferrara, Ercole d'Este, besloten de componist Josquin des Prez, bijgenaamd de 'prins der muziek', aan zijn hof te benoemen. Nadat in het voorjaar de functie van kapelmeester vacant was geworden, bleven er uiteindelijk twee kandidaten over: Heinrich Isaac, de hofcomponist van keizer Maximiliaan, en de Vlaming Josquin des Prez, die tot nu toe een betrekking had in de Sixtijnse Kapel in Rome.

Isaac genoot aanvankelijk de voorkeur; deze zeer produktieve componist werkte tot aan de dood van Lorenzo de' Medici in 1492 aan het hof in Florence. Na het optreden van de fanatieke hervormer Girolamo Savonarola in datzelfde jaar leek de kerkmuziek in Florence niet al te veel toekomst meer te hebben; Isaac bood zijn diensten aan de keizer aan. Hij componeerde de afgelopen jaren meer dan 300 polyfone zettingen van propria' (de wisselende gezangen tijdens een plechtige hoogmis, tegenover de vaste gezangen zoals Kyrie, Gloria enz.).

Isaac is niet alleen zeer produktief, maar bovendien ook erg 'goedkoop'. De secretaris van hertog Lorenzo de' Medici, Gian Gascon, schreef hierover in augustus van dit jaar het volgende: 'Mij lijkt Isaac geschikt, veel meer dan Josquin, omdat hij zich beter tussen zijn collega's gedraagt en vaker nieuwe werken aflevert. Het is inderdaad waar dat Josquin beter componeert, maar wel wanneer het hem uitkomt en bovendien vraagt hij 200 dukaten, terwijl Isaac genoegen neemt met 120.'

Het grote genie van Josquin bleek uiteindelijk meer overeenkomstig de status van de kapel van Ferrara. Josquin ontving zijn opleiding als koorknaap te Saint-Quentin. Later was hij een van de briljantste leerlingen van de in 1497 overleden Johannes Ockeghem en al vanaf 1459 als componist verbonden aan de meest prestigieuze Italiaanse kathedralen en hoven. Josquin is een vooruitstrevend toonkunstenaar: de woordaccenten van zijn teksten gebruikt hij als model voor zijn melodieën; hij componeert zogezegd op de tekst, hetgeen zijn muziek zeer expressief maakt. Vorig jaar nog verscheen van zijn hand bij de Venetiaanse muziekdrukker Ottaviano Petrucci een bundel missen.

De aanbevelingsbrief van Girolamo da Sestola, een van de vertrouwelingen van de hertog, van augustus dit jaar heeft de doorslag gegeven: 'Heer, ik geloof dat er geen heer of koning is die een betere kapel heeft dan de Uwe, als U tenminste Josquin in dienst hebt. Door het bezit van Josquin plaatst U de kroon op Uw kapel.'

# Hervorming in Oostenrijk

*Keizer Maximiliaan I van Oostenrijk (schilderij van Bernhard Strigel, 16de eeuw).*

OOSTENRIJK, 25 februari - Maximiliaan I heeft een nieuwe regeling uitgevaardigd voor het 'Niederösterreichisches Regiment'. Hij omschrijft daarin nauwkeurig de rechten en plichten van deze overheidsinstelling. Deze jongste verordening, die met name de juridische bevoegdheden van het 'Regiment' regelt, is een van de vele bestuurshervormingen die Maximiliaan doorvoert.

Het uit het Latijn stammende woord 'Regiment' betekent zoveel als 'heerschappij' of 'bestuur'. Met 'Regiment' wordt zowel het bestuurlijke apparaat zelf als het gebied dat daaronder ressorteert aangeduid. Maximiliaan heeft twee 'Regimenter' in het leven geroepen: 'Oberösterreich', waarin Tirol een belangrijke plaats inneemt, en 'Niederösterreich', bestaande uit het gewest Oostenrijk ter weerszijden van de Enns, Stiermarken, Karinthië en Krain. De taken van de 'Regimenter' liggen op het terrein van bestuur, rechtspraak, defensie en politie. De financiën worden beheerd door aparte diensten, de 'Raitkammern'. Dat afzonderlijke rekenkamers controle uitoefenen op politieke machthebbers is een ingrijpende staatkundige vernieuwing.

De Habsburgse erflanden zijn door Maximiliaan na lange tijd weer samengevoegd. Met de dood van Rudolf IV in 1365 waren de Habsburgse bezittingen uiteengevallen. Gedurende meer dan honderd jaar beschouwden de leden van de verschillende takken van het Habsburgse Huis hun deel van de erfenis als hun persoonlijk eigendom. Maximiliaan I introduceerde een andere staatsopvatting, die wellicht is geïnspireerd door het voorbeeld van Bourgondië. Maximiliaans uitgangspunt is het Romeinse recht, waarin de staatsidee overheerst. In deze gedachte gaat de regeringsmacht uit van één superieure heerser en vertakt zich op hiërarchische wijze naar beneden. Volgens Maximiliaan moeten de diverse gebieden van Oostenrijk hechter met elkaar verbonden worden door middel van een efficiënte organisatie.

Maximiliaan gaat zeer ver in zijn streven naar centralisatie. Van bovenaf worden regelingen getroffen voor de gilden, de jacht en de visserij, woningbouw, sanitaire voorzieningen en kerkelijke aangelegenheden.

Maar de Habsburgse erflanden vormen nog geen staat in de zin van het Romeinse recht. Vooral bij de standen, van oudsher de dragers van politieke verantwoordelijkheid, bestaat een sterke weerstand tegen Maximiliaans grootse plannen. Weliswaar voelen zij zich met het Habsburgse Huis verbonden en hebben zij een regionaal bewustzijn ontwikkeld, maar een nationaal besef bezitten zij nog niet. Vooral in het 'Regiment Niederösterreich' voelen de standen zich in hun rechten bedreigd door de nieuwe 'vreemde' instellingen. Maximiliaan beseft terdege dat zijn hervormingen indruisen tegen eerder verworven privileges en bestaand gewoonterecht. Hij probeert de standen van Oostenrijk boven en beneden de Enns gerust te stellen. Misschien dat zij aanvankelijk van de vernieuwingen het nut niet inzien, maar later zullen ze begrijpen dat de maatregelen vruchten afwerpen. In Maximiliaans eigen woorden: 'Denn nicht muglich ist, das sy solhs in dem anfannkh leidtlich versteen, angesen, das inen die sachen ganz neu ist, aber sy sullen ain ebenpild nemen, das die welt teglich geschikther wirdet, dann sy vor zeiten gewesen ist'.

---

**20 januari.** In Sevilla wordt de 'Casa de Contratacion' opgericht. Het koninklijk monopolie op de handel met 'Indië' wordt verleend aan de stad Sevilla.

**Maart.** Venetië en Turkije, sinds 1499 in oorlog, tekenen de vrede. Venetië geeft het bezit van Lepanto op maar behoudt een aantal eilanden in de Ionische Zee.

**18 augustus.** In Rome sterft paus Alexander VI, mogelijk door vergiftiging. →

**September.** Binnen de Russische Kerk ontstaat verschil van mening over het bezit van wereldlijke goederen. →

**30 oktober.** Isabella van Castilië laat een verordening uitgaan waarin zij aankondigt dat iedere gewelddaad tegen de Indianen streng zal worden gestraft. Tevens spreekt zij de wens uit dat de Indianen zich tot het katholieke geloof zullen bekeren.

**11 november.** Julius II wordt tot paus gekozen. Cesare Borgia wordt gevangengenomen en moet zijn veroveringen in de Romagna afstaan. Hij wordt vervolgens vrijgelaten en vlucht naar Napels.

**29 december.** De strijd tussen Frankrijk en Spanje om Napels wordt beslist in de Slag bij Garigliano. Gonzalo de Córdoba overwint hier de Fransen. Frankrijk trekt zich terug uit Zuid-Italië. Ferdinand van Aragón wordt koning van Napels.

- De Zwitserse kantons, sinds 1499 onafhankelijk van het Duitse Rijk, sluiten zich aaneen in de Zwitserse Bond. Het is een losse federatie.

- Polen en Rusland tekenen een wapenstilstand voor zes jaar. Ivan III van Rusland heeft Smolensk moeten opgeven, maar verwerft gebieden tussen Smolensk en Kiëv.

- De Venetiaanse drukker Aldo Manuzio waarschuwt voor het imiteren van zijn lettertypen. →

- De Portugezen onderwerpen het eiland Zanzibar voor de kust van Oost-Afrika. De sultan wordt schatplichtig.

- In Zweden overlijdt Sten Sture, die de feitelijke leiding had in de 'rad' van Zweden. Hij wordt opgevolgd door zijn neef Svante Nilsson.

- Ivan III verzoekt de Russische Kerk land aan hem af te staan. De Kerk weigert en de groothertog wil een conflict met de geestelijkheid vermijden.

- De Florentijnse kunstenaars Leonardo da Vinci en Michelangelo strijden om een opdracht. →

- Een Portugese expeditie onder leiding van Coelho verkent de Braziliaanse kust.

---

# Concilie Moskou voor kerkbezit

MOSKOU, september - De oproep van de heremiet Nil Sorski aan het kerkelijk concilie om af te zien van grond en andere rijkdom van kerken en kloosters, heeft grote deining veroorzaakt. Als reactie hierop heeft het concilie een resolutie aangenomen waarin de onvervreemdbaarheid van kerkelijk bezit opnieuw wordt bevestigd. Het ziet er echter niet naar uit dat hiermee het laatste woord over deze kwestie is gesproken.

In eerste instantie betreft het hier een verschil van ideeën binnen de Kerk, gepersonifieerd in de personen van Nil Sorski en Josif, de abt van het Volokolamsk-klooster. Nil Sorski en de andere Transwolga-heremieten (zo genoemd omdat zij in de kloosters aan de overzijde van de Wolga in het noordoosten leven) staan in de vroegchristelijke traditie. De ideale Kerk is volgens hen een Kerk die, niet gehinderd door wereldlijke verantwoordelijkheden, als een geestelijk en moreel baken in een slechte wereld kan dienen. Vandaar dat zij kloosterbezit afwijzen en het noodzakelijk vinden dat de monniken de gelofte van armoede naleven. Kerk en staat dienen onafhankelijk van elkaar te zijn. Een arme Kerk kan de tsaar recht in de ogen kijken en als moreel geweten fungeren. De staat, die in hun ogen op een lagere trap van de werkelijkheid staat, heeft geen recht om zich in religieuze zaken te mengen. Nil Sorski en zijn medestanders, ook wel de 'niet-bezitters' genoemd, leggen voorts de nadruk op contemplatie en het innerlijk geestelijk licht.

Hiertegenover staat de conservatieve visie, zoals die onder meer door Josif van Volokolamsk wordt vertolkt en die in de Byzantijnse traditie staat. Josif en de andere 'pro-bezitters' ('ljoebostjazjateli') geloven in een nauwe band tussen een autocratische heerser en de Kerk. De Kerk moet rijk zijn teneinde haar verschillende taken, waaronder liefdadigheid, naar behoren te kunnen uitvoeren. De partij van Josif beschouwt de vorst als de natuurlijke beschermer van de Kerk met haar land en privileges. In ruil hiervoor komt de vorst de volledige steun van de Kerk toe. Zijn gezag is niet beperkt tot louter wereldlijke zaken, maar strekt zich ook uit tot het bestuur van de Kerk.

De monarchie neemt in deze kwestie een ambivalente positie in. De politieke filosofie van de jozefieten, waarin de Kerk als collaborateur van de staat wordt beschouwd, past goed in het opkomend absolutisme van Moskou. Aan de andere kant biedt de opvatting van Nil Sorski en de zijnen de monarchie uitzicht op het verkrijgen van enorme hoeveelheden grond. En de staat heeft dringend behoefte aan grond om aan de dienstadel in leen te geven.

*Portret van Lucrezia door Lucas Cranach de Oude (München).*

# Alexander VI overleden

ROME, 18 augustus - In Rome is op ongeveer tweeënzeventigjarige leeftijd paus Alexander VI overleden, al bij zijn leven een van de meest controversiële pausen uit de geschiedenis van de Kerk.

Rodrigo Borgia had zijn benoeming tot kardinaal in 1456 en tot aartsbisschop van Valencia in 1458 te danken aan zijn oom, paus Calixtus III (1455-1458). Hij deed na 1456 herhaaldelijk pogingen paus te worden, maar faalde daar, dank zij omkoping op grote schaal van collega-kardinalen, pas in 1492 in; het feit dat de kardinaal vader was van ten minste vier bastaardkinderen vormde geen beletsel.

Sensueel plezier en corruptie, nepotisme en verkoop van kerkelijke titels en ambten waren bij het aantreden van Borgia als paus wijdverbreid binnen de Curie en binnen de Kerk in het algemeen. Maar nooit tevoren heeft een paus zich dermate schaamteloos aan dergelijke praktijken overgegeven als Alexander VI.

En al zijn beschuldigingen als zou Alexander persoonlijk moorden hebben begaan en incest hebben bedreven met zijn onwettige dochter Lucrezia Borgia waarschijnlijk onwaar - een re-sultaat van de xenofobie waarmee deze Spaanse paus in Rome werd geconfronteerd -, toch staat vast dat Alexander en zijn Catalaanse handlangers zich in het Vaticaan hebben misdragen. Hij bevorderde actief de carrières van zijn kinderen Lucrezia en vooral Cesare Borgia, liet de meedogenloze militaire campagnes van zijn zoon Cesare toe, liet Lucrezia's tweede echtgenoot vermoorden, joeg hem vijandig gezinde kardinalen Rome uit, verwekte zelfs na de pauskeuze kinderen en intrigeerde al dan niet met de Franse invallers tegen rivaliserende families.

Hoewel Alexander zeker kwaliteiten had als beschermheer van kunsten en wetenschappen, bewaker van de doctrine en als bestuurder, heeft hij de Kerk veel schade toegebracht, niet alleen door de slechte reputatie van zijn persoon, maar ook door zijn verzet tegen kerkhervormingen. Alleen na de moord op zijn oudste zoon, Juan hertog van Gandia, in 1497 heeft Alexander zich enige tijd ingespannen ten behoeve van enkele hervormingen en voor uitbanning van de corruptie waarvan hij zelf het symbool was. Maar die pogingen werden al snel gestaakt.

# Inbreuk op patent Manuzio

VENETIE - De meesterdrukker en uitgever Aldo Manuzio heeft een waarschuwing doen uitgaan tegen de namaak van zijn beroemde lettertypen. Deze waarschuwing is vooral bedoeld voor de drukkers uit Lyon, die herhaaldelijk proberen zijn 'corsivo' (cursief) en kleine letter te evenaren. Manuzio beroept zich op het patent dat de Senaat van Venetië hem verleend heeft. Venetië is de eerste staat, die (vanaf 1474) zijn uitvinders een wettelijke bescherming biedt.

Twee jaar geleden introduceerde Manuzio de cursieve letter die hij gebruikte bij de druk van Vergilius' verzamel-de werk. De letter, een imitatie van de geschreven letter, werd door Manuzio 'corsivo' gedoopt, maar is bekend geworden als de 'italic'. Ook heeft de drukker het patent gekregen voor zijn 'kleine letter' in het Romeinse schrift, waarvoor zijn zetters een aparte kast (de 'onderkast') hebben ontworpen.

Bij het publiek is de uitgeverij vooral bekend om de introductie van kleine boeken, die licht van gewicht zijn. Manuzio drukt deze boeken in relatief grote oplagen, waardoor de prijs laag kan blijven en meer mensen zich een werk van een klassieke schrijver kunnen aanschaffen.

# Strijd om kunstopdracht

*De Pietà van Michelangelo Buonarotti.*

FLORENCE - Leonardo da Vinci en Michelangelo strijden om de opdracht een gebeurtenis uit de geschiedenis van Florence te vereeuwigen. Het winnende kunstwerk zal de raadzaal van het Palazzo Vecchio moeten sieren.

Michelangelo heeft een ontwerp ingediend voorstellende de Slag bij Cascina, waar de Florentijnen in 1364 het leger van Pisa versloegen. Leonardo da Vinci heeft als onderwerp voor zijn fresco de overwinning van de Florentijnen op de Milanezen bij Anghiari in 1440 gekozen.

De 51-jarige Leonardo da Vinci en de 23 jaar jongere Michelangelo, die beiden al grote bekendheid genieten vanwege respectievelijk *Het Laatste Avondmaal* (Milaan, 1498) en de in 1501 voltooide *Pietà* (Sint-Pieter, Rome), hebben gebroken met het strenge realisme uit het begin van het 'Quattrocento'. Een duidelijk voorbeeld daarvan is de onlangs door Michelangelo voltooide *David* (Piazza della Signoria, Florence), waarin de schoonheid van het lichaam een afspiegeling is van de schoonheid van de ziel, een opvatting die men ook in de oudheid huldigde.

# Koningin Isabella van Castilië overleden

MEDINA DEL CAMPO, 26 november - Koningin Isabella van Castilië is overleden. Op 12 oktober, de twaalfde verjaardag van de landing van haar beschermeling Columbus in Amerika, had zij haar testament getekend. Al enige tijd was duidelijk dat de 53-jarige vorstin niet meer zou herstellen van de koortsaanvallen waaraan zij sinds de zomer leed.

Het testament van Isabella bevat niet alleen haar politieke wilsbeschikking, maar is ook bedoeld als leidraad voor de toekomstige heersers over Castilië, en vooral voor haar dochter Johanna, die al eerder bij het ontbreken van een mannelijke troonopvolger als universeel erfgename is aangewezen.

Het is echter zeer onzeker of Johanna ooit daadwerkelijk zal regeren. Bekend is dat de troonopvolging de vorstin van zorg vervulde, omdat haar dochter sinds haar tweede zwangerschap tekenen van geestesziekte vertoont. Een belangrijke bepaling in het testament is dan ook dat bij afwezigheid of onbekwaamheid van Johanna, Isabella's gemaal, koning Ferdinand van Aragón, in Castilië als regent zal optreden, totdat Johanna's oudste zoon Karel, geboren uit haar huwelijk met Filips de Schone, erfgenaam van Oostenrijk en de Nederlanden, de meerderjarigheid bereikt.

In haar testament heeft Isabella voorts bepaald dat in Castilië geen vreemdelingen mogen worden benoemd in wereldlijke of kerkelijke ambten - niet onwaarschijnlijk is dat zowel Ferdi-

*Johanna de Waanzinnige (portret door Juan de Flandes, 16de eeuw).*

nand van Aragón als Johanna's gemaal Filips zijn invloed in Castilië zou willen vergroten door de benoeming van eigen vertrouwelingen - en doet zij de oproep in Afrika en elders de kruis-

tocht tegen de ongelovigen voort te zetten. Ook smeekt zij haar gemaal de Indiaanse bevolking in de Amerikaanse gebiedsdelen, die bij de kroon van Castilië horen, rechtvaardig te behandelen. Tot slot spreekt zij de wens uit in Granada begraven te worden. Met de verovering van deze stad op de Moren in 1492 werd immers door Ferdinand en Isabella de vereniging van Spanje voltooid.

De verschillende gebiedsdelen zijn echter nog verre van een politieke eenheid, al hebben de katholieke koningen maatregelen genomen om het staatsgezag te versterken. Zij zijn erin geslaagd de invloed van de onafhankelijke hoge adel en de steden terug te dringen door de parlementen van de afzonderlijke gebiedsdelen minder vaak bijeen te roepen, adellijke raadgevers te vervangen door een apparaat van geschoolde ambtenaren, en de stedelijke ordetroepen, de 'Hermandades', om te vormen tot een politieleger in dienst van de staat. De verschillende gebieden hebben echter een groot deel van hun oude wetten en vrijheden behouden.

De eenheid van Spanje heeft vooral gestalte gekregen in de eenheid van geloof: de katholieke Kerk en de inquisitie zijn de enige nationale instellingen in het land. Daarom gaat de binnenlandse kruistocht tegen allen die de religieuze en daarmee de nationale eenheid bedreigen, door. De aandacht van de inquisitie blijft vooral uitgaan naar de bekeerde joden en de maranen, de afstammelingen van de Moren.

# Frankrijk geeft Napels definitief prijs

NAPELS, 31 maart - Met de ondertekening van een wapenstilstand met Spanje, die drie jaar moet duren, heeft de Franse koning Lodewijk XII zich bij de feiten neergelegd: Napels is en blijft Spaans.

Frankrijk en Spanje hadden na de succesvolle Franse invasie in Noord-Italië in 1499 en 1500 op 11 november 1500 het Verdrag van Granada ondertekend, waarin het koninkrijk Napels tussen beide machten werd verdeeld. De Fransen stuurden in juni 1501 een leger naar Napels dat koning Frederik spoedig tot overgave dwong en het de Fransen toegewezen deel van Napels bezette.

Maar al snel bleek de consolidatie van de verovering moeilijker dan de verovering zelf: de Franse en Spaanse bezettingslegers raakten op diverse punten slaags en na een opstand in de stad trokken in april vorig jaar Spaanse troepen Napels binnen.

In januari van dit jaar werden de Fransen ook uit hun laatste bastion, Gaeta, verdreven, zonder dat daar overigens oorlog op grote schaal voor nodig is geweest: Lodewijk XII heeft zich zeker

*Lodewijk XII van Frankrijk trekt een Italiaanse stad binnen (16de-eeuwse miniatuur van Jean Bourdichon; Bibliothèque Nationale, Parijs).*

niet ingespannen om Napels te behouden en met de ondertekening van de wapenstilstand heeft hij het Zuiditali-

aanse koninkrijk dan ook in feite opgegeven. Voor Frankrijk is het bezit van Lombardije van veel groter belang.

**14 juni 1505.** De Poolse koning Alexander geeft in Radom de Poolse adel ruimere bevoegdheden. →

**November.** Ferdinand van Aragón tekent met Castilië het Verdrag van Salamanca. Ferdinand zal samen met zijn dochter Johanna en zijn schoonzoon Filips in Castilië regeren.

**-** Peter Henlein uit Neurenberg vervangt het gewicht van de klok door een veer en is hierdoor in staat het eerste horloge te maken.

**Maart 1506.** Door het huwelijksverdrag voor Anna van Hongarije en Ferdinand van Habsburg, verbindt Maximiliaan zijn huis met dat van Hongarije. Ferdinand is de jongere broer van Karel (V).

**30 april.** Filips van Bourgondië sluit een handelsverdrag met Engeland, dat zo ongunstig voor de Nederlanden is, dat het verdrag het 'Malus Intercursus' wordt genoemd.

**Mei.** De Staten-Generaal van Frankrijk, in Tours bijeen, gaan niet akkoord met het huwelijksverdrag voor Claudia van Bretagne en Karel, erfgenaam van Bourgondië en Castilië.

**Juli.** Filips en Johanna worden door de Cortes van Castilië als koning en koningin erkend.

**25 september.** Filips van Bourgondië sterft in Burgos. Zijn oudste zoon Karel volgt hem op als koning van Castilië, naast zijn moeder, die koningin blijft.

**7 oktober.** Paus Julius II bezet Bologna met hulp van Franse troepen. De territoriale macht van de paus is hiermee op haar hoogtepunt.

**-** Machiavelli vormt de Florentijnse militie, het eerste nationale leger in Italië.

**-** In Chosun [Korea] komt een einde aan het tirannieke bewind van koning Yonsangun. →

**April 1507.** De Staten-Generaal der Nederlanden erkennen Margaretha van Oostenrijk als landvoogdes.

**5 juni.** Engeland en de Nederlanden tekenen een nieuw handelsverdrag. Dit verdrag is gunstiger voor de Nederlanden dan het verdrag van 1506.

**Juli.** Ferdinand van Aragón, terug uit Italië, onderdrukt in Spanje de pro-Habsburgse partij.

**6 februari 1508.** In de Dom van Trente laat Maximiliaan zich kronen als Heilige Roomse Keizer.

**10 december.** Keizer Maximiliaan, Frankrijk en de paus sluiten de Liga van Kamerijk tegen Venetië.

# Adel domineert het parlement in Polen

RADOM, 14 juni 1505 - De Poolse koning heeft tijdens een zitting van het parlement in Radom al zijn concessies aan het Hogerhuis (Senaat) ingetrokken en de eisen van het Lagerhuis aanvaard: vanaf vandaag zijn de senatoren niet alleen verantwoording schuldig aan hun gelijken en aan de koning, maar ook aan de vertegenwoordigers van de adel in het Lagerhuis. Bovendien kan vanaf vandaag geen wet van kracht worden zonder toestemming van beide huizen. De absolute controle van de adel over de wetgeving is op deze manier een feit geworden.

De edellieden gebruiken hun superieure positie om hun privileges in het land te versterken. Ze hebben al een monopoliepositie op het gebied van landeigendom, regering, bestuur en het politieke leven. Ze genieten feitelijke onschendbaarheid door de wet.

De stadsbewoners zijn sinds tijden verplicht hun landbezittingen aan de edellieden te verkopen. Nu heeft de adel een serie wetten in voorbereiding die een vrijwaring van belastingen op goederen voor eigen gebruik, de superioriteit van adellijke rechtbanken boven de kerkelijke, het volledig ontnemen van alle rechten aan de boeren en binding van de boeren aan hun heer inhouden.

# Yonsangun treedt af na opstand

SEOEL, 1506 - Een opstand onder leiding van vaderlandslievende ministers en intellectuelen heeft een einde gemaakt aan de tirannieke regering van koning Yonsangun. Zijn jongere broer Choongjong heeft hem opgevolgd.

Onder de regering van de vader van Yonsangun, Sungjong, heeft het Koreaanse volk een tijd van voorspoed gekend. Zijn bestuurlijke inzicht en de toewijding waarmee hij zich van zijn taak kweet werden alom geprezen. Ook zijn afkeer van plechtigheden en zijn contact met de bevolking maakten hem tot een beminnelijke vorst.

Zijn zoon was in alle opzichten het tegendeel van zijn vader. Hij was hooghartig en spilziek en bekommerde zich nagenoeg niet om de bevolking en het landsbestuur. Hij was slechts geïnteresseerd in vrouwen, feesten en theatervoorstellingen. Yonsangun ging hierin zover dat hij de Sunggyongwan tot ontvangsthal voor zijn vriendinnen liet verbouwen. De Wongak-sa-tempel in Seoel werd een pretpark met dansvoorstellingen van vrouwen. Zijn afkeer van alles wat met boeken en intelligentsia te maken had, bleek toen hij in 1498 een grote groep intellectuelen liet vermoorden nadat de satirische schrijver Kim Chong Jik Yonsanguns politiek tot onderwerp van zijn spot had gemaakt.

**18 maart.** Margaretha krijgt een volmacht van Maximiliaan om in de Nederlanden zelfstandig te regeren totdat aartshertog Karel meerderjarig zal zijn.

**7 april.** Frankrijk verklaart Venetië de oorlog. Venetië doet een poging om de Liga van Kamerijk te breken door de paus Rimini en Faenza aan te bieden. De paus gaat niet op het aanbod in.

**21 april.** Hendrik VIII wordt koning van Engeland na de dood van Hendrik VII. →

**25 april.** Hendrik VIII belooft 'belastingen terug te betalen die onder zijn vader zijn afgeperst'. Het Engelse parlement eist vervolgens dat de ministers van Financiën onder Hendrik VII, Richard Empson en Edmund Dudley, worden gestraft. Zij hadden vooral de adel zwaarder belast.

**27 april.** Paus Julius II excommuniceert de Republiek Venetië uit de Heilige Roomse Kerk.

**14 mei.** Bij Agnadello worden de Venetianen door Franse troepen verslagen. De Fransen beheersen nu heel Noord-Italië. →

**Mei.** Spaanse troepen, onder bevel van kardinaal Cisneros, veroveren Oran in Algerije.

**11 juni.** Hendrik VIII trouwt met Catharina van Aragón, de weduwe van zijn broer Arthur.

**Juni.** Florence bezet Pisa.

**17 juli.** Venetië herovert Padua op Maximiliaan.

**12 oktober.** Keizer Maximiliaan trekt zich terug uit Italië en krijgt in ruil hiervoor het bezit van Tirol.

**-** Spanje stuurt 2000 kolonisten naar 'Indië'. Onder hen is Vasco Núñez de Balboa die zich in het noordwesten van Colombia vestigt.

**-** In de Slag bij Diu verslaat de Portugese vloot de verenigde vloot van Egypte en Gujarat. Hiermee is het belang aangetoond van oorlogsschepen die de Portugese handel kunnen beschermen. De Portugezen controleren de handel in de Indische Oceaan in toenemende mate.

**-** Afonso de Albuquerque volgt De Almeida op als Portugees gouverneur in India. De Portugezen proberen zich niet te mengen in inheemse oorlogen in de veroverde gebieden. Zij bouwen forten op de kust.

Gestorven:

**20 mei.** Catharina Sforza (1463), hertogin van Forli

*De overleden koning Hendrik VII.*

# Hendrik VIII koning Engeland

RICHMOND, 22 april - In het koninklijk paleis te Richmond bij Londen is koning Hendrik VII, na een bewind van 24 jaar, overleden. Zijn tweede zoon Hendrik (VIII) volgt hem op.

De regering van Hendrik VII ving aan in een periode van grote onrust, de Rozenoorlogen, die de hogere adel sterk had verzwakt. Voor de koning, gesteund door de lagere adel en de opkomende steden, ontstond daardoor meer ruimte voor de machtsuitoefening.

Hendrik had aanvankelijk nog wel te maken met aanspraken van vermeende troonpretendenten. Zo gaf de Doornikse jongeman Perkin Warbeck (circa 1474-1499) - daarin graag gesteund door Frankrijk - zich uit voor Richard, de broer van koning Edward V. Hij eindigde op het schavot te Tyburn.

Rond 1500 had koning Hendrik VII echter al zijn visitekaartje afgegeven. Zijn financieel beleid legde een degelijke basis voor de economie van het drie miljoen inwoners tellende land. Bovendien bevorderde hij de uitvoer van Engelse goederen en werd de nijverheid beschermd. Een voorbeeld hiervan was het in 1496 gesloten handelsverdrag met Filips de Schone, de 'Intercursus Magnus' (grote bemiddeling). Dit stond de Engelsen toe in de Nederlanden (buiten Vlaanderen) vrij lakenhandel te drijven.

Maar bij de grote ontdekkingen miste Engeland de boot. Brieven van Columbus aan Hendrik waarin hij steun voor zijn westelijke tocht naar Azië vroeg, bleven onbeantwoord. De Genuees John Cabot (circa 1455-1498) kreeg wel een patent van de koning. Ondanks zijn ontdekking van Newfoundland werd deze onderneming niet geëffectueerd. Het initiatief in de Nieuwe Wereld werd aan Spanje en Portugal overgelaten.

De rechtspraak werd aan de hoge edelen onttrokken en aan een nieuwe koninklijke raad toevertrouwd. Doordat deze juristen te Westminster bijeenkwamen in een zaal met een sterretjesplafond, ging men van 'Star Chamber' spreken.

# Grote nederlaag Venetië

*'Het wonder van het kruis', schilderij van Gentile Bellini (1500, Venetië).*

AGNADELLO, 14 mei - Een gecombineerde strijdmacht onder leiding van de Franse koning Lodewijk XII heeft bij Agnadello aan de Adda het 40000 man tellende leger van Venetië verslagen. Daarmee is afgerekend met de Venetiaanse republiek, die de afgelopen vijftien jaar zo machtig was geworden dat de Liga van Kamerijk werd gevormd om met haar af te rekenen.

Al sinds 1501 hebben Lodewijk XII en keizer Maximiliaan overwogen tegen Venetië in actie te komen. In Kamerijk werden te dien einde in december 1508 twee verdragen gesloten: de keizer en de koning sloten een vredesverdrag en daarnaast werd voor actie tegen Venetië de steun verkregen van paus Julius II - wiens Pauselijke Staat door de machtsuitbreiding van Venetië wordt bedreigd -, Spanje, Florence en andere Italiaanse staten.

Daarbij werd overeengekomen dat al deze staten op 1 april van dit jaar tegen Venetië in actie zouden moeten komen. De buit werd al verdeeld: Verona voor de keizer, Brescia voor Frankrijk, Ravenna voor de paus, Otranto voor Spanje.

Julius II (Giuliano della Rovere), paus sinds 1503, een buitengewoon ambitieus en intelligent man, lijkt bij de Liga van Kamerijk het meest te winnen. Hij kan gadeslaan hoe de Fransen en de Duitse keizer zich tegen Venetië uitputten en hoe Venetië, de belangrijkste rivaal op het Italiaanse schiereiland, wordt gekortwiekt.

Lodewijk XII trok op 16 april als eerste de Alpen over om Venetië te gaan bestrijden. Voor het eerst had hij de beschikking over een nationale infanterie in plaats van Zwitserse huurlingen, die langzamerhand berucht zijn om hun onbetrouwbaarheid.

Hoewel de Venetianen met 40000 man en veel artillerie over een zeer sterke strijdmacht beschikten, verloren ze de slag. Dat kwam vooral door het gebrek aan coördinatie tussen de twee belangrijkste legerleiders, Pittigliano en Alviano, van wie de eerste een terugtrekkende beweging maakte op het moment waarop de tweede roekeloos aanviel.

De Venetiaanse nederlaag betekent het einde van de ambities van de republiek in Italië zelf. Maar Frankrijk kan van de zege niet profiteren. Keizer Maximiliaan kan door geldzorgen niet aan zijn verplichtingen voldoen en de uiteindelijke winst is voor Frankrijk gering. Het is vooral paus Julius, de grootste levende staatsman van het moment, die profiteert.

*Leonardo Loredan, doge van Venetië.*

---

# 1510

**24 februari.** De paus maakt de excommunicatie van Venetië ongedaan. Venetië herstelt hierop de pauselijke rechten en staat de bewoners van de Pauselijke Staten de vrije vaart in de Golf van Venetië toe.

**Februari.** Paus Julius II treedt uit de Liga van Kamerijk nadat de conflicten tussen de paus en Frankrijk zijn toegenomen.

**1 maart.** De 60-jarige De Almeida sneuvelt in een gevecht met de Hottentotten bij de Tafelbaai. De Almeida was op weg naar Portugal.

**Maart.** Paus Julius II verklaart Ferrara, een bondgenoot van Frankrijk, de oorlog.

**Mei.** De paus neemt 15 000 Zwitserse soldaten in dienst en bezet daarop Modena.

**Juli.** Ferdinand van Aragón wordt door de paus officieel als koning van Napels erkend. De paus verzekert Aragón zo van zijn steun in Aragons strijd tegen Frankrijk.

**17 augustus.** In Londen worden Richard Empson en Edmund Dudley onthoofd. Zij waren onder Hendrik VII verantwoordelijk voor de staatsfinanciën.

**September.** In Frankrijk roept Lodewijk XII een synode van Franse bisschoppen bijeen. De synode verzoekt de paus om een algemeen concilie bijeen te roepen. Tevens verklaren de bisschoppen dat een oorlog van Frankrijk tegen de paus gerechtvaardigd is.

**Oktober.** De Zwitserse troepen weigeren nog langer te vechten voor de paus, omdat afgesproken zou zijn dat zij niet tegen Frankrijk zouden worden ingezet.

**December.** Pauselijke troepen verdedigen Bologna tegen een aanval van de Fransen.

- Sjah Isma'il van Perzië verslaat Mohammed Sheibani, sultan in Afghanistan, en hij verovert Herat, Balkh en Sjiwa in Afghanistan.

- In Noord-Afrika bezetten de Spanjaarden Bougie, Tunis en Tripoli.

- Portugal verovert Goa, dat het centrum van de Portugese macht in India wordt. →

- In Duitsland verschijnt de eerste verhalenbundel over de avonturen van Tijl Uilenspiegel. →

Gestorven:

**1 maart.** Dom Francisco de Almeida (1450), Portugees zeevaarder en gouverneur in India
**17 mei.** Sandro Botticelli (1444), Florentijns schilder →
**25 mei.** George d'Amboise (1460), Frans kardinaal en staatsman
**25 oktober.** Giorgione (1478), Venetiaans schilder →

---

# Portugese vloot bevrijdt Goa van moslemgezag

GOA - Dom Afonso de Albuquerque vice-koning van Portugal in de Oost heeft de belangrijke havenstad Goa halverwege Bombay en Kaap Comorin, veroverd. Bij de overname is geen bloed gevloeid. De verdediging van de stad sloeg op de vlucht, terwijl de bevolking, voornamelijk bestaande uit hindoes, zich maar al te graag bevrijd zag van een wrede moslemoverheersing en de Portugezen met open armen ontving.

Goa, eigenlijk een eilandje in de monding van twee rivieren, hoorde in de 14de eeuw bij het koninkrijk Vijayanagar dat op het zuidelijke Dekkanplateau ligt. Na een korte periode van onafhankelijkheid werd het ingenomen door de koning van Bijapur, het achterland van Goa. Uit naam van deze koning werd Goa bestuurd door een fanatieke moslem die zijn hindoe onderdanen onderdrukte. Vlak voor dat Afonso de Albuquerque Goa innam, voorspelde een yogi, een asceet die yoga in praktijk brengt, dat vreemdelingen uit een ver land Goa zouden veroveren.

Dom Afonso de Albuquerque deed op 18-jarige leeftijd mee aan een militaire expeditie in Marokko. Daarna maakte hij vele omzwervingen over de wereld. Na de ontdekking door Vasco da Gama van een directe zeeroute om Kaap de Goede Hoop naar India, hield Albuquerque de Portugese koning Emanuel voor dat het voor Portugal van belang was de mohammedaanse handel met India te beëindigen. Daarvoor moesten de handelsroutes die via de Rode Zee en de Perzische Golf liepen vernietigd worden.

De koning was onder de indruk van zijn voorstel en stuurde Albuquerque met vijf schepen naar de Oost. Om zijn plannen ten uitvoer te brengen viel hij onder meer het eiland Ormoez, in de Perzische Golf, aan. Hij wilde er na de verovering een fort bouwen, maar toen zijn mannen begonnen te muiten besloot hij door te varen naar India om er zijn vice-koningschap over de Portugese bezittingen aldaar op zich te nemen. Zijn politiek was erop gericht vrienden te maken onder de hindoe koningen en de moslems te verdrijven. In Portugal had hij de Moren leren haten en met dezelfde haatgevoelens ging hij de Indische moslems te lijf. Dit jaar verzamelde Albuquerque 1000 soldaten op een vloot van 23 schepen waarmee hij Socotra aan de Rode Zee wilde gaan aanvallen. Een hindoepiraat, Timoja genaamd, bracht hem echter op het idee de havenstad Goa aan te vallen, dat na de dood van zijn mohammedaanse leider in een staat van chaos verkeerde. De stad wordt nu hoofdstad van het Portugese rijk in India.

# 1511

## Venetië verliest twee schilders

VENETIE, 25 oktober - De Venetiaanse schilder Giorgione is op 32-jarige leeftijd overleden. Eerder dit jaar stierf op 66-jarige leeftijd de Florentijnse schilder Botticelli.

Anders dan in Florence is de economische bloei in Venetië niet direct van invloed geweest op het culturele leven. Venetië was immers al sinds de 14de eeuw het knooppunt van de handel op de Levant en van de doorvoer van oosterse produkten naar West- en Noord-Europa. Na de verovering van Constantinopel door de Turken in 1453 werd het, met zijn 1,7 miljoen inwoners, de machtigste christelijke staat aan de Middellandse Zee.

Vele geleerden vluchtten uit Constantinopel naar Venetië, waar naast een eigen humanistenschool een levendige handel in boeken van de grond is gekomen. Na de internationale belangstelling die de San Marco en het Palazzo Ducale ten deel is gevallen, is de beurt nu aan de Venetiaanse schilderkunst. Botticelli sloeg een duidelijk eigen weg in, waarmee hij afstand nam van het naturalisme van veel van zijn voorgangers uit Florence. Dit is bijvoorbeeld zichtbaar in zijn geïdealiseerde *Geboorte van Venus*. Gentile Bellini werd zelfs uitgenodigd in Constantinopel de kamers van de sultan met erotische schilderingen te versieren.

Giorgione behoorde tot de leerlingen van Bellini, net zoals de veelbelovende jonge schilder Titiaan met Giorgione werkte om de Venetiaanse traditie voort te zetten. Want de manier waarop Giorgione bijvoorbeeld in *Het onweer* zijn figuren deel laat uitmaken van een landschap met bomen, steden en een dreigende lucht, in plaats van de omgeving te ensceneren rond de personen, zoals vroeger gebruikelijk was, toont een originele Venetiaanse school.

## De avonturen van Tijl Uilenspiegel

DUITSLAND - De eerste verzameling van de mondeling overgeleverde avonturen van Tijl Uilenspiegel is onder de titel *Ein kurtzweilig lesen von Dyl Ulenspiegel* verschenen. Daar in de 93 avonturen van deze legendarische ietsnut werkelijk niemand ontzien wordt, is het niet verwonderlijk dat de samensteller van het boek anoniem blijft. Karakteristiek voor het handelen van Tijl Uilenspiegel is dat hij iedere opdracht, weddenschap of zegswijze letterlijk opvat, zonder naar de betekenis van de woorden te zoeken. Deze handelwijze leidt telkens weer tot bespotting van en fysieke of materiële schade voor zijn tegenstander. De vaak wrede grappen van deze schalk tonen de lezer de discrepantie tussen woorden en daden van mensen.

---

**Januari.** Pauselijke troepen bezetten Mirandola.

**Februari.** Gian Trivulzio, bevelhebber van Franse troepen, herovert Mirandola op de paus.

**16 mei.** De Franse bisschoppen verzoeken de paus nogmaals een algemeen concilie bijeen te roepen. Het concilie zou in Pisa gehouden moeten worden.

**Juni.** Bij de Parijse uitgever Gilles de Gourmont verschijnt *Laus stultitiae* (Lof der zotheid).→

**24 augustus.** De Portugezen bezetten Malakka. De sultan van Malakka wordt schatplichtig.→

**1 september.** In Pisa komt een concilie bijeen zonder dat de paus daarvoor toestemming heeft gegeven. Het concilie moet naar Milaan verhuizen, omdat Florence niet toestaat dat een dergelijk concilie in Pisa wordt gehouden.

**5 oktober.** Paus Julius II sluit een verbond met Ferdinand van Aragón, Venetië en het Zwitsers Bondgenootschap tegen Frankrijk. Het doel van deze 'Heilige Liga' is de Fransen uit Italië te verdrijven.

**13 november.** Engeland sluit zich aan bij de 'Heilige Liga' en mengt zich zo in de Europese politiek.

**17 november.** Engeland en Spanje tekenen een offensief verbond tegen Frankrijk. Zij zullen proberen gezamenlijk Navarra en Guyenne te veroveren.

**November.** Een Hollands-Engelse troepenmacht belegert Venlo om Karel van Gelre tot overgave te dwingen. Na korte tijd moet zij het beleg echter opgeven.

- De Portugezen bezetten de Molukken, de specerij-eilanden.

- Tussen Rusland en Polen breekt opnieuw een oorlog uit. De strijd speelt zich vooral rond Smolensk af.

- Albrecht Hohenzollern van Brandenburg-Ansbach wordt gekozen tot Hoogmeester van de Teutoonse Ridders. Hij wordt hierdoor, behalve hertog van Brandenburg ook Hoogmeester in Oost-Pruisen. De Teutoonse Ridders hebben Albrecht gekozen omdat zij hopen dat een vorstenzoon meer steun van de andere Duitse vorsten in hun strijd tegen Polen zal krijgen.

- De Spanjaard Diego Velasquez sticht een nederzetting op Cuba, waar tabak en suiker worden verbouwd.

- Een Nederlandse vloot van vrachtschepen wordt door een vloot van Lübeck aangevallen en geconfisqueerd. Lübeck wil zo het handelsmonopolie van de Hanze in de Baltische landen beschermen.

---

# 'Lof der zotheid' verschijnt

*Erasmus van Rotterdam aan zijn lessenaar (door Hans Holbein; Louvre, Parijs).*

PARIJS, juni - Bij de Parijse uitgever Gilles de Gourmont is een boek verschenen dat alom de aandacht trekt. Het heet *Laus stultitiae* (Lof der zotheid). De schrijver is de 42-jarige Desiderius Erasmus, een man uit de Lage Landen die een kleine twintig jaar geleden de *Adagia* uitgaf, een verzameling spreekwoorden waarin zowat alles met enige spot bekeken wordt.

Erasmus staat bekend als een bewonderaar van de klassieke letteren en een kritisch christen. Hij is tot priester gewijd maar lijkt daaraan weinig waarde te hechten; in ieder geval oefent hij het ambt niet uit. In plaats daarvan zwerft hij door Europa en op een van die reizen, twee jaar geleden, kwam het idee voor de *Lof der zotheid* bij hem op. In Londen heeft hij zijn fantasieën in acht dagen tijd in het huis van zijn vriend Thomas More opgeschreven. Aan deze Engelse humanist is het werk dan ook opgedragen.

In het voorwoord schrijft Erasmus dat 'het begaafde schrijvers altijd is toegestaan met de maatschappij de spot te drijven', maar dat het hem in deze toespraken van de zot eerder om 'amusement dan satire' te doen is. In de schijnbaar dwaze redevoeringen worden alle zogenaamd niet-dwaze mensen (theologen en echtgenoten, pausen en krijgslieden) belachelijk gemaakt en blijft er eigenlijk nog maar één waarheid over - die is dan tevens de laatste zin van het boek: 'Daarom vaarwel, betoon uw bijval, geniet van het leven en drink, gevierde dienaren der zotheid.'

# Portugal bezet Malakka

*Aziatische boeren plukken specerijen voor een Europese handelaar (circa 1500).*

MALAKKA, 24 augustus - Portugese troepen onder leiding van Afonso de Albuquerque hebben Malakka ingenomen en geplunderd. Na een eerste mislukte aanval op 25 juli, werd op 10 augustus na een vernietigend bombardement de strategische brug over de rivier (die de stad in tweeën deelt) bezet. Vanuit deze versterking werd de beslissende aanval uitgevoerd. Mahmoed Shah, de zwakke en impopulaire sultan wiens troepen op grote schaal deserteerden, wist met zijn gevolg te ontkomen.

De onverwacht snelle ondergang van het machtige handelsrijk Malakka, dat beide zijden van de Straat van Malakka beheerste en het grootste handelscentrum in Zuidoost-Azië was, werd veroorzaakt door de volgende factoren: grotere vuurkracht van de Portugese kanonnen; onbetrouwbaarheid van het huurlingenleger van Malakka; verdeeldheid en kliekvorming aan het hof en ontevredenheid onder de niet-moslemhandelaren (Javanen, Chinezen) over het inefficiënte en corrupte Maleise bestuur.

Dank zij de reis van Vasco da Gama (1498) waren de Portugezen op de hoogte van het belang van Malakka voor de specerijenhandel. Het was hun doel deze handel zelf in handen te krijgen en zonder tussenkomst van mos-

lems de felbegeerde kruidnagel, foelie, nootmuskaat etc. naar Europa te vervoeren. In 1509 verscheen voor het eerst een vijftal Europese schepen voor de drukke rede van Malakka, waar men zich verdrong om deze vreemde, blanke wezens te bekijken. De commandant, De Sequira, werd aanvankelijk vriendelijk ontvangen door de sultan, die hem toestond handelscontacten te leggen. De Gujarati en Javanen bezagen deze ontwikkeling met zorg (zij hadden in India de gevolgen van Portugese concurrentie gezien) en wisten de corrupte bendahara Tun Mutahir (de eerste minister) over te halen de bemanning te arresteren. De Sequira kreeg hiervan lucht en lichtte overhaast het anker, met achterlating van een groep van twintig man, die in de gevangenis terechtkwam.

Afonso de Albuquerque, de gouverneur van het Estado da India, besloot de verraderlijke houding van Malakka te bestraffen en er een fort te vestigen, wat paste in zijn politiek om via militaire steunpunten de handelsroutes te beheersen. In juli arriveerde hij met 18 schepen en 1400 man voor Malakka en eiste vrijlating van de gevangenen en toestemming voor de bouw van een fort, wat de sultan weigerde. Na een periode van onderhandelen volgde daarop de aanval.

---

**10 april.** Paus Julius II opent het Vijfde Lateraans Concilie. Tijdens dit concilie wordt de onsterfelijkheid van de ziel als dogma van de katholieke Kerk geproclameerd.

**April.** Keizer Maximiliaan en het Zwitsers Bondgenootschap sluiten zich aan bij de 'Heilige Liga' tegen Frankrijk.

**April.** Franse troepen behalen bij Ravenna een moeizame overwinning op de troepen van de 'Heilige Liga'. De Franse bevelhebber, Gaston de Foix, sneuvelt echter en zonder zijn leiderschap kan Frankrijk zich in Noord-Italië niet handhaven. →

**April.** De sultan van Turkije, Bajezid II, doet afstand van de troon ten gunste van zijn jongste zoon Selim I.

**Mei.** Zwitserse troepen stromen het hertogdom Milaan binnen.

**Juni.** De Franse troepen ontruimen Milaan.

**Juli.** Spaanse troepen onder bevel van de hertog van Alva trekken het onafhankelijk koninkrijk Navarra binnen. Ferdinand van Aragón maakt aanspraak op Navarra via zijn vrouw Germaine Navarre-Foix.

**10 augustus.** Een Franse en een Engelse vloot raken slaags in de haven van Brest. Vijfentwintig Franse schepen worden vernietigd.

- De Nederlanden en de Hanze sluiten de Vrede van Malmö. Nederlanders krijgen hierbij het recht om handel te drijven met de Baltische landen, mits ze geen wapentuig verhandelen.

- Simao de Silva, een Portugees, komt met vijf schepen in Kongo. De Kongolezen worden gedwongen een handelsverdrag te tekenen dat hen verplicht slaven en ivoor te leveren. De vorst van Kongo zal zich tot het katholicisme bekeren.

- In Zweden volgt Sten Sture de Jongere zijn vader, Svante Nilsson, op als belangrijkste man in de 'rad' (de bestuursraad van Zweden). Hij streeft naar het koningschap en raakt zo in conflict met andere edelen.

- Portugese zeevaarders komen aan op Celebes.

- In China bedreigen de Hioeng-ma Peking.

- Moldavië wordt een Turkse vazalstaat. →

Geboren:

**5 maart.** Gerardus Mercator († 5-12-1594), Zuidnederlands wiskundige en cartograaf

Gestorven:

**22 februari.** Amerigo Vespucci (9-3-1451), Italiaans ontdekkingsreiziger →
**25 april.** Bajezid II (1447), sultan van Turkije

---

# Moldavië wordt Turkse vazalstaat

IASI - Nadat de Turken reeds in 147[ ] Walachije tot tribuutstaat hadden g[e]reduceerd moet Moldavië nu hetzelf[d]lot ondergaan. Hiermee verplicht oo[ ]dit vorstendom zich tot gehoorzaam[ ]heid aan de sultan, militaire bijstand e[ ]een jaarlijkse betaling in geld of natu[ ]ra.

Beide vorstendommen worden be[ ]woond door een Roemeense bevolki[ng] die een Romaanse taal spreekt. In d[ ]loop van de 14de eeuw hebben zij zic[h] tot min of meer zelfstandige gebiede[n] ontwikkeld, die voortdurend door d[e] koningen van Polen en Hongarije e[n] later ook door de Osmanen werden b[e]dreigd. Reeds in 1391 zag de vorst va[n] Walachije, Mircea de Grote, zich g[e]noodzaakt de sultan als suzerein te e[r]kennen, al vocht hij twee jaar later op[ ]nieuw tegen de Osmanen. Deze lij[n] zetten zijn opvolgers tot 1476 voort.

Moldavië, dat verder van de Balka[n] ligt, wist tot nu toe zijn onafhankelij[k]heid te bewaren. Dat is onder andere t[e] danken aan de 'hospodar' (vorst) St[e]fan de Grote, een persoon van forma[at] die in 1457 onder moeilijke omstandi[g]heden heerser van Moldavië werd. H[ij] bracht een leger van vrije boeren op d[e] been en behaalde dank zij zijn uitst[e]kende strategische inzicht in 1467 ee[n] overwinning op de Hongaren, die Mo[l]davië tot een Hongaarse vazalstaat wi[l]den reduceren. In 1471 viel hij Wala[ ]chije binnen en plaatste daar ee[n] marionet op de troon. Dank zij de ta[c]tiek van de verschroeide aarde wist h[ij] later met succes de Osmaanse legers [ ]te slaan. De laatste acht jaar van zij[n] bewind heeft hij zich tegen Polen, d[at] zijn suzereiniteit over Moldavië trach[t]te uit te breiden, moeten verdedigen.

Behalve als een uitstekend militair v[er]dient Stefan waardering als bouw[er] van kerken en kloosters en als een be[ ]kwaam en rechtvaardig bestuurde[r]. Het is op zijn aandringen dat zijn zo[on] Bogdan III zich onder de suzereinit[eit] van de Osmanen heeft gesteld.

*Vlad IV Tepes Dracula, een van de 15de-eeuwse vorsten van Walachije.*

# Franse Pyrrhusoverwinning

RAVENNA, 11 april - Een Frans leger onder bevelhebber Gaston de Foix heeft in een vernietigende veldslag bij Ravenna een Spaans-pauselijk leger verslagen. Daarbij zijn echter zulke zware verliezen geleden - ook de brilante Gaston de Foix sneuvelde - dat van een Pyrrhusoverwinning moet worden gesproken. De Franse troepen zijn daarom na de slag aan een terugtocht uit Noord-Italië begonnen nu Zwitserse troepen, trouw aan de paus, naar het zuiden opmarcheren.

Na de overwinning bij Agnadello, drie jaar geleden, is het de Fransen in Noord-Italië slecht vergaan. Die zege schakelde de door oorlogen verzwakte stadstaat Venetië als continentale macht uit. Paus Julius II vond toen de macht van de Fransen in Italië te groot geworden en stelde zich ten doel hen te verdrijven. Vorig jaar vormde hij met keizer Maximiliaan, Venetië en Spanje de Heilige Liga tegen Frankrijk.

Ook Engeland, dat sinds februari voorbereidingen voor een aanval vanuit het noorden treft, heeft zich bij de anti-Franse Liga aangesloten.

In januari legde een Spaans-pauselijk leger van ruim 10 000 man met 22 kanonnen een beleg rondom Bologna, dat evenwel op 5 februari tijdens een sneeuwstorm door de uit Milaan toegesnelde Gaston de Foix werd ontzet. Hij trok direct verder, om op 16 februari bij Valeggio een Venetiaanse aanval te breken, op 19 februari Brescia op Venetië te veroveren - de stad werd volledig geplunderd - en naar Ravenna op te marcheren. Daar kwam het vandaag tot een zware veldslag, die werd voorafgegaan door een twee uur durend artillerieduel.

Na een lange en heftige strijd werd Ravenna ingenomen, maar Gaston de Foix was gesneuveld. Zijn lichaam vertoonde achttien wonden. De Fransen betreurden tussen de drie- en vierduizend doden, hun vijanden twee keer zoveel.

Ondanks de overwinning lijken de dagen van de Franse bezetting van Noord-Italië geteld: vanuit Zwitserland zijn 20 000 tot 25 000 soldaten van de Confederatie op weg naar het zuiden, terwijl vanuit het zuiden een nieuw Spaans en vanuit het oosten zowel een nieuw Venetiaans als een nieuw pauselijk leger tegen de Fransen oprukten - en dat terwijl de Fransen nog maar 11 400 man over hebben. De Franse terugtocht is begonnen.

# Zeevaarder Amerigo Vespucci overleden

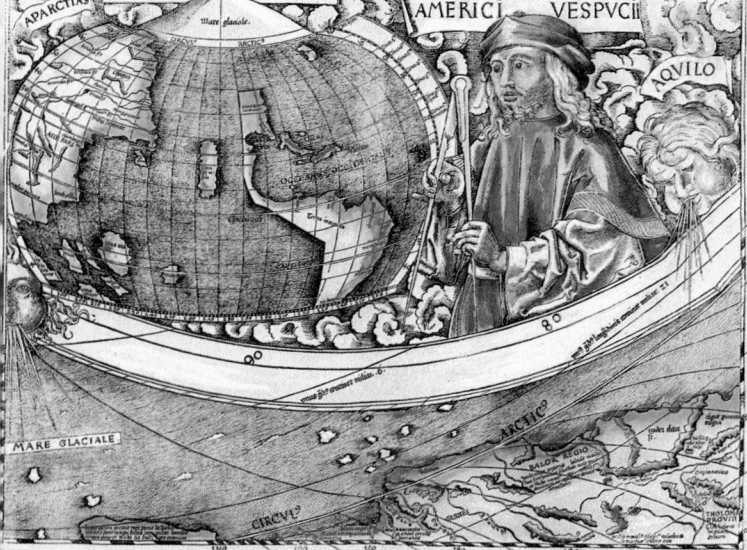

De door Vespucci ontdekte gebieden volgens een kaart uit 1513.

SEVILLA, 22 februari - In zijn woonplaats Sevilla is de bekende zeevaarder Amerigo Vespucci op 60-jarige leeftijd overleden. Vespucci werd in 1451 in Florence geboren. Hij trad in 1491 in dienst van de Medici, eerst in Florence, later in Sevilla. Vespucci kreeg bekendheid door zijn verslagen over zijn Spaanse en Portugese expedities naar de Nieuwe Wereld die in 1505 onder de titel Quator Americi navigatones en Mundus Novus verschenen. Ook in de Lage Landen, waar zij twee jaar later onder de naam Van der nieuwe werelt werden gepubliceerd, vonden zij gretig aftrek. In 1499-1500 bereikte Vespucci met een Spaanse expeditie de kust van Guyana. Vervolgens nam hij deel aan een op last van de koning van Portugal ondernomen expeditie (1501-1502) waarbij grote delen van de noordkust van Zuid-Amerika werden verkend. Amerigo Vespucci is zo beroemd dat de Duitse cartograaf Martin Waldseemüller op zijn wereldkaart Universalis Cosmographia van dit jaar het zuidelijk deel van het Amerikaanse continent de naam 'America' gaf.

---

**20 januari 1513.** In Denemarken volgt Christiaan II Johan I op als koning van Denemarken en Noorwegen.

**21 februari.** Paus Julius II sterft. Giovanni de' Medici wordt vervolgens tot paus Leo X gekozen →.

**30 juni.** Hendrik VIII stelt zich aan het hoofd van de Engelse troepen in Frankrijk. Engeland en Frankrijk zijn sinds 1511 met elkaar in oorlog.

**16 augustus.** In de Slag van Guinegate in Noord-Frankrijk verslaan Engelse en Duitse troepen een Frans leger. De slag wordt de Sporenslag genoemd, omdat de Fransen hun sporen meer gebruiken dan hun zwaarden.

**9 september.** Engeland verslaat Schotland in de Slag bij Fladden. De Schotse koning Jacobus IV sneuvelt. Zijn 17 maanden oude zoon volgt hem op als Jacobus V. Zijn weduwe, Margaret Tudor van Engeland, neemt het regentschap op zich.

**-** In Colombia wordt De Balboa als gouverneur vervangen. De Balboa gaat op ontdekkingstocht, steekt de landengte van Panama over en bereikt zo de Stille Oceaan. Nu blijkt dat Amerika tussen Europa en Azië ligt en slechts een obstakel is op de weg naar Indië en de specerij-eilanden.

**-** Machiavelli, door de terugkeer van de Medici verbannen uit Florence, schrijft De vorst. →

**24 april 1514.** Turkse troepen trekken door Anatolië naar de grens van Perzië. Meer dan 40 000 sji'iten worden vermoord of gevangen- genomen.

**April.** De Duitse keizer Maximiliaan en Ferdinand van Aragón sluiten vrede met Frankrijk.

**8 september.** De legers van Polen en Litouwen verslaan de Russen bij Ozra.

**15 september.** Thomas Wolsey wordt benoemd tot aartsbisschop van York.

**Oktober.** Lodewijk XII van Frankrijk trouwt met Maria Tudor, de zuster van Hendrik VIII.

**4 december.** Richard Hunne, beschuldigd van ketterij, overlijdt in de Tower. De officiële doodsoorzaak is zelfmoord maar velen denken aan moord.

**-** In Hongarije komen boeren, onder leiding van György Dózsa, in opstand. De opstand wordt onderdrukt door János Zápolyai.

**-** De vorst van Kongo protesteert bij de Portugezen over de omvang van de slavenhandel.

---

# Paus Julius II: behalve staatsman ook kunstminnaar

ROME, 21 februari 1513 - In Rome is op 70-jarige leeftijd paus Julius II overleden, een belangrijk staatsman, krijgsheer en beschermer van de kunst. De paus werd in 1443 geboren als Giuliano della Rovere. In 1471 werd hij dank zij zijn oom, paus Sixtus IV, kardinaal. Nadat hij in 1492 de strijd om het pausschap had verloren van zijn aartsrivaal Rodrigo Borgia (Alexander VI), vertrok Della Rovere naar Frankrijk om koning Karel VIII tot afzetting van Alexander te bewegen. Na Alexanders dood in 1503 en de dood van diens opvolger Pius III in hetzelfde jaar kreeg Della Rovere zijn kans.

Als buitengewoon ambitieus en militant paus - 'papa terrible' - spande Julius zich in voor de uitbreiding van de Pauselijke Staat, de verdrijving van Cesare Borgia en de eenmaking en versterking van de Kerk - na het nepotisme van zijn voorgangers iets geheel nieuws.

Julius mengde zich uitvoerig in de oorlogen tussen de Valois en de Habsburgers. Hij was de enige paus die persoonlijk ten strijde trok - in 1506 bijvoorbeeld bij de verovering van Bologna en Perugia, maar ook tegen de Fransen.

De paus nam in 1508 deel aan de tegen Venetië gerichte Liga van Kamerijk en profiteerde van de Franse overwinning bij Agnadello door Faenza, Rimini en Ravenna in te lijven. Doordat Frankrijk door deze zege te machtig dreigde te worden, trok Julius zich uit de Liga terug. In ruil voor vrijheid van handel en navigatie op de Adriatische Zee maakte hij de excommunicatie van Venetië ongedaan.

Julius' doel was nu de Fransen uit Italië te verdrijven en aan de plannen van Lodewijk XII om hem door middel van het Concilie van Pisa als paus af te zetten, een eind te maken. Hij sloot met de keizer, Spanje, Venetië, Engeland en de Zwitsers de Heilige Liga.

Van groot belang is paus Julius ook geweest wegens zijn inspanningen voor de kunst. Hij had Rafaël, Michelangelo en Bramante in dienst, bouwde de Sint-Pieter en andere belangrijke bouwwerken in Rome, breidde de Vaticaanse Bibliotheek uit, gaf Michelangelo opdracht tot het beschilderen van het plafond van de Sixtijnse Kapel en Rafaël tot het beschilderen van de Stanza della Segnatura. Ten slotte was Julius een financieel en bestuurlijk genie dat onder andere monetaire hervormingen doorvoerde.

Aan het eind van zijn leven heeft paus Julius II de Fransen uit Italië weten te verdrijven - ten koste van de komst van de Spanjaarden - en de Kerkelijke Staat onder strakke controle van de paus gebracht.

## Machiavelli geeft visie in 'Il Principe'

*Niccolò Machiavelli.*

FLORENCE, 1513 - Na zich uit het politieke leven van Florence te hebben teruggetrokken, heeft Niccolò Machiavelli, geboren in 1469, het boek *Il Principe* (De vorst) geschreven, waarin hij zijn opmerkelijke opvattingen over de politiek uiteenzet. Hij kan daarbij putten uit een ruime ervaring. Van 1498 tot 1512 diende Machiavelli de Florentijnse republiek als kanselier en als ambassadeur bij onder andere Lodewijk XII, Cesare Borgia en Julius I. Toen de Fransen vorig jaar uit Italië verdreven werden en de Medici weer aan de macht kwamen, werd Machiavelli ontslagen en trok hij zich terug om zijn politieke filosofie op papier te zetten.

Volgens hem moet men om fouten in het heden te vermijden, het verleden bestuderen en zich laten inspireren door succesvolle staatslieden. Voorbeelden van politieke wijsheid vindt hij in de Romeinse republiek. Hoewel in zijn hart een republikein, erkent hij dat het despotisme voor het verdeelde en bedreigde Italië van vandaag een oplossing kan zijn. Hij is een voorstander van de 'virtu' der Romeinen, die er een is van kracht en moed, gepaard met energie en intelligentie. 'Het lot helpt niet diegenen die zichzelf niet helpen.'

De politicus moet volgens Machiavelli uitsluitend in het belang van de staat handelen en zal daarvoor ook morele scrupules aan de kant moeten zetten. Het geloof is slechts het middel om de van nature slechte mens tot een goed staatsburger op te voeden, maar het christendom heeft daarin gefaald.

Over Machiavelli's visie op de verhouding tussen moraal en politiek zal voorlopig het laatste woord nog wel niet gesproken zijn. Zeker is, dat sinds de opkomst van het christendom niemand op zo'n rigoureuze wijze deze twee zaken gescheiden heeft. Met Petrarca begon twee eeuwen geleden een groeiende interesse voor de wereld en het hier en het nu; met de realistische politieke filosofie van Machiavelli lijkt deze zelfbewuste aanvaarding van het leven een nieuw hoogtepunt te hebben bereikt.

# 1515

**1 januari.** Frans van Angoulême wordt koning Frans I van Frankrijk na de dood van zijn oom Lodewijk XII. Frans I zal de Italiëpolitiek weer opnemen.

**April.** Engeland en Frankrijk tekenen een verdrag.

**1 mei.** De hertog van Albany, een neef van Jacobus III van Schotland, komt in Schotland aan. Als agent van Frankrijk zal hij gebruik maken van de verdeeldheid aan het Schotse hof.

**3 mei.** Een Portugese vloot verovert de handelsstad Ormoez in de Perzische Golf. →

**Mei.** Friesland en Groningen vallen in handen van Karel van Gelre. George van Saksen staat zijn rechten over Friesland af aan Karel (V).

**22 juli.** In Wenen worden de huwelijken gesloten tussen Maximiliaans kleinkinderen, Maria en Ferdinand en Vladislavs kinderen, Lodewijk en Anna van Hongarije. →

**Juli.** Het Schotse parlement roept de pro-Franse hertog van Albany uit tot beschermheer van Schotland. Margaret Tudor, koningin-regentes, vlucht naar Engeland.

**Augustus.** Frans I van Frankrijk trekt met een leger van 110 000 man Italië binnen.

**Augustus.** Navarra wordt bij Aragón ingelijfd.

**14 september.** Frankrijk herovert Milaan na de Slag bij Marignano. Sforza werd gesteund door Zwitserse en Venetiaanse troepen maar moet nu Milaan verlaten. De Zwitserse troepen trekken zich definitief terug uit Lombardije. De paus en Karel van Bourgondië erkennen de Franse hegemonie over Noord-Italië. →

**24 december.** Thomas Wolsey wordt tot lord-kanselier benoemd. Hij wordt de feitelijke leider van Engeland. Zijn doel is het om Engeland tot scheidsrechter van Europa te maken.

- Sultan Selim van Turkije verovert Koerdistan en het noordelijk deel van Mesopotamië. Hij heeft nu zijn oostgrens met Perzië veilig gesteld.

- In China weigert de dalai lama naar Peking te komen.

Gestorven:

**2 december.** Gonzalo de Córdoba (1453), Spaans veldheer en onderkoning van Napels

**16 december.** Afonso de Albuquerque (1453), Portugees ontdekkingsreiziger en gouverneur in India

*Tafereel in Ormoez (16de eeuw): vooraan een door wormen geplaagde man.*

# Ormoez in Portugees bezit

ORMOEZ, 3 mei - Met de verovering van de rijke handelsstad Ormoez, aan de ingang van de Perzische Golf, heeft de Portugese onderkoning Afonso de Albuquerque een zeer belangrijke slag geslagen.

De Portugezen beheersen nu nagenoeg de hele handel op de Indische Oceaan en hebben daarmee de moslems naar de achtergrond gedrongen.

De verovering van Ormoez is vlot verlopen. Toen Albuquerque in februari met een vloot de stad naderde bleek er juist een machtsstrijd binnen de heersende familie aan de gang te zijn. Aan de Portugezen, die door eerdere bezoeken als vrienden werden beschouwd, werd gevraagd te bemiddelen. Albuquerque zegde dit toe maar in plaats daarvan liet hij zijn voornaamste tegenstander doden en de stad bezetten. Vandaag is met de bouw van een Portugees fort begonnen.

De Portugezen achtten het veroveren van steunpunten noodzakelijk toen na de tochten van Vasco da Gama en Cabral duidelijk werd dat de moslems weinig bleken te voelen voor vreedzame concurrentie. Koning Emanuel gaf in 1505 aan Francisco de Almeida de opdracht de Portugese handel beter te beschermen. Naast handelsfactorijen ('feitorias') bouwde hij forten in Co-

chin en Kilwa (Oost-Afrika). In 150. versloeg hij de verenigde moslemvloc van Egypte en het sultanaat van Guja rat.

Maar het was zijn opvolger Albuquer que die het handelsrijk zijn huidige ui gestrekte vorm gaf. In 1510 veroverd hij de Indische havenstad Goa, die h tot zetel van de Portugese macht maak te. Om het monopolie in de Indisch Oceaan te verkrijgen moest hij de in-e uitgangen ervan zien te veroveren. D. lukte gedeeltelijk: in 1511 viel Mala ka, de toegang tot de Zuidchinese Ze Om de handel van de moslems met E ropa te blokkeren moesten Ormoez e Aden (ingang van de Rode Zee) ve overd worden. Ormoez viel deze wee maar Aden niet, waardoor de hand via de Rode Zee nog buiten de Portug se controle valt.

Dank zij de bouw van vestigingen op d Afrikaanse oost- en westkust is de ze route naar Indië nu stevig in Portuge handen. Specerijen als peper, gembe kaneel en kruidnagelen vormen de b langrijkste handelswaar. De snelle ve overingen hebben het prestige van Po tugal flink doen stijgen en konin Emanuel draagt met trots zijn eretite 'Heer van verovering, navigatie e handel op Ethiopië, Indië, Arabië e Perzië'.

# Luisterrijke inzegening van dubbelhuwelijk in Wenen

WENEN, 22 juli - Met veel pracht en praal heeft in de Weense Stephansdom een dubbele bruiloft plaatsgevonden. Twee Hongaarse troonpretendenten treden in het huwelijk met kleinkinderen van Maximiliaan I van Oostenrijk. Anna, de 12-jarige dochter van koning Vladislav Jagiello van Bohemen en Hongarije, trouwt met de handschoen. Keizer Maximiliaan fungeert als plaatsvervanger voor een van zijn kleinzoons. Er is namelijk nog niet besloten welke van de twee zonen van Filips de Schone en Johanna van Castilië, Karel of Ferdinand, de echtgenoot van Anna zal worden. Tegelijkertijd huwt Lodewijk, de 9-jarige zoon van koning Vladislav, met Maria, de kleindochter van de keizer. Met deze tweevoudige rechtigheid worden de aanspraken van de Habsburgers op Bohemen en Hongarije bekrachtigd.

Hoewel Maximiliaan koning Vladislav Jagiello een groots onthaal bereidde, neemt deze aan de ceremonie in een minder feestelijke stemming deel dan zijn gastheer. Hij huwelijkt zijn kinderen namelijk niet vrijwillig aan de Habsburgers uit.

Na 1490, het sterfjaar van de Hongaarse koning Matthias Corvinus, dong Maximiliaan naar de kroon van Hongarije, maar de Hongaarse magnaten verkozen Vladislav, de koning van Bohemen, boven de Habsburger. Vladislav stamt uit het Huis Jagiello, dat ook in Polen regeert. Het gevaar doemde nu op dat er ten oosten van de Habsburgse erflanden een groot aaneengesloten Jagielloons rijk zou ontstaan. Maximiliaan besloot om de

*Habsburgs familieportret (1515, Bernhard Strigel): links onder Ferdinand en Karel.*

Hongaarse kroon gewapenderhand te veroveren en viel in oktober 1490 Hongarije binnen. Wegens geldgebrek moest hij zijn succesvolle veldtocht voortijdig afbreken. Toch maakte het Oostenrijkse militaire machtsvertoon zoveel indruk op Vladislav, dat hij in 1491 instemde met het Verdrag van Pressburg. Dit regelde de wederzijdse erfopvolging als een van beide geslachten zou uitsterven. Het verdrag vond genade in de ogen van de Hongaarse

magnaten, maar stuitte op heftige tegenstand bij de lagere adel onder leiding van János Zápolyai. Deze was van mening dat Vladislav Hongarije aan de Habsburgers had verkwanseld. Zápolyais verzet werkte door in de onderlinge verhouding van de Jagiellonen. De broer van Vladislav, de Poolse koning Sigismund, geparenteerd aan de Zápolyai-familie, steunde de nationale oppositie in Hongarije. Maximiliaan wist echter deze - ook voor zijn eigen zaak nadelige - oppositie uiteen te drijven door Sigismund te steunen bij het oplossen van diens interne Poolse problemen. In ruil daarvoor gaf Sigismund zijn verzet tegen het door Maximiliaan gedicteerde erfverdrag op. In 1506 werd het Verdrag van Wiener Neustadt gesloten, waarin nogmaals de afspraken tussen keizer Maximiliaan en Vladislav werden vastgelegd.

De 'Jagielloonse bruiloft' is dus het resultaat van een politiek schaakspel, dat Maximiliaan met sluwheid en vasthoudendheid heeft gespeeld. Hij heeft daarbij veel steun gehad van een kapitaalkrachtige secondant, het grote handelshuis Fugger. De hulp van de Fuggers - zij hebben enorme bedragen gestoken in de geldverslindende huwelijkspolitiek van Maximiliaan - is natuurlijk niet onbaatzuchtig verleend. Het is het streven van de Fuggers om alle koper- en zilvermijnen in Midden-Europa in hun bezit te krijgen. Voor het verwerven van concessies in Hongarije en Bohemen en voor bescherming van hun ondernemingen hebben zij veel geld over.

# Frans I behaalt grote zege op Zwitsers huurlingenleger

MARIGNANO, 14 september - Een Frans leger onder de jeugdige koning Frans I heeft in een tweedaagse veldslag bij Marignano een klinkende zege behaald op de Zwitserse huurlingen van hertog Massimiliano Sforza van Milaan en de pauselijke troepen. De campagne van Frans I zo kort na zijn troonsbestijging is tekenend voor het nog steeds zeer grote belang dat de Fransen aan hun Italiaanse bezittingen hechten. In feite heeft de jonge vorst nauwelijks aan iets anders gedacht dan aan de herovering van Milaan.

Al direct na de troonsbestijging begon Frans onderhandelingen met de Engelse koning Hendrik VIII. Hij erkende de Franse schuld van één miljoen écu's. Vervolgens opende hij onderhandelingen met de Spaanse koning Karel I, die - nadat Frans koning van Frankrijk was geworden, meerderjarig werd. Het overleg vorderde moeizaam, vooral omdat Frans, zes jaar ouder dan Karel, zich niet kon onttrekken aan een gevoel van superioriteit. Maar op 24 maart werd niettemin een ver-

drag getekend dat voorziet in een bondgenootschap tussen Frankrijk en Spanje en een huwelijksbelofte tussen Karel en Renée van Frankrijk, de tweede dochter van wijlen koning Lodewijk XII. Ten slotte werd een bondgenootschap met Venetië aangegaan en kreeg Frans van de Genuezen de belofte van Franse soevereiniteit over deze havenstad los.

Terwijl Frans vanaf mei een leger van 33 000 man op de been bracht waarmee hij in augustus via de nog nooit door een leger bedwongen Col de l'Argentière naar Italië trok, versterkten ook de Milanezen zich.

Paus Leo X stuurde Prospero Colonna met 1500 man cavalerie en zijn neef Lorenzo de' Medici naar Piemonte en Lombardije, terwijl de onderkoning van Napels met 1800 man in de richting van de Po opmarcheerde. Milaan steunde echter voor alles op 15 000-20 000 huurlingen, die aanvankelijk bij Susa en Pinerolo de toegangswegen tot Italië afsloten maar die na de komst van de Franse koning via de Col de

*Het Zwitserse leger trekt zich terug na de nederlaag tegen de Fransen bij Marignano.*

l'Argentière op Milaan werden teruggeworpen. De tweedaagse veldslag bij Marignano is bloedig en heroïsch geweest, waarbij de jonge Franse koning zich aan grote gevaren heeft blootgesteld. Zelfs 's nachts - de koning sliep in zijn harnas, staande tegen een kanon

geleund - werden kampvuren van de vijand gebombardeerd. Anderhalve dag golfde de strijd op en neer, maar toen eindelijk, na een rit van twintig uur, de Venetiaanse lichte cavalerie op het slagveld verscheen, was het pleit beslecht en trokken de Zwitsers zich terug.

# Rome erkent status Franse Kerk

ROME, 18 augustus - Paus Leo X heeft het Concordaat van Bologna getekend. Daarmee is de macht over het kerkelijk bestuur in Frankrijk grotendeels in handen van de Franse koning gelegd. Voortaan kan deze voor vrijkomende posten in de kerken en de kloosters een geestelijke voordragen die de paus automatisch zal benoemen. Verder krijgt de koning het recht een beperkte belasting op kerkelijke inkomsten te heffen.

Met de erkenning van een onafhankelijke status voor de Franse of Gallicaanse Kerk wordt in feite de Pragmatieke Sanctie van Bourges versterkt. Deze sanctie werd in 1438 eenzijdig door Frankrijk afgekondigd, maar is door Rome nooit aanvaard. Het concordaat is vernoemd naar de stad Bologna, waar paus Leo X en koning Frans I elkaar vorig jaar december ontmoetten. Deze bijeenkomst had tot doel een einde te maken aan het conflict betreffende de Pragmatieke Sanctie.

Twee maanden voor deze ontmoeting had Frans I in de strijd om Italië een klinkende overwinning behaald met de verovering van Milaan. De Franse koning had daarna bovendien de paus, in zijn positie als wereldlijk vorst van Rome, steun beloofd. Frankrijk stond er daarom uitermate gunstig voor in Bologna. Het pauselijk adviescollege had nog wel aangedrongen op een hard standpunt inzake de kwestie, maar Leo X is er de persoon niet naar om krachtdadig op te treden. Hij vertrouwde erop dat hij met zijn welbespraaktheid de Franse koning zou kunnen inpakken. Frans I dacht daar echter net zo over. 'Ik ben ervan overtuigd dat ik

*Koning Frans I van Frankrijk (door de 16de-eeuwse schilder François Clovet).*

hem kan misleiden,' schijnt hij te hebben gezegd voor zijn vertrek naar Bologna.

Tijdens de ontmoeting gedroegen beide vorsten zich dan ook uiterst vriendelijk en voorkomend. De sfeer was zelfs gemoedelijk te noemen. Nu het concordaat is ondertekend, wordt duidelijk dat het een groot succes voor de Franse koning is geworden. Met het

recht van voordracht verkrijgt hij een niet te onderschatten invloed op de Kerk in zijn land. Onder de Pragmatieke Sanctie waren kerken en kloosters veelal gerechtigd zelf kandidaten voor vrijgekomen posten aan te wijzen. Dit recht is met de ondertekening van het concordaat vervallen. Er wordt daarom verwacht dat de Franse geestelijkheid protest zal aantekenen.

*Op 66-jarige leeftijd is de bekende schilder Jeroen Bosch overleden. Hij laat een omvangrijk oeuvre na. Een van zijn bekendste werken is het drieluik 'De Tuin der Lusten'. De allegorie toont hoe de mensheid door zinnelijkheid gekweld wordt.*

# Thomas More schetst ideaal in 'Utopia'

CHELSEA - In zijn gerieflijke woning te Chelsea heeft de Engelse schrijver en politicus Thomas More (geboren 1478) de laatste hand gelegd aan zijn boek *Libellus vere aureua de optimo rei publicae statu deque nova insula Utopiae* (Over de beste staatstoestand en over het nieuwe eiland Utopia). Er is toestemming gegeven om het in Leuven te laten drukken.

Vrij vertaald betekent Utopia 'Nergenshuizen'. Het is opgebouwd uit twee contrasterende delen. Het eerste gedeelte bevat een kritische beschrijving van de sociale omstandigheden in Engeland: de onderdrukking van het gewone volk door de koning en de edelen. Het tweede gedeelte beschrijft de situatie in het denkbeeldige land Utopia, een staat waar wel sociale gerechtigheid heerst. Zo kent men er een zesurige werkdag, volledige werkgelegenheid, geen produktie van overtollige luxegoederen, maar wel vrije verstrekking van eerste levensbehoeften. Kortom een ideale maatschappij, die Engeland als een ironische spiegel wordt voorgehouden.

Het werk toont niet alleen de literaire begaafdheid en sociaal-politieke betrokkenheid van More, maar ook de geest van de renaissance, die een nieuwe kijk op het nog voornamelijk middeleeuwse wereldbeeld geeft en zich een nieuw mensideaal voor ogen stelt (humanisme). De klassieken bieden daartoe inspiratie; bij More is dat vooral Plato's *Republiek*.

Tussen humanistische geestverwanten in Europa en Engeland bestaan nauwe contacten. Thomas More is bevriend met zijn landgenoot, de theoloog John Colet (geboren circa 1466). Deze stichtte te Londen een humanistische school en is een voorstander van kerkhervorming.

*Ontwerp voor een portret van de humanist Thomas More en familie door Hans Holbein (eerste helft 16de eeuw; Kunstmuseum, Basel).*

Een andere goede vriend van More is de Europese humanist Erasmus van Rotterdam (geboren 1469). Waarschijnlijk op zijn aandrang heeft Thomas More *Utopia* geschreven. Omgekeerd werkte Erasmus ten huize van More aan zijn *Lof der zotheid* (1511). De maatschappijcriticus, zoon van rechter Sir John More, werd na zijn studie te Oxford (klassieke letteren en rechten) politiek actief. In 1504 kwam hij in het Lagerhuis en bestreed met de 'volkse' groepering de beden (verzoek aan het parlement om geld) van Hendrik VII. In de afgelopen jaren reisde hij als gezant naar de Nederlanden. Zijn - nog maar korte - carrière kon hij maken als vertrouweling van kardinaal Wolsey, de belangrijkste raadgever van Hendrik VIII.

*De 'Mona Lisa' van Leonardo da Vinci (circa 1503; Louvre, Parijs).*

## Frans I streeft naar vriendschap met Spanje

NOYON, 13 augustus - Frankrijk en Spanje hebben in Noyon een verdrag getekend dat de nieuwe vriendschap tussen beide landen moet bekrachtigen. In dit verdrag ziet Frankrijk af van Napels en verlooft de koning van Spanje, Karel I, zich met de jonge dochter van de Franse koning.

De prinses krijgt bij haar huwelijk met de Spaanse koning Karel Napels als bruidsschat - in ruil voor de Spaanse belofte het zuidelijke Navarra terug te geven aan de D'Albret-dynastie.

Het verdrag onderstreept de buitengewoon indrukwekkende start van de Franse koning Frans I. Binnen anderhalf jaar na zijn troonsbestijging heeft hij Milaan onder Frans bestuur teruggebracht, vrede gesloten met de Zwitserse kantons, en een vriendschapsverdrag met Spanje getekend.

Dank zij de zege bij Marignano heeft hij bovendien paus Leo op zijn nummer gezet. Leo heeft zich een goed verliezer getoond. Na de nederlaag ontving hij Frans met een overdaad van pracht en praal in Bologna. De Franse koning kreeg een *Madonna* van Rafaël en geschenke en kon het zich veroorloven in te stemmen met een concordaat dat Leo toegang geeft tot de financiële bezittingen van de Franse Kerk, maar dat Frans het recht geeft prelaten te benoemen.

Daarnaast heeft Frans, wiens hof het schitterendste van Europa lijkt te gaan worden, beroemde Italiaanse kunstenaars als Leonardo da Vinci in dienst genomen. De bejaarde meester heeft op zijn moeizame reis naar het Franse hof een aantal doeken meegebracht voor de koning, waaronder het werk *Mona Lisa*.

# Staatsgreep van Trân Cao in Thang Long

THANG LONG - Trân Cao heeft via een geslaagde staatsgreep de macht in de hoofdstad Thang Long in handen genomen. Hiermee lijkt een einde aan de Lê-dynastie te zijn gekomen.

Het is verbazingwekkend hoe deze tot voor kort totaal onbekende man in staat is geweest de keizer aan de kant te zetten en alle vooraanstaande politici een slag voor te zijn.

Trân Cao is afkomstig uit de ten oosten van Thang Long gelegen provincie Hai Duong. Gebruik makend van een profetie waarin het einde van de dynastie wordt aangekondigd, zich beroepend op zijn afstamming van de legendarische Trân en bewerend een incarnatie van de Boeddha Dê Tich te zijn heeft hij tienduizenden mensen achter zich weten te krijgen. Met een groot leger is hij naar de hoofdstad getrokken en deze heeft hij nu in handen.

De val van de Lê-dynastie heeft zich al veel eerder aangekondigd. Onder keizer Hiên-tông, die rond de eeuwwisseling regeerde, heeft het land voor het laatst een goede vorst gekend. Onder hem en zijn voorgangers floreerden de landbouw en de handel en werd de infrastructuur aanzienlijk verbeterd.

Tegen corruptie of machtsmisbruik van ambtenaren werd streng opgetreden en de belastingen waren niet al te hoog. Na de regering van Hiên-tông, die in 1504 afliep, ontbrandde er aan het hof een felle strijd over de opvolging. Verschillende fracties bestreden elkaar en hadden geen tijd meer voor het landsbestuur. Ambtenaren die tot nu toe onder streng toezicht hun ambt uitoefenden, zagen in deze verwarde tijd hun kans schoon zichzelf te verrijken ten koste van de boerenbevolking en de handelaren. Daarbij kwam nog dat het land vanaf 1512 jaarlijks door een serie rampen werd geplaagd: er waren overstromingen óf grote droogten, epidemieën braken uit en hongersnoden waren hiervan het gevolg. In plaats van hulp te bieden in de vorm van het verstrekken van voedsel uit de noodvoorraden en het verlagen van belastingen, werden de belastingen verhoogd en gingen de voedselprijzen op de vrije markt met sprongen omhoog omdat de regering geen voedsel ter beschikking stelde en omdat ambtenaren speculeerden.

Als reactie hierop zijn door het hele land opstanden uitgebroken. Door het ongecoördineerde karakter daarvan wisten de machthebbers zich echter tot nu toe staande te houden. Nu evenwel Trân Cao van alle kanten steun heeft gekregen lijkt de tijd rijp voor het vestigen van een nieuwe dynastie.

# Sultan Egypte opgehangen door Osmanen

*Miniatuur van de Osmaanse sultan Selim I, bijgenaamd 'Jawoez' (de Strenge).*

*Het rijk der Mamelukken, 1250-1517.*

het Rijk der Mamelukken in 1250
onder suzereiniteit der Mamelukken
in 1382 verloren gegaan

CAIRO, 13 april - Troepen van het Osmaanse Rijk hebben Caïro veroverd; de laatste sultan van het Mamelukken-bewind in Egypte, Tuman Bey, is opgehangen.

De Mamelukken vormden de heersende kaste in Egypte, waaruit vanaf 1250 de sultans van dit land voortkwamen. Het woord 'mameluk' betekent slaaf. En uit slaven van Turkse afkomst hadden de Ajjoebiden-sultans, die vanaf 1171 in Egypte aan de macht waren, hun troepen gevormd. Na het overlijden van Al-Salih (1249) liet de Mameluk Moe'izr al-Din Aibek zich tot sultan uitroepen.

De Mamelukken-macht breidde zich uit tot Syrië. Vanwege de strategische positie van Egypte en Syrië tussen Europa en Indië bloeide het economische leven onder hun bewind. De regering voerde een soort centralistisch beleid in de handelsrelaties: ze kocht de produkten van de boeren, verkocht die aan de handelaren en speelde aldus een bemiddelende rol.

Door de economische bloei en de rol van de regering in de handel werden de Mamelukken-sultans zeer rijk. Ze gaven opdrachten voor de bouw van paleizen en moskeeën, waarvan de architectuur herinnerde aan Toerkestan, het vaderland van de Mamelukken.

Het Mamelukken-sultanaat was niet erfelijk; een sultan werd gekozen op grond van zijn capaciteiten en leeftijd. De Osmaanse sultans vonden Egypte trouwens onbelangrijk en bemoeiden zich nauwelijks met dat land, ondanks het feit dat het officieel tot het Osmaanse Rijk behoorde.

Sultan Selim I, de kalief van het Osmaanse Rijk, verzocht de sultan van de Mamelukken om tijdens het bidden op vrijdag in moskeeën de naam Selim uitsluitend te noemen als kalief van de moslems, en om deze naam op de Egyptische munt te slaan. De sultan van de Mamelukken, Tuman Bey, weigerde dit, omdat hij dergelijke zaken beschouwde als behorende tot de soevereiniteit van zijn land. Sultan Selim besloot hierop naar Egypte op te rukken. In januari arriveerden de Osmaanse troepen in de buurt van Caïro. Bij de verovering van deze stad gebruikten zij kanonnen, waarmee zij de militaire kampen van de Mamelukken bombardeerden. Tuman Bey probeer-

de te vluchten, maar werd gearresteerd en ter dood gebracht. De sultan van he Osmaanse Rijk beheerst nu niet allee de heilige plaatsen van het christen dom, maar ook die van de islam: Mek ka en Medina. Hiermee is hij de doo God gekozen beschermheer van de ge hele mohammedaanse wereld gewo den. Hij laat zich nu ook kalief, opvo ger van de profeet Mohammed noemen.

Selim de Strenge is beroemd als lege aanvoerder, staatsman en dichter. Be rucht is hij om zijn wreedheid. Nada hij eerst in 1512 zijn vader, sultan Baj zid II, tot aftreden had gedwongen, lie hij in 1513 zijn broer ombrengen, ee gewoonte aan het Osmaanse hof o zich zeker te stellen van de troon. Ma ook onder Turken zelf is nu een gang bare verwensing: 'Sultan Selime vez olsun' - 'moge jij vizier van sultan Se lim worden' - zoveel dienaren zijn al o zijn bevel ter dood gebracht. Het be wind der Mamelukken wordt voortge zet onder leiding van een Osmaans gouverneur, terwijl een Turks garn zoen de orde moet handhaven.

*De Sint-Pieterskerk te Rome is voor een deel gefinancierd met de opbrengst van aflaten. Een aflaat is een door de Kerk verleende kwijtschelding van tijdelijke straffen waarvan men door biecht en absolutie nog niet is gevrijwaard. In principe kan ieder die zich jegens de Kerk verdienstelijk heeft gemaakt, een aflaat bemachtigen.*

**Januari.** Margaretha van Habsburg wordt opnieuw landvoogdes der Nederlanden, nu Karel van Bourgondië en Spanje in Spanje is.

**Februari.** In Valladolid wordt Karel I als koning van Castilië ingehuldigd. Het duurt nog een half jaar voordat hij ook in Aragón en Catalonië erkend wordt. Eerst moet hij onder ede verklaren dat hij geen geld zal exporteren en geen ambten aan vreemdelingen zal geven. →

**12 juli.** In Engeland wordt per decreet bepaald dat omheiningen die sinds 1488 tot stand zijn gekomen, moeten worden verwijderd.

**Juli.** Paus Leo X eist van Luther dat hij binnen 60 dagen in Rome is, om daar over zijn theologie ondervraagd te worden. Het gevaar bestaat dat hij onderweg vermoord zal worden. De keurvorst van Saksen neemt Luther onder zijn bescherming en Luther zal in Duitsland voor een pauselijk gezant verschijnen.

**2 oktober.** Kardinaal Wolsey maakt een ontwerp voor de vrede in Europa.

**4 oktober.** Een huwelijksverdrag bepaalt dat de dochter van Hendrik VIII, Maria, met de kroonprins van Frankrijk zal trouwen.

**12 oktober.** Op de Rijksdag in Augsburg wordt Luther door de pauselijk gezant Thomas Cajetanus ondervraagd. Luther weigert zijn meningen te herroepen.

**Oktober.** De Rijksdag te Augsburg weigert een extrabelasting toe te staan. Keizer Maximiliaan had om verhoogde financiële steun gevraagd om een kruistocht tegen Turkije te betalen.

- Aroedj, sultan van Algiers, sneuvelt bij Tlemaen. Hij wordt opgevolgd door zijn broer Chaireddin (Barbarossa), die zich met Turkije verbindt. Barbarossa krijgt vervolgens hulp van de Turken in zijn strijd met de Spanjaarden, die zich in Noord-Afrika hebben gevestigd. Ook het verzet van de Algerijnen tegen Barbarossa wordt met hulp van Turkije bestreden.

- De eerste Mexicaanse cacao wordt in Europa ingevoerd.

- Karel I van Spanje geeft toestemming om gedurende acht jaar 4000 Afrikanen als slaven naar 'Indië' te brengen.

Geboren:

**29 september.** Tintoretto († 31-5-1594), Italiaans schilder
- Hubert Waelrant († 1595), Zuidnederlands componist en muziekpedagoog

## Karel wordt koning in Castilië

*Karel van Gent (de latere Karel V), door Barend van Orley (circa 1516).*

VALLADOLID, februari - Het Castiliaanse parlement, de Cortes, heeft Karel van Gent ingehuldigd als koning. Hij zal in Castilië regeren naast zijn moeder Johanna de Waanzinnige, die in naam nog steeds vorstin is maar wegens haar geestesziekte al jaren in afzondering leeft. De leden van de Cortes, afgevaardigden van de Castiliaanse steden, hebben de nieuwe vorst echter een aantal voorwaarden gesteld alvorens hem trouw te zweren. Zij zijn bang dat Karel niet genoeg oog zal hebben voor de Castiliaanse belangen, omdat hij behalve over Castilië en de bezittingen in Amerika ook elders over uitgestrekte gebieden zal heersen.
Zo is Karel reeds heer van de Nederlanden als erfgenaam van zijn vader Filips de Schone. Van zijn grootvader Ferdinand, koning van Aragón, erft Karel de kroon van Aragón met de bijbehorende gebiedsdelen Navarra, Catalonië, Valencia, Napels en Sicilië.
Veel Castilianen hadden in plaats van Karel, die in Vlaanderen is geboren en opgevoed, liever zijn jongere broer Ferdinand, die zijn hele jeugd in Castilië heeft doorgebracht, op de troon gezien. Ook zijn zij er ontevreden over dat zij sinds de dood van Ferdinand van Aragón ruim anderhalf jaar hebben moeten wachten op de komst van hun nieuwe vorst. Deze verbleef met zijn hofhouding in Brussel en heeft zich pas in de herfst van vorig jaar naar Spanje ingescheept. Bovendien had hij zichzelf in Brussel al uitgeroepen tot koning van Castilië, terwijl hij in feite slechts recht had op de titel regent namens zijn moeder.
De Castiliaanse Cortes hebben de nieuwe koning nu onder het oog gebracht dat zijn koningschap naast rechten ook plichten meebrengt. 'U bent als vorst in onze dienst,' heeft Karel te horen gekregen. Ook willen de Cortes dat Karel goed Spaans leert spreken. In ruil voor de belofte dat hij de oude wetten en vrijheden van Castilië zal eerbiedigen, is Karel ten slotte als koning erkend.

**12 januari.** Keizer Maximiliaan sterft. Zijn kleinzoon Karel I van Spanje, hertog van Bourgondië, wordt aartshertog van Oostenrijk. Karel I en Frans I van Frankrijk stellen zich kandidaat voor het Duitse keizerschap. Zij besteden beiden grote hoeveelheden geld om de keurvorsten aan hun kant te krijgen. Karel I leent hiervoor een bedrag van 543 000 gouden florijnen van Jacob Fugger. →

**21 april.** Hernán Cortés, Spaans officier op Cuba, gaat naar Mexico. Hij sticht er de stad Veracruz.

**Mei.** Hendrik VIII van Engeland besluit mee te dingen naar de Duitse keizerskroon. Hij stuurt een gezant naar Duitsland om zijn belangen te behartigen.

**28 juni.** Karel I van Spanje wordt gekozen tot keizer van het Heilige Roomse Rijk. Als zodanig wordt hij Karel V. →

**16 juli.** In Leipzig vindt een openbaar debat plaats tussen Luther en de katholieke theoloog Johannes Eck. Luther zegt in dit gesprek dat een concilie en ook de paus zich kunnen vergissen.

**8 november.** De Spaanse veroveraar Hernán Cortés arriveert met 400 man, 15 paarden en 6 kanonnen in Tenochtitlán, de hoofdstad der Azteken. Hij wordt hier gastvrij ontvangen. →

- De Portugezen verzekeren zich van handelsprivileges in Burma en vestigen een ambassade in Peking.

- In Augsburg sticht het bankiershuis Fugger een kolonie voor paupers.

- De universiteit van Leuven veroordeelt de stellingen van Luther.

- De Portugese zeevaarder Magalhães krijgt van Karel V de beschikking over vijf schepen. Hij vertrekt van de Spaanse kust om een westelijke route naar Indië te vinden. Dit om de Portugezen te omzeilen.

- Doornik, dat in 1513 door Engeland bezet is, wordt aan Frankrijk teruggegeven.

- Krisjnadeva van Vidjayanagar verslaat de Bahmaniden.

- De Sjarifs stichten de islamitische staat Marokko.

Gestorven:

**2 mei.** Leonardo da Vinci (1452), Italiaans schilder en uitvinder →
**24 juni.** Lucrezia Borgia (18-4-1480)
**4 juli.** Johann Tetzel (circa 1440), monnik en handelaar in aflaten

## Karel V met geld op keizerstroon

FRANKFURT AM MAIN, 28 juni - De vier wereldlijke en drie geestelijke keurvorsten van het Heilige Roomse Rijk hebben Karel V, de kleinzoon van de onlangs overleden keizer Maximiliaan I, unaniem tot nieuwe koning gekozen. Karel V heeft deze keuze vooral te danken aan de bijna één miljoen gouden florijnen die hij in de verkiezingsstrijd heeft gestoken.
Doordat keizer Maximiliaan er tijdens zijn leven niet in geslaagd was de opvolging te regelen, ontbrandde er na zijn dood een felle en vaak onverkwikkelijke strijd om de troon tussen de Franse koning Frans I en Karel, heer der Nederlanden en koning van Spanje, Napels en Sicilië. Beide vorsten ontplooiden een enorme activiteit: door middel van gezantschappen, huwelijken en vooral giften in de vorm van gratificaties probeerden zij de keurvorsten voor hun zaak te winnen. Frans I werd daarbij gesteund door paus Leo X, die de geestelijke keurvorsten van Mainz en Trier de kardinaalshoed beloofde als zij Frans I zouden steunen.
Tijdens de verkiezingsstrijd stonden de keurvorsten in het centrum van de internationale belangstelling. Van verscheidene kanten werden zij benaderd en overladen met giften.
Dank zij de Augsburgse koopman en bankier Jacob Fugger wist Karel de geldverslindende strijd vol te houden. In ruil voor de overname van steeds meer keizerlijke en Habsburgse bezitsrechten financierde Fugger het grootste gedeelte van Karels kostbare verkiezingscampagne. Daarnaast verloor Frans I steeds meer terrein.
Nadat pogingen van de paus - die een Habsburgse omsingeling van zijn kerkstaat vreesde - om de Saksische keurvorst Frederik de Wijze te bewegen zich kandidaat voor de troon te stellen, waren gestuit op de bezwaren van de bedachtzame en eerlijke keurvorst zelf, was de weg voor Karel vrij.

*Jacob Fugger (rechts) op kantoor.*

# Maximiliaan I: groot renaissancevorst

*'Aanbidding der Koningen' van Albrecht Dürer (1504, Uffizi, Florence).*

*Albrecht Dürer (zelfportret, 1500).*

WELS, (Opper-Oostenrijk), 12 januari - Op de terugreis van Augsburg is in Wels keizer Maximiliaan I op bijna 60-jarige leeftijd overleden. Niet alleen zijn politieke, diplomatieke en militaire prestaties, maar ook de mate waarin hij kunsten en wetenschappen heeft gestimuleerd, maakten hem tot een unieke persoonlijkheid.

Hij werd 'de laatste ridder' genoemd omdat hij de middeleeuwse ridderidealen trouw, eer en moed hoog in zijn vaandel had staan. Deze idealen komen tot uiting in de door hem zelf geschreven biografische romans. De *Teuerdank* is genoemd naar de hoofdpersoon die vanaf zijn jeugd zijn gedachten altijd op de hogere waarden in het leven, de 'teuerliche Sachen' richt. De dappere held moet vele moeilijkheden overwinnen voordat hij zijn bruid, koningin Ehrenreich (Maria van Bourgondië), in zijn armen kan sluiten. De *Weiskunig* - de titel heeft betrekking op het blanke harnas en het zuivere geweten van de hoofdpersoon - beschrijft hoe Maximiliaan de strijd aanbindt met menselijke vijanden en met het noodlot.

Toch schetsen deze levensbeschrijvingen ook het beeld van Maximiliaan als renaissancevorst. Ze getuigen van zijn individualistisch zelfbewustzijn, zijn vertrouwen in eigen kracht en verstand, en zijn behoefte om in deze wereld grootse werken te verrichten. In de *Weiskunig* getuigt de keizer van zijn belangstelling en bewondering voor kennis en wetenschap: 'das haimlich wissen der erfahrung der Welt'.

Maximiliaan heeft vele geleerden uit binnen- en buitenland aangetrokken omdat hij, naar het voorbeeld der antieken, van zijn hof een intellectueel centrum wilde maken.

Zo'n humanist is de uit Schweinfurt afkomstige Johannes Cuspinianus, een veelzijdig man. Hij is de auteur van een 'keizersboek', dat de klassieke keizers tot wie hij ook Maximiliaan rekent - beschrijft en van *Austria*, een lofzang op Oostenrijk. Cuspinianus houdt zich ook bezig met Latijnse en middeleeuwse bronnenkritiek en beoefent de topografie op hoog niveau. Bovendien is hij arts en diplomaat aan het hof van de keizer en rector van de universiteit van Wenen.

De door Albrecht I gestichte Weense universiteit heeft van Maximiliaans enthousiasme voor de wetenschap geprofiteerd. Van alle Duitse universiteiten heeft zij de meeste studenten. De Venetiaan Girolamo Balbi legde er de grondslag voor de studie van het Romeinse recht en Angelo Cospi uit Bologna introduceerde er de Griekse klassieken.

In 1497 kwam Konrad Celtis naar Wenen, een soort handelsreiziger in cultuur, die overal waar hij verbleef wetenschappelijke genootschappen oprichtte. Aan de Weense universiteit stichtte hij het 'Collegium poetarum et mathematicorum' (de vereniging van dichters en wiskundigen). Hij was ook de grondlegger van de hofacademie, de 'Sodalitas litteraria Danubiana' (het geleerde Donaugezelschap), een onafhankelijke internationale vereniging van geleerden, die nieuwe wetenschappelijke inzichten bespreken.

Ook beeldende kunstenaars vonden in keizer Maximiliaan een mecenas. Zo gaf hij bijvoorbeeld Albrecht Dürer en Hans Burgkmair opdracht om houtsneden te vervaardigen voor een prentenboek dat het leven van de keizer tot onderwerp had.

# Leonardo da Vinci in Frankrijk overleden

*De 'Verkondiging aan Maria', een van de vroege werken van Leonardo Da Vinci (hout, Uffizi, Florence).*

AMBOISE, 2 mei - Op 67-jarige leeftijd is Leonardo da Vinci in een kasteel aan de Loire overleden. Zijn gastheer koning Frans I van Frankrijk heeft volgens de kunstenaar Cellini gezegd nooit iemand ontmoet te hebben die zoveel wist over zoveel uiteenlopende gebieden als Leonardo.

Het is moeilijk deze 'uomo universale' te classificeren. Waarschijnlijk zijn er ingenieurs in Milaan geweest die meer presteerden dan Leonardo toen hij daar voor de Sforza's werkzaam was (1482-1499). Titiaan en Rafaël laten een omvangrijker oeuvre van indrukwekkende schilderijen na dan Leonardo, die veel meer ontwerpen maakte dan hij feitelijk uitvoerde. En Michelangelo is ongetwijfeld een groter beeldhouwer, net zoals Machiavelli een belangrijker denker is.

Maar dat alles neemt niet weg dat de Sforza's en de Borgia's Leonardo tot hun ingenieur kozen, dat de mooiste anatomische studies en tekeningen en de scherpzinnigste verhandelingen over de meest uiteenlopende natuurwetten van zijn hand zijn. Niemand heeft hem geëvenaard in de onverzadigbare nieuwsgierigheid en onbevangenheid waarmee hij, volkomen los van Kerk, theologie en geopenbaarde waarheid, de wereld tegemoettrad.

*Mexicaanse Indianen verwelkomen de Spaanse veroveraar Cortés.*

# Cortés in Tenochtitlán

TENOCHTITLAN, 8 november - De Spaanse veroveraar Hernán Cortés is met enkele honderden manschappen aangekomen in de hoofdstad Mexico-Tenochtitlán van het Azteken-rijk en hoffelijk ontvangen door keizer Montecuzoma II en zijn gevolg.

Montecuzoma stond op van zijn draagbaar, boog zijn hoofd diep voor Cortés en zei: 'Heer, gij zijt vermoeid. De reis is zwaar voor u geweest, maar nu bent u op aarde gekomen en hebt u de stad Mexico bereikt. U komt uw plaats op de troon innemen.' De keizer zag Cortés aan voor de god Quetzalcoatl die eens verdreven werd maar beloofde in het jaar Ce Acatl - 1-riet - terug te komen. Volgens de Azteekse kalender zijn 1363, 1467 en 1519 1-rietjaren. Cortés' gelijkenis met de voorstelling die de Azteken van hun god Quetzalcoatl hebben is dan ook treffend: blank gezicht, volle zwarte baard, helm met pluimen en in het zwart gekleed. Montecuzoma besloot zijn welkomstwoord met: 'Gij zijt bij ons weergekeerd. Gij zijt afgedaald uit de hemel. Rust nu en neem uw paleizen in bezit.' Cortés antwoordde: 'Zeg Montecuzoma dat wij als vrienden komen. Hij heeft niets te vrezen. Wij hebben er steeds naar verlangd hem te zien. Nu staan wij voor zijn aangezicht en luisteren naar zijn woorden. Zeg hem dat wij hem liefhebben en dat onze harten verheugd zijn.'

Een halfjaar geleden, op de feestdag van de god Quetzalcoatl, landden Cortés en zijn manschappen op Ulúa, een eiland voor de kust, en stichtten de nederzetting Veracruz. Na verscheidene veroveringstochten stevenden de Spanjaarden af op Tenochtitlán, waar het goud en de edelstenen lokten.

Al spoedig na zijn landing op Ulúa onttrok Cortés zich aan het gezag van zijn opdrachtgever Velásquez, de gouverneur van Cuba. Nadat Veracruz gebouwd was werden alle schepen verbrand en trok Cortés het land in. Cortés wordt op zijn tochten vergezeld door een Maya-vrouw, door de Spanjaarden Donà Marina genoemd. Zij leerde zeer snel Spaans en is als tolk van groot belang voor Cortés.

Cortés' eerste bondgenoten waren de Totanaken, die hoge schattingen aan de Azteken moesten betalen en daar graag van verlost werden. Cortés kwam er snel achter dat de Totanaken niet het enige ontevreden, aan de Azteken schatplichtige, volk waren. Afgelopen augustus kwamen de Spanjaarden in het gebied van de Tlaxcalanen, die nooit werkelijk door de Azteken onderworpen zijn. Ze werden door de Tlaxcalanen in eerste instantie vijandig bejegend omdat dezen op gespannen voet met de Totanaken stonden: 'Wij zullen deze teules [goden] doden en hun vlees eten.' De Tlaxcalanen vielen direct aan en Cortés' kleine krijgsmacht had de grootste moeite op de been te blijven. Tijdens een rustpauze in het gevecht kwam een vijftigtal Tlaxcalanen met vredesvoorstellen. Cortés, die hen voor spionnen hield, stuurde hen met afgehouwen handen terug. De Tlaxcalanen waren hiervan zo onder de indruk dat ze zich onderwierpen aan Cortés' gezag.

Voordat de Spanjaarden Tenochtitlán bereikten vernietigden ze de stad Cholula en vermoordden de bevolking. Ze hadden een gerucht vernomen dat de inwoners weerstand zouden bieden.

**18 januari.** Christiaan II van Denemarken trekt met een leger Zweden binnen om de Zweedse adel te onderwerpen.

**6 juni.** Frankrijk belooft in een verdrag met Engeland zijn bemoeienissen met Schotland te beëindigen.

**15 juni.** In een pauselijke bul wordt Maarten Luther met excommunicatie bedreigd, wanneer hij zijn opvattingen niet herziet.

**30 juni.** De Azteken-vorst Montecuzoma sterft, terwijl de Spanjaarden hem in Tenochtitlán, de hoofdstad der Azteken, gevangen houden. →

**10 juli.** Karel V en Hendrik VIII sluiten het Verdrag van Calais. Karel V belooft dat hij niet zal trouwen met een dochter van de Franse koning. Hendrik belooft het huwelijksverdrag voor Maria Tudor met de Franse kroonprins niet te effectueren.

**Juli.** In Spanje wordt een Heilige Liga opgericht door ambachtslieden en edelen. De Liga protesteert tegen de afschaffing van privileges onder het bestuur van Habsburg. De beide partijen raken echter onderling in conflict.

**30 september.** In Turkije volgt Süleyman I zijn vader Selim I op als sultan. →

**23 oktober.** In Aken wordt Karel V als Heilig Rooms Keizer gekroond. Voordat hij gekroond wordt moet hij eerst beloven de rechten van de vorsten en de Kerk te beschermen en geen vreemde troepen in het Duitse Rijk te brengen. Dit wordt de 'Verkiezingcapitulatie' genoemd.

**4 november.** Christiaan II van Denemarken wordt in Stockholm gekroond als koning van Zweden. Hij belooft al zijn opponenten amnestie, maar kort daarna richt hij het 'Bloedbad van Stockholm' aan. →

**10 december.** Maarten Luther verbrandt de bul waarin hij met excommunicatie wordt bedreigd. Hij wordt nu geëxcommuniceerd.

- De tot de islam bekeerde vorst van Demak (Oost-Java) verovert Madjapahit. De hindoeïstische vorst van Madjapahit vlucht naar Bali.

- De katholieke vorst van Kongo laat zijn zoon tot bisschop benoemen. Hij is de eerste negerbisschop.

- Karel V laat een bevel uitvaardigen om alle lutherse boeken in de Nederlanden te verbranden.

Gestorven:

**6 april.** Rafaël (6-4-1483), Italiaans schilder →

# Rafaëls dood in Rome diep betreurd

*De 'Sixtijnse Madonna' van Rafaël.*

ROME, 6 april - Diepbetreurd door paus Leo X is op 37-jarige leeftijd de Italiaanse schilder en bouwmeester Rafaël gestorven.

In 1504 trok hij, evenals alle beginnende schilders, naar Florence en bestudeerde er de fresco's van Masaccio. In 1508 ging hij naar Rome, waar paus Julius II alle talentvolle kunstenaars om zich heen verzamelde voor de bouw van de Sint-Pieter. Op de muren van een van de pauselijke ontvangstzalen, de Stanza della Segnatura, schilderde Rafaël in monumentale groepsscènes de groten uit de wereld van de filosofie, de wetenschappen en de kunst. *De school van Athene* en de *Disputa* rekent men sindsdien tot zijn meesterwerken. Na de dood van Bramante in 1514 vertrouwde paus Leo X Rafaël de voltooiing van de Sint-Pieter toe.

Hoewel hij minder geïnteresseerd is in wat er achter de werkelijkheid schuilgaat, doet hij als vakman zeker niet onder voor zijn grote tijdgenoten Leonardo da Vinci en Michelangelo. Daarvan getuigen ook de meer dan vijftig madonna's die hij schilderde in een perfecte harmonie van kleur en lijn. Hij werd daarbij, zoals hij zelf zei, geïnspireerd door zijn vele maîtresses, zijn manier om zijn heidense levenswijze met het christendom te verzoenen.

*'Disputa del Sacramento' (Rafaël).*

# Spanjaarden ontvluchten Tenochtitlán

TENOCHTITLAN, 30 juni - Afgelopen nacht hebben tijdens de vlucht van de Spanjaarden uit de Azteekse hoofdstad Tenochtitlán hevige gevechten plaatsgevonden. De Spanjaarden, die hun vlucht goed voorbereid hadden, werden desalniettemin in het donker verrast door de inwoners van de stad. Minstens de helft van de Spaanse troepen is gedood.

Al sinds de komst van de Spanjaarden, begin november van het vorig jaar, was de sfeer in Tenochtitlán geladen. De Spanjaarden, die door keizer Montecuzoma hoffelijk ontvangen werden, hebben zich in de tussenliggende tijd bij de Azteken gehaat gemaakt. Kort na hun aankomst namen de Spanjaarden Montecuzoma gevangen als gijzelaar die alleen nog voor de vorm de macht uitoefende. Vervolgens maakte Cortés zich kwaad dat de Azteken niet openstonden voor het christendom. In een woedeaanval drong hij door in de tempel van Huitzilopochtli en vernietigde de godsbeelden. De Azteken reageerden diep geschokt. Montecuzoma, vervuld van afgrijzen over Cortés' heilige oorlog, waarschuwde dat hij

*De dood van Montecuzoma.*

slechts een teken hoefde te geven en de opstand zou uitbreken.
Toen de Azteken op het punt stonden in opstand te komen, moest Cortés terug naar de kust, omdat gouverneur

Velásquez, aan wiens gezag hij zich onttrokken had, hem een strafexpeditie achterna had gestuurd. Hij versloeg het legertje, waarvan de meesten naar hem overliepen, en keerde terug. Inmiddels had zijn vervanger, Alvorado, uit angst voor een komplot een massamoord onder adel en priesters laten aanrichten.
Cuitlahuac, de broer van Montecuzoma, werd door de Azteekse Hoge Raad tot nieuwe leider gekozen. Onder zijn leiding brak de opstand uit. Na vijf dagen strijd probeerde Montecuzoma het woedende volk te sussen maar hij werd door stenen gedood.
De Spanjaarden beseften nu dat ze zich

in een hachelijke situatie bevonden Cortés, die al in het begin van de strijd de overlevingskansen gering achtte wilde uitbreken naar het vasteland. D' kortste route is de dam naar Tacuba een afstand van maar drie kilometer De dam heeft echter acht bruggen di' allemaal verwijderd waren. Cortés lie' een draagbare brug bouwen om d' openingen te overspannen.
Afgelopen nacht probeerden de Span jaarden ongemerkt via de dam de stad te verlaten maar al spoedig werd alarn geslagen. De stad was in rep en roer e' de Azteken vielen in kano's de Span jaarden aan, van wie slechts een gering aantal de overkant haalde.

## Christiaan II laat edelen executeren

STOCKHOLM, 9 november - Koning Christiaan II, vorst van Denemarken, Noorwegen en Zweden, heeft amper vijf dagen na zijn kroning in Stockholm een groot deel van de Zweedse adel op beschuldiging van ketterij ter dood veroordeeld en laten executeren. Meer dan 600 mensen vonden de dood. De positie van de nieuwe koning en de

Scandinavische eenheid lijken echte' eerder verzwakt dan versterkt.
Christiaan II, oorspronkelijk konin; van Denemarken en Noorwegen, ba seert zijn aanspraken op de Zweeds' kroon op een meer dan 120 jaar oud Unie. In 1397 werden de drie Scandina vische rijken in een personele unie me' elkaar verbonden, toen de Deense ko ning Erik XIII na lange dynastiek' twisten erin slaagde om zowel in Noor wegen als in Zweden tot vorst te wor den uitgeroepen. Deze Unie van Kal mar had vooral tot doel de politieke e' economische achteruitgang van Scan dinavië, met name ten opzichte van d' Duitse Hanzesteden, een halt toe t' roepen. Het bleek al snel dat Denemar ken een overheersende invloed had wat tot voortdurende spanningen me' Zweden (en in mindere mate met Noor wegen) leidde.
Na een aantal mislukte opstande' slaagde de Zweedse adel onder leiding van rijksbestuurder Sten Sture de Ou dere erin in 1471 het Deense leger te ver slaan. Pogingen van Denemarken on de Zweden weer in het Unie-gareel t' brengen mislukten vooralsnog.
In 1513 kwam in Denemarken ee' nieuwe sterke vorst aan de macht Christiaan II, uit het huis Oldenburg De interne verdeeldheid van de Zweed se adel opende perspectieven. Toe' rijksbestuurder Sten Sture de Jonger in 1517 grootste tegenstander aartsbisschop Trolle, gevangenzette e' er daarop een kleine burgeroorlog uit brak, viel Christiaan II met een lege' huurlingen Zweden binnen. In septem ber 1520 viel de laatste Zweedse vestin; in Deense handen.
Op 4 november liet Christiaan zich to' erfelijk koning van Zweden kronen e' herstelde daarmee de Unie van Kal mar. Het recente bloedbad, dat med' op instigatie van aartsbisschop Troll' plaatsvond, heeft weliswaar de opposi tie gedecimeerd, maar lijkt de nationa listische gevoelens van de bevolking al leen maar aangewakkerd te hebben.

# Süleyman nieuwe sultan Osmaanse rijk

*Links: een 16de-eeuws gezicht op Constantinopel; rechts: een koopman keurt op de markt een jonge slavin.*

CONSTANTINOPEL, 30 september - De 26-jarige Süleyman is zijn vader Selim I als sultan van het Osmaanse Rijk opgevolgd. Selim de Strenge, die op 21 september na een regeringsperiode van acht jaar overleed, laat zijn zoon een enorm rijk na.
De Osmanen danken hun naam aan hun eerste leider, Osman, die in het eerste kwart van de 14de eeuw overleed. Zijn opvolgers gaven blijk van grote strategische en politieke kwaliteiten. Het Osmaanse systeem was, zoals ze

zelf zeggen, 'voortgekomen uit oorlog en georganiseerd voor verovering'. De keurtroepen van het Turkse leger zijn de janitsaren, zonen van christenen, die een gedegen opleiding krijgen en vaak rijkelijk beloond worden.
Gaandeweg werden Zuidoost-Europa en Anatolië door de Osmanen veroverd. In 1453 werd Byzantium ingenomen en onder de naam Constantinopel werd het de nieuwe hoofdstad. Selim I veroverde Syrië, Palestina en Egypte; met deze inlijving van het Ma-

melukse sultanaat (1517) werd het Osmaanse Rijk het grootste mohammedaanse imperium dat ooit bestaan heeft. Het rijk strekt zich nu uit van de Rode Zee tot de Krim en van Koerdistan tot Bosnië.
Een verschil tussen een hofhouding in het Westen en het Osmaanse hof is de afzondering van de vrouwen. De harem bestaat uit de moeder van de sultan, zijn vrouwen en kinderen en de slaven, die allen bewaakt worden door zwarte eunuchen.

**Februari.** Gustaf Wasa verovert met een leger van boeren Vesterås en Uppsala op de koning van Zweden, Denemarken en Noorwegen.

**18 april.** Maarten Luther wordt op de Rijksdag te Worms ondervraagd door kardinaal Alexander. 'Mijn geweten', zegt hij, 'is een gevangene van het woord Gods.' Hij kan en wil zijn meningen daarom niet herzien.

**22 april.** In Spanje worden de 'Communeros' verslagen. De stedelijke autonomie gaat verloren. De keizer zal voortaan de magistraten benoemen. →

**28 april.** Karel V, aanwezig op de Rijksdag in Worms, geeft zijn broer Ferdinand de rechten over Oostenrijk. Ferdinand wordt aartshertog van Oostenrijk.

**26 mei.** Luther wordt op de Rijksdag in Worms (in het Edict van Worms) in de rijksban gedaan, en daardoor vogelvrij verklaard. →

**28 mei.** De paus, verontrust over de expansie van Frankrijk in Italië, sluit een verdrag met Karel V. Karel V zal troepen sturen om de Fransen te bestrijden.

**Juni.** Frankrijk trekt Navarra binnen, dat sinds 1515 bij Spanje is ingelijfd.

**13 augustus.** Spaanse troepen bezetten opnieuw de Azteekse hoofdstad Tenochtitlán. →

**29 september.** Turkije bezet Belgrado.

**19 november.** Spaanse, Duitse en Italiaanse soldaten, de troepen van Karel V en de paus vallen Milaan binnen, dat sinds 1515 van Frankrijk is.

**November.** Sebastian del Cano, die het bevel over de vloot van Magalhães heeft overgenomen (na diens dood), komt aan op de Molukken. De Spanjaarden worden direct aangevallen door de Portugezen.

**2 december.** Paus Leo X sterft. →

**13 december.** In Portugal volgt Johan III zijn overleden vader Emanuel op. →

- De Friese vrijheidspartij knoopt betrekkingen aan met Karel V. De Friezen hopen dat de keizer betere garanties kan bieden voor de vrijheid dan Karel van Gelre, die zware belastingen heft. Karel V wordt in 1524 heer van Friesland.

- In Rusland belegeren Krim-Tataren, onder bevel van Mehmed Girey, Moskou. De Krim wordt echter bezet door de Astrakan-Tataren, zodat Mehmed Girey het beleg van Moskou moet opgeven.

Gestorven:

**27 april.** Fernão de Magalhães (circa 1470), Portugees ontdekkingsreiziger →

# Magallanes bij strafexpeditie gesneuveld

*Rechts: Magallanes in de zeestraat tussen Vuurland en het vasteland; rechts: uit de 'Cosmographie universelle' van Le Testu.*

MACTAN, 27 april - Fernando de Magallanes, aanvoerder van een Spaanse verkenningsvloot, is tijdens een strafexpeditie tegen Lapu-lapu, een datu (hoofd) van het eilandje Mactan (Filippijnen), gesneuveld. Vroeg in de ochtend landde hij met 47 soldaten, wadend door het ondiepe water, op het strand. Daar werden ze opgewacht door met lansen bewapende krijgers, die door het afvuren van een musketsalvo op de vlucht werden gejaagd. Magallanes gaf het bevel om als waarschuwing de nederzetting in brand te steken, waarop tot zijn grote verrassing een felle aanval van de Mactano's volgde, die de Spanjaarden in paniek naar hun sloepen deed vluchten. Magallanes wist de aftocht te dekken, maar werd zelf door tientallen lansen doorstoken en stierf ter plekke.

Magallanes, een Portugees (hij heette eigenlijk Fernão de Magalhães), was door zijn ervaring in de Aziatische wateren en kennis van de geografie en astronomie ervan overtuigd geraakt dat de Grote Oceaan niet alleen door ronding van Afrika, maar ook via een doorgang in het zuidwesten van de Atlantische Oceaan bereikt zou kunnen worden. Omdat hij aan het Portugese hof geen gehoor vond, wendde hij zich tot de Spaanse koning, keizer Karel V, die wel heil zag in een expeditie die ook Spanje toegang tot de rijkdommen van Azië zou kunnen bieden. Via de normale route ging dat niet, omdat Spanje en Portugal bij het Verdrag van Tordesillas (1494) de wereld in twee invloedssferen hadden verdeeld, respectievelijk ten westen en ten oosten van een lijn op 370 zeemijlen van de Kaapverdische Eilanden.

In oktober 1519 vertrok Magallanes aan het hoofd van een Spaanse vloot van vijf schepen in de richting van de Islas del Poniente, de westelijke eilanden [Filippijnen]. Zijn opdracht luidde: het vestigen van Spaans gezag, het verspreiden van het christendom en het vergaren van rijkdommen. In november vorig jaar werd de doorgang naar de Grote Oceaan gevonden en na een tocht vol ontberingen bereikten uiteindelijk drie schepen hun doel. Op 16 maart werd Zamal [Samar] waargenomen en de volgende dag zette men voet aan land op het ten zuiden daarvan gelegen Homohon, waar met datu Kolambu een verdrag werd gesloten. Op paaszondag, 31 maart, plaatste Magallanes hier een groot houten kruis, waarmee hij namens Spanje bezit nam van het gebied, dat de naam Archipel van Sint Lazarus ontving.

Met Kolambu als loods vervolgde men de tocht naar Cebu, dat op 7 april werd bereikt. Met de plaatselijke vorst, raja Humabon, werd een verdrag gesloten, waardoor deze zich in feite onderwierp aan de Spaanse koning. De Spanjaarden kwamen echter al snel in conflict met een van Humabons vazallen, datu Lapu-lapu van Mactan, die weigerde het Spaanse gezag te aanvaarden. Magallanes besloot hem een lesje te leren en gaf bevel voor de, zo rampzalig verlopen, strafexpeditie.

# Karel V bezweert opstand in Castilië

VILLALAR, 22 april - Met een volledige overwinning op de troepen van de 'Communeros' lijkt de legermacht van Karel V een einde te hebben gemaakt aan de rebellie van de 'Communidades', de Castiliaanse steden, die de afgelopen twee jaar een ernstige bedreiging van zijn gezag in Spanje vormde. Nadat bij de Slag bij Villalar gisteren de meeste gewapende opstandelingen zijn gedood of gevangengenomen, zijn vandaag hun aanvoerders, de Toledaanse edelman Juan de Padilla en Juan Bravo uit Sevilla, in het openbaar onthoofd.

De opstand richtte zich rechtstreeks tegen Karel V, wie men een eigenmachtig bestuur en een veronachtzaming van de Spaanse belangen verweet. Al sinds de dood van koningin Isabella in 1504 was in Castilië sprake van een toenemende ontevredenheid vanwege de onzekerheden rond haar opvolging en economische problemen door misoogsten en epidemieën. De grieven namen na de inhuldiging van de nieuwe vorst verder toe. Koning Karel had bij zijn aankomst in Spanje niet alleen een groot Vlaams gevolg meegebracht, maar liet ook toe dat deze vreemdelingen onder elkaar de hoogste en best betaalde politieke en kerkelijke ambten verdeelden. Zo verwierf een minderjarige neef van Karels Vlaamse raadsheer Willem van Croy de belangrijke aartsbisschopszetel van Toledo.

De maat was vol toen Karel door de Duitsers tot Rooms-koning werd gekozen, zijn aanstaande vertrek aankondigde en in Castilië de belastingen verhoogde om de kroningsplechtigheid te betalen. De steden kwamen in opstand en verjaagden of doodden de koninklijke bestuursambtenaren. Zij eisten dat de koning naar Spanje terugkeerde, dat ambten werden voorbehouden aan Spanjaarden en dat het parlement, de Cortes, meer zeggenschap in het landsbestuur zou krijgen. Toen sommige Communidades daarnaast ook sociale en economische hervormingen gingen eisen, zoals minder macht van de adellijke grootgrondbezitters en een beperking van de wolexport, groeiden de tegenstellingen en verloor de beweging de steun van de rijke kooplieden en de lage adel, die zich aanvankelijk bij de opstand hadden aangesloten.

De strijd van de Castiliaanse steden voor het behoud van hun onafhankelijkheid en medezeggenschap in het bestuur lijkt met de nederlaag bij Villalar definitief verloren. Karel V heeft in zijn Spaanse erflanden duidelijk zijn gezag gevestigd.

# Luther in de rijksban gedaan

WORMS, 26 mei - Met de ondertekening van het Edict van Worms heeft de Duitse Rijksdag de pauselijke ban over Luther bekrachtigd en versterkt. Hiermee is een nieuw wapenfeit toegevoegd aan de strijd rond de augustijner monnik en theoloog.

Alle opwinding vindt haar oorsprong in de 95 stellingen die Luther op 31 oktober 1517 op de deur van de slotkapel te Wittenberg heeft aangeslagen. Hij reageerde daarmee op de aflaatprediking van Johannes Tetzel, die als een ware marktkoopman aflaatbrieven aan de man probeerde te brengen. Volgens sommigen zette hij zijn prediking kracht bij met het liedje 'Zodra het geld in het kistje klinkt, het zieltje uit het vagevuur springt'. De opbrengst van de verkoop van de aflaatbrieven was eigenlijk bestemd voor de bouw van de Sint-Pieter in Rome, maar Albrecht

*Luther met baard tijdens zijn verblijf op de vesting Wartburg.*

van Brandenburg, aartsbisschop van Maagdenburg en Mainz, hoopte met een deel van de opbrengst zijn grote financiële schuld bij het bankiershuis Fugger te kunnen aflossen.

De gevoelige Luther, die na een intensieve bijbelstudie tot het inzicht is gekomen dat het heil niet door goede werken maar door geloof alleen bereikt kan worden, waren de praktijken van Tetzel een doorn in het oog. In zijn 95 stellingen stelde hij de misbruiken van de aflaathandel aan de kaak. Veel nieuws bevatten de stellingen niet, daar Luther al vanaf 1515 in zijn preken tegen de aflaathandel had geageerd. In een preek van 24 februari 1517 hield hij zijn gehoor voor: 'Wij dienen tot Christus te komen, maar helaas, dat is het niet wat men preekt, men preekt alleen maar aflaat. Welk een boze tijd beleven we, er heerst een duisternis erger dan eens in Egypte; de priesters snorken en iedereen slaapt.' Maar hoewel de stellingen niets nieuws bevatten, maakten ze grote indruk en vonden ze een snelle verspreiding.

Enkelen doorzagen direct dat Luthers betekenis ver boven de 95 stellingen uitsteeg. Zijn uitgangspunt dat de mens alleen door geloof op genade mocht hopen, hield een aanval in op de Kerk als middelaarster tussen God en mens. Vanuit Rome werd dan ook fel gereageerd op Luthers optreden. Maar de theologische debatten met de pauselijke gezant Thomas Cajetanus en de theoloog Johannes Eck brachten Luther niet tot inkeer. Integendeel, hij werkte zijn ideeën verder uit. In 1519 stelde hij zelfs de autoriteit van de paus en het concilie ter discussie. De paus reageerde in juni vorig jaar met de uitvaardiging van de bul *Exsurge Domini* waarin hij dreigde Luther in de ban te doen. Maar weer herriep Luther zijn leerstellingen niet. In een feestelijke openbare bijeenkomst verbrandde hij de pauselijke bul. De breuk met Rome was een feit.

De Saksische keurvorst Frederik de Wijze probeerde de partijen in Duitsland tot elkaar te brengen. Door zijn toedoen werd Luther onder vrijgeleide uitgenodigd om voor de Rijksdag van Worms te verschijnen. Hier hield hij op 18 april een indrukwekkende redevoering waarin hij zijn geschriften uitvoerig verdedigde en weigerde iets te herroepen: 'Herroepen kan en wil ik niets, daar het niet past iets tegen het geweten te doen. Ik kan niet anders, hier sta ik, God helpe mij. Amen.'

Hoewel de redevoering diepe indruk maakte op de aanwezigen, reageerde Karel V fel: 'Ik zal hem nooit meer opnieuw horen. Hij geniete zijn vrijgeleide; maar ik zal hem voortaan als een notoire ketter beschouwen, en ik hoop, dat gij, als goede christenen, eveneens het uwe zult doen.' Enkele weken later, op 8 mei, werd het edict tegen Luther opgesteld. Pas na lange beraadslagingen is het nu door de standen aangenomen en ondertekend.

# Azteekse Rijk ten onder

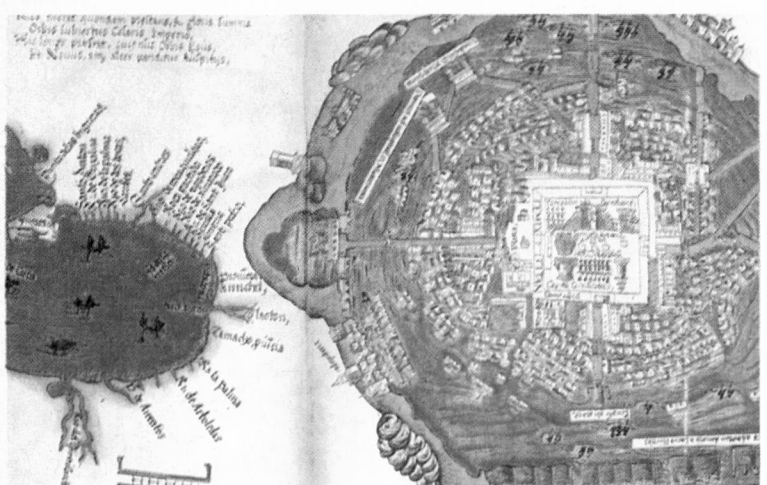

*De Azteekse hoofdstad Tenochtitlán volgens Cortés' eigen reisaantekeningen (1524).*

TENOCHTITLAN, 13 augustus - De Azteekse hoofdstad Mexico-Tenochtitlán is gevallen na een belegering van tachtig dagen door de Spanjaarden. De keizer Cuauhtémoc, een neef van Montecuzoma, is door Cortés gevangengenomen. Hiermee is een einde gekomen aan het Azteekse Rijk, dat onder Montecuzoma zijn hoogtepunt bereikte.

De keizer, benoemd door de Hoge Raad, stond aan het hoofd van de heersende priester-adelklasse. Het keizerrijk was in feite geen eenheid maar een losse federatie van steden waarin Tenochtitlán een leidende rol speelde. De door de Azteken overwonnen volken betaalden schatting maar werden niet ingelijfd. Sommige volken werden nooit overwonnen, zoals de Tlaxcalanen, die voortdurend met de Azteken in oorlog waren.

Toen de Spanjaarden twee jaar geleden in Tenochtitlán kwamen konden ze hun ogen nauwelijks geloven. Ze noemden het al gauw 'het Venetië van de Nieuwe Wereld', niet alleen vanwege de schoonheid: evenals Venetië is Tenochtitlán omgeven door water en is met drie dammen verbonden met het vasteland. De stad is ontstaan door 'drijvende tuinen', chinampa's, en door het plaatsen van palen in de bodem van het meer. Chinampa's zijn vlotten, gemaakt van modder, riet en waterplanten, die na verloop van tijd in het ondiepe meer wortel schoten en eilanden werden, die uitermate geschikt zijn voor groente-, fruit- en bloementeelt.

Tenochtitlán, ooit de mooiste en grootste stad, met circa 100 000 inwoners, biedt op het moment een afgrijselijke aanblik. Huizen, paleizen en tempels zijn met de grond gelijk gemaakt. De pokkenepidemie, die tijdens de belegering uitgebroken is, heeft ook haar sporen achtergelaten.

*Leo X, geportretteerd door Rafaël.*

# Leo X hield van het goede leven

ROME, 2 december - In Rome is, negen dagen voor zijn 46ste verjaardag, paus Leo X overleden. Hij heeft zich tijdens zijn achtjarige pausschap ingespannen voor de bevordering van de renaissance en van de belangen van de Pauselijke Staat en zijn Medici-familie, maar hij heeft met weinig begrip en doeltreffendheid gereageerd op de beginnende Reformatie.

Giovanni de' Medici werd in 1475 geboren als tweede zoon van Lorenzo de' Medici. Op 14-jarige leeftijd werd hij kardinaal, maar pas na zijn verkiezing tot paus in 1513 werd hij tot priester gewijd.

Leo wisselde tijdens de oorlogen tussen de Habsburgers en de Valois nogal eens van kant; zijn uiteindelijke doel was de bevrijding van Italië van alle buitenlanders. In 1515 stond hij aan anti-Franse zijde toen Frans I de Slag bij Marignano won. Dat kostte Leo concessies in het Concordaat van Bologna. De paus vergiste zich opnieuw in 1519 toen Frans en de Spaanse koning Karel naar de Duitse keizerskroon dongen. Tijdens de vijfde Valois-Habsburgse oorlog in mei van dat jaar liet Leo zijn bondgenoot Frans vallen in de hoop Parma, Piacenza en Ferrara bij het grondgebied van de Pauselijke Staat te kunnen voegen.

Leo gebruikte het Vijfde Lateraans Concilie (1512-1517) voor vergaande maatregelen tegen allerlei vormen van corruptie die met pauselijke bullen werden bekrachtigd. Maar niet alleen haalden die maatregelen weinig uit, Leo maakte zich ook aan corruptie en nepotisme schuldig, hetgeen Luther tot rebellie dreef. Leo was lang blind voor dit protest.

De jonggestorven paus stond bekend als een levensgenieter die hield van feesten en jagen en die zich met kunstenaars en geleerden omringde. 'Laten we van het pausschap genieten nu God het ons heeft gegeven,' zo tekende de Venetiaanse ambassadeur eens uit zijn mond op.

# Koning Emanuel overleden

*De Torre de Belém (1515-1521) dient ter bescherming van de haven van Lissabon.*

LISSABON, 13 december - Koning Emanuel 'de Gelukkige' is overleden. In de ruim 25 jaar van zijn regering hebben de Portugezen als eersten alle wereldzeeën bevaren en een reusachtig handelsrijk gesticht. De koning is daardoor schatrijk geworden en het aanzien van Portugal in Europa is enorm toegenomen. Toch is de balans van zijn regeringsperiode niet onverdeeld positief te noemen: zijn voornaamste doel, de eenwording van Spanje en Portugal, heeft hij niet bereikt en het Portugese volk is er materieel eerder op achteruitgegaan.

Een aantal succesvolle ontdekkingstochten legde aanvankelijk de basis van het handelsrijk dat na de verovering van strategische steunpunten als Goa, Malakka en Ormoez stevig in Portugese handen was gekomen. Ieder jaar verliet een dozijn schepen rond Pasen Lissabon en bereikte dank zij de gunstige moessonwinden in september Azië, voornamelijk om handel te drijven maar ook om het christendom te verspreiden. Een in 1499 opgerichte compagnie, de 'Casa da India e da Guiné', coördineerde op koninklijk bevel de hele handel.

Maar het werd al snel duidelijk dat de fundamenten van het imperium uiterst zwak waren. De handel op het Oosten kostte meer geld dan hij opbracht. De reis was lang en bijna de helft van alle schepen zonk in stormen of werd overvallen door moslems en piraten. Een echt monopolie had Portugal ook niet: nauwelijks zeven schepen per jaar kwamen volbeladen thuis aan en Venetië herstelde zich snel van de eerste klap en bleef handel drijven met de Arabieren via het 'gat' in de Rode Zee.

In wezen was Portugal als land weinig geschikt om een zo groot handelsrijk te exploiteren. Men miste een middenklasse die de winsten kon teruginvesteren in de handel. Nu kwam het geld voornamelijk bij de kroon en de adel terecht, die het besteedden aan luxe en persoonlijk gewin. Bij gebrek aan goede eigen bankiers moest men dure buitenlandse leningen afsluiten. Ook had Portugal nauwelijks greep op de verspreiding van de specerijen door Europa. Het hele handelsrijk leverde slechts winst op voor weinigen. Het Portugese volk, dat als zeeman en soldaat het zware werk opknapte, werd er alleen maar slechter van. Koning Emanuel 'de Gelukkige' heeft zijn rijkdom in zijn graf meegenomen.

**9 januari.** In Rome wordt Adriaan van Utrecht tot paus Adrianus VI gekozen. Adriaan was regent in Spanje voor Karel V, die sinds 1520 in Noord-Europa is.

**30 januari.** Frankrijk laat de hertog van Albany naar Schotland terugkeren.

**7 februari.** In het Verdrag van Brussel wordt de splitsing van het Habsburgse Huis in een Spaanse en een Oostenrijkse linie vastgelegd. →

**Maart.** Luther keert van de Wartburg terug naar Wittenberg. Hij veroordeelt de opstand die hier uitgebroken is. De bevolking is tot een beeldenstorm overgegaan.

**27 april.** Frankrijk wordt bij Bicocca, drie mijl van Milaan, verslagen door troepen van Karel V en de paus. Frankrijk trekt zich terug uit Milaan. Francesco Sforza wordt opnieuw hertog van Milaan.

**25 mei.** Karel V keert vanuit Noord-Europa naar Spanje terug.

**30 mei.** De Fransen worden uit Genua verdreven.

**Mei.** Engeland verklaart Schotland de oorlog.

**24 juni.** De Portugees Antonio de Brito krijgt toestemming op Ternate een versterking te bouwen. →

**11 augustus.** In Oostenrijk wordt de rebellie van de standen op bloedige wijze onderdrukt. →

**Augustus.** In Duitsland vallen de Rijksridders, onder bevel van de lutherse Franz von Sickingen, de klerikale vorstendommen in het Rijnland binnen. De Rijksridders zijn alleen ondergeschikt aan de keizer, maar zij dreigen van de lokale vorsten afhankelijk te worden. Nu doen zij een poging zich land te verschaffen.

**6 september.** Eén schip van de vloot van Magalhães terug in Spanje. →

**September.** Het door Luther in het Duits vertaalde 'Nieuwe Testament' wordt in Duitsland gedrukt en verspreid. →

**15 oktober.** Karel V benoemt Cortés tot gouverneur van 'Nieuw Spanje' (Mexico). Op de puinhopen van Tenochtitlán wordt Mexico-City gesticht.

**25 december.** Rhodos wordt door de Turken veroverd. →

- Guatemala wordt onder bevel van Pedro de Alvarado door de Spanjaarden veroverd. Een expeditie van Andagoya ontdekt Peru.

- In de Nederlanden wordt door Karel V de inquisitie ingevoerd.

- Polen en Rusland tekenen een vredesverdrag. Smolensk blijft Russisch.

# Portugal bouwt fort in Ternate op de Molukken

TERNATE, 24 juni - De weduwe van de onlangs overleden sultan Bayangullah van Ternate heeft de Portugees Antonio de Brito toestemming gegeven tot de bouw van een versterking. Tevens werd een handelsverdrag gesloten: Portugal zal alle kruidnagels die het sultanaat produceert tegen een vaste prijs (te betalen in Indiase katoen) opkopen.

Na de verovering van het handelscentrum Malakka in 1511 wilden de Portugezen zich ook meester maken van de gebieden die de felbegeerde specerijen produceerden, en nog in datzelfde jaar vertrok een drietal schepen, onder bevel van Antonio d'Abreu, naar de Molukken. Men kwam niet verder dan Banda, waar een lading nootmuskaat werd ingenomen. Op de terugreis verging het schip van kapitein Serrão voor de kust van Ambon, waar de bemanning verwikkeld raakte in de strijd tussen de Hituërs en invallers uit Seram. Uiteindelijk bereikten ze Ternate.

De Molukken worden beheerst door de noordelijke sultanaten Ternate en Tidore, die elk aan het hoofd van een politiek bondgenootschap staan, respectievelijk de ulilama en ulisiwa (de vijf- en negenvoudige bond). De vorsten van deze in de 15de eeuw opgekomen handelsrijken zijn rond 1500 tot de islam bekeerd en beheersen alle belangrijke specerijgebieden. Zij betwisten elkaar voortdurend de suprematie in de Molukken en hopen allebei Portugal als bondgenoot voor zich te winnen. De Portugezen kozen voor Ternate (tot grote woede van Tidore) en raakten op deze wijze bij de vijandelijkheden betrokken.

*Vasco Núñez de Balboa, een van de ontdekkers van de Stille Oceaan.*

# Karel V geeft Oostenrijk aan Ferdinand

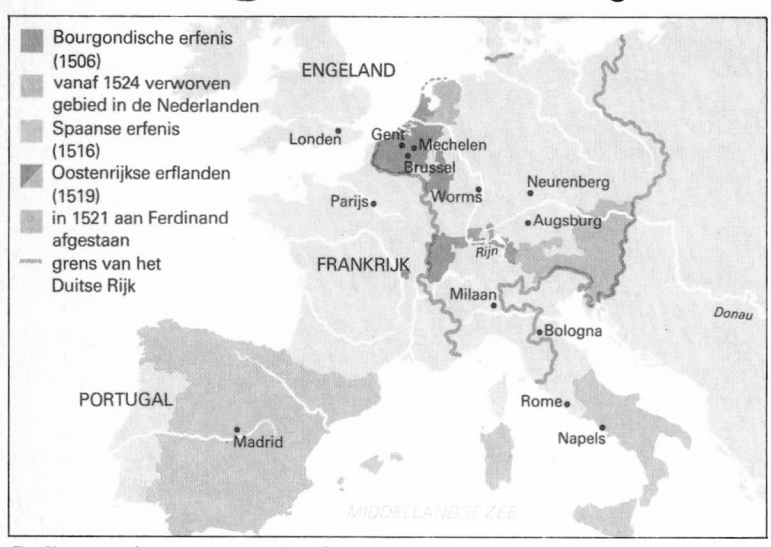

**Bourgondische erfenis (1506)**
**vanaf 1524 verworven gebied in de Nederlanden**
**Spaanse erfenis (1516)**
**Oostenrijkse erflanden (1519)**
**in 1521 aan Ferdinand afgestaan**
**grens van het Duitse Rijk**

*De Europese bezittingen van Karel V (1506-1515).*

BRUSSEL, 7 februari - In het Verdrag van Brussel is vastgelegd dat Karel V al zijn Oostenrijkse gebieden aan zijn jongere broer Ferdinand I overdraagt. Het Verdrag van Brussel is een herziening van het vorig jaar op 28 april gesloten Verdrag van Worms, waarin voor de eerste maal de verdeling van de erfenis van Maximiliaan I werd geregeld. Toen werd aan Ferdinand alleen Neder-Oostenrijk toegewezen, maar dit territorium is te zwak om als machtsbasis te fungeren, vooral gezien de dreiging van de oprukkende Tur-

ken. Keizer Karel behoudt de Bourgondische, Spaanse en Amerikaanse bezittingen. Voortaan zijn er twee soorten Habsburgers: Spaanse en Oostenrijkse.
In 1519 zorgde de opvolging van Maximiliaan voor beroering onder de Europese vorsten. Bij zijn leven had Maximiliaan de keurvorsten veel geld toegestopt om hen te overreden op Karel, zijn oudste kleinzoon, te stemmen. Er was echter een tegenkandidaat, koning Frans I van Frankrijk, die eveneens bereid was om diep in de geldbui-

del te tasten. Bovendien werd Frans I gesteund door de paus, lid van de Medici-familie, die deze rivaal van Karel V pousseerde omdat hij bevreesd was voor een verdere machtsuitbreiding van de Habsburgers.
Voor de titel 'Rooms-koning' was nog een derde gegadigde: Hendrik VIII van Engeland. Toch zegevierde Karel V, doordat hij erin slaagde de anderen te overbieden. De felbegeerde titel kostte hem ruim een miljoen gulden. Hij kon dit bedrag op tafel leggen omdat het handelshuis Fugger hem enorme kredieten verschafte. Het risico dat de Fuggers hiermee lopen is niet zo vreselijk groot: de rijkdommen van Spaans-Amerika staan immers borg.
In principe erfde Karel alle Habsburgse landen. Er was echter al tijdens de onderhandelingen die hebben geleid tot het zogenaamde Jagielloonse dubbelhuwelijk op 22 juli 1515, afgesproken dat die kleinzoon van Maximiliaan die met Anna Jagiello van Hongarije trouwde, in het bezit van de Oostenrijkse erflanden zou komen. Of dat Karel of Ferdinand zou worden was in 1520 nog niet duidelijk. Hongarije hoopte op Karel, om aansluiting bij de Spaanse wereldmacht te vinden. Karel wilde echter de mogelijkheid van een verbintenis met een Franse of Engelse prinses openhouden. Hij liet Anna, Oostenrijk, Hongarije en Bohemen aan Ferdinand over.

*Ferdinand I (kopergravure, 1531).*

## Burgemeester van Wenen onthoofd

WENEN, 11 augustus - De burgemeester van Wenen, Martin Siebenbürger, is in opdracht van Ferdinand I in het openbaar onthoofd. Zeven van zijn medestanders hebben hetzelfde lot ondergaan. Zij waren de aanvoerders van de standen in verzet tegen de nieuwe landsheer, wiens positie in Oostenrijk is versterkt door het op 7 februari gesloten Verdrag van Brussel, treedt hard op. Wenen, het oppositionele bolwerk, raakt al zijn privileges kwijt. De rebellie van de standen - adel en burgerij - was uitgebroken na de dood van Maximiliaan I in januari 1519, waardoor er in Oostenrijk een machtsvacuüm was ontstaan. Het verzet richtte zich tegen de 'Regimenter', de door Maximiliaan I geïntroduceerde centrale bestuursorganen. De vertegenwoordigers van adel en burgerij waren van mening dat hun aloude privileges en inkomsten onrechtmatig in handen van overheidsdienaren waren gekomen. Al op 28 januari 1519, de dag waarop in de Weense Stephansdom de rouwplechtigheid voor de gestorven keizer plaatsvond, kwamen de standen van 'Österreich unter der Enns' bijeen om het 'Regiment' af te zweren. Al snel volgde 'Österreich ob der Enns', dat van de gelegenheid gebruik maakte om zich los te maken van 'unter der Enns'. Op 9 mei 1519 vond een vergadering van de standen van alle Habsburgse gebieden, behalve Tirol, plaats, waarin werd besloten om een afvaardiging naar Spanje te sturen. Deze delegatie moest de grieven van de Oostenrijkse standen overbrengen aan de erfgenamen van Maximiliaan, Karel V en aartshertog Ferdinand. Karel V wees het verzoek om afzetting van de 'Regimenter' streng van de hand. Onverrichter zake keerden de afgezanten naar huis terug. Toen zij in februari 1520 in Wenen arriveerden hadden Tirol en Karinthië de door Karel V verlangde eed van trouw aan de landsheer al afgelegd. De andere gewesten volgden spoedig. Toen ook Wenen de landsheer gehoorzaamheid beloofde, was de revolte van de standen verlopen.

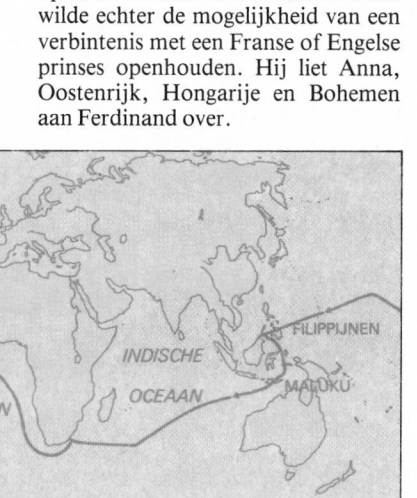

*De reis van van Magallanes' vloot rond de wereld (1519-1522).*

## Spaanse schepen terug van de Molukken

SAN LUCAR DE BARRAMEDA, 6 september - Vandaag is de 'Victoria' onder leiding van kapitein Del Cano na een tocht van drie jaar als eerste schip teruggekeerd van een reis om de wereld. De nog overgebleven achttien bemanningsleden zijn als helden ontvangen.
Het schip, dat ook de Molukken heeft aangedaan, was volgeladen met kruidnagels. Del Cano heeft van de Spaanse koning een wapen met de aardglobe erop gekregen met daaronder de woorden 'Primus circumdedisti me' (Als eerste ben je om mij heen gevaren). Een

domper op de feestvreugde is het bericht dat Magallanes, onder wiens supervisie de tocht begon, vorig jaar bij een schermutseling met inlanders om het leven is gekomen.
De Italiaan Pigafetta, die een nauwkeurig verslag van de reis heeft bijgehouden, bemerkte dat hij één dag op de kalender achter liep. De geleerden, die zich onmiddellijk over dit probleem bogen, zijn tot de volgende slotsom gekomen: als men naar het westen gaande de aarde omzeilt, verliest men een dag, naar het oosten gaande wint men een dag.

*Johannieterridders in gevecht met Turkse troepen op Rhodos. Op 25 december moeten de ridders zich na een beleg van 145 dagen overgeven. De grootmeester van de orde, Philippe Villiers de l'Isle Adam, heeft voor zijn 200 ridders en 1600 soldaten een vrije aftocht verkregen van sultan Süleyman, die zelf de belegering leidde. Bij de Slag om Rhodos zijn naar schatting 50 000 Turken gesneuveld. Het nieuws van de val van Rhodos brengt in Europa een schok teweeg.*

# Luther vertaalt Nieuwe Testament

WITTENBERG, september - De verschijning van het Nieuwe Testament in een Duitse vertaling van de bekende hervormer Maarten Luther heeft tot een felle polemiek geleid. Naast lof voor de zeer leesbare vertaling heeft Luther ook veel kritiek geoogst. Zo wordt hem verweten dat hij bepaalde passages tendentieus vertaald zou hebben om zo zijn eigen ideeën meer kracht te kunnen bijzetten.

Dat juist Luther het Nieuwe Testament vertaald heeft, is niet verwonderlijk. Evenals de Rotterdamse humanist Desiderius Erasmus verkondigt Luther al enige tijd dat iedere christen eigenlijk de Heilige Schrift in zijn volkstaal zou moeten kunnen lezen. Nog in december vorig jaar schreef hij: 'O, dat God al mijn uitleggingen en die van alle andere leraren liet vergaan, en dat elke christen niets anders mocht overdenken dan de eenvoudige Schrift zelf en het zuivere Woord van God.'

Aangespoord door zijn vriend en medehervormer Philipp Melanchton heeft Luther - die sinds de uitvaardiging van het Edict van Worms op 26 mei 1521 is ondergedoken op de Wartburg - het Nieuwe Testament in elf weken vertaald. Geheel in overeenstemming met de wetenschappelijke inzichten van het humanisme heeft Luther voor zijn vertaling niet alleen gebruik gemaakt van de Vulgaat maar vooral van de Griekse tekstuitgave van het Nieuwe Testament door Erasmus. In tegenstelling tot de oudere Duitse vertalingen is die van Luther beeldend en bijzonder duidelijk. Verder valt op dat Luther in zijn vertaling geen gebruik gemaakt heeft van het dialect uit zijn geboortestreek, maar van een soort Hoogduits zoals dat gesproken wordt aan de Saksische hofkanselarij en door veel vorsten en regenten in Duitsland wordt nagevolgd. Door deze keuze lijkt Luther een belangrijke bijdrage aan de unificatie van de Duitse taal te hebben geleverd.

Binnen afzienbare tijd hoopt Luther tevens een Duitse vertaling van het Oude Testament te publiceren.

*Houtsnede uit Luthers vertaling van het Nieuwe Testament.*

**Maart.** In Denemarken breekt een opstand uit tegen koning Christiaan II. Diens oom, Frederik, hertog van Holstein, komt de opstandelingen te hulp.

**April.** Het Engelse parlement kiest Thomas More als 'Speaker of the Commons'.

**April.** Troepen van een aantal Duitse vorsten verslaan de Rijksridders bij Landstuhl. Franz von Sickingen sneuvelt. Ulrich von Hütten vlucht naar Zürich. De Rijksridders spelen hierna geen rol van betekenis meer.

**Lente.** Gustaaf Wasa verslaat de troepen van de Deense koning. Hij heeft in zijn strijd tegen Denemarken steun gekregen van Lübeck, het centrum van de Hanze. Lübeck leverde Wasa tien oorlogsschepen en 750 getrainde soldaten.

**6 juni.** Gustaaf Wasa wordt tot koning Gustaaf I van Zweden uitgeroepen. →

**Juni.** De militaire macht van Lübeck komt de opstandelingen in Denemarken te hulp. Christiaan II wordt verdreven en Frederik wordt tot koning van Denemarken gekozen.

**1 juli.** In Brussel worden voor de eerste maal aanhangers van de Hervorming in de Lage Landen door de inquisitie verbrand. →

**Augustus.** De Castiliaanse Cortes gaan onder protest akkoord met oorlogsbelastingen.

**14 september.** Paus Adrianus VI overlijdt. Vlak voor zijn dood heeft hij geprobeerd Frankrijk en Spanje te verzoenen. →

**19 september.** Engeland en Karel V sluiten een verbond om het Franse Compiègne aan te vallen.

**Oktober.** Spaanse legers trekken de Pyreneeën over en bedreigen Bayonne.

**27 oktober.** Het Engelse leger neemt Montalidier in. De Engelsen worden echter gedwongen zich terug te trekken naar Valenciennes.

**19 november.** Giulio de' Medici wordt gekozen tot paus Clemens VII.

- Pedro de Alvarado begint met de verovering van Guatemala. Cristobal de Olid exploreert Honduras.

- De Portugezen worden gedwongen China te verlaten.

- In Rome wordt een Russische ambassade gevestigd.

- De stadsraad van Zürich neemt het hervormingsprogramma van Zwingli aan.

# Adrianus VI gestorven

ROME, 14 september - Na een kort pontificaat van dertien maanden is paus Adrianus VI overleden. Terwijl de voorbereidingen voor zijn begrafenis in de Sint-Pieter in volle gang zijn, is de vreugde over zijn dood onder volk en geestelijkheid groot. Niet eerder heeft een paus door zijn beleid zo snel zoveel weerstand opgeroepen als hij.

Adrianus VI werd op 2 maart 1459 in Utrecht geboren als Adriaan Floriszoon Boeyens. Als zoon van rijke ouders ging hij theologie studeren in Leuven, waar hij ook tot priester werd gewijd en het ambt van professor aanvaardde. Zijn ijver en eruditie vielen op en in 1510 werd hij leermeester van Karel V, de Habsburgse troonopvolger, door wie hij in 1516 als stadhouder naar Spanje werd gestuurd. Naast een wereldlijke carrière maakte hij ook promotie in de kerkelijke sfeer: eerst werd hij bisschop van Tortosa, later kardinaal. Op 9 januari 1521 werd hij - mede dank zij de machtige Karel V - door het conclaaf tot paus gekozen.

Adrianus VI wilde twee dingen: een verzoening tussen de christenvorsten om samen sterk te staan tegenover de Turken en een hervorming van de Kerk om het lutheranisme te ondermijnen. Op beide punten ondervond hij tegenstand. Terwijl hij als paus graag boven de partijen had willen staan, werd hij uiteindelijk toch door Karel V, die zijn oude leermeester aan zijn zijde wilde hebben, gedwongen partij te kiezen tegen de Fransen, toen die van plan waren Italië binnen te vallen.

Adrianus' strijd tegen de corruptie, de simonie, het nepotisme en de omkoperij in de Kerk leverde hem veel vijanden onder de geestelijkheid op. Zijn sobere levensstijl botste met de vrijgevigheid van zijn voorgangers. Veelvuldig zette hij zich af tegen de volgens hem overdreven wijze waarop in die tijd de renaissancekunst werd bevorderd. Verder weigerde hij om compromissen te sluiten en de Italiaanse taal te leren. Hij verstoorde zo het luxe, luie leventje in het Vaticaan en verzuchtte veelvuldig: 'Helaas, wat maakt het veel uit, in welke tijd zelfs de beste mens regeert.' Gehaat door de curie, het volk en de kunstenaarswereld van Rome, stierf Adrianus VI (onder niet opgehelderde omstandigheden) als een zeer eenzaam man. Hij was de eerste paus uit de Nederlanden die Rome heeft gekend.

# Gustaaf tot koning van Zweden gekozen

*De Zweedse koning Gustaaf I Wasa.*

STOCKHOLM, 6 juni - De Rijksdag te Strängnäs heeft unaniem de Zweedse edelman Gustaaf Erikson Wasa tot koning Gustaaf I gekozen. Aartsbisschop Trolle, die in dienst van Denemarken het land bestuurde, is verjaagd en de onafhankelijkheid is uitgeroepen. Daarmee is een eind gekomen aan de sinds 1397 bestaande Unie van Kalmar en aan de invloed van Denemarken in Zweedse aangelegenheden.

De gedwongen hereniging binnen de Unie van Kalmar en het bloedbad dat de Denen in 1520 in Stockholm lieten aanrichten liggen aan de nu tot stand gekomen onafhankelijkheid van Zweden ten grondslag. De jonge Gustaaf Wasa, wiens familie bij het bloedbad was omgekomen, had toen direct de leiding van het verzet in handen genomen. Hij vluchtte uit Deense gevangenschap naar Lübeck en kwam in 1521 in Zweden aan. Na aanvankelijke tegenslag wist hij de boeren en mijnwerkers van de streek Dalarna tot een opstand tegen de Denen te bewegen. De Hanzestad Lübeck stuurde hem soldaten en schepen en toen de opstand steeds meer succes had sloot ook de eerst wantrouwige adel zich bij hem aan. Voor dit verenigde Zweedse geweld moesten de Denen wijken.

# Twee lutheranen op brandstapel

*De inquisitie veroordeelt ketters (door Pedro Berruguete, circa 1500).*

BRUSSEL, 1 juli - Twee augustijner monniken, Hendrik Voes en Johannes van Esschen, zijn onder grote publieke belangstelling op de Grote Markt verbrand. Het is de eerste keer dat aanhangers van de Hervorming in de Lage Landen door de inquisitie ter dood gebracht worden.

Van Esschen en Voes waren aanhangers van de leer van Luther. In hun klooster in Antwerpen hadden zij tegen aflatenhandel en het verval binnen de roomse Kerk gepreekt, tot zij in oktober van het vorige jaar door de inquisitie gearresteerd en naar Brussel overgebracht werden. Daar werden ze aan langdurige verhoren onderworpen. Maar ondanks zware folteringen weigerden ze hun standpunten te herroepen. Daarom werden ze tot de brandstapel veroordeeld.

De terechtstelling, die als afschrikwekkende waarschuwing moet dienen voor het groeiend aantal aanhangers van de ketterse leer, duurde urenlang. Eerst werden de twee mannen ceremonieel van het priesterambt ontheven, waarna ze in hun hemd naar de kerkers teruggebracht werden. Enkele biechtvaders poogden daar alsnog het tweetal tot inkeer te brengen. Toen dat niet lukte werden Voes en Van Esschen opnieuw naar de Grote Markt vervoerd, waar ze rug aan rug op de brandstapel werden vastgebonden. Pas na een half-uur werd het hout aangestoken.

---

# 1524

**Januari.** Op de Rijksdag in Neurenberg stelt de 'lutherse' partij voor om een nationale synode te houden. De keurvorst van Saksen en de landgraaf van Hessen behoren tot die partij. In de loop van het jaar verklaren ook de vorsten van Silezië, Pommeren, Brandenburg-Culmbach, Brunswijk-Lüneburg, Sleeswijk en Holstein zich tot aanhangers van Luther.

**Maart.** Paus Clemens VII stelt voor dat Frankrijk, Engeland en Spanje vredesonderhandelingen beginnen.

**24 april.** De hertog van Bourbon, in dienst van Karel V, verdrijft admiraal Bonnivet uit Milaan.

**20 mei.** De hertog van Albany, die in Schotland niet langer als beschermheer wordt erkend, verlaat het land om er niet weer terug te keren.

**28 juni.** De hertog van Bourbon trekt de Provence binnen. Hij heeft de beschikking over Spaanse en Duitse troepen.

**Juni.** In Duitsland begint de Boerenoorlog in Stühlingen. De boeren op de landgoederen van de graaf van Lupfen eisen de afschaffing van de herendiensten.

**15 juli.** Keizer Karel V verbiedt Duitse vorsten een nationale synode bijeen te roepen.

**26 juli.** In Schotland wordt de 12-jarige Jacobus V tot koning uitgeroepen. Dit is een overwinning voor de 'Engelse' partij. Aartsbisschop Beaton, leider van de 'Franse' partij, wordt vervolgens gevangengenomen.

**19 augustus.** De hertog van Bourbon belegert Marseille nadat hij Aix-en-Provence bezet heeft.

**Augustus.** In Duitsland breiden de boerenopstanden zich uit.

**29 september.** De hertog van Bourbon moet het beleg van Marseille opgeven. Hij trekt zich uit de Provence terug.

**26 oktober.** Spaanse troepen geven Milaan over aan de Fransen. Milaan wordt geteisterd door de pest.

- Maarten Luther publiceert een nieuw gezangenboek. →

- Giovanni de Verrazano, door Frans I van Frankrijk op ontdekkingsreis gestuurd, verkent de kust van Noord-Amerika. Hij 'ontdekt' de Hudson-rivier en de baai van New York.

Gestorven

**24 december.** Vasco da Gama (1460), Portugees zeevaarder
- Hans Holbein de Oudere (circa 1465), Duits schilder
- Isma'il Al-Safawi, stichter van de Safawiden-staat →

---

# Sjah Isma'il gestorven

TEBRIZ-PERZIE - Sjah Isma'il Al-Safawi, die de Safawiden-staat in 1501 in Perzië stichtte, is dit jaar gestorven. Sjah Isma'il was van Turkse afkomst. Zijn vader Haider werd in 1488 in een stammenoorlog vermoord. Toen Isma'il dertien jaar werd, besloot hij de moord op zijn vader te wreken. Isma'il slaagde erin in betrekkelijk korte tijd een leger te organiseren en verscheidene steden aan te vallen. In 1500 verklaarde hij een al-jihad (heilige oorlog) tegen de christenen in Georgië, en later veroverde hij Bakoe. Deze overwinningen waren de eerste stappen in de richting van Azerbajdzjan, met name de stad Tebriz. Toen hij Tebriz veroverd had, riep Isma'il zichzelf uit tot sjah van Perzië. Later breidde hij zijn macht uit door Sjiraz en verscheidene steden in Mesopotamië te bezetten, waarvan de belangrijkste de twee heilige steden Kerbala en Al-Najaf waren. Deze twee steden hadden een speciale betekenis voor Sjah Isma'il; de vierde kalief van de islam, Ali ibn Aboe Talib, was in Al-Najaf begraven en zijn zoon Hoessein in Kerbala. Met de oprichting van zijn staat verklaarde Sjah Isma'il dat de officiële godsdienst van het land die van sji'itische sekte van de islam zou zijn. De sji'iten zijn de volgelingen van kalief Ali en erkennen hem als de enige rechtmatige kalief na de dood van de profeet Mohammed. Met de verovering van veel gebieden en de officiële adoptie van de Sji'a als staatsgodsdienst, kwam Sjah Isma'il in conflict met het soennietisch-islamitische Osmaanse Rijk. De twee islamitische rijken kwamen in 1514 met elkaar in oorlog, waarbij Sjah Isma'il een nederlaag leed. Deze oorlog, die Galdieraan werd genoemd, werd beëindigd door een vredesverdrag tussen beide rijken. Na dit verdrag gaf Sjah Isma'il veel aandacht aan de binnenlandse problemen en versterkte zijn macht in Perzië. Sjah Isma'il wordt niet alleen beschouwd als de stichter van de Safawiden-staat, maar ook als een leider die voor de sji'itische sekte in de islam een bloeitijd schiep.

## Publikatie van Luthers gezangenboek

WITTENBERG - Een zeer bijzonder gezangenboek heeft het licht gezien, namelijk dat van de grote hervormer doctor Maarten Luther. In nauwe samenwerking met de componisten Johann Walter en Jobst Gutknecht heeft Luther de afgelopen zeven jaar gewerkt aan een *Hymnarium* (hymnenboek) in de Duitse taal, met gezangen voor het gehele kerkelijk jaar.

De componisten hebben een groot repertoire van religieuze liederen opgebouwd, dat eenvoudig en klankrijk genoeg is om door het doorsnee-kerkvolk gezongen te worden. Nu eens werden oude rooms-katholieke liederen uit het Latijn vertaald, dan weer werden melodieën van bekende Duitse wijsjes aangepast en voor de eredienst geschikt gemaakt. Er werd ook nieuw materiaal gecomponeerd: Johann Walter, zanger aan het hof van Frederik de Wijze van Saksen en cantor in Torgau, publiceerde het *Geistliche gesang Buchlein* en maakte meerstemmige zettingen van melodieën van Luther; Jobst Gutknecht, cantor te Neurenberg, publiceerde dit jaar het *Achtliederbuch* en Maarten Luther zelf componeerde het bekende koraal 'Ein feste Burg ist unser Gott'.

Maarten Luther is niet alleen een groot liefhebber van de Nederlandse polyfone muziek (over Josquin des Prez zei hij eens: 'Josquin is meester over de noten, die precies doen wat hij wil, terwijl andere componisten doen wat de noten gebieden'), hij is ook een handig componist en een verdienstelijk luit- en fluitspeler. Door zijn persoonlijke interesse in muziek is hem er veel aan gelegen voor de muziek in de nieuwe eredienst een aanzienlijke plaats in te ruimen. Met name de gemeentezang heeft daarbij zijn speciale aandacht.

*Catechismus en geloofsbelijdenis in de Duitse taal (Neurenberg).*

In het voorwoord van zijn gezangenboek schrijft hij: 'Dat het zingen van geestelijke liederen goed is en God welgevallig, daar kan geen christen omheen. De profeten en de koningen van het Oude Testament geven het voorbeeld; zij prezen God met zang en spel, met hymnen en snaarinstrumenten. De gewoonte psalmen te zingen is iedereen eigen en het gebeurt al vanaf het begin van de christelijke Kerk.

Deze liederen zijn vierstemmig gezet om geen andere reden dan dat de jeugd iets zou hebben dat opweegt tegen haar eigen liefdesliedjes en op deze wijze het goede kan oogsten.'

# Franse leger lijdt enorme nederlaag

PAVIA, 24 februari - Een keizerlijk leger heeft bij Pavia binnen twee uur het 20 000 man tellende leger van de Franse koning Frans I in de pan gehakt. De Franse koning is gevangengenomen; zijn belangrijkste bevelhebbers en 8000 van zijn manschappen zijn gesneuveld. Aan keizerlijke zijde vielen 700 doden.

De slag is het hoogtepunt van de oorlog waartoe Frans in 1521 het initiatief nam omdat keizer Karel V in strijd met zijn belofte van 1516 zuidelijk Navarra niet aan de rechtmatige koning Hendrik II d'Albret heeft teruggegeven. De oorlog heeft Frans uitsluitend ellende gebracht: Engeland sloot zich bij de keizer aan, in 1522 ging Milaan verloren en een jaar later liet Venetië Frans in de steek.

Steeds leger raakte de Franse schatkist, steeds meer gebieden werden bedreigd en steeds bouder werden de keizerlijke eisen: in 1522 eiste Karel Bourgondië, Champagne, de Provence en Languedoc op, terwijl Hendrik VIII alle vroegere Engelse gebieden en de Franse kroon wenste. Daar kwam bij dat Karel II, hertog van Bourbon, de laatste feodale magnaat en connétable van Frankrijk, Frans verried en in juli 1523 een geheim akkoord met Karel V en Hendrik VIII sloot. Terwijl de Engel-

*Strijdende ridders in de Slag bij Pavia.*

sen eind 1523 een (vergeefse) aanval op Parijs deden, bestreed Bourbon de Fransen in Noord-Italië.

In een poging Milaan te heroveren stak Frans de Alpen over. Hij verdreef Bourbon maar verzuimde hem te achtervolgen, liet Milaan uit angst voor de pest die er heerste, links liggen en begon eind oktober met het beleg van Pavia.

Frans was vol vertrouwen, maar de 5000 verdedigers onder Antonio de Leyva hielden stand en de invallende winter demoraliseerde de Fransen. Eind januari werden de belegeraars belegerd: Bourbon, Lannoy en Pescara bereikten Pavia met 18 000 man die met keizerlijk geld in Duitsland waren aangeworven. Op 20 februari trof Frans een nieuwe slag door desertie van Zwitserse en Duitse huurlingen.

De opmars van de keizerlijke troepen bracht Frans' leger in verwarring, een verwarring die nog groter werd door een uitval van Leyva vanuit de stad. Frans werd tot de aanval gedwongen. Die aanval werd ondanks aanvankelijk succes afgeslagen en binnen twee uur werd de slag beslist, vooral door de inzet van haakbussen door de keizerlijken - de eerste keer dat de dit wapen op grote schaal werd gebruikt. Achtduizend van Frans' manschappen stierven, onder wie zijn maarschalken La Palice en La Trémoille, veteranen uit de Italiaanse campagnes van Karel VIII en Lodewijk XII, en admiraal Bonnivet. De koning werd, op drie plaatsen gewond, gevangengenomen. Frans I is naar een klooster gebracht om te worden verpleegd. 'Madame,' zo schreef hij zijn moeder, 'beseft de omvang van mijn ongeluk: van alles wat ik bezat zijn mij slechts mijn eer en mijn leven gebleven.'

# Einde boerenoorlog: Münzer geëxecuteerd

MUHLHAUSEN, 27 mei - Met de terechtstelling van de boerenleider Thomas Münzer - de 'moordprofeet' volgens Maarten Luther - is een definitief eind gekomen aan de vorig jaar augustus uitgebroken boerenoorlog. Al eerder deze maand, op 15 mei, was de opstandige boeren in de Slag bij Frankenhausen de genadeklap toegediend. De boerenoorlog lijkt het karakter van de Reformatie in Duitsland ingrijpend veranderd te hebben. Veel boeren hebben zich uit teleurstelling over Luthers optreden tijdens de boerenoorlog van hem afgekeerd, terwijl Luther zelf voorzichtiger is geworden en meer naar de kant van de overheid is toegegroeid. Veel katholieken hebben de oorzaak voor het uitbreken van de boerenoorlog in het optreden van Luther gezocht. Maar al lang voor het optreden van Luther was de situatie op het platteland gespannen. De boeren namen in menig opzicht een ondergeschikte positie in. Daarbij kwam dat juist zij het slachtoffer werden van de pogingen van de landsheren en grootgrondbezitters om hun macht te vergroten.

Vorig jaar augustus kwam het in het landgraafschap Stühlingen tot een uitbarsting. Het oproer breidde zich al snel uit. Begin van dit jaar was geheel Zuid-Duitsland het toneel van boerenopstanden. In maart werd het beroemde programma van de opstandige boe-

ren opgesteld, *De twaalf artikelen van de boerenstand van Schwaben.* De eisen, die onderbouwd waren met bijbelse citaten, waren gematigd: vrijheid van jacht en visserij, vrij gebruik van hout uit de bossen, afschaffing van de lijfeigenschap en het recht om zelf predikanten aan te stellen.

In zijn *Vermaning tot vrede naar aanleiding van de twaalf artikelen van de boerenstand in Schwaben* reageerde Maarten Luther op de twaalf artikelen. Hij riep de vorsten en grootgrondbezitters op de rechtvaardige eisen van de boeren serieus te nemen en tot een overeenstemming te komen. Tegelijkertijd verweet hij de opstandige boeren dat zij wereldlijke zaken vermengden met het evangelie en laakte hij het geweld. Maar Luthers hartekreet werd niet gehoord. De vorsten organiseerden een tegenoffensief en het optreden van de boeren werd radicaler: kloosters en kastelen werden verwoest, tegenstanders vermoord. In Thüringen streefden de boeren onder leiding van de predikant Thomas Münzer naar de vestiging van een Godsstaat op aarde. Als een profeet spoorde Münzer de boeren tot gewelddaden aan: 'Dran, dran, dran, let niet op de jammer van de goddelozen. Zij zullen u stellig vriendelijk bidden, huilen, smeken zoals de kinderen. Laat u niet tot erbarmen verleiden... dran, dran, dran, zo-

*De boerenleider Thomas Münzer.*

lang het vuur heet is! Laat uw zwaard niet koud worden...'

Toen Luther van de door de opstandige boeren begane wreedheden hoorde, reageerde hij verbitterd. In het felle *Ook tegen de roofzuchtige en moorddadige benden van de andere boeren* - een aanvulling op zijn eerste geschrift - adviseerde hij de vorsten met geweld tegen de boeren op te treden, en de ware schuldigen als honden af te maken. De zich georganiseerd hebbende vorsten namen dit advies wel zeer letterlijk. De verschillende brandhaarden werden opgeruimd. Iedere overwinning van de vorsten werd gevolgd door een niets-ontziende strafexpeditie.

# Turken verslaan Hongaren bij Mohács

MOHACS, 29 augustus - Een klein en slecht georganiseerd Hongaars leger is bij Mohács vernietigd door de oppermachtige Turken onder sultan Süleyman II. Koning Lajos (Lodewijk) II is in de Rivulet Csele verdronken.

Sinds de overwinning van Hunyadi zeventig jaar geleden werd er langs de zuidelijke grens voortdurend gevochten, maar de Turken slaagden er niet in door de Save-Donaulijn te breken. Tijdens Selim (1512-1520) ging de Turkse aandacht meer uit naar Irak, Egypte, Syrië en Arabië, maar met Süleyman II kwam Europa opnieuw in de belangstelling.

De Turken konden snel oprukken, doordat de Hongaarse edelen het te druk hadden met hun onderlinge conflicten. Bovendien kon Karel V geen sterke hulpmacht sturen vanwege de problemen in Duitsland. De Hongaarse koning Lajos II moest ten einde raad de kastelen van Kroatië ter verdediging overdragen aan Ferdinand van Habsburg. Nándorfehérvár [Belgrado] werd door de zeventig overgebleven Hongaarse verdedigers in 1521 na vier weken belegering overgegeven.

De belangrijkste oorzaak van de probleemloze Turkse opmars was het ontbreken van een sterk Hongaars leger. Het beroemde 'Zwarte leger' van Mátyás (Matthias) was al eerder door de hoge adel, die de kracht ervan vreesde, zonder voorraden tegen de Turken gezonden en zo vernietigd. Na de dood van Mátyás (1490) namen de Hongaarse vorsten ook het koninklijk bestuursapparaat in handen en gingen zelf weer

*Hongaarse strijders knielen bij het lichaam van koning Lajos II.*

belastingen innen. De nieuwe koning, Vladislav Jagiello (Lásló II), kreeg de bijnaam 'Ladislav Dobzhe' (Pools voor 'goed hoor') omdat hij niet ingreep in de nietsontziende strijd om rijkdom en macht. De hofpartij riep de hulp van de Habsburgers in tegen de rest van de edelen onder leiding van János Zápolyai (een zoon van István).

In 1514 kwamen door heel Hongarije de boeren massaal in opstand. De eco-nomische omstandigheden waren in de 16de eeuw snel achteruitgegaan. Aartsbisschop Bakócz, leider van de hofpartij, hoopte de binnenlandse onrust en de Turkse invallen op te lossen door een kruistocht te organiseren. Ongeveer 40 000 boeren, armen uit de steden, handwerkslieden, studenten, dorpspriesters en verarmde edelen verzamelden zich bij Pest onder leiding van György Dózsa Székely. Bang geworden voor de ontevreden massa stelde de aartsbisschop de kruistocht uit. Hierop riep Dózsa zijn leger op tot een opstand: 'als de edelen huizen laten bouwen, vrouwen kopen, hun dochters uithuwelijken, gasten ontvangen, geboren worden of sterven, leggen ze belastingen op voor dat alles; ze begraven hun doden op jullie kosten zodat jullie echte tranen huilen; mannen van Hongarije! Hoe lang nog staan jullie die onrechtvaardigheden toe?' Het boerenleger stak de Tisza over en veroverde in het zuiden kasteel na kasteel. Het werd echter, na een lange strijd bij Temesvár verslagen door de ervaren cavalerie van de vojvoda van Transsylvanië, János Zapolyai.

Hierna volgde wrede onderdrukking. Dózsa werd gedwongen op een roodgloeiende troon te zitten, met een gloeiende ijzeren kroon op zijn hoofd, en werd levend verbrand; boeren werden bij duizenden vermoord en opgehangen. Bij wet (Tripartitum) werden de Hongaarse boeren aan het land gebonden en werd hun verboden verder landbezit te hebben, wat neerkwam op lijfeigenschap. Na de vernietiging van het 'Zwarte leger' waren er nu ook geen boeren meer om tegen de Turken te vechten.

# Liga van Cognac opgericht

ANGOULEME, 22 mei - Frankrijk, Venetië, Milaan, Genua, Florence en de Pauselijke Staat hebben op initiatief van de Franse koning Frans I de tegen Spanje gerichte Liga van Cognac gevormd. Doel van de Liga is de bestrijding van de Spaanse overheersing in Italië. Frans heeft daarbij formeel alle beloften, afgelegd tijdens zijn gevangenschap in Madrid, herroepen.

De Liga opent een nieuw hoofdstuk in de oorlogen tussen de Valois en de Habsburgers, waarvan het vorige met de gevangenneming van Frans in Pavia (1524) werd afgesloten. Na die gevangenneming eiste keizer Karel de Dauphiné en Toulouse op. De overgelopen hertog van Bourbon moest eerherstel krijgen, hij zou zijn land moeten terugkrijgen, met de Provence erbij. Ook de Engelse koning zou moeten worden beloond.

Frans weigerde en verstoutte zich Karel om de hand van diens zuster te vragen. Hij werd opgesloten in een toren van de Alcazar. Na een korte, maar hevige ziekte en een mislukte vluchtpoging besloot Frans in te stemmen met de ei-sen van Karel - ervan uitgaand dat afgedwongen beloften later konden worden herroepen.

In januari van dit jaar werd het Verdrag van Madrid getekend. Frans beloofde Bourgondië, Vlaanderen en Artois en zijn aanspraken op Milaan en Napels op te geven, Bourbon te rehabiliteren en zijn twee oudste zonen als gijzelaar naar Madrid te sturen. In ruil beloofde Karel hem de hand van zijn zuster Eleonora. Op 26 maart stak Frans de grensrivier Bidassoa over. Halverwege de rivier zegende hij wenend zijn zonen Frans (8) en Hendrik (7) die hun Spaanse gevangenschap tegemoetvoeren.

In Angoulême heeft Frans nu alle beloften van het Verdrag van Madrid herroepen. 'Hoe vaak heb ik hem (Karel) niet gezegd dat het niet in mijn macht ligt het Koninkrijk te ontmantelen?' Frans heeft Karel verweten hem niet als een koning maar als een gevangene te hebben behandeld. Bourbon wordt niet in ere hersteld, integendeel: hij krijgt een proces wegens verraad, rebellie en majesteitsschennis.

# Boeren van Tirol in verzet

*Soldaten van koning Ferdinand I achtervolgen vluchtende boeren.*

TIROL - De leider van de boeren-opstand in Tirol, Michael Gaismair, heeft zijn 'Tirolische Landesordnung' openbaar gemaakt. Gaismair verwerkt hierin de grieven van de Tiroolse boeren en mijnwerkers tot een programma van radicale maatschappelijke hervormingen.

De afgelopen jaren is er in geheel Oostenrijk sprake van agrarische onrust. De economische positie van de boeren verslechtert, doordat de prijzen van landbouwprodukten dalen terwijl alle andere goederen duurder worden. Dat de latente ontevredenheid over deze inkomensdaling juist nu - en in Tirol in zo'n sterke mate - tot uitbarsting komt is toe te schrijven aan de hevige weerstanden die het regime van Ferdinand I oproept en aan de invloed van de Reformatie.

Ferdinand heeft zich omringd met een groot aantal Spaanse adviseurs. Dezen worden door de Oostenrijkse adel, de burgerij én de boeren als gevaarlijke indringers beschouwd. Vooral Gabriel Salamanca, Ferdinands particulier secretaris en thesaurier, moest het ontgelden. Deze rijke graaf was een van de belangrijkste geldschieters van de aartshertog: in 1524 stond Ferdinand al voor 180000 gouden dukaten bij hem in het krijt. In ruil voor die kredie-

ten had Ferdinand hem beleend met uitgestrekte landgoederen in Oostenrijk, met name in Tirol. De enorme rijkdom van deze Spaanse edelman riep sterke weerstand op bij de Tiroolse boeren. Ferdinand was onder de indruk van hun krachtige protesten en ontsloeg Salamanca.

De Reformatie, die in Tirol snel terrein wint, voedt de opstandigheid van de boeren en heeft hun leider Michael Gaismair geïnspireerd tot zijn 'Tirolische Landesordnung'. Gaismair ziet in het 'zuivere evangelie' het middel om de gelijkheid van alle mensen te bewerkstelligen. Daartoe stelt hij drastische maatregelen voor. Het volk moet zijn vertegenwoordigers rechtstreeks kiezen. Met de adel en de geestelijkheid, die de gewone man uitbuiten, dient voorgoed te worden afgerekend. Om alle 'Juristerei' uit te bannen moeten de boeken worden verbrand. Van kloosters moeten ziekenhuizen worden gemaakt. Gaismair wil de handel afschaffen. Noodzakelijke nijverheidsprodukten moeten door de overheid tegen kostprijs worden verdeeld en de mijnen moeten worden genationaliseerd. De 'Tirolische Landesordnung' van Michael Gaismair is een van de eerste utopieën die een egalitaire autarkische republiek beogen.

*De executie van opstandige boeren in Tirol (houtsnede van Hans Weiditz).*

---

*Een gewapende Europeaan zoals de Afrikanen hem zien (ivoor).*

# Kongo tegen slavenhandel

KONGO - Koning Alfons I van Kongo heeft zich er in een brief aan koning Johan van Portugal over beklaagd dat zijn land door de slavenhandel 'volledig ontvolkt wordt'. In zijn brief geeft hij een schril beeld van de gevolgen van het wegvoeren van grote aantallen negers, die als slaven op de Amerikaanse plantages te werk worden gesteld.

'Wij smeken Uwe Hoogheid niet te geloven in het kwaad dat er over ons gesproken wordt door diegenen die zich ergens anders om bekommeren dan om wat zij zich op onrechtmatige wijze verworven hebben en die door hun slavenhandel ons koninkrijk en het christendom dat daar al zo lang gevestigd is en uw voorgangers zoveel offers heeft gekost, te gronde richten. Katholieke koningen en vorsten zoals Uwe Hoogheid spannen zich in om aan nieuwe volken deze grote zegening van het geloof te geven. Wij willen dit geloof behouden voor diegenen die het aangenomen hebben. Maar dit is moeilijk te verwezenlijken hier, waar Europese goederen zo'n aantrekkings-

kracht uitoefenen op de eenvoudigen en onwetenden dat zij God verlaten om deze te verkrijgen. De remedie is het verbieden van deze goederen, die een valstrik van de duivel zijn voor zowel verkopers als kopers. De verleiding van winst en hebzucht zet de mensen van dit land ertoe aan hun landgenoten, zelfs leden van hun en onze eigen familie, te stelen, zonder in aanmerking te nemen of zij christen zijn. Zij nemen hen gevangen, verkopen hen, ruilen hen. Deze wantoestand is zo ernstig dat wij die niet kunnen corrigeren zonder steeds harder op te treden.'

De koning van Kongo, Nzinga Mbemba, na 1500 herdoopt tot koning Alfons I, had aanvankelijk de Portugezen gastvrij ontvangen. Hij hoopte de vruchten van hun grote kennis op vooral technisch gebied te kunnen plukken. Nu hij bemerkt heeft dat hun niet te stillen honger naar slaven de traditionele sociale structuren van zijn rijk ondermijnt en bovendien zijn eigen familie bedreigt, is zijn enthousiasme aanzienlijk bekoeld.

# Inca-rijk verdeeld na dood Huayna Capac

CUZCO - De elfde inca van Tahuantinsuyu (Rijk van de Vier Windstreken), Huayna Capac, is overleden aan een door de Spanjaarden overgebrachte besmettelijke ziekte, waarschijnlijk pokken of mazelen. Het immens grote rijk is tegen de traditie in verdeeld onder zijn twee zoons: Huascar en Atahualpa.

Huayna Capac, de Sapa Inca (zoon van de zonnegod), heeft tijdens zijn regeerperiode de eenheid van het rijk versterkt. Het is vooral zijn vader Topa Inca Yupanqui (1471-1493) geweest die het Inca-rijk uitgebreid heeft.

Het bestuurssysteem van de Inca's is vermoedelijk overgenomen van de Chimu's, een door de Inca's onderworpen volk uit het noorden. De goddelijke inca staat aan het hoofd van de vier rijksdelen die weer bestaan uit provincies, bestuurd door gouverneurs. De bevolking is ingedeeld in groepen van tien gezinnen. Het mannelijk hoofd van zo'n groep is de voorman en laagste ambtenaar. Tien voormannen staan onder een curaca, die weer ondergeschikt is aan een hogere ambtenaar die verantwoordelijk is voor duizend families enzovoort. Boven de hoogste curaca's staan de Inca-edelen, bestuurders van de provinciesteden, die rapport uitbrengen aan de gouverneurs. De ambtenaren leggen statistieken aan door middel van quipus, touwbundels die gegevens over bevolkingsaantal, krijgers, voedselhoeveelheden, opslagplaatsen, produkten, wegen en bruggen enzovoort aangeven. De Inca en zijn hoge raad worden op deze manier op de hoogte gehouden.

De staat heeft grote invloed op de landbouw en de kunstnijverheid. Het land is in gemeenschappelijk bezit en de produkten worden deels opgeslagen bij de curaca's en gaan voor een deel naar de staat. De staat verdeelt voedsel, kleding en kunstvoorwerpen over priesters, ambtenaren en krijgers.

Elke burger is verplicht 90 dagen te werken voor de staat, in de mijnen of de landbouw. Ook is men verplicht in het leger te dienen of mee te helpen aan wegen- en bruggenbouw en het aanleggen van kanalen. Een ieder die zelf géén voedsel produceert, zoals adel, priesters, ambtenaren, leger, ambachtslieden, weduwen en zieken, wordt in leven gehouden door de opbrengsten van de staatsgronden.

*Een door de Inca's zonder specie gebouwde muur in Cuzco (Peru).*

## Rome beleeft week van plundering

ROME, 13 mei - Sinds een week wordt Rome op grote schaal geplunderd door een leger lutherse Landsknechte, die moordend, rovend en brandschattend hun woede koelen op de burgerij en op de kerken van de heilige stad. De paus is naar de Engelenburcht gevlucht.

De Sacco di Roma is gedeeltelijk het gevolg van de toetreding van paus Clemens VII tot de Liga van Cognac. De hertog van Bourbon, die vorig jaar de hem beloofde rehabilitatie aan zijn neus zag voorbijgaan en die sinds de Slag bij Pavia is gedegenereerd tot een wilde roofridder, riep in maart van dit jaar zijn al maandenlang niet meer betaalde leger lutherse Landsknechte op tot een veldtocht tegen Rome.

Het plan werd door de Landsknechte enthousiast begroet. De paus en de keizerlijke commandant Lannoy bereikten weliswaar een wapenstilstand, maar daar stoorden Bourbon en zijn muiters zich niet aan.

Op 6 mei bereikten ze Rome, dat onder leiding van de hertog zonder moeite werd bestormd. Vervolgens begon onder de leus 'Dood, dood, bloed, bloed, Bourbon, Bourbon' een vreselijke plundertocht. Terwijl de paus zich opsloot werden de kardinalen opgepakt, gemarteld en vermoord, nonnen verkracht, kostbare relikwieën ontheiligd, boeken verbrand en paarden ondergebracht in de Sint-Pieter. Hele wijken zijn in vlammen opgegaan. Pas nu, na een week, is het leger weer enigszins onder controle.

Bourbon heeft de sinds de tijd van de Goten niet meer vertoonde plundering niet meegemaakt. Hij werd al op de eerste dag van de belegering van de stad gedood door een kogel uit de haakbus van een verdediger. De goudsmid en beeldhouwer Benvenuto Cellini beweert het dodelijke schot te hebben afgevuurd.

## Portugezen niet welkom op Jacatra

*Javaanse dansers begeleid door een instrument gemaakt van suikerrietpijpen.*

JACATRA, voorjaar - De Portugese expeditie die enige tijd geleden voor de monding van de Ciliwung verscheen, heeft van de regent geen toestemming gekregen peper in te slaan of een fort te bouwen. De Portugezen beroepen zich op een verdrag dat zij vijf jaar geleden met de heersers over het toenmalige Sunda Kelapa hebben gesloten. Kort geleden echter heeft het naburige Banten de havenplaats, nu Jacatra genoemd, veroverd.

Na het uiteenvallen van het Oostjavaanse rijk Madjapahit ontstonden aan het einde van de 15de eeuw aan Java's kusten diverse zelfstandige handelsrijkjes. Deze werden door de uit India afkomstige handelaren bekeerd (zij het aanvankelijk nog zeer oppervlakkig) tot de islam. De belangrijkste van deze sultanaten was Demak, dat onder Trenggana tot grote bloei kwam. Sunan Gunung Jati, diens zwager en de laatste der negen Wali's (brengers der islam) bekeerden en veroverden de belangrijke Westjavaanse peperhaven Banten, een vazal van het hindoeïstische rijk Pajajaran.

Dit Sundanese rijk (centrum rond Bogor) voelde zich aan alle kanten door de islamieten bedreigd en toen in 1522 de Portugees Henrique Leme (op zoek naar een goede haven op de route tussen Malakka en de Molukken) in zijn haven Sunda Kelapa verscheen, sloot men verheugd een verdrag. Portugal zou een fort bouwen en per jaar 90 zakken peper afnemen. Toen men na vijf jaar opnieuw de haven aandeed bleken de kansen echter verkeken.

**22 januari.** Engeland verklaart Karel V de oorlog.

**12 februari.** De bisschop van Utrecht, Hendrik van Beieren, zoekt en krijgt steun van de landvoogdes der Nederlanden. De adel, de geestelijkheid en de burgerij in Utrecht hebben zich tegen hem gekeerd en krijgen steun van Karel van Gelre.

**24 februari.** János Zápolyai en sultan Süleyman van Turkije sluiten een verdrag. Zápolyai erkent de soevereiniteit van Süleyman over Hongarije. Süleyman erkent Zápolyai als koning-vazal van Hongarije.

**Februari.** Hendrik VIII dringt er bij de paus op aan snel te beslissen over de scheiding tussen hem en Catharina van Aragón. De paus stelt de beslissing uit. Hij wil Karel V, de neef van Catharina, niet beledigen.

**Maart.** De arrestatie van Engelse kooplieden in Spanje en Vlaanderen veroorzaakt een handelscrisis in Engeland.

**April.** Tussen de Nederlanden en Engeland wordt een verdrag getekend dat een eind moet maken aan de handelscrisis tussen beide landen.

**4 juli.** Andrea Doria, de Genuese vlootvoogd en staatsman, bondgenoot van Frankrijk, loopt over naar Karel V.

**Juli.** Andrea Doria verovert Genua op de Fransen. Genua wordt een onafhankelijke republiek onder bescherming van Karel V.

**3 oktober.** Karel V en Karel van Gelre sluiten de Vrede van Gorinchem. De wereldlijke macht in Het Sticht (Utrecht) komt in handen van Karel V. Tevens wordt bepaald dat Karel V erfgenaam wordt van Karel van Gelre.

- De koning van Songhai, Askia Muhamad Turé, wordt afgezet. →

- In Oost-Afrika breekt een opstand tegen de Portugezen uit. De Portugezen verwoesten Mombasa.

- De stadsarts van Basel, Theophrastus Bombastus von Hohenheim, ontvlucht na een conflict de stad. →

- Het Augsburger bankiers- en handelshuis Welser krijgt in ruil voor kredieten aan Karel V Venezuela in zijn bezit.

Gestorven:

**6 april.** Albrecht Dürer (1471), Duits schilder, tekenaar, graveur en kunsthistoricus
- Wang Yang-ming (1472), Chinees onafhankelijk filosoof naast de zich ontwikkelende confuciaanse orthodoxie

*Een Afrikaans beeldje in brons uit het midden van de 16de eeuw (Benin).*

## Volk van Songhai zet de koning af

SONGHAI, 1528 - De blinde, meer dan tachtig jaar oude koning van Songhai, Askia Muhamad Turé is afgezet.

Deze populaire koning volgde in 1492 de grote veroveraar Sonni Ali op die in het laatste kwart van de vorige eeuw het Songhai-koninkrijk tot het machtigste rijk van Afrika maakte. Sonni Ali reorganiseerde toen het bestuur van het land op ingrijpende wijze en stelde zelfs een soort beroepsleger en vloot samen, waarmee hij de hoofdader van zijn rijk, de Niger, bevoer. In organisatorisch opzicht nam Songhai toen een voorsprong op het in 1400 onderworpen koninkrijk Mali, net zoals Mali dat eertijds deed ten opzichte van Ghana. Maar Sonni Ali was in tegenstelling tot zijn opvolger meer iemand van het platteland, die de mohammedaanse stedelingen wantrouwde en vanwege zijn wrede optreden jegens hen weinig geliefd was. Dat Askia Muhamad vooral op de steden steunde, tekent de veranderingen die zich inmiddels hadden voltrokken ten koste van de agrarische, feodale orde die nog de traditionele Afrikaanse religie beleed.

In 1497 keerde Askia Muhamad, begeleid door 500 ruiters en 1000 man voetvolk, van een bedevaart uit Mekka terug. Evenals koning Mansa Moesa van Mali ruim anderhalve eeuw eerder bracht Askia Muhamad, kalief van de islam in West-Soedan, vele geleerden mee, zodat de islamschool van Timboektoe in korte tijd een grote reputatie verwierf.

Het rijk dat hij nu nalaat omvat de centrale savannegebieden van West-Afrika. Ten zuiden hiervan, in de voor de mohammedaanse ruiters ondoordringbare oerwoudgebieden aan de kust, zijn de laatste eeuwen stadstaatjes tot bloei gekomen met een belangrijke eigen cultuur, zoals de Jorubastaten en Benin.

# Arts ontvlucht Basel

BASEL - De vorig jaar benoemde stadsarts van Basel, Theophrastus Bombastus von Hohenheim (Paracelsus), is de stad ontvlucht. De arts had de rechtbank beledigd nadat hij in een financieel conflict in het ongelijk was gesteld. Om verbanning te voorkomen heeft de omstreden medicus heimelijk de stad verlaten. De gezaghebbers van de universiteit van Basel, waar von Hohenheim als stadsarts college gaf, halen opgelucht adem. Zij hebben zich van meet af aan verzet tegen de benoeming van deze 'nieuwlichter'. Direct na zijn benoeming maakte de 32-jarige arts in een *Aankondiging* zijn doelstellingen bekend. Hij richtte zich tegen de eeuwenoude medische waarheden die zich baseren op, zoals von Hohenheim polemisch stelde, 'de kardinale sappen [...] waaruit ten onrechte alle ziekten afgeleid worden'. Hij doelde hiermee op de 'vier-sappenleer' van Galenus (2de eeuw), de leer die de basis van de gehele geneeskunde vormt. Volgens deze opvatting is de mens gezond als het juiste evenwicht bestaat tussen de vier levenssappen: bloed, slijm, gele gal en zwarte gal.

De nieuwe stadsdokter keert zich tegen deze overgeleverde kennis en behandelt in zijn colleges louter zijn eigen geschriften. 'Oordelen mag u pas', zo besluit hij zijn *Aankondiging*, 'nadat u Theophrastus gehoord hebt. Vaarwel en vat onze poging tot vernieuwing van de geneeskunde gunstig op.'

Het negatieve oordeel dat de professoren van hem hadden, werd versterkt nadat von Hohenheim zijn colleges in het Duits begon te geven. Daarmee verbrak hij de traditie van het lesgeven in de taal van de universiteiten, het Latijn. De arts, die op zijn vele reizen de

*Paracelsus, stadsarts van Basel.*

geneeswijzen van verschillende volkeren heeft bestudeerd, vindt echter dat zijn 'hervormde geneeskunde' voor een ieder verstaanbaar moet zijn.

Theophrastus' medische theorie en behandelwijze leek veld te winnen nadat hij het been van de bekende Baselse uitgever Johannes Frobenius genezen had. Volgens de universitaire artsen had het been geamputeerd moeten worden. Deze genezing baarde in heel Europa opzien. De Rotterdamse humanist Erasmus vroeg naar aanleiding hiervan om advies over zijn ziekte, waarvoor ook geen genezing mogelijk leek.

Door het plotselinge overlijden van Frobenius werden de tegenstanders van Theophrastus gesterkt in hun wantrouwen. Hij werd beschuldigd van kwakzalverij en kreeg, nadat hij demonstratief het handboek van Avicenna had verbrand, de scheldnaam 'Lutherus medicorum', wat zoveel betekent als 'ketter van de geneeskunde'.

*Het kerstverhaal; detail van het Isenheimer altaar. Het altaar, genoemd naar het klooster van de Antoniusbroeders bij Colmar (Elzas), is vermaard om de prachtige luikenbeschilderingen van de Duitse schilder Mathias Grünewald. De kunstenaar heeft bijna vier jaar aan deze schilderingen gewerkt.*

# Mogol-leider Baboer verslaat Afghanen

GOGRA, 6 mei - Bij Gogra, ten noorden van Benares, heeft de Mogol-leider Baboer het Afghaans-Bengaalse leger onder leiding van de laatste vertegenwoordiger van het Delhi-sultanaat, Mahmoed Lodi, verslagen. Na deze derde overwinning in het Indische gebied strekt het Mogol-rijk van Baboer zich uit van Kaboel in het westen tot de monding van de Ganges in het oosten. Baboer de Tijger, koning van Kaboel, stamt via zijn vader af van Timoer Lenk en via zijn moeder van Djingiz Chan. In 1494 kwam hij als 11-jarige jongen op de troon in Kaboel. Rond 1520 werd hem door plaatselijke machthebbers binnen het Delhi-sultanaat gevraagd mee te doen in de strijd tegen de sultan. Dat was sultan Ibrahim Lodi (1517-1526), de laatste sultan van de Lodi-dynastie, die al direct na zijn troonsbestijging niet in staat bleek het sultanaat bijeen te houden.

Baboer ging maar al te graag in op het verzoek om assistentie. Op 21 april 1526 versloeg hij bij Panipat, ten noordwesten van Delhi, het veel grotere leger van Ibrahim Lodi, waarna hij in Delhi zelf de schatkist van de sultan veroverde en de inhoud ervan onder zijn soldaten verdeelde. Baboer stootte door en veroverde ook Agra, ten zuidoosten van Delhi.

Een jaar later kreeg hij te maken met oppositie uit het westen van de confederatie van Rajputen onder leiding van Rana Sanga van Mewar. De Mewar-dynastie van Rajputen (Rajput is de titel van een Hindoestaanse ridderlijke kaste) was vrijwel de enige in de confederatie die niet was aangetast door de islamitische overheersing. De Rajputen zagen na Ibrahim Lodi's nederlaag hun kans schoon om te proberen van Delhi weer een hindoebolwerk te maken. In de Slag bij Khanua op 16 maart 1527 moesten zij het echter ook tegen Baboer afleggen.

Nu Baboer ook Mahmoed Lodi, een broer van Ibrahim, heeft verslagen, heeft hij in het Indische gebied geen oppositie meer te duchten. Alle Noordindische machten van belang zijn nu immers uitgeschakeld en, iets zuidelijker, op het Dekkanplateau is in 1482 het Bahmani-rijk, zelf sinds 1347 een afsplitsing van het Delhi-sultanaat, uiteengevallen in de vijf Dekkan-sultanaten: Bijapur, Ahmadnagar,

*Baboer ziet toe op de aanleg van een paleistuin (miniatuur; Londen).*

Berar, Bidar en Galconda. Deze rijkjes zijn voortdurend in conflict met elkaar en met hun zuiderburen, het hindoe-rijk Vijayanagar, verwikkeld.

## Portugal betaalt Spanje hoge prijs voor de Molukken

LISSABON, 22 april - Spanje heeft zijn aanspraken op de Molukken bij het Verdrag van Zaragoza opgegeven. Portugal heeft daarvoor een hoge prijs moeten betalen: 350 000 cruzados. Er is een nieuwe denkbeeldige lijn getrokken van pool tot pool om elkaars invloedssferen af te bakenen. Deze lijn vult het Verdrag van Tordesillas uit 1494 aan. De Filippijnen blijven in Spaanse handen.

De Molukken zijn een kleine twee decennia geleden door de Portugezen ontdekt. Na de verovering van Malakka in 1511 stuurde Albuquerque schepen naar het oosten. Een ervan landde op Ternate, een Moluks eiland. De bewoners begroetten de Portugezen als vrienden, hopende in de Portugezen bondgenoten te vinden tegen het vijandige buureiland Tidore. In 1521 deden Spaanse zeelieden uit Magalhães' vloot Tidore aan, waarop de geschrokken Portugezen een vloot stuurden en hen weer verjoegen. Door hun rijkdom aan kruidnagels bleven de Molukken een twistpunt tussen Spanje en Portugal. Uiteindelijk besefte Spanje dat de Portugezen via hun oostelijke route de eilanden veel gemakkelijker konden bereiken dan de Spanjaarden via hun westelijke route. Vandaag hebben ze voor veel geld hun rechten verkocht.

# Frans I ziet af van Italië

*Ondertekening van de Damesvrede door Louise van Frankrijk en Margaretha van Oostenrijk.*

KAMERIJK, 3 augustus - Dank zij de bemiddeling van de koningin-moeder Louise van Frankrijk en Margaretha van Oostenrijk hebben de Franse koning Frans I en keizer Karel V vrede gesloten. In deze Vrede van Kamerijk ziet Frans af van alle aanspraken op Italië. Na de vijandelijkheden die uitbraken na de vorming van de Liga van Cognac en die culmineerden in de Sacco di Roma is het de oorlogvoerende koning van Frankrijk en de keizer niet voor de wind gegaan. Karel raakte de steun kwijt van de Engelse koning Hendrik VIII, die wenst te scheiden van Karels

nicht Catharina van Aragón om met Anna Boleyn te kunnen trouwen. Hendrik sloot zelfs een bondgenootschap met Frankrijk.

Frans stuurde daarop - na vergeefs te hebben gepleit voor een persoonlijk duel met Karel ter beslechting van de strijd - een nieuw leger, onder Lautrec, naar Napels. Maar juist toen Napels door hongersnood bereid bleek zich over te geven, sloeg onder de belegeraars een pestepidemie toe. Twee derde van de Fransen, onder wie Lautrec, stierf; de rest gaf zich over.

Dit jaar probeerde Frans het opnieuw maar op 21 juni werd een Frans leger bij Landriano in Lombardije verslagen door Leyva, de held van Pavia.

Koningin-moeder Louise, wijzer dan haar zoon, benaderde een maand later Karels tante Margaretha van Oostenrijk, stadhouder van de Lage Landen. Zij brachten de kemphanen bij elkaar. Karel V geeft zijn aanspraken op Bourgondië op maar krijgt wel Charolais en de Franse erkenning van zijn soevereniteit over Vlaanderen en Artois. Frans geeft alle aanspraken op Italië op. Hij zal de keizer twee miljoen écu's betalen als losprijs voor zijn zoons Frans en Hendrik, die sinds 1526 onder zeer slechte omstandigheden als gijzelaar in Madrid gevangen zitten. In ruil is hem de hand van Karels zuster Eleonora toegezegd. De enorme kosten van de vrede - alles bij elkaar 4500 kilo goud - dwingen Frans tot zware belastingheffingen. Elke landeigenaar moet dit jaar naast zijn normale belastingen een kwart van zijn inkomen afdragen.

# Turken staken de belegering van Wenen

*De Osmanen belegeren Wenen.*

WENEN, 14 oktober - Nu zijn vierde stormloop op Wenen is mislukt, heeft de Turkse sultan Süleyman II besloten de belegering van de Oostenrijkse hoofdstad op te geven. Toch is er voor de verdedigers weinig reden tot triomf.

De Turken zijn niet door een onoverwinnelijke tegenstander, maar door de invallende kou verslagen.

Ferdinand I heeft een zucht van verlichting geslaakt toen hij het bericht van de Turkse aftocht vernam. Hij had slechts 18 000 man op de been weten te brengen, en vormde dus eigenlijk geen partij voor Süleyman, bevelhebber over niet minder dan 250 000 janitsaren. Indachtig Süleymans onheilspellende slagzin: 'Het land waarop de hoeven van mijn paard hebben gestampvoet behoort mij toe' vreest Ferdinand dat de sultan na de winter een nieuwe poging zal wagen om Wenen te veroveren.

Sinds zijn inhuldiging als aartshertog van Oostenrijk in 1522 is Ferdinand ervan overtuigd dat de Turken een ernstige bedreiging vormen, niet alleen voor Hongarije en Oostenrijk, maar voor het gehele christelijke avondland. Zijn pogingen om in het buitenland financiële steun te verwerven voor de verdediging van Oostenrijk, dat hij beschouwt als het bastion van Europa, zijn echter weinig succesvol geweest. De andere Europese vorstenhuizen zijn de Habsburgers niet erg goedgunstig gezind. Ook bij zijn eigen broer Karel V, die als keizer van het Heilige Roomse Rijk belast is met de bescherming van het christendom, krijgt Ferdinand nul op het rekest. Toen Ferdinand hem in 1525 schreef dat het geld dat Karel uitgaf om oorlog te voeren tegen Frans I van Frankrijk beter in het oosten kon worden besteed, ontving hij uit Spanje een vriendelijk, maar nietszeggend briefje. Karel antwoordde dat geldgebrek de kwaal van de dag was, waarvan hijzelf ook te lijden had. Na de Slag bij Mohács, drie jaar geleden, is Ferdinands positie verslechterd. Omdat de Hongaarse nationale partij onder leiding van János Zápolyai de Turken steunde, kon Hongarije niet langer de functie van bufferstaat vervullen. In de zomer van dit jaar werd de situatie zeer penibel. In juli bereikten de Turken Belgrado en begin september stonden zij in Boeda. Eindelijk kwam keizer Karel V in het geweer. Overal in Europa werden hulptroepen opgetrommeld. Oog in oog met de Turken toont Europa echter een bedrieglijke eensgezindheid.

*Liefdespaar, begeleid door de Dood en Cupido (16de-eeuwse houtsnede).*

# Syfilis verbreidt zich over Europa

FLORENCE - De schaapherder 'Syphilis' in het dichtwerk van de Italiaan Francastoro is de naamgever geworden van de gevaarlijke ziekte die bekendstaat als de 'Gallische ziekte'. In het gedicht *Syphilis sive morbus gallicus* wordt een schaapherder met de ziekte gestraft nadat hij de zonnegod heeft beledigd. Het gedicht wordt overal in Italië gereciteerd. Sindsdien wordt het woord 'syfilis', dat afgeleid is van het Griekse woord 'syphlos' ('afschuwelijk'), gebruikt om de ziekte aan te duiden.

De vaak dodelijke ziekte van de geslachtsorganen is nog niet zo lang bekend. Men vermoedt dat de bemanning van Columbus' vloot in 1493 de ziekte mee terug heeft genomen van hun bezoek aan 'Westelijk-Indië'. Een jaar later brak de epidemie uit onder de soldaten van koning Karel VIII. Sindsdien wordt over de 'Gallische ziekte' gesproken. In 1495 werd de ziekte op grote schaal in Engeland gesignaleerd en in het jaar van de eeuwwisseling leek heel Europa besmet te zijn.

Hoe de besmetting tot stand komt, is nog niet bekend, maar lichamelijk contact schijnt noodzakelijk te zijn. Bordelen en badhuizen worden als de mogelijke haarden van besmetting gezien en vele zijn al gesloten. De lijder aan de ziekte krijgt stoombaden van guajakhout voorgeschreven. De resultaten van deze behandeling zijn echter verre van bevredigend. Een Zwitserse arts, von Hohenheim, schijnt meer succes te hebben met zijn arsenicumkuur. De 'afschuwelijke' ziekte, de syfilis, is echter in nog geen enkele streek onder controle.

# Thomas More uit kritiek op voorganger

WESTMINSTER, 3 november - Het Engelse parlement is na zes jaar weer bijeengekomen. In zijn openingsrede uitte kanselier Thomas More ernstige kritiek op zijn voorganger, kardinaal Wolsey. De macht en rijkdom van deze geestelijke politicus werden gelaakt. Als pauselijk gezant kreeg hij vooral kritiek op het falen van de missie, die via paus Clemens VII de ontbinding van het huwelijk van Hendrik VIII en Catharina van Aragón moest bewerkstelligen.

De kans op medewerking van de paus raakte verkeken toen Rome in handen viel van keizer Karel V (Catharina's neef). Wolsey bleef hopen dat zijn op Frankrijk gerichte (dure) buitenlandse politiek alsnog tot een Franse inname van Rome - en dus pauselijke coöperatie - zou leiden. Maar Frankrijk werd in de lente van dit jaar definitief verslagen.

Door het wegvallen van zijn relatie met de paus was Wolsey politiek ontkracht. Nog voor het parlement kon aanvangen, werd hij door 's konings gerechtshof gedaagd, omdat hij door misbruik van zijn functie te maken allerlei inkomsten zou hebben verworven.

Het bezit van Wolsey had inderdaad enorme afmetingen aangenomen. Er werd zelfs beweerd dat hij even rijk was als de koning. Zijn 8-jarig zoontje, Thomas Wynter, kreeg vele functies, waarvan Wolsey de opbrengsten in eigen zak stak. Te Londen liet hij in 1515 het Hampton Court-paleis bouwen.

*De Engelse kanselier Sir Thomas More en zijn familie.*

Als zoon van een slager uit Ipswich, begon Thomas Wolsey (geboren circa 1474) zijn carrière als eenvoudig priester (1498). In 1507 kwam hij aan het hof van Hendrik VII. Onder koning Hendrik VIII volgde snelle promotie tot bisschop van Doornik (in 1513 even Engels bezit) en aartsbisschop van York (1514). De koning begiftigde hem voorts met vele inkomsten en ambten, die hem tot de belangrijkste politicus in Engeland maakten. Zijn kerkelijke machtsbasis werd gelegd door de paus, die hem tot kardinaal en pauselijk gezant benoemde (1518).

Deze opeenhoping van macht en rijkdom, gevoegd bij zijn arrogantie, deed in Engeland het aanzien van de Kerk en vooral haar relatie met Rome geen goed. In feite erkende Wolsey uiteindelijk deze kloof, toen hij constateerde dat 's konings hof het recht had om hem als pauselijke vertegenwoordiger in te dagen. Daarmee toonde hij aan dat in Engeland de pauselijke zeggenschap over de Kerk ondergeschikt was geworden aan die van de koning.

## Johore wordt sultanaat

JOHORE - Alauddin Riayat Shah, zoon en opvolger van de twee jaar geleden overleden laatste sultan van Malakka Mahmed Shah, heeft zich definitief gevestigd aan de rivier de Johore, waar hij een hoofdstad wil gaan bouwen voor het nieuwgevormde, gelijknamige sultanaat. Zijn bij de opvolging gepasseerde oudere broer, de Raja Muda (kroonprins) Muzaffar Shah, heeft de wijk genomen naar het belangrijke tingebied bij de rivier de Perak, waar hij, op verzoek van de daar gevestigde handelaren, een eigen sultanaat heeft ingesteld.

Mahmed Shah vluchtte na de Portugese verovering van Malakka (1511) naar Pahang, van waaruit hij China om hulp verzocht. Deze bleef uit omdat de keizer de voorkeur gaf aan het aangaan van handelsbetrekkingen met Portugal. De sultan, in naam nog steeds regerend over het gehele Maleise schiereiland en een deel van Sumatra's oostkust, besloot een nieuwe hoofdstad te stichten op het gunstig gelegen eilandje Bintan (ten zuiden van Singapore).

Met behulp van de hem trouw gebleven orang laut (zeestammen) wist hij hier weer een belangrijk handelscentrum tot stand te brengen, van waaruit gepoogd werd de Portugezen uit Malakka te verdrijven. Er werd een voedselblokkade ingesteld en tot vijfmaal toe werden aanvallen ondernomen, die wel grote verwoestingen aanrichtten, maar niet in staat waren het fort A Famosa te veroveren. In 1526 gingen de Portugezen in de tegenaanval en verwoestten Bintan; de sultan vluchtte naar Kampar (Sumatra), waar hij in 1526 stierf.

## Rijksdag dwarsboomt godsdienstvrede

AUGSBURG, 19 november - De poging van keizer Karel V om op de Rijksdag van Augsburg tot een overeenkomst tussen protestanten en katholieken te komen om zo als eenheid tegen de opdringende Turken te kunnen optreden, is mislukt. De door de hervormer Philipp Melanchthon opgestelde geloofsbekentenis, de *Confessio Augustana* is door de Rijksdag verworpen en keizer Karel V heeft het Edict van Worms opnieuw bekrachtigd.

Niet alleen de katholieken maar ook de aanhangers van de Zwitserse hervormer Huldrych Zwingli, die vooral in de Zuidduitse steden te vinden zijn, hebben de *Augsburgse confessie* fel aangevallen. Al enige tijd bestrijden Maarten Luther en Zwingli elkaar. De strijd spitst zich vooral toe op de Avondmaalsleer. Terwijl Luther uitgaat van de woorden 'Dit is mijn lichaam' en op een wat dubbelzinnige wijze gelooft in de aanwezigheid van het lichaam van Christus tijdens de viering van het Avondmaal, hecht Zwingli slechts symbolische waarde aan het Avondmaal; in zijn ogen is de viering een herinnering aan het offer van Christus. Al tijdens het vorig jaar gehouden religiegesprek te Marburg is gebleken dat Luther en Zwingli op dit punt onverzoenlijk tegenover elkaar staan. En ook ditmaal was het Avondmaal het grote verschilpunt. In de *Augsburgse confessie* wordt de visie van Luther verwoord; voor de aanhangers van Zwingli reden genoeg om een eigen geloofsbekentenis op te stellen.

De *Augsburgse confessie* zelf is in bijzonder gematigde termen opgesteld. De overeenkomsten met de katholieke Kerk zijn sterk geaccentueerd, terwijl de verschilpunten door vage formuleringen zijn verzacht. Enkele belangrijke leerstellingen van Luther zijn niet opgenomen. Ondanks deze verzoenende houding van de protestanten is de Rijksdag niet in staat gebleken tot een overeenstemming te komen. Keizer Karel V slaagde er nog wel in het aanvankelijk zeer felle katholieke antwoord te matigen, maar de uiteindelijke *Confutatio catholica* was nog scherp genoeg om de protestanten te bewegen de Rijksdag te verlaten.

*Vergadering van de Rijksdag te Augsburg (door Georg Balthasar von Sand).*

### 1530

**24 februari.** In Bologna wordt Karel V door de paus gekroond tot keizer van het Heilige Roomse Rijk. Het is de laatste keizerskroning door de paus. Karel V dringt er bij de paus op aan niet toe te stemmen in de scheiding tussen Hendrik VIII en Catharina van Aragón.

**20 juni.** De Duitse Rijksdag komt in Augsburg bijeen. De gezant van de paus wil direct met het lutheranisme afrekenen. Karel V wil echter de Turken bestrijden en daarvoor heeft hij de steun van de Duitse vorsten nodig. Hij geeft hun de gelegenheid een compromis te zoeken.

**12 augustus.** Na een beleg van tien maanden door de keizerlijke troepen geeft Florence zich over. De Medici worden in ere hersteld. Alessandro de' Medici wordt gouverneur van Florence.

**20 september.** Maarten Luther adviseert de protestantse vorsten ieder compromis met de keizer af te wijzen. Zij moeten zich volgens Luther op de oorlog voorbereiden.

**19 november.** Op de Rijksdag wordt de 'Geloofsbelijdenis van Augsburg' aan de keizer voorgelezen. In deze belijdenis heeft Melanchthon het lutherse geloof in gematigde termen vastgelegd. De katholieken verwerpen de mogelijkheid dat dit geloof binnen de katholieke Kerk mogelijk is. Zij eisen onderwerping van de lutheranen en teruggave van het land aan de katholieke Kerk, hetgeen de lutheranen weigeren. Karel V bekrachtigt vervolgens het 'Edict van Worms' (verbod op het lutherse geloof). →

**29 november.** Kardinaal Wolsey wordt bij Northumberland gearresteerd. Hij zou de paus gevraagd hebben Hendriks verhouding met Anna Boleyn te verbieden. Op weg naar de Tower sterft hij.

**1 december.** Margaretha van Oostenrijk, landvoogdes in de Nederlanden, sterft.

**25 december.** In India overlijdt de keizer van Delhi, Baboer. Zijn zoon Humayun volgt hem op.

- Frans I van Frankrijk trouwt met Eleanora van Portugal. Eleonora is de weduwe van Emanuel I en de zuster van Karel V.

- In het keurvorstendom Saksen is de Reformatie volledig doorgevoerd.

- Sultan Alauddin Riayat Shah vestigt zich te Johore. →

- George Agricola schrijft zijn *De re metallica*, een baanbrekend boek over metallurgie. Het boek is belangrijk voor de ontwikkeling van de mijnbouw.

### 1531

**5 januari.** De paus verbiedt Hendrik VIII te hertrouwen voordat hij uitspraak heeft gedaan over Hendriks scheiding.

**16 januari.** Het Engelse parlement komt bijeen. Het is de tweede zitting van het zogenaamde 'Reformatie-parlement'.

**31 januari.** Ferdinand van Oostenrijk en János Zápolyai tekenen een verdrag waarbij de beide koningen elkaar erkennen. Ieder zal een deel van Hongarije besturen.

**Januari.** Karel V benoemt zijn zuster, Maria van Hongarije, tot landvoogdes in de Nederlanden. Er worden maatregelen getroffen om het bestuur over de provincies der Nederlanden te centraliseren. Tevens wordt de vervolging van de hervormingsbeweging verscherpt. Karel V blijft een jaar in de Nederlanden.

**11 februari.** Het Engelse parlement erkent Hendrik VIII als 'Supreme Head of the Church of England'.

**27 februari.** De evangelische vorsten en steden in het Duitse Rijk sluiten zich aaneen in de Schmalkaldische Bond. Zij geloven dat verzet tegen een gekozen keizer geoorloofd is.

**Februari.** De protestantse steden in Zwitserland weigeren toe te treden tot de Schmalkaldische Bond. De Zwitserse hervormer Zwingli heeft kritiek op enkele theologische opvattingen van Luther.

**Maart.** Op zoek naar bondgenoten tegen de Habsburgers, tekent Frans I van Frankrijk een verdrag met János Zápolyai, koning van Hongarije.

**9 juni.** Paus Paulus III en Frans I sluiten een geheim verdrag. De paus zal Frans I steunen in zijn poging om Milaan en Genua op Karel V te heroveren.

**11 oktober.** De Zwitserse hervormer Huldrych Zwingli sneuvelt in de strijd tegen de katholieke kantons. →

**24 oktober.** Beieren, hoewel katholiek gebleven, sluit zich aan bij de protestantse Schmalkaldische Bond om Karel V te bestrijden.

**17 december.** Per pauselijke bul *Cum ad nihil* wordt in Lissabon de inquisitie ingesteld.

- Christiaan, de voormalige koning van Denemarken, doet een poging de kroon van Denemarken te herwinnen. Hij krijgt hierbij steun van zijn zwager Karel V. Zijn vloot verschijnt voor de Noorse kust.

- Melchior Hoffmann komt op zijn zwerftochten in Amsterdam en organiseert daar de al aanwezige beweging der wederdopers.

# Katholieken doden hervormer Zwingli

KAPPEL, 11 oktober - In een veldslag tegen de katholieke kantons is de Zwitserse hervormer Huldrych Zwingli dodelijk verwond. Met zijn dood verliezen de Zwitserse protestanten hun voornaamste voorvechter. Door hun verduidelijke overwinning het hervormde Zürich hebben de katholieke kantons een verdere verspreiding van de Reformatie belemmerd.

In 1519 werd de in 1485 in Wildhaus geboren Huldrych Zwingli benoemd tot pastoor aan de Münster in Zürich. Onder zijn leiding voerde de stadsraad van Zürich vanaf 1523 stap voor stap en onder heftige uitbarstingen de hervorming door: de mis en de vasten werden afgeschaft, kloosters opgeheven, het Latijn tijdens godsdienstoefening vervangen door Duits en de beelden en schilderijen uit de kerken verwijderd. Vanuit Zürich verspreidden de denkbeelden van Zwingli zich snel over de naburige steden en kantons, en zelfs over de Zuidduitse steden.

Hierdoor kreeg ook de bekende Duitse hervormer Maarten Luther belangstelling voor Zwingli. Al snel werd duidelijk dat de denkbeelden van beide hervormers niet met elkaar overeenkwamen. Terwijl Luther door een heftige innerlijke geloofsstrijd tot een afscheiding van de katholieke Kerk was gekomen, had Zwingli deze weg door een rustige wetenschappelijke studie gevonden. Zijn theologie had dan ook een bijzonder verstandelijk karakter. Zieleheil was in zijn ogen een innerlijke ervaring waarin sacramenten en ceremonies geen rol speelden: God eist van de mens goede werken en rituelen maar geloof in de verlosser Jezus Christus en een streven naar een steeds hogere graad van rechtvaardigheid en morele integriteit.

De emotionele Luther kon weinig waardering opbrengen voor deze nuchtere theologie. Het duidelijkst was de tegenstelling tussen beide hervormers op het vraagstuk van het avondmaal. Luther verwierp Zwingli's symbolische interpretatie van het avondmaal.

Ondertussen was de situatie in Zwitserland ingrijpend veranderd. De katholieke kantons Uri, Schwyz, Unterwalden, Zug en Luzern kwamen tegen het oprukkende protestantisme in het geweer. Nadat zij zich in 1524 al aaneengesloten hadden, gingen zij in 1529 een verbond aan met de Rooms-koning Ferdinand. Een verdere vreedzame verbreiding van de Reformatie in Zwitserland werd daardoor onmogelijk. Zwingli besloot tot het wapen van de heilige oorlog, maar door zijn radicale houding verloor hij veel bondgenoten en steunde eigenlijk alleen Zürich hem nog. De strijd was dan ook eigenlijk al door de Slag bij Kappel in het voordeel van de katholieke kantons beslist.

## 1532

**Februari 1532.** De Spaanse gouverneur van Peru, Pizarro, trekt de Andes over met 168 man.

**18 maart.** Het Engelse parlement verbiedt alle betalingen van de Engelse Kerk aan Rome.

**26 april.** Sultan Süleyman van Turkije trekt opnieuw door Hongarije op weg naar Wenen.

**16 mei.** Sir Thomas More trekt zich terug als lord-kanselier.

**23 juni.** Hendrik VIII van Engeland en Frans I van Frankrijk tekenen een geheim verdrag tegen Karel V.

**23 juli.** Karel V en de Duitse evangelische vorsten tekenen de Vrede van Neurenberg. →

**Juli.** Christiaan II valt in handen van zijn oom koning Frederik van Denemarken.

**Augustus.** De Turkse legers worden verslagen bij Güns. Zij trekken zich terug uit Oostenrijk.

**15 november.** Paus Clemens VII gelast Hendrik VIII zijn verhouding met Anna Boleyn te beëindigen op straffe van excommunicatie.

**16 november.** Francisco Pizarro neemt de Inca-leider Atahualpa, die juist zijn broer heeft overwonnen, gevangen.

**-** De Hanze sluit met Frederik van Denemarken een verbond tegen Holland. Zij grendelen de Oostzee af voor Hollandse schepen.

**25 januari 1533.** Hendrik VIII trouwt in het geheim met Anna Boleyn.

**30 maart.** Thomas Cranmer wordt, na de dood van William Warham, tot aartsbisschop van Canterbury gewijd.

**Maart.** De juridische band van de Engelse Kerk met Rome wordt definitief verbroken. De Kerk wordt in de staat geïntegreerd.

**10 april.** Frederik van Denemarken overlijdt. Het Deense parlement aarzelt om zijn lutherse zoon tot koning te kiezen.

**23 mei.** Aartsbisschop Cranmer verklaart het huwelijk van Hendrik VIII en Catharina van Aragón ongeldig. Het huwelijk met Anna Boleyn verklaart hij wettig.

**1 juni.** Anna Boleyn wordt tot koningin gekroond.

**22 juni.** Ferdinand van Oostenrijk en Süleyman van Turkije tekenen een vredesverdrag. Ferdinand behoudt een deel van Hongarije.

**29 augustus.** In Peru wordt de laatste Inca-vorst, Atahualpa, door de Spanjaarden vermoord. →

Gestorven:

**6 juli 1533.** Ludovico Ariosto (8-9-1475), Italiaans dichter →

# Eenheid tegen Turkse Rijk

*Keurvorst Johan van Saksen overhandigt de 'Augsburgse Confessie' aan Karel V.*

NEURENBERG, 23 juli 1532 - In ruil voor de belofte van keizer Karel V om de processen tegen protestanten voor het Rijkskamergerecht te schorsen en een godsdienstvrede af te kondigen totdat een algemeen concilie de geloofskwestie definitief regelt, hebben de protestanten Karel V hulp toegezegd in de strijd tegen de Turken. Hierdoor heeft het Edict van Worms zijn bestaansrecht verloren en lijkt de eenheid van het Heilige Roomse Rijk voorlopig hersteld.

Na het mislukken van de Rijksdag van Augsburg zijn de protestanten, uit angst voor een gewelddadige doorvoering van het Edict van Worms, gaan onderhandelen met Filips van Hessen, die voorstander van een hardere politiek tegenover Karel V is. Deze onderhandelingen resulteerden vorig jaar februari in de vorming van de Schmalkaldische Bond. De leden van deze bond hebben beloofd elkaar te steunen ingeval één van hen aangevallen zou worden.

De oprichting van de Schmalkaldische Bond was voor velen een schok. Voor het eerst kwam een deel van het Heilige Roomse Rijk openlijk in verzet tegen de keizer en de Rijksdag. De oprichting van de bond illustreerde overduidelijk het einde van de Duitse eenheid en het falen van Karels religiepolitiek. Tevens versterkte de bond de eenheid onder de protestanten. Gebaseerd op de *Augsburgse Confessie* wist men de twijfelaars voor zich te winnen. Na de dood van Huldrych Zwingli op 11 oktober sloten ook de Zuidduitse steden zich bij de bond aan. Ondertussen nam het Turkse gevaar toe. De in Regensburg bijeengekomen Rijksdag, die alleen door katholieken bezocht werd, negeerde de smeekbeden van de keizer om hulp. De keizer zag zich daardoor genoodzaakt de hulp van de protestanten in te roepen. Door niet langer te eisen dat de Duitse Rijksdag de religieuze problemen moest oplossen, wist Karel V de protestanten te bewegen met hem te onderhandelen.

# Ludovico Ariosto werd beroemd met 'Orlando Furioso'

*Ludovico Ariosto (houtsnede).*

FERRARA, 6 juli 1533 - De grootste Italiaanse dichter sinds Dante, Ludovico Ariosto, is op 58-jarige leeftijd overleden. Hij werd op slag beroemd toen hij na tien jaar in 1515 zijn epische gedicht de *Orlando Furioso* (Razende Roeland) publiceerde. Het bevat bijna 39 000 versregels, evenveel als de *Ilias* en de *Odyssee* samen. De Italianen zijn enthousiast over dit werk vanwege de schat aan opwindende en humoristische verhalen over ridders en vrouwen, geschreven in een melodieuze en eenvoudige taal.

# Inca Atahualpa terechtgesteld

*Miniatuur van Inca Atahualpa.*

CAJAMARCA, 29 augustus - De Spanjaarden onder leiding van Francisco Pizarro hebben Inca Atahualpa gewurgd, ondanks het hoge losgeld dat hij in goud en zilver voor zijn leven heeft betaald.

Nog voor hij stierf heeft Atahualpa kans gezien zijn broer Huascar te laten doden. Sinds de dood van hun vader Huayna Capac, vijf jaar geleden, streden de beide broers om de alleenheerschappij van het gigantische Inca-rijk. Pizarro, gebruik makend van zijn wetenschap over de broederoorlog, trok naar de legerplaats van Atahualpa, Cajamarca, waar hij op 15 november vorig jaar aankwam. Hij stuurde zijn broer naar Atahualpa, die de keizer uitnodigde met hem mee te komen. De keizer kwam de volgende dag en werd verraderlijk gevangengenomen nadat hij eerst was beledigd door een Spaanse priester die van hem eiste dat hij zijn eigen goddelijkheid zou afzweren ten gunste van het katholicisme. Zijn gevolg van ongewapende Inca-edelen werd door de Spanjaarden vermoord. Atahualpa moest toen binnen twee maanden een kamer met een vloeroppervlakte van 48 vierkante meter en een hoogte van 2,10 meter vol goud en zilver vullen. Van overal uit het keizerrijk kwamen dragers aandragen met gouden kunstschatten. Het losgeld werd binnen de termijn betaald maar de keizer werd niet vrijgelaten.

Er volgden maanden van onzekerheid en spanning. Er drongen geruchten door dat de Inca's een aanval op het Spaanse kamp voorbereidden. Atahualpa werd beschuldigd van 'verraad', van een poging troepen te verzamelen om de Spanjaarden te verslaan. Hij ontkende en de Spanjaarden zochten verwoed naar redenen om hem te doden; zo werd hij onder andere beschuldigd van bloedschande - zijn huwelijk met zijn zuster - en wederrechtelijke inbezitneming van de Inca-troon. De rechtbank die vandaag is bijeengekomen bevond Atuhualpa schuldig en veroordeelde hem tot de vuurdood. Vlak voor de executie werd het vonnis gewijzigd in dood door wurging.

# 1534

**24 januari.** Frans I van Frankrijk tekent een geheim verdrag met de protestantse vorsten in Duitsland.

**23 februari.** De stadsraad van Münster kiest de wederdoper Bernd Knipperdolling tot burgemeester. Jan van Leiden is op verzoek van de Duitse wederdopers in januari naar Münster gekomen.

**23 maart.** Paus Clemens VII verklaart het huwelijk tussen Catharina van Aragón en Hendrik VIII wettig en dus onontbindbaar.

**26 maart.** Lübeck moet de vrije doorvaart van Hollandse schepen door de Oostzee erkennen. Een Nederlandse expeditie heeft dit afgedwongen.

**10 mei.** De Franse zeevaarder Jacques Cartier bereikt, op zoek naar een noordwestelijke zeeweg naar Azië, Newfoundland. Hij verklaart het gebied tot bezit van de Franse kroon.

**12 mei.** Württemberg wordt luthers, nadat legers van de Schmalkaldische Bond het hertogdom zijn binnengetrokken.

**12 juni.** De Turkse admiraal Barbarossa tracht Giulia Gonzaga Colonna te ontvoeren. →

**Juni.** In Ierland breekt onder leiding van Thomas Offaly een opstand uit.

**15 augustus.** Ignatius van Loyola sticht in Parijs de jezuïetenorde.

**20 augustus.** Barbarossa trekt de kasba van Tunis binnen. →

**Augustus.** De wederdoper Jan van Leiden wordt tot 'koning van Sion' (van Münster) uitgeroepen.

**25 september.** Paus Clemens VII overlijdt. Alessandro Farnese wordt tot paus Paulus III gekozen.

**18 oktober.** In Frankrijk wordt de vervolging van hervormers met hernieuwde kracht aangepakt.

**3 november.** Het Engelse parlement aanvaardt de 'Akte van Suprematie'. →

**November.** In Frankrijk worden protestanten op grote schaal vervolgd. →

**4 december.** Turkse troepen vallen Bagdad binnen. →

- Karel van Gelre biedt Frans I van Frankrijk de opvolging in zijn gebieden aan. Dit is in strijd met het Verdrag van Gorinchem (van 1528), waarin Karel V erfgenaam in Gelre werd.

- In Peru breekt een opstand van de Indianen tegen de Spanjaarden uit. Pizarro's broer wordt bijna twee jaar in Cuzco belegerd.

- De lutherse Christiaan III wordt tot koning van Denemarken gekozen.

- Michelangelo voltooit de Medici-kapel in Florence.

# Tunis in Turkse handen

TUNIS, 20 augustus - Chaireddin, beter bekend als Barbarossa, is met zijn leger van 9000 Turken, Albanezen en overgelopen Spanjaarden de kasba van Tunis binnengetrokken. De bevolking werd opgeroepen om zich te onderwerpen aan het nieuwe gezag van Süleyman, de sultan van het Osmaanse Rijk.

Barbarossa had de bevolking van Tunis aanvankelijk beloofd de om zijn wreedheid gehate Moeley Hassan te vervangen door diens broer Rachid, de oudste zoon van de in januari 1533 overleden sultan Moeley Abou Abdallah. Rachid was destijds als enige ontsnapt aan het familiebloedbad, waarbij Moeley Hassan de hoofden van zijn twintig broers door de stad had laten dragen. Rachid zocht vervolgens steun tegen zijn jongste broer bij sultan Süleyman in Constantinopel.

'De mensen zijn zo naïef en zwak dat z die op bedrog uit zijn, makkelijk hu slachtoffers vinden', schreef de Flore tijn Machiavelli nog niet zo lang gel den. Rachid was zo'n slachtoffer van Turkse listen en daarvoor moet hij boeten in een van Süleymans kerker Moeley Hassan bleef tot het laatst do voor de smeekbeden van zijn onderda nen, de stad tegen de Turken te verd digen. Hij liet zich liever aanbidde door zijn harem van 400 jongens. O danks het verzet van de bevolking k Barbarossa zodoende Tunis zond veel moeite innemen. Na Barbari (Noordwest-Afrika) heeft het O maanse Rijk met Tunis een steunpu van groot strategisch belang in h Middellandse-Zeegebied in handen kregen.

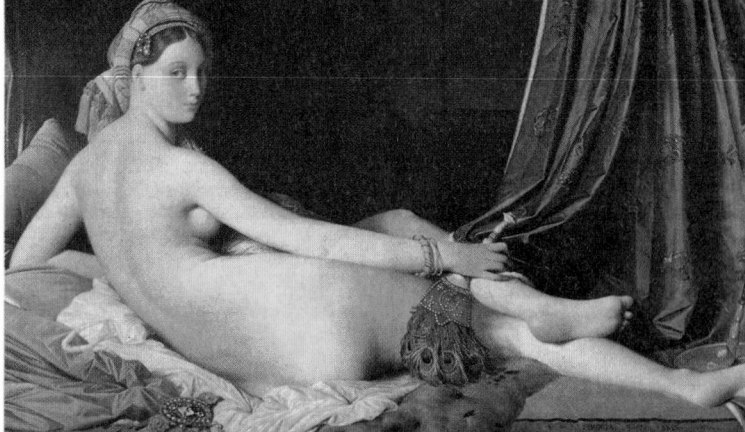

*Oosterse slavin (door Jean Auguste Dominique Ingres, 1814; Louvre, Parijs).*

# Ontvoering van Giulia Gonzaga mislukt

NAPELS, 12 juni - De bevolking van de Italiaanse westkust is opgeschrikt door de vermetele poging van de admiraal van de Turkse vloot Chaireddin, beter bekend als de zeerover Barbarossa, om Giulia Gonzaga Colonna te ontvoeren. Giulia Gonzaga, weduwe van Vespasianus Colonna, blijkt ook in het Osmaanse Rijk beroemd om haar schoonheid te zijn.

De 'Shéhérazade van Italië' bewoont een kasteel ten noorden van Napels, waar zij omringd wordt door aanbidders, zowel condottieri als kunstenaars en filosofen. Schilders als Titiaan hebben haar schoonheid meer dan eens vereeuwigd. En de dichter Orlando vergeleek haar met een uit de hemel neergedaalde godin.

Zij moet aan een uit de hel ontstegen duivel hebben geloofd toen zij vernam dat Barbarossa met zijn vloot en 2000 janitsaren op haar grondgebied was geland. Want met nog losgebonden haren en in een nachtgewaad dat haar naaktheid nauwelijks bedekte, ontsnapte zij, voor op het paard van haar jonge page gezeten, naar een naburig kasteel.

In woede ontstoken over het mislu ken van zijn expeditie, gaf Barbaross de naburige stad vrij voor plundering Bovendien werden alle kinderen me gesleurd naar de schepen, ondanks smeekbeden van de wanhopige mo ders, van wie sommigen verdronke toen zij poogden de wegvarende vlo achterna te zwemmen.

Wie deze nacht ook met de dood mo bekopen was de page van Giulia Go zaga. Hij zou zich tijdens de ontsna ping wat al te ondernemend jegens z meesteres gedragen hebben.

Deze dramatische ontvoeringspogir in het hart van Italië toont niet alle de kwetsbaarheid van de Italiaans kusten tegenover het Turkse gevaa maar wijst ook op een machtsstrijd aa het hof van sultan Süleyman. Dier grootvizier, Ibrahim Pasja, zou zich geruime tijd zorgen maken om de sn groeiende invloed van Süleymans f voriete haremvrouw Roxelane. De Roetheense bemoeit zich namelijk oo actief met het bestuur van het rijk Ibrahim Pasja zou de gevaarlijke riva hebben willen vervangen door de sch ne Giulia Gonzaga.

# Hendrik VIII hoofd van Engelse Kerk

WESTMINSTER, 3 november - Het Engelse parlement komt sinds 1529 frequent bijeen, vooral voor godsdienstige regelingen ('hervormingsparlement'). Op zijn jongste zitting heeft het een wet uitgevaardigd die de koning, als enige op aarde, tot hoofd van de Engelse Kerk uitroept. Hendrik VIII ziet op deze wijze de absolute zeggenschap over de religieuze zaken in zijn land bevestigd. De volledige breuk met de paus is nu een alom geaccepteerd feit.

Aanleiding voor Hendrik om het parlement in deze richting te bewegen is de weigering van paus Clemens VII om Hendriks eerste huwelijk te ontbinden. De paus raakte onder curatele van de vijandige Karel V en excommuniceerde Hendrik uiteindelijk in juli vorig jaar. De koning had echter al een andere weg ingeslagen. Onder leiding van de pasbenoemde aartsbisschop van Canterbury, Thomas Cranmer (geboren 1489), ontbond de nationale kerkelijke rechtbank het eerste huwelijk en werd het inmiddels gesloten tweede huwelijk met Anna Boleyn erkend.

Ondanks de breuk met Rome wilde Hendrik het oude geloof wel zoveel mogelijk handhaven, maar dan binnen een nationale - aan de monarchie onderworpen - Kerk. De diverse vormen van ketterij bleef de koning bestrijden, zoals hij al in 1521 de denkbeelden van Luther had afgekeurd. Toen leverde hem dat nog de pauselijke eretitel van 'verdediger des geloofs' op.

*Koning Hendrik VIII geportretteerd door hofschilder Hans Holbein (1540).*

Sedert het begin van de eeuw waren er al veel andersdenkenden. Aanvankelijk zochten zij het weer in de oude beweging van de lollards (van John Wyclif, 1320-1384), die de rijkdom en de politieke macht van de geestelijkheid verwierpen. In de jaren twintig vermengden zij zich of werkten zij samen met sympathisanten van Luther. Van hen was William Tyndale (geboren 1483) het bekendst. Hij vertaalde het Nieuwe Testament in het Engels en liet dat te Antwerpen drukken (1526). Drie jaar later verscheen zijn tegen de machtige kardinaal Wolsey gerichte *De praktijk van de prelaten*.

Het waren deze ketters die het duidelijkst de afkeer jegens het rooms-katholicisme vertolkten. Maar evenzeer droegen de onverschilligheid en het chauvinisme bij velen onder het volk en de adel ertoe bij, dat de breuk met Rome zonder wezenlijk verzet realiteit werd.

## Sultan Süleyman verovert Bagdad

*Sultan Süleyman II 'de Wetgever'.*

BAGDAD, 4 december - Na een veldtocht van bijna twee jaar heeft sultan Süleyman zijn intrede gedaan in een verlaten hoofdstad van het oude Mesopotamië. Toen zijn grootvizier Ibrahim Pasja enkele dagen geleden de stad in bezit nam, had de gouverneur van de sjah zich reeds met zijn troepen teruggetrokken.

Bagdad is nog slechts een schim van de glorieuze hoofdstad der Abassiden uit de tijd van de grote veroveringen van de islam. Süleyman wil nu als legitieme opvolger der kaliefen Bagdad een nieuwe impuls geven.

Tijdens de lange veldtocht werden de 200 000 Turken onder leiding van Ibrahim Pasja meer geteisterd door problemen van ravitaillering en klimaat dan door het verzet van het zich steeds terugtrekkende leger der Perzen.

De grenzen van het Osmaanse Rijk strekken zich nu uit tot de Indische Oceaan. Door het bezoeken van de heilige plaatsen der sji'iten heeft Süleyman nog eens de mohammedaanse universaliteit van het Huis van Osman willen bevestigen: de gehele wereld van de islam valt voortaan onder zijn bescherming, zowel sji'iten als soennieten. Deze Pax Ottomanica roept het Hellenistische Rijk van Alexander de Grote in herinnering.

# Frankrijk laat protestanten vervolgen

PARIJS, november - Voor het eerst zijn in Frankrijk protestanten op grote schaal gearresteerd en terechtgesteld. Aanleiding tot deze vervolging zijn de affiches die overal in Frankrijk zijn aangeplakt, waarop in heftige bewoordingen de huidige praktijk van het geloof veroordeeld wordt.

Het eerste affiche werd midden oktober in Parijs gesignaleerd. Daarna werden ze ook in andere steden aangeplakt. Zelfs de deur van de koninklijke slaapkamer in het slot van Amboise bleef niet gespaard.

Op de affiches wordt de ondergang voorspeld van 'de paus en zijn hele gespuis van kardinalen, bisschoppen en priesters, monniken en andere schijnheiligen'. Deze felle toon heeft het kleine beetje tolerantie dat er voor het protestantisme bestond, weggevaagd. Het is niet duidelijk wie er verantwoordelijk is voor de teksten. De bekende hervormers zijn voorzichtiger geweest in hun uitlatingen.

De rector van de Sorbonne legde vorig jaar in zijn openingsrede de nadruk op de overeenkomsten tussen het traditionele geloof en het protestantisme. De-

*Renée de France, dochter van koning Lodewijk en overtuigd protestante.*

ze rede was geschreven door de jonge theoloog Calvijn. Deze heeft aan verscheidene universiteiten in Frankrijk gestudeerd, wat typerend is voor aanhangers van het protestantse geloof. Zij lopen overal het risico van vervolging, maar er bestaat op dit gebied nog geen landelijke samenwerking tussen de autoriteiten. Predikers van het nieuwe geloof kunnen aan een dreigende arrestatie ontkomen door naar een andere plaats te verhuizen. Niet iedereen weet echter de dans te ontspringen. De afgelopen tien jaar zijn er al vele terechtstellingen geweest.

Het nieuwe geloof heeft in Frankrijk nog niet die aanhang die het in Duitsland heeft. Het leeft vooral in hoger ontwikkelde kringen. Vier jaar geleden is echter de eerste Franse vertaling van de bijbel verschenen. Daarmee hebben leken de kans gekregen zelf de Heilige Schrift te bestuderen. Dat leidt wellicht tot een verdere verbreiding van de nieuwe denkbeelden. Hier staat tegenover dat het voor protestanten een stuk onveiliger is geworden in Frankrijk na het tumult rond de affiches. De koning heeft op landelijke schaal maatregelen tegen ketters aangekondigd. Naar verluidt zal Calvijn daarom op korte termijn naar Basel verhuizen.

# Karel V verdrijft de Turken uit Tunis

*Fragment van Willem de Pannemakers 'De verovering van Tunis' (wandkleed).*

TUNIS, 22 juli -Duizenden christelijke krijgsgevangenen zijn in Tunis in opstand gekomen en erin geslaagd de poorten voor Karel V en zijn leger te openen. De keizer heeft de stad ingenomen en zijn soldaten toestemming gegeven haar drie dagen lang te plunderen. Deze overwinning wordt in de hele christelijke wereld als een grootse zege gezien. Hiermee is althans voorlopig een einde gekomen aan de Turkse dreiging in de westelijke Middellandse Zee en aan de plaag van de Barbarijse zeerovers, die onder Turkse bescherming

vanuit Tunis opereerden en de kusten van Zuid-Europa onveilig maakten.

Voor deze expeditie heeft Karel V een grote gecombineerde Spaanse, Italiaanse en Portugese vloot bijeengebracht, die op 14 juni vanuit Barcelona is uitgevaren onder persoonlijk bevel van de keizer en de Genuese admiraal en zeeheld Andrea Doria. De 74 galeien, 30 galjoenen en 300 transportschepen vervoerden 25 000 soldaten en 2000 ruiters.

Na een zware strijd van tien dagen viel Goletta, het fort dat de Golf van Tunis

beheerst, in handen van Karel en zij[n] manschappen. De leider van de zeero[-] vers, Barbarossa, trok aan het hoof[d] van 6000 Turken en 400 Tunesiërs h[et] leger van Karel tegemoet. Hij leidd[e] zelf de eerste charge en er ontbrandd[e] een hevige strijd die lange tijd met wi[s-] selende kansen voortduurde, totd[a] Barbarossa bemerkte dat achter he[m] de muren van Tunis in brand stonde[n.] Twee christelijke overlopers hadde[n] hem verraden en zich, met behulp va[n] de uit hun ketens bevrijde christene[n] van de kasba meester gemaakt. Barb[a]rossa's positie was nu hopeloos.

Sinds de Turken in 1529 Wenen he[b]ben belegerd, is de keizer vastbeslote[n] een Turkse omsingeling van zijn rijk t[e] voorkomen. Hij ziet dat niet alleen a[ls] een politieke, maar ook als een godd[e]lijke opdracht. Al in 1519 heeft hij d[e] strijd tegen de ongelovigen verklaar[d] tot 'datgene wat wij op deze wereld h[et] vurigst wensen en waarvoor wij al on[ze] gebieden verlangen in te zetten'. H[ij] kan hierbij rekenen op de steun va[n] zijn Spaanse onderdanen, bij wie na d[e] eeuwenlange mohammedaanse ove[r]heersing het idee van een christelijk[e] kruistocht nog sterk leeft. Daar kom[t] de recente Turkse bedreiging van d[e] Spaanse kusten en scheepvaart bij. D[e] heerschappij over de westelijke Mi[d]dellandse Zee is voor de Spanjaarde[n] van vitaal economisch en strategisc[h] belang vanwege de vaart op West[-] Indië en Amerika.

# Münster op de anabaptisten heroverd

MÜNSTER, 24 juni - Na een bijna anderhalf jaar durende uitputtingsslag zijn de troepen van de bisschop van Münster en de protestantse landgraaf Filips van Hessen erin geslaagd het door de anabaptisten in Nieuw Jeruzalem omgedoopte Münster te heroveren. Hiermee is een eind gekomen aan een door de anabaptisten sinds verleden jaar januari zelf opgebouwde ministaat met eigen wetten en normen. De voornaamste leiders van de anabaptistische beweging zijn gevangengenomen.

Het anabaptisme ontstond in de jaren twintig toen in Zürich de patriciër Konrad Grebel in zijn gesprekken met de hervormer Huldrych Zwingli de opvatting verdedigde dat de ware Kerk alleen kon bestaan uit leden die vrijwillig waren toegetreden. Dit toetreden moest geschieden door middel van de doop. Daar alleen volwassenen weloverwogen voor Christus konden kiezen, verwierp Grebel de kinderdoop. Daarnaast verdedigde hij de gedachte dat de ware Kerk volledig los van het wereldlijke gezag moest staan.

Al snel werden de aanhangers van Grebel in het Zürich van Zwingli vervolgd. De beweging verspreidde zich en

knoopte banden aan met verschillende radicale predikanten en bewegingen, die zich in het voetspoor van Maarten Luther ontwikkeld hadden. De in de Nederlanden optredende predikant Melchior Hoffmann kreeg de leiding in handen. Hij predikte dat de terugkeer van Christus nabij was en probeerde zijn volgelingen voor te bereiden op de Dag des Oordeels. Na zijn gevangenneming in Straatsburg nam Jan Matthys, een bakker uit Haarlem, de leiding over. Hij was welhaast nog radicaler dan Hoffmann. In zijn ogen zou Christus alleen wederkeren als de ware gelovigen zijn pad vrijmaakten door de ongelovigen uit te roeien.

De overheid reageerde fel op het optreden van de anabaptisten. Overal waar zij opdoken werden strenge vervolgingen gestart. Maar juist deze vervolgingen deden de beweging groeien. In januari van het vorig jaar stroomden steeds meer predikanten naar het door radicale lutheranen gedomineerde Münster. De leidende lutheranen in Münster lieten zich wederdopen. Door steeds meer anabaptisten werd Münster als het nieuwe Jeruzalem gezien. Ook Jan Matthys trok erheen. Verwoed ging hij aan het werk om

Münster ook inderdaad in een nieu[w] Jeruzalem te veranderen: op gro[te] schaal werden nieuwe aanhangers he[r]doopt, hardnekkige lutheranen en ka[-] tholieken werden verjaagd of ve[r]moord, hun bezit onder de arme[n] verdeeld en alle boeken behalve de bi[j]bel werden verboden en verbrand.

In februari startte de bisschop va[n] Münster het beleg van de stad. De toe[-] stand in de stad werd door dit beleg bi[j]na onhoudbaar, maar de benarde s[i-] tuatie maakte het voor Matthys m[o]gelijk zijn dictatuur te completere[n.] Zelfs na zijn dood viel de stad niet. Ja[n] van Leiden nam direct zijn positie ove[r] en zette de politiek van Matthys voor[t.] Hij predikte polygamie en riep zichze[lf] tot koning uit. Door middel van rev[o]lutionaire terreur hield hij het gods[-] rijk, inmiddels een monsterlijke co[m]binatie van spirituele exaltatie en rev[o]lutionaire passies, in stand. Maar he[t] aanhoudende beleg hongerde de sta[d] langzaam uit. Pogingen van anabap[-] tisten om het bedreigde bolwerk va[n] buitenaf te ontzetten mislukten. H[et] koninkrijk van Jan van Leiden sto[nd] toen al enige tijd op instorten. De def[i-] nitieve verwoesting komt dan ook ni[et] als een verrassing.

# Eunuchen vermoorden grootvizier Ibrahim

CONSTANTINOPEL, 16 maart - De grootvizier van het Osmaanse Rijk, Ibrahim Pasja, is dood aangetroffen in zijn kamer in het Topkapi-paleis. Zijn kleren waren verscheurd en de wanden met bloed besmeurd, wat erop wijst dat de eunuchen van Süleymans harem er pas na een lange worsteling in geslaagd zijn hem te wurgen.

Afkomstig uit een Grieks christelijk gezin was de tot mohammedaan bekeerde Ibrahim al op jeugdige leeftijd als slaaf in Süleymans dienst gekomen. In het unieke Osmaanse onderwijssysteem dat kansen biedt aan een ieder, ongeacht zijn afkomst, had Ibrahim zich algauw weten te onderscheiden. Toen Süleyman zijn vader als sultan van het Osmaanse Rijk was opgevolgd, benoemde hij zijn mooie en begaafde page in 1523 op 30-jarige leeftijd tot grootvizier, hoofd van de regering en het leger. In deze belangrijkste functie van het steeds machtiger wordende Osmaanse Rijk genoot hij gedurende

*Tafereel in een Arabische uitspanning: rechts is een slaaf bezig het fruit te persen.*

dertien jaar het volledige vertrouwen van Süleyman: 'Alles wat Ibrahim Pasja zegt moet worden beschouwd als uit mijn eigen parelregenende mond te komen.'

Ibrahim voerde de Turkse legers tij-

dens de grote veldtochten aan. Bovendien liepen alle contacten met de Europese mogendheden via hem. Hij schreef zonder moeite Arabisch, Italiaans, Latijn en Grieks.

Op 18 februari van dit jaar tekende Ibrahim nog uit naam van de sultan het eerste verdrag met Frankrijk. De 'Zeer Christelijke Koning' Frans I had twee jaar geleden afgezanten van Süleyman, 'De Gesel Gods', met alle egards ontvangen, uit tevredenheid over de deuk die de reputatie van Karel V had opgelopen met de Turkse inname van Tunis.

Waarschijnlijk is het Süleymans favoriete haremvrouw Roxelane geweest, die haar grote vijand nu eindelijk uit de weg heeft weten te ruimen.

# Cartier voltooit expeditie

*De Franse ontdekkingsreiziger Jacques Cartier zet voet aan wal op de Canadese kust.*

SAINT-MALO, 9 juli - Na bijna vijftien maanden is Jacques Cartier teruggekeerd van een expeditie naar de Nieuwe Wereld. Hij is ver doorgedrongen in het nog onbekende stroomgebied van de Saint-Lawrencerivier in Canada. Het is de tweede keer dat Cartier in opdracht van de Franse koning een expeditie naar dit gebied heeft geleid. Het doel is een noordelijke vaarroute naar China en Japan te vinden. Frankrijk wil daarmee de Spanjaarden en Portugezen kunnen beconcurreren. Deze landen beheersen de zuidelijke scheepvaartwegen naar Azië.

Cartier is vorig jaar mei vertrokken met drie schepen. De totale bemanning telde rond de honderdtien koppen. In augustus voer de vloot de Saint Lawrence op. Men kwam in een gebied waar voor zover bekend nog nooit een Europeaan was geweest. In Sainte-Croix [dicht bij de huidige stad Quebec] liet Cartier twee schepen achter. Met het derde schip voer hij verder naar Hochelaga [het huidige Mon-

treal]. Daar werd de bemanning omringd door een nieuwsgierige bevolking. De kleine geschenken, zoals kettinkjes van tinnen kralen, werden door hen aanvaard. Er werden ook enkele messen gegeven en deze vielen zeer in de smaak bij de Indiaanse mannen. Door de naderende winter was het niet meer mogelijk direct naar Frankrijk terug te keren.

Bij de thuiskomst in Saint-Malo was er voor Cartier geen officiële ontvangst. In het verleden heeft Frans I echter wel veel belangstelling getoond voor ontdekkingsreizen. Zijn politiek is immers sterk gericht op een vergroting van het aanzien van Frankrijk. Het verkrijgen van handelsposten en kolonies draagt daaraan bij. Frankrijk heeft op dit terrein ook nog een grote achterstand op de Spanjaarden en Portugezen. Het gebrek aan koninklijke interesse op dit moment heeft te maken met de oorlogssituatie in Europa. In het zuiden van Frankrijk dreigt een invasie door de troepen van keizer Karel V.

## Inquisitie straft Portugese joden

LISSABON, 23 mei - Paus Paulus III heeft op verzoek van koning Johan III een bul uitgevaardigd waardoor de instelling van de inquisitie in Portugal een feit wordt. De bul roept op tot onderzoek naar ketterij, afvalligheid en de verboden uitoefening van joodse, lutherse, mohammedaanse en magische riten. Het is echter een publiek geheim dat de inquisitie vooral tegen de Portugese joden is gericht.

Al in 1497 had de Portugese koning Emanuel de joden gedwongen zich te laten kerstenen. Maar deze 'nieuwe christenen' bleven in de praktijk veelal hun oude joodse tradities trouw, wat oogluikend werd toegestaan. De joden waren niet populair in Portugal en kregen overal de schuld van, of het nu misoogsten, miskramen of epidemieën betrof. Reeds in 1515 en 1531 verzocht de koning de paus om de instelling van een inquisitie, maar deze wees dit steeds af, wel inziende dat het de koning vooral om het bezit van de 'nieuwe christenen' te doen was. Het was de zeer bescheiden opkomst van het protestantisme in Portugal én een pauswisseling die toch tot de bul hebben geleid.

# Lutheranisme in Scandinavië

*Interieur van een Deense kerk.*

KOPENHAGEN, 20 oktober - Koning Christiaan III van Denemarken en Noorwegen heeft in de voltallige Rijksdag het lutheranisme tot staatsgodsdienst verheven en tevens bepaald dat de goederen van de Kerk aan de Staat zullen toevallen. De nieuwe godsdienst geldt ook voor Noorwegen en IJsland. Omdat Zweden al in 1527 tot het lutheranisme overging is de Reformatie nu in heel Scandinavië doorgevoerd.

De overgang ging echter niet overal even soepel. De gevestigde Rooms-Katholieke Kerk heeft lang tegenstand geboden. In Zweden was het Gustaaf I die in 1527 op de Rijksdag van Västerås de Reformatie tegen de wil van het volk wist door te drukken. Hij hoopte op versterking van de koningsmacht door de kerkgoederen te confisqueren. In vrij korte tijd steeg het kroonaandeel in de Zweedse grond van zes naar bijna dertig procent. Met de opbrengsten hiervan kon Gustaaf het bestuur op centralistische wijze reorganiseren, een staand leger oprichten en de financiële afhankelijkheid van Lübeck verminderen. Als concessie aan de standen en de adel hield hij de katholieke ceremonie in ere; deze werd heel geleidelijk aan het lutheranisme aangepast. Zo werd pas in 1536 toegestaan dat de mis in het Zweeds werd gehouden en dat priesters mochten trouwen.

In Denemarken stelde koning Frederik I zich zeer voorzichtig op in religieuze zaken. Alhoewel hij niet onsympathiek tegenover de nieuwe leer van Luther stond moest hij in 1523 onder druk van de bisschoppen het rooms-katholieke monopolie in een wet vastleggen. Pas in 1527 durfde hij te verklaren dat beide godsdiensten naast elkaar getolereerd moesten worden.

Na zijn dood brak een machtsstrijd uit tussen zijn zonen, de katholieke Hans en de lutherse Christiaan, die door de laatste werd gewonnen. Christiaan, die in 1521 op de Rijksdag te Worms diep onder de indruk van Luther was gekomen, liet zijn katholieke opponenten oppakken en verklaarde het lutheranisme tot staatsgodsdienst. Noorwegen, dat lange tijd het katholieke kamp had gesteund, werd formeel tot provincie gedegradeerd. In IJsland werd de Reformatie, evenals in Zweden, slechts heel geleidelijk ingevoerd.

# 1537

**7 januari.** Alessandro de' Medici wordt vermoord. Hij wordt opgevolgd door Cosimo de' Medici

**Januari.** Chaireddin Barbarossa, de voormalige leider van Tunis en bondgenoot van Turkije, vindt een toevluchtsoord in Marseille.

**Januari.** Frans I maakt, in strijd met het Verdrag van Kamerijk, opnieuw aanspraak op de soevereiniteit over Artesië en Vlaanderen. Hij wil dat Karel V hem voor het Parlement van Parijs de eer van leenheer bewijst. Karel V weigert.

**Januari.** Frankrijk en Turkije bekrachtigen hun offensieve verdrag tegen Karel V.

**9 februari.** De paus stuurt kardinaal Pole als gezant naar Engeland. Pole heeft opdracht Hendrik VIII te bewegen zich weer gehoorzaam aan de paus te verklaren. De poging van Pole mislukt. Hij komt Engeland niet binnen.

**17 maart.** Franse troepen trekken Vlaanderen binnen. De Staten-Generaal staan een bede van 200 000 karolusguldens toe. Alleen Gent weigert te betalen.

**Maart.** Een Turkse vloot doet een mislukte poging om Korfoe te bezetten.

**April.** Spaanse troepen onder leiding van Diego de Almagro ontzetten het ingesloten Spaanse contingent troepen dat de Inca-hoofdstad Cuzco bezet hield. →

**Mei.** Duitse protestanten weigeren een algemeen concilie bij te wonen. Zij waren hiervoor uitgenodigd door paus Paulus III.

**30 juli.** De Nederlanden en Frankrijk tekenen het Bestand van Bomy.

**2 september.** Christiaan III van Denemarken geeft een 'Verordening op de Deense Kerk' uit. De inhoud van de verordening heeft de goedkeuring van Maarten Luther.

**24 september.** De revolutionaire beweging in Lübeck wordt onderdrukt. Ex-burgemeester Wullenwever wordt ter dood gebracht.

- De arts Theophrastus von Hohenheim, die zeer van zich doet spreken, wordt aan het Oostenrijkse hof ontvangen. →

- Christiaan III en Maria, landvoogdes der Nederlanden, sluiten een verdrag voor drie jaar. In het verdrag wordt Hollandse schepen de vrije doorvaart door de Sont toegezegd.

- In Constantinopel begint men met de bouw van de moskee van Süleyman.

# Almagro bevrijdt Cuzco

*Indianen worden tijdens de 'Conquista' massaal door Spaanse soldaten afgeslach[t]*

CUZCO, april - Cuzco, de hoofdstad van de Inca's, die sinds november 1533 in handen is van de Spaanse veroveraars en al meer dan één jaar belegerd werd door Inca-opstandelingen, is ontzet door Diego de Almagro. Almagro en zijn Spaanse soldaten behaalden de overwinning in een open veldslag waartoe de Inca's, onder aanvoering van ex-keizer Manco, zich hadden laten verleiden. Hierna trok Almagro als bevrijder en veroveraar Cuzco binnen. Twee jaar geleden leek de Spaanse verovering van het Inca-rijk voltooid te zijn. Cuzco was volledig onder Spaanse controle. Manco, de halfbroer van de vier jaar geleden vermoorde Inca Huascar, was als dank voor zijn hulp aan Pizarro tot keizer benoemd maar had absoluut geen macht. De werkelijke macht werd uitgeoefend door een gemeenteraad die bestond uit acht regidoren, onder wie Pizarro's broers Juan en Gonzalo. Elke Spanjaard kreeg een huis, een flink stuk land en bedienden toegewezen. Nadat Pizarro orde op zaken had gesteld liet hij de hoofdstad, die inmiddels door de Spaanse soldaten was leeggeplunderd, onder de hoede van zijn broer Hernando en vertrok naar de kust, waar hij Lima de los Reyes stichtte.

In Cuzco misdroegen Pizarro's broers zich, waardoor Inca Manco kans zag te ontsnappen. Hij vluchtte naar de vestingstad Vilcabamba. Van daaruit leidde hij de opstand tegen de Spanjaarden die de eens zo prachtige stad Cuzco in enkele jaren van alle luister ontdaan hadden. De Inca's vielen de Spanjaarden aan in smalle bergpassen waar ze, niet gehinderd door zware wapenrustingen de Spaanse soldaten, die daar nauwelijks uit de voeten konden, grote verliezen toebrachten.

De opstandige Inca's maakten vervolgens echter de fout een open veldslag met Almagro's leger te leveren. Ma[...] de Spaanse overwinning van het Inc[...] rijk, die twee jaar zo definitief leek, vooralsnog onzeker, ondanks het on[t]zet van Cuzco. Vanuit de vestingstede[n] Vilcabamba en Machu Picchu zulle[n] de Inca's het verzet tegen de overhee[r]sers voortzetten.

*Indiaanse slaven nemen wraak op hu[n] Spaanse meesters (boven). Slaven die niet produktief genoeg zijn worden gestraft (onder).*

# Paracelsus op audiëntie bij koning Ferdinand I

WENEN - De Zwitserse medicus Theophrastus von Hohenheim is door de Oostenrijkse koning Ferdinand I in audiëntie ontvangen.

Vorig jaar verscheen van de spraakmakende arts een handboek waarin hij zijn medische kennis en jarenlange praktische ervaring heeft verzameld. Hij liet dit werk, de *Grosse Wundarzei*, verschijnen onder de naam Paracelsus en droeg het op aan zijn begunstiger Ferdinand I. Met dit 530 pagina's tellende werk heeft Paracelsus, zoals hij genoemd wil worden, ook in medische kring erkenning afgewongen. Een erkenning die zijn talloze patiënten, onder wie zowel eenvoudige boeren als hooggeplaatste personen, hem al lang hadden gegeven. Het omvangrijke boek bestaat uit twee delen. Het eerste behandelt alle kennis op het gebied van de genezing van alle soorten wonden (vandaar de titel van het boek); in het tweede deel bespreekt Paracelsus de grondslag van zijn geneeskunst.

In andere medische geschriften heeft Paracelsus zijn inzichten neergelegd over onder meer de 'onzichtbare ziekten en hun genezing', waarmee hij de aandoeningen van de geest bedoelt, de gevolgen voor de gezondheid van het werken in de mijnen en de genezing van de Gallische ziekte, ook wel 'syfilis' genoemd. Zijn grote bekendheid heeft hij echter verworven door het verkondingen van een nieuw medisch en natuurkundig wereldbeeld. Dit heeft hij vastgelegd in de boeken *Paragranum* en *Opus Paramirum* die in 1531 zijn verschenen. In beide werken pleit hij voor het maken van geneesmiddelen, niet alleen uit kruiden, maar ook uit dierlijke stoffen en uit verbindingen van metalen. In *Paragranum* stelt hij dat de geneeskunst op vier zuilen berust: de natuurfilosofie met als basis de aarde en het water, de astronomische inzichten in de lucht en het vuur en de alchemie: de eigenschappen en bereiding van de geneeskrachtige elementen. De vierde zuil noemt Paracelsus de 'virtus', de zedelijke deugd van de beoefenaar van de geneeskunst '...die de arts bijblijft tot zijn dood en de andere zuilen besluit en omvat'. De grondslag van deze ethiek is 'eerlijkheid, onbaatzuchtigheid en trouw'.

De gevestigde medische stand, die de leer van Galenus aanhangt, blijft echter sceptisch over de waarde van de methodiek en ethiek van de Zwitserse arts. Enkele jaren geleden is Paracelsus in opspraak geraakt omdat hij zijn colleges niet in het Latijn, maar in het Duits gaf. De medicus verdedigde dit met de opvatting dat zijn medische inzichten voor een ieder toegankelijk dienen te zijn.

## Kalender

**27 januari.** De Staten van Gelderland erkennen, met voorbijgaan van de hertog van Gelre, Willem van Kleef als opvolger voor Karel. Deze had Gelre aan Karel V en vervolgens aan Frankrijk beloofd.

**24 februari.** Ferdinand van Oostenrijk en János Zápolyai van Hongarije tekenen de Vrede van Grosswardein. Ferdinand zal heel Hongarije verwerven na de dood van Zápolyai, die kinderloos is.

**9 april.** Christiaan III van Denemarken sluit zich aan bij de Schmalkaldische Bond.

**26 mei.** Calvijn wordt wegens al te strenge eisen op het gebied van de zeden, uitgewezen uit Genève.

**10 juni.** De katholieke vorsten in Duitsland tekenen de defensieve Liga van Neurenberg. Belangrijkste deelnemers zijn Karel V, Ferdinand van Oostenrijk, de keurvorst van Beieren en de aartsbisschoppen van Mainz en Salzburg.

**15 juli.** Door de bemiddeling van koningin Eleonora van Frankrijk, de zuster van Karel V, ontmoeten Frans I en Karel V elkaar.→

**28 september.** De vloot van de Heilige Liga wordt bij Preveza verslagen door de Turkse vloot die onder leiding van Barbarossa staat.→

**September.** In Goletta en op Sicilië muiten Spaanse troepen. Hierdoor wordt de expeditie tegen Turkije uitgesteld.

**November.** Hertog Karel van Gelre overlijdt. De Staten van Gelderland kiezen Willem van Gulik en Kleef tot hertog. Karel V blijft aanspraak op Gelre maken.

**16 december.** Frans I van Frankrijk geeft een edict uit waarin nogmaals de vervolging van de protestanten wordt bevolen.

- In Castilië trekken de adel en de clerus zich uit de Cortes terug.

- Na de aanval van de Turken op het Zuiditaliaanse Otranto, sluiten de paus, Venetië en Karel V een verbond tegen Turkije.

- De Spanjaarden beginnen met de verovering van Bolivia.

- Een vloot van Karel V onder bevel van Andrea Doria verslaat de Turken bij Korfoe.

- Op de kaart van Mercator wordt de naam 'Amerika' ook voor Noord-Amerika gebruikt.

Gestorven:

- Goeroe Nanak (1469), stichter van de Sikh-religie in India→

# Verdrag Karel V en Frans I

*Keizer Karel V op 48-jarige leeftijd (door de Venetiaanse schilder Titiaan, 1548).*

AIGUES-MORTES, 15 juli - Karel V en Frans I hebben op een tweedaagse bijeenkomst, die in zeer warme sfeer is verlopen, besloten gedurende tien jaar de wapens neer te leggen.

Daarmee is een eind gekomen aan een conflict dat in november 1535 uitbrak toen de laatste Sforza-hertog van Milaan, Francesco, zonder erfgenaam stierf en Frans weer een begerig oog op Milaan liet vallen. Al enkele jaren eerder was Frans gaan praten met de dissidente lutherse prinsen in Duitsland die Karels bewind bestreden en zich in het Schmalkaldisch Verbond hadden verenigd. Tot consternatie van de hele christelijke wereld nam Frans tevens contact op met sultan Süleyman II - dit onder het motto 'als wolven mijn kudde aanvallen moet men zich om hulp tot honden wenden'. In februari 1536 werd zelfs een akkoord met de 'gesel der christenheid' gesloten.

Een maand later viel Frans Savoye binnen, het hertogdom van zijn oude criticus Karel II, die ooit Bourbon onderdak verleende. Een veertienduizend man sterk leger bezette Savoye, Nice, Piemonte en Turijn.

Keizer Karel reageerde furieus en viel prompt Frankrijk binnen, in Picardië in het noorden en de Provence in het zuiden. Frans reageerde in de Provence met de tactiek van de verschroeide aarde. Boerderijen en graanvoorraden werden in brand gestoken, boom- en wijngaarden vernietigd, molens opgeblazen, vee geslacht en elke andere voedselbron verwoest. Duizenden boeren stierven de hongerdood.

In juli 1536 trok Karel V met Leyva de Alpen over, terwijl de graaf van Nassau in Picardië huishield. Op beide fronten liep de strijd al snel vast en het feit dat in het oosten een groot Turks leger zowel Hongarije als Venetië bedreigde, bevorderde aan Franse en aan Spaanse zijde de vredeswil.

In juni kwam het in Nice tot een vredesconferentie, waaraan de paus, Karel en Frans deelnamen. De koning en de keizer ontmoetten elkaar niet maar spraken via de paus. Na drie weken werd de conferentie echter beëindigd zonder dat er resultaat was geboekt.

Op initiatief van koningin Eleonora, die al lang hoopte haar echtgenoot Frans en haar broer Karel te verzoenen, zijn koning en keizer in het middeleeuwse kasteel van Aigues-Mortes in de Camargue bijeen geweest. Tot ieders verbazing omhelsden Karel en Frans elkaar. 'Mijn broeder, ik ben opnieuw uw gevangene,' zei Frans.

De wederzijdse verbroedering werd nog roerender. Frans en Eleonora weenden openlijk toen de keizer hun zonen omarmde. Frans bood Karel een diamanten ring aan, de keizer hing de koning vervolgens spontaan zijn eigen ordeteken van het Gulden Vlies om de hals.

Behalve over het tienjarig bestand zijn de koning en de keizer het eens geworden over een gezamenlijke bestrijding van de vijanden van het christendom: de Turken, de lutherse ketters en Hendrik VIII. Frankrijk behoudt Savoye en twee derde van Piemonte maar ziet af van Napels. Over Milaan, waarmee het conflict in 1535 begon, is met geen woord gesproken.

# Turkse zege op Heilige Liga

PREVEZA, 28 september - De vloot van de Heilige Liga onder bevel van admiraal Doria heeft een jammerlijke nederlaag tegen de Turken geleden. Bijna op dezelfde plaats waar zestien eeuwen geleden Marcus Antonius en Cleopatra door Octavianus bij Actium werden verslagen, heeft Barbarossa de Turkse vloot naar een grote overwinning gevoerd. De Turkse overmacht in de Middellandse Zee lijkt nu voorlopig onaantastbaar.

Admiraal Doria had zijn vloot van 200 schepen, afkomstig uit Genua, Venetië, de Pauselijke Staten en Spanje, in twee eskaders verdeeld waarmee hij een tangbeweging wilde uitvoeren. Hij vertrouwde echter te weinig op zijn Venetiaanse bondgenoten en gaf het initiatief uit handen door zijn vele tegenstrijdige bevelen.

Aan het eind van de dag werd het Doria duidelijk dat hij een gevoelige nederlaag had geleden. Hij gaf bevel te hergroeperen voor de Griekse kust. Barbarossa legde hem niets in de weg, maar volgde op een afstand. Ondanks het aandringen van de Venetianen weigerde Doria opnieuw met de Turk slag te leveren. Het lijkt erop dat de beide rivalen elkaar willen sparen, alsof zij zich ervan bewust zijn dat zij hun roem ontlenen aan het voortbestaan van de ander. Opvallend zijn trouwens de overeenkomsten in de roemruchte carrières van de twee leeftijdgenoten. Beiden voerden zij aanvankelijk hun eigen oorlogen en wisten zich door hun successen politieke macht te verwerven.

De condottiere Andrea Doria, geboren te Genua in 1466, schaarde zich in 1512 achter het vaandel van Genua en liep met Genua in 1515 over naar het Franse kamp tegen de Habsburgers. Omdat hij zich door Frans I van Frankrijk miskend voelde, sloot hij zich in 1528 toch weer bij Karel V aan en werd alleenheerser van Genua. Hij versterkte de Habsburgse macht op de Middellandse Zee aanzienlijk door de expeditie naar Patras (1532) en de herovering van Tunis in 1535.

Barbarossa heeft nu revanche genomen voor die nederlaag bij Tunis. Hij stond al vroeg bekend als de meest geslepen telg van een beruchte zeeroversfamilie uit de Egeïsche Zee. In 1519, na de dood van zijn broer Aroedj, stelde hij zijn rijk Barbarije (Noordwest-Afrika) onder gezag van de Turkse sultan. Sultan Süleyman besefte het grote belang van Barbarossa's horzelfunctie in de zuidelijke flank van het Habsburgse imperium, vooral na diens overwinning op de Spanjaarden bij Peñon voor Algiers in hetzelfde jaar, 1529, dat Süleymans veldtocht tegen Wenen niet het beoogde succes had opgeleverd. In 1533 werd Barbarossa tot admiraal benoemd.

Als gevolg van de Turkse overwinning bij Preveza komen niet alleen de Venetiaanse bezittingen in de Egeïsche Zee onder directe bedreiging van Süleyman te staan, maar is de hele Middellandse Zee onveilig geworden. Door fortificaties pogen nu verscheidene staten hun kusten tegen de gevreesde vloot van Barbarossa te beschermen.

## Stichter van Sikh-geloof overleden

PUNJAB - In de Punjab is goeroe Nanak, de stichter van het Sikh-geloof, overleden. Nanak werd in 1469 als hindoe geboren, maar later volgens islamitische traditie grootgebracht. Geïnspireerd door de hindoeïstische bhakti-beweging die vanuit de Tamilnad eind 14de eeuw het noorden bereikte, verwierp Nanak het kastensysteem en werd de eerste goeroe (leraar) van het Sikh (discipel)-geloof. De belangrijkste doctrine die Nanak predikte was de liefdevolle devotie jegens de 'enige God, de Schepper', die hij Sath (waarheid) noemde.

De bhakti-beweging was het Tamilantwoord op de brahmaanse arianisering uit het noorden. In de 11de eeuw beklemtoonde goeroe Ramanuja (ca. 1025-1137) het belang van bhakti, waarmee hij de intense en liefdevolle meditatie en devotie jegens één speciale godheid bedoelde, als de beste manier om moksja (verlossing) te bereiken. Een leerling van Ramanuja bracht het bhakti-hindoeïsme naar het noorden waar hij in Benares de goddelijke liefde predikte. Alle kasten en ook moslems werden tot zijn sekte toegelaten. Een

*De god Krishna met geliefde Radhna.*

latere discipel van hem was de analfabete moslem Kabir (1440-1518), een wever die vele miljoenen volgelingen onder hindoes én islamieten wierf. In Bengalen was het Tsjaitanya (1485-1533), die de extatische liefde tot de godheid Krishna door gezang, dans en muziek predikte.

---

**Januari.** Kardinaal David Beaton wordt de belangrijkste adviseur van Jacobus V, koning van Schotland. Beaton is de leider van de pro-Franse partij in Schotland.

**1 februari.** Karel V en Frans I tekenen opnieuw een verdrag waarbij zij afspreken geen toenadering te zoeken tot Engeland zonder wederzijdse toestemming.

**15 februari.** Kardinaal Pole wordt in Toledo ontvangen door Karel V. Kardinaal Pole verzoekt Karel V om steun voor een expeditie naar Engeland, maar Karel weigert.

**Februari.** Joachim II, keurvorst van Brandenburg, bekeert zich tot het protestantisme. Wanneer Hendrik van Saksen kort daarna zijn katholieke broer opvolgt, zijn alle staten in Noord-Duitsland, behalve Brunswijk, protestants geworden.

**Maart.** Hendrik VIII vreest een Franse invasie, maar de invasie gaat niet door omdat Frans I niet wil handelen zonder Karel V. Deze wordt te zeer in beslag genomen door de problemen in Duitsland.

**19 april.** Karel V en de Duitse protestantse vorsten tekenen het Verdrag van Frankfurt. De Duitse vorsten eisen een permanente regeling van de religieuze kwestie, maar Karel is slechts bereid een verdrag voor zes maanden te tekenen.

**28 mei.** De Spaanse veroveraar Hernando de Soto trekt met 6000 man vanuit Florida naar het noorden, op zoek naar het 'Goudland'. Hij verkent het gebied ten westen van de Mississippi.

**Mei.** Hendrik VIII bekrachtigt een nieuwe geloofsbelijdenis, de zogenaamde 'Zes Artikelen'. De transsubstantiatie en het celibaat van de priesters worden herbevestigd. Op ontrouw aan de dogma's van de Engelse Kerk staat de doodstraf wegens ketterij.

**Augustus.** De Franse koning Frans I bepaalt in de ordonnantie van Villers-Coterêt dat in het vervolg alle juridische stukken in het Frans gesteld dienen te worden. →

**Augustus.** In Gent breekt een opstand uit. Verscheidene steden sluiten zich bij Gent aan. Zij protesteren tegen de hoge belastingen.

**4 oktober.** Er wordt een huwelijksverdrag getekend voor een huwelijk tussen Hendrik VIII en Anna van Kleef. Dit verdrag is een onderdeel van de poging van Thomas Cromwell om een verbond tot stand te brengen tussen Engeland en de protestantse vorsten in Duitsland.

---

# Franse koning wil overheidsgezag verder uitbreiden

VILLERS-COTERET, augustus Koning Frans I heeft met de ordonnantie van Villers-Coterêt bepaald dat alle juridische stukken voortaan in de Franse taal moeten worden gesteld. De maatregel past in de politiek van Frans I, die gericht is op het bevorderen van de eenheid van zijn land. Hij betekent ook een verdere centralisatie en daarmee een vergroting van de macht van de monarchie.

Al in de tweede week van zijn regeerperiode begon Frans I alle wetten en maatregelen van bestuur te ondertekenen met 'Want zo behaagt het ons'. Daarmee gaf hij onomwonden te kennen dat de staat en de koning één en dezelfde zijn. Het is niet bij woorden gebleven. In de afgelopen vierentwintig jaar is Frankrijk uitgegroeid tot het best georganiseerde land van Europa. De ambassadeur van Venetië spreekt vol lof over de gehoorzaamheid van de Franse onderdanen aan de koning. Al eerder had zijn landgenoot Machiavelli Frankrijk ten voorbeeld gesteld aan andere staten. Tot de successen van Frans I behoort de verdere uitbreiding van het koninklijke domein met feodale gebieden. De machtige Bourbon familie werd gedwongen een deel van haar leengebieden af te staan. Verder werd het hertogdom Bretagne zeven jaar geleden een integraal deel van Frankrijk. De koning bezit echter niet de macht alle feodale voorrechten op te heffen. Vele provincies behouden een eigen Staten-Generaal en een eigen parlement [= rechtbank]. Deze instellingen mogen zich bijvoorbeeld verzetten tegen de aangekondigde verplichting de Franse taal te gebruiken. Naar verwachting zal dit niet gebeuren, omdat het Latijn al op vele terreinen is vervangen door het Frans.

*Op 19 april overlijdt Philipp Melanchton, Duits humanist en reformator. Hij steunde Maarten Luther en leverde een bijdrage aan de totstandkoming van het Duitse protestantisme. Hij vestigde zijn naam met de Confessie van Augsburg.*

# Karel V treft harde sancties tegen Gent

GENT, 30 augustus - Keizer Karel V heeft zijn geboortestad Gent genadeloos gestraft voor de opstand die vorig jaar losbarstte uit protest tegen belastingheffingen. Door de maatregelen die Karel gisteren en vandaag genomen heeft verliest de stad bijna al haar privileges.

De problemen begonnen drie jaar geleden toen de vertegenwoordigers van de ambachten, zetelend in de 'Collatie', weigerden de bede te betalen die aan Gent was opgelegd. Karel V had dringend geld nodig voor weer een nieuwe oorlog, ditmaal tegen zijn zwager, de Franse koning Frans I. Maar de Gentenaren, die te lijden hadden van ernstige economische problemen, weigerden nieuwe financiële lasten op zich te nemen.

Toen landvoogdes Maria van Hongarije desondanks in augustus vorig jaar overging tot de inning van de gelden, brak een opstand uit. Vooral ambachtslieden en 'creesers', mensen uit de armere standen, kwamen in het geweer. Ze namen het stadsbestuur in handen en oefenden druk uit op omliggende plaatsen, zich ook tegen de inning te verzetten. Ninove, Oudenaarde en Liedekerke sloten zich bij de opstand aan.

Eind vorig jaar werden de gemoederen weer enigszins tot bedaren gebracht, maar voor keizer Karel, die geen enkel verzet tegen zijn centralistische politiek duldt, was dat niet voldoende. Hij ging met groot gevolg naar Vlaanderen om orde op zaken te stellen. Op 14 februari van dit jaar arriveerde Karel met 5000 volgelingen in Gent, waar hij zich in het Prinsenhof bezon op de straf die hij de stad zou opleggen.

Toen hij de leiders van de opstand naar het Prinsenhof ontbood om ze te veroordelen, moesten ze blootsvoets, gekleed in een boetekleed en met een strop om de hals, voor hem verschijnen. Nederig dienden ze zich aan zijn voeten te werpen om vergiffenis te vragen. Keizer Karel V besloot, op voorspraak van landvoogdes Maria, niet alle opstandelingen naar de galg te sturen.

Slechts negentien zouden worden opgehangen; de rest werd met strop en boetekleed in een vernederende optocht door de opstandige stad gevoerd. Maar daarbij bleef het niet. Gisteren werden de maatregelen bekendgemaakt die Karel V voor Gent in petto had. Alle handvesten, privileges en rechten van de stad worden vernietigd. Het geweigerde belastinggeld moet alsnog, verhoogd met een zware boete, betaald worden. De schuld die Karel V aan Gent te betalen had, wordt vernietigd.

Vandaag heeft de keizer bovendien de 'Carolijnse Concessie' uitgevaardigd. Door deze keur wordt het stadsbestuur volledig gereorganiseerd en voortaan door de keizer zelf gecontroleerd. Hijzelf zal de schepenen benoemen en aan de ambachten is alle politieke macht ontnomen. Zo is de 'Collatie' afgeschaft. Om de stad verder in bedwang te houden wordt op de plaats van de Sint-Baafsabdij een citadel gebouwd en zullen enkele torens en poorten worden afgebroken. Ook is een einde gemaakt aan de heerschappij van Gent over Vlaanderen. Daarom is de Klokke Roeland, de grote alarmklok, op last van Karel V omlaaggehaald. Gent is geen autonome stad meer.

# Paus bekrachtigt de Orde der Jezuïeten

*Paulus III bekrachtigt tegenover Ignatius van Loyola de jezuïetenorde.*

ROME, 27 september - Paus Paulus III heeft de door Ignatius van Loyola gestichte Sociëteit van Jezus verheven tot de Orde van de Jezuïeten. De ordeleden moeten behalve de gewone kloostergeloften een extra gelofte afleggen, waarin zij volstrekte gehoorzaamheid aan de paus beloven. Als 'soldaten van de paus' werden de jezuïeten spoedig de personificatie van de Contrareformatie.

De jezuïetenorde was de kroon op het werk van Ignatius van Loyola. Deze voormalige Spaanse edelman en officier trok zich na een zware verwonding in 1521 uit het leger terug en ging als een kluizenaar leven. Zijn ascetisch zelfonderzoek en mystieke visioenen tekende hij op in zijn *Exercitia spiritualia* (Geestelijke oefeningen). In hem werd een vurig verlangen gewekt om voor het zieleheil van anderen te gaan werken. Hij maakte een pelgrimstocht naar het Heilige Land en ging in Parijs theologie studeren.

In 1534 richtte hij met zes collega's de Sociëteit van Jezus op. Alhoewel Loyola zich in eerste instantie toelegde op de bekering van de mohammeda-nen, was het de paus die inzag dat deze strak geleide Sociëteit een belangrijke rol kon gaan spelen in de strijd tegen de protestanten in Europa. Hij riep Loyola naar Rome en deze beloofde zich volledig voor de paus in te zetten.

De orde werd militair georganiseerd. Aan het hoofd staat een generaal met vrijwel onbeperkte macht, die voor het leven wordt benoemd (Loyola werd de eerste generaal). De ordeleden krijgen een strenge en zware opleiding. De jezuïeten werden zo de elitetroepen van de katholieke Kerk. Om zich volledig aan hun taak te kunnen wijden werden ze vrijgesteld van kloosterverplichtingen. De jezuïeten richten zich vooral op de opvoeding van de jeugd, op prediking en op de zielzorg. Ze stichten scholen en universiteiten en leiden leraren, predikers en missionarissen op. Aan vorstenhoven werden ze de biechtvaders van koningen en prinsen en ze werden de drijvende kracht van de inquisitie. Het waren jezuïeten die de leiding van de wereldmissie op zich namen. Ze versterkten niet alleen het katholicisme, maar vooral de macht en het aanzien van de paus.

*Klokke Roeland, de grote alarmklok van het Belfort in Gent.*

# Hendrik VIII wordt ook koning van Ierland

DUBLIN, 18 juni - Het Ierse parlement, dat door Sir Anthony Saint Leger (geboren circa 1496) bijeengeroepen is, heeft bepaald dat voortaan de koning van Engeland, en na hem zijn erfgenamen en opvolgers, ook koning van Ierland zullen zijn. Met de 35 aanwezige afgevaardigde heren, onder wie enkele Ieren, wordt deze benoeming van Hendrik VIII beklonken, waarna de desbetreffende wet voor een groter gezelschap genodigden in de Sint-Patrickskathedraal zowel in het Engels als in het Iers is voorgelezen.

De titelverlening kan gezien worden als een versterking van de aanspraken die de Engelse koningen al vanaf Hendrik II in 1155 hebben gemaakt, toen de paus de Ierse Kerk tegen de aanvallen van de Noormannen wilde laten beschermen. Vandaar dat er ook protesten zijn gerezen tegen de overdracht van de Ierse kroon aan Hendrik VIII. Die macht behoorde volgens de katholiek gebleven Ieren alleen aan de paus toe. Maar met de paus heeft Hendrik in 1534 gebroken.

Vanaf 1341 (het Statuut van Kilkenny) bestaat er reeds een apart Engels gebied in Ierland, The Pale, rond Dublin. 'Voorbij de Paal' woonden de politiek versplinterde, maar cultureel een eenheid vormende Keltische Ieren. Tussen beide groepen bestonden een redelijke verstandhouding en een zekere mate van economische wisselwerking.

Dit evenwicht werd in juni 1534 doorbroken, toen de gouverneur, 'Zijden Thomas', heer van Offaly († 1537) in verzet kwam tegen de politiek van Hendrik VIII. Ondanks steun uit The Pale werd deze Oudengelse opstand door Sir William Skeffington (circa 1465-1535) onderdrukt. Het resultaat

*Blarney Castle in Cork, Ierland.*

was dat er nu een garnizoen gelegerd bleef en de nieuwe bevelhebber, Lord Leonard Grey, in de volgende jaren tal van militaire expedities over het hele eiland organiseerde. De grenzen van The Pale werden geleidelijk verruimd.

De confrontatie met verontruste Ieren bleef dan ook niet uit. Diverse leiders zochten contact met elkaar en met de vijanden van Hendrik: Schotland, Spanje en Frankrijk. Onder aanvoering van Conn O'Neill (geboren circa 1480), die zelfs in 1539 te Tara tot koning der Ieren werd uitgeroepen, werd The Pale binnengevallen. Maar het Ierse leger werd verrast en in augustus te Bellahoe volledig verslagen.

De Oudengelse adel was met het verval van de status-quo en de Ierse dreiging meer geneigd Hendrik VIII als hun vorst te aanvaarden. De Engelse koning op zijn beurt wist de oude adel aan zich te binden door hem Engelse titels te verlenen, hem trouw te laten zweren en zichzelf door het parlement tot koning te laten uitroepen.

# Turken slaan aanval af

*Karel V en zoon Filips (voorgrond) inspecteren de troepen voor de reis naar Tunis.*

ALGIERS, oktober - Ondanks hun grote overmacht aan manschappen (36 000) en schepen (500) is de expeditie van Karel V tegen Algiers op een debâcle uitgelopen. De Turken hebben eens te meer bewezen de meesters van de Middellandse Zee te zijn.

De indrukwekkende armada, onder aanvoering van beroemdheden als Hernán Cortés, de veroveraar van Mexico, werd uiteengeslagen door een hevige storm voor de kust voor Algiers. Ondanks de raadgevingen van paus Paulus III en zijn eigen admiraal Andrea Doria, om de expeditie tot een gunstiger seizoen uit te stellen, ging Karel V eind augustus scheep voor zijn kruistocht tegen de islam.

Algiers werd slechts verdedigd door 800 Turkse soldaten en 5000 Moren onder leiding van Barbarossa's zoon Hassan. Zij hoefden nauwelijks te vechten, want ondanks aandringen van Cortés, weigerde Karel V, aangeslagen door de vernietigende werking van de storm, alsnog Algiers aan te vallen. Na het verlies van zeer veel materieel en manschappen kon Karel V zelf ternauwernood met het restant van zijn vloot terugkeren. Met dit echec is de reputatie van de christelijke wereld een zware slag toegebracht.

## Arts Paracelsus arm gestorven

SALZBURG, 24 september - Op het armenkerkhof van de Sint-Sebastiaanskerk is de medicus Theophrastus Bombastus von Hohenheim, beter bekend als Paracelsus, begraven. De nog geen vijftig jaar oude pleiter voor hervorming van de geneeskunst was reeds enige jaren zwak van gestel en vermoeid van geest. Desondanks kwam hij vorig jaar op verzoek van bisschop Ernst von Wittelsbach naar Salzburg. Paracelsus is zijn levensmotto trouw gebleven: 'wie zichzelf kan zijn, dient geen ander'. Hij bleef zijn medische hervormingen verdedigen, ook nadat de medische stand zich tegen hem keerde. Materiële voorspoed heeft hij nie gekend. Het merendeel van zijn weinige bezittingen heeft hij nagelaten aan de arme, behoeftige bewoners van de stad Salzburg.

De Zwitserse godsdiensthervormer Johannes Calvijn (portret uit de 16de eeuw).

# Genève achter Calvijn

GENEVE, 20 november - Tijdens een plechtige dienst in de Pieterskerk heeft de volksvergadering van Genève de kerkelijke Ordonnanties van Johannes Calvijn aanvaard. Door de aanvaarding van deze ordonnanties lijkt de in 1509 in Frankrijk geboren Johannes Calvijn meer kans te maken zijn ideeën te kunnen doorvoeren dan in de periode 1536-1538, toen hij ook al de organisatie van de Geneefse hervorming in handen had maar door zijn dogmatische en strenge optreden zoveel protesten onder de bevolking opriep dat hij uiteindelijk uit de stad verbannen werd.

Hoewel Calvijn duidelijke standpunten betreffende godsdienst en kerkelijke organisatie inneemt, wees aanvankelijk niets op zijn theologische belangstelling. Voorbestemd voor een carrière als jurist, keerde Calvijn zich rond 1533 plotseling van het katholicisme af. Wat zijn beweegredenen voor deze ingrijpende stap waren, is niet bekend. Zelf spreekt hij geregeld van een 'onverwachte bekering'. Maar ook na zijn bekering was Calvijn toch meer geleerde dan een actieve verspreider van de nieuwe leer. Al in 1535 publiceerde hij de *Institutie of onderwijzing in de Christelijke godsdienst*. In dit theologische meesterwerk, dat hij tot nu toe geregeld aangevuld en bewerkt heeft, vindt men een duidelijke samenvatting van zijn theologische denkbeelden. Pas toen hij in 1536 Genève bezocht wist de welsprekende predikant Guillaume Fagel de hardwerkende geleerde te bewegen de theologiestudie aan de kant te zetten en de organisatie van de Hervorming in Genève op zich te nemen. In de woorden van Fagel hoorde Calvijn de stem van God en het was voor hem, die zo grote nadruk legt op het feit dat God buiten de mens om alles voorbeschikt heeft, onmogelijk om deze stem te negeren: 'Ik werd vastgehouden niet alleen door een aan-

spraak en vermaning, maar ook door een ontzettende bezwering van Fagel, alsof God uit de hemel zijn hand met geweld op mij legde.' Vanaf dat moment streefde Calvijn, vaak rechtlijnig en weinig zachtzinnig, naar de invoering van zijn denkbeelden. Nu de volksvergadering van Genève zijn ordonnanties heeft aangenomen, beschikt hij over de middelen om dit streven te verwezenlijken.

De ordonnanties zijn doordrenkt van het beginsel dat de Kerk zowel voor het godsdienstige als het maatschappelijke leven richtlijnen geeft, die door de overheid nageleefd dienen te worden. Centraal in de kerkelijke ordening van Calvijn staat de kerkeraad. Dit uit predikanten en ouderlingen bestaande lichaam moet toezicht houden op de reinheid van het geloof en de zeden van de gemeenteleden. De nadruk op de kerkeraad hangt nauw samen met Calvijns voorstelling van het Godsvolk. Zoals God in het Oude Testament van het volk van Israël en Juda gehoorzaamheid aan zijn geboden verlangde en een ieder die daarvan afweek strafte, zo moet ook nu iedere christen die zich niet aan het ware geloof houdt door een goddelijk strafgerecht terechtgewezen worden. De kerkeraad krijgt deze zware taak toebedeeld. Uit Calvijns eerdere optreden in Genève is wel duidelijk dat dit in de praktijk betekent dat de kerkeraad niet alleen gemeenteleden ter verantwoording zal roepen die vloeken, de kerk onregelmatig bezoeken, de bijbel niet lezen en te weinig bidden, maar ook gemeenteleden die zich schuldig hebben gemaakt aan gezelschapsspelen, een matig gebruik van alcoholische dranken, dansen, toneelspelen en andere op het eerste gezicht onschuldige vermaken. Hoewel de ordonnanties alleen voor gebruik in Genève bedoeld zijn, lijkt de erin voorgestelde kerkinrichting ook in andere plaatsen toepasbaar.

# Petru Rares weer op troon

IASI - De Moldavische vorst Petru Rares, die drie jaar geleden door sultan Süleyman I is vervangen door zijn zoon Stefan, is terug op de troon van Moldavië. Hij heeft hiervoor een hoge prijs moeten betalen: behalve in een janitsarenwacht (keurtroepen van de sultan) aan zijn hof moet hij berusten in een verhoging van het tribuut.

De vorsten van Moldavië en Walachije verkeren niet bepaald in een gemakkelijke positie. Niet alleen moeten zij hun meesters in Istanbul tevreden stellen, maar zij dienen tevens rekening te houden met de ambities van hun sterke christelijke buren: de Poolse heersers, de Habsburgers en de vorsten van Transsylvanië. Het enige positieve element van deze kwetsbare positie is de culturele uitstraling van met name Polen naar de Donauvorstendommen (Moldavië en Walachije). Deze blijven door deze invloed deel uitmaken van de Europese cultuur, hetgeen bij de geannexeerde Balkangebieden nauwelijks het geval is.

Een ander punt van verschil is dat in de geannexeerde gebieden, met uitzondering van Bosnië, de voormalige heersers en het grootste deel van de christelijke feodale adel zijn verdwenen. In Bosnië kon de adel blijven omdat deze zich tot de islam bekeerde. De interne bestuursstructuur van de Donauvorstendommen, en dus ook de inheemse adel (bojaren), is intact gelaten omdat deze staten slechts de opperheerschappij van de sultan erkennen en niet zijn geannexeerd. Als louter vazalstaten zijn zij geheel op zichzelf aangewezen voor de verdediging van hun gebied. De Osmanen zijn niet bereid hen te beschermen; integendeel, de vorstendommen worden vaak afgestraft vanwege hun betrekkingen met de 'vijand', terwijl het onderhouden van die betrekkingen dikwijls de enige manier van overleven is.

Petru Rares is een goed voorbeeld van een 16de-eeuwse Roemeense vorst. Een meester in intriges als hij is, heeft hij een aantal jaren met succes weten te manoeuvreren tussen de buitenlandse machten en de sultan, totdat sultan Süleyman het vertrouwen in hem verloor en drie jaar geleden een groot leger tegen hem in het veld bracht. Na Moldavië te hebben veroverd verving hij Petru door diens zoon. Maar Petru Rares heeft zich weer in de gunst van de sultan weten te dringen, blijkens zijn herplaatsing op de Moldavische troon.

Petru Rares gaf opdracht tot de bouw van deze kloosterkerk in Moldavita (1532-1537).

**Januari.** De Spaanse ontdekkingsreiziger Francisco de Orellana vaart voor de eerste maal de rivier de Amazone op. →

**13 februari.** De koningin van Engeland, Catharine Howard, wordt onthoofd, nadat het parlement haar schuldig aan hoogverraad heeft verklaard.

**12 juli.** Frans I begint zijn vierde oorlog tegen Karel V. Maarten van Rossem trekt met Franse troepen Brabant binnen en rukt op naar Antwerpen.

**21 juli.** Paus Paulus III stelt per pauselijke bul het 'Sanctum Officium' in. Het bestaat uit zes kardinalen die samen het hoogste gerechtshof voor geloofskwesties vormen. Het 'Sanctum Officium' kan inquisiteurs naar alle landen sturen. De oprichting betekent een vernieuwing van de inquisitie en wordt wel gezien als het beginpunt van de Contrareformatie.

**Juli.** De strijd in de Schots-Engelse grensgebieden wordt heviger.

**Juli.** Frans I van Frankrijk sluit een verbond met Zweden. Zweedse schepen verschijnen voor de Hollandse kust.

**2 augustus.** Maarten van Rossem trekt zich terug uit Vlaanderen na op hevig verzet te zijn gestuit.

**Augustus.** Jan Frederik, keurvorst van Saksen en Filips van Hessen overvallen het katholieke hertogdom Brunswijk. Zij verdrijven de hertog en de protestantse Schmalkaldische Bond legt beslag op het land.

**September.** Keizerlijke troepen vechten in Hongarije om er de Turken te verdrijven. Zij slagen daar niet in.

**22 november.** In Spanje worden de 'Nieuwe Wetten' uitgevaardigd, die verbieden dat Indianen tot slaven gemaakt worden. De wetten stuiten op verzet van de 'Conquistadores'.

**25 november.** Het Schotse leger, aangevoerd door Jacobus V, wordt in de Slag van Solway Moss door de Engelsen verslagen. →

**14 december.** Jacobus V van Schotland sterft. Zijn zes dagen oude dochter Maria volgt hem op als koningin van Schotland. Kardinaal Beaton maakt aanspraak op het regentschap.

Geboren:

**4 oktober.** Roberto Bellarmino († 1612), Italiaans diplomaat en theoloog

**7 december.** Maria († 8-2-1587), koningin van Schotland

Gestorven:

**1 februari.** Hieronymus Aleander (13-2-1480), afgezant van de paus

# Schotten lijden nederlaag

*Koning Hendrik VIII van Engeland te midden van zijn officieren.*

SOLWAY MOSS, 25 november - Het leger van de Schotse vorst Jacobus V (1513-1542) heeft het onderspit gedolven tegen de Engelsen onder aanvoering van hun koning Hendrik VIII bij Solway Moss, een moeras nabij de grensstad Carlisle. De Schotse koning voelde zich tot de aanval geroepen om, naast de welhaast traditionele vijandschap, op te komen voor de katholieke belangen in Engeland. Hendrik VIII heeft zich immers aan het pauselijke gezag onttrokken (1534).

Bij zijn operatie ontbeerde Jacobus echter de steun van de eigen Schotse edelen. Zij oriënteerden zich niet alleen meer op het ontluikende protestantisme, hun afzijdigheid laat zich ook verklaren door 's konings bestrijding van de adel in de voorgaande jaren. Jacobus zocht daarbij steun van de boeren en benoemde op bestuursposten steeds meer burgers in plaats van edelen.

In de anti-Engelse strategie van Schotland paste een nauwe relatie met Frankrijk. Deze kreeg binnen de Stuart-dynastie gestalte door de huwelijken van Jacobus V met Madeleine († 1537), zuster van Frans I, en Maria van Lotharingen, die hem uiteindelijk een dochter schonk (Maria Stuart). Zonder Franse steun kon Schotland gemakkelijk worden tegengehouden, zoals in 1522 bleek, toen Hendrik VIII een tijdje op goede voet met Frankrijk stond.

Gedurende de regering van Jacobus IV (1488-1513) zag het er aanvankelijk niet naar uit dat het tot een oorlog met Engeland zou komen. Jacobus had het druk genoeg met de vestiging van zijn gezag over de elkaar bestrijdende edelen. Tudorvorst Hendrik VII was weinig agressief en probeerde de (theoretische) aanspraken op Schotland langs dynastieke weg te regelen. Hij huwde zijn dochter Margaretha (1489-1541) in 1502 aan Jacobus uit.

Met de onberekenbare koning Hendrik VIII als buur leek het Jacobus beter een coalitie met de Franse Lodewijk XII aan te gaan.

Tijdens Hendriks eerste campagne tegen Frankrijk in 1513 vielen de Schotten het noorden van Engeland binnen. De achtergebleven koningin Catharina trof maatregelen en zond een leger onder leiding van de oude Thomas Howard, graaf van Surrey (1443-1524). Op het Floddenveld bij de grens aan de oostkust werden de Schotse troepen verpletterend verslagen. Jacobus IV sneuvelde. Tegen de moderne wapens - kanonnen naast de traditionele handboog - had men geen verweer.

Een kleine dertig jaar later is zoon Jacobus V, nu aan de westkust, in dezelfde fout vervallen.

*De Spaanse zeevaarder Vicente Yánez Pinzón ontdekte in 1500 de monding van de Amazone-rivier. Op 24 augustus keerde conquistador Francisco de Orellana terug van een acht maanden durende tocht waarbij hij de gehele rivier afvoer.*

**11 februari.** Ethiopische en Portugese troepen verslaan bij Wayna Daga mohammedaanse legereenheden die Ethiopië waren binnengevallen. →

**11 februari.** Hendrik VIII en Karel V sluiten een bondgenootschap dat tegen Frankrijk is gericht. Op 22 juni verklaart Hendrik Frankrijk de oorlog.

**1 juli.** Engeland en Schotland tekenen het Vredesverdrag van Greenwich. Het verdrag wordt eind 1543 door Schotland opgezegd.

**7 juli.** Franse troepen trekken Luxemburg binnen. Karel V is hertog van Luxemburg.

**12 juli.** Koning Hendrik VIII trouwt voor de zesde maal. Dit keer met Catharine Parr.

**5 augustus.** Vanuit Toulon, waar de vloot van Chaireddin Barbarossa ligt, vallen Franse en Turkse troepen Nice aan. Nice is een bondgenoot van de keizer.

**Augustus.** Karel V komt met een leger van 25 000 Spaanse, Duitse en Italiaanse huurlingen aan in de Nederlanden. Het Franse gevaar is echter al geweken.

**3 september.** Kardinaal Beaton vervangt graaf Arran als regent voor Maria van Schotland.

**7 september.** Karel V en Willem van Gulik en Kleef sluiten het Verdrag van Venlo. Hertog Willem geeft Gelre op. De benaming 'Zeventien Provinciën' krijgt nu betekenis. →

**24 december.** In Moskou wordt een aantal bojaren ter dood gebracht.

- Maarten Luther publiceert zijn geschrift *Von den Juden und ihren Lügen.*

- Mannen die vanaf 1539 het Mississippi-gebied hebben verkend, keren terug naar Mexico. Hun leider De Soto is tijdens de expeditie overleden. De ontdekkingsreizigers vertellen zulke vreselijke verhalen dat de Spanjaarden twintig jaar geen poging meer doen het noorden van Amerika te onderzoeken.

- Portugese zeelieden, onder bevel van Pinto, landen op het Japanse eiland Tanegasjima. Zij introduceren hier het vuurwapen.

- De Engelse koning Hendrik VIII treft maatregelen die ertoe moeten leiden dat Wales een deel van Engeland wordt. →

- *De Revolutionibus orbium coelestium* van Copernicus wordt gepubliceerd. Begin van het heliocentrisch wereldbeeld. →

- *De humani corporis fabrica libri septem* van Andreas Vesalius wordt gepubliceerd, een baanbrekend werk over de anatomie van de mens. →

# Hertog Willem staat Gelre af aan Karel V

VENLO, september - Willem van Gulik en Kleef heeft het hertogdom Gelre definitief aan Karel V afgestaan. Met acht van zijn voornaamste onderdanen heeft hij zich in Venlo voor de keizer op de knieën geworpen, schuld bekend en om genade gesmeekt. Alle Zeventien Provinciën zijn nu verenigd onder het Habsburgse gezag.

Hertog Willem heeft zich ertoe verplicht 'het regtzinnig geloof' in zijn gebieden te handhaven en de 'opgekomene nieuwe leeringen' te weren, al zijn contacten met Frankrijk, Zweden en Denemarken te verbreken en van zijn aanspraken op Gelre en Zutphen ten behoeve van de keizer afstand te doen. Vijftien jaar geleden had Karel van Egmont, hertog van Gelre, keizer Karel V in het Verdrag van Gorinchem al als erfgenaam erkend. Maar hij schond die afspraak door heimelijk een verdrag te sluiten met Frans I van Frank-

*Maarten van Rossem, de beruchte veldheer van Gelre.*

rijk, aartsvijand van de Habsburgse keizer: hertog Karel beloofde dat al zijn gebieden na zijn kinderloos overlijden in handen van de Franse kroon zouden komen. In ruil daarvoor zou hij een jaargeld en bescherming ont-

vangen. Pas enkele jaren na dit geheime verdrag maakte de hertog zijn bedoelingen kenbaar door voor zijn verzamelde staten uit te roepen dat hij 'het land liever door de zee verzwolgen dan in Bourgondische handen' zou zien. De steden gingen niet akkoord met het voorstel van hun heer; in hun ogen was Gelre geen partij voor Karel V. Maar de oude hertog volhardde en stierf vijf jaar geleden verbitterd en teleurgesteld. Vlak daarvoor had hij zijn gebieden in handen gegeven van de hertog van Gulik, die de strijd tegen Karel V wilde voortzetten. Toen Frans I vorig jaar opnieuw ten strijde trok, sloot hij zich dan ook meteen bij hem aan en stuurde zijn bevelhebber, Maarten van Rossem, met een leger naar het zuiden om gebied te veroveren en zich bij de Fransen aan te sluiten. Karel V zond daarop een leger naar Gelre: de ene na de andere stad gaf zich vervolgens over.

---

*Andreas Vesalius publiceert zijn 'De humani corporis fabrica libri septem'. In dit boek verwerpt hij de onfeilbaar geachte anatomie van Galenus.*

## Ethiopië verslaat Mohammedanen

ETHIOPIE, 11 februari - Bij Wayna Daga zijn de mohammedaanse invallers verslagen door Ethiopische en Portugese troepen. De sultan van Adal, Ahmed Gran, werd in de slag gedood. Sinds 1526 maakten Grans troepen Ethiopië onveilig. Zij plunderden de kloosters en kerken die Ethiopië rijk is. Zo werd in 1535 de kathedraal van Aksoem verbrand. De keizer van Ethiopië, de zeer vrome Lebna Dengel (1508-1540), zag zich bovendien geconfronteerd met invallen van de Galla uit het zuiden. De christelijke Amhara, die aan het Ethiopische hof de dienst uitmaken, en de heidense Galla verdragen elkaar slecht.

Hoewel de koning van Portugal in 1520 een gezantschap naar het Ethiopische hof stuurde om aan te dringen op een alliantie tegen de mohammedanen, bekoelde het enthousiasme daarvoor van beide kanten snel. Wel bleef een uiterst waardevol verslag van de geestelijke Francisco Alvares bewaard, de eerste gedetailleerde beschrijving van Ethiopië in een Europese taal.

Twee jaar geleden ten slotte landden 400 Portugese musketiers op de Ethiopische kust om de zoon van Lebna Dengel, Galawdewos, te helpen in zijn strijd tegen de mohammedanen. Maar ook zij leden een nederlaag, toen Gran vorig jaar Turkse hulp kreeg in de vorm van wapens en munitie. De nieuwe Portugese aanvoerder Aires Dias lijkt nu echter met de dood van Gran en de vernietiging van diens legers het christelijke Ethiopië van de mohammedanen te hebben bevrijd.

# Copernicus' boek over planeten gedrukt

FRAUENSTADT - De ernstig zieke geleerde Nicolaus Copernicus heeft het eerste exemplaar ontvangen van zijn levenswerk *De revolutionibus orbium coelestium* (Over de omwenteling van de hemellichamen). Dit werk, dat Copernicus al in 1530 grotendeels voltooide, is nu pas in druk verschenen. Het boek is opgedragen aan paus Paulus III en van een voorwoord voorzien door de hervormde theoloog Osiander.

Copernicus had zijn levenswerk toevertrouwd aan zijn vriend Georg Joachim die het werk in Neurenberg heeft

laten drukken. Osiander beklemtoont dat Copernicus' belangrijkste stelling, namelijk dat de zon het middelpunt van het heelal is waaromheen de aarde en andere planeten cirkelen, louter als een wiskundige constructie gezien moet worden. Volgens sommigen wil deze theoloog hiermee voorkomen dat de schijn wordt gewekt dat Copernicus de kerkelijke stelling dat de aarde het middelpunt van het heelal is, zou willen aanvallen.

Na veertig jaar lang observeren is de in 1473 in Oost-Pruisen geboren Coper-

nicus tot zijn astronomische bevindingen gekomen. Behalve de wis- en sterrenkunde studeerde Copernicus in zijn jonge jaren ook wijsbegeerte, geneeskunde en kerkelijk recht. Vanaf 1506 is hij als arts werkzaam geweest, maar zijn grote passie ging toen al jaren uit naar de bewegingen van de hemellichamen. Hij verrichtte zijn waarnemingen vanuit zijn eigen huis.

Door de planeten jarenlang te volgen ontdekte hij dat de veranderingen in de banen van deze planeten nooit verband konden houden met een baan om de aarde. Langzaam maar zeker ontwikkelde hij de stelling dat de zon het middelpunt is van het heelal waarvan de aarde deel uitmaakt. Ook beweert Copernicus dat alle planeten om hun eigen as roteren.

Hij heeft zijn boek voorzien van talloze tabellen waaruit de standen van de planeten, de zon en de maan (die Copernicus als een om de aarde cirkelende planeet ziet) op elk moment afgelezen kunnen worden. Uit de tabellen blijkt dat het stelsel van Copernicus in ieder geval veel duidelijker is dan het tot op heden bekende stelsel van Ptolemaeus.

# Wales nu definitief deel van Engeland

LONDEN - Koning Hendrik VIII heeft bestuurshervormingen afgekondigd, die ertoe moeten leiden dat Wales een onafscheidelijk deel van Engeland wordt. Een proces van eeuwen, dat onder zijn bewind is versneld, kan hiermee als afgerond worden beschouwd. Tegenover Wales had Willem de Veroveraar al de Welse Marken ingesteld, die het oosten van het land onder militair-feodaal gezag plaatsten. In 1282 kwam de rest als een apart prinsdom formeel onder de Engelse kroon. De Rozenoorlogen brachten met Hendrik VII het Welse geslacht der Tudors op de troon van Engeland.

Door diezelfde oorlogen waren de heren van de Welse Marken naar het oosten ten strijde getrokken. Hierdoor ontstond een machtsvacuüm, dat de koning vrij eenvoudig kon opvullen. Zijn Welse afkomst was daarbij een voordeel en droeg ertoe bij dat de tegenstelling tussen het Markenfront en Wales sleet. Anders dan in Ierland werd de bevolking niet gebruuskeerd, doordat er nauwelijks geloofsverschillen waren en de Welse Marken veel

minder gekoloniseerd werd.

Wales kende, evenals Engeland, een landbezittende gentry-stand, die was samengesteld uit voormalige inheemse stamhoofden, vroegere markheren en nieuwe welgestelden. Onder hen bevond zich een brede laag van kleine, maar niet arme pachtboeren. Tussen beide klassen bestond een redelijke verstandhouding.

In 1536 werd bij wet de vereniging van Wales met Engeland geregeld. Het oude vorstendom werd naar Engels voorbeeld ingedeeld in twaalf graafschappen en elf boroughs (stedelijke gemeenten), die elk één vertegenwoordiger naar het parlement te Westminster mochten afvaardigen. Ook de rechtspraak werd gelijkgeschakeld, met het Engels als verplichte voertaal. De Raad van Wales werd, als evenbeeld van de Star Chamber, het hoogste rechtscollege.

Thans eindigt voor Wales het proces van samensmelting met Engeland, doordat de vrijdommen van de markheren, de laatste herinnering aan de Welse Markenlinie, zijn afgeschaft.

*Nicolaus Copernicus (16de-eeuw).*

# Turks leger in de Provence

*Schepen van de Frans-Osmaanse vloot voor de stad Nice (1543).*

TOULON, februari - De Turkse vloot onder aanvoering van de beruchte Barbarossa heeft overwinterd in het milde klimaat van de Provence. De Turken zijn verrukt van de Franse keuken en de nachtegalen, maar Frans I schijnt zijn Turkse gasten zo snel mogelijk kwijt te willen. Niet alleen vanwege de 30 000 dukaten die hij maandelijks aan de verzorging van Barbarossa's troepen kwijt is, maar ook omdat zijn reputatie in Europa eronder lijdt. Men overweegt zelfs hem zijn titel 'Zeer Christelijke Koning' te ontnemen. In ieder geval heeft de Turks-Franse samenwerking niet de resultaten opgeleverd waarop beide partijen hoopten.

Koning Frans I van Frankrijk en sultan Süleyman sloten twee jaar geleden een verdrag, waarbij werd overeengekomen dat Frans I het Habsburgse keizerrijk in Vlaanderen zou aanvallen en Süleyman hetzelfde zou doen in Midden-Europa. En terwijl Süleyman zelf aan het hoofd van zijn legers weer de Donaulanden binnenviel, zond hij in april vorig jaar een grote vloot onder bevel van zijn beruchte admiraal Barbarossa naar het westen. Gedurende twee maanden werden de Italiaanse kusten geplunderd. In Gaeta trad de bijna 61-jarige Barbarossa in het huwelijk met de zeer schone, 20-jarige dochter van de gouverneur.

Hij voer het in aller ijl ontruimde Rome voorbij naar Marseille, waar hij op grootse wijze door Frans I ontvangen werd. Het hele Franse hof was uitgelopen om de ex-zeerover, nu de koning van de Middellandse Zee, met eigen ogen te aanschouwen.

Maar al gauw irriteerde het halfslachtige gedrag van Frans I, die het zich niet kan permitteren om al te nauw met de Turken samen te werken, de op actie beluste Barbarossa. Dat bleek ook bij het beleg van Nice van vorig jaar waarbij, volgens een verbitterde Barbarossa, de Fransen meer aandacht hadden besteed aan hun wijnvoorraden dan aan hun munitie. Nice werd weliswaar op Karel V veroverd, maar Barbarossa weigerde de vloot van zijn beroemde tegenstander Doria aan te vallen vanwege diens edelmoedige gedrag in Preveza (1538) en Bône (1541). 'De ene kraai pikt nooit de ogen van de andere uit,' zeiden de slaven van de twee grootste admiraals uit de geschiedenis.

# Koning wijst eisen arbeiders in Lyon af

LYON - Koning Frans I heeft nogmaals alle eisen van de arbeiders in de drukkerijen van Lyon afgewezen. Daarmee lijkt er voorlopig een einde te zijn gekomen aan een strijd die vijf jaar geleden begon. De arbeiders kwamen toen in opstand tegen de lage lonen en het vervangen van vaklieden door ongeschoolde krachten.

Lyon was in 1539 gedurende enkele maanden het toneel van hevige rellen. Stakers trokken in groepen over straat, bedreigden werkwilligen en vielen de provoost en zijn manschappen aan. Het was de eerste keer dat de handwerkslieden in een bedrijfstak gezamenlijk tegen de werkgevers optraden. De handwerkslieden hebben de omstandigheden niet mee. Door de bevolkingstoename vanaf het midden van de vorige eeuw is er nu een overschot aan arbeidskrachten. Vakbekwaamheid wordt niet meer op prijs gesteld. De drukkerijen geven de voorkeur aan ongeschoold personeel.

De overheid steunt de werkgevers. Na het uitbreken van de staking in Lyon vaardigde de baljuw op verzoek van de

*Een koperdraaier aan het werk.*

meesterdrukkers een verbod uit op samenscholingen van meer dan vijf personen. Enkele maanden later verbood de koning de organisaties of broederschappen van handwerkslieden. Tegen dit laatste verbod hebben de arbeiders van de drukkerijen in Lyon nog drie jaar tevergeefs een juridische strijd gevoerd bij het Parlement van Parijs.

# Lê-aanhangers in verzet

THANG-LONG, 1545 - De heroveing van de provincies Thanh-hóa en Ngê-an door aanhangers van de verdreven Lê-dynastie duidt op toenemend verzet tegen machthebber generaal Mac Dang Dung.

Mac Dang Dung ontdeed zich in de wanorde die na de staatsgreep van 1516 was ontstaan, eerst van een aantal rivalen en riep zichzelf ten slotte in 1527 tot koning uit. Hierna voerde hij echter geen hervormingen door maar bleef regeren zoals de Lê-vorsten dit voorheen hadden gedaan. Een gevolg hiervan was dat aan de fundamentele problemen van de Vietnamese maatschappij niets werd gedaan en dat de grotendeels uit boeren bestaande bevolking de dupe van het falende beleid van de generaal bleef.

De schrijvers Nguyên Binh Kiêm en Nguyên Dü, die beiden voormalige ambtenaren zijn, hebben na hun ontslag een boekje opengedaan over de manier waarop de verantwoordelijke bestuurders meenden te moeten optreden. Hun malversaties en afpersingen tarten bijna elke beschrijving. Zij komen beiden tot de conclusie dat er vele veranderingen zullen moeten worden doorgevoerd om de misstanden de wereld uit te helpen en de boeren weer een menswaardig bestaan te geven.

Het is dan ook niet verwonderlijk dat ambtenaren van de voormalige Lê-dynastie die naar het zuiden waren gevlucht, tijdens de staatsgreep van Trân

*Een 15de-eeuwse Vietnamese wandrol.*

Cao een van hen, Nguyên Kim, tot koning hebben gebombardeerd. Op de grens van de provincie Thanh-hóa in de streek Sâm-châu hebben zij een nieuw hof gesticht om van daaruit de nieuwe vorst te laten regeren en hem zijn macht te laten uitbreiden.

Voor de boeren betekende dit niet meteen een verbetering maar zij hadden weinig keuze en werden door groepen mandarijnen als speelbal voor hun politiek gebruikt.

Nu de legers, bestaande uit resten van de voormalige Lê-aanhangers en andere ontevredenen, zo snel vorderingen in noordelijke richting maken, lijkt het niet uitgesloten dat er een langdurige strijd om de macht zal volgen.

# Massale slachting van intellectuelen

SEOEL, 1545 - Na de vierde slachting van staatslieden en intellectuelen hebben zij die daaraan hebben kunnen ontkomen, zich uit hun openbare ambten teruggetrokken en zijn naar afgelegen plaatsen gevlucht om daar hun leven te slijten of betere tijden af te wachten. De aanleiding van de vierde slachting was de rivaliteit van twee facties aan het Koreaanse hof. Yun Won-Hyung was de leider van de ene factie, waarvan ook de koningin-moeder deel uitmaakte. Zij is op het moment tevens regentes.

De andere factie werd aangevoerd door Yun Yim die de steun had van de meeste ministers en intellectuelen. Yun Won-Hyung liet het gerucht verspreiden dat de andere factie plannen voor hoogverraad had gesmeed. Daarop liet hij alle aanwezige intellectuelen vermoorden.

Eerder hebben onder de regering van Yonsangun in 1498 en 1504 moorden op intellectuelen plaatsgevonden. Onder diens opvolger waren opnieuw de geleerden de dupe van geruchten over een komplot dat tegen de koning gesmeed zou zijn. Koning Choongjong geloofde zijn 'raadgevers' en liet de geleerden-ambtenaren in 1519 massaal ombrengen.

Voor het land betekenen de opeenvolgende slachtpartijen een groot verlies aan bekwame en intelligente mensen. De wetenschappelijke tradities die in de loop van eeuwen zijn opgebouwd, dreigen nu verloren te gaan.

*Paus Paulus III heeft eindelijk gehoor gegeven aan de roep om hervorming. In Trente heeft hij een concilie bijeengeroepen dat een eind moet maken aan de godsdienststrijd in Europa en dat moet leiden tot een hervorming van de Rooms-Katholieke Kerk.*

**16 januari.** In Moskou kroont de 17-jarige Ivan IV zichzelf tot eerste tsaar van Moskou. Hij reorganiseert het leger, de rechtspraak en de Kerk. →

**28 januari.** Hendrik VIII overlijdt. Zijn 9-jarige zoon Edward volgt hem op. Edward Seymour Somerset wordt regent. Onder zijn bestuur wordt de 'High Church' gevestigd. →

**Januari.** Augsburg en Straatsburg onderwerpen zich aan Karel V.

**Januari.** Het Concilie van Trente verwerpt het lutherse beginsel dat alleen het geloof en niet de goede werken de mens in Gods ogen kan rechtvaardigen. Een verzoening tussen protestantisme en katholicisme wordt onmogelijk.

**31 maart.** Hendrik volgt zijn vader Frans I op als koning Hendrik II van Frankrijk. Hij wordt gedomineerd door Frans, hertog van Guise.

**24 april.** Het leger van de Schmalkaldische Liga wordt bij Mühlberg in Saksen verslagen. Keurvorst Johan Frederik van Saksen wordt gevangengenomen.

**16 mei.** Bij de capitulatie van Wittenberg geven de protestantse vorsten de militaire strijd op.

**13 juni.** Ferdinand van Oostenrijk en sultan Süleyman van Turkije tekenen een verdrag voor vijf jaar. Ferdinand krijgt het beheer over dat deel van Hongarije dat hij bezet houdt. Hij zal echter als vazal van de sultan regeren. Turkije moet deze concessie doen omdat het in het oosten bedreigd wordt door Perzië.

**20 juni.** Landgraaf Filips van Hessen wordt in Halle gevangengenomen. Zijn leven wordt gespaard.

**Juni.** Tsaar Ivan IV onderdrukt in Moskou een oproer dat na een grote brand was ontstaan. →

**Augustus.** Franse troepen bezetten Saint-Andrews in Schotland.

**1 september.** Na zijn militaire overwinning op het protestantisme eist Karel V op de Rijksdag in Augsburg dat er binnen het Duitse Rijk een algemene keizerlijke liga wordt gevormd. Alle lidstaten zullen een financiële bijdrage moeten leveren zodat er een staand leger onderhouden kan worden. Dit leger zou ervoor kunnen zorgen dat de beslissingen van de Rijksdag worden uitgevoerd. Het voorstel tot centralisatie stuit op verzet van katholieke en protestantse vorsten.

**November.** In Bohemen wordt besloten dat de Habsburgers het erfelijk recht op de kroon hebben.

- Turkse strijdkrachten veroveren de Jeminitische steden Saana en Taez. →

# Turken veroveren twee belangrijke steden in Jemen

*Kasteel op een rots bij Dar-el-Hagar (Jemen).*

JEMEN - De belangrijkste Jemenitische steden Saana en Taez zijn door de Turken onder leiding van Uveys Pasja en Ozdemir Pasja veroverd.

Met de inname van deze prachtige, in de bergen gelegen steden is Jemen voor het eerst in handen van een vreemde mogendheid gevallen. Zowel de mohammedaanse Arabieren als de christelijke Ethiopiërs en Portugezen (1513) hebben in het verleden tevergeefs geprobeerd de trotse Jemenieten te onderwerpen.

In 1538 had de Osmaanse sultan Süleyman een grote vloot uitgerust om de Portugezen uit Indië te verdrijven. Deze expeditie was door de fouten van zijn bevelhebber op niets uitgelopen, maar wel is Süleyman er sindsdien in geslaagd zijn positie in het Rode-Zeegebied te versterken, vooral door de verovering van het zo strategisch gelegen Aden.

# Hendrik VIII sloot vele huwelijken

LONDEN, 28 januari - Koning Hendrik VIII is overleden in zijn dertiende paleis, dat hij op de plaats van het voormalige leprozenhuis van Saint James heeft laten bouwen. Daarmee is een eind gekomen aan een uiterst turbulent huwelijksleven, dat door hartstocht en materiële, godsdienstige en politieke belangen bepaald werd, soms met vergaande consequenties.

De eerste vrouw, Catharina van Aragón (1485-1536), was aanvankelijk de bruid van Hendriks oudere broer Arthur, die echter binnen het jaar stierf (1502). De politieke reden, een relatie met het machtige Spaanse vorstenhuis, bleef ook voor Hendrik VIII van toepassing, zodat hij in 1509 met zijn schoonzuster in het huwelijk trad. Catharina beschikte over vele goede eigenschappen, maar 'faalde' in het baren van een zoon. Na vijf jonggestorven kinderen, schonk zij in 1516 het leven aan een dochter, Maria. Hierna volgden enkele miskramen; de vurig gewenste kroonprins kwam niet.

De liefde voor hofdame Anna Boleyn (1507-1536) en de behoefte aan een wettige zoon werden bij Hendrik zo groot, dat aan paus Clemens VII gevraagd werd het huwelijk onwettig te verklaren. Hendrik vond de verbintenis met zijn schoonzuster nu incestueus en dus ongepast. De paus stond echter sinds 1529 onder politieke druk van Catharina's neef Karel V en weigerde. Dit leidde tot een breuk met Rome. Hendrik liet zich tot hoofd van de Engelse Kerk uitroepen, terwijl de nationale kerkelijke rechtbank zijn huwelijk ontbond (23 mei 1533).

Onderwijl waren Hendrik en de zwangere Anna in het geheim getrouwd. Op

*Links Hendrik VIII met Anna Boleyn, rechtsboven Catharina van Aragon, dan Anna van Kleef en Catharina Parr.*

7 september werd hun kind geboren… een dochter (Elizabeth). Op de dag dat Catharina van Aragón werd begraven, baarde Anna nog een dood kind. De liefde was intussen al weer bekoeld. Een nieuwe vlam diende zich aan, Jane Seymour (circa 1509-1537). Het vorige huwelijk werd snel onwettig verklaard. Anna werd voor (onbewezen) overspel ter dood veroordeeld. Enkele dagen na Anna's executie traden Hendrik en Jane in het huwelijk. Zij schonk in oktober 1537 het leven aan een zoon (Edward), maar stierf zelf in het kraambed. Op voorstel van kanselier Cromwell werd nu om politieke redenen gedongen naar de hand van Anna van Kleef (geboren 1515). Haar vader was de leider van de Duitse protestanten met wie Engeland zich wilde verbinden tegen Karel V.

Holbeins portret van haar had de koning in extase gebracht. Een huwelijksovereenkomst werd gesloten. Anna's schoonheid viel echter tegen; volgens Hendrik leek ze op een Vlaamse merrie. Om diplomatieke redenen werd Anna subtiel uitgekocht. De kop van Cromwell moest rollen.

Binnenlandse politieke tegenstanders van Cromwell schoven nu Catharine Howard, dochter van de hertog van Norfolk, als kandidaat-echtgenote naar voren. Hendrik en zij huwden in juli 1540, op de dag van Cromwells executie. Catharine was gewoon een losbandig leven te leiden en zette dat voort. De opponenten van de Norfolks droegen ertoe bij dat Catharine in 1542 op de Tower Green werd onthoofd.

De zesde en laatste echtgenote, Catharine Parr, was de vriendelijkheid zelve en toonde veel belangstelling voor haar stiefkinderen. Zij overleeft (met Anna van Kleef) Hendrik en wordt daardoor voor de derde maal weduwe.

# Einde oproer in Moskou na berouw Ivan

MOSKOU, juni - Tsaar Ivan IV heeft het oproer, ontstaan naar aanleiding van de brand die op 21 juni uitbrak, uiteindelijk bedwongen. Door op het Rode Plein publiekelijk berouw te tonen over zijn zonden, die hij als de oorzaak van de ramp beschouwt, en het volk te beloven in zijn belang te regeren, is de rust hersteld. Met deze crisis is aan de macht van de Glinski's, twee ooms van de tsaar die zeer impopulair bij het stadsvolk zijn, een einde gekomen.

De verwoestende brand is volgens geruchten het werk van brandstichters. Tegenstanders van de Glinski's wisten de brand en de eruit ontstane paniek handig te gebruiken om deze bojaren ten val te brengen. Zij riepen hiertoe het stadsvolk bijeen en stelden hun de vraag: 'Wie heeft Moskou in brand gestoken?' Het antwoord luidde: 'Vorstin Anna Glinskaja [Ivans grootmoeder] door tovenarij.' Daarop werd Ivans oom Joeri Glinski gelyncht. Vervol-

gens besloot het plebs om Anna en haar zoon Michael aan te pakken. Op grond van een vals gerucht verkeerde men in de veronderstelling dat tsaar Ivan hen verborgen hield. De tsaar wist het volk echter van zijn onschuld te overtuigen en de menigte verspreidde zich. Daarop gaf Ivan bevel om de leiders gevangen te nemen en te executeren en maakte aldus een einde aan de rebellie.

Het gebeurde heeft de tsaar in een diepe psychologische crisis gestort, hetgeen zijn toch al labiele aard bepaald geen goed doet. Sinds de dood van zijn moeder in 1538, vermoedelijk door vergiftiging, heeft hij een onzeker bestaan geleid. De bojarenregering, of liever het wanbestuur van de elkaar bestrijdende bojarenfacties, droeg hiertoe bij. Ofschoon de bojaren de jonge tsaar in het openbaar de hem verschuldigde eer betoonden, beledigden zij hem achter zijn rug en beroofden hem van zijn metgezellen. Ivan stond alleen

in een vijandige wereld. Op 13-jarige leeftijd zag hij kans om wraak te nemen op de gehate bojaar Andrej Sjoejski. Dit gaf hem een gevoel van macht. Hij omringde zich kort daarop met een troep jongeren en gaf zich over aan velerlei pleziertjes, sommige van sadistische aard.

Op 16 januari heeft hij zich met inachtneming van alle details plechtig tot tsaar laten kronen. Hij is de eerste grootvorst die dit doet; zijn vader en grootvader gebruikten slechts incidenteel de titel 'tsaar'. Op 3 februari trouwde hij met de bojarendochter Anastasia Romanovna die vermoedelijk een goede invloed op hem heeft. Een zelfde stabiliserende werking op de intelligente, zij het zeer neurotische Ivan gaat uit van metropoliet Makari en van de priester Silvester. Deze laatste heeft hem ervan overtuigd dat de recente ramp de straf is voor zijn zonden en dat hij zijn leven zal moeten beteren.

# 1548

**Januari.** De hertog van Somerset, Lord Protector van Schotland, onderzoekt de mogelijkheid van een unie tussen Schotland en Engeland.

**8 april.** In de Slag van Xaquixaguana verslaat Pedro de la Gasca zijn landgenoot Gonzalo Pizarro. Gasca vocht in opdracht van de Spaanse kroon. De dood van Pizarro maakt een eind aan de poging van de drie broers Pizarro om absolute heersers in Peru te worden.

**April.** Engelse troepen bezetten Haddington in Schotland.

**Mei.** Turkije bezet Tebriz in Perzië.

**30 juni.** Op de Rijksdag in Augsburg verordonneert Karel V het 'Augsburger Interim'. De protestanten moeten weer intreden in de katholieke Kerk. Als tegemoetkoming kondigt Karel V een aantal hervormingen binnen de katholieke Kerk af. Volgens deze hervormingen mogen priesters trouwen. Bij het heilige avondmaal mogen niet alleen priesters maar ook leken uit de wijnkelk drinken. En er wordt enigszins tegemoet gekomen aan de lutherse doctrine van de uitsluitende rechtvaardiging door het geloof. De zeven sacramenten worden echter gehandhaafd en het dogma van de transsubstantiatie wordt bekrachtigd. →

**Juni.** Hendrik II van Frankrijk bezoekt Turijn maar moet naar Frankrijk terugkeren om een opstand tegen de belasting op zout (de 'gabelle') de kop in te drukken.

**Juli.** Op de Rijksdag in Augsburg wordt de 'Bourgondische Kreits' opgericht. Alle '17' Nederlanden maken voortaan deel uit van het Duitse Rijk. De band met het rijk is echter zwak en het betekent in feite een grotere eenheid van de Nederlanden.

**Augustus.** In Polen en Litouwen wordt Sigismund II koning, na de dood van zijn vader, Sigismund I.

**15 augustus.** De 6-jarige Maria, koningin van Schotland, komt in Frankrijk aan. Zij is verloofd met de Franse kroonprins en zal aan het Franse hof worden opgevoed.

- Leden van de jezuïetenorde vestigen zich in Marokko en in de Kongo.

- Loyola publiceert zijn *Exercitia spiritualia* (Geestelijke oefeningen).

- De ontdekking van de zilvermijnen in Peru en Mexico maakt in Europa het geld tot een algemeen ruilmiddel.

Gestorven:

**5 september.** Catharine Parr (1512), koningin van Engeland

## Karel V treedt eigenmachtig op in godsdienstkwestie

*Karel V maakt zich op voor de slag bij Mühlberg (portret van Titiaan).*

AUGSBURG, 30 juni - Ondanks felle protesten van zowel katholieken als protestanten heeft keizer Karel V de zogenaamde 'geharnaste' Rijksdag van Augsburg afgesloten met de afkondiging van het Augsburgse Interim. Met dit Interim - dat eigenlijk niet meer is dan een samenvatting van de leerstellingen van de katholieke orthodoxie, met hier en daar een concessie aan de protestanten - hoopt Karel V zelf de religieuze problemen van het Duitse Rijk op te lossen.

In veel opzichten is het Interim een tussenoplossing. Nadat Karel V vorig jaar de protestantse troepen onder leiding van keurvorst Johan Frederik van Saksen en landgraaf Filips van Hessen in de Schmalkaldische Oorlog verslagen had, hoopte hij dat het sinds december 1545 in Trente bijeenkomende algemeen concilie formeel een eind aan het schisma binnen de Kerk zou maken. Maar het concilie wordt gedomineerd door paus Paulus III en die voelt er weinig voor om tot overeenstemming met de protestanten te komen.

Of het Augsburgse Interim een redelijk alternatief vormt voor Karels oorspronkelijke plan is zeer de vraag. Hij mag dan de Schmalkaldische Bond door een uitgekiend diplomatiek en militair spel verslagen hebben, het protestantisme zelf lijkt daarmee nog lang niet uitgeroeid te zijn. En het is niet waarschijnlijk dat het Interim daaraan veel veranderen kan. Daarvoor zijn de concessies te gering en de protesten - ook aan katholieke zijde - te fel. Zo wijst alles erop dat Karel V er niet in geslaagd is zijn indrukwekkende militaire overwinning op de protestanten in een politieke overwinning om te zetten.

# 1549

**10 februari.** De Portugees Tomé de Sousa wordt benoemd tot gouverneur-generaal van Brazilië. →

**9 juni.** In Engeland krijgt de 'Act of Uniformity' koninklijke goedkeuring. Alle kerken in Engeland moeten zich voortaan houden aan de liturgie, zoals die in het *Book of Common Prayer* is vastgelegd.

**Juni.** In het zuidwesten van Engeland eisen opstandelingen de terugkeer van de katholieke liturgie.

**Juli.** Robert Kett leidt in Norfolk en Cornwall een opstand tegen de 'enclosures'. De opstandelingen bezetten Norwich.

**8 augustus.** Frankrijk verklaart Engeland de oorlog.

**12 augustus.** Een Frans leger bezet het door Engeland beheerste Ambleteuse en belegert vervolgens Boulogne om de Engelsen ook hier te verdrijven.

**26 augustus.** In de Slag bij Dussingdale worden de opstandelingen tegen de 'enclosures' verslagen door het leger van John Dudley, graaf van Warwick.

**13 september.** Paus Paulus III sluit het Concilie van Bologna.

**10 oktober.** De hertog van Somerset, 'Lord Protector' van Engeland, verliest zijn functie. Somerset oefende het bestuur uit voor de minderjarige Edward VI.

**12 oktober.** John Dudley, graaf van Warwick, volgt Somerset op. Hij weigert de titel 'Lord Protector', maar bekleedt vele functies en beschikt daarmee over een maximum aan macht.

**1 november.** Paus Paulus III sterft.

**4 november.** Vergaderingen die niet de goedkeuring hebben van de overheid, worden in Engeland verboden. Bovendien komt op het vernielen van 'enclosures' een zware straf te staan.

**5 november.** In de Nederlanden wordt de 'Pragmatieke Sanctie' uitgevaardigd en door de Provinciale Staten bekrachtigd. Hierbij wordt de erfopvolging in alle Nederlandse gewesten identiek geregeld. De zoon van Karel V, Filips, maakt vervolgens een reis door de Nederlanden.

- In Rusland roept Ivan IV de eerste 'Zemski Sobor' (gekozen raad) bijeen. De raad wordt een instrument voor hervormingen in het bestuur van Rusland.

- In Japan begint de jezuïet Franciscus Xaverius zijn missiewerk. De vorsten in Japan geven toestemming, omdat zij hopen dat hierdoor de handel met Europa wordt bevorderd.

## Eerste gouverneur van Brazilië

LISSABON, 10 februari - De Portugese koning Johan III heeft Tomé de Sousa benoemd tot eerste gouverneur-generaal van Brazilië. Hij zal zich vestigen in Bahia en krijgt de leiding over het hele gebied. Naast de grote economische mogelijkheden van Brazilië liggen het gebrek aan eenheid, de wetteloosheid en de dreigende Franse concurrentie ten grondslag aan deze benoeming.

De Portugezen, die Brazilië in 1500 ontdekten, toonden aanvankelijk weinig belangstelling voor hun nieuwe bezit. Tot ongeveer 1530 kregen onderdanen van de koning toestemming om gedeelten van de kuststrook te exploiteren; van massale kolonisatie was geen sprake. Dat veranderde vooral door de activiteiten van Franse piraten. De Franse koning Frans I stuurde veel schepen op rooftocht en die kwamen daarbij ook in door Spanje en Portugal opgeëiste gebieden. Toen deze landen daartegen protesteerden sprak Frans I nonchalant: 'Ik zou graag die bepaling in Adams testament zien die mij uitsluit van de verdeling van de wereld.'

De Portugezen beseften daarop de strategische waarde van Brazilië. Als de Fransen er steunpunten zouden krijgen, konden zij vrij gemakkelijk de rijkbeladen Portugese handelsschepen uit Indië onderscheppen. Maar hoe kon Portugal met zijn lege staatskas zijn greep op het immense gebied versterken? Men besloot terug te grijpen op een soort feodaal systeem. In 1534 werd Brazilië opgedeeld in vijftien stroken ('capitanias'). Deze werden uitbesteed aan veelal Portugese edelen ('fidalgos') die ze als 'begiftigden' ('donatorias') bestuurden.

In economisch opzicht bleken de capitanias zeer snel winstgevend: er werden suikerplantages aangelegd waarop negerslaven uit West-Afrika te werk werden gesteld. Met de winsten kan Portugal zijn dure handel op het Verre Oosten betalen. De benoeming van Tomé de Sousa moet het centraal gezag in Brazilië versterken.

*Standbeeld van Johan in Coimbra.*

# Anglicaanse Kerk neemt nieuwe liturgie in gebruik

LONDEN, 9 juni - In de grote kerken van Londen en vele plaatsen elders in het land wordt op pinksterzondag de nieuwe anglicaanse liturgie ingevoerd. Deze is gebaseerd op een gebedenboek, dat door de aartsbisschop van Canterbury, Thomas Cranmer (geboren 1489), is samengesteld. Het in fraai Engels geschreven boek blijkt duidelijk een compromis te zijn: men herkent waardevolle elementen uit de katholieke traditie. Ook biedt het boek een protestantse uitleg en visie.

Het doel blijft een onverdeelde nationale Kerk. Maar sinds koning Hendrik VIII zich aan het hoofd van de Engelse Kerk stelde en de banden met Rome verbrak (1534), is er wel een wisselend beleid ten aanzien van die uniforme Kerk geweest. Aanvankelijk wilde Hendrik niet van de katholieke liturgie en bisschoppelijke organisatie afwijken. Protestantse invloeden uit binnen- en buitenland deden echter ook het hoofd der Kerk een andere richting inslaan.

De belangrijkste verantwoordelijke voor de koerswijziging van de koning was zijn minister Thomas Cromwell (circa 1485-1540). Onder zijn leiding werd het Engelse kloostersysteem volledig onttakeld. De gebouwen en goederen vervielen eerst aan de kroon, maar om de schatkist gevuld te houden werden de kloosterlanderijen (goedkoop) verkocht. De verhoudingen in het landbezit wijzigden mede hierdoor sterk. Alleen in het noorden stuitte deze verandering op fors verzet van de Gratie-bedevaart-beweging (eind 1536).

In Cromwells buitenlandse politiek paste een alliantie met Duitse protestanten, hetgeen leidde tot een huwelijk tussen Hendrik VIII en Anna van Kleef. De koning kreeg hier al gauw spijt van, met als gevolg dat de rol van de Engelse protestanten voorlopig uitgespeeld was.

Door middel van de zes-artikelenwet (1540), herstelde Hendrik zijn conservatieve opvatting over de nationale Kerk. De vernieuwingen van hervormers als Cromwell en Hugh Latimer (bisschop van Worcester, geb. ca. 1490) werden nu als ketterij beschouwd en bestraft.

Pas na de dood van Hendrik (1547) en de installatie van Edward Seymour, hertog van Somerset, als regent voor de jonge koning Edward VI, ontstond er meer tolerantie. De knellende wetgeving tegen ketterij werd afgeschaft en de staatskerk weer in protestantse richting omgebogen, zonder dat bijvoorbeeld de mis werd afgeschaft. In deze sfeer kon de van verbanning teruggekeerde Cranmer zijn liturgie officieel ingevoerd krijgen.

**10 januari 1550.** In Parijs sluit de 'Vurige Kamer', die ingesteld is om ketterij te bestrijden, haar eerste zittingsperiode af. →

**7 februari.** In Rome wordt Giovanni Maria del Monte tot paus Julius III gekozen.

**24 maart.** Engeland en Frankrijk sluiten de Vrede van Boulogne. Engeland draagt Boulogne over aan Frankrijk en krijgt daarvoor 400 000 kronen.

**28 april.** In de Nederlanden wordt aangekondigd dat de ketterij strenger zal worden vervolgd. De macht van de inquisitie neemt toe.

**5 september.** In Engeland wordt Sir William Cecil benoemd tot 'secretary of state' (minister van Buitenlandse Zaken).

**Oktober.** Maurits van Saksen, bevelhebber over de keizerlijke troepen, verovert Maagdenburg op de lutheranen.

**14 november.** In Rome wordt per pauselijke bul afgekondigd dat het Concilie van Trente in mei 1551 opnieuw bijeen zal komen.

**December.** De hertog van Parma, Ottavio Farnese, zoekt de hulp van Frankrijk in zijn strijd met Ferrante di Gonzage van Milaan.

- De koning van Pegu, Bureng-Naung, onderwerpt Birma.

- Missionarissen van de jezuïetenorde zouden 300 000 Japanners tot het christendom hebben bekeerd.

**Februari 1551.** Na onrust in de Japanse hoofdstad Kioto breekt de Portugese missionaris Franciscus Xaverius zijn bezoek aan Japan voortijdig af. →

**9 maart.** Keizer Karel V kondigt aan dat zijn zoon Filips kandidaat voor de keizerskroon zal worden, na de dood van Karels broer, Ferdinand van Oostenrijk. →

**Mei.** Paus Julius III zet Ottavio Farnese af als hertog van Parma.

**Mei.** Het Concilie van Trente komt in een tweede zitting bijeen.

**Juni.** Hendrik II van Frankrijk begint met militaire acties in Italië tegen Karel V.

**19 juli.** Aartshertog Ferdinand van Oostenrijk wordt in het Verdrag van Karlsburg opnieuw als koning van Hongarije en Transsylvanië erkend.

**14 augustus.** Een Turkse vloot, onder bevel van Dragut, verovert Tripoli op de Johannieterridders.

**September.** In Transsylvanië breekt een opstand uit tegen Zápolyai en de effectieve leider, kardinaal Martinuzzi.

- Kerkelijke functionarissen voeren in Moskou hervormingen door die gebaseerd zijn op een nauwe samenwerking tussen Kerk en Staat. →

*Tekening van de Franse koning Hendrik II (Musée Condé, Chantilly).*

# Doodvonnis voor ketters

PARIJS, 10 januari - De zogenaamde 'Vurige Kamer' sluit vandaag haar eerste zittingsperiode af. Deze speciale afdeling van het Parlement van Parijs [= rechtbank] is in oktober 1547 op last van koning Hendrik II opgericht met het doel de toenemende ketterij te bestrijden. Tot nu toe zijn er zo'n vijfhonderd vonnissen uitgesproken.

De sterk toegenomen verbreiding van het protestantisme in de afgelopen jaren is vooral veroorzaakt door pastoors die zich tot het nieuwe geloof bekeren. Vaak worden ze daarin dan gevolgd door hun parochianen. Het is niet zo vreemd dat de lagere geestelijkheid zich aangesproken voelt door de kritiek op het traditionele geloof. Nadat de koning in 1516 door het Concordaat van Bologna macht kreeg over de hogere kerkelijke functies, zijn er op deze posten vaak mensen benoemd die zich weinig om het geloof bekommeren. De dorpspastoor krijgt zodoende noch financiële, noch morele steun van zijn superieuren. Hij moet leven van een armzalig inkomen, maar is wel de eerste die door de gelovigen wordt aangesproken op misstanden binnen de Kerk.

De verbreiding van het protestantisme wordt verder bevorderd door een stroom van publikaties. Regelmatig worden bij uitgeverijen en boekhandels geschriften van de Zwitserse theoloog Calvijn in beslag genomen. Zijn standaardwerk *Institutio Christianae Religionis* verscheen negen jaar geleden in de Franse taal.

Sindsdien worden er heimelijk studiegroepjes opgericht om dit boek gezamenlijk te lezen. Vanuit zijn woonplaats Genève bemoeit Calvijn zich persoonlijk met dit soort initiatieven door het schrijven van vele brieven. Zijn directe en heldere betogen bezitten een grote overtuigingskracht.

De afgelopen jaren komen er ook meer en meer geschoolde predikanten. Zij hebben in Genève, Lausanne of Straatsburg een opleiding gevolgd. Met gevaar voor eigen leven leiden ze godsdienstoefeningen door het hele land. Arrestatie betekent voor deze predikers bijna altijd de brandstapel. Maar ook mindere vergrijpen worden soms zeer streng bestraft. Vorig jaar veroordeelde de 'Vurige Kamer' een student tot drie dagen schandpaal, gevolgd door levenslange eenzame opsluiting. Hij had enkele heiligenbeelden kapotgegooid en godslasterlijke affiches aan de deur van de kapel geplakt.

# Portugese missionarissen naar Japan

*Aankomst van de Portugese missionaris Franciscus Xaverius in Japan (16de eeuw; Musée Guimet, Parijs).*

KIOTO, februari - Na een verblijf van slechts vijftien dagen is de Portugese missionaris Franciscus Xaverius uit Kioto vertrokken. Door de onrust in de hoofdstad heeft hij zijn verblijf aanzienlijk moeten bekorten. Hij is teruggekeerd naar Yamaguchi waar hij al eerder enige tijd heeft doorgebracht.
Franciscus Xaverius is een van de vreemdelingen die vanuit het Westen naar Japan is gekomen. In 1542 kwamen de eerste vreemdelingen aan land op het eiland Tanegasjima, dat ten zuidwesten van Kyusju ligt. Zij vertelden dat hun Chinese jonk door een tyfoon uit de koers was geraakt. Naar hun zeggen kwamen zij uit Portugal. Zij hadden wapens bij zich die met buskruit werken en waarmee een vijand op grote afstand dodelijk kan worden getroffen. De wapens uit het Westen worden nu naar het eiland genoemd

waar zij zijn geland: tanegasjimas.
Al spoedig na hun terugkeer naar China zijn opnieuw Portugezen naar Japan gekomen. Deze keer hadden zij met opzet koers naar dit land gezet en zij vervoerden in hun schepen handelswaren. Zij zijn nu zeer geziene gasten omdat hun handelswaar in de smaak valt bij de lokale machthebbers en de aanvoer van tanegasjimas het militaire machtsevenwicht verandert. Dit is des te belangrijker omdat vlak voor hun komst door enkele families pogingen werden ondernomen om weer tot een centrale regering te komen en de verdeeldheid tegen te gaan. In deze omstandigheden is een nieuw wapen belangrijk voor het verkrijgen van een monopoliepositie en daarmee van een machtsoverwicht.
Naast handelaren komen echter ook Portugezen binnen die proberen een

nieuwe religie in te voeren: het katholicisme. Franciscus Xaverius is een van de priesters van deze nieuwe religie. Hij is op 15 augustus 1549 in Kagosjima aan land gekomen en is vervolgens na een verblijf van ruim één jaar in deze streek naar Hirado gegaan. Vandaar is hij eerst naar Hakata en Yamaguchi gereisd alvorens hij in Kioto aankwam. In al deze plaatsen heeft hij mensen weten over te halen zich tot het katholicisme te bekeren.
Door velen worden de activiteiten van Franciscus Xaverius en de zijnen met argwaan bekeken. De aanhangers van de nieuwe religie gaan immers van heel andere normen en waarden uit en erkennen slechts het gezag van één God. Op puur praktische gronden - het voordeel van het contact met Portugese handelaren - worden de missionarissen echter geduld.

*Tsaar Ivan IV de 'Verschrikkelijke' (Tretjakov-galerie, Moskou).*

## Concilie in Moskou steunt hervorming

MOSKOU - In Moskou heeft een concilie van kerkelijke hoogwaardigheidsbekleders plaatsgevonden met het doel een einde te maken aan een reeks misstanden binnen de Kerk. Het concilie heeft een aantal maatregelen afgekondigd die zijn opgenomen in het boek *Stoglav* (Honderd hoofdstukken). Tsaar Ivan IV heeft aan het concilie de vorig jaar uitgekomen codificatie, de *Soedebnik* (die ook uit honderd artikelen bestaat) voorgelegd en een plan ingediend om de regering op lokaal niveau te verbeteren. Het concilie heeft beide goedgekeurd.
Het initiatief tot de hervormingen is afkomstig van metropoliet Makari, die hierin werd gesteund door de priester Silvester en een prominente hoveling, Aleksej Adasjev. De hervormingen zijn gebaseerd op een nauwe samenwerking tussen Kerk en staat. In de kwestie van secularisatie van kerkgronden, die op fel verzet bij Makari en de meerderheid van de geestelijken stuit, is het reeds bestaande compromis herhaald: de onschendbaarheid van kerkland is bevestigd, maar zonder de uitdrukkelijke toestemming van de tsaar mogen de kerken en kloosters geen grond erbij verwerven. Verder is bepaald dat de geestelijkheid en het volk op het kerkland uitgesloten zijn van de jurisdictie van de staatsgerechtshoven; zij vallen onder de kerkelijke gerechtshoven.
Op het concilie is vrijelijk kritiek geuit op verschillende misstanden binnen de Kerk en er zijn aanbevelingen gedaan om deze op te heffen: het onderwijs van de clerus moet worden verbeterd en de kerkelijke en liturgische boeken moeten gezuiverd worden van de vele in de loop der tijd ingeslopen fouten.
Van groot belang is het plan van de tsaar voor lokale bestuurshervormingen. Tsaar Ivan hoopt door middel van deelname aan het bestuur door de plaatselijke bevolking een einde te maken aan de corruptie en onderdrukking door functionarissen.

# Ferdinand I verzoent zich met Karel V

AUGSBURG, 9 maart - Met een compromis tussen Ferdinand I en Karel V is de vrede in het Habsburgse Huis weergekeerd. Sinds 1546 waren de beide broers met elkaar in conflict over de kwestie van de opvolging van Karel als keizer van het Duitse Rijk.
Lange tijd hadden zich tussen de Oostenrijkse en de Spaanse Habsburger geen ernstige problemen voorgedaan. Zij waren immers op elkaar aangewezen. Ferdinand had voor de verdediging van Oostenrijk tegen de Turken meer dan eens een beroep moeten doen op Karels financiële en militaire reserves. Karel liet zijn zaken in het Duitse Rijk met een gerust hart aan zijn jongere broer Ferdinand over, zodat hij zich zelf kon wijden aan zijn Franse en Italiaanse affaires.
In 1530 trad er een verschuiving in deze rolverdeling op. Toen Karel tot Duits keizer was gekroond liet hij Ferdinand tot Rooms-koning kiezen. Karel, die voortdurend rekening houdt met een

*Gouache van keizer Ferdinand I.*

vroege dood, wenste een betrouwbare opvolger, die ook de belangen van zijn zoon Filips in Spanje, de Nederlanden en Italië kon behartigen. In 1530 was Filips pas vier jaar oud. Bij Ferdinand wekte deze titel de verwachting dat het

einde van zijn ondergeschikte positie in zicht was. In 1546 kreeg Karel er echter spijt van dat hij zijn broer, en niet zijn zoon tot Rooms-koning had laten kiezen. Ferdinand reageerde geschokt toen hij vernam dat hij door Filips zou worden gepasseerd. In 1549 schreef hij aan zijn zuster Maria dat hij in zijn eer zal zijn aangetast als 'la schosse que plus tasche l'homme en ce monde' (datgene, wat meer dan iets anders een man in deze wereld onderscheidt) hem ontgaat. In gesprekken onder vier ogen laaide de ruzie tussen de beide broers hoog op. Er werd besloten in Augsburg een familieraad te houden. Hieraan namen ook Filips en Maximiliaan, de oudste zoon van Ferdinand, deel. Maria, die bemiddelde, stond voor een enorme opgave. Ferdinand was verbitterd en Karel klaagde dat zelfs de Franse koning nog nooit zo tekeer was gegaan. Toch wist Maria haar broers tot een vergelijk te bewegen: Karels zoon Filips wordt keizer na Ferdinand.

# Somerset wegens verraad terechtgesteld

LONDEN, 22 januari - De afgezette regent voor de minderjarige Edward VI, Edward Seymour, hertog van Somerset, is ter dood gebracht vanwege 'verraderlijk handelen'. De bij het volk populaire Somerset droeg zijn lot waardig. Hij maakte van paniek onder de omstanders geen gebruik om weg te glippen, maar bleef rustig op de beul wachten.

De regent had zich de haat van de hoge edelen op de hals gehaald door de zogeheten 'enclosures' (het in bezit nemen en omheinen van gemeenschappelijke gronden van dorpen door de rijke landadel) te bestrijden. Om deze reden verwierf hij sympathie onder de boeren. Zij trachtten de enclosures ongedaan te maken, omdat zij die als een inbreuk op hun traditionele rechten

zagen en kwamen in verzet.

De opstanden waren het hevigst in 1549. Grote delen van Zuid-Engeland en de Midlands waren in beroering. In Cornwall uitte zich dat op religieuze wijze tegen de opgedrongen anglicaanse liturgie. In Norfolk was de rebellie duidelijker van sociale aard. Onder aanvoering van de vrije boer Robert Kett, trokken de opstandelingen naar de hoofdstad Norwich. Daar verzamelde men zich voor de poort en maakte Kett een eisenpakket bekend, dat nogal regionaal-politiek gericht was. Zelf wilde hij zitting krijgen in de (door Somerset ingestelde) parlementaire commissie die de enclosures onderzocht. De actievoerders vonden aansluiting bij ambachtslieden uit de kwijnende wolsector van Norwich en

besloten de stad te bezetten.

Wilde Somerset hiertegen niet optreden, en kon hij dat ook nauwelijks bij gebrek aan militia (die waren in Schotland), menig ander edelman wilde dat wel: in Kent en Wiltonshire werden opstanden met geweld onderdrukt. Ook Somersets grote politieke rivaal, de graaf van Warwick, wilde de orde hersteld zien. Hij trok naar Norfolk en 'pacificeerde' het gebied. Kett werd opgehangen.

Tegenover het belang van de landadel stonden boeren, die zich nog voornamelijk organiseerden binnen de graafschappen. Samenwerking of coördinatie van acties op landelijk niveau was de opstandelingen vreemd en het was dit gebrek dat de belangrijkste oorzaak van hun nederlaag is gebleken.

# Eger weerstaat aanval Turkse legers

EGER, oktober - 38 dagen lang heeft István Dobó met een klein garnizoen van minder dan 2000 verdedigers 60 000 Turken onder leiding van de pasja van Boeda, Ali Hadim, weten te weerstaan. Hoewel het kasteel van Eger vrijwel geheel is verwoest, moeten de Turkse legers zich vanwege de naderende winter terugtrekken. Het plan om Hongarije onder de Habsburgers te verenigen is echter eveneens voorlopig van de baan.

Na de dood van Lodewijk (Lajos) II op het slagveld van Mohács in 1526 werden twee koningen gekroond: János Zápolyai en Ferdinand I van Habsburg. Nadat Ferdinand met financiële steun van de Fuggers Zápolyai had verdreven, zocht deze steun bij de Turkse sultan. Hoewel de Turkse aanval op Wenen in 1529 mislukte, kon Zápolyai naar Hongarije terugkeren en kreeg hij het oostelijk deel, Transsylvanië, van de Turken in leen.

Hongarije was zodoende in handen van twee grootmachten geraakt, die beide het land om strategische redenen wilden behouden. De Habsburgers konden hun troepen niet concentreren voor de beslissende slag en moesten zich beperken tot westelijk Hongarije. De Turken konden niet verder oprukken vanwege de lange bevoorradingslijnen.

Hongarije werd een blijvend slagveld: troepen van beide zijden verwoestten het land en plunderden de bewoners. Op aandrang van de bisschop van Várad, György Martinuzzi, stuurde Ferdinand in de lente van vorig jaar 700 soldaten onder generaal Castaldo naar Transsylvanië. Dit leger, 'te groot voor een ambassadeur, te klein voor een oorlog', was echter niet in staat iets tegen de Turkse legers te beginnen.

De Turkse bezetting van het centrale deel van Hongarije (tussen Donau en Tisza) heeft funeste gevolgen voor de

*Vrouwen van Eger vechten mee tegen de Turken (door Székely Bertalan, 1867).*

economie. Belangrijke Hongaarse steden als Boeda, Pest, Székesfehérvár, Esztergom en Szeged zijn militaire forten, waar de handel en industrie stagneren. Zelfs de Duitse Fuggers trekken zich terug vanwege de onzekere situatie, zodat de Hongaarse export op dit moment vrijwel geheel uit vee bestaat. Debrecen is uitgegroeid tot het centrum van de veehandelaren; daarnaast is de wijnverbouw rond Tokaj veel be-

langrijker geworden.

De Turkse bezetting heeft aan de andere kant ook tot gevolg dat het Hongaarse nationalisme versterkt is. Onder invloed van Erasmus zijn Hongaarse vertalingen van de bijbel gemaakt en zijn in Debrecen en Sárospatak beroemde calvinistische scholen ontstaan. De Hongaren zien het al hun opdracht het christendom tegen de heidense Turken te beschermen.

# 1553

*Tsaar Ivan IV de 'Verschrikkelijke'.*

## Ivan IV na triomf terug in Moskou

MOSKOU, 29 oktober - Onder luide toejuichingen van de geestelijkheid, notabelen en de bevolking van Moskou is tsaar Ivan IV in de hoofdstad teruggekeerd na de schitterende overwinning over het chanaat Kazan. Deze triomf betekent een belangrijke stap voorwaarts in het bedwingen van de Tataren.

Net als ten tijde van zijn voorgangers wordt het Moskovië van Ivan IV voortdurend geteisterd door plundertochten van Tataren. De Tataren richten niet alleen verwoestingen aan, maar zij voeren gewoonlijk ook gevangengenomen Russen mee terug.

Onlangs zijn de tsaar en zijn medewerkers begonnen met hervormingen in het leger. Het accent is sterker op de artillerie en de genie komen te liggen, en er zijn reguliere regimenten, die van de Streltsi (musketiers) aan het Russische leger toegevoegd.

Sinds 1547 was de verhouding tussen Moskou en Kazan zeer gespannen. In maart dit jaar moest de pro-Moskoupartij in Kazan het afleggen tegen de pro-Astrakan-partij. De maand erop besloot Moskou tot een grootscheepse campagne tegen Kazan. De Russische opmars moest enige tijd onderbroken worden omdat Krimtataren, geholpen door een aantal Turkse janitsaren (infanteristen) en Turkse artillerie, Moskovië binnentrokken met Moskou als doel. Na dit gevaar te hebben bedwongen trokken de Russen verder naar Kazan. Na een beleg van zes weken gaf Kazan zich over.

Kort na de overgave is de tsaar de stad binnengetrokken en heeft de fundamenten voor een orthodoxe kathedraal gelegd. Ofschoon zijn medewerker Andrej Adasjev en enige ervaren militaire leiders er bij Ivan IV op hebben aangedrongen in de stad te blijven om orde op zaken te stellen, is de tsaar naar Moskou teruggekeerd.

Met deze campagne heeft Ivan de bijnaam 'Grozni', letterlijk de 'Ontzagwekkende', gekregen die ook wel met de 'Verschrikkelijke' wordt vertaald.

---

**Juni.** Karel V verovert Doornik op de Fransen, na een beleg van twee maanden.

**19 juli.** Lady Jane Grey wordt als koningin afgezet en Maria Tudor wordt als koningin erkend.

**23 augustus.** Stephen Gardiner, de bisschop van Winchester, wordt benoemd tot lord-kanselier.

**13 november.** Lady Grey, aartsbisschop Cranmer en anderen worden beschuldigd van hoogverraad.

**1 december.** Albrecht van Brandenburg wordt in de rijksban gedaan.

- Een Portugese vlooteenheid bezet Macao in China. →

**9 februari 1554.** Sir Thomas Wyatt wordt bij Londen verslagen.

**Maart.** In Genève publiceren Sebastiaan Castellion en anderen een traktaat waarin zij pleiten voor tolerantie op religieus gebied.

**Juni.** De hertog van Brunswijk verslaat Albrecht, markgraaf van Brandenburg-Culmbach. De markgraaf vlucht naar Frankrijk.

**30 november.** Engeland verzoent zich met paus Julius II.

- De Schotse kerkhervormer John Knox vlucht uit Schotland naar Dieppe. Van daaruit gaat hij naar Genève, waar hij Calvijn ontmoet.

-Rusland en Zweden raken in oorlog om Finland.

**5 februari 1555.** De Rijksdag van Augsburg wordt geopend door aartshertog Ferdinand.

**17 april.** Siena moet zich door honger gedwongen overgeven aan de Spaanse troepen. Filips II verkoopt de stad vervolgens aan Cosimo de' Medici van Florence.

**Mei.** In Amasya wordt een Turks-Perzisch vredesverdrag gesloten. →

**Mei.** De Schotse kerkhervormer John Knox keert terug naar Schotland.

**25 september.** Op de Duitse Rijksdag wordt de Vrede van Augsburg gesloten. →

**21 oktober.** In het parlement van Engeland verzet men zich tegen het plan Filips van Spanje tot koning van Engeland te kronen.

**25 oktober.** In een plechtige ceremonie in Brussel draagt Karel V het bestuur over de Nederlanden, Napels en Milaan over aan zijn zoon Filips II.

- In Genève breekt een opstand tegen het calvinistische bestuur uit. De opstand wordt wreed onderdrukt.

- Het anatomieboek van Vesalius, de *Fabrica*, wordt in Basel herdrukt. →

- Japanse piraten slaan het beleg voor Nanking.

---

# Portugezen weer in Macao

*Gezicht op Macao, door de graveur Jan Theodoor de Bry (circa 1598).*

MACAO, 1553 - Voor de derde keer zijn Portugezen erin geslaagd in Macao te landen. Deze keer lijkt hun verblijf een permanent karakter te krijgen.

De Portugezen hebben toestemming gekregen om aan land te gaan door een lokale ambtenaar om te kopen. Vier jaar geleden nog werden ze door een Ming-leger uit Macao verjaagd. Met de uitzetting van Portugezen uit Macao was het overigens niet de eerste keer dat Portugese plannen in China mislukten.

Het eerste Portugese schip dat Kanton in 1516 aandeed werd aanvankelijk welwillend ontvangen. Maar de houding van de Chinezen veranderde in het daaropvolgende jaar toen vier Portugese schepen in Kanton arriveerden. De wandaden die de Portugezen in Kanton en in Malakka begingen, kwamen het keizerlijk hof ter ore met als gevolg dat de Portugese missie het land moest verlaten en de gezant Thome Pires in de gevangenis belandde. In de daaropvolgende jaren slaagden de Portugezen er desalniettemin in zich in Zejiang en Fujian te vestigen; ze moesten deze vestigingen later echter weer opgeven. De verovering van Macao getuigt van de vastbeslotenheid van Portugal om vaste voet in China te krijgen.

# Duitse Rijksdag erkent lutheranisme

*Katholiek vlugschrift tegen het Nieuwe Geloof: rechts de handel in aflaten.*

AUGSBURG, 25 september 1555 - Door de afkondiging van de Augsburgse Religievrede heeft de Duitse Rijksdag de religie-eenheid van het Duitse Rijk opgegeven en de *Confessio Augustana* - de lutherse geloofsbekentenis - erkend.

Centraal in de religievrede staat het beginsel 'cuius regio eius religio' ('wiens land, diens religie'), dat wil zeggen dat iedere landvorst de religie van zijn onderdanen bepaalt. Onderdanen die het geloof van hun vorst niet aanhangen, worden in de gelegenheid gesteld het land te verlaten en zich elders te vestigen. Aan steden wordt een uitzonderingspositie toegekend.

Deze religievrede illustreert overduidelijk het fiasco van de politiek van keizer Karel V. Terwijl Karel V hardnekkig gestreefd heeft naar een grotere politie-

ke en religieuze eenheid binnen het Duitse Rijk, wordt door de Augsburgse Religievrede het religieuze schisma geaccepteerd en een politieke versplintering van het Duitse Rijk bewerkstelligd. Het zijn nu immers de landvorsten, en niet langer de keizer en zijn raad, die de godsdienstpolitiek bepalen.

De hele gang van zaken rond de in februari van dit jaar bijeengekomen Rijksdag toonde al aan dat het Heilige Roomse Rijk eigenlijk alleen nog in naam bestaat. Een door de gebeurtenissen van de laatste jaren gedesillusioneerde Karel V had vorig jaar zomer de Duitse kwestie geheel aan zijn broer, Rooms-koning Ferdinand, overgelaten. Hoewel Ferdinand persoonlijk de Rijksdag van Augsburg voorzat, namen de meeste vorsten niet eens de moeite om persoonlijk deel te nemen.

# Herdruk Vesalius' 'Fabrica'

BASEL, 1555 - Twaalf jaar na de eerste druk is *De humani corporis Fabrica libri septem* van Vesalius herdrukt. De herdruk van de *Fabrica*, zoals het werk genoemd wordt, bevat verscheidene wijzigingen en aanvullingen vergeleken met de uitgave van 1543.

Het anatomische overzichtswerk van de huidige lijfarts van keizer Karel V heeft twaalf jaar geleden niet alleen diepe indruk gemaakt, maar ook de medische wereld scherp verdeeld. De *Fabrica*, een boek van 663 pagina's en rijk voorzien van illustraties, geeft een volledig overzicht van het menselijk lichaam. Alle onderdelen van het lichaam zijn aanschouwelijk gemaakt door gravures, getekend door de beste illustrators, zoals Jan Steven van Calcar uit de school van Titiaan. Zij beheersen de nieuwe techniek van het perspectieftekenen, waardoor de afbeeldingen zeer precies zijn. Het boek werd in recordtijd - acht maanden - gedrukt door de Baselse meesterdrukker Oporinus, zelf ooit leerling van de medische vernieuwer Paracelsus.

In 1543 schokte het boek de medische wereld omdat op wel tweehonderd plaatsen werd afgeweken van het eeuwenoude standaardboek van Galenus. Vesalius baseerde zijn kennis uitsluitend op zijn eigen ontledingen, waarmee hij als student begonnen was. Hij toonde aan dat Galenus veel inzichten ten onrechte had gebaseerd op ontledingen van dieren, vooral van apen. Andreas Vesalius, geboren vlak bij de stadsmuren van Brussel, vanwaar hij uitzicht had op de galgenplaats, was van jongs af aan vertrouwd met het dode menselijke lichaam. Later, toen hij als hoogleraar werkzaam was aan de beroemde medische school van Padua, keek hij met enige zelfspot terug op de wijze waarop hij als enthousiast student aan zijn lichamen kwam. In 1546 schreef hij: 'Evenmin zou ik mij nu alleen buiten Leuven laten sluiten om 's nachts de lijken van de galg af te nemen, om een skelet te kunnen maken. Thans zal ik de rechters niet lastig vallen met verzoeken de mensen op deze of gene wijze ter dood te brengen of de executie uit te stellen tot dit of dat tijdstip, geschikt voor mijn ontledingen.' Hij bleef echter wel zijn onderwijskundige principe trouw, dat alleen geleerd kan worden van praktische lessen: als hoogleraar sprak hij nimmer vanaf de katheder, maar leidde persoonlijk de ontledingen voor zijn studenten.

Sinds 1544 heeft Vesalius de anatomiestudie en het onderwijs verlaten om de keizer als arts te dienen.

## Turken en Perzen erkennen grenzen

*Tafereel in een tuin (Perzische miniatuur, ca. 1500).*

PERZIE, mei 1555 - In het plaatsje Amasya heeft sultan Süleyman een vredesverdrag gesloten met de sjah van Perzië. Hiermee is een einde gekomen aan de lange en vruchteloze veldtocht van Süleyman tegen de 'schurkachtige roodkoppen', zoals de Turken de Perzen noemen. Er is geen slag geleverd, omdat de sjah, net als tijdens de vorige veldtochten van Süleyman in 1534 en 1548, met succes de tactiek van de verschroeide aarde heeft toegepast. Beiden erkennen nu de overeengekomen grenzen en beloven niet in elkaars grensgebieden te zullen infiltreren.

---

# 1556

**16 januari.** Filips II wordt koning van Spanje, nadat Karel V ook hier afstand gedaan heeft.

**5 februari.** Hendrik II van Frankrijk en Filips II tekenen het Verdrag van Vaucelles.

**21 maart.** Aartsbisschop Cranmer, die een belangrijke rol heeft gespeeld bij de afscheiding van de Engelse Kerk van Rome, wordt als ketter verbrand.

**22 maart.** Kardinaal Pole, die het katholicisme steeds verdedigd heeft, wordt aartsbisschop van Canterbury.

**28 maart.** Filips II wordt tot koning van Spanje uitgeroepen. →

**Juli.** Kardinaal Carlo Carafa, een neef van de paus, haalt Hendrik II van Frankrijk ertoe over om opnieuw een oorlog tegen de Habsburgers in Italië te beginnen. Paus Paulus IV wil een toeneming van de macht der Habsburgers in Italië voorkomen.

**Juli.** In Napels wordt de secretaris van de Spaanse ambassadeur ontvoerd. De hertog van Alva stuurt vervolgens een ultimatum aan de paus.

**9 september.** Paus Paulus IV weigert Ferdinand als keizer te erkennen.

**12 september.** Karel V trekt zich terug als keizer van het Heilige Roomse Rijk ten guste van zijn broer Ferdinand van Oostenrijk. →

**17 oktober.** Karel V verlaat de Nederlanden om zich terug te trekken in het Spaanse klooster van San Yuste.

**5 november.** In India volgt Akbar zijn vader Hoemajoen als sultan van Delhi op.

**23 november.** Filips II roept alle financiële experts in de Nederlanden bijeen om kennis te nemen van de zeer slechte toestand van de staatsfinanciën.

**December.** Franse troepen, onder bevel van Frans, hertog de Guise, vallen Italië binnen.

- In Ingolstadt en in Praag worden jezuïetencolleges gesticht.

- Tsaar Ivan IV standaardiseert de militaire dienst voor de adel. →

- In Frankfurt am Main verschijnt het boek *De Re Metallica*, samengesteld door Agricola. →

- De koning van Kongo, Ngola, die zich tot het christendom heeft bekeerd, vraagt Portugal missionarissen te sturen.

- In China zijn ongeveer 830 000 mensen het slachtoffer van een aardbeving.

*Op 81-jarige leeftijd overlijdt in Weimar de schilder Lucas Cranach de Oude. Hij wordt naast Albrecht Dürer gezien als de belangrijkste Duitse kunstenaar van deze eeuw. Afgebeeld is het uit 1504 daterende schilderij 'Ruhe auf der Flucht'.*

---

# Filips II bestijgt de Spaanse troon

VALLADOLID, 28 maart - Bij een plechtigheid in Valladolid is Filips II tot Spaans koning uitgeroepen, als opvolger van zijn vader Karel V, die hem in september vorig jaar al het bestuur over de Nederlanden heeft overgedragen. Karel zal zich terugtrekken in het klooster van San Yuste in West-Spanje waar, met het oog op de ernstige jicht waaraan hij lijdt, een geheel gelijkvloers verblijf voor hem wordt opgetrokken.

Hij laat zijn zoon behalve de Nederlanden en de Spaanse gebiedsdelen met de uitgebreide bezittingen in Amerika ook de kroon van Napels en Sicilië, Sardinië, het hertogdom Milaan, de Canarische Eilanden, de heerschappij over een aantal Noordafrikaanse kuststeden en de Filippijnen na. Filips krijgt de moeilijke taak zijn aandacht te verdelen tussen al deze gebieden met hun eigen politieke tradities en bestuursvormen. Van zijn vader heeft hij bovendien de oorlog tegen Frankrijk geërfd, en de opdracht het katholieke geloof te verdedigen.

Hij zal daarbij het geloof in Spanje zelf moeten verdedigen tegen de bekeerde christenen van Moorse en joodse afkomst, van wie wordt gezegd dat zij vaak nog in het geheim hun oude godsdienst aanhangen, in Europa tegen het opdringende protestantisme, en in Afrika en het Middellandse-Zeegebied tegen de Turken die onder Süleyman de Grote machtiger zijn dan ooit. Karel heeft al in 1543 in de Instructies aan zijn zoon geschreven: 'U moet zich voor alles wijden aan de verdediging van ons heilige geloof, in alle staten en gebieden die u van ons zult erven, en erop toezien dat de Goddelijke gerechtigheid geschiedt zonder aanzien des persoons.'

Filips zal in Spanje ook financieel orde op zaken moeten stellen, omdat de geldverslindende oorlogen die Karel voor de verdediging van zijn uitgestrekte rijk moest voeren, vooral de laatste decennia grotendeels zijn betaald met leningen waarvoor de Castiliaanse kroon borg stond.

De Spanjaarden vinden dan ook dat het tijd wordt dat de koning naar huis terugkeert. Hij bevindt zich sinds Karels troonsafstand in de Nederlanden maar verblijft al sinds 1554 buiten Spanje, vanwege zijn huwelijk met de Engelse vorstin Maria Tudor. Dit huwelijk is door Karel gearrangeerd om Engeland als bondgenoot tegen Frankrijk te krijgen. De bedoeling lijkt tevens dat Engeland samen met de Nederlanden de noordelijke pijler van Filips' rijk gaat vormen, reden waarom het laatste gebied bij de Spaanse erfenis is gevoegd. Filips zou zijn rijk zo in drie overzichtelijke delen kunnen besturen: Engeland en de Nederlanden, Spanje en Italië, en Amerika.

# Ivan herziet dienstplicht

*Gezanten van Ivan IV arriveren aan het hof van keizer Maximiliaan II.*

MOSKOU - Tsaar Ivan IV (de Verschrikkelijke) heeft de militaire dienst voor de adel gestandaardiseerd. Het resultaat is dat met de nieuwe regels de grootte van een landgoed voortaan is gekoppeld aan het aantal krijgers en paarden dat de landheer op bevel moet produceren. De reden voor deze maatregel is evident: veel grootgrondbezitters leveren een onvoldoende bijdrage aan het leger. Om een en ander goed te laten verlopen zal er een landmeting worden gehouden teneinde het teveel aan land te geven aan militairen-edelen die er recht op hebben.

De laatste jaren is het onderscheid tussen 'votsjina' (erfgoed; patrimonium) en 'pomestje' (leengoed) vervaagd. Ook houders van erfgoederen kunnen zich niet langer aan de dienstplicht onttrekken.

Met dit statuut op de dienstplicht zet Ivan IV de politiek van zijn grootvader voort. Ivan III (1462-1505) en zijn zoon Vasili III (1505-1533) hadden bij het 'bijeenbrengen van de Russische landen' onder de soevereiniteit van Moskou daar waar mogelijk de rechten van de oude erfelijke adel beknot. Tot dan hoefde de adel slechts belasting te betalen, zonder dat zij verplicht was de grootvorst militair of anderszins te dienen. Velen hadden eigen legertjes, spraken recht op hun eigen landgoederen en waren aldus redelijk onafhankelijk.

Het streven van de Moskouse grootvorsten om de bojaren van hen afhankelijk te maken past goed in hun absolutistische aspiraties. Daarnaast had Moskou een sterk leger nodig tegen de vijanden van buitenaf. Om niet volledig afhankelijk te zijn van de bojaren creëerden de grootvorsten een nieuwe klasse van landeigenaars, de 'dvorjane' (dienstadel). Deze dienstedelen krijgen voor de duur van hun leven in ruil voor militaire dienst het eigendomsrecht op verdeelde of genaaste bezittingen, of op nieuwverworven land. De grootvorsten hebben dus voortdurend land nodig, hetgeen verklaart waarom zij er zo op gebrand zijn de Kerk in de verwerving van land te beteugelen.

## Boek over metalen en mineralen

*Mijnwerkers en houtvesters.*

FRANKFURT AM MAIN - Van de hand van de vorig jaar overleden Agricola is het boek *De Re Metallica* verschenen. Het werk behandelt alle kennis over de mijnbouw, de metallurgie en mineralogie die Georg Bauer, zoals hij eigenlijk heette, in tientallen jaren heeft opgedaan.

De in 1494 te Chemnitz geboren geleerde studeerde in Leipzig theologie en filosofie, en medicijnen in Bologna, Padua en Venetië. Vanaf 1527 was hij als arts werkzaam in de Pruisische mijnstreek. Zijn belangrijkste ontdekking is een nieuwe metaalsoort: zink.

*Filips II, koning van Spanje en de Nederlanden (onbekende meester, 1542).*

# Karel V trekt zich terug

SAN YUSTE, 12 september - Keizer Karel V heeft per brief het keizerschap aan Rooms-koning Ferdinand overgedragen. Al eerder had hij de Nederlanden en Spanje overgedragen aan zijn zoon Filips II. Door deze verdeling van de Habsburgse bezittingen is een eind gekomen aan Karels rijk van de eeuwige zon.

Karel heeft er zijn hele regeringsperiode naar gestreefd om de eenheid van zijn machtige rijk, dat zich uitstrekte tot Peru en Mexico, te bewaren en de christelijke waardigheid van het keizerschap te vergroten. De Duitse vorsten, die hun onafhankelijkheid door de universele pretenties van de keizer bedreigd zagen, hebben deze politiek op alle mogelijke manieren die zij konden verzinnen, tegengewerkt.

Daarnaast werd de religieuze eenheid van het Duitse Rijk bedreigd door de Hervorming. Karel slaagde er niet in om de geloofseenheid binnen het Duitse Rijk te herstellen, zelfs niet na zijn militaire overwinning op de protestanten in 1547. Vorig jaar werd het lutheranisme in de Augsburgse Religievrede zelfs erkend. Deze vrede was echter niet het werk van keizer Karel V, maar van zijn broer Ferdinand, die eigenlijk al sinds eind 1554 het Duitse Rijk bestuurt.

Karel heeft nog geprobeerd om ook het Heilige Roomse Rijk aan zijn zoon Filips II over te dragen, maar deze pogingen zijn gestuit op verzet van Ferdinand.

378

# Servische Kerk herwint autonomie

PEC [IPEK] - Dank zij de inspanningen van vizier Mehmed Sokolli, van geboorte een Serviër, is het patriarchaat van Pec hersteld. Sokolli heeft zijn broer tot patriarch benoemd. Hiermee is de invloed die de patriarch van Constantinopel [Istanbul] indirect via het aartsbisdom Ochrid op de Servische Kerk uitoefende duidelijk afgenomen. Het herstelde Servische patriarchaat zal de herinnering aan de Servische identiteit wellicht levend trachten te houden.

De Servische Kerk is niet de enige draagster van het Servische verleden. De Osmanen hebben de lokale bestuursstructuur goeddeels intact gelaten. De basiseenheid is het district ('knezjina'), dat wordt gevormd door een aantal dorpen die op hun beurt weer zijn samengesteld uit een aantal 'zadroega's', uitgebreide familieverbanden. Ieder district heeft een raad van aanzienlijken die de hoofdman ('knez') kiest. Zoals ook elders op de Balkan vertegenwoordigt deze functionaris zijn district bij de Osmaanse

*Servische kerk in Pec.*

autoriteiten en is hij verantwoordelijk voor het innen van de belastingen. Daarnaast heeft hij algemene politietaken. Bij het lokale bestuur berust ook een deel van de rechtspraak. Het grondbezit is echter in Turkse handen overgegaan en de oude adel is verdwe-

nen. Turkse militairen ('sipahis') hebben hier, zoals ook elders op de Balkan, grond in leen. Op hun 'timars' (leengoederen) werken christelijke boeren. Gewoonlijk is de landheer afwezig en woont hij in een nabijgelegen stad. Als hij zich misdraagt, kunnen zijn boeren-pachters hun beklag doen bij de Turkse regeringsvertegenwoordiger in Belgrado, de pasja.

Niettemin is er onder de Osmaanse overheersing een en ander ingrijpend veranderd. In vergelijking met de vroegere feodale uitbuiting is het Osmaanse bestuur tot nog toe redelijk, incidentele misstanden daargelaten. Maar er zijn ook nadelen aan verbonden. Sinds het Osmaanse Rijk ten tijde van de grote veroveraar Selim I (1512-1520) een islamitische bevolkingsmeerderheid het gevolg van de verovering van Oost-Anatolië en de Arabische landen - heeft gekregen, zijn de sultans in toenemende mate orthodox, zo niet reactionair in religieuze zaken geworden. Dit leidde in eerste instantie tot een strikter differentiatie tussen de moslemse en christelijke 'reaja' (bevolking; letterlijk: kudde). Afgezien van de hoofdelijke belasting is de christelijke reaja aan vele restricties onderhevig die bedoeld zijn om de superioriteit van de moslems over haar uit te drukken. Christenen mogen bijvoorbeeld geen huizen of bedehuizen bouwen die hoger zijn dan die van de moslems; het is hun verboden felgekleurde kleding stukken te dragen en paarden en kamelen te berijden.

# Turken veroveren havenstad Masawa

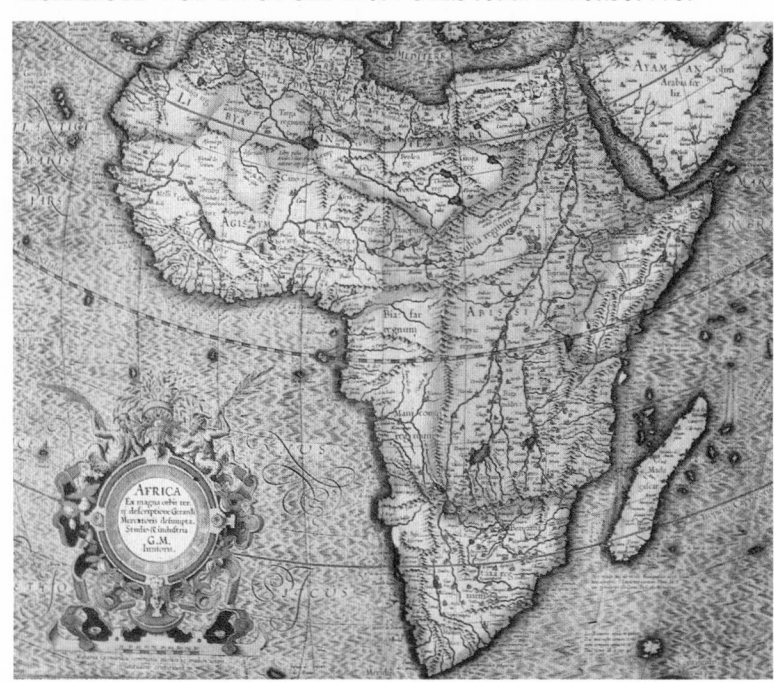

*Kaart die Mercator van het Afrikaanse continent heeft gemaakt.*

MASAWA - Ozdemir Pasja heeft de havenstad Masawa, gelegen voor de kust van Eritrea, veroverd.

Twee jaar geleden is Ozdemir, die zijn sporen heeft verdiend bij de onderwerping van Jemen (1547), door sultan Süleyman benoemd tot gouverneur van de nieuwe Ottomaanse provincie Ethiopië. Vanuit Jedda stak hij de Rode Zee over om eerst het noordelijkste stadstaatje van de Oostafrikaanse kust, Suakin, te veroveren. Suakin is vooral belangrijk vanwege de handel in goud dat, gewonnen in West-Ethiopië,

via het jonge koninkrijk Sinnar wordt aangevoerd. Ozdemir heeft Suakin inmiddels omgebouwd tot een zwaarbewapende vestingstad, van waaruit de Turken de koninkrijken Sinnar en Ethiopië bestoken. Na de verovering van Egypte (1517), Aden (1538) en Masawa hebben de Turken nu de Rode Zee nagenoeg onder controle. Portugese interventies, zoals in 1543 toen het christelijke Ethiopië met succes voor een islamitische onderwerping werd behoed, zullen voortaan op meer moeilijkheden stuiten.

# Melanchthon sticht in Jena nieuwe universiteit

JENA - Op aandrang van de hervormer Philipp Melanchthon is in Jena een nieuwe universiteit met een sterk humanistisch karakter gesticht.

De stichting van de Universiteit van Jena is een nieuw wapenfeit in de door Melanchthon geleide reorganisatie van het onderwijs in de protestantse vorstendommen. Deze reorganisatie is noodzakelijk geworden nadat het onderwijs door de geloofsstrijd in de versloffing was geraakt. Het aantal studenten aan de universiteiten nam snel af. Op sommige universiteiten waren uiteindelijk meer professoren dan studenten, andere moesten zelfs sluiten. Door de grootscheepse reorganisatie hoopt Melanchthon het onderwijs te modelleren naar een meer humanistisch ideaal. Dit betekent dat nieuwe vakken hun intrede doen. Naast goed Latijn leren spreken en schrijven wordt nu ook grote aandacht besteed aan het Griekse en Latijnse erfgoed. Bronnenkritiek wordt een fundamenteel onderdeel van de theologiestudie.

## Verlies Calais slag voor Maria Tudor

*Koningin Maria Tudor.*

CALAIS, 8 januari 1558 - De laatste Engelse stad op het vasteland is ingenomen tijdens de jongste oorlog tussen Frankrijk en de Spaans-Engelse alliantie. Het verlies van het economisch onbelangrijke, maar wel dure Calais is tekenend voor het failliete beleid van de katholieke koningin Maria Tudor. Vooral haar huwelijk met Filips II van Spanje, die Engeland bij deze oorlog heeft betrokken, wordt als een grote fout gezien.

Maria was door haar vader Hendrik VIII en het parlement tot opvolgster aangewezen van haar halfbroer Edward VI, die op 4 juli 1553 overleed. Een poging van kanselier John Dudley om zijn schoondochter Jane Grey op de troon te krijgen, lukte slechts voor negen dagen. Met een leger trok Maria op Londen aan, dat haar zijde koos. Dudley werd geëxecuteerd en opgevolgd door Stephen Gardiner.

Katholiek opgevoed door haar verbitterde moeder Catharina van Aragón, wilde Maria eerst het huwelijk, waarvan zij de vrucht was, weer door het parlement laten erkennen. Vervolgens werden vrijwel alle godsdienstige wetten geschrapt. Hinderpaal voor de parlementsleden bleef de teruggave van het land van kerken en kloosters; dat zou deels snijden in eigen vlees zijn. Maria gaf wel land terug, waardoor de kroondomeinen nog verder inkrompen.

Het protestantisme werd scherp bestreden. Ruim 300 mensen, vooral ambachtslieden uit het zuidoosten, werden verbrand. Enkele groten deelden dit lot, zoals Cranmer in 1556. Onder dwang herriep hij zijn opvattingen. Op de brandstapel echter stak hij eerst zijn 'onwaardige' rechterhand waarmee hij de herroeping had getekend, in het vuur. Duizenden anderen vluchtten voor het bewind van Maria 'de Bloedige'.

Waren de vervolgingen voor Engelse begrippen ongekend wreed, meer emotie riep Maria's trouwplan op. Om haar land katholiek te houden koos zij vier jaar geleden de machtige Filips II als partner. Het parlement eiste wel waarborgen voor de nationale onafhankelijkheid bij de opvolging en gaf Filips ook geen functies. Na anderhalf jaar verliet hij de bruid weer om zich aan Spaanse zaken te gaan wijden.

In mei vorig jaar kwam Filips even over, tot vreugde van Maria, die nog altijd op een kind hoopte. Daarom ook stemde zij in met zijn verzoek om Engeland mee te laten vechten tegen Frankrijk. Haar raadsheren gingen met tegenzin akkoord (juni). Filips was tevreden. Maria bleef kinderloos en emotioneel ontspoord achter; het land opgezadeld met een ongewenste religie en oorlog.

## Frankrijk verzoent zich met buurlanden

CATEAU-CAMBRESIS, 3 april 1559 - In Cateau-Cambrésis zijn na lang onderhandelen twee vredesverdragen getekend. Bij het eerste, tussen Frankrijk en Engeland, geven de Engelsen met het vorig jaar verloren Calais hun laatste bolwerk op het Europese vasteland op. Het tweede, tussen Frankrijk en Spanje, beëindigt de negende oorlog tussen de dynastie van Valois en die van Habsburg en betekent het einde van de Franse avonturen in Italië, die in 1494 waren begonnen.

De vrede is getekend onder het dubbele teken van ketterij en bankroet. Na 1557 is zowel Frankrijk als Spanje bankroet gegaan en sinds dat jaar is de vrede een kwestie van tijd geweest. Ook de ketterij heeft een grote rol gespeeld: overal in Europa zijn de autoriteit van de vorsten en de stabiliteit van de staten in gevaar gekomen.

De Fransen hebben zich sinds het begin van deze oorlog in 1552 met de in 1547 door Karel V in Mühlberg verslagen Duitse protestanten verbonden. Koning Hendrik II tekende toen een verdrag met prins Maurits van Saksen, hetgeen Frankrijk de bisdommen Metz, Toul en Verdun opleverde in ruil voor geld. Deze alliantie dwong de keizer in 1555 tot de Vrede van Augsburg. Zijn opvolger, koning Filips II, sloot in 1556 zelfs vrede met Frankrijk, maar die werd al een jaar later door Hendrik II gebroken. De hertog de Guise probeerde vergeefs Napels in te nemen. De Fransen veroverden wel Calais op de Engelsen, maar de financiële pro-

*De slag bij Saint-Quentin waarbij Frankrijk tegen Spanje een nederlaag leed.*

blemen dwongen uiteindelijk zowel Frankrijk als Spanje tot overleg. Voor Spanje gold dat des te meer na de dood van Maria Tudor, koningin van Engeland en vrouw van Filips II. Haar dood maakte een eind aan het bondgenootschap met Engeland.

De onderhandelingen zijn gevoerd in het neutrale maar zo vervallen kasteel Cateau-Cambrésis dat haastig papieren ramen moesten worden aangebracht. Onder de delegatieleden bevonden zich voor Spanje de hertog van Alva en Willem van Oranje, Filips' trouwe dienaar uit de Nederlanden. Het overleg begon al in februari; het verliep moeizaam, in het Latijn, een voor de militairen in het gezelschap moeilijk verstaanbare taal.

Niettemin is resultaat niet uitgebleven. Gisteren werd het Frans-Engelse verdrag getekend. Het voorziet in een Franse bezetting van Calais gedurende acht jaar. Daarna moet het worden teruggegeven. Gebeurt dat niet - wat te verwachten is - dan moet Frankrijk Engeland schadeloos stellen.

Vervolgens sloten Frankrijk en Spanje hun verdrag. Frankrijk houdt Metz, Toul en Verdun. Maar belangrijker is dat het verdrag de Italiaanse kwestie regelt waarover sinds 1494 negen oorlogen zijn gevoerd. Frankrijk trekt zich uit Italië terug ten gunste van Spanje en zijn bondgenoten die Sardinië, Sicilië, Napels, Milaan en vijf bolwerken in Toscane controleren. Frankrijk behoudt alleen Saluzzo en wat kastelen aan de Italiaanse kant van de Alpen. Zeer bitter is het opgeven van Piemonte, dat sinds 1536 in Franse handen is geweest en nu met Savoye onder de rechtmatige hertog Emanuel Philibert komt.

# Hendrik sterft na toernooi

*Hendrik II in zijn duel met Lorges, hertog van Montgomery.*

PARIJS, 10 juli 1559 - De Franse koning Hendrik II is vanmiddag om één uur gestorven. Tien dagen geleden raakte hij gewond tijdens een toernooi dat gehouden werd ter ere van het huwelijk van zijn zuster Marguerite en dat van zijn dochter Elizabeth. In een steekspel met de jonge hertog van Montgomery werd het oog van de koning geraakt door de punt van een lans. De verwonding leek goedaardig, maar in de daaropvolgende dagen verslechterde de toestand van de koning snel. De Franse hofartsen waren niet in staat de hevige koorts te verminderen. De beroemde chirurg Vesale werd door de Spaanse koning Filips II naar Parijs gestuurd, maar ook hij kon niets uitrichten.

'Dat mijn volk standvastig blijve in het geloof waarin ik sterf', zouden de laatste woorden van Hendrik II zijn geweest. Het tekent deze vorst. Gedurende zijn hele regeringsperiode heeft hij alles in het werk gesteld om een verdere verbreiding van het protestantisme te voorkomen. Dat heeft hem in conflict gebracht met het hoogste rechtsorgaan van Frankrijk, het Parlement van Parijs. Een aantal leden in dit college heeft zich de laatste jaren verzet tegen de niemand en niets ontziende edicten die de koning tegen ketters uitvaardigde. Zij achten het onrechtmatig dat mensen zonder vorm van proces op de brandstapel kunnen belanden. Het antwoord van de koning op deze protesten was kort en uitzonderlijk: hij zette de raadsheren gevangen. Dat was begin van dit jaar en sindsdien zijn er in het parlement geen dissidente geluiden meer gehoord.

Vlak voor deze actie had Hendrik II met Spanje de vrede van Cateau-Cambrésis gesloten waarbij Frankrijk afstand deed van alle vroegere aanspraken op Italië. Veel Franse edelen waren hierover verontwaardigd. De koning vond de strijd tegen de protestanten van meer belang. Hij wilde zijn handen vrij hebben om '...al degenen die navolgers van deze nieuwe doctrines blijken te zijn te straffen, te achtervolgen en uit te roeien, zonder iemand te sparen, van welke rang of stand ook; en ik zal mijn koninkrijk ervan zuiveren als dat op deze wereld mogelijk is', zoals hij nog op zijn ziekbed aan de Franse gezant in Rome schreef. Het is hem niet meer gegeven.

*Diana de Poitiers, de geliefde van Hendrik II.*

# 1560

**Januari.** Margaretha van Parma, landvoogdes in de Nederlanden, roept de Spaanse troepen terug na incidenten in Holland en Zeeland.

**15 maart.** In Frankrijk wordt een poging gedaan om het slot Amboise te bestormen. →

**April.** Frans II van Frankrijk benoemt Michel de l'Hôpital tot kanselier. De l'Hôpital belooft dat de godsdienstige conflicten niet met geweld zullen worden opgelost.

**10 juni.** Maria de Guise, koningin-moeder van Schotland, sterft.

**6 juli.** In Edinburgh tekenen Engeland en Schotland een verdrag. Er wordt een protestantse raad van regenten benoemd. Maria Stuart, koningin van Schotland, moet haar aanspraak op de Engelse kroon opgeven.

**Augustus.** In Schotland wordt het protestantisme de enig geoorloofde godsdienst. Op het katholieke geloof komt de doodstraf te staan.

**Augustus.** In Frankrijk worden wereldlijke en kerkelijke hoogwaardigheidsbekleders naar Fontainebleau geroepen om zich over de godsdienstige conflicten te beraden.

**29 september.** In Zweden sterft Gustaaf I. Hij wordt opgevolgd door zijn zoon Erik XIV.

**November.** De hertog van Condé, na 'Amboise' beschuldigd van samenzwering, wordt ter dood veroordeeld.

**December.** In Frankrijk wordt Karel IX koning, nadat zijn broer Frans II is overleden. Catharina de' Medici, de koningin-moeder, neemt het regentschap op zich. De weduwe van Frans II, Maria van Schotland, neemt zich voor naar Schotland terug te keren.

- In Lützen tekenen Emanuel van Savoye en de zes katholieke kantons van Zwitserland een verdrag tot wederzijdse bijstand.

- In India verovert de 'grootmogol' Akbar het koninkrijk Rajput en het zuidelijk deel van Bengalen.

- De Franse diplomaat en plantkundige Jean Nicot introduceert aan het Franse hof de tabaksplant. →

- In Rusland worden twee leden van de gekozen 'raad' ontslagen, nadat zij zich hebben verzet tegen Ivans politiek betreffende de Baltische staten. Een deel van de adel zou liever een oorlog tegen de Krim-Tataren zien.

- De Teutoonse Ridder Gotthard Kettler roept Lijfland uit tot een wereldlijk hertogdom. Polen, Litouwen, Zweden, Denemarken en Rusland maken vervolgens aanspraak op de soevereiniteit in Lijfland.

# Tabak volgens Jean Nicot zeer geneeskrachtig

*Tabaksbladeren worden verwerkt.*

PARIJS - De Franse diplomaat en plantkundige Jean Nicot heeft dit jaar aan het Franse hof de tabaksplant geïntroduceerd. Nicot bracht de plant mee uit Portugal waar hij als afgezant van het Franse hof was gestationeerd. Volgens Nicot bezit de tabaksplant, die naar hem ook wel 'nicotiana' wordt genoemd, een miraculeuze geneeskracht. Het gewas, dat men kan snuiven, kauwen en roken, is, aldus de Franse plantkundige, 'buitengewoon geschikt voor de genezing van alle wonden, builen, zweren en vergelijkbare onaangenaamheden aan het menselijk lichaam'. Om die reden wordt de tabaksplant door sommigen wel het 'heilende' of zelfs 'heilige gewas' genoemd.

De nieuwe plant is afkomstig uit Amerika. De arts Francisco Fernandes door de Spaanse koning voor onderzoek naar Mexico gezonden, nam hem in 1558 mee. Columbus en andere ontdekkingsreizigers hebben het gebruik van de plant door de Indianen op Cuba en aan de kust van Zuid-Amerika al eerder beschreven.

*Engelse heer met pijp (17de eeuw).*

*De prins van Condé.*

# Samenzwering tegen Frans hof

AMBOISE, 15 maart - Een poging de koninklijke residentie in Amboise te bestormen is mislukt. De verovering van het slot had tot doel de koning te dwingen zijn vertrouwen in de adellijke familie De Guise op te zeggen. Daarnaast zou een versoepeling van de maatregelen tegen protestanten moeten worden afgekondigd. Vooralsnog blijft de macht in Frankrijk nu in handen van de familie De Guise.

De afgelopen vijftig jaar heeft de Franse monarchie de macht van de feodale adel sterk weten in te perken.

Nadat koning Hendrik II vorig jaar stierf is de politieke situatie in Frankrijk echter weer instabiel geworden. De nieuwe vorst Frans II is nog maar zestien jaar oud en heeft een zwak gestel. Met een zwakke koning op de troon probeert de adel zijn oude machtspositie te heroveren.

Frans II staat sterk onder invloed van zijn vrouw Maria Stuart. Zij is verwant aan de De Guises en de koning laat het bestuur van zijn land geheel over aan twee vooraanstaande leden van deze familie, Frans de Guise, hertog van Lotharingen, en zijn broer Karel, die kardinaal van Lotharingen is. Hun bevoorrechte positie heeft bij andere adellijke families veel kwaad bloed gezet. Er zijn aanwijzingen dat het idee voor de bestorming afkomstig is van de oudste zoon van de Bourbon-familie, de prins van Condé. Deze ontkent elke betrokkenheid.

Uit verhoren van arrestanten blijkt verder dat de samenzwering goed voorbereid is. Voor de bestorming van de koninklijke residentie zijn de afgelopen maand in het hele land soldaten geworven. Hun werd verteld dat de koning onder invloed was gekomen van 'buitenlanders' (de De Guises behoren nog niet zo lang tot de Franse adel en de koningin is van Schotse origine). Met dit argument werd de opstand gerechtvaardigd. Alle arrestanten beweren ook dat hun actie niet gericht was tegen de koning zelf. Ze wilden hem slechts vragen een andere politiek jegens de protestanten te volgen.

---

# 1561

**28 januari 1561.** In het Edict van Orléans wordt de vervolging van hugenoten opgeschort.

**Januari.** In Frankrijk wordt het 'Triumviraat ter Verdediging van de Katholieke Kerk' gevormd door drie vooraanstaande militante katholieken.

**Mei.** Koning Filips II maakt Madrid tot bestuurscentrum van zijn rijk. →

**23 juli.** Twee leden van de Raad van State, Willem van Oranje en Lamoraal van Egmont, sturen een protestbrief naar Filips II. Zij eisen een grotere invloed in de Raad van State en zullen ontslag nemen wanneer Filips hiertoe geen maatregelen treft

**19 augustus.** Maria, koningin van Schotland, komt vanuit Frankrijk in Schotland aan. Zij heeft per schip moeten reizen, omdat Engeland haar de doortocht weigerde. Zij wil door Elizabeth als erfgename van de Engelse kroon erkend worden.

**29 november.** Lijfland moet de Poolse soevereiniteit erkennen. Sigismund August II van Polen belooft Lijfland vrijheid van godsdienst.

**November.** In Brussel arriveert de graaf van Hoorne met een antwoord op de protestbrief van Oranje en Egmont. Filips II schrijft in verzoenende trant.

**21 december.** In Mechelen wordt de nieuwe aartsbisschop Granvelle plechtig geïnstalleerd. Een aantal hoge edelen is bij deze installering uit protest afwezig.

**- In Doornik en in andere Zuidnederlandse steden worden in het openbaar protestantse liederen gezongen ('chanteries').**

**15 januari 1562.** Het Concilie van Trente komt in een derde zitting bijeen.

**17 januari.** Kanselier De l'Hôpital legt een edict voor aan alle parlementen in Frankrijk. Dit 'Edict van Saint-Germain' eist van de hugenoten dat zij alle kerken die ze zich hebben toegeëigend, teruggeven.

**2 maart.** Op bevel van de gebroeders Guise worden 1200 Franse hugenoten vermoord. →

**1 juni.** Keizer Ferdinand I en sultan Süleyman van Turkije tekenen in Praag een verdrag voor acht jaar. Het verdrag bekrachtigt de afspraken van 1547.

**17 september.** Tijdens het concilie van Trente wordt het eerste ontwerp van een canon aangenomen die door de commissie voor de kerkmuziek is opgesteld. →

---

# Madrid hoofdstad Spanje

*De Spaanse koning Filips II.*

MADRID, mei - Koning Filips II heeft het Spaanse hof en de overheidsdiensten vanuit Toledo verplaatst naar Madrid, een kleine stad in Centraal-Castilië . Met zijn pas 16-jarige vrouw Elizabeth van Valois heeft hij zijn intrek genomen in het grondig verbouwde Alcazar, de oude burcht van de stad. Voordat Filips' vader Karel V in 1544 een aantal overheidsdiensten in Toledo concentreerde, hadden de Castiliaanse heersers nooit een vaste residentie gehad. Zij trokken met het hof voortdurend rond omdat het ambtelijk apparaat nog klein en weinig georganiseerd was. Slechts door hun regelmatige aanwezigheid en het directe contact met hun onderdanen konden zij hun persoonlijk gezag in alle delen van het rijk handhaven.

De officiële reden voor de keuze van deze nieuwe hoofdstad is de zwakke gezondheid van de jonge vorstin, die het leven in het drukke, volgebouwde Toledo slecht verdroeg. Madrid, dat nog geen 20 000 inwoners telt, staat bekend om zijn gezonde lucht en zuivere water. Maar tevens is duidelijk dat Filips II, van wie wordt gezegd dat hij het liefst in eenzaamheid vanachter zijn schrijftafel regeert, heeft gekozen voor een stad zonder veel geschiedenis, waarvan hij zijn eigen schepping kan maken. Madrid ligt uit de buurt van de paleizen van de Castiliaanse adel en de koning kan zich onttrekken aan het rechtstreekse contact met de bevolking. Sommigen menen dat Filips II door zijn voorliefde voor afzondering van zijn onderdanen dreigt te vervreemden.

Politiek gezien bevestigt de keuze van Madrid, precies in het midden van Castilië en in het geografisch hart van Spanje gelegen, dat Castilië in toenemende mate het bestuurlijke en economische centrum van het Spaanse wereldrijk vormt.

*Detail van de 'Dulle Griet', een schilderij dat Pieter Bruegel in deze jaren heeft gemaakt en dat zich volgens Carel van Mander in de collectie van keizer Rudolf II bevindt: 'oock een dulle Griet, die een roof voor de Helle doet, die seer verbijstert siet, en vreemdt op zijn schots toeghemaeckt is' (1604).*

# Protestanten in koelen bloede vermoord

*Het bloedbad van Wassy, waarbij 74 protestanten worden omgebracht.*

WASSY, 2 maart 1562 - Afgelopen zondag zijn in Wassy, 195 kilometer ten oosten van Parijs, vierenzeventig protestanten gedood en zo'n honderd verwond tijdens een dienst waaraan naar schatting duizend geloofsgenoten deelnamen. Aanstichter van het bloedbad is Frans de Guise, die op doorreis naar Parijs een mis wilde bijwonen in de kerk van Wassy.

Het drama begon toen De Guise hoorde dat er gelijktijdig met de mis een protestantse dienst plaatsvond in een nabijgelegen schuur. Met zijn hele gevolg, waaronder veel gewapende edelen, trok De Guise daarop naar de aangewezen plek. De protestanten waren inmiddels gewaarschuwd en hadden in aller ijl de schuur gebarricadeerd. Zij ontvingen de hertog en zijn gezelschap met een regen van stenen. De edelen beantwoordden dit met een charge, waarbij de deur van de schuur werd geforceerd. Eenmaal binnen schoten zij in het wilde weg op de gelovigen die tevergeefs via het dak probeerden te ontsnappen.

Het schijnt dat De Guise de gebeurtenis heeft afgedaan als een uit de hand gelopen incident. De gevolgen kunnen echter verstrekkend zijn. Sinds het begin van dit jaar worden de protestanten voor het eerst in de geschiedenis officieel gedoogd door de Franse staat. Het bloedbad in Wassy zou een vroegtijdig einde aan de broze verstandhouding kunnen maken. De tijd dat de pro-

testanten lijdzaam hun lot ondergingen is voorbij.

Calvijn heeft zich in het verleden wel uitgesproken tegen elke vorm van gewelddadig verzet: 'Het is beter dat wij allen honderdmaal sterven dan dat wij er de oorzaak van zijn dat de naam van het Christendom en het Evangelie met bloed wordt bezoedeld.' Maar hij gaf ook toe dat er een recht van opstand tegen het wettig gezag bestaat. Dit recht wordt de afgelopen tijd meer en meer in praktijk gebracht. Oorzaak zijn de vele

edelen die zich hebben bekeerd. Zij hebben met het afzweren van het katholieke geloof niet hun traditionele strijdlust opgegeven. Er kan zelfs worden getwijfeld aan de zuiverheid van hun motieven. Het is bekend dat er edelen zijn overgegaan naar het nieuwe geloof louter en alleen om hun verzet tegen de machtige familie De Guise te legitimeren. De problemen op godsdienstig terrein dreigen zo vermengd te worden met de onderlinge strijd van de Franse adel.

# Hervormingen in katholieke kerkmuziek

*De componist Orlandus Lassus als kapelmeester aan het Beierse hof.*

TRENTE, 17 september 1562 - Op de tweeëntwintigste plenaire zitting van het concilie is met overgrote meerderheid het eerste ontwerp van een canon aangenomen die op 10 september door de commissie voor de kerkmuziek is opgesteld. Hier volgt een gedeelte van de tekst: 'Of een mis nu met of zonder zang wordt gecelebreerd, ze moet op rustige wijze en in het juiste tempo de harten van de gelovigen bereiken...

Muziek die ook maar op een of andere manier ontleend is aan vulgaire wereldlijke wijsjes, of het nu vocale muziek of orgelmuziek betreft, moet uit de Kerk geweerd worden. Het huis van God blijve een huis van gebed.'

Componisten als Jacobus de Kerle, Giovanni da Palestrina en Orlandus Lassus hebben speciaal voor het concilie enkele contrapuntische missen gecomponeerd, die door de verschillende

commissies goed zijn ontvangen. Vooral de 'Preces speciales pro salubri generalis concilii' (speciale smeekbeden voor het welslagen van het algemeen concilie) van De Kerle, hebben grote indruk gemaakt. Het wachten is nu op de volgende algemene zitting, waar het oordeel van de commissie voor de kerkmuziek naar aanleiding van deze composities opnieuw ter discussie zal staan.

De kritische houding die de Rooms-Katholieke Kerk nu ten opzichte van de muziek inneemt, is niet nieuw in deze eeuw. De bekende humanist Desiderius Erasmus liet ruim veertig jaar geleden al een zelfde geluid horen: 'We hebben een kunstmatige en theatrale muziek in de kerk geïntroduceerd, een gebabbel en rumoer van verschillende stemmen, zoals men in de theaters van de oude Grieken en Romeinen nooit gehoord zou hebben. Hoorns, trompetten en fluiten klinken constant door de zangstemmen heen. Liefdesliedjes en andere lichtzinnige melodietjes, die elders alleen dienen voor de begeleiding van lichtekooien en clowns, zijn bij ons in de kerken te horen. De mensen gaan naar de kerken alsof het theaters zijn.

**15 februari.** Russische troepen veroveren het Litouwse Polotsk, dat onder de Poolse kroon valt. →

**24 februari.** Bij Orléans wordt de leider van de militante katholieken, hertog Frans de Guise, vermoord.

**11 maart.** In de Nederlanden stelt de 'Liga der hoge edelen' een tweede protestbrief op. Zij eisen van Filips II dat Granvelle uit de Raad van State verwijderd wordt. De ondertekenaars, Oranje, Egmont en Hoorne, bieden hun ontslag aan voor het geval Filips II niet op hun eisen ingaat.

**19 maart.** Bij de Vrede van Amboise krijgen de hugenoten het recht hun diensten te houden in alle plaatsen die zij voor 1562 beheersten.

**29 juni.** In Brussel arriveert een brief van Filips II, waarin hij de edelen verzoekt een afgevaardigde naar Spanje te sturen.

**27 juli.** Een Frans leger herovert Le Havre op de Engelsen. Onder de Engelse soldaten is de pest uitgebroken. Wanneer zij naar Engeland terugkeren, verspreiden zij daar de ziekte.

**29 juli.** In de Nederlanden stellen de hoge edelen een derde protestbrief op aan Filips II. Zij weigeren een edelman naar Spanje te sturen om wille van Granvelle. Bovendien kondigen de edelen aan dat zij hun werkzaamheden in de Raad van State opschorten.

**17 augustus.** Karel IX van Frankrijk, 13 jaar oud, wordt meerderjarig verklaard.

**8 september.** Maximiliaan, de zoon van keizer Ferdinand, wordt tot koning van Hongarije gekozen.

**Oktober.** De Poolse koning, die bondgenoten zoekt tegen Rusland, sluit een verdrag met de keurvorst van Brandenburg. Diens nakomelingen krijgen het recht op erfopvolging in Oost-Pruisen. Oost-Pruisen is een Pools leen.

**4 december.** Het Concilie van Trente wordt gesloten. →

- Hertog Johan van Finland, die in Estland als heer erkend is, wordt door zijn broer, de koning van Zweden, gevangengenomen.

- De keurvorst van de Palts, Frederik III, neemt als eerste Duitse vorst de calvinistische geloofsbelijdenis aan. →

- Polen sluit een verdrag met Denemarken tegen Zweden. Zweden zoekt en vindt toenadering tot Rusland.

- Polen, Denemarken en Lübeck raken in oorlog met Zweden om de heerschappij over de Baltische Zee. Dit heeft onder andere tot gevolg dat de Sont vaak geblokkeerd raakt, waardoor de graantoevoer naar West-Europa stagneert.

# Kerk begint aanval tegen protestanten

TRENTE, 4 december - Na bijna 18 jaar met verscheidene onderbrekingen vergaderd te hebben, is het Concilie van Trente door de paus voor gesloten verklaard. Het concilie heeft belangrijke besluiten genomen over de inhoud van de katholieke leer en over de bestrijding van wantoestanden en misbruiken die er heersen. Tevens is de macht van de paus versterkt. De katholieke Kerk heeft hiermee de tegenaanval op het protestantisme geopend.

Het was paus Paulus III, die in 1545 eindelijk aan de steeds sterker wordende roep om hervorming van de Kerk gehoor gaf en het concilie bijeenriep. Eerdere pogingen (onder andere van Adrianus VI) om hervormingen door te voeren waren jammerlijk mislukt. Niet onbelangrijk in 1545 was de steun van keizer Karel V, die in een succesvol concilie de beste mogelijkheid zag om zijn protestantse onderdanen in het Duitse Rijk weer bij de moederkerk terug te krijgen.

De doeleinden die het concilie door de paus opgelegd kreeg, waren hoog gegrepen: een einde maken aan de godsdienststrijd in Europa; de christenen in Europa bevrijden van onderdrukking door de moslems; een hervorming van de katholieke Kerk doorvoeren.

*Zitting van het Concilie van Trente.*

Te hoog, zoals al snel bleek: de protestanten waren niet van zins zich iets van het concilie aan te trekken en de verzoenende toon sloeg spoedig om in een onverzoenlijke: men sprak de banvloek uit over de opvattingen van Luther, Calvijn en Zwingli en hun aanhangers zouden worden vervolgd door de inquisitie. Ook van een gezamenlijke strijd van christen-vorsten tegen de moslems kwam niets terecht door de blijvende tegenstellingen tussen

Frankrijk en de Habsburgers, tegenstellingen die er de oorzaak van waren dat het concilie tweemaal lang werd onderbroken: van 1547-1551 en van 1552-1562.

Op het punt van de kerkhervorming werd wel succes geboekt. Er werd een aantal geloofsdecreten aangenomen waarin de katholieke leer duidelijk werd omschreven: de bijbel en de traditie worden als gelijkwaardige bronnen van het geloof beschouwd (de protestanten erkennen alleen de bijbel). Het geloof én goede werken zijn samen zaligmakend (voor Luther is alleen het geloof zaligmakend). De zeven sacramenten (waarvan Luther er maar twee erkent) werden bevestigd, evenals de leer over de biecht, de absolutie, de erfzonde, het misoffer en de heiligenvering. Als enige officiële bijbel wordt de Vulgaat beschouwd (de Latijnse vertaling uit de 4de eeuw). De gelovigen dienen hun eigen interpretatie van de bijbel ondergeschikt te maken aan die van de geestelijkheid.

Om de gegroeide wantoestanden en misbruiken tegen te gaan zijn hervormingsdecreten opgesteld. De opleiding van de geestelijkheid wordt verbeterd via de oprichting van seminaries. De kloosters moeten worden gezuiverd,

aflaatmisbruiken en de opeenhoping van meer kerkelijke ambten bij één persoon worden afgeschaft. Het celibaat blijft verplicht.

De machtsstrijd tussen de bisschoppen en de paus werd, vooral door toedoen van de jezuïeten, in het voordeel van de paus beslist. De jezuïeten moeten de conciliebesluiten onder het volk verspreiden en er wordt een lijst van verboden boeken opgesteld (index). De vernieuwingen vormen een antwoord op de uitdaging van het protestantisme en geven het katholicisme een nieuw elan.

## De Palts wordt calvinistisch

*Johannes Calvijn.*

HEIDELBERG - Als eerste Duitse vorst heeft de keurvorst van de Palts, Frederik III, de calvinistische geloofsbelijdenis aangenomen. Zijn onderdanen worden daardoor eveneens gedwongen het calvinisme aan te nemen, of anders het land te verlaten.

Frederiks overgang tot het calvinisme is vooral door politieke motieven ingegeven. Net als zijn voorgangers voert Frederik een anti-katholieke, en dus anti-Habsburgse politiek, en door zijn bekering hoopt hij steun te vinden bij de opstandige Nederlanden en de Franse hugenoten.

Frederiks besluit houdt een bedreiging in voor de in 1555 gesloten Augsburgse Religievrede, die immers beperkt is tot het katholicisme en het lutheranisme. De vraag is nu in hoeverre Frederik III zich op deze Religievrede beroepen kan. De katholieken voelen er weinig voor om ook het calvinisme toe te laten, maar de lutheranen lijken, ondanks de grote verschillen tussen de lutherse en calvinistische leer, bereid de Augsburgse Religievrede ook op de aanhangers van het calvinisme toe te passen. Wanneer dit zou gebeuren is de kans groot dat het calvinistisch geloof zich verder binnen het Duitse Rijk zal verspreiden.

# Russen veroveren steunpunt Polotsk

*Russische troepen te paard.*

POLOTSK, 15 februari - Het Russische offensief tegen Litouwen heeft geleid tot de verovering van Polotsk, waardoor Moskou een belangrijk steunpunt aan de westelijke Dvina heeft gekregen.

Wat in 1558 begon als een Russische bliksemveldtocht tegen Lijfland is al snel uitgemond in een grote oorlog waaraan Polen, Litouwen en sinds kort ook Zweden deelnemen. De inzet van de strijd is voor zowel Litouwen

als Moskovië een toegang tot de Oostzee. Tot voor kort had Moskou slechts via een smalle kuststrook aan de Nevamonding een uitgang naar die zee en zocht naar een gelegenheid om zijn geopolitieke en economische positie te verbeteren. Hierbij speelde de verhouding met Lijfland een cruciale rol.

Door een verdrag in 1554 had Lijfland zich verplicht om schatting aan tsaar Ivan IV te betalen. In 1557 smeekten Lijflandse gezanten de tsaar om van de schatting af te zien of deze tenminste te reduceren. Ivan dreigde dat hij desnoods zelf het tribuut zou komen innen. Terzelfder tijd intervenieerde Litouwen in interne Lijflandse zaken: Sigismund August, koning van Polen en tevens groothertog van Litouwen, steunde in het conflict tussen de Lijflandse Orde en de aartsbisschop van Riga de laatste. De Lijflandse Orde vroeg om vrede en sloot in september 1557 met Sigismund August een militaire alliantie tegen Moskou.

Ivan IV greep deze schending van de Moskou-Lijflandse overeenkomst van 1554 aan om Lijfland binnen te vallen. Narva en Dorpat vielen in 1558 in Russische handen en de Russen bereikten zelfs de buitenwijken van Riga. De tsaar sloot op aandringen van zijn adviseur Adasjev in 1559 een wapenstilstand met Lijfland. De magister van de Lijflandse Orde, Gotthard von Kett-

ler, maakte van die tijdelijke rust gebruik om de banden met Sigismund August aan te halen en stelde zich onder diens protectie; de aartsbisschop van Riga volgde zijn voorbeeld. De Russische veroveringen van Ermes [Ergeme] en Fellin [Viljandi] in het jaar erop versnelden de inmenging van Zweden en Litouwen. In 1561 namen de Zweden Reval [Tallinn] en het gehele centrale en westelijke deel van Estland in en sloten vervolgens een wapenstilstand met Moskou. De opheffing van de Lijflandse Orde vond in hetzelfde jaar plaats: Kettler werd hertog van Koerland en vazal van de Poolse koning. Op dit punt zou Moskou, met Narva in een Oostzeehaven, vrede hebben kunnen sluiten. Adasjev probeerde de tsaar duidelijk te maken dat verdere oorlogvoering Moskou te zeer zou uitputten, maar Ivan liet zich door de oorlogspartij in Moskou van het tegendeel overtuigen. Vorig jaar is de oorlog met Litouwen uitgebroken. Ofschoon de Russische legers met succes Polotsk hebben ingenomen, blijft de situatie gevaarlijk. De recente plundertochten van de Krimtaren onder leiding van chan Devlet-Girej [Davlet Geraj] tegen verscheidene Russische steden hebben immers aangetoond hoezeer Moskou het risico loopt om in een tweefrontenoorlog verwikkeld te raken.

## Slaaf wordt grootvizier

CONSTANTINOPEL - Mehmed Sokolli is tot grootvizier van het Osmaanse Rijk benoemd, een positie die min of meer gelijkstaat met die van eerste minister. Hiermee is de van origine Servische grootvizier na de sultan de belangrijkste persoon in de bureaucratie, ofschoon hij de status van slaaf heeft. Sinds de vorige eeuw hebben de sultans steeds meer slaven in het bestuur opgenomen, zich aldus omringend met toegewijde personen die uitsluitend aan hen hun promotie te danken hebben en die voor leven en dood van hen afhankelijk zijn. Voor een deel worden deze slaven gerekruteerd via het 'devsirme'-systeem. Dit houdt in dat op gezette tijden onder de Balkanchristenen jongens tussen de zeven en twaalf jaar worden uitgekozen, die als slaven weggevoerd worden en die zich moeten bekeren tot de islam. Voor het grootste deel worden zij tot soldaten opgeleid. Het keurkorps van de sultan, de janitsaren, bestaat bijna geheel uit deze rekruten. De intelligentste jongemannen worden aan het hof geplaatst waar zij een opleiding krijgen aan de page-school. Dit was ook het geval met de nieuwe grootvizier. Begonnen in het pagekorps werd hij achtereenvolgens hoofdproever van de sultan, generaal van de cavalerie, bevelhebber over het janitsarenkorps en, via de post van gouverneur in Europa en Egypte, vizier om ten slotte zijn huidige functie te bereiken. Behalve het bestuur bevolken slaven, meestal bekeerde christenmeisjes, ook de harem van de sultan. Dit houdt in dat de troonopvolgers voor de helft door geboorte slaaf zijn. Voor de achterblijvende familie van de jonge rekruten moet het systeem vaak hard zijn. Afgezien van een persoonlijk verlies betekent het bovendien een constant afromen van het aantal krachtigste en sterkste jongemannen, met alle nadelige gevolgen van dien.

## Arts Vesalius omgekomen

ATHENE - Het schip dat op het Griekse eiland Xánthi is gestrand, bleek de beroemde geneesheer Vesalius aan boord te hebben. De medicus, tot voor kort de lijfarts van Filips II, is aan de gevolgen van de schipbreuk overleden.

Het schip was vanuit Jeruzalem op weg naar Venetië. De meeste passagiers kwamen van een pelgrimstocht terug. De 49-jarige arts vertrok vorig jaar onverwacht uit Madrid. Het gerucht gaat dat hij voor de inquisitie moest verschijnen, nadat hij een edelman opengesneden had voor anatomische doeleinden, terwijl het hart van het slachtoffer nog klopte. Geestverwanten van Vesalius noemen dit echter laster en wijzen erop dat de arts al jarenlang niet meer de anatomie bedreef, maar zich toelegde op de praktische geneeskunde aan het hof in Madrid. Na zijn baanbrekende *Fabrica* uit 1543, waarin de anatomie van Galenus werd gereviseerd, heeft Vesalius geen opmerkelijke medische werken meer laten verschijnen.

## Michelangelo Buonarotti overleden

ROME, 18 februari - Michelangelo Buonarotti is op de hoge leeftijd van 89 jaar overleden. Getrouw aan de idealen van zijn tijd, blonk hij uit zowel in de schilder- als in de beeldhouwkunst en was hij bovendien een verdienstelijk bouwmeester en dichter. Tot het laatst werd zijn leven gekenmerkt door een tomeloze scheppingsdrang; volgens de schilder Vasari ging Michelangelo zelfs gekleed en geschoeid naar bed om geen tijd te verliezen met uit- en aankleden.

Michelangelo was de eerste kunstenaar die de dynamiek van het menselijk lichaam in al haar intensiteit weergaf, zoals blijkt uit het ontwerp dat hij maakte voor de *Slag bij Cascina* (1503) en zoals is te zien aan de naakte jongelingen die hij schilderde op het plafond van de Sixtijnse kapel en niet te vergeten aan zijn slavenfiguren.

Hij werkte in opdracht van de Medici en van verscheidene pausen. Zo was hij de stoutmoedige architect van de dom van de Sint-Pieter en schilderde hij, met veel gevoel voor het tragische aspect van de mens, op de altaarmuur van de Sixtijnse kapel zijn grote werk

*Een van de slavenfiguren waarmee Michelangelo grote faam verwierf.*

*Het Laatste Oordeel*. Michelangelo heeft daarmee een beslissend stempel op de barok gedrukt.

# Moslems verslaan Vijayanagar in heilige oorlog

TALIKOTA, 25 januari - De gecombineerde legermacht van vier Dekkan-sultanaten heeft bij Talikota een einde gemaakt aan de hindoe-overheersing van de gebieden ten zuiden van de rivieren de Krishna en de Tungabhadra. Het rijk van Vijayanagar, dat in 1336 werd gesticht, is verslagen en de hoofdstad, Vijayanagar (Stad van de Overwinning), is verwoest nadat de confederatie van moslems vorig jaar het hindoerijk de 'jihad' (heilige oorlog) had verklaard en met een zeer grote legermacht tegen Vijayanagar ten strijde trok.

Hoewel het leger van de hindoes bijna een miljoen soldaten telde, werd de strijd in het voordeel van de moslems beslecht toen zij bij een onverwachte aanval koning Rama Raja van Vijayanagar gevangen konden nemen en vervolgens zijn afgehakte hoofd aan de onthutste hindoesoldaten toonden. Dat beeld deed het hindoeleger op de vlucht slaan. De moslems ontmoetten verder weinig tegenstand, trokken naar Vijayanagar en maakten deze stad met de grond gelijk.

Vijayanagar werd in 1336 gesticht in een tijd dat de regering van Mohammed ibn Toeghloek (1325-1351) in Delhi verslapte. Eén jaar eerder had zich in het uiterste zuiden, in Madoera, een islamitisch staatje losgemaakt van het sultanaat en ook hindoes zagen in dat de invloed vanuit Delhi niet zo groot was als men had gedacht. Al snel wist Harihara zijn machtsgebied uit te breiden tot het hele gebied ten zuiden van de rivieren de Tungabhadra en de Krishna. Voordat hij Vijayanagar stichtte had Harihara zich tot de islam bekeerd en was hij in dienst van de Toeghloeks getreden, maar toen hij zich losmaakte van het sultanaat keerde hij terug tot het hindoeïsme. Vijayanagar bleef meer dan twee eeuwen lang de enige hindoemacht van betekenis op het Indische schiereiland.

Ten noorden van Vijayanagar had zich in 1347 het Bahmani-sultanaat gevestigd, ook onafhankelijk van Delhi. Gedurende de tweede helft van de 14de en de gehele 15de eeuw voerden Bahmani en Vijayanagar een serie bloedige oorlogen met als inzet, behalve het geloof, het vruchtbare gebied gelegen tussen de rivieren de Tungabhadra en de Krishna.

Vooral koning Krishna Deva Raja (1509-1529) oogstte veel succes in die strijd, waarin hij werd gesteund door de Portugezen, die elke vijand van de moslems steunden.

De vernietiging van Vijayanagar is ook voor de Portugezen een zware klap, omdat hun kolonie Goa aan de Indische westkust nu niet meer tegen moslemaanvallen beschermd wordt.

---

**7 januari.** In Rome wordt Antonio (kloosternaam: Michele) Ghislieri tot paus Pius V gekozen.

**5 april.** In Brussel wordt het 'smeekschrift' aangeboden door tweehonderd lagere edelen. →

**Mei.** Turkse troepen in Hongarije beginnen opnieuw gevechten tegen het Oostenrijkse deel van Hongarije. Dit ondanks het Verdrag van Praag van 1562.

**2 juli.** De Franse arts Nostradamus overlijdt.

**10 augustus.** In Steenvoorde, Vlaanderen, bestormt een groep mensen die een calvinistische hagepreek heeft bijgewoond, de kapel van een klooster. →

**20 augustus.** In Antwerpen breekt de beeldenstorm uit. Bewoners van alle grote steden in Vlaanderen volgen het voorbeeld.

**23 augustus.** De kerken in Amsterdam en daarna in andere Noordnederlandse steden worden door de bevolking gezuiverd van 'katholieke afgodsbeelden'.

**23 augustus.** Margaretha van Parma verklaart dat er vrijheden voor de calvinisten zullen worden toegestaan. Bovendien belooft zij amnestie voor de edelen van het compromis.

**6 september.** In Turkije volgt Selim II zijn vader Süleyman I op als sultan. →

**Oktober.** In Frankrijk geeft Catharina de' Medici de 'Ordonnantie van Moulins' uit, waarin de invloed van de Franse kroon op de wetgeving wordt vergroot.

- Op de Rijksdag te Augsburg worden de besluiten van het Concilie van Trente aanvaard. In de katholieke landen van het Duitse Rijk wordt het katholicisme met hernieuwde kracht ingevoerd.

- Astrakan wordt door Rusland geannexeerd. Astrakan werd sinds 1553 door de Russen bezet.

- De Zwitserse theoloog Heinrich Bullinger stelt de 'Confessio Helvetia' op. Deze geloofsbelijdenis wordt aangenomen door onder andere de hervormde Kerken van Schotland, Hongarije, Bohemen en Polen. De 'Confessio Helvetia' vormt zo een band tussen de hervormde Kerken in Europa.

- De Poolse kardinaal Hosius nodigt de jezuïeten uit naar Polen te komen. →

Gestorven:

**31 juli.** Bartholomé de Las Casas (1474), Spaans missionaris en geschiedschrijver →

---

# Jezuïeten naar Polen

KRAKAU - De inquisitiemethoden, berucht in andere Europese landen, zijn tot nu toe tot mislukken gedoemd in het conflict met de Poolse adel, waarbij diens persoonlijke vrijheid en de ethos van de adellijke republiek in het geding zijn.

Daarom heeft kardinaal Hosius dit jaar de orde van jezuïeten uitgenodigd naar Polen te komen om op een vreedzame manier, bijvoorbeeld via het onderwijs, het ware katholicisme te verspreiden.

De pogingen van de Rooms-Katholieke Kerk om een monopoliepositie in Polen te veroveren zijn tot nu toe mislukt. Het land herbergt vele nationaliteiten en godsdiensten. Ondanks de talrijke pogingen van de hoge kerkelijke autoriteiten zijn de fanatieke inquisitiemethoden in Polen stelselmatig gedwarsboomd door de edellieden, die hun soevereiniteit hoger achten dan de eisen van de clerus.

In 1504 ondernam de bisschop van Krakau een poging om een calvijnse edelman te vervolgen maar hij kreeg te maken met een gewapende opstand van de plaatselijke edelen ter verdediging van hun landgenoot.

Een 'radicale' vleugel heeft zich afgescheiden en leeft nu als een aparte geloofsgemeenschap onder de naam 'arianen'.

Zij bestaan voornamelijk uit edelen. Het is een belangrijke groepering die vele geschriften uitgeeft en grote uitstraling heeft op de andere protestanten in Europa. De arianen hebben zich rondom de stad Rakow verzameld, waar hun befaamde commune gevestigd is. Zij eisen volledige vrijheid van denken, nemen afstand van bezittingen en titels en zweren hun trouw aan de staat af. Ze wijden zich volkomen aan handenarbeid en zetten zich in voor gemeenschappelijk bezit, volledige gelijkheid en pacifisme. Hun Academie is beroemd vanwege de honderden leerlingen uit Polen en uit het buitenland, en vooral door hun catechismus, die geschreven is in de vorm van platonische dialogen en het dogma van de Drieëenheid afwijst.

# Groep edelen biedt smeekschrift aan

BRUSSEL, 5 april - Enkele honderden edelen hebben aan de landvoogdes Margaretha van Parma een verzoekschrift aangeboden. Daarmee hebben de beroeringen die met de troonswisseling tussen Karel V en Filips II begonnen zijn, een kritiek punt bereikt.

De onvrede over het beleid van Filips II kwam voor het eerst in 1559 aan het licht, toen de paus met de bul 'Super universas' een nieuwe kerkelijke indeling voor de Nederlanden afkondigde. Daarmee versterkte Filips II zijn greep op de Kerk en - belangrijker nog - zagen talloze edelen hun lucratieve bemoeienissen met kerkelijke zaken verdwijnen. Een bijkomende bepaling van deze nieuwe indeling was immers dat hoge kerkelijke functionarissen een studie theologie voltooid moesten hebben.

In ditzelfde jaar stelde Filips zijn halfzuster Margaretha van Parma als landvoogdes over de Nederlanden aan en vertrok zelf naar Spanje.

In de volgende jaren richtte de onvrede van de edelen zich vooral op de man die het symbool van die nieuwe kerkelijke indeling was: Granvelle, aartsbisschop van Mechelen en sinds 1561 kardinaal. In die functie had Granvelle ook zitting in de Raad van State en kon hij meer politieke invloed uitoefenen dan de edelen wenselijk achtten. In 1564 vertrok Granvelle uiteindelijk naar de Nederlanden maar daarmee waren de problemen allerminst opgelost: de edelen eisten nu meer politieke macht en verzachting van de bestrijding van de 'ketterij'.

In de tweede helft van 1565 culmineerde de onvrede van de edelen: in de zo-

*Landvoogdes Margaretha van Parma.*

mer overlegden zij in Spa met de kerkeraden hoe de repressie van het calvinisme kon worden tegengegaan; in december sloot een aantal edelen een zogenaamd 'Compromis' tegen de inquisitie. Aangezien dit Compromis door vierhonderd edelen getekend werd, besloot de meerderheid van hen Margaretha van Parma direct met hun verlangens te benaderen, en dat is deze maand in Brussel gebeurd.

In het verzoekschrift vragen de edelen vooral om verzachting van de plakkaten. Zij zijn immers - zo schrijven zij - de eersten die bij een oproer van het 'volk' aangevallen zullen worden. Bovendien voelen zij zich ook zelf niet veilig tegen de willekeur van de ambtenaren die met de uitvoering van de plakkaten belast zijn. Om de koning echter niet het idee te geven dat zij hem de wet willen voorschrijven, verzoeken de edelen de bijeenroeping van de Staten-Generaal.

*De 'beeldenstorm' van de calvinisten in Steenvoorde.*

# Calvinisten plunderen kerk

STEENVOORDE, 10 augustus - Een groep calvinisten heeft in de Sint-Laurentiuskapel en het nabijgelegen klooster een spoor van vernieling achtergelaten. Heiligenbeelden werden omvergetrokken, liturgische boeken verscheurd en priestergewaden aan flarden gescheurd.

Het incident vond plaats na afloop van de jaarlijkse processie ter ere van de heilige Laurentius. De processie eindigde bij de kapel waar zich een groot aantal aanhangers van de leer van Calvijn verzameld had. Ze werden toegesproken door de predikant Sebastiaan Matte, die een van zijn inmiddels berucht geworden hagepreken hield. Hij verkondigde weer met veel vuur het nieuwe, zuivere geloof en richtte zich in felle bewoordingen tegen de roomse Kerk en haar afgodsbeelden. Matte zweepte de toehoorders dermate op, dat zij onmiddellijk tot actie overgingen. Onder aanvoering van een andere predikant, Jacob de Buyzere, drong de menigte de kapel en het klooster binnen. Alles werd kort en klein geslagen. Gevreesd wordt dat er meer van dergelijke acties te verwachten zijn. Ook in andere steden in de Lage Landen worden hagepreken gehouden en neemt de onrust toe.

*De Indianen in de Spaanse koloniën in de Nieuwe Wereld hebben een zwaar verlies geleden: hun grote voorvechter, de missionaris en geschiedschrijver Bartholomé de Las Casas, is op 31 juli in Madrid overleden. Vanaf zijn eerste kennismaking met de Nieuwe Wereld (het eiland Cuba waarnaar hij in 1506 na zijn priesterwijding vertrok) heeft hij zich op alle mogelijke manieren voor de bescherming van de Indianen ingezet, verontwaardigd als hij was over hun uitbuiting en hun deplorabele lot (getuige de gruwelijke behandeling van gevangengenomen Indianen door de Spaanse legeraanvoerder Petrus de Calyce op de illustratie hierboven). Zijn inspanningen hebben echter niet veel vrucht gedragen. Zijn credo heeft hij veertien jaar geleden neergelegd in zijn 'Kort relaas van de verwoesting der West-Indische landen'.*

# Dood van sultan Süleyman

CONSTANTINOPEL, 6 september - Vannacht is de 72-jarige sultan Süleyman de Grote, de 'Wetgever', tijdens zijn zevende veldtocht tegen de Habsburgers overleden. Zijn dood is in Constantinopel nog niet bekendgemaakt; dat zal pas gebeuren als zijn zoon en opvolger Selim daar gearriveerd zal zijn om de opvolging zonder incidenten te laten verlopen. Opstanden van de janitsaren, het Turkse elitekorps, vormen altijd een risico wanneer er in het Osmaanse Rijk een machtsvacuüm ontstaat.

Süleyman maakte het Osmaanse Rijk tijdens zijn bijna een halve eeuw durend bewind tot een grootmacht, vergelijkbaar met het Habsburgse Rijk of met China. Hij behoorde met Hendrik VIII, Frans I en Karel V tot de grote staatsmannen van deze eeuw. Op sluwe wijze wist hij de laatste twee tegen elkaar uit te spelen. De Turkse bedreiging was ook een van de redenen van de verbreiding en de consolidatie van het protestantisme in Europa, want de Habsburgers waren zodoende voortdurend verplicht hun krachten te verdelen.

De hoofdstad Constantinopel werd tijdens zijn bewind met haar ruim een half miljoen inwoners de grootste stad ter wereld. Een kosmopolitische stad, waar allerlei volken met hun eigen tradities en religies vreedzaam naast elkaar leven. Als christen is men er veiliger dan een moslem in Rome of Parijs. En volgens Busbecq, de ambassadeur der Habsburgers, die bewonderend spreekt over de Osmaanse meritocratie, waarin carrières openstaan voor een ieder die zich gunstig onderscheidt, bekommeren de autoriteiten zich er meer om het lot en de noden van de bevolking dan in het christelijke Europa. De vele overwinningen van het Turkse leger verbazen hem niet, gezien de strenge tucht en de uitstekende opleiding.

Süleyman kon streng en wreed zijn. Vooral de laatste dertig jaar van zijn leven stond hij onder grote invloed van Roxelane, zijn favoriete haremvrouw, die hem al haar rivalen, zoals de bekwame grootvizier Ibrahim Pasja en zelfs zijn eigen zonen, liet ombrengen. Deze persoonlijke willekeur en het feit dat hij zich als eerste sultan terugtrok uit de geregelde zittingen van de raad van ministers, de 'divan', hebben de laatste tijd het staatsbestel der Osmanen ondermijnd.

Vol lof zijn alle bezoekers van Constantinopel voor de prachtige tuinen met tulpen, mimosa's en lelies, en bovenal voor de prestaties van hofarchitect Sinan. Hij heeft onder meer de Sjehzade-, de Süleyman-, en de Selimiye-moskee gebouwd. En ook Süleyman zelf heeft altijd grote belangstelling voor filosofie, poëzie en muziek getoond.

# Nostradamus overleden

SALON-DE-PROVENCE, 2 juli - Op 62-jarige leeftijd is de Franse arts, astroloog en ziener Michel de Notredame (Nostradamus) overleden. Hij heeft een grote faam verworven met zijn optreden tijdens de pestepidemieën in Aix en Lyon, maar hij zal de geschiedenis waarschijnlijk vooral ingaan als auteur van profetieën.

Nostradamus is op 14 december 1503 in St. Rémy geboren. Na zijn studie filosofie in Avignon studeerde hij medicijnen in Montpellier. Hij had eerst een praktijk in Agen, maar vestigde zich later in Salon, in de buurt van Aix.

Nostradamus is twintig jaar geleden begonnen met het maken van profetieën; in 1555 werden ze in Lyon in boekvorm gepubliceerd. Een uitgebreidere, tweede editie die was opgedragen aan de koning, zag in 1558 het licht. De profetieën zijn geschreven in een zonderling mengelmoes van onbegrijpelijk en gebrekkig Frans, doorspekt met woorden die hij heeft ontleend aan het Grieks, Latijn, Provençaals, Portugees, enz.; ze zijn daardoor voor velerlei uitleg vatbaar.

Ondanks het duistere karakter van zijn profetieën heeft Nostradamus alom waardering gevonden. Hij is ontvangen door Catherina de' Medici en zelf

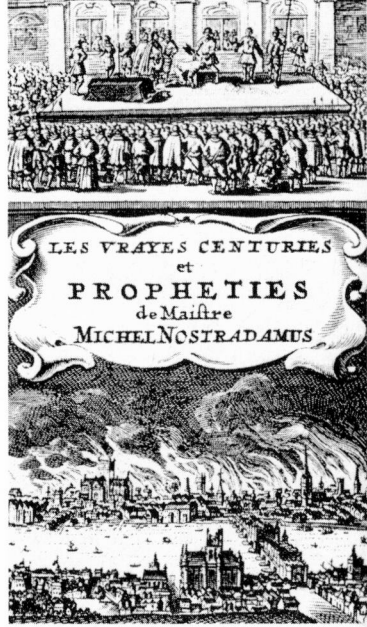

*De titelpagina van een van de vele edities van Nostradamus' profetieën.*

ontving hij in Salon de hertog van Savoye. Karel IX benoemde hem tot zijn lijfarts.

**Januari.** Margaretha van Parma eist van alle vliesridders, ambtenaren en soldaten een nieuwe eed van trouw aan de koning. Oranje, Hoorne, Hoogstraten en Brederode weigeren deze eed af te leggen.

**10 februari.** In Schotland wordt Lord Darnley Stuart, de echtgenoot van koningin Maria, vermoord. De opdrachtgever is de graaf van Bothwell.

**13 maart.** Een leger van 2000 calvinisten wordt bij Oosterweel, ten noorden van Antwerpen, verslagen door de troepen van Margaretha van Parma. →

**April.** Hendrik van Brederode ontbindt zijn pro-calvinistische troepen en vlucht naar Duitsland. Ook Willem van Oranje verlaat op 22 april de Nederlanden.

**15 juni.** In Schotland worden de volgelingen van Bothwell verslagen door de troepen van de protestanten. Graaf Bothwell vlucht naar Noorwegen. Maria, koningin van Schotland, wordt gevangengenomen.

**23 juli.** Maria van Schotland wordt gedwongen af te treden. →

**8 augustus.** De hertog van Alva trekt Brussel binnen met een troepenmacht van 1200 ruiters en 8000 man. Hij is door Filips II tot opvolger van Margaretha benoemd.

**22 augustus.** In de Nederlanden wordt de 'Raad van Beroerten' geïnstalleerd. Deze rechtbank kan handelen zonder rekening te houden met speciale privileges die vooral de adel heeft.

**9 september.** Egmont, stadhouder van Vlaanderen, en Hoorne, stadhouder van Gelre en Zutphen, worden gevangengenomen, samen met vele anderen.

**29 september.** In Frankrijk doen de hugenoten een poging Charles IX uit het paleis in Meaux te ontvoeren.

**6 oktober.** De hertog van Alva volgt Margaretha van Parma op als landvoogd in de Nederlanden. Een groot aantal calvinisten verlaat het land.

**Oktober.** Het Franse hof begeeft zich naar Parijs, dat vervolgens belegerd wordt door de prins van Condé, een hugenoot.

**November.** Troepen van de Duitse vorst Johan Casimir van de Palts trekken Frankrijk binnen om de hugenoten te steunen.

- In Neurenberg stelt Hans Sachs zijn verzameld werk samen. →

- Akbar de Grote van India onderwerpt de Rajputen.

- In Brazilië worden Franse kolonisten door de Portugezen verdreven.

*Maria Stuart met de dichter Piraud de Boscozel de Chastelard.*

# Maria Stuart treedt af

EDINBURGH, 23 juli - De katholieke koningin Maria Stuart is onder druk van het protestantse parlement afgetreden. Haar eenjarig zoontje Jacobus wordt koning onder regentschap van haar halfbroer Jacobus Stuart, graaf van Murray (geboren circa 1531). Zelf is zij in kasteel Loch Leven gevangengezet. Voor haar abdicatie zijn de krachtige protestanten, de ambities van Murray en de grillige levenswandel van Maria verantwoordelijk.

Nog tijdens Jacobus V ontstond een protestantse stroming onder de adel. John Knox wist de geest van de Hervorming onder bredere lagen van de bevolking te verspreiden. In 1546 werd hij tot dominee gekozen, maar moest weldra uitwijken. De regering van Maria Tudor dreef hem naar Genève. Bij Calvijn maakte hij kennis met 'de meest perfecte school op aarde'.

Vanuit Genève weerklonk in 1558 Knox' appel aan de Schotse adel om in verzet te komen tegen het beleid van de Franse regentes Maria de Guise. Toen in Frankrijk, onder Frans II en zijn vrouw Maria Stuart, de hugenoten vervolgd werden, was de tijd voor Knox rijp om over te komen en het Schotse verzet aan te sporen. Doel was de katholieke Frans-Schotse band te doorbreken en een protestants bewind in te voeren. Aan Elizabeth I van Engeland werd steun gevraagd (zomer 1559) en verkregen. De Fransen trokken zich terug volgens het akkoord van Edinburgh (maart 1560) en er kwam een calvinistisch bestuur.

De 18-jarige Maria Stuart die inmiddels weduwe was geworden kwam terug, nadat haar moeder Maria de Guise was overleden (19 augustus 1561). Maar de feitelijke macht liet de koningin over aan haar protestantse halfbroer Murray. Onder zijn leiding kwam de Schotse adel in verzet, toen

Maria wilde hertrouwen met Henry Stuart, graaf van Darnley (geboren 1545) en zij hun kind (en troonopvolger) Jacobus katholiek wensten op te voeden. De opstand werd onderdrukt en Murray moest uitwijken.

Affaires aan het hof maakten de positie van Maria echter spoedig onmogelijk. Eerst vermoordde Darnley haar minnaar, secretaris David Rizzio, vervolgens liet zij op 9 februari Darnley mét kasteel Kirk O'Field de lucht in vliegen. Ten slotte huwde zij haar medekomplotteur James Hepburn, graaf van Bothwell.

Dit 'onzedelijke gedrag' leidde tot een calvinistische opstand, waarin Jacobus Murray weer een rol kon spelen, en die Maria tot aftreden dwong.

# Hans Sachs verzamelt werk

NEURENBERG - De Meistersinger Hans Sachs heeft eigenhandig zijn verzameld werk samengesteld. In 34 handgeschreven bundels heeft hij 4275 Meisterliederen, 73 volksliederen, 1700 paarsgewijs rijmende werken - waarvan 208 toneelspelen - en zeven prozadialogen verzameld.

De in 1494 als zoon van een kleermaker in Neurenberg geboren Hans Sachs geldt als laatste belangrijke vertegenwoordiger van de Duitse rederijkerij. De rederijkerij, die haar oorsprong vindt in de in 1315 in Mainz opgerichte rederijkersschool Frauenlob, is gericht op een ambachtelijke benadering van de literatuur. De volgens strenge regels opgebouwde werken van de rederijkers hebben veelal een belerend en moralistisch karakter.

Zo neemt Hans Sachs in zijn vastenavondspelen de zwakheden van zijn medemensen op satirische wijze op de hak, en in het gedicht *De Wittenbergse*

## Willem van Oranje mikpunt van ernstige onlusten

ANTWERPEN, 13 maart - Willem van Oranje is het mikpunt van ernstige onlusten, die zijn uitgebroken nadat hij vanmorgen heeft verhinderd dat calvinisten hun geuzenbroeders zouden gaan helpen die bij Oosterweel, even ten noorden van de stad, door Spaanse regeringstroepen werden afgeslacht.

Oranje hield de stadspoorten hermetisch gesloten om, naar zijn zeggen, nog meer nodeloos bloedvergieten te voorkomen. De calvinisten daarentegen geloven dat zij de slachtpartij hadden kunnen voorkomen wanneer zij wel hulp hadden kunnen bieden. Bovendien doet het gerucht de ronde dat Oranje op de hoogte was van de komst van het regeringsleger, maar daartegen niets heeft willen ondernemen.

Oranje, gouverneur van de Scheldestad, heeft de geuzen begin maart uit Antwerpen gezet en vervolgens tot driemaal toe gesommeerd Oosterweel te verlaten. Het geuzenleger keerde, na een vergeefse poging Walcheren in te nemen, op 11 maart naar Oosterweel terug. Daar werd een provisorisch kamp aangelegd, waarbij nauwelijks aandacht geschonken werd aan een grondige verdediging. Het kamp was dan ook een makkelijke prooi voor de door landvoogdes Margaretha van Parma in het geheim gestuurde troepen. In de vroege ochtend werden de 1500 geuzen volledig verrast en meedogenloos in de pan gehakt. Het drama werd vanaf de stadsmuren gadegeslagen door machteloos toeziende Antwerpse calvinisten, die hun woede nu op Willem van Oranje gericht hebben.

*'Meistersinger' Hans Sachs.*

nachtegaal uit 1523 verdedigt hij het handelen van de hervormer Maarten Luther. Door zijn kritische houding is Hans Sachs geregeld in botsing met de censuur gekomen.

**Februari.** In Frankrijk ontslaat Catharina de' Medici Michel de L'Hôpital als kanselier. De L'Hôpital behoorde tot de verzoeningsgezinde partij.

**23 maart.** Het Verdrag van Longjumeau maakt een einde aan de tweede godsdienstoorlog in Frankrijk. De hugenoten behouden de vrijheden die hun in het Verdrag van Amboise (1563) zijn toegezegd.

**16 mei.** Maria van Schotland wijkt uit naar Engeland.

**19 mei.** Elizabeth laat Maria Stuart gevangenzetten.

**23 mei.** Bij Heiligerlee verslaan de troepen van Lodewijk en Adolf van Nassau het leger van de Friese stadhouder Arenberg, die voor de regering vecht.

**6 juni.** De graven van Egmont en Hoorne worden onthoofd. →

**Juli.** In Zweden verklaart een aantal edelen Erik XIV krankzinnig. Leider van de opstand is de broer van de koning, Johan Wasa.

**21 juli.** Bij Jemgum aan de Eems verslaan de legers van Alva de troepen van Lodewijk van Nassau.

**23 juli.** In Spanje overlijdt Don Carlos, de zoon van Filips II. →

**Augustus.** Keizer Maximiliaan wordt door de Zuidoostenrijkse adel gedwongen om vrijheid voor het protestantse geloof toe te staan.

**30 september.** De adel en het leger in Zweden roepen Johan III uit tot koning van Zweden. De buitenlandse politiek van Zweden verandert. Het bondgenootschap met Rusland wordt verruild voor een verbond met Polen. Denemarken sluit hierop een verbond met Rusland.

**5 oktober.** Vanuit Duitsland trekken troepen van Willem van Oranje Brabant binnen. Zij krijgen steun van een leger van de Franse hugenoten.

**5 oktober.** In Engeland begint de Conferentie van York, die moet oordelen over het gedrag van Maria Stuart. Zij wordt beschuldigd van medeplichtigheid aan de moord op Darnley.

**26 december.** In Granada breekt een opstand uit van islamieten, die protesteren tegen de scherpe onderdrukking. →

# Rampjaar voor Filips II

*Schildering van twee Arabische bevelhebbers in Granada.*

GRANADA, 26 december - In de kerstnacht is in Granada onder de Morisco's, de bekeerde christenen van Moorse afkomst, een gewelddadige opstand uitgebroken. Hiermee loopt een jaar ten einde dat zowel voor Spanje als voor koning Filips II persoonlijk een reeks rampzalige gebeurtenissen heeft gebracht.

In januari zag de koning zich genoodzaakt zijn enige zoon en troonopvolger Don Carlos te arresteren en te laten opsluiten. De 23-jarige kroonprins, die sinds zijn jeugd tekenen van psychische onevenwichtigheid heeft vertoond, leidde een verkwistend en losbandig leven en intrigeerde tegen zijn vader, die hij haatte omdat hij buiten de politiek werd gehouden. Hij wilde stadhouder over de Nederlanden worden en er wordt beweerd dat hij heimelijk contact met de opstandelingen zocht toen zijn vader tot zijn grote woede niet hem, maar Alva naar de Nederlanden zond. Terwijl zijn proces werd voorbereid stierf Don Carlos onder onopgehelderde omstandigheden in de gevangenis. Dat Filips de hand zou hebben gehad in de dood van zijn zoon, die hem mogelijk niet ongelegen kwam, is echter onwaarschijnlijk; de koning was er diep door getroffen.

Een tweede groot persoonlijk verlies trof hem enkele maanden later, toen zijn geliefde derde vrouw Elizabeth van Valois in het kraambed stierf. Zij laat hem slechts twee dochtertjes na, zodat Filips, voortijdig oud, somber en sinds kort evenals zijn vader door jicht-aanvallen geplaagd, aan een vierde huwelijk moet gaan denken.

Ook in de nationale en internationale politiek heeft de koning een aantal ernstige tegenslagen te verduren gekregen. In de Nederlanden blijft het ondanks Alva's ingrijpen onrustig, en de trouwbreuk van de Nederlandse edelen betekent een nieuwe persoonlijke slag voor de koning. De graven van Egmont en Hoorne die hij in juni heeft laten onthoofden, waren twee van zijn vroegere wapenbroeders en trouwste vazallen. De politieke strijd tussen katholieken en protestanten in Europa bedreigt Spanje echter nog directer. In de herfst is de zeeroute naar Vlaanderen afgesneden door acties in de Golf van Biskaje van Bretonse, door de hugenoten gesteunde piraten. In Catalonië, vanouds sterk op Frankrijk georiënteerd, bestaat sympathie voor de hugenoten, en is onrust ontstaan omdat de koning de censuur en de grensbewaking heeft laten verscherpen.

Niet minder acuut lijkt de bedreiging aan de zuidflank van Spanje, waar de Turken hun macht in de Middellandse Zee gestadig vergroten. Zij hebben de laatste jaren aanvallen uitgevoerd op de Spaanse eilanden en de zuidkust. Dit is des te ernstiger omdat juist daar, in het voormalige Moorse koninkrijk Granada, nog veel afstammelingen van de Moren wonen, die weliswaar tot het christendom zijn bekeerd, maar nog veel van hun oude gewoonten bewaren en ervan worden verdacht in het geheim hun oude godsdienst aan te hangen. Er zijn aanwijzingen dat zij in contact staan met hun Turkse geloofsgenoten, die zij bij een eventuele aanval op Spanje van binnenuit te hulp zouden kunnen komen.

Met dit schrikbeeld voor ogen heeft Filips het vorige jaar een aantal eerdere decreten verscherpt: de Morisco's hebben een streng verbod op het gebruik van hun taal, hun traditionele kledij, hun muziek, dansen en andere gebruiken opgelegd gekregen. De poging deze decreten met geweld te laten naleven, is de directe aanleiding geworden voor de opstand die op kerstavond is uitgebroken. Een snel militair ingrijpen lijkt uitgesloten, aangezien Filips' beste troepen met Alva naar de Nederlanden zijn vertrokken.

Terwijl Filips II zijn land tot een katholiek bastion en een voorpost van het geloof in Europa wil maken, moet hij de krachten en middelen van Spanje verdelen over drie fronten tegelijk: de strijd tegen de protestanten in het noorden, tegen de islam in het zuiden, en tegen de politieke en religieuze verdeeldheid in Spanje zelf.

**Januari.** Gevechten in Périgord leiden tot de derde godsdienstoorlog in Frankrijk. Het hof van Karel IX en Catharina de' Medici wordt naar Metz verplaatst.

**20 maart.** In de Nederlanden worden nieuwe belastingen ingevoerd, onder andere de 'tiende penning'. →

**Maart.** In de Slag van Jarnac verslaat de katholieke hertog van Anjou, broer van de Franse koning, de troepen der hugenoten. De leider van de hugenoten, Lodewijk van Bourbon, prins van Condé, wordt gevangengenomen en vervolgens doodgeschoten.

**Maart.** In Cognac komen de leidinggevende hugenoten bijeen. Zij benoemen admiraal De Coligny tot hun opperbevelhebber.

**23 juni.** Bij Saint-Yrieix sluiten Duitse protestantse troepen zich aan bij de legermacht van De Coligny.

**1 juli.** Sigismund II van Polen slaagt erin de Rijksdag van Litouwen te dwingen tot de Unie van Lublin. Het koninkrijk Polen-Litouwen wordt één staat met één Rijksdag. Sigismund had eerder Kiëv, Podlachien en Wolhynien aan de Poolse kroon toegevoegd.

**Juli.** Willem van Oranje verstrekt de eerste kaperbrieven, waarin de 'watergeuzen' het recht krijgen om Spaanse schepen te confisqueren.

**27 augustus.** Paus Pius V maakt Cosimo de' Medici tot groothertog van Toscane, als beloning voor Cosimo's succesvolle strijd tegen de ketterij. →

**1 oktober.** In Engeland wordt de hertog van Norfolk gearresteerd omdat hij van plan was met Maria Stuart te trouwen.

**3 oktober.** Bij Montcontour wordt het leger van de hugenoten verslagen door de troepen van de hertog van Anjou.

**9 november.** In Durham, in Noord-Engeland, komen rooms-katholieken in opstand. Leiders zijn de graven van Northumberland en van Westmoreland. De opstand wordt onderdrukt.

**15 december.** Northumberland en Westmoreland vluchten naar Schotland.

**23 december.** Tsaar Ivan IV laat de afgezette metropoliet Filip om het leven brengen. →

- Tussen Spanje en de Republiek breekt oorlog uit. →

- In Granada wordt de opstand door islamieten door Don Juan van Habsburg onderdrukt. Don Juan is een halfbroer van Filips II.

# Alva stelt Bloedraad in

*Alva zit een bijeenkomst van de Bloedraad voor.*

'S-GRAVENHAGE, 20 maart - De oorlog tussen 'de Nederlanden' en Spanje is uitgebroken. Filips II heeft een van de onverzoenlijkste vertegenwoordigers, Alvarez de Toledo, hertog van Alva, met een groot Spaans leger naar de Nederlanden gezonden; deze heeft direct na aankomst met harde hand ingegrepen, een inquisitieraad ingesteld, honderden gearresteerd, vele executies laten uitvoeren, de zoon van Willem van Oranje naar Spanje gezonden en nieuwe belastingen ingesteld. Daarmee is de situatie die drie jaar geleden met het smeekschrift van de edelen en de beeldenstorm ontstond, uit de hand gelopen. Willem van Oranje heeft een groot deel van zijn bezittingen verkocht en legers geformeerd die de troepen van Alva van verscheidene kanten bestoken. Met weinig succes overigens. Maar daarmee is de grens waarbinnen overleg mogelijk was wel definitief overschreden.

*De door Cellini vervaardigde buste van Cosimo I, groothertog van Toscane.*

# Toscane onder Cosimo I

FLORENCE, 27 augustus - Paus Pius V heeft Cosimo I de' Medici, de man die na het verval, de verdeeldheid en de afhankelijkheid van de jaren dertig, veertig en vijftig Florence weer groot en machtig heeft gemaakt, benoemd tot groothertog van Toscane.

De in 1519 geboren Cosimo werd in 1537 tot hertog van Florence benoemd. Keizer Karel V, die zeven jaar eerder een eind had gemaakt aan de republiek, koos Cosimo samen met de oude patriciërs, in de hoop dat Florence onder een jonge, onervaren hertog een vazal van Spanje zou blijven.

Het tegendeel gebeurde. Al direct na zijn benoeming versloeg Cosimo de oude patriciërs bij Montemurlo en ging werken aan zijn vier grote doelen: het beëindigen van de Florentijnse afhankelijkheid, de uitschakeling van de patriciërs van de oude stempel, de integratie van Florence en de bezittingen in Toscane en de verheerlijking van het Huis van de Medici.

Cosimo slaagde op alle fronten. Hij speelde de keizer uit tegen de Fransen, kocht Karels plaatsbekleders om, voerde een succesvolle veldtocht tegen de oude vijand Siena en breidde het Florentijnse gebied uit tot een ongekende omvang. In de stad zelf plaatste hij op sleutelposten zijn eigen vertrouwelingen. Hij verbeterde de verdediging, de infrastructuur en de landbouw en maakte van Florence een moderne staat. De stad werd verfraaid met de Ponte Santa Trinità, de fontein van Neptunus, de Uffizi en andere bouwwerken. De uitroeping van het hertogdom Florence tot het groothertogdom Toscane onder Cosimo is een uiteindelijke erkenning van Cosimo's werk.

# Tsaar Ivan laat metropoliet wurgen

MOSKOU, 23 december - De vorig jaar afgezette metropoliet Filip is in opdracht van tsaar Ivan IV in het Otrochklooster in Tver door Ivans beul Maljoeta Skoeratov gewurgd. Hij is hiermee een van de vele slachtoffers van het regime van deze tsaar, dat sinds de instelling van de 'opritsjnina' in 1565 de gedaante van een schrikbewind heeft aangenomen.

Laat in 1564 verliet Ivan plotseling Moskou en ging naar het dorpje Aleksandrovsk. Na een maand van absolute stilte stuurde hij twee brieven aan de metropoliet. In de ene klaagde Ivan zowel de bojaren als de geestelijkheid aan; in de tweede verzekerde de tsaar het gemene volk van zijn genegenheid. In verwarring en paniek geraakt smeekten de bojaren en het volk van Moskou de tsaar om terug te keren en over hen te heersen. Ivan gaf hieraan gehoor in februari 1565, nadat aan twee voorwaarden was voldaan: de bevestiging van het recht van de tsaar om verraders naar eigen goeddunken te straffen en de instelling van een speciaal instituut, de opritsjnina.

De opritsjnina - de term is afgeleid van het woord 'opritsj' dat 'apart' betekent - vormt in feite een staat in de staat en bestaat naast het eigenlijke rijk, de 'zemsjtisjna'. Ivan onttrok aan het rijk die gebieden waar hij zijn gezag onvoldoende gevestigd achtte en plaatste deze onder het beheer van een nieuwe elite, de opritsjniki. De zemsjtsjina bleef onder de bojarendoema (adelsraad) en de oude ambtenarij ressorteren. Het gevolg van deze tweedeling was dat, doordat ook erfelijke bezittingen van bojaren onder de opritsjnina werden geplaatst, in feite een einde kwam aan het privé-bezit van de bojaren. Bojaren die de terreur overleefden, werden gecompenseerd met grond elders die zij echter slechts in leen kregen. Ofschoon het niet zo zeker is dat de bojaren een bedreiging vormden - zij zijn immers niet hecht georganiseerd - brachten de volgende gebeurtenissen de tsaar tot deze overtuiging.

In 1553 was hij ziek en riep de voornaamste bojaren en de priester Silvester bij zich om trouw aan zijn zoontje Dmitri te zweren. Ivan heeft het hun nooit vergeven dat zij lang talmden alvorens dit te doen. Kort daarop werd een aantal bojaren die naar Litouwen wilden ontsnappen, hetgeen als verraad werd beschouwd, opgepakt. Verder leidde de Lijflandse Oorlog tot een breuk tussen de tsaar en zijn voornaamste adviseurs Adasjev en Silvester. Toen Ivans vrouw Anastasia in 1560 stierf beschuldigde hij Adasjev en Silvester ervan dat zij haar hadden vergiftigd en schoof hen aan de kant. Drie jaar later stierf metropoliet Makari, die net als Anastasia een positieve invloed op de tsaar had gehad.

Ivans voornaamste medewerkers zijn genoemde opritsjniki. Hoewel een aantal van hen uit de bojarenrangen afkomstig is, bestaat het merendeel uit vertegenwoordigers van de dienstadel en andere nationaliteiten - Tataren, Duitsers, Litouwers en kozakken. De opritsjniki zijn in feite een soort politietroepen die, in het zwart gekleed en op zwarte paarden, door het land stormen met bezems en hondekoppen aan hun zadel; de hondekoppen symboliseren hun plicht de vijanden van de tsaar te vernietigen; de bezems getuigen van hun vastbeslotenheid het land schoon te vegen van verraad.

**23 januari.** In Schotland begint opnieuw een burgeroorlog tussen aanhangers van Maria van Schotland en de calvinistische regering (de 'Lords of the Congregation').

**25 februari.** Paus Pius IV verklaart Elizabeth I afgezet. Tevens excommuniceert hij alle Engelsen die Elizabeth gehoorzaam zijn.

**28 februari.** Op Ternate breekt een opstand tegen de Portugezen uit. →

**14 april.** In Polen sluiten de calvinisten, de lutheranen en de hernhutters zich aaneen tegen de toenemende invloed van de jezuïeten.

**April.** De watergeuzen verdubbelen hun aanvallen op Spaanse schepen in Het Kanaal. Hierdoor wordt de toevoer van troepen en geld voor de hertog van Alva afgesneden.

**10 mei.** Tsaar Ivan levert kritiek op het protestantisme. →

**Mei.** Turkije verklaart Venetië de oorlog nadat Venetië geweigerd heeft Cyprus aan Turkije over te dragen. Een Spaanse vloot komt Venetië te hulp.

**25 juli.** In Moskou wordt een groot aantal vooraanstaanden ter dood gebracht. Slachtoffers zijn naaste medewerkers van de tsaar, diplomaten en ambtenaren. →

**8 augustus.** De Vrede van Saint-Germain-en-Laye maakt een eind aan de derde godsdienstoorlog in Frankrijk. De hugenoten krijgen grotere vrijheden dan voorheen. Een aantal steden wordt aangewezen als wijkplaats voor vervolgde hugenoten, met als belangrijkste stad La Rochelle.

**16 augustus.** In Spiers tekent János Sigismund Zápolyai, koning van Transsylvanië, een geheim verdrag met keizer Maximiliaan II. Zápolyai staat een groot deel van Hongarije af aan Maximiliaan.

**16 oktober.** In Spanje wordt de baron van Montigny, de jongere broer van de hertog van Hoorne, op bevel van Filips II vermoord.

**13 december.** Denemarken bevestigt in de Vrede van Stettin de onafhankelijkheid van Zweden. →

- In Japan wordt de haven van Nagasaki opengesteld voor handel met het Westen.

- Noboenaga, telg uit de Oda-familie, werkt aan een eenwording van Japan. →

- Tsaar Ivan IV richt in Novgorod een bloedbad aan. →

*Illustratie uit 'Het verhaal van prins Gendji', de beroemdste roman uit de klassieke Japanse literatuur (begin 11de eeuw).*

# Verdere eenwording Japan

KIOTO - Noboenaga, een telg uit de tot voor kort vrijwel onbekende Oda-familie, heeft ingezien dat slechts met militaire middelen de verdere eenwording van Japan onder een centrale regering tot stand kan worden gebracht. Na een decennium van meest vreedzame onderwerping van machtige daimio's zullen naar verwachting weer veldslagen moeten worden geleverd om het herstel van het centrale gezag te bewerkstelligen.

Noboenaga komt uit een tamelijk onaanzienlijke familie. De Oda-familie heeft wel enkele posten aan het hof weten te bemachtigen maar dit geldt niet als een machtsfactor van betekenis in Japan.

Noboenaga zag echter, evenals vele andere grootgrondbezitters, de noodzaak in van het indammen van de onderlinge conflicten en van de totstandkoming van een eenheidsstaat. Bovendien geeft hij blijk van een groot strategisch inzicht door families aan zich te binden via huwelijken en het uitdelen van beloningen. Daarbij gaat hij uit van het belang van de geografische ligging van landgoederen en zelfs hele provincies ten opzichte van de hoofdstad. Zijn uiteindelijke doel is met inzet van zo min mogelijk militaire middelen tot een eenheid te komen.

Door zijn inhuringstactiek slaagde Noboenaga erin alle provincies en daarmee alle belangrijke economische en strategische posities te verwerven alvorens hij in Kioto kwam.

In de hoofdstad werd hij aanvankelijk koel ontvangen omdat de ambtenaren en hun families in hem de zoveelste rovende militair zagen. Nu echter blijkt dat de troepen van Noboenaga uiterst gedisciplineerd optreden en dat de veiligheid en rust in Kioto door hen juist worden gewaarborgd, keren de gevluchte families van de ambtenaren met hun bezittingen in groten getale terug naar de hoofdstad.

Noboenaga heeft nu alle daimio's naar de hoofdstad ontboden om met de sjogoen en de keizer te overleggen wat er verder moet worden ondernomen. Dit is voornamelijk een test om te zien welke daimio's van plan zijn op zijn minst mee te werken.

# Tsaar Ivan IV richt bloedbad in Novgorod aan

NOVGOROD - Tsaar Ivan IV en zijn opritsjniki (lagere adel) hebben in Novgorod een waar bloedbad aangericht. Dit is het resultaat van verdenkingen die de tsaar tegen deze stad koesterde; Novgorod zou in het geheim onderhandelingen met Litouwen hebben gevoerd met het doel zich onder protectie van Sigismund August te stellen. Het is niet bekend of dit ook werkelijk is gebeurd en zo ja, hoe groot de groep samenzweerders was. Ivan beschouwde het in ieder geval als een goede reden om deze eens zo machtige stad tot een provincieplaats te reduceren.

De strafexpeditie tegen Novgorod volgt kort op die tegen Tver, een andere stad die de tsaar vreesde vanwege de nog sterk levende tradities van vroegere onafhankelijkheid. In Tver werden circa 9000 mensen, niet alleen bojaren maar ook kooplieden en ambachtslieden, het slachtoffer.

In januari dit jaar keerde Ivans gram zich tegen Novgorod. Hij viel de stad binnen met een contingent van 1500 Streltsi (musketiers) en zijn opritsjniki. Na aartsbisschop Pimen gevangengenomen te hebben confisqueerde Ivan de rijkdommen van de kloosters rondom Novgorod. Teneinde de schatkist verder te vullen gaf de tsaar bevel om het kapitaal van de kooplieden van de stad in beslag te nemen. Het moorden en plunderen duurde een volle maand. Volgens een opritsjnik, de Lijflander Johan Taube, verloren in de moordpartij die weken duurde zeker 12 000 prominente stedelingen en meer dan 15 000 van het gewone volk het leven. De buit was enorm. Heinrich von Staden, een andere opritsjnik die deelnam aan de expeditie, vertelt: 'Ik kwam naar Novgorod met een paard en twee bedienden, ik keerde terug met 49 paarden ingespannen voor sleden, beladen met goederen.'

# Ternate in opstand tegen Portugezen

TERNATE, 28 februari - De lafhartige moord op sultan Hairun in de vesting Gamlamo heeft geleid tot een algehele opstand tegen de Portugese aanwezigheid. De nieuwe sultan Baabullah heeft zijn troepen samengetrokken rond het fort; alle contact met de buitenwereld is verbroken.

De moord werd gepleegd door een neef van de Portugese commandant.

Die conflicten vloeiden voort uit het in 1522 aan Portugal verleende monopolie op de kruidnagelhandel. Ternate ontving een vaste prijs, maar door een grotere vraag stegen de prijzen. Dit leidde niet alleen tot ontevredenheid bij de Ternatanen, maar ook tot aanplant van nieuwe cultures op Ambon en Buru, waar handelaren uit Java en Makassar zonder problemen konden inkopen. Om deze concurrentie teniet te doen vestigden de Portugezen een fort op Ambon, waar ze ook overgingen tot kerstening van het heidense deel van de bevolking (Leitimor). Het eiland is echter onderhorig aan de streng islamitische sultans van Ternate.

De verhouding verslechterde nog verder door het hoogmoedige en roofzuchtige gedrag van de Portugezen, voornamelijk personen die men elders liever kwijt dan rijk was. Gouverneur D'Ataide lokte zelf in 1535 sultan Tabariji in zijn fort en liet hem naar Goa (het Indiase hoofdkwartier van de Portugezen) verschepen, waarna hij diens halfbroer Hairun op de troon plaatste. In Goa werd Tabariji bekeerd tot het christendom en als Dom Manuel kreeg hij in 1545 toestemming op de troon terug te keren. Helaas stierf Dom Manuel tijdens de reis, zodat men gedwongen was Hairun, die alvast was gevangengezet, weer als sultan te installeren.

Deze zette nu nog feller de vervolging van de christenen op Ambon voort. Rond 1565 leken ze tot de ondergang gedoemd, waarop de Portugezen een vloot stuurden en weigerden aan de sultan, nog steeds hun handelspartner, zijn winstpercentage af te dragen. Uiteindelijk wist men toch tot een kortstondige overeenstemming te komen.

# Tsaar Ivan kritiseert protestantisme

MOSKOU, 10 mei - Tsaar Ivan de Verschrikkelijke heeft met Jan Rokyta, een predikant van de Boheemse Broederschap, een openbaar debat over het geloof gehouden. De discussie werd besloten met een geschreven antwoord van de tsaar waarin deze het protestantisme fel bekritiseert. Deze afkeer van het protestantisme weerhoudt de tsaar er echter niet van om protestantse buitenlanders in dienst te nemen of in zijn rijk te vestigen. Een aantal opritsjniki is Lijflander; de tsaar heeft buitenlandse protestantse lijfartsen in dienst; Engelse kooplieden drijven handel op Moskovië; uit de in Lijfland veroverde steden zijn duizenden burgers weggevoerd en naar het Russische binnenland gedeporteerd.

De predikant Jan Rokyta, consenior van de Boheemse Broederschap, maakt deel uit van het Poolse gezantschap dat naar Moskovië is gereisd om een Pools-Russische wapenstilstand te sluiten. Tsaar Ivan IV had Rokyta een tiental geloofsvragen voorgelegd,

*Fragment uit de 16de-eeuwse icoon 'De metropoliet Alexios en zijn levensloop' van de schilder Dionissi (Tretjakov, Moskou).*

waaronder de vraag naar de grondslagen van zijn geloof, wat hij van priesterhuwelijken vindt en hoe hij over de vasten denkt.

De houding van de tsaar ten aanzien van de religie is bijzonder tweeslachtig. Perioden van wrede uitspattingen worden gewoonlijk gevolgd door diep berouw; de meest flagrante heiligschennis wordt afgewisseld met gebed. In zijn hoofdkwartier in het plaatsje Aleksandrovsk voert Ivan een soort parodie op een klooster op. Zijn opritsjniki gaan in het zwart gekleed als 'monniken', de tsaar is hun 'abt'. Daartegenover staat weer dat hij de kloosters subsidies geeft en pelgrimstochten ernaar toe stimuleert. Ivan zelf heeft heel wat pelgrimstochten naar kloosters gemaakt, onder andere een voettocht van 60 kilometer van Moskou naar het klooster van de Heilige Sergius, die hij als boetedoening blootsvoets aflegde.

Tsaar Ivan de Verschrikkelijke ziet zichzelf als het hoofd van een monolithische religieuze beschaving, niet als een louter militair en politiek leider. Zijn veldtocht tegen de Tataren van

Kazan in 1552 had niet voor niets het karakter van een kruistocht tegen ongelovigen, die de volledige instemming van de metropoliet genoot.

Aan de andere kant duldt hij van de opvolgers van de in 1563 overleden metropoliet Makari geen inmenging meer, ofschoon het traditioneel de taak van kerkelijke hoogwaardigheidsbekleders is om de vorst te vermanen en aan te sporen een christelijk leven te leiden.

Daarentegen neemt de tsaar vermaningen van 'heilige gekken' soms ter harte. Na de strafexpeditie tegen Novgorod, eerder dit jaar, was de beurt aan Pskov. Dat Pskov voor een wreed lot werd gespaard is deels te danken aan het ingrijpen van de 'heilige gek' ('joerodivi') Nikolai Salos, die Ivan dreigde met Gods straf als hij doorging met bloedvergieten.

*Het rijk van Ivan de Verschrikkelijke.*

■ Rusland bij het begin van de regering van Ivan IV de Verschrikkelijke (1533)

■ door Ivan IV de Verschrikkelijke veroverd gebied

## Zweden en Denemarken sluiten vrede

STETTIN, 13 december - De Vrede van Stettin heeft een eind gemaakt aan de Noordse zevenjarige oorlog. Geen van de oorlogvoerende landen wist territoriaal voordeel te behalen. Men heeft besloten toekomstige meningsverschillen via arbitrage op te lossen. Het onderlinge wantrouwen tussen Denemarken en Zweden is echter verder toegenomen.

De strijd tussen beide landen had de heerschappij in de Oostzee en met name de zeer lucratieve handel aldaar als inzet. In de Baltische landen was de Duitse Orde na de opmars van het lutheranisme ingestort. Polen had Koerland bezet en Rusland de stad Narva in Estland. Voor het tussenliggende gebied hadden ook de Denen en de Zweden grote interesse.

Na een conflict in Estland verklaarde de Deense koning Frederik II in augustus 1563 de Zweden de oorlog. Hij hoopte in stilte ook op herstel van de Scandinavische Unie. De Denen die door Polen en Lübeck gesteund werden, waren op het land sterker, maar de Zweden beheersten de zee. Na zeven

*De Zweedse koning Johan III.*

jaar van wisselende successen en zonder duidelijke winstkansen voor een van beide partijen besloot men aan deze wrede oorlog een eind te maken.

## Publieke executies in Moskou

*Een groep Moskovische bojaren.*

MOSKOU, 25 juli - In de Moskouse wijk Kitaj Gorod zijn onder grote publieke belangstelling 116 vooraanstaande regeringsfunctionarissen op beschuldiging van hoogverraad terechtgesteld. Onder hen bevond zich kanselier Ivan Viskovati. Ruim 180 verdachten werden vrijgesproken. Tsaar Ivan de Verschrikkelijke woonde, vergezeld van zijn opritsjniki (dienaren) en 1500 Streltsi (musketiers), de executies bij. De tsaar sprak de menigte persoonlijk toe en vroeg hun of hij juist handelde door de verraders te straffen. Het volk schreeuwde zijn instemming. Uit het gebeurde valt af te leiden dat tsaar Ivan IV zich in toenemende mate paranoïde gedraagt, met alle vernietigende effecten van dien voor de staat en de bevolking. Hij heeft ook wel enige reden om bevreesd te zijn, zij het dat Moskovïe vooral van buitenaf wordt bedreigd. De oorlog die Ivan IV in 1558 als bliksemcampagne tegen Lijfland is begonnen, blijkt een steen om zijn nek te zijn en heeft al tot de interventie van Litouwen en Zweden geleid. Ten gevolge van de vorig jaar gesloten Unie tussen Polen en Litouwen is het militaire potentieel van Litouwen ruim verdubbeld.

De situatie in het zuiden is evenmin erg bevredigend. De gecombineerde Turks-Tataarse aanval op Astrakan vorig jaar is weliswaar afgeslagen, maar de situatie blijft bijzonder gevaarlijk. Achter de Krimtataren staat immers altijd hun machtige suzerein, de Turkse sultan. De afgelopen maanden mei en juni stonden dan ook in het licht van het diplomatieke bedrijf. Met Polen is momenteel een driejarige wapenstilstand overeengekomen, een diplomatiek succes van de nu terechtgestelde kanselier Ivan Viskovati. De betrekkingen met Zweden zijn daarentegen verbroken. De tsaar hoopt door neutralisering van Polen-Litouwen armslag te krijgen in Lijfland en heeft een expeditieleger richting Riga gestuurd.

Na deze diplomatieke bedrijvigheid achtte de tsaar de tijd rijp om af te rekenen met de 'verraders' binnenslands.

392

**11 januari.** De keizer van Oostenrijk, Maximiliaan II, kent de adel een beperkte vorm van godsdienstvrijheid toe. →

**14 maart.** Keizer Maximiliaan II maakt aanspraak op Transsylvanië na de dood van János Sigismund Zápolyai. De Landdag van Transsylvanië kiest echter István Báthory als landheer.

**25 maart.** De Italiaanse zakenman Roberto Ridolfi verlaat Engeland om steun te organiseren voor een katholieke opstand in Engeland. De samenzweerders willen Maria Stuart bevrijden, Elizabeth I afzetten en het katholicisme in Engeland herstellen.

**19 mei.** Spaanse troepen veroveren het op het eiland Luzon gelegen Maynila. →

**20 mei.** In Rome wordt de Heilige Liga gevormd. Het is een verbond tussen Spanje, Venetië en de paus tegen Turkije.

**Augustus.** In de Nederlanden wil Alva de 'tiende penning' werkelijk gaan heffen. Dit leidt tot algemene verontwaardiging. De stadsbesturen durven geen medewerking te verlenen aan Alva's plan.

**4 september.** In Schotland pleegt de katholieke partij een staatsgreep waarbij de regent, de graaf van Lennox, wordt vermoord. Hij wordt vervangen door de graaf van Mar.

**September.** De bondgenoten van de Heilige Liga brengen een vloot bijeen die onder bevel van Don Juan van Habsburg staat.

**7 oktober.** Bij Lepanto behaalt de vloot van de Heilige Liga een grote overwinning op de Turken. De Turkse vloot, die getalsmatig sterker is, wordt vernietigd.

**November.** In Engeland bekent John Leslie, bisschop van Ross, dat hij heeft meegewerkt aan de Ridolfi-samenzwering. Zijn bekentenis onthult de omvang van de samenzwering.

- In de Nederlanden wordt de handel met Engeland verboden.

- In Emden wordt een synode gehouden van de calvinistische 'Kerken onder het kruis'. De synode is georganiseerd door Nederlandse vluchtelingen. Deze synode bepaalt de inrichting van de toekomstige Gereformeerde Kerken in de Nederlanden.

- In Frankrijk wordt de partij van de 'politiques' gevormd. Aanhanger is onder anderen hertog Frans van Alençon, de jongste zoon van Catharina de' Medici. De politiques streven naar een sterke regering die boven de godsdienstige partijen staat.

Gestorven:

**14 februari.** Benvenuto Cellini (1-11-1500), Italiaans beeldhouwer →

# Manila hoofdstad Filippinas

MAYNILA [Manila], 19 mei - Na verwoede gevechten hebben Spaanse troepen het op het eiland Luzon gelegen Maynila bezet en uitgeroepen tot hoofdstad van de Islas del Poniente (westelijke eilanden), ook wel de Filippinas genoemd. Vorig jaar verschenen voor het eerst Spanjaarden voor het havenstadje. Zij sloten een verdrag met de plaatselijke vorst, sultan Süleyman, die echter al snel merkte dat men hem nu beschouwde als vazal en daarom de overeenkomst verbrak. Op 24 april vorig jaar braken gevechten uit; de sultan vluchtte en Maynila werd geplunderd.

De Spanjaarden vertrokken, maar keerden een jaar later terug, nu om het gebied definitief in bezit te nemen.

De bevolking van de Filippinas, een archipel van een tiental grotere en honderden kleinere eilanden, leeft in barangays, langs de kusten verspreide agrarische gemeenschappen van 30 tot 100 gezinnen. Ze kennen een oppergod, een serie natuurgoden, goede en kwade geesten en voorouderverering. De islam is nog niet verder doorgedrongen dan de Sulu-eilanden, Mindanao en het jonge handelsstaatje Maynila. De eilanden zijn, overigens tot grote teleurstelling van de Spanjaarden, arm aan delfstoffen en specerijen en produceren nauwelijks genoeg voedsel voor eigen consumptie.

De eerste Spaanse expeditie, die in 1521 via de Straat van Magalhães de archipel bereikte, verliep desastreus: bevelhebber Magalhães vond de dood op het strand van Mactan en van de vijf uitgezonden schepen keerde uiteindelijk alleen de 'Victoria', met achttien overlevenden, naar Europa terug.

Spanje zond nog een aantal, ook weinig succesvol verlopen, expedities uit onder leiding van Loasia (1525), Cabot (1526), Saavedra (1527) en De Villalobos (1542). De laatste doopte een van de eilanden Felippina (naar de prins van Asturië, Filips II), een naam die al spoedig voor de gehele archipel gebruikt zou gaan worden.

Filips II, in 1556 koning geworden en vastbesloten het Spaanse gezag ook in Azië te vestigen, gaf bevel tot het uitrusten van een nieuwe vloot. De leiding kwam te liggen bij Don Miguel Lopez de Legazpi, die de titel gouverneur- en kapitein-generaal en adelantado van de Filippinas kreeg. Zijn opdracht luidde: het zonder veel bloedvergieten vestigen van Spaans gezag, het zoeken van specerijen, goud en zilver en het verkondigen van de leer van Jezus Christus. In 1564 vertrokken vier schepen met 200 soldaten en zes missionarissen aan boord en in februari van het volgende jaar werd het eiland Cebu bereikt. De ontvangst was vijandig en de vloot was gedwongen enige tijd door de archipel te zwerven, op zoek naar voedsel. In maart werd een steunpunt gevestigd op Bohol, van waaruit in april Cebu met geweld werd ingenomen.

Daar ontstonden algauw grote problemen: voedseltekorten, het losbandig gedrag van soldaten, muiterijen, nachtelijke raids van Filippino's en aanvallen van de Portugezen, die regelmatig poogden hun concurrenten te verdrijven. De situatie was onhoudbaar en men ging op zoek naar een veiliger vestigingsplaats. Die werd gevonden in de goed te verdedigen natuurlijke haven Maynila.

# Dood Benvenuto Cellini

FLORENCE, 14 februari - De goudsmid en beeldhouwer Benvenuto Cellini is op 70-jarige leeftijd overleden. Beroemd zijn zijn medaillons en het gedreven gouden zoutvat dat hij voor koning Frans I maakte tijdens zijn verblijf aan het Franse hof van 1537 tot 1545. Daarna keerde hij naar Italië terug en vervaardigde onder meer de buste van Cosimo I de' Medici.

Hoewel Cellini wordt gerekend tot de beeldhouwers van het maniërisme, ontwikkelde hij toch een eigen, door zijn edelsmeedwerk geïnspireerde stijl, met veel oog voor het detail. Voorbeelden daarvan vormen zijn elegante *Narcissus* en *Perseus* (1553), die uitkijkt op de Piazza della Signoria in Florence.

Ook is hij de schrijver van de eerste belangrijke autobiografie in Italië: *Vita di Benvenuto Cellini*, waaraan hij in 1558 in Florence begon. Wat ook het waarheidsgehalte ervan moge zijn, het boek geeft een boeiend tijdsbeeld en

*De 'Narcissus' van Benvenuto Cellini.*

valt op door het vitale zelfbewustzijn en de morele onbekommerdheid van de auteur.

# 1572

*Keizer Maximiliaan II en zijn gezin.*

## Maximiliaan II: beperkte vrijheid van godsdienst

OOSTENRIJK, 11 januari - Maximiliaan II heeft in de 'Religionsassekuranz' de adel van zijn Oostenrijkse gebieden gegarandeerd 'dat zij in en op al hun kastelen, huizen en landgoederen (behalve in onze steden en marktplaatsen) voor zichzelf, hun dienstpersoneel en hun onderdanen godsdienstoefeningen mogen houden volgens de in de agenda omschreven geloofsbelijdenis'. Deze beperkte vorm van godsdienstvrijheid wordt pas aan de adel toegekend nadat hun 'agenda' door Maximiliaan is goedgekeurd. Die 'agenda', een opsomming van alle verrichtingen en formules die tijdens de eredienst in gebruik zijn, is samengesteld door de theoloog David Chytraeus.

Maximiliaan hecht zoveel waarde aan de nauwkeurige vastlegging van de geloofsartikelen, omdat hij er zeker van wil zijn dat ze overeenstemmen met de Augsburgse Confessie van 1555. Bovendien wil hij voorkomen dat de sektarische leer van Matthias Flacius, een extreem lutheraan, in Oostenrijk verder om zich heen grijpt. Hoewel de 'Religionsassekuranz' een privilege van de adel is, zal zij ook in de steden de verbreiding van de protestantse godsdienst bevorderen. De stedelingen kunnen deelnemen aan de protestantse kerkdiensten, die op de Oostenrijkse adellijke landgoederen gehouden worden.

Uit maatregelen als de 'Religionsassekuranz' blijkt dat Maximiliaan II niet geheel afkerig is van het protestantse geloof. De keizer bezoekt weliswaar de katholieke mis, maar negeert de vastenregels en onderhoudt vriendschappelijke betrekkingen met protestanten.

Hij komt de protestantse edelen ook tegemoet omdat hij met het oog op de sinds 1567 weer oplaaiende oorlogen tegen de Turken hun steun niet kan ontberen.

**12 maart.** De Portugese dichter Luis Vaz de Camões publiceert zijn *Os Luciades* (De Lusiaden). →

**1 april.** De watergeuzen veroveren Den Briel.

**21 april.** In Blois tekenen Frankrijk en Engeland een defensief verbond tegen Spanje.

**15 mei.** Lodewijk van Nassau verovert Valenciennes. Hij krijgt hierbij steun van Franse hugenotentroepen.

**23 mei.** Lodewijk van Nassau verovert Bergen, dat vervolgens belegerd wordt door de troepen van Alva.

**Mei.** Enkhuizen verklaart zich voor Willem van Oranje. In Holland en Zeeland breekt hierna een volksopstand uit. Alleen Amsterdam, Middelburg en Goes laten geen geuzen binnen.

**9 juni.** Vanuit Duitsland trekken troepen van Willem van Oranje Gelderland binnen.

**7 juli.** Sigismund II, de laatste telg uit de Jagellonen-dynastie, overlijdt. De Rijksdag van Polen besluit dat de koning voortaan gekozen zal worden.

**18 juli.** In Dordrecht erkennen de opstandige steden Willem van Oranje als stadhouder van Holland, Friesland, Zeeland en Utrecht.

**24 juli.** Troepen onder leiding van Willem van Oranje nemen Roermond in. →

**18 augustus.** Hendrik van Bourbon, koning van Navarra, een hugenoot, trouwt met Margaretha van Valois, de zuster van koning Karel IX.

**22 augustus.** In Parijs wordt een moordaanslag gepleegd op admiraal De Coligny. De hugenoten eisen een onderzoek.

**25 augustus.** In Parijs worden duizenden hugenoten vermoord. In deze 'Bartholomeüsnacht' komt onder anderen De Coligny om. →

**Oktober.** Mechelen, Zutphen en Naarden worden geplunderd door troepen onder het bevel van Don Frederik, de zoon van Alva.

**31 december.** De Duitse stad Augsburg wordt door een hongersnood geteisterd. →

- De Engelse kapitein Francis Drake kaapt een Spaans schip dat grote schatten aan boord heeft.

- In Bogotá wordt een universiteit gesticht.

- Inca-leider Tupac Amaru wordt in Cuzco onthoofd. →

# Inca-leider Tupac onthoofd

*De stad Machu Picchu in het hooggebergte van de Andes.*

CUZCO - Tupac Amaru is op het marktplein van Cuzco onthoofd. Dit gebeurde op gezag van de Spaanse onderkoning Francisco de Toledo. Hiermee lijkt een einde te zijn gekomen aan het verzet van de Inca's tegen de Spaanse overheersers.

Tupac Amaru had zichzelf tot Inca uitgeroepen na de dood van zijn broer Inca Titu Cusi, een jaar geleden. Titu Cusi, die zich had laten dopen maar daarnaast de zonnegod bleef vereren, was ernstig ziek. Die ziekte schreef hij toe aan de Spaanse monniken die hij liet folteren. Hierdoor ontketende zich een religieuze opstand onder leiding van de Taqui Ongo-sekte. De opstand werd hardhandig onderdrukt. Onderkoning Francisco de Toledo wilde vervolgens definitief een einde maken aan het Inca-verzet en zette een expeditie uit naar het gebied rond Vilcabamba. De stad werd veroverd en Tupac werd gevangengenomen.

Het glorieuze Inca-rijk is in feite vijftig jaar geleden al ingestort toen de Spaanse veroveraar keizer Atahualpa gevangennam en vervolgens liet wurgen. In die vijftig jaar zijn de Inca's verscheidene keren in opstand gekomen, meestal opererend vanuit hun vestingsteden Vilcabamba en Machu Picchu, gelegen in de vrijwel ontoegankelijke hooggebergten. Maar steeds delfden ze het onderspit tegen de Spanjaarden. Bovendien werden ze beroofd van hun leiders: in 1545 werd Inca Manco vermoord door de aanhangers van de Spaanse veroveraar Almagro. Vijftien jaar later werd zijn opvolger Saysi Tupic, die zich met de Spanjaarden verzoend had, vergiftigd.

## Roermond op Spanjaarden veroverd

ROERMOND, 24 juli - Gisteren is Roermond door de troepen van Willem van Oranje ingenomen en het heeft er nu alle schijn van dat de opstand van de Nederlanden tegen Spanje van dag tot dag aan kracht wint. De afgelopen maanden is overal 'in naam van de prins' terrein veroverd, zoals Den Briel, dat twee maanden geleden door de watergeuzen is ingenomen. De stemming blijkt ook uit de kreten die men her en der hoort, uit de liederen en de briefwisselingen tussen de steden. Zo heeft Jacob van Wesembeke, een agent van Oranje, onlangs een donderend schrijven, een 'Vermaninge van Willem van Nassau', rondgestuurd waarin de steden werden opgeroepen de 'bij God en de mensen gehate tiran' te verdrijven. Ook kan men steeds vaker het Geuzenlied horen zingen waarin de zeventien provinciën opgeroepen worden zich te weer te stellen.

*Willem van Lumey, de aanvoerder van de watergeuzen.*

# Bloedbad onder de Franse hugenoten

PARIJS, 25 augustus - Vele hugenoten die ter ere van het huwelijk van hun leider Hendrik van Navarra in Parijs waren, hebben hun aanwezigheid in de hoofdstad met de dood moeten bekopen. Dat is de uitkomst van een nacht en een ochtend vol gruwelen, waarin soldaten van de koning naar schatting tweeduizend protestanten in koelen bloede hebben vermoord.

Hendrik van Navarra zelf bleef gespaard omdat hij de keuze kreeg tussen de dood of een terugkeer naar het katholieke geloof. Vele andere protestantse leiders werd die mogelijkheid niet gegeven. Zij werden in hun slaap verrast. Degenen die kans zagen te vluchten werden op straat neergeschoten of doodgeslagen. Hun ontklede lichamen werden in de Seine gegooid. Onder de slachtoffers is de belangrijkste aanvoerder van de hugenoten, admiraal De Coligny.

Het bloedbad van Sint Bartholomeüs, zoals het nu al wordt genoemd, betekent een ernstige tegenslag voor het calvinisme in Frankrijk. Het is nog niet helemaal duidelijk waarom juist op dit moment de koninklijke garde, bijgestaan door de troepen van katholieke edelen, de moordpartij is begonnen. Het net gesloten huwelijk van Hendrik van Navarra met de zuster van de Franse koning leek eerder een bekroning te zijn van de verbeterde betrekkingen tussen de hugenoten en het katholieke koningshuis.

*De bloedige slachting die in de 'Bartholomeüsnacht' onder de hugenoten heeft plaatsgevonden.*

Er wordt gefluisterd dat de machtige koningin-moeder Catharina de' Medici er de hand in heeft gehad. Bekend is dat zij vond dat protestantse edelen te veel invloed op de koning begonnen te krijgen. Vooral admiraal De Coligny was in haar ogen een gevaarlijk man.

Enkele dagen geleden was hij al het doelwit van een mislukte moordaanslag en het schijnt dat ook de koningin-moeder rechtstreeks bij deze aanslag betrokken was. Wellicht heeft Catharina de' Medici haar zoon kunnen overtuigen van een dreigende protes-

tantse machtsgreep en de dringende noodzaak hier drastisch tegen op te treden.

Het is niet de eerste keer dat Catharina een verzoenende houding jegens de protestanten plotseling opgeeft. In 1560 werd zij na de dood van Frans II regentesse voor haar tienjarig zoontje Karel IX. De eerste jaren van haar regentschap werden gekenmerkt door een grote mate van tolerantie. Zij organiseerde het Congres van Poissy waar protestantse theologen de gelegenheid kregen hun ideeën uiteen te zetten voor de katholieke geestelijkheid. Daarna volgde het Edict van Saint-Germain, waarbij protestanten voor het eerst een beperkte mate van geloofsvrijheid kregen. Enkele maanden later werd dit edict ingetrokken. De koningin-moeder koos de zijde van de katholieke edelen in de burgeroorlog die was uitgebroken naar aanleiding van de godsdienstige strijd. Nog geen jaar later nam Catharina de rol van verzoener op zich.

Met de Vrede van Amboise kwam er een voorlopig eind aan de godsdienstoorlog en kregen de protestanten wederom hun geloofsvrijheid gegarandeerd. Dit proces heeft zich na 1568 in feite herhaald.

De wisselende houding van de koningin-moeder Catharina de' Medici wordt ingegeven door de wens een machtsevenwicht tussen de strijdende partijen te creëren. Alleen in zo'n situatie kan de monarchie zich handhaven als een instituut dat boven alle partijen staat en waarvan de autoriteit daarom ook erkend wordt.

# Camões publiceert epos 'De Lusiaden'

LISSABON, 12 maart - De Portugese dichter Luis Vaz de Camões heeft zijn epos *Os Lusiadas* (De Lusiaden) gepubliceerd, dat handelt over de grote tijd van de ontdekkingsreizen en - meer in het bijzonder - over de eerste reis van Vasco da Gama naar Indië. De dichter heeft er bijna twintig jaar aan gewerkt. De eerste reacties in Portugal zijn weinig enthousiast. Slechts enkelen beschouwen het als een meesterwerk.

In *De Lusiaden* (afstammelingen van Lusus, de stamvader van de Portugezen) beschrijft Camões in tien lange verzen de tocht van Da Gama, nauwlettend gadegeslagen door de goden op de Olympus. De god Bacchus is tegen hem, vrezend dat de Portugezen zijn invloed in het Oosten zullen aantasten. Maar de godin Venus snelt de Portugezen op kritieke momenten te hulp. Het gebruik maken van Griekse goden leverde eerst nog moeilijkheden op met de censor, maar na de toevoeging dat die godenwereld slechts fantasie was, kon het werk bij de autoriteiten genade vinden. Camões zelf zegt enigszins beïnvloed te zijn door de *Aeneas* van Vergilius. De reis die Da Gama maakte heeft hij echter ook zelf afgelegd.

*De vloot waarmee Vasco da Gama in 1502 naar Indië voer.*

Camões is geboren in 1524, vermoedelijk in Lissabon, als zoon van een in aanzien staande maar arme familie. Hij studeerde in de bloeitijd van de Portugese renaissance in Coimbra en viel al snel op door zijn talent voor poëzie. Na een enigszins beledigend gedicht aan het adres van koning Johan III verliet hij Portugal om bijna twintig

jaar als soldaat en ambtenaar in Marokko, Goa, Macao en Afrika door te brengen. Bij zijn terugkeer in 1569 bleek in Portugal veel veranderd: de vrije humanistische sfeer was verdwenen, de inquisitie draaide volop en er was een strenge perscensuur. Toch is hij er nu in geslaagd zijn levenswerk gepubliceerd te krijgen.

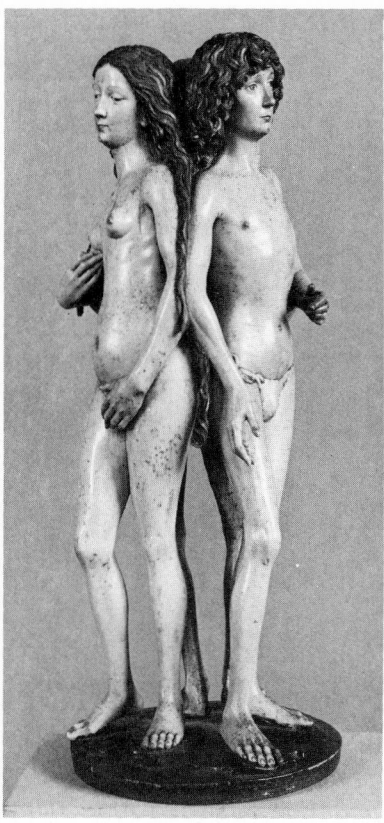
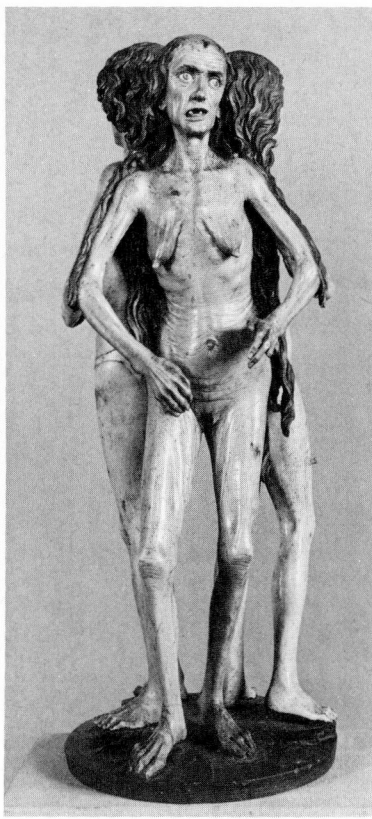

*Allegorie op de Vergankelijkheid; houten beeldjes (circa 1490).*

# Hongersnood in Europa

AUGSBURG, 31 december - De hongersnood die al twee jaar de stad teistert, heeft in Augsburg veel slachtoffers gemaakt. De sterftecijfers bereiken recordhoogten. In de periode 1567 - 1570 stierven per jaar gemiddeld 1613 inwoners van Augsburg. Dit aantal liep in het afgelopen hongersnoodjaar op tot 2971 en heeft dit jaar een droevig hoogtepunt bereikt met 3305 doden.

Het hongergebied strekt zich uit van Moskou via Midden-Europa tot in Italië en Spanje. De hongerlijdende bevolking wordt geconfronteerd met sterk stijgende graanprijzen. In de moeilijk bereikbare binnenlanden stijgen de graanprijzen het snelst. Een verviervoudiging is daar bepaald geen uitzondering. In havensteden als Hamburg en Antwerpen werd echter nog geen prijsverdubbeling gehaald. Deze steden konden direct profiteren van graanimporten.

Grote groepen onder de bevolking kunnen hun voedsel niet meer betalen. Wanhopig proberen mensen door roof of diefstal in hun levensonderhoud te voorzien. Het aantal bedelaars neemt hand over hand toe. Veel behoeftigen trekken naar de steden om daar te profiteren van de bedeling.

Het stadsbestuur van Augsburg zag zich gedwongen behoeftigen te hulp te komen. Uit menslievendheid, maar vooral uit angst voor sociale onrust werden grote partijen graan opgekocht. Dit graan werd ver onder de marktprijs aan enkele bakkers geleverd, die verplicht werden de hiermee gebakken broden tegen verlaagde prijzen aan de armen te verkopen. Gedurende twee jaar heeft Augsburg 23 000 armenbroden per week laten bakken. Speciaal daartoe aangestelde burgers zagen toe op een eerlijke distributie van het brood.

De sterftecijfers tonen aan dat de hulp die in Augsburg gegeven werd, onvoldoende was. Ook verslagen van tijdgenoten bevestigen dit. Deze beschrijven wanhopige mensen die bieten, brandnetels, kool en gras eten. Ook zouden mensen kadavers en te vroeg geboren kalveren gegeten hebben. Dit eetgedrag veroorzaakt de meest afschuwelijke ziekten onder de verzwakte bevolking.

De hoge graanprijzen zorgen ervoor dat men nauwelijks geld overhoudt om andere produkten te kopen. De nijverheid en de ambachtelijke bedrijven krijgen hierdoor met een afzetcrisis te kampen. In feite gebeuren precies dezelfde zaken als in het hongersnoodjaar 1438.

De verminderde afzet resulteert in het ontslag van veel arbeiders. Door de verminderde koopkracht die hiervan het gevolg is, verergert de crisis nog meer. Overheidshulp, zoals renteloze voorschotten aan noodlijdende bedrijven, kan het tij niet keren. De negatieve spiraal kan pas worden doorbroken als goede oogsten voor een forse verlaging van de graanprijzen en verbetering van de koopkracht zorgen.

**28 januari.** Poolse en Litouwse edelen leggen in Warschau een plechtige belofte af waarin wederzijdse tolerantie wordt toegezegd. →

**Februari.** In Frankrijk doet de hertog van Anjou een mislukte poging om La Rochelle op de hugenoten te veroveren.

**Februari.** In Schotland maakt de Pacificatie van Perth een einde aan de strijd tussen de protestanten en de katholieken, waarbij de protestantse 'Lords of the Congregation' de overwinning behalen.

**7 maart.** Tussen Turkije en Venetië wordt vrede getekend. Venetië ontruimt Cyprus. →

**9 mei.** De Poolse Rijksdag kiest de hertog van Anjou, de broer van de koning van Frankrijk, tot koning. Anjou moet beloven dat hij niet zal trouwen en ook geen oorlogsverklaring zal uitgeven zonder toestemming van de Rijksdag van Polen.

**6 juli.** In Frankrijk wordt met de Pacificatie van Boulogne de vierde godsdienstoorlog beëindigd. De hugenoten krijgen amnestie, maar zij mogen hun godsdienst alleen uitoefenen in La Rochelle, Nîmes en Montauban.

**11 juli.** In de Nederlanden verovert Don Frederik, de zoon van Alva, Haarlem. Onder de Spaanse soldaten, die geen soldij uitbetaald krijgen, breekt een muiterij uit.

**September.** De hertog van Alva verzoekt Filips II om hem naar Spanje terug te roepen.

**9 oktober.** Don Frederik doet een mislukte poging om Alkmaar te veroveren. →

**11 oktober.** Op de Zuiderzee verslaat een vloot van de geuzen de Spaansgezinde stadhouder Bossu.

**18 december.** De hertog van Alva vertrekt vanuit Brussel naar Spanje. Don Luis Requesens wordt de nieuwe landvoogd.

**December.** Willem van Oranje spreekt zich in het openbaar uit voor het calvinisme.

**December.** De Staten van Holland verbieden de uitoefening van het katholieke geloof.

- Spaanse troepen veroveren Tunis en Bizerta.

- In China wordt Wan-li keizer.

- In Japan treedt de laatste Asjikaga-sjogoen af. De periode van het Moeromatji-sjogoenaat is hiermee voorbij. De veldheer Noboenaga Odas speelt hierna een belangrijke rol in Japan. Tot 1582 vergroot hij zijn gebied zozeer dat hij één derde deel van Japan beheerst.

## Venetië: vrede met sultan

*De zeeslag bij Lepanto.*

VENETIE, 7 maart - Tot verbijstering van de landen die zich in 1571 met Venetië verbonden tegen het Turkse gevaar - Spanje, Malta, Savoye en de Pauselijke Staat - heeft Venetië een vredesverdrag met de sultan gesloten en daarbij alle resultaten van de Slag bij Lepanto prijsgegeven.

De Turken schudden in februari 1570 Venetië ruw wakker uit het valse gevoel van veiligheid waartoe dertig jaar vrede had geleid: ze eisten Cyprus op, Venetiës rijkste kolonie en centrum van de Levantijnse handel. Hoewel de meningen verdeeld waren - oorlog met Turkije was riskant - besloot de Senaat met 220 tegen 199 stemmen dit Turkse ultimatum af te wijzen. Tegelijkertijd werd contact opgenomen met Filips II van Spanje en paus Pius V om tot een bondgenootschap tegen de Turken te komen. Venetië zelf heeft zijn verdediging lang verwaarloosd.

Hoewel de Turken in de zomer van 1570 Cyprus bezetten (op het fort van Famagusta na) duurde het tot 20 mei 1571 voordat de elkaar wantrouwende mogendheden het eens werden en de Heilige Liga vormden. Spanje verschafte de helft van het geld, de troepen en de schepen, Venetië een derde en de paus een zesde.

De christelijke armada - 300 schepen met 80 000 man, even groot als de Turkse vloot - versloeg in oktober 1571 bij Lepanto in de baai van Korinthe de Turken.

De zege van Lepanto was de grootste christelijke overwinning op de islam sinds de inname van Granada in 1492. Bij het vandaag getekende vredesverdrag heeft Venetië echter zoveel concessies gedaan dat de Slag bij Lepanto nooit lijkt te zijn gewonnen. De republiek geeft Cyprus, gebieden in Dalmatië en de bezittingen in Albanië op en betaalt de Turken 300 000 dukaten - dit alles in de hoop in de Levant handel te kunnen blijven drijven. De Heilige Liga heeft hiermee opgehouden te bestaan.

# Beleg van Alkmaar opgebroken

*Onder aanvoering van Don Frederik belegeren de Spaanse troepen Alkmaar (afbeelding uit 1613).*

ALKMAAR, 9 oktober - Na hun moeizame maar succesvolle beleg van Haarlem hebben de Spaanse troepen in de Nederlanden een pijnlijke nederlaag geleden. Na zeven weken hebben de 16 000 Spaanse belegeraars, verkleumd en tot hun knieën in het water, hun beleg voor Alkmaar opgebroken. Alva, die van zijn verblijf in de koude Nederlanden meer dan genoeg zegt te hebben, ziet met het mislukte beleg van Alkmaar een opeenvolging van successen onderbroken. Voor de aanhangers van Oranje komt deze zege na een reeks tegenslagen als een zegen uit de hemel. Die tegenslagen begonnen vorig jaar op 2 oktober, toen de zoon van Alva, Don Frederik, met 15 000 soldaten Mechelen innam en plunderde, precies een dag nadat de prins van Oranje de stad verlaten had. Vanhier trok het Spaanse leger naar het noorden en op 16 november werd Zutphen bestormd en de burgerij uitgemoord. Hierna trok Don Frederik naar Holland, waar de meeste steden het niet op een slachtpartij lieten aankomen en zich overgaven. Alleen Naarden bood weerstand en werd op 1 december dan ook wreed geplunderd. Hierna begon het beleg dat iedereen maanden en maanden de adem deed inhouden: dat van Haarlem.

Het beleg begon op 11 december en Don Frederik dacht dat het hem hier even gemakkelijk zou afgaan als in Zutphen en Naarden, maar de stad hield maanden achtereen stand. De talloze pogingen van Willem van Oranje de stad te ontzetten mislukten. De Spaanse prins verhoogde zijn troepensterkte, verdubbelde haar zelfs tot 30 000. Het beleg werd een uitputtingsslag, voor beide kanten. Toen een poging de stad te ontzetten weer op een mislukking uitliep, gaven de stedelingen, gedwongen door voedselgebrek, de strijd op. Op 12 juli openden de vermagerde en vermoeide burgers van Alkmaar de poorten, bang voor wat nu komen zou.

De plundering konden zij afkopen en ook zijzelf werden door de Spaanse troepen gespaard. Maar de wraak op het Haarlemse garnizoen was verschrikkelijk: allen werden gedood en toen de beulen te moe waren van het slachtwerk, gooiden zij de resterende 300 mannen ruggelings gebonden in het water.

De inwoners van het bevrijde Alkmaar is een wreed lot bespaard, want Alva had besloten niemand meer te sparen. Zijn 'goedertierenheid' jegens Haarlem had immers toch 'geen vrucht gedragen'.

## Religieuze tolerantie in Polen een feit

WARSCHAU, 28 januari - De vertegenwoordigers van de Poolse en Litouwse adel hebben in Warschau een plechtige belofte afgelegd van wederzijdse tolerantie. Zij erkennen de verscheidenheid in het christelijke geloof en hebben het volgende gezworen: 'Wij, die verschillen in de religieuze aangelegenheden, zullen nooit bloed laten vloeien door verschillen in het geloof, of onenigheid binnen de Kerk, en nooit zullen wij elkaar straffen door goederen te ontnemen, ontering, gevangenschap of verbanning.'

De tekst van deze plechtige belofte is een vastlegging van de beginselen die in Polen algemeen aanvaard zijn. Polen wordt sinds eeuwen beschouwd als 'Antemurale', dat wil zeggen bolwerk van het christendom in het Oosten. De tweede populaire leuze is 'Polonia Semper Fidelis' (Polen altijd gelovig), en het derde beginsel luidt: 'Polen is de Hemel van Tolerantie'.

Het land wordt bewoond door orthodoxen, protestanten, katholieken, moslems, arminianen en joden. De katholieken vormen de meerderheid, maar het is het Vaticaan niet gelukt om greep op het land te krijgen zoals in andere Europese landen. Het jodendom bijvoorbeeld, dat in Polen door de khazaren in de 9de eeuw is geïntroduceerd, heeft in Polen oudere wortels dan het christendom. Om nog maar niet te spreken van de heidense zeden en gewoonten die nog steeds volop bestaan bij de bevolking.

Na de talrijke oorlogen is het voor de Polen noodzakelijk geworden een nationale eenheid te smeden. Om die voor elkaar te krijgen voelden de koning en de hoge kerkelijke autoriteiten zich gedwongen het vredig samenleven van mensen met verschillende religies te tolereren.

**18 februari.** Bij Reimerswaal in Zeeland verslaan de watergeuzen een Spaanse vloot. Middelburg capituleert vervolgens voor de opstandelingen.

**23 februari.** In Frankrijk begint de vijfde fase van de godsdienstoorlog.

**14 april.** Lodewijk van Nassau sneuvelt op de Mookerheide. Zijn leger wordt verslagen door de Spaanse troepen. Van Nassau wilde met zijn troepen Leiden ontzetten.

**30 mei.** In Frankrijk overlijdt Karel IX. Hendrik van Anjou volgt hem op als Hendrik III. Catharina de' Medici zal het regentschap uitoefenen totdat Hendrik is teruggekeerd uit Polen, waar hij in 1573 tot koning is gekozen.

**18 juni.** In het geheim verlaat Hendrik III Polen. De Poolse Rijksdag zet Hendrik vervolgens af als koning.

**30 juni.** Willem van Oranje haalt de Staten van Holland ertoe over de dijken van de Nieuwe Maas en de IJssel te doorsteken om een eind te maken aan het Spaanse beleg voor Leiden. →

**Juni.** De nieuwe landvoogd in de Nederlanden, Requesens, biedt alle opstandelingen amnestie aan. Ongeveer 300 personen zijn hiervan uitgezonderd.

**3 oktober.** De Spaanse troepen voor Leiden worden verslagen door een leger onder bevel van Boisot. →

**12 december.** Na de dood van Selim II wordt in Turkije Moerad III sultan.

**26 december.** In Frankrijk overlijdt Karel de Guise, kardinaal van Lotharingen. Hij speelde een belangrijke rol in de godsdienstoorlogen.

- Johan de Verschrikkelijke, vorst van Moldavië, sneuvelt bij een aanval op de Turken.

- De Turken heroveren Tunis en Bizerta op de Spanjaarden. De steden waren sinds een jaar in handen van Spanje.

- In Angola stichten Portugezen de stad São Paulo. Zij koloniseren heel Angola.

- Akbar, de 'grootmogol' in India, begint met de verovering van Bengalen.

Geboren:

**6 mei.** Giovanni Battista Pamfili († 1655), paus Innocentius X
**12 december.** Anne van Denemarken († 2-3-1619), koningin van Denemarken

Gestorven:

**21 april.** Cosimo de' Medici (1519), hertog van Toscane

# Leiden door geuzen ontzet

*De uitdeling van haring en wittebrood na Leidens ontzet (schilderij Otto van Veen).*

LEIDEN, 3 oktober - Leiden is ontzet. Een vloot onder leiding van Boisot is erin geslaagd de Spaanse belegeraars tot opgeven te dwingen.

Het beleg heeft bijna een jaar geduurd. Het begon in december vorig jaar, toen de afgetobde Alva het land verliet en Don Luis Requesens y Zuñiga hem opvolgde. Deze liet bijna direct het beleg ond Leiden slaan, al zag hij ook wel in dat het strakke bewind van Alva in de Nederlanden meer kwaad dan goed had gedaan. Maar van vermindering van druk kon voorlopig geen sprake zijn; koning Filips wilde er niet van horen.

Enkele maanden nadat het beleg begonnen was, zag het ernaar uit dat de Spanjaarden dit niet zouden kunnen volhouden: Lodewijk en Hendrik van Nassau trokken met Franse (Frans van Alençon) en Duitse (Christoffel van de Palts) steun naar Leiden op. Op de Mookerheide leverden zij slag met een Spaans leger, maar werden uiteengejaagd. De beide broers van de prins van Oranje kwamen om, evenals Christoffel van de Palts. De belegeraars die hun kamp voor Leiden kort hadden opgebroken, keerden terug.

Op 30 juni werd besloten het hele Rijnland onder water te zetten en zo met schepen de belegeraars tegemoet te trekken. Maar de Spaanse bevelhebber Valdez behield de dijken rond Leiden en de vloed kon niet voor de stad komen. Op 29 september echter stak plotseling een felle noordwester op; in springtij kon de vloot onder leiding van Boisot wel verder varen en nu konden de Spanjaarden weinig meer uitrichten. Vanochtend zagen de Leidenaren tot hun stomme verbazing dat hun belegeraars vertrokken waren.

**22 januari 1575.** Koningin Elizabeth van Engeland schenkt Thomas Tallis en William Byrd het monopolie op het drukken van muziek. →

**16 september.** Johan Casimir, de zoon van de keurvorst van de Palts, belooft de Franse hugenoten een leger van 16 000 huursoldaten naar Frankrijk te brengen. De soldij wordt voor een deel door Engeland betaald.

**September.** Filips II moet alle betalingen uit de schatkist opschorten. Er is geen geld meer om de Spaanse soldaten in de Nederlanden te betalen.

**8 november.** In Marigny wordt een verdrag tussen de katholieken en de hugenoten getekend. De hugenoten behouden een aantal steden.

**14 december.** In Polen wordt István Báthory tot koning gekozen. Báthory is tevens koning van Zevenburgen en als zodanig vazal van Turkije.

**- In India** verovert de Mogol-keizer Akbar Bengalen.

**Januari 1576.** Troepen van de prins van Condé en Johan Casimir van de Palts rukken Frankrijk binnen bij Sedan en trekken op naar Vichy.

**3 maart.** Don Requesens, de landvoogd der Nederlanden, overlijdt. De Raad van State neemt het bestuur over. De leden van de Raad willen onderhandelen met de opstandige gewesten.

**6 mei.** De vrede van 'Monsieur' maakt een eind aan de vijfde fase van de godsdienstoorlog in Frankrijk.

**27 augustus.** De Italiaanse schilder Titiaan overlijdt. →

**September.** De Raad van State roept de Staten-Generaal bijeen. Dit ondanks het verbod van Filips II. De Staten-Generaal nemen troepen in dienst om het land tegen de Spaanse muiters te beschermen.

**12 oktober.** Na de dood van keizer Maximiliaan II wordt Rudolf II keizer van het Heilige Roomse Rijk en aartshertog van Oostenrijk. Rudolf II is een vertegenwoordiger van de Contrareformatie.

**4 november.** Spaanse soldaten plunderen Antwerpen. Er vallen duizenden doden en de muiters vergaren een buit van 5 miljoen gulden.

**8 november.** Bij de 'Pacificatie van Gent' sluiten alle zeventien provincies der Nederlanden zich aaneen. →

**- In Péronne** vormen katholieke edelen en burgers de militant-katholieke Ligue. Hertog Hendrik de Guise, zoon van de vermoorde Frans de Guise, neemt de leiding op zich.

# Tallis en Byrd krijgen monopolie op muziekdruk

*Musicerende Engelsen uit de tijd van Elizabeth.*

LONDEN, 22 januari 1575 - In het zeventiende jaar van haar regering heeft koningin Elizabeth aan twee gentlemen van haar hofkapel, de 70-jarige Thomas Tallis en zijn 40 jaar jongere collega William Byrd, een muziekdrukmonopolie voor de duur van 22 jaar geschonken. Dit houdt in dat de genoemde componisten een koninklijk patent hebben op zowel de muziekdruk als de verkoop van gelinieerd muziekpapier.

Thomas Vautrollier te Londen is aangetrokken als muziekdrukker (van zijn pers kwam in 1570 een bundel muziek van Orlandus Lassus). Vanaf heden is, ter bescherming van muziek van eigen bodem, eveneens de niet-gecontroleerde import van muziek (zowel gecomponeerd als gedrukt) verboden, op straffe van 40 shilling, te betalen aan Tallis en Byrd.

Een paar citaten uit de brief van de koningin: 'Weet U allen, dat Wij vanwege Onze speciale affectie en belangstelling voor de wetenschap der muziek en alles wat haar tot voordeel strekt, Thomas Tallis en William Byrd, gentlemen van Onze hofkapel, [...] het volledige privilege hebben gegeven om vocale muziek (in het Engels, Latijn, Frans, Italiaans of een andere taal die gebezigd wordt bij kerk- of kamermuziek) te mogen drukken, in een band te zamen gebonden of in losse partijboeken, zoveel als zij maar willen. Zij alleen hebben de beschikking over muziekdrukpapier en mogen muziek uitgeven en verkopen.'

Tallis en Byrd hebben van hun kant de koningin een verzameling *Cantiones Sacrae* (gewijde gezangen) aangeboden, waaraan ieder zeventien composities heeft bijgedragen; deze *Cantiones* zullen als eerste werk bij Vautrollier gedrukt worden.

De drukkers in Londen hebben minder enthousiast gereageerd; het verlenen van dergelijke privileges aan privépersonen is volgens hen een verregaande aantasting van de positie van drukkers en boekverkopers in de stad, wier aantal momenteel rond de 170 ligt.

# Gewesten verenigen zich

GENT, 8 november 1576 - Vanaf het balkon van het stadhuis is, vlak na de ondertekening, een verkorte versie van wat de Pacificatie van Gent genoemd wordt, voorgelezen. Vertegenwoordigers van de belangrijkste Nederlandse gewesten verzegelden het 25 artikelen tellende document waarover eind oktober een voorlopig akkoord bereikt was. De belangrijkste bepaling is artikel 3, waarin staat dat de gewesten elkaar zullen bijstaan 'om uyte landen te verdrijven en de daerbuyten te houden die Spaensche soldaten'.

Sinds enkele maanden terroriseren Spaanse militairen de koningsgetrouwe Zuidelijke Nederlanden. Zij zijn aan het muiten geslagen omdat ze al langer dan een jaar van de Spaanse koning geen soldij hebben ontvangen. Koning Filips II heeft laten weten dat de gewesten voor de kosten van het Spaanse leger moeten opdraaien want hijzelf is volkomen bankroet.

Nadat Zierikzee en Aalst door de plunderende horden leeggeroofd en uitgemoord waren en de Spaanse muiters Brussel en Mechelen bedreigden, besloten de Staten van Brabant en Henegouwen begin september de Staten-Generaal bijeen te roepen. Bovendien knoopten zij onderhandelingen aan met de opstandige gewesten Holland en Zeeland, in de hoop dat hún legers

de muitende Spanjaarden het hoofd zouden kunnen bieden.

Op 19 oktober begonnen in ''t schepenhuis' van Gent de onderhandelingen tussen opstandige en koningsgetrouwe gewesten over de vraag hoe de Spaanse troepen uit de Nederlanden gewerkt konden worden en wat er daarna moest gebeuren. Struikelblok in de onderhandelingen vormde de godsdienstkwestie. Maar dat probleem werd naar de achtergrond geschoven door de steeds groter wordende angst voor de Spaanse gruweldaden. Besloten werd daarom moeilijke kwesties door een later bijeen te roepen voltallige Staten-Generaal te laten afhandelen. Voorop stond dat de dood en verderf zaaiende Spaanse legers onmiddellijk het land uit moesten.

Toen op 4 november de Spaanse muiters Antwerpen binnenvielen was de maat vol. Een moordende furie (Spaanse furie) raasde door de Scheldestad, een enorme ravage en duizenden doden achterlatend. Tegen dergelijke wreedheden was snel en eensgezind optreden van levensbelang. Zo snel mogelijk werd daarom de eind oktober overeengekomen Pacificatie bekrachtigd en plechtig afgekondigd. De Nederlanden lijken zich weer verenigd te hebben en het wachten is nu op de reactie van koning Filips II.

# Beroemde schilder Titiaan gestorven

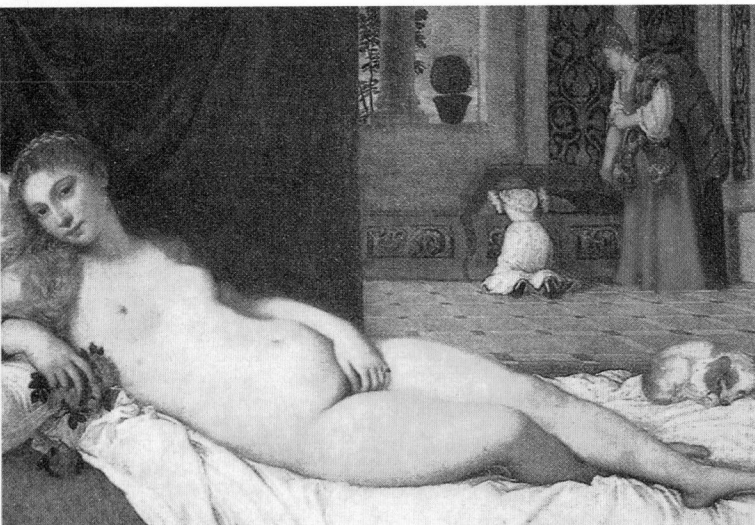

*'Venus van Urbino' door Titiaan (circa 1538; Uffizi, Florence).*

VENETIE, 27 augustus 1576 - Op zeer hoge leeftijd is een van de belangrijkste schilders van deze eeuw, Tiziano Vecellio, beroemd geworden onder de naam Titiaan, overleden.

Hoe groot zijn faam was blijkt uit het verhaal dat keizer Karel V hem eens de eer zou hebben bewezen het penseel dat de schilder had laten vallen, op te rapen. Deze anekdote is veelbetekenend voor het aanzien dat de kunst, ook bij de groten der aarde, geniet. En velen

van hen heeft hij vereeuwigd in vaak zeer indringende portretten, die vragen oproepen over de gedachten en emoties van de geschilderden.

Haast al zijn schilderijen ademen vreugde en schoonheid uit. In de voetsporen van die andere beroemde Venetiaan, zijn leermeester Giorgione, leefde hij zijn fascinatie voor het vrouwelijk naakt uit door het schilderen van ontelbare Venussen. De bekendste hiervan is de Venus van Urbino.

---

# 1577

**6 februari 1577.** Hendrik van Bourbon, koning van Navarra, wordt de leider van de partij der hugenoten.

**12 februari.** De nieuwe landvoogd der Nederlanden, Don Juan van Habsburg, ondertekent het 'Eeuwig Edict'. Hij erkent hierin de 'Pacificatie van Gent'.

**Maart.** In Frankrijk breekt de burgeroorlog opnieuw uit.

**17 augustus.** In Frankrijk wordt de Vrede van Bergerac gesloten. De hugenoten krijgen negen steden en worden vertegenwoordigd in vier provinciale staten.

**September.** De Staten-Generaal verklaren Don Juan voor afgezet.

**September.** In het Edict van Poitiers krijgen de hugenoten acht plaatsen toegewezen waar zij hun godsdienst vrijelijk kunnen uitoefenen.

**25 oktober.** Paus Gregorius XIII dringt bij de componisten Palestrina en Zoilo aan op herziening van de muziek die tijdens de mis wordt gezongen. →

**16 december.** In Polen komt, met de overgave van Danzig, een einde aan de oppositie tegen de gekozen koning, István Báthory.

**Januari 1578.** Matthias van Habsburg houdt zijn intocht in Brussel met Willem van Oranje als zijn luitenant.

**Januari.** In Gent en Brussel worden de kerkelijke goederen geseculariseerd. In Gent vindt een beeldenstorm plaats; priesters en kloosterlingen worden verdreven en katholieken terechtgesteld.

**10 maart.** Johan Casimir van de Palts krijgt van koningin Elizabeth een bedrag van 20 000 pond om de Nederlandse opstandelingen te steunen.

**Zomer.** Keizer Rudolf II van Oostenrijk benoemt zijn broer Ernst tot stadhouder in Oostenrijk 'ober und unter der Enns'. →

**5 augustus.** De koning van Portugal, Sebastiaan, valt Marokko binnen. Hij sneuvelt bij Alcazar. →

**1 oktober.** Don Juan van Habsburg sterft. Hij wordt vervangen door de hertog van Parma, die door Filips II tot landvoogd wordt benoemd. →

**Oktober.** Door de gebeurtenissen in Vlaanderen neemt de verdeeldheid binnen de Staten-Generaal toe. In Henegouwen en Artesië komt het tot een katholieke reactie van de 'malcontenten', die wordt toegejuicht door de hertog van Parma.

- In Perzië sterft Ismail II. Hij wordt als sjah opgevolgd door Mohammed Khoedabanda.

- Een van de belangrijke heersers in Japan, Otomo Josjijige, bekeert zich tot het christendom.

---

# Paus dringt aan op vernieuwing van de misboeken

ROME, 25 oktober 1577 - Paus Gregorius XIII (Ugo Buoncompagno) heeft in een brief aan de componisten van de Sixtijnse Kapel, Giovanni Pierluigi da Palestrina en Annibale Zoilo, aangedrongen op een spoedige herziening van de muziek van het *Romeinse Graduale* (verzamelboek van alle gezangen die tijdens de mis worden gezongen) en het *Antiphonarium*; een logische consequentie van de publikatie van het *Nieuwe Brevier* (getijdenboek voor clerici -1568) en het *Missaal* (boek met gezangen voor de mis - 1570), die tijdens het Concilie van Trente onder Paulus V, de voorganger van de huidige paus, tot stand zijn gekomen. Het doel is tweevoudig: enerzijds moeten de misboeken in overeenstemming worden gebracht met de liturgische vernieuwingen die al zijn doorgevoerd, anderzijds moet de Gregoriaanse zang gezuiverd worden van al datgene wat niet overeenkomt met de geest van deze tijd.

De paus schrijft hierover het volgende: 'Wij hebben vernomen dat de *Antiphonaria, Gradualia* en *Psalteria* ten gevolge van de onhandigheid, slordigheid en zelfs doortraptheid van componisten, kopiïsten en drukkers, vol staan met barbarij, obscuriteiten, onlogica en overbodigheden. Om deze boeken in te laten aansluiten bij het *Nieuwe Brevier* en het *Missaal*, moeten ze drastisch herzien worden. Wij hebben besloten Ons tot U te richten, omdat Uw zang- en compositiekunst, geloof en nauwgezetheid en bovenal Uw geloof in God beproefd zijn. Wij dragen U op deze boeken te herzien, te zuiveren, te verbeteren en zelfs te hervormen, alle naar Uw eigen goeddunken; ook de andere gezangen van de Kerk, zowel van de mis als van de getijden, moeten aan Uw oordeel onderworpen worden. Wij staan U toe dat andere componisten U hierbij ten dienste staan en verlenen U de volledige, onbeperkte macht van Onze apostolische waardigheid.'

*Musicerende engel (Isenheimer Altaar van Matthias Grünewald).*

# Crisis Portugal na verlies tegen Moren in Marokko

ALCACER-KEBIR, 5 augustus 1578 - Het Portugese leger heeft een verpletterende nederlaag geleden tegen de Moren in Marokko. De Portugese koning Sebastiaan, de instigator van deze veldtocht, is om het leven gekomen. Met hem sneuvelden 8000 soldaten en raakten 15 000 gewond en in krijgsgevangenschap. Met de dood van de kinderloze koning is Portugal in een dynastieke crisis terechtgekomen.

De bemoeienissen van Portugal met Marokko zijn al zo'n twee eeuwen oud. In 1415 werd de havenstad Ceuta bezet; later ook Tanger. Maar bij pogingen om hun invloed in het binnenland uit te breiden, stuitten de Portugezen op veel tegenstand. Omdat de strijd in Marokko kostbaar was en het land eigenlijk weinig praktisch nut voor Portugal had, besloot koning Johan III rond 1540 zich uit Marokko terug te trekken.

Toen Johan III in 1557 stierf had hij al zijn kinderen overleefd en kwam zijn driejarige kleinzoon Sebastiaan op de troon. Deze bleek zich later tot een eigenzinnig, impulsief en wispelturig heerschap te ontwikkelen. Geen genoegen nemend met een passieve rol als handelaar-koning wilde hij het Portugese Rijk nog verder vergroten. Al in zijn jeugd openbaarde zich in hem een religieus fanatisme: hij wilde een kruistocht tegen de heidenen organiseren. Marokko werd zijn doel. De adel en zijn raadsheren, die hem liever zagen trouwen en een gezin stichten, konden praten wat ze wilden; de koning begon twee jaar geleden alvast met de voorbereidingen voor een veldtocht ter vervulling van zijn ideaal.

Sebastiaan zal worden opgevolgd door zijn bejaarde oom Hendrik, die nu nog kardinaal is. Eén van de eerste zaken die hij nu moet regelen is het loskopen van de 15 000 krijgsgevangenen die zich in Marokko bevinden.

Er werd een leger gevormd dat behalve uit Portugezen ook uit Spaanse, Hollandse, Duitse en Italiaanse soldaten en avonturiers bestond. Een burgeroorlog tussen twee met elkaar rivaliserende Marokkaanse vorsten bood Sebastiaan de aanleiding om in te grijpen. In juni landde het slecht voorbereide leger in Marokko en begon aan zijn opmars naar het binnenland. Sebastiaan sloeg alle waarschuwingen dat de Marokkanen een veel groter leger op de been hadden gebracht, in de wind. De zon deed zijn werk, er was spoedig gebrek aan water en voedsel en het moreel ging hard achteruit. Bij Alcacer-Kebir lokten de Moren het leger in een hinderlaag en versloegen het in de zogenaamde Driekoningenslag (behalve Sebastiaan sneuvelden ook de beide Marokkaanse vorsten).

# Rudolf II wil Reformatie hard aanpakken

OOSTENRIJK, zomer 1578 - Keizer Rudolf II heeft zijn broer Ernst benoemd tot stadhouder in Oostenrijk 'ober und unter der Enns', het gebied waar de lutherse adel de meeste godsdienstige privileges heeft verworven. Aartshertog Ernst heeft zich voorgenomen om krachtdadig tegen de Reformatie op te treden. Hij wordt hierin gesteund door de jezuïet Melchior Klesl. Het begin van de regeringsperiode van Rudolf II betekende het einde van de concessiepolitiek van zijn vader Maximiliaan II, die de ontwikkeling van het protestantisme heeft bevorderd. Rudolf II heeft een groot deel van zijn jeugd aan het Spaanse hof van Filips II doorgebracht. Zijn jezuïtische leermeesters hebben hem ingeprent dat de restauratie van de katholieke Kerk en de strijd tegen ketterij de belangrijkste opgaven van een vorst zijn. Door deze opvoeding leek hij voorbestemd om een belangrijk ijveraar van de Contra-

*Beieren en Oostenrijk betuigen hun trouw aan het oude katholieke geloof.*

reformatie te worden. Rudolf neigt evenwel sterk tot passiviteit en melancholie, en trok zich al spoedig uit de ac-

tieve politiek terug. In aartshertog Ernst en Melchior Klesl heeft hij echter geschikte vervangers gevonden.

# Farnese, hertog van Parma, landvoogd

*Twee jaar na de Pacificatie van Gent (1576) worden de jezuïeten gedwongen Antwerpen te verlaten.*

BOUGY, 1 oktober 1578 - In zijn legerkamp nabij Namen is op 33-jarige leeftijd Don Juan, landvoogd in de Nederlanden, aan tyfus overleden. Hij wordt opgevolgd door Alexander Farnese, hertog van Parma.

Don Juan, een bastaardzoon van Karel V, werd in 1571 beroemd doordat hij bij Lepanto de Turkse vloot versloeg. In het najaar van 1576 werd hij door zijn halfbroer, de Spaanse koning Filips II, aangewezen als opvolger van de in maart plotseling overleden landvoogd Requesens. Zijn opdracht was de rust in de opstandige gewesten te herstellen. In november 1576 arriveerde hij, vermomd als dienstknecht, in de

Nederlanden en vestigde zich in Namen. Hij genoot echter weinig gezag en werd gedwongen de Pacificatie van Gent te ondertekenen.

Om zijn invloed te vergroten liet hij zijn manschappen in juli 1577 de citadel van Namen bezetten. Deze daad wakkerde de haat tegen de Spaanse overheersers alleen maar verder aan. Don Juan kon slechts machteloos toezien hoe de Nederlanden hem ontglipten. Het was aan zijn neef, de hertog van Parma, te danken dat de Spanjaarden hun greep op de gebeurtenissen niet verloren.

Ondanks de voortdurende conflicten met zijn neef, heeft Don Juan op zijn

sterfbed de hertog van Parma tot nieuwe landvoogd benoemd. Farnese heeft bovendien het opperbevelhebberschap over het leger op zich genomen zonder daarvoor de toestemming van Filips II af te wachten. Het is echter niet waarschijnlijk dat de Spaanse koning daarover problemen zal maken. De hertog is immers een uitstekend veldheer en een tactvol en charmant diplomaat. Hij is vermoedelijk de enige in het Spaanse kamp die opgewassen is tegen Willem van Oranje, de leider van de opstandige gewesten.

Het lichaam van Don Juan zal worden overgebracht naar Spanje om naast Karel V begraven te worden.

# 1579

## Kroonprins van Perak wordt sultan van Aceh

ACEH [ATJEH] - Met de troonsbestijging van sultan Alauddin Mansur Shah schijnt voor het moment een eind gekomen te zijn aan de voortdurende twisten tussen Aceh en Johore (en zijn bondgenoot Perak) over de hegemonie in de Straat van Malakka. De nieuwe sultan, de voormalige kroonprins van Perak, werd in 1575 bij de Acehse verovering van dat gebied meegevoerd naar Sumatra. Daar trad hij in het huwelijk met de dochter van de sultan. Zelfs werd hij tot troonopvolger benoemd. Hij heeft zijn dochter ten huwelijk gegeven aan sultan Ali Jalla Abduljalid Riayat Shah van Johore en zijn jongere broer als vazalvorst in Perak geïnstalleerd.

Het valt te verwachten dat men nu gezamenlijk zal gaan optreden tegen de Portugezen, die in 1511 het handelscentrum Malakka veroverden.

Na de wegvallen van deze handelsmetropool vestigden vele handelaren zich in Aceh, dat snel rijker en machtiger werd en expansieplannen ging ontwikkelen. Sultan Alauddin Riayat Shah (1530-1568) zag de Portugezen als een grote bedreiging voor de islamitische wereld. Al in 1523 was vestiging van de Kafirs (ongelovigen) in het aangrenzende Pasai voorkomen door het gebied te annexeren en in 1537 vond de eerste van vele aanvallen op Malakka plaats. De grootste daarvan was die in 1558, toen gedurende één maand Malakka belegerd werd door 15 000 man (onder wie 400 Turkse schutters), die met 300 oorlogsbodems werden vervoerd.

De snelle opkomst van Aceh had echter tevens het wantrouwen gewekt van de door zonen van de laatste sultan van Malakka gevormde sultanaten Johore en Perak. Na de Acehse verovering van Deli in 1539 besloot Johore tot de tegenaanval over te gaan en tijdens een zeeslag werd de Acehse vloot vernietigend verslagen. Maar het sultanaat herstelde zich snel van deze nederlaag, veroverde grote gebieden op Sumatra en richtte zijn aandacht weer op het Maleisische schiereiland.

De onderlinge rivaliteit tussen de islamitische staten leidde ertoe dat men elkaar niet steunde bij pogingen Malakka te veroveren. Zo bleven bij de Acehse aanval van 1547 de vloten van de vorsten van Johore en Perak op veilige afstand liggen en werden de zeilen snel gehesen toen duidelijk werd dat de Portugezen de overhand hadden. In 1564 viel Aceh Johore zelf aan, verwoestte de hoofdstad (Johore Lama) en nam sultan Alauddin (die korte tijd later onder mysterieuze omstandigheden overleed) gevangen. In 1575 volgde de bouw van een fort in Perlis en de verovering van Perak.

*Willem van Oranje neemt in 1577 Amsterdam in (kleurenprent, 1613).*

# Unie tegen Spanjaarden

UTRECHT, 24 januari - Gisteren is in het Groot-Kapittelhuis van de Dom een verbond gesloten tussen de afgevaardigden van Gelre, Holland, Zeeland, Utrecht en de Ommelanden. 'Ziel' van dit verbond is de broer van Willem van Oranje Jan van Nassau, stadhouder van Gelre. Hij is het geweest die alle bezwaren van de aanwezigen wist te overwinnen en die ervoor gezorgd heeft dat tegenover het verbond van de zuidelijke staten - begin deze maand in Atrecht gesloten - nu ook een verbond van noordelijke machten staat: de Unie van Utrecht, een nieuw machtsblok als antwoord op de Unie van Atrecht.

Bij de ondertekening van dit verbond verplichten de ondertekenaars zich dat zij 'ten ewygen daghen' ongescheiden zullen blijven. Ook beloven zij elkaar 'met lyff, goedt ende bloet by te staen jegens alle fortsen en gewelden'. De verdediging zal betaald worden uit belastingen die in iedere provincie geheven zullen worden. 'In saecken van bestant, peys, oorloge ofte contributie zal eenstemmigheid nodig zijn. Geen gewest mag 'enyge confederatien ofte verbonden met enyge nabuerheeren ofte landen' maken. De godsdienst zal iedere provincie 'nae haerluyder goetduncken' regelen. In geval van 'donckerheyt ofte twyfelachtigheyt' zal bij meerderheid van stemmen door de bondgenoten of stadhouders beslist worden. Zo is dus uiteindelijk het verbond tot stand gekomen waarnaar de opstandelingen zo lang gestreefd hebben, eigenlijk al sinds Holland en Zeeland een Nadere Unie sloten en Willem van Oranje als 'hooft en hoogste overheyt' erkenden. Die Nadere Unie werd drie jaar geleden met de Pacificatie van Gent bekrachtigd en heeft nu een definitieve vorm gekregen.

# Walen erkennen Farnese

ATRECHT, 17 mei - De Staten van Artois, Henegouwen en Waals-Vlaanderen hebben zich met Alexander Farnese, de hertog van Parma, verzoend. Zij hebben dit gedaan door ondertekening van het Verdrag van Atrecht. Daarin erkennen de Waalse gewesten Parma als landvoogd. Bovendien wordt de rooms-katholieke godsdienst als enig toegestane religie erkend. Van zijn kant heeft de hertog van Parma zich door ondertekening van het verdrag verplicht de gewestelijke privileges te eerbiedigen. Ook zullen alle buitenlanders uit burgerlijke en militaire posten verwijderd worden en moeten de Spaanse soldaten de Waalse gewesten verlaten.

Het verdrag is een uitvloeisel van de Unie van Atrecht. Op 6 januari van dit jaar besloten Artois en Henegouwen gezamenlijk te zullen strijden voor uitvoering van de Pacificatie van Gent. In de Unie werd vooral de nadruk gelegd op het behoud van de rooms-katholieke godsdienst, verwijdering van vreemde troepen, gehoorzaamheid aan de koning en erkenning van de gewestelijke privileges. Onduidelijkheid bestond over de positie van de landvoogd.

Door tactvol optreden is Farnese er inmiddels in geslaagd de Waalse gewesten op zijn hand te krijgen. Door het vandaag getekende verdrag zijn zij in het Spaanse kamp teruggekeerd.

## Spaanse koning verijdelt komplot

MADRID, 29 juli - Met de arrestatie van de mooie eenogige prinses van Eboli en zijn eigen secretaris Antonio Perez heeft de Spaanse koning een komplot aan zijn hof verijdeld dat was bedoeld om zijn halfbroer Don Juan en diens politiek in de Nederlanden in diskrediet te brengen.

Achtergrond van de zaak is de wedijver tussen twee rivaliserende partijen aan het hof, die elk proberen hun invloed in het land en op Filips' politiek te vergroten. Hun interne machtsstrijd heeft zich toegespitst op de Spaanse politiek en aanzien van de Nederlanden.

De ene partij, geleid door de hertog van Alva, staat een meedogenloze onderdrukking van de opstand voor, de andere, onder aanvoering van de weduwe van de machtige prins van Eboli en diens gunsteling Antonio Perez, is voor onderhandelingen over een soort federatieve oplossing.

Sinds de hertog van Alva na de mislukking van zijn harde-lijnpolitiek in ongenade viel, leek de Eboli-partij de overhand te hebben. Filips zond zijn halfbroer Don Juan naar de Nederlanden met de opdracht de verzoeningspolitiek van Requesens voort te zetten. Don Juans correspondentie met Filips verliep geheel via Antonio Perez, die zo grote invloed op het beleid kon uitoefenen.

Don Juan veranderde onder druk van de omstandigheden echter al snel van strategie en besloot voor een militaire oplossing te kiezen. Hij zond zijn secretaris Escobedo naar Madrid om nieuwe kredieten los te krijgen. Perez zag zijn invloed bedreigd, te meer daar Escobedo over inlichtingen scheen te beschikken dat hij en de prinses van Eboli in het geheim contact met de opstandelingen hadden gezocht. Om dit voor de koning verborgen te houden, deed Perez het voorkomen of Escobedo de kwade genius achter Don Juans nieuwe optreden was, met het uiteindelijke doel deze op de Spaanse troon te brengen. Filips koesterde toch al wantrouwen tegen zijn alom bewonderde halfbroer, de held van Lepanto. Hij stemde ermee in dat Perez Escobedo liet vermoorden.

Zijn besluiteloosheid en zijn eigen medeplichtigheid aan deze moord weerhielden hem ervan in actie te komen toen hem na enige tijd bleek dat zijn naaste vertrouweling hem had bedrogen. Toen hij echter over aanwijzingen kwam te beschikken dat Eboli en Perez nieuwe intriges op touw zetten in de voor hem zo belangrijke kwestie van de Portugese troonopvolging - na de dood van koning Sebastiaan is Filips een van de kandidaten voor het koningschap - besloot hij in te grijpen. Met de arrestatie van de prinses van Eboli en Antonio Perez lijkt de macht van de Eboli-factie nu ten einde.

# 1580

**31 januari 1580.** Na de dood van de koning van Portugal maakt Filips II aanspraak op de Portugese kroon.

**15 maart.** Filips II spreekt de ban uit over Willem van Oranje. Willem van Oranje antwoordt in zijn *Apologie.*

**April.** In Frankrijk breekt de godsdienstoorlog opnieuw uit. Hendrik van Navarra bezet Cahors maar wordt later verdreven.

**25 augustus.** Bij Lissabon verslaat de hertog van Alva de troepen van Don Antonio. Filips wordt koning van Portugal.

**19 september.** Op initiatief van Willem van Oranje wordt in het verdrag van Plessis-les-Tours, de soevereiniteit over de Nederlanden aangeboden aan hertog Frans van Anjou, de broer van de Franse koning.

**9 november.** Een klein Spaans hulpkorps landt in Ierland om hier James Fitzmaurice Fitzgerald te helpen in de strijd tegen Engeland. De opstand mislukt.

**26 november.** In Frankrijk wordt opnieuw vrede tussen de hugenoten en katholieken gesloten.

**December.** Francis Drake wordt door koningin Elizabeth van Engeland tot ridder geslagen. →

**-** In Guyana wordt een eerste Hollandse nederzetting gesticht.

**-** De Spaanse conquistador Juan de Garay sticht Buenos Aires, op de plaats waar al eerder een nederzetting was gesticht.

**16 januari 1581.** In Engeland neemt het parlement strenge wetten tegen het katholicisme aan. Op het bijwonen van de mis komt een hoge boete te staan.

**28 januari.** Jacobus IV van Schotland tekent de tweede calvinistische geloofsbelijdenis van de Kerk van Schotland.

**25 maart.** De koning van Spanje, Filips II, wordt tot koning van Portugal uitgeroepen. →

**1 april.** In Portugal geven de Cortes zich over aan Filips II.

**22 juli.** De Staten-Generaal der Nederlanden, verplaatst vanuit Brussel naar Den Haag, zeggen Filips II de gehoorzaamheid op. Zij doen dit in het 'Plakkaat der Verlatinghe'.

**Augustus.** Kamerijk wordt bezet door het leger van de hertog van Anjou. De troepen van Parma worden uit de stad verdreven.

**7 november.** Het huwelijksverdrag tussen koningin Elizabeth en Frans van Anjou wordt getekend. De verdere onderhandelingen lopen echter dood.

# Francis Drake geridderd

*De Engelse admiraal Francis Drake.*

DEPTFORD, december 1580 - Koningin Elizabeth heeft de 'Gulden Hinde' bezocht waarmee Francis Drake als eerste Engelsman om de wereld zeilde. Zij luisterde zeer enthousiast naar de verhalen over zijn driejarige reis. Na het banket aan boord sloeg zij Drake tot ridder.

Sinds het midden van de eeuw was bij zeevarend en ondernemend Engeland belangstelling ontstaan voor de Portugese en Spaanse ontdekkingsreizen en de mogelijk daaruit voortvloeiende handelsperspectieven. Martin Frobisher en John Hawkins ontdoken als eersten het Iberische monopolie en ontwikkelden een driehoekshandel. De in ruil voor Engelse produkten verkregen Afrikaanse slaven werden in West-Indië verkocht. Amerikaanse goederen en Spaanse buit werden richting Brittannië verscheept.

In Hawkins' kielzog was ook Drake meegekomen. Hij bedacht een plan om de zilverstroom van Peru naar Spanje te onderscheppen. Daartoe vertrok Drake in 1572 met twee schepen en 73 man. Dit kleine clubje slaagde erin de Spanjaarden 20 000 pond afhandig te maken. Bij de terugkomst op zondag 7 augustus 1573 liep de kerk van Plymouth leeg om Drake te begroeten.

Na dit succes wilde hij een nieuwe tocht over de Grote Oceaan naar Indië maken. Niet via de noordwest-doorvaart waarnaar Frobisher zocht, maar volgens de zuidwestelijke route, die tot Vuurland al bekend was van Magalhães.

In december 1577 vertrok de expeditie met vijf schepen. Nog voor men Vuurland (dat een eiland bleek te zijn) bereikt had was er nog maar één over. Hiermee werd Kaap Hoorn gerond. Bij Peru plunderde Drake vele Spaanse schepen en havens, zodat zijn onderneming uit de kosten raakte. Verder naar het noorden zocht men tevergeefs naar een verbinding met de Atlantische Oceaan. De rustplaats in Californië werd als Nieuw-Albion tot Brits bezit verklaard.

Vervolgens zeilde Drake in drie maanden over de Grote Oceaan naar de Molukken, waar hij zijn schip met zes ton van de zo gewilde kruidnagelen vulde. De helft moest op 10 januari overboord gegooid worden, om van een ondiepte los te komen. De rest van de reis verliep voorspoedig; op 26 september keerde men in Engeland terug.

De investeerders kunnen tevreden zijn: de reis wordt met een winst van 4700 procent afgesloten, waarvan de helft koningin Elizabeth toekomt. Haar omarming van Drake betekent echter ook dat Engeland tot woede van Filips II nu acties tegen Spanjaarden sanctioneert.

*Portret van koningin Elizabeth I van Engeland (16de eeuw).*

# Spanje lijft Portugal in

*Allegorie van de Heilige Liga in haar strijd tegen het protestantisme (schilderij van El Greco, circa 1577). Filips II is een groot voorvechter van het katholieke geloof.*

LISSABON, 25 maart 1581 - De Cortes (standenvergadering), bijeen in Tomar, hebben vandaag de Spaanse koning Filips II tot koning van Portugal uitgeroepen. Hiermee is definitief een einde gekomen aan de dynastieke crisis waarin Portugal sedert drie jaar heeft verkeerd. Het Huis van Avis, dat vanaf 1385 ononderbroken aan de macht is geweest, wordt opgevolgd door de Spaanse Habsburgers. Beide landen zijn nu in een personele unie met elkaar verbonden. Filips heeft beloofd de Portugese autonomie, haar wetten en administratie zoveel mogelijk te handhaven. Desondanks beschouwt het Portugese volk de kroning meer als een inlijving bij Spanje.

De problemen begonnen in augustus 1578, toen Portugal na de roekeloze Marokkaanse veldtocht van Sebastiaan in één klap zijn koning en zijn leger kwijt was. En alhoewel de dood van de koning niet direct bevestigd kon worden, werd snel zijn oom, de bejaarde kardinaal Hendrik, tot vorst uitgeroepen. Spoedig werd duidelijk dat Hendrik, die aan tuberculose leed, het niet lang meer zou maken. Zijn potentiële opvolgers begonnen alvast hun posities te versterken.

Er waren drie serieuze kandidaten: Hendriks nicht Catharina en zijn neven Filips en Antonio. Catharina's kansen waren klein, mede omdat zij gehuwd was met de in heel Portugal gehate hertog van Bragança. Filips, koning van Spanje, was uiteraard de machtigste pretendent, maar als vreemdeling niet geliefd. Antonio, prior van Crato, was het resultaat van een slippertje van Hendriks broer Luis met een joodse vrouw. Gehaat door Hendrik, veracht door de adel, was Antonio, bij gebrek aan beter, dé kandidaat van het volk.

Hendrik probeerde nog dispensatie van de paus te krijgen om te mogen huwen, maar alvorens deze daarover besloten had stierf de kardinaal op 31 januari vorig jaar. Filips zette direct zware druk op de (intern verdeelde) Cortes om als opvolger te worden aangewezen, maar de Cortes kozen in juni toch Antonio tot koning. Daarop stuurde Filips een leger onder leiding van de hertog van Alva, die Antonio bij Alcántara versloeg. Antonio vluchtte naar de Azoren en stichtte een regering in ballingschap. Filips is vandaag tot koning uitgeroepen. Het Iberisch schiereiland is alsnog verenigd.

---

# 1582

**15 januari.** Tussen Polen en Rusland wordt de Vrede van Jam-Zapolski gesloten. Rusland staat Lijfland aan Polen af. →

**18 maart.** In Antwerpen pleegt Jean de Jáuregui een aanslag op het leven van Willem van Oranje, die de moordpoging overleeft.

**20 juni.** De bisschop van Manila, Domingo de Salazar, keert zich tegen de Spaanse onderdrukking van de Filippijnse bevolking. →

**22 juli.** Willem van Oranje verlaat Antwerpen om zich in Delft te vestigen. De Staten-Generaal vergaderen steeds vaker in Holland.

**Juli.** De hertog van Parma verovert Oudenaarde.

**Juli.** Keizer Rudolf II vraagt financiële steun van de Duitse vorsten om de forten aan de grens van Turks-Hongarije te versterken.

**Juli.** De hertog van Anjou wordt geïnstalleerd als heer van Friesland, hertog van Gelderland, en graaf van Vlaanderen.

**22 augustus.** In Schotland wordt koning Jacobus IV gevangengenomen door vertegenwoordigers van de 'Engelse partij'. Hij blijft bijna een jaar gevangen.

**4 oktober.** In de Pauselijke Staten en in Spanje en Portugal wordt de Gregoriaanse kalender ingevoerd.

**Oktober.** De Engels-Russische onderhandelingen in Moskou raken in een impasse. →

**10 december.** De Gregoriaanse kalender wordt in Frankrijk ingevoerd. Op 15 december volgen de Spaanse Nederlanden, Denemarken en Noorwegen.

- In de Republiek Venetië wordt de grondwet veranderd waardoor de macht van de 'Raad van Tien' beperkt wordt.

- De kozakkenleider Jermak verovert Sibir (nu Tobolsk) op de Mongolen. Vervolgens bezet hij het gebied tussen Ob, Tobol en Irtysj. Dit is het begin van de Russische kolonisatie van Siberië.

- In Peking overlijdt de schrijver en geleerde Wu Chengen. →

- Akbar de Grote, tot nu toe islamiet, bekeert zich tot een geloof dat het islamitische en het hindoeïsme in zich moet verenigen. In zijn rijk worden ook andere godsdiensten getolereerd.

- Uit een recent onderzoek blijkt dat er op het ogenblik al 150 000 katholieken en ruim 200 kerken in Japan zijn. →

---

# Onderdrukking Filippijnse volk

MANILA, 20 juni - In een brief aan de Spaanse koning heeft Domingo de Salazar, de bisschop van Manila, fel geprotesteerd tegen de onderdrukking van de Filippijnse bevolking. Het in 1571 door De Legazpi (de eerste gouverneur) in de Spaanse kolonie geïntroduceerde bestuurssysteem leidt tot uitbuiting op grote schaal, aldus de bisschop.

Nadat de Spaanse heerschappij op centraal Luzon was gevestigd, werd begonnen met het toewijzen van zogenoemde encomienda's aan de eerste kolonisten. Dezen hebben als beloning voor hun diensten de beschikking gekregen over een bepaald gebied, inclusief de bevolking, die men dient te beschermen en te onderrichten in de grondbeginselen van het christendom. De encomiendero's zijn tevens verantwoordelijk voor de inning van tribuut (een belasting van acht realen per gezin en het symbool voor het aanvaarden van het Spaanse gezag), waarvan ze zelf een deel mogen behouden. Het gebruiksrecht geldt slechts voor twee drie generaties, waarna het gebied terugvalt aan de kroon. In de praktijk beschouwen de encomiendero's hun gebieden als persoonlijk bezit, die zoveel mogelijk rendement moeten opbrengen. Ze heffen veel meer tribuut dan toegestaan is, dwingen betaling af en laten onbetaalde arbeid verrichten.

Daarnaast is men onderworpen aan de polo: mannen tussen 16 en 60 jaar zijn verplicht 40 dagen per jaar te arbeiden aan openbare werken tegen betaling van 1/4 reaal per dag en vrije rijst. Ook hier worden de regels grof overschreden: betaling en voedsel blijven uit, terwijl de polista's gedwongen worden langer dan 40 dagen te werken (waardoor er te weinig tijd overblijft voor het verbouwen van voedsel).

De druk op de Filippino's wordt nog vergroot door de bandala, een systeem waarbij men gedwongen is een deel van de oogst aan de overheid te leveren, tegen betaling in obligaties. Aangezien Manila chronisch in geldnood verkeert, worden deze zelden ingelost. Daarbij moet worden bedacht dat de voedselproduktie toch al nauwelijks de eigen consumptie dekt.

In zijn protest gaat bisschop Salazar overigens voorbij aan het feit dat de geestelijkheid, en met name de regulieren (augustijnen, dominicanen, franciscanen en jezuïeten), zelf ook vele encomienda's bezit en deze met harde hand beheert. Als vertegenwoordigster van het overheidsgezag op het platteland is ze bovendien betrokken bij de reducciones, hervestiging in dorpen van de verspreid wonende bevolking, die daardoor beter te controleren is, maar ook verder van de akkers verwijderd, waardoor de economische situatie nog meer verslechtert.

# Paus bemiddelt bij vrede

JAM-ZAPOLSKI, 15 januari - Door bemiddeling van de pauselijke gezant, de jezuïet Antonio Possevino, hebben het Poolse gemenebest en Moskovië een wapenstilstand van tien jaar gesloten. Rusland heeft hierbij afstand gedaan van alle gebieden in Lijfland en van Polotsk. Polen heeft de Russische steden die tijdens de campagne van koning Stefan Báthory in Poolse handen waren gevallen, teruggegeven. Het is wel duidelijk dat de dure Lijflandse oorlogen van Ivan IV voor Rusland niet het verhoopte resultaat hebben opgeleverd. Waarmee niet kan worden gezegd dat Moskovië voorgoed afziet van een doorbraak naar de Oostzee.

De bemoeienissen van de paus via zijn gezant Possevino zijn indirect het resultaat van het diplomatieke offensief dat Ivan IV ontplooide naar aanleiding van Báthory's campagne tegen Moskovië. Vorig jaar overhandigde een koerier van Ivan IV aan paus Gregorius XIII een brief waarin de tsaar een anti-Turks bondgenootschap voorstelde en de Poolse koning verweet gemene zaak met de Turken te maken. Als reactie hierop zond de paus de kundige diplomaat Possevino. Deze moest niet alleen bemiddelen in de Lijflandse oorlog maar tevens proberen een rooms-katholiek bisdom in Rusland te stichten. De Kerk van Rome, die in Noord- en West-Europa door de opkomst van het protestantisme grote verliezen had geleden, hoopte in Oost-Europa compensatie te vinden door een unie met de Grieks-Orthodoxe Kerk onder pauselijk leiderschap.

Possevino slaagde erin een wapenstilstand tussen de strijdende partijen tot stand te brengen. Daarop ging hij naar Moskou om met de tsaar te spreken over een hereniging van de Roomse en de Griekse Kerk. Possevino sprak

*Poolse ruiter met vaandel (tekening van Sigmundt Heldt, eind 16de eeuw).*

over de affiniteit tussen de twee Kerken en de geringe obstakels die een hereniging in de weg stonden, maar Ivan toonde geen enkele belangstelling. Door de jezuïet te woord te staan kwam hij slechts zijn kant van de afspraak na. Evenmin honoreerde hij het verzoek van Possevino om Venetiaanse kooplieden in Moskovië toestemming tot de bouw van een rooms-katholieke kerk te verlenen. Hij gaf de grenzen van katholieke vreemdelingen in Rusland als volgt aan: 'Roomsen - Venetianen en personen afkomstig uit het rijk van de Keizer - mogen naar Moskovië komen om handel te drijven. Zij mogen eigen priesters meenemen. Het is hun echter verboden om onder Russen hun geloof te verbreiden en om [rooms-katholieke] kerken te bouwen.' Het is wel duidelijk dat de Russische tsaar zeer wantrouwig staat tegenover de Kerk van Rome.

*Een angstaanjagende Japanse god van de donder (Raijin) staat als wachtpost bij de Sanjusangendotempel (16de eeuw) in Kioto.*

# Geleerde Wu Chengen dood

PEKING - De geleerde en hoge ambtenaar Wu Chengen is op de leeftijd van 82 jaar overleden. Hij wordt beschouwd als de schrijver van de populaire roman *Een reis naar het Westen*. De roman is ogenschijnlijk gebaseerd op een historische gebeurtenis: de bedevaart van monnik Xuan Zang naar India. Maar de echte held van het verhaal is niet zozeer de monnik als wel een van zijn reisgezellen, de aap Sun Wukong. Deze aap is een bovenmenselijk wezen, dat de heilige man beschermt tegen voortdurende aanvallen van afgrijselijke monsters zoals Demon met de Witte Beenderen. De populariteit van de roman is het gevolg van de daarin vervatte humor en fantasie. Het verhaal bevat elementen die als een eigentijdse satire gelezen kunnen worden en dat is een van de redenen waarom Wu altijd heeft ontkend de schrijver van *Een reis naar het Westen* te zijn.

De avonturen van monnik Xuan en aap Sun zijn overigens maar een voorbeeld van romans die op dit ogenblik de klassieke Chinese letterkunde in populariteit aanzienlijk overtreffen. Meestal gaat het om avonturenromans met een historische achtergrond, zoals *Verhalen van de wateroever* of *Geschiedenissen van de Drie Koninkrijken*.

Onlangs is overigens de roman *De Gouden Lotus* verboden. Dit boek beschrijft het leven van de provinciale apotheker en vrouwenjager Pan. Hoewel de roman in de Song-dynastie is gesitueerd, vormt hij een nogal doorzichtige beschrijving van en kritiek op de huidige moraliteit. Dit, samen met veel expliciete erotische passages, verklaart de grote populariteit van het werk en de reactie van de keizerlijke censuur.

# Gregorius XIII stelt nieuwe kalender in

ROME, 15 oktober - Paus Gregorius XIII heeft besloten dat 4 oktober direct gevolgd zal worden door 15 oktober. Het 'verlies' van 10 dagen compenseert de onnauwkeurigheid van de oude Juliaanse kalender. De meeste katholieke landen hebben de nieuwe 'Gregoriaanse kalender' meteen overgenomen, de meeste protestantse landen overwegen de invoering ervan.

De Juliaanse kalender stamt uit 45 voor Christus en was gebaseerd op een zonnejaar van 365,25 dagen. Hoewel men om de vier jaar een schrikkeljaar inlaste, bleek de afwijking toch te groot: iedere eeuw was drie kwart dag te lang en dat was in de 16de eeuw opgelopen tot 10 dagen. Een geneesheer uit Calabrië, Lilius, ontwierp een nieuwe kalender die door een pauselijke commissie onder leiding van Clavius werd uitgewerkt: men besloot 10 dagen over

*De kalendercommissie onder leiding van paus Gregorius XIII in vergadering bijeen.*

te slaan en de schrikkeljaren om de 4 jaar te handhaven. Met één uitzondering: alle schrikkeljaren op een vol eeuwtal dat niet door 400 deelbaar is, zouden vervallen (1600 en 2000 wel, 1700, 1800 en 1900 geen schrikkeljaar). Pas na 3333 jaar wijkt de kalender één dag af.

# Engelse gezant onderhandelt met Moskou

MOSKOU, oktober - De onderhandelingen tussen de Engelse gezant Sir Jeremy Bowes en de Russische autoriteiten zijn in een impasse geraakt. De oorzaak hiervan is enerzijds de strikt neutrale houding van de Engelsen inzake de Pools-Russische relatie; voorts voelt de Engelse koningin Elizabeth weinig voor een huwelijk tussen de Russische tsaar en de Engelse Mary Hastings. Ofschoon de tsaar zich bereid heeft verklaard zich te ontdoen van zijn huidige, zevende echtgenote, is het feit dat hij deze maand vader is geworden een nieuwe complicatie. Deze kwesties zijn uitdrukking van een wezenlijk verschillende opvatting over de Engels-Russische relatie: koningin Elizabeth is louter uit op versteviging van de economische banden, dat wil zeggen een monopolie voor de Engelsen op het gebruik van de noordelijke handelsroute via de Witte Zee en andere handelsprivileges. De tsaar wenst een hechte Engels-Russische alliantie tegen de vijanden van Moskovië. De Russisch-Engelse relaties dateren van 1553, toen de Engelsman Richard Chancellor bij toeval de zeeroute naar Rusland ontdekte en bij de monding van de noordelijke Dvina landde. Vandaar reisde hij zuidwaarts naar Moskou waar hij een handelsverdrag sloot. Bij de overeenkomst van 1555 kregen de Engelsen tolvrijheid in Moskovië. De voor de Ruslandhandel in het leven geroepen Muscovy Company kreeg in 1567 handelsprivileges aan de Russische noordkust. Daarbij kwam het felbegeerde monopolie op de transitohandel naar Perzië en het recht om in Moskou een factorij te houden. Omgekeerd gelden voor Russische kooplieden in Engeland dezelfde privileges, maar daar de Russen niet over een

*Ivan IV gaf opdracht tot de bouw van de Vasilij-kathedraal (Moskou, 1555).*

vloot beschikken stelt dit weinig voor. Wel is van de toestemming om in Engeland technici en specialisten in te huren gebruik gemaakt.

In 1567 drong Ivan IV, die overal komplotten vermoedde, bij Elizabeth aan op een militaire alliantie tegen Polen en op een overeenkomst om elkaar eventueel wederzijds asiel te verlenen. Elizabeth beperkte zich in haar antwoord tot haar bereidheid te allen tijde gastvrijheid te verlenen aan de tsaar, maar sprak zich niet uit over de wederkerigheid ervan. Ivan beschouwde dit als gezichtsverlies en hij dreigde de privileges van de Engelsen in te trekken. De idee van een alliantie heeft hij echter nog niet opgegeven.

# Aantal katholieken in Japan neemt toe

KIOTO - Uit een onderzoek dat is verricht door Valignano, de vice-generaal van de jezuïeten, blijkt dat er op het ogenblik al 150 000 katholieken en ruim 200 kerken in Japan zijn. De meeste aanhangers van deze religie wonen in het westen van het land. Hierbij dient de kanttekening te worden gemaakt dat het al enige tijd in de mode is zich katholiek te noemen omdat dit direct wordt geassocieerd met buitenlandse, dat wil zeggen westerse, gewoonten en kleding. Het is te vergelijken met de manier waarop Japanse generaties eeuwen geleden gedurende enige tijd Chinese gewoonten en kleding als een soort modegril hebben overgenomen.

De verbreiding van het katholicisme moet verder worden toegeschreven aan de begunstiging van deze religie door lokale heersers en vooral aan de bekering van Noboenaga, een telg uit

de machtige daimio-familie Oda. Hij was onder de indruk gekomen van de jezuïet Frois, die bij een ontmoeting een intelligente indruk op hem had gemaakt. Noboenaga had hem onder meer gevraagd naar de beweegredenen van zijn komst naar Japan. Zijn besliste antwoorden en zijn scherpe analyse van de boeddhistische sekten vielen in goede aarde. Hierdoor wisten de jezuïeten niet alleen allerlei voorrechten voor de verbreiding van het katholicisme te verwerven, maar werden zij ook beschermd tegen de toenemende aanvallen van de kant van de boeddhistische sekten, die in het katholicisme een bedreigende concurrent zagen.

Voor Noboenaga was er nog een reden om het katholicisme tegen het boeddhisme te beschermen. De boeddhistische sekten hadden al eeuwenlang hun macht van het geestelijke gebied naar

dat van de economie en de politiek uitgebreid. Hierdoor vormden zij een niet te verwaarlozen factor in het politieke leven in Japan. Om deze reden was Noboenaga de boeddhistische sekten gaan haten. Dit is waarschijnlijk ook de achtergrond van zijn opdracht tot het afslachten van de monniken van Hiyeizan geweest. De katholieken vielen juist in de smaak omdat zij zich afzijdig van politiek hielden en zich beperkten tot het geestelijke leven van de mens.

Onder de arme boeren vindt het katholicisme ook veel aanhang omdat deze religie uitzicht op een beter leven biedt en daarmee op verlossing uit het armzalige bestaan dat zij nu leiden. Hieruit is eveneens te verklaren dat de aanhang in het westen van het land het grootst is, aangezien de Japanse boeren daar in de meest miserabele omstandigheden leven.

**17 januari 1583.** De hertog van Anjou probeert zijn machtspositie te versterken. Hij stuurt hiertoe Franse troepen naar een aantal Vlaamse steden (de 'Franse Furie'). →

**Januari.** De burgervendels in Antwerpen verdrijven de Franse troepen na zware gevechten uit de stad.

**Juni.** De hertog van Anjou verlaat de Nederlanden en keert terug naar Frankrijk.

**Juni.** Jacobus IV van Schotland weet uit zijn gevangenschap te ontvluchten.

**Juli.** Ivan IV van Rusland vermoordt in een woedeaanval zijn zoon Ivan.

**Augustus.** Willem van Oranje accepteert de soevereiniteit over de Noordelijke Nederlanden.

**Oktober.** In Engeland wordt de samenzwering van Somerville ontdekt. De samenzweerders zouden van plan zijn koningin Elizabeth te vermoorden.

**December.** Het komplot van Throgmorton wordt bekend. Deze samenzweerders hebben plannen gesmeed voor een Spaanse invasie in Engeland.

**-** De hertog van Parma verovert Dunkerque, Nieuwpoort, Meenen, Veurne, Diksmuide en Aalst. Gent en Ieper worden hierdoor vrijwel afgesneden van de buitenwereld. Parma kon gebruik maken van de verwarring die was ontstaan na de 'Franse Furie'.

**7 januari 1584.** De katholieke staten binnen het Heilige Roomse Rijk voeren de Gregoriaanse kalender in.

**18 maart.** Ivan IV, de Verschrikkelijke, overlijdt. Zijn zoon Fjodor volgt hem op. Fjodor wordt gedomineerd door zijn zwager Boris Godoenov en door Nikita Romanov.

**15 juni.** In Frankrijk sterft de hertog van Anjou. Hierdoor wordt de hugenoot Hendrik van Bourbon, koning van Navarra, erfgenaam van de Franse kroon.

**10 juli.** In Delft wordt Willem van Oranje vermoord. De moordenaar is de uit de Franche-Comté afkomstige Balthasar Gerards. →

**Juli.** De Staten-Generaal der Nederlanden komen bijeen en besluiten de strijd voort te zetten en verenigd te blijven volgens de 'Unie van Utrecht'.

**15 september.** Na twintig jaren arbeid wordt bij Madrid het complex van San Lorenzo del Escorial voltooid. →

**23 november.** Het Engelse parlement besluit dat alle jezuïeten en seminaristen Engeland binnen 40 dagen moeten verlaten.

# Bouw Escorial voltooid

*Het Escorial, klooster-paleis van Filips II (door Michel-Ange Houasse; 18de eeuw).*

MADRID, 15 september 1584 - In de heuvels van Guadarrama, veertig kilometer buiten Madrid, is de laatste steen gelegd van het reusachtige gebouwencomplex van San Lorenzo del Escorial, waaraan in opdracht van koning Filips II ruim twintig jaar is gebouwd.
Het Escorial - tegelijk klooster, mausoleum en koninklijk paleis - symboliseert niet alleen de nauwe band tussen geloof en staatsgezag in Spanje, maar vertegenwoordigt architectonisch gezien ook een radicale vernieuwing in de Spaanse bouwkunst.
Met de voltooiing van het Escorial heeft de Spaanse koning twee plichten vervuld. In de eerste plaats had hij uit dankbaarheid voor zijn overwinning op de Fransen in de Slag bij Saint-Quentin in 1557, de gelofte gedaan een klooster te stichten, dat zou worden gewijd aan de heilige Laurentius, op wiens naamdag de overwinning plaatsvond. In de tweede plaats had zijn vader Karel V in zijn testament de wens uitgesproken dat Filips voor hem en de dynastie der Spaanse Habsburgers een grafmonument zou oprichten.
In 1563 werd met de bouw begonnen onder leiding van de bouwmeester Juan Batista de Toledo, die eerder in Rome onder Michelangelo aan de Sint-Pieter had gewerkt. Het complex is voltooid door de wiskundige en architect Juan de Herrera. Hij bouwde de monumentale kerk en de kloosterhof. De sobere, strenge lijnen van de grijsgranieten gebouwen betekenen een radicale breuk met de Spaanse traditie van overdadige ornamentering, en verraden de invloed van de classicistische Italiaanse renaissance-architectuur. Het interieur bevat ook veel decoraties van Italiaanse kunstenaars.
Filips II, die zich hier sinds 1570 regelmatig terugtrekt uit het Madrileense hofleven, heeft de stoffelijke resten van zijn vader laten overbrengen naar de grote grafkelder, evenals die van zijn derde vrouw Elizabeth van Valois en van zijn zoon Don Carlos. Hij heeft zich persoonlijk tot in de kleinste details met de bouw van het Escorial beziggehouden. Hij wilde dat het behalve een monument van geloof en herdenking ook een centrum van cultuur zou zijn, en heeft opdracht gegeven uit heel Europa boeken en handschriften bijeen te brengen op alle gebieden van de wetenschap en de kunsten. Ook zijn eigen kunstcollectie, met veel werken van de schilder Jeroen Bosch, heeft er een plaats gevonden.
Het granieten klooster-paleis is zo niet alleen het symbool van de onverzettelijkheid van Spanje, maar ook het intellectuele en culturele middelpunt van het grote rijk van Filips II geworden.

## Franse overval op Antwerpen mislukt

ANTWERPEN, 17 januari 1583 - In alle vroegte hebben Franse soldaten onder leiding van Anjou tevergeefs geprobeerd de stad te overmeesteren. Anjou, sinds 1581 landvoogd van de opstandige gewesten, wilde op die manier de Zuidelijke Nederlanden in zijn bezit krijgen. Ook andere steden, zoals Vilvoorde, werden door zijn troepen overvallen.
In Antwerpen kregen de Fransen met zeer felle tegenstand te maken. Anjou had gehoopt op steun van de katholieken, maar die bleef uit. Zij aan zij streden de Antwerpenaren voor het behoud van hun stad. Nadat de Fransen op verraderlijke wijze binnen de stadsmuren waren geraakt, werden door de opgeschrikte bevolking inderhaast allerlei barricaden opgeworpen. Kettingen werden over de straten gespannen en vanaf daken werden stenen en dakpannen gegooid en kogels afgevuurd. De tegenstand was zo groot dat er paniek uitbrak in de Franse gelederen en zij in grote wanorde wegvluchtten. Er waren zo'n 2000 slachtoffers, voor het merendeel Franse soldaten.
Door deze actie is de positie van Anjou als landvoogd van de Nederlanden onhoudbaar geworden. Het onbetrouwbare gedrag van de Fransman heeft ook Willem van Oranje in ernstige moeilijkheden gebracht. Hij heeft immers Anjou altijd gesteund omdat volgens hem de opstand tegen de Spaanse overheersing alleen met Franse hulp tot een goed einde kan worden gebracht. Anjou is inmiddels bezig in aller ijl de Zuidelijke Nederlanden te verlaten.

*Na de fatale schoten op prins Willem van Oranje neemt Balthasar Gerards de benen.*

# Moord op prins van Oranje

DELFT, 14 juli 1583 - Alom in de Nederlanden is met verbijstering gereageerd op het bericht dat Willem van Oranje, de drijvende kracht achter de opstand tegen de Spanjaarden, door Balthasar Gerards is vermoord. Niemand lijkt er een duidelijk beeld van te hebben hoe de strijd tegen de Spanjaarden nu moet worden voortgezet.
De fatale gebeurtenis heeft zich vier dagen geleden rond twee uur 's middags in Delft voorgedaan. Oranje was net van tafel opgestaan na met zijn vrouw, zijn zuster en zijn dochters de maaltijd te hebben gebruikt. Hij wilde de trap naar zijn kamer opgaan, toen hij François Guyon zag staan, een man die zich onder deze valse naam eerder dit jaar toegang had weten te verschaffen tot het hof van de prins en zich uitgaf voor een slachtoffer van de katholieke vervolging. De moordenaar, die in werkelijkheid Balthasar Gerards bleek te heten, loste twee schoten op de prins, ter hoogte van longen en maag. Dodelijk getroffen steunde Willem nog: 'Mon Dieu, ayez pitié de mon âme; mon Dieu, ayez pitié de ce pauvre peuple' ('Mijn God, erbarm u over mijn ziel en over dit arme volk'). Toen zijn arts Pieter van Foreest kwam was hij reeds overleden. Balthasar Gerards trachtte nog te ontkomen maar werd al snel gepakt. Hij werd ter dood veroordeeld en onder grote publieke belangstelling voor het raadhuis terechtgesteld.
De moord op de prins is een groot succes voor de Spaanse koning. Het vorstendom gaat nu in naam over op Willems zoon Filips Willem, die eerder ontvoerd werd en thans in Spanje verblijft.

*Balthasar Gerards is kort na de moord opgepakt en geëxecuteerd.*

# 1585

# Spanje boekt belangrijke zege

*De schipbrug over de Schelde draagt belangrijk bij aan de val van Antwerpen.*

ANTWERPEN, 27 augustus 1585 - Na een beleg van ruim veertien maanden is Alexander Farnese, de hertog van Parma, met zijn troepen triomfantelijk Antwerpen binnengetrokken. De inneming van de Scheldestad verliep rustig. Dit was het resultaat van een overeenkomst die de Spaanse veldheer precies tien dagen geleden tekende met Marnix van Sint-Aldegonde, de 'buitenburgemeester' van de stad.

De val van Antwerpen betekent een belangrijke overwinning voor de Spanjaarden in de strijd tegen de opstandige gewesten. Al eerder dit jaar hebben de Spaanse troepen Brussel en Mechelen ingenomen. Vorig jaar vielen Ieper, Gent en Brugge in handen van Parma. De laatste stad in de Zuidelijke Nederlanden die nog veroverd moest worden, was Antwerpen en daarin is Parma dus inmiddels geslaagd.

Begin juli van het vorig jaar begon hij met de omsingeling van de rijkste stad van de Zuidelijke Nederlanden. De toevoerwegen naar Antwerpen vielen één voor één in Spaanse handen, met als technisch hoogtepunt de afsluiting van de Schelde. Door middel van een 730 meter lange schipbrug werd voorkomen dat hulp van buiten via het water de stad zou kunnen bereiken. Na voltooiing van de brug in februari, begon de uithongering van Antwerpen.

Vanuit de stad zelf en vanuit Holland en Zeeland werd enkele malen wanhopig geprobeerd de omsingeling te doorbreken. Maar zowel aanvallen op de schipbrug zelf, waarbij vuurschepen werden ingezet, als op de dijken mislukten. Een slechte coördinatie tussen de legers in de stad en de Hollands Zeeuwse vloot aan de andere kant van de brug enerzijds, en het bekwame en alerte optreden van Farnese en zijn strijdmacht anderzijds voorkwamen een doorbraak.

Nadat op 26 mei een poging de Kouwensteinse dijk te veroveren op het nippertje gestrand was, en twee dagen later het monsterschip 'Fin de la guerre' tegen de andere dijk te pletter voer in plaats van de schipbrug te vermorzelen, brak de weerstand bij de hongerende Antwerpenaren. Vooral de katholieken eisten onderhandelingen met Parma. Marnix, verantwoordelijk voor de verdediging van de stad, ging daarom besprekingen voeren met de Spaanse veldheer in diens hoofdkwartier bij Beveren.

Op 17 augustus tekende Marnix de overgave van Antwerpen. Drie dagen later werd de 'Peis' op de Grote Markt door een heraut uitgeroepen. Het bleek dat Parma zich heel gematigd had opgesteld. Tegenstanders van de Spanjaarden werd de gelegenheid geboden de stad te verlaten. Veel (vooral protestantse) kooplui en intellectuelen maakten van de gelegenheid gebruik en zijn naar de noordelijke gewesten vertrokken.

# Paus mengt zich in Franse troonstrijd

PARIJS, 8 september 1585 - Paus Sixtus V heeft de toekomstige koning van Frankrijk, Hendrik van Navarra, het recht op de Franse troon ontzegd. Naar het oordeel van de prelaat is hij een ketter en een afvallige. De zogenaamde *bul van ontzegging* heeft in Frankrijk veel rumoer veroorzaakt. De algemene opinie is dat de paus geen recht heeft zich met Franse staatsaangelegenheden te bemoeien.

Als het om geld gaat is men in Frankrijk echter minder kritisch. In de burgeroorlog die nu al drieëntwintig jaar duurt, zoeken zowel katholieken als protestanten financiële steun in het buitenland.

De problemen rond de Franse troonopvolging ontstonden vorig jaar juni met het overlijden van de hertog van Anjou. De huidige Franse koning Hendrik III van Valois heeft geen kinderen. Daardoor vervalt de kroon aan de echtgenoot van zijn zuster, de protestantse Hendrik van Navarra. De Franse katholieken waren hevig ontzet door het perspectief van een protestantse koning. Met het edict van 18 juli

*Hendrik III (kopergravure, 1647).*

van dit jaar verklaarde Hendrik III alle rechten van zijn wettelijke opvolger voor vervallen. Hij kondigde tevens de strengste maatregelen tegen de protestanten aan die ooit in Frankrijk zijn uitgevaardigd. Daarnaast werd de Heilige Liga, negen jaar geleden opgericht door fanatieke katholieke edelen door Hendrik de Guise nieuw leven ingeblazen.

De onverzoenlijkheid van beide kampen lijkt een compromis onmogelijk te maken. De groep die in Frankrijk naar een gematigde oplossing streeft, is het klein, al groeit zij in omvang. Een van de belangrijkste woordvoerders van 'de politieken', zoals deze groep wordt genoemd, is Jean Bodin. In zijn boek *De la république* pleit hij voor een sterk centraal gezag dat een einde aan de strijd kan maken. Op het ogenblik daar in Frankrijk geen sprake van. De enige die aanspraak kan maken op het uitoefenen van centraal gezag is volgens Bodin de koning en Hendrik III is eerder een speelbal van de katholieke edelen dan dat hij een zelfstandige politiek uitoefent.

*De Indiase sultan Akbar moet in 1585 de heilige plaats Fatehpur Sikri met zijn hele hofhouding verlaten. De oorzaak van zijn vertrek is dat de hoeveelheid water in de residentie onvoldoende is. Fatehpur Sikri werd in opdracht van de sultan gebouwd als dank voor de drie kinderen die hij kreeg, nadat hij in het dorpje Sikri bij Agra een religieuze adviseur had geraadpleegd (miniatuur; circa 1590).*

## Doorbraak in Keulse Bisschoppenoorlog

KEULEN, 1585 - Het keurcollege heeft Ernst van Freising als nieuwe keurvorst en aartsbisschop van Keulen erkend. Met deze erkenning is een eind gekomen aan de Keulse Bisschoppenoorlog en blijft Keulen de belangrijkste pijler van het katholicisme in Noord-West-Duitsland.

De Bisschoppenoorlog brak uit nadat de aartsbisschop van Keulen, Gebhard Truchess van Waldburg, Kerstmis 1582 bekendmaakte dat hij zich tot het protestantisme had bekeerd om met de beeldschone Agnes van Mansfeld te kunnen trouwen. Maar in strijd met het 'reservatum ecclesiasticum' van de Augsburgse Religievrede wilde hij geen afstand van zijn aartsbisdom doen.

Dit had grote gevolgen voor de religieuze constellatie van het Duitse Rijk. Keulen was het laatste belangrijke bastion van het katholicisme in Noord-West-Duitsland. Een protestants Keulen zou een ramp voor het katholicisme zijn. Tevens zouden de protestantse keurvorsten de meerderheid binnen het keurcollege behalen. Er werd van katholieke zijde dan ook fel gereageerd. Paus Gregorius XIII zette Gebhard als aartsbisschop af, terwijl keizer Rudolf II hem als keurvorst afzette.

Het domkapittel van Keulen sloot zijn protestantse leden uit, en koos Ernst van Freising, de broer van de Beierse hertog Willem V, tot nieuwe aartsbisschop.

De krachtmeting tussen beide bisschoppen bleek al snel een ongelijke strijd. De nieuwgekozen aartsbisschop kreeg steun van zijn machtige broer en de in de Spaanse Nederlanden verblijvende hertog van Parma, terwijl Gebhard slechts steun kreeg van de Palts en Jan van Nassau. De protestantse keurvorsten August I van Saksen en Johan George van Brandenburg weigerden hem te steunen omdat hij openlijk het reservatum ecclesiasticum overtreden had.

De Keulse Bisschoppenoorlog laat duidelijk zien hoe gespannen de situatie in het Duitse Rijk is en hoe eenvoudig een confessionele affaire kan omslaan in een politiek-militair conflict. Tevens zijn de partijverhoudingen binnen het Duitse Rijk door deze oorlog duidelijk aan de oppervlakte gekomen: de keizer en de grote katholieke standen met de paus en de Spaanse Nederlanden op de achtergrond versus de calvinistische standen, terwijl de lutherse standen, onder leiding van Saksen, de broze Religievrede proberen te handhaven.

**Januari.** In de Nederlanden plegen de Engelse katholieke legeraanvoerders Stanley en York verraad door Deventer en de schans voor Zutphen aan de Spanjaarden uit te leveren.

**1 februari.** Elizabeth ondertekent het doodvonnis van Maria Stuart. →

**8 februari.** Maria Stuart wordt te Fotheringhay onthoofd. →

**Februari.** Johan Casimir van de Palts en Hendrik van Navarra tekenen een verbond.

**19 april.** De Engelse kapitein Francis Drake plundert Cádiz. Hij vernietigt een groot aantal Spaanse schepen, waardoor een expeditie naar Engeland een jaar moet worden uitgesteld.

**Mei.** Hendrik van Navarra verovert Talmont en Fontenay in Poitou op de Katholieke Liga.

**Juni.** De graaf van Leicester keert vanuit Engeland terug naar de Nederlanden. Hij heeft van koningin Elizabeth opdracht gekregen vrede te sluiten met de hertog van Parma. Oldenbarnevelt laat deze opdracht publiceren, waardoor Leicester alle steun in de Nederlanden verliest.

**5 augustus.** De hertog van Parma verovert Sluis.

**19 augustus.** Sigismund III, de zoon van de koning van Zweden, wordt tot koning van Polen gekozen.

**Augustus.** Paus Sixtus V roept op tot een katholieke kruistocht tegen Engeland.

**September.** Leicester geeft bevel om Oldenbarnevelt en Maurits van Nassau gevangen te nemen. Zij weten te ontsnappen. Vervolgens doet Leicester een aanval op Amsterdam, Leiden en West-Friesland.

**20 oktober.** Hendrik van Navarra verslaat bij Coultras een leger van de Katholieke Liga.

**Oktober.** Kardinaal Ferdinand de' Medici volgt Francisco de' Medici op als groothertog van Toscane.

**November.** De katholieke hertog de Guise verslaat een Duits leger bij Auneau.

**December.** Hendrik III verbiedt hertog de Guise Parijs binnen te trekken. De Guise trekt zich terug op Nancy.

**17 december.** Leicester verlaat de Nederlanden. →

- Elizabeth van Engeland doet een poging om met Turkije een verdrag tegen Spanje te sluiten.

- De katholieke kantons in Zwitserland tekenen een verdrag met Spanje.

- De constructie van de koepel van de Sint-Pieterskerk in het Vaticaan wordt voltooid. →

## Graaf Leicester verlaat met leger de Nederlanden

VLISSINGEN, 17 december - Men haalt in de Nederlanden opgelucht adem: de Engelse graaf Leicester is vertrokken. Zijn verblijf dat van begin tot eind zeer omstreden is geweest, heeft maar twee jaar geduurd.

In december 1585 landde hij met 6000 manschappen in Vlissingen om de landvoogdij op zich te nemen en de functie te aanvaarden die door de moord op Willem van Oranje vacant was. Van meet af aan heeft het tussen hem en de vertegenwoordigers van de Staten-Generaal niet geboterd. Dat conflict begon al enkele maanden na zijn aankomst, toen Leicester de handel met de vijand verbood. Daarmee haalde hij zich de woede van de Staten van Holland op de hals, die het geld dat zij met deze handel verdienen, nodig hebben om de oorlog tegen de Spanjaarden voort te zetten.

Het begon steeds duidelijker te worden dat deze Engelse edelman geen steun maar een last was. En dat werd nog eens bevestigd door de onbegrijpelijke daad van twee Engelse legeraanvoerders, Stanley en York, begin dit jaar, toen ze Deventer en de schans voor Zutphen aan de Spanjaarden overgaven. Hierop schreven de Staten-Generaal onder leiding van de nieuwe raadpensionaris van Holland, Johan van Oldenbarnevelt, een woedende brief aan Leicester. In de zomer van dit jaar werd bekend dat Leicester van koningin Elizabeth opdracht had gekregen vrede te sluiten en daarmee was de maat vol. Leicester verloor iedere steun en kon nog maar één ding doen: vertrekken.

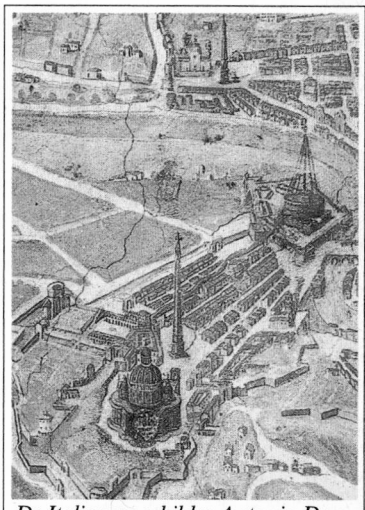

*De Italiaanse schilder Antonio Danti heeft kort voor de voltooiing van de dom van de Sint-Pieter een schilderij van het Vaticaan gemaakt. Al in 1455 werd onder paus Nicolaas II begonnen met de vernieuwing van het complex. Michelangelo ontwierp de koepel van de kerk.*

# Ex-koningin Maria Stuart onthoofd

FOTHERINGHAY, 8 februari - Op kasteel Fotheringhay (Northamptonshire) is de voormalige Schotse koningin Maria Stuart onthoofd. Het parlement had hierom gevraagd, maar pas na lang aarzelen stemde Elizabeth met deze executie in. De verantwoordelijkheid rust echter bij de Geheime Raad. Gedurende de negentien jaar die Maria in Engeland doorbracht, vormde zij een voortdurende bedreiging voor de positie van Elizabeth. De katholieken zagen in Maria Stuart de rechtmatige opvolgster van Maria Tudor en probeerden haar met buitenlandse en pauselijke steun op de troon te krijgen. Vandaar dat zij het middelpunt werd van allerlei acties.

Dit begon al meteen, toen in 1569 het noorden in opstand kwam. Het arme, katholieke boerenvolk stortte zich op de kerken van Durham en York en verscheurde de nieuwe gebedenboeken. De adel probeerde zijn verloren invloed terug te winnen. Het vierde huwelijk van Maria met Thomas Howard, hertog van Norfolk en neef van Elizabeth, was daarvoor bedoeld. Maar de opstand werd snel onderdrukt en Howard werd gevangengezet (oktober 1569).

Door middel van de bul *Regnans in Excelsis* (februari 1570) deed paus Pius V koningin Elizabeth in de ban. Hierbij werden haar onderdanen van hun trouw aan deze vorstin ontslagen. Dit leidde tot nieuwe katholieke acties. Zo zamelde de Florentijnse koopman Roberto Ridolfi te Londen geld in, om een samenzwering tegen Elizabeth te bekostigen en de katholieke godsdienst te herstellen. Maria, Howard en de paus ondersteunden de actie. Maar de regering wist het komplot te onthullen (herfst 1571). Het parlement vroeg in juni 1572 om Maria en Howard ter dood te brengen. Elizabeth kon Maria toen nog sparen, door de hertog van Norfolk te offeren.

De Contrareformatie had in de jezuïeten felle aanhangers. Aangespoord door de bul kwamen in 1580 onder leiding van Edmund Campion steeds meer jezuïeten Engeland binnen. De regering trad hiertegen streng op. Aan de hand van de bepaling dat zij die uitvoering wilden geven aan de bul, landverraad pleegden, liet zij ruim 200 gevangen jezuïeten ter dood brengen.

Het jongste komplot werd ontdekt door de geheime dienst van minister Francis Walsingham. De katholiek Anthony Babington zou door de jezuïeten zijn overgehaald om een samenzwering tegen Elizabeth te beramen. Walsinghams infiltranten wisten dit komplot uit te bouwen en Maria Stuart afdoende in diskrediet te brengen, zodat Elizabeth gedwongen werd om Maria, de angel van het katholieke verzet, te elimineren.

# 1588

**Januari.** Na het vertrek van Leicester worden er geen pogingen meer ondernomen om een nieuwe soevereine vorst voor de Nederlanden te vinden. Nu ontstaat de 'Republiek der Verenigde Provinciën'.

**Februari.** De Katholieke Liga in Frankrijk eist van de koning dat hij zich aan de besluiten van het Concilie van Trente houdt en dat de eigendommen van de hugenoten geconfisqueerd worden.

**Februari.** In Spanje overlijdt de bevelhebber van de Armada, de markies van Santa Cruz. Hij wordt opgevolgd door de hertog van Medina Sidonia.

**Maart.** Aartshertog Maximiliaan van Oostenrijk wordt in Silezië door Poolse troepen verslagen. Hij wordt gevangengenomen en pas weer bevrijd nadat zijn broer, keizer Rudolf II, alle Oostenrijkse aanspraken op Poolse gebieden opgeeft.

**4 april.** In Denemarken volgt Christiaan IV Frederik II als koning op.

**April.** Hendrik III van Frankrijk roept de hulp in van Zwitserse huurtroepen om zich tegen de Katholieke Liga te verdedigen. Bewoners van Parijs roepen vervolgens De Guise te hulp.

**9 mei.** Troepen van hertog de Guise trekken Parijs binnen.

**12 mei.** De Katholieke Liga, onder leiding van hertog de Guise, verovert Parijs na een dag van barricadegevechten. →

**9 juni.** De Spaanse Armada verlaat de haven van Lissabon op weg naar Engeland.

**11 juli.** Hendrik III geeft toe aan alle eisen van de Liga. Hij belooft de Staten-Generaal bijeen te roepen.

**31 juli.** De Engelse vloot brengt in de Straat van Dover de Spaanse Armada flinke verliezen toe. →

**1 augustus.** De Engelse admiraal Howard van Effingham stuurt vaartuigen, geladen met brandbare stoffen, naar de Spaanse schepen. De Spanjaarden hebben hiertegen geen verweer.

**8 augustus.** De Spaanse Armada wordt definitief verslagen. De behouden Spaanse schepen vluchten over de Noordzee, waarbij een groot aantal op de klippen voor de Ierse en Schotse kust strandt.

**Augustus.** Maurits van Nassau wordt opperbevelhebber over de troepen in de Nederlanden.

**23 december.** Op bevel van Hendrik III van Frankrijk wordt hertog de Guise te Blois vermoord.

# Engelsen verslaan Armada

*De Engelse vloot overvalt de Spaanse Armada voor de kust van Calais.*

DOVER, 31 juli - De Spaanse 'onoverwinnelijke' oorlogsvloot, de Armada, heeft flinke verliezen geleden in de Straat van Dover. Voor de resterende schepen blijft slechts één uitweg over, via de ruwe Noordzee om Schotland heen, omdat de Zuidnederlandse havens en Het Kanaal hermetisch afgesloten zijn. Behalve aan het weer, de bescheiden Nederlandse deelname en de forse strategische fouten aan Spaanse zijde, is de nederlaag van de Armada vooral toe te schrijven aan de nu meer effectieve Engelse marine.

Zeevaartpionier John Hawkins werd de belangrijkste maritieme regeringsadviseur. Volgens hem hoorde de Engelse marine zich niet te beperken tot de eigen kustverdediging, maar diende zij over de Zeven Zeeën te gaan patrouilleren. Ook de organisatie moest verbeterd worden. Als marine-thesaurier (vanaf 1578) bestreed Hawkins de corruptie en zorgde hij voor een betere organisatie.

Om de vloot zelf te moderniseren werd een nieuw type galjoen ontwikkeld, dat sneller en wendbaarder zou zijn en met meer kanonnen en minder manschappen (nu beter betaald) toe kon. Als eerste ging in 1575 de 'Revanche' (450 ton) te water, tot vorig jaar gevolgd door 24 soortgelijke boten. Koningin Elizabeth leverde de militaire bemanning en financierde enkele van de schepen. De overige galjoenen en manschappen varen in particuliere dienst. De marine escorteert dan ook handelskonvooien en omgekeerd helpen de kooplieden in oorlogssituaties.

Met de nieuwe marine deden Hawkins en Drake al enige ervaring op (Cadiz, 1587). Maar de echte beproeving zou de Spaanse Armada vormen; een beangstigend grote vloot van 130 schepen met 30 000 man aan boord.

Zij werd in Het Kanaal opgewacht door een westelijke marinevloot, die onder bevel van admiraal Charles Howard van Effingham stond. Haar taak was een invasie te verhinderen.

Dat dit lukte lag ook aan de opdracht van Filips II om eerst bij Calais Parma's leger te laten inschepen, hetgeen de Armada fataal werd.

*De positie van beide vloten in beeld.*

Op 28 juli opende Howard, samen m[et] de oostelijke marinevloot, plotselin[g] de aanval. De snel opererende Enge[l]sen brachten de logge Armadaschepe[n] in het nauw. Deze kregen niet de ka[ns] de traditionele entertactiek toe te pa[s]sen en moesten ten slotte na veel verli[e]zen een omslachtig hazepad kiezen.

De Engelse zeevaart, door de reize[n] van Hawkins en Drake vertrouwd g[e]raakt met de oceanen, blijkt in staat [de] Spaanse hegemonie ter zee te kunne[n] bestrijden.

*De Engelse zeeheld Walter Raleigh.*

*Koning Hendrik III.*

## Koning Hendrik III ontvlucht Parijs

PARIJS, 14 mei - Koning Hendrik III heeft gistermiddag onopgemerkt de Franse hoofdstad verlaten. Zijn vlucht volgde op de capitulatie van de koninklijke garde voor de bevolking van Parijs en troepen van de katholieke Heilige Liga. In Parijs is men begonnen met het opruimen van de barricaden die tot aan de poorten van het koninklijk verblijf in het Louvre waren opgeworpen. Het verzet van de katholieke Parijse bevolking tegen hun koning is de laatste jaren gegroeid onder invloed van de propaganda van de Liga. Hendrik III was al weinig geliefd bij het volk. Zijn gedrag wordt te verfijnd en zelfs verwijfd gevonden. Er doen regelmatig verhalen de ronde over zijn voorliefde voor vrouwenkleren en kosmetica. Op deze manier was het voor de Liga niet moeilijk om de positie van de monarchie te ondergraven. Het officiële doel van de Liga is weliswaar de bestrijding van de ketterij, maar de edelen die ertoe behoren zijn van meet af ook bezig geweest hun eigen macht binnen de staat te vergroten.

Hendrik III zelf bevindt zich in een moeilijk parket. In het verleden heeft hij steeds steun verleend aan de Liga, in de hoop daarmee de katholieke edelen in bedwang te kunnen houden. Dat bleek echter steeds een illusie en de opstand in Parijs heeft het definitief bewezen. De koning zou zijn macht kunnen heroveren door zich te verzoenen met het protestantse kamp. Alleen dan krijgt hij de beschikking over de nodige militaire macht om de edelen van de Liga te verslaan. Overtuigd katholiek als Hendrik III is, zal hem dat zeker niet makkelijk vallen. Voorlopig is de leider van de Liga, Hendrik de Guise, een gevierd man in Parijs en moet het land het doen zonder enige vorm van centraal gezag.

**5 januari 1589.** Catharina de' Medici, de koningin-moeder van Frankrijk, sterft.

**6 juli.** Engelse troepen onder leiding van Francis Drake doen een aanval op Portugese forten aan de Taag. →

**2 augustus.** Hendrik III wordt vermoord. Hij is de laatste telg uit het Huis Valois. Op zijn sterfbed erkent Hendrik III de hugenoot Hendrik van Bourbon, koning van Navarra, als zijn opvolger. →

**21 september.** Hendrik IV verslaat in de Slag van Arques de troepen van de Katholieke Liga.

**Oktober.** Maurits van Nassau wordt tot stadhouder van Utrecht, Gelderland en Overijssel gekozen.

**Januari 1590.** Filips II van Spanje zegt steun toe aan de Katholieke Liga in Frankrijk, onder de voorwaarde dat enkele Franse havensteden onder Spaanse controle kunnen worden geplaatst.

**Januari.** De Katholieke Liga roept de kardinaal van Bourbon tot Karel X van Frankrijk uit.

**5 maart.** Dank zij een list met een turfschip verovert Maurits van Nassau Breda op de hertog van Parma. →

**Juli.** De hertog van Parma gaat op bevel van Filips II met troepen naar Frankrijk om de Liga te steunen.

**15 september.** In Rome wordt Giovanni Battista Castagna tot paus Urbanus VII gekozen. (Hij sterft twaalf dagen later.)

**September.** Hendrik IV moet het beleg van Parijs opgeven. Troepen van de hertog van Parma hebben hem hiertoe gedwongen.

**Oktober.** Maurits van Nassau doet een mislukte poging om Nijmegen op de Spanjaarden te veroveren.

**November.** Sir Francis Drake keert terug naar Engeland, nadat hij een mislukte poging heeft gedaan steden op de Spaanse kust te veroveren.

**5 december.** In Rome wordt Niccolò Sfondrato tot paus Gregorius XIV gekozen.

- Perzië en Turkije sluiten vrede bij het Verdrag van Constantinopel. Tebriz, Shirva en Georgia komen in Turkse handen. Sjah Abbas I sloot de vrede om de expansie van de Oezbeken te kunnen bestrijden.

- De Japanse veldheer Hidèjosji Tojotomi is erin geslaagd alle territoriale heersers aan zich te onderwerpen.

- De keizer van Marokko annexeert Timboektoe en het noordelijk deel van Niger.

- De Groot-Mogol Akbar, keizer in India, verovert Orissa.

# Hendrik III doodgestoken

*De paleiswachten zijn te laat: Jacques Clément steekt de koning neer.*

PARIJS, 2 augustus 1589 - Koning Hendrik III is overleden aan de steekwonden die hem gisteren zijn toegebracht door de monnik Jacques Clément. De moordaanslag vond plaats in het koninklijke kamp in Saint-Cloud. Daar trof Hendrik III voorbereidingen voor de herovering van Parijs op de katholieke Liga.

Clément trok eergisteren met valse papieren door de koninklijke linies. Eenmaal aangekomen meldde hij dat hij een zeer geheime boodschap uit Parijs bij zich had. Daarop kreeg hij toestemming een ogenblik geheel alleen met de koning te zijn. Op dat moment stak hij Hendrik III neer. Toegesnelde wachten vonden een zwaargewonde koning en de monnik, die als een martelaar met gekruiste armen stond te wachten. Hij werd ter plekke omgebracht.

Door de dood van Hendrik III dreigt Frankrijk in een nog grotere chaos te worden gedompeld. Het land is letterlijk verdeeld in een protestants en een katholiek kamp. De monarchie is in de vele jaren van strijd bijna vermorzeld tussen beide partijen. Anderhalf jaar geleden viel de hoofdstad in handen van de Katholieke Liga en zag de koning zich gedwongen zijn residentie naar Blois te verplaatsen. Van daaruit heeft hij geprobeerd zijn autoriteit te herstellen. In een poging de macht van

de Liga te breken liet hij in december de belangrijkste leiders ombrengen.

De moord op Hendrik de Guise en de kardinaal van Lotharingen had echter een averechts effect. Vooral in Parijs nam de haat tegen het koningshuis buitensporige proporties aan. Groepen mensen trokken in de winterkou op blote voeten en slechts gekleed in een hemd al zingend en biddend door de straten. Kinderen droegen brandende kaarsen die ze van tijd tot tijd uitbliezen onder het roepen van kreten als 'God, doof op deze wijze het geslacht van Valois'. De koortsachtige stemming groeide toen in mei bekend werd dat Hendrik III een verbond met de protestanten had gesloten. Het was voor de koning de enig overgebleven mogelijkheid. Slechts een gezamenlijk optreden van royalistische en protestantse troepen kon de hoofdstad en de andere katholieke gebieden weer onder centraal gezag brengen.

Deze taak blijft liggen voor de nieuwe koning, de protestant Hendrik van Navarra. Diens positie is uiterst moeilijk. Hendrik III heeft hem op zijn sterfbed uiteindelijk wel als wettige opvolger erkend, al heeft hij hem tevens gesmeekt zich tot het katholieke geloof te bekeren. Of de nieuwe koning wordt aanvaard door het Franse volk is echter zeer twijfelachtig.

*Na zijn daad wordt Jacques Clément gevangengenomen en gevierendeeld.*

# Drake faalt in Portugal

LISSABON, 6 juli 1589 - Sir Francis Drake, de Engelse admiraal, is er niet in geslaagd vaste voet in Portugal te krijgen. De tegenstand van de forten aan de Taag bleek te sterk. Drake is onverrichter zake teruggekeerd, tot grote teleurstelling van Antonio, prior van Crato, de man die door Filips II van Spanje van de troon gestoten is.

Filips, die van plan is de Portugese autonomie zoveel mogelijk te respecteren, benoemde zijn neef Albert van Oostenrijk tot gouverneur en stelde drie prominente Portugezen als diens adviseur aan. Antonio, die naar de Azoren was gevlucht, zocht in het buitenland steun om het Spaanse bewind omver te werpen. Toen Filips pogingen ondernam de Azoren te bezetten, kwam een Franse vloot Antonio in 1582 te hulp. De Spaanse admiraal De Bazan maakte echter korte metten met de Fransen. Antonio's hoop leefde weer op toen na het falen van de Spaanse Armada vorig jaar koningin Elizabeth van Engeland hem Drake met dertig schepen te hulp stuurde. Drakes falen markeert tevens het verloren gaan van Antonio's laatste kans op de Portugese troon.

## Maurits verovert met turfschip Breda

*Nietsvermoedend laten de Spanjaarden het turfschip met soldaten Breda binnen.*

BREDA, 5 maart 1590 - Prins Maurits en zijn troepen hebben met de verovering van Breda een belangrijke overwinning op de Spanjaarden behaald. De listige wijze waarop deze verovering in haar werk is gegaan - zeventig soldaten wisten, verborgen in een turfschip, ongemerkt in de stad door te dringen en de poort voor de prins te openen -, heeft bovendien het prestige van prins Maurits veel goed gedaan.

Na het vertrek van Leicester in december 1587 zag het er voor de opstandige provincies aanvankelijk somber uit. Parma behaalde vele successen. Het verhaal ging dat er een onoverwinnelijke Spaanse vloot op de Hollandse kusten zou landen en bovendien was onduidelijk wie na Leicester de leiding moest overnemen. Maar binnen enkele maanden na diens vertrek kwam er verandering in deze toestand. De onoverwinnelijke Armada bleek wel degelijk overwonnen te kunnen worden, Parma werd afgeleid door gebeurtenissen in Frankrijk en - het belangrijkste wellicht - Maurits zag zijn gezag tot in Zeeland en ook de andere provincies uit te breiden en alle opstandelingen de hoop te geven dat hij wél successen zou behalen. De inneming van Breda heeft dat vertrouwen bevestigd.

Toen Maurits deze winter in de Tielerwaard verbleef, kwam hij in contact met enkele schippers uit Leur en die vertelden hem dat zij geregeld turf en hout naar het bezette Breda brachten. Ze zouden gemakkelijk tussen de koopwaar enkele soldaten kunnen verbergen. Na lang aarzelen en overleg met Johan van Oldenbarnevelt stemde Maurits met het plan in en werd er in een schip een tweede zoldering aangebracht waaronder zo'n zeventig soldaten konden schuilen. Dezen zouden de poort openen en Maurits met zijn gereedstaand leger binnenlaten.

Op 26 februari betrokken de soldaten het schip, maar zij hadden pech. Sterke tegenwind dwong hen drie dagen op dezelfde plek te blijven en allerlei ontberingen te doorstaan. Pas gisteren kwamen de soldaten voor het kasteel van Breda.

De Spaanse bezetting merkte bij een vluchtige inspectie niets op. Het schip voer de legerplaats binnen en loste een deel van zijn koopwaar. Tot midden in de nacht moesten de soldaten nog op hun plaats blijven, maar toen ging het snel. De bezetting werd overmeesterd, een trompetter blies vanaf de kantelen het Wilhelmus en Maurits kon de stad binnentrekken.

**3 februari.** Duitse vorsten vormen de Protestantse Bond van Torgau. Leiders zijn Christiaan I van Saksen, Johan Casimir van de Palts en Christiaan van Anhalt. In de bond domineren de calvinisten.

**1 maart.** Paus Gregorius XIV bedreigt Hendrik IV van Frankrijk met excommunicatie.

**13 maart.** Marokkaanse troepen verslaan bij Tondibi het leger van Songhai. →

**19 april.** Chartres geeft zich over aan Hendrik IV.

**20 mei.** Maurits en Willem Lodewijk van Nassau veroveren Zutphen na een beleg van vijf dagen.

**20 juni.** Deventer geeft zich over aan Maurits en Willem Lodewijk.

**Juli.** Vanuit Engeland vertrekken Sir John Hawkins en Sir Martin Frobisher met het doel de Spaanse 'zilvervloot' bij de Azoren te onderscheppen.

**19 augustus.** Hendrik IV verovert Rouen in Picardië.

**Augustus.** Engelse troepen onder het bevel van de graaf van Essex vertrekken naar Frankrijk om Hendrik IV te steunen in het beleg van Rouen.

**Augustus.** Bij de Azoren wordt een Engelse vloot door de Spanjaarden verslagen.

**21 september.** De Franse bisschoppen erkennen Hendrik IV als koning van Frankrijk. Zij reageren hiermee op het dreigement van paus Gregorius XIV.

**September.** In Saksen volgt de achtjarige Christiaan II zijn vader op. Zijn voogden, de keurvorst van Brandenburg en de hertog van Saksen-Weimar, bestrijden op gewelddadige wijze het calvinisme in Saksen.

**16 oktober.** Paus Gregorius XIV sterft.

**21 oktober.** Maurits van Nassau verovert Nijmegen op de Spanjaarden.

**29 oktober.** In Rome wordt Antonio Facchinetti tot paus Innocentius IX gekozen. (Hij sterft op 30 december.)

**20 november.** Filips II stuurt troepen naar Tarragona in Aragón. In de stad is een opstand uitgebroken. Deze wordt onderdrukt en de stad verliest haar traditionele vrijheden. →

**November.** Parma vertrekt voor de tweede keer met troepen naar Frankrijk.

- Navarra en de graafschappen Foix en Albret worden door de Franse kroon geannexeerd.

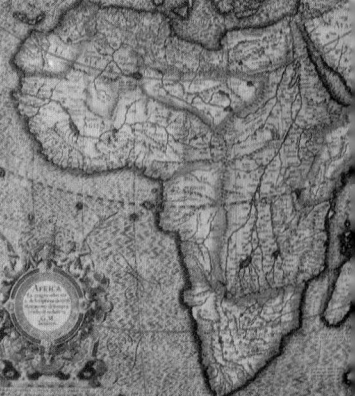

*Kaart van Afrika (Mercator; 1595).*

## Marokkaans leger trekt rijk van Songhai binnen

SONGHAI, 13 maart - Bij Tondibi niet ver van Gao, is het leger van Songhai onder leiding van Askia Ishaq I verslagen door de Marokkaanse troepen. Deze stonden onder bevel van de tot de islam bekeerde Spanjaard Judar. Met zijn christelijke en mohammedaanse huurlingen had hij al een tocht van twintig weken door de woestijn achter de rug voordat hij, vooral dank zij het bezit van vuurwapens, over de troepen van Songhai zegevierde.

Nadat Marokko in 1578 bij al-Ksar al Kabir een dramatische overwinning op de Portugezen had behaald, was de energieke sultan Mulay al-Mansoer begonnen militaire expedities naar het zuiden voor te bereiden.

Met de nederlaag van het leger van Songhai lijkt een einde te zijn gekomen aan het rijk van Songhai, waarvan de steden Timboektoe en Gao herinneren aan de grote bloei die dit rijk de laatste twee eeuwen gekend heeft. Maar belangrijker dan deze politieke ineenstorting is de al langer optredende economische recessie. Deze wordt vooral veroorzaakt door het feit dat de Afrikaanse goudhandel sinds de recente grote ontdekkingen sterk aan belang heeft ingeboet. Een tweede factor van belang is de verplaatsing van de internationale handelsactiviteiten naar de kleine stadstaatjes aan de oceaankust Benin en de Joruba-staten. Gao en Timboektoe zijn, net als Venetië en Alexandrië, in verval geraakt door de ontdekking van de zeewegen tussen Europa en de tropische landen.

Het oostelijker gelegen Kanem-Bornu, waar sinds 1580 koning Idris Alooma belangrijke vernieuwingen heeft doorgevoerd, is nog het enige grote koninkrijk in de binnenlanden van West Afrika. Het onderhoudt zelfs relaties met landen ten noorden van de Sahara. Zo leiden Turkse adviseurs er musketiers op en de harems van Constantinopel worden nu bevoorraad via de karavaanwegen door de Sahara.

# 1592

## Filips II herstelt gezag in Aragón

ZARAGOZA, 20 november - Met de intocht van een Castiliaans leger in Zaragoza op 12 november en de executie van de jonge opperrechter Juan de Lanuza, heeft de Spaanse koning Filips II zijn gezag in het opstandige Aragón hersteld en een ernstige constitutionele crisis voorkomen.

Directe inzet van het conflict was de uitlevering van Antonio Perez, de voormalige secretaris van de koning, die in 1579 wegens een komplot gearresteerd was. Perez wist na twaalf jaar gevangenschap te ontsnappen, vluchtte naar Aragón en stelde zich daar onder bescherming van de 'fueros', de oude Aragonese wetten en vrijheden. Filips' bevel hem uit te leveren werd door de Aragonese constitutionele rechter De Lanuza met een beroep op de fueros geweigerd. De koning bracht daarop tegen Perez een aanklacht wegens ketterij uit om hem door de enige nationale rechtbank, die der inquisitie, te laten vervolgen. Onderweg naar zijn ondervraging werd Perez echter in Zaragoza bevrijd door een menigte die 'Vrijheid' en 'Tegen de fueros' riep. Filips beantwoordde de ondermijning van zijn gezag met het zenden van Castiliaanse troepen naar Aragón. De Aragonese adel en steden beschouwden deze stap als een inbreuk op hun oude wetten en riepen op tot verzet tegen het 'vreemde' leger. Met het binnentrekken van de Castiliaanse troepenmacht in Zaragoza is de strijd echter beslist. Antonio Perez is inmiddels naar Frankrijk uitgeweken.

Het conflict in Aragón maakt nog eens duidelijk hoe sterk het oude regionale particularisme in Spanje voortleeft. Elk gebied heeft een groot deel van zijn oude rechten en vrijheden behouden. Terwijl de koning in Castilië vrijwel oppermachtig is, is hij in het koninkrijk van Aragón en Navarra, met de bijbehorende gebieden Catalonië en Valencia, traditioneel door allerlei wetten gebonden. Zo moet hij bijvoorbeeld voor elke belastingheffing toestemming vragen en eindeloos onderhandelen met het parlement, de Cortes. Het gevolg is dat Filips in de 35 jaar van zijn regering de Aragonese Cortes maar tweemaal bijeengeroepen heeft, en de Aragonezen steeds minder bij zijn bestuur betrekt. Castilië is steeds meer het centrum van het Spaanse wereldrijk geworden: het levert het geld, de troepen en de hoogste ambtenaren voor de uitvoering van Filips' politiek. De andere Spanjaarden en ook Filips' Italiaanse onderdanen voelen zich bij Castilië achtergesteld.

Dat Filips zijn overwinning in Aragón zal aangrijpen om de fueros belangrijk in te perken, wordt niet verwacht, vanwege de ervaringen in de Nederlanden en de vele andere kwesties die zijn aandacht eisen.

---

**April.** De hugenoten moeten Rouen overleveren aan de Katholieke Liga. De hugenoten hielden Rouen bezet maar dank zij de steun van de hertog van Parma kon de Liga de stad innemen.

**13 september.** De Franse filosoof Montaigne overlijdt. →

**Oktober.** Aartshertog Matthias krijgt van keizer Rudolf II het bestuur over het Oostenrijkse deel van Hongarije opgedragen.

**27 november.** Sigismund III, koning van Polen, wordt na de dood van zijn broer Johan III ook koning van Zweden.

**3 december.** De hertog van Parma sterft. Filips II benoemt Ernst van Habsburg, graaf van Mansfeld, tot landvoogd in de Nederlanden.

**December.** Filips II onderneemt stappen om zijn dochter Isabella op de troon van Frankrijk te plaatsen.

- De Russische overheid treft maatregelen om de vlucht van boeren tegen te gaan. →

- De sjogoen van Japan, Hidèjosji, bezet Korea, nadat dit land weigerde Japanse troepen, die op weg waren naar China, door te laten.

**Januari 1593.** De Franse Staten-Generaal, bijeen in het Louvre, weigeren zich te houden met Filips' verzoek om Isabella van Spanje te erkennen als koningin van Frankrijk.

**23 maart.** Henry Barrow, een Engelse puritein, wordt beschuldigd van laster tegen koningin Elizabeth.

**6 april.** Henry Barrow wordt onthoofd.

**25 juli.** Hendrik IV bekeert zich tot het katholicisme. 'Parijs is wel een mis waard.' Een groot deel van de katholieke adel onderwerpt zich in de komende maanden aan hem.

**September.** Aartshertog Albert van Habsburg wordt door Filips II tot onderkoning van Portugal benoemd.

**Oktober.** In Zweden probeert Sigismund III het katholicisme weer in te voeren. De Conventie van Uppsala weet de poging te verijdelen. Sigismund moet het lutheranisme handhaven.

- In Japan komen Spaanse franciscanen aan. Zij raken hier in conflict met de Portugezen.

- De oorlog tussen Oostenrijk en Turkije breekt opnieuw uit met gevechten in Hongarije. Sigismund Báthory, vorst van Transsylvanië en vazal van Turkije, vecht aan de kant van Oostenrijk.

---

# Russisch kadaster gereed

MOSKOU, 1592 - Na elf jaar van volkstelling en landmeting zijn de nieuwe kadasterboeken gereedgekomen. Door de officiële registratie hoopt de Russische overheid de vlucht van de boeren, die met name de laatste decennia extreme vormen heeft aangenomen, tegen te gaan.

Sinds de tijd van Ivan III (de Grote, 1462-1505) zijn de militaire behoeften van de Russische staat in snel tempo gegroeid en dientengevolge de behoefte aan land met boeren voor de nieuwe militaire dienstadel (dvorjanstvo). Om hierin te voorzien werd onder meer 'zwart' land, dat tot dan werd bewoond door vrije, belastingplichtige boeren, aan deze adel in leen gegeven. Daar deze landeigenaren een vast aantal boeren nodig hadden om hun bezittingen produktief te maken en hun verplichtingen aan Moskou na te komen, waren zij erbij gebaat dat de boeren aan de grond werden gebonden. Daarom zorgden zij dat de boeren bij hen in de schuld stonden: zij schoten gewoonlijk geld voor waarmee de boer zijn huis kon bouwen, en vee en zaaigoed kon aanschaffen. Door de hoge rente die zij op deze leningen hieven kon de boer zijn schulden moeilijk afbetalen en bleef deze vaak jarenlang, zo niet tot zijn dood, in de vorm van arbeid aflossen. Het traditionele recht van de boer om te vertrekken werd in de 15de eeuw beperkt tot de twee weken rond de feestdag van de Heilige Georgius (26 november), wanneer het landbouwseizoen voorbij was. Dit recht is nog in de *Soedebnik* van Ivan IV herhaald.

De vlucht van de boeren heeft sinds het midden van deze eeuw steeds ernstiger vormen aangenomen, met name in de centrale streken van Moskovië. Door de verovering van Kazan en Astrakan werden aan het oosten en zuiden van het rijk uitgestrekte en zeer vruchtbare gebieden toegevoegd, die grote aantrekkingskracht op de boeren uit de centrale woudgebieden van Moskovië uitoefenden. Dit proces versterkte zich ten gevolge van de terreur van de opritsjnina die, ofschoon gericht tegen de bojaren, ook boeren trof. Daarnaast noopten de oorlogen en belastingverhogingen velen hun heil elders te zoeken.

Onder druk van de minder vermogende dienstadel hebben de autoriteiten naar oplossingen gezocht om de ontvolking een halt toe te roepen. Sinds 1581 is hiertoe een aantal jaren als 'verboden' jaren uitgeroepen, hetgeen betekent dat de pachters-boeren in die jaren niet van het landgoed waarop zij werken mogen wegtrekken. In hetzelfde jaar is men begonnen met de registratie van de boeren. Door de onlangs gereedgekomen kadasterboeken hoopt men voortvluchtige boeren sneller aan de grondheer te kunnen retourneren.

Aldus krijgen steeds meer boeren in feite de status van lijfeigene, dat wil zeggen dat zij aan de grond zijn gebonden en niet aan de landheer. Men verwarre dit niet met de slaven, die geen rechtspersoonlijkheid hebben en dus geen belasting betalen, noch bezit kunnen hebben.

---

# Filosoof Montaigne dood

*Michel Eyquem de Montaigne.*

BORDEAUX, 13 september 1592 - De Franse filosoof Michel Eyquem de Montaigne is op 59-jarige leeftijd in zijn kasteel overleden.

Montaigne werd oorspronkelijk opgeleid tot jurist. Van 1554 tot 1570 was hij verbonden aan het gerechtshof in Bordeaux. Daar ontmoette hij Etienne de La Boëti, met wie hij tot diens dood (in 1563) bevriend bleef. Montaignes vriendschap met De La Boëtie inspireerde hem tot een van zijn meest bekende essays: *De l'amitié*. Nadat hij zich op zijn kasteel had teruggetrokken zette hij zich aan het schrijven van zijn *Essais*. In 1580 verscheen de eerste, uit twee delen bestaande, verzameling van deze beschouwingen, die hem een beroemd man maakten. Na deze publikatie maakte Montaigne enkele reizen. Ondertussen ging hij voort met het aanvullen en bewerken van zijn *Essais*. In 1588 verscheen een uit drie delen bestaande editie. Met de *Essais* heeft Montaigne een nieuw literair genre in het leven geroepen. Hij toont zich in zijn werk een ondogmatisch denker met een sceptische instelling. 'Que sais-je?' was zijn devies. Twijfel en inzicht in het paradoxale karakter van de waarheid deden hem vragen stellen bij de essentialia van het bestaan. Zonder systeem behandelde hij daarbij de meest uiteenlopende onderwerpen.

# Parijs loopt uit bij intocht Hendrik IV

PARIJS, 22 maart 1594 - Hendrik IV heeft na jaren van strijd zijn intrek in de Franse hoofdstad kunnen nemen. Afgelopen nacht werden de stadspoorten bij Neuve en Saint-Denis voor de koninklijke troepen geopend. Zij ondervonden nauwelijks tegenstand toen ze de stad binnentrokken. De koning zelf arriveerde vanmorgen in alle vroegte. Zijn eerste bezoek gold de Notre-Dame, waar hij God dankte en een Te Deum liet zingen. Op de terugweg naar het Louvre werd hij luidkeels toegejuicht door de toegestroomde Parijse bevolking.

Toen Hendrik van Navarra als protestant in 1589 koning werd, was dit alles nog ondenkbaar. Weinigen waren destijds bereid zijn legitieme aanspraak op de troon te aanvaarden. Frankrijk was verscheurd door de godsdienstoorlog. De machtige Heilige Liga erkende het gezag van de monarchie al lang niet meer. De meer gematigde, koningsgezinde katholieken hadden echter ook grote moeite met een protestantse vorst. Bij de eerste ontmoeting tussen Navarra en de koningsgezinde edelen klonk niet het gebruikelijke 'Vive le roi'. In plaats daarvan werd hem ge-

*Hendrik IV bekeert zich in Saint-Denis tot het katholieke geloof.*

vraagd zo snel mogelijk het protestantse geloof af te zweren. Navarra weigerde. Wel garandeerde hij in zijn rijk 'het katholieke, apostolische en romaanse geloof te bewaren en te handhaven, en zich te laten onderrichten door een wettig en onafhankelijk adviescollege'. Deze diplomatieke zet leverde hem de erkenning van de ko-

ningsgezinde adel op. Het was pas de eerste stap.

Hendrik IV beschikte zelf in 1589 over niet veel meer dan twintigduizend man aan troepen. Daarmee moest hij zijn koninkrijk op de Heilige Liga zien te heroveren. Voor Frankrijk werden het vijf moeilijke jaren. Overal in het land werd gevochten, niet alleen door Franse legereenheden maar ook door troepen van buitenlandse vorsten die meenden aanspraak op de Franse troon te kunnen maken.

De steun voor Hendrik IV groeide sterk toen hij zich vorig jaar toch liet bekeren. De openbare plechtigheid vond plaats in Saint-Denis, vlak bij Parijs. De hoofdstad was nog in handen van de Liga, maar vele Parijzenaars hadden genoeg van de ontberingen die ze als gevolg van de strijd moesten doorstaan. Het pleit was gewonnen toen Hendrik IV op 27 februari officieel werd gekroond en gezalfd in de kathedraal van Chartres. Het Parlement van Parijs eiste het vertrek van het grote garnizoen Spaanse soldaten dat door de Liga was binnengehaald. Het openen van de poorten was daarna slechts een kwestie van tijd.

# Sultan Akbar breidt Mogolrijk verder uit

KANDAHAR, 1595 - Sultan Akbar van het Noordindische Mogolrijk heeft in Oost-Perzië de stad Kandahar veroverd. Daardoor kan de Oostperzische provincie Balutsjistan nu tot het Mogolrijk gerekend worden. Het Mogolrijk van Akbar is het grootste Indische rijk sinds het Maurya-rijk van Asjoka in de derde eeuw v.C., dat overigens wel onovertroffen blijft. Akbars territorium beslaat nu het gebied dat in het oosten begrensd wordt door de Golf van Bengalen, in het zuiden door de rivier de Godavari en in het westen door Perzië.

Nadat zijn vader in januari 1556 was gestorven besteeg de 13-jarige Djalaloed-Din Mohammed Akbar de troon. Van verschillende kanten werd getracht Akbars opvolging te bestrijden. De sterkste onder de opponenten was een hindoe, Hemu genaamd, die hoopte de hindoeheerschappij over de Noordindische gebieden te herstellen. Hij veroverde Agra en Delhi, maar enige maanden later, op 5 november 1556, werd zijn gigantische leger (met 100 000 paarden en 1500 olifanten) bij Panipat door Mogoltroepen verslagen. Tot 1562 bleef Akbar ondergeschikt aan regenten. Bayram Khan werd in 1561 vermoord terwijl hij op pelgrimstocht naar Mekka was. De bakermoeder van Akbar, de ambitieuze Maham Anaga, op wier instigatie Bayram was weggestuurd, nam het regentschap op zich. In 1562 nam Akbar echter zelf de touwtjes in handen. Door het

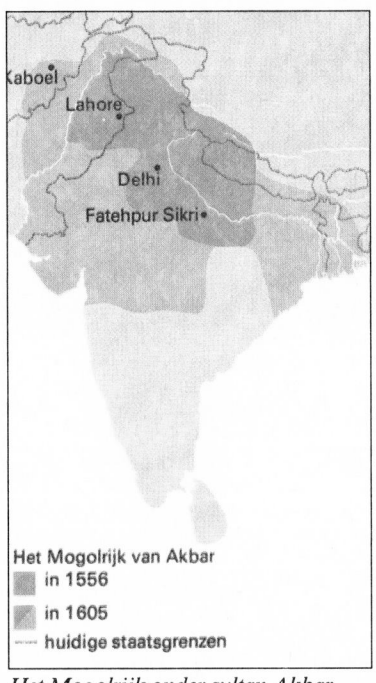

*Het Mogolrijk onder sultan Akbar.*

Het Mogolrijk van Akbar
- in 1556
- in 1605
- huidige staatsgrenzen

pluralistische karakter van de Indische samenleving te erkennen wist hij zijn macht te vergroten. Hindoes werden niet langer benadeeld ten opzichte van moslems. De 'jizya', een belasting voor niet-moslems, werd afgeschaft evenals een belasting voor hindoepelgrims op weg naar heilige plaatsen. Akbar trouwde met de dochter van een Rajput-koning. Hindoes konden van-

*Akbars troepen bestormen een vesting*

af nu net als moslems carrière maken in administratieve of militaire dienst.

In een serie veldtochten veroverde Akbar in de loop van zijn bestuur tot nu toe een groot aantal gebieden waardoor zijn rijk het grootste werd sinds Asjoka. Eind 1570 had Akbar vrijwel alle leiders van Radsjastan, ten zuidwesten van Delhi, verslagen. In 1572 nam hij het welvarende Gudsjarat in en in februari 1573 veroverde hij Surat, eveneens aan de westkust. Met het veilig stellen van zijn macht in het westen kon Akbar zich op Bengalen gaan concentreren, dat hij in 1574 binnenviel en twee jaar later geheel had onderworpen. In 1581 was hij weer in het westen te vinden, waar hij Kaboel innam. Geheel in overeenstemming met de zigzaglijn die Akbar volgde, veroverde hij in 1592 Orissa aan de oostkust en nu, drie jaar later, Balutsjistan.

*Leerling van Boeddha (16de eeuw).*

## Opnieuw zege van China op Japan

PEKING, 1595 - Voor de tweede keer binnen een paar jaar zijn Chinezen erin geslaagd Japanners in Korea een grote nederlaag te bezorgen. Deze keer werd de Chinese overwinning mede mogelijk gemaakt doordat hun Koreaanse bondgenoten gepantserde 'schildpadboten' bij zeeslagen hadden ingezet.

De eerste Japanse invasie in Korea begon in 1592 onder leiding van de Japanse dictator Hidèjosji, die haar als een eerste stap beschouwde in zijn plan tot verovering van de wereld. Het Japanse leger landde in Pusan en bezette de hoofdstad Seoel. Het Koreaanse leger was volstrekt gedemoraliseerd door de incompetentie van de legerleiding en het gebruik van vuurwapens door de Japanners, welke wapens door de Koreanen nooit eerder waren aanschouwd. Ondanks herhaaldelijke verzoeken van de Koreaanse koning om hulp, kwamen de Chinezen pas in actie toen de Japanners bijna heel Korea hadden bezet en de grensrivier de Yaloe naderden. In 1593 trokken de Japanners zich ten slotte terug naar het Koreaanse schiereiland Pusan.

Dit jaar stuurde Hidèjosji opnieuw een invasieleger van 100 000 man naar Korea. Het verloop van deze strijd was nagenoeg identiek aan die van drie jaar geleden. Weer werd de overwinning betaald met zeer veel mensenlevens aan Chinese en Koreaanse zijde.

Het mislukken van de Japanse invasie betekent tevens het voorlopige einde van de Japanse expansieplannen naar het vasteland van Azië. Maar de enorme menselijke en financiële verliezen van de Chinezen houden in dat het land verzwakt staat tegenover een dreiging die in de laatste jaren enorm is toegenomen: de macht van de Jurcheds in het noordoosten. Deze Jurched-stammen, nazaten van de Tjin-dynastie die vierhonderd jaar geleden door Mongolen en Chinezen in Noord-China werd vernietigd, oefenen nu een nagenoeg totale heerschappij uit over het China ten noorden van de Grote Muur.

---

**28 januari.** Sir Francis Drake, admiraal in dienst van koningin Elizabeth, sterft op zee, nadat hij tevergeefs had geprobeerd Panama op de Spanjaarden te veroveren.

**31 januari.** De onderwerping van de hertogen van Mayenne, Nemours en Joyeuse aan Hendrik IV wordt bekrachtigd in de Decreten van Folembray. De Katholieke Liga is hiermee ontbonden.

**Januari.** Aartshertog Albrecht van Oostenrijk, de nieuwe landvoogd, komt aan in de Zuidelijke Nederlanden.

**Januari.** Bij de Amsterdamse uitgever Cornelis Claesz. verschijnt het verslag *Itinerario* van Jan Huygen van Linschoten. →

**17 april.** Aartshertog Albrecht van Oostenrijk, landvoogd in de Zuidelijke Nederlanden, verovert Calais.

**24 april.** De Pacificatie van Ierland wordt getekend. De graaf van Tyrone weigert zich echter aan de Engelsen te onderwerpen.

**26 mei.** Engeland, Frankrijk en de Republiek der Verenigde Provinciën tekenen een verdrag tegen Spanje. In dit 'Drievoudig Verbond' wordt de Republiek voor het eerst als gelijkwaardige partij erkend.

**5 juli.** Engelse schepen, onder bevel van de graaf van Essex, plunderen Cádiz en gebieden op de Spaanse kust. Hierdoor kan Spanje geen tweede Armada naar Engeland sturen.

**Augustus.** De vloot van Willem Barentsz, die een derde poging doet om een noordoostelijke route naar China te vinden, raakt vast in het ijs bij Nova Zembla.

**7 september.** De Hollandse vloot beschiet Banten en ontzet haar gevangengenomen commandant Cornelis de Houtman. →

**25 oktober.** Vanuit Lissabon vertrekken Spaanse soldaten die de opstandige graaf van Tyrone in Ierland moeten steunen. De Spaanse schepen lopen vast op de Bretonse kust.

**Oktober.** In Frankrijk roept Hendrik IV een vergadering van aanzienlijken bijeen om de zaak van de openbare financiën te bespreken. Zij gaan akkoord met een voorstel om 5 procent belasting te heffen op de verkoop van alle goederen, behalve op die van graan.

**29 november.** De Spaanse koning Filips II verklaart alle staatsschulden nietig. De Spaanse munt wordt gedevalueerd om een totaal bankroet te voorkomen. →

---

# Bombardement op Banten

*Markt in Banten (uit de 'Spiegel der Nederlandschen Geschiedenissen', 1613).*

BANTEN, 7 september - Met een bombardement op Banten heeft de Hollandse vloot een einde gemaakt aan de gijzeling van haar commandant Cornelis de Houtman en aan de schermutselingen die het gevolg waren van diens arrogante en ondiplomatieke optreden. Vanmorgen vroeg werd een van de schepen, de 'Duyfken', in een ondiepte gelokt en omsingeld door een twintigtal prauwen. Dit was aanleiding om de kanons te laten spreken en een ware slachting aan te richten.

De Houtman had het bevel over vier schepen van de Compagnie van Verre die in april vorig jaar van de rede van Texel vertrokken. Na een rampzalige tocht werd de Straat van Sunda bereikt. Op 22 juni liet men het anker vallen voor Banten.

Deze belangrijke peperhaven was door het verval van het sultanaat Demak (na 1546) de belangrijkste kuststaat op Java geworden. Zij beheerste Zuid-Sumatra (de Lampongs, een peper producerend gebied) en geheel West-Java, waar men het hindoerijk Pajajaran totaal had weggevaagd. Banten kon tot grote bloei komen doordat Portugal de Straat van Malakka blokkeerde en het Aziatische handelsverkeer zich verlegd had naar de Straat van Sunda.

Toen de Hollanders arriveerden was de sultan kort tevoren tijdens een veldtocht overleden. De nieuwe sultan, Abdulkadir, was nog maar een kind en de regering werd waargenomen door rijksbestuurder Jajanagara.

De Houtman begon meteen over de aankoop van peper te onderhandelen; na enige maanden werd een akkoord bereikt: Banten verplichtte zich om de Hollanders als eersten van peper te voorzien. Men was nog maar nauwelijks gestart met het laden of er ontstonden al problemen over de prijs en over het feit dat twee Portugese jonken ook peper kregen. De Houtman eiste dat deze weer gelost zouden worden, wat uiteindelijk gebeurde. Op 5 september echter liet de rijksbestuurder, opgestookt door de Portugezen, de tactloze Hollandse commandant en enkele gezellen gevangennemen. De Hollandse vloot besloot nu tot een eerste beschieting en nam beide jonken in beslag. Alhoewel De Houtman gesmeekt heeft Banten niet verder te beschieten besloot de krijgsraad anders. Na het verwoestende bombardement werden De Houtman en de zijnen vrijgelaten, maar peper kon niet meer worden ingenomen. De vloot is overhaast vertrokken om te pogen elders nog lading te verkrijgen.

## Van Linschoten publiceert reisverslag

ENKHUIZEN, januari - Onder de titel *Itinerario. Voyage ofte schipvaert van Jan Huygen van Linschoten naer Oost ofte Portugaels Indien* is bij de Amsterdamse uitgever Cornelis Claesz. het verslag van Van Linschotens jarenlange verblijf in Oost-Indië uitgekomen. De auteur heeft het werk opgedragen aan de Staten-Generaal. Van Linschoten beschrijft in zijn *Itinerario* zijn verblijf in Goa, gelegen op de westkust van India, waar hij van 1583 tot 1589 in Portugese dienst gewoond en gewerkt heeft. In het boek zijn vele waardevolle inlichtingen over de zeevaart, de Aziatische bevolkingen, prijzen, gewichten en in Oost-Indië gangbare muntstelsels te vinden.

Jan Huygen van Linschoten vertrok in 1579 op 16-jarige leeftijd naar Portugal en keerde in 1592 in Enkhuizen terug. Het verschenen werk is gebaseerd op zijn belevenissen in Portugese dienst. Jarenlang heeft Van Linschoten gebruik kunnen maken van Portugese en Spaanse bronnen. Zijn stadgenoot Bernardus Paludanus heeft aan de tekst een groot aantal aantekeningen toegevoegd. In de verzameling curiosa die Paludanus te Enkhuizen bezit, bevinden zich ook vele voorwerpen die Van Linschoten uit de Oost heeft meegenomen.

Van Linschoten is niet de eerste Hollander die geruime tijd in Indië geweest is, maar hij is wel de eerste die zijn indrukken en bevindingen systematisch heeft opgeschreven en uitgegeven. Uit zijn notities blijkt dat de hegemonie van de Portugezen in Oost-Indië niet zo sterk is als ze hun concurrenten willen doen geloven.

# Spanje getroffen door bankroet

MADRID, 29 november - Net als in 1557, 1560 en 1575 heeft koning Filips II de staatsschulden nietig verklaard en alle aflossingen aan de buitenlandse bankiers stopgezet. Daarmee is het vierde staatsbankroet onder zijn regering een feit.

Ook ditmaal zullen de Italiaanse en Duitse geldschieters de koning wel weer nieuwe kredieten verschaffen. Toch is de situatie ernstig. De opbrengsten uit de zilvermijnen, die de laatste decennia met scheepsladingen binnenkomen, kunnen de reusachtige kosten van het Spaanse wereldrijk bij lange na niet dekken. Bij het vorige staatsbankroet in 1575 bedroegen de lopende schulden per jaar al het dertienvoudige van het nationale inkomen. Sindsdien hebben de voortdurende strijd in de Nederlanden, de verovering van Portugal en de ramp met de Armada, die tien miljoen dukaten kostte, de financiële problemen alleen maar vergroot.

Niet alleen de schatkist raakt leeg, ook de Spaanse provincies zelf dreigen hierdoor uitgeput te raken. In Castilië, dat het leeuwedeel van de staatsuitgaven moet opbrengen, is de belastingdruk sinds het begin van Filips' bewind met 400 procent toegenomen, terwijl de lonen maar met 80 procent omhooggegaan zijn. De hoge belastingen hebben geleid tot inflatie, emigratie en ontvolking. Grote aantallen boeren, die behalve aan de koning ook nog aan de adellijke grootgrondbezitters en aan de Kerk belasting moeten afdragen, hebben hun grond in de steek gelaten en zijn naar de steden of naar de Amerikaanse koloniën getrokken. Daarbij verricht zeker een derde van de bevolking geen produktieve arbeid omdat deze groep in dienst van de Kerk is of in het leger, op de vloot of in de overzeese gebieden dient. Veel landbouwgrond is trouwens in de loop der tijd door de adel verwaarloosd of omgezet in weiden voor de schapenteelt. De wol die dat oplevert, wordt vrijwel in haar geheel geëxporteerd; een eigen industrie is in Spanje nauwelijks van de grond gekomen. De adel renteniert en een middenklasse van handelaren en industriëlen heeft zich niet kunnen ontwikkelen.

Hoewel het Castiliaanse parlement voortdurend jammerklachten laat horen over de economische achteruitgang van het land, zijn hervormingen tot nu toe uitgebleven. De Kerk en de adel, die vooral in de provincie grote macht hebben, en de prioriteit die wordt gegeven aan het handhaven van Spanjes macht in Europa en overzee, zorgen voor stagnatie van de economie en verstarring van de maatschappij, waardoor Spanje steeds moeilijker in de pas kan blijven met de ontwikkelingen elders in Europa.

# 1597

**Januari.** Bij Turnhout verslaat Maurits van Nassau het Spaanse leger. Noord-Brabant en Zeeland zijn hierdoor beveiligd voor verdere aanvallen uit het zuiden.

**11 maart.** Aartshertog Albrecht, landvoogd in de Zuidelijke Nederlanden, verovert Amiens op Frankrijk.

**12 maart.** Vanuit Engeland worden troepen, onder bevel van de graaf van Biron, naar Frankrijk gezonden om het beleg voor Amiens te slaan.

**16 april.** In Ierland breken opnieuw gevechten uit tussen de troepen van Tyrone en de Engelse strijdmacht.

**20 juni.** Willem Barentsz overlijdt bij Nova Zembla. Zijn manschappen worden door Russische vissers gered. →

**Juli.** Het parlement van Rouen weigert akkoord te gaan met de door Hendrik IV ingestelde nieuwe belastingen.

**11 augustus.** Engelse kooplieden worden uit het Duitse Rijk verdreven. Dit is een reactie op de slechte behandeling die de kooplieden van de Hanze in Engeland krijgen.

**14 augustus.** Cornelis de Houtman keert terug van een tocht om de Kaap. Hij heeft de Oostindische Archipel bereikt. Vanuit de Republiek worden nu talrijke expedities naar Oost-Indië georganiseerd. →

**15 september.** Aartshertog Albrecht van Oostenrijk voert een leger van 21 000 man aan, om te voorkomen dat Amiens in handen van Hendrik IV valt.

**16 september.** Het leger van Albrecht van Oostenrijk wordt tegengehouden bij de Somme en is gedwongen zich terug te trekken.

**25 september.** Amiens valt en geeft zich over aan Hendrik IV.

**Herfst.** Maurits van Nassau verovert Groenlo, Rijnbeek en Lingen.

**Oktober.** Een Spaanse armada gaat vanuit Ferrol op weg naar Engeland. De vloot wordt door een storm uiteengeslagen. De dreiging van een nieuwe Spaanse aanval veroorzaakt paniek in Engeland.

**Najaar.** De Engelse componist Morley publiceert een handboek. →

**November.** Filips II van Spanje verklaart zich bereid vredesonderhandelingen te beginnen met Hendrik IV van Frankrijk.

**December.** Op de Duitse Rijksdag in Regensburg stuit keizer Rudolf II op verzet van de protestantse vorsten. Zij zijn gealarmeerd door de hoge belastingen.

# Oostindiëvaarders thuis

*Titelblad van het dagboek van Cornelis de Houtmans eerste reis naar Indië (1598)*

AMSTERDAM, 14 augustus - Van de drie koopvaarders en een klein jacht tellende Hollandse vloot, die op 2 april 1595 het vaderland voor een reis naar Oost-Indië verliet, is het laatste schip de thuishaven binnengevaren. De Oostindiëvaarders hebben een bescheiden lading peper uit Banten meegebracht, waarschijnlijk groot genoeg om de kosten van de tocht te dekken. Van de oorspronkelijk 249-koppige bemanning zijn slechts 89 manschappen teruggekeerd. Ondanks alle tegenslag blijft het ene succes overeind: de mogelijkheid van vaart op Azië is aangetoond. De aankomst der schepen te Amsterdam is met klokgelui en groot vreugdebetoon gevierd.

Op 12 maart 1594 besloten negen personen tot oprichting van de Compagnie van Verre. Om de vier schepen uit te rusten, brachten de oprichters met een aantal participanten een kapitaal van 290 000 gulden bijeen. Bij de voorbereiding op de tocht speelde de predikant en geograaf Plancius een belangrijke rol. Hij onderwees schippers en stuurlieden, stelde instructies vast, keurde instrumenten en gaf adviezen. Ondanks de voorbereidingen verliep de reis weinig voorspoedig. Het ontbrak aan goede leiding. De reders hadden Cornelis de Houtman en Gerrit van Beuningen als leiders aangewezen, maar dezen hebben dit vertrouwen beschaamd; tijdens de reis kwamen ze in conflict met elkaar. Het scheepsvolk toonde bovendien weinig begrip ten opzichte van de Aziaten. Ook De Houtman is in Banten bij de onderhandelingen over de aankoop van peper tactloos te werk gegaan.

*Bij de Amsterdamse drukker Cornelis Claesz is de 'Waerachtighe Beschryvinghe' van Gerrit de Veer verschenen. Hierin geeft hij een verslag van de overwintering met Willem Barentsz en Jacob van Heemskerck op Nova Zembla.*

*Engelse cellist.*

# Componist Morley schrijft handboek

LONDEN, najaar - Bij de Londense drukker Peter Short is *A plaine and earie Introduction to Practicall Musicke* van de componist-organist Thomas Morley verschenen. In het boek worden de meest gecompliceerde muzikale problemen op heldere en zelfs humoristische wijze behandeld; voorts wordt een groot aantal voorbeelden en oefeningen gegeven, waardoor de behandelde stof meteen in praktijk gebracht en getoetst kan worden.

Het leerboek is opgezet in de vorm van een dialoog tussen de leerlingen Polymathes en Philomathes en hun meester Gnorimus. In het eerste deel ('Teaching to Sing') wordt het basismateriaal uitgelegd: a. noten lezen, b. solmiseren.

In het tweede deel ('Treating of Descant') gaat de schrijver in op de natuur van de intervallen zelf (consonerend of dissonerend) en de gevolgen hiervan voor de meerstemmigheid. Voorts behandelt hij in dit hoofdstuk de verschillende contrapunt- en canontechnieken.

In het derde en laatste deel ('Treating of Composing or Setting of Songs') verdiept Morley zijn betoog over de meerstemmige schrijfwijze. Aan het eind van dit hoofdstuk behandelt hij de retorica in de vocale muziek ('muziek is onderworpen aan de tekst en moet de beweging van de woorden uitdrukken'). Tot slot geeft hij een overzicht van de verschillende genres in de geestelijke en wereldlijke muziek.

Thomas Morley studeerde aanvankelijk bij William Byrd (aan hem is de 'Introduction' dan ook opgedragen). In 1588 sloot hij zijn muziekstudie in Oxford af met het behalen van een bachelorship. Spoedig daarna werd hij benoemd tot organist in de Sint-Paulskathedraal te Londen. Vorig jaar nam hij het muziekdrukmonopolie, dat vanaf 1575 in handen van Tallis en Byrd was geweest, van Byrd over.

## 1598

**12 januari 1598.** Paus Clemens VIII bezet het hertogdom Ferrara na de dood van Alfonso II, de laatste telg uit het Huis d'Este.

**21 februari.** Boris Godoenov wordt formeel tot tsaar gekozen. →

**20 maart.** In Frankrijk wordt het Verdrag van Ponts de Cé getekend. De Bretonse hertog van Mercour geeft zich over aan Hendrik IV. Met het verdrag komt er een eind aan de burgeroorlog in Frankrijk.

**13 april.** Hendrik IV ondertekent het Edict van Nantes. →

**April.** In het Duitse Rijk wordt de rijksban uitgesproken over die leden van de protestantse minderheid die weigeren zich neer te leggen bij besluiten van de meerderheid. In Aken wordt het katholicisme met geweld hersteld.

**Mei.** Spanje en Frankrijk tekenen de Vrede van Vervins. Spanje geeft de aanspraak op de Franse kroon op en geeft Calais en andere veroveringen terug.

**Mei.** Filips II geeft de Spaanse Nederlanden als bruidsschat aan zijn dochter Isabella, die zal trouwen met aartshertog Albrecht van Oostenrijk. Wanneer zij geen kinderen krijgen, zullen de landen vervallen aan de Spaanse kroon.

**4 augustus.** In Londen wordt het hoofdkwartier van de Hanze gesloten.

**13 september.** Filips II van Spanje sterft. Hij wordt opgevolgd door zijn zoon, Filips III. →

- De sjah van Perzië, Abbas I, maakt Isfahan tot hoofdstad van zijn rijk. Eerder was Ghaswin de hoofdstad.

**27 maart 1599.** Koningin Elizabeth benoemt Robert Devereux, de graaf van Essex, tot luitenant-generaal van Ierland. Hij moet daar een eind aan de opstand maken.

**Juli.** Bij de Confederatie van Wilna sluiten de leiders van de Orthodoxe Kerk in Polen een verbond met de protestanten tegen de jezuïeten.

**7 september.** De graaf van Essex tekent na een militaire nederlaag een verdrag met de opstandige Ier Tyrone. Dit gebeurt tegen de zin van koningin Elizabeth. De graaf van Essex verlaat vervolgens Ierland.

- In Moldavië overwint Michael de Moedige Andres Báthory. Hij begint vervolgens met de verovering van Walachije, daarbij aangemoedigd door keizer Rudolf II.

Gestorven:

**15 september 1598.** Hidèjosji, Japans staatsman →

# Godoenov de nieuwe tsaar

*Operazanger Fjodor Schaljapin in de rol van Boris Godoenov (door Golovin; 1912).*

MOSKOU, 21 februari 1598 - Boris Godoenov, die door een nationale vergadering ('Zemski Sobor') tot tsaar is gekozen, heeft na vier dagen besloten de troon te aanvaarden. Hiermee is hij de opvolger van de onlangs overleden tsaar Fjodor Ivanovitsj, de zoon van Ivan IV en de laatste van de dynastie van Moskou. Godoenov is aan deze geliëerd via het huwelijk van zijn zuster met de overleden tsaar.

Boris Fjodorovitsj Godoenov, een Russische bojaar van Tataarse afkomst, begon zijn carrière in de jaren zeventig, toen hij met zijn oom werd opgenomen in de opritsjnina, en werd in 1580 bojaar. Tijdens de regering van de zowel geestelijk als lichamelijk uiterst zwakke tsaar Fjodor Romanov (1584-1598) werkte Godoenov zich op als diens belangrijkste adviseur en kreeg in die hoedanigheid een steeds sterkere greep op de regering. Ofschoon vrijwel analfabeet, paarde hij een scherpe intelligentie aan gewiekstheid in de welig tierende paleisintriges. In 1588 was hij de feitelijke heerser geworden en hij gaf hieraan ook uitdrukking: een imposante reeks titels, het formele recht om de buitenlandse betrekkingen te onderhouden, een afzonderlijk hof dat een getrouwe kopie was van dat van de tsaar en waar buitenlandse gezanten hun opwachting maakten na bij de tsaar te zijn geweest. Zijn naam kwam in 1591 in een slechte reuk te staan door de dood van Dmitri van Oeglitsj, de jongste zoon van Ivan IV en de laatst overgebleven telg van het heersende geslacht. Ofschoon Godoenov hier vermoedelijk niet de hand in heeft gehad, menen velen dat de 9-jarige jongen op last van de ambitieuze Godoenov vermoord is.

Een van de grote verdiensten van Godoenov tot nu toe is de verheffing van de metropoliet van Moskou tot patriarch. Grotendeels als resultaat van Boris' handige diplomatie wisten de Russen in 1589 hiervoor toestemming van patriarch Jeremia van Constantinopel te verkrijgen. Dit werd gevolgd door een uitbreiding van de kerkelijke hiërarchie, hetgeen een versterking van de kerkorganisatie betekende.

Hoe kundig de tsaar ook is, het feit dat hij slechts indirect aan de vorige dynastie verwant is kan hem nog veel ellende zo niet de bijnaam usurpator bezorgen. Boris ziet dit zelf ook in, getuige het feit dat hij zich door het volk en de geestelijkheid unaniem, en op dringend verzoek van de patriarch, heeft laten smeken de kroon te accepteren.

# Hidèjosji was groot staatsman

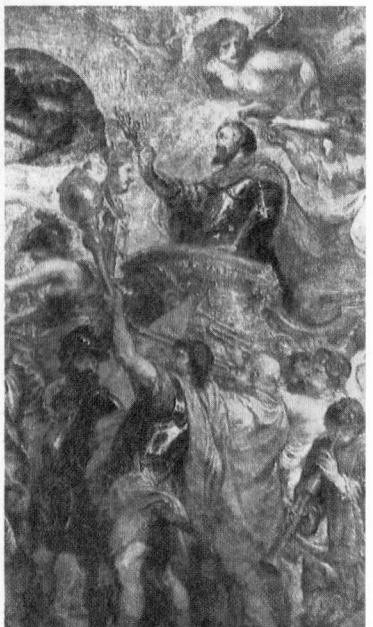

*Hendrik IV bij zijn intocht in Parijs (door Peter Paul Rubens, circa 1630).*

## Fransen vermijden godsdienstoorlog

NANTES, 13 april 1598 - Koning Hendrik IV heeft met het vandaag ondertekende Edict van Nantes voor 'eeuwig en onherroepbaar' de godsdienstvrijheid van de protestanten gegarandeerd. Het edict is tot stand gekomen onder druk van een mogelijke opleving van de godsdienstoorlog. De koning is nog altijd bezig de laatste haarden van verzet van de katholieke Heilige Liga te breken. Tegelijkertijd dreigden de protestanten opnieuw in opstand te komen als hun positie niet wettelijk werd geregeld. Zij vormen weliswaar een minderheid in Frankrijk, maar wel een zeer machtige. Sprekend is een vergelijking tussen het aantal manschappen. De 3500 protestantse edelen financieren zo'n 25 000 soldaten. Het koninklijke leger bestaat in vredestijd uit niet meer dan 10 000 man.

Met het Edict van Nantes lijkt een oorlog tussen de protestanten en de Franse staat van de baan. De felbegeerde geloofsvrijheid wordt erdoor gegarandeerd. Protestantse diensten mogen op vele plaatsen in het openbaar worden gehouden. De protestanten krijgen dezelfde burgerrechten als de katholieken. Vanaf nu moeten ze bijvoorbeeld worden toegelaten op universiteiten en scholen en kunnen niet meer geweigerd worden in ziekenhuizen.

Frankrijk is het eerste land dat godsdienstvrijheid toestaat. Dat is vooral het gevolg van de oorlogsmoeheid na zesendertig jaar strijd. Het ideaal blijft een staat met één godsdienst, zoals ook blijkt uit de inleiding van het Edict van Nantes. Hendrik IV betreurt daarin dat God het 'nog niet' heeft gewild dat alle Fransen hem eren 'op dezelfde wijze en binnen één godsdienst'.

KIOTO, 15 september 1598 - Ondanks alle voorbereidingen die Hidèjosji zelf voor zijn opvolging heeft getroffen en de duidelijke tekenen in de laatste maanden dat hij mogelijk spoedig zou sterven, is zijn dood onverwacht gekomen. Met Hidèjosji is een van de grootste staatslieden uit de Japanse geschiedenis heengegaan.

Hidèjosji, die bij zijn geboorte nog Hijosji heette, werd door zijn ouders voorbestemd om boeddhistisch monnik te worden. Na enkele jaren in de Komyo-ji-tempel te hebben doorgebracht wist hij echter op 15-jarige leeftijd te ontsnappen en vluchtte hij naar de provincie Totomi. Daar stelde hij zich in dienst van de daimio Matsushita Yukitsuna. Na enige tijd meldde hij zich bij Noboenaga om bij hem in dienst te treden. Deze stemde hierin toe

en merkte al spoedig dat de jongen zeer intelligent was. Noboenaga ging zich nu persoonlijk bemoeien met de carrière van de jongeman. In 1559 liet hij hem trouwen met een dochter van Sugihara Yoshifusa, een telg uit een vermaarde daimio-familie. Noboenaga gaf hem nu de naam Hidèjosji.

Tijdens een aantal veldtochten onderscheidde Hidèjosji zich als een goed militair strateeg en een trouwe bondgenoot van Noboenaga. Toen bijvoorbeeld Mori Terumoto, die tien provincies als zijn landgoed kon beschouwen, weigerde zich aan Noboenaga te onderwerpen voerde Hidèjosji meer dan zeven jaar oorlog tegen de zich heftig verzettende legers van de Mori's.

Nadat Noboenaga in 1582 in Kioto door verraad om het leven was gebracht besloot Hidèjosji de oorlog met

# Koning Filips II gestorven

SAN LORENZO DEL ESCORIAL, 13 september 1598 - Na een ziekbed van enkele maanden is om vijf uur in de morgen koning Filips II van Spanje overleden. De vorst is 71 jaar oud geworden. Zoals hij tijdens zijn ruim veertigjarige bewind de staatszaken regelde, met een bijna overdreven aandacht voor details, zo heeft hij ook zijn eigen sterfbed voorbereid. Op 30 juni liet hij zich, toen duidelijk was dat hij niet lang meer te leven had, uit Madrid naar het Escoriaal overbrengen. Enkele weken later legde hij een algemene biecht af, die drie dagen duurde. Op 1 september ontving hij het sacrament der stervenden. De koning blies de laatste adem uit terwijl de aartsbisschop van Toledo hem het Evangelie van Johannes voorlas. In zijn hand hield hij het crucifix dat ook zijn vader Karel V op zijn sterfbed had vastgehouden.

Filips II was de laatste jaren, na het verlies van vier vrouwen en drie van zijn kinderen, geplaagd door jicht en waterzucht en, geconfronteerd met de hele of halve mislukking van zijn politieke ambities, steeds zieker en verbitterder geworden. De laatste nederlaag die hij heeft moeten incasseren, is dat hij, enkele maanden voor zijn dood, gedwongen door een lege staatskas en de handige manoeuvres van koning Hendrik IV, de oorlog met Frankrijk heeft moeten beëindigen. Bij de op 2 mei getekende Vrede van Vervins, zag Filips af van zijn aanspraken op de Franse troon namens zijn dochter Isabella. Vier dagen later droeg hij het gezag over de Nederlanden over aan Isabella en haar toekomstige gemaal Albrecht van Oostenrijk. Daarmee heeft hij zijn opvolger van althans twee grote politieke problemen willen bevrijden. De vroegere militaire en politieke successen bij Saint-Quentin, Le-

panto en in Portugal zijn de laatste jaren overschaduwd door Filips' falende politiek tegenover Engeland, Frankrijk en de Nederlanden. De zich daar voortslepende strijd, de vernietiging van de Armada, de Vrede van Vervins, maar evenzeer de economische achteruitgang in Spanje zelf hebben de zwakke plekken in het Spaanse wereldrijk pijnlijk blootgelegd.

Naast de van Karel V geërfde problemen en de nieuwe kostbare avonturen die onder Filips II zijn aangegaan, is het vooral het gebrek aan slagvaardigheid dat de Spaanse politiek parten speelt. Dat komt voor een deel door de grote afstanden tussen de verschillende gebieden in het rijk. Orders uit Madrid doen er weken over om Brussel of Milaan, en maanden om Spaans-Amerika te bereiken. Maar vanaf het begin is ook Filips' eigen stijl van regeren een belemmerende factor geweest. De koning was besluiteloos, kon moeilijk dingen aan anderen overlaten en liet zich eindeloos ophouden door detailkwesties. Zijn secretaris klaagde 'dat besluiten zo traag worden genomen dat zelfs een kreupele het tempo kan bijhouden', en paus Pius V schreef Filips eens ongeduldig 'dat Zijne Majesteit zijn stappen zo lang overweegt dat wanneer hij tijd is ze uit te voeren de gelegenheid voorbij is'.

Ten slotte heeft de koning zijn hele bewind door te maken gehad met wrijvingen tussen de verschillende gebieden en volken in Spanje zelf, die elk hun eigen zelfstandigheid trachten te bewaren. Hij was in eigen land een minder machtig heerser dan van buitenaf leek.

De meeste problemen blijven bij zijn dood onopgelost. Filips' twintigjarige zoon, die als Filips III de troon zal bestijgen, begint zijn bewind met een zware politieke en financiële erfenis.

Terumoto te beëindigen en terstond met Noboetaka, de zoon van Noboenaga, naar Kioto te gaan om de verrader te straffen. Na deze geslaagde campagne wilde Hidèjosji echter zijn prestige wel omgezet zien in een formele machtspositie. Hij was zich ervan bewust dat hij geen sjogoen zou kunnen worden aangezien hij niet van de Minamoto-familie afstamde. De Oda-familie wilde echter een familielid als opvolger van Noboenaga. De enkele geslaagde militaire acties werd Hidèjosji uiteindelijk benoemd tot kampaku waarmee hij een nieuwe stap had gezet in de onderwerping van de daimio's aan een centrale regering.

Na het verstevigen van zijn positie in Japan liet Hidèjosji zijn oog vallen op Korea. Eerst zond hij de daimio van Tsushima, So Yoshitomo, naar de koning van Korea met de uitnodiging zijn vazal te worden. Deze weigerde dit en riep de hulp in van zijn baas, de keizer van China. Hidèjosji riep alle daimio's op een bijdrage aan een groot invasieleger te leveren. Na de bezetting van een groot deel van Korea stelde Hidèjosji zijn eisen aan de keizer van China. Deze ging hier niet op in en eiste dat alle Japanse troepen onmiddellijk zouden worden teruggetrokken en de handelsbetrekkingen opnieuw zouden worden aangeknoopt. Woedend gebood Hidèjosji opnieuw een invasieleger in gereedheid te brengen maar deze 100 000 man leden een nederlaag.

Hidèjosji werd in mei ziek; hij heeft nog geprobeerd de voornaamste daimio's te laten zweren dat zijn minderjarige zoon zijn positie zou overnemen wanneer hij zou sterven.

Het is nu echter onzeker of de daimio's hun belofte zullen nakomen omdat enkelen van hen zelf een betere positie ambiëren.

*Portret van de Japanse staatsman en veldheer Hidèjosji.*

# Geleerde Giordano Bruno op brandstapel

ROME, 17 februari 1600 - Op de Campo dei Fiori in Rome is Giordano Bruno, filosoof, astronoom en wiskundige, op de brandstapel terechtgesteld na een week geleden op last van paus Clemens VIII wegens ketterij ter dood te zijn veroordeeld.

Bruno, in 1548 bij Nola geboren, was wegens zijn kritische en felle temperament voorbestemd in conflict met de Contrareformatie te komen. In 1572 werd hij priester, maar al in 1576 moest hij, om een proces wegens ketterij te voorkomen, de orde der dominicanen verlaten. Bruno had zich met name ingelaten met verboden commentaren van Erasmus, de befaamde humanist. Hij nam uit voorzorg de wijk naar Genève, bekeerde zich tot het calvinisme maar ondervond al snel aan den lijve dat dit even intolerant kan zijn als het katholicisme.

Pas in 1581 kon Bruno, onder de speciale bescherming van de Franse koning Hendrik III, ongestoord werken aan drie mnemotechnische werken en de komedie *Il Candelaio*. Na twee jaar Parijs vertrok hij naar Engeland, waar hij zijn *Dialoghi* schreef: drie kosmologische en drie morele dialogen over onder andere de oneindigheid van het heelal en de noodzaak de bijbel op zijn morele merites en niet op zijn astronomische implicaties te beoordelen. Ook schreef Bruno kritieken op de aristoteliaanse natuurkunde en werken over de relatie tussen de universele en de individuele ziel.

Na een kort oponthoud in het nu veel minder tolerante Parijs trok Bruno in 1586 naar Duitsland om er les te geven aan diverse universiteiten. In augustus 1591 keerde hij op uitnodiging van de meest liberale van de Italiaanse staten, Venetië, naar Italië terug. Een jaar later werd hij bij de inquisitie aangegeven. Rome eiste zijn uitlevering en op 27 januari 1593 begon in het Heilig Officie zijn proces, dat zeven jaar zou duren. Hoewel Bruno trachtte aan te tonen dat zijn stellingen niet in strijd waren met de leer van de Kerk, eiste de inquisitie een onvoorwaardelijke verloochening. Bruno weigerde: 'Ik heb niets te verloochenen.'

Op 8 februari werd hem het doodvonnis voorgelezen. 'Misschien is uw vrees om dit vonnis te vellen groter dan de mijne om het aan te horen,' aldus Bruno tegen zijn rechters.

## Opera 'Euridice' in druk verschenen

FLORENCE, 20 december 1600 - De opera *Euridice*, op tekst van Ottavio Rinuccini en muziek van Giulio Caccini, is in druk verschenen en aangeboden aan de graaf van Vernio, Giovanni Bardi. De eerste gedrukte opera; een novum dus. Caccini heeft hiermee tevens de primeur als eerste monodische liederen (aria's en madrigalen voor een solostem met instrumentale begeleiding) in druk te hebben uitgegeven; Jacopo Peri, die al lang in deze stijl componeert en ook een opera *Euridice* heeft geschreven (op dezelfde tekst), was dat tot nog toe niet gelukt.

In de opdracht geeft Caccini de volgende toelichting: 'De melodieën van *Euridice* zijn geschreven boven een basso continuato; hierbij heb ik de meest essentiële akkoordtoevoegingen door een cijfer, verhogings- of verlagingsteken boven de basnoten aangegeven: kwarten, kwinten en grote en kleine tertsen. Voor de rest laat ik het over aan het oordeel en de virtuositeit van de uitvoerders om tussenstemmen naar smaak toe te voegen.'

Het klankideaal dat Caccini en Peri beogen is nieuw: een beweeglijke, melodieuze bovenstem (sopraan) boven een doorgaande, beweeglijke bas die tegen die bovenstem is afgezet: de basso continuo. Er is polariteit tussen de twee buitenste stemmen gekomen; de andere stemmen, de middenstemmen (tenor en alt), zijn vulstemmen geworden. Ook in andere delen van Europa hebben componisten al met deze techniek gewerkt; onder anderen de Engelse luitenist John Dowland.

De zelfstandigheid van alle stemmen ten opzichte van elkaar, zoals in de werken uit de vijftiende- en vroeg-zestiende-eeuwse Nederlandse School (Ockeghem, Josquin des Prez en Obrecht), lijkt een ouderwets ideaal te zijn geworden.

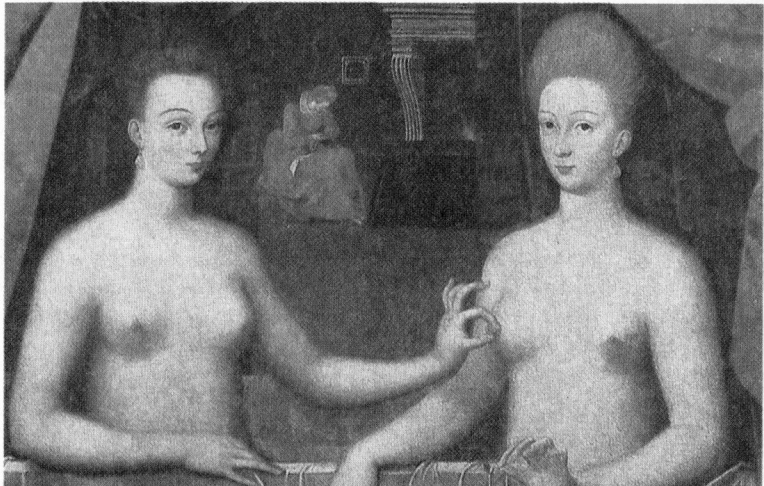

*Gabrielle d'Estrées (rechts), een van de maîtresses van Hendrik IV.*

## Hendrik IV trouwt met Maria de' Medici

PARIJS, mei 1600 - Hendrik IV is voor de tweede keer getrouwd. De nieuwe koningin van Frankrijk wordt Maria de' Medici. Het huwelijk werd mogelijk nadat de Franse koning zich vorig jaar had laten scheiden van zijn eerste echtgenote, Margaretha van Valois. Overigens verkreeg Hendrik IV door dit huwelijk destijds de Franse troon.

De belangrijkste reden voor de scheiding is het feit dat het huwelijk met Margaretha kinderloos is gebleven. De koning eiste de scheiding ook vanwege het lichtzinnige gedrag van zijn vrouw. Vanaf het begin van het huwelijk had ze voortdurend andere minnaars gehad. Hendrik IV zelf doet niet voor zijn eerste vrouw onder, maar als man kan hij zich buitenechtelijke verhoudingen veroorloven.

De koning heeft bij zijn verschillende maîtresses ook voor nageslacht gezorgd, maar deze kinderen kunnen geen aanspraak op de troon maken. Volgens de traditie groeien zij wel aan het hof op en Hendrik IV schijnt ook veel plezier aan hen te beleven.

In het algemeen is er de laatste tijd een toenemende interesse voor het doen en laten van kleine kinderen. Men heeft zich gerealiseerd dat kleuters zich anders gedragen dan volwassenen en dat vormt een bron van amusement. De nieuwste denkbeelden omtrent kinderen gaan nog een stap verder. Sommige kerkelijke moralisten beweren dat oudere kinderen ook van volwassenen verschillen. Hun geest zou nog onvolmaakt zijn en een strenge opvoeding is daarom gewenst, bij voorkeur op een school of internaat, ver van de volwassen wereld. Tot nu toe heeft de opvatting geheerst dat de praktijk de beste leermeesteres is. Kinderen zijn overal bij aanwezig en er wordt niets voor hen verborgen gehouden. Niemand ziet er kwaad in als ze toeschouwers zijn bij seksuele handelingen en het is evenmin een probleem dat ze al snel weten hoe er om geld gedobbeld kan worden.

De nieuwste denkbeelden over een strenge opvoeding vinden in adellijke kringen weinig weerklank. Daar hecht men groot belang aan sociale vaardigheden en die kunnen niet in de schoolbanken worden geleerd.

# Maurits verslaat Spaans leger

*Vanaf een heuvel bij Nieuwpoort ziet prins Maurits toe hoe zijn troepen de Spanjaarden verslaan.*

NIEUWPOORT, 2 juli 1600 - Maurits van Nassau, stadhouder van Holland en Zeeland, heeft met zijn troepen een opmerkelijke overwinning geboekt. In de duinen aan de Vlaamse kust versloegen zijn manschappen een Spaans (Zuidnederlands) leger van aartshertog Albrecht van Oostenrijk, die sinds twee jaar soeverein vorst van de Zuidelijke Nederlanden is (Akte van Afstand). Het zag er aanvankelijk somber uit voor de Hollandse troepen. Zij waren door een snelle opmars van de aartshertogelijke troepen gisteren klem komen te zitten op het strand ten noorden van Nieuwpoort. Maar zoals de afgelopen jaren wel vaker gebeurde toonde Maurits, op dit moment de beroemdste veldheer van Europa, in deze ongunstige omstandigheden opnieuw zijn vakmanschap. Hij manoeuvreerde zijn troepen zodanig dat ze de wind in de rug en de felle zon achter zich hadden. Bovendien liet hij het geschut op houten stellingen plaatsen om wegzakken in het natte zand te voorkomen, en hield hij reservetroepen paraat om op het juiste moment te kunnen toeslaan. Dat moment brak, nadat de Hollanders meer dan twee uur met de rug tegen de muur hadden gevochten, aan toen Mendoza, de Spaanse medebevelhebber, krijgsgevangen gemaakt werd. De reservetroepen voerden onmiddellijk een onverwachte cavaleriecharge uit, waaraan Maurits zelf deelnam. De stellingen van de aartshertog werden doorbroken en de zege voor het gedisciplineerde Hollandse leger was een feit.

Meer dan 4000 soldaten zijn in de strijd gesneuveld; het merendeel van hen, ruim 3000, aan de zijde van Albrecht, die zelf ernstig gewond werd.

Na de slag heeft de populaire Maurits zijn manschappen naar Zeeland teruggetrokken, zonder door te stoten naar Duinkerke, het eigenlijke doel van de expeditie. De stadhouder, die zeer tegen zijn zin in opdracht van de Staten van Holland richting Nieuwpoort getrokken was, weigerde nog meer mensenlevens nodeloos in gevaar te brengen. Dit tot ongenoegen van landsadvocaat Johan van Oldenbarnevelt, die uit was op vernietiging van het kapersnest bij Duinkerke, dat voor de Hollandse handelsvloot een ernstige belemmering vormt.

## Astronoom Johannes Kepler uitgewezen

GRAZ, 30 september 1600 - De vooraanstaande lutherse sterrenkundige Johannes Kepler moet de stad Graz verlaten. Hij vertrekt naar Praag, waar hij als hofastronoom in dienst van keizer Rudolf II zal treden.

De uitwijzing van Kepler is een gevolg van de Contrareformatie, die zich in Graz, evenals elders in Oostenrijk, sinds de dood van keizer Maximiliaan II in 1576 sterk heeft doen gelden. Ferdinand III, de jonge aartshertog van 'Innerösterreich' (Stiermarken, Karinthië en Krain) is een overtuigd katholiek en stelt sinds zijn inhuldiging in 1596 alles in het werk om de protestanten hun rechten te ontnemen. Hij wordt in dit streven krachtig ondersteund door de jezuïetenorde.

Toen Johannes Kepler in 1594 uit Tübingen in Graz arriveerde, woedde er een ware 'Kulturkampf' tussen de 'Evangelische Stiftsschule' en de jezuïtische universiteit. Achter de religieuze tegenstellingen verborg zich een politieke machtsstrijd tussen de adel en de landsheer. De 'Evangelische Stiftsschule' is in 1574 opgericht door de protestantse Stiermarkense adel. Deze stand verdedigt tegenover de katholieke landsheer zijn oude privileges en zijn pasverworven vrijheden, zoals het recht om eigen godsdienstoefeningen te houden en eigen scholen te stichten. Door de adel werd Johannes Kepler aangesteld als 'Kalendermacher' en wiskundeleraar aan de 'Evangelische Stiftsschule'. Zijn belangrijkste taak was om elk jaar een 'calendarium sampt angehängtem prognostico', een kalender met voorspellingen, te verzorgen. Hoewel hij het doen van voorspellingen beschouwde als het leggen van 'frivolas astrologorum conjuncturas', waardeloze astrologische verbanden, deed hij wat zijn opdrachtgevers van hem verlangden. Voor het jaar 1595 voorspelde Kepler aanvallen van de Turken, een strenge winter en onrust onder de boeren. Voor de Stiermarkense kalender moest hij ook de sterren observeren om de juiste datum van het paasfeest te bepalen. Deze waarnemingen bleken niet waardeloos. Zij droegen bij tot de ontwikkeling van Keplers baanbrekende theorieën over de ellipsvormige bewegingen van de planeten.

Door de katholieken uit Graz verdreven, zoekt Kepler zijn toevlucht bij een katholieke keizer die evenals hij meer belangstelling heeft voor de harmonie in het heelal dan voor de onenigheid op aarde.

**2 januari 1602.** De Engelsen verslaan bij Kinsale een Spaans leger, dat de Ierse rebellen te hulp was gekomen.

**20 maart.** In de Republiek wordt de Verenigde Oostindische Compagnie opgericht, door het samengaan van verschillende vanaf 1595 gestichte handelsmaatschappijen. →

**November.** Alle jezuïeten krijgen het bevel Engeland binnen zes weken te verlaten.

- De Franse koningin Maria de' Medici sticht in Parijs de Charité, een ziekenhuis en tevens opvanghuis voor behoeftigen.

- Joris van Spilbergen doet op zijn reis naar Indië Ceylon aan en wordt daar goed ontvangen.

- In Polen staat de Valse Dimitri op. Hij geeft zich uit voor een zoon van Ivan IV en eist de Russische troon op.

- Sully, minister van Hendrik IV, saneert de Franse overheidsfinanciën.

**24 maart 1603.** Koningin Elizabeth van Engeland sterft, en met haar het Huis Tudor. →

**30 maart.** De Engelsen verslaan de Ierse rebellen bij Mellifont. Aan de rebellenleider, de graaf van Tyrone, en zijn handlangers wordt amnestie verleend. →

**September.** Hendrik IV laat de jezuïeten weer toe in Frankrijk, ondanks protesten van het Parlement van Parijs.

**20 oktober.** Op de Filippijnen wordt een Chinese opstand bloedig onderdrukt. →

**Oktober.** In Transsylvanië breekt een opstand tegen het gezag van keizer Rudolf II uit.

**November.** In Engeland wordt Sir Walter Raleigh op beschuldiging van hoogverraad naar de gevangenis gestuurd.

- Johan Althusius publiceert zijn hoofdwerk *Politica methodice digesta et exemplis sacris et profanis illustrata*, waarin hij onder meer het denkbeeld over de volkssoevereiniteit verder uitwerkt.

- In Japan krijgt Iëjasoe Tokoegawa na het verslaan van zijn concurrenten van de keizer de titel Grote Generaal. Zijn benoeming tot erfelijk sjogoen maakt een einde aan het Samoeraitijdperk.

- De Duitse astronoom Johan Bayer catalogiseert de sterren in zijn atlas *Uranometria*. Hij deelt de sterren naar helderheidswaarde in groepen in en geeft ze Griekse letters (bijvoorbeeld: Alfa Centauris).

- William Shakespeare schrijft *Hamlet*.

# Unie Engeland-Schotland

*Het zogenaamde Armadaportret van koningin Elizabeth.*

*Het dagelijks bestuur van de VOC, de Heren Zeventien, in vergadering bijeen.*

# Kooplieden verenigd in VOC

AMSTERDAM, 20 maart 1602 - De verschillende Hollandse en Zeeuwse Compagnieën op Oost-Indië hebben zich aaneengesloten in de Verenigde Oostindische Compagnie. De Staten-Generaal hebben haar het monopolie voor handel en scheepvaart ten oosten van Kaap de Goede Hoop verleend. Tevens krijgt de VOC soevereine rechten: ze mag traktaten sluiten, gouverneurs en rechters aanstellen en een krijgsmacht onderhouden. Het dagelijks bestuur is in handen van een commissie, de Heren Zeventien. Het beginkapitaal bedraagt bijna 6,5 miljoen gulden.

Om een reis naar Indië te financieren, richtten negen Amsterdammers in 1594 de 'Compagnie van Verre' op. In de jaren 1595-1597 en 1598-1599 vonden de eerste tochten naar Oost-Indië plaats. Aangelokt door de winsten van deze ondernemingen, startten kooplie-den en financiers in Rotterdam, Veere, Middelburg en Amsterdam eigen compagnieën. De Staten-Generaal hebben aanvankelijk vergeefs getracht hen tot nauwere samenwerking te brengen. De concurrentie tussen Hollanders en Zeeuwen was daarvoor echter te sterk. Het octrooi behandelt onder andere de organisatie van de VOC. In de zes steden waar voorcompagnieën gevestigd of in oprichting zijn, komen de afdelingen of kamers: Amsterdam, Rotterdam, Middelburg, Hoorn, Enkhuizen en Delft. Elke kamer heeft bewindhebbers die het bestuur vormen. De bewindhebbers van de zes kamers kiezen uit hun midden een aantal afgevaardigden, die in een gezamenlijke vergadering bijeenkomen om het centrale beleid te bepalen. Met de totstandkoming van een verenigde compagnie wordt het voorbeeld gevolgd van de Engelse 'East-India Company'.

RICHMOND, 24 maart 1603 - De Engelse koningin Elizabeth is overleden. Haar secretaris, Sir Robert Cecil, heeft de laatste weken al overleg gevoerd met Jacobus VI van Schotland, die als nazaat van Hendrik VII voor opvolging in aanmerking komt. Elizabeth had op het laatste moment 'onze neef uit Schotland', de zoon van haar rivale Maria Stuart, geaccepteerd. Daarmee zijn Engeland en Schotland in één personele unie samengebracht.

De laatste jaren van Elizabeths regering zijn niet zonder moeilijkheden geweest. Zij had velen van haar adviseurs overleefd, waardoor er een machtsvacuüm kon ontstaan. Met name de charmante en egoïstische militair Robert Devereux, graaf van Essex, bestreed de hofpositie van de Cecil-clan.

Hoewel Essex populair was geworden door de overwinning op Spanje te Cádiz, faalde hij in de bestrijding van de Ierse opstand. Om zijn toekomst te redden meende de graaf een soort staatsgreep te moeten plegen. Op 8 februari 1601 galoppeerde hij met 200 aanhangers door Londen, zonder resultaten te boeken. Van verraad beschuldigd, werd Essex drie weken later opgehangen.

Op economisch gebied is er in Engeland vanaf ongeveer 1590 sprake van stagnatie. Doordat de bevolking wel is gegroeid (over de hele eeuw met 40 procent), nam de werkloosheid toe. De armenwetten van 1598 en 1601 lenigden de nood maar ten dele. Voor velen bleef slechts één uitweg over, emigratie naar Ierland of Amerika. De economische pijlers bleven de wolhandel (80 procent van de export) en de buitensporig grote rol van Londen. Deze metropool telt inmiddels 250 000 inwoners en is verreweg het belangrijkste binnenlandse afzetgebied. Hoewel de oorlogsdreiging met Filips III op de Spaanse troon afnam, hielden inflatie en stijgende prijzen de schatkist toch leeg. Dit noopte de Engelse regering tot steeds veeleisender belastingvoorstellen. Maar het parlement - waarin de stedelijke vertegenwoordiging was versterkt - wist zich lange tijd tegen de lastenverzwaring te verzetten.

De parlementaire verwachtingen omtrent de komst van de nieuwe vorst zijn niet ongunstig. Jacobus VI heeft zich als een goed bestuurder in het tamelijk onderontwikkelde Schotland bewezen. Maar zijn opvattingen over het 'Goddelijke recht van de koning' lijken hem, als Jacobus I van Engeland, wel op gespannen voet met de verder geëvolueerde Engelse parlementaire rechten te brengen.

# Slachting onder Chinezen op Filippijnen

MANILA, 20 oktober 1603 - In de bergen van San Pablo hebben de laatste opstandige Chinezen zich overgegeven. Daarmee is een einde gekomen aan een revolte die begon op 3 oktober, toen een menigte Chinezen de drakenvlag ontvouwde en de dorpen Tondo en Quiapo plunderde en uitmoordde. Een te hulp gesneld legertje verhinderde een aanval op Manila, waarop de opstandelingen zich in de bergen verschansten. Op de revolte volgde een grootscheepse Spaanse wraakactie, waarbij zeker 23 000 Chinezen zijn afgeslacht.

De Chinezen, die van levensbelang zijn voor de Filippijnse economie, worden door de Spaanse kolonisatoren in economisch, politiek en religieus opzicht gewantrouwd. De Spanjaarden vonden bij hun verovering van de archipel (1571) niet die rijkdommen aan goud, zilver en specerijen die ze hadden verwacht. De kolonie kost geld en eigen-lijk worden alleen uit de handel met China inkomsten verkregen. Spanje voert echter een mercantilistische politiek en verbood in 1593 zijn onderdanen handel met China te drijven. De aanvoer van glas, porselein, zijde en andere luxeartikelen kwam nu geheel in handen van de Chinezen zelf. Per jaar arriveren er 30 à 40 jonken in Manila, waar momenteel enige tienduizenden (tegen 140 in 1571) Chinezen wonen, die vooral actief zijn in de kleinhandel.

Ze zijn onderworpen aan allerlei discriminerende maatregelen zoals immigratiequota en speciale belastingen (bijvoorbeeld op huizenbezit). Tevens zijn ze gedwongen in de Parian te wonen, een speciale wijk gelegen binnen het bereik van de kanonnen van de Intramuros, het versterkte centrum van Manila. Chinese importeurs moeten hun import in zijn geheel verkopen aan een door de regering aangewezen han-delaar, die zorg draagt voor de verdere distributie. Door dit pancada-systeem worden de prijzen laag gehouden, het handelsvolume gecontroleerd en de uitvoer van zilver beperkt. In de praktijk echter blijken de meeste ambtenaren omkoopbaar te zijn en worden de anti-Chinese maatregelen op grote schaal ontdoken.

Het bestaande Spaanse wantrouwen ten opzichte van de Chinezen werd vergroot toen in april van dit jaar twee afgevaardigden van de Chinese keizer in Manila arriveerden om in Cavite een legendarische gouden berg te zoeken. In Cavite bevinden zich echter ook het arsenaal en de scheepswerven, zodat het vermoeden rees dat het om spionage te doen was. Met het oog op een mogelijke Chinese aanval besloot gouverneur Acuña troepen samen te trekken, waarop de Chinese gemeenschap, zich bedreigd voelend, zelf het initiatief nam en in opstand kwam.

## Ierse rebellen geven zich over

IERLAND, 30 maart 1603 - De Engelse lord-luitenant Charles Blount, Lord van Mountjoy, heeft de laatste Ierse verzetshaarden opgeruimd. Rebellenleider Hugh O'Neill, graaf van Tyrone, heeft zich aan hem overgegeven. Hiermee is een einde gekomen aan een periode van Keltisch verweer, dat door de steun van Spanje een reëel gevaar voor Engeland vormde.

De aanleiding voor het verzet lag vooral in de Engelse godsdienstpolitiek in Ierland. Nog onder Hendrik VIII werden de katholieke kloostergoederen geconfisqueerd. Zijn opvolger, Edward VI, liet de protestantse kerkleer, zoals deze door Cranmer was opgesteld, invoeren. Voor de Ieren werd een speciale editie uitgegeven. Maar het grootste deel van de bevolking, daarin gemotiveerd door de ontheemde priesters, bleef katholiek.

Ondertussen was er vanaf de jaren zestig ook sprake van een beperkte komst van Engelse en Schotse kolonisten in Munster en Ulster. Zo hield bijvoorbeeld ook de beroemde ontdekkingsreiziger Sir Francis Drake zich in 1575 bezig met een - overigens slecht georganiseerd - landprogramma in Ulster. De voor de kolonisaties benodigde grondonteigeningen leidden tot enkele opstanden onder leiding van Shane O'Neill, die in 1567 werd vermoord, en Fitzmaurice († 1579).

De Ieren, godsdienstig en economisch onder druk gezet, kwamen in 1594 op ruimere schaal in verzet. Vanuit Ulster voerden Hugh Roe O'Donnell, Lord van Tyrconnell en Hugh O'Neill de opstand aan. Zij eisten politieke autonomie en erkenning van de Katholieke Kerk.

Welkome steun werd toegezegd door de katholieke koning van Spanje, Filips II. In 1596 wilde hij een nieuwe armada van 100 schepen met 10 000 manschappen laten uitvaren, maar nauwelijks buitengaats werd deze vloot door een storm vernietigd.

Op advies van raadssecretaris William Cecil, Lord van Burghley, die nachtmerries had van een mogelijke katholieke staatsgreep via Ierland en Lancashire, stelde de Engelse koningin de graaf van Essex in 1599 als lord-luitenant over Ierland aan. Essex beschouwde dit als een politieke verbanning en traineerde zijn optreden in Ierland. Zijn positie werd dan ook het jaar daarop door Mountjoy overgenomen. Deze stelde wel orde op zaken.

Hoewel er nu sprake was van een Spaanse invasie van 3000 man, die midden september 1601 te Kinsale aan land gingen, slaagden de Spanjaarden er niet in om zich met de Ierse rebellen te verbinden. In de eerste dagen van het nieuwe jaar capituleerden zij voor Mountjoy en werden op eigen kosten terugverscheept.

# 1604

**Maart 1604.** Koning Jacobus I komt voor de eerste keer in conflict met het parlement als hij zijn plannen voor de vereniging van Engeland met Schotland ontvouwt.

**Augustus.** Engeland sluit de Vrede van Londen met Spanje. In ruil voor handelsprivileges beloven de Britten voortaan de opstandige Republiek iedere steun te onthouden.

- Na Transsylvanië komt nu ook Hongarije in opstand tegen de Habsburgse contrareformatorische politiek.

- De Franse Oostindische Compagnie wordt opgericht.

- In Parijs wordt de Pont Neuf gebouwd, die het Ile de la Cité met de rest van de stad verbindt.

- Arjan Dev, de vijfde goeroe van de Sikhs, stelt het *Adigrantha* (Oerboek) samen. In dit boek staan de religieuze gebruiken van de Sikhs beschreven en het wordt als een heilig voorwerp in de Gouden Tempel te Amritsar bewaard.

- Instelling van de 'paulette' in Frankrijk: tegen betaling kan een magistraat de opvolging in zijn ambt voor zijn zoon veilig stellen. Het is het begin van de 'Noblesse de Robe'.

- In Zweden maakt Karel IX het lutheranisme weer tot staatsgodsdienst.

- Hugo de Groot schrijft op twintigjarige leeftijd *De Iure Praedae* (over het recht op oorlogsbuit).

- De Franse ontdekkingsreiziger Samuel de Champlain maakt een reis naar Canada en sticht Port Royal, de eerste Franse kolonie in Amerika.

**25 februari 1605.** Steven van der Haghen vestigt definitief de macht van de VOC op Ambon en verjaagt de Portugezen. →

**14 april.** Boris Godoenov, Russisch tsaar sinds 1598, sterft. Zijn zoon Fjodor II volgt hem op. →

**10 juni.** Na de moord op Fjodor II wordt in Moskou de Valse Dimitri tot tsaar gekroond. Hij stelt een hervormingsprogramma op.

**5 november.** In Engeland mislukt het Buskruitkomplot, een poging tot staatsgreep door onderdrukte Engelse katholieken onder leiding van Guy Fawkes. →

- De Spanjaard Miguel de Cervantes Saavedra schrijft het eerste deel van zijn satirische ridderroman *De vernuftige edelman Don Quijote de la Mancha*.

*Gezicht op Ambon. Rechtsonder: Frederik de Houtman, de eerste gouverneur.*

# VOC: vaste voet op Ambon

AMBON, 25 februari 1605 - Met het sluiten van een verdrag met de hoofden van Ambon heeft admiraal Steven van der Haghen de Verenigde Oostindische Compagnie haar eerste soevereiniteitsrechten bezorgd. De bejaarde 'kapitein Hitu' Tepil en de overige voormannen hebben gezworen 'de Staten-Generaal van de Verenigde Nederlanden, Zijne Prinselijke Excellentie (Maurits) en de gouverneur van Ambon gehouw en getrouw te zijn zo lang wij leven'. Verder werden een handelsmonopolie en steun in de strijd tegen Portugal toegezegd.

De Portugezen hadden zich in de loop van de 16de eeuw op Ambon gevestigd om niet langer afhankelijk te zijn van het bijna de gehele kruidnagelhandel beheersende sultanaat Ternate en dachten hun machtspositie te kunnen versterken door de heidense bevolking van Leitimor [Oost-Ambon] te kerstenen. Ternate zag dit met lede ogen aan en jutte de islamitische Hituërs op tegen de christelijke nederzettingen, die doorlopend werden aangevallen en meermalen met de ondergang werden bedreigd. Aan deze ontwikkeling werd een einde gemaakt door gouverneur Sancho de Vasconcelos, die gedurende 35 jaar met harde hand over het eiland heerste.

Toen in 1600 Steven van der Haghen voor de eerste maal in de Molukken verscheen, werd hij dan ook als een bondgenoot tegen de gehate Portugezen beschouwd. Hij belegerde zonder veel succes het fort Nossa Senhora da Anunciado, sloot toen een contract met de hoofden en bouwde een 'Kasteel van Verre'. Dat werd na enige maanden echter ontruimd en bezet door de Portugezen, die bloedig wraak namen.

De tweede vloot onder Steven van der Haghen was de eerste die onder de vlag van de VOC uitvoer. Met veel ammunitie en bijna 7,5 ton Spaanse realen aan boord, lichtte Van der Haghen op 18 december 1603 in Nederlandse wateren het anker. Op de kust van Malabar (India) kon hij weinig tegen de Portugezen beginnen. De stichting van een factorij te Suratte mislukte.

Van der Haghen kwam op oudejaarsdag vorig jaar in Banten aan, waar hij werd opgewacht door drie zonen van Ambonese orang kaya's, die hem om hulp tegen de Portugese agressie verzochten. Vier dagen geleden liet zijn vloot het anker vallen voor het Portugese fort, dat zich na enig Hollands machtsvertoon al na twee dagen overgaf en werd omgedoopt in 'Victoria'. Frederik de Houtman is als eerste gouverneur van Ambon aangesteld.

De verovering van Ambon op de Portugezen is een van de vele successen van de Nederlanders in Oost-Indië. De vloot van admiraal Van Warwijck, in 1602 uitgevaren en nog uitgerust door de oude compagnieën, heeft ook enkele belangrijke successen geboekt. Van Warwijck heeft een aantal rijk met specerijen beladen schepen naar de Republiek gestuurd. Tevens heeft hij voor de onlangs opgerichte VOC loges gesticht, onder andere te Atjeh, Banten en Patani. Er zijn handelsbetrekkingen met Siam en met de sultan van Djohor (Malakka) aangeknoopt.

Op Ceylon (van belang door de kaneelleveranties) heeft de Compagnie nog geen vaste voet kunnen krijgen. Ondanks vriendschappelijke betrekkingen met de maharadja te Kandy is vice-admiraal De Weert met een aantal officieren door Singalezen vermoord. De twee schepen die door Van Warwijck naar China waren gestuurd, hebben bij Macao een rijk met porselein geladen Portugese kraak veroverd. In China is men echter niet tot de handel toegelaten. Wel zullen Chinese handelaren met zijde en porselein naar Banten en Patani gaan om daar met de Nederlanders handel te drijven.

# Boris Godoenov overleden

MOSKOU, 14 april 1605 - Geheel onverwachts is tsaar Boris Godoenov in Moskou overleden. Hij wordt opgevolgd door zijn zoon Fjodor. Boris Godoenov genoot een zekere populariteit in de tijd dat hij als regent optrad voor Fjodor, de onvolwaardige zoon van Ivan IV. Godoenovs bewind stak gunstig af bij dat van zijn voorganger. Ivan IV had zijn bijnaam de Verschrikkelijke immers terecht gekregen. Na het kinderloos overlijden van Fjodor in 1598 lukte het Boris Godoenov zich tot tsaar te laten kiezen. Hij was kennelijk toch zo onzeker van zijn positie dat hij het nodig vond enige tijd de grenzen van Moscovië te sluiten en alle betrekkingen met het buitenland op te schorten. Zijn rivalen werden verbannen. De familie Romanov werd in de zomer van 1601 wegens hekserij veroordeeld. Na verloop van jaren werd hij steeds achterdochtiger. Er ontstond een atmosfeer waarin het bespioneren door slaven van hun meesters als een goede daad werd gezien en als zodanig ook werd beloond. Deportaties van tegenstanders en confiscaties van hun bezit waren aan de orde van de dag. De grote hongersnood van 1601-1603 verergerde de ontevredenheid en de woede van de bevolking. Landeigenaren zonden hun boeren weg omdat ze hun niet meer te eten konden geven, waardoor zich groepen rondtrekkende rovers vormden. Er was behoefte aan een leider onder wiens banier ontevreden boeren en landeigenaren zich konden scharen.

Het zijn dus onzekere tijden waarin de jonge Fjodor de regering van vader Godoenov moet overnemen. Een directe bedreiging vormt de naar Moskou oprukkende troonpretendent Dimitri. Dimitri zegt dat hij de zoon van Ivan IV is. Algemeen wordt echter aangenomen dat Dimitri in 1591 is omgekomen. De troonpretendent maakt gebruik van het feit dat de omstandigheden waaronder Dimitri het leven zou hebben gelaten nooit geheel zijn opgehelderd. De Valse Dimitri spreekt Pools, kent Latijn en ging vorig jaar tot het katholicisme over. Aanvankelijk wachtte hij zijn kans af in Polen, maar in oktober van het vorig jaar is hij met een legertje de Dnepr overgestoken en Rusland binnengevallen.

## 'Buskruitkomplot' van Guy Fawkes

WESTMINSTER, 5 november 1605 - Vroeg in de nacht is in de kelders onder de vergaderzaal van het Hogerhuis een aantal vaten met buskruit ontdekt. Een bijeenkomst van koning Jacobus I met de leden van het Hogerhuis stond op het programma en het was duidelijk de bedoeling dat er een aanslag zou worden gepleegd.

De bewaker van de kruitvaten is ogenblikkelijk gearresteerd. Zijn naam is Guy Fawkes. Hij heeft bij het Spaanse leger in de Nederlanden gediend en daar veel kennis over explosieven vergaard. Guy heeft na te zijn gefolterd de namen van zijn zes medeplichtigen gegeven: Bates, Catesby, Percy, Winter en Christopher en John Wright.

Alle samenzweerders zijn katholiek. Eén van hen was echter bang dat geloofsgenoten het slachtoffer zouden worden van de ontploffing en waarschuwde per brief een bevriend Hogerhuislid. Maar in plaats van weg te blijven, sloeg deze man alarm.

De oorzaken van de frustraties bij vele Engelse katholieken zijn legio. Sinds het ontstaan van de Anglicaanse Staatskerk onder Hendrik VIII zijn hun rijen sterk uitgedund. Twee jaar geleden telde Engeland nog maar zo'n 35 000 katholieken met 250 priesters. Na het strenge bewind van Elizabeth hoopten zij dat de komst van Jacobus hun meer geloofsvrijheid zou brengen. Vanuit Schotland bracht Jacobus zijn reputatie van tolerant vorst mee. Maar hij was ook overtuigd van zijn goddelijke rechten. Als hoofd van de Anglicaanse Kerk stond Jacobus één ge-

*Enkele leden van het 'Buskruitkomplot' tegen Jacobus I.*

loofsdoctrine in Engeland voor.

Dit was niet de enige teleurstelling voor de katholieken, ook de buitenlandse politiek nam voor hen een onverwachte wending. Jacobus slaagde er namelijk vorig jaar in vrede met Elizabeths aartsvijand Spanje te sluiten. Hierdoor viel de steun van katholieke landen overzee weg.

Het was in deze sfeer dat roomse Engelsen een aanslag beraamden. Hoewel de publieke opinie en sommige leidende politici een veel uitgebreidere samenzwering van jezuïeten menen te zien, en er - omgekeerd - wel wordt gedacht aan een regeringskomplot om de katholieken in een kwaad daglicht te stellen, is het Buskruitkomplot toch vooral een incidentele uiting van een vrijwel van het toneel verdwenen groep.

---

**Januari.** Als nasleep van het mislukte Buskruitkomplot worden in Engeland door het parlement antikatholieke wetten aangenomen.

**April.** Jacobus I sticht de Virginia Compagnie voor de handel met Amerika.

**April.** De broederstrijd in het Duitse Rijk begint: de Habsburgse aartshertogen rebelleren tegen keizer Rudolf II en kiezen zijn broer Matthias als leider.

**17 mei.** In Moskou wordt binnen een jaar na zijn kroning de Valse Dimitri door bojaren vermoord. De Moskouse bojaren kiezen één hunner tot tsaar Vasili IV. Deze krijgt al direct met sterke oppositie te maken. →

**23 juni.** De Nederlandse filoloog Justus Lipsius sterft in Löwen. Hij is vooral bekend geworden door zijn kritiek op en vertaling van het werk van de Romeinse geschiedschrijver Tacitus.

**11 november.** Het Verdrag van Zsitva-Torok maakt een einde aan de oorlog tussen Turkije en de Oostenrijkse Habsburgers. De laatsten staan Transsylvanië af.

- Opstandige Hongaarse boeren noodzaken edelen uit Transsylvanië en Habsburgs Hongarije tot het sluiten van een compromis. →

- De Spaanse zeevaarder Luis Vaez de Torres ontdekt een doorgang tussen het Australische schiereiland Kaap York en Nieuw-Guinea, die de Straat van Torres genoemd wordt.

- Spinola krijgt in Madrid geheime instructies om de opvolging in de Nederlanden veilig te stellen als één der aartshertogen kinderloos zou overlijden.

- De Franse koning Hendrik IV pleit (na afwijzing van zijn soevereiniteit door de Republiek) voor vrede tussen Spanje en de Nederlanden. Filips III wijst dit af.

- Een Spaans-Portugese vloot van de Filippijnen herovert de Molukse eilanden Ternate en Tidore op de Nederlanders.

- Willem Janszoon, schipper van 'Het Duyfken', bereikt als eerste Nederlander de kust van Australië.

- Er breekt een conflict uit tussen de paus en Venetië.

- In de Punjab komen de Sikhs in opstand.

- Op Banten (West-Java) wordt een Engelse factorij gevestigd.

- In Japan wordt een edict tegen de christenen uitgevaardigd.

Gestorven:

**31 januari.** Guy Fawkes (1570), leider van het Buskruitkomplot
**November.** John Lyly (1554), Engels schrijver

---

# Valse Dimitri na jaar vermoord

MOSKOU, 17 mei - In het Kremlin is Valse Dimitri door boze bojaren onder leiding van Vasili Sjoejski vermoord. Hij heeft bijna een jaar de tsarentroon bezet gehouden. De moord volgde op vijf dagen met onlusten. Het ontevreden volk was opgestookt door de bojaren, die vaak in het openbaar door de neptsaar waren vernederd terwijl parvenu's en, erger nog, buitenlanders hoge posten kregen. De ontevredenheid kwam tot een uitbarsting bij het huwelijk van Dimitri met zijn Poolse prinses. Grote aantallen Poolse edellieden en katholieke geestelijken waren toen in Moskou aangekomen.

Dezelfde Sjoejski die nu zo'n slechte rol gespeeld heeft, heeft eerder de Valse Dimitri in Moskou binnengehaald en plechtig in het openbaar verklaard dat deze werkelijk de zoon van Ivan IV was. Hij en de andere bojaren hoopten dat deze pretendent hun privileges in ere zou herstellen. De dienstadel, die hem steunde, hoopte op vergroting van zijn landgoederen, hogere betaling voor zijn diensten en meer gezag over zijn boeren. De boeren en de kozakken die een grote rol speelden bij zijn greep naar de macht, deden dat omdat ze op land en vrijheid hoopten. Allen waren het er echter over eens dat de Poolse invloed te groot werd. De jezuïeten en de Poolse geestelijken kregen een veel te grote invloed op de Orthodoxe Kerk. De paus schreef Valse Dimitri een brief ter gelegenheid van diens huwelijk waarin hij hem aanspoorde een tweede Constantijn te zijn, zodat door zijn goede voorbeeld het hele land tot het katholieke geloof zou overgaan. Jan Wielewicki, een van de jezuïeten die met de Poolse bruiloftsgasten waren meegekomen, vertelde dat Dimitri niet veel om het katholieke geloof gaf, de paus beschimpte en zelfs ketterse (Russisch-Orthodoxe) raadgevers bij zich liet. Sinds Valse Dimitri in Moskou op de troon zat, leed hij aan grootheidswaan. Hij stelde zich boven alle andere christelijke vorsten en wilde keizer genoemd worden. Als een tweede Hercules zou hij het christendom tegen de Turken willen verdedigen.

*Valse Dimitri ontvangt in het Kremlin een Poolse delegatie.*

# Hongaarse adel sluit rijen

*Een beeld van de voortdurende strijd die de Hongaren de afgelopen decennia tegen de Turken hebben gevoerd. Het was István Báthory die erin slaagde een modus vivendi met de Turken te bereiken.*

WENEN - Na lange vertragingen en discussies is een compromis bereikt tussen de edelen van Transsylvanië en Habsburgs Hongarije. Bij de Vrede van Wenen wordt enerzijds de onafhankelijkheid van het Transsylvaanse vorstendom erkend en worden anderzijds autonomie en religieuze tolerantie in de steden en grensforten van het Habsburgse gebied bevestigd. Bovendien krijgen tienduizend Hongaarse huurlingen een vrije status en een stukje land. Het is duidelijk dat de angst van beide partijen voor een dreigende boerenopstand ervoor heeft gezorgd dat de tegenstellingen nu voorlopig zijn bijgelegd.

Het ideaal van de Transsylvaanse adel is een Hongaars koninkrijk onder Turkse bescherming. De Transsylvaanse prins István Báthory wist na 1571 de positie van Transsylvanië te versterken door weliswaar belastingen aan de Turken te betalen maar hun bemoeienis buiten de deur te houden. Báthory verkreeg in 1576 de vacante Poolse troon en benoemde zijn broer Kristóf tot vojvoda van Transsylvanië. Vanuit Krakau hoopte Báthory een Oosteuropees rijk van de Baltische Zee tot de Zwarte Zee te vestigen. Hij raakte echter betrokken bij de machtsstrijd tussen Zweden, Rusland en Polen en overleed in 1586 zonder iets bereikt te hebben.

De Hongaarse edelen in Oostenrijks Hongarije stellen hun hoop op samenwerking met de Habsburgers. Wel eisen zij al lange tijd bestuurlijke en religieuze autonomie. Het verzet tegen de Habsburgers concentreerde zich enkele jaren geleden rond István Bocskai. Deze was door de jonge pro-Turkse leider van de Transsylvaanse bannelingen, Gábor Betlen, aangespoord om met Turkse hulp een opstand te organiseren. Bocskai wist de Hongaarse huurlingen van de Oostenrijkse generaal Belgioioso tot overlopen over te halen en verdreef de Habsburgse legers uit Hongarije. Op 20 april vorig jaar kozen de Transsylvaanse edelen hem tot vorst en de Turkse sultan heeft hem inmiddels de Hongaarse kroon aangeboden.

De kracht van het verzet onder Bocskai overtuigde de edelen van het gevaar van onrust onder de boeren. De nu toegekende vrije status voor de huurlingen betekent weliswaar een breuk in het systeem van onderdrukking van de boeren door de adel, maar de positie van de Hongaarse heersende klasse lijkt niet ernstig aangetast. De macht van de grondbezitters blijft absoluut: de 'eeuwige lijfeigenschap' van de boeren is zelfs bij wet geregeld (op ongehoorzaamheid staat de doodstraf). Ook de Hongaarse steden zijn onder controle gekomen van de adel, die onder andere het monopolie in de wijnhandel heeft overgenomen.

# 1607

**April 1607.** De Spaanse veldheer Spinola wil meer geld om de oorlog tegen de Republiek te kunnen volhouden, maar de Spaanse kas is nagenoeg leeg.

**24 mei.** Engelse kolonisten onder leiding van John Smith stichten hun eerste Amerikaanse nederzetting Jamestown in Virginia. →

- Een boerenopstand in Zuid-Rusland onder leiding van Bolotnikov wordt neergeslagen. Tsaar Vasili Sjoejski breidt de periode waarbinnen een weggelopen boer moet worden teruggebracht, tot vijftien jaar uit.

- De Italiaanse componist Claudio Monteverdi schrijft de opera *Orfeo*, waarin voor het eerst blaasinstrumenten worden gebruikt.

- Pieter Verhoef wordt vermoord op Banda, het centrum van de cultuur van muskaatnoten en foelie. De VOC begint met de bouw van het fort Nassau op het eiland Banda-Neira.

- Er breekt een nieuwe oorlog uit tussen Polen en Zweden om de heerschappij in de Oostzee.

**28 mei 1608.** In Mantua gaat *Arianna*, de opera van Claudio Monteverdi, in première. →

**1 juni.** In Rusland duikt een tweede Valse Dimitri op, die met Poolse hulp in Toesjino een tegenregering vormt.

**25 juni.** De aartshertogen dwingen de Duitse keizer Rudolf II Oostenrijk, Hongarije en Moravië af te staan aan zijn broer Matthias. →

**Juni.** Engeland en de Republiek sluiten een verdrag ter wederzijdse verdediging.

- De Franse ontdekkingsreiziger Champlain sticht de nederzetting Quebec, die het machtscentrum van de kolonie Nieuw-Frankrijk [Canada] wordt.

- In Den Haag starten moeizame vredesonderhandelingen tussen de Republiek en Spanje.

- Rusland belooft Zweden Karelië als Zweden tsaar Vasili helpt tegen de tweede Valse Dimitri, die inmiddels tot Moskou is opgerukt.

- Galilei vindt de microscoop uit.

- El Greco schildert *Golgotha* en *Kardinaal Taverna*.

- In het Duitse Rijk worden lijfstraffen ingevoerd om de orde op scholen te kunnen handhaven.

- Hans Lippershey, een brillenmaker uit Middelburg, construeert de eerste binoculaire verrekijker.

- In West-Europa komen laarzen van Russisch leer, bestikte kousen, kousenbanden en lange kaphandschoenen in de mode.

*Indianendorp in Virginia.*

## Engelse kolonie in Virginia

JAMESTOWN, 24 mei 1607 - De 'Godspeed', de 'Discovery' en de 'Susan Constant', drie zeilschepen met aan boord 105 Engelse mannen, zijn na een reis van achttien maanden aangekomen in Amerika, waar zij de kolonie Jamestown hebben gesticht.

De volksplanting is een initiatief van de in Londen zetelende Virginia Compagnie, een particuliere onderneming die honderden kleine en grote aandeelhouders, afkomstig uit vrijwel alle delen van de samenleving, telt.

Vorig jaar werd de compagnie door de Engelse koning Jacobus I een octrooi verleend dat haar het recht geeft om in Amerika, in het gebied benoorden Florida, nederzettingen te stichten en handel te drijven. Het octrooi kent de compagnie op economisch gebied weliswaar ruime bevoegdheden toe, maar het oppergezag over de kolonie is voorbehouden aan de Engelse koning, die een raad in het leven heeft geroepen welke vanuit Londen toezicht houdt. De Engelse kroon is van plan de actieve kolonisatie van Amerika aan particulieren over te laten, en haar eigen rol voorlopig te beperken tot het verlenen van octrooien.

Met de kolonisatie van Amerika streven de Engelsen diverse doeleinden na. Woordvoerders van de Virginia Compagnie verklaarden dat hun belangrijkste oogmerk is 'het prediken van het Evangelie, en het uit de klauwen van de Duivel redden van de inboorlingen', die anders 'tot hun dood in een welhaast onoverkomelijke onwetendheid gedompeld zouden blijven'.

Naast bekeringsijver lijkt het vergaren van rijkdom een minstens even grote rol te spelen. Al geruime tijd dromen Engelsen over Virginia als een gebied 'waar het goud overvloediger is dan het koper bij ons' en waar de diamanten en andere edelstenen voor het oprapen zouden liggen. De kolonisten van Jamestown, die werknemers zijn van de Virginia Compagnie, hebben dan ook als instructie meegekregen naar goud te zoeken. Tevens dienen zij zo spoedig mogelijk een westelijke doortocht naar Indië te vinden.

# Rudolf II onder curatele

PRAAG, 25 juni 1608 - In het Hradčany, zijn Praagse burcht, is keizer Rudolf II van Habsburg gedwongen het Verdrag van Lieben te ondertekenen. Hierin wordt vastgelegd dat Rudolf Oostenrijk, Hongarije en Moravië en het recht op de Boheemse troon moet afstaan aan zijn broer, aartshertog Matthias. Het verdrag is genoemd naar een dorp bij Praag, waar Matthias op 19 mei met zijn leger aankwam, met het voornemen om Rudolf desnoods gewapenderhand zijn macht te ontnemen. De eerzuchtige Matthias weet zich geruggesteund door zijn broers, de aartshertogen Maximiliaan en Albrecht. Zij hebben Matthias tijdens geheime besprekingen in 1606 benoemd tot hoofd van het Habsburgse Huis, omdat Rudolf niet langer tegen zijn taak opgewassen schijnt te zijn.

Rudolf lijdt aan een ernstige vorm van 'melancholia'. Een vertrouweling bericht hierover: 'Dag en nacht wordt de keizer gekweld door de gedachte dat hij verlaten is en niemand heeft [...], dat men hem naar het leven staat en wil vergiftigen [...], dat hij betoverd is.' Hij gaat liever met astrologen, alchimisten, botanici en kunsthandelaren dan met staatslieden en diplomaten om. Aan zijn hof verkeren oplichters en charlatans, maar ook kunstenaars als Giovanni Bologna en Giuseppe Arcimboldo en geleerden als de sterrenkundigen Tycho Brahe en Johannes Kepler. In de periode dat Rudolf er resideert maakt Praag een culturele bloeiperiode door.

In politiek opzicht vormt het absen-

*Keizer Rudolf II van Habsburg.*

teïsme van de keizer een groot gevaar. Hij heeft niet het overwicht dat van een staatshoofd wordt verwacht. Onbetrouwbare hovelingen beslissen wie hij ontvangt en welke akten hij moet ondertekenen. De belangrijkste reden om van Rudolf officieel een 'schaduwkeizer' te maken is zijn onverschilligheid ten opzichte van de oorlog tegen de Turken. In 1593 behaalden de Oostenrijkse legers nog een overwinning op de Turken in de Slag bij Sissek. Het jaar daarop verloren de legers onder leiding van aartshertog Matthias echter terrein. De belangrijke vesting Raab [Györ] viel in handen van grootvizier Sinan. Matthias redde Oostenrijks positie door op 11 november 1606 met de Turken de Vrede van Zsitva Torok te sluiten. In ruil voor een 'geschenk' van 200 000 gulden beloofden de Turken toen dat zij Oostenrijk de komende twintig jaar niet zouden aanvallen.

## 'Arianna' van Monteverdi in première

MANTUA, 28 mei 1608 - Als onderdeel van de feestelijkheden ter ere van het huwelijk van de erfprins van Mantua, Francesco Gonzaga, en Margaretha van Savoye is de nieuwste opera van Claudio Monteverdi, *Arianna*, opgevoerd. De opera is gecomponeerd op een tekst van Ottavio Rinuccini, de dichter van de opera *Euridice* van de Florentijnen Caccini en Peri.

Het verschil met de 'Florentijnse camerata' is duidelijk. Monteverdi heeft een veel grotere rol toebedacht aan het orkest: de solisten worden in *Arianna* door instrumentale voorspelen (meest door blazers) ingeleid en vaak worden instrumenten ingevoerd om de symboliek van bepaalde passages te onderstrepen. Dit was al het geval in *Orfeo*, de vorige opera van Monteverdi die hij in 1607 componeerde; daar werden blokfluiten ingezet bij de onderwereldscènes.

*Arianna* was een succes; vooral het lamento van de op het eiland Naxos achtergelaten heldin ('Lasciate mi morire! O Teseo mio!'), volgens Monteverdi zelf 'het meest essentiële deel van de opera', maakte diepe indruk op de

aanwezigen in de Accademia degli Invaghiti; men was letterlijk tot tranen geroerd. En dan te bedenken dat er mensen moesten worden weggestuurd omdat de schouwburg te klein was (terwijl er toch 6000 plaatsen zijn; een ware triomf voor de componist!

Monteverdi's naam lijkt nu definitief gevestigd te zijn. Hoewel hij in 1600 door Giovanni Maria Artusa vanwege zijn modernismen (waarschijnlijk het wat vrijmoedige gebruik van bepaalde intervallen als septiem en none) nog zwaar werd aangevallen ('Delle imperfectioni della moderna musica' - over de onvolmaaktheid van de eigentijdse muziek), werd hij in 1601 'maestro di cappella' te Mantua aan het hof van de Gonzaga's. In de afgelopen jaren was hij zeer produktief: in 1603 verscheen zijn vierde madrigalenboek en in 1605 het zeer populaire vijfde, dat al enige herdrukken heeft mogen beleven. In augustus vorig jaar, enige maanden na zijn succesvolle eerste opera, de 'favola in musica' *Orfeo* - evenals *Arianna* geïnspireerd op een klassiek, mythologisch thema -, werd hij benoemd tot lid van de 'Accademia degli Animosi'.

---

**9 april.** In Antwerpen wordt het Twaalfjarig Bestand gesloten waarbij Spanje de Republiek als zelfstandige macht erkent en beide partijen behouden wat zij op dat moment bezitten. →

**17 juni.** De Republiek sluit het Twaalfjarig Verbond met Engeland en Frankrijk.

**6 juli.** Bij 'majesteitsbrief' verleent de Duitse keizer Rudolf II de Boheemse standen vrijheid van godsdienst.

**10 juli.** Als tegenwicht tegen de Protestantse Unie (1608) sluiten de katholieke vorsten zich onder leiding van Maximiliaan van Beieren aaneen in de Katholieke Liga. Spanje en de keizer steunen de Liga.

**September.** De Spaanse hertog van Zerma verdrijft de laatste 500 000 Moren en Morisco's uit Spanje.

- De astronoom Johannes Kepler publiceert *Astronomia Nova*, waarin hij onthult dat de planeten elliptische banen beschrijven waarbij de zon in één der brandpunten staat. →

- In het Duitse Rijk verschijnen kort na elkaar twee kranten: De *Strassburger Relation* en de *Aviso Relation oder Zeitung*. →

- De VOC voert als eerste in Europa Chinese thee in.

- Van Hugo de Groot verschijnt anoniem *Mare Liberum*, één hoofdstuk van zijn vijf jaar eerder geschreven *De Iure Praedae*. In *Mare Liberum* verdedigt De Groot het recht van de vrije zee voor alle naties.

- In Amsterdam wordt door de overheid de eerste wisselbank geopend, die een vorm van giraal verkeer mogelijk maakt.

- Schotse protestanten (presbyterianen) verhuizen massaal naar Noord-Ierland om de Engelse machtsbasis aldaar te versterken. In Schotland zelf waren ze niet meer gewenst.

- Spanje vernietigt een Turkse vloot bij Tunis.

- In Amerika ontdekt Henry Hudson de Delaware-baai en een (later naar hem genoemde) rivier.

- In het Duitse hertogdom Gulik-Kleef breekt een opvolgingsstrijd uit na de dood van hertog Johan Witler. Zowel Brandenburg als Neuberg claimt de gebieden. Ook Spanje en Frankrijk mengen zich in deze zaak.

- Peter Paul Rubens wordt benoemd tot hofschilder van aartshertog Albrecht van Oostenrijk.

---

# Kepler publiceert 'Astronomia Nova'

PRAAG - Johannes Kepler heeft zijn sterrenkundige wetten in *Astronomia Nova* (Nieuwe Sterrenkunde) gebundeld. Hij beweert daarin dat het wiskundige model dat Copernicus in 1543 publiceerde over de banen van de planeten om de zon, ook werkelijk bestaat. Kepler, die zijn boek de ondertitel 'Natuurkunde van de Hemel' meegaf, stelt dat onze aarde daadwerkelijk in een etmaal om haar as draait en in één jaar, net als de andere planeten, om de zon.

Kepler, in 1571 geboren, maakte al op 25-jarige leeftijd indruk met een astronomisch werk: *Het raadsel van de hemel*. Vijf jaar later, in 1601, volgde hij de fameuze Deense astronoom Tycho Brahe op als keizerlijk mathematicus in Praag. Daar werkte hij verder om Brahes Mars-waarnemingen met wiskundige berekeningen te staven. Deze berekeningen leidden tot twee wetmatigheden die hij in *Astronomia Nova* bekendmaakt. De wetten luiden: 1. de planeten beschrijven elliptische banen om de zon, waarbij de zon in één van de brandpunten staat; 2. de lijnen tussen zon en planeet bestrijken binnen deze ellips gelijke oppervlakten in gelijke tijden. Dat betekent dat de snelheid van een planeet op het verste punt in de ellips, gezien vanaf de zon, het kleinst is, en op het dichtstbijzijnde punt het grootst.

## Duitse primeur: eerste weekbladen

WOLFENBUTTEL/STRAATSBURG - In Wolfenbüttel en Straatsburg zijn voor het eerst wekelijks verschijnende kranten op de markt gebracht. De beide kranten - de *Aviso Relation oder Zeitung* en de *Strassburger Relation* - willen hun lezers van de gebeurtenissen in binnen- en buitenland op de hoogte houden.

Al eerder zijn dergelijke nieuwsbladen uitgegeven, maar deze verschenen vaak maar enkele malen per jaar. Zo startte de Oostenrijkse baron Michael von Eyzinger in het voorjaar van 1588 met de geregelde publikatie van de *Postrema relatio historica*. In deze zogenaamde 'Messrelation' publiceert Eyzinger nieuwtjes uit geheel Europa. Eyzinger streeft zoveel mogelijk naar een onpartijdige berichtgeving; zonder een oordeel uit te spreken geeft hij de belangrijkste gebeurtenissen in chronologische volgorde weer.

Al deze kranten vinden hun oorsprong in de activiteiten van de grote handelshuizen. Deze handelshuizen, zoals bijvoorbeeld Fugger, beschikken over uitgebreide contacten in geheel Europa. Door deze contacten zijn zij goed op de hoogte van de laatste nieuwtjes in de verschillende landen.

# Republiek sluit bestand

ANTWERPEN, 9 april - Na enkele jaren van onderhandelingen is het zover: de Republiek is soeverein verklaard en behoudt de gebieden die zij op dit moment bezit. Deze situatie zal door alle partijen gedurende twaalf jaar gehandhaafd worden.

Het initiatief tot de vredesonderhandelingen is uitgegaan van de aartshertogen uit de zuidelijke provincies. Drie jaar geleden al stuurden zij heimelijk een gezant naar Den Haag, maar toen leken de besprekingen te stranden op de onverzettelijkheid van de Verenigde Provincies. Deze verklaarden bij monde van prins Maurits dat hun gebied zich sinds de Afzwering van 1581 als een 'vrije staet' beschouwde en door de omringende landen als zodanig ook erkend werd. Iedere discussie daarover was uitgesloten. Tegen de verwachting in heropenden de aartshertogen het gesprek en zonden in maart 1607 pater Neyen naar Rijswijk. In april een voorlopige wapenstilstand gesloten en tevens besloten de onderhandelingen voort te zetten.

Deze beslissing werd openbaar gemaakt in een officieel schrijven van de Staten-Generaal. Dit bericht werd niet overal met enthousiasme ontvangen. Velen vermoedden een list. Binnen de noordelijke provincies waren er eveneens tal van groepen en personen die de nieuwe koers wantrouwden. Maurits ten slotte vroeg zich af of het niet beter was om de successen van de afgelopen jaren te continueren.

Maar Oldenbarnevelt wierp zich op als de grote voorstander van vrede en zag kans alle bezwaren te sussen. In februari vorig jaar begonnen de officiële onderhandelingen. Al spoedig bleek ech-

*Zinneprent van de contraremonstranten, met op de voorgrond de zeven maagden van de zeven provinciën.*

ter dat Spanje en de Oostenrijkse hertogen één onoverkomelijke eis stelden: dat de noordelijke provincies iedere handel op zowel Oost- als West-Indië zouden staken. Uiteindelijk werd besloten pater Neyen naar Madrid te zenden om hierover met de Spaanse koning te onderhandelen.

Nu brak er een warrige tijd voor de noordelijke provincies aan omdat iedereen zich met de onderhandelingen wilde bemoeien. Dat het uiteindelijk dan toch nog tot een bestand is gekomen, is eerder een gevolg van vaagheid dan van politieke duidelijkheid. Zo wordt er in het verdrag over de handel op Indië nauwelijks gesproken. De religie wordt evenmin expliciet aangeroerd. Besloten werd dat de Republiek soeverein is en dat beide partijen de gebieden mogen behouden die zij op het moment van ondertekening bezitten.

*Het personeel van de munt in Dordrecht, een van de steden in de Republiek met muntrecht. Na de Opstand hebben de gewesten de muntslag vrijwel onafhankelijk van elkaar geregeld, zodat er veel munten van verschillend uiterlijk en uiteenlopende kwaliteit in omloop kwamen. De Ordonnantie van de Staten-Generaal probeert in deze situatie sinds drie jaar enige orde te scheppen: de gewesten munten wel op eigen naam, maar volgens door de Staten-Generaal vastgelegde voorschriften betreffende muntvoet en beeldenaar. In alle munthuizen worden nu ook de gouden dukaat, de zilveren rijksdaalder en de zilveren leeuwendaalder geslagen. De pasmunt behoudt nog uiteenlopende beeldenaars.*

---

# 1610

**14 februari.** In Rusland sluiten de Poolse koning Sigismund III en de familie Romanov een verbond met de Valse Dimitri tegen tsaar Vasili Sjoesjki.

**15 mei.** De katholieke fanaticus Ravaillac vermoordt de Franse koning Hendrik IV. →

**17 juli.** Nadat de Polen het Zweedse hulpleger hebben verslagen zetten bojaren tsaar Vasili af en verbannen hem naar een klooster. Men biedt Wladyslaw, de zoon van de Poolse koning, de troon aan, tot onvrede van zijn vader Sigismund die zelf tsaar wil worden.

**Juli.** Nieuwe conflicten breken uit tussen Jacobus I en het parlement, dat de absolutistische neigingen van de koning probeert te weerstaan.

**27 augustus.** Wladyslaw, zoon van de Poolse koning, wordt tsaar van Rusland.

**11 december.** De tweede Valse Dimitri wordt in Kaloega vermoord.

- Kleine schermutselingen breken uit tussen Engelse en Hollandse handelaren in Indië.

- De Engelsen zetten voet aan wal op de Bermuda's.

- Beguin schrijft *Tyrocinium chymicum*, het eerste handboek voor de scheikunde.

- Arabella Stuart, een rivale van koning Jacobus I, wordt naar de Tower gestuurd.

- Ook Maurits bemoeit zich met de Gulik-Kleefse opvolgingsstrijd en bezet Gulik.

- De arminianen dienen een remonstrantie in bij de Staten van Holland, waarin zij zich afzetten tegen de strenge leer van Gomarus. Men noemt hen voortaan remonstranten.

- Galilei ontwikkelt een telescoop en observeert onder andere de manen van Jupiter, de gebergten op de maan en de vlekken op de zon.

- Franciscus van Sales sticht de charitatieve orde van de visitandinnen.

- In Spanje worden de Morisco's, Spanjaarden van Moorse afkomst, gedwongen het land te verlaten. →

- De Heren Zeventien benoemen Pieter Both tot eerste gouverneur-generaal van de bezittingen der VOC. Hij krijgt de opdracht een plaats voor een bestuurlijk middelpunt in Indië te zoeken.

Gestorven:

- Michelangelo Amerighi da Caravaggio (1569), Italiaans schilder →
- Matteo Ricci (6-10-1552), Italiaans missionaris, linguïst →

---

*Hendrik IV wordt in zijn koets door François Ravaillac neergestoken.*

# Verslagenheid na moord Hendrik IV

PARIJS, 15 mei - In heel Frankrijk heerst grote verslagenheid nadat koning Hendrik IV gisteren bij een moordaanslag om het leven is gekomen. Het gemor over de recente politiek van de koning is verstomd. Men praat alleen nog over de goede daden en memoreert de vrede die het land onder de regering van Hendrik al ruim tien jaar kent.

De aanslag vond gistermiddag plaats in de smalle Rue de la Ferronnerie in de hoofdstad. De koninklijke koets moest daar een ogenblik wachten vanwege een verkeersopstopping. Op dat moment zag de moordenaar zijn kans schoon. Hij stak de koning twee keer midden in de hartstreek. Hendrik IV was op slag dood. De moordenaar werd ter plekke gearresteerd. Het betreft hier François Ravaillac. Van hem is tot nu toe alleen bekend dat hij een zeer fanatieke katholiek is, die lijdt aan godsdienstige waanvoorstellingen.

Vooral in extreem-katholieke kringen is het wantrouwen tegen Hendrik IV nooit verdwenen. Het werd hem nie vergeven dat hij leider van de protestanten was geweest. Maar ook meer gematigde katholieken hadden het laatste jaar kritiek op de koning vanwege zijn buitenlandse politiek. Directe aanleiding vormde de erfopvolging in het Duitse hertogdom Gulik-Kleef. Hendrik IV wilde de protestantse troonpretendent steunen en begon met oorlogsvoorbereidingen tegen de Oostenrijkse Habsburgers, die in het hertogdom een katholieke vorst op de troon wensen. Een en ander bracht een forse verhoging van de belastingen met zich en dat stuitte op veel weerstand bij de Franse bevolking.

Tot vorig jaar had Hendrik IV zich op dit terrein juist zeer terughoudend getoond. Onder leiding van de beheerder van de schatkist, Sully, zijn de staatsfinanciën gereorganiseerd. Sully is er vooral op uit de Franse economie te stimuleren. Op zijn initiatief wordt in verscheidene Franse provincies met de zijdeteelt geëxperimenteerd. Hendrik IV beloofde zelfs een dusdanige economische groei dat elke burger in de toekomst kip zou kunnen eten.

# Spanje wijst Morisco's uit

*Een Spaanse edelman sluit vriendschap met een Morisco. Dezelfde Morisco's worden nu uit Spanje verdreven.*

MADRID - De gedwongen uittocht van de Morisco's, de Spanjaarden van Moorse afstamming, gaat sinds een jaar onverminderd voort. Tienduizenden hebben zich moeten inschepen naar Noord-Afrika of Frankrijk; velen zijn onderweg van honger en ontberingen gestorven. Het begint echter steeds duidelijker te worden dat de voortdurende pogingen van de Spaanse regering om het land van deze 'nieuwe christenen' te zuiveren, een aantal negatieve gevolgen hebben.

De Morisco's vormen in Spanje, dat met een afnemende bevolking en grote economische moeilijkheden kampt, een van de snelst groeiende en meest produktieve bevolkingsgroepen, gespecialiseerd in de landbouw en de zijde-industrie. Nu naar verwachting bijna 300 000 van hen het land moeten verlaten, betekent dat een ernstige aderlating voor het land.

Vanaf hun gedwongen bekering tot het christendom in 1492 zijn de Morisco's steeds een vreemd element in de samenleving gebleven. Evenals de marranen, de bekeerde joden, werden zij ervan verdacht heimelijk hun oude godsdienst aan te hangen en zo de eenheid van Spanje te ondergraven.

Tegen de joden, van wie velen aanvankelijk succesvol carrière maakten, werd en wordt opgetreden door middel van de wetten aangaande de 'limpieza de sangre' (bloedzuiverheid): personen met joodse voorouders mogen geen openbare ambten bekleden.

De veelal arme Morisco's werden op een andere manier aangepakt: na een steeds strengere vrijheidsbeperking en de gewelddadige opstand in Granada in 1568 ging de regering over tot een beleid van hervestiging waarbij de Morisco's onder dwang over heel Spanje werden verspreid.

Hiermee werd het probleem alleen maar verplaatst. Door hun soberheid en ijver, en door het feit dat zij zich veel sneller voortplantten dan de 'oude christenen' en hun eigen gebruiken bewaarden, wekten zij achterdocht en ontevredenheid bij de gewone bevolking, die dan ook sympathiek tegenover de gedwongen uittocht staat.

De datum waarop het decreet voor de verdrijving van de Morisco's werd ondertekend, 9 april vorig jaar, viel waarschijnlijk niet toevallig samen met die van de ondertekening van het Twaalfjarig Bestand met de Nederlanden. Mogelijk wilde de regering van Filips III de aandacht van deze weinig glorieuze gebeurtenis afleiden door een succesvolle actie tegen een gehate en gewantrouwde bevolkingsgroep.

Door het gedwongen vertrek van de Morisco's zijn hele dorpen ontvolkt geraakt, en dat terwijl door misoogsten en de grote pestepidemie van 1596-1602 de afgelopen vijftien jaar al 600 000 Spanjaarden het leven hebben verloren.

De Spaanse regering heeft, zoals dat al eerder in het verleden het geval was, het geloof tot politiek verheven. Het resultaat is een besluit waarvan de gevolgen meer nadelen dan voordelen lijken op te leveren.

*Christus verschijnt aan de Emmaüsgangers; een schilderij van de dit jaar in Porto d'Ercole gestorven Italiaanse schilder Caravaggio. Door de lichteffecten (de tegenstelling tussen licht en donker) heeft zijn werk een grote invloed op de schilders in Duitsland, Spanje, Frankrijk en de Nederlanden.*

*De jezuïet Matteo Ricci (links) met een van zijn bekeerlingen.*

# Matteo Ricci: missionaris werd kenner van China

PEKING - Jezuïetenpater Matteo Ricci is op 58-jarige leeftijd in Peking overleden. Hij was een vooraanstaande linguïst en werd door zijn kennis van de Chinese beschaving aan het hof van Peking als geleerde geaccepteerd.

De Italiaan Ricci werd door het Vaticaan in 1582 naar China gestuurd. Hoewel hij aanvankelijk in de jezuïetenmissie in Macao verbleef, vermeed hij in de daaropvolgende jaren zoveel mogelijk elk contact met de Portugese kolonie in China. Eerst droeg hij het gewaad van een boeddhistische monnik, maar al gauw begon hij het kostuum van een confucianistische geleerde te dragen. Na zijn aankomst in Peking in 1601 maakte hij indruk door zijn kennis van het Chinees, maar vooral door demonstraties van de produkten van de westerse beschaving: prisma's, klokken en muziekinstrumenten. Hij ontwierp een kaart van de aarde voor de keizer met China in het midden.

In zijn bekeringswerk richtte Ricci zich vooral op hoogwaardigheidsbekleders. Hij ging doctrinaire conflicten uit de weg. Zo verklaarde hij voorouderverering tot een cultuuruiting zonder religieuze betekenis waardoor het voor hem mogelijk werd om dit door andere missionarissen als 'heidens' bestempelde gebruik in zijn liturgie op te nemen. Tot de Chinezen die mede onder invloed van Ricci tot het christendom zijn overgegaan, behoort Xu Guangqi (Paul Xu), die met jezuïeten samenwerkte bij de vertalingen van westerse werken in het Chinees en Chinese boeken in het Latijn.

# 1611

**Februari 1611.** Jacobus I ontbindt nogmaals het parlement, dat zijn absolute rechten niet wil erkennen.

**April.** Denemarken verklaart Zweden de oorlog (Kalmaroorlog).

**11 augustus.** In het Duitse Rijk wordt keizer Rudolf II gedwongen tot het afstaan van de koningstitel in Bohemen aan zijn broer Matthias. →

**30 oktober.** In Zweden volgt de 17-jarige Gustaaf II Adolf zijn vader Karel IX op.

- De Nederlanders krijgen handelsvoorrechten in Japan op het eiland Hirado.

- Simon Sturtevant ontdekt een methode om met kolen ijzer te smelten.

- Koning Sigismund III van Polen verovert Smolensk en trekt Moskou binnen.

- Wegens het uitblijven van soldij bezetten Zweedse troepen, die de Russen tegen de Polen zouden helpen, Novgorod.

- Sanctorius wordt hoogleraar in de theoretische geneeskunde in Padua. Hij construeert onder meer een haarhygrometer, een polsslagfrequentiemeter en een instrument om nierstenen uit de blaas te verwijderen.

- De astronoom Kepler beschrijft in zijn werk *Dioptrice* de werking van een door hem ontwikkelde astronomische telescoop.

- In Engeland wordt de *King James's Bible* gepubliceerd.

**Augustus 1612.** Frankrijk en Spanje beëindigen de vijandigheden tegen elkaar en spreken huwelijken tussen de onderlinge koninklijke families af.

**27 oktober.** De Russische legers heroveren het Kremlin en daarna heel Moskou. De Polen geven zich over, waardoor de kansen van hun koning Sigismund III om tsaar te worden verkeken zijn.

- Er wordt een verdrag tussen de Hollanders en de vorst van Kandy op Ceylon gesloten.

- In Engeland staakt men de verbranding van ketters.

- De Duitser Ratke lanceert de eerste pedagogische methode.

- De Hollanders landen met twee schepen op Manhattan en ruilen bont met de Indianen.

- De Duitse astronoom Simon Marius ontdekt de Andromedanevel. Onafhankelijk van Galilei (die hem later toch van plagiaat beschuldigt) ontdekt ook hij vier manen van Jupiter.

- Jakob Böhme, een hervormd mysticus, stelt zijn bijbelse visioenen te boek. De Duitse geestelijkheid legt hem echter een publicatieverbod op.

## Matthias dwingt koning Rudolf II tot aftreden

PRAAG, 11 augustus 1611 - De Habsburger Rudolf II, Duits keizer en Rooms en Boheems koning sinds 1576, is door zijn broer Matthias II, Hongaars koning, gedwongen af te treden. Hij heeft nog wel het recht zijn keizerlijke titel te voeren en zijn residentie, de Praagse Burcht, te behouden.

De twee broers hebben al veel langer grote onenigheid over regeringszaken, twisten die vooral voortkwamen uit hun drastisch verschillende karakter. Drie jaar geleden bereikten ze een overeenkomst volgens welke Rudolf wel de heer over Bohemen bleef, maar Oostenrijk, Hongarije en Moravië aan Matthias moest afstaan.

De 35 jaar van Rudolfs bewind werden getekend door diens volstrekte incompetentie als heerser. Alle belangrijke beslissingen stelde hij uit of herriep hij, eenmaal genomen, vaak reeds de volgende dag. Hij ondernam geen stappen in doorslaggevende politieke aangelegenheden (zoals de verdediging van zijn rijk tegen het veroveringszuchtige Turks-Osmaanse imperium) en vertraagde, of boycotte, iedere activiteit van zijn veel bekwamere en ondernemende broer Matthias. Liever wijdde hij zich aan zijn stoeterij en zijn curiositeitenverzameling.

Volgens de principes van het Spaanse absolutisme en het strenge katholicisme opgevoed, gaf Rudolf al op jonge leeftijd blijk van diepreligieuze melancholie en later zelfs van vervolgingswaan. Zijn bigotterie en bijgelovigheid werden rijkelijk door de jezuïeten misbruikt. Een straat die bewoond werd door alchimisten (het 'Gouden Straatje' op de Praagse Burcht) werd in stand gehouden om voor hem het levenselixer te mengen en om uit te vinden hoe men goud maakt.

Praag, sinds 1583 Rudolfs residentie, werd een illuster centrum van cultuur en wetenschappen waar bijvoorbeeld de schilder Hans von Aachen en de beeldhouwer Adriaan de Vries werkzaam waren. De stad werd het zuiverste en mooiste voorbeeld van de katholieke barokstijl. Uit belangstelling voor astronomie vertoefde Rudolf met de uitmuntende wetenschappers Tycho Brahe en Johannes Kepler.

Eén belangrijk document heeft Rudolf onder de druk van de zich verspreidende Reformatie toch uitgevaardigd: de Brief van de Majesteit (1609). In deze koninklijke oorkonde werd de godsdienstvrijheid in het Boheemse koninkrijk gegarandeerd. De standen kregen de controle toegezegd over de utraquistische kerkeraad en de Praagse Karels-universiteit, die langzamerhand geheel in handen van de katholieken, met name de jezuïeten, dreigde te vallen.

# 1613

**20 januari.** De Vrede van Knäred maakt een einde aan de Kalmaroorlog tussen Zweden en Denemarken. Zweden geeft Finnmarken op en laat de handel met Lijfland vrij.

**Januari.** Terwijl men in Engeland een Spaanse invasie vreest, besluit Filips III daarentegen de relatie met de Britten te verbeteren en stuurt de graaf van Gondomar als nieuwe ambassadeur naar het eiland.

**7 februari.** In Rusland komt een eind aan de Tijd der Troebelen als de 16-jarige bojaar Michail Romanov tot tsaar gekozen wordt. →

**14 februari.** Na langdurige onderhandelingen huwt Jacobus' dochter Elizabeth met Frederik V van de Palts.

**September.** De Turken vallen Hongarije binnen en stellen Gábor Betlen aan als hun vazal in Transsylvanië.

**25 december.** Johan Sigismund van Brandenburg gaat over tot het protestantse geloof om in aanmerking te komen voor de opvolging in Gulik en Kleef.

- De Fransman Champlain verkrijgt een nieuw bonthandelsmonopolie in Quebec.

- Monteverdi wordt maestro di cappella aan de San Marco te Venetië.

- In Amsterdam wordt begonnen met de bouw van de beurs en met de aanleg van de westelijke concentrische grachtengordels.

- Aartshertog Albrecht van Oostenrijk wil Antwerpen via kanalen met de zee verbinden om zo de sluiting van de Schelde te omzeilen.

- Engelse kolonisten uit Virginia vernietigen de Franse nederzetting Port Royal en voorkomen een Franse kolonisatie van Maryland.

- De Italiaan Antonio Serra schrijft een verhandeling over hoe een land zonder mijnen via de export van goederen toch aan goud en zilver kan komen. Het is een van de eerste uitwerkingen van de mercantilistische theorie.

- In Virginia bekeert het Indiaanse meisje Pocahontas zich als eerste tot het christendom. Ze neemt de christelijke naam Rebecca aan.

- Paus Paulus V keurt de oprichting van een vereniging van seculiere priesters in Frankrijk goed. Deze oratorianen richten zich op de opleiding van de clerus en de jeugd.

- De Mantsjoe-vorst Noerhatsji beraamt plannen om heel China te veroveren.

Geboren:

- La Rochefoucauld (François de Marsillac, hertog van) († 1680), Frans schrijver

## Michail Romanov tsaar: Tijd der Troebelen voorbij

*Michail, de eerste tsaar uit het Huis Romanov.*

MOSKOU, 7 februari - Michail Romanov, de zestienjarige zoon van patriarch Filaret, is door de in Moskou bijeengekomen 'Zemski Sobor' tot tsaar gekozen. Zijn verkiezing maakt een eind aan de Tijd der Troebelen, die vlak na de dood van Ivan IV de Verschrikkelijke in 1584 begon. In deze periode had een reeks opeenvolgende zwakke tsaren te kampen met binnenlandse opstanden en buitenlandse interventies. Na de dood van Fjodor, de zwakke zoon van Ivan IV, werd Boris Godoenov, zijn zwager, tot tsaar gekozen.

Godoenov werd opgevolgd door zijn zoon, maar Valse Dimitri, die beweerde de doodgewaande (want door Godoenov vermoorde) zoon van Ivan IV te zijn, wist een grote aanhang te verwerven en de troon te bestijgen. Zelfs zat er korte tijd een rooms-katholieke Pool op de tsarentroon in Moskou. Dat was het moment dat de onderling zeer verdeelde Russen besloten met vereende krachten een eigen Russische tsaar te steunen. De keus viel op de jonge, onervaren Michail Romanov. De 'Zemski Sobor' rekent erop langere tijd bijeen te blijven om zijn beleid te controleren.

**15 mei 1614.** De opstand van Condé eindigt als Lodewijk XIII belooft de Staten-Generaal weer bijeen te roepen, hetgeen in oktober in Parijs ook gebeurt.

**22 augustus.** In Frankfort plunderen ambachtslieden en kooplui onder leiding van Vincent Fettmilch het jodengetto en verdrijven de joden uit de stad.

**Oktober.** De Compagnie van Nieuw-Nederland krijgt van de Staten-Generaal een driejarig monopolie voor de bonthandel met Amerika. Op Manhattan stichten de Hollanders de kolonie Nieuw-Amsterdam.

- In een poging de stadhouder uit te spelen tegen Oldenbarnevelt, verleent Jacobus I Maurits de Engelse ridderorde van de Kouseband.

- De Engelsman John Napier stelt de eerste logaritmentafels op.

- In de Republiek wordt de Noordse Compagnie opgericht ter financiering van de walvisvangst. Men richt stations in op Jan Mayeneiland en in Smeerenburg (op Spitsbergen).

- Zweden en de Republiek sluiten een verbond vanwege Deense toenaderingen tot Spanje.

- In het Japanse Kioto worden alle katholieke kerken in brand gestoken. →

**Maart 1615.** De Franse Staten-Generaal worden ontbonden zonder dat ze enige invloed op het regeringsbeleid hebben kunnen uitoefenen.

**Juli.** De Duitse keizer Matthias sluit vrede met de Turken en legt zich neer bij de heerschappij van Gábor Betlen in Transsylvanië.

- De jezuïetenorde telt ruim 13 000 leden en bezit 372 scholen in Europa.

- De Hollanders veroveren de Molukken op de Portugezen.

- In Parijs publiceert d'Aubigné de *Histoire universelle*, een historisch overzicht van de jaren 1553-1602. Het werk wordt echter in het openbaar verbrand wegens zijn onverholen hugenotenstandpunt.

- Het tweede deel van *De vernuftige edelman Don Quijote de la Mancha* door Miguel de Cervantes Saavedra verschijnt. →

- Peter Paul Rubens schildert *De slag der Amazones* en begint aan *Het Laatste Oordeel*.

- De Engelsman William Harvey ontdekt het systeem van de grote bloedsomloop.

*Miguel de Cervantes Saavedra, de schrijver van 'Don Quijote'.*

# Succes voor 'Don Quijote'

MADRID, 1615 - De Spaanse avonturier en schrijver Miguel de Cervantes Saavedra heeft het tweede deel van *De vernuftige edelman Don Quijote de la Mancha* het licht doen zien. Toen in 1605 het eerste deel verscheen, had het onmiddellijk in Spanje en daarbuiten zo'n succes, dat het nog in datzelfde jaar vijf maal werd herdrukt en er al Franse en Engelse vertalingen van zijn verschenen.

Cervantes laat in dit tweede deel Don Quijote, de 'ridder van de droevige figuur' een plotselinge dood sterven, mogelijk om anderen te verhinderen nieuwe avonturen over zijn held te schrijven. Vorig jaar is een andere Spaanse schrijver hem namelijk al vóór geweest met een eigen vervolg op het tweede deel.

Terwijl *Don Quijote* is bedoeld als parodie om de populaire ridderroman belachelijk te maken, lijkt het boek hard op weg zelf het populairste werk in het genre te worden. Het vertelt de avonturen van de edelmoedige maar wereldvreemde Don Quijote. Gezeten op zijn trouwe viervoeter Rocinante en begeleid door zijn nuchtere knecht Sancho Panza (op diens ezeltje Rucio) trekt hij ten strijde voor zijn hooggestemde idealen van eer en rechtvaardigheid. Door het lezen van te veel ridderromans leeft hij echter in een schijnwereld en laat zich leiden door illusies. Het lijkt tegelijk het verhaal over het verdwijnen van het oude Spanje, dat zich steeds meer in zijn hoge ambities heeft verslikt.

Cervantes heeft zowel het heroïsche tijdperk als het begin van de teruggang meegemaakt: hij vocht mee tegen de Turken in de grote zeeslag bij Lepanto in 1571, waarbij hij een arm verloor, nam twee jaar later deel aan een Spaanse expeditie tegen Tunis, werd gevangengenomen en diende vijf jaar als slaaf van een Turkse edelman alvorens hij werd vrijgekocht. Terug in Spanje kreeg hij een betrekking als ambtenaar, waarbij hij onder meer de onaangename taak had graan in beslag te nemen voor de tocht van de Armada. Enkele malen belandde hij wegens malversaties in de gevangenis, waar hij de boeventaal leerde die hij in verscheidene van zijn toneelstukken heeft gebruikt.

De crisis in de jaren negentig, na de twee mislukte tochten van de Armada, de grote pestepidemie, het nieuwe staatsbankroet, het falen van de geldverslindende Spaanse politiek tegenover Frankrijk en de Nederlanden en de plundering van Cádiz door de Engelsen, lijken in het boek van Cervantes hun sporen te hebben nagelaten. Zo beschrijft *Don Quijote* met droefgeestige ironie het lot van Spanje: uitgemergeld en gedesillusioneerd door het najagen van ambities die steeds minder bij de werkelijkheid aansluiten.

# Alle katholieke kerken in Kioto in brand gestoken

KIOTO, 1614 - Op bevel van sjogoen Iëjasoe zijn alle katholieke kerken in Kioto in brand gestoken. Naast het decreet dat hij eveneens deze zomer heeft uitgevaardigd, waarin is verordend dat alle missionarissen moeten worden gearresteerd, lijkt dit de meest vergaande maatregel tegen het katholicisme te zijn sinds het begin van de christenvervolging door keizer Hidèjosji. Deze had in 1587 per decreet bepaald dat alle christenen het land zouden worden uitgezet. Het christendom zou een verstoring van het evenwicht in de maatschappij betekenen. De maatregel was echter genomen onder druk van boeddhistische sekten die in de groeiende aanhang van het katholicisme onder de bevolking een bedreiging van hun eigen machtspositie op geestelijk en later mogelijk zelfs op politiek en economisch terrein zagen. Het decreet van Hidèjosji werd echter niet zeer streng doorgevoerd en buiten Kioto, en enkele jaren na de uitvaardiging zelfs in Kioto, konden missionarissen doorgaan met hun activiteiten.

Sjogoen Iëjasoe volgt opnieuw een sterk antichristelijke politiek. Dit bleek al uit zijn houding ten opzichte van de Nederlandse en Engelse pogingen op handelsgebied in Japan vaste voet te krijgen. Iëjasoe bevoordeelde de Nederlanders en Engelsen ten opzichte van de Portugezen. Hij zag weliswaar in dat de uitbreiding van de handel meer inkomsten aan de staat en daarmee aan zijn familie verschafte, maar tegelijkertijd kwamen de Nederlanders en Engelsen slechts voor het drijven van handel en hadden de Portugezen bij hun bezoeken ook het propageren van het katholicisme als doelstelling. Iëjasoe keurde dan ook het beroven van Portugese schepen door Nederlandse schepen in Aziatische wateren goed.

De afgelopen jaren heeft hij een aantal decreten uitgevaardigd waardoor het verbreiden van het katholicisme aan banden wordt gelegd. De eerste maatregelen in 1611 zijn met name bedoeld voor die Japanners die zich nog maar pas hebben bekeerd of op het punt staan dit te doen. Zij worden door een decreet ontmoedigd zich bij de katholieke Kerk aan te sluiten. De gouverneur van Nagasaki, Hasegawa Foedjihiro, heeft twee jaar geleden al dwingender maatregelen aan de ingezetenen van zijn provincie opgelegd. Iedereen die zich daar niet aan houdt worden zware straffen in het vooruitzicht gesteld. In juni vorig jaar werd een decreet uitgevaardigd waarin alle kloosters en religieuze groeperingen worden gewaarschuwd tegen 'kwaadaardige sekten' waaronder het katholicisme.

# Gustaaf II prijst gezanten

*Het dorpje Milagona, vlak in de buurt van de plaats waar de onderhandelingen zijn gevoerd.*

STOCKHOLM, 23 juni - In zijn paleis in Stockholm heeft de Zweedse koning Gustaaf II Adolf de leden van het eerste Nederlandse gezantschap naar Rusland ontvangen. Wegens hun aandeel in het tot stand komen van de wapenstilstand tussen Zweden en Rusland in de afgelopen winter werden Reinoud van Brederode en Diederik Bas tot ridder geslagen en het wapen van Albert Joachimi werd uitgebreid. De koning bracht de omstandigheden in herinnering waaronder in Diderina, even ten zuiden van Novgorod, de onderhandelingen waren gevoerd. Er was een nijpend gebrek aan voedsel en voer voor de paarden omdat de onderhandelingen veel langer duurden dan door de Zweden was voorzien. Door de extreme koude hadden de Zweedse en Russische onderhandelaars de speciaal op neutraal terrein opgerichte tenten moeten verruilen voor de blok-

hut van de Engelse ambassadeur. De Zweedse koning deed in de zomer van vorig jaar een beroep op de Nederlanders om als bemiddelaars op te treden naast de Engelse ambassadeur in Moskou, die de onderhandelingen had voorbereid. Deze vond hij méér pro-Russisch 'als een middelaar en oprechten driddeman betaamde'. De koning wist dat de Nederlanders in de handel met Rusland de grootste concurrenten van de Engelsen waren.

De Staten-Generaal willigden het verzoek van de Zweden om de onderhandelingen op gang te helpen in omdat ze hun nieuwe bondgenoot in het Oostzeegebied (sinds 1614) wel wilden helpen met het beëindigen van de kostbare oorlog met Rusland. Zweden zou dan een tegenwicht kunnen vormen tegen Denemarken, dat na de overwinning op Zweden in 1613 de Zweedse oever van de Sont (de voor de Nederlandse scheepvaart zo belangrijke doorgang naar de Oostzee) bezet hield.

De Staten-Generaal vroegen de gezanten bij de tsaar aan te dringen op bevordering van de rechtstreekse handel op Rusland via Archangelsk. Deze beleeft de laatste jaren een grote bloei. De tsaar heeft zijn dankbaarheid betuigd over het bemiddelingswerk, maar hij heeft vooralsnog geen nieuwe privileges verleend.

Uit Moskou bericht de Nederlandse Ruslandkenner Isaac Massa dat 'de Russische onderhandelaars in Moskou rapport hebben gedaan voor de vorsten en de ganse Raad, dat ze nooit kloekere koppen zagen'.

In Den Haag heeft Oldenbarnevelt bericht ontvangen dat de gezanten 'geen lust hebben om de afloop van de onderhandelingen', die in juni zullen worden hervat 'af te wachten' en dat ze uit Zweden willen terugreizen naar Den Haag. De Engelse ambassadeur zal de eer van de te sluiten vrede voor zich kunnen opeisen.

*De Nederlandse gezanten worden tot ridder geslagen.*

*Sjogoen Iëjasoe Tokoegawa.*

# Iëjasoe schakelt tegenstand uit

KIOTO - Het geslaagde beleg van het kasteel van keizer Hidèjori door sjogoen Iëjasoe heeft de weg vrij gemaakt voor een probleemloze overgang van de macht van Iëjasoe naar diens zoon Hidètada die al ruim tien jaar in naam sjogoen is. Hierdoor lijken allerlei opvolgingsproblemen die ontstonden na de dood van zijn roemruchte voorgangers Noboenaga en Hidèjosji uit de wereld te zijn geholpen.

Iëjasoe had zelf meegemaakt welke problemen zich bij de opvolging van Hidèjosji hadden voorgedaan. Hij was een van de vijf regenten die door Hidèjosji waren aangesteld om de zaken waar te nemen voor zijn kind, Hidèjori, die bij de dood van zijn vader nog minderjarig was. Van de vijf regenten was Iëjasoe verreweg de machtigste.

Om zijn gezag te legitimeren leek het hem verstandig de minderjarige keizer te dwingen hem de titel sjogoen te verlenen. In 1603 was het zover en hiermee werd hij de eerste telg van de Tokoegawa-familie die deze titel mocht dragen.

In 1605 trad Iëjasoe formeel terug ten gunste van zijn zoon Hidètada. Deze is weliswaar niet zijn intelligentste zoon, maar wel de meest vasthoudende.

Tegenstand was na deze overdracht van de titel nog slechts te vrezen van keizer Hidèjori, die nu bijna meerderjarig was en zich niet in alle zaken door Iëjasoe wilde laten leiden. Iëjasoe had de keizer toegestaan zijn kasteel in Osaka te behouden evenals een tamelijk groot aantal landerijen. Het verzet concentreerde zich rond de keizer en de Tojotomi-familie. Iëjasoe had dan ook maar één doelstelling: de hele Tojotomi-familie, inclusief de keizer zelf, om het leven brengen.

De eerste poging mislukte: Iëjasoe belegerde het afgelopen jaar vergeefs het kasteel van Osaka, het bolwerk van de Tojotomi. Dit jaar heeft hij echter met succes het kasteel belegerd. Bij de inneming zijn op twee kleine kinderen na alle leden van de Tojotomi, dus ook keizer Hidèjori, vermoord.

# Vertrouweling Maria de' Medici vermoord

PARIJS, 24 april 1617 - Met medeweten van de 17-jarige koning Lodewijk XIII is de invloedrijke staatsadviseur Carlo Concini, markies van Ancre, op weg naar het Louvre door sluipmoordenaars gedood. Door deze in de kringen rond de koning voorbereide en uitgevoerde moord verliest de moeder van Lodewijk XIII, Maria de' Medici, haar belangrijkste vertrouweling en lijkt er een einde te zijn gekomen aan de grote macht die ze, eerst als regentes en later, na de meerderjarigverklaring van Lodewijk XIII op 2 oktober 1614, als voorzitster van de koninklijke raad, aan het hof uitoefent.

Het op vergroting van eigen roem en bezit gerichte handelen van de Italiaanse edelman en avonturier Concini, de echtgenoot van de favoriete hofdame van Maria de' Medici, was al enige tijd een bron van irritatie onder de vele van de macht uitgesloten edellieden. De talrijke opstanden van de laatste jaren waren dan ook telkens gericht tegen de persoon Carlo Concini. Maar de opstandige edellieden waren te zwak en te weinig doortastend om een daadwerkelijke bedreiging voor Concini te vormen. Ook de op aandrang van de edelen bijeengeroepen Staten-Generaal waren te zeer verdeeld om het op te nemen tegen Concini, wiens positie onaantastbaar leek.

Vorig jaar zomer ging hij er zelfs toe over enkele belangrijke ministers te vervangen door vertrouwelingen van Maria de' Medici. Deze kleine paleisrevolutie werd bekroond met de arrestatie van de machtigste opstandige edelman, de prins van Condé.

Voor de edelen leek de situatie hopeloos, maar opeens kregen zij onverwachte steun. De door zijn moeder overvleugelde en door zijn spraakgebrek met een minderwaardigheidsgevoel behepte Lodewijk XIII liet zich door zijn vertrouweling Albrecht de Luynes overhalen zich van het drukkende voogdijschap van zijn moeder te bevrijden. Een moord op haar grote vertrouweling Concini leek daartoe het meest geschikte middel.

Inderdaad lijkt door de dood van Concini een einde te zijn gekomen aan de macht van Maria de' Medici en haar vertrouwelingen, onder wie Armand du Plessis, hertog van Richelieu en bis-

*Maria de' Medici (portret van Rubens).*

schop van Luçon. Direct nadat een hofdame Maria van het gebeurde op de hoogte had gesteld, schreeuwde deze: 'Het is uit, zeven jaar lang heb ik geregeerd, nu wacht mij alleen nog een kroon uit de hemel!'

# Jezuïeten besturen provincies van Peru

LIMA, 16 december 1617 - De Spaanse onderkoning van Peru, Hernando Aria de Saavedra, heeft een herindeling van zijn vice-koninkrijk doorgevoerd en de provincies Río de la Plata, met de hoofdstad Buenos Aires, en Guairá, met de hoofdstad Asunción, gesticht.

De beide provincies blijven onder het gezag van de onderkoning, maar het dagelijks bestuur wordt toevertrouwd aan de jezuïetenorde.

Na een eerdere, mislukte poging in 1607 Guairá als provincie in te stellen, gaf de onderkoning de jezuïeten in 1610 de opdracht de Guaires-Indianen te kerstenen en hen te beschermen tegen Portugese slavenjagers en veroveraars. Vooral 'bandeirantes' van 'paulistas', inwoners van São Paulo als militairen in dienst van handelscompagnieën, vallen nog regelmatig de door de jezuïeten gestichte nederzettingen aan nu hun prooi, de daar geconcentreerde Indianen, een makkelijk doelwit vormt. Door deze aanvallen wordt het door de Portugezen beheerste gebied steeds groter, hetgeen herhaaldelijk tot schermutselingen met de Spanjaarden leidt.

De pacificatie van de Indianen door de jezuïeten verliep vreedzaam en nu krijgen de missionarissen het dagelijks bestuur op vrijwel alle terreinen metterdaad in handen. De grote religieuze orden (in de Spaanse koloniën zijn ook de franciscanen en dominicanen actief) zijn het sterkst vertegenwoordigd binnen de steden. Daar hebben zij

*De Indianen van Hispaniolae plegen zelfmoord om zich te onttrekken aan de tirannie van de Spaanse veroveraars (gravure Theodor de Bry; 1595).*

fraaie kloosters en huizen met weelderige tuinen gebouwd. Het geld hiervoor ontvangen zij behalve uit de tien procent kerkbelasting voor de gelovigen ook uit allerlei zakelijke activitei-ten. Plantages, wijngaarden en textielfabriekjes leveren de orden voldoende op om er goed van te leven. De jezuïeten onderscheiden zich vooral door een uitstekende boekhouding.

# Ferdinand kiest harde lijn

*De Praagse Burcht op 23 mei. Bij 'B' de uit het raam gegooide gezanten.*

OOSTENRIJK, 1618 - Aartshertog Ferdinand II van 'Innerösterreich' heeft kardinaal Klesl, de raadsman van keizer Matthias, gevangen laten nemen. Zijn vermogen wordt verbeurd verklaard en komt ten goede aan Ferdinands krijgskas. De val van deze prominente jezuïet is kenmerkend voor de harde lijn die Ferdinand in de Oostenrijkse politiek invoert.

Melchior Klesl werd in 1553 in Wenen geboren als zoon van een bakker. Hij maakte carrière in de Contrareformatie. Klesl begon zijn loopbaan in 1579 in dienst van aartshertog Ernst, de stadhouder van keizer Rudolf II in Oostenrijk 'ober und unter der Enns'. Hij stond aan het hoofd van een rondreizende commissie die ambtsdragers en gewone burgers op straffe van uitwijzing weer tot het katholicisme moest bekeren. In 1602 volgde zijn benoeming tot bisschop van Wenen en twee jaar geleden werd hij kardinaal. Zijn belangrijkste politieke functie was die van adviseur van Matthias, die in 1593 Ernst als stadhouder was opgevolgd. Zo rechtzinnig als Klesls religieuze opvattingen waren, zo 'realpolitisch' waren zijn adviezen aan Matthias. Klesl besefte dat Matthias de protestantse standen niet tegen zich in het harnas moest jagen. Zonder hun

steun kon Matthias zijn ambitieuze politieke programma niet uitvoeren. Dat omvatte achtereenvolgens: de uitschakeling van zijn broer, keizer Rudolf II, de machtsovername in Bohemen en Hongarije en zijn kroning tot Duits keizer. Eén voor één werden deze doelen bereikt. In 1612 werd de keizerskroon op dit werk gezet. Omdat hun behoedzame politiek een succesformule was gebleken, waren Matthias en Klesl zelfs na de tweede 'Prager Fenstersturz' van dit jaar bereid tot onderhandelingen met de Boheemse protestantse standen.

Dit was het moment waarop Ferdinand II ingreep. Hij zag Klesl als een slechte raadgever die met de ketters heulde en uit de omgeving van de beïnvloedbare Matthias verwijderd moest worden. Ferdinand is een fanatiek katholiek die tot geen enkel compromis bereid is. Hij wil de protestanten al hun rechten ontnemen. Bovendien keert hij zich als kampioen van het absolute gezag tegen de standenvertegenwoordiging. Zijn leuze is 'princeps debet esse nulli subjectus', de vorst mag aan niemand onderworpen zijn. Ferdinand II vertegenwoordigt een nieuwe generatie katholieke haviken, waarmee vergeleken zelfs kardinaal Klesl een 'duif' genoemd kan worden.

*Martinic en Slavata worden in de Praagse Burcht uit het raam geworpen.*

# 1619

**30 mei.** Jan Pieterszoon Coen laat Jacatra in brand steken. →

**April.** De Boheemse opstandelingen onder leiding van graaf Thurn belegeren Wenen.

**13 mei.** Na een kort proces wordt raadpensionaris Johan van Oldenbarnevelt terechtgesteld en Hugo de Groot veroordeeld tot levenslange opsluiting in slot Loevestein. →

**2 juni.** Engeland en de Republiek sluiten een verdrag om de handel op Indië te reguleren.

**24 juni.** De patriarch van Jeruzalem wijdt in Moskou Filaret (Fjodor), vader van tsaar Michail, tot patriarch van Moskou.

**30 juli.** In Jamestown komt voor de eerste maal de wetgevende vergadering van de Engelse kolonie Virginia bijeen. →

**27 augustus.** De Boheemse standen kiezen de protestantse keurvorst van de Palts, Frederik V, tot hun nieuwe koning.

**28 augustus.** Na de dood van keizer Matthias (20 maart) wordt zijn neef Ferdinand van Stiermarken gekozen als nieuwe keizer van het Heilige Roomse Rijk. Bohemen weigert hem te erkennen, waarop Ferdinand met steun van de Katholieke Liga, Spanje, Saksen en de paus een leger opricht.

**30 augustus.** De Transsylvaanse heerser Gábor Betlen sluit een verbond met graaf Thurn van Bohemen en valt Hongarije binnen.

**Augustus.** In Jamestown, Virginia, worden de eerste twintig negers uit Afrika door een Nederlands schip aangevoerd. De slavernij in Noord-Amerika is begonnen.

**September.** Het Verdrag van Angoulême maakt een einde aan de machtsstrijd tussen Lodewijk XIII en zijn moeder Maria de' Medici. Richelieu, die bemiddeld had, versterkt zijn positie.

- Bemiddelingspogingen van de aartshertog der Zuidelijke Nederlanden om het Twaalfjarig Bestand om te zetten in een duurzame vrede mislukken.

- Duquesnoy vervaardigt het beeld van *Manneken Pis* te Brussel.

- In Rijnsburg stichten de mennonieten een eigen sekte.

- De Duitse astronoom Kepler maakt een nieuwe wet over de loop van planeten bekend. →

- Engeland sticht een factorij in India. →

# Coen steekt Jacatra in brand

JACATRA, 30 mei - In alle vroegte zijn duizend compagniesoldaten in kleine bootjes de Ciliwung overgestoken om Jacatra te 'tuchtigen'. De stad werd zwak verdedigd door haar drieduizend man sterke bezetting, alleen rondom het regentenverblijf werd gevochten. Terwijl de bevolking in de bergen in vluchtte gaf J.P. Coen opdracht de resten van de stad in brand te steken. Hij krijgt nu de gelegenheid de Hollandse nederzetting Batavia uit te bouwen tot rendez-vous voor de VOC.

Toen Coen, sinds 1613 directeur der kantoren te Banten en Jacatra, twee jaar geleden werd benoemd tot vierde gouverneur-generaal van de VOC ging de meeste aandacht nog uit naar de Molukken. Hij wenste echter elders een administratief centrum en een overslaghaven te vestigen. Aanvankelijk dacht Coen aan het sultanaat Banten, een belangrijke peperhaven. Daar hadden de Portugezen en Engelsen zich echter ook al gevestigd, terwijl de samenwerking met de rijksbestuurder Ranamanggala moeizaam verliep. Daarom besloten de Hollanders een loge te vestigen in het oostelijker aan de kust gelegen Jacatra, bestuurd door pangeran Wijayakrama.

De Bantense rijksbestuurder bezag deze ontwikkeling met argwaan: het sultanaat verloor een deel van de winst uit de peperhandel terwijl Wijayakrama zich onafhankelijker kon gaan opstellen. De verhouding tussen de VOC en de pangeran verslechterde echter al snel toen ook de Engelsen een loge vestigden. Coen liet het stenen pakhuis Nassau uitbreiden met nog een gebouw (Maurits), en palissades oprichten. Een dergelijke versterking was in strijd met het contract en was voor de regent aanleiding het fort te omsingelen en een bondgenootschap aan te gaan met de Engelsen, die prompt met een sterke vloot verschenen. Er volgde een zeeslag, die onbeslist bleef, waarop Coen besloot in de Molukken versterkingen te halen. In het fort bleef een kleine bezetting over, onder leiding van Pieter van den Broecke. Deze sloot een wapenstilstand, maar eenmaal buiten de muren gelokt werd hij gevangengenomen. Men had al besloten tot capitulatie toen op 2 februari plotseling een Bantense krijgsmacht verscheen. De rijksbestuurder wilde een al te grote machtsontplooiing van Wijayakrama voorkomen en nam hem gevangen; de Engelsen werden uit hun loge verjaagd en Van den Broecke werd vrijgelaten. De belegering duurde echter voort en onderhandelingen bleven zonder resultaat. In deze onduidelijke situatie besloot de Hollandse gemeenschap haar nederzetting Batavia te dopen (1 maart). Twee dagen geleden maakte Coen een einde aan het beleg.

# Oldenbarnevelt onthoofd

*De terechtstelling van Johan van Oldenbarnevelt in Den Haag. De beul wacht rechts met zwaard in de hand.*

*De Duitse astronoom Johannes Kepler.*

## Kepler beschrijft structuur van het planetenstelsel

PRAAG - De Duitse astronoom en viskundige Johannes Kepler heeft een ieuwe wet over de loop van de planeten om de zon bekendgemaakt.

In Praag, waar de geleerde als mathematicus werkzaam is, verscheen Keplers derde sterrenkundeboek, genaamd *Harmonice Mundi*. Hij formuleert hierin een wet die de structuur van het planetenstelsel beschrijft. Johannes Kepler stelt, na langdurige bestudering van de beweging der hemellichamen, dat de kwadranten van de omlooptijden van de planeten zich verhouden als de derde machten van hun gemiddelde afstand tot de zon. Hij noemt deze wet 'de harmonische wet'. Deze derde wet completeert de twee door hem in 1609 in zijn boek *Astronomia Nova* geformuleerde astronomische wetten.

DEN HAAG, 13 mei - Oldenbarnevelt, landsadvocaat van Holland, is op 72-jarige leeftijd terechtgesteld. Daarmee komt een einde aan de al jarenlang durende strijd tussen Oldenbarnevelt en Maurits, casu quo Holland en de overige provincies, casu quo remonstranten en contraremonstranten. Voordat het Bestand gesloten werd, hadden Maurits en de landsadvocaat hun geschillen nog altijd kunnen bijleggen, omdat de strijd tegen de buitenlandse vijand voorop stond. Maar met de Vrede van 1609 veranderde dit op slag: een religieus conflict maakte alle opgekropte spanningen los en sloeg een bres in de zogenaamde eensgezindheid van de noordelijke provincies. Dat conflict (volgens de Staten van Holland niet meer dan 'het schrapsel van een nagel') draaide uiteindelijk om de predestinatie, om de vraag of de mens een vrije wil bezat of dat zijn lot door God voorbestemd was. De aanhangers van de Leidse theoloog Arminius huldigden het eerste standpunt, die van Gomarus het tweede.

Tot de zomer van 1617 bleef het conflict tussen de arminianen (remonstranten) en gomaristen (contraremonstranten) vooral van theologische aard en bemoeiden de Staten er zich slechts ten dele mee. Maar in die zomer koos prins Maurits openlijk partij en bezocht met veel vertoon de kerkdienst van de contraremonstrantse dominee Rosaeus. Begin augustus van datzelfde jaar namen de Staten van Holland onder de landsadvocaat Oldenbarnevelt een zogenaamde 'scherpe resolutie'

aan waarin een Nationale Synode ter regeling van de geschillen afgewezen werd en - belangrijker - de steden de raad kregen om de conflicten zelf in de hand te houden en daartoe soldaten in dienst te nemen. Hiermee verplaatste de vete zich naar het militaire en politieke vlak: de stedelijke troepen zouden zich op deze wijze immers aan het gezag van kapitein-generaal prins Maurits onttrekken en volgens deze was dat niet conform de taakverdeling in de republiek. In september en de daaropvolgende maanden begaf Maurits zich dan ook naar verscheidene steden om de aanhangers van Oldenbarnevelt af te zetten en de troepen ('waardgelders') af te danken.

In de zomer van vorig jaar deed prins Maurits dit ook in Utrecht en nu bereikte het conflict een hoogtepunt. De Staten-Generaal kozen de zijde van de prins en bevalen dat de troepen in alle Hollandse steden ontbonden moesten worden. Bijna tegelijkertijd liet Maurits zijn belangrijkste tegenstanders gevangennemen. In de daaropvolgende maanden zag Maurits kans om zijn tegenstanders bijna geheel uit te schakelen door regenten te vervangen, troepen af te danken en in een Nationale Synode (Dordrecht, 13 november 1618 tot 23 april 1619) de contraremonstrantse leer te laten overwinnen. Nu vond tevens een proces tegen Oldenbarnevelt plaats, waartoe een speciale rechtbank van 24 leden ingesteld werd. De landsadvocaat had weinig kans tegen het vijandige rechtscollege en weigerde gratie te vragen toen hem het vonnis was aangezegd. Maurits zag zich mede daarom gedwongen zijn 'staatsgreep' door te zetten en zijn tegenstander te laten onthoofden.

## Eerste Engelse factorij in India gesticht

SURAT - Na twee jaar en negen maanden van onderhandelingen is Sir Thomas Roe, vertegenwoordiger van de Engelse koning Jacobus I in Azië, er eindelijk in geslaagd toestemming van de Mogol-keizer Djahangir te verkrijgen om een factorij te stichten in Surat, aan de monding van de rivier de Tapi. Het is de eerste keer dat de Engelse Oostindische Compagnie een factorij in het Indische gebied sticht.

Aanvankelijk vonden de Engelsen weinig gehoor bij de door Portugese jezuïeten beïnvloede keizer Djahangir. Het eerste Engelse konvooi dat India bereikte, landde op 24 augustus 1608 in Surat. Kapitein William Hawkins moest na twee jaar vruchteloos onderhandelen erkennen dat India geen enkel belang had bij handel met Engeland

en dat er geen enkel Engels produkt was waaraan Indische kooplieden of ambtenaren behoefte hadden. In de drukke havenstad Surat, waar alles wordt verhandeld, van pauweveren tot witte olifanten, van graan tot opium, van palmbladeren tot goud, werd Hawkins eerst genegeerd, vervolgens vernederd en later beroofd.

De tweede Engelse gezant, Paul Canning, die in 1612 Agra bereikte, verging het nog slechter en binnen de kortste keren was hij weer op weg naar huis. Het tij keerde toen op 29 november van datzelfde jaar kapitein Best met zijn 'Red Dragon' een Portugese vloot van vier galjoenen en een aantal kleinere schepen in de haven van Surat tot zinken bracht. In 1615 leed een Portugese vlooteenheid opnieuw een nederlaag

tegen de Engelsen. Deze kentering in de Portugees-Engelse machtsverhoudingen in de Indische Oceaan neutraliseerde de invloed van jezuïeten aan het hof van Agra. Toen Sir Thomas Roe in 1616 zijn opwachting aan het hof maakte, viel hem een veel hartelijker ontvangst ten deel. Djahangir, die weliswaar over een machtig leger beschikt, heeft geen vloot en in de laatste jaren was hij afhankelijk geworden van Portugese bescherming van het pelgrimsschip dat jaarlijks naar Mekka wordt gestuurd. Sinds de overwinning van Best heeft Djahangir zich echter gewend tot de op zee veel sterkere Britten voor de uitvoering van deze belangrijke religieuze dienst. In ruil hiervoor kon Sir Thomas de Engelse handelsbelangen in Surat veilig stellen.

*Pocahontas, de dochter van het Indianen-opperhoofd Powhatan, redt het leven van captain John Smith, de gevangengenomen leider van de kolonie in Jamestown.*

# Inspraak voor kolonisten

JAMESTOWN, 30 juli - In het koor van de plaatselijke kerk is voor het eerst de wetgevende vergadering van de Engelse kolonie Virginia bijeengekomen. Naast de gouverneur en diens adviesraad bestaat de vergadering uit het zogenaamde 'House of the Burgesses', een 20 leden tellende afvaardiging van de kolonisten. De wetgevende vergadering neemt wetten en ordonnantiën aan 'bij meerderheid van de aanwezige leden'. Voorts vervult het nieuwe orgaan taken op het gebied van de rechtspraak. Met de instelling van de wetgevende vergadering hebben de kolonisten een stem in het bestuur van hun kolonie gekregen.

De Virginia Compagnie, die eigenares van de kolonie is, heeft tot deze politieke hervorming besloten om Virginia aantrekkelijker te maken voor potentiële emigranten. Enige tijd geleden heeft de compagnie - om dezelfde reden - een begin gemaakt met de invoering van particulier bezit. Kolonisten die na het verlopen van hun arbeidscontract besluiten in Virginia te blijven, kunnen van de compagnie een lapje grond pachten dat zij naar eigen inzicht mogen bewerken. Voorheen werkten de kolonisten uitsluitend voor de Virginia Compagnie, die hen naar de Nieuwe Wereld heeft uitgezonden.

In 1612 vond er een gebeurtenis plaats die voor het economisch leven van Virginia ingrijpende gevolgen heeft gehad. In dat jaar ontdekte John Rolfes, die getrouwd was met de Indiaanse prinses Pocahontas, een methode om de tabak die in de kolonie verbouwd werd op zodanige wijze te bewerken dat hij aan de Europese smaak voldeed. In 1614 kwam de eerste lading Virginia-tabak in Londen aan en het succes was overweldigend. Vorig jaar heeft de kolonie al niet minder dan 50 000 pond tabak naar Engeland geëxporteerd.

De tabak heeft zich inmiddels ook tot betaalmiddel ontwikkeld. Onlangs heeft de compagnie besloten om 90 'jonge en onbedorven vrouwen' naar Virginia te transporteren om enig tegenwicht te geven aan de vrijwel uitsluitend uit mannen bestaande kolonie. Een kolonist die een vrouw wil, kan haar van de compagnie kopen voor 150 pond tabak.

**Mei.** Ontevreden Franse edelen onder leiding van de hertog van Mayenne komen in opstand tegen Lodewijk XIII.

**Juni.** De Alkmaarse uitvinder Cornelis Drebbel demonstreert in de Theems een nieuwe vinding: de onderwaterboot. →

**Juli.** In het Duitse Rijk sluiten de Katholieke Liga en de Protestantse Unie een niet-aanvalsverdrag.

**Augustus.** Richelieu verzoent opnieuw Lodewijk XIII met zijn moeder Maria de' Medici, die de opstandige edelen had gesteund.

**20 september.** Sigismund van Polen wordt bij Jassy door de Turken verslagen.

**8 november.** Het leger van de Katholieke Liga onder leiding van Tilly verslaat de opstandige Bohemers in de slag op de Witte Berg bij Praag. Frederik V vlucht naar Holland. →

**16 december.** Engelse puriteinen (Pilgrim Fathers) komen met hun schip de 'Mayflower' in Amerika aan. Ze stichten een nieuwe kolonie (Plymouth) bij Kaap Cod, enige honderden kilometers ten noorden van Virginia. →

**23 december.** De Franse hugenoten, bijeen in La Rochelle, vrezen nieuwe vervolgingen en verklaren koning Lodewijk XIII de oorlog.

**December.** Maurits en Frederik Hendrik trekken met legers het Duitse Rijk binnen, maar mengen zich niet direct in de oorlog.

- De Hongaarse standen kiezen Gábor Betlen, heerser van Transsylvanië, tot koning van Hongarije.

- Bacon publiceert *Novum Organon* (Het nieuwe werktuig), waarin hij onder meer verklaart dat met het beheersen van de natuur de menselijke vooruitgang het best gediend is: kennis is macht. →

- Michael Praetorius, de Duitse componist van kerkmuziek, publiceert zijn *Syntagma Musicum*, dat beschouwd kan worden als de eerste muziekencyclopedie.

- Coberger, hofarchitect en financier van de aartshertogen in de Zuidelijke Nederlanden, legt de 'moeren' in Vlaanderen droog.

- In Duitsland wordt door Engelse soldaten voor het eerst tabak ingevoerd. Het roken wordt al snel populair.

- Kepler moet zijn moeder tegen beschuldiging van hekserij verdedigen.

Geboren:

**16 februari.** Frederik Willem († 1688), keurvorst van Brandenburg

*Gezicht op de Theems, waar Drebbel zijn onderwaterboot heeft gedemonstreerd.*

# Drebbel maakt proefvaart met eerste onderzeeër

LONDEN, juni - Onder grote publiek belangstelling heeft de Alkmaarse a chimist en uitvinder Cornelis Drebb in de Theems de eerste onderwate boot gedemonstreerd. Met behulp va twaalf roeiers legde hij in drie uur de a stand tussen Westminster en Gree wich af.

De onderzeeboot van de aan het Enge se hof verbonden uitvinder ziet eruit a twee op elkaar vastgemaakte sloepe waarvan de bovenste is voorzien va vensters. De roeiriemen zijn gevat waterdichte leren mouwen. De bo bevond zich gedurende de tocht tusse de vier en vijf meter onder het waterop pervlak.

Dat de bemanning, die gaandewe steeds verder in het water kwam te zi ten, niet is gestikt, dankt zij aan een a dere uitvinding van de nu 48-jarig Drebbel. Varkensblazen en flesse werden gevuld met zuurstof dat doo hem was bereid uit 'salpeter gebroke door de kracht des vuurs'. In weter schappelijke kring is deze vindin overigens onopgemerkt gebleven.

Het idee om een schip te bouwen da ook onder water kan varen is al zee oud. Pogingen in die richting staan beschreven bij Aristoteles en Herod tus. Drebbel heeft zich bij zijn ontwer laten inspireren door een uitvindin van de bekende Nederlandse mole bouwer Jan Adriaenszn. Leeghwate In 1605 bouwde deze een duikklok, ee constructie waarmee men, aldus he patent, 'onder water kan gaan en kan zitten, liggen, staan, eten, dri ken, zingen en spreken; en waarme men bruggen en sluizen kan repareren alsmede vernietigen; of om er geheim boodschappen en brieven onder wat mee te vervoeren'.

Gezien de grote mogelijkheden van onderzeeboot is Drebbel onmiddelli door de Engelse marine in dienst gen men.

# Tsjechen komen in opstand

BÍLA HORA, 8 november - In de Slag op Bílá Hora (de Witte Berg, zuidelijk van Praag) stonden twee kampen tegenover elkaar die al bijna honderd jaar om de macht in het land hebben gevochten: enerzijds de katholieke Habsburgers met hun centralistische en absolutistische streven, onder leiding van keizer Ferdinand II; anderzijds de voornamelijk protestantse Tsjechische standen die de koninklijke willekeur in toom willen houden en religieuze vrijheid eisen, onder leiding van keurvorst Frederik V van de Palts. De Tsjechische standen, vertegenwoordigd door een slecht leger, sloegen na wat niet meer dan een schermutseling was, in paniek op de vlucht. De Tsjechische leiders zijn terechtgesteld en de keurvorst is naar zijn familie in de Nederlanden gevlucht. Deze nederlaag betekent een definitieve overname van de macht in Bohemen door de Habsburgse dynastie.

In de afzonderlijke gebieden van het Habsburgse Rijk heeft het de afgelopen jaren niet aan spanningen ontbroken. De Habsburgers steunden in hun machtsuitoefening op de Katholieke Kerk en op een beperkt aantal zeer rijke adellijke families (vóór 1618 was de helft van de Tsjechische bebouwde grond in het bezit van maar elf families). De Habsburgse politiek was scherp tegen de steden als stand gericht. Zo werd een reeks maatregelen getroffen (bijvoorbeeld een verbod om grote bijeenkomsten zonder toestemming van de koning te organiseren) om het stedelijke zelfbestuur te beperken. Ook kregen de steden geringe invloed op de binnenlandse politiek.

De (Tweede) Praagse defenestratie (23 mei 1618) was het sein tot het uitbreken van de opstand van de Tsjechische standen. De aanleiding was het afgewezen verzoek van de Tsjechische protestanten om op de landerijen van katholieke heren kerken te bouwen. Hierop drongen honderd protestantse edelen de Praagse Burcht binnen en gooiden de pro-Habsburgse stadhouders Martinic en Slavata het raam uit; een nabootsing van de Eerste (Hussietische) defenestratie van 1419. De stadhouders hadden hun leven te danken aan de abominabele hygiënische toestanden - onder de ramen lag een metershoge laag afval uit de Burcht, waarop ze zacht landden. De Boheemse adel rekende bij de opstand, vergeefs, op buitenlandse hulp. Toen deze niet kwam maakten ze weinig kans tegen de Habsburgse legers.

De Slag op de Witte Berg, waarbij Ferdinand II Bohemen een nederlaag toebracht.

De landing van de 'Pilgrim Fathers' bij Plymouth.

# Kolonie 'Pilgrim Fathers'

NIEUW-PLYMOUTH, 16 december - De 'Pilgrim Fathers', een groep dissidente Engelse puriteinen die zich enkele maanden geleden hebben ingescheept en koers naar Amerika gezet, zijn aangekomen in Nieuw-Engeland waar zij de kolonie Nieuw-Plymouth hebben gesticht. De uitputtende tocht in het schip de 'Mayflower' heeft aan één passagier het leven gekost.

De grondslag van het bestuur van de ruim 100 zielen tellende nederzetting wordt gevormd door een verdrag, het 'Mayflower Compact', dat door de 41 mannelijke kolonisten is ondertekend. In dit verdrag komen de ondertekenaars overeen een kolonie te stichten 'ter meerdere glorie van God en voor de bevordering van het christelijke geloof'. Voorts vermeldt het verdrag dat er een bestuursorgaan moet komen dat ten behoeve van het 'algemeen welzijn van de kolonie' wetten en ordonnantiën uitvaardigt.

De kolonisten, die van de Virginia Compagnie toestemming hadden zich onder haar gezag in het gebied Virginia te vestigen, zijn tot het opstellen van het verdrag overgegaan, omdat zij in het noordelijker gelegen Nieuw-Engeland zijn terechtgekomen. In dit gebied zijn zij niet aan het gezag van de compagnie onderworpen. Om te voorkomen dat de jonge kolonie door het ontbreken van gezag uiteenvalt, hebben de Pilgrims besloten het bestuur zelf ter hand te nemen.

De Pilgrim Fathers behoren tot een groep radicale puriteinen, die zich verzetten tegen de vorm die de Reformatie in Engeland heeft aangenomen. Naar hun mening is de Engelse staatskerk onvoldoende hervormd en dient zij gezuiverd te worden van de nog talloze roomse overblijfselen in liturgie en organisatie. Anders dan de gematigde puriteinen, die de Kerk van binnenuit willen hervormen, hebben de radicalen zich van de staatskerk afgescheiden.

De afgescheiden puriteinen die zich nu in Nieuw-Engeland hebben gevestigd, kunnen terugzien op een bewogen tijd. Ze werden veroordeeld door de Kerk en vervolgd door de kroon. Daarom vluchtten zij in 1608 naar Holland, waar zij de zo felbegeerde godsdienstvrijheid vonden. Na een verblijf van ruim tien jaar in Leiden en Amsterdam verlieten de Pilgrims de Republiek, omdat zij vreesden aan de inquisitie ten prooi te zullen vallen na afloop van het Twaalfjarig Bestand tussen Spanje en de Nederlanden.

## Francis Bacon: 'Kennis is macht'

Francis Bacon.

LONDEN - De Engelse politicus Francis Bacon trekt in zijn laatste boek *Novum Organon* (het Nieuwe Werktuig) fel van leer tegen 'idolen' en bepleit een definitieve herziening van alle wetenschappen.

In de 'nieuwe' *Organon*, een verwijzing naar 'Aristoteles' 'oude' *Organon*, verwerpt hij alle wetenschappelijke ideeën die gebaseerd zijn op 'idolen': vooroordelen, geloof en drogredenen. 'Deze idolen', aldus Bacon, 'hebben bezit genomen van het menselijke verstand en wortelen diep in hem.' Hij stelt dat de wetenschap alleen vooruitgang kan boeken als uitgegaan wordt van eigen waarnemingen en experimenten.

Volgens Bacon heeft de wetenschap maar één doel, namelijk het verlichten van de lasten der mensheid. De natuurwetenschap biedt hiervoor de beste mogelijkheden, omdat zij in de techniek toegepast kan worden. 'Kennis is macht,' stelt Bacon, die vooral als politicus (hij is thans grootkanselier onder Jacobus I) bekend is.

# Nederlanders stichten WIC

'S-GRAVENHAGE, 3 juni - Twee maanden na het aflopen van het bestand tussen de Republiek en Spanje, hebben de Staten-Generaal een octrooi verleend aan de West-Indische Compagnie. Het octrooigebied omvat West-Afrika, Amerika en de 'Austraelsche ofte Zuyderlanden' [het gebied tussen Kaap de Goede Hoop en Nieuw-Guinea]. Het octrooi gaat vanaf 1 juli in en geldt voor een periode van 24 jaar. Hiermee heeft de Compagnie het monopolie van handel, scheepvaart en oorlogvoering in het gehele octrooigebied verworven.

De WIC heeft vijf kamers: Amsterdam, Zeeland, de Maas, het Noorderkwartier, en Friesland en Groningen. Die afzonderlijke kamers worden door bewindhebbers bestuurd. De centrale leiding van de Compagnie berust bij een college, de Heren Negentien genaamd. Het beginkapitaal bedraagt 7,5 miljoen gulden.

De oprichting van de WIC is mogelijk geworden door de beëindiging van het bestand met Spanje. Een blijvende vrede zou de oprichting vrijwel onmogelijk maken, aangezien de Compagnie vooral een strijdmiddel tegen de Spanjaarden is. Handel is dus niet het hoofddoel van de WIC. De strijdbaarheid van Spanje is dank zij de exploitatie van de zilvermijnen in West-Indië groter geworden. Met kaapvaart hopen de Nederlanders hen daar gevoelig te treffen. Om dit mogelijk te maken, stellen de Staten-Generaal, op kosten van de WIC, de nodige troepen ter beschikking.

De WIC verschilt zodoende in twee opzichten van haar zusterorganisatie de Verenigde Oost-Indische Compagnie.

*Een Nederlands koopvaardijschip.*

De VOC is een handelslichaam en aan haar oprichting ging particulier initiatief vooraf. De WIC daarentegen heeft kaapvaart tot hoofddoel en is van staatswege tot stand gebracht.

# Tsaar verbiedt verspreiding van nieuwsberichten

MOSKOU - Binnen- en buitenlands nieuws is in Rusland tot staatsgeheim verklaard. Er is een oekaze uitgegaan die de burgers verbiedt kennis te nemen van de 'koeranty' die speciaal worden uitgegeven ten behoeve van de nieuwsvoorziening van de tsaar en zijn hoge ambtenaren. Het nieuws wordt in 'koeranty', naar het Nederlandse 'courant', door het Bureau voor ambassadeurs uitgegeven. De 'koeranty' worden samengesteld op basis van buitenlandse bronnen, meest Nederlandse en Duitse kranten. Deze geheimhouding is mogelijk omdat de grenzen van de staat hermetisch gesloten zijn. Bij de grensovergangen worden alleen reizigers met een reisdocument, afgegeven door de tsaar, doorgelaten. Ook voor buitenlanders is het alleen mogelijk toegelaten te worden op vertoon van schriftelijke toestemming van de tsaar. Dit alles heeft niet verhinderd dat zich in een aantal steden buitenlanders gevestigd hebben. In Moskou bestaat sinds de tijd van Ivan de Verschrikkelijke een speciale wijk voor buitenlanders. Buitenlandse ambassadeurs worden gewoonlijk bij de grenzen van het rijk opgehaald door speciale begeleiders die ervoor zorgen dat volgens een aparte route gereisd wordt zodat de buitenlanders niet alles te zien krijgen. Een poging van Boris Godoenov, nu al weer twintig jaar geleden, om een tiental jonge edelen naar het buitenland te zenden teneinde daar te studeren, was op een mislukking uitgelopen. Geen van hen was naar Rusland teruggekeerd.

# Bewoners van Banda-eilanden afgeslacht

LONTO (Banda-archipel), 6 juli - Na enige maanden strijd is een einde gekomen aan wat gouverneur-generaal J.P. Coen een 'tuchtigingstocht tegen de trouweloze Bandanezen' noemt. De laatste verzetshaarden in de bergen van Lonto zijn bestormd en de nog aanwezige bevolking is over de kling gejaagd. De Banda-eilanden zijn de grootste producenten van nootmuskaat en foelie. Zij sloten in 1609 met admiraal Verhoeff een verdrag waardoor de VOC zich een handelspositie verwierf. Al snel ontstonden conflicten doordat andere handelaren hogere prijzen boden en de bevolking zich tot ongenoegen van de VOC tegen levering verzette.

Coen besloot op harde wijze op te treden. In januari vertrok hij met een zwaarbewapende vloot van twaalf schepen met 1500 koppen aan boord uit Batavia. Eind februari kwam hij aan voor Lonto, waar hij de bevolking een nieuw contract en onderwerping

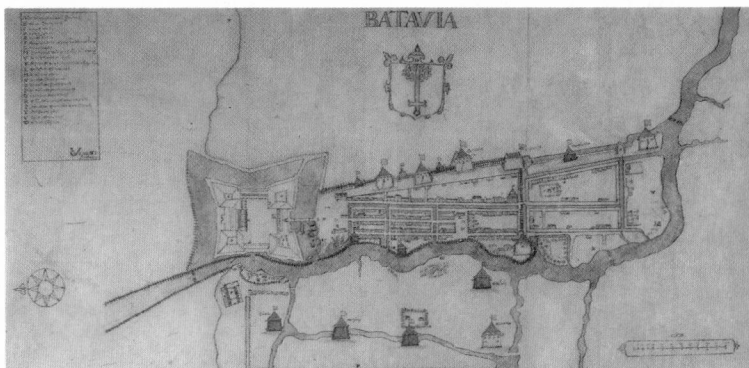

*Plattegrond van Batavia, naar een tekening uit de eerste helft 17de eeuw.*

aanbood. Dit werd geweigerd en in maart volgde de aanval. Hele dorpen werden met de grond gelijkgemaakt, de bevolking werd weggevoerd als slaaf of gedood.

Na de slachting, die enige maanden duurde, zijn de eilanden vrijwel ontvolkt; er vielen naar schatting 15 000 slachtoffers en slechts 300 mensen wisten met behulp van prauwen te ontkomen. De gouverneur-generaal heeft het plan de eilanden opnieuw te bevolken met oud-soldaten, Chinezen, vrijgelaten Javaanse slaven, enzovoort. Zij zullen voor de VOC specerijentuinen gaan bewerken.

# Heiligverklaring van Ignatius van Loyola

ROME, 12 maart - Zesenzestig jaar na zijn dood is Ignatius van Loyola, de Spaanse stichter van de orde der jezuïeten, door paus Gregorius XV heilig verklaard. Gregorius zelf is de eerste paus die zijn opleiding bij de jezuïeten heeft genoten. Hij beklemtoont met deze heiligverklaring de grote betekenis van Ignatius en diens nu al machtige orde voor de katholieke hervormingsbeweging na het Concilie van Trente en voor het offensief tegen de Reformatie.

Ignatius (1491-1556), die als zoon uit een adellijke Spaanse familie voorbestemd was voor een militaire loopbaan, werd als legerkapitein in 1521 ernstig gewond. Tijdens zijn langdurig herstel kreeg hij een mystieke ervaring die hem deed besluiten voortaan soldaat voor God te zijn en zich aan de verbreiding van het geloof te wijden. Jezus zelf moest daarbij de inspiratiebron zijn. Ignatius hing zijn wapenrusting op bij het Mariabeeld in de beroemde abdij van Montserrat, maakte een pelgrimstocht naar het Heilige Land en begon, terug in Spanje, aan zijn priesterstudie.

Zijn eerste geschrift, de *Geestelijke oefeningen*, wekte door zijn mystieke inslag en nadruk op de innerlijke geloofsbeleving de argwaan van de Spaanse inquisitie, die Ignatius een paar keer verhoorde en hem een preekverbod oplegde. Hij vertrok naar Parijs om daar zijn studie te voltooien en legde met enkele metgezellen in 1534 in de kapel van Montmartre de gelofte af om in het Heilige Land de ongelovigen te bekeren of, als dit niet mogelijk bleek, elke andere opdracht van de paus te aanvaarden.

Dit werd de grondslag voor de Gemeenschap van Jezus of Jezuïetenorde, die in 1540 de officiële kerkelijke goedkeuring kreeg. De orde heeft sindsdien in snel tempo aan macht en invloed gewonnen.

De jezuïeten vormen een geestelijke orde van een nieuw type, dat mobieler en slagvaardiger dan de oude orden is. Zij staan niet zoals deze onder gezag van plaatselijke bisschoppen, maar zweren een speciale eed van gehoorzaamheid aan de paus. De verbreiding van het geloof 'ter meerdere glorie Gods' (het devies van de orde) en een strakke, haast militaire discipline staan voorop. Volstrekte gehoorzaamheid in geloofszaken gaat echter samen met een meer actieve deelname aan het wereldlijke leven. Bij de verbreiding van het geloof zijn opleiding en scholing belangrijke elementen. Door hun speciale inzet op het gebied van het onderwijs en het stichten van scholen en colleges zijn de jezuïeten steeds meer de intellectuele voorhoede van de Rooms-Katholieke Kerk gaan vormen. Dikwijls ook bekleden zij invloedrijke posities als geestelijk adviseur en biechtvader aan de Europese hoven. Maar ook de missie onder de ongelovigen vormt een belangrijke taak. Veel jezuïeten zijn uitgezwermd over Azië en de Nieuwe Wereld om bekeringsarbeid te doen.

Met de opening van het kanaal tussen Brugge en Oostende is de eens zo machtige stad Brugge weer voor zeewaardige schepen bereikbaar. De Bruggelingen hopen nu dat de teloorgang van hun stad tot staan is gebracht. Na de desastreus verlopen opstand tegen keizer Maximiliaan van Oostenrijk in 1488 werd Brugges vooraanstaande plaats door Antwerpen ingenomen. Met de oorlogen aan het eind van de zestiende eeuw dreigde het definitieve verval, vooral toen de voorhaven Sluis verzandde. In Brugge hoopt men nu een centrale rol te kunnen spelen in de handelscontacten van Londen met de Duitse steden en Rusland. Dit schilderij van Simon Bening toont een tafereel in Brugge.

# Paus Gregorius XV gaat missiewerk vanuit Rome leiden

ROME, 22 juni - Paus Gregorius XV heeft in een bul de rechten en plichten omschreven van de op 6 januari opgerichte 'Congregatio de Propaganda Fide' (Congregatie voor de Verbreiding van het Geloof). De congregatieleden krijgen 'het bevel en de volle macht, om over de prediking en het geloofsonderricht in alle missiegebieden te waken. De paus heeft hiermee het missiewerk eindelijk gecentraliseerd en onder bevel van Rome geplaatst. Missionarissen zijn al vele eeuwen actief maar tot nu toe bestond er geen kerkelijk orgaan dat hun zendingswerk begeleidde en ondersteunde. De voornaamste reden hiervoor is, dat het missiewerk in de voorgaande eeuwen nauw verbonden was met de activiteiten van de machtige zeemogendheden Spanje en Portugal. Zij namen op hun veroveringstochten bijna altijd een aantal jezuïeten mee, maar de landen hielden zelf (met toestemming van de paus) de volle verantwoordelijkheid over de zending.

Was men in het begin van de 16de eeuw nog blij met de initiatieven van Spanje en Portugal, gaandeweg groeide in Rome het ongenoegen: het missiewerk was te zeer gekoppeld aan de koloniale politiek van beide landen en werd vaak voor commerciële doeleinden misbruikt. Bovendien veroverden in het begin van deze eeuw de protestantse mogendheden Engeland en Holland een aantal Spaanse en Portugese gebieden, met het gevolg dat daar het katholieke missiewerk abrupt tot stilstand kwam. Ondanks tegenwerking van Spanje en Portugal kwam op 6 januari de Congregatie tot stand. De paus staat aan het hoofd van de missie en hij zendt apostolische prefecten en vicarissen uit om de missiegebieden te besturen.

# Spaanse commissie komt met herstelplan

*Filips IV (Velázquez; circa 1630).*

MADRID, februari - De Junta de Reformación, de commissie die in 1618 is ingesteld om oplossingen te bedenken voor de economische en sociale problemen van Spanje, heeft een lijst met 23 hervormingsvoorstellen gepubliceerd, variërend van belastinghervormingen, bezuinigingen op de overheidsuitgaven en een importbeperking voor buitenlandse produkten tot de sluiting van bordelen en een verbod op luxe-kleding.

De aanbevelingen van de Junta sluiten aan bij de voorstellen van de 'arbitristas'. Zo worden degenen genoemd die, sinds een Spaanse geleerde in 1599 voor het eerst schreef over 'de neergang van Spanje', in tientallen boeken en verhandelingen hebben gewezen op de politieke en maatschappelijke verstarring in het land en 'arbitrios', redmiddelen, hebben voorgesteld.

Hoewel het Spaanse wereldrijk twee jaar na de dood van koning Filips III naar buiten toe sterker en succesvoller lijkt dan in 1598, bij het overlijden van Filips II, is er wat de interne problemen betreft weinig veranderd. Filips III heeft bepaald geen krachtdadig bewind gevoerd. Filips II had enkele jaren voor zijn dood over zijn zoon opgemerkt: 'Helaas, ik ben bang dat zij hém zullen regeren.' Die vrees is meer dan gegrond gebleken. Filips III heeft de regering grotendeels overgelaten aan zijn favoriet, de hertog van Lerma. Deze voerde naar buiten toe een vredespolitiek - vrede met Engeland in 1604, Twaalfjarig Bestand met de Nederlanden in 1609, verdrag met Frankrijk in 1612 - maar gebruikte zijn positie in Spanje zelf voornamelijk om zich met zijn verwanten schaamteloos te verrijken. 'De grootste dief van Spanje' werd hij genoemd.

Nadat hij in 1618 na verscheidene schandalen in ongenade was gevallen, werd de roep om hervormingen steeds sterker. De 'arbitristas' zien armoede en ontvolking als de voornaamste problemen van Spanje. Zij willen dat de lasten evenwichtiger over de verschillende delen van het koninkrijk worden verdeeld, dat er maatregelen worden getroffen om de landbouw en de investeringen in de nijverheid te bevorderen en dat immigratie en herbevolking worden gestimuleerd.

Er is aan inzichten en voorstellen dus geen gebrek, maar afgewacht moet worden of de plannen een kans zullen krijgen.

Na zijn dood in 1621 werd Filips III opgevolgd door zijn zestienjarige zoon Filips IV, die zich ook al laat overheersen door een favoriet, de hertog van Olivarez. Deze is weliswaar voorstander van energieke hervormingen, maar voert in tegenstelling tot Lerma een agressieve buitenlandse politiek, die Spanje opnieuw in kostbare militaire avonturen dreigt mee te slepen. Niet alleen is de strijd in de Nederlanden hervat, Spanje heeft zich ook gemengd in de conflicten in Italië en wordt, sinds de Spaanse veldheer Spinola de Palts heeft bezet, ook steeds meer betrokken bij de godsdienstoorlog in het Duitse Rijk. Voor de zoveelste maal dreigt de verdediging van het imperium en het katholieke geloof ten koste van Spanje zelf te gaan.

# Poolse joden stellen centrale raad in

LUBLIN - Uit de tijdelijke bijeenkomsten tijdens de jaarmarkten in Lublin en Jaroslaw is een permanente vertegenwoordiging van joodse afgevaardigden uit verschillende gebieden gevormd. Deze zogenaamde 'Wa'ad Arba Aratsot', Raad van de Vier Landen (Groot Polen, Klein Polen, Russisch Polen en Litouwen) is het hoogste wetgevende en uitvoerende orgaan van de joden in Polen en verenigt de in de 16de eeuw ontstane raden van gemeenten in zich. Deze hielden zich bezig met interne en externe kwesties die buiten het terrein van de kehilla, de joodse gemeente, lagen. De leiders van de gemeenten en rechters bespraken op de jaarmarkten vraagstukken van organisatorische en administratieve aard en juridische en godsdienstige kwesties van algemeen belang.

De uiteindelijke oprichting van de Raad van de Vier Landen kan verklaard worden uit het feit dat de joden uit de verschillende delen van Polen hebben ingezien dat ze steeds meer gemeenschappelijke belangen hebben. De Raad neemt beslissingen op juridisch gebied en vaardigt bindende verordeningen uit voor alle in de Raad vertegenwoordigde gemeenten.

Aan het einde van de 14de eeuw verenigden Polen en Litouwen zich tot een

*Joodse getto's zijn vaak het doelwit van plunderingen, zoals hier in Frankfurt (1614).*

federatie. Belangrijke joodse gemeenten kregen tussen 1388 en 1430 handvesten waarin de vorst van Litouwen zich een verlicht monarch betoonde en de joden autonomie in hun eigen aangelegenheden garandeerde. Onschendbaarheid van leven en eigendom werd gewaarborgd naast een vrije uitoefening van ambachten en handel.

Rond 1600 werden Polen en Litouwen feitelijk verenigd. De joden hadden inmiddels een economische rol van betekenis weten op te bouwen. In politiek opzicht machteloos, waren ze gebaat bij sociale en economische stabiliteit.

Ze voeren veelal het beheer over het grondbezit van de adel. Joden werkten verder in bijna alle sectoren van het economische leven. Ze mogen overal wonen, koninklijke handvesten garanderen hun dit, en ze kunnen openlijk hun godsdienst belijden. Slechts twintig van de ongeveer duizend steden sluiten hun deuren nog voor de joden, maar met het stroomlijnen van het joodse bestuur zou hierin wel eens snel verandering kunnen komen. Ondanks enkele uitingen van een virulent antisemitisme, dat in Pools Litouwen nooit echt heel verdwenen is geweest.

*Toneelvoorstelling op een dorpsplein in 17de-eeuws Engeland.*

# 'Shakespeare' gebundeld

LONDEN - Bij drukkerij Isaac Iaggard en Ed. Blount zijn de eerste Folio-uitgaven van 36 toneelstukken van de in 1616 overleden William Shakespeare verschenen. Voor het eerst is er nu een goed overzicht van het oeuvre van deze grote Engelse literator.

Shakespeare werd in 1564 in het plattelandsstadje Stratford-on-Avon geboren, waar zijn vooraanstaande vader al gauw in financiële problemen raakte. De jonge William moest dan ook de Latijnse School, waar hij met de klassieke en Engelse geschiedenis in aanraking kwam, verlaten en begaf zich, wellicht met een rondtrekkend toneelgezelschap, naar Londen. Vanaf 1592 was hij daar bekend als schrijver en speler bij de 'Chamberlain's Men', die in het Globe-theater speelden.

De Londense toneelwereld gedijde in deze periode, vanwege de betrekkelijke tolerantie en het toegenomen nationale zelfbewustzijn onder Elizabeth I.

Vooral Christopher Marlowe (1564-1593) wist met zijn stukken veel publiek aan zich te binden.

In dit klimaat en met zijn ervaring als speler creëerde Shakespeare zijn werk, dat zich in vier perioden laat indelen: 1. tot 1594 de 'leerjaren', vooral geïnspireerd door de klassieke en Engelse geschiedenis; 2. tot 1600 de periode met de bekende blijspelen (*Een midzomernachtsdroom*); 3. tot 1608 de jaren waarin enkele tragedies (*Hamlet, Othello, Koning Lear* en *Macbeth*) geschreven werden en 4. de romantische periode met de komedie *De storm*. Daarnaast schreef Shakespeare veel poëzie, zoals een cyclus van 154 sonnetten. Het werk van Shakespeare kenmerkt zich door een - tot nu toe - ongekende taalrijkdom, ingewikkelde en doorwrochte intriges en geprofileerde karakters. Maar niet alles is zonder meer uit zijn eigen pen gevloeid. Compilaties van vroeger werk en samenwerking met anderen was niet ongewoon.

# Hertog van Beieren wordt keurvorst

BEIEREN, 25 februari - Als beloning voor zijn steun aan keizer Ferdinand II in de strijd tegen het opstandige Bohemen heeft hertog Maximiliaan I van Beieren de Paltische keurwaardigheid gekregen. Hij is daarmee de winnaar geworden van de uit de Boheemse opstand van 1618 voortgevloeide oorlog. Door de verwerving van de Paltische keurwaardigheid behoort Maximiliaan I van Beieren nu ook tot de zeven keurvorsten in het Heilige Roomse Rijk die stemgerechtigd zijn bij de keuze van de Rooms-koning (die daarna verheven kan worden tot Duits keizer). De verlening van de keurwaardigheid komt voort uit het op 8 augustus 1619 gesloten Verdrag van München. In ruil voor de toezegging van de Paltische keurwaardigheid en het bestuur over de Opper-Palts zegde de hertog van Beieren in dit verdrag de keizer militaire steun toe in de strijd tegen de 'Winterkoning' Frederik V van de Palts. Als leider van de Katholieke Liga kon Maximiliaan de toegezegde steun ook daadwerkelijk nakomen.

Met het verwerven van de keurwaardigheid heeft Maximiliaan I van Beieren een oud doel bereikt. In de middeleeuwen had het Huis Wittelsbach zich in twee takken gesplitst; de ene had zich gevestigd in de Palts, de andere in Beieren. In het huisverdrag van 1329 waren de beide takken overeengekomen dat de keurwaardigheid tussen de beide takken rouleren zou, maar keizer Karel IV had deze regeling ten voordele van de Paltische tak verbroken en de Gouden Bul uit 1356 kende alleen aan de Paltische tak de keurwaardigheid toe. De Beierse tak heeft deze regeling nooit erkend en zijn aanspraken op de keurwaardigheid nooit opgegeven. Maximiliaan heeft van het conflict tussen de keizer en de opstandige Bohemers gebruik gemaakt om een eind te maken aan een in zijn ogen oud onrecht.

---

**12 februari.** Het vierde [en laatste] parlement van Jacobus I komt bijeen.

**10 maart.** Engeland verklaart Spanje de oorlog en stuurt troepen om de Duitse protestanten te helpen.

**10 mei.** Piet Heyn verovert voor de WIC de Braziliaanse havenstad São Salvador [Bahia] op de Portugezen.

**Mei.** De hertogen van Brandenburg en Neuburg sluiten een verdrag tot wederzijdse bijstand.

**Mei.** De Hollandse kolonie op Manhattan (sinds 1614) wordt fors uitgebreid als dertig nieuwe families aankomen. Cornelis Mey wordt de eerste gouverneur van Nieuw-Nederland.

**16 juni.** De Virginia Compagnie krijgt van de Engelse koning niet langer toestemming het bewind over de kolonie te voeren. →

**20 juni.** De Republiek sluit in Compiègne een verbond met Frankrijk. In ruil voor geld zal de Republiek Richelieu tegen de hugenoten helpen.

**Juni.** Virginia wordt een Engelse kroonkolonie en Francis Wyatt wordt tot gouverneur benoemd.

**13 augustus.** De Franse koning Lodewijk XIII benoemt Richelieu tot voorzitter van de koninklijke raad. →

**November.** De Fransen sturen een leger naar Valtellina uit vrees voor verdere Spaanse agressie.

**22 december.** Er wordt een afspraak gemaakt dat kroonprins Karel van Engeland zal huwen met Henriette, dochter van wijlen Hendrik IV van Frankrijk.

- Ondanks kritiek op zijn beleid benoemen de Heren Zeventien Coen opnieuw tot gouverneur-generaal van Nederlands-Indië.

- De Hollanders bezetten Formosa als basis voor de handel op China.

- In de Quercy breekt een opstand uit van de Croquants tegen de belastingverhogingen van Richelieu.

- Martin Opitz publiceert het *Buch von der teutschen Poeterey*. →

- De jezuïet Andrade maakt een reis naar de Himalaja en Tibet.

- De Vlaamse arts en wijsgeer Van Helmont gebruikt als eerste de benaming 'gas'.

- De Engelse wiskundige Henry Briggs verbetert de tafel van logaritmen door het decimale systeem toe te passen.

- Philippus Cluverius legt in zijn (postuum) verschenen werk *Introductio in universam geographiam* de basis voor de historische geografie.

---

# Virginia officieel een kroonkolonie

JAMESTOWN, 16 juni - De Virginia Compagnie, de onderneming die de Engelse kolonie Virginia exploiteert, mag niet langer het bewind over de kolonie voeren. Voortaan valt de kolonie onder het directe gezag van de Engelse koning. Aldus heeft de rechter besloten in een proces van de Engelse koning Jacobus I tegen de compagnie.

De Engelse koning had de leiding van de compagnie aangeklaagd omdat zij, ondanks al haar voornemens en toezeggingen, van Virginia nog steeds geen stabiele en winstgevende kolonie heeft gemaakt. De rechter heeft de kroon in het gelijk gesteld en voorts besloten het octrooi van de compagnie, dat haar in 1607 was verleend, nietig te verklaren. Het octrooi vormde de juridische basis van de compagnie en machtigde haar om in Amerika koloniën te stichten en te besturen.

De bevolking van Virginia is niet ontevreden over de nieuwe status van kroonkolonie. Want ook al worden de gouverneur en diens raad voortaan door de kroon benoemd, de volksvertegenwoordiging van de kolonisten zal blijven voortbestaan. Ook het Engelse gewoonterecht zal niet worden afgeschaft.

Het proces tegen de Virginia Compagnie is het gevolg van een onderzoek dat eerder dit jaar naar het reilen en zeilen van de kolonie was ingesteld. Dit onderzoek heeft aan het licht gebracht dat er sprake was van verregaand wanbeheer van de leiding van de compagnie, die bijna geheel bankroet is. Tevens werd vastgesteld dat de leiding voornamelijk uit was op eigen voordeel en de belangen der kolonisten schromelijk heeft verwaarloosd. Zo oordeelde de onderzoekscommissie dat de Virginia Compagnie verantwoordelijk moet worden gesteld voor het bloedbad dat de Indianen twee jaar geleden in Virginia hebben aangericht, en waarbij rond 350 kolonisten (één derde van de toenmalige bevolking) om het leven kwamen.

*Jacobus I (door Daniël Mijtens).*

# Richelieu klimt op tot hoge positie

PARIJS, 13 augustus - Kardinaal Richelieu, die samen met Maria de' Medici na de moord op Concini in 1617 van het hof verbannen was, is door koning Lodewijk XIII tot voorzitter van de koninklijke raad benoemd. Door deze benoeming behoort Richelieu nu tot de machtigste figuren aan het hof. Al enige tijd was het duidelijk dat Lodewijk XIII eigenlijk niet meer om de kardinaal heen kon. Met behulp van Lodewijks moeder Maria de' Medici, die sinds begin 1622 weer zitting heeft in de koninklijke raad, en felle pamfletten voerde Richelieu een heftige campagne tegen de volstrekt incapabele ministers van de koning. Hoewel de koning vorig jaar nog beweerde dat Richelieu vals tot op het bot is, was het ook hem duidelijk geworden dat Richelieu gelijk had als hij beweerde dat de door kanselier Brulart de Sillery gedomineerde regering niet tot adequaat handelen in staat was.

Naar aanleiding van het diplomatieke falen in de kwestie van de Valtel - een zowel voor Frankrijk als Spanje belangrijke route van Noord-Italië naar de Alpenpassen - ontsloeg de koning Brulart de Sillery en zijn zoon Puisieux en benaderde hij Richelieu. Pas nadat de koning bereid bleek Richelieu tot voorzitter van de koninklijke raad te benoemen, zegde deze de koning zijn steun toe. Richelieu moet in staat worden geacht een einde aan het aarzelende en in vele opzichten falende beleid van het laatste decennium te maken. Zo merkte de Venetiaanse gezant na de benoeming van Richelieu op: 'Voor zover het menselijk verstand in staat is de toekomst te voorspellen, is het zeker dat dit nieuwe bouwwerk minder gemakkelijk in elkaar zal storten dan alle voorgaande.'

# Opitz pleit voor Duitse literatuur

LEIDEN - In het pas verschenen *Buch von der teutschen Poeterey* geeft de dichter Martin Opitz een programma om tot een eigen Duitse literatuur in de volkstaal te komen. Door de antieke schrijvers als voorbeelden te nemen, maar rekening te houden met de eigenaardigheden en regels van de Duitse taal hoopt Opitz tot een nieuwe, vitale dichtkunst te komen. Tevens bestrijdt hij de talrijke vreemde woorden die zijn tijdgenoten gebruiken.

De in Leiden wonende Opitz geeft de beginnende dichter vele technische aanwijzingen, maar wijst er tevens op dat men zonder natuurlijke begaafdheid niet kan dichten. In de ogen van Opitz moet de literatuur belerend zijn. De dichter moet een ontwikkeld iemand zijn, maar er zich voor hoeden in droge geleerdheid te vervallen.

---

# 1625

**13 januari.** In Antwerpen sterft Jan Bruegel de Oudere, bijgenaamd de Bloemenbruegel. Hij schiep fraaie Bloemstillevens en kabinetachtige landschappen.

**27 maart.** In Engeland sterft Jacobus I, de koning die wegens zijn absolutistische neigingen vaak met het parlement botste. Zijn zoon Karel I volgt hem op en krijgt direct te maken met een opstandig en ontevreden parlement.

**7 april.** De Duitse keizer benoemt Albrecht van Wallenstein tot keizerlijk opperbevelhebber.

**23 april.** Stadhouder Maurits overlijdt. Zijn halfbroer Frederik Hendrik wordt in vijf van de zeven gewesten tot zijn opvolger gekozen. →

**15 mei.** In Opper-Oostenrijk worden zestien opstandige boeren opgehangen. →

**Mei.** Na een beleg van bijna een jaar verovert Spinola Breda.

**Mei.** Christiaan IV, koning van Denemarken en hertog van Holstein, plaatst zich als leider van de Nedersaksische Kreis aan het hoofd van de protestanten en valt met een leger het Duitse Rijk binnen.

**13 juni.** De nieuwe Engelse koning Karel I trouwt met Henriette, de zuster van de Franse koning.

**September.** Een nieuwe opstand van de hugenoten mislukt. Hun leider, de hertog van Rohan, vlucht naar Engeland.

**9 december.** De Republiek sluit in Den Haag het verdrag met Engeland ter ondersteuning van de Duitse protestantse vorsten en de Deense koning.

- In Rusland heeft Filaret, de patriarch van Moskou en tevens vader van de jonge tsaar Michael, de eigenlijke macht in handen.

- Oostenrijk en Turkije sluiten een vredesverdrag.

- De Fransen landen op de Antillen en in Cayenne.

- In Parijs verschijnt *De iure belli ac pacis libri tres* van Hugo Grotius. →

- William Courteen sticht een Engelse nederzetting op Barbados.

- Peter Paul Rubens beëindigt zijn serie van 21 schilderijen voor het Franse Hof.

- In Europa komt de allongepruik (een volumineuze krulpruik voor heren) in de mode.

**Geboren:**

- Giovanni Cassini († 1712), Italiaans astronoom

**Gestorven:**

**5 juni.** Orlando Gibbons (1583), Engels pianocomponist
**Juni.** Honoré d'Urfé (1568), Frans dichter

---

*De stad Breda geeft zich over aan de Spanjaarden (door Diego Velázquez; circa 1635).*

# Prins Maurits overleden

's-GRAVENHAGE, 23 april - Prins Maurits is op 58-jarige leeftijd gestorven en als stadhouder in vijf van de zeven provincies door zijn jongste (half) broer Frederik Hendrik opgevolgd. In Groningen heeft men de Friese stadhouder Ernst Casimir boven de prins verkozen.

Prins Maurits had al een tijd een zwakke gezondheid maar was bovendien moedeloos. In 1621, bijna direct nadat het Bestand afgelopen was, begon de Spaanse legeraanvoerder Spinola een offensief in het zuiden van de Republiek en al hield 'Bergen op Zoom zich vroom', het was onmiskenbaar dat de troonswisseling in Spanje (Filips IV in 1621) een andere koers tot gevolg had: niet langer toegevend maar strijdend voor het katholicisme en de belangen van de Habsburgse landen en de Heilige Stoel. Daar kwam bij dat de Republiek met zowel Engeland als Frankrijk diplomatiek op gespannen voet stond. Jacobus van Engeland voerde onderhandelingen met de Spaanse kroon en het zag ernaar uit dat zijn zoon Karel spoedig in het huwelijk zou treden met de Spaanse infante. Dit had tot gevolg dat de spanning tussen Frankrijk en Spanje direct toenam en voor de Republiek zou dat een gunstige ontwikkeling kunnen zijn. Maar ook Frankrijk maakte de Republiek verwijten, met name dat zij de hugenoten steunde. Binnenslands had Maurits het eveneens moeilijk. Met name Friesland, maar ook de andere oostelijke en noordelijke provincies klaagden luid over de hoge belasting en het gebrek aan bescherming tegen Spaanse troepen. En dat de relatie tussen Maurits en de Staten van Holland sinds de terechtstelling van Oldenbarnevelt nog altijd koel was, spreekt vanzelf.

Toen in 1623 ook nog een samenzwering tegen het leven van de prins aan het licht kwam (op touw gezet door twee zoons van Oldenbarnevelt en enkele remonstrantse dominees) werd overal hetzelfde verwijt gehoord: Maurits kan het niet meer aan.

Vorig jaar leken de kansen in de internationale politiek te keren: het voorgenomen huwelijk tussen het Engelse en Spaanse koningshuis ging niet door en Engeland zocht opnieuw toenadering tot de Republiek; ook met Frankrijk kwam de Republiek tot een vergelijk. Maar in het zuiden was het nog altijd Spinola die de grootste successen behaalde, met name door het beleg van Breda dat in augustus begonnen was. Tot dit voorjaar kon Maurits hiertegen weinig doen: het weer was te slecht. En toen dat in het beginnend voorjaar eindelijk omsloeg, was Maurits zo ziek dat men voor zijn leven vreesde. Op zijn doodsbed haalde hij Frederik Hendrik nog over om te trouwen omdat hij vreesde dat het geslacht anders zou uitsterven. Dat huwelijk vond plaats op 1 april. De nieuwe stadhouder Frederik Hendrik is het jongste kind van Willem van Oranje en diens vierde vrouw Louise de Coligny. Hij is van meet af aan bestemd geweest voor een militaire loopbaan en door kopstukken uit Maurits' keurtroepen in de krijgskunde onderwezen.

# Dobbelen op leven en dood

VOCKLAMARKT, 15 mei - Graaf Adam von Herberstorff, de stadhouder van de Beierse hertog Maximiliaan in Opper-Oostenrijk, heeft op het Haushamerfeld bij Vöcklamarkt zestien boeren laten ophangen. Zij hebben de leiding gehad van de opstandige boeren die op 11 en 12 mei het landgoed Frankenburg belegerden uit protest tegen de benoeming van een katholieke priester. Aan hun terechtstelling is een macabere procedure voorafgegaan, die het 'Frankenburger Würfelspiel' wordt genoemd. De troepen van von Herberstorff dreven de bevolking van de opstandige dorpen bijeen op het Haushamerfeld. Toen daar zo'n 6000 mensen onder schot werden gehouden, gaf hij de aanvoerders van de rebellie bevel om naar voren te komen. Deze mannen moesten twee aan twee de dobbelsteen werpen. Degene die de hoogste ogen gooide was vrij man, de verliezer werd ter dood gebracht. De lijken moeten drie dagen aan de galg blijven hangen, waarna ze op spiesen als afschrikwekkend voorbeeld langs de hoofdweg worden geplaatst.

Het gebruik om het noodlot te laten beslissen welke enkelingen moeten boeten voor de schuld van allen is een uit de Romeinse oudheid stammende militaire strafmaatregel, die wordt toegepast bij massale muiterij. Dat von Herberstorff van deze strafprocedure gebruik maakte om de boeren van het 'Land ober der Enns' te tuchtigen, is kenmerkend voor zijn bewind. Hij ziet zichzelf als het hoofd van een bezettingsleger dat een hem vijandig gezinde bevolking in bedwang moet houden. Opper-Oostenrijk is namelijk in 1620 bezet door hertog Maximiliaan van Beieren, die als hoofd van de Liga keizer Ferdinand II heeft geholpen Frederik V van de Palts uit Bohemen te verdrijven. Na de Slag bij de Witte Berg diende Opper-Oostenrijk als onderpand voor de vergoeding van Maximiliaans oorlogskosten door Ferdinand. Dat een vreemde overheerser, die Opper-Oostenrijk louter als wingewest beschouwt, in hun land de dienst uitmaakt heeft diepe wrok bij de boeren gewekt. De eerste regels van hun strijdlied luiden: 'Von Bayerns Joch und Tyrannei und seiner grossen Schinderei, mach uns, o lieber Herrgott, frei!' Met Maximiliaans 'Pfandherrschaft' over Opper-Oostenrijk heeft Ferdinand een bron van inkomsten, maar ook een moeilijk probleem minder.

Dit probleem is het uitroeien van het protestantisme. De boerenbevolking is in meerderheid bereid om het evangelische geloof met hand en tand tegen de katholieke landsheer te verdedigen. Overal waar de katholieke 'Reformationskommission' nieuwe priesters wil installeren lokt zij woedende reacties uit.

In de boerenopstand ontladen zich niet alleen politieke en religieuze, maar ook economische spanningen. Geheel Oostenrijk lijdt onder een hoge inflatie die teweeggebracht is door de kostbare oorlogsinspanningen. Hierdoor worden gebruiksgoederen duurder, maar dalen de prijzen van landbouwprodukten.

# Hugo de Groot legt oorlogsrecht uit

PARIJS - Van de hand van een Hollandse geleerde, Hugo de Groot (Hugo Grotius) is een boek verschenen met de titel *De iure belli ac pacis libri tres* (Drie boeken over het oorlogs- en vredesrecht).

Hugo Grotius was in Holland een van de voormannen van de zogenaamde 'staatsgezinde' partij die na de terechtstelling van Johan van Oldenbarnevelt uiteenviel. De kopstukken, onder wie Hugo Grotius, werden gevangengezet op een slot in de buurt van Gorinchem, Loevestein, geheten. Via een list - namelijk door zich te verbergen in de boekenkist waarin geregeld lectuur werd aangevoerd - ontkwam Grotius uit dit bolwerk en ontsnapte naar Frankrijk. Daar kwam hij op 15 april 1621, bijna twee jaar nadat hij in Loevestein opgesloten was, aan en werd hij met veel egards ontvangen. Zo zegde koning Lodewijk XIII hem een jaargeld toe en vond hij op het slot van een van zijn beschermers te Balagny bij Creil de rust en stilte die hij nodig had om te schrijven. Daar ook schreef Hugo Grotius dit werk over het volkerenrecht, waarbij hij putte uit klassie-

*Hugo de Groot (rechts) en Joost Lips.*

ke, Italiaanse en Spaanse bronnen. Kernpunt is de oorlog, niet de vrede. En de essentiële vraag van het boek is in welk geval sprake is van een 'rechtvaardige oorlog'. Immers, als dat begrip bestaat (en daarvan is Grotius overtuigd), dan moet één van de twee strijdende partijen in haar recht staan. Via een ingewikkeld en zeer theoretisch betoog probeert Grotius in dit juridisch oerwoud een pad te vinden. Opvallend is daarbij dat hij nergens direct refereert aan de strijd die in zijn land tegen de Spanjaarden gestreden wordt.

---

**6 februari.** Dank zij bemiddeling van de Engelsen sluiten de Franse koning en de hugenoten opnieuw vrede in La Rochelle.

**9 april.** In de buurt van Londen sterft op 65-jarige leeftijd de Engelse filosoof, schrijver en staatsman Sir Francis Bacon, verklaard voorstander van de absolutistische staatstheorie en vader van het empirisme.

**25 april.** Keizerlijk veldheer Wallenstein verslaat de protestantse graaf van Mansfeld bij de Dessauer brug en achtervolgt hem tot in Hongarije.

**Mei.** De Hollander Peter Minuit koopt het eiland Manhattan (met de nederzetting Nieuw-Amsterdam) van de Delaware-Indianen. →

**15 juni.** Koning Karel I ontbindt het parlement dat aandrong op het ontslag van de koninklijke adviseur, de hertog van Buckingham.

**5 juli.** Stephan Fadinger, leider van de opstandige boeren in Opper-Oostenrijk, sneuvelt bij Linz. Daarmee komt een einde aan de in 1625 begonnen boerenopstand tegen de rekatholisatiepolitiek van de hertog van Beieren.

**14 juli.** De erfgenamen van de dichter en musicus Adriaen Valerius krijgen toestemming zijn *Neder-landtsche Gedenck-clanck* uit te geven. →

**Juli.** In Frankrijk verbiedt Richelieu het duelleren en laat de kastelen ontmantelen.

**27 augustus.** Tilly, veldheer van de Katholieke Liga, verslaat de binnengevallen Denen bij Lutter en drijft (samen met Wallenstein) koning Christiaan IV terug naar Denemarken.

**18 november.** In Rome wordt de Sint-Pieterskerk, een hoogtepunt van de barokarchitectuur, feestelijk ingewijd.

**20 december.** Keizer Ferdinand II sluit met de Transsylvaanse vorst Gábor Betlen de Vrede van Pressburg.

- Ernst Casimir, stadhouder van Groningen en Friesland, verovert Oldenzaal. De Republiek neemt het militaire initiatief weer van Spanje over.

- De koning van Later Jin, Nuerhachi, overlijdt aan de verwondingen die hij bij de belegering van het Ming-fort Ningyuan opliep. →

- De Zweden verslaan de Polen en bezetten Lijfland.

- De Spanjaarden beginnen een kanaal te graven van Rijnberk naar Venlo om Antwerpen een verbinding met de Rijn te geven.

---

# 'Gedenck-clanck' in druk

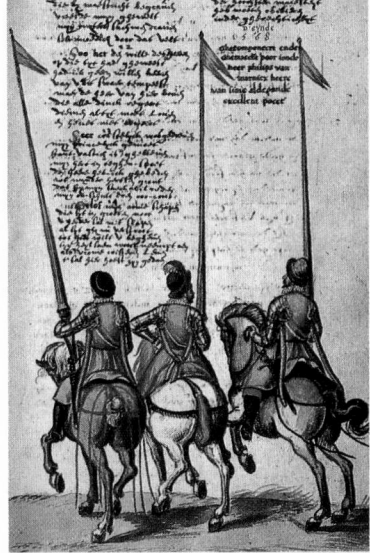

*De laatste coupletten van het geuzenlied het Wilhelmus.*

's-GRAVENHAGE, 14 juli - De Staten-Generaal der Verenigde Nederlanden hebben de erfgenamen van Adriaen Valerius toestemming gegeven om de *Neder-landtsche Gedenck-clanck* van de vorig jaar overleden Adriaen Valerius uit te geven en te verkopen en hierop voor de duur van zes jaar het alleenrecht te behouden. Het boek zal nog dit jaar in Haarlem gedrukt worden en naar alle verwachting in november verschijnen.

De volledige titel van het werk luidt: *Neder-landtsche Gedenck-clanck, Kortelick openbarende de voornaemste geschiedenissen van de seventhien Nederlandtsche Provintien 'tsedert den aenvang der Inlandsche beroerten ende troublen, tot den Iare 1625;* versierd met verschillende zinnebeeldige platen, stichtelijke rijmen en liederen. De liederen (vrijwel allemaal van recente datum) hebben ieder een eigen melodie en zijn voorzien van een luit- of citertabulatuur. Dit alles dienend 'tot lering en stichtelijk vermaak van alle liefhebbers van het vaderland'; het verhaal van de opstand der Nederlanden tegen de Spaanse onderdrukking, op rijm en muziek. Een heel verschil met de oude (maar wel zeer populaire) *Geuzenliedekens* die meer pamfletachtig zijn.

Adriaen Valerius, in leven raad van de Zeeuwse stad Veere, was een zeer verdienstelijk dichter en een goed amateur-luitist. De gedichten voor de *Gedenck-clanck* schreef hij zelf, de muziek nam hij echter uit bestaande verzamelingen; zo zijn er van de 76 liederen veertien op een Nederlandse wijs (waaronder het beroemde 'Wilhelmus van Nassouwe', op tekst van Marnix van Sint-Aldegonde), zestien op een Franse, zeventien op een Engelse en vijf op een Italiaanse.

# Nuzhen-leider gedood bij beleg Ming-fort

*Een delegatie van vreemdelingen komt aan bij het keizerlijke hof in Peking (17de eeuw).*

NINGYUAN - De koning van Later Jin, Nuerhachi, de leider van de Nuzhen-stammen, is aan zijn verwondingen overleden. Nuerhachi liep deze op tijdens een vruchteloze belegering van het Ming-fort Ningyuan.

De overwinning van de Ming-generaal Yuan Zonghuan is te danken aan het gebruik van kanonnen door het Ming-leger. Het is het enige succes tegen de ogenschijnlijk niet te stoppen expansie van het Nuzhen-rijk. Deze expansie is een direct gevolg van de vereniging van de Nuzhens door Nuerhachi. Nuerhachi, die aan het hof in Peking verbleef en zowel het Chinees als de Chinese literatuur uitstekend kent, doorbrak in 1601 de stamverbanden van zijn volk door het systeem van legereenheden die 'banieren' worden genoemd. In 1615 werd de hoeveelheid banieren tot acht uitgebreid. Naast Nuzhen-banieren worden uit overlopers en bondgenoten ook Chinese en Mongoolse banieren gevormd. In 1616 riep Nuerhachi Later Jin uit. In 1618 verbrandde hij publiekelijk een document dat hij 'Zeven Grote Klachten' had genoemd en dat een feitelijke oorlogsverklaring aan de Ming-dynastie inhield. In het daaropvolgende jaar versloeg hij vier keer zo groot Ming-leger. Na deze overwinning viel nagenoeg het gehele noordoosten van China in zijn handen en kon hij zich de machtigste vorst van het land noemen.

Nuerhachi wordt opgevolgd door zijn zoon Huangtaiji, die vastbesloten is de veroveringstocht ten westen van de rivier Liao, die zijn vader het leven heeft gekost, voort te zetten. Ook heeft hij het voornemen om van Korea zijn eigen protectoraat te maken.

De overwinning op het Ming-leger is tevens het enige lichtpunt in de toenemende interne en externe bedreiging van het Ming-rijk. Drie jaar geleden zijn Hollanders begonnen met de kolonisering van T'ai-wan. Aan het hof vinden op dit ogenblik grootscheepse zuiveringen plaats die zich voornamelijk richten tegen een groep opposanten, die Tong Lin wordt genoemd, naar de gelijknamige academie. De moordpartijen op vooraanstaande functionarissen verhogen geenszins de popullariteit van een regime dat in toenemende mate door eunuchen wordt beheerst en met name door de machtigste onder hen, Wei Zhongxian.

De dreigende hongersnood in Noord-Shanxi heeft een boerenopstand veroorzaakt die zich naar grote delen van Noord- en Midden-China kan uitbreiden.

# Nederlanders kopen eiland Manhattan

*Het Fort Amsterdam op het eiland Manhattan; naar een 17de-eeuwse gravure.*

NIEUW-AMSTERDAM, mei - Peter Minuit, de directeur-generaal van de West-Indische Compagnie, heeft voor goederen ter waarde van 60 gulden het eiland Manhattan van de plaatselijke Indianen gekocht en heeft het eiland de naam Nieuw-Amsterdam gegeven.

Al eerder hadden de Nederlanders op het eiland het Fort Amsterdam gebouwd, dat dient zowel om de monding van de Hudson tegen met name de Engelsen te beschermen, als om Nieuw-Nederland tegen aanvallen van Indianen te beschermen.

De kolonie Nieuw-Nederland vindt haar oorsprong in de verkenningstochten die de Engelse zeevaarder Henry Hudson in het begin van deze eeuw heeft ondernomen. In opdracht van de Oost-Indische Compagnie moest de Engelsman een noordwestelijke doortocht naar China zoeken. Hiertoe verkende hij grote delen van de Noordamerikaanse kust en voer hij in 1609 met het zeilschip 'Halve Maen' de rivier op die later naar hem is genoemd. Tijdens zijn verkenningstochten ont-

dekte Hudson geen doortocht naar China, maar wel gebieden die rijk aan pelsdieren waren. Voorts sloot hij vriendschap met de Mohawk Indianen, met wie hij pelzen ruilde tegen wapens en die hij kennis liet maken met sterke drank.

Na Hudsons reis zetten ook de Nederlanders talloze handelsexpedities op touw, maar er werd nog niet direct een poging tot kolonisatie gedaan. Volksplantingen werden pas gesticht nadat vijf jaar geleden de West-Indische Compagnie was opgericht. Deze onderneming heeft van de Staten-Generaal het alleenrecht verkregen om in Amerika nederzettingen te stichten en die te besturen.

Twee jaar geleden zijn de eerste Nederlandse kolonisten met het schip de 'Nieu Nederlandt' in Amerika aangekomen. De passagiers - ruim dertig gezinnen en een aantal vrijgezellen - bestonden voornamelijk uit protestantse vluchtelingen: Walen uit de Spaanse Nederlanden en hugenoten uit Frankrijk.

# 1628

## Dai Viet op rand van burgeroorlog

THANG LONG - De machtsstrijd tussen de rivaliserende Trinh- en Nguyen-families in Dai Viet [Vietnam] heeft geleid tot een openlijke militaire confrontatie. Directe aanleiding tot het gewapend conflict is de weigering van Nguyen Phuoc Nguyen belastingen te betalen aan het hof voor de provincies Thuan Hoa en Quang-Nam. De laatste zeven jaar waren de verschuldigde belastingen van deze provincies niet meer afgedragen omdat 'elk jaar de oogst slecht is geweest vanwege droogte of overstromingen'. Met dit antwoord van Nguyen Phuoc Nguyen heeft de Trinh-familie in het noorden geen genoegen willen nemen. Een leger van meer dan 100 000 man, 500 olifanten en een vloot van 500 schepen met kanonnen is naar het zuiden gestuurd om de Nguyen-familie te straffen.

Achter deze militaire actie schuilt een felle strijd tussen de Trinh en de Nguyen welke al in het midden van de vorige eeuw begon. Aanvankelijk hadden de leden van de Trinh en de Nguyen onder aanvoering van Nguyen Hoang gezamenlijk ervoor gezorgd dat een andere rivaliserende familie, de Mac, uit de hoofdstad in het noorden naar de bergen langs de Chinese grens was verdreven. Daarna kon koning Le The Tong in 1592 naar de hoofdstad terugkeren. Nguyen Hoang kwam, toen hij deze militaire expeditie met succes had volbracht, naar het hof met vele geschenken voor de koning. Nu bleek echter een telg van de Trinh-familie, Trinh Tung, het staatsapparaat volledig te beheersen. In 1599 wist hij zelfs de titel 'vuong' (koning) te bemachtigen.

Het werd Nguyen Hoang spoedig duidelijk dat de echte koning Le The Tong nog slechts pro forma deze titel droeg. Trinh Tung had ervoor gezorgd dat de koning nog slechts de ceremoniële audiënties mocht voorzitten en een beperkte troepenmacht tot zijn beschikking had.

Pas in 1600 slaagde Nguyen Hoang erin terug te keren naar zijn eigen gebied in het zuiden, onder het voorwendsel dat daar een opstand was uitgebroken die hij moest neerslaan. Zonder dat dit met zoveel woorden is gezegd moesten zijn zoon, zijn kleinzoon en zijn dochter als gijzelaars in de hoofdstad achterblijven.

Zijn dochter huwelijkte hij uit aan Trinh Trang, de oudste zoon van Trinh Tung die zijn vader in 1620 opvolgde. De laatste jaren is duidelijk geworden dat de strijd om de macht in het land niet langs diplomatieke weg kan worden geregeld.

De boeren in het noorden en het zuiden vrezen dat zij weer de tol zullen moeten betalen voor deze familieruzie: verhoging van de belastingen en het leveren van mannen aan de legers.

---

**Maart.** Als dank voor bewezen diensten benoemt de Duitse keizer zijn veldheer Wallenstein tot hertog van Mecklenburg. Diens groeiende persoonlijke macht wordt met afgunst door de Duitse vorsten gadegeslagen.

**April.** Zweden en Denemarken sluiten een verdrag ter verdediging van Stralsund.

**7 juni.** De hoge kosten van de oorlog met Frankrijk dwingen de Engelse koning Karel I zich neer te leggen bij de *Petition of Rights*. Hierin heeft het parlement diverse grondrechten vastgelegd.

**1 augustus.** De protestantse adel van Stiermarken, Karinthië en Krain wordt door Ferdinand II voor de keuze gesteld: katholiek worden of emigreren. →

**23 augustus.** In Engeland wordt de hertog van Buckingham vermoord. Zijn grote invloed op Jacobus I en Karel I maakten hem gehaat bij het parlement.

**8 september.** Piet Heyn verovert de Spaanse zilvervloot uit Mexico in de baai van Matanzas. →

**28 oktober.** In Frankrijk verovert Richelieu de hugenotenvesting La Rochelle na een beleg van dertien maanden. →

- Groot-Mogol Djehangir, heerser van India, sterft. Na een korte maar hevige burgeroorlog wordt zijn zoon Djahan tot nieuwe Groot-Mogol gekozen. Als uiterlijk teken van zijn macht laat Djahan in Delhi een prachtige, met goud, edelstenen en parels versierde pauwentroon vervaardigen.

- In Roosendaal beginnen onderhandelingen tussen de Republiek en Spanje over een wapenstilstand en eventueel een duurzame vrede. Na het mislukken van de onderhandelingen probeert Spinola (tevergeefs) de Spaanse regering tot grotere financiële inspanningen te bewegen, maar in plaats daarvan wordt hij weggepromoveerd naar Milaan.

- De Hollanders vestigen zich op Tobago.

- De Engelse medicus William Harvey publiceert een boek waarin hij zijn denkbeelden over de bloedsomloop uiteenzet. →

- Richelieu sticht de Franse Senegal-Compagnie.

- In Mantua sterft het heersende huis Gonzaga uit en begint een strijd om de opvolging. Richelieu streeft ernaar met behulp van Venetië en de paus de Franse zijtak Gonzaga-Nevers aan de macht te krijgen. De Duitse keizer verzet zich hiertegen.

- Heinrich Schütz, de talentvolle Duitse componist van oratoriums, wordt leerling bij Monteverdi in Venetië.

---

## Ferdinand II zuivert adel

INNEROSTERREICH, 1 augustus - De protestantse adel van Innerösterreich (Stiermarken, Karinthië en Krain) is door Ferdinand II voor de keuze gesteld om binnen een jaar het katholieke geloof aan te nemen of te emigreren. In Bohemen en Moravië heeft de protestantse aristocratie een dergelijke beslissing vorig jaar al moeten nemen. Vele edelen hebben Bohemen verlaten. Overal in de Habsburgse landen wordt de protestantse adel vervangen door katholieke gunstelingen van de keizer. Velen van hen zijn afkomstig uit het buitenland: Spanje, Italië en het Duitse Rijk. Zo voltrekt zich een sociale omwenteling: in de plaats van een zelfbewuste inheemse stand komt een afhankelijk gevolg. Deze zuivering van de adelstand effent de weg voor het absolutisme.

In zijn *Vernewerte Landesordnung des Königreichs Bohaimb* (1627) maakte Ferdinand duidelijk hoe hij zich de verhouding tussen vorst en onderdanen voorstelt. Voor een vertegenwoordiging van de standen is in dit reglement geen plaats. De Landdag wordt het recht van initiatief ontnomen.

Het is aan de koning voorbehouden om 'Gesetz und Recht zu machen'. De door de vorst gevraagde belastinggelden moeten onvoorwaardelijk worden

*Keizer Ferdinand II.*

voldaan. De 'Vernewerte Landesordnung' geldt alleen in Bohemen. In de andere Oostenrijkse erflanden is het regime niet milder, maar ontbreekt de noodzaak om een nieuwe 'Landesordnung' op te stellen. Ferdinand beschikt er al over de absolute 'jus legis ferendae', het recht om de wet voor te schrijven.

---

## Boek over de bloedsomloop

LONDEN - De Engelse geneeskundige William Harvey, hoogleraar te Oxford, heeft een boek gepubliceerd waarin hij zijn omstreden denkbeelden over de 'bloedsomloop' uiteenzet. De titel van het boek luidt: *Anatomische verhandeling over de beweging van het hart en het bloed bij levende wezens*.

De belangrijkste bewering van Harvey is dat het bloed voortdurend door het lichaam beweegt en niet - zoals zijn collega's beweren - steeds door de opname van voedsel vernieuwd wordt. Het hart heeft een centrale rol hierin: het pompt het bloed door de slagaderen, die het aan de aderen doorgeven, waarna het bloed via een circulatie door het hele lichaam, terugkomt in het hart. Kleppen in de aderen voorkomen, aldus Harvey, dat het bloed terugvloeit. Ook beweert de Engelse anatoom en chirurg dat het bloed - en niet het hart - de bron van de lichaamswarmte is.

Na jarenlange observaties met behulp van sterke loepen is de medicus tot deze opzienbarende uitspraken gekomen. Hij legde het hart en de aderen bloot van vele dieren, waaronder honden, kikkers en sprinkhanen. De stroom van sceptische geluiden direct na het verschijnen van het boek, heeft hij voorzien. Immers, al sinds 1616 verkondigt hij zijn theorieën, maar nu pas lijkt hij zijn collega's te willen overtuigen.

In het slechts 72 pagina's tellende boek legt hij zijn bevindingen op heldere wijze van begin tot eind uit. Zijn voornaamste conclusie, het voortdurend in beweging zijn van het bloed, benadrukt hij met de woorden: 'Bij levende wezens wordt het bloed met een voortgaande beweging onophoudelijk in een kringloop voortgestuwd door het kloppen van het hart, samengevat: de enige oorzaak is de kloppende beweging van het hart'.

Door een simpele berekening is Harvey tot de conclusie gekomen dat het bloed wel moet circuleren. Hij rekende uit hoeveel bloed per hartslag verplaatst wordt en kwam tot de slotsom dat het om gemiddeld 276 kilo bloed per uur gaat. Deze hoeveelheid kan onmogelijk door het ingenomen voedsel ontstaan. Ondanks de grote opschudding in medische kring, wijzen zijn medestanders erop dat het bestaan van een circulerende bloedsomloop al eerder is gesignaleerd. Zo wees de Spanjaard Michaël Servet in 1553 al op het bestaan van een, zij het kleine, omloop van het bloed. Maar deze observatie leidde niet tot verstrekkende gevolgtrekkingen. Harvey's stellingen over de functie van het hart en de circulatie van het bloed door het hele lichaam zal - mits aanvaard - echter een omwenteling in de kennis van de processen in het menselijk lichaam betekenen.

# La Rochelle geeft zich over aan Lodewijk

*Richelieu in overleg met zijn raadgevers tijdens het beleg van La Rochelle.*

LA ROCHELLE, 1 november - Nadat de stad zes dagen geleden te kennen had gegeven zich te willen overgeven, is koning Lodewijk XIII met veel pracht en praal La Rochelle binnengetrokken. Hiermee is een einde gekomen aan een langer dan een jaar durend beleg en hebben de hugenoten hun belangrijkste vesting verloren. De stad is door het langdurige beleg volledig uitgehongerd en veranderd in een spookstad. Van de 28 000 inwoners hebben slechts 5400 'geesten, geen mensen' het beleg overleefd.

Met het beleg van La Rochelle is een voorlopig hoogtepunt bereikt in de strijd tegen de protestanten. Hoewel de hugenoten door het Edict van Nantes uit 1598 in het bezit kwamen van speciale politieke en militaire voorrechten, laaide de strijd na 1598 nog geregeld op. Na de dood van koning Hendrik IV in 1610 begonnen de hugenoten zich onder leiding van Hendrik van Rohan en diens broer Soubise weer heftiger te roeren. Tussen 1620 en 1622 kwam het zelfs enkele malen tot een gewapend treffen tussen troepen van de koning en de hugenoten.

Hoewel Richelieu meende dat zolang de hugenoten speciale voorrechten genoten, de koning niet in staat was tot grote daden, liet hij hen in het eerste jaar van zijn regering met rust. Hij richtte al zijn aandacht op een anti-Spaanse politiek en sloot daarvoor zelfs verdragen met protestantse staten, zoals Engeland en de Republiek der Verenigde Nederlanden. Maar toen zijn buitenlandse avonturen een fiasco dreigden te worden, sloot hij vrede met Spanje en sloot zich aan bij de politiek van de Franse 'dévots'. Pas vanaf dat moment bereidde hij een grootscheeps offensief tegen de hugenoten voor.

Hoewel de dévots hem tot snel handelen probeerden te bewegen, wachtte Richelieu een gunstig moment af. Dat moment kwam toen Buckingham, die zo'n beetje alleen de buitenlandse politiek van Engeland bepaalde, een oorlog met Frankrijk probeerde te bespoedigen en La Rochelle in zijn bizarre plannen betrok. Richelieu ging tot handelen over en startte een grootscheeps beleg van de als onneembaar beschouwde vesting. Terwijl Engeland niet in staat was de belegerde stad vanuit zee te ontzetten, slaagde Richelieu er niet in de stad bij verrassing in te nemen. Uiteindelijk heeft alleen de honger het verzet van de hugenoten kunnen breken.

Richelieu wist Lodewijk XIII te bewegen de stad genadig te behandelen en de overlevenden gratie te schenken. Wel zal de katholieke eredienst in ere hersteld worden en het bestuur van de stad weer in directe handen van de koning komen.

# Piet Heyn maakt Spaanse Zilvervloot buit

ROTTERDAM, 14 november - Op 8 september heeft admiraal Piet Heyn met een groot eskader de Spaanse Zilvervloot te Cuba in de baai van Matanzas veroverd. Daarbij zijn grote schatten buitgemaakt. De buit bestaat uit een geweldige hoeveelheid zilver (minstens 177 000 pond), wat goud, kisten met suiker, balen indigo en cochenille en huiden. Volgens de schattingen van de vlootvoogd vertegenwoordigen de goederen een waarde van 12 miljoen gulden. Door het verlies van de Zilvervloot is aan de Spaanse staat een gevoelige slag toegebracht.

Dit bericht is afkomstig van het jacht de 'Ooievaar' dat de Nederlandse vloot vooruitgezeild is. De expeditie van Nederlandse schepen in de Westindische wateren is daarmee voorlopig tot een goed einde gebracht. In mei van dit jaar voeren 31 schepen, waaronder het admiraalsschip de 'Amsterdam', uit om te trachten een der, met edele metalen geladen, Spaanse vloten te overmeesteren. Jaarlijks zeilen er twee Spaanse vloten in de Westindische wateren - de Terra-Firmavloot en de Sint-Jansvloot - die vooral zilver en goud naar Spanje

*Terwijl de Zilvervloot voor anker ligt, sluit Piet Heyn met zijn eskader de baai af.*

brengen. De laatstgenoemde vloot is door Piet Heyn onderschept.

De schatten uit Peru en Mexico zijn van groot belang voor de Spaanse koning: hij betaalt er onder andere zijn dure huurlegers mee. Het verloren gaan van de zilvervoorraden betekent dus voor de Spanjaarden een ernstig verlies. Anders is het met de overwinnaars gesteld.

Toen de Nederlanders de buit overlaadden, troffen ze een papegaai aan, die 'hoorende het gheclanck van het silver, begons luytskeels uyt te roepen in het Spaensch: "Victoria, Victoria, o que bene va!" Dat is, Victory, Victory, hoe wel gaet het ons!' In de Republiek wordt reikhalzend naar de komst van de rijkbeladen schepen uitgezien.

---

**19 januari.** Sjah Abbas de Grote van Perzië sterft. Sefi I wordt zijn opvolger.→

**2 maart.** Na nieuwe botsingen tussen de Engelse koning en het parlement over politieke, financiële en religieuze kwesties schaft Karel I het Lagerhuis af.→

**6 maart.** Keizer Ferdinand II geeft - op het hoogtepunt van zijn macht - het Restitutie-edict uit. Daarin wordt bepaald dat alle kerkelijke gebieden die na 1552 (Verdrag van Passau) in protestants bezit zijn gekomen, moeten worden teruggegeven.→

**Maart.** Engelsen stichten de Massachusetts Bay Company voor de handel tussen het moederland en de nieuwe kolonie Salem.

**14 april.** Engeland en Frankrijk sluiten vrede in Susa.

**April.** Een nieuwe hugenotenopstand, ditmaal met steun van Spanje, mislukt.

**22 mei.** Denemarken sluit in Lübeck vrede met de Duitse keizer. Christiaan IV belooft af te zien van iedere verdere inmenging in het Duitse Rijk en kan zodoende zijn bezittingen behouden.

**18 juni.** Piet Heyn sneuvelt in de strijd tegen de kapers uit Dunkerque.

**28 juni.** Bij het Edict van Nîmes worden de hugenoten gedwongen hun 'veiligheidssteden' en hun eigen Staten-Generaal op te geven. Ze mogen echter hun godsdienst behouden.

**Juni.** In de omgeving van de Hollandse nederzetting Nieuw-Amsterdam worden aan grote heren domeinen of patroonschappen beloofd als zij zich met minstens vijftig nieuwe kolonisten in het binnenland willen vestigen.

**14 september.** Na een beleg van ruim vier maanden verovert Frederik Hendrik Den Bosch op de Spanjaarden.→

**26 september.** Het Verdrag van Altmark maakt een einde aan de Zweeds-Poolse oorlog. Zweden verwerft Lijfland.→

**2 oktober.** Sunan Agung, vorst van Mataram, belegert Batavia, het hoofdkwartier van de VOC op Java. Gouverneur-generaal J.P. Coen overlijdt tijdens de belegering.→

**3 november.** Frederik Hendrik wordt in Den Haag feestelijk onthaald.→

- De Hollanders verkrijgen van de Russen het recht om handel met Archangelsk te drijven.

- In Noord-Italië breekt de builenpest uit.

- Het Spaanse theater komt tot bloei onder Lope de Vega en Calderón.

# Karel I zet het Lagerhuis op non-actief

Het Engelse Lagerhuis, hier in zitting bijeen onder leiding van koningin Elizabeth.

WESTMINSTER, 2 maart - Na rumoerige beraadslagingen van het Lagerhuis zijn de deuren van dit instituut op last van de koning op slot gegaan. Negen leiders van de oppositie, onder wie Sir John Eliot, zijn gevangengezet en Karel I heeft besloten het voortaan maar zonder Lagerhuis te stellen.

Toch is het nog geen jaar geleden dat het parlement zijn rechten door de koning erkend zag door middel van de 'Petition of rights' (7 juni 1628). Hierin werden de parlementaire rechten sedert de Magna Charta (1215) nog eens bevestigd. Voorts werd gesteld dat de koning zonder instemming van het parlement geen belasting mocht heffen noch dat hij iemand zonder wettelijke aanklacht gevangen kon zetten.

Het was niet Karels behoefte aan medezeggenschap die hem tot erkenning van deze rechten noopte. Integendeel, de laatste twee punten gaven het absolutistische karakter van zijn beleid tot dusver aan. Sinds hij in 1625 de troon besteeg, probeert de vorst zoveel mogelijk buiten het parlement om te regelen.

Doordat er tussen de koninklijke en de nationale kas nog geen onderscheid was en de baten uit de kroondomeinen te zeer waren afgenomen, moesten extra inkomsten verworven worden. Belangrijkste onkostenfactor was de Engelse deelneming aan de oorlog in Duitsland en de pogingen om het Franse beleg van de hugenotenvesting La Rochelle te breken. Beide operaties liepen op een fiasco uit (1626 en 1628). Onder de impopulaire admiraal George Villiers Buckingham werden zware nederlagen geleden.

Opposanten tegen het militaire en fiscale beleid, maar ook tegen het rigide en naar papisme neigende kerkelijke bestuur van aartsbisschop William Laud, konden zonder vorm van proces worden gevangengenomen. In 1626 overkwam dat twee Lagerhuisleden, die kritiek op Buckingham geuit hadden. Vijf ridders werden gearresteerd omdat zij een door de koning verplichte lening weigerden te geven.

Hoewel Karel de parlementen van 1625 en 1626 voortijdig naar huis gestuurd had, stond hij vorig jaar minder sterk: zijn vertrouweling Buckingham was, na ernstig prestigeverlies te hebben geleden, vermoord en de schatkist was leeg. Het nieuwe parlement kon dus eisen stellen en die gehonoreerd krijgen. Maar toen Eliot ernstige kritiek op Laud uitte en daarmee 's konings kerkelijke benoemingenbeleid aanviel, was de maat voor Karel vol. Ondanks alle rechten is het Lagerhuis geschorst.

Allegorie op de strijd van keizer Ferdinand II tegen de Reformatie.

# Ferdinand II tegen secularisatie van kerkgoederen

REGENSBURG, 6 maart - Met de uitvaardiging van het Restitutie-edict bindt keizer Ferdinand II de strijd aan met de voortgaande secularisatie van geestelijke vorstendommen en kerkgoederen. Het edict bepaalt, geheel in de geest van de Augsburgse Religievrede van 1555, dat alle na 1552 geseculariseerde kerkgoederen gerestitueerd moeten worden. Daarnaast mag voortaan alleen de keizer de Augsburgse Religievrede 'authentiek' interpreteren en wordt nogmaals opgemerkt dat de Religievrede alleen van toepassing is op het katholicisme en het lutheranisme, en dus niet op het calvinisme.

De uitvaardiging van het Restitutie-edict is in veel opzichten te beschouwen als een politieke vertaling van de militaire overwinning van Ferdinand II op de Deense koning Christiaan IV. Hoewel aan de in mei 1625 uitgebroken Nedersaksisch-Deense Oorlog nog geen formeel eind is gekomen, is het duidelijk dat de macht van de Deense koning en zijn protestantse bondgenoten binnen het Duitse Rijk snel afbrokkelt. Sinds de graaf van Tilly op 27 augustus 1626 de Denen in de Slag bij Lutter een vernietigende nederlaag toebracht, rukken de keizerlijke troepen naar het door de protestanten gedomineerde noorden op. Dit offensief sterkte Ferdinand in zijn voornemen een eind te maken aan de secularisatie van kerkgoederen en geestelijke vorstendommen - al sinds de Augsburgse Religievrede een van de belangrijkste grieven van de katholieken.

Indien het edict naar de letter wordt uitgevoerd, heeft dat grote gevolgen voor de machtsverhoudingen binnen het Duitse Rijk; het gaat om de teruggave van twee aartsbisdommen, tussen de drie en zeven bisdommen en meer dan vijfhonderd kloosters.

# Sjah Abbas de Grote van Perzië overleden

ISFAHAN-PERZIE, 19 januari - Op 58-jarige leeftijd is Sjah Abbas, de sjah van Perzië, gestorven.

Sjah Abbas nam de macht in handen in 1588, toen hij zeventien jaar oud was. Gedurende zijn regeringsperiode, die 41 jaar duurde, probeerde Sjah Abbas de macht van het Perzische Rijk te versterken en uit te breiden. In het begin van zijn regering sloot hij een akkoord met het soennietisch-islamitisch Osmaanse Rijk en erkende hij de soevereiniteit van dit rijk in de oude Perzische gebieden die het bezet had. Op grond van dit akkoord behoorden Azerbajdzjan, Georgië en een gebied van Loerestan tot het Osmaanse grondgebied. Om de spanningen tussen beide rijken verder te verminderen beval Sjah Abbas dat de namen van de eerste drie Kaliefen van de Islam, namelijk Aboe Bakr, Omar en Osman ibn Affan, niet langer als scheldwoorden gebruikt mochten worden. Vanaf het begin van de Safawiden-dynastie, waartoe Sjah Abbas behoorde, werd de sji'-itische sekte van de islam de staatsgodsdienst. De Perzische leiders beschouwden alleen Ali, de vierde Kalief van de Islam, als de enige rechtmatige kalief na de dood van profeet Mohammed. Ze hadden opdracht gegeven om de namen van de andere drie als scheldwoorden te gebruiken. Het Osmaanse Rijk erkende echter de eerste kaliefs en beschouwde hen als heilig.

Sjah Abbas beloofde het Osmaanse Rijk dat hij zijn neef Hader Mirza als ambassadeur naar Constantinopel zou sturen. Aan het thuisfront gaf Sjah Abbas veel aandacht aan de versterking van het leger. Zijn strijdmacht slaagde erin om met de hulp van twee Engelsen nieuwe kanonnen te bouwen. Sjah Abbas reorganiseerde het leger en nam veel Georgiërs in dienst.

Toen het Osmaanse Rijk oorlog op Europees grondgebied begon te voeren, greep Sjah Abbas zijn kans en verklaarde het in 1602 de oorlog. Hij veroverde Tebriz, de belangrijkste stad in Azerbajdzjan, en tijdelijk ook Bagda-da. In 1622 veroverde Sjah Abbas met de hulp van Engelse schepen het eiland Ormoez in de Perzische Golf, dat in 1515 door de Portugezen was veroverd. Hij liet aan de Perzische Golf een haven bouwen die de naam 'Bandar Abbas' (haven van Abbas) kreeg.

Sjah Abbas verplaatste de hoofdstad van Kazwin naar Isfahan, waar hij veel grote, mooie gebouwen liet neerzetten. De bekendste ervan zijn de Grote Moskee en het Paleis van de Veertig Pijlen (Chil Sitoen). Hij liet ook een belangrijke brug over de rivier van Zandaroed aanleggen.

Sjah Abbas was tolerant: hij gaf groepen van andere godsdiensten de gelegenheid hun eigen geloof te belijden. Hij stimuleerde het wetenschappelijk onderzoek, terwijl dichters en filosofen altijd welkom waren in de paleizen van de sjah. De mensen die bekend werden op bovengenoemde gebieden zijn: Mohammed Baker Ibn Mohammed; Baha Al-Din Al-Ameli en de filosoof Saddradin Al-Sjirazi.

# Sultan Agung staakt beleg van Batavia

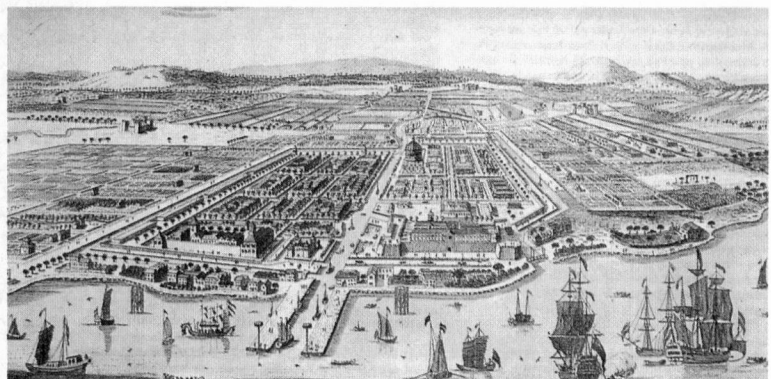

*Batavia, na de verovering het centrum van het handelsimperium van de VOC.*

BATAVIA, 2 oktober - Het totaal gedemoraliseerde leger van sultan Agung van Mataram heeft het beleg van de VOC-nederzetting Batavia opgeheven. De vreugde bij de Hollanders over deze afloop werd getemperd door het overlijden van gouverneur-generaal J.P. Coen. Alhoewel hij zich al enige dagen onwel voelde, bleef hij leiding geven aan de verdediging; in de nacht van 20 op 21 september kreeg hij echter een cholera-aanval, die hem fataal werd. Omdat bij het beleg van vorig jaar de kerk verbrand is, werd het stoffelijk overschot bijgezet in het stadhuis. Op 24 september is Jacques Specx tot zijn opvolger benoemd.

Toen Coen in 1627 aan zijn tweede ambtstermijn begon werd het grootste deel van Java beheerst door Mataram. Dit rijk (centrum in de omgeving van Jogya) werd in de tweede helft van de 16de eeuw gesticht als vazal van Pajang (Solo), dat het echter al snel overvleugelde. Onder de tweede vorst, Senepati Ingalaga (1584-1601), werd de invloed uitgebreid tot Demak, Kediri en Madiun. Diens opvolger kreeg te maken met allerlei interne opstanden en kwam derhalve niet veel verder dan consolidatie van de veroveringen. In 1613 kwam Sultan Agung op de troon, een krachtdadige persoonlijkheid die één voor één de hem omringende vorstendommen overmeesterde. Surabaya, een zwaar versterkte stad en machtige handelsstaat, bleef het langst verzet bieden. Na jarenlange belegeringen, waarbij iedere keer de oogst werd vernietigd, gaf in 1625 ook deze tegenstander zich over.

Sultan Agung kon nu zijn aandacht richten op het Westjavaanse Banten, dat zijn oppergezag niet aanvaardde. Maar tussen Banten en Mataram ligt de VOC-nederzetting Batavia. Aanvankelijk beschouwde Agung de Hollanders als ongevaarlijk, zij het minderwaardig: 'Het zijn slechts handelaren'. Deze houding veranderde toen de VOC in 1619 Javaans grondgebied veroverde en Batavia stichtte. Er ontstonden legio conflicten (over prestige, rijstleveranties, enzovoort) en toen de Hollanders weigerden hun vloot ter be-schikking te stellen voor een expeditie tegen Banten werd een militaire confrontatie onvermijdelijk.

Op 25 augustus vorig jaar verscheen een als handelsvloot vermomde expeditie van 60 schepen met 1000 man aan boord voor Batavia. De overval mislukte omdat de opzet ontdekt werd en men twee dagen te vroeg arriveerde. Pas op de 27ste verscheen de 20000 man sterke Mataramse hoofdmacht, die nu gedwongen was stellingen op te richten. Na een periode van schermutselingen werd in oktober een massale uitval gedaan waarbij de Javaanse opperbevelhebber werd gedood en zijn troepen de heuvels werden ingejaagd. Inmiddels was echter een nieuw leger gearriveerd, dat de Ciliwung poogde af te sluiten en Batavia wilde uithongeren. Honger en ziekte sloegen echter toe in het eigen kamp en eind december werd het beleg opgebroken, nadat 744 (voor de nederlaag verantwoordelijk gestelde) officieren waren geëxecuteerd.

Dit jaar volgde de tweede aanval. Deze was vanaf het begin tot mislukking gedoemd omdat de door Agung in Tegal en Cirebon aangelegde rijstvoorraden door een VOC-vloot werden vernietigd. Het leger van 80000 man dat eind augustus verscheen, beschikte weliswaar over kanonnen, maar niet meer over voedsel. Na anderhalve maand beleg zijn 40000 Javanen van de honger omgekomen.

## Zweden behoudt controle over handel in Oostzee

ALTMARK, 26 september - De vandaag gesloten vrede tussen Polen en de koning van Zweden, Gustaaf Adolf, is niet naar de zin van het Poolse kamp. De Zweden hebben weliswaar afstand genomen van hun eis om de monding van de rivier de Wisa en de stad Danzig te controleren, maar de meeste Poolse Oostzeehavens blijven in hun handen. Bovendien houden de Zweden het grootste deel van Estland en Letland nog bezet.

De oorlog heeft vijf jaar geduurd en had de controle over de Oostzee en Estland en Letland als inzet. Zweden nam Dorpat en de Pruisische havens in, belegerde Danzig en sneed hiermee de Poolse handel naar de Oostzee af.

Zweden heeft echter zijn doel bereikt: de superioriteit met betrekking tot de handel in het Oostzeegebied. Gustaaf Adolf behoudt ook het recht om belasting te heffen op de Poolse handel in het Oostzeegebied.

# Frederik Hendrik neemt 's-Hertogenbosch

's-GRAVENHAGE, 3 november - Frederik Hendrik is met pracht en praal in 's-Gravenhage onthaald. Daarmee wordt de val van 's-Hertogenbosch gevierd. 'Hier is, hier is het oorlogseinde, Frederik Hendrik heeft het werk volwrocht,' dichtte Vondel.

Na de dood van Maurits in april 1625 zag het er voor de Republiek slecht uit. In mei viel ook nog Breda en werd voor de veroverde vrijheid gevreesd. Het jaar daarop keerden de kansen. Na de inneming van Oldenzaal door Ernst Casimir en Groenlo door Frederik Hendrik kwam het initiatief opnieuw in handen van de Republiek. En vorig jaar leek de Republiek alle troeven in handen te krijgen, omdat niet alleen de bekwame veldheer Spinola op een andere post werd benoemd, maar Piet Heyn bovendien de Zilvervloot veroverde. Dat geld was hard nodig want men schatte het tekort van de gezamenlijke provincies op ongeveer 3 miljoen gulden, een onvoorstelbaar groot bedrag. Vorig jaar begon Frederik Hendrik de aanval op 's-Hertogenbosch voor te bereiden, een strategische plaats tussen de gebieden van de Duitse keizer en de Spaanse koning; bovendien een plaats met een grote bezetting. In april verzamelde Frederik Hendrik een reusachtig leger op de Mookerheide: 24000 man voetvolk en 4000 ruiters. Uit de Betuwe, de Veluwe en Zuid-Holland werden honderden boeren geronseld om verschansingen op te werpen. De tegenstander worstelde met een zelfde probleem als de Republiek: geldgebrek, en had géén zilvervloot veroverd. Het zag er dan ook naar uit

*Frederik Hendrik; portret ter ere van zijn overwinning in 's-Hertogenbosch.*

dat 's-Hertogenbosch van buitenaf niet op hulp kon rekenen. In juli veranderde dat plotseling toen er tussen de Duitse keizer en Denemarken vrede gesloten werd en de eerstgenoemde zijn leger in gereedheid bracht om 's-Hertogenbosch te ontzetten en de strijd in het voordeel van de Habsburgers te beslissen.

Opnieuw leken de kansen te keren: in de republiek brak paniek uit; Gelderland versterkte zijn garnizoenen; Utrecht liet het land tot Amersfoort onderlopen; overal werd over verraad gesproken. Alleen de Staten van Holland en Frederik Hendrik hielden het hoofd koel. Besloten werd het beleg van 's-Hertogenbosch voort te zetten en het gros van de troepen vóór deze stad te laten liggen. Terwijl in Gelderland en Utrecht paniek heerste - men verborg kostbaarheden onder de grond, de kerken waren overvol, op ieder plein stonden groepjes mensen - liet Frederik het land rond 's-Hertogenbosch droogmalen. Stap voor stap naderde hij de muren van de stad. Met een lading springstof werd een gat geslagen en nu bleef bevelhebber Grobbendonck nog maar één weg open: onderhandelen. 's-Hertogenbosch kwam daarmee in handen van de Republiek.

**6 juli.** Na het echec van de Deense koning Christiaan IV bemoeit Gustaaf II Adolf zich ten gunste van de protestanten met de Dertigjarige Oorlog en valt Pommeren binnen.

**Juli.** Troepen van de Duitse keizer richten in Mantua een slachting en verwoestingen aan.

**13 augustus.** De Duitse keizer Ferdinand II ontslaat zijn opperbevelhebber von Wallenstein en reduceert zijn troepen met twee derde.→

**17 september.** Engelse puriteinse kolonisten van de Massachusetts Bay Company stichten de nederzetting Boston onder leiding van John Winthrop.

**25 september.** In Montferrat sterft Ambrogio Spinola, een Genuees generaal in Spaanse dienst. Hij behaalde grote militaire successen tegen Maurits en was de voornaamste raadgever van de aartshertogen.

**5 november.** Engeland sluit vrede met Spanje in Madrid.

**11 november.** In Frankrijk ontdekt Richelieu nog net op tijd een samenzwering tegen zijn leven. De edelen rondom Maria de' Medici blijken hier achter te zitten. De koningin-moeder smeekt Lodewijk XIII tevergeefs om het ontslag van Richelieu. →

- De West-Indische Compagnie (WIC) verovert Olinda en Pernambuco (Het Recief) op de Portugezen.

- Engeland sluit vrede met Frankrijk.

- De Fransen bezetten Pinerolo.

- De Engelsen stichten Maine.

- De Franse filibusters arriveren op Santo Domingo (Haïti).

- India wordt geteisterd door een hongersnood.→

- In Parijs verschijnen voor de eerste keer advertenties.

- Tirso de Molina publiceert *El burlador de Sevilla*.

- Thomas Dekker publiceert *The Honest Whore*.

- Velázquez schildert *De smidse van Vulcanus*.

- Rubens huwt Hélène Fourment.

Geboren:

**29 mei.** Karel II († 1685), koning van Engeland

Gestorven:

**15 november.** Johannes Kepler (1571), Duits astronoom en astroloog

## Wallenstein uit functie ontheven

REGENSBURG, 13 augustus - Na lang aandringen van de katholieke keurvorsten heeft keizer Ferdinand II zijn opperbevelhebber Albrecht Wenzel Eusebius von Wallenstein ontslagen en de keizerlijke troepen met twee derde gereduceerd. Wallenstein, die in 1625 keizerlijke volmachten kreeg om op eigen kosten een leger van zo'n 20 000 man op te stellen en benoemd werd tot opperbevelhebber van het keizerlijke leger, heeft vooral in de strijd tegen de Denen een belangrijke rol gespeeld.

De val van Wallenstein is vooral bewerkstelligd door Maximiliaan I van Beieren en zijn bondgenoten: de keurvorsten van Mainz, Trier en Keulen. Zij namen al geruime tijd aanstoot aan het eigenmachtig handelen van Wallenstein en vreesden zijn toenemende invloed. Al sinds 1627 ijvert Maximiliaan voor Wallensteins ontslag en een reductie van het keizerlijke leger.

De gehele gang van zaken rond Wallensteins ontslag illustreert hoezeer de sinds 1618 in het Duitse Rijk woedende militaire conflicten van Europees belang zijn. De hele kwestie Wallenstein was niet alleen een zaak van Wallenstein, de katholieke en protestantse keurvorsten en de keizer, maar bovenal een zaak van Spanje en Frankrijk. De in Regensburg bijeengekomen Rijksdag had dan ook meer weg van een Europees congres dan van een Duitse Rijksdag.

Keizer Ferdinand opende op 3 juli de Rijksdag met de presentatie van een programma, dat in essentie neerkwam op een gezamenlijke oorlog tegen Zweden, de Republiek der Verenigde Nederlanden en Frankrijk onder commando van Wallenstein. De keurvorsten, onder leiding van de hertog van Beieren, lieten al vrij snel weten daar niets voor te voelen, en eisten daarentegen het ontslag van Wallenstein en een reductie van het keizerlijke leger. Na ellenlange discussies en adempauzen is Ferdinand II uiteindelijk door de knieën gegaan.

*Generaal Albrecht von Wallenstein.*

*Lodewijk XIII, door de Zuidnederlandse schilder Justus van Egmont.*

# Vertrouwen in Richelieu

PARIJS/VERSAILLES, 11 november - Terwijl gisteren niemand meer instond voor de politieke toekomst van kardinaal Richelieu, heeft koning Lodewijk XIII toch zijn vertrouwen in de kardinaal uitgesproken en zijn grote tegenspeler, de zegelbewaarder Michel de Marillac, gevangengezet. De moeder van Lodewijk XIII, Maria de' Medici, is met haar vertrouwelingen gevlucht. Dit is de onverwachte uitkomst van de aan het hof gevoerde intriges tegen Richelieu.

Deze intriges hebben een al wat oudere achtergrond. De dévots aan het hof, die een harde antiprotestantse politiek voorstaan, konden weinig waardering opbrengen voor de anti-Habsburgse politiek van Richelieu. Zo stak het hen dat hij concessies aan de hugenoten gedaan had om tegen de Habsburgers in Italië te kunnen strijden. Om deze strijd te kunnen voortzetten, zag Richelieu zich genoodzaakt de bestaande belastingen te verhogen en nieuwe belastingen in te voeren. Deze maatregelen zijn de oorzaak van de vele oproeren van de afgelopen jaren. Tegen de achtergrond hiervan besloten de dé-vots met Richelieu af te rekenen.

Onder leiding van Maria de' Medici en de 67-jarige Michel de Marillac werd Richelieu op allerlei manieren zwart gemaakt. Bovendien wist Maria de' Medici steeds meer het vertrouwen van de koning te winnen. Toen de koning in september plotseling ernstig ziek werd en gedwongen was zich van de politiek afzijdig te houden, leken Richelieus dagen geteld. Hij werd niet meer bij de zieke vorst toegelaten en naar zijn adviezen werd niet meer geluisterd.

Gisteren kwam het tot een uitbarsting toen Richelieu plotseling tijdens een gesprek tussen Maria de' Medici en de koning binnenkwam en onder tegen hem gerichte scheldkanonnades van Maria voor Lodewijk knielde en deze om genade bad. Geërgerd verliet de koning het paleis en sloot zichzelf op. Maria de' Medici en haar vertrouwelingen waren er toen vast van overtuigd dat het einde van Richelieu nabij was. Maar uiteindelijk heeft Lodewijk XIII toch voor Richelieu en diens anti-Habsburgse politiek gekozen en werd wat gisteren nog een overwinning leek een 'dag der bedrogenen'.

## Hongersnood en kannibalisme in India

INDIA - Een belangrijk deel van India is de afgelopen jaren geteisterd door een hongerramp, die ontelbaar veel slachtoffers heeft gemaakt. Een tijdgenoot beschreef de ontreddering in zijn land. Hij constateerde gevallen van kannibalisme, die zich ook tijdens ernstige hongercrises in Europa hadden voorgedaan: '...De steden en velden lagen bezaaid met schedels en beenderen. In plaats van graan at men elkaar, ouders aten hun eigen kinderen op. Bakkers maakten brood van gemalen oude bonen en van alles dat zij verder nog konden krijgen. Zij verkochten deze broden als waardevolle zeldzaamheden aan de rijken. Door de zon gedroogde lijken werden in water geweekt en opgegeten door degenen die ze gevonden hadden.'

Hoewel de Mongoolse heersers vaak succesvol gereageerd hadden op dreigende voedseltekorten, hield sjah Jahan, de vijfde heerser van het Mongoolse rijk in India, zich deze keer volledig afzijdig. Hij had geen geld meer om de hongerende bevolking te hulp te schieten. Zijn kapitaal was opgegaan aan oorlogvoering, intriges en luxegoederen.

# Uitbreiding kiesrecht in Massachusetts

BOSTON, 18 mei - Onder druk van de kolonisten heeft het bestuur van de Engelse kolonie Massachusetts Bay besloten het kiesrecht uit te breiden. Voortaan hebben alle inwoners, mits aangesloten bij een puriteins kerkgenootschap, het recht jaarlijks een nieuwe gouverneur en een nieuwe raad te kiezen. Tot nu toe was het kiesrecht voorbehouden aan een klein groepje bevoorrechte puriteinen. Door het kiesrecht van het kerklidmaatschap afhankelijk te blijven stellen, hopen de leiders het puriteinse karakter van hun kolonie te waarborgen.

De kolonie Massachusetts is vorig jaar gesticht door de Massachusetts Bay Company, die van de Engelse koning Karel I een octrooi heeft gekregen dat haar machtigt in Nieuw Engeland volksplantingen te stichten en te besturen. De compagnie heeft besloten haar zetel van Engeland naar Amerika te verplaatsen en tevens het octrooi mee te nemen. Hierdoor hoopt men het gevaar te ontlopen dat de koning het octrooi confisqueert, zoals in 1624 de Virginia Company is overkomen.

*Engelse kolonisten in Noord-Amerika barricaderen de deur tegen Indianen.*

Doordat de compagnie zich in haar geheel in Amerika bevindt - inclusief de aandeelhouders - is de kolonie nagenoeg onafhankelijk van het moederland. Noch de koning, noch het parlement heeft enige invloed op het bestuur van Massachusetts.

De stichters van de kolonie zijn Engelse puriteinen, die naar de Nieuwe Wereld zijn gezeild om aan de druk van de Engelse staatskerk te ontkomen. Al lange tijd oefenen de puriteinen scherpe kritiek uit op de Anglicaanse Kerk, die naar hun oordeel nog talloze onzuivere, want roomse, overblijfselen herbergt, zowel in organisatie als in liturgie.

Evenals de 'Pilgrim Fathers' ruim tien jaar geleden reeds hebben gedaan, willen de stichters van Massachusetts in Nieuw Engeland een gemeenschap opbouwen, waarin het ware geloof - gezuiverd van roomse smetten - door iedereen wordt beleden. Kerk en staat werken in de kolonie nauw samen om aan de 'bijbelse gemeenschap' vorm te geven. Burgerschap en kerklidmaatschap zijn gekoppeld, en vrijwel alle belangrijke politieke beslissingen worden aan de geestelijkheid ter goedkeuring voorgelegd.

De puriteinse leiders hebben niet de intentie van hun kolonie een voorpost van religieuze verdraagzaamheid te maken. Veeleer zien zij hun gemeenschap als een 'Sion in de wildernis'; een toonbeeld van zuiverheid en orthodoxie, waarin voor andersdenkenden geen plaats is.

# Pest en honger teisteren Noord-Italië

VERONA - De pestepidemie die Noord-Italië teistert, heeft in Verona een ongekend grote ramp veroorzaakt. Meer dan 33 000 mensen werden het slachtoffer van de gevreesde ziekte. Binnen twee jaar heeft de stad 61 procent van haar inwoners verloren. De zwarte dood hield ook huis in andere Noorditaliaanse steden. Bergamo verloor 40 procent van zijn bevolking, Milaan 47 procent en Monza 57 procent. De sterfte is vooral groot in de steden, omdat de hygiënische omstandigheden er doorgaans erg slecht zijn. De waterbronnen zijn vaak besmet, overal ligt vuilnis te rotten en het krioelt er van de ratten. De zwarte rat is de drager van de builenpest. De ziekte wordt door vlooien op de mens overgebracht. Sinds 1348, toen de pest Europa voor de eerste maal overviel, heeft Noord-Italië eenentwintig pestepidemieën te verwerken gekregen.

De laatste epidemie is voorafgegaan door een hongersnood, die de bevolking enorm verzwakte en op zich al veel slachtoffers maakte. In uiterste wanhoop aten de hongerige mensen voedsel waarvan zij normaal afkeer zouden hebben gehad. Dit leidde ertoe dat 'de natuurlijke orde van het lichaam geruïneerd werd en lucht en zelfs water zich in de buik en benen ontwikkelden. De huid kreeg een gele kleur en de mensen stierven.'

Een arts uit Bergamo voelde zich niet meer veilig door de vele hongerige bedelaars, die hem voortdurend lastig vielen. Hij constateerde dat zij gek geworden waren van de honger: 'Een gek

*Vertwijfeld dragen stedelingen de pestslachtoffers weg (Nicolas Poussin; 1630).*

geworden massa van halfdode mensen viel iedereen op straat lastig... Het was onmogelijk aan hen te ontsnappen zonder hun een aalmoes te geven. Maar als men aan één bedelaar iets geeft, wordt men meteen belaagd door honderd andere. De walging en de afschuw die dit oproept, zijn onvoorstelbaar voor mensen die dit nog nooit meegemaakt hebben.'

Hongersnoden en epidemieën ontstaan vaak in tijden van oorlog. Rondtrekkende legers vernielen akkers, slachten complete kudden af en hongeren steden uit. De hygiëne in de legerkampen is allerberoerdst, waardoor de soldaten epidemieën verspreiden, die vaak meer slachtoffers maken dan de oorlog zelf. De burgemeester van de Noorditaliaanse stad Padua klaagde dat 'soldaten de meest vieze en vervuilde individuen zijn, die overal waar ze komen, besmetting brengen'.

Oorlog, honger en pest zijn de drie grootste vijanden van de mens. De angst voor deze drie plagen zit diep geworteld. Een veel gehoorde gebedszin uit de 17de eeuw luidt: 'a bello, fame et peste libera nos Domine' (God, bevrijd ons van oorlog, honger en pest).

De verovering van Maagdenburg volgens een ingekleurde gravure uit 1631.

## Maagdenburg door brand verwoest

MAAGDENBURG, 20 mei - Nadat de keizerlijke troepen onder leiding van Johan Tserclaes, graaf van Tilly, na een maandenlange belegering Maagdenburg hadden ingenomen, heeft een brand de stad grotendeels verwoest. Wie de brand heeft aangestoken, is onduidelijk.

Naast het snel om zich heen grijpende vuur werd de bevolking ook nog geteisterd door de binnenstormende soldaten. Volgens ooggetuigen trokken de soldaten al moordend, martelend en plunderend door de straten van de verwoeste stad. Zelfs katholieken waren geschokt door het wrede optreden van de keizerlijke troepen. De bij de belegering betrokken keizerlijke generaal Pappenheim merkte op dat een dergelijke verschrikkelijke bezoeking des Heren sinds de verwoesting van Jeruzalem door de Romeinen niet meer aanschouwd was.

Door de inname van Maagdenburg door keizerlijke troepen hebben de protestanten een betrouwbaar en strategisch bolwerk verloren.

Johan Tserclaes, graaf van Tilly.

## 1632

**15 april 1632.** Gustaaf II Adolf verslaat voor de tweede keer het katholieke leger in de slag om Rain aan de Lech. De katholieke veldheer Tilly bezwijkt aan zijn verwondingen.

**April.** Lord Baltimore sticht de kolonie Maryland. Het is een op religieus gebied tolerante Engelse kolonie in Amerika.

**Augustus.** Na de dood van Tilly wordt Wallenstein opnieuw aangesteld als keizerlijk opperbevelhebber 'met speciale volmachten'. Hij verdrijft de Saksen uit Bohemen en dwingt de Zweden hun opmars naar Wenen op te geven.

**30 oktober.** Richelieu laat de populaire hertog van Montmorency onthoofden wegens diens aandeel in een nieuwe (mislukte) coup van Gaston van Orléans.

**16 november.** In de Slag bij Lützen weet het protestantse leger een overwinning op Wallenstein te behalen, maar de Zweedse koning Gustaaf II Adolf sneuvelt. →

**November.** Na de dood van koning Sigismund III van Polen wordt zijn zoon Wladislaw tot opvolger gekozen.

- Het boek *Dialogo sopra i due massimi sistemi del mondo* van Galilei, dat handelt over het Copernicaanse wereldbeeld, wordt al direct bij uitgave door de inquisitie verboden en op de index gezet.

- In Amsterdam wordt het Atheneum Illustre, de voorloper van de universiteit, geopend. Het geniet al direct faam door zijn twee vrijzinnige hoogleraren Barlaeus (geschiedenis) en Vossius (wijsbegeerte).

- In Parijs wordt de orde der lazaristen gesticht. Het is een congregatie van seculieren met vier geloften: armoede, gehoorzaamheid, kuisheid en stabiliteit.

**Januari 1633.** De Russen beginnen een oorlog tegen de Polen en belegeren de stad Smolensk.

**23 april.** De Zweedse kanselier Oxenstierna vormt met protestantse Duitse vorsten de Bond van Heilbronn. Het is een soort reïncarnatie van de oude Protestantse Unie.

**22 juni.** De Italiaanse astronoom Galileo Galilei moet van de inquisitie in Rome zijn 'dwaalleer' dat de aarde om de zon draait, herroepen.

**2 december.** Isabella van Oostenrijk, landvoogdes van de Zuidelijke Nederlanden, sterft. Nieuwe landvoogd wordt Don Ferdinand, de kardinaal-infant (een zoon van Filips III).

# Zweedse koning gesneuveld

Gustaaf II Adolf van Zweden (portret toegeschreven aan Heinrich Bollandt; 1631).

LUTZEN, 6 november 1632 - De Zweedse koning Gustaaf II Adolf is tijdens een veldslag in Saksen gesneuveld. Zijn leger wist echter een klinkende overwinning te behalen op het keizerlijke leger van Wallenstein. Amper twee jaar na zijn ingrijpen in de Dertigjarige Oorlog is daarmee een vroegtijdig einde gekomen aan de imposante carrière van de man die Zweden wist te verheffen tot de rang van grote mogendheid in Europa.

Bij de aanvang van zijn regeringsperiode in 1611 was daarvan echter nog niets te bespeuren. Integendeel, Zweden was verwikkeld in een slecht verlopende oorlog tegen Denemarken om de Noorse Lapp-mark. Maar de Denen wisten niet door te drukken en na de vrede in 1613 kon Gustaaf zijn ambities op het Oostzeegebied gaan richten. Vanaf 1614 voerde hij verscheidene schermutselingen met de nog niet zo sterk in het zadel zittende eerste Romanov-tsaar Michail. Gustaaf wist Ingermanland en Oost-Karelië te veroveren waardoor de Russen van de toegang tot de Oostzee werden afgesloten. In 1618 startte hij een oorlog tegen Polen dat hij Lijfland afhandig wist te maken. Omdat Estland en Finland al eerder in Zweedse handen waren gekomen, was de Oostzee zo bijna een Zweedse binnenzee geworden.

In Europa was men diep onder de indruk van Gustaafs vlotte zeges gekomen. Naast zijn militaire capaciteiten was de steun van Engeland en Nederland hierbij van groot belang. Maar het belangrijkste waren de krijgsartikelen van 1621, waardoor Zweden het modernste leger van Europa kreeg, gebaseerd op dienstplicht van de boeren. In Zweden zelf moest Gustaaf II zijn

macht delen met de adel. In 1617 werd de Rijksdag georganiseerd in vier standen: adel, geestelijkheid, steden en belastingbetalende boeren. Ook werd er een centrale rechtbank opgericht. Omdat Gustaaf de adel in beide organen de overhand liet behouden, steunde deze hem bij zijn expansionistische buitenlandse politiek. Veel steun kreeg de koning van zijn talentvolle rijkskanselier Oxenstierna.

Ook stopte Gustaaf II veel energie in de opbouw van de Zweedse economie. De havens en de infrastructuur werden verbeterd, de belastingen gemoderniseerd en buitenlanders werden gestimuleerd hun talenten in Zweden te komen ontplooien. De opgevoerde koperproductie leverde Zweden veel winst op.

Het waren de ontwikkelingen in het Duitse Rijk die Gustaaf de meeste zorgen baarden. Sinds 1618 woedde daar een burgeroorlog tussen de protestantse en katholieke staatjes. In 1625 besloot de Deense koning Christiaan IV zich in deze strijd te mengen in de hoop op Deense machtsuitbreiding. De keizerlijke generaals Wallenstein en Tilly joegen hem echter tot diep in Denemarken terug. Slechts een dreigend ingrijpen van Zweden kon de Duitse katholieken in 1629 tot een annexatieloze vrede bewegen. Het protestantse kamp was ernstig verzwakt en vestigde alle hoop op Gustaaf II. Die besloot in 1630 zijn geloofsgenoten te hulp te schieten. Hij hoopte bovendien zijn bezittingen aan de Oostzeekust verder uit te breiden en de protestantse Duitse staatjes in een unie te verenigen. Gustaaf behaalde overwinningen bij Breitenfeld en Rain, maar zag zijn opmars naar Wenen gestuit.

**Januari.** De Duitse keizer geeft het opperbevel over het leger in handen van zijn zoon Ferdinand, maar in de praktijk wordt graaf Matthias Gallas aanvoerder.

**25 februari.** De in ongenade gevallen katholieke veldheer Wallenstein wordt in Eger door de Ierse officier Walter Deveroux vermoord. →

**14 juni.** Bij het Verdrag van Polianov beëindigen Polen en Rusland de oorlog om Smolensk. De Russen ontruimen alle bezette gebieden en de Poolse koning Wladyslaw IV geeft zijn aanspraken op de Russische troon op.

**6 september.** De Zweden verliezen de Slag bij Nördlingen van een gecombineerd keizerlijk-Spaans leger. Ze moeten zich naar Noord-Duitsland terugtrekken en de Bond van Heilbronn valt uiteen.

**19 oktober.** Een zware stormvloed op de Noordzee verwoest het eiland Strand.

**20 oktober.** Karel I heft zonder toestemming van het parlement een nieuwe belasting ('Ship money') in Londen en de havensteden, om een vloot tegen de piraten te kunnen opstellen.

- De Engelsen bouwen een nederzetting in Cochin, India, ruim 130 jaar nadat de Portugezen daar als eersten waren neergestreken.

- In het Beierse Oberammergau wordt voor het eerst het passiespel opgevoerd, als dank voor het tot staan komen van een in 1633 uitgebroken pestepidemie.

- In Amsterdam wordt een remonstrants seminarium geopend.

- De Lotharingse tekenaar en graveur Jacques Callot geeft een serie etsen uit, de *Misères de la guerre*, die op een gruwelijke wijze de ellende van de Dertigjarige Oorlog illustreren.

- De Hollanders zetten voet aan wal op Aruba, Bonaire en Curaçao.

- Er ontstaan wrijvingen tussen de Republiek en Engeland als Hollandse vissers in de Engelse territoriale wateren blijven vissen.

- De belastingpolitiek van Richelieu leidt tot rellen en hongersnood in Frankrijk.

- Rembrandt trouwt met Saskia van Uylenburch.

- De Fransman Mairet publiceert *Sophonisbe*.

Gestorven:

- Georg Petel (1601), Duits barokbeeldhouwer

## Moord op Albrecht von Wallenstein

EGER, 25 februari - Kapitein Deveroux heeft in opdracht van Jan Gordon, commandant van de vesting Eger, en overste Walter Butler, bevelhebber over een regiment dragonders de keizerlijke generalissimus Albrecht von Wallenstein vermoord. Deze moord vloeit voort uit de op 18 februari door keizer Ferdinand uitgevaardigde proscriptieverklaring waarin hij een ieder opriep Wallenstein 'dood of levend' aan hem uit te leveren.

Wallenstein, die nadat hij in 1630 van zijn functie ontheven was, in december 1631 opnieuw het opperbevel over de keizerlijke troepen kreeg toebedeeld om de oprukkende Zweedse koning Gustaaf Adolf te keren, is na de Slag bij Lützen (16-11-1632) steeds eigenmachtiger gaan optreden. Geheel op eigen initiatief startte hij voor velen ondoorzichtige onderhandelingen met protestantse rijksvorsten, Zweden en Frankrijk. Het is onduidelijk of Wallenstein met deze onderhandelingen vrede wilde bewerkstelligen of juist de vijanden van de keizer tegen elkaar wilde opzetten. Zelfs de Franse gezant Feuquières moest toegeven dat Wallensteins spel te subtiel voor hem was. Daarnaast dwong hij zijn officieren zich schriftelijk te verbinden tot onvoorwaardelijke gehoorzaamheid aan hem, en dus afstand te nemen van de eed van trouw aan de keizer.

Voor Ferdinand was dit twijfelachtige handelen van Wallenstein hoogverraad. Op 24 januari verklaarde de keizer dat alle waardigheden van Wallenstein vervallen waren. Maar daarmee was de zaak nog niet geregeld. De keizer en zijn raadsheren begrepen dat de kwestie alleen door de dood van Wallenstein kon worden opgelost. Nadat de keizer dit besluit in vertrouwelijke kring bekendgemaakt had, spande het net zich langzamerhand steeds nauwer rond Wallenstein. Steeds meer officieren verlieten zijn kamp en handlangers van de keizer zochten naar mogelijkheden om Wallenstein uit de weg te ruimen. In de hoop zich uit het wespennest te bevrijden, verplaatste de generaal zijn hoofdkwartier van Pilsen naar Eger. In deze stad werd het door keizer Ferdinand getekende vonnis voltrokken.

Walter Butler wist stadscommandant Gordon over te halen Wallenstein te doden. Nadat de hoofdofficieren van Wallenstein op een speciaal voor hen georganiseerd gastmaal door dragonders verrast en onder de kreet 'Leve keizer Ferdinand' afgeslacht waren, trokken de dragonders en kapitein Deveroux naar de stad, waar de generaal zijn intrek had genomen in het huis van de burgemeester van Eger. Wallenstein bood met uitgespreide armen de aanstormende Deveroux zijn weerloze borst aan.

**10 februari.** Kardinaal Richelieu sticht in Parijs de 'Académie Française', een instituut ter bescherming van de Franse taal en cultuur.

**Februari.** Frankrijk en de Republiek sluiten een verdelingsverdrag betreffende de Zuidelijke Nederlanden: men besluit de taalgrens als onderlinge afscheiding te nemen.

**19 mei.** Frankrijk verklaart Spanje de oorlog en stuurt direct troepen naar de Zuidelijke Nederlanden.

**30 mei.** Saksen sluit met de Duitse keizer de Vrede van Praag. Als de keizer belooft af te zien van het Restitutie-edict (1629) sluiten de meeste protestantse vorsten zich bij de vrede aan. Een algehele vrede in het Duitse Rijk lijkt nabij.

**Juni.** De verbannen predikant Roger Williams sticht in Nieuw-Engeland de nederzetting Providence. →

**Juli.** Een gezamenlijk Frans-Nederlands leger verovert Tienen en belegert Leuven, maar de verwachte volksopstand in de Zuidelijke Nederlanden blijft uit.

**12 september.** Zweden en Polen sluiten een wapenstilstand bij het Verdrag van Stuhmsdorf.

**18 september.** Als Richelieu een verbond sluit met Zweden en de Republiek om de Spaans-Habsburgse positie aan de Rijn te kunnen aantasten, verklaart keizer Ferdinand II de Fransen de oorlog. →

- In antwoord op Grotius' pleidooi voor het recht op vrije zee (1609) schrijft de Engelse politicus John Selden *Mare Clausum* (De gesloten zee), waarin hij de heerschappij over de zee voor Engeland opeist.

- Zweedse troepen trekken plunderend door Brandenburg.

- In Frankrijk wordt de verkoop van tabak aan banden gelegd: het is alleen nog op doktersrecept te verkrijgen bij apotheken.

- De ontdekking van het graf van de Merovingische koning Childerik in de Zuidelijke Nederlanden leidt tot een verhoogde belangstelling voor archeologie.

- John Winthrop sticht een Engelse nederzetting in Connecticut.

- Terwijl de Engelsen op de Maagdeneilanden landen, veroveren de Fransen Martinique en Guadeloupe met hun pasgestichte Compagnie van de Amerikaanse Eilanden.

- Polen slaat een kozakkenopstand neer. →

Gestorven:

**24 maart.** Jacques Callot (1592), Frans tekenaar en graveur

## Predikant sticht orthodoxe kolonie

BOSTON, juni - Roger Williams, d[e] predikant die eerder dit jaar uit de En[g]else kolonie Massachusetts is verban[n]en wegens zijn kritiek op de overhei[d] heeft elders in Nieuw-Engeland de n[e]derzetting 'Providence' gesticht. Ge[el] heel volgens Williams' opvattingen za[l] in de nieuwe kolonie een radicale sche[i]ding tussen Kerk en staat worden aan[ge]bracht; een magistraat mag niet lan[g]er tegelijkertijd een burgerlijk en ee[n] geestelijk ambt uitoefenen, wat in he[t] theocratische Massachusetts wel mo[ge]lijk is.

De puriteinse predikant Williams [is] verbannen omdat hij vanaf zijn aan[komst] komst in Massachusetts, vier jaar gele[den], den, de puriteinse orde voortduren[d] met kritiek heeft bestookt. Hij pro[testeert] testeert openlijk tegen de versmelti[ng] van geestelijke en wereldlijke functie[s] en vindt dat de eerste vijf der Tien G[e]boden gewetenskwesties zijn die nie[t] door de overheid mogen worden a[f]gedwongen. Voorts pleit de onorth[o]doxe predikant voor het recht van he[t] individu op een persoonlijk oordeel [in] godsdienstige kwesties en ijvert h[ij] voor verdraagzaamheid tegenover al[le] religieuze sekten.

Ook uit de predikant openlijk twijfe[l] over de waarde van het octrooi waar[mee] mee de Engelse koning de stichters va[n] de. kolonie Massachusetts heeft ge[machtigd] machtigd in Amerika land in bezit t[e] nemen. Volgens Williams is het octro[oi] zonder waarde, aangezien het land nie[t] van de wettige eigenaren, de Indianen[, ] is gekocht maar afgenomen. De wet[tigheid] tigheid van het document was al een[s] eerder in twijfel getrokken maar gou[verneur] verneur Winthrop wenste er gee[n] openbare discussie over. Maar de pre[dikant] dikant bleef zijn kritiek spuien, waar[door] door de leiding van de kolonie zich ui[t]eindelijk genoodzaakt zag de dissiden[t] te verbannen.

De grond waarop Williams zijn eige[n] nederzetting heeft gesticht, heeft h[ij] gekocht van de Narragansett-Indianen[, ] die hem tijdens zijn omzwervinge[n] door de wildernis een schuilplaats heb[ben] ben geboden.

*Indianen scalperen een vrouw.*

*Bestorming van een burcht (door de schilder Philips Wouwerman; 1646).*

# Ferdinand II wil oorlog

WENEN, 18 september - Keizer Ferdinand II heeft de Franse koning Lodewijk XIII de oorlog verklaard. Hij reageert hiermee op de hernieuwde vijandigheden van Frankrijk tegen het Duitse Rijk en de Habsburgers.

Hoewel Frankrijk door middel van gezanten en financiële steun aan Zweden en protestantse vorstendommen al geruime tijd een actieve rol speelt in de sinds 1618 woedende oorlogen binnen het Heilige Roomse Rijk, is kardinaal Armand Jean du Plessis Richelieu - de architect van de Franse buitenlandse politiek - de laatste tijd overgegaan tot openlijke vijandigheden. Zo hebben de Fransen vorig jaar Lotharingen bezet, afgelopen voorjaar anti-Habsburgse bondgenootschappen gesloten met de Republiek der Verenigde Nederlanden en Noorditaliaanse staten, en op 19 mei zelfs Spanje de oorlog verklaard. Deze openlijke vijandigheden moeten in verband gebracht worden met de groeiende eenheid binnen het Duitse Rijk - een tendens die zich uitte in de op 30 mei gesloten Vrede van Praag. Deze toegenomen saamhorigheid binnen het Duitse Rijk heeft de speelruimte voor Richelieus diplomatieke spel aanzienlijk verkleind en hem gedwongen openlijk in te grijpen.

De Franse buitenlandse politiek onder Richelieu wordt geleid door de opvatting dat Frankrijk door de Habsburgers bedreigd wordt, en dat het voor Frankrijk dus noodzakelijk is de macht van de Oostenrijkse en Spaanse Habsburgers met allerlei middelen te verzwakken. Om dat te bereiken, kent Frankrijk geen enkele religieuze scrupule. Protestantse vorsten worden zonder gewetensbezwaren door Frankrijk ingeschakeld.

## Koning Wladyslaw IV slaat opstand van Kozakken neer

WARSCHAU - Koning Wladyslaw IV heeft een laatste poging ondernomen om de opstand van de Oekraine neer te slaan. De onderdrukking van de talrijke kozakkenopstanden is tijdrovend en tot nu toe weinig effectief gebleken. De Poolse Kroon, uitgeput door de Zweedse en Turkse oorlogen, heeft te weinig militaire macht. De schatkist is leeg.

De meerderheid van de Poolse adel kan steeds minder animo opbrengen voor de langdurige oorlogsescapades in de Oekrainse steppen. De meest voorkomende klacht van de edellieden betreft het verval van hun landbezit ten gevolge van de lange afwezigheid van de eigenaren.

De oostgrens van Polen is nu nog kwetsbaarder geworden voor Russische en Turkse invallen.

# 1636

**Mei 1636.** Vanuit de Zuidelijke Nederlanden vallen Spaanse troepen onder leiding van Don Ferdinand Noord-Frankrijk binnen, maar Richelieu weet de aanval af te slaan.

**Juni.** In Plymouth klaagt Roger Williams de groeiende intolerantie van de puriteinen jegens de Indianen aan.

**28 oktober.** Engelse kolonisten stichten in Massachusetts het Harvard-college, de eerste universiteit in Amerika.

- In Aceh overlijdt sultan Iskander Muda.→

- Anthony van Diemen wordt gouverneur-generaal van Nederlands-Indië. Hij organiseert hongitochten, roof- en moordexpedities om ongeoorloofde specerijenculturen te vernietigen.

**23 januari 1637.** De pasbenoemde gouverneur van Nederlands Brazilië, Johan Maurits, neemt de leiding van het bestuur aldaar in handen.→

**28 juli.** Als de Indianen in Amerika zich verzetten tegen de landroof door het groeiende aantal Engelse kolonisten besluiten de laatsten een oorlog te beginnen. De hele stam van de Pequot-Indianen wordt daarbij uitgeroeid.

**Juli.** De Schotten komen in Edinburgh in opstand tegen de Engelsen, die het anglicanisme in Schotland willen doordrukken.

- In de Republiek eindigt door overheidsingrijpen een uit de hand gelopen tulpenhandel. Door speculatiezucht waren de prijzen van de tulpebollen tot astronomische hoogten gestegen.

- De Koreaanse Yid-dynastie besluit alle contacten met het buitenland te verbreken.

- In Leiden verschijnt van de Franse filosoof René Descartes *Discours de la méthode.* →

- In Japan leidt de Sjimabara-rebellie, een door christenen aangevoerde boerenopstand, tot de moord op 37 000 christenen. De sjogoen besluit het land hermetisch van de buitenwereld af te sluiten.

- De Zweden stichten (in navolging van de Engelsen, Fransen en Hollanders) een compagnie om hun bezittingen in Amerika te beschermen.

- Franse handelaren uit Dieppe stichten de nederzetting St.-Louis aan de monding van de Senegal-rivier in Afrika.

- In Venetië wordt het eerste openbare operatheater ter wereld geopend, het Teatro di San Cassiano.

# Iskander Muda: een wreed heerser

ACEH, 1636 - Na een regering van bijna dertig jaar is sultan Iskander Muda (Mahkota Alam), 'de Grote', overleden. Zijn bewind werd gekenmerkt door grote territoriale expansie, maar was ook hard en tiranniek. Vlak voor zijn dood liet hij nog de kroonprins ombrengen om vervolgens zijn schoonzoon, een prins uit Pahang, als opvolger aan te wijzen.

Aceh werd, na een periode van sterke machtsuitbreiding rond het midden van de 16de eeuw, geteisterd door interne strijd; tussen 1571 en 1607 regeerden in totaal acht sultans. Aan deze periode kwam een einde door de troonsbestijging van Iskander Muda. Hij bouwde een sterk militair apparaat op: een vloot met galeien, cavalerie met Perzische paarden, olifantenregimenten, enzovoort. Hij maakte zich achtereenvolgens meester van de Maleisische sultanaten Perak en Pahang en grote delen van Sumatra (Deli, Siak, Aru en Indragiri). In 1613 werd de hoofdstad van Johore verwoest en de sultan gevangengenomen. De expansie werd tot staan gebracht door Portugal, naast Johore Acehs grote tegenspeler in de strijd om de hegemonie in de Straat van Malakka, dat in 1629 een groot expeditieleger een jammerlijke nederlaag toebracht.

# Descartes geeft nieuwe methode

LEIDEN, 1637 - In zijn dit jaar gepubliceerde *Discours de la méthode* bewijst de Fransman René Descartes een van de meest belangrijke filosofen van deze tijd te zijn. In tegenstelling tot vroegere wijsgeren meent Descartes dat het mogelijk is met behulp van één universele methode alle wetenschappelijke problemen op te lossen. Het uitgangspunt daarvoor zoekt Descartes in de rede. Met behulp hiervan kan twijfel plaatsmaken voor zekerheid. Het twijfelend ego vindt zekerheid in zijn denken: cogito ergo sum (ik denk dus ik ben). Descartes bevrijdt zo de filosofie van de knellende banden van de scholastische methode die op autoriteit is gebaseerd.

*René Descartes (rechts) in Parijs.*

# Strijd om Brazilië nog niet beslist

*De Hollanders veroveren Pernambuco.*

PERNAMBUCO, 23 januari 1637 - De pasbenoemde gouverneur van Nederlands Brazilië, Johan Maurits, is op de kust van Pernambuco geland en heeft de leiding van het bestuur van de politieke raad aldaar overgenomen. De Heren Negentien, het bestuur van de West-Indische Compagnie, benoemden hem op 4 augustus van het afgelopen jaar tot 'gouverneur, Capiteyn- en Admiraal-Generaal' van Nederlands Brazilië. De voormalige veldoverste in het stadhouderlijk leger is niet alleen naar de plantagekolonie gestuurd om het bestuur daar te leiden, hij moet ook de veroveringen op Portugees Brazilië, ten zuiden van het Nederlandse gebied gelegen, zien te bespoedigen.

De eerste pogingen van de WIC om Portugees Brazilië in handen te krijgen, dateren uit de jaren 1624-1625. De Portugezen wisten zich toen in Bahia te handhaven. Sinds februari 1630 echter kreeg de Compagnie vaste voet in Brazilië. Olinda, de hoofdstad van het gewest Pernambuco (noordelijk van Bahia), werd evenals Recife ingenomen. Vanuit Olinda, een landtong in de haven van Recife, slaagden de Nederlanders er geleidelijk in de suikerdistricten in Pernambuco, Itamaraca en Paraiba op de Portugezen te veroveren. Johan Maurits van Nassau-Siegen, een achterneef van prins Frederik Hendrik, moet nu trachten de Portugezen uit geheel Brazilië te verdrijven.

SUYCKER MOLENS

*De bewerking van suikerriet.*

# 1638

**28 februari 1638.** De Schotse presbyterianen gaan samen in de National Covenant en verzetten zich tegen verdere anglicaanse invloeden vanuit Engeland.

**Maart.** Tot teleurstelling van keizer Ferdinand III wordt de Frans-Zweedse alliantie voor drie jaar verlengd; de oorlog duurt voort.

**6 mei.** In Ieper sterft Cornelis Jansen, grondlegger van het jansenisme.

**8 november.** De rechtbank van Massachusetts verbant Anne Hutchinson, leidster van een religieuze sekte. →

**17 december.** Bernhard van Saksen-Weimar verovert met het Frans-Zweedse leger de Elzas. Het is een keerpunt in de strijd tussen Frankrijk en de Habsburgers.

- Op het Japanse schiereiland Sjimabara wordt een boerenopstand neergeslagen. →

- In de Palts richten hongerende soldaten grote verwoestingen aan. →

- De Osmaanse Turken onder leiding van Moerad IV heroveren na vijftien jaar Bagdad op de Perzen.

- Russische ontdekkingsreizigers bereiken de Zee van Ochotsk. In nauwelijks zestig jaar hebben de Russen hun invloed van de Oeral tot de Grote Oceaan uitgebreid.

- Galilei onderzoekt de beweging van vallende objecten en schrijft daarover in *Discorsi e dimonstrazioni matematiche*.

**14 januari 1639.** Roger Ludlow doet de *Fundamental orders of Connecticut* het licht zien. Het is de eerste geschreven Amerikaanse grondwet.

**18 juni.** Omdat Karel I het superieure Schotse leger niet durft aan te vallen sluit hij vrede in Berwick.

- Japan verscherpt zijn isolatie: eigen inwoners wordt verboden het land te verlaten en alle Japanse havens worden voor buitenlanders (met uitzondering van de Chinezen en de Hollanders) gesloten.

- De puriteinse predikant Roger Williams sticht in Providence (Rhode Island) de eerste baptistengemeente in Amerika.

- *Chi soffre, speri*, de eerste komische opera, wordt opgevoerd in het Barberini-theater.

- William Gascoigne ontdekt de micrometer.

- De Engelse astronoom Jeremiah Horrocks neemt als eerste een Venusovergang waar en hij berekent een elliptische baan van de maan om de aarde.

*Gewapend met zeisen en hooivorken verweren boeren zich tegen soldaten.*

# Plunderingen in de Palts

PALTS, 1638 - Rondtrekkende hongerige soldaten hebben in de Palts verscheidene dorpen geplunderd. Op zoek naar voedsel lieten de soldaten een spoor van verwoestingen achter. Boerderijen die op hun weg lagen, werden met de grond gelijk gemaakt, kudden afgeslacht en opgegeten. In Saarburg bezat men voor de oorlog nog 2651 paarden. Uiteindelijk hield men er 116 over. Het aantal ossen werd gereduceerd van 5077 tot 36. De burgerbevolking is opnieuw de dupe geworden.

Uit andere Duitse staten komen dezelfde berichten. Het leger van generaal von Werth was zo verzwakt door voedselgebrek, dat de bevelhebber de opdracht om naar Bourgondië op te trekken moest weigeren. De generaal bleef met zijn manschappen bij Ehrenbreitstein en stuurde de keurvorst van Beieren een brief, waarin hij alles uitlegde. Later werd de honger in zijn leger zo ondraaglijk dat 'ruiters en musketiers, die al tien tot twaalf dagen niets gegeten hadden, paarden opaten die aan afschuwelijke ziekten gestorven waren'. Behalve de soldaten leed ook de bevolking in de stad en op het platteland honger. De oorlog had een verlam-mende werking op de agrarische pro duktie. De voedselvoorraden konde niet voldoende worden aangevuld e waren volstrekt ontoereikend. De situatie resulteerde al snel in een sterke stij ging van de voedselprijzen. De prijs verhogingen plaatsten vooral arme voor grote problemen. Deze werde onoverkomelijk in de duurtejare 1624-1625 en de afgelopen jarer waarin de rogge- en tarweprijzen re cordhoogten bereikten.

De opwaartse prijsontwikkeling wer nog extra in de hand gewerkt door ge knoei met het zilvergehalte in d muntstukken. De munten vermindere den hierdoor in waarde en een prijssti ging was het gevolg. Maar dit wa slechts een bijkomende oorzaak van d hoge voedselprijzen.

De legers en de burgerbevolking had den niet alleen met honger te kampe zij werden ook bedreigd door voortdu rend uitbrekende epidemieën. Ook d pest stak weer de kop op. De pestepide mie brak vier jaar geleden uit in d zuidoostelijke Duitse staten en trok vi het zuiden, midden en westen verde over het land. Sommige dorpen en ste den verloren meer dan de helft van hu inwoners door de gevreesde ziekte.

## Massachusetts wijst sekteleidster uit

BOSTON, 8 november 1638 - De rechtbank van Massachusetts heeft Anne Hutchinson, de leidster van een religieuze sekte, uit de kolonie verbannen. Als voorzitter van de rechtbank fungeerde John Winthrop, de gouverneur van de kolonie, die tevens als openbare aanklager optrad. De rechter acht Hutchinson schuldig aan 'opruiing' en 'belediging van de rechtbank'.

Anne Hutchinson, die door gouverneur Winthrop beschreven werd als 'goed van de tongriem gesneden' en 'stoutmoediger dan een man', verwijt de orthodoxe puriteinse geestelijkheid zich te veel aan de strenge morele wetten te houden en te weinig acht te slaan op de Heilige Geest. Zelf predikt zij de leer van het 'Innerlijk Licht', die de Goddelijke Openbaring als richtsnoer neemt. Iedere donderdagavond hield zij bij haar thuis gebedsbijeenkom sten, tijdens welke zij de preken van d afgelopen zondag aan een kritische b schouwing onderwierp. Tevens we den de predikanten met elkaar vergel ken en zwaaide Anne Hutchinson d aanhangers van het 'verbond van g nade' lof toe, terwijl zij de andere scherp veroordeelde, omdat dezen h beginsel van het 'verbond van werke aanhingen. Volgens de orthodoxe pu ritein Winthrop kan 'niemand zegge wat het verschil tussen beide princip is', maar Hutchinson verklaarde daa toe wel in staat te zijn, omdat zij g steund wordt door de Heilige Gees Voor de rechtzinnige puriteinen, die al leen de Heilige Schrift als inspirati bron erkennen, is dit een ketterse op vatting en dus een reden om haar uit kolonie te verbannen.

# Sjogoen bedwingt grote opstand in Sjimabara

KIOTO, 1638 - Na een langdurig beleg met meer dan 100 000 man is de sjogoen erin geslaagd ongeveer 20 000 opstandige boeren in Kioesjoe uit hun vesting te verdrijven. Daarmee is een einde gekomen aan de grootste opstand in Japan van het afgelopen dennium.

Met steun van samoerai die geen heer meer hadden die zij konden dienen, kwamen vorig jaar op het schiereiland Sjimabara boeren tegen de sjogoen in opstand. De motieven voor de opstand zijn zuiver economisch. Al jarenlang worden de belastingen telkens verhoogd terwijl de prijzen die de boeren voor hun produkten krijgen, nauwelijks stijgen. Hiertegen waren in het verleden al boeren in verzet gekomen. Vorig jaar verschansten ruim 20 000 man zich in een fort op het schiereiland en verklaarden dat zij niet langer aan de exorbitante eisen van de overheid wilden voldoen.

Hun economische grieven zijn echter door de sjogoen niet onderzocht. Hij formeerde een leger om de opstand neer te slaan en heeft steeds beweerd dat het hier gaat om een opstand van christenen tegen het wettig gezag. Nu waren er onder de opstandige boeren velen die zich hadden bekeerd en op de talrijke banieren van de opstandelingen trof men teksten aan als 'prijs het heilig sacrament'. Hun religie was echter niet de inspiratiebron voor de opstand.

De Nederlanders in Japan hebben de sjogoen op twee manieren geholpen: zij verspreidden het gerucht dat de Portugezen achter deze opstand zaten en boden de sjogoen aan vanuit zee de opstandelingen met kanonnen te beschieten. Deze hulp werd aanvaard.

Na een lang beleg is het schiereiland nu uiteindelijk heroverd. Uit wraak voor de zware verliezen - meer dan 10 000 gedode soldaten - aan de kant van de regeringstroepen zijn naast de 20 000 opstandige boeren ook nog 17 000 burgers, die daar al sinds generaties wonen, afgeslacht. Slechts een enkeling is ontkomen.

Voor de sjogoen zal de opstand slechts aanleiding zijn nog harder tegen de katholieken op te treden en ook strengere maatregelen tegen de Portugezen te nemen.

Daarnaast is gebleken dat het niveau van de troepen van de sjogoen bedenkelijk laag is vergeleken bij dat van het leger dat ruim twintig jaar geleden het keizerlijk fort te Osaka belegerde en innam.

Ten slotte kan men verwachten dat de Nederlanders voor hun actieve steun bij het neerslaan van de opstand op een of andere manier beloond zullen worden.

---

**13 april.** Koning Karel I van Engeland roept voor het eerst sinds 1629 het parlement bijeen om financiële steun los te krijgen voor een oorlog tegen de opstandige Schotten (korte parlement).

**5 mei.** Koning Karel I ontbindt het parlement weer, als het weigert geld te voteren voor de oorlog en ook nog zijn religieuze politiek aanvalt.

**12 mei.** In Catalonië breekt een opstand uit tegen het gezag van koning Filips IV.

**12 juli.** Bij schermutselingen in Zeeuws-Vlaanderen sneuvelt Ernst Casimir, stadhouder van Groningen, Friesland en Drenthe. Zijn broer Willem Frederik volgt hem op.

**Juli.** De Zweden moeten zich uit Bohemen terugtrekken.

**29 augustus.** Nadat Schotse troepen het Engelse Newcastle hebben veroverd, ziet koning Karel I zich genoodzaakt vrede met de Schotten te sluiten. →

**Augustus.** Richelieu laat Savoye en Turijn bezetten.

**3 november.** Het Engelse parlement komt opnieuw bijeen (lange parlement).

**15 december.** De Portugezen slagen erin na zestig jaar het Spaanse juk af te werpen en onafhankelijk te worden. De hertog van Bragança wordt tot koning Johan IV uitgeroepen. →

**December.** Frederik Willem wordt keurvorst van Brandenburg en legt de basis voor de opkomst van de Brandenburgs-Pruisische staat.

- De Fransen veroveren Atrecht.

- Na de dood van Moerad IV wordt Ibrahim sultan van het Turkse Rijk.

- De joodse godsdienstfilosoof Uriël Acosta pleegt zelfmoord in Amsterdam. Zijn opvattingen over het jodendom verschilden sterk van die van de lokale joodse gemeenschap.

- De Engelse nederzettingen in de Nieuwe Wereld tellen ongeveer 20 000 zielen.

- In Frankrijk wordt een geldhervorming doorgevoerd.

- In de Donau-vorstendommen wordt het eerste boek in de Roemeense taal gedrukt.

- Het door John Elliot samengestelde *Bay psalm book*, een nieuwe versie van alle psalmen, is het eerste boek dat in Amerika wordt gedrukt.

- Vondel voltooit zijn *Joseph in Egypten* terwijl Corneille *Horace* publiceert.

Gestorven:

**30 mei.** Peter Paul Rubens (28-6-1577), Vlaams schilder →

---

# Portugal onafhankelijk

*Portugees handelsschip voor de Japanse kust (1640).*

LISSABON, 15 december - Na een coup tegen het Spaanse bewind is de hertog van Bragança door het geestdriftige volk van Lissabon tot koning Johan IV uitgeroepen. Na 60 jaar heeft Portugal zijn onafhankelijkheid terug. De Spaanse koning Filips IV is echter niet van plan zich bij deze ontwikkelingen neer te leggen.

De populariteit van de Spanjaarden in Portugal is gaandeweg geringer geworden. Respecteerde Filips II de Portugese autonomie nog redelijk, zijn opvolgers Filips III en IV beschouwden Portugal steeds meer als een wingewest. Mede hierdoor kon in Portugal het 'sebastianisme' opbloeien: de overtuiging van veel Portugezen dat koning Sebastiaan (1578) niet dood was, maar zou terugkeren om het land te redden. Diverse valse Sebastiaans stonden op, maar werden door de Spanjaarden hard aangepakt.

De personele unie met Spanje was aanvankelijk niet onvoordelig voor Portugal geweest: Portugese handelaren konden vrijelijk opereren in de Spaanse koloniën en Spanje zelf werd nu ook een afzetmarkt voor Portugese produkten. Het grootste nadeel van de unie was het feit dat Portugal, dat zelf altijd een strikte neutraliteitspolitiek had gevoerd, betrokken werd bij de oorlogen van Spanje met nagenoeg half Europa. Toen Filips II de Portugese havens sloot voor Engelse en Hollandse schepen, besloten deze voortaan zelf de specerijen in het Oosten te gaan halen. Met name de Hollanders bedreigden met de in 1602 gestichte VOC acuut het Portugese monopolie, vooral op de Molukken.

Er zat Portugal meer tegen: Ormoez ging verloren door een opleving in Perzië (1622), het nieuwe Mogol-rijk bedreigde de Portugese factorijen in Indië en de triomf van het sjogoenaat in Japan bewerkstelligde dat alle Europeanen (behalve de Hollanders) het land werden uitgezet (1638).

De Spanjaarden kregen de schuld toen de Hollandse WIC Portugese steunpunten in Brazilië en Afrika veroverde. Op 1 december zagen Portugese nationalisten hun kans schoon: ze waagden een coup tegen Spanje, dat zijn handen vol had aan een oorlog met Frankrijk en een opstand in Catalonië. Regeringsleider Vasconcelos werd gedood, de Spaanse garnizoenen capituleerden en vandaag is de nieuwe koning gekroond.

*Met de dood van Peter Paul Rubens heeft Vlaanderen zijn belangrijkste schilder verloren. Rubens leerde de beginselen van de schilderkunst bij Tobias Verhaecht in Antwerpen. In Italië werd hij beïnvloed door de Venetiaanse meesters. Op briljante wijze maakte hij mythologische thema's tot onderwerp van zijn vaak monumentale schilderijen. Boven: zelfportret uit 1638/1640.*

# Hogerhuis stuurt aan op verdrag met Schotten

NEWCASTLE, 29 augustus - Nadat de Schotten Engeland zijn binnengevallen en Newcastle hebben veroverd, heeft Karel I op last van de Engelse Hogerhuisleden vrede moeten sluiten. Schotland krijgt een vergoeding van 25 000 pond per maand en Durham en Northumberland als pand.

Hoewel zijn vader, Jacobus I, Schotland vele jaren zelf had bestuurd en dat na 1603 vanuit Londen ook kon blijven doen, was de nog wel in Schotland geboren Karel I (1600) vervreemd geraakt van zijn oorspronkelijke landgenoten. Dit bleek al in 1633 tijdens zijn bezoek aan Edinburgh, waarvan het enige effect was dat de oppositie zich consolideerde.

Maar de Schotten werden eerst goed in het harnas gejaagd, toen zij het Anglicaanse gebedenboek moesten gaan gebruiken. De calvinistische presbyterianen hadden geen behoefte aan deze opgedrongen liturgie, waarin - naar hun idee - aartsbisschop Laud te veel 'paapse' elementen had opgenomen.

Toen op 23 juli 1637 de deken van de Saint-Gileskathedraal te Edinburgh uit het nieuwe gebedenboek begon voor te lezen, werd er met uitwerpselen gegooid; het bleek het begin van een opstand.

De Algemene Vergadering van de Schotse Kerk nam de leiding over de revolte of, zoals de beweging genoemd werd, het Nationale Covenant (februari 1638). De godsdienstige eisen van dit verbond richtten zich, naast het gebedenboek, vooral tegen de bisschoppelijke organisatie, die indertijd door Jacobus I was opgedrongen. Men wilde dat, in plaats van de vorst, gemeenten en synoden beleidsbepalend werden.

Om de opstand te bestrijden mobiliseerde Karel vorig jaar een leger, onder bevel van Alexander Leslie. Geldgebrek, als gevolg van de tegenwerking bij de extra heffing van 'scheepsgeld', droeg bij tot een slechte uitrusting en organisatie. De weerstand van de Schotten bleek te sterk en de Engelse koning werd dan ook gedwongen om in juni te Berwick een wapenstilstand te sluiten.

Karel bereidde echter meteen een nieuwe militaire actie voor. Uit Ierland kwam daartoe Thomas Wentworth, graaf van Strafford over. Om meer middelen ter beschikking te krijgen wist hij in april de koning te bewegen na elf jaar weer een parlement bijeen te roepen. Maar het parlement was weinig toegevend en stond zelfs in direct contact met het Schotse verzet. Ten einde raad viel Strafford deze zomer toch aan. Met als resultaat de overschrijding van de grens door de Schotten en hun nog hogere eisen.

# 1641

**14 januari.** Gouverneur-generaal Van Diemen van de VOC verovert het schiereiland Malakka en verjaagt de Portugezen, die dit handelscentrum sinds 1511 in handen hadden. →

**23 januari.** Het Spaanse Catalonië stelt zich onder gezag van de Franse koning Lodewijk XIII. →

**16 februari.** Het Engelse parlement dwingt de in geldnood verkerende koning Karel I de 'Triennial Act' aan te nemen, waarin wettelijk wordt voorgeschreven dat het parlement minstens eens in de drie jaar bijeengeroepen moet worden.

**2 mei.** Het Engelse vorstenhuis wordt met de Oranjes verbonden, als prins Willem, de zoon van Frederik Hendrik, met de Engelse koningsdochter Maria Stuart trouwt.

**12 mei.** De Engelse stadhouder in Ierland, Thomas Wentworth, graaf van Strafford, wordt op bevel van het parlement (maar tegen de zin van de koning) in Londen terechtgesteld. Met harde hand had hij de koninklijke macht in Ierland versterkt.

**1 juni.** Er wordt een Frans-Portugese alliantie tegen Spanje gesloten.

**Juni.** Het keizerlijk leger wordt bij Wolfenbüttel verslagen.

**September.** In Frankrijk mislukt de samenzwering van de graaf van Soissons tegen Lodewijk XIII.

**23 oktober.** Katholieke Ieren komen in opstand en vermoorden in Ulster duizenden Engelse en Schotse kolonisten. Koning Karel I, vastbesloten de opstand zo snel mogelijk te onderdrukken, treedt hard op.

**9 november.** De landvoogd van de Zuidelijke Nederlanden, Don Ferdinand, sterft. Filips IV stuurt Francisco de Melo als waarnemend gouverneur.

**10 december.** In de Britse kolonie Massachusetts wordt de 'Body of Liberties' van kracht. →

**25 december.** De Duitse keizer Ferdinand III maakt in Hamburg met Zweden en Frankrijk de afspraak in Osnabrück en Münster vredesonderhandelingen te gaan openen.

- Phum Tsjo, afkomstig uit Tibet, wordt de eerste koning van Sikkim en sticht de Namgjal-dynastie.

- De Zaporogische kozakken veroveren Azov op de Turken en schenken de stad aan de tsaar.

- De Hollanders beloven in Japan van iedere zendingspoging af te zien en krijgen een handelspost op het eiland Desjima in de haven van Nagasaki. →

# VOC verovert Malakka

*Een Nederlandse vloot wordt bij terugkeer uit Oost-Indië binnengehaald.*

MALAKKA, 14 januari - Het trotse Portugese fort A Famosa, dat gedurende 130 jaar vele tientallen belegeringen heeft doorstaan, is door de VOC veroverd. In de afgelopen maanden heeft de uitgehongerde stad verbeten verzet geleverd. De belegeraars werden geteisterd door ziekte en uitputting en het was dan ook een wanhopige commandant Minne Willemsz. Cartekoe die bevel gaf voor een laatste, beslissende bestorming. Toen men eenmaal de stad was binnengedrongen trof men niet veel meer dan puinhopen aan en de bevolking was gereduceerd tot enige honderden; de meeste handelaren en Maleise huursoldaten hadden hun heil elders gezocht.

De VOC was er al jaren op uit een monopoliepositie in de Maleise en Indonesische wateren te veroveren, maar werd daarin steeds weer gehinderd door de Portugese aanwezigheid in Malakka. Van de glorie van dit in 1511 veroverde imperium was overigens weinig me[er] over; de handel had zich voor een de[el] verplaatst (onder andere naar Batavi[a) en de controle over de Straat van M[a]lakka moest worden gedeeld met Joh[o]re en Aceh.

De VOC was vast van plan Malakka [te] veroveren, niet zozeer om er ee[n] machtsbasis bij te krijgen, als wel om [te] voorkomen dat concurrenten (bijvoo[r]beeld de Engelsen) zich er meester [van] zouden maken. Na enkele, weinig su[c]cesvolle, expedities (1606, 1615) wer[d] in 1633 besloten tot een blokkade va[n] de haven. Het handelsverkeer kwa[m] tot stilstand en bevoorrading wer[d] haast onmogelijk. In 1639 werd ee[n] bondgenootschap gesloten met sulta[n] Abdul Jalil Shah II van Johore (ee[n] rechtstreekse afstammeling van de i[n] 1511 verjaagde sultan van Malakka) e[n] in augustus vorig jaar landden de Ho[l]landers bij Malakka; twee maanden la[ter] volgden de troepen van Johore.

# Grondwet Massachusetts van kracht

BOSTON, 10 december - In de Engelse kolonie Massachusetts is de 'Body of Liberties' van kracht geworden. Deze wet, die is opgesteld door de puriteinse geestelijke Nathaniel Ward, garandeert de rechten en vrijheden van alle inwoners van de kolonie, met inbegrip van 'buitenlanders en vreemdelingen'. Naast een opsomming van de halsmisdrijven bevat de wet de klassieke Engelse waarborgen voor de burgerlijke vrijheden, zoals juryrechtspraak en geen belastingheffing zonder medezeggenschap. Voorts kan niemand van zijn eigendom, vrijheid of leven worden beroofd, zonder dat daaraan een eerlijke rechtsgang is voorafgegaan.

De 'Body of Liberties' onderscheidt twaalf halsmisdrijven (in Engeland kent men er meer dan twintig), die allemaal gebaseerd zijn op de Pentateuch, de eerste vijf boeken van de bijbel. Deze misdaden zijn onder meer: moord, verraad, godslastering, afgo[derij], overspel, homoseksualiteit e[n] hekserij. 'Als een man of een vrou[w] een heks blijkt te zijn,' aldus de we[t] 'wordt hij of zij ter dood veroordeeld[.' De wet bevat voorts ongeveer honder[d] 'vrijheden' voor diverse categorieë[n] inwoners, zoals vreemdelingen, werk[ne]mers, kinderen en vrouwen. De w[et] verbiedt uitdrukkelijk dat een vrou[w] door haar echtgenoot geslagen word[t] 'tenzij hij handelt uit zelfverdedigin[g.' Het bestuur van Massachusetts hee[ft] besloten tot het opstellen van de 'Bod[y] of Liberties' om tegemoet te kome[n] aan de bezwaren van de kolonisten[. Dezen waren van mening dat de ma[gi]straten, assistenten van de gouver[ne]neur die met de rechtspraak belast zij[n] het Engelse gewoonterecht te zeer [in] hun eigen voordeel interpreteerde[n]. De kolonisten vonden dat de magistra[ten] te weinig rekening hielden met d[e] rechten van de bevolking en dronge[n] daarom aan op een geschreven wet.

*Tegeltableau met taferelen uit het dagelijks leven in Catalonië (circa 1600).*

# Portugal los van Spanje

BARCELONA, 23 januari - In enkele maanden tijds is Spanje twee gebiedsdelen kwijtgeraakt. Nadat de Portugezen in december met een bliksemrevolutie een eigen koning op de troon hadden gebracht en daarmee een einde aan zestig jaar Spaanse overheersing maakten, heeft Catalonië zich onder gezag van de Franse koning Lodewijk XIII gesteld.

Directe aanleiding voor de Catalaanse opstand, die in de zomer is uitgebroken, is de zoveelste poging van de centrale regering in Madrid om de Catalanen door hogere belastingen en de rekrutering van troepen meer te laten bijdragen aan de staatsuitgaven. Opnieuw blijken dergelijke pogingen stuk te lopen op de sterk regionale tradities van zelfbestuur en onafhankelijkheid. De Catalaanse afscheiding betekent het failliet van de hervormingspolitiek van de koninklijke favoriet en eerste minister, de hertog van Olivarez. Deze wilde juist de financiën saneren en de economische en sociale verstarring in Spanje tegengaan door de randprovincies meer aan de schatkist te laten bijdragen. Hierbij probeerde hij de regionale parlementen te passeren. Zijn maatregelen leidden al snel tot onrust en belastingoproeren, onder andere in Baskenland en Portugal. Bovendien heeft Olivarez naar het oordeel van veel Spanjaarden de financiële problemen van Spanje alleen maar verergerd door zijn overambitieuze buitenlandse politiek.

Behalve de hervatting van de strijd in de Nederlanden en de voortdurende inmenging in de godsdienststrijd in Duitsland, is Spanje sinds 1635 ook weer in oorlog met Frankrijk. De poging om tussen de Spaanse gebieden in Noord-Italië en die in de Zuidelijke Nederlanden een verbinding in stand te houden door de verovering van steunpunten langs de Franse grens en de Rijn, was onaanvaardbaar voor Frankrijk, dat nog steeds een Habsburgse omsingeling vreest.

Juist voor deze uitbreiding van de oorlog had Olivarez meer geld en troepen nodig. Een Franse invasie in Catalonië dreigde, maar de Catalanen toonden tot zijn grote woede weinig bereidheid om aan de verdediging van hun eigen grenzen mee te werken. Olivarez heeft het conflict zo ver op de spits gedreven dat de Catalanen zich bij Frankrijk hebben aangesloten. Daarmee is zijn centralisatiepolitiek op een mislukking uitgelopen, en lijkt ook de kans om de kostbare oorlogvoering te beëindigen voorlopig verkeken.

*Kort na de dood van Rubens verliest Vlaanderen in Anthonie van Dijck opnieuw een groot schilder. Evenals zijn leermeester Rubens onderging Van Dijck de invloed van Venetiaanse meesters als Titiaan. Van Dijck was als 21-jarige al zo beroemd dat hij aan het Engelse hof werd uitgenodigd. Daar vervaardigde hij een serie portretten die opvallen door de elegante en verfijnde weergave van het onderwerp. Afgebeeld: het schildersatelier.*

# Japan beperkt handel met buitenland

*De Nederlandse factorij op het Japanse eiland Desjima bij Nagasaki.*

KIOTO - Nu de Nederlanders gedwongen zijn zich uit Hirado terug te trekken en slechts op Desjima, een klein eiland voor Nagasaki, met ten hoogste 24 man mogen verblijven, lijkt Japan nagenoeg volledig voor buitenlanders gesloten te zijn. Naast de Nederlanders mogen slechts de Chinezen op zeer stringente voorwaarden handel met de Japanners blijven drijven.

De isolatiepolitiek van de sjogoen begon met het overhandigen van een memorandum van vier hoge ambtenaren van de centrale regering aan de twee gouverneurs van de provincie Nagasaki. Hierin wordt onder meer gesteld dat het voor elk schip verboden is zonder geldige vergunning Japan te verlaten voor een tocht naar een buitenlandse haven. Ook ingezetenen van Japan mogen zonder geldige vergunning het land niet verlaten. Voorts zullen Japanners die uit het buitenland komen ter dood worden gebracht, tenzij zij minder dan vijf jaar zijn weggeweest en een goede reden hebben voor hun lange verblijf buitenslands. Als zij echter weer naar het buitenland gaan, zullen zij bij hun terugkeer onherroepelijk ter dood worden gebracht. De andere paragrafen van het memorandum betreffen het zoeken naar Japanners die katholiek zijn geworden en naar missionarissen die via havens het land illegaal zijn binnengekomen.

In 1636 kregen alle vertegenwoordigers van buitenlandse mogendheden te horen dat zij naar het eiland Desjima moesten vertrekken. Daar waren verblijven voor hen ingericht. Aanvankelijk bleek dit echter slechts voor Portugezen te gelden. Dezen werden in 1638 na de Sjimabara-opstand zelfs gedwongen onmiddellijk te vertrekken. Later moesten echter ook de meeste andere buitenlandse diplomatieke en handelsmissies naar dit eiland.

De laatste serie maatregelen met betrekking tot het afsluiten van het land voor vreemde invloeden werd in 1639 afgekondigd. Deze maatregelen waren duidelijk geïnspireerd door de Sjimabara-opstand die het jaar daarvoor was neergeslagen. Er werd een direct verband gelegd tussen de aanwezigheid van missionarissen en de opstanden die overal tegen de regering uitbraken. Zelfs als er ergens geen priesters waren, werd verzet toch aan hen toegeschreven.

Portugese schepen, die vroeger vaak illegaal priesters het land binnensmokkelden, mochten nu geen Japanse havens meer aandoen. Vooral voor de Portugese handelspost Macao op de kust van China betekende deze verordening een zware slag.

De Nederlanders kunnen met een kleine handelsmissie op Desjima blijven maar dienen zich aan zeer strenge regels te houden. De handel met het hof is beperkt en de uitgebreide staf van controlerende Japanse ambtenaren moet door de Nederlanders worden betaald. De Chinezen krijgen het recht eens in de negen jaar een handelsvloot van beperkte omvang te sturen. Maar net als de Portugezen krijgen de Chinezen geen vaste handelspost.

# Richelieu gaf monarchie macht en aanzien

PARIJS, 4 december - Op 57-jarige leeftijd is kardinaal Richelieu overleden. Met zijn dood verliest Frankrijk een groot politicus en koning Lodewijk XIII zijn trouwste dienaar. Onder Richelieu heeft de Franse monarchie aan prestige en aanzien gewonnen.

De politiek van de in 1624 aan de macht gekomen Richelieu kende veel vijanden. Met name zijn manier van besturen wekte, vooral bij degenen die van het bestuurlijk apparaat waren uitgesloten, grote irritatie. Het bestuur van Richelieu steunde namelijk op een leger van 'créatures'. In ruil voor ambten, gunstige huwelijken, jaargelden en andere beloningen steunden dezen die veelal afkomstig waren uit zijn geboortestreek Poitou of uit de kring van zijn verwanten, de politiek van Richelieu. Hoewel zijn vele critici terecht opmerkten dat alleen de 'fidèles' van Richelieu toegang hadden tot de vorst en dat dezen trouw aan de kardinaal boven trouw aan de vorst stelden, wist Richelieu op behendige wijze van dit systeem gebruik te maken om toegewijde ambtenaren te kweken en zo de macht van de monarchie te versterken. Bo-

vendien bleef Richelieu ondanks zijn uitgebreide patronagenetwerk volledig afhankelijk van de welgezindheid van de vorst. Om zijn positie te handhaven was hij genoodzaakt de verhoudingen aan het hof nauwgezet te volgen en de koning op de juiste wijze te bespelen.

Eenmaal aan de macht voerde Richelieu een consequente anti-Habsburgse politiek. Het was zijn vaste overtuiging dat het in het belang van Frankrijk was de macht van de Habsburgers zoveel mogelijk te beteugelen. Om dat doel te bereiken was Richelieu bereid alle principes overboord te zetten en aarzelde hij niet protestantse machten te steunen, zoals zijn overeenkomsten met Engeland, de Republiek der Verenigde Nederlanden, Denemarken en Duitse protestantse vorstendommen bewijzen. De Duitse en Italiaanse wespennesten (de Mantuaanse Successieoorlog) vormden prachtige diplomatieke speelplaatsen om de Habsburgers te dwarsbomen. Maar hoezeer Richelieu het diplomatieke spel ook beheerste, af en toe was ook hij gedwongen naar militaire middelen te grijpen en zelfs

openlijk aan een oorlog deel te nemen zoals in Duitsland vanaf mei 1635.

De anti-Habsburgse politiek moch dan in de ogen van Richelieu van le vensbelang voor Frankrijk zijn, zij wa eigenlijk te kostbaar. Telkens weer za Richelieu, die toch al niet zo thuis wa in financiële kwesties, zich genood zaakt de bestaande belastingen te ver hogen en nieuwe te introduceren. Ti dens zijn regeringsperiode steeg d belastingdruk gestaag en werd Frank rijk geconfronteerd met vele belasting oproeren. Daarnaast probeerde Ri chelieu door middel van special commissarissen, die met het toezich op provinciale en lokale ambtenare belast waren, de effectiviteit van he bestuur en de inkomsten van de vorst t vergroten.

Volgens politieke deskundigen is he optreden van Richelieu in veel opzich ten te beschouwen als een keerpunt i de geschiedenis van de Franse monar chie. Na de door hofintriges en opstan den van de adel gedomineerde beginja ren van Lodewijk XIII is Richelieu eri geslaagd de Franse monarchie wee macht en aanzien te geven.

# Galilei: 'Zon is middelpunt van het heelal'

ARCETRI, 8 januari - In Arcetri bij Florence is op 77-jarige leeftijd de wiskundige, astronoom en natuurkundige Galileo Galilei overleden, de geleerde die bewees dat de aarde om de zon draait en niet het middelpunt van het heelal is.

Galilei, in 1564 in Pisa geboren, studeerde aanvankelijk medicijnen en pas in tweede instantie natuurkunde, een studie die hij wegens geldgebrek niet kon afmaken. In 1589 kon hij in Pisa wiskunde gaan doceren, hetgeen hem in staat stelde zijn onderzoek naar de theorie van de beweging te beginnen. Hij ontkrachtte Aristoteles' bewering dat lichamen met uiteenlopende gewichten met verschillende snelheden vallen. In Padua, waar hij van 1592 tot 1610 lesgaf, ontwikkelde Galilei zijn bekendste theorieën, met name over Copernicus' stelling dat de planeten om de zon draaien. Met een zelf-gebouwde telescoop registreerde Galilei een reeks astronomische ontdekkingen, onder andere over het oppervlak van de maan.

Zijn aristoteliaanse tegenstanders vestigden vanaf 1611 de aandacht van de kerkelijke autoriteiten op Galilei, wegens de tegenstelling tussen Copernicus' theorie en de kerkelijke leer. Toen op 5 maart 1616 die theorie 'vals en verkeerd' werd verklaard trok Galilei zich terug in zijn huis bij Florence, een zelfverbanning die hij pas beëindigde toen zijn vriend Maffeo Barberini paus Urbanus VIII was geworden. Deze stelde hem in staat vrij te werken, op voor-

*Galilei moet zich tegenover een kerkelijke rechtbank verantwoorden.*

waarde dat hij zou uitgaan van de premisse dat de mens niet kan weten hoe de wereld in elkaar zit en dat de mens de goddelijke almacht niet in twijfel mag trekken.

Toen Galilei in 1632 zijn boek *Dialoog over de twee belangrijkste wereldsystemen: die van Ptolemaeus en die van Copernicus* publiceerde, brak niettemin een schandaal uit omdat zich volgens sommigen achter de neutrale titel één lang pleidooi voor de copernicaanse theorie verborg. In februari 1633 werd Galilei ondanks ziekte en zijn hoge

leeftijd naar Rome ontboden om oj verdenking van ketterij terecht t staan. Op 21 juni werd hij schuldig be vonden en gedwongen zijn theorieën a te zweren. Hij werd tot huisarrest ver oordeeld, een vonnis dat tot zijn doo van kracht is gebleven.

Ook in Arcetri is Galilei blijven wer ken. Zijn belangrijkste werk *Dialoo over twee nieuwe wetenschappen* waarin hij de resultaten van zijn vroeg experimenten uitwerkte en aanvulde verscheen, uit Italië gesmokkeld, i 1638 in Leiden.

# 1643

## Engels parlement tegenover koning

LONDEN, 10 januari - De conflicten tussen het parlement en Karel I zijn zo hoog opgelaaid, dat de koning zich gedwongen heeft gezien Londen te verlaten. Op zijn buiten Hampton Court ontwikkelt hij plannen om regionale garnizoenen aan zijn kant te krijgen en om zijn vrouw hulp in het buitenland te laten zoeken.

De directe aanleiding tot deze ruzie is Karels dagvaarding van enkele leden van het parlement, onder wie John Pym en John Hampden. Het Lagerhuis weigerde mee te werken, waarop Karel met zijn cavalerie zelf de gedaagden kwam ophalen (4 januari). De vogels waren echter al gevlogen. Deze aanslag op het parlement mobiliseerde de publieke opinie tegen de regering.

Godsdienstige bezwaren richtten zich met name tegen het bewind van aartsbisschop William Laud, die vooral de puriteinen bestrijdt, van wie er sinds 1633 bijna 60 000 naar Nieuw-Engeland [Amerika] zijn uitgeweken. Ook wilde Laud een nationale 'Ecclesia Anglicana' handhaven, die zich zowel tegen de Roomse wereldkerk als tegen de protestantse verdeeldheid keerde. De individualisering van de geloofsbeleving was echter reeds te ver ontwikkeld en zijn geloof opdringen aan het calvinistische Schotland werkte averechts (Covenant, 1638).

Op fiscaal gebied opereerde de koning vaak buiten het parlement om. Zo werd in 1634 het scheepsgeld ingevoerd om de opbouw van de Kanaalvloot te bekostigen. Aanvankelijk werd deze belasting effectief geïnd, maar in 1638 opeens massaal geweigerd, naar voorbeeld van bovengenoemde Hampden. Met het parlement had Karel eigenlijk reeds in onmin geleefd en na 1629 heeft hij dan ook elf jaar zonder dit lichaam geregeerd. Maar door de oorlog en de boycotactie tegen het scheepsgeld, werd hij gedwongen om in april 1640 weer een parlement te convoceren. Dit al in mei ontbonden 'Korte Parlement' bleek tot subsidiëren niet bereid. Nadat de Schotten die zomer Engeland waren binnengevallen, moest hij het toch op 3 november weer bijeenroepen.

Nu moest het parlement zijn positie zien te herstellen. De belangrijkste uitvoerders van 's konings beleid op religieus en militair gebied, Laud en Strafford, werden gevangengezet, terwijl juridische en fiscale commissies het eigenmachtig handelen van de koning gingen onderzoeken.

Oppositieleider Pym dreef het conflict op de spits. Hij kreeg gedaan dat Karel Straffords doodvonnis ondertekende (8 mei 1641). Karel, bang dat hij en zijn katholieke vrouw, Henriette Maria, de volgende slachtoffers zouden worden, probeerde toen Pym en Hampden te dagvaarden.

**25 februari.** Met goedkeuring van directeur-generaal Willem Kieft richten Hollandse kolonisten een bloedbad aan onder de vreedzame Algonquin-Indianen.

**13 mei.** Bij een aardbeving in Santiago de Chile komt één derde van de bevolking om het leven.

**14 mei.** Lodewijk XIV wordt na de dood van zijn vader op 4-jarige leeftijd koning van Frankrijk. Terwijl zijn moeder Anna van Oostenrijk officieel het regentschap waarneemt, ligt de feitelijke macht bij kardinaal Mazarin.

**19 mei.** De Engelse nederzettingen Massachusetts Bay, Plymouth, Connecticut en New Haven sluiten zich aaneen in de Nieuw-Engeland Confederatie. Angst voor de oprukkende Hollanders en de steeds vaker voorkomende botsingen met de Indianen liggen aan deze stap ten grondslag. →

**19 mei.** Een Spaans leger onder leiding van waarnemend gouverneur De Melo leidt een zware nederlaag in de Slag bij Rocroi tegen het Franse leger onder Condé. Filips IV ontslaat De Melo en benoemt zijn bastaardzoon Don Juan tot landvoogd. Het verzet van adel en geestelijkheid tegen die benoeming doet Filips besluiten de markies van Castel-Rodrigo de landvoogdij te laten waarnemen.

**15 juni.** Abel Tasman keert in Batavia terug na een ontdekkingsreis naar het Zuidland. →

**Juni.** De Spaanse adel en geestelijkheid brengen de machtigste staatsman van het land, de hertog van Olivarez, ten val. Olivarez had niet willen inzien dat Spanje noch economisch, noch politiek nog in staat was een toonaangevende rol in Europa te spelen.

**September.** Het Engelse parlement en de Schotten sluiten de 'Solemn League and Covenant', waarin ze afspreken een kerkelijke eenheid op presbyteriaanse grondslag te vestigen.

**24 november.** De Franse opmars in het Duitse Rijk wordt bij Tuttlingen door de Beierse generaal Mercy gestuit.

- Er worden wisselende successen behaald in de Engelse burgeroorlog: de royalisten winnen de slagen om Atherton Moor (30-6) en Roundway Down (13-7), de rondkoppen zegevieren bij Grantham (13-5) en Newbury (20-9). Terwijl de Schotten de zijde van het parlement kiezen, weet Karel I de Ieren aan zijn kant te krijgen.

- De Denen verklaren de Zweden de oorlog en vallen Zuid-Zweden binnen.

# Koloniën in bond verenigd

*Britse kolonisten vestigen zich in Nieuw-Engeland (17de eeuw).*

BOSTON, 19 mei - Vier koloniën in Nieuw-Engeland, te weten Massachusetts Bay, Plymouth, Connecticut en New Haven, hebben een bondgenootschap opgericht. De bond, die officieel de 'Verenigde Koloniën van Nieuw-Engeland' heet, is zonder consultatie van de Engelse koning en zonder diens toestemming tot stand gekomen. Algemeen wordt het eigenmachtig optreden van de koloniën gezien als een teken van hun toenemend gevoel van onafhankelijkheid.

De vier koloniën hebben besloten een 'hechte en eeuwigdurende vriendschapsbond te vormen' ter waarborging van de 'gemeenschappelijke veiligheid en welvaart'. De koloniën in Nieuw Engeland voelen zich al lange tijd bedreigd door de Fransen in het noorden, de Hollanders in het westen en de diverse Indianenstammen in de grensstreken.

De bijdragen aan manschappen en financiële middelen 'voor alle defensieve en offensieve oorlogen' moeten worden geleverd door de mannelijke bevolking van 16 tot 60 jaar.

Het bondgenootschap is niet alleen opgericht uit militaire motieven. Het is tevens de bedoeling dat de bond een bevredigende oplossing zoekt voor de talloze grenskwesties van de aangesloten leden. Tevens zullen er van de bondgenoten bijdragen worden gevraagd ten behoeve van het in 1636 opgerichte Harvard College. Voorts komt er een gemeenschappelijke kas waarmee de bekering van de Indianen gefinancierd zal worden.

## Tasman ontdekt eilanden bij Zuidland

BATAVIA, 15 juni - Abel Jansz. Tasman is teruggekeerd van zijn ontdekkingsreis naar het Zuidland. Hij ontdekte verscheidene eilandengroepen en bracht ze in kaart. Daartoe behoren Anthony van Diemensland, Statenland en de Prins-Willemseilanden. Tasman is langs de noordkust van Nieuw-Guinea naar Batavia teruggezeild. Als eerbetoon is de eerste ontdekking genoemd naar de gouverneur-generaal Van Diemen, de initiatiefnemer van de gehele expeditie. Van Diemen is overtuigd van het nut van verkenningstochten naar het nog grotendeels onbekende Zuidland. Hij meent dat die tochten nodig zijn om 'het resterende onbekende deel des aerdcloots' te kennen. Voordat Tasman Van Diemensland verliet, liet hij een paal met daarop het VOC-embleem en de prinsenvlag achter. Onder zijn ontdekkingen vond Tasman echter geen rijke of voor de handel veelbelovende streken. Op 14 augustus vorig jaar verlieten het jacht 'Heemskerck' en de fuit 'Zeehaen', met een bemanning van 110 koppen, de rede van Batavia. Expeditieleider Tasman, een Groninger, werd bijgestaan door de ervaren opperstuurman François Jacobsz. Visscher. Het doel van de tocht was tweeledig. Tasman moest de onbekende en vaak gevaarlijke kliffen van het Zuidland verkennen en daarvan goede kaarten maken. Enkele Compagniesschepen die van Kaap de Goede Hoop naar Indië voeren, zijn in het verleden bij de kusten van het Zuidland in problemen geraakt. Met goede kaarten, zo hoopt Van Diemen, kan dit vermeden worden. Ten tweede was hij van mening dat het grote Zuidland een nieuw handelsgebied voor de Compagnie kon worden. De tocht van Tasman heeft evenwel uitgewezen dat een winstgevende handel daar niet tot de mogelijkheden behoort.

# Mantsjoes stichten in Peking Qing-dynastie

*Voorbeeld van Chinese schilderkunst uit de Qing-periode (17de eeuw).*

PEKING - Regent Dorgon heeft in Peking zijn neef Fulin tot keizer van China uitgeroepen. Deze machtsovername volgt op de dood van de laatste Ming-keizer eerder dit jaar.

De laatste keizer van de Ming-dynastie hing zich op 19 maart op in een paviljoen op de top van de Kolenberg, die op de Verboden Stad uitkijkt. Samen met hem pleegden ongeveer tweehonderd hovelingen en naaste familieleden zelfmoord. De zelfmoord van de keizer vond plaats toen het opstandelingenleger van Li Zicheng de muren van de binnenstad met succes bestormde. De boerenleider Li riep al in januari de nieuwe dynastie met de naam Shun uit. Meteen daarop moest Li een aanval ondernemen tegen de Ming-generaal Wu Sangui. Deze was door de laatste Ming-keizer te hulp geroepen maar besloot, toen hij te laat voor de muren van Peking was aangekomen, de kant van de Mantsjoes te kiezen. Mantsjoes is de naam die sinds 1635 door de Nüzhens wordt gedragen.

Het aanbod van Wu betekende dat de Mantsjoes, die tijdens de val van de Ming-dynastie de kat uit de boom hadden gekeken, nu een kans op een plotselinge overwinning werd geboden. Terwijl het leger van Li in een zandstorm bij Shanhaiguan in een strijd met het leger van Wu was gewikkeld, kwam plotseling de cavalerie van de Mantsjoes in actie. Li ontsnapte met de restanten van zijn leger naar Peking, waar hij zich op 29 april tot keizer liet kronen. Nog dezelfde dag verliet hij de stad en vluchtte naar het westen.

De Mantsjoes, die nu Peking zijn binnengetrokken, hebben aangekondigd dat ze zich als wrekers van de Ming-keizer beschouwen en van plan zijn de boerenopstand neer te slaan. De doorzichtige propaganda heeft succes zoals bewezen wordt door massale collaboratie van Chinese militairen. De houding verklaart hoe het mogelijk is dat een volk van 300 000 mensen nu in staat blijkt te zijn een land met 300 miljoen mensen te onderwerpen.

# Johan Maurits treedt af als gouverneur

PERNAMBUCO, 6 mei - Gouverneur Johan Maurits heeft tijdens een plechtige vergadering de regering van Nederlands Brazilië aan de Hoge Raad overgedragen. In zijn afscheidsrede, zijn politieke testament, gaf hij aan hoe de kolonie in de toekomst bestuurd moet worden. Johan Maurits is er in zijn korte bewind als gouverneur sinds 1637 in geslaagd het Zuidatlantisch imperium van de West-Indische Compagnie te controleren en uit te breiden. In het noorden van Brazilië veroverden zijn troepen het eiland Maranhão. Tevens gelukte het hem in West-Afrika Elmina en Luanda (in Angola) voor de Compagnie te bezetten. Vanuit Elmina en Luanda worden de negerslaven voor de Braziliaanse rietvelden en suikermolens verscheept.

De aanval op Bahia, de hoofdstad van Portugees Brazilië, mislukte daarentegen, evenals een poging om in Chili een basis voor de aanval op Peru te vestigen. Het Nederlandse gezag in Brazilië staat voortdurend bloot aan aanvallen vanuit de Portugese gewesten. Een belangrijke overwinning behaalden de Nederlanders in januari 1640, door een grote Spaans-Portugese armada bij Paraiba te verslaan. Johan Maurits bood zijn ontslag aan, omdat hij inziet dat het gezag slechts te handhaven is met krachtige militaire middelen. Hij

*Huis van Nederlandse kolonist in Brazilië (door Frans Post, 17de eeuw).*

begreep dat de WIC hem die steun niet in voldoende mate kan geven.

Johan Maurits heeft zich in Brazilië doen kennen als een man met liefde voor de kunsten en wetenschappen. Onder zijn patronage werd natuurwetenschappelijk onderzoek verricht, onder anderen door Willem Piso en George Markgraf. Uit de Republiek had Johan Maurits ook enkele schilders, onder wie Frans Post en Albert Eckhout, meegenomen. Hun schilderijen en tekeningen, alsmede een aantal planten, opgezette dieren, huiden en Braziliaanse voorwerpen, neemt Maurits naar Nederland mee.

# 1645

# Positie VOC versterkt onder Van Diemen

BATAVIA, 19 april 1645 - Kort na het ontvangen van het bericht dat de Heeren Zeventien, de bewindvoerders der VOC, hadden toegestemd in zijn repatriëring, is gouverneur-generaal Anthony van Diemen plotseling overleden. Tijdens zijn bewind is de machtspositie van de VOC in de Indonesische archipel verder uitgebouwd en hij werd zodanig gewaardeerd dat men hem meermalen ontslag weigerde. Hij zal worden opgevolgd door Cornelis van der Lijn.

De in 1593 geboren Van Diemen vestigde zich als koopman in Amsterdam, maar ging al snel failliet, waarna hij besloot in Indië zijn fortuin te zoeken. Daar het de politiek van de VOC was geen bankroetiers uit te zenden, scheepte hij zich onder valse naam in. In 1618 arriveerde hij in Banten, waar de harde en competente werker al snel het vertrouwen won van J.P. Coen, die hem in bescherming nam toen het bedrog uitkwam. Hij maakte snel carrière, werd al in 1623 opperkoopman en in 1627 directeur-generaal (het op één na hoogste ambt in Indië).

Toen Van Diemen in 1636 het ambt van gouverneur-generaal overnam van de tactloze Hendrick Brouwer, was het urgentste probleem van de VOC gelegen in de Molukken, waar haar monopolie op de specerijenhandel op grote schaal door smokkelaars werd ontdoken. Van Diemen wist hieraan voor het grootste deel een einde te maken door het onderwerpen van Seram (1637), het neerslaan van de opstand van Kakiali op Ambon (1643) en het instellen van hongitochten: jaarlijks met korakora's (prauwen) uitgevoerde expedities, waarbij alle niet door de VOC beheerde specerijentuinen werden vernietigd. Van Diemen was ook verantwoordelijk voor de VOC-machtsontplooiing in andere delen van Azië: onder meer de veroveringen van enige Portugese bezittingen op Ceylon [Sri Lanka], Malakka (1641) en Formosa [T'aiwan] (1642).

Het kasteel Batavia werd voltooid. De nederzetting groeide uit tot een kleine Hollandse stad, kreeg een Latijnse school, maar bleef een ongezond klimaat houden: de sterfte was groot. Buiten de versterkingen werden, meestal door Chinezen, klapper- en suikerplantages aangelegd. In 1642 werden de 'Bataviaasche Statuten' afgekondigd, een wetboek voor de bewoners van de VOC-bezittingen.

Wat betreft de Javaanse rijken stond Van Diemen op het standpunt dat Banten niet te klein en Mataram niet te groot mocht worden; de VOC zou moeten zorgen voor een machtsevenwicht. Met Banten werd in 1636 een wapenstilstand overeengekomen, maar met Mataram was de verhouding moeizaam. Sultan Agung voelde zich zwaar vernederd door zijn nederlaag voor Batavia in 1629 en bleef de VOC dwarszitten bijvoorbeeld door het blokkeren van rijstleveranties en het sluiten van de Noordjavaanse havens voor de Hollanders.

De sultan streefde naar het vestigen van een sterk centraal bestuur, gebaseerd op zijn persoonlijke gezag. In 1635 werden de machtige priester-vorsten van Giri verslagen. Verder dwong hij de edelen permanent in zijn kraton Karta [nabij Kota Gede] te verblijven en oppositionele geluiden werden in bloed gesmoord. Agung kreeg ook te maken met problemen die voortvloeiden uit zijn expansiedrift. Grote delen van Java waren ontwricht door oorlogshandelingen en regelmatig traden hongersnoden en epidemieën op. Het op het binnenland gerichte beleid leidde tot vervreemding van de handelselite in de kuststeden, die toch al zwaar van de concurrentie van de VOC te lijden hadden.

*Een Nederlands gezelschap wordt in de buurt van Batavia door rovers overvallen.*

# Habsburg houdt Hongarije

LINZ, 1645 - Er is een voortijdig einde gekomen aan het bondgenootschap tussen Transsylvanië, Zweden en Frankrijk tegen de Habsburgers. György Rákóczi, vorst van Transsylvanië, heeft in opdracht van zijn Turkse beschermers in Constantinopel de veldtocht tegen Wenen moeten afbreken. Bij de Vrede van Linz krijgt Transsylvanië echter wel de gebieden terug, die na de dood van Gábor Betlen in 1629 verloren gingen.

De deelneming van Rákóczi aan de [Dertigjarige] oorlog had niets te maken met het ideaal van een onafhankelijk Hongaars koninkrijk dat Betlen indertijd voor ogen stond. Sinds de rijke protestantse aristocraat Rákóczi tot vorst van Transsylvanië werd uitgeroepen, is hij vooral uit geweest op vergroting van zijn bezit en heeft hij weinig sympathie voor de boeren getoond. Wel heeft hij de in Transsylvanië al langer bestaande religieuze tolerantie uitgebreid tot de protestantse boeren van Habsburgs Hongarije.

Dit alles staat in scherp contrast met het beleid van Betlen, die van 1613 tot 1629 regeerde. Betlen wilde evenals zijn voorgangers Báthory en Bocskai een staand leger van vrije boeren vormen. Hij verdedigde daarom de boeren tegen hun heren en maakte het bijvoorbeeld strafbaar om kinderen van lijfeigenen te verhinderen naar school te gaan. Bovendien voerde hij een enigszins mercantilistische politiek. Hij haalde buitenlandse handwerkslieden en mijnwerkers naar Transsylvanië, organiseerde de handel door middel van monopolies en steunde de steden. Betlen probeerde van zijn hof in Gyulafehérvár een cultureel centrum te maken en stichtte in 1620 de eerste universiteit in Transsylvanië.

De Hongaren in Habsburgs Hongarije gingen de Transsylvaanse vorst beschouwen als een mogelijk calvinistisch alternatief voor de 'ongelovige, buitenlandse papist' Rudolf van Habsburg. Toen de oorlog tussen de Habsburgers en de Duitse vorsten uitbrak, waarbij Engeland en andere Westeuropese landen zich aansloten, zag Betlen een mogelijkheid zijn ideaal van een onafhankelijk Hongarije te verwezenlijken. Hoewel hij in de herfst van 1619 Wenen bereikte, moest hij na de beslissende overwinning van de Habsburgers in 1620 vrede met hen sluiten.

Bij deze Vrede van Nikolsburg kreeg Transsylvanië er weliswaar zeven Hongaarse graafschappen bij (half Hongarije), en wist Betlen in twee latere campagnes nog meer delen van Habsburgs Hongarije te veroveren, maar bij zijn dood in 1629 was de Habsburgse macht niet werkelijk aangetast.

# Einde Tachtigjarige Oorlog in Münster

MUNSTER, 30 januari - In Münster is een verdrag tussen Spanje en de Republiek getekend. Daarmee zijn de noordelijke provincies van de Nederlanden definitief als soeverein erkend en is er een einde gekomen aan de strijd tegen Spanje, die meer dan tachtig jaar geduurd heeft.

Eigenlijk vanaf het moment dat Frederik Hendrik 's-Hertogenbosch veroverde - dat gebeurde in 1629 -, is het de Republiek voor de wind gegaan. Een belangrijke oorzaak van het succes was de goede band met Frankrijk dat de Zuidelijke Nederlanden vanuit het zuiden bestookte. Bovendien hadden twee vooraanstaande legeraanvoerders van Spaanse kant in 1632 hun diensten aan de Republiek aangeboden en dat had tot resultaat dat belangrijke steden in Limburg veroverd werden: Venlo, Roermond en Maastricht. In 1639 ondernamen de Spanjaarden een laatste poging om de koers te keren. Zij zonden een reusachtige vloot ('de tweede Armada') naar het noor-

*Admiraal Maarten Tromp.*

den, maar deze werd verslagen door Maarten Harpertsz. Tromp. Het jaar daarop kwam Portugal tegen Spanje in opstand en scheidde zich af. In dat jaar namen de Fransen Atrecht in. De rol

van Spanje was definitief uitgespeeld en aangezien de Dertigjarige Oorlog ook de gebieden van de Duitse (Habsburgse) keizer verwoest had, was de wil tot vrede aan die kant zeer groot. In 1646 verscheen een delegatie van de Staten-Generaal in Münster, waar de vertegenwoordigers van Duitsland, Frankrijk en Spanje al bijeen waren. Na een kleine twee jaar van onderhandelen en traineren is dan nu eindelijk het verdrag tussen Spanje en de Republiek tot stand gekomen (de vrede tussen Frankrijk, Duitsland en Zweden laat nog op zich wachten). De voornaamste bepalingen daarvan zijn: de Republiek is soeverein; de Spanjaarden zullen niet op de gebieden varen die de Republiek in de Oost en de West veroverd heeft; ieder behoudt het gebied dat hij op dit moment heeft; op godsdienstig gebied zal de Republiek zich 'in alle zeedigheid' gedragen; Spanje zal tot slot ervoor zorgen dat ook de Duitse keizer de onafhankelijkheid van de Republiek erkent.

# Volksopstand in Napels neergeslagen

NAPELS, 5 april - Spaanse troepen en de feodale baronnen op het platteland hebben een eind gemaakt aan de volksopstand die in juli vorig jaar in het koninkrijk Napels uitbrak. De laatste opstandelingen hebben zich overgegeven.

De onmiddellijke aanleiding tot de opstand op 7 juli vorig jaar was de plotselinge en drastische verhoging van de prijs van een aantal belangrijke levensmiddelen. De werkelijke oorzaak lag dieper. Onder Spaans bestuur, dat in belangrijke mate vorm krijgt in het regime van een aantal wegens financiële hulp met vette banen beloonde Genuese families, is Napels de laatste honderd jaar langzamerhand in een politiek en cultureel isolement geraakt. De zware financiële lasten, de afgedwongen bijdragen aan de Spaanse strijdkrachten, natuurrampen, epidemieën en machtswellust van de heersers hebben het land uitgeput en in juli vorig jaar sloeg de vlam in de pan. De opstand werd aanvankelijk geleid door Tommaso Aniello, genoemd Massaniello, een jonge visser. In werkelijkheid was hij slechts een instrument in de handen van de jurist Giulio Gensino, die voorstander was van een grotere participatie van de middenklasse in het bestuur. Ondanks herhaalde trouwbetuigingen van de opstandelingen en de Spaanse koning ging de onderkoning van Napels na aanvankelijke concessies frontaal in de aanval en op 16 juli vorig jaar werd Massaniello vermoord. In de stad Napels nam de opstand daarna het karakter aan van een anti-Spaanse rebellie. Op het platteland lag het zwaartepunt

meer bij de strijd tegen de feodale landeigenaren.

De Franse eerste minister, kardinaal Mazarin, zag in de opstand een aanleiding tegen Spanje in actie te komen. Zijn initiatief werd spoedig overgenomen door de hertog de Guise, de erfgenaam van de aanspraken van het Huis van Anjou op de Napolitaanse troon. Hij werd door de rebellen, die de

macht in handen hadden genomen, de feodale principes en voorrechten hadden afgeschaft en de republiek hadden uitgeroepen, uitgenodigd hen als dictator te komen leiden, maar een Spaans militair ingrijpen verhinderde dat. Na die interventie is militaire samenwerking tussen de Spanjaarden en de feodale baronnen voldoende geweest om met de opstandelingen af te rekenen.

## Joodse gemeenten doelwit kozakken

WARSCHAU, 6 mei - De hetman der kozakken, Bogdan Chmelnitski, heeft een opstand tegen de Poolse koning Wladyslaw IV Wasa geleid. Hoewel de kozakkenlegers oorspronkelijk waren opgericht tegen regelmatig binnendringende Tataren, is Chmelnitski erin geslaagd een bondgenootschap met hen aan te gaan. Inmiddels hebben enkele duizenden kozakken grote delen van Zuid- en Oost-Polen verwoest. Vooral onder de joodse inwoners is een verschrikkelijk bloedbad aangericht. Waarschijnlijk op aandringen van een jood had een Poolse edelman beslag laten leggen op al de bezittingen van Chmelnitski. In Nemirow werden op één dag 6000 joden afgeslacht en het einde lijkt nog niet in zicht. De joden vormen een machtige en welvarende autonome gemeenschap binnen het verband van Slavische stammen die het roomse christendom aanhangen. De joden in Polen werden al in de 15de eeuw met verdrijving bedreigd. In 1483 en 1491 moesten ze daadwerkelijk Warschau en Krakau verlaten. Vijf jaar later werd hun het verblijf in het vorstendom Litouwen ontzegd.

Gedurende de eerste tientallen jaren van de 16de eeuw annexeerde Polen grote delen van de grensgebieden (Oekraïne). Deze bossen en vruchtbare weidegronden ten oosten van Polen worden bewoond door boeren en kozakken die de Polen en joden haten. De boeren uit de Oekraïne hangen het Grieks-Orthodoxe geloof aan en staan bloot aan economische exploitatie door de Poolse adel die hun zware belastingen oplegt. Het zijn voornamelijk joden die deze belastingen innen. Zij vestigden zich in de Oekraïense dorpjes en nemen een middenpositie in tussen de Poolse katholieke adel en de orthodoxe Oekraïense pachters. Vijfhonderdduizend joden verspreid over heel Polen zijn afhankelijk van de politieke stabiliteit.

De kozakkenopstand is voor degenen die in het grensgebied wonen een bevrijdingsoorlog; de Polen beschouwen de opstand als rebellie en voor de joden lijken de waarschuwingen van de rabbijnen tegen het innen van belastingen door joden uit te komen. Een rampzalig einde is in zicht van een wereld die ze zelf hebben helpen opbouwen.

# Vrede Duitsland met buren

*Met de hand op de bijbel zweren afgevaardigden de eed tijdens de Vrede van Westfalen (15 mei 1648).*

## Bouw Tâdj-Mahal eindelijk voltooid

AGRA - In Agra, tot voor kort de residentie van de Mogol-keizer Sjah Djahan, is het mausoleum voor zijn lievelingsvrouw Moemtaz-i-Mahal (de Verhevene van het Paleis) gereedgekomen. Moemtaz-i-Mahal stierf in 1631 toen ze aan haar veertiende kind het leven schonk. Sindsdien is er in opdracht van Sjah Djahan door 20 000 mensen gewerkt aan wat een monument voor de eeuwigheid moest worden. Kosten noch moeite zijn gespaard bij de bouw van deze Tâdj-Mahal. Uit alle delen van India en Centraal-Azië zijn materialen gehaald voor het schitterende bouwwerk: marmer uit Jaipur, zandsteen uit Faethpur Sikri, jaspis uit de Punjab, jade en kristal uit China, turkoois uit Tibet, lapis lazuli uit Ceylon, koraal en kornalijn uit Arabië en amethist uit Perzië. De totale kosten worden geschat op 90 miljoen roepies. Het gebouw, dat is ontworpen door twee Perzische architecten, verenigt vele culturele invloeden in zich, wat een kenmerk is geworden van het Mogolrijk. Al onder Akbar, Sjah Djahans grootvader, vervaagde de scheiding tussen de hindoëistische en de islamitische bevolking. Buitenlandse invloeden deden zich gelden. Vooral de Perzische vrouw van Akbars zoon en opvolger Djahangir (1605-1627) beïnvloedde het hof in Agra met de Perzische cultuur. Deze vrouw, die Nur Djahan (Licht van de Wereld) heette, had al gauw de touwtjes stevig in handen en lang voor de dood van haar man was zij de feitelijke leider van het Mogol-rijk. Door vele intriges wist zij haar macht te vergroten. Haar nichtje Moemtaz-Mahal liet zij in 1614 met troonpretendent Sjah Djahan trouwen. Net als Djahangir leefde ook Sjah Djahan in grote weelde. Gezeten op zijn kostbare pauwentroon beschikte hij over een harem van in totaal 5000 personen. Rond 1640 gaf hij opdracht voor de bouw van een nieuwe hoofdstad in Delhi. Door deze geldverslindende levensstijl heeft Sjah Djahan, die zijn rijk bestuurt via een achthonderdtal hoge functionarissen, de belastingen moeten verhogen.

*De Tâdj-Mahal, het mausoleum voor koningin Moemtaz-i-Mahal.*

MUNSTER-OSNABRUCK, 24 oktober - Na vier jaar moeizaam onderhandelen hebben keizer Ferdinand III en de Duitse rijksstanden vrede gesloten met zowel Zweden als Frankrijk. Door de op elkaar afgestemde verdragen van Münster en Osnabrück is een eind gekomen aan de verwoestende oorlog, die dertig jaar heeft geduurd. Deze zogenaamde Vrede van Westfalen regelt niet alleen de territoriale afspraken met Zweden en Frankrijk, maar ook het religievraagstuk en de verhouding tussen de rijksstanden en de keizer.

De religieuze verdeeldheid van het Duitse rijk blijft gehandhaafd. Nog steeds bepaalt de landsheer het geloof van zijn onderdanen, maar vanaf nu mag niemand meer om zijn geloof ver-

volgd worden. Naast het katholicisme en het lutheranisme wordt nu ook het calvinisme erkend. Wat betreft de verdeling van de kerkelijke goederen wordt de situatie in het jaar 1624 als uitgangspunt genomen. Dat houdt in dat het Restitutie-edict van 1629 niet langer van kracht is. De keizerlijke macht wordt tot een minimum gereduceerd. Alle keizerlijke besluiten worden onderworpen aan het stemgedrag van de rijksstanden en de verschillende vorstendommen in het Duitse rijk worden soeverein.

De Dertigjarige Oorlog, waaraan de Vrede van Westfalen een eind maakt, is vooral een Europese oorlog geweest. De gebeurtenissen op het Duitse strijdtoneel waren sterk verbonden met de

strijd tussen Spanje en de Republiek der Verenigde Nederlanden, Frankrijks angst voor de Spaanse en Oostenrijkse Habsburgers en het Zweedse streven naar heerschappij over de Oostzee. Deze sterke internationale verbondenheid maakte van de interne Duitse strijd tussen katholieken en protestanten een verwoestende en langdurige oorlog. Al in 1618 zag de Keulse keurvorst in dat ieder intern Duits conflict internationale gevolgen zou hebben. Toen hij vernam dat de Boheemse standen Ferdinand II als koning hadden afgezet zou hij de profetische woorden gesproken hebben: 'Als dat klopt, mag men zich gelijk op een twintig-, dertig- of veertigjarige oorlog voorbereiden.'

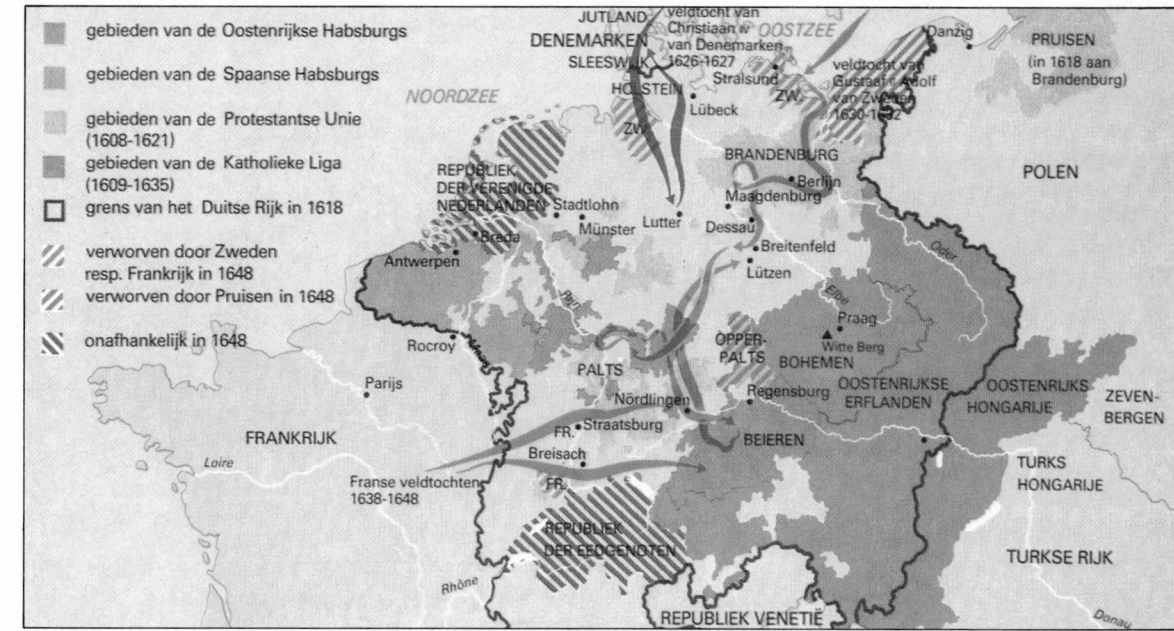

*Het Duitse Rijk ten tijde van de Dertigjarige Oorlog met Zweden en Frankrijk (1608-1648).*

# Parijs toneel van ernstige ongeregeldheden

PARIJS, 26 augustus - in Parijs zijn ernstige ongeregeldheden uitgebroken nadat bekend is geworden dat kardinaal Jules Mazarin, de eerste minister, een poging heeft gedaan de leiders van de 'Chambre Saint Louis', die zijn fiscale politiek tegenwerken, te arresteren. Met deze ongeregeldheden is de bom, die al enige tijd onder de financiële politiek van de regering lag te tikken, tot ontploffing gekomen.

Al onder Richelieu, de vorige eerste minister, werd duidelijk dat Frankrijk de zware lasten van de actieve anti-Habsburgse buitenlandse politiek eigenlijk nauwelijks kon dragen. De belastingdruk nam toen ook enorm toe. Net als Richelieu weten Mazarin en zijn 'surintendant des finances' Michel Particelli d'Emery al jaren niets anders te doen dan allerlei belastingen te verhogen. De vele opstanden die de laatste jaren plaatsvonden, beroerden Mazarin niet en ook de vele waarschuwingen legde de alleen in de buitenlandse politiek geïnteresseerde eerste minister naast zich neer. Nog in het begin van dit jaar waarschuwde de eerste advocaat van het Parijse parlement dat de politiek van Mazarin onvermijdelijk tot een uitbarsting moest leiden: 'De eer van gewonnen veldslagen en de glorie van veroverde provincies kunnen hen

*Kardinaal Mazarin, opvolger van Richelieu (door Pierre Mignard, circa 1750).*

die geen brood hebben niet voeden.' De door velen voorspelde uitbarsting kwam toen Mazarin in het begin van dit jaar opnieuw nieuwe belasting-maatregelen voorstelde. Het parlement van Parijs weigerde, ondanks pogingen van Mazarin om via de minderjarige koning Lodewijk XIV het parlement uit te schakelen en de belasting-maatregelen te registreren. Al snel kreeg het parlement steun van de andere soevereine hoven in Parijs. Mazarin, die in steeds grotere geldnood kwam te zitten, zag zich op 30 juni genoodzaakt een speciale vergadering van de soevereine hoven bijeen te roepen - de Chambre Saint Louis - en naar de klachten te luisteren. Toen duidelijk werd dat Mazarin bereid was enigszins aan de klachten tegemoet te komen, weigerden de geldschieters nog langer geld aan hem te lenen. Sindsdien dreigt een staatsbankroet.

In een laatste poging het verzet te breken, heeft Mazarin nog gepoogd de leiders van het verzet tegen zijn politiek te arresteren. Maar deze onhandige poging heeft het verzet alleen maar versterkt en de gemoederen in Parijs in beweging gebracht. Volgens ooggetuigen zijn in Parijs zo'n 1300 barricaden opgeworpen en is de sfeer gespannen en licht ontvlambaar, zoals een koninklijke minister merkte toen hij bij het verlaten van zijn woning bijna gestenigd werd. Parijse koetsiers sporen hun paarden aan met de woorden: 'Mazarin zal je pakken!' Volgens zegslieden is de koninklijke familie voorbereid op een mogelijke vlucht uit de stad.

# Engels parlement gezuiverd: weldra veroordeling Karel I

WESTMINSTER, 7 december - Bij afwezigheid van de nog in Schotland vertoevende Oliver Cromwell heeft generaal Henry Ireton opdracht gegeven om Londen te bezetten. Zijn kolonel Thomas Pride heeft het Lagerhuis van 96 dissidente presbyterianen (Pride's Purge) gezuiverd, waardoor een rompparlement van maar 150 leden overblijft.

Wat onder het Lange Parlement (vanaf 1640) eerder nog niet mogelijk was, kan nu wel: een proces in gang zetten tegen 'tiran, verrader, moordenaar en publieke vijand van het Commonwealth', koning Karel I. Het rompparlement stelt daartoe een buitengewone rechtbank in, waarin ook Cromwell zitting krijgt.

Sinds zijn gedwongen vertrek uit Londen (januari 1642), heeft Karel tevergeefs gepoogd in binnen- en buitenland steun te krijgen. Na nog een mislukte toenadering stelde het parlement een Commissie van Veiligheid in, die de vorming van een leger onder leiding van Robert Devereux, graaf van Essex, beoogde.

Op 23 oktober brak de Burgeroorlog uit. De royalistische 'cavaliers' (aanhang in het noordwesten, de agrarische wereld en bij de katholieken), raakten slaags met de parlementaire 'rondkoppen', die vooral in het zuidoosten en de

stedelijke en industriële centra steun vonden.

De eerste slag te Edgehill (Warwick) verliep gunstig voor de koningsgezinden, maar zij aarzelden om naar Londen op te trekken. Dit gaf de parlementairen de kans zich te hergroeperen en ook een cavalerie op te zetten, onder bevel van Oliver Cromwell. Aan zijn 'Ironsides' was de eindzege op 14 juni 1645 (Naseby, Northampton) te danken.

Karel vluchtte naar Schotland, maar werd op 30 januari vorig jaar aan het parlement uitgeleverd, omdat hij weigerde presbyteriaanse wensen in te willigen. Doordat er inmiddels conflicten tussen Schotten en Engelse puriteinen waren gerezen, meende Karel de Schotse eisen nu wél te moeten honoreren. Hij trad hierover in overleg met de presbyteriaanse Lagerhuisleden.

Cromwell en zijn modelleger volgden deze ontwikkeling met argusogen. Er werd een legerraad ingesteld (14 juni 1647), die opriep om legervijandige parlementsleden te verwijderen. Maar ook zonder deze elementen brak het parlement het overleg met Karel pas af (januari) toen hij inderdaad met de Schotten tot een akkoord kwam, waarop dezen Engeland binnenvielen. Bij deze tweede confrontatie wisten Cromwells mannen de aanvallers bij

*Oliver Cromwell met zijn 'Ironsides' na de slag bij Marston Moor in 1644.*

Preston te verslaan (augustus) en door gelijkgezinden te Edinburgh een staatsgreep te laten plegen.

Voor de puriteinen is Karel de oorzaak van al dit kwaad. Om hem definitief te kunnen uitschakelen moet aan de laatste parlementaire twijfel een eind gemaakt worden.

# Presentatie van nieuw Russisch wetboek

*Processie tijdens de viering van Palmzondag bij het Kremlin in Moskou (17de eeuw).*

MOSKOU, 29 januari - In vijf maanden tijds is er door een speciale commissie van de bojarendoema een nieuw wetboek opgesteld. Het is in tweeduizend exemplaren gedrukt: een novum in de Russische rechtsgeschiedenis. Het is tien keer zo dik als het wetboek uit 1550 dat het vervangt. Men hoopt de corruptie en het machtsmisbruik te kunnen bestrijden met behulp van deze nieuwe, algemeen bekende rechtsregels als basis voor bestuur en rechtspraak.

De lijfeigenschap is nu nog definitiever geworden. Voor de invoering van de nieuwe regels kon een boer na een bepaalde tijd niet meer door zijn vorige eigenaar worden teruggehaald. Deze bepaling is nu afgeschaft. De boer hoort nu bij de grond, kan verkocht worden en is zijn beslissingsbevoegdheid kwijt.

De opdracht tot het maken van een wetboek is verleend na de uitbarsting van volkswoede in Moskou begin juni vorig jaar. De stedelingen en de dienstadel kwamen in opstand tegen de willekeur van het bestuur van Boris Morozov, de opvoeder van tsaar Aleksej (geboren 1629).

De stedelingen waren ontevreden omdat ze steeds hogere belastingen moesten opbrengen en per stad verplicht werden tot onder meer het bouwen van vestingwerken. Deze verplichtingen drukten des te zwaarder omdat in de buurt van steden 'sloboden', vrijheden, waren ontstaan. Dit zijn stadachtige gemeenschappen die niet onder genoemde belastingen en verplichtingen vielen omdat ze op het gebied van een grootgrondbezitter liggen. Daarheen trokken veel stadsbewoners zodat de belastingen door nog minder personen moesten worden opgebracht.

Volgens het nieuwe wetboek moeten de bewoners van deze 'sloboden' ook belasting betalen. De boeren die er winkels of bedrijven hebben, moeten die verkopen en naar hun vroegere landgoederen terugkeren.

De adel, die verplicht is in staatsdienst te treden, had te lijden onder de rijke grootgrondbezitters en de kloosters die arbeidskrachten bij hem wegkochten. Op aandringen van deze omvangrijke groep zijn strengere maatregelen tegen het van grondeigenaar verwisselen van boeren ingevoerd.

# Religie vrij in Maryland

CHARLESTOWN, 21 april - In de Engelse kolonie Maryland is een wet afgekondigd die de godsdienstvrijheid regelt. De wet is tot stand gekomen op initiatief van de eigenaar van de kolonie, de in Engeland woonachtige Lord Baltimore. Volgens de nieuwe wet, de 'Akte van Tolerantie', mag een christen 'op geen enkele manier worden lastig gevallen' bij het belijden van zijn of haar godsdienst, noch op enigerlei wijze worden gedwongen om tegen zijn of haar wil een andere godsdienst aan te nemen'. Een ieder die evenwel de Drieëenheid of de goddelijkheid van Christus ontkent, zal worden opgehangen. Belediging van de Heilige Maagd of van de apostelen wordt volgens de nieuwe wet met zweepslagen bestraft.

De katholieke Lord Baltimore hoopt met de Akte van Tolerantie zijn geloofsgenoten te beschermen tegen vervolging, ingeval de protestanten de macht in de kolonie zouden overnemen. De bevolking van Maryland is voornamelijk protestants, maar het bestuur is in handen van de katholieken, en meer in het bijzonder van Lord Baltimore en zijn familie.

In 1632 schonk de toenmalige Engelse koning, Karel I, aan de lord een stuk land in Amerika, dat hij ter ere van de Heilige Maagd 'Maryland' doopte. Lord Baltimore stelde zich ten doel van zijn kolonie in de Nieuwe Wereld niet alleen een winstgevende tabaksproducent te maken, maar ook een toevluchtsoord voor Engelse en Ierse katholieken - net zoals Nieuw-Engeland een wijkplaats voor de vervolgde puriteinen vormde.

Om nog niet opgehelderde redenen zijn er tot nu toe echter veel meer protestanten dan katholieken naar Maryland geëmigreerd. Opdat de protestanten niet voor het hoofd gestoten zouden worden, had Lord Baltimore zijn broer, die hij als gouverneur had aangesteld, opdracht gegeven ervoor zorg te dragen dat de katholieke minderheid zou afzien van religieuze discussies. Voorts dienden de protestanten met voorkomendheid tegemoetgetreden te worden. De Akte moet godsdiensttwisten voorkomen.

# Cromwell leidt massaslachting in Ierland

DROGHEDA, 11 september - Een veteranenleger onder bevel van Oliver Cromwell heeft de Ierse steden Wexford en Drogheda veroverd. De aldaar gevestigde koningsgezinde garnizoenen zijn uitgemoord. Ook duizenden katholieke burgers kwamen om het leven, terwijl priesters aan het zwaard geregen werden. Maar volgens Cromwell is dit slechts een 'rechtvaardig gericht Gods', een wraakoefening voor eerder Iers optreden.

Op 21 oktober 1641 waren namelijk de nieuwgevestigde protestanten te Ulster het slachtoffer, maar zij konden toen nauwelijks op hulp van het door de burgeroorlog verscheurde Engeland rekenen. Het Engelse parlement was bang dat een sterk politieleger de positie van koning Karel I zou gaan versterken.

Omgekeerd probeerde de vorst gematigder jegens de Ieren te zijn. Zo droeg hij zijn lord-luitenant James Butler, markies van Ormonde, in september 1643 op om een eenjarig bestand met de opstandelingen af te kondigen en in

*Onder grote publieke belangstelling wordt koning Karel I van Engeland onthoofd.*

de tussentijd te onderhandelen. De Ieren waren echter alleen bereid om over het vertrek van Engelse troepen en een Ierse onafhankelijkheid te praten, zeer tot onvrede van het parlement.

Dat Engelse politieke overwegingen in het gedrag van Karel centraal stonden, bleek wel uit het beleid dat tot dan met betrekking tot Ierland was gevoerd. Zo wist de door hem aangestelde Thomas

Wentworth ten koste van de Ierse bevolking op brute wijze de belastingopbrengsten te verdubbelen, terwijl de nieuwgevestigde Engelse en Schotse 'plantages' belastingvrijdom genoten. Protestantse landheren namen uitgestrekte gebieden in bezit, die zij vanuit Engeland bestuurden. De oorspronkelijk zelfstandige boeren werden als pachters steeds meer van hun heren afhankelijk.

Ook op cultureel gebied raakten de Ieren in de verdrukking. Het Gaelic, de oorspronkelijke, rijke Keltische taal, kwam in een isolement. Alleen in afgelegen gebieden was het nog niet door het Engels verdrongen, maar de taal ontwikkelde zich nauwelijks meer verder.

Wat zich in 1534 bescheiden had ingezet blijkt ruim een eeuw later vrijwel een voldongen feit: Ierland is voor de protestantse Engelsen (en Schotten) opengebroken. Voor de katholieke Ierse bevolking is er cultureel en economisch nog slechts een marginale ruimte overgebleven.

## Engelsen moeten Rusland verlaten

MOSKOU, 1 juni - Aleksej, tsaar van heel Rusland, heeft verordonneerd dat de Engelse kooplieden het land moeten verlaten. Het blijft hun wel toegestaan over zee naar Archangelsk te komen en daar handel te drijven, maar het wordt hun verboden over land naar Moskou of andere plaatsen door te reizen.

De tsaar motiveerde zijn besluit als volgt. Tot nu toe was het de kooplieden toegestaan in Rusland handel te drijven op grond van privileges, hun verleend op verzoek van hun soeverein Karel I. Nu het Engelse volk zijn vorst ter dood heeft gebracht, wordt het de Engelsen op grond van deze misdaad verboden in Rusland te verblijven.

De koningsmoord is tevens aanleiding om gedeeltelijk tegemoet te komen aan de wensen van de Russische kooplieden. Al in 1646 klaagden zij over de Engelsen en de Hollanders. Deze wikkelden hun zaken niet langer in Archangelsk met Russische kooplieden af, maar namen hun waren mee naar Moskou en andere plaatsen. Ze bouwden er stenen huizen met opslagkelders waarin ze hun koopwaar soms twee of drie jaar vasthielden tot de prijzen waren gestegen. Ze kochten met voorbijgaan van de Russische kooplieden koopwaar op bij de bevolking en ontliepen zo het betalen van belasting die de tsaar toekwam. Men kan hierbij aantekenen dat deze belastingen vaak door dezelfde kooplieden werden gepacht van de tsaar en dat zij en niet de tsaar schade leden door de belastingontduiking van de buitenlanders.

*Ruiters in gevecht (door Palamedes Palamedesz; eerste helft 17de eeuw).*

# Zweeds leger trekt zich terug uit Praag

PRAAG, 30 september - De laatste eenheden van het Zweedse leger hebben Praag eindelijk ontruimd, één jaar na het einde van de Dertigjarige Oorlog. Deze oorlog is zodoende in Praag begonnen en geëindigd.

De Zweden vielen in 1639 Bohemen binnen en de daaropvolgende tien jaar was het land bijna ononderbroken het slagveld voor de Zweden en de keizerlijke legers. Geen ander Habsburgs erfland had in deze oorlog zoveel te lijden als Bohemen.

Na de Slag op de Witte Berg (1620) - de nederlaag van de Tsjechische standen - namen de Habsburgse overwinnaars strenge anti-Tsjechische en anti-Reformatiemaatregelen. Om te beginnen

de terechtstelling van de 27 aanvoerders van de opstand op het Praagse Oude Stadsplein. Zes maanden later (13 december 1621) vaardigde Ferdinand II het eerste anti-Reformatiedecreet uit. Na een reeks van dergelijke stappen werd er in 1627 de 'Verneuerte Landesordnung' voor het Boheemse koninkrijk van kracht. De titel van Boheems koning werd erfelijk voor de Habsburgers; de 'Böhmische Hofkanzlei' in Wenen kreeg de meeste macht en autoriteit in regeringszaken. De landdagen moesten voortaan de directieven uit Wenen afwachten. Bovendien kreeg de katholieke geestelijkheid belangrijke medezeggenschap in de landdagen. Het katholicisme werd

staatsgodsdienst, de censuur kwam in handen van jezuïeten, die talloze Tsjechische boeken lieten verbranden. Het Duits werd aan het Tsjechisch gelijkwaardig gesteld. Deze grondwet reduceerde Bohemen tot een provincie.

Binnen zes maanden moesten alle niet-katholieken zich laten bekeren of het land verlaten. Het gevolg van deze verordening was een massale uittocht - een vijfde van de adel, een vierde van de stedelingen. De waarde van de geconfisqueerde bezittingen bedroeg rond 100 miljoen gulden. Bohemen, beroofd van zijn eigen aristocratie, van zijn schrijvers, theologen en wetenschappers, werd ongehoord gerekatholiseerd.

# Willem II dood: opvolger nog niet bekend

*Troepen van stadhouder Willem II van Holland worden op weg naar Amsterdam bij de Amstel tegengehouden.*

AMSTERDAM, 15 november - Iets meer dan een week geleden is Willem II gestorven; gisteren is zijn vrouw Mary Stuart bevallen van een zoon en overal gaan stemmen op dat hij en niemand anders als stadhouder gekozen zal worden. Daarmee is een unieke situatie in de Republiek ontstaan: voor het eerst zal deze jonge staat het zonder 'hoofd' moeten doen.

Het grootste probleem was dat er na de Vrede van Münster nog steeds een leger van 60 000 man onder de wapenen was en dat die troepen gezamenlijk zo'n tien miljoen gulden per jaar kostten. Het merendeel van dit bedrag moest door Holland opgebracht worden en aangezien deze provincie al een schuld van 120 miljoen had, was het enthousiasme daarvoor niet groot. Een eerste reductie' van de troepen vond in juli 1648 plaats, maar Holland vond de 35 000 soldaten en ruiters die overbleven nog veel te veel. Na overleg en gesoebat aan beide zijden, besloot Holland op eigen gezag alvast 600 man vreemde troepen af te danken en eiste dat er nog eens 55 compagnieën voetvolk ontslagen werden. De stadhouder weigerde hiermee akkoord te gaan en in het begin van dit jaar was de kwestie nog allerminst opgelost. Sterker nog, zij was gecompliceerd doordat de vraag niet langer afdanking of niet betrof, maar een staatsrechtelijke kwestie was geworden: had iedere provincie haar eigen leger en kon zij dat naar behoefte aanvullen of afdanken óf had de Republiek één leger dat in de eerste plaats onder het gezag van de Staten-Generaal en stadhouder viel?

Net als Holland dat op eigen gezag beslissingen genomen had, besloot ook Willem II nu het heft in eigen handen te nemen. Hij maakte een tocht langs de stemhebbende Hollandse steden en probeerde de regenten over te halen om zijn politiek te steunen. Bijna overal stuitte hij op een afwijzende houding en nu bezweek hij voor de aandrang van Willem Frederik en enkele andere raadgevers om dan maar kwaadschiks te werk te gaan. Zes van zijn tegenstanders liet hij gevangennemen en op Slot Loevestein opsluiten. Dat waren degenen die zich het meest door 'insolente stugheyt' hadden gekenmerkt en met 'ydele, opgepronckte, neuswysighe welsprekentheyt' waren opgetreden. Onder hen waren Jacob de Witt van Dordrecht en Nicolaes Stellingwerff van Medemblik. Tegelijkertijd - zaterdag 30 juli - verzamelde Willem Frederik een leger om Amsterdam binnen te vallen, maar door een postbode uit Hamburg werden de Amsterdamse regenten op tijd gewaarschuwd zodat zij tegenmaatregelen konden nemen. De aanslag op Amsterdam was zo mislukt. Op 3 augustus werd de kwestie bijgelegd, tijdens een maaltijd te Amstelveen, en daar werd besloten dat de gebroeders Bicker als burgemeester van Amsterdam zouden aftreden en de stad Willem II in zijn verlangens over een staand leger zou steunen. De stadhouder leek het pleit gewonnen te hebben en liet eind augustus de gevangenen uit Loevestein los. 'Al dat groot beslagh, dat was terstont verdwenen./ Gelyck een dicke wolk, die wonder heeft geschenen,' dichtte Vader Cats.

Maar twee maanden later is Willem II aan kinderpokken overleden en hebben de Amsterdamse regenten weer hoop dat zij de touwtjes in handen kunnen houden. Zij denken er dan ook geen moment aan om de baby die Willem III heet nu al door een andere 'tiran' te laten vertegenwoordigen.

## Novgorod in actie tegen graanexport

NOVGOROD, maart - De bevolking van Novgorod is in opstand gekomen tegen de levering van graan aan Zweden terwijl er deze winter voor de eigen inwoners niet genoeg is. De tsaar heeft geantwoord dat hij zijn verplichtingen betreffende de leveranties moest nakomen. De bevolking, onder aanvoering van de 'strelstsen', beroepssoldaten, traden zo dreigend op dat verscheidene ambtenaren en kooplieden vluchtten. Eerder dit jaar speelden zich in Pskov dergelijke taferelen af. Pskov wordt nu nog steeds belegerd door troepen uit Moskou, maar maakt geen aanstalten om op te geven. De inwoners krijgen steun van de plattelandsbevolking. Zowel Novgorod als Pskov kende in de middeleeuwen een veel grotere zelfstandigheid. Tsaar Aleksej trad meteen hard op tegen dit eerste teken van initiatief en zelfstandig optreden van de steden sinds de tijd van Ivan de Verschrikkelijke. De onrust onder de stedelijke bevolking duurt al langer en was eerder ook in andere steden in opstanden tot uitdrukking gekomen.

# VOC geeft nieuwe richtlijnen voor bewind in Batavia

*Het Oostindisch Huis, hoofdkantoor van de VOC in Amsterdam.*

AMSTERDAM, 20 april - De bewindhebbers van de Verenigde Oostindische Compagnie hebben voor het Nederlandse bestuur te Batavia een nieuwe instructie opgesteld. De instructie is 'om Haere E.E. in alle voorvallende gelegentheden tot meerder welvaren ende prosperiteyt van deselve te dienen', zoals het in de aanhef luidt. Nadrukkelijk wordt gesteld dat de VOC in de eerste plaats een handelsorganisatie is. De regeringsvorm zoals die de afgelopen jaren functioneert, een gouverneur-generaal bijgestaan door een zestal raden, te zamen de Raad van Indië vormend, blijft bestaan.

Tussen de diverse kantoren of factorijen in Azië bestaan grote verschillen. De bewindhebbers onderscheiden in de instructie drie categorieën, waarin de handel op deze kantoren verdeeld kan worden:

- de handel in haar eigen soevereine gebieden, bijvoorbeeld op de Banda-eilanden;
- de handel die berust op door de Compagnie gesloten exclusieve contracten, zoals op Ambon;
- de handel met Aziatische vorsten, waarbij de VOC geen uitzonderingspositie inneemt.

Ten aanzien van de Banda-eilanden merkt de instructie op, dat ze beschouwd moeten worden als 'de eenige uytstekende paerl aen hare croon'. Deze eilanden leveren immers de kostbare muskaatnoten en foelie. De Compagnie moet er zorg voor dragen dat de produktie daar niet te groot wordt: een overproduktie doet de prijs zakken. Concurrenten moeten op deze eilanden koste wat kost geweerd worden.

# 1651

**1 januari.** In Scone wordt Karel II Stuart tot koning van Schotland gekroond.

**6-7 februari.** In de nacht vlucht kardinaal Mazarin uit Parijs nadat het parlement van de stad heeft besloten de Fronde-leiders, onder wie Condé, vrij te laten. Hoewel Mazarin akkoord gaat met de vrijlating is hij de controle over zijn aanhang kwijt.

**Juni.** De kozakken sluiten vrede met tsaar Aleksej van Rusland.

**Juli.** De Polen verslaan de kozakken en hun bondgenoten, de Tataren.

**17 augustus.** De koningin van Frankrijk sluit een akkoord met de leiders van de nieuwe Fronde tegen de vroegere leider Condé.

**3 september.** Oliver Cromwell verslaat het leger onder leiding van Karel II Stuart bij Worcester.

**7 september.** Lodewijk XIV van Frankrijk krijgt de meerderheid van het parlement achter zich als de beschuldigingen tegen Condé worden ingetrokken. Condé vertrekt echter naar Spanje om een bondgenootschap te sluiten, maar Turenne weigert de monarchie verder te bestrijden nu Lodewijk XIV zelf de regering in handen heeft genomen.

**9 oktober.** Het Engelse parlement kondigt de Navigation Act af, waarbij vrijwel alle invoer met Engelse schepen moet plaatsvinden. Hierdoor zal de handel van de Republiek zwaar getroffen worden.

**17 oktober.** Karel II Stuart verlaat Engeland na zijn nederlaag bij Worcester op 3 september. Cromwell heeft nu vrijwel onbetwist de macht in handen.

**27 oktober.** Limerick in Ierland valt na een beleg van bijna vier maanden.

**December.** Het parlement van Parijs verklaart dat de burgerrechten van Condé zijn vervallen.

**December.** Een delegatie van de Republiek onder leiding van Jacob Cats weet in Engeland afzwakking van de Navigation Act te bewerkstelligen.

- William Harvey voltooit zijn omvangrijke studie *Over het ontstaan van de dieren.* →

- Ietsuna wordt sjogoen van Japan. Hij slaagt erin twee opstanden in Eno neer te slaan.

- Thomas Hobbes publiceert zijn *Leviathan* en *Philosophical rudiments concerning government and society*, een vertaling van *De Cive* uit 1642. →

- Paulus Potter schildert zijn *Landschap met koeien, schapen en paarden bij een stal.*

# Harvey: 'Leven komt uit ei'

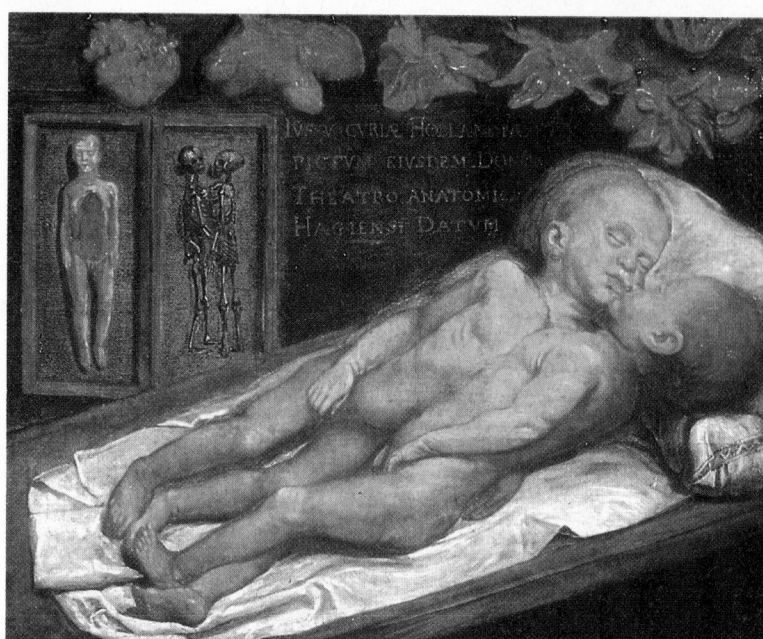

*Twee vergroeide baby's in het Haags Anatomisch Museum (17de eeuw).*

OXFORD - De ontdekker van de bloedsomloop, William Harvey, heeft op 73-jarige leeftijd weer een opzienbarend boek gepubliceerd. Harvey toont in ruim 400 pagina's aan dat alle levende wezens uit een kiem of een ei ontstaan. De oude geleerde heeft zijn werk *De generatione animalium* (Over het ontstaan van de dieren) genoemd. Na jarenlange microscopische observaties van embryo's is hij tot zijn conclusie gekomen: 'omne vivum ex ovo' (alle leven komt uit het ei).

Vakgenoten verwachten dat dit werk beter ontvangen zal worden dan Harvey's boek uit 1628 over de bloedsomloop. Het heeft ruim veertig jaar geduurd voor de medische gemeenschap Harvey's ontdekking van de circulatie van het bloed en de functie van het hart als pomp, accepteerde. In de tussenliggende tijd hebben vele onderzoekers, zoals de Hollander De Wale, Harvey's conclusies ondersteund.

In eigen land heeft Harvey meer erkenning gekregen, onder meer van het koningshuis. Harvey is koning Karel I trouw gebleven toen de burgeroorlog in 1642 uitbrak. Door deze keuze raakte Harvey geïsoleerd in Londen, waar de overgrote meerderheid voor het parlement koos, zeker na de onthoofding van Karel I door zijn tegenstander Cromwell twee jaar geleden. De befaamde medicus trok zich terug in Oxford, waar hij zijn nu gepubliceerde onderzoek naar het ontstaan van het leven voortzette.

*In zijn zojuist gepubliceerde boek 'Leviathan' (hierboven het titelblad) pleit de Engelse wijsgeer Thomas Hobbes voor een absoluut koningschap. De koning mag slechts dan worden afgezet, indien hij niet langer de orde kan handhaven.*

# 1652

**24 januari 1652.** De hertog van Orléans sluit zich aan bij de Fronde-opstand, nadat hij heeft gehoord over de terugkeer van kardinaal Mazarin aan het hof. Turenne verlaat de opstandelingen en vervoegt zich bij het hof.

**Februari.** Als verzoeningsgebaar tegenover de aanhangers van de gevluchte Karel II neemt het Engelse parlement de Act of Pardon and Oblivion aan.

**7 april.** Jan van Riebeeck sticht voor de Verenigde Oostindische Compagnie Kaapstad. →

**4 mei.** Fronde-opstandelingen onder leiding van Condé en bijgestaan door Spaanse huursoldaten worden bij Etampes door de koninklijke troepen onder bevel van Turenne verslagen.

**18 mei.** De Engelse kolonie Rhode Island in Noord-Amerika vaardigt een wetgeving tegen slavernij uit.

**19-29 mei.** Bij The Downs, voor de kust van het Engelse Folkestone, vindt na een vlagincident een treffen plaats tussen Engelse schepen onder Blake en schepen van de Republiek onder Tromp.

**10 juli.** Engeland verklaart de Republiek de oorlog.

**21 oktober.** Lodewijk XIV keert met de regering in Parijs terug. De leiders van de Fronde worden verbannen. →

**November.** Condé, de leider van de Franse Fronde-opstand, sluit verdragen met Filips van Spanje en de hertog van Lotharingen.

**10 december.** De vloot van de Republiek onder Tromp verslaat de Engelse marine onder Blake bij Dungeness.

**- Koning Filips IV van Spanje** verleent de schilder Velázquez de eretitel hofmaarschalk. →

**3 februari 1653.** Kardinaal Mazarin keert uit zijn ballingschap in Keulen terug naar het hof in Parijs. →

**7 februari.** Fouquet wordt in Frankrijk tot superintendant van de financiën benoemd.

**24 mei.** De Duitse Rijksdag van keurvorsten kiest Ferdinand III, aartshertog van Oostenrijk en oudste zoon van de keizer, tot Duits koning en daarmee tot mogelijke opvolger van de keizer.

**12-13 juni.** De Engelse vloot verslaat de vloot van de Republiek in de zeeslag bij North Foreland.

**31 juli.** In Bordeaux geven de laatste leiders van de Fronde-opstand zich over.

**9 augustus.** In een poging van de vloot van de Republiek de Engelse blokkade van de Hollandse kust te doorbreken vindt een zeeslag plaats bij Texel, waarbij Tromp, de bevelhebber van de vloot van de Republiek, sneuvelt.

# VOC sticht fort op Kaap de Goede Hoop

*De punt van Afrika: Kaap de Goede Hoop met Nederlandse schepen (17de eeuw).*

KAAP DE GOEDE HOOP, 7 april 1652 - Jan van Riebeeck is bij Kaap de Goede Hoop, het meest zuidelijke punt van Afrika, aan land gegaan om daar in opdracht van de bewindhebbers der Verenigde Oostindische Compagnie een fort te stichten. De vestiging gaat dienst doen als verversings- en bevoorradingsstation voor Nederlandse schepen. Jan van Riebeeck heeft de taak een versterking te bouwen en tui-nen aan te leggen om over zoveel mogelijk groente en fruit te beschikken.

De Portugese, Engelse en Nederlandse schepen konden op hun reis naar Indië twee haltes aandoen: of de zuidpunt van Afrika, of het eilandje Sint-Helena. Meestal verbleef men er een aantal dagen om vers water en voedsel in te slaan. Door te intensief gebruik was de waarde van Sint-Helena als verversingsplaats echter afgenomen.

Sinds 1650 keek men naar een nieuwe mogelijkheid uit. De VOC-bewindhebbers hebben tot de vestiging aan de Kaap de Goede Hoop besloten na kennis genomen te hebben van de getuigenissen van Nederlandse schippers.

Op 25 maart 1647 was het retourschip 'Haerlem' in de Tafelbaai bij de Kaap gestrand. Na enige tijd kon de schipper met een aantal bemanningsleden aan boord van een Engels schip huiswaarts keren. Zestig man, onder wie de onderkoopman Leendert Jansen, bleven achter om het bergingswerk voort te zetten en de geborgen goederen te bewaken. De manschappen verbleven ongeveer een jaar aan de Kaap, totdat ze konden inschepen op de retourvloot van Wollebrant Geleynsen de Jongh. De verslagen van Leendert Jansen en De Jongh hebben bijgedragen tot het uiteindelijke besluit van de bewindhebbers. Ze moesten constateren dat er zonder een permanente vestiging onvoldoende verversingsmogelijkheden waren voor het grote aantal schepelingen op een retourvloot. Nadat het besluit viel werd Jan van Riebeeck, op diens eigen voorstel, met de leiding van de onderneming belast.

# Velázquez krijgt eretitel hofmaarschalk

MADRID, 1652 - De Spaanse koning Filips IV heeft Diego Rodriguez da Silva y Velázquez de eretitel hofmaarschalk verleend. Deze benoeming houdt weinig in, maar moet worden gezien als een nieuw blijk van erkenning voor de kunstenaar uit Sevilla, die in 1623, pas 24 jaar oud, door de koning als hofschilder werd aangesteld.

In zijn jeugd schilderde Velázquez in donkere tinten en maakte hij onder invloed van de Italiaanse schilder Caravaggio doeken die opvielen door hun naturalisme en licht- en schaduwwerking, zoals de *Waterdrager van Sevilla* en de *Aanbidding der Wijzen* (1619).

In 1623 kreeg hij door bemiddeling van Filips' favoriet, de hertog van Olivarez, die net als de koning een groot kunstliefhebber was, een aanstelling als hofschilder. Op voorspraak van de Vlaamse schilder Rubens, die Velázquez aan het hof ontmoette en die zijn werk bewonderde, gaf Filips hem verlof voor een reis naar Italië. Daar verdiepte hij zich verder in de techniek en de kleurbehandeling van Italiaanse meesters als Michelangelo en Tintoretto.

Velázquez heeft sindsdien echter steeds meer een eigen stijl ontwikkeld. De compositie van zijn doeken is vrijer geworden, en hij is koelere en lichtere tinten gaan gebruiken. Zijn voornaamste plicht aan het hof is het portretteren van de koninklijke familie en de leden van de hofhouding. Velázquez heeft daarbij gebroken met de conventies en

*'De triomf van Bacchus' door Velázquez (1628; Prado, Madrid).*

pracht en praal, en zijn modellen vooral als mensen, personen met een eigen psyche, benaderd. De volwassen hovelingen lijken bij hem niet zelden stijfjes en leeg.

Daartegenover staan liefdevolle portretten van de jonge prinsjes en prinsesjes en ook van de narren en dwergen aan het hof. Velázquez schildert deze zwakzinnige of misvormde wezens met grote aandacht voor hun tragiek en innerlijke waardigheid.

Deze verdieping en bezonkenheid zijn ook waarneembaar in zijn historiestukken, waarvan *Las lanzas*, voorstellende de overgave van Breda aan de Spaanse legeraanvoerder Spinola in

1625, het bekendste schilderij is.

Een portret dat hij tijdens een tweede verblijf in Italië heeft gemaakt van paus Innocentius X zou door de Heilige Vader zelf als 'te echt' zijn beoordeeld, maar heeft ook over de grens zijn roem gevestigd.

De mengeling van realisme en vergeestelijking in het werk van Velázquez herinnert aan een andere beroemde Spaanse kunstenaar, Cervantes. In de kunst van beiden lijkt de spanning voelbaar tussen de hoge idealen van het oude Spanje en de tekenen van het afgeleefd zijn en het verval, die onder de nog imponerende buitenkant zichtbaar beginnen te worden.

# Parijs haalt Lodewijk XIV in

*Prins Lodewijk II van Condé tijdens een veldslag (17de eeuw).*

PARIJS, 21 oktober 1652 - Nadat de magistraten koning Lodewijk XIV al enkele weken geleden gebeden hadden terug te keren naar 'zijn heerlijke stad Parijs', is Lodewijk met zijn gevolg door een enthousiaste menigte in Parijs ingehaald. De terugkeer van de koning in de hoofdstad symboliseert het uiteenvallen van de in augustus 1648 uitgebroken opstand tegen de monarchie, de zogenaamde Fronde.

De chaotische en verwoestende Fronde brak uit toen een aantal edelen het conflict tussen het parlement en premier Mazarin, dat in augustus 1648 tot uitbarsting kwam, aangreep om eigen, al lang gekoesterde wensen te verwezenlijken. Deze edelen spoorden het verzet van het parlement en de Parijse burgers aan, zetten hen tegen Mazarin op en waren er de oorzaak van dat allerlei, tot dan toe verborgen gebleven, lokale conflicten aan de oppervlakte kwamen. Met name Jean François Paul de Gendi, sinds vorig jaar kardinaal De Retz, was een meester in het bespelen van de Parijse massa.

De wensen en grieven van de opstandige edelen, de 'frondeurs', verschilden. Vaak werd hun opstandig gedrag ingegeven door rancune over verloren rechten en posities. Andere edelen grepen het ontstane machtsvacuüm aan om privé-geschillen uit te vechten.

Naast de door deze wirwar van lokale en persoonlijke conflicten liep als een rode draad de machtsstrijd tussen premier Mazarin en de machtige prins van Condé. Hoewel Condé kardinaal Mazarin aanvankelijk nog gesteund had in zijn strijd tegen het opstandige Parijs, werd al snel duidelijk dat hij eigenlijk de positie van de kardinaal ambieerde. Mazarin doorzag dit en liet met steun van enkele belangrijke frondeurs, die door een te machtige Condé hun eigen belangen in gevaar zagen komen, de prins op 18 januari 1650 gevangennemen. De arrestatie van Condé leidde tot een nieuwe serie provinciale opstanden en felle protesten van het Parijse parlement. Zo fel dat Mazarin zich zelfs genoodzaakt zag naar Keulen te vluchten en van daaruit de regering van de regentes Anna van Oostenrijk te leiden. Maar hoe groot Mazarins invloed op het handelen van de regentes ook bleef, deze zag zich, opgesloten in een vijandig Parijs en belaagd door dezelfde frondeurs die nog maar kort daarvoor Mazarin gesteund hadden, genoodzaakt Condé vrij te laten.

Na de vrijlating van Condé nam het offensief tegen Mazarin grootse vormen aan, zeker nadat de kardinaal in Frankrijk was teruggekeerd. De felle polemiek tegen de premier kreeg nu een wel bijzonder rancuneus karakter. Hoewel er wat vage idealen uit het verleden nagestreefd werden, bezaten de frondeurs geen gezamenlijk programma en waren ze het eigenlijk maar over één ding eens: Mazarin, die Italiaanse kardinaal, moest weg, of in de woorden van één van de vele tegen Mazarin gerichte pamfletten: 'Lang leve de koning, de hertog van Anjou, zijne koninklijke hoogheid, lang leve de prinsen van den bloede, maar vermoord hem die geen vreugde kent, geen recht en geen religie. Vermoord, vermoord, vermoord Mazarin!'

Maar ondanks deze door velen gesteunde haatcampagne en ondanks de verovering van Parijs in juli van dit jaar verloren Condé en zijn aanhangers terrein. Het door soldaten van Condé op 4 juli in Parijs aangerichte bloedbad, gevoegd bij de al bestaande afkeer van de Spaanse hulp voor Condé en de groeiende oorlogsmoeheid, waren ervoor verantwoordelijk dat steeds meer edelen en burgers zich van Condé afkeerden. Op 13 oktober zag deze zich zelfs gedwongen Parijs te verlaten.

Nu de vorig jaar meerderjarig verklaarde Lodewijk XIV de hoofdstad weer vast in handen heeft, menen waarnemers dat de vorst de macht van de parlementen en de edelen zal inperken en kardinaal Mazarin, die zich op 19 augustus opnieuw had teruggetrokken om de onderhandelingen met Parijs te vergemakkelijken, in zijn positie van premier zal herstellen.

**26 januari.** In Brazilië valt de laatste vesting van de Republiek, Recife, voor de Portugese troepen. Generaal Schkoppe, die de verdediging leidde, heeft voor zijn troepen vrije aftocht verkregen. →

**Februari.** Keizer Ferdinand III zit in Ratisborn de Duitse Rijksdag voor. De Rijksdag conformeert zich opnieuw aan de Vrede van Westfalen.

**12 april.** Ierland, Schotland en Engeland komen een unie overeen die inhoudt: onderlinge vrijhandel en vertegenwoordiging in het parlement in Westminster.

**15 april.** Engeland en de Republiek beëindigen de oorlog door het sluiten van de Vrede van Westminster. De Republiek erkent in hoofdlijnen de Navigation Act. →

**21 april.** Engeland en Zweden sluiten een handelsverdrag.

**Mei.** De kozakken plaatsen zich onder bescherming van tsaar Aleksej van Rusland. →

**6 juni.** Koningin Christina van Zweden treedt af en wordt rooms-katholiek. Karel X volgt haar op. →

**7 juni.** Lodewijk XIV wordt in Reims tot koning van Frankrijk gekroond.

**20 juli.** Engeland en Portugal sluiten een verdrag waarbij Engeland grote invloed in Portugal krijgt.

**5 augustus.** Franse troepen veroveren Stenay.

**24 augustus.** Condé geeft het beleg van Atrecht op.

**10 september.** Russische troepen veroveren Smolensk nadat oorlog met Polen is uitgebroken.

**25 september.** Engeland en Denemarken sluiten een handelsverdrag.

- Gambia wordt een kolonie van James, de hertog van Courland.

- Jan Amos Comenius (Komensky) publiceert zijn *Orbis Sensualium Pictus*, een plaatjesboek voor kinderen met een Latijnse en een Duitse tekst.

- Otto von Guericke voert verdere experimenten uit met de Maagdenburgse halve bollen, die hij in 1650 ontwikkelde, om zijn wetten over luchtdruk aan te tonen.

- Savinien Cyrano de Bergerac voltooit zijn komedie *Le pédant joué*.

- Joost van den Vondel publiceert zijn treurspel *Lucifer*.

- In de Franse kolonie Nouvelle France wordt een aantal dames geïmporteerd als bruid voor kolonisten.

# Christina verlaat troon van Zweden

*Koningin Christina wordt katholiek.*

STOCKHOLM, 6 juni - Koningin Christina van Zweden, de pas 24-jarige dochter van Gustaaf II Adolf, heeft vrijwillig de troon van Zweden verlaten en is overgegaan tot het katholieke geloof. Ze heeft haar beschermeling, graaf Karel van Palts-Zweibrücken, tot koning laten kronen. Daarmee is een eind gekomen aan de regeringsperiode van het Huis Wasa, die in 1523 begon.

De korte - vierjarige - regeringsperiode van Christina werd vooral gekenmerkt door haar zucht naar pracht en praal. Zij liet kunstenaars uit binnen- en buitenland openbare gebouwen en paleizen ontwerpen, balletten opzetten en portretten schilderen. Maar ook bevorderde zij het onderwijs en de wetenschappen.

De politieke macht lag vanaf 1632 in feite in handen van één man: Axel Oxenstierna. Als rechterhand van Gustaaf II Adolf zette hij na diens dood zijn politiek voort. Oxenstierna, volop verwikkeld in de Dertigjarige Oorlog, wist in 1633 de protestantse Duitse staatjes te verenigen in het Verbond van Heilbronn. Maar toen een jaar later bij Nördlingen een zware nederlaag leden viel het Verbond snel uiteen. Toen de vrede in 1635 nabij leek sloten de Zweden een alliantie met Frankrijk waardoor de oorlog alsnog verlengd werd. Bij de uiteindelijke Vrede van Westfalen (1648) verkreeg Zweden gebiedsuitbreiding in Noord-Duitsland. In 1643 had Oxenstierna nog strijd moeten leveren met de Denen die de Sonttol fors hadden verhoogd. Een Nederlands-Zweedse strijdmacht maakte echter snel korte metten met de Denen.

In het binnenland is Oxenstierna's naam verbonden met de regeringsvorm van 1634 (een soort grondwet), waarbij aan de Rijksdag wetgevende bevoegdheden werden toegekend. De adel bleef echter de toon aangeven: uit de Rijksraad (met vijfentwintig edelen) werd de kern van de regering gevormd en de provinciale gouverneurs moesten van adel zijn.

# Engeland en Republiek verzoenen zich

WESTMINSTER, 15 april - 'Vriendschap ende oprechter, nader ende nauvere verwantschap, verbintenis ende unie' is te Westminster tussen Engeland en de Republiek gesloten. De oorlog met Engeland is daarmee afgelopen, en er kan weer handel gedreven worden.

De zeeoorlog met Engeland was een direct gevolg van de zogeheten Acte van Navigatie die Engeland in oktober 1651 uitvaardigde. Daarin werd onder meer bepaald dat Europese produkten in Engeland alleen door Engelse schepen of schepen van het land van herkomst ingevoerd mochten worden. Bepaald werd ook dat schepen uit de Republiek die met Franse waar geladen waren, aangevallen mochten worden; Frankrijk was sinds 1649 immers in een informele zeeoorlog met Engeland gewikkeld. Nadat een eerste poging van de Staten-Generaal om hierover te onderhandelen mislukt was, werd besloten 150 oorlogsschepen uit te rusten. Dat gebeurde in februari 1652. Enkele maanden later kwam het tot een eerste vlagincident tussen Tromp en Blake, in de zomer tot een openlijk treffen. Daarmee verklaarden Engeland en de Republiek elkaar formeel de oorlog.

Aanvankelijk ging de strijd gelijk op, maar in februari vorig jaar dolf Tromp in een Kanaalslag van drie dagen het onderspit en werd tot de terugtocht gedwongen. De Engelsen waren nu heer en meester op zee, blokkeerden de Hollandse kust en verhinderden zo bijna iedere handel. In de Republiek werd

*Cromwell ontbindt het rompparlement (restant van het Lagerhuis).*

alom gemord over deze situatie en gescholden op de Engelsen. De Oranjebeweging stak weer de kop op. Het zag er dan ook naar uit dat de Staatse Partij het heft niet in handen zou kunnen houden, tenzij er snel vrede gesloten werd.

De mogelijkheid daartoe kwam pas in december vorig jaar, toen Cromwell lord-protector werd, want in tegenstelling tot Engelse militaire kringen was hij wel voor vrede geporteerd. De onderhandelingen dreigden aanvankelijk stuk te lopen op de Engelse eis dat herstel van de Oranjes uitgesloten moest zijn. Binnen de Staten-Generaal zou daarvoor nooit een meerderheid te vinden zijn. Johan de Witt verklaarde echter dat de Staten van Holland wel bereid waren deze eis na te komen en zo werd binnen het vredesverdrag een aparte Acte van Seclusie (uitsluiting) opgenomen. Het vredesverdrag kon nu getekend worden en aangezien daarin bepaald werd dat de Acte van Navigatie gehandhaafd blijft en Staatse schepen als eerste de groet moeten brengen, is deze oorlog in een klinkende overwinning voor de Engelsen geëindigd.

## Kozakken zoeken steun bij Russen

OEKRAINE, mei - De kozakkenraad heeft unaniem besloten de Oekraine met het Russische Rijk te verenigen. Door de kortstondige invasie van de Russen en de dreigende oorlog met Zweden is de Poolse Kroon niet bij machte de kozakken de beloofde vrijheden en autonomie te garanderen, en hen zo te behouden.

Na een serie kozakkenopstanden en mislukte pogingen van de Kroon om de kozakken onder controle te krijgen vaardigde het Poolse parlement in 1638 de zogenaamde 'strenge grondwet' voor de kozakken uit. De kozakkenvestigingen werden bij de grote landerijen van de adel ingelijfd; alle niet in dienst van de koning zijnde (niet-geregistreerde) kozakken werden horigen.

De geregistreerde kozakken verloren het recht om zelf hun leiders te kiezen en werden onder het rechtstreekse bevel van de Poolse officieren geplaatst. Hierdoor werd de traditionele autonomie van de kozakken drastisch beperkt.

In 1648 kwamen de kozakken onder het leiderschap van Bogdan Chmelnitski in opstand. Grote massa's kozakken versloegen herhaaldelijk het Poolse leger. De pogingen vrede te sluiten mislukten.

# Nederlanders moeten Brazilië prijsgeven

*Handelaren keuren slaven op de markt in Recife (Zacharias Wagner; circa 1640).*

RECIFE, 26 januari - Het laatste Nederlandse bolwerk in Brazilië is door de Portugezen geslecht. Na het vertrek van Johan Maurits als gouverneur (1644) ging het snel bergafwaarts met de Nederlandse kolonie. Sinds die tijd hielden de Nederlanders alleen nog te Recife stand. In 1645 kwamen de Portugezen, die in de door de WIC veroverde Braziliaanse gebieden waren achtergebleven, in opstand. Dit jaar slaagden ze erin met steun vanuit het moederland de compagniestroepen geheel uit Brazilië te verdrijven.

Het Nederlandse bestuur te Recife heeft vanuit de Republiek te weinig militaire en financiële steun gekregen. Ondanks de veroveringen tijdens de bestuursperiode van Johan Maurits slaagden de Nederlanders er nooit in zich meester te maken van de Allerheiligenbaai en de daarbij gelegen stad San Salvador. Voor de definitieve vestiging van het Nederlandse gezag in Brazilië is dit een vereiste gebleken.

Het belangrijkste produkt van Brazilië is suiker. Voor de suikerproduktie, een arbeidsintensieve onderneming, zijn veel negerslaven uit West-Afrika nodig. De Nederlanders houden zich dan ook steeds meer met deze handel bezig. Behalve suiker is er in Europa ook veel vraag naar het Braziliaanse verfhout.

*Kozakkenstrijder Chmelnitski.*

**Maart.** In Wiltshire, Engeland, breekt onder leiding van kolonel John Penruddock een opstand tegen het bewind van Cromwell uit. De opstand wordt neergeslagen en Penruddock wordt geëxecuteerd.

**7 april.** In Rome wordt Fabio Chigi tot paus Alexander VII gekozen.

**28 april.** De Engelse admiraal Blake verslaat een piratenvloot van de bey van Tunis. In Algiers worden christelijke gevangenen vrijgelaten.

**Mei.** Engelse troepen onder Penn en Venables verlaten San Domingo en veroveren Jamaica in de Caribische Zee.

**27 juli.** De grootkeurvorst van Brandenburg sluit een verdrag van wederzijdse militaire bijstand met de Republiek.

**30 juli.** Soldaten van de VOC voeren een aanval op het eiland Seram uit. →

**Juli.** Brandenburg valt Pruisen binnen om de Zweedse invloed tegenwicht te bieden.

**9 augustus.** Lord-protector Cromwell verdeelt Engeland in elf militaire districten met elk een gouverneur aan het hoofd voor het dagelijks bestuur.

**30 augustus.** Karel X van Zweden verovert Warschau. Een week eerder versloeg hij het Poolse leger onder koning Jan Kazimierz.

**Augustus.** Het Franse leger, gesteund door Lotharingen, rukt op in de Spaanse Zuidelijke Nederlanden.

**September.** De Amsterdamse drukker Menasse ben Israël pleit in een brief aan lord-protector Cromwell voor de toelating van joden in Engeland.

**8 oktober.** Karel X van Zweden verovert Kraków.

**3 november.** Engeland en Frankrijk sluiten een verdrag tegen Spanje, één tegen de vervolging van de Waldenzen door Savoye en een handelsverdrag.

**24 november.** Lord-protector Cromwell van Engeland verbiedt de erediensten van de Anglicaanse Kerk. Tien dagen eerder werd bij decreet de immigratie van joden weer toegestaan.

**December.** De grootkeurvorst van Brandenburg lijdt nederlagen tegen Karel X van Zweden.

- Peter Stuyvesant, de gouverneur van Nieuw-Amsterdam, annexeert Nieuw-Zweden in Noord-Amerika. →

- De grootkeurvorst van Brandenburg voltooit de opbouw van een staand leger. →

# VOC breekt verzet op Seram definitief

*Ambonese vloot van Korakora's, prauwen die door roeiers worden voortbewogen.*

SERAM, 30 juli - Een groep speciaal getrainde compagniesoldaten heeft in de vroege ochtend een aanval uitgevoerd op de vesting Assahudi (op de noordwestkust van het schiereiland Howamohel). Na heftige strijd werd de rotsvesting veroverd, maar de verdedigers (voornamelijk Makassaren) wisten te ontkomen. Daarmee viel het laatste bolwerk van opstandelingen op het eiland Seram, die zich al meer dan vijf jaar verzetten tegen de kruidnagelpolitiek van de VOC.

De bewindhebbers van de compagnie wensten een zo hoog mogelijke prijs voor de door hen verscheepte kruidnagels te ontvangen en poogden daarom de produktie te beperken tot Ambon. Dat eiland werd na het definitief neerslaan van de opstand van Kakiali (hoofd van het islamitische Hitu) volledig door de Hollanders beheerst. Tijdens jaarlijkse hongitochten werden de kruidnagelbomen op andere Molukse eilanden omgehakt, militaire posten geïnstalleerd en werd de bevolking geterroriseerd.

Het sultanaat Ternate, dat in naam het oppergezag uitoefende, was door hofintriges te verzwakt om iets te kunnen ondernemen. In 1650 werd bij een coup de VOC welgezinde sultan Mandarshah vervangen door zijn zwakzinnige halfbroer. De sultan wist na veel verwikkelingen met steun van de compagnie zijn troon te heroveren, maar had veel gezag verloren. Daarvan werd gebruik gemaakt door Majira, de regent van Howamohel, die zich als zelfstandig vorst wilde vestigen. Hij ontving steun van het handelsrijk Goa [Makassar], dat zijn aandeel in de lucratieve handel bedreigd zag.

In maart 1651 brak op Howamohel een opstand uit. Binnen één week werden acht compagniesposten uitgemoord waarbij 131 doden vielen. Arnold de Vlamingh, de VOC-superintendant van de gouvernementen Ambon, Banda en Ternate, zag in een grootscheepse strafexpeditie de mogelijkheid om definitief een geleide kruidnageleconomie te vestigen. In de afgelopen jaren werden alle opstandige negorijen onschadelijk gemaakt, de bevolking werd afgevoerd en de cultures werden vernietigd. Bovendien tekende de sultan van Ternate in januari 1652 een contract waarbij hij (in ruil voor 12000 realen per jaar) toestemde in een kruidnagelmonopolie voor de VOC en verlies van politieke invloed in de zuidelijke Molukken.

## Staand leger voor Brandenburg

BERLIJN - Keurvorst Frederik Willem van Brandenburg-Pruisen heeft in navolging van de Franse koning Lodewijk XIV een staand leger opgebouwd. De officieren en soldaten van dit leger worden aan een strakke discipline onderworpen.

De in 1640 aan de macht gekomen Frederik Willem zag al snel in dat alleen een staand leger, dat dus ook in vredestijd actief bleef, Brandenburg voor veroveringen en plunderingen, zoals die tijdens de Dertigjarige Oorlog geregeld voorkwamen, kon behoeden. Het tot nu toe gangbare militaire systeem had tijdens de Dertigjarige Oorlog maar al te duidelijk zijn ware gezicht getoond. De kolonels die in opdracht van vorsten legers opbouwden, ontpopten zich veelal als schaamteloze oorlogsondernemers, die er niet voor terugschrokken zichzelf te verrijken.

Door de produktiviteit van de vorstelijke domeinen te vergroten en nieuwe belastingen in te voeren, hoopt Frederik Willem het leger te kunnen financieren.

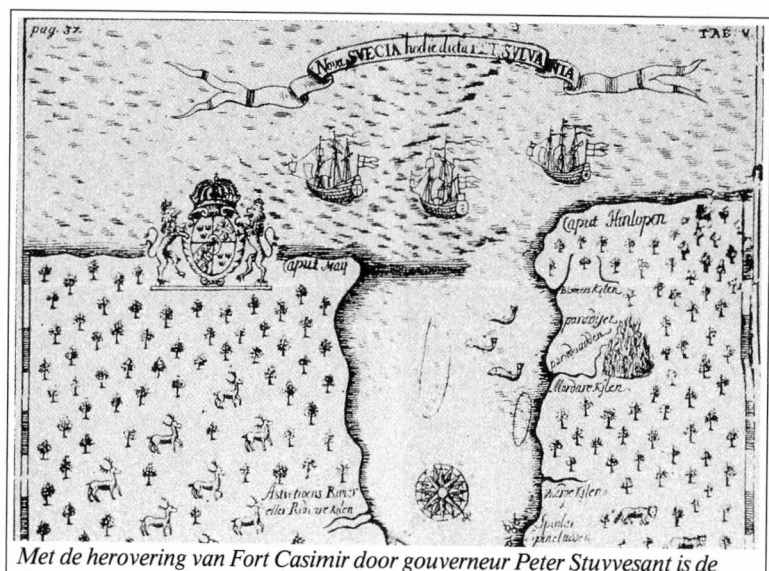

*Met de herovering van Fort Casimir door gouverneur Peter Stuyvesant is de Zweeds-Nederlandse koloniestrijd in het voordeel van de Nederlanders beslist. Sinds de komst van de Zweden in 1638 betwistten beide landen elkaar de controle over de monding van de Delaware-rivier (zie afbeelding). Nieuw-Zweden is na deze nederlaag geheel door de Nederlanders ingelijfd.*

*Frederik Willem I van Brandenburg.*

Bladzijde uit een joods gebedenboek.

*Bladzijde uit een joods gebedenboek.*

## Cromwell wil joden toelaten

LONDEN, september - De Amsterdamse drukker en schrijver Menasse ben Israël heeft een brief geschreven aan de lord-protector Oliver Cromwell van Engeland waarin hij een pleidooi houdt voor de toelating van joden in Engeland. 'Het eerste waarom ik Uwe Hooghied verzoek is, dat onze Hebreeuwse natie opgenomen en toegelaten wordt in deze machtige republiek onder de bescherming van Uwe Hooghied, gelijk Uw eigen burgers ....' De lord-protector heeft zich inmiddels genegd positief betoond door, zij het onofficieel, joden toe te staan zich op de Britse Eilanden te vestigen. Cromwell verklaarde, na een bezoek dat Ben Israël hem enkele dagen geleden heeft gebracht, dat 'de vestiging van marranen ertoe zou kunnen bijdragen Londen tot een middelpunt van de Europese handel te maken'.

Er lijkt een nieuwe verdraagzaamheid ten opzichte van de joden te ontstaan. De reden hiervoor moet gezocht worden in een hernieuwde belangstelling voor het Oude Testament. Wanneer het de joden zou worden toegestaan zich op de Britse Eilanden te vestigen, zou namelijk zijn voldaan aan een voorwaarde die volgens velen onmisbaar is voor de verlossing van de mensheid: de algehele verstrooiing van het joodse volk.

In 1604 geboren stond Ben Israël, telg uit een marranenfamilie van Portugese afkomst, al snel bekend als toonbeeld van de voortreffelijke jood. In 1627 richtte hij in Amsterdam de eerste Hebreeuwse drukkerij en vijf jaar geleden, in 1650, verscheen van zijn hand *Esperanca de Israel* (De hoop van Israël). Menasse ben Israël publiceerde begin dit jaar het boek *Piedra gloriosa*, waarvoor zijn vriend, de schilder Rembrandt van Rijn, de illustraties maakte.

Momenteel verblijft hij in Londen waar hij bezig is de laatste hand te leggen aan het manuscript *Vindiceae Judaeorum* (Verdediging van de joden).

# 1656

**17 januari 1656.** Brandenburg en Zweden sluiten het Verdrag van Königsberg. Pruisen wordt een leen van Zweden.

**Februari.** Spanje verklaart Engeland de oorlog en sluit een verdrag met Karel II.

**Maart.** Het Zweedse leger bezet Polen.

**Juni.** Rusland valt de Zweedse gebieden aan de Baltische kust binnen.

**15 september.** Na het mislukken van de Frans-Spaanse toenadering sluiten Frankrijk en Engeland een vriendschapsverdrag.

**19 september.** Bij Cádiz verovert Blake voor Engeland de Spaanse Zilvervloot.

**3 november.** Rusland en Polen sluiten het Verdrag van Wilna.

**20 november.** Met het Verdrag van Labiau staat Zweden Pruisen af aan de grootkeurvorst van Brandenburg.

**1 december.** Het Duitse keizerrijk zegt Polen steun toe in de oorlog tegen Zweden.

- Ahmed Köprülü wordt grootvizier van Mohammed IV in het Osmaanse Rijk. Hij begint een ingrijpend hervormingsprogramma.

- Constantijn Huygens neemt als eerste de satellieten van Saturnus waar.

- In Parijs opent een gasthuis voor armen zijn deuren. →

- In de Koreaanse hoofdstad Seoel worden Nederlanders op hoge militaire posten benoemd. →

- Blaise Pascal publiceert anoniem zijn *Lettres provinciales*.

- Bernini begint met de bouw van de zuilengalerij op het Sint-Pietersplein in Rome.

**23 maart 1657.** Engeland en Frankrijk sluiten het Verdrag van Parijs tegen Spanje waarin een aanval op Grevelingen en Dunkerque wordt voorzien.

**3 april.** Lord-protector Cromwell slaat de Humble Petition van 31 maart, waarbij hem de koningstitel werd aangeboden, af.

**Juli.** Denemarken verklaart Zweden de oorlog. Zweden is al met Rusland, Polen en Oostenrijk in oorlog.

**19 september.** Polen en Brandenburg sluiten het Verdrag van Wehlau waarbij Polen de soevereiniteit over Pruisen afstaat.

**3 oktober.** Frankrijk verovert Mardyke, dat door het verdrag van maart een Engelse garnizoensplaats wordt.

**6 november.** Brandenburg en Polen sluiten het bondgenootschap van Bromberg.

# Nederlanders in Korea

SEOEL, 1656 - Wegens hun strategische inzichten en hun kennis van vuurwapens zijn 22 Nederlanders in de provincie Tsjolla op hoge militaire posten benoemd.

Zij behoren tot een groep van in totaal 36 Nederlandse schipbreukelingen wier schip 'De Sperwer' in de nacht van 15 op 16 augustus 1653 op de rotsen van het eiland Tsjedzjoe is vastgelopen. De schrijver Hendrick Hamel is met de overige bemanningsleden gevangengenomen en ondervraagd door Jan Janse Weltevree, een Nederlandse zeeman die in 1627 al in Korea terechtgekomen was en onder de naam Pak Yon zijn leven in de hoofdstad Seoel doorbrengt. Deze 'lange, blauwogige, roodbaardige expert in vuurwapens' is daar getrouwd met een Koreaanse vrouw en stelt zijn kennis van vuurwapens en kanonnen in dienst van het Koreaanse leger.

Na een korte gevangenschap in Tsjedzjoe zijn de Nederlanders naar Seoel overgebracht, waar ze in dezelfde wijk als de daar woonachtige Chinese en Japanse soldaten zijn ondergebracht. Hun technische kennis wordt door keizer Hyojong zeer op prijs gesteld.

Dit is echter niet het eerste contact van Koreanen met westerlingen en hun technische kennis. Al ruim 50 jaar geleden zijn Koreaanse diplomaten met landkaarten van Europa uit Peking gekomen. In 1632 kwam Chong Tuwon als lid van een diplomatieke missie naar China terug met de belangrijkste werken over het christendom en westerse wetenschappen die alle in het Chinees vertaald waren. Daarnaast nam hij een telescoop, pistolen, een chronometer en een grote collectie landkaarten mee.

Ook een uitleg over de leer van het katholicisme, die was vervaardigd door de in China verblijvende Italiaanse missionaris Matteo Ricci, had hij in zijn bagage.

Prins Sohyon, die door de Mantsjoeveroveraars als krijgsgevangene naar Peking was meegevoerd, ontmoette daar de Duitse jezuïet Johannes Adam Schall von Bell. Van hem kreeg hij naast religieuze boekwerken en beeldjes een globe. Na zijn vrijlating in 1644 nam hij deze voorwerpen mee naar Korea.

Met de komst van de Nederlandse schipbreukelingen is echter een directer contact met westerlingen tot stand gekomen en kan men rustig bekijken welke van hun uitvindingen interessant voor Korea zouden kunnen zijn. Hendrick Hamel schrijft al geruime tijd zijn indrukken op. Hij verbaast zich erover dat 'elke provincie een generaal en elke plaats een officier heeft. Elk dorp heeft ten minste een korporaal die het plaatselijk commando voert. Ondanks de hoge graad van militarisering is ruim de helft van de mannelijke bevolking niet direct bij het leger betrokken.' Ook beschrijft hij de schitterende, ruime huizen. 'De vrouwen verblijven in de meer achteraf gelegen delen van het huis. Zij komen echter ook wel eens buiten en worden zeer gerespecteerd. In het algemeen bejegent men elkaar met groot ontzag en is men zeer vriendelijk in de omgang. In het land zijn talloze religieuze gebouwen en zeer veel monniken. Sommige kloosters worden bevolkt door meer dan 600 monniken, wier status echter in het algemeen niet hoger dan die van slaven is.'

## Opening van armengasthuis in Parijs

*Ziekenbroeders delen eten uit aan patiënten in een Parijs' gasthuis.*

PARIJS, 1656 - In de Franse hoofdstad is een bijzonder gasthuis, het Hôpital Général, geopend. In het oprichtingsstatuut wordt precies omschreven voor wie het gasthuis bestemd is: de armen van Parijs van 'elk geslacht, elke afkomst of leeftijd, van welke hoedanigheid of geboorte dan ook, en in welke staat zij zich ook mogen bevinden: gezond of gebrekkig, ziek of herstellend, geneeslijk of ongeneeslijk'. Zij kunnen zich vrijwillig voor opname melden. Het Parlement van Parijs beschikt over de bevoegdheid bedelaars, werklozen en krankzinnigen onder dwang te laten opnemen.

# Vondels toneelstukken uit zalen geweerd

*Vondel (gravure van C. de Visscher).*

AMSTERDAM - Joost van den Vondel, de dichter en handelaar in kousen, is teruggekeerd van een reis naar Denemarken, waar hij met veel egards is ontvangen. Het lijkt er zodoende op dat de Amsterdammers hun dichters niet eren. Enkele jaren geleden immers, in 1654, hebben de predikanten Vondels *Lucifer* na één vertoning uit de schouwburgen weten te weren. Het publiek blijkt liever spektakelstukken van Rodenburg en Jan Vos te zien dan de weloverwogen scheppingen van Joost van den Vondel, zoals *Maria Stuart* uit 1646, de *Gijsbrecht van Aemstel* (1637) of de genoemde *Lucifer*.

Dat het publiek liever spektakelstukken ziet dan meer intellectueel theater is een bekend verschijnsel. En dat de predikanten nogal wat bezwaren hebben tegen deze Amsterdamse kousenhandelaar laat zich raden: Vondel is immers zo'n twintig jaar geleden naar de katholieke Kerk overgegaan.

Aan zijn stukken was de verandering ook te zien. Zo laat hij in de *Gijsbrecht* de aardse grootheid ten val komen en stelt hij hier eeuwige waarden als het enig blijvende tegenover. Vondel heeft zich bovendien intensief bemoeid met het politieke leven en ook dat is hem niet in dank afgenomen: zo schreef hij twee scherpe hekeldichten na de terechtstelling van raadpensionaris Johan van Oldenbarnevelt en publiceerde hij in 1625 met *Palamedes of de Vermoorde Onnozelheit* nog een fel stuk tegen Maurits. Pas in Maurits' opvolger, Frederik Hendrik, zag hij zijn idealen belichaamd.

## VOC vestigt zich op kust van India

QUILON, 9 december - Nadat de Verenigde Oostindische Compagnie enkele maanden geleden de Portugezen van Ceylon had verdreven, staan de Portugezen nu ook in India onder zware druk. De havenstad Coilan (of Quilon) op de kust van Malabar, de westkust van India, is na harde strijd in handen van de Nederlanders gekomen. Deze verovering is de eerste Nederlandse vestiging aan de kust van Malabar. Quilon heeft grote betekenis als uitvoerhaven van peper en Malabaarse kaneel.

De Compagnie richt zich behalve op Ceylon en de kust van Malabar eveneens op de oostkust van India. In juli van dit jaar nam Rijckloff van Goens met zijn troepen de stad Negapatnam in. Een blokkade van de havenstad Goa, van waaruit Portugese hulptroepen gestuurd kunnen worden, droeg in sterke mate tot deze successen bij. Met deze veroveringen dreigt het eens zo sterke koloniale rijk van Portugal in Voor-Indië ineen te storten.

*Een Portugese officier laat zich in een Indische draagstoel rondleiden.*

*Een Nederlandse ontdekkingsreiziger biedt de keizer van Calicut kanonnen aan.*

## Portugal verliest steunpunt op Ceylon

JAFNAPATNAM, 23 juni - Met de overgave van Jafnapatnam hebben de Portugezen hun laatste steunpunt op Ceylon verloren. Na een beleg van enkele maanden zijn de Nederlanders erin geslaagd dit onneembaar geachte kasteel te veroveren. Eerder vielen de Portugese vestigingen te Colombo en Mannar.

Ceylon was de kern van Portugals bezittingen in Oost-Indië. Dank zij sterke vestigingen te Negombo, Colombo, Punto de Gale en elders hebben ze in het verleden de kaneelproducerende westkust van Ceylon in bezit gehad. De VOC streeft al geruime tijd naar alleenheerschappij op Ceylon. De zuid- en westkusten van dit eiland behoren immers tot de beste kaneelproducerende gebieden in Indië. Eerdere pogingen om een monopoliepositie te krijgen hebben echter gefaald. De inheemse vorst, radja Singha, die in het centraal gelegen Kandy zetelt, steunde nu eens de Portugezen, dan weer de Hollanders. Zijn bedoeling was 'beyde natien, ons ende den Portugees, jegens malkander in balance te houden', aldus een ambtenaar van de Verenigde Oostindische Compagnie.

*De hindoeïstische heerser Sjivadji, hier afgebeeld met zijn hofdames, is de grondlegger van het rijk der Mahratten in India. Zijn naam is vooral verbonden met het verzet tegen de overheersing door de islamitische grootmogols.*

**14 januari.** De Portugezen verslaan Spanje bij Elvas.

**22 april.** Lord-protector Richard Cromwell van Engeland ontbindt het parlement na een vreedzame staatsgreep door het leger.

**25 mei.** Richard Cromwell treedt terug als lord-protector van Engeland.

**31 mei.** Engeland, Frankrijk en de Republiek sluiten het Verdrag van Den Haag om Zweden tot vrede met Denemarken te dwingen en vrije doorvaart door de Sont te verkrijgen.

**Augustus.** In Cheshire, Engeland, wordt een opstand ten gunste van de verjaagde koning Karel II onderdrukt.

**7 november.** Frankrijk en Spanje sluiten de Vrede van de Pyreneeën. Frankrijk verkrijgt Roussillon, Cerdagne, Artois, en forten in Henegouwen, Vlaanderen en Luxemburg. Spanje ziet af van verdere aanspraken op de Elzas. Lodewijk XIV zal Maria Theresia, de oudste dochter van Filips IV, trouwen. Zij zal in ruil voor een bruidsschat afzien van haar rechten op de Spaanse troon. De Pyreneeën vormen de nieuwe Spaans-Franse grens. →

**16 december.** Generaal Monck roept in Schotland op tot verkiezing van een vrij parlement.

**26 december.** In Westminster, Engeland, komt het Long Parliament weer bijeen.

- De keurvorst van Brandenburg verdrijft de Zweden uit Pruisen en Pommeren.

- Pierre Corneille publiceert zijn treurspel *Oedipe*.

- Molière schrijft zijn komedie *Les précieuses ridicules*.

- Joost van den Vondel voltooit zijn tragedie *Jephta*.

- Constantijn Huygens beschrijft de ring van Saturnus.

- John Milton publiceert zijn *A treatise of civil power in ecclestical causes*.

- De Groningse hoogleraar Schoock heropent de discussie over de *Rattenvanger van Hameln*. →

- William Somner voltooit de *Dictionarium Saxonico-Latino-Anglicum*.

- Boyle constateert de elastische druk van lucht in alle richtingen.

- In Berlijn wordt de Preussische Stats-Bibliotheek gesticht.

- Velázquez voltooit zijn portretschilderij van *De infante Maria Theresia*.

# Frans-Spaanse oorlog ten einde

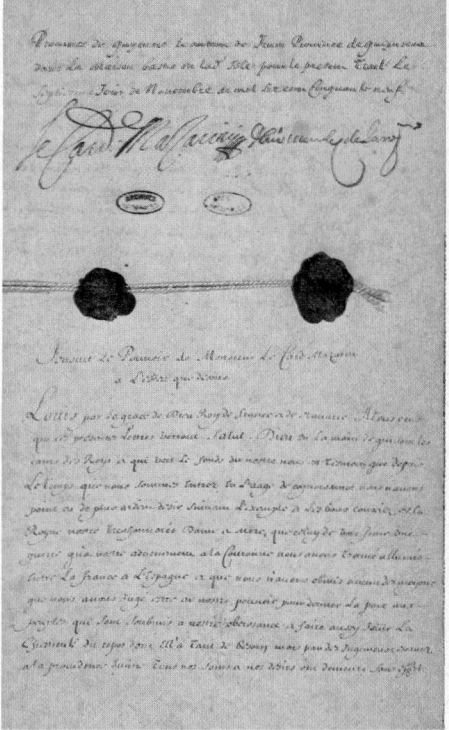

*Links begroeten Lodewijk XIV en Filips IV elkaar, rechts een pagina uit het Verdrag van de Pyreneeën.*

MADRID, 7 november - Met het Verdrag van de Pyreneeën is de sinds 1635 durende oorlog tussen Spanje en Frankrijk ten einde gekomen. Volgens de vredesbepalingen moet Spanje aan Frankrijk een aantal gebieden en steden afstaan: Cerdagne en Roussillon aan de Frans-Catalaanse grens - twee gebieden die Ferdinand de Katholieke in 1493 op Frankrijk had veroverd - en aan de grens met de Zuidelijke Nederlanden Artesië en een aantal vestingplaatsen. Voorts is bepaald dat Lodewijk XIV de Spaanse prinses Maria Theresia zal huwen, die in ruil voor een bruidsschat van 500 000 escudos afziet van al haar rechten op de Spaanse troon. Lodewijk hoopt dat desondanks de invloed van Frankrijk in Spanje zal toenemen.

Hoewel de vredesbepalingen, gezien het verloop van de strijd, voor Spanje niet al te ongunstig zijn, lijkt hiermee voor het land toch het tijdperk van inmenging in de grote Europese politiek voorbij. Spanje is door de decennialange oorlogen volledig uitgeput. Al in het begin van de jaren veertig, na de vernietiging van de Spaanse Armada bij Duins en de afscheiding van Portugal en Catalonië, was de situatie kritiek geworden. In 1643 viel een Spaans leger uit de Zuidelijke Nederlanden Frankrijk binnen en werd vernietigend verslagen bij Rocroi. Het was de eerste grote nederlaag van een Spaans landleger. 'Vrede is noodzakelijk,' schreef een Spaans minister in 1645, 'wat de prijs ook mag zijn.'

Na de Vrede van Westfalen met de Nederlanden en Duitsland had Spanje alleen nog Frankrijk tegenover zich, maar het land kon vanwege de eigen zwakte niet profiteren van de burgeroorlog die in Frankrijk woedde.

In 1655 brak ook nog een oorlog met Engeland uit om Jamaica. Tweemaal vernietigden de Engelsen de Spaanse zilvervloot uit West-Indië. Ten slotte bracht een gecombineerde Engels-Franse troepenmacht in 1658 het Spaanse leger bij Duins een nieuwe nederlaag toe. Over het verlangen naar vrede van Filips IV had een oneerbiedige waarnemer al eerder opgemerkt, dat de koning 'als het moest Christus voor de tweede maal zou kruisigen om dit doel te bereiken'. Het uiteindelijk met Frankrijk getekende vredesverdrag lijkt van Spaanse zijde een stilzwijgende erkenning van het falen van Spanjes ambities in Europa te zijn.

## Discussie over Hamelnse sage laait op

GRONINGEN - Heeft de rattenvanger van Hameln echt bestaan? De recente verschijning van het boek *Fabula Hamelensis* van de Groningse hoogleraar Martin Schoock heeft de discussie over deze vraag, die in geleerde kringen de laatste jaren veel stof deed opwaaien, nieuw leven ingeblazen. Schoock komt tot de conclusie dat, hoewel niet alles hem even 'geloofwaardig' overkomt, de Hamelnse sage zeker een kern van waarheid bevat.

Wat er een paar honderd jaar geleden in het Duitse Hameln precies is gebeurd, is bij gebrek aan voldoende gegevens uit die tijd, niet te achterhalen. Vrijwel zeker is echter dat, hoogstwaarschijnlijk op 26 juni 1284, een groot aantal kinderen - de overlevering spreekt van 130 - plotseling het aan de rivier de Weser gelegen stadje heeft verlaten. Er is geen bewijs voor te vinden dat zij, zoals de in 1555 door Froben Cristoph von Zimmern voor het eerst op schrift gestelde overlevering wil, door een op wraak beluste, fluit-spelende rattenvanger zijn meegelokt. Waarschijnlijker is dat de rattenvangersage haar oorsprong vindt in de kolonisatietrek naar Moravië. Het Hamelnse stadsdeel Neuer Markt moet halverwege de 13de eeuw overbevolkt zijn geraakt. Reden voor een flink aantal jongeren om met een ronselaar mee te gaan naar het in Moravië gelegen bisdom Oltmutz. Althans, dat doet het daar voorkomen van oud-Hamelnse familienamen vermoeden.

Zoals gezegd is er in wetenschappelijke kringen al geruime tijd een discussie aan de gang over het waarheidsgehalte in de *Rattenvanger van Hameln*. Een en ander werd in 1653 in gang gezet door Gerard Reiche, de toenmalige burgemeester van Hameln, die in zijn *Bericht nach Hofe* de hele geschiedenis afdeed als 'onwetenschappelijke onzin'. Wat betreft de toverfluitspelende rattenvanger heeft de burgervader bij het rechte eind, maar de kinderuittocht heeft desalniettemin wel degelijk plaatsgehad.

# Engels parlement wil Karel II als koning

WESTMINSTER, 25 april - Het Engelse parlement, voor het eerst in twintig jaar nieuwgekozen, is samengekomen om een brief van troonpretendent Karel te bespreken, waarin hij concessies doet. Na een kort debat ging het parlement opgetogen akkoord en benoemde Karel tot koning. Hem wordt gevraagd om uit zijn Haagse ballingsoord terug te keren.

Hiermee is een eind gekomen aan twaalf jaar streng puriteins bewind, waarvan het begin werd gemarkeerd door de executie van Karel I (30 januari 1649) en de afschaffing van het koningschap. Dat 'eerste jaar van de door Gods zegen herstelde vrijheid' werd een Gemenebest de nieuwe republikeinse regeringsvorm.

De uitvoerende macht berustte bij een raad, bestaande uit enkele legerleiders en leden van het romppparlement (het Hogerhuis was intussen ook afgeschaft). Dit oligarchische regime, mede in het zadel geholpen door radicale elementen, ging niet in op democratische eisen.

Vooral de 'levellers' (nivelleerders) in het leger beoogden algemeen kiesrecht en eerlijker verdeling van 's lands rijkdommen. Maar Cromwell en generaal Sir Thomas Fairfax dempten hun muiterij. Leider John Lilburne werd gevangengezet en de levellers gingen in ondergronds verzet.

Toen het romppparlement aarzelde zichzelf te ontbinden, greep Cromwell op 20 april 1653 in. Met behulp van een aantal soldaten stuurde hij de leden naar huis. Enige godvruchtige aanhangers mochten een nieuwe Assemblee van Heiligen vormen (4 juli), onder voorzitterschap van de leerhandelaar Barebone.

Al spoedig hief dit college zichzelf weer op, nadat het een nieuwe grondwet (Instrument of Government) had uitge-

*Karel II arriveert met zijn gevolg bij de Whitehall (door Isaac Fuller, 17de eeuw).*

vaardigd en Cromwell tot lordprotector had uitgeroepen (december). Dit betekende een militaire dictatuur, tijdens welke het nationalisme zich kon uiten in oorlogssuccessen op Spanje, Frankrijk en de Republiek der Nederlanden (Vrede van Westminster, 1654) en door admiraal Robert Blake (1599-1657) op zee.

Het bewind faalde, daar het leggen van een goede constitutionele basis uitbleef. Cromwell zelf weigerde het hem, door het zoveelste gelegenheidsparle-

ment aangeboden, koningschap (165? en liet ook na een opvolger te benoemen. Na zijn dood op 3 september 165? benoemden zijn laatste aanhange? zijn onbekwame zoon Richard.

De generaals George Monck, herto? van Albemarle, en Fairfax sloegen ? weg terug in: Richard vertrok op 25 m? vorig jaar, de zittende assemblee wer? ontslagen en de leden van het Lan?? Parlement van 1640 werden weer o? geroepen om een nieuw parlement ? kiezen.

## Hamburg krijgt Collegium musicun

HAMBURG - Met financiële steu? van muzikaal geïnteresseerde Han? burgse kooplieden heeft de componi? en organist Matthias Weckmann e? Collegium musicum gesticht, een ve? zameling van zo'n vijftig in muzie? geïnteresseerde leken, die geregeld s? menkomen om te musiceren.

Met de stichting van het Hamburg? Collegium musicum lijkt een einde ? komen aan de dominerende positie va? de vocale muziek. Het nieuwe geze? schap heeft zich namelijk vooral toe? legd op de instrumentale muziek va? Italiaanse componisten. In deze instr? mentale muziek wordt voor het eer? rekening gehouden met de bijzonder? heden van de verschillende instrume? ten. De uitvoeringen van het Colleg? um zijn toegankelijk voor publiek.

*Met ongekende pracht en praal is in juni het huwelijk voltrokken tussen koning Lodewijk XIV van Frankrijk en zijn nicht Maria Theresia, dochter van Filips IV van Spanje. De verbintenis werd vorig jaar aangekondigd toen beide landen onderhandelingen voerden in het kader van de Vrede van de Pyreneeën. Het huwelijk moet de verbeterde betrekkingen tussen Frankrijk en Spanje onderstrepen. Lodewijks kansen op de Spaanse troon zijn nu vergroot.*

## Vrede van Oliva: Zweden handhaaft machtige positie

*Koning Karel X Gustaaf van Zweden.*

DANZIG, 3 mei - Door het ondertekenen van de Vrede van Oliva is een eind gekomen aan de oorlog van Zweden tegen de legers van Denemarken, Polen, Brandenburg, de Duitse keizer en de Nederlandse republiek. Ondanks het verlies van Oost-Pruisen a Polen behoudt Zweden de gebieden die het voor de oorlog ook al had. Al ten al het handhaven van de status-uo tegen zoveel tegenstanders toont e grote macht van Zweden op dit genblik.

e oorlog begon in 1654 toen de nieuwe Zweedse koning Karel X Gustaaf jn oog liet vallen op het door oorloen verzwakte Polen. De Zweden rukn snel op. De hoge adel (Radziwill, otocki, Lubomirski en anderen) veraadde koning Jan Kazimierz en haarde zich aan de kant van de weedse bezetter. De koning ontsnapnaar Silezië, en in het hele land waren g maar een paar kleine Poolse enclas overgebleven.

en grote anti-Zweedse partizaneneweging, die voornamelijk bestond t boeren, putte echter het Zweedse ler zodanig uit dat het gedwongen erd een belegering van het klooster zestochowa op te geven. De overwinng van de verdedigers van Czestoowa ging gepaard met heldhaftigeid en ontberingen, welke laatste olgens de verdedigers zijn doorstaan ank zij de wonderen van de heilige oon van de Zwarte Madonna, die ch in het klooster bevindt. Bevreesd or een ernstige verstoring van het achtsevenwicht schoten Brandenurg, de Duitse keizer en ook Denearken de Polen te hulp. Karel X rukte et zijn troepen over het ijs op naar enemarken en belegerde Kopenhaen. De Denen moesten zich overgeven verloren bij de Vrede van Roskilde uid-Zweden en de streek rond Trondeim. Toen Karel X in februari plotseng aan een ziekte overleed waren de weden gedwongen ook met de andere genstanders vrede te sluiten.

# Einde Filippijnse opstand

LINGAYEN, 17 januari - Andres Malong, de leider van een opstand in de Filippijnse provincie Pangasinan, die zichzelf tot koning had uitgeroepen, is op bevel van gouverneur Manrique de Lara geëxecuteerd. De opstand begon op 15 december van het vorig jaar met de plundering van het rijke dorp Bagnotan en de moord op de alcalde-mayor (provinciale gouverneur) in de hoofdplaats Lingayen. In korte tijd wist Malong een kleine 8000 man om zich heen te verzamelen, die echter niet opgewassen waren tegen de met kanonnen bewapende Spaanse troepen.

De onlusten in Pangasinan komen voort uit een opstand in de belangrijke rijstprovincie Pampanga, waar de bevolking al tientallen jaren lijdt onder de Spaanse koloniale exploitatie. Onder het bandala-systeem (gedwongen leveranties tegen betaling in obligaties) is men verplicht per jaar 24 000 fanega's (schelven) rijst te leveren tegen een prijs die lager is dan die op de markt, terwijl Manila de obligaties zelden kan inlossen en de schuld in Pampanga tot 200 000 peso's heeft laten oplopen. Daarbij komt dat door de polo (arbeidsdienst) honderden mannen gedwongen worden hun akkers te verlaten en op de scheepswerven te werken: tijdens de in 1648 beëindigde Spaans-Nederlandse oorlog voor de opbouw van een verdedigingsvloot, daarna voor de vervanging van de galjoenen die de kwetsbare verbinding met Mexico moeten onderhouden. Het gevolg is dat er niet genoeg voedsel voor de eigen behoefte verbouwd kan worden, wat geregeld tot hongersnoden leidt.

Vorig jaar kwam een duizendtal houthakkers, die al acht maanden achtereen zonder betaling hadden gewerkt, in opstand tegen de slechte behandeling door de opzichters. De muiterij verspreidde zich snel; vele barangays (gemeenschappen) sloten zich aan en hoofden in de provincies Pangasinan en Ilocos werden opgeroepen ook in verzet te komen. Omdat de Pampango's, die vaak gebruikt werden als hulptroepen, militair getraind waren, wenste gouverneur De Lara een treffen te voorkomen. Hij voerde daarom een verdeel-en-heerspolitiek en wist zich te verzekeren van de steun van Juan Macapagal, hoofd van het strategisch gelegen Arayat. Deze werd overladen met eerbewijzen en rijkdommen, wat leidde tot jaloezie en onderling wantrouwen bij de overige volkshoofden. De opstand verliep al snel en er werd een akkoord bereikt: uitbetaling van een gedeelte van de schuld (14 000 peso's) en verzachting van de polo.

# Malpighi ontdekt bloed-longverbinding

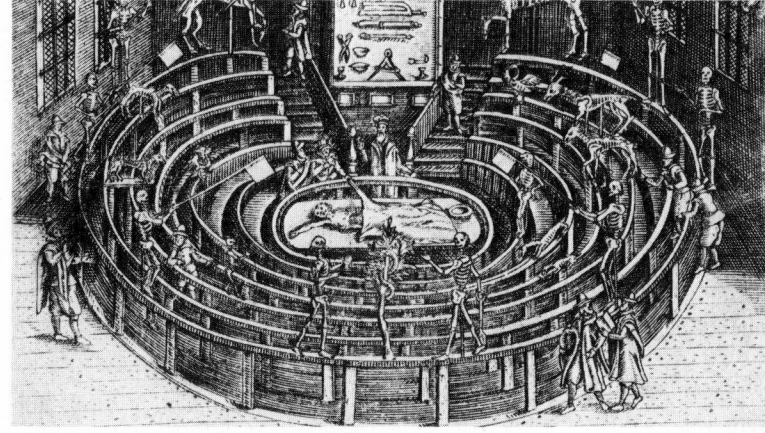

*Anatomische les aan de universiteit (17de eeuw).*

BOLOGNA - De medicus en bioloog Marcello Malpighi heeft in zijn boek *Over de longen* een opmerkelijke vinding bekendgemaakt. Volgens hem wordt het bloed door een haarvatennet in de longen gevoerd, waar het in microscopisch kleine blaasjes met de ingeademde lucht in aanraking komt.

Na bestudering van het bloedvatenstelsel van zeer vele kikkers is Malpighi tot deze conclusie gekomen. Hiermee heeft de Italiaanse geleerde de ontbrekende schakel in William Harvey's ontdekking van de bloedsomloop gevonden. De verbinding van de slagaderen met de aderen, die Harvey veronderstelde maar niet kon aantonen, heeft Malpighi in de longen gesitueerd. Hierdoor kan ook verklaard worden hoe het bloed zichzelf steeds kan vernieuwen en in circulatie blijft. Harvey was niet tot deze conclusie in staat, omdat hij niet de beschikking had over een microscoop: een vergrotingsapparaat met verschillende lenzen. Malpighi heeft bij zijn speurtocht gebruik gemaakt van de microscoop die door de Middelburger Zacharias Jansen is ontwikkeld en die tien maal kan vergroten. Malpighi heeft zijn vindingen meegedeeld aan zijn leermeester en vriend Borelli, die aandrong op een snelle bekendmaking van de ontdekking van de haarvaten in de longen.

# Fouquet wegens verraad opgepakt

*Nicolas Fouquet.*

NANTES, 5 september - Op bevel van koning Lodewijk XIV is 'surintendant des finances' Nicolas Fouquet op verdenking van hoogverraad gearresteerd. Deze goed voorbereide arrestatie van de machtige en ambitieuze Fouquet maakt duidelijk dat Lodewijk zelf de regering wil leiden en geen naar alleenheerschappij strevende edelen meer naast zich duldt.

Al direct na de dood van zijn premier Mazarin liet Lodewijk XIV op 10 maart van dit jaar zijn ministers weten dat hij geen premier meer zou benoemen en dat alle ministers en ambtenaren alleen nog aan hem persoonlijk verantwoording schuldig waren. Om het door kardinaal Mazarin opgebouwde bestuurssysteem niet te laten instorten, bleef Lodewijk de vertrouwelingen van Mazarin, op wie deze zijn bestuur had gebouwd, in ruil voor trouw belonen. De 'créatures' van Mazarin werden nu 'créatures' van de koning.

Maar hoewel zijn leermeester Mazarin de jonge vorst alle kneepjes van het 'métier du roy' geleerd had, geloofden de meeste invloedrijke edelen aan het hof niet dat Lodewijk XIV het zonder premier zou redden. Met name de heerszuchtige Fouquet, die door zijn grote vaardigheden het financiële apparaat tot nu toe draaiende had weten te houden, zag zichzelf al als opvolger van kardinaal Mazarin en leefde daar ook al naar: hij bezat een prachtig slot in Vaux, gaf indrukwekkende feesten en onderhield vele maîtresses. Deze verkwistende levensstijl stak velen, onder wie Colbert, een vertrouweling van Mazarin.

Fouquets pogingen om een eigen cliëntèle op te bouwen en het markizaat Belle-Ile militair te versterken sterkten de koning in zijn overtuiging dat Fouquet streefde naar een omverwerping van de monarchie. Fouquet doorzag niet dat een te grote macht van edelen voor Lodewijk gelijkstond aan de verschrikkingen van de Fronde.

Deze blindheid leidde tot zijn val en heeft hem tot een afschrikwekkend voorbeeld voor andere ambitieuze edelen gemaakt.

# 1662

**Maart.** In het Engelse parlement wordt een wet voorgesteld voor de heffing van twee shillings op haardplaatsen en ovens.

**23 april.** De Engelse kolonie Connecticut in Noord-Amerika krijgt een liberaal handvest.

**27 april.** Lodewijk XIV van Frankrijk ondertekent het verdrag waarbij de Republiek, in geval van een aanval door een derde mogendheid, militaire bijstand wordt toegezegd.

**19 mei.** In Engeland wordt de Uniformity Act van kracht. Deze hecht goedkeuring aan het gestandaardiseerde *Anglicaanse Prayer Book* en verbiedt het opnemen van wapens tegen de koning. De Licensing Act verbiedt import van lectuur die strijdig met het christelijke geloof is.

**21 mei.** Koning Karel II van Engeland trouwt met Catharina de Bragança, de dochter van koning Jan VI van Portugal.

**Juli.** De Leidse fabrikant De la Court presenteert zijn boek *Interest van Holland.* →

**6 augustus.** Portugal en de Republiek sluiten vrede. De Republiek geeft de aanspraken op Brazilië op, waar Recife als laatste Nederlandse vesting in 1654 viel, maar mag er wel handel blijven drijven. Portugal betaalt acht miljoen florijnen schadevergoeding, onder meer voor achtergelaten geschut.

**27 oktober.** Karel II van Engeland verkoopt Dunkerque, dat sinds de verovering op Spanje Engels bezit was, voor tweeëneenhalf miljoen livres (de Franse munteenheid) aan Frankrijk.

**Oktober.** De Frans-Spaanse onderhandelingen over Franse overname van Franche-Comté en Lotharingen worden afgebroken.

- Zuid-Frankrijk wordt geteisterd door piraten uit de Middellandse Zee.

- De Chinese regering deporteert de bevolking van de gehele kustlijn. →

- Het hertogdom Oost-Friesland wordt een vorstendom.

- De acht jaar oude K'ang-hsi volgt zijn vader Shih-tsu op als keizer van China. Tot zijn vijftiende zal de regering door regenten worden waargenomen. De bevolking van China wordt geschat op honderd miljoen mensen.

- Fort Zeelandia, door de Republiek gesticht, valt in Chinese handen. Formosa wordt een onafhankelijke staat.

- In Engeland worden voor het laatst zilveren pennies geslagen.

- De Engelse koning Karel II erkent de Royal Society.

# Economie Holland floreert

AMSTERDAM, juli - In Amsterdam is het boek *Interest van Holland* van de hand van de Leidse lakenfabrikant Pieter de la Court verschenen. In dit boek werpt de publicist, een vriend en geestverwant van raadpensionaris Johan de Witt, zich op als een fervent verdediger van de economische belangen van de Hollandse kooplieden. De handel en scheepvaart, zo betoogt De la Court, bepalen de 'interest' van Holland; deze bedrijfstakken zijn verantwoordelijk voor de geweldige economische bloei die de Republiek der Verenigde Nederlanden in de 17de eeuw doormaakt. En deze welvaart, zo luidt de boodschap, kan alleen worden bestendigd als de Staten van Holland een ondubbelzinnige vrijhandelspolitiek voeren.

De bloei van handel en scheepvaart heeft inderdaad voor ingrijpende veranderingen in de Nederlanden gezorgd. Amsterdam is in enkele tientallen jaren tot een wereldcentrum met meer dan 100 000 inwoners uitgegroeid. Tientallen schepen lopen dagelijks de haven binnen. Ook andere steden groeien sneller dan de bouwers kunnen bijhouden: ten zuiden van Amsterdam zijn dat Rotterdam, Delft, Gouda en Leiden; ten noorden van het IJ bloeien Enkhuizen en Hoorn nooit tevoren en overschaduwen e oude stad als Alkmaar, dat niet het g luk heeft op de route naar Amsterda te liggen en zijn nering fors ziet terug pen.

De handel heeft een stimulerende i vloed op de ontwikkeling van de nijve heid in de Noordelijke Nederlande In de Zaanstreek zijn ongeveer duize molens in bedrijf. Wie er langsloo krijgt het gevoel dat hij in een bew gend bos staat. Hier wordt met behu van windkracht olie, papier, hout meel verwerkt en hier is - zeg maar - werkplaats van Amsterdam.

Een ander opzienbarend verschijn in de Nederlanden, dat mogelijk is g maakt door de bemoeienis van ka taalkrachtige Hollandse kooplied vormen de droogmakerijen. In 16 heeft men met grote molens Beemster leeggepompt, twaalf jaar ter de Purmer en in 1626 de Wormer de Schermer.

Naar men zegt is Jan Adriaans Leeghwater, de beroemde waterbou kundig ingenieur, zelfs van plan Haarlemmermeer droog te leggen; reusachtige plas die bij iedere stor Haarlem en zelfs Amsterdam en L den bedreigt.

*De Gouden Bocht van de Herengracht in Amsterdam (Gerrit Berkheyde; 1685).*

en Hollandse handelsvloot treft voorbereidingen voor vertrek uit China.

# Chinese kust ontruimd

PEKING - Langs de hele Chinese kust wordt de bevolking door de legers van de nieuwe Qing-dynastie landinwaarts gedeporteerd. De ontruiming van de kuststreek volgt op een succesvolle bezetting van T'aiwan door Ming-royalist admiraal Zheng Chenggong.

Zheng Chenggong is de zoon van een piraat die aan het gevluchte Ming-hof in Nanjing een hoge positie had verworven. Zijn moeder is een Japanse en Zheng is door de Portugezen in Macau tot christen gedoopt. In de burgeroorlog die na de zelfmoord van de laatste Ming-keizer in China uitbrak, beheerste Zheng vanuit zijn vestigingen Xiamen (Amoy) en Jinmen (Quemoy) de hele zuidkust van China. Toen door de militaire druk van de Qing-legers de situatie in Jinmen onhoudbaar werd, scheepte Zheng zich met zijn leger van 60000 man op 350 schepen in en zette koers naar T'aiwan, dat in handen van de Hollanders was. De voltallige vloot verzamelde zich halverwege de Straat van T'aiwan voor de Penghugun Eilanden.

Vervolgens vond de invasie van T'aiwan plaats. De troepen van Zheng gingen bij Luermen aan land. Het Hollandse garnizoen van Anping (Fort Zeelandia) was niet bij machte de inva-sie af te slaan; in februari gaven de Hollanders het op en ontruimden T'aiwan zonder verdere strijd. Zheng Chenggong riep een bestuurlijke organisatie van het eiland in het leven op basis van een verdeling in districten.

De Qing-regering, die haar macht op het vasteland aan het consolideren is, heeft een totale blokkade van T'aiwan afgekondigd. Bij deze stap wordt het nieuwe bewind geholpen door de Hollanders, die hopen op deze wijze in de gunst van Peking te komen. Het grootste deel van de kust van China is tot niemandsland verklaard. Alle eilanden voor de kust moeten ontruimd worden. Visvangst is verboden en landbouw is slechts in beperkte mate toegestaan. Over een afstand van 15 tot 25 kilometer landinwaarts mag niemand blijven wonen. Door deze maatregelen hoopt het Qing-bewind elke vorm van hulp van de kustbevolking van Ming-loyalisten onmogelijk te maken. Voor een herovering van Taiwan is de militaire kracht van Peking vooralsnog niet toereikend. De machtsovername in China door de Mantsjoes, die in 1644 na de val van Peking makkelijk leek te zullen plaatsvinden, is zodoende op een langdurige burgeroorlog uitgelopen.

**10 januari.** Karel II bevestigt het handvest van de Engelse Royal African Company.

**23 januari.** Lodewijk XIV bevestigt het verbond met de Rijnstaten, waartoe ook Denemarken toetreedt.

**18 april.** Het Osmaanse Rijk verklaart Oostenrijk de oorlog. Een leger van honderdduizend soldaten onder bevel van de grootvizier, Ahmed Köprülü, maakt zich op Hongarije en Mähren binnen te trekken.

**8 juni.** De Engels-Portugese vloot verslaat Spanje in de zeeslag bij Amegical.

**8 juli.** Het handvest van de Engelse kolonie Rhode Island in Noord-Amerika krijgt koninklijke goedkeuring.

**26 juli.** Frankrijk verklaart Venaissin onderdeel van de Franse staat en na een ruzie met de paus wordt ook Avignon geannexeerd.

**27 juli.** Het Engelse parlement neemt de Staple Act aan, waarbij goederen slechts via Engeland en op Engelse schepen in de Noordamerikaanse koloniën mogen worden geïmporteerd.

**Juli.** Nederlandse kolonisten stichten een nieuwe nederzetting in de Delaware-vallei. →

**25 september.** Het keizerlijke leger geeft de vesting Neuhäusl over aan de Turken. Neuhäusl is een belangrijke grensvesting van Oostenrijk, zodat nu een invasie dreigt.

**23 december.** De Duitse keizerlijke landdag zal permanent bijeen blijven in Ratisborn.

- Colbert, de Franse minister van Financiën, maakt van de kolonie Nieuw-Frankrijk een provincie met Quebec als hoofdstad. Tegelijkertijd worden de staatsfinanciën en het commerciële verkeer hervormd.

- In Kaapstad, in de Kaapkolonie van de Republiek, wordt een school voor Hottentotten en blanke kolonisten geopend.

- In Rome wordt begonnen met de bouw van de Scala Regia, naar ontwerp van Bèrnini, als onderdeel van het Vaticaan.

- In Parijs sticht Jean-Baptiste Colbert de Académie des Inscriptions et des Belles Lettres.

- Reinier de Graaf ontdekt het functioneren van de eierstok.

- In Engeland worden de eerste gouden guinea-stukken geslagen.

- In Noord-Amerika wordt de kolonie Carolina gesticht.

-In Kopenhagen wordt begonnen met de publikatie van de *Europäische Zeitung*.

- Giovanni Battista Lully componeert zijn *Le ballet des arts*.

# Nederzetting in Nieuw-Nederland

NIEUW-AMSTERDAM, juli- De kolonie Nieuw-Nederland is een nederzetting rijker. Deze maand is het schip de 'Sint Jacob' in Amerika aangekomen, met aan boord 24 Nederlandse gezinnen. De kolonisten, die zich in de Delaware-vallei hebben gevestigd, hebben hun nederzetting ingericht op basis van gemeenschappelijk bezit en onderlinge samenwerking.

De geestelijke vader van de commune is Pieter Cornelis Plockhoy, een Nederlandse mennoniet die bekendheid geniet als prediker van universele broederliefde, economische gerechtigheid voor iedereen en regering door het volk.

In zijn pamflet *Kort en Klaer Ontwerp* heeft Plockhoy zijn ideeën omtrent een leefgemeenschap in de Nieuwe Wereld uiteengezet. De commune moet naar zijn mening 'bestaan uit vreedzame en eensgezinde mensen die elkaar helpen bij de landbouw, visserij etc.'. Volgens het pamflet wordt er gedurende een vast aantal uren per dag voor de gemeenschap gewerkt en het verdiende geld zal evenredig over de gezinnen worden verdeeld. Het *Ontwerp* maakt ook gewag van te treffen maatregelen ter verdediging van de commune tegen mogelijke aanvallen van Indianen. Een ieder die echter 'op gewetensgronden' bezwaar maakt tegen het dragen van wapens, kan van deze plicht ontheven worden door jaarlijks een som gelds aan de commune af te dragen.

De West-Indische Compagnie - de eigenares van de kolonie Nieuw-Nederland - is uiterst tevreden over de nieuwe emigranten, want men maakt zich al lange tijd zorgen over het geringe aantal kolonisten. Om dit aantal op te voeren heeft de compagnie in 1629 het 'patroonstelsel' ingevoerd. Hierbij gaf de WIC aan een patroon, die veelal een aandeelhouder van de compagnie was, een stuk land. In ruil hiervoor beloofde de patroon-ondernemer op dit land binnen vier jaar minstens vijftig kolonisten te werk te stellen.

De patroon genoot uitgebreide bestuurlijke en juridische bevoegdheden over de tewerkgestelden, die tien jaar aan hun land gebonden waren en jaarlijks een vast gedeelte van de oogst als pacht moesten afdragen. Het was hun verboden zonder toestemming van de patroon te jagen, te vissen of produkten te verkopen. Voor het malen van hun graan konden de kolonisten alleen terecht bij de patroon, die de molen beheerde waarvan de kolonisten tegen betaling gebruik mochten maken.

Het semi-feodale patroonstelsel was geen overweldigend succes, mede vanwege de ongunstige vestigingsvoorwaarden voor de tewerkgestelden. Van de in totaal zes geregistreerde patroonschappen was alleen Rensselaerswyck succesvol.

**21 januari.** Miklós, graaf van Zrínyi en banus van Kroatië, begint zelfstandig een veldtocht tegen de Turkse invasiemacht.

**6 maart.** Lodewijk XIV van Frankrijk sluit een bondgenootschap met de grootkeurvorst van Brandenburg, die ook tot de Rijnbond toetreedt.

**6 april.** In Ratisborn wordt een bondgenootschap tussen Frankrijk en Saksen getekend. Ook treedt Saksen tot de Rijnbond toe.

**14 mei.** Grootvizier Köprülü trekt met 120 000 soldaten en honderd kanonnen de Donau over, de Oostenrijkse Erflanden binnen.

**Mei.** In Engeland wordt de Conventicle Act van kracht, die samenscholingen van meer dan vijf mensen (behalve in huishoudens) verbiedt om erediensten van de non-conformisten te voorkomen.

**Juni.** Tussen Engeland en de Republiek breken op zee en in de koloniën vijandelijkheden uit. Er volgen nog geen formele oorlogsverklaringen.

**1 augustus.** Bij Sankt Gotthard aan de Raab boekt het keizerlijke leger een overwinning tegen de Turken. De Turkse opmars is hiermee beslissend tot staan gebracht.

**10 augustus.** Het Osmaanse Rijk en de keizer sluiten in Vásvár vrede. In Hongarije lokt de overeenkomst veel kritiek uit. →

**7 september.** Engeland annexeert Nieuw-Nederland (Connecticut tot Delaware) in Noord-Amerika. Nieuw-Amsterdam, waar het garnizoen onder gouverneur Peter Stuyvesant is gelegerd, wordt omgedoopt in New York. →

**24 september.** Het Nederlandse Fort Oranje in Noord-Amerika capituleert voor de Engelse troepen en wordt herdoopt in Albany.

**15 december.** De Engelse koloniën Connecticut en New Haven in Noord-Amerika vormen een unie.

- In Frankrijk schaft Colbert, de minister van Financiën, de binnenlandse tarieven af.

- Voor de coördinatie van de handel van Frankrijk met Canada, West-Afrika, Zuid-Amerika en West-Indië wordt de Compagnie Française des Indes Occidentales opgericht.

- Jean de La Fontaine publiceert het eerste deel van zijn *Contes et Nouvelles*.

- Molière voltooit de definitieve versie van zijn komedie *Tartuffe*.

*Peter Minuit kocht in 1626 voor 60 gulden het eiland Manhattan.*

# Val van Nieuw-Amsterdam

NIEUW-AMSTERDAM, 7 september - Zonder dat er één schot is gelost, heeft de nederzetting Nieuw-Amsterdam, die met haar 1600 inwoners de belangrijkste nederzetting van Nieuw-Nederland is, zich aan de Engelse oorlogsvloot overgegeven. Tevoren had gouverneur Stuyvesant nog verklaard 'liever te sterven' dan te capituleren, waarna hij de bevolking had opgeroepen zich tegen de vijand te verzetten. De inwoners gaven aan de oproep van de gehate gouverneur echter geen gevolg, omdat zij verwachtten onder de Engelsen beter af te zullen zijn.

Met de val van de nederzetting Nieuw-Amsterdam, die door de Engelsen in New York is omgedoopt, lijkt tevens het lot van de overige Nederlandse vestigingen in Noord-Amerika bezegeld te zijn.

De Engelse kroon, die al lange tijd aanspraak maakt op het grondgebied van de Nederlanders, besloot tot de annexatie van Nieuw-Nederland over te gaan vanwege de voortdurende schendingen van de Navigatiewetten. De handhaving van deze wetten, die vooral tegen de Nederlanders gericht waren, werd zeer bemoeilijkt door de ligging van de Nederlandse kolonie: precies tussen Nieuw-Engeland en de Engelse koloniën van Chesapeake in. Ondanks de verbodsbepalingen werden er nog steeds grote hoeveelheden tabak uit Virginia naar Nieuw-Nederland verscheept, en van daaruit naar Holland.

De kolonie Nieuw-Nederland, die eigendom is van de West-Indische Compagnie, is altijd uiterst autocratisch bestuurd. Aan het hoofd van het koloniaal bestuur stond de gouverneur, die samen met zijn kleine adviesraad uitgebreide bevoegdheden bezat op het gebied van wetgeving en rechtspraak. In tegenstelling tot wat gebruikelijk was in de Engelse koloniën, kon de bevolking nauwelijks enige invloed op het bestuur uitoefenen. In hun talloze pogingen om medezeggenschap te verkrijgen, raakten de kolonisten herhaaldelijk in conflict met de opeenvolgende autoritaire bestuurders. Zo verklaarde gouverneur Willem Kieft, nadat de bevolking had geprotesteerd tegen voortzetting van de oorlog tegen de Indianen (1641-1645) en om deelname aan het bestuur had gevraagd: 'In dit land ben ik de baas en ik doe wat ik wil.' In 1647 werd Kieft vervangen door Peter Stuyvesant, die de West-Indische Compagnie in Curaçao had gediend en tijdens de bestorming van een Frans fort een been had verloren. Stuyvesants optreden tegen de kolonisten getuigde van nauwelijks minder willekeur dan dat van zijn voorganger. Toen de kolonist Cornelis Melyn verklaarde bij de Staten-Generaal in beroep te willen gaan tegen een onrechtvaardig geacht besluit van de gouverneur, dreigde Stuyvesant 'hem te laten ophangen aan de hoogste boom van Nieuw-Nederland', indien Melyn zijn voornemen zou uitvoeren.

# Oostenrijk stuit Turken bij de Raab

VASVAR, 10 augustus - Na de nederlaag die de Turken op 1 augustus b[ij] St.-Gotthard aan de rivier de Raab toegebracht, hebben Oostenrijk en h[et] Osmaanse Rijk de Vrede van Vásva[r] [Eisenburg] gesloten. Hiermee lij[kt] een einde aan de Turkse opmars na[ar] het westen te zijn gekomen.

Tot vorig jaar, toen de Porte de 'ongelovigen' de oorlog verklaarde, heers[te] er in het grensgebied een toestand va[n] gewapende vrede. Het van 1606 dat[e]rende niet-aanvalsverdrag van Zsit[va] Torok garandeerde een minimum a[an] stabiliteit. De Habsburgers name[n] graag genoegen met deze status-qu[o,] hoewel grensincidenten aan de or[de] van de dag waren. Zolang ze ge[en] grootscheepse Turkse invallen te duc[h]ten hadden, konden ze hun aandac[ht] en troepen op West-Europa richte[n.] Voor de verdediging van de christeli[jke] bolwerken aan de Oostenrijks-Turk[se] grens was dus weinig geld beschikba[ar.] De aanleiding tot de opnieuw opg[e]laaide Oostenrijks-Turkse oorl[og] vormde een interne machtsstrijd [in] Transsylvanië tussen de Turksgezin[de] Miklós Apáfi en zijn concurrent Ján[os] Kemény, die de hulp van de Habsbur[g]se keizer inriep. Leopold I kon ni[et] toestaan dat Transsylvanië een sate[l]lietstaat van het Osmaanse Rijk z[ou] worden. Hij onderschrijft de meni[ng] van zijn generaal Montecuccoli d[at,] wanneer Transsylvanië verloren ga[at,] 'geheel Hongarije voor de Turk[en] openligt'. Toen Leopold I en de Turk[se] leider Ahmed Köprülü niet tot ove[r]eenstemming konden komen, bra[cht] de grootvizier 120 000 Turken op [de] been. Montecuccoli moest Neuhäu[sel] prijsgeven. Op het laatste mome[nt] kwam een Europese strijdmacht va[n] 25 000 man Montecuccoli te hulp.

Hoewel zij de Slag bij St.-Gottha[rd] hebben verloren, is de positie van [de] Turken niet ernstig verzwakt. Bij [de] Vrede van Vásvár is bepaald dat zij [de] vestingen Neuhäusl en Grosswarde[in] mogen behouden en dat in Transsylv[a]nië de Turkse vazal Apáfi aan [de] macht komt. Voor een veilige o[ost]grens heeft Leopold I heel veel over.

*Grootvizier Ahmed Köprülü.*

*e Hongaarse opperbevelhebber annex dichter en filosoof Miklós Zrínyi.*

# Hongaren kritiseren vrede

OEDA - De onlangs gesloten Vrede n Vásvár tussen de Habsburgers en t Osmaanse Rijk heeft in Hongarije t grote verbittering geleid. Bij dit ver ag zijn alle recent veroverde gebie en weer aan de Turken teruggegeven. olgens de Hongaren heeft naast de in wikkelde internationale situatie oral de druk van de Oostenrijkse oplieden tot deze beschamende vre geleid. De Turkse sultan heeft de ostenrijkers immers onlangs een ntal belangrijke privileges in de han l op het Oosten verleend.

e 'Orientalische Compagnia', die de ostenrijkers voor de handel naar het osten hebben opgericht, controleert vendien de vee-export van Honga e. De protesten van Hongaarse oplieden worden steeds luider en fs Hongaarse Kamer, die de kei lijke inkomsten regelt, heeft aange ongen op een terugkeer naar vrij ndel.

1657 kwam er een einde aan de cht van Transsylvanië. Het streven van de Oostenrijkers om van Honga rije een kolonie te maken, leidde tot ge vechten tussen het keizerlijk leger en het privé-leger van de rijke Zrínyi familie. Onder de Hongaren groeide een nationalistische, anti-Habsburg stemming, die met name tot uiting kwam in de gedichten en pamfletten van Miklós Zrínyi.

Na de ineenstorting van Transsylvanië herleefde de Turkse militaire macht. In 1661 stuurde de Habsburgse keizer weliswaar hulp, maar generaal Monte cuccoli trok zich na enkele tegenslagen al snel terug. Terwijl zijn soldaten plunderend door het land trokken, riep Zrínyi in zijn pamflet *De Turkse opium* de Hongaren op een eigen Hongaars le ger te vormen. Het afgelopen jaar wist Zrínyi de Turken enkele vernietigende nederlagen toe te brengen; hij verover de Pécs en de forten langs de Dráva.

Uit de gesloten vrede blijkt echter dat de Habsburgers niet werkelijk in de strijd tegen de Turken geïnteresseerd zijn.

**27 februari.** De Nederlandse vloot onder leiding van admiraal De Ruyter verslaat de Engelsen aan de Afrikaanse Goudkust. →

**4 maart.** De vorig jaar begonnen vijandelijkheden tussen Engeland en de Republiek leiden nu formeel tot de Tweede Engelse Oorlog. Koning Karel II verklaart de Republiek de oorlog in de verwachting dat raadpensionaris Johan de Witt dan tot aftreden zal worden gedwongen.

**5 mei.** Nicolaas Witsen bezoekt in Moskou patriarch Nikon. →

**6 juni.** Bij Montes Carlos verslaan Engels-Portugese troepen het Spaanse leger.

**17 juni.** Met de overwinning van het Engels-Portugese leger op de Spaanse troepenmacht bij Villa Viciosa is de Portugese onafhankelijkheid veilig gesteld.

**Augustus.** Engeland verovert het eiland Sint-Eustatius in de Caribische Zee op de Republiek.

**Augustus.** Frankrijk organiseert een expeditie tegen de roofstaten Algiers en Tunis, die het scheepvaartverkeer in de Middellandse Zee bemoeilijken.

**17 september.** Koning Filips IV van Spanje sterft en wordt opgevolgd door zijn zoon Karel II. →

- Maine in Noord-Amerika wordt teruggegeven aan de erfgenamen van Sir Fernando Gorges.

- Frankrijk verovert het westelijke deel van Santo Domingo, een Spaanse kolonie in de Caribische Zee (Haïti).

- In New York, het voormalige Nieuw-Amsterdam, dat in 1664 door de Engelsen werd veroverd, worden het Engelse recht en bestuursapparaat ingevoerd.

- In Parijs treedt Colbert in functie als algemeen controleur van Financiën. →

- Robert Boyle toont wetenschappelijk aan dat lucht onontbeerlijk is voor kaarsen om te branden en voor dieren om te leven. →

- Paus Alexander VII verordonneert dat de jansenisten zich aan de Bul van 1653 onderwerpen.

- Claude Perrault ontwerpt de zuilengalerij voor het Louvre paleis in Parijs.

- In Denemarken vestigt koning Frederik III met het uitvaardigen van de Lex Regia het absolute koningschap.

- Bernini vervaardigt tijdens zijn bezoek aan Frankrijk een buste van Lodewijk XIV.

# Witsen brengt geheim bezoek aan patriarch Nikon

MOSKOU, 5 mei - Nicolaas Witsen heeft tijdens zijn bezoek aan Moskou in het geheim een bezoek gebracht aan patriarch Nikon. De Amsterdammer maakte deel uit van het Nederlandse gezantschap naar de tsaar onder lei ding van Boreel. Nicolaas Witsen was zonder toestemming van de autoritei ten 's nachts naar Nikon gereisd. Hij vond dat deze een erg verwilderde in druk maakte. Hij had zich gedurende de zeven jaar dat hij van het hof weg was niet meer geschoren of gekamd. De Nederlanders brachten als geschen ken olie, specerijen, zaden en op een wagen een kas vol bollen, bloemen, roze- en bessestruiken mee. De patri arch bleek op de hoogte te zijn van wat er in het buitenland gebeurde want hij informeerde naar de zojuist uitgebro ken Tweede Engelse Oorlog en vroeg hoe de onderhandelingen van Boreel met de tsaar verliepen.

De in ongenade gevallen patriarch heeft zich zeven jaar geleden in vrijwil lige ballingschap in het klooster Nieuw-Jeruzalem, 60 kilometer ten westen van Moskou, teruggetrokken. Nikon kwam met de tsaar in conflict toen hij met de kerkhervormingen die hij doorvoerde, tegelijkertijd zijn ei gen invloed vergrootte ten koste van de wereldlijke macht van de tsaar.

De hervormingen bestonden uit het in voeren van nieuwe vertalingen van reli gieuze teksten uit het Grieks, een ande re spelling van de naam Jezus, het slaan van een kruis met drie in plaats van de vroeger gebruikelijke twee vingers, het drie in plaats van twee keer 'halleluja' roepen tijdens de eredienst en uit het rondgaan van een kerkelijke processie met de zon mee en niet tegen de zon in. Het initiatief voor de hervormingen was uitgegaan van een groep leerlingen van de pas opgerichte Academie in Kiëv. Zij wilden proberen de eredienst voor de gelovigen begrijpelijker te ma ken. Veel priesters konden echter geen of slechts gebrekkig kerkslavische teksten lezen. Dit maakte hen extra wantrouwig tegenover de veranderin gen in het ritueel. Toen Nikon in 1652 tot patriarch werd benoemd door tsaar Aleksej, vatte hij het plan op om de Russisch-Orthodoxe Kerk met de Grieks-Orthodoxe Kerk te herenigen. Hij wilde de geestelijke macht boven de wereldlijke macht plaatsen. In 1663 zei hij: 'Zoals een droppel regen is voor een grote wolk, zo is de afmeting van de aarde vergeleken met de hemelen en zo is het tsaardom klein, vergeleken met het priesterdom.' Hij vocht de nieuwe wet van 1649 aan die de vrijheid van de Kerk beknotte.

In 1658 kwam de breuk met de tsaar. In 1660 werd hij door de bisschoppen synode uit zijn ambt ontzet.

# De Ruyter herovert forten op Engelsen

ELMINA, 27 februari - Een Nederlandse vloot onder vice-admiraal De Ruyter heeft een einde gemaakt aan de vijandelijkheden van de Engelsen, die gericht zijn tegen Nederlandse handelsposten aan de Afrikaanse Goudkust. Sinds 1660 trachten de Engelsen aan de kusten van Guinea de slaven- en goudmarkt in handen te krijgen. Ongeveer een jaar geleden is de Engelse kapitein Robert Holmes met acties op de Goudkust begonnen. De Engelsen slaagden er toen in enkele Nederlandse handelsposten te veroveren, waaronder het belangrijke Cabo Cors. Het fort São Jorge da Mina [Elmina] en enkele andere kastelen bleken te sterk om te kunnen worden veroverd. De Ruyter heeft een dreigende Engelse overheersing verhinderd.

De kust van Guinea behoort sedert 1621 tot het monopoliegebied van de WIC. De Compagnie heeft daar reeds enkele decennia lang verscheidene handelsposten, waarvan kasteel Elmina (dat in 1637 op de Portugezen werd veroverd) de belangrijkste is. Een andere vestiging, kasteel Mouree, is van belang door de goudhandel met Afrikaanse kooplieden uit het rijk Akan. Het door de Engelsen veroverde Cabo

Fort Elmina aan de Golf van Guinea, een van de belangrijkste handelsposten van de WIC.

Cors was al bijna twee jaar lang Nederlands bezit.

Ondanks het handelsmonopolie moet de Compagnie met geduchte concurrentie rekening houden. De zogenaamde 'lorrendraaiers' (smokkelaarsschepen) trekken zich weinig van het monopolie aan. Deze schepen varen tussen Holland, de kust van Guinea en West-Indië en drijven handel in ivoor,

goud en slaven. Andere concurrenten zijn de Engelsen. Zij hebben nu het grootste aandeel in de slavenhandel en zijn de Compagnie in dit gebied voorbijgestreefd. Deze strijd om de Afrikaanse markt heeft herhaaldelijk tot gewelddadigheden geleid. Kapitein Holmes' veroveringen en het optreden van De Ruyter daartegen zijn hiervan het meest recente bewijs.

# Spanje in onzekerheid na dood Filips IV

Karel II, opvolger van Filips IV.

MADRID, 17 september - De Spaanse koning Filips IV is na een bewind van 44 jaar overleden. Hij heeft bij testament zijn gemalin Maria Anna van Oostenrijk benoemd tot regentes voor de vierjarige kroonprins Karel, aan wiens fysieke en mentale capaciteiten voor het koningschap nu al ernstig wordt getwijfeld.

Filips IV laat niet alleen een lichamelijk en geestelijk zwakke troonopvolger na, maar ook een verarmd en gedemoraliseerd koninkrijk dat nog maar een schaduw is van het rijk van zijn groot-

vader Filips II. De politieke en militaire successen aan het begin van zijn bewind zijn snel tenietgedaan door een hele reeks misslagen op nationaal en internationaal gebied. Filips IV, een groot liefhebber en beschermer van schone letteren, kunsten en vrouwen - hij verwekte een indrukwekkend aantal onwettige kinderen - liet de regering geheel over aan zijn favoriet, de hertog van Olivarez. Diens grootse plannen om Spanje te hervormen en opnieuw een hoofdrol in de internationale politiek te laten spelen, zijn stuk voor stuk op catastrofale mislukkingen uitgelopen.

De hervormingsvoorstellen die de Junta de Reformación in 1623 deed om de Spaanse economie weer op de been te helpen, hadden wellicht iets kunnen redden, maar zijn een dode letter gebleven. Olivarez' plannen voor uniformering van de belastingen en een evenrediger bijdrage van de provincies aan de rekrutering van troepen hebben geleid tot belastingoproeren, opstanden in Baskenland, Napels en Sicilië en tot de afscheiding van Portugal en Catalonië, respectievelijk in 1640 en 1641. Weliswaar werd Catalonië in 1652 weer onder Spaans gezag gebracht, maar slechts onder volledige garantie van de oude privileges en vrijheden, zodat de provincie haar eigenzinnige koers kon voortzetten.

Olivarez moest onder druk van de ontevreden adel in 1643 het veld ruimen,

maar zijn megalomane buitenlandse politiek heeft na zijn verbanning nog jarenlang doorgewerkt en geleid tot de voor Spanje nadelige Vrede van Münster in 1648, waarbij de soevereiniteit en onafhankelijkheid van de Republiek der Verenigde Nederlanden moesten worden erkend, en tot de Vrede van de Pyreneeën in 1659, waarbij Spanjes positie als eerste mogendheid van Europa werd overgenomen door Frankrijk.

OXFORD - De Ierse uitvinder Robe[rt] Boyle heeft zijn laatste chemische e[n] natuurkundige ontdekkingen verz[a]meld in het zojuist verschenen wer[k] Nieuwe experimenten. Boyle, gebor[en] te Lismore Castle als zoon van de gra[af] van Cork, is in wetenschappelij[ke] kring bekend als de medeoprichter v[an] het koninklijk genootschap van gele[er]den: de Royal Society.

Boyle heeft vooral chemische vindin[gen] op zijn naam staan. Zo verwer[pt] hij in zijn eerste boek, De sceptisc[h] chemicus (uit 1661), de tot dan alo[m] aanvaarde leerstellingen van Aristot[e]les en Paracelsus over de element[en.] Hij stelt daartegenover dat elke mat[e]rie, zoals aarde en lucht, is opgebouw[d] uit verschillende onzichtbare eleme[n]ten. Daarmee heeft hij een aanzet geg[e]ven tot het formuleren van een nieuw[e] scheikundige theorie.

Voorts stelde Boyle het soortelijk g[e]wicht van vele vaste en vloeibare sto[f]fen vast, deed hij onderzoek naar de r[e]latie tussen de temperatuur, de druk [en] het volume van gassen en verbeter[de] hij de kwikthermometer van Galil[ei.] De Ierse onderzoeker heeft geluid[s]proeven gedaan waaruit hij concl[u]deert dat elk geluid lucht nodig hee[ft] om zich te kunnen verplaatsen. Zi[jn] onderzoek naar gas leidde in 1662 t[ot] de ontdekking van een wetmatighei[d:] 'zolang de temperatuur consta[nt] wordt gehouden is het volume van e[en] hoeveelheid gas omgekeerd evenred[ig] aan de druk van het gas.'

Zoals ook uit Nieuwe experiment[en] blijkt is Robert Boyle een fervent aa[n]hanger van de empirische filosof[ie.] Zijn onderzoeksdevies luidt: 'alle waarnemingen kunnen de grondsl[ag] voor een hypothese vormen.'

Nicolas Poussin, de grote Franse schilder, is op 19 november in Rome overleden. Hij kreeg in Parijs zijn kunstzinnige vorming en trok in 1624 op 30-jarige leeftijd naar Rome, waar hij zich blijvend vestigde. Poussin werd vooral bekend vanwege de romantische wijze waarop hij klassieke mythologische voorstellingen vorm gaf (afgebeeld: de Sabijnse maagdenroof). Van zijn uitgebreid œuvre maken ook tal van religieuze werken deel uit.

*Jean-Baptiste Colbert.*

# Colbert hoofd van Franse financiën

PARIJS - Jean-Baptiste Colbert is door Lodewijk XIV benoemd tot algemeen controleur van financiën. Hij komt aan het hoofd te staan van het volgjaar na de val van Fouquet ingestelde financieel raadgevend lichaam van de koning. Colbert tracht door middel van een mercantilistische politiek de Franse economie te stimuleren en de staatsinkomsten te verhogen.

Deze verhoging is noodzakelijk geworden omdat de uitgaven als gevolg van reorganisatie en vergroting van het leger, de dure hofhouding en de groeiende bureaucratie hoog zijn opgelopen. De inkomsten blijven daarbij achter omdat de adel niet wordt belast en een belangrijk deel van de geïnde gelden bij de belastingophalers achterblijft.

Desalniettemin heeft Colbert een aantal belangrijke wijzigingen in de belastingwetgeving weten door te voeren. Daarnaast stimuleert hij de Franse economie. In 1661 is hij al benoemd tot intendant der financiën. In deze functie heeft Colbert de invloed van de overheid op de economie vergroot. Hij voert een rigide mercantilistische politiek (daarom ook wel colbertisme genoemd) en tracht Frankrijk onafhankelijk van het buitenland te maken. Deze politiek komt vooral tot uiting in hoge invoerrechten ter beperking van de import, en stimulering van de industrie, scheepvaart en export van luxeartikelen door middel van subsidies. Het doel van deze maatregelen is het scheppen van een positieve handelsbalans. Colbert tracht tevens de bedselprijzen laag te houden en de bevolkingsgroei te stimuleren. De uitvoer van landbouwprodukten wordt daarin tegengegaan.

Daarnaast schaft hij de plaatselijke tollen zoveel mogelijk af en verdeelt het land in vijf districten, hetgeen de binnenlandse handel ten goede komt. Deze wordt verder gestimuleerd door de aanleg van wegen en kanalen. De koloniale handel tracht Colbert te verbeteren door de oprichting van de West-Indische Compagnie vorig jaar en verlening van staatsmonopoliën aan ondernemers.

**26 januari.** Frankrijk verklaart op basis van het bondgenootschap met de Republiek van 1662 Engeland en Münster de oorlog.

**Januari.** Engelse piraten veroveren Tobago in de Caribische Zee.

**16 februari.** De Republiek, in oorlog met Engeland en Münster, sluit een verdrag met de grootkeurvorst van Brandenburg.

**April.** Frankrijk verovert St. Kitts op Engeland.

**Mei.** De bisschop van Münster is bereid vredesonderhandelingen met de Republiek te beginnen.

**4 juni.** Voor de kust bij Dunkerque leveren de oorlogsvloten van Engeland en de Republiek onbeslist slag.

**11-14 juni.** Michiel de Ruyter boekt bij North Foreland in de Vierdaagse Zeeslag met de vloot van de Republiek een overwinning op de Engelse vloot onder Monck.

**4-5 augustus.** In de Tweedaagse Zeeslag bij North Foreland lijdt de vloot van de Republiek een nederlaag tegen de Engelse vloot.

**2-6 september.** Een brand verwoest Londen. Ook St. Paul's Cathedral gaat in vlammen op. De ziekte-epidemie, die Londen al sinds oktober vorig jaar teistert, heeft in twaalf maanden bijna 100 000 mensenlevens geëist. →

**16 september.** Rabbijn Sjabtai Tswi treedt toe tot de islam. →

**25 oktober.** Brandenburg, Brunswijk, Denemarken en de republiek sluiten de Quadruple Alliantie met het oog op het voorkomen van een Frans overwicht in West-Europa.

**December.** De grootkeurvorst van Brandenburg en de hertog van Neuburg sluiten het Verdrag van Kleef over een verdeling van Gulik en Kleef. Brandenburg zal Kleef en Ravensburg krijgen, Neuburg Gulik en Berg.

- In Rusland komen de kozakken onder leiding van Stenka Razin in opstand.

- Stradivarius vervaardigt de eerste door hemzelf gesigneerde viool.

- De Engelse natuurkundige Isaac Newton stelt zijn theorie over de zwaartekracht op. →

- In Marokko neemt Mulai Ar-Raschid de macht in handen en vestigt de dynastie der Alawieten of Hassaniten.

- Postuum worden de verzamelde toneelstukken van de jezuïet Jakob Bildermann, gebaseerd op de *Spirituele oefeningen* van St. Ignatius van Loyola, uitgegeven onder de titel *Ludi theatrales sancti.*

# Brand in hart van Londen

*Een reusachtige vlammenzee boven het centrum van Londen (17de eeuw).*

LONDEN, 6 september - De laatste vuurhaarden in Londen zijn geblust, nadat een geweldige stadsbrand heeft gewoed, die grote delen van de City en West-End heeft vernield. Totale schade: 13 200 huizen, bijna 90 kerken en diverse openbare gebouwen; goed voor 7 à 10 miljoen pond sterling.

De brand ontstond zondag 2 september vroeg, toen vonken van een bakkerijoven aan de Pudding Lane oversloegen naar belendende huizen. Door de straffe oostenwind breidde het vuur zich snel uit. In de loop van de morgen raakten 300 huizen in lichtelaaie, maar dat was niets ongewoons voor de Londenaren. Volgens de burgemeester kon een vrouw 'dit brandje wel uitplassen'. Maar 's middags, nadat ook de volle pakhuizen aan de Theems vlam vatten, kreeg die zelfde burgemeester een zenuwcrisis. De koning riep de hulp van matrozen in en beval - ondanks protesten - tot het opblazen van huizen om zo brandsingels te vormen.

De climax werd dinsdag bereikt, toen de middeleeuwse Saint Paul's Cathedral werd aangetast. Het vervallen bouwwerk stond in de steigers en deze vormden voor de vlammen een springplank naar het kerkdak, dat al snel instortte en de omgeving met gesmolten lood bedekte.

Begon het vuur aan de Pudding Lane, de ommekeer kwam bij de Pie Corner aan de noordelijke stadsmuur. Ook ging de wind eindelijk liggen, zodat donderdag alleen de kathedraal nog nabrandde. Het betekent het einde van de middeleeuwse City. Hoewel er sedert het begin van de eeuw meer mensen buiten de muren dan in de City waren gaan wonen, was de binnenstad wel volkomen overbevolkt geraakt. De nauwe straatjes met houten huizen en het ontbreken van voldoende water vormden de belangrijkste redenen voor de omvang van de ramp.

Velen wijzen buitenlanders of katholieken als de aanstichters van de brand aan. Anderen zien in de ramp een straf van God voor het zondige Londense leven. Wijdverbreid is ook de veronderstelling dat het vuur een einde heeft gemaakt aan de pest, die vanaf september vorig jaar vooral in Londen woedt. Weliswaar bracht die geen materiële schade, maar in tegenstelling tot de brand (slechts 8 doden) wel veel slachtoffers (bijna 100 000). De ergste slums zijn echter niet in de as gelegd en kunnen dus een voedingsbodem voor de pest blijven, zolang de zwarte rat nog niet is uitgestorven.

## Isaac Newton beleeft zijn 'wonderjaar'

WOOLSTHORPE - De jonge, 24-jarige student wis- en natuurkunde Isaac Newton, die omdat de universiteit van Cambridge wegens de pest is gesloten, een jaar doorbrengt op het landgoed van zijn ouders, doet tijdens dit verblijf een aantal opmerkelijke ontdekkingen zodat met recht van een 'annus mirabilis' (wonderjaar) gesproken kan worden: hij komt tot nieuwe inzichten op het terrein van de wiskunde, optica, dynamica en zwaartekracht.

De vraag die Newton bovenal bezighoudt is: welke kracht is het die de planeten in het Copernicaanse systeem in een baan om de zon houdt? Newton stelt nu dat dit dezelfde kracht is als die een steen op aarde doet vallen, een 'zwaartekracht'. Aangenomen dat de zwaartekracht omgekeerd evenredig is met het kwadraat van de afstand, vergelijkt hij de zwaartekracht op het aardoppervlak met de centrifugaalkracht van de maan en constateert dat beide 'vrij nauwkeurig' met elkaar in overeenstemming zijn. Volgens Newton zelf is hij op dit idee van een zwaartekracht gekomen door een vallende appel.

Verder vindt Newton in dit 'wonderjaar' de fluxierekening uit en begint hij met de ontwikkeling van zijn kleurenleer.

Newton heeft zijn vondsten nog niet gepubliceerd.

## Sjabtai Tswi bekeert zich tot islam

CONSTANTINOPEL, 16 september - Sjabtai Tswi is toegetreden tot de mohammedaanse godsdienst. In een met veel praal omgeven ceremonie veranderde hij zijn naam in Mahmet Effendi. Voor zijn vele aanhangers is dit bericht aangekomen als een donderslag bij heldere hemel; Tswi had zich immers als de Messias voorgedaan.

Sjabtai Tswi werd in 1626 in Smyrna, een klein dorpje in Klein-Azië, geboren. Op 18-jarige leeftijd werd hij ingewijd als sefardische rabbijn. Hij begon na twee jaar een steeds meer teruggetrokken leven te leiden wegens zware melancholische buien. Regelmatig overtrad hij de Wet van Mozes door hardop de naam van God op de verboden manier te schreeuwen. In deze jaren begon hij studie te maken van de kabbala en liederen te componeren. In 1654 werd hij door de rabbijnen van Smyrna uit de gemeenschap verbannen omdat hij getuigde dat hij een speciale openbaring van zijn God ontvangen had. Hij noemde zich inmiddels Messias.

Hij reisde door Griekenland waar hij Saloniki werd uitgezet, en ook Constantinopel moest Tswi op verzoek van de rabbijnen aldaar verlaten, na een godslasterlijke zegen te hebben uitgesproken. Verzonken in een diepe melancholie woonde hij vervolgens enkele jaren in zijn geboorteplaats. In 1662 trok de 'Messias' naar Jeruzalem en een jaar later trouwde hij in Caïro. Zijn melancholie keerde terug en hij voelde zich door duivels bezeten.

Het gerucht ging dat in Gaza een jonge rabbijn woonde die hem hiervan zou kunnen afhelpen. April vorig jaar ontmoetten beide mannen elkaar, bij welke gelegenheid rabbijn Nathan zei dat Tswi de Messias was. Vooreerst besteedde deze hier weinig aandacht aan en ze reisden samen naar de heilige plaatsen Hebron en Jeruzalem. Plotseling, op 31 mei van het vorig jaar, riep de Sefardische rabbijn zichzelf inderdaad publiekelijk als Messias uit. Nathan van Gaza werd zijn onvermoeibare profeet en particulier secretaris. Op 11 december keerde Tswi terug in Smyrna, waar hij door een grote menigte werd toegejuicht.

Toen hij op 30 december naar Constantinopel reisde om de sultan af te zetten - hij had het jaar 1666 uitgeroepen als verlossingsjaar - werd hij gearresteerd en opgesloten in de Gallipolivesting. De messianistische koorts waarde inmiddels in geheel Europa rond nadat Nathan overal brieven naar toe had gestuurd over het fenomeen.

Op 15 september van dit jaar werd hem door de sultan de keus gelaten tussen de doodstraf en bekering tot de islam.

**20 januari.** De Vrede van Androesjovo maakt een einde aan de Russisch-Poolse oorlog. Polen staat Kiëv en Smolensk af. →

**27 februari.** Een Zeeuws eskader verovert het Surinaamse fort 'Willoughby' op de Engelsen. →

**31 maart.** Frankrijk en Engeland sluiten een overeenkomst die bepaalt, dat Engeland een Franse invasie in de Zuidelijke Nederlanden niet zal belemmeren, terwijl Frankrijk de Republiek bij een confrontatie met Engeland ter zee niet zal steunen.

**April.** Lodewijk XIV ondertekent voor Frankrijk een defensief verbond met Brunswijk, Münster, Neuburg, Hessen-Kassel, Beieren en Zweden.

**24 mei.** Franse troepen trekken de Zuidelijke Nederlanden binnen en ontketenen daarmee de Devolutieoorlog. Lodewijk XIV claimt sinds het overlijden in 1665 van zijn schoonvader, Filips IV van Spanje, als erfenis (devolutierechten) voor zijn vrouw Brabant, Vlaanderen en kleinere heerlijkheden in de Spaanse Nederlanden.

**12-13 juni.** Onder leiding van Michiel de Ruyter onderneemt de vloot van de Republiek de tocht naar Chatham, waarbij een groot deel van de Engelse vloot evenals de dokken en werven worden vernietigd. Het vlaggeschip, de 'Royal Charles', wordt in triomf meegevoerd.

**31 juli.** De Republiek en Frankrijk sluiten in Breda vrede met Engeland. →

**Juli.** Maarschalk Turenne van Frankrijk voltooit de verovering van Vlaanderen en Henegouwen en bedreigt nu de Republiek.

**18 november.** De sultan van Goa en de VOC sluiten een vredesverdrag. →

**15 december.** De grootkeurvorst van Brandenburg zegt Lodewijk XIV neutraliteit toe in de Devolutieoorlog in de Spaanse Nederlanden.

- In Portugal neemt Pedro de macht in handen na een paleisrevolutie. Alfons VI wordt naar de Azoren verbannen.

- Gottfried Wilhelm von Leibniz construeert een rekenmachine.

- Aurangzeb verovert Afghanistan.

- Gottfried von Leibniz publiceert zijn *Nova Methodus discendique juris* over de gehoorzaamheid die de mens in acht moet nemen ten aanzien van Gods wetten.

# Bestand verdeelt kozakken

ANDROESJOVO, 20-30 januari - De wapenstilstand van Androesjovo, die in de oorlog tussen Rusland en Polen is gesloten voor de tijd van dertieneneenhalf jaar, bezegelt de tweedeling van de Oekraïne. Moskovië krijgt de linkeroever ten oosten van de Dnepr en Polen de linkeroever ten westen van de Dnepr. Bovendien krijgen de Russen de steden Kiëv en Smolensk.

De leider van de kozakken, de 'hetman' Ivan Brjoechovetski, krijgt de titel 'bojaar' en mag een dochter uit het beroemde vorstengeslacht Dolgoroeki trouwen. De liefste wens van de 'geregistreerde' kozakken is hiermee vervuld. Deze bovenlaag die, het gelijkheidsideaal van de kozakken ten spijt, in de loop van de tijd is ontstaan, is opgenomen in de Russische adelstand en heeft landgoederen van de tsaar toegewezen gekregen. In strijd met de kozakkentraditie zijn ze nu de eigenaar van lijfeigenen geworden.

Kozakken waren oorspronkelijk weggelopen onderdanen van de tsaar die aan de zware druk van belastingen en verplichtingen ontsnapt waren. Soms voegden voortvluchtige misdadigers zich bij hen. In de loop van de tijd hebben ze zich vermengd met afstammelingen van de nomadenstammen die door het niemandsland van de Oekraïne trokken. Hun nederzettingen liggen langs de Dnepr, de Don en de Wolga. In het hoofdkwartier van de Zaporozjer-kozakken aan de Dnepr is geen kerk en hebben geestelijken geen toegang. De etnische en linguïstische banden met Moskovië zijn het nauwst, maar er zijn ook Polen, Litouwers en Tataren onder hen. Op hun plundertochten maken ze geen onderscheid tussen katholieken en orthodoxen. Het zijn huursoldaten, op zijn ergst plunderaars voor wie niets heilig is en die tot de grootste wreedheden in staat zijn. Ze kennen god noch gebod.

Een tijdlang vochten de kozakken voor de Polen. Voor Moskovië vervullen ze een soort bufferfunctie tegen de islam. De Donkozakken vechten tegen de Basjkieren, de Tataren, de Kalmukken en de Turken. Ze kennen zelfbestuur, ze kiezen een 'hetman' en regelen hun eigen rechtspraak. In de loop van de 16de eeuw is de situatie gegroeid dat een vast aantal, in de jaren zestig zo'n 20 000 man, door de tsaar wordt uitbetaald in geld, graan, sterke drank en kruit en lood in ruil waarvoor zij de grensverdediging op zich nemen. Vele malen deden zich in de 16de en in de 17de eeuw kozakkenopstanden voor

# VOC krijgt handelsmonopolie Makassar

MAKASSAR, 18 november - In het dorpje Bongaia hebben sultan Hassanuddin van het rijk Goa (Makassar) en admiraal Cornelis Speelman een verdrag gesloten waardoor een einde is gekomen aan een jaar van oorlogshandelingen. De VOC krijgt het monopolie op alle handel op Makassar en de sultan ziet af van alle aanspraken op gebieden buiten het eigenlijke Goa.

Het rijk was tot voor kort een bloeiende handelsstaat, die beschikte over een sterk leger en een machtige vloot, waarmee het gehele gebied rond Celebes werd beheerst. De welvaart was echter afhankelijk van de vrije handel tussen de Indonesische eilanden. Daaraan dreigde door het optreden van de VOC, die een monopolie wilde vestigen, een einde te komen.

Een conflict was onvermijdelijk en vorig jaar barstte de bom. Makassaren plunderden de wrakken van twee VOC-schepen, waarbij enige Hollanders werden gedood. Batavia gebruikte dit als aanleiding om admiraal Speelman met een vloot naar Makassar te sturen. Aan boord was ook het legertje van Aru Palakka, een wraakzuchtige prins uit het recentelijk door Goa onderworpen Boni.

In december bereikte men Makassar, waar de sultan een schadevergoeding voorstelde. Speelman nam hiermee geen genoegen: 'Hollands bloed kan alleen met bloed worden betaald.' De ommuurde stad werd gebombardeerd,

*Admiraal Cornelis Speelman.*

wat echter weinig effect sorteerde. Na een korte onderbreking werd in juni opnieuw het beleg voor Makassar geslagen; de stad hield echter stand. De belegeraars werden steeds meer verzwakt door ziekten, terwijl versterkingen uitbleven. Op 26 oktober voerde Aru Palakka's troepen een 'alles of niets'-aanval uit die hen tot de poorten van het paleis van de sultan bracht. Hassanuddin verklaarde zich nu bereid te onderhandelen. Het resultaat hiervan was het verlies van zijn zelfstandigheid, nog eens benadrukt door de overgave van het machtige fort Ujungpandang, door Speelman omgedoopt in Rotterdam.

*De Nederlandse oorlogsbodems bij Chatham.*

# Navigatiewet afgezwakt

BREDA, 31 juli - Na een tweejarige oorlog die (evenals de oorlog van 1652-1654) in het teken stond van de concurrentie ter zee, hebben Engeland en de Republiek der Nederlanden vrede gesloten. Hierbij is de, tegen de Hollandse scheepvaart bedoelde, Akte van Navigatie afgezwakt.

Al tijdens het bewind van Richard II (1377-1399) had Engeland, ter bescherming van zijn zeehandel, een scheepvaartwet of Akte van Navigatie uitgevaardigd. Onder de Tudors werd de wet herbevestigd. Oorspronkelijk beoogde zij de invoer uit Zuid-Frankrijk door buitenlandse schepen tegen te gaan.

Een tweede middel tot bescherming vormden de compagnieën. Handelaren in bepaalde regio's bundelden zich en creëerden monopolieposities. Zo zagen onder andere de Russische (1553), Levantijnse (1581) en Oostindische Compagnie (1600) het licht. Deze structuur bleef in de eerste helft van de 17de eeuw nagenoeg ongewijzigd.

Onder Cromwell wilde Engeland als natie de handel monopoliseren. Deze mercantilistische politiek leidde, na een lobby van Londense kooplui, tot de Eerste Akte van Navigatie (9 oktober 1651). Zij hield in dat geen land in Engeland andere waren mocht invoeren dan die welke voortgebracht werden in dat land zelf en wel met eigen of Engelse schepen. De maatregel veroorzaakte de Eerste Engels-Hollandse Oorlog, die voor Engeland gunstig verliep. Bij de Vrede van Westminster (15 april 1654) had de Republiek de akte maar te accepteren.

Na de Restauratie werden verdergaande protectionistische maatregelen afgekondigd. De Tweede Akte (1660) bepaalde dat álle koloniale goederen alleen met Engelse schepen vervoerd mochten worden. De Stapelwet van 1663 verbood de aanvoer van waren naar de koloniën door buitenlanders. Voor de Nederlanden was dat weer reden om een tweede oorlog te beginnen (1665).

Deze oorlog verliep voor de Engelsen minder fortuinlijk. De Vierdaagse Zeeslag (11 tot en met 14 april 1666) bracht hun de nederlaag en ronduit vernederend was de aanval van de Hollandse vloot onder aanvoering van De Ruyter op de Engelse oorlogsbodems bij Chatham, in juni.

Een maand later is de regering al bereid gebleken vrede te sluiten, waarbij enige concessies zijn gedaan. Hollandse schepen mogen voortaan ook produkten uit de Zuidelijke Nederlanden en Duitsland aanvoeren.

# Zeeuwen bezetten Surinaams fort

PARAMARIBO, 27 februari - Een Zeeuws eskader onder vlootvoogd Crijnssen heeft de Engelse gouverneur Byam tot overgave van fort 'Willoughby' in Suriname gedwongen. De Zeeuwen herdoopten de vesting in fort 'Zeelandia'. Bij de verovering maakten de Nederlanders goederen ter waarde van ruim 400 000 gulden buit.

Kapitein-ter-zee Abraham Crijnssen zeilde 30 december vorig jaar uit met een vloot van zeven schepen en 800 tot 900 soldaten. De tocht ging uit van Pieter de Huybert, raadpensionaris van Zeeland, die de expeditie in het geheim voorbereid had. Een kort bombardement door de Zeeuwse schepen was voor de Engelsen aanleiding om de witte vlag te hijsen.

De ingezetenen van het fort en de suikerplanters aan de rivieren de Commewijne en de Suriname blijven in het bezit van hun goederen, mits ze een eed van trouw aan de Staten afleggen. De goederen van de Engelse gouverneur Byam zijn verbeurd verklaard. Hetzelfde gebeurt met de eigendommen van diegenen die de weigeren de eed af te leggen. Als brandschatting moeten de ingezetenen 100 000 pond suiker opbrengen. Een Engels koopvaardijschip dat kort na de machtsovername nietsvermoedend zijn ankers liet vallen, werd in beslag genomen.

**19 januari.** Lodewijk XIV en keizer Leopold I sluiten een verdrag over de toekomstige verdeling van het Spaanse Rijk als de nu acht jaar oude Karel II kinderloos zou sterven. Frankrijk zal de Zuidelijke Nederlanden, Franche-Comté, Napels, Sicilië, Navarra, de Spaanse bezittingen in Afrika en de Filippijnen krijgen en Oostenrijk het overige rijk.

**23 januari.** Op initiatief van Johan de Witt, raadpensionaris van het gewest Holland, en William Temple, de Engelse ambassadeur in Den Haag, sluiten de Republiek en Engeland een verdrag waarin beide landen elkaar in geval van oorlog steun toezeggen. Tevens zal bemiddeld worden in het Frans-Spaanse conflict. Door toetreding van Zweden tot het verdrag ontstaat de Triple Alliantie.

**13 februari.** Spanje en Portugal sluiten vrede, waarbij Spanje de Portugese onafhankelijkheid erkent. →

**Februari.** Het Franse leger onder Condé bezet Franche-Comté.

**27 maart.** Bombay in India komt onder gezag van de Engelse East India Company. →

**2 mei.** Spanje en Frankrijk sluiten vrede in Aken, waardoor de Devolutieoorlog wordt beëindigd. Frankrijk geeft Franche-Comté terug maar behoudt Lille, Oudenaerde en negen andere steden in de Zuidelijke Nederlanden.

**13 juli.** In Wenen wordt de barokopera *Il pomo d'oro* van de Italiaan Marco Antonio Cesti opgevoerd.

**15 augustus.** Precies tien jaar na de oprichting wordt de Rijnbond opgeheven.

**19 september.** Jan II Kazimierz treedt terug als koning van Polen en vertrekt in ballingschap naar Frankrijk. Tijdens zijn bewind heeft Polen veel gebied aan Rusland moeten afstaan.

**9 oktober.** De bevolking van Manila bestormt het paleis van de gouverneur. →

- Het bestuur over de Engelse kolonie Maine in Noord-Amerika wordt weer verenigd met dat van Massachusetts.

- Prins Willem III van Oranje neemt zijn plaats als Eerste Edele in de Staten van Zeeland in nu hij volwassen is en de waardigheden over het markizaat van Veere en Vlissingen bekleedt.

- De Engelse koning Karel II schenkt de VOC het eiland Bombay. →

- Antonie van Leeuwenhoek stelt de eerste wetenschappelijk verantwoorde beschrijving van rode bloedlichaampjes op.

# Spanje erkent de onafhankelijkheid van Portugal

*Spaanse troepen keren na een beleg terug naar huis.*

LISSABON, 13 februari - Er is eindelijk vrede tussen Spanje en Portugal. Het Verdrag van Lissabon heeft een eind gemaakt aan een oorlog, die bijna 28 jaar heeft geduurd. Spanje heeft zijn aanspraken op Portugal opgegeven en mag in ruil daarvoor de al door hen bezette Marokkaanse havenstad Ceuta behouden.

De oorlog begon na de geslaagde staatsgreep tegen het Spaanse bewind in 1640. De nieuwe koning Johan IV zocht koortsachtig bondgenoten in Europa, maar door tegenstrijdige belangen wist hij niet meer dan erkenning van zijn regering te bereiken. Een groot geluk voor hem was dat de Spaanse legers bijna constant werden beziggehouden op slagvelden buiten Portugal. Een door Spanje opgezet komplot van edelen werd tijdig ontdekt. Op eigen kracht verjoegen de Portugezen de Hollanders uit Brazilië en Angola. Veel bezittingen in het Oosten gingen echter verloren, zoals Malakka, Tidore en Ceylon. In 1662 huwde Catharina, de zuster van de koning, met Karel II van Engeland, tegen een hoge bruidsschat: Bombay en Tanger. Maar de Engelse steun bleek doorslaggevend bij het volhouden en uiteindelijk winnen van de strijd tegen Spanje.

# Engeland krijgt vaste voet in India

LONDEN - Koning Karel II heeft het eiland Bombay aan de Oostindische Compagnie geschonken. Het was in zijn bezit gekomen als deel van de bruidsschat van zijn Portugese vrouw Catharina van Bragança. Daarmee krijgt de Compagnie een hechtere basis voor haar Voorindische handelsactiviteiten.

Aanvankelijk waren de Engelsen niet zo geïnteresseerd in Voor-Indië. Toen Portugal door Spanje veroverd werd (1580), namen de Hollanders de Portugese specerijenvaart van en naar de Molukken over. Deze handel bleek zeer lucratief en weldra begaven ook Engelse schepen zich op weg (1591). Om de concurrentie met Holland aan te kunnen, verenigden 218 personen zich; op 31 december 1600 werd 'De gouverneur en compagnie van de kooplieden van Londen, handelend in Oost-Indië' (kortweg Oostindische Compagnie) koninklijk goedgekeurd. Zij kreeg het Engelse monopolie tussen Kaap de Goede Hoop en Straat Magalhâes.
De eerste tocht (1601-1603) onder leiding van Sir James Lancaster leverde - ondanks problemen - een winst van 95 procent op. De tweede tocht (1606) was

*Nell Gwyn, actrice en maîtresse van Karel II.*

even profijtelijk en resulteerde in de vestiging van een factorij te Bantam. Er rezen echter conflicten met de Verenigde Oostindische Compagnie die, ondanks conferenties te Londen (1613) en Den Haag (1615), onopgelost bleven. De Hollanders verlangden gezamenlijke bestrijding van de Spaanse aanwezigheid. Maar in tegenstelling tot de Republiek was Engeland niet in oorlog met Spanje. De betrekkingen bereikten een dieptepunt, toen op 23 februari 1623 een Engelse factorij bij

Ambon werd uitgemoord. Het gevolg was dat de Britten zich uit de Oost terugtrokken.
De Compagnie ging zich nu meer op Voor-Indië concentreren. Zij kon dat ook doen omdat de Engelsen onder kapitein Best de positie van de Portugese vloot in 1612 ernstig hadden aangetast. Met mogol Jahangir werd een overeenkomst gesloten, waarbij hij de Compagnie een factorij te Surat toestond. Hierna volgden geleidelijk meer handelsposten.
Tijdens de jaren twintig en dertig kreeg de Compagnie te maken met binnenlandse en economische problemen. Zo was er in het Oosten te weinig belangstelling voor Engelse produkten. Specerijen moesten derhalve aangekocht worden met edel metaal, waaraan in eigen land weer gebrek ontstond. Deze situatie verbeterde naarmate de Engelse handel verder werd beschermd (de Navigatiewet van 1651). Het herstel van de binnenlandse vrede en het verdrag met Portugal (1645) bood de Compagnie meer ruimte om haar Voorindische handel uit te bouwen naar Bengalen en Siam, zodat zij zelfs hogere dividenden dan die van de Hollandse VOC kon gaan uitkeren.

# Gouverneur Filippijnen gearresteerd

MANILA, 9 oktober - Een met crucifixen, toortsen en zwaarden bewapende, uitzinnige menigte heeft afgelopen nacht het paleis van gouverneur Diego de Salcedo bestormd. De actie werd geleid door pater Jose de Paternina, vertegenwoordiger van de inquisitie op de Filippijnen, die de gouverneur beschuldigt van ketterij, vriendschap met een Vlaamse protestant en samenzwering om de archipel te verkwanselen aan de Hollanders. De Salcedo, wiens bezittingen verbeurd verklaard zijn, zal in Mexico berecht worden en is voorlopig gevangengezet in het franciscanenklooster.
De gebeurtenissen zijn een voorlopig hoogtepunt in de al tientallen jaren durende strijd tussen het wereldlijk en geestelijk gezag over de vraag wie in de Filippijnen parochiepriesters mag aanstellen. De Spaanse monarch bezit het door Rome geschonken patronato real, het recht op kerkelijke benoemingen in de koloniën, en de Filippijnse gouverneurs menen dat zij, als vertegenwoordigers van de kroon, dat zelfde recht hebben. De aartsbisschoppen van Manila, die vrij snel na het instellen van het bisdom in 1581 het benoemingsrecht aan zich trokken, betwisten dit. Het benoemingsrecht is zo belangrijk omdat de parochiepriesters, meestal leden van een van de op de Filippijnen actieve religieuze orden (augustijnen, franciscanen, dominicanen en jezuïeten), op het platteland in

*De Spaanse inquisitie: massa-executie van ketters.*

feite de enige vertegenwoordigers van het Spaanse gezag zijn.
Het conflict leidde er in 1644 al toe dat gouverneur Corcuera, tijdens zijn residencia (periode van zes maanden waarin aftredende hoge ambtenaren verantwoording van hun beleid afleggen), van tegenwerking van de missie werd beschuldigd en daarop tot een boete en gevangenisstraf was veroordeeld. Er volgde een periode van minder gespannen verhoudingen, waar-

aan abrupt een einde kwam toen in 1663 de koppige en twistzieke De Salcedo tot gouverneur werd benoemd. Deze kwam al snel in aanvaring met de niet minder koppige aartsbisschop Miguel Plobete. Bij diens dood vorig jaar verbod De Salcedo het lijk te balsemen en de kerkklokken te luiden, waarop de verontwaardigde geestelijkheid, gesteund door de burgers van Manila, besloot tot een uniek ingrijpen: het afzetten van de gouverneur.

## 1669

**19 juni.** Michael Wisniopwiecki, een edelman uit Litouwen, wordt door de Poolse Landdag gekozen tot opvolger van Jan II Kazimierz, die op 19 september 1668 als koning aftrad.

**21 juli.** De door John Locke opgestelde grondwet voor de Engelse kolonie Carolina, Noord-Amerika, wordt goedgekeurd.

**Augustus.** In Noord-Amerika wordt de nieuwe Engelse kolonie South Carolina gesticht.

**September.** Het garnizoen van Venetië op Kreta geeft zich na een beleg dat in 1648 begon, over aan de Turken. →

**9 november.** Paus Clemens IX sterft.

**31 december.** Frankrijk en Brandenburg sluiten in het geheim een bondgenootschap.

- Pierre Perrin krijgt het patent voor de oprichting van de 'Académie Royale des Opéra' in Parijs.

- Hans Jakob Christoffel von Grimmelshausen publiceert zijn *Simplicius Simplicissimus* of *Der Abentheuerliche Simplicissimus Teutsch*. →

- Aurangzeb verbiedt de hindoegodsdienst in India.

- Gottfried Wilhelm von Leibniz schrijft een traktaat waarin hij pleit voor een Duitser op de Poolse koningstroon. Een Litouwer wordt echter op 19 juni verkozen.

- In Amsterdam richt Lodewijk Meijer de academie 'Nil Volentibus Arduum' ter beoefening van kunsten, wetenschap en filosofie op.

- Jacques-Bénigne Bossuet publiceert zijn *Oraison funèbre de la reine Angleterre*, de eerste van zijn beroemde grafredes.

- Het scheikundige element fosfor wordt voor het eerst geprepareerd.

- Marcello Malpighi schrijft een verhandeling over de kweek en verzorging van de zijdevlinder.

- De Franse veldheer en vestingarchitect Vauban publiceert zijn studie getiteld *La conduite des sièges*.

- Hugenoten uit het Franse Picardië vestigen zich in Engeland.

- Jan Swammerdam schrijft een boek over insekten.

Gestorven:

**4 oktober.** Rembrandt Harmenszoon van Rijn. →
(15-7-1606), Nederlands schilder
- Pieter Post (1608), Nederlands architect

# 'Simplicissimus' verschijnt

DUITSE RIJK - In de kort geleden verschenen schelmenroman *Der Abentheuerliche Simplicissimus Teutsch* vertelt de schrijver Hans Jakob Christoffel von Grimmelshausen het levensverhaal van een door de verschrikkingen van de Dertigjarige Oorlog getekende jongeman.

In deze in de ik-vorm gestelde roman ontwikkelt de held zich van een kinderlijk eenvoudige jongen tot een avontuurlijke schelm. Na de dood van de kluizenaar die hem tot een 'christenmens' opvoedde, komt de held van het ene het andere avontuur terecht. De lezer treft hem in allerlei gedaanten aan: nar, soldaat, jonker, zanger aan het Franse hof, musketier en pelgrim. Maar ondanks de vele aaneengeregen avonturen wordt in het boek toch een duidelijke ontwikkeling van de hoofdpersoon geschetst. De held keert zich steeds meer van de wereld af en neemt uiteindelijk, nadat hij nog éénmaal alle slechtheden en ontoereikendheden die hij in zijn leven is tegengekomen, heeft opgesomd, afscheid met de woorden: 'Adieu wereld.'

De in *Simplicissimus* geschetste ontwikkeling van de held sluit nauw aan bij de opvattingen van de barok. Volgens deze opvattingen is de wereld onbestadig; zelfs vrome narren, zoals de

*Titelpagina van de eerste uitgave van 'Simplicissimus'.*

held van *Simplicissimus*, veranderen in rovende en moordende soldaten. De enige uitweg is zich afkeren van de wereld en hopen op verlossing in het hiernamaals.

# Turken veroveren Kreta op Venetië

KRETA, september - Kreta is op twee forten na door de Turken veroverd. De oorlog om het eiland, dat sinds de 13de eeuw aan Venetië toebehoorde, begon in 1645. Het laatste Venetiaanse bolwerk in het oostelijke gedeelte van de Middellandse Zee is nu in Turkse handen overgegaan. In 1571 hadden de Turken zich al van Cyprus meester gemaakt. Venetië bezit nu alleen nog enkele kleinere eilanden en fortificaties aan de Griekse westkust.

*Op 4 oktober sterft in Amsterdam de geniale vernieuwer van de schilderkunst die door het in deze jaren opkomende classicisme weinig gewaardeerd wordt: Rembrandt Harmenszoon van Rijn. Links: zelfportret met zijn vrouw Saskia; rechts: 'Zelfportret met rode muts' - twee voorbeelden uit een zeer lange reeks van zelfportretten. De laatste jaren is het werk van de 63 jaar geworden Rembrandt tot volle rijping gekomen. De kleur van de schilderijen is nog dieper en rijker; vooral dieprood, bruin en goudgeel hadden in deze periode zijn voorkeur.*

**14 februari.** Keizer Leopold I vaardigt een decreet uit waarbij alle joden wordt aangezegd Wenen te verlaten. De joden hebben de schuld gekregen van de brand in de Wiener Hofburg op 23 februari 1668, waarbij de keizer en zijn familie ternauwernood konden worden gered. De synagogen in Wenen worden vernield.

**17 februari.** Frankrijk en Beieren sluiten een defensief verbond. Lodewijk XIV belooft Beieren subsidies en zegt toe dat de kroonprins met de dochter van de keurvorst zal trouwen. Als de keizer sterft of wanneer het Spaanse Rijk bij gebrek aan een troonopvolger verdeeld zal worden, dan zullen Frankrijk en Beieren gezamenlijk optreden.

**29 april.** Clemens X wordt gekozen tot opvolger van paus Clemens IX.

**Mei.** Frankrijk en Zweden sluiten voor de duur van drie jaar een defensief verbond.

**1 juni.** In Dover sluiten Engeland en Frankrijk een geheim verdrag. Lodewijk XIV wordt de vrije hand gegeven in zijn optreden tegen de Republiek en Spanje, waarbij Frankrijk het moment van de oorlogsverklaring zal bepalen en Engeland zal volgen. Engeland zal na de oorlog tegen de Republiek Walcheren en de Scheldemond krijgen. Frankrijk geeft Engeland jaarlijks een subsidie van 150 000 pond (225 000 tijdens de oorlog) en Karel II zal zich openlijk tot het rooms-katholicisme bekeren.

**Augustus.** Frankrijk bezet het hertogdom Lotharingen als reactie op de contacten tussen de hertog en de Republiek.

**31 december.** Met het Boyneverdrag maken Engeland en Frankrijk het geheime verdrag van Dover van 1 juni, waarover een grote geruchtenstroom op gang was gekomen, openbaar, maar de bekering van Karel II tot het rooms-katholicisme is weggelaten.

- Christiaan V volgt Frederik III op als koning van Denemarken.

- In de Engelse kolonie Carolina in Noord-Amerika wordt Charles Town [Charleston] gesticht. De Bahamas worden aan Carolina toegevoegd.

- Maarschalk Louvois voert in het Franse leger uniformen in.

- Van Blaise Pascal worden postuum zijn *Pensées* gepubliceerd.

- In Parijs wordt de Académie Royale des Opéra gesticht.

Gestorven:

**15 november.** Jan Amos Comenius (28-3-1592), Tsjechisch pedagoog. →

# Comenius: Galilei van het onderwijs

*De 'leraar der volkeren', Comenius.*

AMSTERDAM, 15 november - In Amsterdam is de 78-jarige Tsjech Jan Amos Komensky (Comenius), de in heel Europa befaamde pedagoog, ook wel de 'leraar der volkeren' of de 'Galilei van het onderwijs' genoemd, overleden. De laatste veertien jaar van zijn buitengewoon vruchtbare en bewogen leven heeft hij in Amsterdam doorgebracht, waar hij grote Nederlanders tot zijn vrienden rekende (onder anderen Rembrandt en Tulp).

Geboren in 1592 in Oost-Moravië, werd Comenius door de protestantse Tsjechische Broeders opgevoed in het Latijn. Aan de studie aan de universiteiten van Herborn en Heidelberg had hij zijn wereldomvattende visie op de dingen te danken. Hij ontwikkelde, naast zijn theologische studies, baanbrekende ideeën op het gebied van het onderwijs. Regelmatig nodigden culturele instanties van protestants Europa Comenius uit om schoolhervormingen in hun land uit te voeren. Zo reisde hij naar Engeland, Holland, Zweden, Polen.

Van de 135 boeken die hij heeft geschreven, genieten de volgende de meeste bekendheid: *Het labyrint van de wereld en het paradijs van het hart* - in een satirisch wereldbeeld worden de fouten en tekortkomingen van de mens aan de kaak gesteld; *Juana linguarum* (De poort der talen) - een veelgevraagd leerboek voor taalonderwijs, vertaald in tientallen talen, onder andere het Perzisch en het Arabisch. Zijn populairste boek is *Orbis pictus* - in een tekst bij 150 afbeeldingen worden het wezen en de samenhang van natuurverschijnselen, ambachten en maatschappelijke ordening uitgelegd. Heel modern was Comenius in zijn overtuiging dat kennis niet met geweld bijgebracht moet worden, maar spelenderwijs; leergierigheid moet aangewakkerd worden en zij moet op vrijwilligheid berusten. De tweede helft van zijn leven heeft Comenius bijna helemaal in ballingschap moeten leven. Nadat in 1627 alle niet-katholieken uit het Boheemse koninkrijk waren uitgewezen, woonde hij lange tijd in Polen, later in Zweden.

## Executie Stenka Razin

*Russische troepen bereiden zich voor op de strijd tegen Stenka Razin.*

MOSKOU, 6 juni - De kozakkenleider Stenka Razin is in Moskou terechtgesteld. Hij was de leider van een grote opstand die het hele gebied van de monding van de Wolga tot aan Simbirsk besloeg. Razin had het gerucht verspreid dat patriarch Nikon zich bij hem had aangesloten.

Aanvankelijk vocht Stenka Razin niet tegen de tsaar maar tegen de vertegenwoordigers van de heersende orde. 'Als u god en de tsaar en Stenka Razin dienen wilt ... verdrijf dan als één man de verraders.' De verraders waren de bojaren en de grondbezitters, de bestuursambtenaren en alle gezagsdragers. Zijn oproep vond gehoor. De boeren verdreven hun heren echter niet, maar sloegen hen dood. Overal waar Stenka Razin langs kwam schaarde men zich in groten getale aan zijn zijde.

Stenka Razin was voor zijn dood al een legendarische figuur. De Nederlander Johan Struys, in dienst van de tsaar kapitein op een schip in de Kaspische Zee, vertelt over hem het volgende.

'Ik heb hem meermalen op de Wolga-barken aan de rivier en in de stad, in Astrakan, gezien. Zijn kozakken kwamen hem dagelijks hun buit brengen. Tegen heel lage prijzen werd die dan opgekocht door Perzische en Armeense kooplieden. Ik heb een keer een gouden ketting van een van hen gekocht van bijna een vadem lang. Tussen elke schakel zaten edelstenen. Op een keer zagen we hem aan boord van een van zijn schepen feestvieren met zijn officieren. Hij had een Perzische prinses bij zich. Hij had haar samen met haar broer gevangengenomen. De broer had hij aan de bestuurder van Astrakan geschonken, maar de prinses had hij voor zichzelf gehouden. Nu hij veel gedronken had en in een goed humeur was over de vele geschenken die hij gekregen had riep hij plotseling uit: "Wolga, Gij zijt een edele rivier. Van u heb ik zoveel goud, zilver en waardevolle dingen gekregen. Gij zijt de enige vader en moeder van mijn fortuin.

Ondankbare die ik ben. Ik heb u nooit iets geoffreerd. Nu zal ik mijn dankbaarheid laten blijken.'' Bij deze woorden nam hij de prinses op, tilde haar hoog boven zijn hoofd en gooide haar in de Wolga met al haar rijke kleren en sieraden. Het was een aardige, geestige dame die zich altijd heel aardig tegen hem had gedragen. Helaas werd ze nu het voorwerp van zijn wreedheid.' Aldus kapitein Struys.

De door Razin geleide revolutionaire beweging kon haar aanvankelijke successen niet uitbuiten. Net als vorige revolutionaire bewegingen, spontaan, gewelddadig, anarchistisch en wreed van karakter, was ze, geconfronteerd met georganiseerde tegenstand, gedoemd ineen te storten.

Stenka Razin was zonder veel tegenstand te ondervinden opgerukt naar het noorden en had Tsaritsyn, Astrakan, Saratov en Samara al onderworpen. Bij de belegering van Simbirsk ondervond het opstandelingenleger voor het eerst tegenstand en moest het zich terugtrekken. Razin werd door conservatieve kozakken gevangengenomen en naar Moskou gevoerd.

*Twee deelnemers aan het Hongaarse complot tegen de Habsburgers, Zrínyi en Frangepán, in de gevangenis van Wienerneustadt waar ze op 30 april worden onthoofd. De opstandelingen, die werden verraden voor ze hun plannen ten uitvoer konden brengen, wilden de Habsburgers met Turkse en Franse hulp verdrijven.*

# Franse troepen vallen Republiek binnen

*De Franse troepen onder leiding van generaal Turenne trekken bij Lobith de Rijn over.*

ARNHEM, 12 juni - De Franse troepen zijn onder leiding van generaal Turenne de Rijn overgetrokken en hebben Arnhem bezet. Met deze inval probeert Lodewijk XIV de economische macht van de Republiek te breken en de Spaanse Nederlanden in zijn bezit te krijgen. Door het opschuiven van de noordgrens tot aan de Rijn zou een

jarenlange territoriale ambitie van de Franse koning gerealiseerd worden.
Aan de inval is een intensieve geheime diplomatie voorafgegaan. Na de oorlog van 1667-1668 waarin Lodewijk XIV een eerdere poging deed de Spaanse Nederlanden in zijn bezit te krijgen, en de Vrede van Aken (1668) verbond de Republiek zich door middel van de

Triple Alliantie met Engeland en Zweden. Met beide landen sloot Lodewijk echter geheime overeenkomsten. Twee jaar geleden kwam het geheime Verdrag van Dover met de Engelse koning tot stand. Deze beloofde in ruil voor Walcheren Frankrijk te zullen steunen bij de geplande inval. Zweden zegde in april van dit jaar toe neutraal te blijven. De Franse diplomatie had ook in Duitsland succes. Met uitzondering van Hohenzollern van Brandenburg hebben alle Duitse prinsen beloofd neutraal te blijven. De keurvorsten van Keulen en Münster nemen actief deel aan de oorlog. Keulen fungeert ook als uitvalsbasis voor het Franse leger dat met 100 000 man het grootste van Europa is.
Tegen deze overmacht bleek de innerlijk verdeelde Republiek niet opgewassen. De Nederlandse opperbevelhebber Willem III heeft slechts 12 000 man tot zijn directe beschikking. Met het oog op de komende inval legerde hij zijn troepen in Maastricht. Deze stad werd echter door de Franse troepen slechts omsingeld, waarna deze zonder noemenswaardige tegenstand tot aan de Rijn konden optrekken. Wel slaagde de Republiek erin een week voor de inval een landing vanuit zee te verijdelen. Op 7 juni versloeg admiraal De Ruyter de Frans-Engelse vloot in de Slag bij Solebay.

# Schütz: 'componist van de bijbel'

DRESDEN, 6 november - Op 87-jarige leeftijd is de bekende Duitse componist Heinrich Schütz overleden. Schütz is vooral bekend geworden als componist van gewijde muziek en wordt door velen beschouwd als de belangrijkste toondichter van deze eeuw.
Na een door zijn beschermheer Maurits van Hessen bekostigde studiereis naar Venetië, waar hij onder leiding van Giovanni Gabrieli ingevoerd werd in Italiaanse compositiestijlen, werd Heinrich Schütz in 1615 benoemd tot hofkapelmeester bij keurvorst Johann Georg I van Saksen. In deze hoedanigheid componeerde hij zijn eerste belangrijke werken: de *Historia der Auferstehung Jesu Christi* (1623), de *Cantiones sacrae* (1625) en de opera *Daphne* (1627).
Toen door de Dertigjarige Oorlog het muziekleven in Duitsland wegkwijnde, vertrok Schütz opnieuw naar Vene-

tië. Hier raakte hij geboeid door de muziek van Claudio Monteverdi. In zijn *Sacrae Symphoniae* is de invloed van Monteverdi overduidelijk aanwezig.
Na zijn terugkomst uit Venetië bleef Schütz ondanks zijn vele reizen naar Denemarken de uitgedunde hofkapel in Dresden als hofkapelmeester leiden. Ook bleef hij componeren. In de *Kleine geistliche Konzerte* uit de periode 1636-1639 heeft Schütz zich zelfs bewust aangepast aan de tot tien leden ingekrompen hofkapel. In zijn latere jaren componeerde hij vier passies naar de vier evangelisten (daar in Dresden tijdens de vasten geen orkest was toegestaan, heeft hij deze passies zonder instrumentale begeleiding geschreven) en een *Weihnachtsoratorium* (1664). Schütz hoopte dat zijn muziek een hulpmiddel was bij het verklaren van de bijbel. Hij wordt dan ook wel 'de componist van de bijbel' genoemd.

# Dai Viet door burgeroorlog in tweeën gesplitst

THANG LONG - Na een burgeroorlog die 45 jaar heeft geduurd is Dai Viet [Vietnam] gesplitst. In het noorden heeft de Trinh-familie het voor het zeggen en in het zuiden heeft de Nguyên-familie haar machtsbasis.
De Trinh voerden de strijd onder het mom dat de Nguyên in opstand waren gekomen tegen het wettig gezag en dat deze opstandige vazal in naam van de koning moest worden neergeslagen. In vergelijking met de zuiderlingen had het noorden een veel groter en beter bewapend en geoefend leger.
De Nguyên voerden de strijd onder het mom dat de Lê-familie, die al eeuwen de troon bezette, de enige rechtmatige aanspraken op de koningstitel kon doen gelden. De Trinh werden dan ook beschouwd als indringers die de macht aan zich probeerden te trekken en de Lê buiten spel wilden zetten.
De Trinh moesten echter niet alleen de Nguyên in het zuiden maar ook de Mac in het noorden bevechten. Deze familie die zich na een nederlaag aan het eind van de 16de eeuw in de bergachtige streek langs de noordgrens met China had teruggetrokken, probeerde, nu de Trinh hun aandacht voornamelijk op het zuiden richtten, verloren terrein terug te winnen.
Een ander niet onbelangrijk voordeel voor de Nguyên was de ruimte die er in het zuidelijke deel van Dai Viet was. Soldaten die lange tijd hadden gevochten, vluchtelingen uit het noorden, oude strijders van de Mac en andere mensen die een goed heenkomen zochten, konden de uitgestrekte braakliggende gebieden in het zuiden gaan bevolken en begonnen deze streek in cultuur te brengen. Hierdoor werden oppositionele elementen die zich op een of andere manier tegen de Trinh hadden gekeerd, middelen van bestaan verschaft.
Bij het uitbreken van de burgeroorlog in 1627 had de leider van de Nguyên, Nguyên Phuoc Nguyên, ingezien dat ook de bestuurlijke basis van het zuiden zwak was. Daarom stelde hij, onafhankelijk van het hof, examens in die voor alle lagen van de bevolking gemakkelijk toegankelijk waren. Naast een aantal onderdelen die ook in de bestaande examens waren opgenomen, moest men in het zuiden in enkele praktische onderdelen examen doen zoals de omgang met de bevolking en de houding ten opzichte van het leger, uitleg geven over de recente gebeurtenissen betreffende de Lê-dynastie en de Trinh, en kennis tonen van maten, gewichten en muntwezen.
Naarmate de tijd vorderde is gebleken dat de Trinh niet in staat zijn geweest het gebied van de Nguyên in hun macht te krijgen.

# Broers De Witt gelyncht

*Johan de Witt.*

DEN HAAG, 25 augustus - Enkele maanden geleden zijn de Fransen bij Nijmegen de Rijn overgestoken, vijf dagen geleden werden de gebroeders De Witt in Den Haag wreed vermoord. 'Het volk redeloos, de regenten radeloos, het land reddeloos,' dat is de algemene opinie over de gebeurtenissen van de laatste maanden.

Eigenlijk al sinds de dag dat Willem III geboren werd, november 1650, was de spanning tussen regenten en prins(gezinden) te snijden. De eerstgenoemden wensten het liefst de situatie te houden zoals zij sinds de dood van Willem II was: een Republiek zonder stadhouder. Maar de prins en zijn aanhangers streefden vanzelfsprekend het tegenovergestelde doel na. Zolang de prins nog minderjarig was, leken de regenten zonder al te veel moeite in hun opzet te slagen.

De Witt slaagde erin in de Staten van Holland, Zeeland, Friesland en Groningen het stadhouderschap af te schaffen, maar wel werd voor de prins de mogelijkheid opengelaten zitting te nemen in de Raad van State. Hetgeen dan ook prompt gebeurde. In de rivaliteit tussen staats- en prinsgezinden leek nu een voorlopige patstelling te zijn ontstaan. Buitenlandse dreiging bracht daarin binnen enkele maanden verandering.

De Triple Alliantie die Engeland, Zweden en de Republiek in 1668 sloten, leek de veiligheid op het continent te waarborgen en ieder van de genoemde staten te beschermen tegen een eventuele Franse agressie. Maar twee jaar na deze alliantie sloten Lodewijk XIV van Frankrijk en Karel II van Engeland een geheim verdrag, dat al spoedig openbaar gemaakt werd. Dat geheime verdrag (van Dover) betekende het einde van het drievoudig verbond en gaf Frankrijk vrijheid van handelen. In de komende twee jaren was er in de internationale politiek volop diplomatiek overleg: Frankrijk vond steun bij Leopold van Duitsland en de bisschoppen van Münster en Keulen; de Republiek verbond zich met Spanje.

In maart verklaarde Engeland, waar de tocht naar Chatham (1667) nog vers in het geheugen lag, de Republiek de oorlog en de maand daarop volgden Frankrijk, Keulen en Münster. Het enige dat de bedreigde staat overbleef waren 'tydelycke en vigoureuze resolutiën', waartoe onder meer de benoeming van de prins tot opperbevelhebber in februari en die tot stadhouder in juli behoorden. Maar voldoende waren die maatregelen niet. Op 12 juni trok het Franse leger de Rijn over, op 21 juni viel Utrecht; bisschoppelijke troepen bezetten ondertussen de Achterhoek, Overijssel en Drenthe, de stad Groningen werd belegerd. Alleen op zee behaalde de Republiek een succes, daar versloeg De Ruyter een gecombineerde Frans-Engelse vloot. Maar de situatie was al met al toch uitzichtloos. Men verwachtte alom dat de Franse troepen binnen enkele weken Holland zouden binnentrekken en zonder enig probleem veroveren.

In deze sombere omstandigheden begon het volk te morren en richtte al zijn haat tegen de twee broers die verantwoordelijk geacht werden voor deze reddeloze situatie: op 20 augustus werden Johan en Cornelis de Witt bij de Gevangenpoort van Den Haag door een menigte gelyncht. Daardoor kreeg de prins (die niets tegen dit eigenmachtig optreden ondernam) bijna alle macht in handen. Maar daardoor is het ook zeer de vraag of de Republiek nog wel in staat zal zijn iets tegen de Franse dreiging te doen.

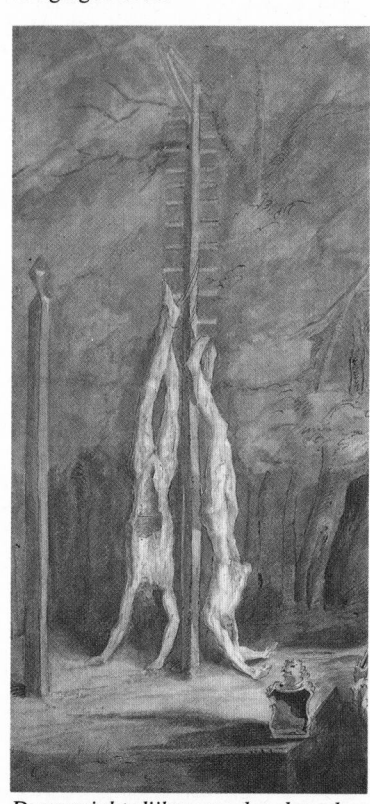
*De verminkte lijken van de gebroeders De Witt hangen aan de galg.*

**Februari.** In Frankrijk wordt het recht van de parlementen om te protesteren tegen koninklijke edicten opgeschort.

**29 maart.** Karel II van Engeland keurt de Test Act goed, waardoor katholieken van openbare functies worden uitgesloten.

**17 februari.** De Franse blijspeldichter Molière overlijdt. →

**6 juni.** Brandenburg en Frankrijk sluiten vrede. De grootkeurvorst belooft geen vijanden van Frankrijk te zullen steunen, waarmee vooral de Republiek wordt bedoeld.

**12 juni.** James, hertog van York, de katholieke broer van Karel II, moet ten gevolge van de Test Act van 29 maart terugtreden als Lord High Admiral over de Engelse vloot. In juli neemt de koning de functie over.

**Juni.** In Keulen beginnen vredesonderhandelingen met Zweedse bemiddeling.

**11 juli.** Willem III tekent voor de Republiek een defensief verbond met Denemarken.

**21 augustus.** Michiel de Ruyter verslaat bij Kijkduin met de vloot van de Republiek de Engelse schepen onder Rupert.

**30 augustus.** Keizer Leopold I, de Republiek, Spanje en de hertog van Lotharingen vormen een coalitie tegen Frankrijk.

**16 september.** Keizer Leopold I verklaart Frankrijk de oorlog. Een keizerlijk leger van 36 000 man onder bevel van Montecuccoli rukt op naar de Rijn.

**12 november.** Troepen van de Republiek onder Willem III veroveren Bonn, waardoor de Franse aanvoerlijnen naar troepen in de Republiek worden afgesneden. In Bonn vindt een vereniging met de troepen van de keizer plaats, die nu zuidwaarts verder trekken om de Fransen ten westen van de Rijn terug te dringen.

**November.** De bisschoppen van Münster en Keulen-Luik geven de Republiek te kennen vrede te willen sluiten. De bisschoppen van Trier en Mainz sluiten zich aan bij de coalitie tegen Frankrijk.

- Het Engelse parlement besluit de clandestiene handel in Amerika aan te pakken. →

- Franse troepen veroveren Chandarnaga ten noorden van Calcutta in India. In Noord-Amerika zakt een Franse expeditie vanuit Canada onder leiding van de jezuïet Jacques Marquette de Mississippi af naar Arkansas.

- De Griek Alexander Mavrocordatos krijgt een hoge functie in de Osmaanse regering. →

*De janitsaren, het in de veertiende eeuw gevormde elitekorps van de sultan.*

## Mavrocordatos wordt dragoman

CONSTANTINOPEL - De Griek Alexander Mavrocordatos is benoemd tot 'dragoman' van de Porte (Osmaanse regering). Deze diplomatieke topfunctie is vier jaar geleden gecreëerd omdat de Osmanen met het afnemen van hun militaire macht en prestige steeds meer aangewezen zijn op diplomatie en onderhandelingen. Hiervoor schakelen zij bij voorkeur degelijk opgeleide Grieken in, die over een goede kennis van vreemde talen beschikken en bekend zijn met het Westen en de westerse cultuur. Aanvankelijk gingen de hoge posities in het Osmaanse bestuur vrijwel uitsluitend naar bekeerlingen. De huidige grootvizier Ahmed Köprülü bijvoorbeeld is van Albanese origine. Ofschoon de Grieken op de Balkan net als de andere christenen de hoofdbelasting moeten betalen en tot enige decennia geleden kinderen moesten leveren voor de 'devşirme', hebben met name de Grieken in de hoofdstad Constantinopel geleidelijk aan een belangrijke positie verworven.

Alexander Mavrocordatos behoort tot de oligarchie der 'Fanarioten', rijke Grieken die hun centrum in de wijk Fanar in Constantinopel hebben. Hier zetelt ook de orthodoxe patriarch. De Fanarioten profiteren ten volle van de corruptie die het Osmaanse bestuur in toenemende mate verziekt. Wil bijvoorbeeld een nieuwgekozen patriarch een bevestigingsoorkonde ('berat') van de sultan verkrijgen, dan moet hij hiervoor tegenwoordig maar liefst 100 000 dukaten neertellen. De Orthodoxe Kerk wordt dan ook steeds afhankelijker van rijke leken die in staat zijn dergelijke bedragen voor te schieten. Hierdoor wordt de invloed van de Fanarioten op de Kerk steeds groter. Naast bankiersactiviteiten zijn zij voorts actief in de scheepvaart en in de handel in het algemeen.

# Wet tegen handel koloniën

LONDEN/BOSTON - Het Engelse parlement heeft een wet aangenomen, die de clandestiene handel van de koloniën in Amerika wil tegengaan. Ondanks de al jaren geldende verbodsbepalingen, verschepen de kolonisten nog steeds talloze produkten, met name tabak, direct naar het buitenland, zonder eerst Engeland aan te doen. Zodoende worden er op de koloniale waren geen uitvoerrechten geheven, waardoor de Engelse schatkist ernstig nadeel ondervindt. De nieuwe wet voorziet in het heffen van uitvoerrechten door Engeland in de koloniën zelf. Hiertoe worden speciale ambtenaren aangesteld, die onder directe verantwoordelijkheid van het moederland vallen.

De nieuwe wet maakt deel uit van een reeks wettelijke maatregelen, die het Engelse parlement sinds 1651 uitvaardigt. Deze zogeheten Navigatiewetten hebben als doel de koloniale handel in voor Engeland gunstige banen te leiden en kennen twee centrale bepalingen. Ten eerste dient alle handel tussen Engeland en zijn koloniën plaats te vinden in schepen die eigendom zijn van Engeland, door Engelsen worden bemand en door Engelsen zijn gebouwd. Deze bepaling is vooral gericht tegen de Hollandse kooplui, die zich intensief bezighouden met de handel op de Engelse koloniën. Ten tweede dient de handel tussen de koloniën en vreemde naties via Engeland te verlopen. De Navigatiewet van 1660 somt een aantal produkten op, waaronder tabak, katoen, bont en suiker, die zelfs uitsluitend naar Engeland

*Feestvierende Indianen in Virginia.*

mogen worden geëxporteerd. De bedoeling van deze bepaling is, Engelse kooplui het alleenrecht te verlenen de 'opgesomde produkten' naar vreemde landen door te voeren.

Vooral voor Virginia en Maryland kwam de bepaling hard aan. Hoewel beide koloniën het alleenrecht op de Engelse tabaksmarkt bezitten, kan Engeland onmogelijk in staat worden geacht de hele tabaksuitvoer af te nemen.

In de Navigatiewetten komen de beginselen van de economische politiek duidelijk tot uiting. Evenals andere koloniale mogendheden vindt Engeland dat de koloniën in de eerste plaats nuttig dienen te zijn voor het moederland. Zij mogen in principe alleen met het moederland handel drijven, zijn eindprodukten kopen, en niet met zijn nijverheid concurreren.

## Molière bracht blijspel op hoog niveau

PARIJS, 17 februari - Tijdens een voorstelling van *De ingebeelde zieke* is Molière in elkaar gezakt en nog diezelfde avond gestorven. Met zijn dood verliest Frankrijk zijn grootste blijspeldichter. Molière (geboren in 1622 als J.P. Poquelin) slaagde erin een tot nu toe ondergeschikt toneelgenre op een hoog niveau te brengen.

Oorspronkelijk had de klucht slechts de functie het publiek na een treurspel op te vrolijken. Door het ontbreken van een uitgebreid repertoire begon Molière in 1653 zelf te schrijven. Aanvankelijk waren zijn stukken uitsluitend voor zijn eigen toneelgezelschap bestemd, maar na het verschijnen van een aantal roofdrukken liet hij ze in 1662 alsnog uitgeven.

Molière had toen al een lange toneelcarrière achter de rug. Hij was de zoon van een tapijtenkoopman uit Parijs, werd opgeleid om de zaak van zijn vader over te nemen, maar koos in plaats daarvan voor een acteursbestaan. Een opmerkelijke keuze, aangezien toneelspelers slechts een gering sociaal aanzien hebben. Mede om zijn familie niet

in diskrediet te brengen koos hij daarom voor de schuilnaam Molière.

Na dertien jaar met door hemzelf geleide toneelgezelschappen in de provincie opgetreden te hebben, vestigde hij zich in 1658 in Parijs. Daar trouwde hij met Armande Béjart. Hij was toen al geruime tijd met haar familie gelieerd. Met haar vader had hij in 1643 zijn eerste toneelgezelschap opgericht en met haar twintig jaar oudere zuster Madeleine had hij een langdurige verhouding.

In Parijs stond hij aanvankelijk onder bescherming van Philippe, de broer van de Franse koning, en later van Lodewijk XIV zelf. In 1665 wijzigde hij de naam van zijn gezelschap dan ook in 'la troupe du roi'. Uit die tijd stammen ook zijn beroemdste toneelstukken: *Le misanthrope* (1666), dat algemeen als zijn meesterwerk wordt beschouwd, en *Tartuffe* (1664). Met zijn stukken joeg Molière geregeld bepaalde groepen tegen zich in het harnas. *Tartuffe*, waarin hij goedgelovigheid en religieuze wantoestanden aan de kaak stelde, mocht pas in de derde versie worden opgevoerd.

**Januari.** Denemarken treedt toe tot de coalitie tegen Frankrijk.

**19 februari.** De Republiek en Engeland sluiten in Westminster vrede. New York en Nieuw Zweden worden weer Engels.

**Maart.** De keurvorst van de Palts treedt toe tot de coalitie tegen Frankrijk.

**21 mei.** De Poolse veldheer Jan Sobieski wordt door de Landdag gekozen tot opvolger van koning Michael Korybut Wisniowiecki, die op 10 november 1673 overleed.

**28 mei.** Op de Duitse Rijksdag in Ratisborn wordt Frankrijk de oorlog verklaard.

**Juni.** Frankrijk begint een veldtocht in Vlaanderen onder leiding van Vauban en in de Palts onder Turenne.

**1 juli.** De Triple Alliantie van de keizer, de Republiek en Spanje tegen Frankrijk wordt gevormd. De paus en Brandenburg sluiten zich hierbij aan.

**Augustus.** De Palts wordt door Franse troepen leeggeplunderd.

**September.** Willem III neemt de vesting Grave in, maar slaagt er niet in verder tegen Frankrijk op te rukken.

**16 oktober.** Keizer Leopold I ontslaat kanselier Lobkowitz. →

- De Engelse Oostindische Compagnie verplaatst haar hoofdkwartier naar Bombay. →

- De Staten-Generaal van de Republiek verklaren het stadhouderschap erfelijk voor de nakomelingen van Willem III.

- De oorspronkelijke bewoners verdrijven de Franse troepen van Madagaskar.

- De Nederlandse WIC wordt wegens hoge schulden geliquideerd. →

- Thomas Hobbes publiceert zijn Engelse vertaling van Homerus' *Odyssee.*

- Sjivadji, de stichter van de staat Mahratten in India, sluit een verdrag met Engeland en verklaart zich onafhankelijk van de Groot-Mogol van India, Aurangzeb.

- Louis Moréri voltooit *Le Grand dictionnaire historique; ou Le Mélange curieux de l'histoire sainte et profane,* de eerste encyclopedie.

Gestorven:

**6 maart.** Johann Paul Schor (27-6-1615), Duits barokschilder, tijdens zijn werk in Rome bekend als Giovanni Paolo Tedesco
**8 november.** John Milton (9-12-1608), Engels dichter →

## Bombay nieuw hoofdkwartier van Engelsen

BOMBAY - Het hoofdkwartier van de Engelse Oostindische Compagnie aan de Indische westkust is verplaatst van Surat naar Bombay. Dit eiland vlak voor de kust maakte deel uit van de bruidsschat die koning Karel II werd aangeboden toen hij trouwde met de Portugese Catharina van Bragança.

In 1668 werd Bombay tegen een jaarlijkse huursom van £ 10 overgedragen aan de Compagnie. Gerald Aungier, sinds 1669 gouverneur van Bombay, bouwde er een fort dat van de eilandstad een onneembaar Brits bastion heeft gemaakt.

Surat, waar de Engelsen in 1619 een factorij stichtten, werd in 1623 van extra belang toen het het enige Britse steunpunt in Azië was geworden. Tot die tijd hadden de Britten, in samenwerking met de Hollanders, ook geopereerd in de Zuidoostaziatische specerijenhandel. De Hollandse gouverneur-generaal van de Verenigde Oostindische Compagnie, Jan Pieterszoon Coen, wilde echter een Hollands monopolie in de specerijenhandel op de Molukken. In een 'samenzwering' van enkele Engelse kooplieden met Japanse en Portugese collega's om het Hollandse fort in Ambon 'in te nemen', vond Coen de aanleiding om op 23 februari 1623 tien Engelse handelaren te vermoorden. Er zat niets anders op voor de Engelsen dan terug te vallen op de minder winstgevende Indische handel.

Vanuit Surat wonnen de Britten al snel controle over de Arabische Zee en de Perzische Golf, nadat ze in 1622 de Portugese macht in Ormoez hadden verslagen. De Perzische zijdehandel kwam daardoor in Britse handen; samen met het Indische calico was deze zijde een van de belangrijkste Engelse importprodukten uit Azië. Ook indigo en salpeter werden naar Europa geëxporteerd en omdat deze produkten vooral in het oostelijke Gangesgebied worden geproduceerd, groeide de wens om in Oostindische gebieden factorijen te stichten. Een drie jaar durende hongersnood in Surat die in 1630 begon, deed bovendien het besef groeien dat het verstandig zou zijn meer bases in Azië te hebben. In 1639 bouwde Francis Day een fort in het dorpje Mandaraz, nabij Poelicat. In 1642 werd het fort Saint George gedoopt, terwijl het dorpje de naam Madras kreeg. Saint George werd het Britse hoofdkwartier aan de oostkust. Noordelijker avonturen, in Orissa, liepen stuk op malaria-epidemieën, waarvoor de Engelsen op de vlucht sloegen. In 1658 werd echter in het Bengaalse Hoeghli een Portugese factorij overgenomen van waaruit de Britse handel een nieuwe impuls kreeg.

# Kanselier Lobkowitz valt in ongenade

*Keizer Leopold I.*

WENEN, 16 oktober - Keizer Leopold I heeft zijn kanselier, Fürst Wenzel Eusebius Lobkowitz, die vanwege zijn vooraanstaande positie en zijn afkeer van het protestantisme de 'Oostenrijkse Richelieu' werd genoemd, ontslagen. Hiermee ontdoet de keizer zich van een oudgediende die zich hardnekkig tegen oorlog met Frankrijk was blijven verzetten.

Lobkowitz, al sinds 1650 een van de belangrijkste raadslieden aan het Weense hof, vertegenwoordigde de zogenaamde 'Oosterlingen'. Deze factie was fel gekant tegen geldverslindende militaire avonturen in West-Europa die de aandacht van de strijd tegen de Turken zouden afleiden. Leopold I kwam echter steeds meer onder de invloed van Lobkowitz' tegenstanders, de 'Westerlingen', ook wel de 'Spaanse factie' genoemd omdat de Spaanse ambassadeurs daarin een belangrijke rol speelden. Zij wakkerden Leopolds wantrouwen jegens Lodewijk XIV aan door hem er voortdurend op te wijzen dat de Franse koning de Turken tegen Oostenrijk opzette.

In 1664 leken de 'Westerlingen' aan de winnende hand te zijn. Bij de in dat jaar gesloten Vrede van Vásvár had Leopold I zich zeer toegeeflijk betoond ten opzichte van de Turken, om de handen vrij te hebben voor de verdediging van zijn aanspraken op de Spaanse troon tegen Lodewijk XIV. Toch wisten Lobkowitz en de zijnen de keizer ervan te overtuigen dat een offensief tegen Frankrijk een heilloze onderneming was. Hoe kon het Oostenrijkse leger, dat niet eens in staat was een verdedigingsoorlog tegen de Turken tot een roemvol einde te brengen, ooit zo'n sterke tegenstander verslaan?

Op hun aandringen sloot Leopold I met Lodewijk XIV een geheim verdrag waarin de Spaanse erfenis werd verdeeld, een overeenkomst die de 'Westerlingen' al snel als 'het Spaanse fiasco' betitelden. Gebonden aan dit verdrag moest Leopold werkeloos toezien hoe de Franse koning Lotharingen en de Nederlanden binnenviel. Hij maakte zich bovendien onmogelijk in de ogen van Engeland, de Republiek en Zweden, die verwachtten dat hij tot hun Triple Alliantie zou toetreden. Toen de Franse agressie in 1672 een rechtstreekse bedreiging ging vormen voor het Duitse Rijk, wijzigde Leopold zijn politieke koers. Hij sloot zich aan bij de vijanden van Frankrijk en zuiverde zijn hof van alle 'Oosterlingen'. Na bijna 25 jaar was de rol van Lobkowitz uitgespeeld.

# Rol van WIC uitgespeeld

*Franse en Nederlandse slavenhandelaars op St. Eustatius.*

'S-GRAVENHAGE - De Nederlandse West-Indische Compagnie is opgeheven. De Compagnie was niet meer bij machte om haar schulden te betalen en haar taak verder te volbrengen. Het besluit tot liquidatie van de WIC komt niet uit de lucht vallen: de Compagnie is al geruime tijd noodlijdend. Het is gebleken dat de WIC zonder oorlog te voeren niet kan bestaan. Het ligt in de bedoeling een nieuwe West-Indische Compagnie op te richten, die een zuiver handelslichaam beoogt te zijn.

Met de Vrede van Münster (1648) achtten velen de rol van de WIC uitgespeeld. Niettemin werd het octrooi verlengd. Het voortbestaan werd toen mogelijk gemaakt doordat de VOC met 1,5 miljoen gulden bijsprong.

De oude Compagnie heeft in haar bestaan op twee gedachten gehinkt: handeldrijven en oorlogvoeren. En juist dat laatste en belangrijkste element, de kaapvaart, oefende de WIC niet meer uit. Daarbij komt dat de Republiek in deze periode krachtig genoeg was om zich zonder hulp van een particuliere organisatie als de WIC te doen gelden. Tot de belangrijkste bezittingen van de Compagnie behoren momenteel Elmina (West-Afrika) en in Amerika Curaçao, Aruba, Bonaire, Essequibo, en Suriname aan de 'Wilde Kust'.

De laatste jaren zijn de grootste winsten uit de slavenhandel verkregen.

## Milton: dichter van 'Paradise lost'

*De titelpagina van de eerste uitgave van 'Paradise lost'.*

LONDEN, 8 november - John Milton, die wordt gezien als de grootste dichter die Engeland heeft voortgebracht, is een maand voor zijn 66ste verjaardag in Londen overleden.

Milton heeft vooral grote lof geoogst voor zijn epos 'Paradise lost' dat zeven jaar geleden is verschenen en waar hij jaren aan gewerkt heeft. Velen beschouwen het als het grootste gedicht in de Engelse literatuur. Het epos vertoont een bewonderenswaardige poëtische techniek: 'blank verse'-episoden vloeien gestaag voort in afwisselende, maar altijd statige ritmen; de harmonie van klinkers en medeklinkers is steeds soepel en klankrijk.

**5 januari.** Het Franse leger onder Turenne verslaat bij Turkheim [Colmar] de troepen onder de grootkeurvorst van Brandenburg.

**20 juni.** De Wampanoag-, Abenaki-, Massachusetts- en Mohegan-Indianen in Noord-Amerika verenigen zich onder Metacom, bijgenaamd koning Filips, tegen de Engelse kolonisten.

**28 juni.** Brandenburgse soldaten verslaan het Zweedse leger vernietigend bij Fehrbellin, nadat drie dagen eerder al een veldslag bij Rathenow in het voordeel van Brandenburg was geëindigd. De Zweden trekken zich terug uit Brandenburg. →

**6 augustus.** De Russische tsaar verbiedt officieel de imitatie van buitenlandse modetrends in zijn land. →

**9 september.** Een confederatie van kolonisten in Nieuw-Engeland, Noord-Amerika, verklaart de Wampanoag-Indianen de oorlog wegens het verbreken van de wapenstilstand.

**Oktober.** Tussen Denemarken, dat deel uitmaakt van de anti-Franse coalitie, en Zweden, de Franse bondgenoot, breekt oorlog uit.

**6 november.** Koning Karel II van Spanje wordt meerderjarig en aanvaardt het bewind.

**22 november.** Na betalingen door Lodewijk XIV verdaagt koning Karel II van Engeland de zittingen van het Engelse parlement.

- Koning Karel II van Engeland geeft toestemming tot de bouw van een sterrenwacht in Greenwich. →

- Hertog George Willem, de Piast van Beneden-Silezië, overlijdt en met hem sterft het Huis van Liegnitz uit. Ondanks aanspraken van de grootkeurvorst van Brandenburg annexeert de keizer Liegnitz, Wohlau en Brieg bij Bohemen.

- Baruch de Spinoza voltooit zijn in 1662 begonnen *Ethica, ordine geometrico demonstrata*.

- Olaus Rømer berekent de eindige snelheid van het licht en stelt de lichtafstand van zon en aarde op elf minuten.

Gestorven:

**15 december.** Johannes Vermeer (31-10-1632), Nederlands schilder →

# Triomf Frederik 'de Grote'

*Keurvorst Frederik Willem tijdens de slag bij Fehrbellin.*

*De man die samen met Rembrandt van Rijn en Frans Hals tot de grootste schilders van deze eeuw moet worden gerekend, de Delftenaar Johannes Vermeer, is in december van dit jaar overleden. Hij heeft een slechts klein œuvre nagelaten. De meeste werken van Vermeer tonen interieurs die worden verlicht door een tamelijk koel daglicht.*

FEHRBELLIN, 28 juni - Het Brandenburgse leger heeft onder leiding van keurvorst Frederik Willem het Zweedse leger in de Slag bij Fehrbellin een vernietigende nederlaag toegebracht. Het dappere optreden van de keurvorst tijdens de slag heeft hem de bijnaam 'de Grote' opgeleverd. Door de overmacht waarmee het Brandenburgse leger de Zweden heeft verslagen, heeft Zweden zijn in de Dertigjarige Oorlog opgebouwde prestige verloren en is het duidelijk geworden dat Brandenburg een factor in de Europese politiek vormt.

De veldslag bij Fehrbellin maakt onderdeel uit van een groter Europees conflict: de gezamenlijke inval van Frankrijk en Groot-Brittannië in de Republiek der Verenigde Nederlanden. Bij deze inval wordt de Franse koning Lodewijk XIV gesteund door Zweden en de keurvorsten van Keulen en Beieren en de bisschop van Münster. Aanvankelijk zocht ook de keurvorst van Brandenburg contact met Lodewijk XIV, maar uit angst voor een te machtig Frankrijk sloot Frederik Willem op 6 mei 1672 een verbond met de Republiek. Enige tijd later trok Brandenburg zelfs samen met Saksen en de Duitse keizer tegen Lodewijk XIV ten strijde. Hierop wist Lodewijk XIV de Zweden te bewegen Brandenburg binnen te vallen.

# Tsaar verbiedt kort haar

MOSKOU, 6 augustus - De tsaar heeft verordonneerd dat het verboden is de gewoonten van de Nederlanders en andere buitenlanders te imiteren en het hoofdhaar te knippen, alsmede om jassen en hoeden naar buitenlands model te dragen. Als in de toekomst iemand haar knipt of kleding draagt naar buitenlands model, zal hij de toorn voelen van de tsaar en in rang verlaagd worden.

# Observatorium in kasteeltuin Greenwich

*Engelse burgers kijken door het verkeerde eind van een telescoop.*

GREENWICH - Koning Karel II heeft toestemming verleend voor de bouw van een observatorium ten behoeve van astronomie en navigatie. Als locatie stelt hij het hoogste punt van zijn kasteeltuin te Greenwich beschikbaar. De bouw komt onder leiding van Sir Christopher Wren te staan. Dit initiatief symboliseert de opbloei en begunstiging van de wetenschap in Engeland sinds het begin van de eeuw, toen het land op dit gebied nog een bescheiden rol in Europa speelde.

De belangrijkste wetenschappelijke wegbereiders voor deze opbloei waren Sir Francis Bacon en William Harvey. Bacon pleitte voor vernieuwing van de wetenschap: kennis moest proefondervindelijk verworven worden, door observatie en experiment. Dit was een duidelijke afwijzing van de klassieke dogma's en middeleeuwse scholastiek. Harvey bracht deze methode in praktijk. Hij studeerde anatomie te Padua, doceerde te Cambridge en ontwikkelde een theorie over de bloedsomloop (1628). De oude leer van de vier levenssappen (bloed, slijm, gele en zwarte gal) kon daarmee langzaam worden uitgebannen.

Sinds 1645 ontmoette een aantal geleerden van het Londense Gresham College elkaar regelmatig om nieuwe filosofische concepten te bediscussiëren. Vanwege het puriteinse bewind gebeurde dat waarschijnlijk eerst in het geheim. De naam 'Onzichtbaar College' duidt daarop. Maar spoedig na de terugkeer van Karel II werd het gezelschap erkend en kreeg het de naam Royal Society. Doel was de vooruitgang te bevorderen, door nuttige uitvindingen te doen.

Onder de eerste leden trof men de natuurkundige en chemicus Robert Boyle, die als eerste het scheikundige 'element' definieerde (1661). Volgens Boyle zijn alle stoffen atomistisch samengesteld. De theorie van Aristoteles over de vier stoffen (water, vuur, lucht en aarde) was daarmee achterhaald. Isaac Newton trad in 1672 toe, ongeveer tegelijkertijd met de publikatie van zijn kleurentheorie. Ook Sir Christopher Wren was lid van de Royal Society.

Al deze geleerden zijn weliswaar zeer rationeel ingesteld, maar hebben hun geloof in God niet verloren; integendeel, door 'bestudering van Zijn plan' kan men God beter prijzen, zoals Thomas Sprat het in zijn geschiedschrijving van de Society (1667) verwoordde. Bijgeloof, alchemie, astrologie en mystieke krachten (zoals de 'paapse wonderen') bannen zij uit hun wetenschappelijke arbeid.

# Nederlaag voor Indianen

*John Elliot probeert als een van de vele zendelingen in de Amerikaanse koloniën de Indianen tot het christendom te bekeren.*

BOSTON, augustus - De oorlog tussen de Indianen en de 'Verenigde Koloniën van Nieuw-Engeland' is geëindigd in een eclatante overwinning voor de Engelsen. De Engelse zege wordt vooral toegeschreven aan de goede samenwerking van de koloniën in Nieuw-Engeland, die sinds 1643 in een militair bondgenootschap zijn verenigd. De drie strijdende Indianenstammen, de Nipmuck, de Wampanoag en de Narragansett, waren daarentegen onderling sterk verdeeld.

De Indianen gaven hun tegenstand op nadat Metacom, het opperhoofd van de Wampanoag-Indianen en tevens min of meer de Indiaanse oorlogsleider, was vermoord tijdens een poging aan een Engelse omsingeling te ontkomen. Het lichaam van Metacom werd gevierendeeld en zijn hoofd op een speer gestoken.

De oorlog heeft aan beide zijden veel slachtoffers geëist en ook een aanzienlijke materiële schade veroorzaakt. Gouverneur Berkeley van de kolonie Virginia heeft verklaard dat het Nieuw-Engeland zeker twintig jaar zal kosten voordat de verwoesting van de landbouwgronden en de nederzettingen volledig zal zijn hersteld.

De achtergrond van het bloedige conflict wordt gevormd door de expansie van blanke nederzettingen op Indiaans grondgebied. De Engelsen hebben zich in de loop van de tijd steeds meer land toegeëigend dat generaties lang door Indianenstammen werd bewoond. De Indianen worden door de blanke kolonisten voornamelijk gezien als obstakels voor hun vooruitgang. Indianen die binnen de grenzen van een kolonie leven, kunnen rekenen op strenge straffen indien zij de koloniale wetten overtreden. Wetten, waarvan zij het bestaan niet of nauwelijks kennen. De door Metacom begonnen oorlog wordt dan ook gezien als een poging van de Indianen om de blanke opmars in hun gebied een halt toe te roepen. De puriteinse geestelijkheid in Nieuw Engeland denkt daar anders over e ziet de oorlog vooral als een straff Gods, opgelegd als represaille voor he zondige leven van de jeugd, die haa haar laat groeien, zich in modieuze kle ren steekt en rum drinkt.

# Opstand Bacon mislukt

JAMESTOWN, oktober - De gouverneur van de Engelse kolonie Virginia, Sir William Berkeley, is erin geslaagd de opstand neer te slaan die zes maanden geleden tegen hem is uitgebroken. De rebellen, van wie de gouverneur er 23 heeft laten ophangen, stonden onder leiding van de 28-jarige Nathaniel Bacon (een verwant van Berkeley en van Francis Bacon). Nathaniel Bacon is vlak voor het einde van de opstand aan dysenterie gestorven.

Bacon en de zijnen waren in opstand gekomen om een eind te maken aan het bewind van Berkeley, dat volgens hen door een grote mate van willekeur wordt gekenmerkt. De gouverneur, die stemrecht en het bekleden van ambten een 'privilege van de rijken' acht, heeft in 1670 een wet uitgevaardigd die het stemrecht in de kolonie tot een kleine groep vermogende eigenaren van tabaksplantages beperkt. De leden van zijn adviesraad verleende hij belastingvrijdom, terwijl hij de volksvertegenwoordigers verscheidene lucratieve ambten schonk. Voorts is de gouverneur erin geslaagd gedurende veertien jaar geen verkiezingen in zijn kolonie te laten plaatsvinden.

De rebellie onder leiding van Nat Bacon begon als een conflict over de verdediging van de grensgebieden van d kolonie tegen de Indianen. Nadat in d zomer van vorig jaar Susquehannock Indianen een aantal plantages in d grensstreken hadden aangevallen drongen verontruste kolonisten aan op het verdrijven van de roodhuiden doo de militie van de kolonie. Gouverneu Berkeley, die op de hoogte was van d bloedige strijd tussen de Indianen en d kolonisten in Nieuw-Engeland, wild een oorlog voorkomen en zond gee troepen naar de grensgebieden. Hierop beschuldigden de kolonisten de gou verneur van verregaande nalatigheid en ze besloten onder leiding van Bacon een eigen militie te vormen. Nadat zi de Indianen hadden aangevallen e verdreven, trokken Bacon en zijn mannen naar Jamestown en begon de opstand tegen de geprivilegieerde kliek rond Berkeley. Jamestown is de mees spraakmakende Engelse kolonie in de Nieuwe Wereld. Het was de eerste permanente Engelse vestigingsplaats (1607), men had het eerste parlemen (1619), de eerste tabaksplantages en men genoot de twijfelachtige eer als eerste negerslaven uit Afrika geïntroduceerd te hebben. De opstand heef trouwens de Engelse kolonie nagenoeg in puin gelegd.

# Triomf van Jan Sobieski

WARSCHAU, 27 oktober - De uitputtende oorlogen met Turkije zijn beëindigd. Koning Jan III heeft de Turken de beslissende slag toegebracht in een oorlog die al meer dan tien jaar duurt en voor het koninkrijk bijzonder kostbaar is. Binnen die tien jaar heeft Polen twee koningen gekend, beiden van goede wil maar met een zwak karakter. Zij waren niet in staat om genoeg krachten te mobiliseren en de eigenzinnige, anarchistische adel tot een effectieve oorlogvoering te dwingen. Sultan Mehmed IV nam ondertussen ieder droog seizoen weer een stuk Po-

len in, zodat er in 1673 een bijzonder gevaarlijke situatie was ontstaan. De grote maarschalk Jan Sobieski slaagde er echter in de Turken bij de vesting Chotin te verslaan, waarna hij tot koning werd gekozen.

Jan Sobieski is een kleurrijke en krachtige figuur, begiftigd met een groot diplomatiek en militair talent, en met een zwak voor vrouwen en drank. Jan III Sobieski heeft een reeks briljante strategische vindingen op zijn naam staan. Daarbij maakt hij gebruik van een nieuwe vorm van zware cavalerie (husaria).

*Koning Jan III Sobieski, de held van Chotin.*

*De historicus en geograaf Olfert Dapper publiceert zijn 'Naukeurige beschrijvinge der Afrikaensche gewesten en der Afrikaensche eylanden'. Daaruit deze prent van de 'dracht en wapening' van de Hottentotten.*

## 1677

**15 februari.** Tijdens een zitting van het parlement deelt de Engelse koning Karel II mee, dat hij met de Republiek een bondgenootschap tegen Frankrijk heeft gesloten.

**Februari.** In Engeland worden de vooraanstaande Lords Shaftesbury, Salisbury en Wharton in de Tower opgesloten, omdat zij menen dat de samenstelling en zitting van het parlement illegaal zijn.

**Maart.** Frankrijk verovert Valenciennes en St. Omer in de Zuidelijke Nederlanden.

**Maart.** De Engelse kolonie Massachusetts koopt van de erfgenamen van Fernando Gorges het grootste deel van Maine.

**11 april.** Het Staatse leger onder Willem III wordt bij Kassel door het Franse leger onder de hertog van Orléans verslagen.

**22 april.** Bij Catania leveren de vloten van Frankrijk en de Republiek een zeeslag die onbeslist blijft.

**26 april.** Keizer Leopold I sticht de universiteit van Innsbruck.

**11 juni.** Bij Öland verslaat de Deens-Nederlandse vloot de vloot van Zweden.

**1 augustus.** De grootkeurvorst van Brandenburg begint het beleg van Stettin.

**14 november.** Willem III trouwt in Londen met Mary, de dochter van James hertog van York, de broer van de Engelse koning. Het huwelijk bezegelt de Engels-Nederlandse toenadering.

**16 november.** Freiburg wordt door het Franse leger ingenomen.

**12 december.** Stettin valt voor het Brandenburgse leger. Het Zweedse leger wordt verder oostwaarts teruggedrongen.

**December.** Bij Kassel lijdt het Deense leger onder Christiaan V een nederlaag tegen Zweedse troepen.

- Jean Racine voltooit zijn tragedie *Phèdre*.

- Rombout Verhulst voltooit zijn praalgraf voor Michiel de Ruyter in de Nieuwe Kerk in Amsterdam.

- Tussen Rusland en Turkije breekt een oorlog uit.

- In de Nederlandse Kaapkolonie krijgen kinderen van slaven verplicht onderwijs.

Gestorven:

**21 februari.** Baruch de Spinoza (24-11-1632), Nederlands filosoof van Portugees-joodse afkomst→
**28 maart.** Wenzel Hollar (1607), Boheems tekenaar en etser
**9 juli.** Angelus Silesius (25-12-1624), Duits dichter

# Spinoza: pleiter voor vrijdenken

's-GRAVENHAGE, 21 februari - Na een rustig verlopen ziekbed is Baruch de Spinoza op 44-jarige leeftijd gestorven. Zijn hoofdwerk, de *Ethica*, is nog niet gepubliceerd hoewel delen ervan wel bekend zijn.

De vader van Spinoza vluchtte uit Portugal naar Amsterdam, waar hij een rijke koopman werd en als een vrome jood leefde. Hij stierf in 1654, twee jaar voordat zijn zoon uit de synagoge werd verbannen. Als leerling aan de Amsterdamse Talmoedschool las Spinoza Maimonides en begon een steeds grotere interesse in joodse literatuur en joods denken te tonen. Hij sprak er openlijk zijn twijfel over uit dat de Pentateuch van Mozes afkomstig zou zijn en het stond ook niet onwrikbaar voor hem vast dat Adam de eerste mens was. Vanwege deze 'kwade opinies ... heeft de raad besloten, gelijk aan het advies van de rabbijnen, dat Spinoza in de ban moet worden gedaan en uitgesloten van het land Israël'.

Spinoza bestreed het gezag van de rabbijnen en het openbaringsgeloof. De sefardisch-joodse gemeenschap kon zich een dergelijke non-conformist binnen haar gelederen kennelijk niet veroorloven. Hierop veranderde hij zijn naam in Benedictus, Latijn voor Baruch. In 1670 vestigde hij zich in 's-Gravenhage waar hij als slijper van lenzen in zijn onderhoud voorzag. Dat jaar verscheen ook zijn *Tractatus Theologico-Politicus*, waaraan hij vier jaar gewerkt had. De staat, zo betoogde Spinoza in dit boek, moest volledige vrijheid van denken waarborgen. Op beschuldiging van atheïsme werd het overal verboden en veel gelezen. Spinoza werd een leerstoel in de filosofie in Heidelberg aangeboden, maar hij sloeg dit aanbod af. De bijbel beschouwde hij als een schepping van de mens die pas begrepen kon worden na het onderzoeken van de historische achtergronden, dus zonder toestemming van een hogere autoriteit. De wonderverhalen in de bijbel zouden moeten worden verklaard als 'moralistische vertellingen ter lering van een simpel volk'.

*De filosoof Baruch de Spinoza.*

**5 februari.** In Nijmegen tekenen de keizer, Frankrijk en Zweden de vrede.

**Maart.** Het Franse leger neemt Gent en Ieper in de Zuidelijke Nederlanden in.

**17 mei.** Koning Karel II sluit een geheim verdrag met Lodewijk XIV, maar weigert het te ratificeren.

**26 juli.** Engeland en de Republiek sluiten een verdrag, waarin een ultimatum aan Frankrijk wordt afgesproken als bij de vredesonderhandelingen in Nijmegen geen doorbraak wordt bereikt.

**10 augustus.** In Nijmegen tekenen Frankrijk en de Republiek de vrede. Frankrijk geeft Maastricht aan de Republiek en Messina aan Spanje terug. De Republiek krijgt gunstige tarieven voor de handel op Frankrijk, terwijl Willem III zijn door Frankrijk veroverde persoonlijke erflanden terugkrijgt.

**14 augustus.** Bij Saint-Denis ten zuiden van Brussel leveren de legers van de Republiek onder Willem III en van Frankrijk onder Luxembourg, onwetend van de gesloten vrede, slag.

**17 september.** Frankrijk en Spanje sluiten in Nijmegen vrede. Spanje staat Franche-Comté en veertien steden in de Zuidelijke Nederlanden aan Frankrijk af. Frankrijk geeft andere veroveringen, zoals Kamerijk en Gent en gebied in Catalonië, terug.

**29 september.** In Saint-Germain-en-Laye sluiten Frankrijk en Brandenburg vrede, waarbij Brandenburg alle veroveringen op Zweden aan de Franse bondgenoot moet teruggeven.

**5 november.** Greifswald, de laatste Zweedse vesting in Pommeren, valt voor het Brandenburgse leger.

**30 november.** Na het bekend worden van het geheime verdrag van Karel II en Lodewijk XIV van 17 mei, wordt alle katholieken de toegang tot het Engelse parlement ontzegd.

- Cantacuzino wordt vorst van Walachije. →

- Tussen Rusland en Zweden breekt oorlog uit.

- Imre Thököly leidt een Hongaarse opstand tegen de Habsburgers.

- Jules Hardouin Mansart, de Franse hofarchitect, begint zijn werkzaamheden aan de paleisbouw in Versailles.

- In Hamburg wordt het eerste Duitse operagebouw ingewijd. →

- Christiaan Huygens legt zijn theorie over het licht vast in de *Traité de la lumière*.

# Nieuwe vorst Walachije

BOEKAREST - Serban Cantacuzino is tot vorst van Walachije gekozen. Hij is een lid van de oude heersende Byzantijnse Cantacuzene-familie, die zich begin deze eeuw in het vorstendom Walachije heeft gevestigd en die gedeeltelijk is geroemeniseerd.

De beide vorstendommen Moldavië en Walachije komen steeds meer in de greep van de Grieken. Griekse kooplieden worden aangetrokken door de grootschalige exporthandel van de Donauvorstendommen. De Grieks-Orthodoxe Kerk wint er gestaag aan invloed. Ten gevolge van giften door de vorsten en de leidende bojaren heeft de Griekse clerus grote domeinen onder zijn beheer. Sinds een jaar of twintig heeft het Grieks het Kerkslavisch als kerktaal van de vorstendommen verdrongen. Deze ontwikkeling heeft echter ook voordelen. Dank zij de Griekse invloed krijgen culturele ontwikkelingen een nieuwe stimulans.

Voor de boerenbevolking van de Donauvorstendommen is dit een schrale troost. In vergelijking met de boeren in andere Europese landen verkeert zij in een bepaald ongunstige situatie. Zij gaat gebukt onder een toenemende verzwaring van haar lasten. Zij moet niet alleen voor het onderhoud van haar vorst, adel en geestelijkheid zorgen, maar ook wordt de tribuut, die zowel Moldavië als Walachije aan de Turken moet afdragen, aan haar doorberekend.

De bojaren (inheemse adel) en ook de

*De 'blauwe moskee' van Constantinopel, centrum van het Osmaanse rijk.*

kloosters weten uit de Roemeense boeren een maximum aan winst te persen. De adel heeft geleidelijk aan steeds meer macht naar zich toe weten te trekken. Sinds het begin van deze eeuw leveren de aanzienlijkste bojarenfamilies kandidaten voor de vorstentroon. Eenmaal gekozen dient een vorst te regeren in overeenstemming met de bojarenraad. Het feit dat de vorst een gekozen functionaris en geen erfelijk heerser is maakt de politiek in de Donauvorstendommen een broeinest van intriges. In feite zijn er dus drie machtscentra: de vorst, de bojaren en de Osmaanse regering, die alle over de ruggen van de boeren heen hun eigen belangen najagen.

# Eerste operagebouw Duitsland ingewijd

*Het 17de-eeuwse Hamburg, naar een ets van Peter Kaerius uit 1690.*

HAMBURG - Met de opvoering van de geestelijke opera *Adam und Eva* van Johann Theile is in Hamburg het eerste Duitse operagebouw ingewijd.

De opera als muzikaal genre komt voort uit de zogenaamde 'intermedia' (tussenspelen), de spectaculaire muziekvoorstellingen die aan de grote Italiaanse hoven gegeven werden om een huwelijk of verjaardag te vieren of een belangrijke gast te eren. In zo'n intermedio volgden de liederen, madrigalen, instrumentale stukken en balletten elkaar op in prachtige taferelen. Langzamerhand werden onder invloed van de Florentijn Giovanni de Bardi de ver-

schillende delen van zo'n intermedio met elkaar in verband gebracht en werd er meer getheoretiseerd over het muziekdrama. Rond 1600 verschenen de eerste echte opera's maar pas met *L'Orfeo* van Claudio Monteverdi uit 1607 kreeg de opera grotere bekendheid.

Hoewel Heinrich Schütz in 1627 met zijn Duitstalige opera *Daphne* aanzetten gaf tot een specifiek Duitse operacultuur, bleef het muziekleven aan de Duitse vorstenhoven gedomineerd door Italiaanse en Franse werken. Het Hamburgse operagebouw kan daarin verandering brengen.

**24 januari 1679.** Het Engelse parlement wordt ontbonden nu koning Karel II aanvaardig van de Exclusion Bill vreest, waardoor zijn katholieke broer James, de hertog van York, van zijn rechten op de opvolging zou worden uitgesloten.

**5 februari.** In Nijmegen sluiten keizer Leopold I en Lodewijk XIV vrede. Frankrijk geeft Philipsburg terug, maar behoudt Freiburg en Breisach.

**22 juni.** De hertog van Monmouth slaat de opstand van Schotse Covenanters bij Bothwell Bridge neer.

**12 juli.** In Engeland ratificeert Karel II de Habeas Corpus Wet, waardoor niemand zonder gerechtelijk bevel en juridische bewijsvoering gevangengezet kan worden.

**18 september.** New Hampshire wordt een aparte provincie van de Engelse kolonie Massachusetts in Noord-Amerika.

**17 december.** Don Juan, de feitelijke heerser van Spanje naast koning Karel II, sterft. Koninginmoeder Maria van Oostenrijk wint weer aan invloed en Spanje gaat na de pro-Franse koers van Don Juan een pro-Oostenrijkse varen.

- Edmund Halley publiceert zijn sterreninventarisatie *Catalogus stellarum australium*.

- Paus Innocentius XI verbiedt het toedienen van bloedtransfusies. →

**22 maart 1680.** Het parlement van Breisach stemt in met de Franse soevereiniteit over de Elzas.

**Mei.** Lodewijk XIV verkrijgt in ruil voor een toelage de steun van de aartsbisschop van Straatsburg voor zijn aanspraken op gebieden op de linker Rijnoever.

**Augustus.** George, de keurvorst van Saksen, roept de Duitse vorsten op zich te bewapenen tegen de Franse annexatie- en expansiepolitiek.

**15 november.** In het Engelse Lagerhuis wordt de Exclusion Bill aangenomen, waarbij James hertog van York wegens zijn rooms-katholieke geloof van troonsopvolging wordt uitgesloten.

- Het Franse koloniale bestuur in Noord-Amerika over het gebied van Quebec tot de monding van de Mississippi wordt gereorganiseerd.

- In Thailand wordt een Franse handelspost gevestigd.

- Stradivarius bouwt zijn oudst bekend gebleven viool.

Gestorven:

**3 februari 1679.** Jan Steen (circa 1625), Nederlands schilder van huishoudens, feesten enzovoort →

# Bloedtransfusies verboden

*Paus Innocentius XI.*

ROME, 1679 - Paus Innocentius XI heeft het overbrengen van bloed op mensen verboden. In de medische we-reld wordt sinds enige tijd geëxperimenteerd met bloedtransfusies op ernstig zieke patiënten, als vervanging van de aderlating. Hoewel aderlatingen op grote schaal worden toegepast, heeft deze methode lang niet altijd het gewenste effect. Bloed afkomstig van een gezond dier of mens zou een betere geneeskrachtige werking hebben.

In 1667 voerde de Franse arts Denis de eerste transfusie uit: hij bracht het bloed van een lam over op zijn patiënt. Daarna hebben verschillende artsen getracht mensenbloed over te brengen, met wisselend succes. Een aanzienlijk deel van zowel de bloedgevers als de bloedontvangers overleefde de ingreep echter niet. Om verdere slachtoffers van de medische experimenten te voorkomen, heeft de paus besloten een verbod op alle vormen van bloedtransfusie uit te vaardigen.

*De in 1679 in Leiden overleden schilder Jan Steen heeft zich laten kennen als een bijzonder vruchtbaar kunstenaar die vele honderden schilderijen - voor het merendeel genrestukken - heeft nagelaten. Geen andere schilder heeft de Nederlandse samenleving en haar gebruiken zo uitvoerig in beeld gebracht en van een satirische zedeles voorzien, zoals met het hier afgebeelde 'De verkeerde wereld', dat hij in 1663 heeft gemaakt. In zijn werk vallen de typisch Hollandse kenmerken van zijn gulhartige, beeldende taal vol bedekte toespelingen op (het rommelige 'huishouden van Jan Steen' is spreekwoordelijk geworden). Steen was een leerling van de Utrechtenaar Nicolaus Knüpfer, maar als genreschilder sluit hij vooral aan bij de 'volkse' traditie van Adriaen Brouwer en diens school.*

**4 maart 1681.** De Engelse quaker William Penn krijgt een koninklijk handvest om het mondingsgebied van de rivier de Delaware te koloniseren.

**30 september.** In Den Haag sluiten Zweden en de Republiek een verdrag, waarbij de vredesverdragen van Westfalen en Nijmegen worden gegarandeerd.

**23 oktober.** Franse troepen trekken na uitspraken van de Chambre de Réunion Straatsburg binnen. →

**9 november.** Tijdens de Hongaarse Landdag in Oldenburg wordt aan de protestanten in Hongarije godsdienstvrijheid beloofd. Tevens krijgt Hongarije de oude vrijheden terug en de zelfstandigheid wordt teruggegeven aan de Hofkamer in Pressburg.

- De hertog van Koerland, James, krijgt Tobago als persoonlijke kolonie.

- Rusland en Turkije sluiten vrede in Baksji-Serai. Rusland krijgt Kiëv en een deel van de Oekraine.

- Jacques-Bénigne Bossuet publiceert zijn *Discours sur l'histoire universelle*.

- In Lully's balletstuk *Le victoire de l'amour* treden in Parijs voor het eerst professionele danseresssen op.

- Sir Christopher Wren ontwerpt de Tom Tower van Christ Church in Oxford.

**25 januari 1682.** In Moskou kondigt tsaar Fjodor Aleksejevitsj maatregelen af om het bestuur verder te centraliseren.

**19 maart.** De Franse geestelijkheid keurt de declaratie van Lodewijk XIV over de Vier Punten goed. →

**9 april.** In Noord-Amerika claimt La Salle heel Mississippi voor Frankrijk. →

**5 juli.** Tsaar Fjodor Aleksejevitsj van Rusland sterft. Grootvorstin Sophia wordt regentes voor haar zwakzinnige broer Ivan en halfbroer Peter.

**Oktober.** In Pennsylvania, de Engelse quakerkolonie in Noord-Amerika wordt het bestuur geregeld in het Great Charter en Philadelphia wordt als hoofdstad gesticht.

- **12 november.** Koning Karel XI vestigt in Zweden een absolutistische monarchie. →

**December.** Turkije proclameert Imre Thököly tot koning van Hongarije.

- Pierre Bayle probeert in zijn *Pensées diverses à l'occasion de la comète qui parut au mois de Décembre 1680* het bijgeloof rond kometen te weerleggen.

*Lodewijk XIV als Romeins keizer.*

# Lodewijk XIV annexeert Elzas

STRAATSBURG, 23 oktober 1681 - Lodewijk XIV is met zijn troepen Straatsburg binnengetrokken en heeft daarmee de Elzas bij Frankrijk gevoegd. De annexatie betekent een nieuw succes in de vreedzame expansiepolitiek die Lodewijk na de voor Frankrijk gunstige Vrede van Nijmegen (1678) voert.

Doel van deze politiek is het creëren van natuurlijke grenzen, hetgeen inhoudt dat de Franse oostgrens wordt gevormd door de Rijn. De Franse koning houdt daartoe een groot leger op de been en tracht door middel van diplomatie de vele staatjes in dit gebied te isoleren. Ook werd twee jaar geleden een speciale rechtbank opgericht die werd belast met het legitimeren van Franse aanspraken op de Rijnstreek.

Tot aan de annexatie was Straatsburg onafhankelijk. De stad werd echter door de Franse minister Louvois verboden de brug over de Rijn te versterken. Notabelen werd te verstaan gegeven dat Frankrijk het versterken of de legering in de stad van een keizerlijk garnizoen zou opvatten als een oorlogsverklaring. Onder het voorwendsel dat een keizerlijk garnizoen onderweg was trokken daarop 35 000 Franse soldaten de stad binnen.

*'Het fruitverkoopstertje' van de op 3 april 1682 overleden Spaanse schilder Bartolomé Esteban Murillo, maker van vele genrestukken waarin de straatkinderen van Sevilla realistisch en liefdevol zijn uitgebeeld.*

*Lodewijk ontvangt de pauselijke gezant Sigismondo Chigi in Fontainebleau.*

# Kerk in greep van Parijs

PARIJS, 19 maart 1682 - Het Nationale Concilie van Parijs heeft de Gallicaanse artikelen, opgesteld door aartsbisschop Bossuet, de adviseur van Lodewijk XIV, bekrachtigd. Hiermee wordt de onafhankelijkheid van de Gallicaanse Kerk (de Franse Katholieke Kerk) ten opzichte van Rome versterkt. In de vier Gallicaanse artikelen wordt het recht van de Franse koning met betrekking tot wereldse zaken een eigen politiek te voeren, nogmaals bevestigd. Pauselijke besluiten moeten voortaan worden goedgekeurd door de Franse clerus.

De grotere zelfstandigheid van de Gallicaanse Kerk resulteert tevens in een vergroting van de invloed van Lodewijk XIV op kerkelijk gebied. Sinds het Concordaat van Bologna (1517) had de koning het recht een belangrijk deel van de Franse clerus te benoemen. Omdat de kerkvergadering die de pauselijke besluiten moet goedkeuren, wordt samengesteld uit deze benoemde clerus, groeit indirect de invloed van Lodewijk XIV op kerkelijk gebied.

Ook op andere bestuurlijke gebieden wordt de macht van de Franse koning in deze jaren vergroot. De afgelopen jaren is het hof naar het paleis van Versailles verhuisd. Hierdoor krijgt Lodewijk meer controle op de adel en slaagt hij erin diens invloed terug te dringen. De in Versailles geconcentreerde adel krijgt namelijk slechts onbetekenende erebaantjes te vervullen in de talloze ceremoniën die dagelijks in het paleis plaatsvinden. Zo wordt hij door de Franse koning zorgvuldig buiten de politiek gehouden.

Als gevolg van deze ontwikkelingen groeit Lodewijk XIV uit tot een vertegenwoordiger van het absolutisme bij uitstek. Bij de legitimering van deze staatstheorie speelt aartsbisschop Bossuet een belangrijke rol. Volgens hem is de koning de afgezant van God en regeert hij volgens het 'droit divin', het goddelijk recht. De koning behoeft alleen tegenover God verantwoording

voor zijn daden af te leggen. Zijn onderdanen zijn hem absolute gehoorzaamheid verplicht, omdat een opstand tegen de koning indirect een opstand tegen God impliceert. Volgens het absolutisme is de koning tevens de verpersoonlijking van de staat (vandaar de aan Lodewijk XIV toegeschreven uitspraak 'L'état c'est moi', de staat, dat ben ik). Door zijn persoonlijke belang na te streven dient de koning het algemeen belang.

# Ook Zweden absolutistisch

STOCKHOLM, 12 november 1682 - Koning Karel XI is er met behulp van de lagere standen in geslaagd in Zweden een absolutistische erfelijke monarchie in te voeren met reductie (teruggave) van het aan de adel uitgegeven kroonland. De Rijksdag en de Rijksraad worden gedegradeerd tot adviescolleges. Omdat de Deense koning in 1665 hetzelfde had bereikt, is heel Scandinavië nu in de greep van het absolutisme gekomen.

Bij de Denen lag de verloren oorlog van 1658 tegen de Zweden aan de veranderingen ten grondslag. Koning Frederik III wist de standen in 1665 de Lex Regia op te dringen, waarin de absolute macht werd uitgewerkt. Daarmee kreeg Denemarken de meest pure absolutistische regeringsvorm van Europa. Koning Frederik wist met behulp van de groeiende staatsbureaucratie de kwaliteit van de wetgeving en het bestuur aanzienlijk te verbeteren. Zijn opvolger Christiaan V voelde zich in 1670 zo sterk dat hij een oorlog tegen Zweden begon om de verloren gegane gebieden te heroveren. Dit zou hem wellicht gelukt zijn als de Franse koning Lodewijk XIV niet ten gunste van de Zweden had bemiddeld. Zodoende kon Denemarken bij de vrede van 1679 geen voordeel behalen.

*De Deense en de Zweedse koning spelen triktrak.*

In Zweden ging de overgang naar he absolutisme minder abrupt dan in De nemarken. Het vele oorlogvoeren ha Zweden grote sommen geld gekost e die konden alleen betaald worden doo afstand van kroonland aan de adel Uiteindelijk had de adel 72 procent va de grond in handen. Het prestige en d macht van de adel werden daardoo verhoogd, tot onvrede van de drie an dere standen. Die steunden de konin bij het terugverkrijgen van die gron ten bate van de staatskas.

# 'Stroomgebied Mississippi Frans bezit'

*Indianen die door de Fransen naar Nieuw Orléans zijn gebracht als bondgenoten tegen de Natchez-Indianen, de grootste Indianenstam in het Mississippigebied.*

LOUISIANA, 9 april 1682 - De Franse ontdekkingsreiziger La Salle heeft aan de monding van de Mississippi het gebied dat door deze rivier en zijn zijrivieren wordt bevloeid tot Franse bezitting uitgeroepen. Het gebied heeft hij, naar de koning van Frankrijk, 'Louisiana' genoemd.

René Robert Cavalier, Sieur de La Salle, die in 1666 naar de nederzetting

Montreal in Canada kwam, heeft al meer ontdekkingstochten in Amerika ondernomen, onder meer bezuiden het Ontario- en het Eriemeer. Voordat hij als een der eerste Europeanen de Mississippi tot aan de Golf van Mexico afzeilde, had hij de rivieren Saint James en Illinois reeds bevaren.

De Franse aanwezigheid in de Nieuwe Wereld dateert van 1534, toen Jacques

Cartier in opdracht van koning Frans van Frankrijk in Canada een door tocht naar Azië moest vinden. Aa Cartiers expedities ontleent de Frans kroon zijn aanspraken op Canada Met de stichting van Quebec in 160 door Samuel de Champlain begon d permanente Franse kolonisatie.

De Fransen houden zich voornamelij bezig met de bonthandel, waarin d 'coureurs de bois' een belangrijke ro spelen. Deze woudlopers dringen pe kano diep de wildernis in en jagen ge durende de winter met bevriende Indi anen op pelsdieren. Zodra het ij gesmolten is, keren zij beladen met pel zen terug naar hun handelspost. Hie hebben handelaren intussen kraam pjes opgezet, waarin musketten, de kens, vergrootglazen en andere doo Indianen gewilde ruilobjecten zijn uit gestald.

In 1663 werd Canada een kroonkolo nie, zoals enige tijd daarvoor de Enge se kolonie Virginia. In tegenstelling to Virginia heeft Canada echter geen ver tegenwoordigend lichaam. Sinds Lo dewijk XIV directe zeggingsmach over zijn kolonie heeft, heerst ook i Nieuw-Frankrijk het absolutisme. D kolonisten bezitten geen enkel politiel recht; zonder officiële toestemming i het hun verboden openbare vergade ringen te beleggen of handtekeninge voor een petitie te verzamelen.

## 1683

**21 januari.** Lord Shaftesbury, die vorig jaar februari op borgtocht uit de Tower werd vrijgelaten en op 19 oktober naar de Republiek vluchtte, sterft in Holland.

**Februari.** Keizer Leopold I en koning Karel II van Spanje sluiten zich aan bij het anti-Franse verbond van de Republiek en Zweden van september 1681.

**31 maart.** Polen en de keizer sluiten een verbond tegen Turkije.

**Maart.** Lodewijk XIV stelt de keizer en de Duitse vorsten een wapenstilstand van dertig jaar voor, waarbij de veroveringen van Frankrijk sinds de Vrede van Nijmegen moeten worden erkend.

**21 mei.** De kolonie Suriname wordt eigendom van een consortium.→

**12 juni.** In Engeland wordt het Rye House-komplot om de koning en de hertog van York te vermoorden, ontdekt.

**Juni.** Franse oorlogsschepen beschieten Algiers wegens een handelsgeschil.

**Juni.** Het Turkse leger slaat het beleg voor Wenen.

**21 juli.** William Russell wordt in Engeland onthoofd wegens zijn aandeel in het ontdekte komplot om de koning te vermoorden.

**6 september.** Na het overlijden van Colbert wordt Le Plecta benoemd tot Frankrijks minister van Financiën.

**9 september.** In Engeland worden de Whig-leiders geëxecuteerd wegens een plan voor een aanslag op koning Karel II.→

**12 september.** Met hulp van Jan van Polen en Karel van Lotharingen wordt het Turkse beleg van Wenen opgeheven.→

**12 september.** Koning Alfons VI van Portugal sterft en wordt opgevolgd door zijn broer Pedro II.

**25 december.** De hertog van Monmouth vlucht uit Engeland naar de Republiek na de golf van arrestaties van Whig-leiders, volgend op de ontdekking van het Rye House-komplot op 12 juni.

**December.** Spanje verklaart Frankrijk de oorlog.

- Handelaren uit de Republiek krijgen van de Chinese keizer toestemming in Kanton handel te drijven.

- De Mantsjoes veroveren vanuit het Chinese Keizerrijk het eiland Formosa.

- William Penn publiceert zijn *A general description of Pennsylvania.*

- Henry Purcell wordt benoemd tot hofcomponist van Karel II.

# Turken staken de belegering van Wenen

WENEN, 12 september - Na de beslissende slag op de Kahlenberg hebben de Turken de belegering van Wenen opgegeven. Zij moeten vluchten voor het internationale leger dat de Oostenrijkse hoofdstad, Europa en het christendom komt verdedigen. In het officiële journaal van het Turkse leger wordt deze dag als volgt beschreven: 'Terwijl op de flanken de pasja's (...) zich al begonnen terug te trekken, stond in het hart van het leger de grootvizier met zijn gevolg, vastberaden en ongeschokt. Maar de aanvallen van de giauren (= ongelovigen, de Turkse scheldnaam voor alle niet-mohammedanen) werden steeds heviger (...); het leger van de islam werd door de kogels uit het geschut en de geweren van de vijand als door een regenbui getroffen. Daarop erkenden de moslems dat alles verloren was en de catastrofe niet afgewend kon worden (...)'

De verdedigers van Wenen waren uitzinnig van vreugde. Sinds begin september was hun positie steeds benarder geworden. Vele vestingmuren waren in ruïnes veranderd, want de Turken toonden zich meesters in het voeren van een mijnoorlog. In Wenen heersten gebrek aan levensmiddelen en munitie, en dysenterie. Weliswaar rukten de hulptroepen op, maar ze waren nog mijlenver van Wenen verwijderd toen op 3 september het strategisch belangrijke burchtravelijn in handen van de Turken viel.

Op 9 september bereikte het bevrijdingsleger het Wienerwald, en rukte van daaruit in drie colonnes naar Wenen op. De linkervleugel stond onder commando van hertog Karel van Lotharingen; in het centrum vochten de strijdmachten uit het Duitse Rijk, en het Poolse leger van koning Jan Sobieski vormde de rechterflank. De opmars verliep zeer moeizaam. Aanhoudende regen had de wegen onbegaanbaar gemaakt en de opperbevelhebbers waren niet bekend met het terrein. De Poolse koning schreef aan zijn vrouw: 'De generaals zelf hadden ons

*Het tentenkamp van de Turkse troepen tijdens het beleg van Wenen.*

verzekerd dat, wanneer we eenmaal de Kahlenberg over waren, de moeilijkheden achter ons lagen en dat vanaf daar de weg naar Wenen slechts een lichte afdaling langs de wijnbergen zou zijn. Hier aangekomen zagen wij allereerst het onmetelijke tentenkamp van de Turken en in de verte de stad Wenen; maar in plaats van dat we slechts door velden van haar waren gescheiden, zijn het wouden, afgronden en een zeer hoge berg die we voor ons hebben en waarvan niemand ons iets verteld heeft.' Maar de Poolse koning Jan Sobieski was ervan overtuigd dat de Turken door zijn troepen overwonnen konden worden: 'Toch is te verwachten, dat een chef van een armee die er niet aan denkt zich te verschansen, noch zich te concentreren, voor-

bestemd is om verslagen te worden.' Inderdaad maakte Kara Moestafa, de Turkse commandant, een tactische fout. De ambitieuze grootvizier wilde ten koste van alles Wenen, 'de gouden appel', in handen krijgen. Hij weigerde het kamp op te breken en het voltallige Turkse leger in te zetten tegen de 'giauren', en dirigeerde slechts enkele legeronderdelen naar het Wienerwald. Vervolgens forceerden de zwaarbewapende Poolse ruiters de beslissing. Toen zij 'als zwart teer' langzaam maar zeker van de heuvels van het Wienerwald op de vooruitgeschoven Turkse posten afkwamen, sloegen de Turken massaal op de vlucht. Door de misrekening van de Turkse grootvizier ontkwam Wenen - en Europa - aan een Turkse bezetting.

## WIC verkoopt Suriname aan Sociëteit

AMSTERDAM, 21 mei- De kolonie Suriname is eigendom van de Geoctrooieerde Sociëteit van Suriname geworden. In deze vennootschap nemen de stad Amsterdam, de West-Indische Compagnie en de Zeeuwse edelman Cornelis van Aerssen van Sommelsdijck ieder voor een derde part deel. Cornelis van Aerssen vertrekt zelf naar Paramaribo om het ambt van gouverneur waar te nemen.

Sinds de verovering door Crijnssen in 1667 was Suriname het bezit van de Staten van Zeeland. Vorig jaar besloot Zeeland de kolonie voor 260 000 gulden over te doen aan de WIC. Redenen voor die stap waren de hoge kosten van beheer en problemen met bestuur. Het Hollandse gezag heeft moeite om de

orde tussen de christenen en joden, die groot in aantal zijn, te handhaven, terwijl de Indianen zich niet bij slavernijarbeid willen neerleggen.

De WIC trad slechts kort als eigenares op. De Compagnie kon alleen de hoge kosten die vereist zijn om de kolonie winstgevend te maken, niet dragen. Daarom verkocht zij twee derde van haar recent verworven bezit aan twee vennoten. In de condities van het koopcontract is opgenomen dat de WIC de alleenhandel in slaven behoudt. Onder enkele beperkende bepalingen heeft de Sociëteit echter de vrijheid gekregen zelf in de behoefte van slaven te voorzien. Voor iedere slaaf moet dan wel vijftien gulden aan de WIC betaald worden.

*De commandant van de Turkse troepen, Kara Moestafa.*

# Mislukt 'komplot' tegen Karel II

*Koning Karel II.*

LONDEN, 9 september - Op Lincoln's Inn Fields zijn de Whig-leiders Lord Russell en Algernon Sidney wegens hoogverraad ter dood gebracht. Hun lotgenoot Arthur, graaf van Essex, heeft in de Tower zelfmoord gepleegd en James Scott, hertog van Monmouth en bastaardzoon van Karel II, is uitgeweken naar Holland.

Het betreft hier een reactie van de koningsgezinde Tory-partij. Op handige wijze heeft zij een Whig-praatje over een staatsgreep vermengd met een in juni beraamde moordaanslag op vorst Karel II en erfopvolger Jacobus (James), hertog van York. Dit Rye House Plot (Roggehuis-komplot), komt echter uit de koker van enkele radicale oud-Cromwell-aanhangers.

De twee 'partijen', die tijdens Karels bewind met elkaar een machtsstrijd streden, raakten omstreeks 1680 bekend onder de namen Tories en Whigs. Met Tories werden oorspronkelijk de in Ierland onderdrukte katholieken bedoeld, later de aanhangers van de roomse hertog van York. Maar in feite zijn het de voortzetters van de royalistische Court Party (hofpartij), die grofweg gesteund wordt door de anglicaanse landadel.

De benaming Whig is afkomstig van het Schotse 'whiggamore' (paardendrijver). Hiermee werd aanvankelijk een lid van het Covenant (Presbyteriaans Verbond) aangeduid. De term ging over op de Country Party (landpartij), de meer parlementgezinde ondernemers uit de steden, die hun protestantisme niet door de Staatskerk willen laten bepalen ('dissenters').

Toen Karel in maart 1679 na achttien jaar een nieuw parlement bijeenriep, bleken de Whigs het machtigst: ze probeerden zelfs de hertog van York als troonopvolger uit te sluiten. Maar dank zij een effectief benoemingsbeleid kon de koning de Tories versterken. In het voorjaar van 1681 werden twee Whig-opposanten geëxecuteerd, terwijl een van verraad beschuldigde Shaftesbury naar Holland vluchtte. En nu is de rolwisseling volledig.

# 1684

**12 januari.** Lodewijk XIV van Frankrijk trouwt Madame de Maintenon. Het is zijn tweede huwelijk; zijn eerste vrouw Maria Theresia stierf in 1683.

**Februari.** De grootkeurvorst van Brandenburg stelt zijn gebied open voor gevluchte Franse hugenoten.

**5 maart.** Polen, Venetië en de keizer sluiten het Heilig Verbond van Linz tegen de Turken.

**April.** Franse troepen hervatten het beleg van Luxemburg.

**Mei.** De hertog van York wordt opnieuw geïnstalleerd als Lord Admiral, nadat Karel II hem dispensatie voor de Test Act heeft verleend.

**Juni.** Het Franse leger bezet Trier, Kortrijk, Oudenaarde en Luxemburg.

**1 augustus.** Alle protestanten worden uit het Defereggen Tal in Oost-Tirol verdreven.

**15 augustus.** Keizer Leopold, die zijn handen vol heeft aan de oorlog tegen de Turken, sluit met Lodewijk XIV een wapenstilstand voor twintig jaar, waarbij de Franse soevereiniteit over alle steden in de Zuidelijke Nederlanden, waarop de Chambres de Réunion aanspraak maken, wordt erkend.

**September.** Franse oorlogsschepen beschieten Genua.

**23 oktober.** Het handvest van de Engelse kolonie Massachusetts wordt nietig verklaard. →

**November.** 93 Joodse families worden uit Bordeaux verdreven.

- Arabieren veroveren Tanger op Engeland.

- In Londen wordt de eerste straatverlichting aangebracht.

- Edmund Halley haalt Isaac Newton over zich in de zwaartekracht te verdiepen.

- John Bunyan publiceert het tweede deel van *The Pilgrim's Progress*.

- Pierre Bayle geeft in Rotterdam het literaire tijdschrift *Nouvelles de la République des Lettres* uit.

- Takemoto Gidayu richt in Tokio, Japan, het poppentheater en het speelgezelschap Joruri op.

- Philipp Wilhelm von Hörnigk inventariseert de economische mogelijkheden van de Oostenrijkse staat. →

- Von Leibniz publiceert zijn *Nova methodus* en *Systema Theologicum*.

# Massachusetts onder kroon

*De vossejacht, een populaire sport onder de kolonisten in Nieuw-Engeland.*

BOSTON, 23 oktober - Een speciale rechtbank in Engeland heeft het octrooi van de Engelse kolonie Massachusetts ongeldig verklaard. Het octrooi, dat de kolonisten in 1629 door de toenmalige koning Jacobus I is verleend, verschafte hun het recht in Nieuw-Engeland koloniën te stichten die zij zelfstandig mochten besturen. Aan deze zelfstandigheid is met de gerechtelijke beslissing een eind gekomen; de kolonie komt nu onder het directe gezag van de Engelse kroon. Deze had de kwestie van het octrooi bij de rechtbank aanhangig gemaakt, om een eind te maken aan de onafhankelijke opstelling van Massachusetts en om een grotere greep op de politieke en commerciële activiteiten van de kolonie te krijgen.

Al geruime tijd is er sprake van wrijving tussen Engeland en de puriteinse kolonie Massachusetts. Zo negeerde de kolonie een koninklijke richtlijn, volgens welke het kiesrecht in de kolonie ook aan niet-puriteinen verleend diende te worden.

Een ander belangrijk wrijvingspunt vormt de voortdurende schending van de Navigatiewetten door de kolonisten. Volgens deze wetten is het onder meer verboden dat er buiten Engeland om handelsverkeer tussen de koloniën en vreemde landen plaatsvindt. Kooplui uit Massachusetts exporteren echter nog steeds direct naar Europa, zonder dat hun schepen Engeland aandoen. Hierdoor omzeilen zij de verplichting tot het betalen van uitvoerrechten in Engelse havens. In 1677 bepaalde de kroon dat de kolonie controleurs diende te accepteren die op de naleving van de handelswetten dienden toe te zien. De kolonisten weigerden dit toezicht en beriepen zich op hun onafhankelijkheid van het moederland. 'Wij zijn in alle nederigheid van mening,' aldus de woordvoerders van de kolonie, 'dat de wetten van Engeland niet geldig zijn in Amerika.' Voorts verklaarden zij hun handelsactiviteiten niet te willen laten belemmeren door de Navigatiewetten, omdat de kolonisten 'niet in het parlement vertegenwoordigd zijn'.

De herroeping van het octrooi van Massachusetts maakt deel uit van een nieuwe koloniale politiek van Engeland die, evenals de politiek van de Zonnekoning Lodewijk XIV, gericht is op het verstevigen van het koninklijk gezag in de koloniën. In sommige koloniën, met name in die van Nieuw-Engeland, was direct koninklijk gezag in de persoon van een gouverneur zelfs geheel afwezig.

## Österreich über alles, wenn es nur will'

OOSTENRIJK - Philipp Wilhelm von Hörnigk heeft het boek *Österreich über alles, wenn es nur will* gepubliceerd. Het werk kan worden beschouwd als de catechismus van het Oostenrijkse mercantilisme.

Philipp Wilhelm von Hörnigk werd in 1640 in Frankfurt am Main geboren, kwam in 1665 naar Wenen en beschouwt Oostenrijk als zijn ware vaderland. Als secretaris van minister von Lamberg maakte hij in 1673 een inspectiereis door de Oostenrijkse en Boheemse provincies. De waarnemingen die hij tijdens deze reis heeft gedaan, verwerkte hij in *Österreich über alles, wenn es nur will*.

Het boek geeft een overzicht van de natuurlijke rijkdommen die de Habsburgse erflanden in overvloed bezitten: goud en zilver, tin, lood en kwik, koper en ijzer, zout, aluin en zwavel, zout en edelstenen. Bovendien is het 'Beloofde Land van Europa' een 'wahre Brot-, Schmalz- und Fleischgrube'. Wol, linnen en bont, zelfs specerijen, het in de hele wereld beroemde 'Oostenrijkse saffraan', worden er geproduceerd. Von Hörnigk concludeert: 'Als een land over alle, of toch de voornaamste middelen beschikt om in de menselijke behoefte te voorzien, en als zijn inwoners de natuurlijke vaardigheid bezitten om hiervan een goed gebruik te maken, dan moeten er rijkdom, overvloed en macht zijn, of gebrek aan goede wil!'

Dat 'rijkdom, overvloed en macht' te wensen overlaten, is vorig jaar wel gebleken. Aan het geldgebrek van de Oostenrijkse staat is het te wijten dat de Turken tot Wenen hebben kunnen oprukken. Aan deze financiële nood kan volgens Hörnigk een einde komen als de handel en de nijverheid worden bevorderd. Bovendien moet de buitenlandse invoer worden verboden, terwijl de uitvoer van produkten van eigen bodem, liefst in veredelde vorm, gestimuleerd moet worden.

Von Hörnigk ziet een autarkische economie niet als doel op zichzelf, maar als voorwaarde voor politieke macht.

*Blik op Salzburg.*

---

**6 februari.** Koning Karel II van Engeland sterft en wordt opgevolgd door zijn broer, Jacobus II. Aan het hoofd van het protestantse Engeland en de Anglicaanse Kerk staat nu een rooms-katholieke koning.

**Maart.** De hertog van Lotharingen verovert Neuhäusel op de Turken.

**26 mei.** De keurvorst van de Palts, Karel, sterft. Lodewijk XIV van Frankrijk maakt aanspraken op de erfenis voor zijn schoondochter Liselotte.

**11 juni.** De hertog van Monmouth komt in opstand tegen de Engelse troonopvolging door Jacobus II.

**6 juli.** De troepen van de hertog van Monmouth worden bij Sedgemoor verslagen door het leger van koning Jacobus II.

**15 juli.** De hertog van Monmouth wordt na zijn gevangenneming geëxecuteerd.

**18 oktober.** Lodewijk XIV van Frankrijk herroept het Edict van Nantes. Duizenden Franse protestanten vluchten naar Engeland, de Republiek, Genève en Brandenburg. Door de intrekking van de beperkte godsdienstvrijheid in Frankrijk wordt Brandenburg van Frans bondgenoot tot tegenstander. →

**8 november.** Frederik Willem, grootkeurvorst van Brandenburg en hertog van Pruisen, vaardigt het Edict van Potsdam uit, waarbij gevluchte Franse hugenoten vestigingsvrijheid en economische privileges in zijn gebieden in het vooruitzicht worden gesteld.

**December.** Morosini verovert delen van Dalmatië en Morea voor Venetië.

- De hertog van Medina-Celi wordt als eerste minister van Spanje opgevolgd door graaf Oropesa.

- Kang Xi, keizer van China, verklaart alle Chinese havens geopend voor buitenlandse handelaren. Engeland opent in dit jaar de eerste factorij in Kanton.

- In Siam [Thailand] wordt een permanent Frans gezantschap gestationeerd.

- Alkbasin wordt door het Chinese leger op Rusland veroverd.

- Frankrijk en Algerije sluiten een nieuw handelsverdrag.

- Aan het hof in Wenen wordt een Feuerwehrzentrale ingesteld, de eerste professionele brandweer in Europa.

- Menno baron van Coehoorn publiceert zijn *Nieuwe vestingbouw*. Van Coehoorn geldt als een van de belangrijkste vestingarchitecten van zijn tijd.

- Emanuel de Witte schildert zijn *Kerkinterieur*.

---

# Hugenoot verliest rechten

*Het weg vlugten der Gereformeerde uyt Vrankryk.*

*Hugenoten vluchten weg uit Frankrijk, waar ze vogelvrij zijn verklaard.*

FONTAINEBLEAU, 18 oktober - Lodewijk XIV heeft het door zijn grootvader Hendrik IV in april 1598 uitgevaardigde Edict van Nantes herroepen. Hiermee verliezen de hugenoten, de Franse protestanten, hun godsdienstvrijheid en burgerrechten. Zij mogen niet langer diensten houden, protestantse kerken worden verwoest en scholen gesloten.

De herroeping van het edict betekent een hoogtepunt in de toenemende vervolging van de protestantse minderheid. In de eerste helft van Lodewijks regeerperiode bestond er een relatief grote godsdienstvrijheid in Frankrijk. De hugenoten werden van staatswege beschermd. Deze religieuze tolerantie werd echter niet onder alle lagen van de bevolking gevoeld. Er bestond nogal wat afgunst doordat protestanten relatief belangrijke economische posities in de Franse maatschappij innamen. Na de Vrede van Nijmegen (1678) voerde Lodewijk XIV een politiek gericht op religieuze eenheid. Deze leidde niet alleen tot een onafhankelijker koers ten opzichte van Rome (Gallicaanse artikelen), maar ook tot een terrorisering van de protestantse minderheid. Minister van Oorlog Louvois ging in 1681 over tot het systeem van dragonnades. Hij kwartierde zijn soldaten in bij hugenoten die hierdoor min of meer vogelvrij werden verklaard. Deze maatregel leidde in hetzelfde jaar tot 38000 en dit jaar tot 60000 bekeringen. Ook op andere gebieden worden de Franse protestanten tegengewerkt. Ze worden in toenemende mate uitgesloten van bepaalde ambten en godsdienstoefeningen worden verstoord. Het kleiner worden van de protestantse minderheid heeft Lodewijk doen besluiten tot de herroeping van het Edict van Nantes. Hij volgt hiermee het advies van aartsbisschop Bossuet.

*Lodewijk XIV speelt met familieleden en edellieden biljart in het paleis van Versailles. De bal wordt via boogjes en hoepels over de tafel gespeeld.*

# Habsburgers veroveren Boeda

*De Habsburgse troepen onder leiding van Karel van Lotharingen en Eugenius van Savoye trekken de burcht van Boeda binnen.*

BOEDA, 2 september 1686 - Na 145 jaar bezetting is Boeda van de Turken bevrijd. De afgelopen drie jaar hebben de Osmaanse troepen nederlaag na nederlaag geleden tegen het internationale leger van de Habsburgers en worden ze langzaam maar zeker naar de Balkan teruggedrongen. De Hongaren worden zo weliswaar van de ene heerser bevrijd maar krijgen er een andere voor in de plaats.

Nadat de Hongaarse verzetsleider Zrínyi in 1664 tijdens de jacht door een wild zwijn gedood was, keerden de Hongaarse edelen en geestelijken zich tot de Franse koning Lodewijk XIV om hun vrijheid te herwinnen. De groeiende ontevredenheid in Hongarije na de Vrede van Vásvár (1664) leidde in 1670 tot een samenzwering tegen het Habsburgse hof. Dit was aanleiding voor een bloedige antiprotestantse onderdrukking door de Oostenrijkers. Enkele leiders, onder wie Péter Zrínyi, werden terechtgesteld, anderen ontkwamen naar Transsylvanië, en de bezittingen van de samenzweerders werden geconfisqueerd.

In 1674 werden 300 protestantse dominees en leraren beschuldigd van anti-Habsburgpropaganda, gevangengenomen en als galeislaven verkocht. Steden en dorpen werden veelvuldig door de Habsburgse soldaten geplunderd, met als gevolg dat het Hongaarse verzet zich aaneensloot. De edelen beloofden en gaven de boeren ook daadwerkelijk vrijheid als ze tegen de Habsburgers zouden vechten. Op deze manier werd de lijfeigenschap van de boeren ondergraven. Landheren moesten in toenemende mate gehuurde arbeidskrachten in dienst nemen. Het leger van boeren (ook wel kurucen genoemd) werd georganiseerd rond de gevluchte edelen in Transsylvanië.

De eerste aanvallen op de keizerlijke legers mislukten, maar na Transsylvaanse bemiddeling kregen de kurucen hulp van het Turkse Rijk. In 1675 zegde bovendien de Franse koning Lodewijk XIV hulp toe. Met behulp van Turkse soldaten en Frans geld wist Imre Thököly, die in 1680 commandant werd, vele slagen te winnen en in korte tijd het gehele noordoosten van Hongarije te veroveren.

De Habsburgers, in gevecht met de Fransen, realiseerden zich dat ze de kurucen niet konden overwinnen en beloofden een gedeeltelijke tolerantie van protestanten, algehele amnestie en teruggave van de in beslag genomen bezittingen.

Thököly heeft tevergeefs geprobeerd zijn leger bijeen te houden door zijn soldaten grond te beloven, maar de meerderheid sloot zich aan bij de oorlog tegen de Turken. Thököly is echter niet van plan de strijd tegen het Habsburgse Rijk op te geven. Met enkele trouwe aanhangers heeft hij besloten in Turks gebied te gaan wonen. Zijn vrouw Ilona Zrínyi blijft het kasteel van Munkács, het laatste steunpunt van het kurucenverzet, verdedigen.

*Bij gevechten tussen Osmaanse en Venetiaanse troepen om de Griekse hoofdstad Athene hebben ook de antieke gebouwen van de Akropolis schade opgelopen. Een Venetiaanse kanonskogel heeft de Parthenon-tempel, die als munitiedepot in gebruik was, geraakt en vernietigd. De Turken heersen al sinds het midden van de 15de eeuw in Griekenland en voeren een zeer onderdrukkend beleid. Maar het alternatief, de Venetianen, is voor de Grieken evenmin erg aanlokkelijk en de invasie van de Peloponnesos door de Venetiaanse generaal Francesco Morosini roept bij de Grieken dan ook weinig enthousiasme op. Desondanks moeten de Turken zich uit de Peloponnesos terugtrekken.*

De Madurese prins Trunajaya wordt vermoord in het bijzijn van kapitein Jonker.

# VOC-soldaten vermoord

KARTASURA, 8 februari 1686 - Op de met lijken bezaaide alun-alun voor de kraton (regeringscentrum) van Karta-sura heerst een gespannen stilte na een felle strijd waarbij de in een hinderlaag gelokte VOC-majoor Tack en 73 van zijn manschappen door volgelingen van de Balinese bendeleider Surapati werden afgeslacht. Tack arriveerde gisteren om Surapati, die in de Mata-ramse hoofdstad asiel had gekregen, te arresteren. Hij eiste van Amengkurat II uitlevering van de bandiet, waarop deze een schijnaanval liet uitvoeren op de kampong van Surapati, wie de kans gegeven werd te ontsnappen.

Vanochtend besloot Tack de achter-volging in te zetten, maar na een kwar-tier marcheren hoorde hij achter zich musketschoten. Hij liet zijn troepen rechtsomkeert maken en snelde terug. In Kartasura bleek dat Surapati en de zijnen het Hollandse wachthuis had-den aangevallen en zich in het voorpor-taal van de kraton verschansten. De VOC-troepen waren nog maar nauwe-lijks begonnen met een bestorming toen zij in de rug aangevallen werden door als Balinezen verklede soldaten van susuhunan Amengkurat, die ech-ter alle betrokkenheid ontkent.

Deze susuhunan heeft zijn troon te danken aan de VOC, die hem steunde in de burgeroorlog die uitbrak aan het einde van de regering van zijn vader Amengkurat I. Deze vorst, die sinds 1646 over het grote, verdeelde rijk heerste, poogde een sterk centraal ge-zag op te bouwen door alle oppositie op meedogenloze wijze te onderdrukken. Meteen na de troonsbestijging liet hij bijna alle medewerkers van zijn vader en hun families) ombrengen en het-zelfde lot ondergingen in de loop der jaren duizenden regionale vorsten en geestelijke leiders. Met de VOC stond de susuhunan aanvankelijk op goede voet, maar daarin kwam verandering toen hij regelmatig de Noordjavaanse havens sloot en de rijst- en houtuitvoer ging bemoeilijken. De achterdochtige

vorst hield geen bondgenoot of vazal meer over, raakte geïsoleerd en een bestuurlijke chaos was het gevolg.

In 1671 begon op Oost-Java een snel om zich heen grijpende opstand, geleid door de Madurese prins Trunajaya, die een geheim verbond had gesloten met de Mataramse kroonprins adipati Anom (de huidige Amengkurat II). In 1676 werd een groot Mataram leger verslagen, Trunajaya nestelde zich in Kediri, van waaruit hij in 1677 de kra-ton te Plered veroverde, waarbij de pu-saka (heilige kroonschatten) en de schatkist in zijn handen vielen. Amengkurat stierf tijdens zijn vlucht naar Tegal, waarop de door Trunajaya bedrogen en met zijn vader verzoende adipati Anom zichzelf tot Amengku-rat II uitriep.

De nieuwe susuhunan wendde zich nu tot de VOC, die na lang aarzelen besloot troepen te sturen om Amengku-rat te helpen zijn rijk te heroveren, maar wel vergoeding van alle kosten eiste. Tevens kreeg de VOC de soeve-reiniteit over de havenstad Semarang en delen van de Preanger. Na felle ge-vechten wisten de Hollanders in de loop van 1678 een einde aan de opstand te maken.

Amengkurat kreeg al snel grote con-flicten met de VOC over de betaling van de oorlogskosten (die waren opge-lopen tot 1,5 miljoen rijksdaalders) en de detachering van een Hollandse 'lijf-wacht' in zijn kraton te Kartasura.

Dit VOC-vijandige hof bleek bereid gastvrijheid te verlenen aan Surapati, een ontsnapte slaaf, die lange tijd met een roversbende de omgeving van Ba-tavia onveilig maakte, maar in 1678 bij de VOC dienst nam. Als luitenant was hij betrokken bij enkele acties tegen Banten, maar na een belediging door een Hollandse kapitein bracht hij 28 van diens manschappen om het leven. Hij vluchtte naar Mataram, waarop Batavia om zijn uitlevering vroeg. Toen dit werd genegeerd besloot men tot het zenden van een expeditie.

**Februari.** Jacobus II van Engeland roept de Engelse brigades, die sinds 1678 aan de Republiek zijn uitgeleend, terug naar Engeland.

**9 mei.** Frederik Willem, grootkeurvorst van Brandenburg en hertog van Pruisen, sterft. Hij wordt opgevolgd door Frederik III.→

**Mei.** Leopold I tekent een verdrag met Transsylvanië, waarmee de Turkse suzereiniteit ongedaan gemaakt en Transsylvanië een provincie van Hongarije wordt.

**10 juni.** Jacobus Edward, zoon van koning Jacobus II van Engeland, wordt geboren. De geboorte veroorzaakt opschudding nu een rooms-katholieke troonopvolging in het protestantse Engeland dreigt.

**30 juni.** Zeven Whig-Lords vragen de protestant Willem III van Oranje, echtgenoot van Mary, dochter van Jacobus II, in Engeland de protestantse opvolging zeker te komen stellen.

**6 september.** Troepen van keizer Leopold I veroveren Belgrado op Turkije. Hierdoor liggen Bosnië, Servië en Walachije open voor de keizer.

**24 september.** Lodewijk XIV van Frankrijk verklaart de keizer en het Duitse Rijk de oorlog.

**1 oktober.** Willem III van Oranje neemt de uitnodiging van de Whig-Lords van 30 juni aan en geeft hierover een manifest uit.

**26 november.** Lodewijk XIV verklaart de Republiek wegens de landing van Willem III in Engeland de oorlog.

**26 november.** De hertog van Savoye sluit zich na problemen met Lodewijk XIV aan bij de Bond van Augsburg.

**11 december.** Koning Jacobus II probeert uit Londen te vluchten, maar wordt naar de stad teruggebracht.

**20 december.** Willem III trekt met zijn troepen Londen binnen. Jacobus II ontvlucht de stad en vertrekt in ballingschap naar Frankrijk.→

- In Siam [Thailand] breekt een opstand uit tegen de toenemende Franse invloed.

- Na een handelsgeschil beschieten Franse schepen Algiers waarna opnieuw een handelsverdrag met de bei wordt gesloten.

- De eerste glasplaten worden geproduceerd.

- Het dertigste en laatste deel van Merians Topographica Germaniae, begonnen in 1642, verschijnt.

- Cornelis van Beughem stelt de Incunabula typographiae, een lijst van boeken gedrukt vóór 1500, samen.

# Frederik de Grote, keurvorst van Pruisen, overleden

POTSDAM, 9 mei - Op 68-jarige leef-tijd is keurvorst Frederik Willem de Grote overleden. Tijdens zijn rege-ringsperiode is Brandenburg-Pruisen van een versplinterde standenstaat ge-transformeerd in een machtige absolu-tistische staat.

Door energiek optreden en diploma-tiek inzicht wist Frederik Willem het door de Dertigjarige Oorlog verwoeste Brandenburg op te bouwen. Naast de opbouw van een staand leger besteed-de de keurvorst grote aandacht aan de organisatie van een betrouwbaar bestuursapparaat. Op economisch ge-bied introduceerde hij invoerrechten, verbeterde de infrastructuur en bevor-derde de produktie van manufacturen. Ook op het gebied van de buitenlandse politiek was Frederik Willem bijzon-der succesvol. Tijdens zijn rege-ringsperiode werden de bezittingen van Brandenburg uitgebreid met Achter-Pommeren en de voormalige bisdommen Halberstadt, Maagden-burg, Cammin en Minden.

De toegenomen macht van Branden-burg kwam overduidelijk aan het licht toen het Brandenburgse leger in 1675 in de Slag bij Fehrbellin het Zweedse leger een vernietigende nederlaag toebracht. Toen werd duidelijk dat Brandenburg niet langer een onbeduidend Duits vorstendom was, maar een factor van belang in de Europese politiek.

Om 's zondags ter kerke te kunnen gaan heeft de verlamde Stefan Far-fler uit Altdorf bij Neurenberg voor zichzelf een driewielige houten kar gebouwd die hij met twee zwengels met de hand aandrijft. Hij heeft zich gebaseerd op een ontwerp van Johann Hautsch, die in 1649 en 1663 voor de Zweedse kroonprins en de Deense koning rijkelijk ver-sierde, met handkracht aangedreven 'triomfwagens' heeft gemaakt. Bij deze koninklijke opdrachten ging het echter slechts om duur speel-goed.

# Willem III naar Engeland

*Leo Hollandicus, de kaart van Holland in de vorm van de Nederlandse leeuw.*

LONDEN, 20 december - De tocht van Willem III, kapitein-generaal van de Republiek der Zeven Verenigde Provincies en echtgenoot van (zijn nicht) Mary Stuart, dochter van de Engelse koning, is geslaagd. De Engelse koning is gevlucht en Willem III zal - naar algemeen verwacht wordt - binnenkort de Engelse troon bezetten. Daarmee zal ook het Europese machtsevenwicht, verstoord sinds het geheime verdrag tussen Frankrijk en Engeland (1670) en de aanval van deze staten op de Republiek, een geheel ander aanzien krijgen.

Na de inval van Frankrijk in de Republiek, in het 'rampjaar' 1672, zag het er even naar uit dat de Republiek van de kaart geveegd zou worden: Frankrijk viel haar vanuit het zuiden binnen, de bisschoppen van Keulen en Münster vanuit het oosten en Engeland bedreigde haar vanaf zee. Maar dank zij het krachtdadig optreden van Willem III - die steeds meer volmachten kreeg - werd het gevaar voorlopig afgewend en werd er op 19 februari 1674 zelfs vrede met Engeland gesloten. De daaropvolgende maanden sloten ook Münster en Keulen vrede en nu stond Lodewijk XIV, koning van Frankrijk, er alleen voor. Opnieuw ging de strijd tussen de Habsburgers met hun belangen in de Zuidelijke Nederlanden, Spanje en Duitsland en de Franse Bourbons. Met name de Hollandse regenten voelden er weinig voor om geld te steken in zo'n internationaal avontuur, maar Willem III had veel invloed en wist de Staten-Generaal ervan te overtuigen dat 'Gallia amica, non vicina', dat Frankrijk een vriend, geen buur mocht zijn en het dus in het belang van de Republiek was

het Europese machtsevenwicht te behoeden. Zijn optreden had succes: in 1678 sloot de Republiek zelfs een afzonderlijke vrede met Frankrijk. Spoedig hierna liet Lodewijk XIV echter opnieuw zijn oog op de Zuidelijke Nederlanden vallen. Daar immers zou Frankrijks 'natuurlijke grens' liggen. Opnieuw werden er internationale verdragen gesloten, onder meer tussen de Republiek, Zweden, Spanje en Duitsland (1681). De situatie was dreigend

maar nog niet precair. Dat werd zij pas toen Lodewijk XIV in 1685 het Edict van Nantes herriep en de katholieke Jacobus II in datzelfde jaar op de Engelse troon kwam. Het gevaar van een hernieuwd Frans-Engels verbond werd daarmee levensgroot en dat zou zonder twijfel ten koste van de Republiek gaan.

Het duurde echter nog bijna drie jaar voordat duidelijk werd dat deze situatie onhoudbaar was: dit jaar begon Jacobus II in Engeland tegen de protestanten op te treden, in juni kreeg hij een zoon (men zei: een ondergeschoven kind), op 20 september viel Lodewijk XIV de Palts binnen en wat iedereen al lang wist, werd nu meer dan duidelijk: er moest iets gebeuren om te zorgen dat Frankrijk (mogelijk met Engelse steun) niet het hele continent onder de voet zou lopen. Daarom is Willem III op uitnodiging van Engelse protestanten op 11 november bij Den Briel uitgevaren, met op zijn schip een vlag die de woorden 'Pro religione et libertate' (ten behoeve van godsdienst en vrijheid) en 'Je maintiendray' droeg, en op 14 november bij Torbay aan de Engelse zuidkust geland. Jacobus II vluchtte en direct daarop zijn de besprekingen begonnen over de positie die Willem III in Engeland zou gaan innemen.

De aard van die positie is des te belangrijker omdat Lodewijk XIV de Republiek ondertussen officieel de oorlog heeft verklaard, natuurlijk omdat ook de Franse koning het gevaar ziet van de vereniging van twee 'kronen' in één hand.

*Willem III, die naar verwachting ook de Engelse troon zal gaan bezetten.*

**28 januari.** Het Engelse parlement verklaart dat Jacobus II met zijn vlucht afstand van de troon heeft gedaan.

**Januari.** Franse troepen onder Melas beginnen hun schrikbewind in de Palts.

**14 februari.** Het Engelse parlement vaardigt de Bill of Rights uit. →

**15 februari.** Wegens de plunderingen in de Palts verklaart de Rijksdag van Duitse vorsten Frankrijk de oorlog.

**12 maart.** De afgezette Engelse koning Jacobus II landt met Franse steun in Ierland.

**14 maart.** Schotland roept Willem III en Maria tot koning en koningin uit.

**15 april.** Lodewijk XIV verklaart Spanje de oorlog.

**12 mei.** Engeland en de Republiek treden toe tot de Bond van Augsburg.

**Mei.** Keizer Leopold I sluit bondgenootschappen met Beieren en de Republiek.

**25 juli.** Frankrijk verklaart Engeland de oorlog.

**Juli.** Iroquois-Indianen moorden een Franse kolonistennederzetting bij Lachine, nabij Montreal in Canada, uit.

**8 september.** China en Rusland sluiten het Verdrag van Nertsjinsk. →

**24 september.** Ludwig Wilhelm van Baden verslaat het Turkse leger bij Nisch, neemt Nissa in en bezet Bulgarije.

**11 oktober.** Peter (de Grote) verbant zijn stiefzuster Sofia, die sinds 29 juni 1682 als regentes optrad, naar Moskous nonnenklooster en roept zichzelf uit tot tsaar van Rusland.

**22 december.** Een zware aardbeving richt grote schade in Innsbruck aan.

- Natal in zuidelijk Afrika wordt een Nederlandse kolonie.

- Frontenac wordt door Lodewijk XIV benoemd tot gouverneur van Canada.

- John Locke publiceert *Two treatises on civil government* als verdediging van de Glorious Revolution en zijn eerste *Letter concerning toleration.*

- Een brand legt het joodse getto van Praag in de as. →

- Jean Racine voltooit de tragedie *Esther.*

*Willem en Maria worden tot koning en koningin van Engeland gekroond.*

# Willem III Engels koning

WESTMINSTER, 14 februari - Op haar uitdrukkelijke wens heeft het Engelse parlement naast Maria Stuart ook haar echtgenoot Willem van Oranje tot staatshoofd verklaard. Tegelijkertijd hebben Willem en Maria de tot wet verheven Declaratie van Rechten (Bill of Rights) erkend.

Deze wet behelst de afbakening van de koninklijke bevoegdheden. Zo mag de koning niet katholiek zijn, geen staand leger in vredestijd onderhouden, geen belastingen heffen of wetten schorsen zonder toestemming van het parlement en moet hij de parlementaire onschendbaarheid respecteren.

In deze geest heeft ook de staatsrechtgeleerde John Locke zijn *Twee verhandelingen over het regeren* (1689) geschreven. Daarnaast pleit hij voor meer godsdienstige verdraagzaamheid tegens protestanten, die zich niet aan de Anglicaanse Kerk willen conformeren ('dissenters'). Dit komt overeen met de Tolerantiewet, volgens welke ambtsdragers overigens nog wel verplicht anglicaans moeten zijn.

De versterking van de parlementaire constitutie is een gevolg van de slechte ervaringen met koning Jacobus II, die de royalistische Tories en de oppositionele Whigs te zamen hebben gebracht. Hoewel de katholieke vorst bij zijn troonsbestijging (6 februari 1685) de rol van de Engelse Kerk erkende, was een mislukte coup van troonpretendent Monmouth voor hem aanleiding om deze dissidenten streng te vervolgen (de Bloedige Rechtszaken) en - buiten het parlement om - geloofsgenoten op hoge posten te benoemen.

Dit leidde tot irritatie, en een breekpunt werd vervolgens gevormd door de onverwachte geboorte (tegenstanders meenden zelfs dat het kind via een bedpan het paleis was binnen gesmokkeld) van een kroonprins, Jacobus Edward (10 juni 1688). Tories en Whigs vreesden nu de vestiging van een langdurige katholieke dynastie. Gevoegd bij de toenadering van Jacobus tot zijn absolutistische voorbeeld, Lodewijk XIV van Frankrijk, leidde dat tot stappen in de richting van de andere troonopvolgster, Maria Stuart.

Haar en haar tegen Frankrijk strijdende echtgenoot, de Hollandse stadhouder Willem III, werden gevraagd naar Engeland over te komen. Op 14 november landde Willem met een leger van 15 000 man te Torbay. Spoedig sloten de Engelse legers onder John Churchill zich bij hem aan. Jacobus vluchtte 23 december naar Frankrijk en werd derhalve geacht te zijn afgetreden. Willem riep nu voor 22 januari een parlement bijeen, dat de erfopvolging regelde en democratische rechten vastlegde. Op het - in Europa in de mode zijnde - absolutistische koningschap is daarmee een parlementaire overwinning behaald (Glorieuze Revolutie).

# Brand legt getto van Praag in as

PRAAG - Een enorme brand heeft het getto van Praag volledig in de as gelegd. Honderden joodse bewoners zijn om het leven gekomen.

Het oude getto van Praag stond bekend als 'Stad en Moeder in Israël', en is een van de meest beroemde nederzettingen in de diaspora. Omstreeks het jaar 900 was er sprake van een zo groot aantal joden in de stad dat ze een terrein op de rechteroever van de Moldau toegewezen kregen. Ze hielden zich voornamelijk met de handel bezig, waarvan de koningen van Bohemen veel profijt hadden. De Praagse joden werden door Karel IV, keizer van het Heilige Roomse Rijk, als zijn persoonlijke dienaren in bescherming genomen toen rond 1350 de pest door Midden- en Oost-Europa waarde. Toch vond nog geen halve eeuw later, op de laatste dag van het joodse paasfeest in 1389, de eerste pogrom in de joodse wijk plaats. Meer dan 4000 onschuldigen vonden hierbij de dood. De Altneu-synagoge, die in de tweede helft van de 13de eeuw werd gebouwd, is misschien wel het bekendste monument van het getto. Hieraan grenzen het joodse raadhuis en de joodse begraafplaats, waar onder andere het graf van de wonderrabbijn Juda Loew te vinden is.

Beroemd om zijn wetenschappelijke kennis was Juda Loew op de hoogte van de ideeën van Copernicus, hoewel hij het daarmee niet eens was omdat diens systeem lijnrecht inging tegen dat van de rabbijnen. De studie van de thora stelde de mens in staat met God te communiceren. 'De Messias zal vanzelf wel komen,' zo betoogde Loew, 'we hoeven daar niet op vooruit te lopen.' In 1594 werd hij op 80-jarige leeftijd opperrabbijn van Praag. Men schrijft aan Loew de creatie toe van de Praagse 'Golem', een figuur van aarde en klei die hij via de magische krachten van de kabbala tot leven weet te wekken. Bij onrecht komt de Golem in actie als onvermoeibaar verdediger van het getto van Praag en zijn joodse inwoners. In 1648 hielpen de joden Praag te verdedigen tegen de oprukkende troepen van de Zweedse generaal Königsmarck. Als dank hiervoor kregen ze het recht zich te vestigen in alle steden in Bohemen die onder het gezag van de keizer stonden.

Nu, meer dan veertig jaar later, hebben vele honderden joden hals over kop huis en haard moeten verlaten.

# Verdrag China en Rusland

*Deel van de van wachttorens en bolwerken voorziene Chinese muur die China moet beschermen tegen aanvallen uit het noorden.*

NERTSJINSK [Nierchul], 8 september - De regeringen van China en Rusland hebben in de Siberische nederzetting Nertsjinsk een overeenkomst getekend. Dit is de eerste keer dat China op voet van gelijkheid een verdrag met een ander land sluit.

Het Verdrag van Nertsjinsk bestaat uit zeven paragrafen, die voornamelijk gewijd zijn aan grensafbakening tussen beide landen en de regeling van de wederzijdse handel. Het verdrag is opgemaakt in vijf talen: Mantsjoe, Chinees, Mongools, Russisch en Latijn.

Ten zuiden van de berg Waixinganling en ten oosten van de rivieren de Geerbiqi en de Eerguna Argun ligt het Chinese territorium. Dit betekent dat het land ten noorden van de Amoer [Heilongjiang] aan China is toegekend. De Russen hebben zich voorts verplicht het fort van Albazin af te breken. Als tegenprestatie mogen ze een handelsvertegenwoordiging in Peking openen.

Het Verdrag van Nertsjinsk volgt op schermutselingen tussen Russen en Chinezen in het stroomgebied van de Amoer. Na de snelle Russische expansie in het gebied volgde een Chinese tegenaanval die op de belegering van het laatste Russische steunpunt Albazin uitliep. Onder deze druk stuurde tsaar Peter de Grote een ambassadeur, die op een gunstig ogenblik in Nertsjinsk aankwam: keizer Kang Xi was bezorgd over de mogelijkheid van Russische steun aan de oostelijke Mongolen.

Voor de Russen bestaat het grootste voordeel van het verdrag uit de mogelijkheid om per jaar handelsmissies van tweehonderd personen met een semi-diplomatieke status naar Peking te sturen. Voor de Qing-keizer Kang Xi past dit verdrag in de consolidatie van de onderwerping van China door zijn Mantsjoe-bewind en de verovering van gebieden in Centraal-Azië.

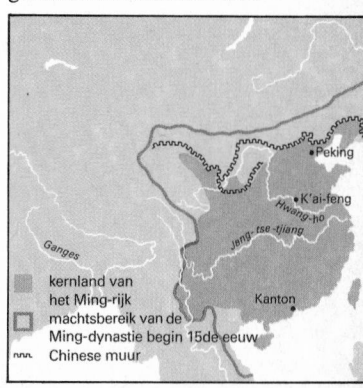

kernland van het Ming-rijk
machtsbereik van de Ming-dynastie begin 15de eeuw
Chinese muur

*Het Chinese Rijk ten tijde van de Ming-dynastie.*

## Linker kolom (1690)

**6 januari.** Jozef, zoon van keizer Leopold I, wordt gekozen tot Rooms-koning.

**16 maart.** Lodewijk XIV stuurt Franse troepen naar Ierland om Jacobus II te helpen de Engelse troon te heroveren.

**18 maart.** Karel, hertog van Lotharingen, sterft.

**April.** Apasi, vorst van Transsylvanië, sterft. De Landdag erkent zijn zoon als opvolger maar Turkije benoemt Imre Thököly als tegenkandidaat.

**Mei.** Franse troepen bezetten Luik.

**11 juni.** Willem III vertrekt naar Ierland om de operaties tegen de Jacobieten te leiden.

**Juni.** De Landdag van Transsylvanië erkent de Turkse kandidaat Imre Thököly alsnog als vorst.

**1 juli.** Willem III verslaat het leger van Jacobus II in de Slag bij de Boyne. Jacobus II vertrekt weer naar Frankrijk.

**1 juli.** Het Franse leger onder de hertog de Luxembourg verslaat het leger van de Republiek en Engeland bij Fleurus in de Zuidelijke Nederlanden.

**10 juli.** De Franse vloot onder admiraal Tourville verslaat de verenigde Nederlands-Engelse vloot bij Beachy Head.

**1 augustus.** Het Franse leger onder Catinat verslaat het leger van Victor Amadeus van Savoye bij Staffarda.

**24 augustus.** In India sticht Job Charnock de stad Calcutta als handelsplaats voor de Engelse East India Company.

**6 september.** Na een mislukte poging Limerick op de Jacobieten in te nemen keert Willem III vanuit Ierland naar Engeland terug.

**8 oktober.** Bij de herovering van Bulgarije nemen de Turken Belgrado in.

- Lodewijk XIV geeft de paus de geannexeerde gebieden rond Avignon terug.

- De opstand van de Albanezen en Montenegrijnen tegen de Turken loopt ten einde. →

- John Locke publiceert zijn *An essay on human understanding*.

- In Rome wordt de Academia dell'Arcadia gesticht.

- Henry Purcell voltooit zijn opera's *Amphitryon* en *The Prophetess*.

- Het Château de Versailles bij Parijs wordt voltooid. →

- Meindert Hobbema schildert *De watermolen*.

- Christiaan Huygens publiceert zijn *Traité de la lumière*.

## Midden

# Balkanrevolutie zakt in

*'De Turkse patrouille'; schilderij van Alexandre Gabriel Decamps.*

HIMARA - De drie jaar geleden uitgebroken revolte van verenigde Montenegrijnen en christelijke Albanezen is na een succesvolle start als een nachtkaars uitgegaan. In 1687 namen de rebellen de citadel Medun in en het jaar erop brachten zij de Turken bij Osrinitsj een nederlaag toe. Vervolgens sloeg de revolte over naar het zuiden, naar de Himarioten, die met steun van Venetiaanse eenheden de stad Vlöre innamen. Dat de revolte uiteindelijk op niets uitliep is te wijten aan de gebrekkige organisatie en bewapening van de rebellen.

De Albanese bergstammen hebben zich van meet af aan weten te onttrekken aan annexatie door de Turken en aan de opdeling van het land volgens het 'timar' (leen)-stelsel. Een van deze stammen, de Himarioten, geniet sinds 1492 het recht op zelfbestuur volgens de lokale traditie. Vrijgesteld van de zware verplichtingen waaronder de christelijke 'reaja' elders gebukt gaat, hoeven de Himarioten en andere Albanese bergbewoners ten teken van hun onderwerping slechts een lage belasting te betalen. Ofschoon zij regelmatig tegen de Osmanen rebelleerden, hebben hun acties tot nu toe weinig effect gesorteerd. Het isolement waarin zij verkeren is te groot. Bovendien zijn de Albanezen wat betreft hun religie verdeeld in rooms-katholieken, Grieks-orthodoxen en islamieten. Sinds de vorige eeuw zijn velen uit de laagvlakten bekeerd tot de islam, hoofdzakelijk vanwege belastingvoordelen. De door de Turken geannexeerde gebieden zijn verdeeld in zeven bestuurseenheden ('sandjaks'); de grond was aanvankelijk veelal verdeeld in timars. In de loop van de vorige eeuw zijn de boeren aan de grond gebonden geraakt. De huidige tendens tot erfelijk grondbezit ('tsjiftliks') lijkt het timar-systeem te gaan verdringen. Dit hangt nauw samen met de verzwakking van het centrale bestuur.

*Na 29 jaar bouwen is het Château de Versailles eindelijk gereed. In 1661 gaf koning Lodewijk XIV architect Levau opdracht een begin te maken met de aanleg van het paleis. In 1682 nam de Zonnekoning zijn intrek in het indrukwekkende complex, dat zo het politiek en cultureel centrum van Frankrijk werd.*

## Rechter kolom (1691)

**18 januari.** Willem III vertrekt vanuit Engeland naar de Republiek om in 's-Gravenhage een conferentie van vertegenwoordigers van de Bond van Augsburg bij te wonen met als doel een gezamenlijk aanvalsplan tegen Frankrijk op te stellen.

**Maart.** Franse troepen onder Catinat nemen Nizza [Nice] in Savoye in.

**9 april.** Franse troepen veroveren Bergen [Mons] in de Zuidelijke Nederlanden.

**Mei.** De hertog van Savoye valt de Dauphiné binnen.

**12 juni.** Paus Innocentius XII volgt de op 1 februari overleden Alexander VIII op.

**Juni.** Ahmed II volgt Süleyman III op als sultan van Turkije.

**22 juli.** Het Engels-Nederlandse leger verslaat de Franse troepen bij Aghrim.

**Juli.** Limerick, Ierland, valt voor de protestantse Engelse troepen. De jacobitische soldaten nemen dienst bij Lodewijk XIV.

**19 augustus.** Ludwig van Baden, bijgenaamd Türkenlouis, verslaat het Turkse leger bij Salem Kamen. Grootvizier Moestafa Köprülü sneuvelt in de slag.

**17 september.** De Engelse kolonie Massachusetts krijgt een nieuw handvest.

**4 december.** Na de herovering van Transsylvanië komt het gebied onder Habsburg gezag.

**4 december.** Maximiliaan II Emanuel van Beieren wordt door de koning van Spanje, Karel II, benoemd tot stadhouder over de Zuidelijke Nederlanden.

- Kaspar Stieler stelt de *Teutsche Sprachschatz* samen.

- In Londen wordt de New East India Company opgericht.

- Engelbert Kaempfer presenteert zijn reisverslag over Japan. →

- Anthony Wood brengt de *Athenae Oxoniensis, an exact history of all the Writers and Bishops who have had their education in the University of Oxford from 1500 - 1650*, uit.

- Gottfried Wilhelm von Leibniz publiceert zijn geologiestudie *Protogeae*.

- Adrien Baillet publiceert zijn biografie over Descartes, *Vie de Descartes*.

- Henry Purcell voltooit zijn opera *King Arthur*.

- Jean Racine brengt zijn tragedie *Athalie* uit.

Gestorven:

**Juli.** François Michel Le Tellier, Frans minister →

# Louvois: militair pur sang

*François Le Tellier, markies de Louvois, minister van Oorlog onder Lodewijk XIV.*

PARIJS, juli - Onverwacht is op 70-jarige leeftijd François Michel Le Tellier, markies de Louvois, gestorven. Tot aan zijn dood was Louvois minister van Oorlog. Hij volgde in deze functie zijn vader op. Gedurende zijn loopbaan heeft Louvois de discipline, uitrusting en rekrutering van het Franse leger aanzienlijk verbeterd en daarmee voor een belangrijk deel de militaire successen van Lodewijk XIV mogelijk gemaakt. De vergroting van het leger tot 200 000 man bracht hem regelmatig in conflict met Colbert, hoofd van Financiën, die de staatsuitgaven trachtte te beperken.

Centraal bij de reorganisatie van het leger stond het streven van Louvois de staatscontrole over het leger te vergroten door de discipline van de adellijke officieren te verbeteren. Daarnaast verbeterde hij de soldijbetaling en de uitrusting van soldaten. Door een efficiëntere bevoorrading zorgde hij ervoor dat het leger al vroeg in het voorjaar operationeel was. Ook stichtte hij voor ex-militairen het 'Hôtel des Invalides' en rekende hij af met het systeem van de 'passe volant', waarbij officieren tijdelijk soldaten in dienst namen om hun toelage te verhogen. Als dank voor zijn inspanningen werd Louvois door Lodewijk XIV in de adelstand verheven.

# Japan verbetert land- en waterwegen

OSAKA - De wetenschapper Engelbert Kaempfer heeft tijdens zijn reis door Japan een nauwkeurige beschrijving gegeven van de manier waarop de sterk groeiende handel gebruik maakt van een combinatie van vervoer over water en land. Met name grote steden als Osaka en Edo moeten vaak over grote afstanden goederen laten aanrukken om in de groeiende behoeften van de stedelijke bevolking te voorzien. Kaempfer beschrijft hoe de straten van Osaka overspoeld worden door mensen die daar handel drijven en een vertier zoeken. De haven ligt vol met schepen en er is immer bedrijvigheid. Naast de aanvoer van de eerste levensbehoeften vraagt de bevolking van de snel groeiende metropool om allerlei luxegoederen waaraan echter een groot gebrek is.

Er zijn de laatste decennia dwars door Japan enkele grote wegen aangelegd. Langs deze wegen vindt men op niet al te grote afstanden hotels en restaurants om de handelaren en andere reizigers te laten overnachten. De meeste goederen worden echter over water vervoerd. Naast het vervoer over kleine afstanden zijn er over water twee grote circuits' ontstaan: het Higasjimawa-ri- of oostelijke circuit dat voor de bevoorrading van Edo zorgdraagt en het Nishimawari- of westelijke circuit dat op Osaka gericht is. De stroom van goederen van deze circuits kunnen juist in 1 jaar hun ronde doen. Door de instelling van de circuits wordt voorkomen dat men periodieke tekorten heeft.

Met het toenemend belang van de scheepvaart is ook de macht van de reders groter geworden. Al eerder waren de traditionele koopliedenfamilies door de groei van de handel en door de opkomst van nieuwe handelsfamilies een deel van hun macht kwijtgeraakt. Toen het vervoer over water belangrijker werd konden de reders ook hun macht uitbreiden.

Nu de land- en waterwegen verbeterd zijn rest nog slechts het probleem van de veiligheid. Op zee zijn niet zelden zeerovers actief. Er zijn zelfs gebieden langs de kust waar men een hoge levensstandaard heeft dank zij de zeeroverij, die er het voornaamste 'beroep' is. Hetzelfde geldt voor landrovers, hoewel die zijn geconfronteerd met een steeds dichter wordend netwerk van 'rustplaatsen' die tevens als politieposten dienst doen.

---

**13 februari 1692.** In Schotland vindt bij Glencoe een massamoord op Hooglanders plaats nadat hun leider, MacDonald, geen trouw aan Willem III heeft willen zweren.

**22 maart.** Keizer Leopold I beloont hertog Ernst August van Braunschweig-Calenberg met de keurwaardigheid. →

**Maart.** Een Nederlandse delegatie bezoekt het Japanse hof. →

**3 augustus.** In de veldslag bij Steenkerke in de Zuidelijke Nederlanden wordt het Engels-Nederlandse leger onder Willem III verslagen door Franse troepen onder Luxembourg.

**12 oktober.** Massachusetts heft de speciale rechtbank voor heksenprocessen op. →

- Ondanks verzet kondigt de Chinese keizer Kang Xi godsdienstvrijheid af. De keizer is vooral geïnteresseerd in de kennis van de jezuïeten.

- Henry Purcell voltooit de opera *The Fairy Queen*.

- IJsbrand Iders begint zijn ontdekkingsreis door de Gobi-woestijn.

- De organist Andreas Werckmeister presenteert zijn *Musikalische Temperatur.* →

- Johann Amman stelt het handboek voor doofstommen, *Der redende Stumme*, samen.

**April 1693.** Koning Karel XII van Zweden verklaart zichzelf absoluut heerser.

**December.** Lodewijk XIV stuurt bemiddelaars voor vredesonderhandelingen naar de landen waarmee Frankrijk in oorlog is; een keerpunt in zijn buitenlandse politiek.

- Pondicherry in India wordt door de Republiek veroverd.

- Lodewijk XIV verzacht de Vier Punten waarmee hij de Gallicaanse Kerk instelde. Hierdoor vindt een verzoening met de paus plaats.

- Paus Innocentius XII neemt maatregelen om de verkoop van ambten aan het pauselijk hof tegen te gaan.

- In de Portugese kolonie Brazilië in Zuid-Amerika breekt een ware goudkoorts uit nu geruchten over enorme goudvondsten nabij São Paulo waar blijken te zijn.

- Jean de La Fontaine publiceert het derde deel van zijn *Fables*.

- Gottfried Wilhelm von Leibniz begint aan de *Codex juris gentium diplomaticus*.

---

# Verzet tegen keurwaardigheid van Braunschweig

*Keizer Leopold I van Duitsland.*

HANNOVER, 22 maart 1692 - Keizer Leopold I heeft hertog Ernst August van Braunschweig-Calenberg voor zijn verdiensten tijdens de afgelopen oorlog met Frankrijk en het beleg van Wenen door de Turken, beloond met de keurwaardigheid. Deze daad van de keizer heeft in het college van keurvorsten felle protesten uitgelokt.

Het keurrecht, dat wil zeggen het recht om de Rooms-koning te kiezen en te kronen, stamt uit de 12de en 13de eeuw. Sinds de dubbele koningskeuze van Richard van Cornwall en Alfons van Castilië in 1257 hebben zeven keurvorsten de koningskeuze aan zich getrokken. Vanaf dat moment waren de overige vorsten van de koningskeuze uitgesloten, ook al waren ze, zoals de hertog van Beieren, machtiger en aanzienlijker dan sommige keurvorsten. In de Gouden Bul van 1356 werden de positie van het keurvorstencollege en de bepalingen en de koningskeuze definitief vastgelegd. Pas in 1623 kwam er enige verandering in de samenstelling van het keurvorstencollege toen de Paltische keurwaardigheid, als straf voor het opstandige optreden van de Paltische keurvorst Frederik V, overgedragen werd aan Beieren. Bij de Vrede van Westfalen in 1648 werd de Keur-Palts in zijn oude rechten hersteld en Beieren tot achtste keur uitgeroepen.

De creatie van de nieuwe keurwaardigheid voor het Huis Welfen in Braunschweig wordt door de keurvorsten gezien als een inperking van hun traditionele rechten. Bovendien vrezen zij dat het keurvorstencollege zijn exclusiviteit verliest.

# Sjogoen ontvangt Nederlandse delegatie

EDO, maart 1692 - Verbaasd en nieuwsgierig hebben leden van de Japanse regering en andere mensen in de nabijheid van de sjogoen een optreden van de Nederlandse ambassadeur en diens gevolg gadegeslagen. De Nederlanders hebben op hun beurt hun ogen goed de kost gegeven, nu zij voor het eerst in de grote ontvangstzaal van sjogoen Tsoenajosji zijn toegelaten.

Vorig jaar was een Nederlandse delegatie al naar Edo gereisd om haar jaarlijkse bezoek aan de sjogoen te brengen. Men had toen wel gezien hoe goed gekleed de mensen waren en welke overvloed de plaats kende. De Japanners waren zeer beleefd geweest tegenover hen. Slechts kleine jongens hadden beledigende woorden naar hen geroepen. Zij waren onderweg vele prinsen met hun gevolg tegengekomen en hadden meer dan eens danseressen uitvoeringen zien geven. Ook was het hun opgevallen hoe florissant de binnenlandse handel was.

Terwijl zij wachtten op een audiëntie bij de sjogoen brandden er in de stad 600 huizen af en werd ook een lichte aardschok gevoeld. Hun hoop op een langdurig onderhoud met de sjogoen steeg, toen zij werden ontvangen door Makino, diens leermeester en een van de meest vooraanstaande figuren aan het hof. Men was daarom des te teleurgestelder toen zij ten slotte slechts in een kleine kamer voor een kort onderhoud werden uitgenodigd.

*De Nederlandse delegatie op audiëntie in Japan (gravure, eind 17de eeuw).*

Dit jaar zijn zij echter ontvangen in de grote ontvangsthal. Daar waren onder anderen de rojoe (leden van de Raad van State) en ook de soba-jonin (kamerheren) aanwezig. Ook nu werden zij weer verwelkomd door Makino. Alle aanwezigen waren benieuwd naar het gedrag van deze 'langneuzige roodharige figuren'. Een van de Nederlanders, Kaempfer, danste en zong, terwijl vele dames door de bamboegordijnen het gezelschap gadesloegen. Intussen keken de Nederlanders goed om zich heen om ook zoveel mogelijk indrukken op te doen van de manier waarop men aan het hof van de sjo-

goen leeft en hoe alles is ingericht. Ten slotte heeft Tsoenajosji ruimschoots de tijd genomen om de delegatie te ontvangen en met hen van gedachten te wisselen. Bij deze ontmoeting is weer gebleken dat hij met name geïnteresseerd is in de ontwikkelingen op mechanisch en natuurwetenschappelijk gebied in het Westen. Afgesproken is dat er in de toekomst enkele Nederlandse instrumentmakers naar Japan zullen komen, die in Edo aan de Japanners zullen tonen hoe men bepaalde instrumenten vervaardigt en welke principes daaraan ten grondslag liggen.

# Massachusetts heft heksenrechtbank op

*De aanklager leest de beschuldigingen voor bij een heksenproces in Salem (1692).*

SALEM, 12 oktober 1692 - De speciale rechtbank te Salem, die was belast met het opsporen en berechten van heksen, is op last van de puriteinse geestelijkheid ontbonden. De 150 van hekserij verdachte personen, die in afwachting van een proces zaten opgesloten, zijn inmiddels vrijgelaten. In totaal zijn er sinds de instelling van de heksenrechtbank, in mei van dit jaar, veertien vrouwen en vier mannen opgehangen.

Aan de massale heksenvervolging van de laatste maanden is een einde gekomen nadat de autoriteiten inzagen dat er in een betrekkelijk kleine gemeenschap als Salem nooit zoveel heksen kunnen zijn als de heksenjagers opgespoord menen te hebben.

De aanleiding tot de grootscheepse vervolging van heksen wordt gevormd door de aantijgingen van een groepje jonge meisjes, die min of meer als grap

een half-Indiaanse negerslavin van hekserij beschuldigden. Om aan de strop te ontkomen bekende de slavin schuld en beschuldigde tevens andere vrouwen van hekserij, die op hun beurt hetzelfde deden. Hierdoor werd een kettingreactie op gang gebracht die leidde tot massale schuldbekentenissen. Uit puur lijfsbehoud bekenden honderden mensen 's nachts op bezemstelen door de lucht te vliegen, de heksensabbat bij te wonen en naast geestelijke ook vleselijke contacten met de duivel te onderhouden.

Over de diepere oorzaken van de heksenvervolging tast men nog in het duister. Sommigen brengen haar in verband met de grote angst en onzekerheid die in Salem en andere delen van Massachusetts heersen. Sinds 1689 woedt in deze Engelse kolonie een oorlog met de Fransen en tevens hebben de Engelsen vernietigende aanvallen van Indianen te verduren.

Al eerder zijn er in Amerika - waar het geloof in heksen evenals in Europa wijd verbreid is - personen van hekserij beschuldigd. Tussen 1647 en 1663 werden in Connecticut en Massachusetts minstens veertien mensen daarvoor tot de strop veroordeeld.

# Werckmeister wil veranderingen in stemmingssysteem

QUEDLINBURG, 1692 - Met het verschijnen van de *Musikalische Temperatur* van de Halberstadtse organist Andreas Werckmeister lijkt een eind aan het eeuwenoude probleem van de zuivere stemming gekomen te zijn. Tot nu toe heeft men orgels en clavecimbel altijd gestemd volgens de wet van de zuiverheid van de octaven. De octaven mochten dan zuiver zijn, de andere intervallen waren dat geenszins. Als bijvoorbeeld de twaalf kwinten, volkomen zuiver, dat wil zeggen volgens de natuurlijke verhouding 2:3 worden gestemd, stemt de laatste kwint niet nauwkeurig met het octaaf van de begintoon, maar klinkt hij iets hoger. Een zuivere kwintenstemming levert dus altijd een valse octavenstemming op. Men onderv ing dit probleem door enkele kwinten iets lager te stemmen (temperen), terwijl de overige volkomen zuiver bleven. Instrumenten die op deze wijze gestemd waren, stonden in de zogeheten ongelijkzwevende temperatuur; enkele toonaarden waren slechts zuiver.

Werckmeister heeft in zijn studie voorgesteld om alle tonen binnen het octaaf wat af te vlakken en de kwinten allemaal een fractie kleiner te maken, zodat op die manier de ergste stemproblemen zijn verholpen. Het is voor het oor nauwelijks merkbaar dat zo in feite iedere toonaard enigszins onzuiver is.

Een groot voordeel van deze stemming (de gelijkzwevende temperatuur) is dat nu voortaan naar elke willekeurige toonaard gemoduleerd kan worden. En dat weegt op tegen het ogenschijnlijke voordeel dat de oude ongelijkzwevende temperatuur van de expressie zou hebben: bes-klein zou volgens de componist-theoreticus Johann Mattheson de 'allertreurigste toonsoort' zijn, f-klein zou de 'doodsangst' uitdrukken, C-groot zou 'vrijpostig' zijn, D-groot 'scherp en eigenzinnig' en d-klein 'devoot en rustig', en zo verder. Werckmeister schrijft hierover het volgende: 'Er zijn er die beweren het bij de oude stemming van Michael Praetorius (1571-1621) te willen houden. Zij zullen toch moeten toegeven dat muziek uit de tijd van Praetorius, nu bijna 100 jaar geleden, anders is dan muziek van nu. Nu men cirkelgewijs (modulerend naar alle toonsoorten, volgens de kwintencirkel) het hele klavier moet gebruiken, is het onmogelijk met een Praetoriusklavier uit te komen en omdat de muziek door Gods genade zo vooruitgegaan en veranderd is, zou het ongerijmd zijn wanneer we niet zouden proberen ook het klavier te verbeteren, opdat ook die stukken die in onze tijd zo weldoordacht gemaakt zijn, niet bedorven zouden worden en slechts gehuil zouden voortbrengen.'

# Frankrijk hongert: regering medeschuldig

FRANKRIJK - Evenals in de voorafgaande jaren wordt Frankrijk dit jaar geplaagd door een hevige hongersnood. Het zwaarst is de Auvergne getroffen van waaruit wordt gerapporteerd dat er kannibalisme plaatsvindt. De hongersnood is niet alleen het gevolg van misoogsten. Door de min of meer permanente oorlogvoering onder Lodewijk XIV worden steeds zwaardere belastingen geheven die de economie verstoren. Deze belastingdruk komt vooral terecht op de schouders van de boerenstand omdat andere klassen, zoals de adel en een deel van de bourgeoisie, van betaling zijn vrijgesteld. Het stelsel wordt in toenemende mate gekritiseerd door Boisguillart en Vauban. Zij bepleiten in diverse geschriften een hervorming van het stelsel en de invoering van de 'capitation', een belasting die voor alle klassen geldt en de overige belastingen moet vervangen. De capitation wordt echter, omdat de koning in verband met de oorlog tegen de Liga van Augsburg geld nodig

*Het leger van Lodewijk XIV rust uit in een kamp (17de eeuw).*

heeft, aan het bestaande stelsel toegevoegd. De zware belastingdruk op de Franse boerenstand blijft daarom

vooralsnog gehandhaafd.

Daarnaast heeft de Franse economie ook ernstig te lijden van de uittocht van hugenoten na de herroeping van het Edict van Nantes. In de jaren na 1685 verlieten meer dan 200 000 Franse protestanten, die in het algemeen belangrijke posities binnen de economie innamen, het land. De herroeping heeft het imago van Frankrijk in Europa geschaad. Een groot aantal landen vond elkaar onder leiding van Willem III in de Liga van Augsburg die Frankrijk in 1688 de oorlog verklaarde. Deze coalitie bestond uit onder andere Duitsland, Spanje, Zweden, de Republiek en, nadat in 1689 Willem koning van dat land is geworden, Engeland. Hoewel de strijd in eerste instantie succesvol voor Frankrijk verliep, bleek het land tegen deze overmacht niet opgewassen. De slechte binnenlandse economische situatie maakte een intensieve oorlogvoering onmogelijk. In 1692 keerde het tij en werd de Franse vloot in de zeeslag bij La Hogue verslagen.

# Oprichting Bank van Engeland slaat aan

LONDEN - Na advies van de Schotse financier William Paterson en op initiatief van expert Charles Montague, is de Bank van Engeland opgericht. Het publiek heeft voor £ 1 200 000 ingeschreven, welk kapitaal de bank aan de regering leent tegen een rente van acht procent. Zo ontstaat de Nationale Schuld. De bank mag disconto- en bankbiljetten invoeren, waarvan de waarde door haar goudreserve wordt bepaald.

Het doel van de bank is dus de regering aan extra geld te helpen, wat door de actualiteit van de dreigende oorlog met het Frankrijk van Lodewijk XIV wordt ingegeven. Maar de bankstichting sluit ook aan bij de ontwikkelingen in de financiële wereld.

Na de val van Antwerpen (1585) nam de rol van Londen als financieel centrum in betekenis toe. Er waren echter nog geen echte banken in Engeland. Wel oefenden particulieren enkele bankfuncties uit, zoals de makelaars die geldschieters en leners (voornamelijk kooplieden en ondernemers) bij elkaar brachten.

De politiek van Karel I (zo nam hij eens al het in de Towermunt opgeslagen particuliere geld in beslag) en de onzekere burgeroorlogjaren, deden de functie van makelaar aan die van de Londense goudsmeden uit Lombard Street koppelen. Het ging hun dermate voor de wind, dat zij ook over gedeponeerd geld rente konden geven. Vanuit Londen vervulden zij een bankiersrol voor het hele land.

Vanaf de jaren zeventig was er sprake van een 'commerciële revolutie'. De Engelse handel met de koloniën in

*Het interieur van de Bank van Engeland in Londen (ca. 1800).*

Amerika, India en Afrika groeide - mede door de afgenomen Hollandse concurrentie - enorm. Londen werd nu, naast Amsterdam, het belangrijkste financiële centrum van de wereld.

Omdat begin van dit jaar de loterijwet is uitgevaardigd, die voor het eerst de mogelijkheid biedt om (ook voor minder kapitaalkrachtigen) op een langlopende staatslening in te schrijven en er bovendien al zo'n 140 vennootschappen bestaan, waarin particulieren aandelen bezitten, is het publiek vertrouwd geraakt om met 'denkbeeldig geld' te handelen.

De nieuwe bank zal zich dan ook als taak stellen om (naast het lenen aan de staat) regulerend op te treden in het geldverkeer. Vanwege de schaarste aan zilver en de prijsstijgingen wordt herijking van de Engelse muntstandaard een van de eerste opdrachten.

*De Bank van Engeland in Londen.*

# Slavenvrijstaat gevallen

RECIFE - Vanuit het Portugese gouvernement Pernambuco in Brazilië hebben de Portugezen de grootste slavenvrijstaat, Palmares, veroverd.

In het noordoosten van Brazilië, langs de rivier São Francisco, hadden dorpen van gevluchte slaven zich verenigd in de vrijstaat Palmares, genoemd naar de palmbossen aldaar. De leider van het grootste dorp, Macoco, gold als koning van het gebied. Het bestuur was geregeld volgens Afrikaanse, vooral Bantoe-stamtradities. Naast Afrikanen, die de hoofdgroep vormden, woonden er in Palmares mensen van gemengd bloed, Indianen en enkele Moren. De laatsten waren vooral verantwoordelijk voor de aanleg van wegen en vestingwerken. Palmares kende ook een strijdmacht, die plundertochten in de wijde omtrek hield. Slaven die daarbij werden gevangengenomen, werden in de vrijstaat als slaaf te werk gesteld.

Al in 1687 huurde de gouverneur van Pernambuco een beruchte paulistasgroep (slavenjagers, voornamelijk uit São Paulo) om de vrijstaat Palmares, waar al twintigduizend mensen woonden, te veroveren. Na vergeefse pogin-

*Slavenarbeiders aan het werk in een mijn op het eiland Haïti.*

gen slaagden de paulistas dit jaar in de verovering. Dat de staat ruim 67 jaar heeft bestaan is vooral te danken aan de pogingen van Nederlanders Pernambuco te veroveren. Zij moesten echter in 1654 de hoofdstad Recife weer aan de Portugezen prijsgeven.

## Henry Purcell: meester in vocale muziek

*Henry Purcell.*

LONDEN, 21 november - Onder overweldigende belangstelling is in de Westminster Abbey de componist Henry Purcell begraven; te worden begraven op deze historische plek is een uitzonderlijke eer die slechts de allergrootsten toekomt. Het gehele kapittel van de Abbey was in de daarvoor gepaste kleding aanwezig en de uitvaartdienst werd opgeluisterd met zang van de verenigde koren van de Royal Chapel en de Westminster Abbey. Uitgevoerd werden de 'funeral-anthems' die Purcell vorig jaar voor de uitvaartdienst van koningin Mary had geschreven. De componist is overeenkomstig zijn wens begraven onder het orgel, waarvan hij zelf - als opvolger van

John Blow - zestien jaar de vaste bespeler is geweest.

Purcell begon in 1674 zijn organistenloopbaan als stemmer van het orgel en kopiist van orgelboeken in de Westminster Abbey; hij was toen zestien. Na de dood van John Blow in 1679 werd hij de vaste organist; daarnaast volgde hij in 1682 Edward Lowe op als organist van de Royal Chapel. Als hoforganist heeft hij in die jaren de uit Holland afkomstige koning Willem III voor de Engelse orgelmuziek weten te winnen. Purcell genoot tijdens zijn leven eveneens grote bekendheid als baszanger en countertenor.

Zijn grootste roem dankt hij aan zijn scènische en dramatische composities; in zijn korte leven schreef hij scènemuziek voor 25 treur- en blijspelen en componeerde 10 opera's, waarvan *Dido and Aeneas* de bekendste is. *Dido* is Purcells enige opera waarvan het libretto helemaal op muziek is gezet. Purcell was vóór alles een componist van vocale muziek. Hij had namelijk de buitengewone gave of kracht van het Engels uit te drukken, waarbij hij de gemoederen van zijn luisteraars zelden onbewogen liet.

Beroemd zijn Purcells 'grounds', de vaste baspatronen (in feite bassi continui), die zich onder bijna al zijn melodieën in voortdurende herhaling voortbewegen, zo knap dat ze bijna niet worden opgemerkt. John Playford geeft hiervan in zijn vorig jaar verschenen *Introduction to the skill of Musick* enkele treffende voorbeelden.

## Tolopbrengsten voor onderhoud van Engelse wegen

LONDEN - Op de oude weg Londen-Colchester en in vier plaatsen in de provincie zijn tolhekken geplaatst. Het doel van deze 'turnpike'-wegen is uit de opbrengsten van de tolheffing het onderhoud aan de weg te bekostigen.

Al in 1663 werd met deze mogelijkheid geëxperimenteerd, toen het aan de graafschappen Cambridge, Hertford en Huntingdon wettelijk werd toegestaan om op hun delen van de grote weg naar het noorden tol te heffen. Maar het verkeer trachtte deze onkosten te vermijden en reed liever om, terwijl de voorgenomen wegverbetering uitbleef.

Het binnenlands verkeer werd in de 16de eeuw veel intenser door de bevolkingstoename en de economische groei. In 1555 vaardigde men dan ook een 'Highway'-wet uit, die bepaalde dat het onderhoud aan 's konings hoofdwegen bij de gemeenten kwam te berusten. Zij moesten jaarlijks een wegenopzichter laten kiezen. Elke landbezittende inwoner diende gereedschap en karren beschikbaar te stellen (team-duty) en de leden van de lagere stand moesten zes dagen per jaar verplicht aan de weg werken.

Dit systeem was inefficiënt. De jaarlijks wisselende opzichters bleven ondeskundig en vooral de statute-duty - meestal in het hoogseizoen - was onder de boerenbevolking impopulair. Op dit moment zijn de wegen slechter dan ooit. Met name de kleiwegen ten noorden van Londen blijken vaak onbegaanbaar. Het verkeer moest zich maar aanpassen door bredere wielen en minder trekdieren.

Toch kent het wegtransport enkele verbeteringen. De zware sleepwagens werden gaandeweg vervangen door de lichtere koetsen. Vanaf 1635 zijn er tevens geregelde passagiers- en postdiensten, terwijl reizigers ook gebruik konden gaan maken van gidsen en kaarten, zoals John Ogilby's wegenboek *Brittannia* (1675).

Het binnenlandse verkeer werd voorts vergemakkelijkt door verbeteringen aan enige rivieren en in 1566 werd naar Exeter het eerste kanaal met schutsluis geopend. Tot en met de 17de eeuw is duizend mijl bevaarbare waterweg aan het toch al waterrijke land toegevoegd. Zeker het vervoer van de bulkgoederen graan en kolen naar de Londense metropool kon daardoor, en via de sterk gegroeide kustvaart, toenemen.

Ondanks experimenten, verbeteringen en uitbreidingen is het binnenlands vervoer verre van ideaal geregeld om alle goederen in het zeven miljoen inwoners tellende land optimaal te distribueren. Men ontbeert nog node het kapitaal, dat wél in de overzeese handel wordt gestoken.

**14 februari.** Koning Willem III van Oranje maakt in het Engelse parlement de ontdekking van een komplot van Sir John Fenwick tegen zijn leven bekend.

**27 februari.** In Engeland en Wales wordt de Oath of Association afgenomen, waarin bescherming van het leven van Willem III en de protestantse successie worden beloofd.

**Februari.** In Frankrijk wordt een invasie in Engeland voorbereid om de verjaagde koning Jacobus II Stuart weer op de troon te helpen.

**7 maart.** Willem III vertrekt vanuit Engeland naar de Republiek om de campagne tegen Frankrijk te leiden.

**17 juni.** Koning Jan III Sobieski van Polen sterft. Wie de Landdag tot opvolger zal kiezen is onduidelijk.

**18 juli.** Het Russische leger onder tsaar Peter de Grote verovert Azov aan de Zwarte Zee op Turkije. →

**28 juli.** De Croissy volgt Le Plectia na diens dood op als minister van Financiën van Frankrijk.

**29 juli.** Lodewijk XIV sluit vrede met Victor Amadeus van Savoye, die daarmee het Groot Verbond tegen Frankrijk in de steek laat. Savoye krijgt Nizza [Nice], Susa, Casale en Pignerolo terug, terwijl zijn dochter met de hertog van Bourgondië zal trouwen.

**September.** Het Russische leger verovert Kamtsjatka.

**8 oktober.** Willem III keert na het leiden van de zomerveldtocht tegen Frankrijk en het waarnemen van de stadhouderlijke verplichtingen in de Republiek terug naar Engeland.

- Danilo Petrovitsj Negosj wordt prins-bisschop van Montenegro. →

- Fort William bij Calcutta, India, wordt gebouwd.

- Het keizerrijk China verslaat het Mongoolse leger. →

- In Wenen wordt begonnen met de bouw van paleis Schönbrunn. →

- John Locke en Isaac Newton voeren een nieuw zilvergehalte in de Engelse munten door.

- De Engelse handwerkslieden bij hoedenmakers, die een vakbond hebben opgericht, gaan in staking.

- Nicolas Antonio stelt de *Bibliothecus Hispana vetus* samen, waarin alle Spaanse boeken die sinds Augustus uitgegeven zijn, moeten worden vermeld.

Gestorven:

**10 mei.** Jean de La Bruyère (16-8-1645), Frans moralistisch schrijver

**17 juni.** Jan Sobieski (2-6-1624), koning van Polen, Pools veldheer

*Paleis Schönbrunn, het 'Versailles van Oostenrijk' (door Bernardo Bellotto).*

# Oostenrijks Versailles

WENEN - Op de plek van het tijdens de Turkse belegering van 1683 verwoeste jachtslot in Schönbrunn bij Wenen is begonnen met de bouw van een nieuwe keizerlijke zomerresidentie. Dit slot moet het paleis van Versailles naar de kroon steken. De ontwerper is de Oostenrijker Johann Bernhard Fischer von Erlach, een leerling van de beroemde Italiaanse bouwmeester Giovanni Lorenzo Bernini, en sinds 1694 als hofarchitect in dienst van keizer Leopold I.

Schönbrunn krijgt de voor een eind-17de-eeuws lustslot zo kenmerkende hoefijzervorm: twee zijvleugels omsluiten een binnenhof, waar de karossen van de hooggeplaatste bezoekers kunnen voorrijden. Deze 'cour d'honneur' is de plaats waar officiële plechtigheden worden gehouden. Ook de achter het paleis gelegen 'Franse tuin', met zijn geometrische vormen een verlengstuk van de architectuur, vervult een representatieve functie. Er vinden concerten plaats en er wordt vuurwerk afgestoken. Tijdens spectaculaire tuinfeesten worden er op 'drijvende eilanden' opvoeringen van toneelstukken gegeven, en op de vijvers bootst men zeeslagen na.

Schönbrunn weerspiegelt het schoonheidsideaal van de barok: geordende grilligheid. In de barok, de ornamentele stijl die gezien wordt als de vervolmaking van de Italiaanse renaissance, moeten alle details van een kunstwerk kracht en beweging uitdrukken. Er wordt niet in de eerste plaats gestreefd naar harmonie in vorm, maat en verdeling, maar naar originele en indrukwekkende scheppingen. In Oostenrijk is de barok bij uitstek geschikt om uitdrukking te geven aan een nieuw optimistisch levensgevoel. Door de overwinning op de Turken in 1683 zijn het Oostenrijkse hof en de aristocratie bezield door zelfbewustzijn en dadendrang. In Wenen grijpt een ware 'Bauwut' om zich heen. Men beperkt zich niet tot de restauratie van de verwoeste gebouwen aan de rand van de stad. In het centrum van Wenen moeten vele kleine woninkjes het veld ruimen voor imposante 'Barockpaläste'. 'Das Geld ist nur, schene Monumenten zu hinterlassen zue ebiger und unsterblicher Gedechtnuss', zoals een vooraanstaande edelman, Fürst Karl Eusebius von und zu Liechtenstein, het uitdrukt.

## Tsaar oogst roem na verovering van grensfort Azov

AZOV, 18 juli - Tsaar Peter is erin geslaagd het grensfort Azov op de Turken te veroveren. De jonge Russische tsaar is nu in één klap beroemd in Europa. Hij behaalde zijn overwinning met behulp van de nieuwgebouwde Russische vloot. Onder zijn persoonlijke leiding zijn afgelopen winter in Voronezj, aan de bovenloop van de Don, oorlogsschepen gebouwd. De schepen hebben met een blokkade de aanvoer van Turkse hulptroepen naar de vesting over de Zee van Azov kunnen verhinderen. Azov capituleerde nog voor de Russische legermacht de aanval had kunnen inzetten.

De bondgenoten Oostenrijk, Venetië en Polen kunnen tevreden zijn. Op hun aandringen ondernam Peter vorig jaar zijn eerste, mislukte, aanval op het door de Turken bezet gehouden Azov. Peters belangstelling voor schepen dateert al van zijn jeugd. Sinds 1688 beoefent hij de zeilkunst onder leiding van de Nederlander Karsten Brant; eerst op een groot meer bij Pereslavl en later op zee bij Archangelsk. Met de successen behaald door het inzetten van zijn vloot bij de belegering van de vesting Azov, heeft Peters belangstelling voor schepen haar eerste vruchten afgeworpen.

## Montenegro kiest prins-bisschop uit eigen kring

CETINJE - De monnik Danilo Petrovitsj Negosj is door medemonniken tot prins-bisschop ('vladika') van Cetinje gekozen. De gewoonte om een bisschop tot vorst te benoemen dateert van 1516. Het onherbergzame Montenegro [Crna Gora; Zwarte Bergen] maakte ooit deel uit van het grote Servische rijk van Stefan Dusjan tot het uiteenvallen van die staat. De Montenegrijnen spreken Servisch en hebben de Grieks-Orthodoxe godsdienst. Ten tijde van de Osmaanse invasie zijn vele bewoners de bergen in getrokken en hebben een nieuw centrum met Cetinje als hoofdstad gevormd. Ofschoon Osmaanse troepen de streek binnendrongen en een tribuut hieven, hebben de Turken hun gezag nooit overtuigend kunnen laten gelden. De inning van het tribuut heeft dan ook steeds problemen opgeleverd.

## Vlucht Mongolen voor Chinees leger

*De Chinese keizer Kang Xi.*

PEKING - In Buiten-Mongolië is het leger van Chan Galdan door een Chinees leger onder leiding van keizer Kang Xi verslagen. Deze slag markeert het einde van de Mongoolse dreiging in Noord-China.

Het treffen vond plaats bij Oerga (Oelan Bator). Het Chinese leger van 80 000 man werd aangevoerd door keizer Kang Xi persoonlijk. De overwinning van de Chinezen is voornamelijk te danken aan het gebruik van vuurwapens, die de voordelen van de cavalerie van de nomaden grotendeels ongedaan gemaakt hebben. De heersers van China hoeven daarom nu steeds minder rekening te houden met de bedreiging door nomadenstammen uit het noorden en het noordwesten.

Na de slag is Chan Galdan met 1000 mannen en 3000 vrouwen ontkomen, ondanks een achtervolging door het Chinese leger.

# Iers parlement tegenover katholieken

*Koning Willem III van Engeland (naar Peter Lely, 1677).*

DUBLIN - Het Ierse parlement, dat voor het merendeel is samengesteld uit Engelse protestantse grootgrondbezitters, heeft de door koning Willem III in 1691 gedane beloften aan de katholieke bevolking van Ierland afgewezen. Willem was toen tot enige matiging geneigd, nadat hij zijn positie had verzekerd. Daarvoor had hij zijn prokatholieke voorganger Jacobus II moeten achtervolgen, toen die in 1688 naar Ierland was uitgeweken en met een Iers-Frans leger trachtte terug te keren. Op 11 juli 1690 versloeg Willem van Oranje de troepen van Jacobus in een treffen bij de oude brug over de rivier de Boyne. De opstandige steden Cork en Kinsale werden onderwijl door generaal John Churchill ingenomen; Limerick volgde in 1691. Ook van overzee kon geen dreiging meer uitgaan, nadat de Engelsen onder Edward Russell de Franse vloot in Het Kanaal hadden uitgeschakeld (1692).

Buiten de steden Enniskillen en Derry, waar de protestanten stand wisten te houden (waarvoor de laatste stad zich als beloning voortaan Londonderry mocht noemen), had Jacobus II in Ierland toch steun weten te verwerven. Meteen bij zijn troonsbestijging in 1685 had hij enkele katholieke Ieren op hoge posten aangesteld, zoals Richard Talbot, graaf van Tyrconnell, tot luitenant-generaal van het Ierse leger. Hoewel Jacobus en eerder Karel II enerzijds een gematigde godsdienstpolitiek jegens Ierland voerden, bleven anderzijds de sterk ingeperkte rechten voor de Ieren van toepassing. Zo werden de beruchte wetten van vestiging (Acts of Settlement, 1662) niet herroepen. De Engelse minderheid behield alle posities in de Anglicaanse Kerk en het bestuur.

Op economisch terrein is het nog slechter gesteld met de ongeveer één miljoen katholieke Ieren. Zij kunnen pachtboer worden bij het toenemende aantal Engelse grootgrondbezitters (die inmiddels twee derde van het land bezitten), of de slechte gronden van Connaught gaan bewerken. Op het gebied van handel en nijverheid kan men nauwelijks meer actief zijn, doordat de export van wol (een van de belangrijkste produkten) en de verscheping daarvan naar Engeland verboden zijn. De ingevoerde Engelse fabrikaten mogen niet belast worden. Het meest frappant is de verordening, dat elke overledene Ier alleen in Engelse kledij begraven mag worden. Het is dan ook begrijpelijk dat nogal wat Ieren meer toekomst in Amerika zien.

## Brazilië na grote vondsten in ban van goudkoorts

SAO PAULO - In de binnenlanden van Brazilië, ten noorden van São Paulo, zijn enorme goudvondsten gedaan. Al jarenlang deden geruchten de ronde over vindplaatsen, die door slavenjagers ontdekt zouden zijn. Nu zijn ook sceptische stedelingen na sluiting van hun winkels, en veel plantagehouders, vaak met hun slaven, op pad gegaan naar de mijnen van Ouro Preto en Sabara, terwijl het gebied al de naam Minas Gerais (algemene mijnen) heeft gekregen. Ook vanuit Portugal zijn de eerste gelukzoekers scheep gegaan. Daar ook grote groepen paulistas, die door hun slavenjachten berucht geworden inwoners van São Paulo, actief zijn in Minas Gerais ontstaan spanningen tussen deze georganiseerde groepen en individuele zoekers.

De oorspronkelijke bevolking wordt bij de invasie verdreven of als slaaf in dienst genomen. De slaven worden vooral ingezet bij de werkzaamheden in de mijnen. Tot nu toe was Brazilië voor het moederland Portugal vooral van belang vanwege de produktie van rietsuiker en tropisch hardhout.

# Voedseltekort in Finland

FINLAND - Minstens een kwart en misschien wel een derde van de Finse bevolking is omgekomen in de afgelopen hongersnoodjaren. De sterftecijfers zijn zo hoog opgelopen, doordat de Finnen behalve door de honger ook door een moorddadige epidemie geteisterd werden. Het voedseltekort heeft hen zodanig verzwakt dat zij geen weerstand aan de ziekte konden bieden. Het is onduidelijk welke ziekte het hier betreft.

De ramp werd ingeluid door de magere oogsten van 1693 en 1695. In deze jaren konden de voedselvoorraden onvoldoende worden aangevuld. Vorig jaar veroorzaakten slechte weersomstandigheden een misoogst. De akkers brachten slechts een derde op van een oogst in een goed jaar. In april vorig jaar stierven de eerste Finnen van de honger. De overheid, die uit financiële overwegingen zo weinig mogelijk wenste te importeren, hield graantransporten uit Riga en Stockholm zo lang zij kon tegen.

De sterfte onder de Finse bevolking nam toe en uiteindelijk werd het buitenlandse graan toch toegelaten. Voor veel boeren die te weinig zaaigoed hadden, gebeurde dit echter te laat. Hoewel de afgelopen zomer goed was, groeide er beduidend minder op de akkers, omdat de boeren in de lente onvoldoende hadden kunnen zaaien. Hetzelfde gebeurde in het najaar. Weer kampten de boeren met een tekort aan zaaigoed, omdat de graanimporten te laat aankwamen. Het gevolg was dat een nieuwe zware hongersnood uitbrak, die enorm veel slachtoffers maakte.

# 1698

# Tsaar terug uit West-Europa

MOSKOU, 25 augustus 1698 - Tsaar Peter is teruggekeerd van zijn buitenlandse reis. Peter is de eerste Russische tsaar die een reis naar het buitenland heeft gemaakt. Op 9 maart van het vorig jaar sloot hij zich aan bij een Russisch gezantschap dat de Europese opinie over de mogelijkheid van gemeenschappelijke inspanningen tegen de Turken ging peilen. De tsaar reisde incognito als kapitein Peter Michailov. Hoewel dit zijn gastheren niet misleidde, respecteerden zij het wel. Via Riga reisde Peter naar Holland en Engeland. Hij verbleef enige maanden in Zaandam en Amsterdam en even lang in Londen om er de technieken van de scheepsbouw in de praktijk te leren. Hij bezocht scholen, ziekenhuizen, fabrieken, werkplaatsen en opleidingsscholen voor leger en marine. In Zaandam maakte hij eigenhandig een vel papier. In Utrecht had hij een ontmoeting met Willem III, die hij zeer bewondert. In Amsterdam ontmoette hij Boerhaave en Van Leeuwenhoek. Hij legde een grote belangstelling voor wetenschap en techniek aan den dag.
Het ging de tsaar niet alleen om het verwerven van kennis van moderne technieken. Zijn reis had ook een politiek doel. Hij zocht bondgenoten om Ruslands internationale positie te verstevigen. Op zijn doortocht door Pruisen kon hij in Königsbergen een vriendschapsverdrag met Frederik sluiten. Toen hij in Wenen aankwam bleek tot zijn grote teleurstelling dat de Oostenrijkers een afzonderlijke vrede met de Turken gingen sluiten nadat de bekwame Oostenrijkse veldheer Eugenius van Savoye bij Zenta op 17 september de Turken had verslagen.
Peter heeft ook de Nederlanden en Engeland niet kunnen bewegen hem tegen de Turken te steunen. Hij wil hulp om de Krim te veroveren teneinde een vrije doorvaart voor Russische handels-

*Vlootschouw in de Amsterdamse haven bij het bezoek van tsaar Peter.*

schepen naar de Zwarte Zee en later misschien ook naar de Middellandse Zee te verkrijgen. Van nieuwe gezamenlijke acties tegen de Turken lijkt nu echter niets te komen.
In Wenen bereikte hem het bericht van een opstand van de Streltsi in Rusland. Hij gaf zijn plan om Venetië te bezoeken op; dag en nacht doorreizend repte hij zich naar Moskou. Halverwege Polen bereikte hem het bericht dat de opstand was neergeslagen en dat zijn troon niet langer in gevaar verkeerde. Peter besloot toen nog op bezoek te

gaan bij de jonge koning August II van Saksen, die hij had geholpen koning van Polen te worden. Ze konden het goed met elkaar vinden en er werden plannen gesmeed om gezamenlijk op te trekken tegen de Zweden, die de Baltische landen aan de Oostzee bezet hielden. Rusland had geen toegang tot de Oostzee, Polen voelde zich door de Zweedse expansie aan de Oostzeekust bedreigd. De nieuwe Russische vloot zou volgens Peter evengoed in de Oostzee als in de Zwarte Zee ontwikkeld kunnen worden.

*Tsaar Peter, met op de arm prins Lodewijk XV van Frankrijk.*

# Sultan Mahmoed vermoord

KOTA TINGGI [Johore], 1699 - Leden van het gevolg van de bendahara (eerste minister) hebben sultan Mahmoed II neergestoken op de pasar (markt) terwijl hij op weg naar de moskee was. De 19-jarige sultan was een onstabiele en sadistische persoonlijkheid en uitermate impopulair. De kinderloos gestorven Mahmoed was de laatste vorst uit het oude sultansgeslacht van Malakka, dat zou afstammen van Alexander de Grote en een bijna sacrale positie in de Maleise wereld inneemt. De bendahara heeft zichzelf laten installeren als sultan Abdul Jalil. Nadat in 1641 Malakka door de VOC, met steun van Johore, op de Portugezen was veroverd, vestigde de toenmalige sultan Abdul Jalil Shah (1623-1677) zijn hoofdstad in Batu Sawar (aan de rivier de Johore). Hij wist het rijk weer tot enige bloei te brengen en op het vasteland en delen van de oostkust van Sumatra zijn gezag te laten gelden. Johore was een belangrijke markt voor handelaren uit China en India, die hier de specerijen konden kopen die elders door de VOC werden gemonopoliseerd.
Aan deze bloeiperiode kwam een einde

door de huwelijksperikelen van de Raja Muda (kroonprins). Deze was verloofd met de dochter van de vorst van Jambi, Johores bondgenoot, maar gaf de voorkeur aan een huwelijk met de dochter van de ambitieuze laksamana (vlootvoogd). Deze belediging moest wel gewroken worden en in 1673 verwoestten Jambi's troepen Batu Sawar. De sultan vluchtte naar Pahang, waar hij vijf jaar later (negentig jaar oud) overleed.
Zijn zoon Ibrahim vestigde zich in de Riau-archipel, van waaruit hij met een huurlingenleger van Buginezen (afkomstig van Celebes) in 1679 wraak nam op Jambi en het vasteland heroverde. Maar al met al had Johore een flink prestigeverlies geleden en alle macht op Sumatra verloren.
Sultan Ibrahim stierf in 1685 en liet zijn jonge zoon Mahmoed achter onder de hoede van zijn schoonvader de laksamana, die in feite regeerde. Dit wekte de jaloezie van de bendahara, die in 1688 het heft in handen nam, de laksamana liet ombrengen en de sultan overbracht naar Kota Tinggi (aan de rivier de Johore), het bolwerk van de bendahara-familie.

# Vrede van Karlovci nadelig voor Turken

KARLOVCI [Sremski Karlovci], 26 januari 1699 - Het door de Osmanen ondertekende vredesverdrag met Oostenrijk, Venetië en Polen betekent voor het Turkse Rijk een rampzalig verlies van territorium: aan Oostenrijk moet het Transsylvanië (het banaat van Temesvár uitgezonderd) en de tot nu toe Turkse delen van Hongarije en Kroatië-Slavonië afstaan; Venetië krijgt de Peloponnesos en het grootste gedeelte van Dalmatië; Polen herwint Podolië.

Het ziet ernaar uit dat het tij ten nadele van het Osmaanse Rijk begint te keren. Een overwinnend leger was immers een belangrijke basis voor het succes van het rijk, al was het alleen maar om de enorme buit die dit met zich bracht. Intern is het verval al veel langer aan de gang; in feite zette het reeds in na de dood van Süleyman de Grote (1566). In een autocratisch bestel als het Osmaanse Rijk is de persoonlijkheid van de sultan van immens belang. De sultans na Süleyman waren veelal ongeschikt voor een dergelijke zware functie. Dit is onder meer het gevolg van de 'kafes', het 'gouden-kooi-systeem': alle Osmaanse prinsen werden van hun geboorte tot hun dood binnen het paleis gehouden; de troonopvolger betrad de 'echte' wereld pas als hij sultan was geworden. In het paleis brachten de prinsen hun tijd door in een droomwereld van luxe te midden van vrouwen en eunuchen. Wanneer zij tot het hoogste ambt werden geroe-

*Prins Eugenius van Savoye voert het Oostenrijkse leger aan tegen de Turken.*

pen, misten zij niet alleen de opleiding maar ook iedere kennis van de realiteit. Een andere belangrijke oorzaak van

het verval is het in onbruik raken van het 'devsirme'-systeem (kinderbelasting op de Balkanchristenen), waardoor de sultans niet langer verzekerd zijn van een onvoorwaardelijk trouwe slavenbureaucratie en een loyaal janitsarenkorps. De achteruitgang van dit louter uit christenkinderen samengestelde keurkorps zette definitief in de 16de eeuw in, toen ook Turkse kinderen erin werden opgenomen, die niet aan de harde training werden onderworpen. Een volgende stap was de opheffing van het trouwverbod voor janitsaren. Om hun gezinnen te onderhouden namen de janitsaren er baantjes bij. Dit leidde tot een verdere verslapping van de ooit uiterst rigoureuze militaire training.

Dé ziekte van het Osmaanse bestel is wel de corruptie. Een goede ambtenaar is tegenwoordig iemand die zo snel mogelijk 'binnen' is. Het 'baksjisj'-stelsel, de verkoopbaarheid van ambten, is een ware plaag geworden die tot alle lagen van de Osmaanse maatschappij is doorgedrongen.

De situatie in de provincie is al niet veel beter. Overal valt een zelfstandigheidsstreven van provinciale machthebbers te bespeuren. Bovendien kan zelfs het gezag van de capabele Köprülü-grootviziers weinig ondernemen tegen de groeiende tendens tot het erfelijk worden van de leengoederen, hetgeen de greep van de centrale regering verder verzwakt.

## Tsaar Peter neemt wraak op 'Streltsi'

*De terechtstelling van de 'Streltsi' in het centrum van Moskou.*

MOSKOU, 4 februari 1699 - Vandaag zijn 350 Streltsi terechtgesteld. Zij waren in opstand gekomen uit onvrede met hun overplaatsing van Moskou naar de grensvestigingen. In Moskou konden ze door nevenberoepen in het onderhoud van zichzelf en hun gezinnen voorzien. In de grensforten zou dat niet mogelijk zijn.

De Streltsi, beroepssoldaten die meest voor garnizoensdienst worden gebruikt, zijn door de ingrijpende hervormingen van het leger door tsaar Peter min of meer overbodig geworden. In het verleden hebben zij altijd een be-

langrijke rol bij paleisrevoluties gespeeld. Peter verdacht zijn stiefzuster Sofia ervan een rol bij de opstand van de Streltsi te hebben gespeeld. Hoewel hij niets kon bewijzen werd Sofia gedwongen non in het Nieuwemaagdenklooster te worden. Peter heeft in zijn jeugd bij een paleisrevolutie zijn dierbaren door Streltsi op gruwelijke wijze zien vermoorden en hij heeft daaraan een blijvende haat tegen hen overgehouden. Hij heeft een ieder verboden kinderen of familieleden van ter dood gebrachte Streltsi in zijn huis op te nemen.

**1 januari.** Tsaar Peter de Grote voert de Juliaanse kalender in, de dagtelling die in West-Europa wordt gebruikt. Tot nu gebruikte men in Rusland de Byzantijnse kalender die begon met de bijbelse datering voor de schepping van de wereld op 1-9-5509 voor Christus. →

**Februari.** August de Sterke, keurvorst van Saksen en sinds 1697 koning van Polen, valt de Zweden aan in hun gebieden in Letland. Saksen-Polen heeft Rusland als bondgenoot. Ook Denemarken verklaart Zweden de oorlog, maar moet al op 8 augustus vrede sluiten.

**25 maart.** Engeland, Frankrijk en de Republiek der Verenigde Nederlanden ratificeren het Tweede Verdelingsverdrag dat in juni 1699 was overeengekomen met het oog op de mogelijkheid dat koning Karel II van Spanje zonder opvolgers sterft.

**Mei.** Zowel koning Karel II van Spanje als keizer Leopold I, die voor zijn zoon Karel aanspraak op de gehele erfenis maakt, verwerpt het Tweede Verdelingsverdrag.

**13 juli.** Rusland sluit vrede met Turkije en verkrijgt Azov.

**1 november.** Koning Karel II van Spanje sterft kinderloos, waardoor de erfenis een internationale kwestie is. →

**16 november.** In ruil voor steun voor zijn aanspraken op de Spaanse erfenis verleent keizer Leopold I aan de keurvorst van Brandenburg de titel koning van Pruisen.

**23 november.** Het conclaaf van kardinalen, bijeengekomen om de opvolger te kiezen voor de op 27 september overleden paus Innocentius XII, kiest kardinaal Francesco Albani tot paus Clemens XI. Dit wordt gezien als een overwinning voor Frankrijk, omdat Clemens XI instemt met de opvolging door Filips in Spanje.

**30 november.** In de Slag bij de Narwa lijden de legers van Saksen-Polen en Rusland een zware nederlaag tegen Zweden. Saksen-Polen moet de veroveringen in Letland weer opgeven.

- In Cremona (Noord-Italië) bouwt Antonio Stradivarius de eerste violen in hun moderne vorm, die uitmunten door hun klank en harmonie.

- In Massachusetts verschijnt het eerste pamflet tegen de negerslavernij. →

# Karel II van Spanje kiest Franse opvolger

MADRID, 2 oktober - De ernstig zieke koning Karel II van Spanje, wiens twee huwelijken kinderloos zijn gebleven, heeft Filips, hertog van Anjou, kleinzoon van Lodewijk XIV van Frankrijk, als troonopvolger aangewezen. Afgewacht moet worden of dit besluit een einde zal maken aan de speculaties en intriges rond de Spaanse opvolgingskwestie, die de Europese politiek de afgelopen decennia heeft beheerst. Al heel lang stond namelijk zo goed als vast dat Karel II vanwege zijn zwakke gezondheid geen troonopvolger zou verwekken. Vanaf zijn geboorte was hij al zo ziekelijk dat voortdurend voor zijn leven werd gevreesd, en ook in zijn geestelijke ontwikkeling bleek hij achter te blijven. Een pauselijke gezant rapporteerde eens over de jonge vorst: 'Hij is even zwak van lichaam als van geest. Zo nu en dan geeft hij tekenen van verstand, geheugen en een zekere levendigheid, maar gewoonlijk toont hij zich langzaam van begrip en onverschillig, traag en lusteloos. Iemand kan met hem doen wat hem goeddunkt, want hij heeft geen eigen wil.'

Karels gezondheidstoestand is sinds jaar en dag een geliefkoosd gespreksonderwerp aan de Europese hoven, en het vooruitzicht van een vacante Spaanse troon heeft al tijden lang tot koortsachtige diplomatieke bedrijvigheid geleid.

Zowel de Franse koning Lodewijk XIV als de Duitse keizer Leopold I, allebei gehuwd met een zuster van Karel II, maakt aanspraak op de Spaans-Habsburgse erfenis. Al in 1668 lekte uit

*Koning Karel II van Spanje, de laatste en zwakste telg uit het geslacht der Spaanse Habsburgers.*

dat beide monarchen in het geheim hadden onderhandeld om bij de dood van Karel II het Spaanse imperium onderling te verdelen. De keizer zou daarbij Noord-Italië en Spaans-Amerika krijgen, en Lodewijk Spanje, Napels en Sicilië en de Filippijnen. Karels testament is mede ingegeven door de wens een dergelijke deling te voorkomen en het rijk bijeen te houden.

De overige Europese landen, Engeland en de Republiek voorop, zijn steeds bevreesd geweest voor een verstoring van het Europese machtsevenwicht als de Duitse keizer of, erger nog, het toch al machtige Frankrijk met de Spaanse erfenis zou gaan strijken. Zij steunden daarom een derde kandidaat, de jonge prins Jozef Ferdinand van Beieren, die aanvankelijk ook de voorkeur van

Spanje had. Jozef Ferdinand is echter vorig jaar plotseling overleden.

Duidelijk is dat vooral Frankrijk de afgelopen tientallen jaren van Spanjes aftakelende macht heeft geprofiteerd. Het lijkt erop dat Lodewijk XIV in vier oorlogen vast stukjes van de buit heeft binnengehaald: bij de Vrede van Aken in 1669 de steden Rijsel, Charleroi en Tournai; bij de Vrede van Nijmegen in 1678 een aantal andere grenssteden in de Nederlanden en heel Franche-Comté; bij de Vrede van Regensburg in 1684 het hertogdom Luxemburg, en bij de Vrede van Rijswijk in 1697 het Westindische eiland Haïti.

Het onvermogen van Karel II heeft ook zijn weerslag gehad op de binnenlandse politiek. De koning heeft steeds onder invloed van gunstelingen en wisselende coalities van edelen gestaan. Het feitelijke machtsvacuüm in Madrid en de totale economische uitputting van Castilië hebben echter bijgedragen tot een versterking van de positie van de overige provincies, met name Navarra en Catalonië. Daar worden onder leiding van de plaatselijke machthebbers nieuwe kansen geschapen voor de handel en de textielindustrie.

De laatste weken is de gezondheidstoestand van Karel II snel achteruitgegaan. Met zijn dood zal een heel tijdperk worden afgesloten. De koning is de laatste telg van het geslacht der Spaanse Habsburgers, dat sinds 1518 over Spanje heeft geregeerd.

Zij hebben het land in de internationale politiek een rol laten spelen waarvoor het steeds minder toegerust was.

# Russische tsaar past jaartelling aan

MOSKOU, 1 januari - In Rusland begint het nieuwe jaar op 1 januari en niet op 1 september zoals tot nu toe gebruikelijk was. Er wordt geteld vanaf de geboorte van Christus en niet langer vanaf de schepping van de wereld. Dit jaar zal 1700 en niet 7208 zijn. Tsaar Peter heeft door de Juliaanse kalender in te voeren de Russische tijdrekening willen aanpassen aan de in de protestantse landen gebruikelijke.

In de katholieke landen van West-Europa is tussen 1582 en 1587 vrijwel overal de Gregoriaanse kalender ingevoerd. Op 4 oktober 1582 werden tien dagen overgeslagen (de volgende dag werd 15 oktober) en er werd afgesproken dat alleen die eeuwjaren schrikkeljaren zouden zijn waarvan de eerste twee cijfers door vier deelbaar waren.

Jammer genoeg voor Peter gaan juist vandaag de protestantse Nederlanden, evenals de meeste andere protestantse landen, van de Juliaanse kalender over op de Gregoriaanse kalender. Engeland is echter nog niet zover. Wel bestaan er in dat land ook al voorzichtige

 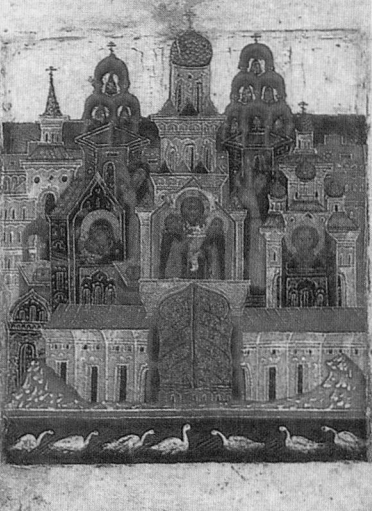

*Twee voorbeelden van Russische iconenkunst uit het midden van de 17de eeuw.*

plannen in die richting.

Ondanks de modernisering van de Russische tsaar blijft er dus een verschil met de tijdrekening in West-

Europa bestaan. Morgen zal het verschil tot elf dagen zijn toegenomen omdat het jaar 1700 volgens de Juliaanse kalender een schrikkeljaar is.

# Anti-slavernijpamflet in Massachusetts

*Ontwerp voor het vervoer van Afrikaanse slaven.*

BOSTON - In de Engelse kolonie Massachusetts is een pamflet verschenen, waarin de negerslavernij op religieuze gronden wordt afgekeurd. Het pamflet, *The selling of Joseph*, is van de hand van de puriteinse rechter Samuel Sewall en vormt een van de eerste aanklachten tegen de slavernij in de Nieuwe Wereld.

De titel van het pamflet verwijst naar het bijbelverhaal van Jozef, die door zijn broers als slaaf aan de Egyptenaren werd verkocht. Net zomin als deze daad te billijken is, kan volgens Sewall de negerslavernij worden gerechtvaardigd, 'want alle mensen hebben hetzelfde recht op vrijheid, aangezien zij allemaal zonen van Adam zijn'.

Momenteel tellen de Engelse koloniën naar schatting 25 000 negerslaven, op een totale bevolking van 270 000 zielen. Het merendeel van de slaven is te werk gesteld op de tabaks- en suikerplantages in de zuidelijke koloniën.

In 1619 werden de eerste negers door een Nederlands fregat in Virginia aan land gezet. Zij waren geen slaven maar contractarbeiders, zoals verreweg de meeste blanke kolonisten dat ook waren. Evenals zij hadden de Afrikanen na afloop van hun contract recht op een lapje grond ter vrije bewerking. Sommige negers werden op deze wijze tamelijk welvarend. In Northampton County heeft zelfs een gemeenschap van vrije negers bestaan, die zelf slaven uit Afrika en blanke arbeidskrachten uit Engeland importeerde, tot onvrede van het bestuur van Virginia.

Nadat de kolonie niet in staat bleek in haar enorme behoefte aan arbeidskrachten te voorzien met blanke of Indiaanse arbeiders, gingen de planters geleidelijk over tot de invoering van gedwongen negerarbeid. In de ogen van de slavenhouder zijn de voordelen van het houden van negerslaven groot. Volgens de planters zijn negers sterker en hebben zij een groter uithoudingsvermogen dan blanke arbeidskrachten. Ook zijn de Afrikanen makkelijker in bedwang te houden dan de Indianen, die veelal onmiddellijk vluchten zodra ze als slaaf te werk gesteld worden. Voorts kunnen ze niet makkelijk ontsnappen zonder onopgemerkt te blijven.

In 1661 kreeg de slavernij in Virginia ook wettelijk haar beslag. Zes jaar later werd een wet aangenomen die het mogelijk maakte negerslaven te dopen. Omdat sommige slaveneigenaren twijfelen of het wel juist is iemand die zich tot christen had bekeerd nog langer als slaaf te houden, is ter bescherming van het slavernijstelsel in de wet een bepaling opgenomen volgens welke 'het verlenen van de doop niets verandert aan de vrije of onvrije status van een persoon'.

# Turkse koffie in Wenen razend populair

WENEN - Sinds de belegering van Wenen door de Turken in 1683 is in de Oostenrijkse hoofdstad menig 'Kaffeehaus' geopend. Vanwege zijn pittige aroma is koffie populair geworden, maar het 'Orientalische Getränkh' verschaft de inwoners van Wenen ook nog de zoete smaak van de overwinning. Vooral in combinatie met 'Kipfel', halvemaanvormige broodjes die de Osmaanse macht symboliseerden, roept koffie de triomf over de Turken in herinnering.

Wie de koffie in Wenen heeft geïntroduceerd is niet met zekerheid te zeggen. Vele verhalen doen de ronde waarin een zekere Georg Franz Kolschitzky, een Pool (of een Serviër) van geboorte, genoemd wordt. Kolschitzky, een donkere man met een grote zwarte snor, was de Turkse taal machtig. Hij deed de Oostenrijkse bevelhebber graaf Von Starhemberg het aanbod om, vermomd als Turk, in het vijandelijke kamp te spioneren.

Over het resultaat van zijn activiteiten bestaan verschillende lezingen. Volgens een van de versies kwam hij in contact met een groepje gedemoraliseerde Turkse soldaten, die zelfs door het consumeren van een opwekkende 'zwarte drank uit een blauwe fles' niet krijgs-

*Legende van het eerste Weense koffiehuis; vooraan, in Turkse kledij, Kolschitzky.*

zuchtiger werden. Daarom kon Kolschitzky aan zijn opdrachtgever melden: 'Eén onverwachte uitval van onze troepen moet voldoende zijn om de Turken de Zee van Marmora in te drijven.'

Volgens een andere overlevering brak hij door de Turkse linies heen om berichten over te brengen aan de commandant van de hulptroepen. Als beloning voor zijn diensten stelde de held van Wenen geen buitensporig hoge eisen: hij verlangde de balen koffie die de Turken hadden achtergelaten en het recht om een koffiehuis te exploiteren.

Zijn wensen werden ingewilligd, en hij opende het café 'De Blauwe Fles'.

Of deze verhalen op waarheid berusten, of dat zij als 'Kaffeeklatsch' moeten worden beschouwd, één ding is zeker: sinds de tweede Turkse belegering weten de inwoners van Wenen van de gedroogde bessen van de koffiestruik 'de zwarte drank, die de tongen losmaakt' te brouwen. In het 'Wiener Kaffeehaus' wordt niet alleen koffie, maar ook cacao, likeur en gebak geserveerd. Men komt er om te biljarten, de 'Gazetten' te lezen en de politiek te bespreken.

# Duitse keizer maakt Pruisen koninkrijk

*De feestelijke intocht van Frederik I van Pruisen in Berlijn na zijn kroning (gravure van Peter Schenk).*

KONINGSBERGEN, 18 januari - Frederik III, hertog van Pruisen en keurvorst van Brandenburg, heeft zichzelf in Koningsbergen tot koning gekroond. Hij noemt zich voortaan Frederik I. Een jaar geleden heeft de keizer van het Heilige Roomse Rijk hiervoor toestemming gegeven. De titel geldt voor het soevereine deel van Pruisen.

Al vanaf 1690 heeft Frederik vergeefs gepoogd door middel van omkopingen keizerlijke toestemming voor de kroning te verkrijgen. Dit lukte pas na een toezegging van de hertog om in geval van oorlog 8000 soldaten aan de keizer te leveren. De keizer heeft deze troepen nodig omdat hij zich, in verband met de oplopende spanningen binnen Europa als gevolg van de kwestie van de Spaanse troonopvolging, wil versterken.

Frederik hecht veel waarde aan de titel omdat deze een erkenning van de macht van Pruisen inhoudt. Als gevolg van een aantal overwinningen is het grondgebied van Pruisen gedurende de laatste decennia aanzienlijk uitgebreid. Deze overwinningen zijn voor een belangrijk deel behaald door zijn vader Frederik Willem I, bijgenaamd de Grote Keurvorst. Deze wordt wel beschouwd als de schepper van de Brandenburgs-Pruisische natie.

Omdat het land in de Dertigjarige Oorlog zwaar van de gevechtshandelingen te lijden had gehad, besloot Frederik Willem I na de Vrede van Westfalen tot uitbreiding van het leger van 8000 tot 23 000 man. Aangezien de nationale legers een betrekkelijk geringe omvang hadden, slaagde hij erin door middel van dit relatief grote leger belangrijke overwinningen te behalen.

Voor zijn zoon Frederik is de titel vooral een prestigeobject. Hij geldt als een pronkzuchtig man met een grote geldingsdrang. De kroning was dan ook een combinatie van barokke pracht en praal en politiek zelfbewustzijn. Tijdens de feestelijkheden die meer dan een maand duren, heeft Frederik eerst zijn vrouw Sophia Charlotte gekroond, vervolgens zichzelf en heeft hij zich pas daarna laten zalven door twee vertegenwoordigers van de geestelijkheid. Een dag voor de kroning stichtte hij de Zwarte Adelsorde waarmee hij de adel aan het nieuwgevormde koninkrijk bindt.

*Koningin Sophia Charlotte.*

# Pennsylvanië regelt bestuur en religie

PHILADELPHIA, 8 november - William Penn, de eigenaar van de kolonie Pennsylvanië, heeft een nieuw statuut voor zijn kolonie opgesteld. Volgens dit statuut, het 'Charter of Privileges', benoemt de eigenaar zowel de gouverneur als diens raad van advies. De wetgevende vergadering zal voortaan door alle stemgerechtigde kolonisten worden gekozen. Om voor stemrecht in aanmerking te komen (en om ambten te mogen bekleden) dient men volgens het statuut te 'geloven in Jezus Christus, de Heiland van de wereld', en bovendien dient men aan bepaalde bezitskwalificaties te voldoen.

Naast het bestuur regelt het Charter tevens de godsdienstvrijheid in de kolonie. 'Niemand,' zo vermeldt het statuut, 'die gelooft in één almachtige God, de Schepper en Heerser van de wereld' wordt lastig gevallen vanwege zijn religieuze gezindheid, of kan worden gedwongen om tegen zijn zin een bepaalde godsdienst aan te hangen.

De kolonie Pennsylvanië werd in 1681 gesticht door de Engelse aristocraat William Penn, die een aanhanger is van de sekte der quakers. Deze religieuze stroming erkent in hoofdzaak de christelijke dogma's, maar beroept zich in de eerste plaats op het in ieder mens aanwezig geachte 'innerlijk licht'. Voor de quakers neemt de bijbel een ondergeschikte plaats in, want God kan volgens hen direct gekend worden in het gebed.

*William Penn onderhandelt met de Indianen (door Benjamin West; 1771).*

In 1652 kwamen de eerste quaker-missionarissen naar de Engelse koloniën in Amerika. Behalve op Rhode Island, werden er in alle koloniën strenge wetten tegen hen aangenomen. Op de vervolging waaraan zij blootgesteld waren reageerden de pacifistisch ingestelde quakers met lijdelijk verzet. In New York werden zij om hun geloof gemarteld, in het puriteinse Boston werden enkele aanhangers van de sekte opgehangen.

Toen Penn twintig jaar geleden zijn kolonie stichtte, werden de quakers in Amerika inmiddels niet meer vervolgd. Maar ondanks het verdraagzame klimaat wilden Penn en de zijnen een kolonie stichten waarin zij vorm konden geven aan hun idealen.

Penn zag zijn kolonie als een 'heilig experiment', evenals de puriteinse stichters van de koloniën in Nieuw-Engeland. Het verschil is evenwel dat de puriteinen hun ideeën en levenswijze wilden laten overheersen, terwijl Penn van zijn kolonie een wijkplaats wil maken voor vervolgden van iedere nationaliteit of religieuze gezindheid.

**14 mei.** De Republiek en Engeland verklaren Frankrijk en Spanje de oorlog. John Churchill, Duke of Marlborough, wordt de opperbevelhebber van het Engels-Nederlandse leger, terwijl ook de vloten onder Engels opperbevel worden verenigd. Een Franse verrassingsaanval op Nijmegen wordt afgeslagen. →

**14 mei.** Het Zweedse leger onder koning Karel XII neemt Warschau in.

**19 juli.** Het Zweedse leger verslaat het Poolse leger van koning August en neemt Kraków in.

**16 september.** Het Engels-Nederlandse leger neemt Venlo in.

**28 september.** Keizer Leopold I verklaart Frankrijk, Keulen en Beieren de oorlog. Binnen het Duitse Keizerrijk zijn Keulen en Beieren bondgenoten van Frankrijk.

**7 oktober.** Roermond wordt ingenomen door het Engels-Nederlandse leger onder bevel van Marlborough.

**12 oktober.** Na een zeeslag verovert de Engels-Nederlandse vloot onder bevel van Sir George Rooke in de baai van Vigo een deel van de Zilvervloot.

**13 oktober.** Nederlands-Engelse troepen nemen de vesting Luik in.

**27 oktober.** Engelse soldaten plunderen Sint-Augustus in Spaans Florida. De Spaanse Successieoorlog leidt ook tot oorlog in Amerika tussen Engeland en Frankrijk-Spanje.

– In de Cevennen en Languedoc (Frankrijk) beginnen hugenoten een gewapende opstand, die tot burgeroorlog leidt.

– De Japanse overheid komt in conflict met de samoerai. →

– In Engeland verschijnt het eerste dagblad, *The Daily Courant*.

– Peter de Grote begint een veldtocht tegen Zweden en verovert Ingermanland, Ivangorod en Dorpat (Estland en Letland).

– Een Nederlandse handelsreiziger bericht over de situatie in Benin. →

Gestorven:

**19 maart.** Willem III (14-11-1650), koning van het Verenigd Koninkrijk en stadhouder van Holland, Zeeland, Utrecht, Gelderland, Overijssel en Drenthe, overlijdt in Hampton Court (Londen) →

*Koningin Anna Stuart van Engeland.*

## Anna Stuart op Engelse troon

LONDEN, 21 maart - Na het overlijden van stadhouder-koning Willem III heeft zijn schoonzuster Anna Stuart de Engelse troon bestegen. Zij is een dochter van de in 1688 verdreven koning Jacobus II. Anna Stuart is streng anglicaans opgevoed en verzette zich mede daarom tijdens de 'Glorious Revolution' tegen de politiek van haar vader. Zij is sinds 1683 getrouwd met prins George van Denemarken.

De nieuwe koningin is haar man zeer toegewijd. Haar huwelijk kende veel tegenslagen: tussen 1684 en 1701 maakte Anna Stuart zeventien zwangerschappen door waarvan de meeste in een miskraam eindigden. Toen vorig jaar haar laatste kind stierf, stemde zij toe in de Act of Settlement, een wet waarin de troonopvolging wordt geregeld. In deze wet wordt bepaald dat toekomstige vorsten protestant moeten zijn en dat na de dood van deze laatste Stuart-vorstin de opvolging overgaat op het Huis van de keurvorst van Hannover.

De reacties op de dood van Willem III zijn zeer gematigd. Deze in Nederland geboren vorst was bijzonder impopulair. De Whigs, die hem na de Glorious Revolution aan de macht hielpen, vonden zijn houding ten aanzien van hun partij erg ondankbaar, terwijl de Tories James Edward, zoon van Jacobus II, op de troon wilden zien. De positie van Willem III was dus geenszins onomstreden. Algemeen wordt aangenomen dat de in Frankrijk verblijvende James Edward, bekend als de 'King across the water', zonder meer tot koning zou zijn uitgeroepen als hij bereid was geweest zijn katholieke geloof af te zweren.

In haar eerste toespraak tot de verenigde zitting van Hoger- en Lagerhuis speelde Anna Stuart handig in op de impopulariteit van haar voorganger door de nadruk te leggen op haar 'Engelse hart'. Deze aanval op de twee dagen geleden overleden koning leverde haar veel bijval op. Overigens zijn de verwachtingen van haar capaciteiten als regeerder niet hoog gespannen.

*Brits-Nederlandse vloot in gevecht met Spaanse schepen voor de kust van Vigo.*

## Britten opnieuw in oorlog

LONDEN, 14 mei - Vandaag is voor het St. James paleis officieel afgekondigd dat Engeland in oorlog met Frankrijk is. Oorzaak van deze oorlog zijn de aanspraken die de Franse koning Lodewijk XIV sinds november 1700 op de Spaanse troon maakt ten behoeve van zijn kleinzoon Filips van Anjou.

Aanvankelijk was er grote weerzin om opnieuw bij een oorlog betrokken te raken, zo kort na het einde van de vorige (1697). Zo dichtte de bekende schrijver John Dryden kort voor zijn dood in 1700: 'Enough for Europe has our Albion fought. Let us now enjoy the peace our blood has bought.' Algemeen wordt echter erkend dat de verbinding van de Spaanse en de Franse troon het machtsevenwicht op het vasteland ernstig zou verstoren. M[e]t name koning Willem III zag hierin h[et] gevaar dat zijn 'levenswerk' teniet zo[u] worden gedaan. Deze onlangs overle[den] den vorst voerde een aantal oorloge[n] en sloot diverse allianties om Frankrij[k] van de suprematie op het vasteland va[n] Europa af te houden. Zijn streve[n] kreeg echter onvoldoende weerklan[k] bij zijn Engelse onderdanen. Een oo[r]logszuchtige stemming ontstond pa[s] echt toen Lodewijk XIV de rooms-ka[t]holieke James Edward, zoon van d[e] verdreven koning Jacobus II, als rech[t]matige koning van Engeland erkende[.] De oorlog wordt gevoerd onder leidin[g] van koningin Anna Stuart, die twe[e] maanden geleden de troon besteeg, e[n] de graaf van Marlborough, die het op[-]perbevel te velde op zich zal nemen.

*Britse troepen gaan bij Vigo aan land (schilderij van Ludolf Backhuys).*

# Samoerai zoeken identiteit

KIOTO - Het 'incident met de 47 ro-nin' heeft de Japanse autoriteiten eens te meer geconfronteerd met de proble-men die veranderingen in de samenle-ving teweegbrengen. In dit geval heb-ben 47 samoerai (krijgers) na de dood van hun meester Asano Naganori wraak genomen. Rond de 'kataki-uchi' (vendetta) waren in de 'Wet van de 100 artikelen' die in 1650 is uitge-vaardigd, al bepalingen opgenomen. In artikel 51 staat dat een man 'niet kan leven onder dezelfde hemel met degene die zijn meester of zijn vader heeft ver-wond'. Men moet wel aan de autoritei-ten melden dat men van plan is de aan-valler te doden en dit mag niet tot een later tijdstip worden uitgesteld.

De autoriteiten hebben de kataki-uchi vooral gelegaliseerd omdat een toene-mend aantal 'bunshi' (krijgers) over-ging tot 'junchi' (zelfdoding) als hun meester stierf.

De positie van de bunshi is de laatste honderd jaar snel veranderd. Toen de centrale regering meer greep op het land ging krijgen en de landgoederen minder voorwerp van onderlinge strijd waren geworden, werd hun positie als krijger aangetast.

Vooral de confucianistische geleerden hebben bijgedragen aan een nieuw sys-teem van waarden en ethiek voor de klasse van bunshi. In 1665 verscheen *Sjido* (De manier om krijger te zijn) van Yamaga Soko. Hierin wordt uiteenge-zet hoe de krijger zich dient te gedragen en welke functie hij in de samenleving bekleedt. Hij dient een leider te zijn die geen werk verricht, zoals de boer of de ambachtsman. Hij is een onderwijzer die zijn werk niet doet voor beloning maar omdat het zijn plicht is. Het mili-taire karakter van de krijger is dus naar de achtergrond gedrongen.

Door deze veranderingen zijn echter steeds meer bunshi in conflict met hun geweten gekomen en is er sprake van een identiteitscrisis. Doordat men ge-durende zijn leven slechts één heer kan dienen, is men na de dood van die heer brodeloos. Men kan dan, zoals vele bunshi doen, gaan rondzwerven, maar dat probeert de centrale overheid zo-veel mogelijk tegen te gaan. In veel ge-vallen gaan de bunshi echter over tot junchi. Dit werkt zeer ontwrichtend op de samenleving, vooral wanneer hoog-geplaatste persoonlijkheden een einde aan hun leven maken. In de meeste ge-vallen heeft dit een kettingreactie tot gevolg: na iemands zelfdoding bene-men mensen die onder hem staan zich ook het leven.

Vandaar dat in 1663 een edict door de Bakoefoe is uitgevaardigd waarin jun-chi ten strengste verboden wordt. Daarna zijn meer dan eens de kinderen van iemand die junchi heeft gepleegd ter dood gebracht en de rest van de fa-milie verbannen.

Men hoopt door het legaliseren van de vendetta een deel van de zelfdodingen tegen te gaan omdat er nu een andere manier is om de dood van een meester te verwerken.

*Afrika en Europa, uit de 17de-eeuwse wereldkaart van Joan Blaeu.*

# Benin steunt op slavernij

BENIN - Uit de hoofdstad van de Westafrikaanse staat Benin heeft een Nederlandse handelsreiziger een ver-slag naar huis gestuurd: 'De stad lijkt erg groot. Je gaat er binnen over een brede ongeplaveide straat, die zeven of acht keer breder lijkt dan de War-moesstraat in Amsterdam...De huizen staan netjes naast elkaar, net als in Holland...Het hof van de koning is erg groot met z'n vele vierkante pleinen, omgeven door galerijen, zo groot als die op de Beurs in Amsterdam. Ik was in het hof al vier van die grote binnen-plaatsen gepasseerd en waar ik ook keek, nog zag ik overal poorten die toe-gang gaven tot andere pleinen...De ko-ning schijnt veel soldaten te hebben. Hij heeft ook veel edelen die, als ze naar het hof komen, op paarden rij-den...Ik zag en sprak de koning van Benin die omringd was door zijn be-langrijkste raadgevers. Hij zat op een ivoren troon onder een baldakijn van Indiase zijde.'

De Nederlander is in het bijzonder on-der de indruk van de artistieke presta-ties van de negers. De metaalbewerkers van Benin zijn door de invoer van goedkoop metaal uit Europa in staat zwaardere beelden te maken dan voor-heen. Bepaald indrukwekkend in hun verfijning zijn de bronzen platen waar-mee de koningen van Benin hun paleis bekleden en die elk op naturalistische wijze een tafereel uit het dagelijks leven uitbeelden.

Benin behoort met Ashanti tot de wel-varendste negerstaten aan de Afri-kaanse westkust. Hun macht ontlenen ze vooral aan de bloeiende slavenhan-del, niet alleen met Europa maar ook, via de Sahara-routes, met de landen van de islam.

*Een tot de tanden bewapende samoerai doorwaadt een rivier.*

# 1703

**Januari.** Prins Eugenius van Savoye sluit zich aan bij het Groot Verbond en wordt opperbevelhebber van het keizerlijke leger.

**Januari.** Delaware scheidt zich af van Pennsylvanië en wordt een aparte kolonie van Engeland.

**1 mei.** Karel XII van Zweden verslaat bij Rultusk met zijn leger de Russische strijdmacht onder Peter de Grote.

**1 mei.** In Japan wordt Kiva Yoshinaka door aanhangers van zijn vroegere tegenstander, de overleden heer van Ako, vermoord.

**2 mei.** Portugal sluit een verdrag met Engeland en treedt toe tot het Groot Verbond tegen de opvolging van Filips V op de Spaanse troon.

**18 mei.** Nederlands-Engelse troepen bezetten het keurvorstendom Keulen, waarna tijdens de volgende veldtocht Bonn, Limburg en Huy worden veroverd. Prins Eugenius van Savoye, de opperbevelhebber van het keizerlijke leger, voert de veldtocht in het Rijnland en Zuid-Duitsland aan.

**27 mei.** Tsaar Peter de Grote sticht de stad Petersburg, waar nog in hetzelfde jaar de eerste Russische handels- en wisselbeurs opengaat.

**Juni.** Na de invoering van hogere belastingen en de afkondiging van maatregelen tegen het protestantisme breekt in Hongarije onder leiding van Rákóczi II een opstand tegen het Oostenrijkse gezag uit. De opstand wordt door Frankrijk gesteund.

**21 augustus.** Het Turkse leger zet bij een staatsgreep sultan Moestafa II af uit onvrede met de twee maanden eerder gesloten vrede met Rusland.

**12 september.** Keizer Leopold I ziet af van de aanspraken op de Spaanse erfenis voor zichzelf en de kroonprins ten gunste van zijn tweede zoon, Karel. Een geheim artikel bepaalt dat indien de mannelijke lijn uitsterft, vrouwen op de Oostenrijkse troon mogen opvolgen.

**12 september.** Aartshertog Karel, de Oostenrijkse kandidaat voor de Spaanse troonopvolging in 1700, landt met een Engels expeditieleger in Portugal.

**27 december.** Portugal sluit met Engeland het Methuen-Asiento-handelsverdrag. Hierbij wordt bepaald dat Portugal alle wolprodukten uit Engeland zal importeren, terwijl bij de invoer van Portugese wijn in Engeland een derde minder belasting zal worden geheven dan op Franse wijn. Hierdoor stijgt de consumptie van portwijnen in Engeland.→

## Engels-Portugees handelsverdrag

*Laden en lossen aan de Theems.*

LONDEN, 27 december - Engeland en Portugal hebben het zogenaamde Methuen-Asiento-verdrag gesloten. Dit verdrag kon tot stand komen omdat beide landen bondgenoten zijn in de vorig jaar uitgebroken oorlog tegen Frankrijk. In het verdrag wordt bepaald dat beide landen onder gunstige voorwaarden bepaalde artikelen op elkaars markten toelaten. Engeland zal tegen een voordelige prijs Portugese wijn importeren en toegang krijgen tot de Braziliaanse markt. Portugal mag zonder uitvoerheffingen Engelse wol invoeren.

Niemand twijfelt eraan dat het verdrag in het voordeel van de Engelsen is. De gunstig geprijsde Engelse wol zal de Portugese wolproduktie ongetwijfeld een zware slag toebrengen. Bovendien krijgen de Engelsen toegang tot de zo belangrijke Braziliaanse markt. In het mercantilistische systeem dat beide landen, zij het in een verschillende vorm, handhaven, spelen koloniën een belangrijke rol. In het algemeen beschouwt men koloniën als wingewesten waarin alleen artikelen uit het moederland mogen worden afgezet, terwijl ook de ter plaatse aanwezige grondstoffen alleen voor het moederland bestemd zijn. Dit verdrag betekent een belangrijke doorbraak van deze monopoliën. Een andere bondgenoot in de Spaanse Successieoorlog, de regering van de Nederlanden, heeft teleurgesteld op het tot stand komen van het verdrag gereageerd: ook de Nederlanders hadden graag toegang tot de Braziliaanse markt gekregen.

In het economische systeem zijn de koloniën een steeds belangrijker rol gaan spelen. Door de tanende macht van Spanje en Portugal is Engeland - en zijn in mindere mate de Nederlanden - meer op de voorgrond getreden. De door Engeland gevoerde oorlogen hebben dan ook niet alleen tot doel de Franse suprematie op het vasteland te beteugelen, maar ook het Engelse koloniale rijk uit te breiden.

# 1704

**Februari.** Een deel van de Poolse adel beschouwt onder druk van Karel XII van Zweden koning August als afgezet.

**22 april.** Franse kolonisten sluiten een verbond met de Indianen en richten een bloedbad aan onder Engelse kolonisten in Connecticut Valley.

**24 april.** In Boston, Noord-Amerika, verschijnt de eerste uitgave van de wekelijkse krant *The Boston News-Letter*.

**12 juli.** Koning Karel XII van Zweden laat een minderheid van de Poolse adel Stanislaw Leszczýnski tot opvolger van de afgezette koning, August de Sterke, kiezen.

**4 augustus.** Engels-Nederlandse troepen onder bevel van Sir George Rooke veroveren Gibraltar.

**13 augustus.** Bij Hochstädt (Blenheim) in Beieren lijden de Frans-Beierse troepen een nederlaag tegen de legers van Engeland, de Republiek en de Duitse keizer. Hierdoor worden de Oostenrijkse erflanden van de keizer niet meer bedreigd, terwijl Beieren als bondgenoot van Frankrijk afvalt.→

**30 augustus.** In een verdrag van August de Sterke van Saksen-Polen met Peter de Grote van Rusland wordt de voortzetting van de oorlog tegen Zweden geregeld.

**7 oktober.** Bij de Conventie van Ilbersheim wordt het keurvorstendom Beieren direct onder gezag van de Duitse keizer geplaatst.

**28 oktober.** Op 72-jarige leeftijd overlijdt de Engelse filosoof John Locke. Hij werd bekend door zijn politieke werk *Two treatises of government* (1690), *Essay concerning human understanding* en *The reasonableness of christianity.*→

- Spaanse troepen onder bevel van de hertog van Berwick vallen Portugal binnen, maar ondervinden sterke tegenstand van Engelse, Nederlandse en Portugese soldaten, die op hun beurt Spanje binnentrekken.

- In Berlijn wordt begonnen met de uitgave van de *Vossische Zeitung*.

- Peter de Grote laat bij Kronstadt een groot fort bouwen als bescherming voor Petersburg tegen aanvallen vanuit het westen.

- In Berlijn wordt de eerste uitleen-bibliotheek waar iedereen zich kan inschrijven, geopend.

- François Antoine Galland begint met de vertaling van de Arabische sprookjes *Duizend en een nacht*.

Gestorven:

**28 oktober.** John Locke (1632), Engels filosoof→

## John Locke was veelzijdig denker

*De Engelse filosoof John Locke.*

OATES, 28 oktober - De vandaag overleden Engelse filosoof John Locke is op veel gebieden actief geweest. Locke voltooide zijn medicijnenstudie in 1658 aan Christ Church in Oxford, waar hij enige tijd onderwijs gaf. Het werk van de Franse filosoof Descartes wekte zijn belangstelling voor filosofie. Hoewel hij een afkeer had gekregen van de geneeskunde, trad hij in 1667 als arts in dienst van Lord Ashley, graaf van Shaftesbury, wiens raadgever hij werd. Vanwege zijn slechte gezondheid trok Locke in 1675 naar Frankrijk. Na zijn terugkeer in 1679 raakte hij betrokken bij het verzet tegen koning Karel II. Dit leidde er uiteindelijk toe dat hij, evenals Shaftesbury, de wijk naar Holland moest nemen. Op last van de koning werd Locke ontheven van zijn onderwijstaak in Oxford. In Amsterdam verkeerde hij in remonstrantse kringen. Pas in 1689, na de Glorious Revolution, keerde hij terug in Engeland, toen koning Willem III op de troon was gekomen. De laatste jaren van zijn leven bracht hij door in Oates.

Lockes belangrijkste geschrift is *Essay concerning human understanding*. Hierin geeft hij zijn visie op de 'oorsprong, zekerheid en omvang van de menselijke kennis'. Hij bekritiseert de leer van de aangeboren ideeën. Locke stelt zich op het standpunt dat in laatste instantie de ervaring bepalend is voor de idee. In algemene zin definieert hij kennis als de intuïtie of het waarnemen van de overeenstemming of de strijdigheid van ideeën.

Op het gebied van de politieke filosofie is *Two treatises of government* zijn belangrijkste werk. Hij verzet zich tegen de opvatting dat de koning beschikt over goddelijke rechten en meent dat politieke macht alleen acceptabel is als het algemeen belang ermee wordt gediend.

# Engelse zege bij Hochstädt

*De Slag bij Hochstädt. Rechts vooraan: John Churchill, hertog van Marlborough.*

HOCHSTADT, 13 augustus - John Churchill, de hertog van Marlborough, heeft bij het Beierse Hochstädt op de linker Donau-oever een schitterende overwinning op het Beiers-Franse leger behaald. De Franse bevelhebber Tallard is gevangengenomen. Marlborough, die samen met prins Eugenius van Savoye het Oostenrijks-Engelse leger heeft aangevoerd, lijkt met deze zege te hebben voorkomen dat de Oostenrijkse zaak in de Spaanse Successieoorlog onder de Franse druk zou zijn bezweken.

Aan Oostenrijks-Engelse zijde zijn er in de slag 4500 doden en 75 gewonden gevallen, maar de Franse verliezen zijn nog veel groter: inclusief de krijgsgevangenen worden die op 30 000 geschat. De slag maakt duidelijk dat de legers van Lodewijk XIV bepaald niet onoverwinnelijk zijn en dat er in de di-plomatieke en militaire manœuvres die op het Europese continent plaatsvinden, nadrukkelijk rekening gehouden zal moeten worden met de inbreng van de Engelse troepen.

Voor de aanvoerders van de Franse en Beierse troepen, de keurvorst van Beieren enerzijds en de maarschalken Tallard en Marsin anderzijds, kwam de slag van vandaag als een grote verrassing: ze begrepen weliswaar dat er Marlborough en Eugenius zeer veel aan gelegen was Wenen te beschermen, maar hadden niet verwacht dat Marlborough met zijn iets kleinere leger tot de aanval zou overgaan: de Frans-Beierse troepen telden ongeveer 60 000 manschappen, terwijl Marlborough en Eugenius het moesten doen met 52 000 man infanterie en cavalerie. In de felle gevechten werden de Franse troepen van elkaar gescheiden.

## Hoge kringen bezoeken salon De Lenclos

PARIJS - Ondanks haar hoge leeftijd (84) blijft Ninon de Lenclos een van de centrale figuren in het sociale leven van Parijs. Literatoren en politici van naam verschijnen op haar ontvangsten.

In haar jeugd was zij buitengewoon aantrekkelijk. Bovendien was ze geestig en voerde een intelligente conversatie. Ze leefde tot 1671 als courtisane. Tot haar talrijke minnaars behoorden Gaspard de Coligny en Lodewijk van Bourbon. Anne van Oostenrijk, de moeder van Lodewijk XIV, liet haar eens opsluiten vanwege haar atheïstische opvattingen, maar invloedrijke vrienden wisten haar snel vrij te krijgen. Ninon de Lenclos verdedigde haar leefwijze in *La Coquette Vengée,* dat in 1659 werd gepubliceerd.

*De courtisane Ninon de Lenclos.*

# 1705

**5 mei 1705.** Leopold I, keizer van Duitsland en aartshertog van Oostenrijk, sterft. Hij wordt door zijn oudste zoon, Jozef, opgevolgd als aartshertog van Oostenrijk en keizer van Duitsland.

**1 oktober.** De opstandige Rijksdag in Szecseny verklaart Hongarije onafhankelijk van Oostenrijk en roept Frans Rákóczi uit tot koning.

**15 oktober.** De Engelse vloot onder bevel van Lord Peterborough neemt Barcelona in. In Catalonië, Aragón en Valencia wordt de Oostenrijkse pretendent voor de Spaanse troon, Karel III, de broer van keizer Jozef I, als koning erkend.

- De Engelse astronoom Edmund Halley veronderstelt dat de komeet die in 1682 werd waargenomen, dezelfde was als de kometen die in 1607, 1531 en eerder werden gezien. Hij voorspelt de volgende verschijning voor 1758.

- De hoesseinitische bei van Tunis verklaart zich soeverein van de Turken.

- De pauselijke bul *Vineam Domini* veroordeelt het jansenisme als ketterij.

**13 februari 1706.** Het Zweedse leger verslaat het Russisch-Saksische leger bij Fraustadt.

**8 maart.** In Wenen wordt de Wiener Stadtbank opgericht, die binnen vijftien jaar de Oostenrijkse staatsschulden moet saneren.

**Maart.** Tsaar Peter de Grote slaat de opstand in Astrakan neer. De opstand was in juli 1705 begonnen als verzet tegen zijn hervormingsplannen.

**29 april.** Keizer Jozef I doet de keurvorsten van Keulen en Beieren in de rijksban, omdat zij tijdens de Spaanse Successieoorlog aan Franse kant meevechten.

**23 mei.** Het Engels-Nederlandse leger onder opperbevel van Lord Marlborough verslaat bij Ramillies het Franse leger.

**24 september.** Na zijn opmars in Saksen dwingt Karel XII August de Sterke, keurvorst van Saksen, tot de Vrede van Altranstadt, waarbij August afziet van zijn aanspraken op de Poolse troon en de door Zweden gesteunde Leszczýnski als koning van Polen wordt erkend.

- *The Evening Post*, het eerste dagelijks verschijnende avondblad, verschijnt in Londen.

Gestorven:

**28 december 1706.** Pierre Bayle (18-11-1647), Frans filosoof, bekend geworden met zijn *Dictionnaire historique et critique →*

## Theoloog Bayle: rede als maatstaf

*Pierre Bayle, Frans theoloog.*

ROTTERDAM, 28 december 1706 - De Franse theoloog Pierre Bayle is op 59-jarige leeftijd gestorven.

Bayle werd geboren bij Pamiers als zoon van een hugenotenpredikant. In 1669 trad hij toe tot de Rooms-Katholieke Kerk, maar het jaar daarop reeds bekeerde hij zich tot het protestantisme. Aanvankelijk was hij werkzaam als privé-docent; in 1675 echter kreeg hij een aanstelling als hoogleraar aan de protestantse academie in Sedan.

Bayle zag zich in 1681 genoodzaakt naar Rotterdam te trekken, nadat koning Lodewijk XIV de academie liet sluiten. Aan de pas opgerichte Illustere School doceerde hij geschiedenis en filosofie. Hier raakte hij in een hevig conflict met de calvinistische predikant Pierre Jurieu. Beiden hadden een kritiek geschreven op *Histoire du calvinisme* van de jezuïet Louis Maimbourg. Gezegd wordt dat Jurieu afgunstig was omdat zijn kritiek minder waardering kreeg. In 1691 kwam het tot een meningsverschil over de verhouding tot de Franse koning. Bayle stelde zich verzoeningsgezind op, maar werd toch ontslagen.

Eerder had Bayle in 1684 het eerste populair-wetenschappelijke tijdschrift in Nederland opgericht: *Les nouvelles de la république des lettres.* Bayle is vooral bekend geworden als samensteller van de *Dictionnaire historique et critique.* Met de menselijke rede als maatstaf worden in deze encyclopedie theologische, maatschappelijke en filosofische kwesties alfabetisch behandeld. Bayle toont zich hierin een rationeel denker die de wereld met scepsis bezag. Een houding die hem bij gelovigen bepaald niet bemind maakte.

**1 januari.** Jacob V volgt zijn vader, Peter II, op als koning van Portugal. Jacob laat onder meer het Mafra-kloosterpaleis bouwen.

**3 maart.** Alamgir (Aurangzeb), Groot-Mogol van Hindoestan in India sinds 1658, overlijdt en wordt opgevolgd door Bahadur. →

**25 april.** Het expeditieleger van Engeland, de Republiek en Portugal wordt in Spanje bij Almanza door het Spaanse leger onder de hertog van Berwick verslagen.

**29 april.** Met het aannemen van de Act of Union worden de koninkrijken Schotland en Engeland in Groot-Brittannië verenigd. Tegelijk wordt de opvolging van koningin Anna door George van Hannover vastgelegd. De Schotse en Engelse protestantse Kerken blijven naast elkaar voortbestaan, terwijl de parlementen worden verenigd. Als nieuwe vlag wordt de Union Jack ingevoerd. →

**31 mei - 22 juni.** Tijdens de Rijksdag van het opstandige Hongarije in Onud sluit Zevenburgen zich aan en erkent Rákóczi II als koning.

**Juni.** Groot-Brittannië begint een expeditie ter verovering van Acadia (Noordwest-Canada).

**Juli.** Keizerlijke troepen veroveren Napels op het Franse leger.

**22 augustus.** Prins Eugenius van Savoye moet na elf dagen de belegering door keizerlijke troepen van de Franse marinebasis Toulon opgeven.

**22 augustus.** Pruisen en Zweden sluiten een verdrag van wederzijdse militaire bijstand in geval van een aanval op een van beide landen.

**15 september.** De koning van het opstandige Hongarije, Rákóczi II, sluit in Warschau een bijstandsverdrag met Peter de Grote van Rusland.

- De Franse vesting-bouwmeester en maarschalk Vauban publiceert zijn boek *Le dîme royale*, waarin hij vrijdom van belasting aanvalt en pleit voor uniforme belastingen op inkomen en landbezit. Vauban valt in ongenade en zijn boek wordt in opdracht van Lodewijk XIV verbrand.

- Calcutta wordt in plaats van Madras de zetel van de Engelse gouverneur-generaal in India. De Engelse Oostindische Compagnie kiest Bombay als belangrijkste vestiging.

- De Franse uitvinder Denis Papin maakt een geslaagde proefvaart met de eerste stoomboot. →

- Rio de Janeiro, hoofdstad van Portugees Zuid-Amerika, wordt geplunderd door een Spaans expeditieleger onder Duguay Trouin.

*House of Commons in vergadering bijeen (1710, door Peter Tillemans).*

# Unie Engeland-Schotland

LONDEN-EDINBURGH, 29 april - Door het aannemen van de Act of Union zijn Engeland en Schotland sinds vandaag officieel met elkaar verenigd. De wet voorziet ook in de samenvoeging van het Engelse en Schotse parlement. Het 'nieuwe' koninkrijk draagt de naam Groot-Brittannië. Door deze vereniging van de beide koninkrijken wordt de officiële titel van Anna Stuart koningin van Groot-Brittannië en Ierland.

Op de unie van beide koninkrijken werd van Schotse zijde al geruime tijd aangedrongen. In Engeland bestonden echter grote bezwaren tegen deze verbintenis: men wilde niet dat de Schotten invloed in het Engelse parlement zouden krijgen. Deze bezwaren werden ondersteund door de leiding van de Anglicaanse Kerk, die de overwegend rooms-katholieke Schotten niet op voet van gelijkheid met anglicaanse Engelsen wil plaatsen. Zij vreest dat een gelijke handelwijze op den duur ook tot gelijkberechtiging van de rooms-katholieken in Engeland zal leiden, iets waartegen de Anglicaanse Kerk zich fel verzet. Na de pogingen van de Stuarts om met Franse steun en met hulp van het ontevreden deel van de Schotse bevolking de resultaten van de 'Glorious Revolution' (1688) ongedaan te maken, veranderde de stemming aan Engelse zijde. Het akkoord wordt nu beschouwd als een poging om de grote onvrede en anti-Engelse gevoelens die in Schotland leven te kanaliseren.

De unie is voor de Schotten zonder meer gunstig, omdat zij nu toegang tot de Engelse markt krijgen. In Schotland verwacht men een opbloei van de handel, nu Schotse produkten niet langer met hoge invoerrechten worden belast. Ook hebben de Schotten nauwelijks concessies hoeven doen om tot dit akkoord te komen. Het juridische systeem en de hier nog invloedrijke Rooms-Katholieke Kerk blijven ongemoeid. Ook wordt niet getornd aan het Schotse sociale en politieke systeem, dat voor een belangrijk deel op clanverbanden berust. Dat tussen het sociale en politieke systeem van de beide koninkrijken zulke grote verschillen bestaan wordt algemeen verklaard uit het feit dat Schotland door de Engelsen nooit zo sterk is gekoloniseerd als bijvoorbeeld Ierland.

## Eerste stoomboot maakt proefvaart

MÜNCHEN - De uitvinder van de Papiniaanse Pot, de Fransman Denis Papin, is per door stoom aangedreven raderboot in München aangekomen. Hij heeft de rivier de Fulda vanaf Kassel stroomopwaarts afgelegd. Papin, die op 32-jarige leeftijd de hogedrukpot uitvond die naar hem genoemd werd, construeerde in 1695 zijn eerste stoommachine. Nu heeft de 50-jarige hoogleraar te Marburg het aangedurfd om een boot met een dergelijke machine uit te rusten. Tot veler verbazing kwam de raderboot puffend, maar varend, in München aan.

## Mogol-keizer Alamgir overleden

AURANGABAD, 3 maart - Nabij Aurangabad op het Dekkanplateau is Mogol-keizer Alamgir (Aurangzeb) op 89-jarige leeftijd gestorven. Alamgir die in juli 1658 na een ingewikkelde vestituurstrijd met zijn broers de troon besteeg, breidde het Mogol-rijk aanzienlijk uit. In dat grote rijk, dat zowel Kaboel als het Dekkanplateau binnen zijn grenzen heeft, had de keizer echter veel oppositie te duchten, vooral van hindoezijde. Zelf een orthodox moslem, stapte Alamgir af van de politiek van zijn grote voorganger Akbar om hindoes als gelijken te zien en ze als volwaardige leden in de Mogol-maatschappij op te nemen. Hij tolereerde met zekere restricties, hun aanwezigheid. In 1679 voerde hij opnieuw de jizya in, de belasting voor niet-moslems die Akbar had afgeschaft. Eerder had hij handelsbelastingen verdubbeld als ze door hindoes moesten worden betaald en verboden dat nieuwe hindoetempels zouden worden gebouwd.

Om een steeds groter leger te kunnen onderhouden moest Alamgir zijn inkomsten vergroten. De economische druk die daardoor ontstond maakte dat in de tweede helft van Alamgirs regeringsperiode veel boeren en ook zamindars, de plaatselijke belastinginners, in opstand kwamen. Al snel vermengde deze economische strijd zich met de religieuze en Alamgir kreeg te maken met oppositie van Sikhs in de Punjab en van Mahratten.

Het Sikh-geloof werd begin 15de eeuw gesticht door Goeroe Nanak en is sindsdien uitgegroeid tot een vooral in de Punjab populair geloof, dat zijn volgelingen voornamelijk rekruteert onder boeren van zowel hindoe- als moslemgeboorte. Het Sikh-geloof bevat dan ook elementen uit beide godsdiensten. De negende goeroe van de Sikhs was Tegh Bahadur, die door Alamgir werd onthoofd nadat hij geweigerd had zich tot de islam te bekeren. Zijn zoon Gobind Rai zwoer als tiende goeroe van de Sikhs wraak op Alamgir. Hij maakte van zijn volgelingen taaie strijders die zich verzamelden in een kahlsa, een 'leger van zuiveren' en hij gaf zichzelf en zijn naaste volgelingen de bijnaam Singh (tijger). Alamgir heeft hij echter nooit kunnen overwinnen.

Ook de Mahratten op het Dekkanplateau is dat niet gelukt. Hun staat, door de Mogols nooit erkend, ontstond in de eerste helft van de vorige eeuw onder het leiderschap van Sjivadsji Bhonsle. Voortdurende plundertochten van deze Mahratten tartten Alamgir en toen in 1680 een alliantie tussen Sikhs en Mahratten dreigde greep hij in en trok naar de Dekkan. De oorlog aldaar werd weliswaar door Alamgir gewonnen, maar eiste 100 000 levens per jaar en een niet te schatten geldbedrag.

# 1708

## Hoge Regering beslist over lot Sunan Mas

MALANG, 28 juli - Sunan Mas, de in 1705 door de VOC uit zijn kraton (regeringscentrum) Kartasura verdreven susuhunan (vorst) van Mataram, heeft zich overgegeven aan commandant Govert Knol. Zodoende is een einde gekomen aan een successieoorlog, die de VOC grote territoriale machtsuitbreiding heeft opgeleverd, maar ook, veel sterker dan men eigenlijk wil, betrokken heeft bij de interne politiek van het Javaanse Rijk. Sunan Mas zal naar Batavia worden gezonden, waar de Hoge Regering verder over zijn lot zal beslissen. Ondanks beloften van Knol dat hij op Java zal mogen blijven, lijkt het toch waarschijnlijk dat de ex-vorst en zijn familie verbannen zullen worden naar Ceylon [Sri Lanka].

Sunan Mas (eigenlijke naam: Amengkurat III) besteeg in 1703 de Mataramse troon als opvolger van zijn overleden vader Amengkurat II, die bekendstond om zijn afkeer van de Hollanders. Aan het eind van de jaren zeventig van de vorige eeuw had deze vorst de VOC te hulp moeten roepen om een einde te maken aan de opstand van de Madurese prins Trunajaya en om Amengkurats broer pangeran Puger (die zich ook als susuhunan had geïnstalleerd) te onderwerpen. In ruil hiervoor kregen de Hollanders grote delen van de Preanger en de havenstad Semarang in bezit, mochten zij een troepenmacht legeren in Kartasura en dienden alle gemaakte kosten (1,5 miljoen rijksdaalders) vergoed te worden. Over deze punten ontstonden legio conflicten. De verstandhouding verslechterde nog meer toen in 1686 de opstandelingenleider Surapati in de kraton asiel kreeg, een groep VOC-soldaten in de hinderlaag lokte en de kans kreeg naar Oost-Java te vluchten, waar hij een eigen rijkje creëerde.

Sunan Mas haatte de Hollanders nog meer dan zijn vader deed en al snel na zijn installatie nam hij allerlei tegen de VOC gerichte maatregelen. De VOC, die hem kwijt wilde, benoemde zijn oom pangeran Puger tot susuhunan Pakubuwono (spijker der wereld).
In 1705 marcheerde een VOC-troepenmacht op naar Kartasura; Sunan Mas vluchtte naar het door Surapati beheerste gebied op Oost-Java.
In oktober van datzelfde jaar werd tussen de VOC en Pakubuwono een verdrag gesloten waarbij de Hollanders de soevereiniteit over de gehele Preanger, Cirebon en het oostelijk deel van Madura verkregen. Er werd een streep gehaald door alle schulden, in ruil waarvoor Mataram zich heeft verplicht 25 jaar lang een bepaalde hoeveelheid rijst te leveren en bepaalde handelsgewassen zoals koffie en indigo te verbouwen. Vervolgens werd de aanval geopend op Oost-Java. Surapati sneuvelde in 1706 en vorig jaar viel het laatste bolwerk Pasuruan. Sunan Mas wist te ontkomen, zocht zijn toevlucht in de bergen rond Malang, maar zag in dat zijn toestand onmogelijk was geworden.

Bij de uitgeverij van de heren P. Schenk en G. Valk te Amsterdam is de fraai geïllustreerde sterrenatlas 'Harmonia macrocosmica' verschenen. De atlas is samengesteld door de sterrenkundige Andreas Cellarius en geeft een goed overzicht van de huidige kennis van het uitspansel.

*Agadja wordt heerser van Dahomey, dat oostelijk van het Ashanti-rijk ligt. De economie van het dictatoriaal geregeerde Dahomey is gebaseerd op de slavenhandel. Boven: een dansende Ashanti-hoofdman.*

# Opstand Hongaren mislukt

*De kurucenleider Ferenc Rákóczi II wordt in zijn huis gearresteerd.*

TRENCSEN, 3 augustus - Het kuru-cenleger van Ferenc Rákóczi II is bij Trencsén verslagen door de keizerlijke legers van de Habsburgers. De Hongaarse onafhankelijkheidsoorlog, die Rákóczi de afgelopen vijf jaar geleid heeft, lijkt na deze nederlaag weinig perspectieven meer te hebben.

Op 13 juni vorig jaar nog werd na enkele overwinningen een onafhankelijk Hongarije uitgeroepen, maar tegelijkertijd groeide bij een deel van de kurucen de wens naar vrede. De economische bronnen waren door de oorlog uitgeput en de soldaten verloren de hoop op een definitieve overwinning.

De opstand van de kurucen was het gevolg van de nietsontziende terreur die de Habsburgers de afgelopen twintig jaar in Hongarije hebben uitgeoefend. De oorlog tegen de Turken was door de Habsburgers gebruikt om een vrijwel absolute heerschappij in Hongarije door te voeren.

De kosten van de oorlog kwamen geheel op Hongaarse schouders te drukken: voorraden voor de keizerlijke legers moesten door de Hongaarse boeren worden geleverd; tussen 1685 en 1689 werd 20 miljoen forint aan belasting uit Hongarije gehaald. Nieuwe belastingen werden opgelegd, de zoutprijs werd verhoogd, ook edelen moesten belasting gaan betalen.

De Turkse oorlog was voor de keizerlijke soldaten en generaals een directe bron van rijkdom. In 1687 organiseerde generaal Caraffa een krijgsraad in Eperjes: de rijke leden van de burgerij en edelen werden op beschuldiging van samenzwering terechtgesteld om zo hun bezittingen te kunnen confisqueren. Alleen al de stad Debrecen moest 1 800 000 forint aan oorlogsschuld betalen.

In het hele land braken hierop verspreide opstanden uit: boeren vielen zout- en belastinghuizen aan, hele dorpsbevolkingen vluchtten in de bossen en bergen in om aan de belastingophalers te ontsnappen. In 1697 werd een kuru-cenopstand in het Tokaj-gebied bloedig neergeslagen. Een groep Hongaarse boeren probeerde vervolgens een meer nationale politiek te ontwikkelen. Zij kozen de rijkste landheer, de jonge prins Ferenc Rákóczi II, zoon van Ilona Zrínyi, als leider.

In de lente van 1703 volgden duizenden Hongaren, Oekrainers, Slovaken en Roemenen het banier 'Pro patria et libertate'. Na enkele snelle successen sloot ook de kleine adel (zonder grondbezit) zich aan en groeide de opstand tot een echte onafhankelijkheidsoorlog uit.

De meerderheid van de hoge adel en geestelijkheid bleef echter afzijdig en ook de buitenlandse hulp werd geen succes: Lodewijk XIV gaf wel financiële hulp, maar wilde geen openlijke alliantie. Alleen Engeland en Holland steunden de Hongaarse (protestantse) opstandelingen en boden aan te bemiddelen. Wenen wilde echter niet verder gaan dan amnestie en beperkte autonomie voor de Hongaren. De Habsburgse onderhandelingspositie is na de overwinning van vandaag alleen maar sterker geworden.

*Ferenc Rákóczi II.*

# 1709

**8 juli 1709.** Peter de Grote brengt het Zweedse leger bij Poltava een vernietigende nederlaag toe. Karel XII weet zwaar gewond ternauwernood Turkije te bereiken.

**11 september.** In een van de bloedigste veldslagen van de eeuw verslaan de legers van Engeland, de Republiek en de keizer onder Lord Marlborough en Eugenius van Savoye het Franse leger bij Malplaquet. Na de slag wordt het lied 'For he's a Jolly Good Fellow' geïmproviseerd.

**29 oktober.** Engeland en de Republiek sluiten een verdrag waarbij de Republiek het recht krijgt na de Franse nederlaag in vijftien steden in de Zuidelijke Nederlanden garnizoenen te legeren.

- In Pontailler (Frankrijk) wordt een graantransport overvallen. →

- Een Engels schip onder kapitein Woodes Rogers neemt van het eiland Mas a Tierra (sinds 1966 Robinson Crusoe-eiland, zevenhonderd kilometer westelijk van Santiago de Chile in de Grote Oceaan) de matroos Alexander Selkirk aan boord. Selkirk was hier in 1704 na een ruzie met zijn kapitein aan land gezet. In 1711 keert hij terug in Engeland, waar zijn overlevingsverhaal veel opzien baart. Het inspireert Daniel Defoe tot de roman *Robinson Crusoe*.

**27 januari 1710.** Peter de Grote becijfert de overheidsuitgaven voor het komende jaar in de eerste Russische begroting.

**13 oktober.** Engelse troepen veroveren Acadia, dat wordt herdoopt in Nova Scotia (Noord-Amerika).

**30 november.** Turkije verklaart op aanraden van Karel XII aan Zweden, die sinds de verloren Slag bij Poltava in het Osmaanse Rijk verblijft, Rusland de oorlog.

- In Engeland wordt de South Sea Company opgericht.

- In Meissen richt keurvorst August van Saksen de eerste Europese porseleinfabriek op. →

- In het kader van zijn hervormingsprogramma voert Peter de Grote in Rusland een vereenvoudigd cyrillisch schrift in voor wereldlijke geschriften.

- In Brazilië begint de Mascatenoorlog tussen Portugezen en Indianen, waarbij de laatsten het onderspit delven.

- In de Koreaanse provincie Cholla breekt een opstand uit naar aanleiding van belastingverhogingen.

- De Franse bisschop François Fénelon publiceert zijn *Mémoire sur la situation déplorable de la France*.

# Böttcher ontdekt procédé voor porselein

*Figuurtjes uit de Commedia dell' Arte, in Meissner porselein.*

MEISSEN, 1710 - De Duitse scheikundige J.F. Böttcher is er als eerste Europeaan in geslaagd porselein te vervaardigen. Tot op heden was het onbekend hoe het met name de Chinese producenten lukte het dunne en harde materiaal te bakken dat de grondstof voor het geliefde serviesgoed vormt. Böttcher ontdekte dat witte kaolien uit het Ertsgebergte als basisgrondstof voor porselein kan dienen. Hij bakte zijn kleivormen bij een temperatuur van 1300 à 1400° Celsius, enkele honderden graden hoger dan bij aardewerk gebruikelijk is.

Sinds de grootscheepse importen van porselein uit China en Japan heeft de Europese aardewerknijverheid gezocht naar een materiaal dat het oosterse produkt evenaart. Het fijnbeschilderde, dunschalige, witte serviesgoed uit het Verre Oosten bleek echter met de Europese kleisoorten niet na te maken te zijn. De Delftse pottenbakkerijen hebben zich door produkten als apothekerspotten en goedkoop tafelgoed op de markt weten te handhaven. Volgens aardewerkspecialisten zou door de uitvinding van Böttcher een nieuwe impuls aan de noodlijdende Duitse pottenbakkerijen gegeven kunnen worden.

*'Scaramouche en Colombine', Meissner porselein (uit 1741).*

*'De magere keuken', gravure P. van der Heyden (naar Pieter Bruegel de Oude).*

# Overval graantransport

PONTAILLER, 1709 - Een grote groep gewapende mensen heeft bij Pontailler een graantransport tegengehouden. Zij weigerden het graan, dat bestemd was voor Lyon, uit hun regio te laten vertrekken. Als belangrijkste argument werd naar voren gebracht dat 'het onrechtvaardig is om een stad als Lyon te voeden, als het volk van Bourgondië zelf van de honger sterft'. Het graan werd door de oproerlingen geconfisqueerd en tegen verlaagde prijzen verkocht.

De gebeurtenis is geen incident. Op verscheidene plaatsen in Bourgondië en Bretagne hebben zich identieke proeren voorgedaan, want Frankrijk kampt met een moordende hongersnood. De oogst van vorig jaar was slecht, die van dit jaar is totaal mislukt. De Franse bevolking kreeg te maken met lege winkels en extreem hoge voedselprijzen. De situatie wordt nog verergerd door een haperend distributiesysteem.

Het platteland moet de steden voorzien van voedsel, maar de bevolking blokkeert voedseltransporten uit angst zelf geconfronteerd te worden met tekorten en hoge prijzen. Als enigen hebben de handelaren baat bij verkoop naar niet-agrarische gebieden, omdat de prijzen daar hoger zijn. Als een graantransport door oproerlingen wordt tegengehouden, bepalen dezen meestal zelf de verkoopprijs van het schaarse voedsel. De prijs wordt dan dermate laag dat het gewone volk zich ook iets kan aanschaffen.

Deze zogenaamde 'taxation populaire' is in feite een aanklacht tegen de overheid, die te weinig doet om de Fransen van de hongerdood te redden. Op een plakkaat in Abbéville werd de overheid beschuldigd van nalatigheid en werd met oproer gedreigd: 'We sterven van de honger, wij moeten u absoluut gebieden prijsmaatregelen voor brood en graan af te kondigen, anders zullen wij uit onze huizen komen als woedende leeuwen met wapens in de ene hand en vuur in de andere hand.' Bij een hongeroproer in Roanne doodde een woedende menigte van zestienduizend mensen een overheidsbeambte, die de schuld kreeg van de grote sterfte in de stad.

De hongersnood, die in Frankrijk al tienduizend doden heeft geëist, heerst in grote delen van Europa. Niet alleen de stedelingen zijn het slachtoffer van deze ramp, ook de boeren lijden er hevig onder. In de voorafgaande jaren zijn zij geconfronteerd met bijzonder lage graanprijzen. Hierdoor verdienen zij dermate weinig dat het voor hen soms onmogelijk is belasting en pacht te betalen. De onvoordelige prijsontwikkeling hangt samen met een stagnerende bevolkingsgroei.

Door de slechte oogsten van vorig jaar en dit jaar hebben veel boeren onvoldoende zaaigoed over voor het volgende jaar. Zij zijn plotseling gedwongen graan te kopen tegen ongekend hoge prijzen. In dit licht gezien is het zeer begrijpelijk dat Franse boeren zich aansluiten bij de oproerlingen en weigeren graantransporten uit hun streek te laten vertrekken.

# 1711

**Februari 1711.** In Rusland wordt een Senaat ingesteld om bij afwezigheid van Peter de Grote de regeringszaken waar te nemen.

**17 april.** Op 33-jarige leeftijd overlijdt Jozef I, keizer van Duitsland en aartshertog van Oostenrijk, aan pokken. →

**1 mei.** In Szatmar wordt de vrede getekend tussen de Hongaarse opstandelingen en vertegenwoordigers van Karel van Oostenrijk.

**1 augustus.** Tsaar Peter de Grote moet, nadat hij met zijn leger bij de rivier de Proet door de Turken is ingesloten, vrede sluiten. →

**22 september.** Een Frans expeditieleger bezet Rio de Janeiro.

**12 oktober.** Aartshertog Karel van Oostenrijk wordt gekozen tot keizer Karel VI van Duitsland als opvolger van zijn broer Jozef I, die op 17 april overleed.

- Johann Justus Partels bouwt in Zellerfeld in de Harz de eerste ventilator bedoeld om de zuurstofvoorziening in de mijnen te verbeteren.

- In Londen wordt de St. Paul's Cathedral voltooid. In 1675 was met de bouw begonnen. →

- In Wolverhampton, Engeland, wordt de eerste waterpomp geconstrueerd.

- John Shore vindt de stemvork uit.

- Van Jonathan Swift verschijnt *The conduct of the allies*.

**12 januari 1712.** In Utrecht beginnen onderhandelingen tussen Frankrijk en Spanje enerzijds, en Engeland, de Republiek, Savoye en Pruisen anderzijds om de Spaanse Successieoorlog te beëindigen.

**22 mei.** Karel VI wordt tot koning van Hongarije gekroond.

**19 juli.** Engeland en Portugal sluiten met Frankrijk in de Spaanse Successieoorlog een wapenstilstand.

**24 juli.** Na de nederlaag van het leger tegen Frankrijk bij Denain sluit de Republiek zich bij de wapenstilstand aan.

- In India breekt een successieoorlog uit tussen de vier zonen van Bahadur.

- In de Tuscarura-oorlog, die vorig jaar begon in North Carolina tussen kolonisten en Indianen, zegevieren de kolonisten.

- Sint-Petersburg wordt de hoofdstad van Rusland.

- In Engeland vindt de laatste terechtstelling wegens hekserij plaats.

## Jozef I aan zwarte pokken bezweken

WENEN, 17 april 1711 - In zijn 33ste levensjaar is keizer Jozef I van Habsburg gestorven aan de ziekte die in de loop der eeuwen al zovele Habsburgers noodlottig is geworden: de zwarte pokken. Daar Jozef geen zoon nalaat, valt zijn erfenis - de Oostenrijkse bezittingen - volgens het in 1703 gesloten 'pactum mutuae successionis' toe aan zijn broer Karel, de enige mannelijke Habsburger die nog in leven is. Deze Karel VI strijdt sinds 1703 in de Spaanse Successieoorlog tegen Filips van Anjou, de kleinzoon van Lodewijk XIV van Frankrijk. Indien hij overwint, worden de Spaanse en de Oostenrijkse Habsburgse bezittingen verenigd tot een gigantisch imperium, nog groter dan het rijk van Karel V in de 16de eeuw. Dit vooruitzicht boezemt de bondgenoten van de Habsburgers, met name de Engelsen, zoveel angst in dat zij hun steun hebben opgezegd.

Het was immers uit bezorgdheid voor de verstoring van het Europese machtsevenwicht dat de zeemachten Engeland en de Republiek, Brandenburg (onder de nieuwe naam Pruisen), en de meeste staten van het Duitse Rijk in september 1701 als het Groot Verbond de zijde van Oostenrijk kozen in zijn strijd tegen Frankrijk. Toen was het Frankrijk dat, indien het met Spanje zou worden verenigd - als 'de Pyreneeën niet meer bestaan' - het machtsevenwicht in Europa in gevaar zou brengen.

Niet affiniteit met het Habsburgse Huis, maar de behartiging van zijn eigen, vooral economische belangen - handelsvoordelen in de Spaanse koloniën - dreef Engeland in het anti-Franse kamp. Naarmate de oorlog langer duurde, wogen voor de Engelsen de kosten niet meer tegen de baten op. Het uiteenvallen van het Groot Verbond kon reeds vorig jaar worden voorspeld, toen er in Engeland een regeringswisseling plaatsvond. De Tories, de vertegenwoordigers van 'the landed interest', profiteerden van de Engelse oorlogsmoeheid en brachten het oorlogszuchtige Whig-ministerie ten val.

*Keizer Jozef I van Habsburg.*

# St. Paul's Cathedral feestelijk geopend

*St. Paul's Cathedral in Londen, bezien vanaf de oever van de Theems (door Canaletto).*

LONDEN, 1711 - Onlangs is in Londen de St. Paul's Cathedral feestelijk in gebruik genomen. Algemeen beschouwt men dit als een belangrijke gebeurtenis omdat daarmee de schade die de Grote Brand van Londen in 1666 aanrichtte, vrijwel geheel is hersteld. De nieuwe kathedraal is een ontwerp van Sir Christopher Wren. Deze architect heeft een merkwaardige carrière achter de rug. Oorspronkelijk was hij hoogleraar in de sterrenkunde; als architect is hij autodidact. Zijn eerste ontwerpen, een schouwburg en een kapel voor het Pembroke College in Oxford, werden in 1663 uitgevoerd. Wren is sterk beïnvloed door de Italiaanse barok. Hij is zelf nooit in Italië geweest, maar verbleef in 1665-1666 in Parijs, waar de Italiaanse trend op architectuurgebied vrij algemeen ingang had gevonden. Hij ontmoette daar de beroemde beeldhouwer en architect Bernini, die hem zijn ontwerp voor het Louvre toonde. Wren was daarvan zo onder de indruk dat hij er, zoals hij zelf zei, 'alles voor over had' om dit plan te mogen natekenen. Toen in september 1666 de Grote Brand van Londen meer dan de helft van de stad in de as legde, kwam de tot stadsbouwmeester benoemde Wren al na enkele dagen bij de koning met een plan om de stad volgens een geheel nieuwe opzet op te bouwen. Het aanzicht van de nieuwe stad zou bepaald worden door brede lanen die elkaar zouden snijden in grote stervormige pleinen. Dit plan werd echter als onuitvoerbaar beschouwd. Zo is Wren niet de bouwer van het 'Nieuwe Londen' geworden, maar hij ontwierp wel de nieuwe St. Paul's Cathedral (en 51 andere kerken).
Na een aantal afgekeurde ontwerpen werd het plan in mei 1675 goedgekeurd. Snel daarna werd met de bouw begonnen. Het ontwerp bestaat uit een lang schip, gebroken door een transept en twee zijbeuken. De twee torens aan de voorgevel kwamen niet voor in het oorspronkelijk ontwerp, maar werden pas in 1700 daaraan toegevoegd. De kerk kan men qua indeling en vormgeving niet tot de zuivere barokstijl rekenen. Naar het schijnt is niet iedereen onder de indruk van deze voor Engeland nieuwe bouwstijl. Velen geven de voorkeur aan de nog gangbare gotische stijl.

## Turken verstevigen greep op Moldavië

*Karel XII vlucht na de slag bij Poltava zwaargewond naar Turkije (1709).*

IASI, 1711 - De Moldavische hospodar Dimitri Cantemir is na het mislukken van de poging om zijn vorstendom los te maken van het Osmaanse Rijk naar Rusland gevlucht. De Porte (Osmaanse regering), die zich sinds het Verdrag van Karlovitz (1699) zorgen maakt om de stabiliteit van de grensprovincies en dus gebaat is bij betrouwbare agenten, heeft de Fanarioot Nicolas Mavrocardatos tot hospodar van Moldavië benoemd. De inheemse Roemeense vorsten lijken hun krediet te hebben verspeeld. De waardigheid van de hospodar is verder gedevalueerd tot 'beilerbey', een rang in de Osmaanse hiërarchie. De Osmanen geven blijkbaar de voorkeur aan zetbazen die nauwelijks banden met het land hebben.
Aanleiding voor het gebeurde was de oorlogsverklaring van de Turken vorig jaar aan Rusland, het resultaat van de intriges van de in 1709 naar Constantinopel gevluchte Zweedse koning Karel XII. Als reactie hierop besloot tsaar Peter I [de Grote] tot een offensieve campagne. Vorig jaar betraden de Russische legers het gebied van de Balkan en bereikten de Moldavische hoofdstad Iasi. Tsaar Peter deed vervolgens een beroep op de Balkanchristenen om tegen de Turken in opstand te komen. Maar behalve wat plaatselijke actie in zuidelijk Hercegovina en Montenegro reageerden de orthodoxe boeren niet. Daarentegen zegde de Moldavische hospodar Dimitri Cantemir de Russen wel zijn steun toe in ruil voor de onafhankelijkheid van zijn vorstendom onder Russische protectie, de erfopvolging van zijn geslacht, en vergroting van de macht van de vorst in het interne bestuur ten koste van de bojaren.
De vorst van Walachije, Constantin Brincôveanu, zag echter op het cruciale ogenblik af van het verlenen van bijstand. Hierdoor is de Russische expeditie een totale mislukking geworden. Peters troepen werden bij de rivier de Proet door de Osmaanse troepen ingesloten en de Russische tsaar was genoodzaakt een verdrag te ondertekenen waarbij hij Azov afstond. Gezien het feit dat de tsaar door de Turken gevangengenomen was en hij deze campagne voor hetzelfde geld met de dood had kunnen bekopen, kan de houding van de Turken uiterst mild worden genoemd. Het is echter niet duidelijk of zij is ingegeven door politiek vernuft, of door steekpenningen.

**10 februari.** Engeland en de Republiek komen een Tweede Barrièreverdrag overeen, waarin de Barrière minder steden omvat dan in het Townshend-verdrag uit 1709.

**25 februari.** Koning Frederik I van Pruisen en keurvorst van Brandenburg sterft. Hij wordt opgevolgd door zijn oudste zoon, Frederik Willem I.

**Februari.** Koning Karel XII van Zweden, die sinds de Slag bij Poltava in 1709 zijn kampement bij Bender in Moldavië, een deel van het Turkse Rijk, heeft opgeslagen, wordt door de sultan gevangengenomen.

**27 maart.** Tijdens de vredesonderhandelingen in Utrecht stemt Spanje erin toe Menorca en Gibraltar aan Engeland af te staan. Tevens verkrijgt Engeland het asientorecht, het monopolie op de import van 4800 slaven jaarlijks in Spaans Amerika voor de duur van dertig jaar.

**11 april.** In Utrecht sluiten Frankrijk en Spanje enerzijds en Engeland, de Republiek, Portugal, Pruisen en Savoye anderzijds vrede. Dit heeft consequenties voor de Nieuwe Wereld. →

**19 april.** Keizer Karel VI kondigt de Pragmatieke Sanctie af, waarbij het opvolgingsrecht van vrouwen in Oostenrijk wordt vastgelegd. Karel heeft alleen dochters. Erkenning van de Pragmatieke Sanctie binnen Oostenrijk en internationaal wordt de drijfveer van Karels politiek.

**27 juli.** Turkije en Rusland sluiten in Adrianopel een verdrag waarbij de vrede van 1 augustus 1711 voor vijfentwintig jaar wordt gegarandeerd.

**13 augustus.** Koning Frederik Willem van Pruisen kondigt de ondeelbaarheid van Brandenburg-Pruisen af.

**8 september.** Paus Clemens XI vaardigt de bul *Unigenitus*, een aanval tegen de jansenisten, uit.

- Naar aanleiding van de Vrede van Utrecht componeert Georg Friedrich Händel het *Utrechter Te Deum*.

- Ietsoegoe wordt sjogoen van Japan.

Geboren:

**15 oktober.** Denis Diderot (†30-7-1784), Frans filosoof

Gestorven:

**25 februari.** Frederik I (11-7-1657), koning van Pruisen en keurvorst van Brandenburg
**13 juni.** Arcangelo Corelli (1653), Italiaans violist en componist

# Internationale oorlog in koloniën voorbij

*…agers uit de streek rond de Hudsonbaai tonen hun vangst (gravure van Carol Allard, circa 1700).*

…OSTON, 11 april - Met het Verdrag …an Utrecht, dat een eind heeft ge…aakt aan de Spaanse Successieoor…g, is tevens het conflict tussen ener…ijds de Franse en Spaanse en ander…ijds de Engelse kolonisten in Noord-…merika bijgelegd. Volgens het vre…esverdrag erkent Frankrijk de Enge…e heerschappij in Nova Scotia, New…undland en het gebied rond de …ludsonbaai.

…Vas in Europa de strijd tussen de …labsburgers en de Bourbons over de …paanse erfenis de inzet van de oor…gshandelingen, in de Nieuwe Wereld …as het meer een strijd tegen de sterkste …oloniale macht, te weten Engeland.

…p het Amerikaanse toneel begonnen …e vijandelijkheden in het zuiden, …aar de Franse en Spaanse kolonisten …ich bedreigd voelden door de expan…eve Engelse kolonie Zuid-Carolina. …e Fransen wilden hun positie in Loui…ana versterken en zo mogelijk een …erbinding met Canada tot stand bren…en. Hiertoe hadden zij reeds nederzet…ngen gesticht in het gebied van de …linois-Indianen. Handelaren uit Ca…olina waren rond 1700 evenwel al …oorgedrongen tot het stroomgebied …an de Mississippi, waar zij van de lo…ale Indianen buffelhuiden kochten. …e Spanjaarden waren vanuit Florida …ngs de Golf van Mexico getrokken en …adden zich aan de kant van de Fran…n geschaard om gemeenschappelijk …e Engelse expansie tegen te gaan.

…n het oosten van Amerika nam het …onflict de vorm aan van een reeks …rans-Indiaanse aanvallen op Engelse …rensnederzettingen, waarbij de kolo…e Deerfield met de grond gelijkge-

maakt werd. De Engelsen openden hierop de aanval op Port Royal in L'Acadie, de basis van Franse kaper-

schepen, die het vooral op Engelse koopvaardijschepen gemunt hadden. L'Acadie werd uiteindelijk in zijn ge-

heel door de Engelsen ingenomen en omgedoopt tot Nova Scotia.

Vervolgens werd het Engelse oorlogsdoel het verwijderen van de Fransen uit Montreal en Quebec. Hiervoor was hulp uit het moederland noodzakelijk en generaal Nicholson besloot daarom een delegatie van kolonisten naar Engeland te sturen om daar te pleiten voor geld, schepen en manschappen. De koloniale afvaardiging werd opgeluisterd door een viertal Indiaanse opperhoofden die, getooid met veren hoofddeksels en beschilderd met oorlogskleuren, met behulp van tolken koningin Anna probeerden te overreden hen te helpen bij de verdrijving van de Fransen. Na afloop van het bezoek aan het paleis werden de vier 'Sachems' rondgeleid door Londen, waar zij dineerden met de quaker William Penn en een theater bezochten waarin Shakespeares *Macbeth* werd opgevoerd.

Het plan van Nicholson slaagde: de Engelse kroon zond twee jaar geleden een vloot met 12 000 man naar Amerika. De militaire operatie tegen de Fransen mislukte echter: een groot aantal schepen leed schipbreuk in de Golf van Saint-Lawrence, waarop de overige schepen onverrichter zake huiswaarts zeilden.

# Europese staten sluiten vrede in Utrecht

*Links een anonieme zinneprent over de Vrede van Utrecht; rechts keizer Karel VI (door Daniel Kupetzky).*

UTRECHT, 11 april - Eindelijk lijkt er een definitieve vrede gesloten te zijn tussen de Europese staten. Deze vrede toont aan hoe het Europese machtsevenwicht in enkele tientallen jaren definitief gewijzigd is: Spanje, het eens zo roemrijke land van Filips II, ligt als een blinde darm aan het Europese vasteland; de Republiek, eens de glorie van de wereldzeeën, is een bijna te verwaar-

lozen (politieke!) macht zodat een Franse gezant kon zeggen dat de vrede 'chez vous, sur vous et sans vous' (met U, voor U en zonder U) gesloten werd. Frankrijk en Engeland zijn daarentegen sterk uit de strijd te voorschijn gekomen: Frankrijk is de enige macht in Midden-Europa die telt; Engeland heeft de positie van Spanje als 'koloniale mogendheid' overgenomen.

Een belangrijke bepaling van deze Vrede van Utrecht is dat de Zuidelijke Nederlanden, eeuwig strijdpunt tussen Frankrijk en de Republiek, aan Oostenrijk komen. Daarmee is er in ieder geval een buffer ontstaan tussen beide landen. Maar of die sterk genoeg is om de zwakke Republiek te beschermen en het sterke Frankrijk te beteugelen, valt nog te bezien.

# Spaanse troonstrijd beëindigd

*De slag bij Malplaquet (1709), de bloedigste uit de Spaanse Successieoorlog.*

RASTATT, 6 maart - Met de Vrede van Utrecht (1713) en de Vrede van Rastatt is er een einde gekomen aan de Spaanse Successieoorlog die in 1702 uitbrak. In deze oorlog was het voornaamste strijdpunt de kwestie van de Spaanse troonopvolging. Daarnaast speelden ook commerciële en koloniale belangen een rol. Door de uitgebreidheid van het conflict (een groot aantal Europese mogendheden en hun kolonies waren bij de strijd betrokken) is de Spaanse Successieoorlog in feite een wereldoorlog te noemen.

De kwestie van de Spaanse troonopvolging begon in de tweede helft van de 17de eeuw een belangrijke rol te spelen binnen de Europese politiek. Na de dood van Filips IV in 1665 kwam de voor het koningschap volslagen ongeschikte Karel II op de Spaanse troon. Al tijdens zijn regeerperiode begonnen de onderhandelingen over zijn opvolging. Zowel Lodewijk XIV als de Habsburgse keizer Leopold schoof, omdat beiden waren getrouwd met een zuster van Karel II, een familielid als kroonpretendent naar voren. Aanvankelijk bepaalde Karel II dat de kleinzoon van de Habsburgse keizer Leopold, Jozef Ferdinand, de keurvorst van Beieren, zijn opvolger zou worden. Deze stierf echter in 1699, waarna de Spaanse koning zijn testament wijzigde ten gunste van de kleinzoon van Lodewijk XIV, Filips van Anjou. Deze werd na de dood van Karel II in 1700 uitgeroepen tot de nieuwe Spaanse koning Filips V.

Het Europese machtsevenwicht werd door deze opvolging verstoord. De Franse invloed strekte zich nu uit vanaf Gibraltar tot aan de Spaanse Nederlanden. Om dit tegen te gaan kwam zijn eeuwige tegenstander Willem III, stadhouder van de Republiek en sinds 1689 koning van Engeland, in actie. In 1701 sloot hij het Groot Verbond tussen Engeland, de Republiek, Oostenrijk, Pruisen, Hannover, het Duitse Rijk en later ook Portugal en Savoye. Lodewijk XIV kon behalve Spanje slechts Beieren tot zijn bondgenoot rekenen.

Tegen de overmacht bleek Lodewijk XIV niet opgewassen. Vanaf het begin leed hij zware nederlagen in de slagen bij Blenheim-Hochstädt (1704), Oudenaarde (1708) en Malplaquet (1709). Hij was daarom bereid tot onderhandelingen, maar de eisen van geallieerde kant bleken te hoog. Op 12 oktober 1711 werd echter Karel VI, de Habsburgse kroonpretendent, gekozen tot keizer van het Heilige Roomse Rijk. Hierdoor dreigde het machtsevenwicht binnen Europa om te slaan in het voordeel van de Habsburgers. Het Groot Verbond besloot daarom tot onderhandelingen en op 11 april vorig jaar kwam de Vrede van Utrecht tot stand. Filips V behield de Spaanse troon, Engeland verkreeg Gibraltar en de Republiek een aantal vestingen in de Spaanse Nederlanden die haar moesten behoeden voor een nieuwe Franse inval (het zo genoemde Barrièreverdrag). Frankrijk behield de Elzas en Lotharingen en zijn invloed in Spanje, maar moest een aantal koloniën afstaan aan Engeland, dat als sterkste uit de oorlog te voorschijn kwam.

Oostenrijk heeft in de Spaanse Successieoorlog grote militaire overwinningen behaald, maar de beslissing van Karel VI om na de Vrede van Utrecht van 11 april vorig jaar, waarbij zijn bondgenoten vrede sloten met Frankrijk, alleen door te vechten, leverde hem voornamelijk nederlagen op. Bij de Vrede van Rastatt boekt Oostenrijk zowel winst als verlies. De hoop op het verwerven van Spanje en de Spaanse overzeese gebiedsdelen is vervlogen, Oostenrijks positie in Italië wordt echter sterker. Het verkrijgt Milaan, Napels en Sardinië. Milaan bezit een bloeiende handel en een welvarende burgerij, maar Napels en Sardinië zijn onder het Spaanse bewind op een economisch dieptepunt beland. Het bezit van de voormalige Spaanse Nederlanden verschaft Oostenrijk weinig genoegen: ze liggen in de Franse invloedssfeer en de Noordelijke Nederlanden hebben de Schelde voor grote zeeschepen afgesloten.

Koloniën verwierf men niet, maar in Midden-Europa blijft Oostenrijk de belangrijkste staat. Daar heeft het een groot prestige opgebouwd als gevolg van zijn triomfen in de oorlogen tegen de Turken en de Fransen en de pacificatie van Hongarije en Transsylvanië.

*Lodewijk XIV, afgebeeld als Jupiter.*

# George I volgt overleden Anna Stuart op

LONDEN, 1 augustus - Na de onverwachte dood van Anna Stuart wordt de
keurvorst van Hannover, Georg Ludwig, onder de naam George I koning
van Engeland. George I is een achterkleinzoon van koning Jacobus I. Met
deze opvolging is uitvoering gegeven
aan de Act of Settlement (1701).
Met de dood van de 49-jarige koningin
is een eind gekomen aan 111 jaar heerschappij van het oorspronkelijk uit
Schotland afkomstige Huis van Stuart. Hoewel de opvolging van het Huis
van Hannover bij de wet geregeld was,
hield men hier nog serieus rekening met
de mogelijkheid dat een andere Stuart-
telg, James Edward, zoon van de verdreven koning Jacobus II, zijn halfzuster zou opvolgen. Toen koningin
Anna in december vorig jaar ernstig
ziek werd, stelden diverse politici de
Act of Settlement ter discussie. Een
van de belangrijkste Tory-ministers,
Robert Harley, graaf van Oxford,
stuurde James Edward in januari bericht dat hij zou voorstellen de Act of
Settlement te herroepen als James Edward bereid was het rooms-katholieke
geloof af te zweren. Deze was hiertoe
niet bereid. In tegenstelling tot de vroegere Franse koning Hendrik IV, die
voor de steun van Parijs best een mis
overhad, hecht deze Stuart meer waarde aan zijn geloof dan aan de Engelse
kroon. De opvolging door George I was
hiermee onvermijdelijk geworden.
Rond het sterfbed van koningin Anna
speelden zich onverkwikkelijke scènes
af omtrent machtsposities in het kabinet. Hierbij werd Robert Harley uitge-

*Koning George I van Engeland, tevens keurvorst van Hannover.*

rangeerd en kwam de hertog van
Shrewsbury als belangrijkste minister
naar voren. John Arbuthnot, een van
de lijfartsen van de nu overleden
vorstin, meende dat deze intriges de
dood van koningin Anna hadden bespoedigd: 'Ik geloof dat zij zich met
meer graagte aan de dood overgaf dan

een vermoeide reiziger na een zware
dag de slaap verwelkomt.' De resultaten van deze intriges worden als zeer
belangrijk beschouwd omdat men algemeen verwacht dat George I hier
geen krachtige positie kan opbouwen
daar hij noch de taal noch de politieke
verhoudingen in Engeland kent.

# 'Geschiedenis van Groot Japan' vordert

*'Avond aan de Ryogoku-brug', scène uit het dagelijks leven in Japan (18de eeuw).*

Chinese studies toegelegd.
Toen hij blijk had gegeven deze goed te
beheersen wijdde hij zich aan Japanse
literatuur omdat hij de ontwikkeling
daarvan veel belangrijker vond. Ook
gaf hij de voorkeur aan het in Japan
opgekomen sjintoïsme boven het
geimporteerde boeddhisme.
In tegenstelling tot de eerder geschreven geschiedenis van Japan heeft Mitsoekoeni blijk gegeven van een kri-
tisch-analyserende instelling bij zijn
onderzoek van het verleden. Hoewel in
de tot nu toe gepubliceerde delen van
de *Dai Nihon Sji* nationalistische tendensen wel aanwijsbaar zijn, wordt
duidelijk aangegeven waar in het verleden keizers en/of de Bakoefoe of het
sjogoenaat gefaald hebben. Naast de
politieke geschiedenis wordt ook de
ontwikkeling van economische, sociale en culturele structuren onderzocht.
De invloed van de manier van
geschiedschrijving van Mitsoekoeni
blijft ook na zijn dood in 1700 aanwijsbaar. Zijn collega's zetten bij het samenstellen van de *Dai Nihon Sji* zijn
werkwijze voort.

KIOTO - Opnieuw is een deel van de
*Dai Nihon Sji* (Geschiedenis van Groot
Japan) voltooid. Het werk, dat de in de
17de eeuw in opdracht van de Bakoefoe door Hajasji Razan samengestel-

de officiële geschiedenis van Japan
moet vervangen, is begonnen door
Mitsoekoeni. Deze kleinzoon van de
eerste Tokoegawa-sjogoen Iëjasoe
had zich aanvankelijk op klassieke

PARIJS, 17 februari - Het Parlement
van Parijs is, onder druk van Lodewijk
XIV, akkoord gegaan met de pauselijke bul *Unigenitus* die Clemens XI op 8
september vorig jaar heeft uitgevaardigd. De bul is gericht tegen het jansenisme, een radicale stroming binnen de
Katholieke Kerk.
Lodewijk XIV voert een politiek van
religieuze eenheid, waarbij groepen die
afwijken van de officiële katholieke
leer, worden vervolgd. In 1685 leidde
deze politiek tot de herroeping van het
Edict van Nantes en de vlucht van een
groot aantal hugenoten naar het buitenland. Tegelijkertijd trachtte hij zijn
invloed op kerkelijk gebied te vergroten. Hierbij zocht hij wisselend steun
bij de paus en de Franse clerus. Na 1682
leidden de Gallicaanse Artikelen en de
vergrote onafhankelijkheid van de
Franse Katholieke Kerk tot een jarenlange strijd met Rome. Bij de uitschakeling van het jansenisme wordt Lodewijk daarentegen juist gesteund door
de paus. De bul werd op verzoek van de
Franse koning uitgevaardigd. Ditmaal
komt hij in conflict met de Franse clerus, die niet direct bereid is de pauselijke verordening goed te keuren.
Grondlegger van het jansenisme is
Cornelius Jansen (1585-1638). Hij baseerde zijn leer op het werk van Sint
Augustinus waaruit ook de leiders van
de Reformatie hadden geput. De stroming had dan ook overeenkomsten
met het calvinisme. Beide erkennen het
principe van voorbeschikking of predestinatie.
In Frankrijk werd het jansenisme geïntroduceerd, door Antoine Arnauld
met zijn boek *De la frequent commu-
nion* (1643). Tegen Quesnels boek *Ré-
flexions morales sur le Nouveau Testament* (1678) was de bul *Unigenitus*
gericht. De paus verklaarde het boek
op 101 punten in strijd met de katholieke leer. Bovendien werd in 1710 het
klooster van Port-Royal, het centrum
van het jansenisme, met de grond gelijkgemaakt.

*Angélique Arnauld, abdis van het klooster Port-Royal.*

**15 april.** In de Engelse kolonie South Carolina, Noord-Amerika, komen Yamasse-Indianen in opstand. De opstand wordt na enige weken neergeslagen en de Yamassees worden naar de Spaanse kolonie Florida verjaagd.

**1 mei.** Na een aanval op Usedom verklaart Pruisen Zweden de oorlog.

**Juli.** Het Engelse parlement neemt de Riot Act aan nu jacobitische opstandjes dreigen ten gunste van de katholieke troonpretendent Jacobus III Stuart en tegen de opvolging door George I.

**1 augustus.** George, keurvorst van Hannover, wordt ingehuldigd als koning van Engeland.

**1 september.** Koning Lodewijk XIV van Frankrijk sterft. Hij wordt opgevolgd door zijn 5-jarige achterkleinzoon Lodewijk XV. →

**6 september.** In Schotland begint een opstand ten gunste van de troonpretendent Jacobus III Stuart en tegen de troonopvolging door de protestantse George I.

**13 november.** Bij Sheriffmuir en Preston worden de jacobitische opstandelingen verslagen door het Engelse leger.

**15 november.** De Republiek en Oostenrijk sluiten in Antwerpen het Barrièreverdrag, waardoor de Republiek het recht krijgt soldaten te legeren in acht steden in de Zuidelijke Nederlanden. Uit belastingen dragen de Zuidelijke Nederlanden 1 250 000 gulden bij in de kosten van de legering van Nederlandse troepen. Er wordt een handelsverdrag tussen de Republiek en Oostenrijk in het vooruitzicht gesteld.

**22 december.** Jacobus III, pretendent voor de Engelse troon, landt bij Peterhead.

**24 december.** Pruisen verovert Stralsund op Zweden. Karel XII van Zweden valt Noorwegen binnen.

- Mir Abdullah wordt heerser over Kandahar in Afghanistan.

- Vanuit Duitsland, Ierland en Schotland emigreren honderden mensen naar Engels Noord-Amerika.

- Christian Gottfried Hertel gebruikt als eerste het belichtingsspiegeltje bij de microscoop.

- Georg Friedrich Händel componeert de *Wasser Musik*, te spelen bij rondvaarten door George I op de Theems.

Gestorven:

**1 september.** Lodewijk XIV (5-9-1638), koning van Frankrijk →

# Lodewijk XIV gestorven

*Koning Lodewijk XIV van Frankrijk met gezin (door Nicolas de Largilliere).*

VERSAILLES, 1 september - Op 77-jarige leeftijd is de Franse koning Lodewijk XIV in zijn paleis in Versailles overleden. De Zonnekoning laat zijn achterkleinzoon Lodewijk XV een verzwakt Frankrijk na. De min of meer permanente oorlogvoering tijdens zijn bewind leverde slechts geringe gebiedswinst op en heeft geresulteerd in een verslechtering van de economische situatie.

Lodewijk XIV werd op 5 september 1638 geboren in Saint-Germain-en-Laye. Na de dood van zijn vader Lodewijk XIII werd hij in 1643 (Lodewijk was toen vijf) koning. Het bestuur bleef echter in handen van zijn moeder Anna van Oostenrijk en kardinaal Mazarin. In deze tijd werd Frankrijk geconfronteerd met oorlogen en binnenlandse opstanden die door Mazarin met succes werden beëindigd.

Het neerslaan van de Fronde maakte de weg vrij voor de vergroting van de macht van de toekomstige koning omdat de opstandige adel door de bevolking werd geassocieerd met interne verdeeldheid en burgeroorlog.

Na de dood van Mazarin in 1661 nam Lodewijk XIV (inmiddels getrouwd met zijn nicht Maria Theresia) zelf de macht in handen. Frankrijk was in deze tijd het machtigste, rijkste en dichtstbevolkte land van Europa. Lodewijk XIV kon rekenen op de steun van een aantal bekwame ambtenaren en diplomaten zoals Colbert en Louvois. De eerste zorgde voor een vergroting van de staatsinkomsten en de tweede bracht tal van verbeteringen in het leger aan. De ambtenaren waren echter volkomen ondergeschikt aan de koning.

Na 1667 voerde Lodewijk een groot aantal oorlogen waarin hij aanvankelijk veel succes had. De overige Europese staten wisten het Franse machts-

streven echter door het sluiten van allianties tegen te gaan. Na afloop van de Spaanse Successieoorlog bleef Lodewijk XIV met lege handen achter. Hij behield weliswaar de Elzas, maar zijn streven de Spaanse Nederlanden bij Frankrijk te voegen en de noordgrens op te schuiven tot aan de Rijn bleef zonder resultaat. Bovendien hadden de talloze oorlogen de economie uitgeput.

De staatsuitgaven werden verder vergroot door de luxueuze levensstijl van het hof. Het dagelijks leven in het paleis van Versailles verliep volgens nauwkeurig omschreven regels die tot doel hadden de verplicht aanwezige adel buiten de politiek te houden. Deze werd nadrukkelijk bij de hofceremonies (lever, diner, coucher) betrokken en werd door de buitensporig hoge kosten hiervan vaak op de rand van het faillissement gebracht, hetgeen zijn afhankelijkheid verder deed toenemen.

Lodewijk XIV voerde onder invloed van zijn tweede vrouw Madame de Maintenon en aartsbisschop Bossuet een politiek van religieuze eenheid en trachtte zijn macht op kerkelijk gebied te vergroten. Dit bracht hem regelmatig in conflict met de paus (Gallicaanse Artikelen) en leidde tot de vlucht van een groot aantal hugenoten na de herroeping van het Edict van Nantes in 1685. Deze groep bezette belangrijke posities binnen de Franse economie.

Zo groeide Lodewijk XIV uit tot de belangrijkste vertegenwoordiger van het absolutisme in zijn tijd. Deze regeringsvorm oefende grote invloed uit in Europa. Als gevolg van deze politiek werd Frankrijk echter geconfronteerd met economische crises, hongersnoden, teruggang van het bevolkingsaantal en een groeiende oppositie. Lodewijk XV heeft zodoende een verzwakt land geërfd.

**6 februari.** Engeland en de Republiek hernieuwen het bondgenootschap van 1676.

**10 februari.** Na een mislukte opstand in Schotland te hebben geleid keert de Engelse troonpretendent Jacobus III in Frankrijk terug.

**8 april.** Hertog Karel Leopold van Mecklenburg-Schwerin trouwt de nicht van tsaar Peter de Grote en sluit een verbond met Rusland.

**13 april.** De Duitse keizer Karel VI sluit een verbond met Venetië, dat met Turkije in oorlog is. Karel eist dat Turkije zich terugtrekt achter de grenzen die bij de Vrede van Karlowitz in 1699 waren overeengekomen. Turkije verklaart Oostenrijk de oorlog.

**April.** Zweden moet Wismar, het laatste steunpunt aan de zuidkust van de Oostzee, opgeven.

**5 juni.** Engeland en de Duitse keizer tekenen een verdrag van wederzijdse bijstand in geval van een aanval door een derde.

**5 augustus.** Eugenius van Savoye verslaat met het keizerlijke leger de Turkse troepenmacht bij Peterwardein (Petrovaradine).

**9 oktober.** Engeland en Frankrijk sluiten een verdrag, dat in januari 1717 wordt uitgebreid.

**13 oktober.** Temesvar, het laatste Turkse steunpunt in Hongarije, wordt door keizerlijke troepen veroverd.

**3 november.** Bij het Pacificatieverdrag van Warschau garandeert tsaar Peter de Grote de Poolse koningstitel van keurvorst August de Sterke van Saksen.

- Tsaar Peter de Grote maakt een tweede rondreis door West-Europa. In Amsterdam koopt hij de wetenschappelijke collectie van Albert Seba op.

- In Peking verschijnt het woordenboek van de Chinese taal. →

- Jezuïeten onder leiding van Desiderius trekken vanuit India via Tibet de Himalaja over.

- John Law sticht de Banque Générale in Parijs en geeft bankbiljetten uit.

- Josjimoene wordt sjogoen van Japan.

- Catalonië wordt door Filips V tot een integraal onderdeel van het koninkrijk Spanje verklaard. Catalonië steunde tijdens de Spaanse Successieoorlog lange tijd de Oostenrijkse pretendent, Karel III. →

- Het christelijk onderwijs wordt in China verboden.

Gestorven:

**14 november.** Gottfried Wilhelm Leibniz (14-7-1646), Duits universeel geleerde →

# Spanje lijft Catalonië in

*De inwoners van Barcelona (katten) verdedigen zich tegen de vijand (honden).*

CATALONIE - De gevolgen van de Catalaanse oppositie tegen Filips V van Bourbon tijdens de Spaanse Successieoorlog (1701-1713) zijn niet uitgebleven. Filips V, koning van Spanje, heeft met het invoeren van de 'Nueva Planta' (het nieuwe plan) de traditionele Catalaanse rechten en vrijheden ('fueros') zo goed als afgeschaft en waarmee Catalonië volledig in Spanje geïncorporeerd.

De Spaanse Successieoorlog verdeelde niet alleen de Westeuropese mogendheden, ook binnen Spanje leidde deze oorlog tot tegenstellingen. Het dominante Castilië steunde Filips V als troonopvolger, terwijl Catalonië en later Aragón en Valencia zich achter aartshertog Karel van Habsburg schaarden. Catalonië voelde niets voor de centralistische politiek van de Bourbons en was niet bereid de oorlogsbesteding die Filips V oplegde, te betalen. Separatistische tendensen hadden zich al eerder voorgedaan; tijdens de Dertigjarige Oorlog was Catalonië tegen Filips IV in opstand gekomen.

In het Verdrag van Utrecht (1713) dat op internationaal vlak het einde van de Spaanse Successieoorlog betekende, werd geen rekening gehouden met de positie van Catalonië. Uit protest hebben de Cortes (het parlement) van Catalonië besloten Filips V de oorlog te verklaren. Het was de laatste keer dat de Catalaanse Cortes bijeenkwamen. Na een beleg waarvoor elk schip dat in Spanje te vinden was ingezet werd, nam Filips V Barcelona in september 1714 in. Zijn wraak is nu tot uiting gekomen in de 'Nueva Planta' waarmee alle Catalaanse gebruiken en wetten werden afgeschaft en vervangen door Castiliaanse. Bovendien heeft hij het gebruik van de Catalaanse taal op ve-

lerlei gebieden verboden. Alleen de Baskische provincies en Navarra hebben in Spanje hun vrijheden behouden.

De Catalanen zijn gekrenkt door deze maatregelen. Het valt niet te verwachten dat zij zich er zonder meer bij zullen neerleggen, hoewel hun positie danig verzwakt is. Een positieve kant van de integratie in Spanje is echter dat Catalonië kans heeft op een industriële opleving. Een geprotegeerde thuis- en overzeese markt in Amerika ligt vanaf nu daarvoor open.

*Taoïstische muurspreuk: 'Doe niets en alles zal geschieden.'*

# Groot Chinees woordenboek

PEKING - Na jarenlange arbeid is het grote woordenboek van de Chinese taal verschenen. Het vormt een van de vele ondernemingen op het gebied van kunst en cultuur die door de Chinese keizer Kang Xi gesubsidieerd worden. Het patronaat van de Chinese cultuur door de Mantsjoe-keizer Kang Xi heeft een drieledig doel. Ten eerste probeert de monarch op deze wijze verdeeldheid te zaaien in de kringen van de Chinese intellectuelen, die nog steeds het Mantsjoe-bewind over China afwijzen. Dit bleek heel duidelijk bij het eerste project dat in 1679 door Kang Xi in gang werd gezet. De keizer stuurde toen een uitnodiging naar 185 beroemde geleerden van die tijd om te participeren in de compilatie van de *Ming Shi* (Geschiedenis van de Ming-dynastie). Ondanks een algemene afkeer van de nieuwe dynastie namen 152 geleerden de uitnodiging van de keizer aan.

Ten tweede is het de bedoeling van de keizer om het confucianisme, waarin in de 17de eeuw verschillende vernieuwingsbewegingen zichtbaar werden, tot zijn orthodoxe en conservatieve variant terug te brengen.

Ten derde wil de keizer, die een zeer erudiet man is, demonstreren dat de Qing-heersers ondanks hun vreemde afkomst respect voor de Chinese cultuur tonen.

Het Kang Xi-woordenboek is het meest complete woordenboek van de Chinese taal dat ooit is verschenen. Het omvat 49000 Chinese tekens. De meeste van die tekens worden overigens zelden of nooit gebruikt.

Tot de projecten waarmee onder het patronaat van Kang Xi een begin is gemaakt of die voltooid zijn, behoren geografische werken, boeken over kunst en gedrukte uittreksels van een grote hoeveelheid oude manuscripten.

# Leibniz introduceerde begrip 'kracht'

HANNOVER, 14 november - Na een lange wetenschappelijke en politieke carrière is in Hannover Gottfried Wilhelm Leibniz (geboren 1646) overleden. Met zijn werk heeft hij bijgedragen tot de ontwikkeling van de filosofie, theologie en wis- en natuurkunde. Aan het einde van zijn leven was Leibniz, die als adviseur talrijke staatshoofden bijstond, min of meer in vergetelheid geraakt.

Leibniz trad na zijn studie in dienst van het hof in Mainz. Vanaf 1672 verbleef hij in Parijs, waar hij probeerde Lodewijk XIV te overreden zijn territoriale ambities buiten Europa te verwezenlijken. Daar kwam hij in contact met het werk van Descartes, Spinoza en Huygens en vond hij de differentiaalrekening uit (onafhankelijk van hem had Newton een aantal jaren eerder hetzelfde uitgevonden). Hierna trad hij als bibliothecaris en adviseur in dienst van het hof van Hannover. Hij was de leermeester van Sophia Charlotte, de latere vrouw van de koning van Pruisen, Frederik I. Met haar steun richtte

hij in 1700 in Berlijn de academie voor wetenschappen op, waarvan hij de eerste president was. In Wenen voerde hij in 1712 onderhandelingen over een hereniging van de christelijke geloven. Hij beklemtoonde in theologische geschriften de overeenkomsten tussen de verschillende geloofsrichtingen.

Leibniz ging ervan uit dat de wereld volgens logische wetten is opgebouwd. Hij introduceerde het begrip 'kracht' in de natuurkunde. Eerder had Descartes de 'wet van behoud van beweging' opgesteld. Volgens Leibniz was 'beweging' echter relatief. Ze werd veroorzaakt door energie ('kracht'). Een voorwerp behield deze 'kracht' ook in rusttoestand; vandaar zijn 'wet van behoud van kracht'.

Volgens Leibniz bestond de wereld uit talloze 'geestelijke krachtcentra', monaden. In zijn 'monadologie' zette hij uiteen dat de harmonie van de kosmos op een samenspel van deze krachtcentra berust. Ze zijn echter onafhankelijk van elkaar en hiërarchisch geordend waarbij God de hoogste mo-

*Gottfried Wilhelm Leibniz.*

nade en tevens de schepper van de kosmos is.

In zijn *Essais de théodicée* (1710) verdedigde hij God, die verantwoordelijk werd geacht voor het kwaad in de wereld. Volgens Leibniz is God volmaakt en is deze wereld de best mogelijke.

# 1717

**4 januari.** Engeland, de Republiek en Frankrijk sluiten de Triple Alliantie. Frankrijk zal de steun aan de Engelse troonpretendent Jacobus III staken, terwijl Engeland de hertog van Orléans, die als regent voor Lodewijk XV regeert, zal steunen tegen pretendenten. De Triple Alliantie keert zich tegen de activiteiten van Karel XII van Zweden en de Spaanse eerste minister Alberoni, waardoor de vrede in Europa bedreigd wordt.

**5 januari.** Koning Frederik Willem I van Pruisen schaft de feodale opkomstplicht bij het leger voor de adel af en vervangt die door een afkoopsom.

**Januari.** Gouverneur Spotswood van de Engelse kolonie Virginia in Noord-Amerika pleit na een expeditie naar de Shenandoah-vallei voor kolonisatie bij de Grote Meren.

**Januari.** De Zweedse ambassadeur in Engeland, Gyllenborg, wordt gearresteerd op verdenking van deelname aan het komplot om de Zweedse ambassadeur in Den Haag te vermoorden en het smeden van plannen voor een nieuwe landing van de Engelse troonpretendent Jacobus III.

**Februari.** De Poolse Landdag accepteert de personele unie met Saksen onder August de Sterke.

**24 juni.** In Londen wordt de eerste grootloge van de vrijmetselarij opgericht. →

**16 augustus.** Eugenius van Savoye verovert na een beleg van twee maanden met het keizerlijke leger Belgrado op Turkije.

**17 augustus.** Frankrijk, Rusland en Pruisen komen in Amsterdam een conventie overeen, waarbij elk zegt de Verdragen van Utrecht en Baden te zullen eerbiedigen. Rusland zal zich terugtrekken uit Mecklenburg en Frankrijk zal in de Noordse Oorlog, die sinds 1700 woedt, bemiddelen.

**22 augustus.** Spaanse troepen landen op Sardinië. Er breekt weer oorlog uit tussen Spanje en de keizer.

**Augustus.** John Law's Compagnie Française de l'Occident verkrijgt het handelsmonopolie met Louisiana.

- Lhasa, de hoofdstad van Tibet, wordt door Mongolen veroverd.

- In Afghanistan wordt Mir Abdullah door Mir Mahmoed opgevolgd. Abdalis van Herat begint een opstand en roept een eigen staat uit.

- Grote groepen gereformeerden vertrekken wegens de beperkingen bij het belijden van hun geloof naar Pennsylvanië.

- De instrumentmaker Fahrenheit keert terug in Amsterdam. →

## Fahrenheit terug in Amsterdam

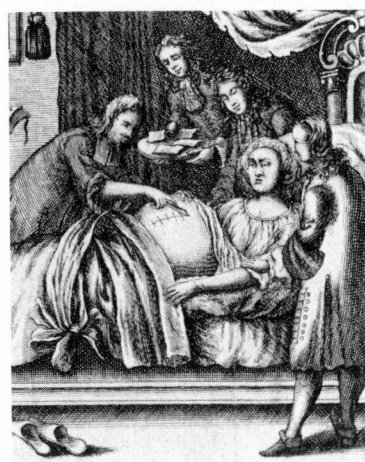

*Geneeskunst in de 18de eeuw: bevalling met de keizersnede.*

AMSTERDAM - Na tien jaar in het buitenland te zijn verbleven is de bekende instrumentmaker Daniel Gabriel Fahrenheit dit jaar in Amsterdam teruggekeerd. De uit Danzig afkomstige Fahrenheit, die vooral bekend is als maker van uiterst nauwkeurige kwikthermometers, vestigde zich in 1701 voor het eerst in Amsterdam. Fahrenheit is niet de uitvinder van de thermometer. Deze uitvinding staat vermoedelijk op naam van de Italiaanse wetenschapper Galileo. Hoewel er de laatste honderd jaar bijna vijfendertig verschillende soorten temperatuurschalen zijn ontwikkeld, komt die van Gabriel Fahrenheit als beste uit de bus. De instrumentmaker heeft zich bij de ontwikkeling van zijn temperatuurschaal laten inspireren door het werk van de Deense astronoom Olaus Roemer.
Het laagste punt op de Fahrenheitschaal wordt bepaald door het smeltpunt van ijs. Afstelling van het hoogste punt geschiedt 'door de thermometer onder de oksel of in de mond van een gezonde man te plaatsen'.

## Eerste grootloge vrijmetselaars

LONDEN, 24 juni - Met de vereniging van vier loges is op Sint-Jansdag de eerste grootloge van de vrijmetselarij opgericht. Deze broederschap streeft ernaar arbeid te verrichten waarbij, in een samenstel van ceremoniële handelingen, symbolen worden voorgehouden die de gezamenlijke band en de persoonlijke bezinning stimuleren; wereld en leven gezien als een te voltooien bouwwerk. Uitgangspunt van de symboliek vormt hierbij de tempel van Salomo. Om de vertrouwelijkheid te bewaren worden alle activiteiten geheim gehouden. De vrijmetselarij streeft naar tolerantie en vreedzame oplossing van conflicten.

# 1718

**30 juli 1718.** In Ruscombe sterft William Penn, de stichter van de Engelse kolonie in Noord-Amerika Pennsylvanië, waar godsdienstvrijheid in de grondwet werd vastgelegd.

**2 augustus.** Frankrijk, de keizer en Engeland tekenen de Quadruple Alliantie. De Republiek is wel uitgenodigd deel te nemen, maar treedt niet toe.

**21 augustus.** Turkije, Venetië en de keizer sluiten na Engelse bemiddeling in Passarowitz voor de duur van vijfentwintig jaar vrede.

**11 december.** Tijdens de veldtocht in Noorwegen sneuvelt koning Karel XII van Zweden bij Frederikshall.

**17 december.** Engeland verklaart Spanje wegens agressieve politiek de oorlog.

- In Pruisen worden onderwijshervormingen doorgevoerd. →

- Het Chinese leger wordt bij een aanval op Lhasa in Tibet door de Mongolen vernietigd.

- De Compagnie Française de l'Occident sticht de stad New Orleans in Louisiana, Frans Noord-Amerika.

- De Vlaamse arts Jan Palfijn publiceert zijn boek *Heelkonstige ontleeding van 's mensen lichaam.*

- Het eerste Engelse papiergeld verschijnt.

**5 januari 1719.** Engeland, Hannover, Saksen-Polen en Oostenrijk sluiten een defensief verbond tegen de Pruisisch-Russische dreiging.

**9 januari.** Frankrijk verklaart Spanje de oorlog.

**23 september.** Liechtenstein verklaart zich onafhankelijk van het Duitse Keizerrijk.

- Mohammed Sjah, de kleinzoon van Bahadur, wordt Groot-Mogol van India. →

- Ierland wordt door het Engelse parlement tot een onvervreemdbaar onderdeel van Engeland verklaard.

- In Frankrijk krijgt de bank van John Law het muntrecht. De aandelen van zijn Compagnie Française de l'Occident zijn zeer gewild, hetgeen uitgebreide speculatie tot gevolg heeft.

- De Portugese gouverneur van Brazilië krijgt de titel onderkoning. In Brazilië wordt Mato Grosso vanuit São Paulo gekoloniseerd.

- Daniel Defoe publiceert zijn boeken *Robinson Crusoe* en *The further adventures of Robinson Crusoe.*

## Mohammed Sjah bestijgt troon van Mogol-rijk India

*Mogol-keizer Farrukhsiar (1712-1719).*

DELHI, 1719 - In het Mogol-rijk Indi is Mohammed Sjah, de kleinzoon va Bahadur Sjah, op de troon gekomen Hiermee is een eind gekomen aan ee onzekere periode van zeven jaar waa in, na de dood van Bahadur Sjah, vi zwakke heersers elkaar snel opvolg den.
Deze snelle opvolging werd veroo zaakt door een voortdurende strijd o de macht door drie facties: de Tura ni's, de Irani's en Indiase moslems. D machtsstrijd is deels het gevolg van h feit dat onder de moslems de opvolgin niet aan duidelijke regels is gebonde In India hoopt men nu dat de door de rivaliteit veroorzaakte neergang va het rijk door Mohammed Sjah t staan kan worden gebracht.

*Met genoegen ziet koning Frederik Willem I van Pruisen toe hoe een le raar een klas onderricht geeft. Op 2 september 1717 werd op bevel van de koning de leerplicht voor 5- tot 12-jarigen ingevoerd. Dit vormde het begin van ingrijpende hervormingen die het onderwijs op een hoger niveau moeten brengen.*

**Januari.** De Engelse South Sea Company biedt aan de staatsschuld over te nemen. Door dit aanbod begint een enorme speculatie in aandelen van deze handelmaatschappij.

**1 februari.** Zweden en Pruisen sluiten in Stockholm vrede. Pruisen koopt Pommeren tussen Oder en Peene voor 2 miljoen thaler. Pruisen belooft Zweden bijstand in geval van een Russische aanval.

**29 februari.** Koningin Ulrica Eleonora van Zweden doet afstand van de troon ten gunste van haar echtgenoot Frederik I, prins van Hessen-Kassel.

**3 juli.** Zweden en Denemarken sluiten in Frederiksborg vrede. Zweden erkent de Deense tolheffingen bij de Sont en de annexatie van Sleeswijk door Denemarken.

**24 augustus.** De hertog van Savoye wordt ingehuldigd als koning Victor Amadeus II van Sardinië, dat hij in ruil voor Sicilië bij de vrede van Oostenrijk in bezit kreeg. →

**Oktober.** Door speculatie in aandelen van de South Sea Company stort de financiële structuur in Engeland in (South Sea Bubble). In Frankrijk tekent zich hetzelfde verschijnsel af door speculaties met de Mississippi Compagnie van John Law. Duizenden mensen raken geruïneerd. →

- Spaanse troepen onder de markies van Aguay veroveren vanuit Florida Texas, nadat al sinds 1718 tussen Franse en Spaanse kolonisten gevochten was.

- Giovanni Vico, Italiaans juridisch en historisch theoreticus, publiceert *De Uno Universi Principis*.

- De Oostenrijkse Erflanden erkennen de Pragmatieke Sanctie van Karel VI, waarmee hij de opvolging door een dochter mogelijk maakte.

- Lorenz Heister schrijft het eerste systematische boek over chirurgie.

- De keurvorst van de Palts, Karel Filip, verplaatst zijn residentie van Heidelberg naar Mannheim.

- In de Waalse steenkolenmijnen wordt voor het eerst de vuurpomp van Newcomen gebruikt.

# Frankrijk verkeert op rand van bankroet

PARIJS, 10 oktober - De Franse regering heeft aangekondigd dat met ingang van komende maand geen bankbiljetten meer kunnen worden ingewisseld tegen baar geld. De maatregel is een direct gevolg van het faillissement van de Mississippi Compagnie. Deze handelsfirma werd vier jaar geleden opgericht door de Schot John Law. Na een periode van groot succes ging 'Le Mississippi' aan speculatiezucht ten onder.

Tussen de Mississippi Compagnie en de Franse staat bestonden zeer nauwe banden. Beide maakten deel uit van het 'systeem van Law'. Dit systeem had oorspronkelijk tot doel een eind aan de financiële wanorde van de Franse staat te maken. De vele oorlogen van Lodewijk XIV hadden tot een chronisch geldgebrek geleid. Volgens Law was dit geldgebrek echter vooral te wijten aan de nog weinig ontwikkelde geldhandel in Frankrijk. Een nationale staatsbank zou hierin verandering moeten brengen.

Financiële kringen binnen de overheid

*De Rue Quincampoix, waar het bij de handel in aandelen vaak hard toe gaat.*

zagen er weinig heil in, maar Law gaf niet op. Hij richtte eerst een eigen bank op en daarna Le Mississippi, zo genoemd vanwege het alleenrecht dat de firma bezat op de handel met de Franse gebieden in Noord-Amerika. Deze handel zou pas lonend worden als de gebieden in cultuur werden gebracht. Om dit te financieren liet Law Le Mississippi aandelen uitgeven. De aande-

lenhandel was in Frankrijk betrekkelijk onbekend. Law beschreef echter vol vuur een Amerikaans eldorado, dat in de toekomst schatten geld zou opleveren voor degenen die er nu in belegden. Al snel was de vraag naar aandelen nauwelijks meer bij te houden. In de Rue Quincampoix, van oudsher het financiële centrum van de hoofdstad, verrezen overal kantoortjes. Mensen uit alle lagen van de bevolking sloegen aan het speculeren. In de omgeving van de Rue Quincampoix was permanent politie aanwezig om de menigte speculanten in bedwang te houden. De aandelen stegen in drie jaar duizend procent in waarde.

Dank zij dit succes kon Law zich steeds meer met de staatsfinanciën gaan bemoeien. Zijn eigen bank kreeg het predikaat koninklijk en vervolgens nam deze Koninklijke Bank de staatsschuld over. Het 'systeem van Law' was zo compleet: met de sterk gestegen aandelen van Le Mississippi kon de staatsschuld worden afgelost.

Het was een luchtkasteel. Ten eerste verliep de exploitatie van de Franse gebieden in Noord-Amerika niet zo voorspoedig als Law het had voorgesteld. Ten tweede was er een vermenging ontstaan tussen de aandelen van Le Mississippi en het papiergeld dat de staat via de Koninklijke Bank liet uitgeven. Er werd niet alleen met aandelen gespeculeerd, maar ook met bankbiljetten.

Een paar maanden geleden werden enkele van de grote aandeelhouders zich van deze problemen bewust. Zij verkochten hun aandelen en ruilden de bankbiljetten weer in tegen goud of zilvergeld. De twijfel was gezaaid en al snel begon de koers te dalen. Iedereen probeerde zo snel mogelijk zijn aandelen en bankbiljetten kwijt te raken. De Rue Quincampoix bood een chaotische aanblik. Vrouwen en kinderen werden in de menigte onder de voet gelopen en er vielen zelfs enkele doden. Met de aankondiging van de regering is de rust enigszins weergekeerd. Hoeveel geld individuele burgers uiteindelijk zijn kwijtgeraakt is niet bekend, maar de schade moet zeer aanzienlijk zijn.

# Victor Amadeus II koning van Sardinië

*Plattegrond van Bari (1703), dat aan het koninkrijk Napels toebehoort.*

's-GRAVENHAGE, 24 augustus - In 's-Gravenhage is een vredesverdrag getekend dat een eind maakt aan de strijd om Sicilië. Sicilië is aan Oostenrijk toegewezen; de koning van Sicilië, Victor Amadeus II, hertog van Savoye, krijgt van de Oostenrijkers als compensatie de koningskroon van Sardinië.

Het Verdrag van 's-Gravenhage is de eerste grote wijziging van de machtsverhoudingen in Italië sinds de Spaanse Successieoorlog (1701-1714), die met de verdragen van Utrecht (1713) en Rastatt werd beëindigd.

Toen gingen, wat Italië betreft, het koninkrijk Napels, Mantua, het hertogdom Milaan en Sardinië in Oostenrijkse handen over en kwam er een eind aan de Spaanse overheersing van het zuidelijke deel van Italië. De hertog van Savoye werd voor zijn steun in de strijd tegen de Fransen beloond met de koningskroon van Sicilië.

Die titel vormde in de meest letterlijke zin een kroon op het werk van een meesterdiplomaat. Victor Amadeus heeft in zijn nu 54 jaar lange leven nooit een oorlog afgesloten aan dezelfde kant waar hij hem was begonnen. Bij het uitbreken van de oorlog koos hij de Franse zijde, maar al in 1703 liep hij naar de Oostenrijkers over. Toen de Fransen in 1706 Turijn belegerden, moest zijn beroemde maar verre familielid Eugenius van Savoye de hertog komen ontzetten.

In 1717 deden de Spanjaarden een poging het vrijwel onverdedigde Sicilië te veroveren. De strijd die daaruit voortvloeide heeft Sicilië uiteindelijk in de Oostenrijkse invloedssfeer gebracht; het Verdrag van 's-Gravenhage is hiervan een bevestiging.

De tronenruil heeft Victor Amadeus een armer koninkrijk opgeleverd dan Sicilië was; wel is Sardinië voor de in Turijn residerende vorst beter toegankelijk dan het verre Sicilië.

**25 januari.** Tsaar Peter de Grote zet de patriarchen af als hoofd van de Russisch-Orthodoxe Kerk. In hun plaats benoemt hij een procureur-generaal.

**9 maart.** John Aislabie, de Engelse Chancellor of the Exchequer tijdens de financiële crisis die volgde op de speculatie met de South Sea Company, wordt wegens fraude in de Tower opgesloten.

**19 maart.** Clemens XI, paus sinds 1700, sterft te Rome.

**27 maart.** Frankrijk en Spanje sluiten in Madrid een verdrag tot wederzijdse bijstand. Frankrijk erkent de Spaanse aanspraken op Gibraltar.

**3 april.** Robert Walpole wordt in Engeland First Lord of the Treasury en Chancellor of the Exchequer. Hij herstelt het vertrouwen in de openbare financiën door de aandelen van de South Sea Company onder te brengen bij de Bank of England en de East India Company, die beide voldoende kredietwaardig zijn.

**8 mei.** Michelangelo dei Conti wordt door het kardinalenconclaaf verkozen tot paus Innocentius XIII.

**13 juni.** Engeland treedt toe tot het Verdrag van Madrid, dat in maart door Frankrijk en Spanje is gesloten.

**30 augustus.** Zweden en Rusland sluiten in Nystad vrede, waarmee een einde komt aan de Noordse Oorlog die sinds 1700 woedde. →

**22 oktober.** Peter de Grote wordt keizer aller Russen. →

**1 november.** Prins Eugenius van Savoye onthult een standbeeld van zichzelf in Wenen. →

- China onderdrukt een opstand op Formosa.

- Johann Sebastian Bach voltooit zijn *Brandenburgse concerten*.

- Lady Mary Wortley Montagu introduceert de pokkenvaccinatie in Engeland. Door de vaccinatie van de prinses van Wales wordt het een modeverschijnsel.

- De Noorse evangelist Hans Egede richt op Groenland een missiepost in, waarna zich ook Deense handelaren komen vestigen. Hiermee begint de kolonisatie van Groenland.

Gestorven:

**18 juli.** Antoine Watteau (10-10-1684), Frans rococo-schilder →

*De kerk van het klooster Smolnji in Leningrad (architect: Bartolomeo-Francesco Rastrelli, 1748).*

# Senaat kent tsaar Peter eretitels toe

SINT-PETERSBURG, 22 oktober - In een feestelijke zitting van de Senaat is tsaar Peter gehuldigd als Peter 'de Grote' en 'vader des vaderlands'. De tsaar werd uit naam van zijn onderdanen verzocht de titel 'Al-Russisch Imperator' aan te nemen. Met deze aan de klassieke oudheid ontleende titel eist de Russische tsaar zijn plaats op in de Europese politiek. Het Alrussische Rijk, een imperium waarin naast Russen ook andere volken wonen, is eerder dit jaar sterk gegroeid door het sluiten van de Vrede van Nystad met Zweden. Deze vrede betekende het einde van de Noordse Oorlog die zo desastreus voor Peter begonnen was met de Russische nederlaag bij Narva in 1700.

Het Russische Rijk strekt zich nu uit tot aan de kusten van de Oostzee. Ingermanland, Estland, Lijfland, een deel van Karelië met Vyborg en de eilanden Oesel en Dagoe komen 'voor eeuwige tijden' aan Rusland. In de onderwerpingsverdragen zijn de privileges voor Estland en Lijfland gegarandeerd, waarmee de bijzondere positie van de Baltische landen volkenrechtelijk verankerd is.

De Nederlanden en Pruisen hebben Peters nieuwe titel erkend. Zweden en de grote mogendheden Oostenrijk, Frankrijk en Engeland stellen zich voorlopig terughoudend op.

Peters veroveringen zijn te danken aan zijn ingrijpende hervorming van het leger. In 1698 heeft hij de dienstplicht ingevoerd. De levenslang dienende soldaten zijn overwegend van boerenafkomst. Bij elke lichting moeten twintig huishoudens een rekruut leveren. Zo heeft Peter in korte tijd een voor deze tijd ongehoord groot leger weten te vormen. Uniforme bewapening en kleding, exercities en een duidelijke commandolijn moeten een herhaling van de smadelijke nederlaag in 1700 bij Narva onmogelijk maken.

Om eigen bekwame officieren op te leiden ter vervanging van de buitenlanders op wier kunde Peter tot nu toe aangewezen was, heeft hij een artillerieschool en een zeevaartschool opgericht. Zonen uit de adel, die vanaf hun vijftiende jaar verplicht in staatsdienst moeten, stromen naar deze scholen.

Door de overheid geïnitieerde ondernemingen stellen Rusland momenteel in staat zijn eigen uniformstof en zijn eigen wapens te maken.

Al deze hervormingen geven aan dat het Peter ernst is om met zijn ervaringen, opgedaan in Holland en Engeland, de Russische samenleving te moderniseren en 'een venster op het Westen te openen'.

*Tsaar Peter de Grote.*

# Zweden grote verliezer in Noordse Oorlog

NYSTAD, 30 augustus - Rusland heeft bij de Vrede van Nystad het Baltische bezit van Zweden overgenomen en daarmee een einde aan de Noordse Oorlog gemaakt. Een jaar geleden stond Zweden bij de Vrede van Stockholm zijn gebieden in Noord-Duitsland af aan Hannover en Pruisen. Met dit desastreuze resultaat is een eind gekomen aan de rol van Zweden als grote mogendheid.

De moeilijkheden in de regio begonnen al snel na het aan de macht komen van Karel XII in Zweden in 1697. Karel, de 'laatste viking' genoemd, was een geniaal veldheer maar een eigenzinnig politicus. Als een van zijn eerste beleidsdaden versterkte hij de band tussen Zweden en de familie Gottorp in het hertogdom Holstein. Dit tot ongenoegen van de Deense koning, die daarop een verbond sloot met tsaar Peter en August II, keurvorst van Saksen en koning van Polen.

In 1700 brak in het door Zweden gedomineerde Lijfland een opstand uit. Polen stuurde troepen om de opstandelingen te helpen, waarop Denemarken Törning aanviel, een door Zweden bemande vesting in Holstein. Karel reageerde onmiddellijk: met Brits-Hollandse vloothulp landde hij in Denemarken, dat snel eieren voor zijn geld koos en vrede met Zweden sloot. Direct daarna scheepte de Zweedse koning zijn troepen in naar Lijfland. Rusland verklaarde hem toen de oorlog en viel Estland binnen. In de winter van 1700 wist Karel tegen een vijfvoudige Russische overmacht een overwinning bij Narva te behalen.

Maar in plaats van het Russische leger te vernietigen keerde Karel zich nu, vermoedelijk uit persoonlijke haat, tegen August II van Polen. Hij versloeg de Saks bij Klissov en liet in 1704 de Poolse Landdag Stanislaw Leszczýnski tot koning uitroepen. Ondertussen trok Karel Saksen zelf binnen en dwong de keurvorst tot de vernederende Vrede van Altranstädt, waarbij August II de Poolse kroon opgaf. Engeland, dat vreesde dat Zweden nu ook aan de Spaanse Successieoorlog zou willen deelnemen, stuurde zijn succesvolle veldheer Marlborough naar de Zweedse vorst. Maar Karel verzekerde hem dat zijn nieuwe doel Moskou was. In 1707 begon die veldtocht. Na een overwinning bij Mohilew lag de weg naar Moskou voor hem open maar Karel, wachtend op versterkingen, durfde dat niet goed aan en trok naar het zuiden. Het Zweedse leger liep echter vast in de strenge winter van 1708 en in 1709 leed het bij Poltava een grote nederlaag.

Het betekende tevens het keerpunt in de oorlog. Terwijl Karel probeerde de Turken tegen de Russen op te zetten verklaarden de Denen en de Saksen, nu ook gesteund door Hannover en Pruisen, hem opnieuw de oorlog. De strijd bleek nu te ongelijk. Rusland rukte op in Finland en viel Zweden zelf binnen. Denemarken versloeg de Gottorps, Hannover veroverde Verden en Bremen en Pruisen Voor-Pommeren. Karel XII sneuvelde in 1718 in Denemarken. Zijn dood is nu nog omgeven met raadsels: het is mogelijk dat de dodelijke kogel uit eigen gelederen kwam.

Zweden, beroofd van zijn energieke aanvoerder, was rijp voor de genadeslag. Maar Britse en Franse belangen bij het evenwicht in het Noorden verhinderden dat het Zweedse bezit totaal verloren ging: zo behoudt Zweden het grootste deel van Finland. De grote overwinnaar is echter tsaar Peter, die zich nu met recht 'De Grote' kan noemen: Rusland heeft Zweden als leidende Oostzeemogendheid verdrongen.

# Standbeeld van prins Eugenius onthuld

'De apotheose van prins Eugenius', vervaardigd door Balthasar Permoser.

WENEN, 1 november - In het Belvedere, zijn Weense 'palais magnifique', heeft prins Eugenius van Savoye, de beroemde keizerlijke veldheer, een standbeeld van zichzelf onthuld. Het barokke beeldhouwwerk De apotheose van prins Eugenius is vervaardigd door Balthasar Permoser, een van de bekendste beeldhouwers van deze tijd. Het toont de legeraanvoerder in harnas, met een allongepruik, de degen omgord. Hij staat boven op een baardige Turk, in wie Permoser zichzelf heeft afgebeeld. Een godin houdt de zon van de eeuwige roem voor het gezicht van Eugenius. In de sokkel staat zijn naam met de toevoeging 'invictissimus', de onoverwinnelijke.

Prins Eugenius van Savoye-Carignan is nu al een legende doordat hij aan het hoofd van de keizerlijke legers zoveel belangrijke veldslagen heeft gewonnen. Hij werd in 1663 in Parijs geboren. Toen Lodewijk XIV hem vanwege zijn jeugdige leeftijd geen militair commando wilde toevertrouwen, trad 'de kleine prins met het paardegezicht' in 1683 in dienst van de Habsburgse keizer Leopold I.

Hij onderscheidde zich in de oorlogen tegen de Turken en speelde een beslissende rol in de Spaanse Successieoorlog. In 1697 bracht hij de Turken bij Zenta een verpletterende nederlaag toe. Voor zijn geslaagde veldtocht tegen de Fransen in 1701 trok hij over de Alpen, een onderneming die tijdgenoten voor onmogelijk hielden. Samen met de andere grote veldheer uit de Spaanse Successieoorlog, de hertog van Marlborough, versloeg hij in 1704 bij Blenheim de Franse en Beierse legers. Maar vooral met de verovering van Belgrado, de stad die bijna twee eeuwen ononderbroken in handen van de Turken is geweest, vestigde hij zijn naam als onoverwinnelijk opperbevelhebber.

Prins Eugenius dankt zijn succes niet alleen aan zijn moed - hij strijdt altijd in de voorste gelederen - maar vooral aan zijn organisatietalent en strategisch inzicht. Hij verrast de vijand met ongebruikelijke omsingelingstactieken. Volgens een Franse officier vecht hij 'als een leeuw en als een vos'.

Eugenius van Savoye is niet alleen krijgsman, maar ook diplomaat en politicus en een van de voornaamste raadgevers van de keizer. Bovendien wordt hij 'philosophe guerrier' genoemd, omdat hij een grote belangstelling heeft voor de filosofie, en zich met wijsgeren, kunstenaars en wetenschapsbeoefenaars omringt.

Met het overlijden van Antoine Watteau verliest Frankrijk een groot schilder. Hij verwerkte de invloed van de Vlaming Rubens op een eigen wijze. Zijn schilderijen maken vaak een melancholieke en poëtische indruk, zoals dit: 'De onverschillige'.

# Russische baard kost geld

SINT-PETERSBURG, 6 april - Aan oudgelovigen wordt het dragen van bijzondere kleding en het betalen van een baardbelasting van vijftig roebel opgelegd. Peter de Grote heeft na terugkeer van zijn buitenlandse reis het dragen van baarden strafbaar gesteld voor al zijn onderdanen, behalve voor de boeren.

De zware straffen waaraan oudgelovigen volgens de wet waren onderworpen heeft hij vervangen door de verplichting dubbele belasting te betalen. Dit is in overeenstemming met zijn tolerante houding jegens andere (mits christelijke) geloven. Buitenlanders in Russische staatsdienst worden vrijgelaten 'hoe ze Christus willen dienen'. Deze tolerantie komt voort uit praktische overwegingen en geldt voor zijn eigen onderdanen slechts met betrekking tot varianten van het Russisch-Orthodoxe geloof. Joden worden in Peters rijk niet toegelaten. In 1719 zijn de jezuïeten, die altijd het bruggehoofd vormden voor katholieke politieke invloed, voor de tweede maal sinds 1689 uit het Russische Rijk verwijderd.

Peter probeert de macht van de Russisch-Orthodoxe Kerk in te perken en vervolgens te benutten. De kerkelijke opbrengsten komen aan het rijk en helpen de oorlogen financieren. De Kerk heeft een belangrijke taak gekregen bij het organiseren en financieren van scholen.

Na de dood van patriarch Adriaan in 1700 is er geen nieuwe patriarch benoemd. Ten behoeve van het bestuur van de Russisch-Orthodoxe Kerk is een synode in het leven geroepen. Inquisiteurs en proto-inquisiteurs moeten de kerkelijke misstanden melden. De kerken zijn verplicht doop- en begraafregisters bij te houden. Uit de omvangrijke instructies die de Kerk vorig jaar kreeg, blijkt dat Peter de priesters wil gebruiken als voorposten van zijn regering. Zij moeten informatie die zij tijdens de biecht te horen krijgen over enig plan tot een misdaad, onthullen. Speciaal die gevallen die plannen voor verraad of opstand betreffen.

De opbrengsten uit het goederenbezit van de kloosters vloeien in de schatkist van de staat. Een vijfde van alle lijfeigen boeren behoort aan een kerkelijk heer. De kloosters hebben een numerus clausus opgelegd gekregen en er is een verbod tot het stichten van nieuwe kloosters uitgevaardigd. De kloosterlingen hebben nuttige, charitatieve, educatieve en economische taken opgelegd gekregen.

Het gevolg van dit alles is dat het geestelijk leven zich steeds meer uit de Staatskerk heeft teruggetrokken om afgescheiden en in sekten voort te bestaan.

*Russische bojaren in traditionele klederdracht.*

## Tsaar voert nieuw rangenstelsel in

SINT-PETERSBURG, 24 januari - Peter de Grote heeft een tabel ingevoerd van veertien rangen die gelijkelijk geldt voor het leger, de vloot en alle bestuursambtenaren. Na bestudering van de rangenstelsels in een groot aantal landen is een systeem ingevoerd waarbij men bij het bereiken van een bepaalde rang automatisch van adel is. Peter heeft ingezien dat hij niet alleen adellijke titels naar verdienste kan verlenen. Hij blijft adel door geboorte erkennen. Hijzelf heeft zijn hoge positie immers door geboorte verworven. In het nieuwe systeem wordt niet langer onderscheid gemaakt tussen de twee soorten grondbezit, het ene verkregen door dienst en het andere verkregen door een erfenis. Ook erfgoed verplicht voortaan tot dienst (vanaf het vijftiende jaar) en dienstgoed wordt (bij een bepaalde rang van de houder) erfelijk.

*Een baard wordt afgeknipt.*

# Rameau: 'Muziek is wetenschap met regels'

PARIJS - Bij de Parijse hofmuziekdrukker Ballard is een bijzonder theorieboek verschenen: *Traité de l'harmonie, réduite à ses principes naturels* (Leerboek voor de harmonie, teruggebracht tot haar natuurkundige principes) van Jean Philippe Rameau (Dijon 1683), organist van de kathedraal van Clermont te Auvergne.

De afgelopen jaren heeft Rameau grote bekendheid genoten vanwege zijn baanbrekend onderzoek naar de wetten van de akoestiek (de wijze waarop geluid zich in een ruimte verbreidt en voortplant). In zijn 'Traité' heeft hij daar een en ander over vastgelegd.

Voor Rameau zijn harmonieën, de akkoorden onder een bepaalde melodie, primair in de muziek, zozeer dat de melodie volgens hem voortkomt uit de harmonie. Dit is te begrijpen vanuit de natuurkunde. Bij elke toon (trilling) klinken namelijk de primaire consonanten (welluidende samenklanken, in tegenstelling tot de dissonanten, de niet-welluidende samenklanken) van die toon altijd als boventonen mee, te weten: het octaaf, de kwint en de kwart - geheel volgens de zogenaamde 'boventonenreeks'. Er zijn volgens deze hiërarchie dan ook drie basisakkoorden: de drieklank gebouwd op de tonica (de priem of octaaf), de eerste trap (bijvoorbeeld in de toonsoort c: c-e-g-c), op de dominant (de kwint), de vijfde trap (in de toonsoort c: g-b-d-g) en op de onderdominant (de kwart), de vierde trap (wederom in c: f-a-c-f).

Rameau schrijft in zijn 'Traité': 'Hoe gevoeliger het oor is voor de effecten van de muziek, des te minder het verstand zich bekommert om de principes die eraan ten grondslag liggen. In onze tijd is het zelfs zo ver gekomen dat de muziekpraktijk de autoriteit wordt toegekend en de rede haar rechten verloren heeft. Bij de oude Grieken daarentegen was de rede de toegang tot de muziek. Muziek is een wetenschap die regels moet hebben en deze regels moeten zijn afgeleid van een principe dat in zichzelf logisch is; we leren dit principe pas kennen door de mathematica. Het zou wenselijk zijn als de kennis van de componisten van deze eeuw correspondeerde met de schoonheden van hun muziek. Natuurlijk blijft het zo dat als men naar oplossingen zoekt, het gehoor en de goede smaak uiteindelijk de doorslag geven.'

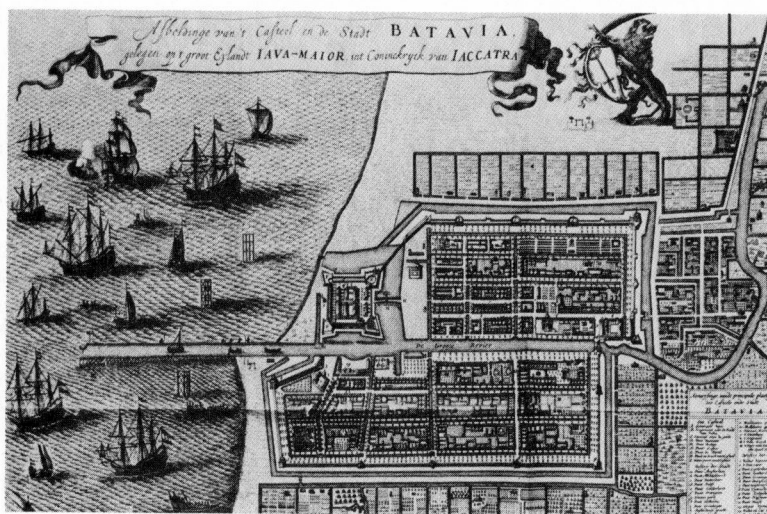

*Plattegrond van Batavia met rechts de vesting.*

# Terechtstelling Erberfeld

BATAVIA, 22 april - De van een samenzwering tegen de VOC beschuldigde Pieter Erberfeld is, samen met 18 vermeende handlangers, op het plein voor het kasteel van Batavia op gruwelijke wijze terechtgesteld. Hij werd op een kruis gebonden en bewerkt met gloeiende tangen, de rechterhand werd afgekapt en in stukken vlees werden van zijn lichaam gesneden. Ten slotte werd zijn hart uit het lichaam gerukt en in zijn gezicht geworpen. Het hoofd is van het ontzielde lichaam afgehakt en op een staak buiten de stadspoort geplaatst. De regering heeft bevel gegeven zijn huis af te breken en verboden op deze plek nog ooit te bouwen; er zal een met een doodshoofd getooide zerk geplaatst worden.

Eind december van het vorig jaar meende de 'commissaris tot den zaken van de inlander' Reykert Heere een samenzwering ontdekt te hebben met het doel alle Europeanen op Java te vermoorden en Batavia te bezetten. Bij een Chinees feest was vuurwerk terechtgekomen op het bolwerk Zeelandia, waar buskruit lag opgeslagen en Heere vermoedde dat er opzet in het spel was. Hij liet huiszoekingen verrichten en vond daarbij tientallen jimats (onkwetsbaar makende talismans). Deze zouden zijn geleverd door Pieter Erberfeld, een vermogende Euraziaat (zijn vader was Duitser, zijn moeder een Thaise), die sinds hij in 1709 met de toenmalige gouverneur-generaal Van Hoorn in conflict was gekomen over het bezit van een stuk grond, bekendstond als een querulant. Erberfeld verklaarde onschuldig te zijn, maar onder tortuur begon hij in het wilde weg te bekennen en allerlei namen te noemen van fictieve pangerans (prinsen) in Banten, Mataram en Cirebon, die hem zouden steunen. Deze namen werden niet gecontroleerd want men wilde voorkomen dat er op Java nog meer onrust zou ontstaan dan er al was, als gevolg van de in 1719 in het rijk Mataram uitgebroken successieoorlog.

Later herriep Erberfeld zijn bekentenis; andere verdachten legden tegenstrijdige verklaringen af en bewijs voor de samenzwering kon niet geleverd worden. Dat hij desondanks ter dood veroordeeld werd heeft alles te maken met de ernstige crisis waarin de VOC momenteel verkeert. De winsten lopen terug, corruptie heerst alom en de zwaar onderbetaalde VOC-dienaren zijn bijna allen betrokken bij de verboden particuliere handel. De nieuwe gouverneur-generaal Zwaardecroon heeft zich ten doel gesteld aan deze praktijken een einde te maken. De terechtstelling van Erberfeld en - kort daarvoor - van 26 ambtenaren (wegens corruptie) moet aantonen dat er met de VOC nog steeds niet te spotten valt.

*Op paaszondag van dit jaar ontdekt een Hollandse expeditie onder leiding van Jacob Roggeveen een eiland dat hij Paaseiland noemt. Men ontdekt er circa 260 stenen beelden van een verbazingwekkende grootte.*

*Interieur van een 18de-eeuwse apotheek.*

# Engelse prinsjes ingeënt

LONDEN - De voorvechtster van de inenting tegen pokken, Mary Wortley Montagu, heeft erkenning van het Engelse koningshuis gekregen. De prins en prinses van Wales hebben erin toegestemd hun kinderen met vloeistof uit een pokkenpuist te laten inenten.

De bestrijding van de pokken op deze manier berust op de waarneming dat niemand twee keer pokken kan krijgen. Door inenting krijgt een gezond persoon een heel lichte vorm van deze meestal dodelijke ziekte, maar zal voor de rest van zijn leven geen vrees voor besmetting meer hoeven te hebben.

Volgens Montagu is deze vorm van pokkenbestrijding in het Verre Oosten en Klein-Azië al eeuwen bekend. De vrouw van de Engelse ambassadeur maakte in Constantinopel kennis met de methode van inenting. In 1718 schreef zij in een brief naar familie in Londen: 'De inenting wordt gegeven door een aantal oudere vrouwen. Meestal gebeurt het in september, als de ergste warmte voorbij is. Vooral zuigelingen worden ingeënt. Zij krijgen koorts en moeten twee à drie dagen in bed blijven. Er ontwikkelen zich niet meer dan enkele tientallen pokken die geen of geringe littekens achterlaten. Slechts zelden sterft één van de kinderen.' Na terugkeer in Engeland propageerde Mary Montagu deze vorm van pokkenbescherming en liet zij haar eigen kinderen inenten.

*Afghaanse stammen onder leiding van Mir Mahmoed zijn Perzië plunderend binnengetrokken en hebben daar de macht van de dynastie der Safawiden gebroken. Deze dynastie maakte het land welvarend waardoor een culturele bloeiperiode ontstond. Tijdens het bewind van sjah Abbas I de Grote ontstonden in de hoofdstad Isfahan schitterende bouwwerken. Boven: Safawidische voorstelling van een soera uit de koran.*

**26 augustus 1723.** In Delft wordt de Nederlandse arts Antonie van Leeuwenhoek begraven. Hij wordt beschouwd als de grondlegger van de microbiologie. →

**6 december.** Na goedkeuring door de Oostenrijkse standenvergadering wordt de Pragmatieke Sanctie tot grondwet verklaard.

- In het Engelse parlement groeit de weerstand tegen de handel van de Zuidnederlandse Oostendse Compagnie, die voor de winsten van de Engelse Oostindische Compagnie een bedreiging vormt.

- In China verschijnen de eerste delen van de T'u Shu Chi Ch'eng, een encyclopedie samengesteld in opdracht van het keizerlijk hof.

- In Sint-Petersburg sluiten Rusland en Perzië, onder de Afghaanse sjah Mir Mahmoed, vrede, waarbij Rusland de veroveringen Bakoe en Derbent aan de Kaspische Zee behoudt.

- Van Voltaire verschijnt *La Henriade*. Later wordt de titel gewijzigd in *La Ligue*.

**14 januari 1724.** In een vlaag van geloofsijver doet Filips V afstand van de troon ten gunste van zijn zoon Don Luis I.

**23 juni.** Rusland en Turkije sluiten in Constantinopel een verdrag waarbij het Turkse bezit van Erivan, waarop ook Perzië aanspraken maakt, wordt verzekerd.

**13 oktober.** Jonathan Swift publiceert de laatste van de reeks *Drapier's Letters* met als ondertitel *A letter to the whole people of Ireland, by M.B. Drapier M.P.*, waarmee hij op 1 april begon. In deze open brieven valt hij het Engelse bestuur over Ierland aan.

- De Afghaanse vorst en sjah van Perzië, Mahmoed, vervalt tot waanzin en laat de Perzische koninklijke familie en adel uitmoorden. Vervolgens verklaart de sjah Turkije de oorlog.

- De Oostenrijkse Zuidelijke Nederlanden stemmen in met de Pragmatieke Sanctie. Aartshertogin Maria Elizabeth arriveert in Brussel als landvoogdes.

- Koning George I van Engeland stelt de eerste leerstoelen voor moderne talen en moderne geschiedenis in aan de universiteiten van Cambridge en Oxford.

- Keizer Shih-tsung van China heft de godsdienstvrijheid, die in 1692 was afgekondigd, op. Oorzaak is de concurrentie tussen groepen missionarissen.

- Johann Sebastian Bach componeert zijn *Johannes Passion*.

# Van Leeuwenhoek sterft

*Antonie van Leeuwenhoek.*

DELFT, 26 augustus 1723 - Op 90-jarige leeftijd is de Nederlandse natuurvorser Antonie van Leeuwenhoek overleden. Hij wordt gezien als de grondlegger van het microscopisch biologisch onderzoek. Over zijn jeugd is weinig bekend. Hij was de zoon van een mandenmaker. Na de dood van zijn stiefvader, in 1648, werd de jonge Van Leeuwenhoek naar Amsterdam gestuurd om de lakenhandel te leren kennen. Hij was korte tijd in Delft werkzaam als lakenhandelaar. In 1660 werd hij kamerbewaarder der schepenen. Deze positie verzekerde hem van een vast inkomen, zodat hij zich kon wijden aan zijn hartstocht: de bestudering van de natuur.
Als lakenhandelaar was Van Leeuwenhoek vertrouwd geraakt met het gebruik van lenzen voor het keuren van stoffen. Waarschijnlijk bracht dit hem op de gedachte lenzen met een sterke vergroting te slijpen. Hij vervaardigde microscopen en voorzag deze van zelf geslepen lensjes, sommige zo groot als een speldeknop. Hiermee werd een vergroting van bijna 300× bereikt.
Van Leeuwenhoek kreeg geen wetenschappelijke opleiding, zodat zijn geschriften een enigszins chaotische indruk maken. Zijn scherp verstand, zijn geduld en zijn waarnemingsvermogen stelden hem echter in staat ontdekkingen te doen die van fundamenteel belang zijn. Reinier de Graaf, een vriend van Van Leeuwenhoek, bracht hem in 1673 in contact met het Engelse wetenschappelijke genootschap Royal Society in Londen. In talloze brieven deed Van Leeuwenhoek tot 1723 verslag van zijn wetenschappelijke onderzoekingen. Deze werden openbaar gemaakt in het tijdschrift van het genootschap, *Philosophical Transactions*. Zo werd zijn naam bekend in wetenschappelijke kringen. Van Leeuwenhoeks grootste verdienste is dat hij erin slaagde door te dringen in de wereld van het micro-organisme. In 1674 begon hij met de bestudering van bacteriën. In 1675 ontdekte hij in slootwater en rottende aftreksels van hooi trilhaardiertjes die hij 'afgietseldiertjes' noemde. Van Leeuwenhoek heeft zich altijd beziggehouden met de vraag naar de oorsprong en de structuur van de levende materie. Zo ontdekte hij de functie van spermatozoïden. Hij verzette zich tegen de gedachte dat bepaalde levensvormen spontaan uit levenloze materie ontstaan. Hij toonde aan dat zelfs de verachtelijk gevonden vlo een even ingenieuze structuur heeft als veel grotere dieren. Zijn ontdekkingen maakten Van Leeuwenhoek zo beroemd dat hij bezocht werd door de koningin van Engeland en tsaar Peter de Grote.

*In het benedictijnenklooster van Metten in het Duitse Beieren is de door de Oostenrijkse architect Franz Josef Holzinger ontworpen bibliotheek enige tijd geleden in gebruik genomen. De bibliotheek is een voorbeeld van de decoratieve wijze waarop in de barok de binnenhuisarchitectuur vorm krijgt. De ingang wordt geflankeerd door twee zuilen in de vorm van figuren die het geloof en de wetenschap allegorisch voorstellen. Zoals gebruikelijk in de barok krijgen deze zuilen pas betekenis in hun samenhang met het gehele interieur.*

**8 februari.** Tsaar Peter de Grote van Rusland sterft en wordt opgevolgd door zijn vrouw Catharina de Grote.

**30 april.** De eerste minister van Spanje, de Groninger Jan baron van Ripperda, sluit in Wenen een verdrag met keizer Karel VI namens Filips V. Deze verrassende verzoening levert de keizer Spaanse erkenning van de Pragmatieke Sanctie en garantie van zijn gebieden in Italië op.

**3 september.** In Hannover sluiten Frankrijk, Engeland en Pruisen een verbond als tegenwicht voor de alliantie tussen Spanje en de keizer.

**5 september.** Lodewijk XV trouwt Mary Leszczyński, dochter van de afgezette Poolse koning.

**22 oktober.** De Italiaanse componist Scarlatti overlijdt. →

**5 november.** In een geheim verdrag komen Spanje en Oostenrijk toekomstige huwelijken tussen leden van het koninklijk huis overeen. Tevens wordt vastgelegd welke gebieden ieder krijgt in geval van oorlog met Frankrijk.

- Mahmoed wordt als vorst van Afghanistan en sjah van Perzië wegens krankzinnigheid opgevolgd door Ashraf.

- De Verenigde Oostindische Compagnie koopt de laatste Pruisische factorijen in Afrika op. Gross-Fredericksburg wordt herdoopt in Fort Hollandia.

- In Korea komt Yongyo aan de macht.

- Stefan Ludwig Jacobi ontdekt het principe van kunstmatige inseminatie.

**26 februari 1726.** Keurvorst Maximiliaan II Emanuel van Beieren sterft en wordt opgevolgd door Karel Albrecht.

**11 juni.** Kardinaal Fleury wordt eerste minister van Lodewijk XV na het ontslag van de hertog van Bourbon.

**6 augustus.** De Duitse keizer Karel VI en Catharina de Grote van Rusland sluiten voor de duur van dertig jaar een verdrag voor militaire bijstand in geval van oorlog met Turkije.

**9 augustus.** De republiek treedt toe tot het verdrag van Hannover tussen Engeland, Frankrijk en Pruisen. Zowel Engeland als Frankrijk erkent de noodzaak de activiteiten van de Oostendse Compagnie te laten eindigen.

- Georg Friedrich Händel wordt tot Engelsman genaturaliseerd.

- Van Jonathan Swift verschijnt het boek *Gulliver's Travels*.

- Stephen Hales slaagt erin de bloeddruk exact te meten.

# Scarlatti schiep nieuwe operastijl

*Alessandro Scarlatti.*

NAPELS, 22 oktober 1725 - De op 65-jarige leeftijd overleden componist Alessandro Scarlatti is vooral bekend geworden door zijn opera's.

Scarlatti werd in Palermo geboren. Als 12-jarige trok hij in gezelschap van zijn zusters Anna Maria en Melchiorra naar Rome voor een muzikale vorming. Zijn eerste opera *Gli equivoci mel sembiante* (1679) was zo succesvol dat hij uitgenodigd werd kapelmeester te worden aan het Zweedse hof. In 1682 werd hij hofkapelmeester in Napels. Tussen 1702 en 1708 verbleef de componist in Rome en Florence, maar daarna keerde hij terug naar Napels. Scarlatti maakte Napels tot het centrum van een nieuwe operastijl, waarbij de muziek een belangrijker plaats inneemt dan de handeling. In zijn muziek komen vrijwel uitsluitend da capo-aria's voor die grote mogelijkheden tot improvisaties bieden. Hier toonde Scarlatti zijn grootste kracht: het componeren voor de stem. Hij heeft de zangkunst tot grote hoogte weten te voeren met fraaie melodieën op een vernieuwde harmonische basis.

*Het slot Weissenstein bij het Duitse Pommersfelden is een van de hoogtepunten van de bouwkunst in de barokperiode. Het werd in zeven jaar tijd gebouwd door Johann Dientzenhofer in opdracht van Lothar Franz von Schönborn, vorstbisschop van Mainz en Bamberg.*

# 1727

**Februari.** Spanje begint met de belegering van Gibraltar, waarop oorlog tussen Engeland en Spanje uitbreekt zonder dat deze formeel wordt uitgeroepen. Spanje geeft kaperbrieven uit voor aanvallen op Engelse schepen en koloniën.

**6 april.** Denemarken treedt toe tot het verdrag van Hannover.

**29 mei.** Peter II, kleinzoon van Peter de Grote, volgt zijn moeder op als tsaar van Rusland.

**31 mei.** Frankrijk, Engeland, de Republiek en de Duitse keizer komen de Preliminairen van Parijs overeen. De activiteiten van de Oostendse Compagnie zullen gedurende zeven jaar worden opgeschort. Hierover en over andere geschillen zullen te Soissons, bij Parijs, nadere onderhandelingen beginnen.

**11 juni.** Koning George I van Engeland en keurvorst van Hannover sterft. Hij wordt opgevolgd door zijn zoon George.

**13 juni.** Spanje onderschrijft de Preliminairen van Parijs en zal deelnemen aan het Congres in Soissons.

**21 oktober.** Rusland en China bereiken overeenstemming over grenscorrecties langs de rivier de Amoer.

**12 november.** Frankrijk en de keurvorst van Beieren hernieuwen een geheim verdrag, waarbij Frankrijk de keurvorst steun toezegt bij zijn aanspraken op de erfenis van keizer Karel VI.

- Sjarif Mawlai Isma'il van Marokko overlijdt. →

**6 maart 1728.** De Conventie van Pardo beëindigt de Spaans-Engelse oorlog.

**Juni.** Simon van Slingelandt wordt benoemd tot raadpensionaris van Holland als opvolger van Van Hoornbeeck, die is overleden.

**23 december.** In het Verdrag van Berlijn erkent Pruisen de Pragmatieke Sanctie van de keizer, terwijl Karel VI de Pruisische aanspraken op Berg, Gulik en Ravenstein bevestigt. →

- Bij Minas Gerais in Brazilië worden spectaculaire diamantvondsten gedaan.

- De *Cyclopedia; or an universal dictionary of arts and sciences* verschijnt in twee delen van de hand van Ephraim Chambers in Engeland.

- Vitus Bering ontdekt een zeestraat tussen Siberië en Alaska.

- James Bradley ontdekt dat de jaarlijkse verplaatsingen van de sterren schijnbaar zijn en te wijten aan veranderende lichtval.

- Payn en Hanbury bouwen de eerste machine waarmee platen ijzer worden gemaakt.

# Mawlai Isma'il overleden

MEKNES, 1727 - Mawlai (mijn heer) Isma'il al-Samin is na een regeerperiode van 55 jaar overleden. Hij heeft voltooid waarmee zijn voorganger, zijn broer Mawlai er Rachid, de eerste van het vorstenhuis der Alawieten, begonnen was, namelijk Marokko weer aan een centraal gezag te onderwerpen. Isma'il reorganiseerde het leger en richtte een 'abid' (zwarte) lijfgarde op, die aan het einde van zijn leven 150 000 negers telde. Dit contingent werd voorzien aan vrouwen, en de kinderen die van deze vereniging de vruchten waren, ondergingen een speciale militaire scholing. Met dit van moderne wapens voorziene leger onderwierp Isma'il niet alleen de opstandige Berberstammen, maar hij bevocht ook, en met succes, de Turken in Algerije. En aan het eind van de vorige eeuw verdreef hij de Spanjaarden en Engelsen uit hun bezittingen op de Marokkaanse kust.

Met Lodewijk XIV, eveneens een vijand van Spanje, onderhield hij vriendschappelijke relaties. Tijdens zijn regeerperiode nam de Franse invloed in Marokko een aanvang. Franse officieren instrueerden het Marokkaanse leger en hielpen bij de bouw van vestingen. Meknes werd de nieuwe hoofdstad, die Isma'il met veel energie verfraaide. Men noemt het wel het Versailles van Marokko, de bekroning van Marokko's gouden eeuw. Net als in Versailles wordt er een weelderige hofhouding gevoerd, waarvan de etiquette echter op Turkse leest is geschoeid. En evenals de Turkse sultans hield hij er vele vrouwen op na, die hem meer dan 700 zonen geschonken zouden hebben. Na de bloeiperiode van de 11de en 12de eeuw was het machtige westerse kalifaat van Marokko door interne strijd in verval geraakt. Eerst aan het einde van de 16de eeuw wist sultan Moelaj al-Mansoer met zijn expedities in zwart Afrika Marokko's macht weer te vergroten. Een macht die nu zozeer in aanzien gestegen is dat Mawlai Isma'il zijn wereldlijk en geestelijk gezag kon rechtvaardigen door zich te beroepen op zijn directe afstamming van de profeet Mohammed, die hem met bijzondere eigenschappen begiftigd zou hebben.

# Pruisen erkent Pragmatieke Sanctie

*Werving van soldaten voor het Pruisische leger (kopergravure, 1726).*

BERLIJN, 23 december 1728 - Pruisen heeft in het Verdrag van Berlijn de Pragmatieke Sanctie, in 1713 opgesteld door Karel VI, keizer van het Heilige Roomse Rijk, erkend. In de Sanctie wordt de ondeelbaarheid van de Habsburgse erflanden bepaald en verzekert Karel VI zich van zijn opvolging door zowel zijn mannelijke als vrouwelijke nakomelingen. Pas in tweede instantie zullen de nazaten van de vorige keizer Leopold I, de broer van Karel, in aanmerking komen. Eerder hadden Oostenrijk (1720-1723) en Hongarije (1722) de Sanctie erkend.

De erkenning van de Sanctie door andere landen groeide in de jaren twintig uit tot een hoofddoel van de Habsburgse buitenlandse politiek. Keizer Karel VI had na de vroege dood van zijn zoon slechts dochters. De oudste, Maria Theresia, werd geboren in 1716. Ook zijn broer Jozef was van mannelijke nakomelingen verstoken gebleven. Hierdoor dreigde de Habsburgse familie, waarvan de leden al sinds 1483 ononderbroken het keizerschap van het Heilige Roomse Rijk hebben bekleed, na de dood van Karel uit te sterven.

*Keizer Karel VI (circa 1740).*

**Goede Vrijdag (15 april).** In de Thomaskerk in Leipzig wordt de *Matthäus Passion* van Johann Sebastian Bach voor het eerst uitgevoerd. →

**22 juli.** In Brazilië worden opnieuw grote diamantaders ontdekt. →

**9 november.** Spanje, Engeland en Frankrijk sluiten het Verdrag van Sevilla. Het verdrag voorziet in het tegenwerken van de Oostendse Compagnie. Tevens wordt Don Carlos het koninkrijk Parma-Toscane gegarandeerd, waarbij Engeland en Frankrijk ieder zesduizend soldaten beloven in geval van oorlog.

**21 november.** De Republiek treedt toe tot het Verdrag van Sevilla, al zal zij slechts drieduizend soldaten leveren bij een eventuele oorlog in Italië.

**- November.** De Muscat-Arabieren veroveren Mombasa op Portugal.

**-** De stad Baltimore in Noord-Amerika wordt gesticht.

**-** Op Corsica breekt een opstand tegen de Genuese heerschappij uit.

**-** North en South Carolina worden Engelse kroonkolonies na wanbestuur door de gouverneurs.

**-** Keizer Shi Zouy verbiedt het roken van opium in China.

**-** De aartsbisschop van Salzburg weet met hulp van zesduizend soldaten van de keizer een opstand van protestanten neer te slaan. Zesentwintigduizend protestanten worden verdreven.

**-** James en Benjamin Franklin beginnen met de uitgifte van hun krant *The Pennsylvania Gazette*.

**-** Hermanus Boerhaave neemt afscheid als hoogleraar in de chemie en botanie. →

**-** Van Jonathan Swift verschijnt *A modest proposal (for preventing the children of the poor people from being a burden to their parents)*.

Geboren:

**12 januari.** Edmund Burke (†8-7-1797), Engels staatsman
**22 januari.** Gotthold Ephraim Lessing (†15-2-1782), Duits schrijver en filosoof
**2 mei.** Sophie Frederike Auguste von Anhalt-Stettin (†17-11-1796), tsarina Catharina de Grote van Rusland
**6 september.** Moses Mendelssohn (†4-1-1786), joods filosoof van de Verlichting
**27 september.** Michael Denis (†29-9-1800), jezuïet en schrijver

Gestorven:

**21 maart.** John Law (1671), financier van Schotse afkomst

## Opnieuw geweldige diamantaders in Brazilië gevonden

BAHIA, 22 juli - Portugese avonturiers hebben in het district Minas Gerais wederom een grote hoeveelheid diamanten gevonden. De vreugde hierover in Portugal is groot; het onderstreept nog eens de vooraanstaande plaats van de Portugese kolonie Brazilië.

Terwijl in de loop van de 17de eeuw de Portugese handel met het Verre Oosten afnam door het verlies van veel factorijen en steunpunten, werd het bezit van Angola, maar vooral van Brazilië steeds belangrijker. Vanuit de Braziliaanse handelscentra Pernambuco, Bahia en Rio de Janeiro voeren schepen volgeladen met suiker, tabak, cacao, huiden en hout naar het moederland. Met de verkoop hiervan kon Portugal meestal net zijn dure importen (vooral graan en textiel) betalen. Niet voor niets beschouwde koning Johan IV Brazilië als zijn 'vaca de leite' (melkkoe).

Het toezicht op de handel berustte bij de in 1649 (naar Hollands model) gestichte Brazilië Compagnie. Deze werd vooral gefinancierd door de 'nieuwe christenen' (gedwongen gedoopte joden), wier vervolging uit pragmatisch oogpunt door de Portugese koning was gestaakt.

Het was de Brazilië Compagnie die deelnam aan de gouden driehoek: uit Portugal voeren schepen naar Guinea en Angola om negerslaven te laden, vervolgens leverde men dezen af in Brazilië en keerde men met de waardevolle exportartikelen naar Portugal terug.

Gaandeweg drongen Portugese avonturiers (bandeirates) dieper in het binnenland door, op zoek naar slaven, maar vooral naar edele metalen. Toen in 1694 min of meer bij toeval in Minas Gerais goud werd gevonden, brak een ware goudkoorts uit. Massaal trokken Portugezen uit het moederland en de Braziliaanse kuststrook naar het binnenland om hun geluk te beproeven. Maar er bleven daardoor te weinig arbeidskrachten over om de plantages te bewerken zodat men gedwongen was twee keer zoveel slaven uit Afrika te importeren.

In 1709 brak een conflict uit tussen de eerste kolonisten en de op het goud afgekomen nieuwkomers (emboabas), dat na een korte strijd door de laatste groep werd gewonnen. Het was echter de kroon die daarvan het meest profiteerde, door voortaan één vijfde van alle gevonden edele metalen als belasting op te eisen. Zo stroomden miljoenen cruzados Portugal binnen, waarvan overigens nog het meeste opging aan de importen. De vondst van diamanten zal de Portugese schatkist verder spekken.

*Johann Sebastian Bach (door Elias Gottlieb Hausmann; 1746).*

## Bachs 'Matthäus Passion'

LEIPZIG, 15 april - Tijdens de lijdensdienst in de Thomaskerk te Leipzig op Goede Vrijdag, is een nieuwe Passion van Johann Sebastian Bach uitgevoerd: een groots opgezet paasoratorium, naar het Evangelie van Matthëus en piëtistische gedichten van Picander. De solisten, twee koren en twee orkesten stonden onder leiding van de componist.

Bachs vorige Passion, de *Johannes Passion* (voor het eerst uitgevoerd op Goede-Vrijdagmiddag, 7 april 1724, in de Nicolaikerk te Leipzig), is vergeleken met de nieuwe Passion beduidend eenvoudiger van opzet: enkele bezettingen zowel in het koor als in het orkest, en veel korter van duur (tweeëneenhalf uur voor de 'Johannes' tegenover ruim drieëneenhalf voor de 'Matthäus'). Het dubbelkoor van de nieuwe Passion maakte op de aanwezige luisteraars de grootste indruk: in het openingskoor 'Kommt, ihr Töchter, helft mir klagen' roepen de dochters van Sion (een personificatie van Jeruzalem, symbool van de Kerk en bruid van Christus) en de gelovigen, allen op weg naar Golgotha, elkaar in dialoog hun klachten toe. Aan het eind, in het slotkoor 'Wir setzen uns mit Traenen nieder', hebben zij zich min of meer met het lijden en de dood van Jezus verzoend; dit is de centrale gedachtengang die het hele stuk beheerst.

Het aandeel van het kerkvolk bij de uitvoering was aanzienlijk: als kruiswegstaties zijn in de Passion veertien koralen opgenomen, alle meerstemmig gezet, en zingbaar voor iedereen; zes ervan zijn op dezelfde melodie gebouwd ('O Haupt voll Blut und Wunden', waarin achtereenvolgens alle gekwelde ledematen van Christus worden aangesproken, op tekst van Paul Gerhardt en muziek van Hans Leo Hassler, 1564-1612).

Het eigenlijke verhaal van Matthëus, de 'Historia', wordt vertolkt door een evangelist, bijgestaan door de volgende 'dramatis personae': Judas, Petrus, de hogepriesters, Pilatus en zijn vrouw, twee dienstmaagden en twee getuigen; zij worden allen 'secco' (met ondersteuning van slechts het klavecimbel) begeleid. De Jezuspartij, geschreven voor een diepe, dramatische bas, wordt 'accompagnato' begeleid, (met liggende strijkersklanken), geheel naar het voorbeeld dat in 1645 door Heinrich Schütz in zijn *Die sieben letzten Worte Jesu am Kreuze* was gesteld.

# Boerhaave houdt afscheidsrede

*Boerhaave houdt een openbare rede in het Groot Auditorium in Leiden.*

LEIDEN - De vermaarde Leidse wetenschapsman Hermanus Boerhaave heeft met een openbare rede afscheid genomen van zijn leeropdrachten in de chemie en botanie. Vooralsnog blijft hij wel zijn leerstoel in de medicijnen bezetten.

Boerhaave, die in heel Europa grote faam heeft verworven, was vanaf 1709 hoogleraar in de botanie. In 1714 kreeg hij de leerstoel in de medicijnen en vier jaar later werd hij ook tot hoogleraar in de chemie benoemd. De 61-jarige hoogleraar heeft te kennen gegeven het in verband met zijn gezondheid rustiger aan te moeten doen. Zijn medische studenten, die afkomstig zijn uit alle delen van de wereld, kunnen zijn vermaarde lessen aan het ziekbed - het klinische onderwijs - voorlopig blijven volgen.

Boerhaave heeft de roep in nog veel meer disciplines onderlegd te zijn, onder meer in de theologie, de wiskunde en het Latijn. Van alle kanten kwamen de studenten dan ook naar de colleges, het gros van hen kwam zelfs uit het buitenland en dan met name uit Duitsland.

Boerhaaves roem berust verder op zijn publikaties, zijn *Institutiones medicae* van 1708 en zijn *Aphorismi* van het jaar daarna, beide handboeken bij zijn colleges; verder op de *Elementa Chemiae*, eveneens een studieboek; maar naam maakte hij pas met zijn *Index alter*, een uitvoerige catalogus van de Leidse hortus botanicus waarin 5846 plantesoorten beschreven staan.

Boerhaave is een van de eersten die van mening zijn dat de chemie een zelfstandige wetenschap moet zijn. Op medisch gebied is hij een groot bewonderaar van Hippocrates, wiens inductieve methode hij voorstaat.

**21 februari.** Paus Benedictus XIII sterft te Rome.

**Februari.** Tsaar Peter II van Rusland sterft en wordt opgevolgd door Anna, de dochter van Ivan V. →

**15 mei.** Robert Walpole wordt de eerste Engelse eerste minister, een nieuwe officiële positie. Walpole beheerde sinds 1721 de schatkist. Townshend, minister van Buitenlandse Zaken voor het noordelijk halfrond, neemt ontslag. →

**12 juli.** Lorenzo Corsini wordt door het conclaaf van kardinalen gekozen tot paus Clemens XII.

**4 augustus.** Bij een poging naar Engeland te vluchten wordt kroonprins Frederik van Pruisen aangehouden en door zijn vader gevangengezet.

**17 september.** Bij een staatsgreep in Turkije wordt sultan Ahmed III afgezet. Mahmoed I neemt de macht in handen. →

**30 september.** Victor Amadeus XI van Savoye doet afstand van de troon ten gunste van zijn zoon, Karel Emanuel III.

**September.** Lodewijk XV van Frankrijk beveelt het parlement zich niet met de politiek te bemoeien.

**12 oktober.** Na het overlijden van Frederik IV wordt Christiaan VI koning van Denemarken.

**6 november.** Hans Hermann von Katte, een luitenant in het Pruisische leger en vriend van kroonprins Frederik, wordt wegens zijn hulp aan Frederik bij diens vluchtpoging naar Engeland terechtgesteld. →

- Kuli Chan verdrijft de Afghanen uit Perzië. De Afghaanse sjah Ashraf wordt vermoord en Chan volgt hem op.

- Tijdens een Indianenopstand in Cochabamba (Bolivia) wordt het vertrek van de Spaanse onderkoning geëist. Na enkele weken moeten de opstandelingen zich in de bergen terugtrekken van waaruit zij een guerrilla blijven voeren.

- De eerste geschiedenis van Birma verschijnt in druk. →

Gestorven:

Jan Palfijn (1650), Vlaams arts, uitvinder van de verlostang

# Robert Walpole premier

*Robert Walpole (links), vlak voor zijn toespraak in het Britse Lagerhuis.*

LONDEN, 15 mei - Vandaag is in Londen Robert Walpole door koning George II officieel tot 'prime minister' (minister-president) benoemd. Dit is een bevestiging van de evolutie die het Engelse politieke systeem de laatste decennia heeft doorgemaakt, waarbij het kabinet meer als een eenheid onder leiding van een prominente minister is gaan optreden.

Robert Walpole heeft een stormachtige carrière beleefd. Onder de heerschappij van de Tories heeft hij geruime tijd vastgezeten op beschuldiging van fraude. Na de nederlaag van de Tories bij de verkiezingen van 1715 werd Walpole enkele malen minister van Financiën. Hoewel de Tories na 1715 uitgeschakeld werden, betekende dit geenszins dat Walpole nu de invloedrijkste positie in de Engelse politiek ging innemen. In kringen van de Whigs ontstond namelijk grote onenigheid over de te voeren politiek. Aanvankelijk leek het erop dat Stanhope en Sunderland de sterkste positie in de partij zouden gaan innemen. Stanhope wilde de Vrede van Utrecht (1713), die hij als een vernedering voor Engeland beschouwde, ongedaan maken. Hij liet Engeland een actieve en agressieve rol spelen in de Europese politiek, waarmee hij regelmatig oorlog riskeerde. Walpole was het met deze lijn niet eens, aangezien een oorlog de financiële situatie van het koninkrijk nog verder zou verslechteren. Als minister van Financiën slaagde hij er wel in de staatsfinanciën te saneren, door een bevredigende oplossing voor de staatsschuld te vinden. Dit werd als een belangrijke prestatie gezien omdat Engelse kapitaalbezitters nu weer vertrouwen kregen in de financiële handelwijze van de staat. Zijn rivaal Sunderland zorgde er echter voor dat hij als minister ontslagen werd.

Het keerpunt kwam voor Walpole in augustus 1720. Na een groot financieel schandaal, de zogenaamde South Sea Bubble, waarbij naast Sunderland vele politici en leden van het hof betrokken waren, werd Walpole naar voren geschoven. Hij regelde de zaken zo goed en redde de reputatie van zo velen dat hij, zeker na de dood van Sunderland in 1722, als onbetwiste leider van de Whigs geldt.

## Turken in opstand: Ahmed III treedt af

CONSTANTINOPEL, 17 september - Ten gevolge van de in de Osmaanse hoofdstad uitgebroken opstand heeft sultan Ahmed III zich gedwongen gezien zijn vizier Daman Ibrahim Pasja aan de opstandelingen uit te leveren en vervolgens zelf af te treden. De opstand heeft niet alleen de onrust in de lagere bevolkingsregionen aan het licht gebracht, maar eveneens de onvrede van de conservatieve elementen in regering en leger met de toenemende westerse oriëntatie.

De opstand werd aanvankelijk gedragen door leden van de gilden. Patrona Halil, een handelaar in oude kleren en masseur in een Turks bad, wierp zich op tot leider. De beweging kreeg spoedig steun van de betere standen in Constantinopel: leden van de heersende klassen die fel gekant waren tegen de maatregelen van vizier Ibrahim.

De regering van de nu onttroonde sultan Ahmed werd niet alleen gekenmerkt door de tulpenrage - deze worden op grote schaal gekweekt en in ornamenten toegepast -, maar meer algemeen door het in zwang komen van westerse stijlen. De rijken gingen zich te buiten aan luxe en besteedden veel geld en zorg aan architectuur. De poëzie heeft een hoge vlucht genomen. Deze luxe moest worden betaald, en het reeds verarmde platteland bleef hiervoor de basis. Het gevolg was een verbreding van de kloof tussen extreem rijk en straatarm. Pogingen van vizier Daman Ibrahim om het bestuur te stroomlijnen en de belastinginning te verbeteren hebben niets wezenlijks veranderd. Inflatie, hongersnood en onrust teisterden het platteland. De situatie in de hoofdstad is niet veel beter. Daar speelt, sterker dan in de provincie, het probleem van de onbetaalde soldaten. Bovendien heeft de massale toevloed naar de hoofdstad - veel plattelanders zijn de anarchie en het banditisme in de provincie ontvlucht - geleid tot frictie met de stadsbewoners, die van hen concurrentie voor hun nering vrezen. De stadsgilden morren over het belastingsysteem, de extra oorlogsheffingen - gevolg van de campagne tegen Perzië - en de inflatie. Epidemieën en frequent aangestoken branden hebben de spanningen verhoogd. Een korte opstand was voldoende om de sultan tot aftreden te dwingen. Hij wordt opgevolgd door zijn neef Mahmoed I.

## Anna ondertekent troonakte

SINT-PETERSBURG, 28 februari - Anna Ivanovna, dochter van de half-broer van Peter de Grote, heeft vandaag in een manifest de autocratie weer ingesteld. Eerder had zij, gedwongen door de Hoogste Geheime Raad, een verklaring ondertekend met voorwaarden waaronder zij de troon zou mogen bestijgen. De keus was op haar gevallen omdat de vijftienjarige Peter II, zoon van Peter de Grotes zoon Aleksej, op 18 januari, de dag van zijn voorgenomen huwelijk, aan de pokken was gestorven.

De voorwaarden hielden in dat Anna niet mocht hertrouwen (ze was weduwe), noch een erfgenaam aanwijzen. Ze moest de acht leden tellende Hoogste Geheime Raad laten voortbestaan, zonder toestemming waarvan ze geen oorlog mocht voeren of vrede sluiten, belasting opleggen, militaire rangen verlenen, landgoederen toewijzen of beschikken over staatsinkomsten. De garderegimenten, die reeds verscheidene paleisrevoluties hadden ondersteund, moesten onder bevel van de Hoogste Geheime Raad worden gesteld en het zou haar niet zijn toegestaan zonder vorm van proces adellijken van het leven te beroven of hun eer en bezit te ontnemen. Deze voorwaarden waren voor de Geheime Raad de mogelijkheid om het absolutisme, de autocratie, te beperken en te veranderen in iets dat leek op een monarchie met beperkte macht.

Het mislukte omdat een deel van de adel de Geheime Raad vijandig gezind was en - met steun van het hoofdstedelijke garderegiment - Anna adviseerde de voorwaarden te negeren. Ze verscheurde ze daarop demonstratief in het openbaar. De leden van de Geheime Raad zijn verbannen. Anna heeft zich met haar eigen aanhangers omringd. De invloed van E.J. Bühren (Biron in het Russisch) is erg groot.

In Midden- en West-Europa berust het aanzien van de edelman op zijn macht als plaatselijk heer en slechts in tweede instantie op zijn functie in dienst van de vorst. In Rusland zijn echter alleen de gunsten en de status, verkregen door eigen bekwaamheden in staatsdienst, van waarde. De meeste edelen willen dat ook zo houden. Iedereen kan tot de hoogste rangen opklimmen en niemand die een hoge post begeert hoeft bang te zijn dat zijn kansen worden beknot door een groep door geboorte bevoordeelde individuen aan wie die posten voorbehouden zijn vanwege de geprivilegieerde status van hun families.

Dat er na het aanvaarden van de voorwaarden door Anna een oligarchie van de families uit de Hoogste Geheime Raad aan de macht zou komen, was de vrees van de meerderheid van de adel.

*Luitenant Hans Hermann von Katte enkele ogenblikken voor zijn openbare executie in Küstrin (18de-eeuwse gravure).*

# Luitenant von Katte in Küstrin onthoofd

KUSTRIN, 6 november - Luitenant Hans Hermann von Katte is voor de ogen van de Brandenburgs-Pruisische kroonprins Frederik in Küstrin met het zwaard onthoofd. De luitenant en de kroonprins hadden kort geleden getracht naar Engeland te vluchten. De executie volgde na een kabinetsorder van koning Frederik Willem I. Eerder had een militaire rechtbank von Katte tot levenslang veroordeeld.

Door de vluchtpoging wilde de kroonprins zich onttrekken aan de strenge opvoeding van zijn vader. Deze acht zijn zoon ongeschikt als opvolger. Als plichtsbewust man heeft hij een hoge opvatting van het koningschap en vindt dat 'koningen meer lijden moeten kunnen verdragen dan andere mensen'.

Frederik Willem I, bijgenaamd de 'soldatenkoning', is in 1713 op de Pruisische troon gekomen. Hij geldt als een vroom maar ruw man. In tegenstelling tot zijn grootvader, de Grote Keurvorst, en zijn zoon heeft hij geen hoge dunk van cultuur. Daarnaast is hij buitengewoon spaarzaam. De kroning van zijn vader Frederik I had destijds 5 miljoen thaler gekost terwijl Frederik Willem I daar slechts 2547 thaler voor over had. Zijn inkomsten heeft hij voor het grootste deel aan de vergroting van zijn leger besteed. Hij eist zowel van zijn zoon als van de Pruisische bevolking onvoorwaardelijke gehoorzaamheid: 'De ziel is voor God; al het andere hoort van mij te zijn.'

Op het gebied van de buitenlandse politiek ontplooide Frederik Willem I, behalve de verovering van Voor-Pommeren op Zweden, nauwelijks activiteiten. Hij richtte zijn aandacht vooral op de binnenlandse politiek en de verbetering van het onderwijs. Tijdens zijn regeerperiode heeft Pruisen een centralistische organisatiestructuur gekregen. Het financiële en militaire bestuur zijn samengevoegd tot één lichaam, het Generaaldirectorium, dat uit vijf afdelingen bestaat. De staatsinkomsten worden door een effectievere exploitatie van de koninklijke domeinen en door verhoging van de belastingen vergroot. Daarnaast worden landbouw en nijverheid ondersteund en werd in 1717 voor heel Pruisen de leerplicht voor kinderen tussen vijf en twaalf jaar ingevoerd. Om de uitvoering hiervan mogelijk te maken stichtte koning Frederik Willem I ongeveer 2000 nieuwe scholen.

## U Kala schrijft geschiedenis van Birma

*Uit de vroege geschiedenis van Birma (11de eeuw): de koning verleent audiëntie.*

AVA - Met de publicatie van de *Maha Yazawingyi* (Grote Kroniek) is voor het eerst de geschiedenis van Birma van de vroegste tijden tot heden te boek gesteld. De auteur, U Kala, zoon van een gefortuneerde vader, heeft met gevoel voor details de dynamiek van de Birmese maatschappij weergegeven. Niet slechts de dynastieke strijd wordt in deze kroniek beschreven, maar ook de economische en sociale ontwikkelingen. De beheersing van het water en de wording van een eenheidsstaat waarin vele verschillende minderheden te zamen leven, zijn overheersende thema's in U Kala's werk. Daarnaast wordt aandacht besteed aan de veelzijdige culturele beïnvloeding van Birma. Zowel vanuit India als China is er sprake van overname van cultuurelementen. Die vanuit India zijn echter overheersend, al was het maar door de dominante rol die het boeddhisme in de Birmese maatschappij speelt. De Chinese invloeden lopen meer via handelscontacten en door middel van de etnische minderheden in het noorden.

Naast deze kroniek wordt door U Kala nog aan een verkorte versie van de geschiedenis van Birma gewerkt.

# 1731

**10 januari.** Karel Farnese, zoon van de tweede echtgenote van Filips V van Spanje, wordt hertog van Parma en Piacenza, zoals was overeengekomen in het Verdrag van Sevilla van november 1729. Keizer Karel VI verovert de gebieden echter, terwijl Frankrijk, Engeland en de Republiek vooralsnog weigeren aan Spanje de beloofde militaire bijstand te verlenen.

**16 maart.** Uitbreiding van de oorlog in Italië wordt voorlopig voorkomen door het Verdrag van Wenen tussen Engeland en de Republiek enerzijds en de keizer anderzijds. De Oostendse handelscompagnie zal haar activiteiten beëindigen. In een geheim verdrag krijgt Engeland de toezegging dat Maria Theresia, de waarschijnlijke troonopvolgster, niet zal trouwen met een lid van het huis van Bourbon, het koningshuis van Frankrijk en Spanje.

**22 juli.** Spanje treedt toe tot het Verdrag van Wenen, dat op 16 maart door Engeland, de Republiek en de keizer werd overeengekomen. Spanje zal de hertogdommen Parma en Piacenza van de keizer terugkrijgen in ruil voor erkenning van de Pragmatieke Sanctie. Hierdoor wordt openlijke oorlog in Italië voorkomen.

**December.** Rusland, de keizer en Pruisen sluiten in Loewenwolde een verdrag voor de opvolging van August de Sterke van Saksen-Pruisen als koning van Polen door diens zoon Frederik August en tegen Leszczyński. Lodewijk XV van Frankrijk is gehuwd met de dochter van de pretendent en steunt diens aanspraken.

- De Braziliaans-Portugese auteur Sebastiao da Roche Pitta publiceert zijn geschiedenis van Brazilië, *Historia da America Portuguesa*. Hierin worden de rijkdommen die jaarlijks vanuit Brazilië naar het moederland worden verscheept, uitgebreid beschreven. Juist in deze tijd bereikt deze export een hoogtepunt.

- In Engeland wordt een verbod afgekondigd op de emigratie van fabrieksarbeiders naar Engels Amerika.

- Voltaire publiceert zijn biografie over de Zweedse koning Karel XII.

- In Rusland wordt begonnen met de aanleg van het kanaal dat Sint-Petersburg met de Wolga moet gaan verbinden, een afstand van duizend kilometer (voltooid in 1799).

Gestorven:

**26 april.** Daniel Defoe, (circa 1660), Engels schrijver →

## Defoe beroemd met 'Robinson Crusoe'

*Titelblad van de eerste druk van Defoe's 'Robinson Crusoe' (1719).*

LONDEN, 26 april - Vandaag is op 62-jarige leeftijd de schrijver Daniel Defoe overleden. Hij verwierf vooral bekendheid met zijn in 1719 verschenen roman *Het leven en de zeldzame avonturen van Robinson Crusoe, zeeman uit York*.

De handeling van deze roman is gebaseerd op een nieuwsfeit dat destijds veel opzien baarde. In 1709 werd op het eiland Mas a Tierra in de Grote Oceaan de schipbreukeling Alexander Selkirk aangetroffen, die ruim vier jaar op het onbewoonde eiland had overleefd door op jacht te gaan en op kleine schaal landbouw te bedrijven.

Hoofdpersoon uit de roman van Defoe is de jonge Robinson Crusoe, die uit verlangen naar avonturen een zeereis onderneemt. Tijdens deze reis vergaat zijn schip waarna hij als enige overlevende aanspoelt op een zo op het eerste gezicht onbewoond eiland. Met zaken die hij van het verloren gegane schip aanspoelen en met wat hij op het eiland aantreft, weet hij een bestaan op te bouwen. Groot is zijn verbazing als blijkt dat hij niet alleen op het eiland is. Zijn lotgenoot blijkt van een naburig eiland, waar hem de dood wachtte, ontsnapt te zijn. Na enige tijd weet Robinson Crusoe contact te leggen met de inboorling, die hij Vrijdag noemt omdat hij hem op die dag voor het eerst heeft ontmoet. Ondanks het verschil in taal en cultuur worden beiden goede vrienden. Crusoe slaagt er na verloop van tijd in om Vrijdag tot het christendom te bekeren. Als Robinson Crusoe eindelijk door een schip gevonden wordt zijn 28 jaren verstreken.

Het boek werd al snel na verschijning populair, onder meer door de thema's die sinds de renaissance en het opbouwen van een wereldrijk met koloniën in de belangstelling staan. Voorbeelden hiervan zijn: het maken van een verre reis uit avonturendrang, de geheel verschillende flora en fauna in de gebieden overzee en het contact met exotische beschavingen.

# 1732

**21 januari.** Bij het Verdrag van Riascha geeft Rusland verdere aanspraken op Perzisch grondgebied op.

**30 januari.** Het kerkhof Saint-Médard in Parijs wordt gesloten na de relletjes daar in de afgelopen maanden vanwege de godsdienstpolitiek van Lodewijk XV. →

**1 februari.** Op voorspraak van Pruisen erkent op de rijksdag van Ratisborn de meerderheid van de Duitse vorsten de Pragmatieke Sanctie van Karel VI. De keurvorsten van Saksen, Beieren en de Palts weigeren echter in te stemmen.

**2 februari.** Koning Frederik Willem I van Pruisen geeft de protestanten, die sinds 1729 uit Salzburg verdreven worden, toestemming zich in het door de pestepidemie van 1708-1715 ontvolkte Oost-Pruisen te vestigen. →

**Maart.** Don Carlos, de nieuwe hertog van Parma en Toscane, arriveert in Florence.

**April.** Villars, maarschalk en lid van de Franse Raad van State, en Chauvelin, de minister van Buitenlandse Zaken, dringen er bij Lodewijk XV steeds sterker op aan met Spanje een verbond tegen Engeland te sluiten. Premier Fleury verzet zich tegen deze plannen.

**Juni.** James Oglethorpe krijgt koninklijke goedkeuring een kolonie te vestigen in Georgia, Engels Noord-Amerika.

**Juli.** Lodewijk XV verbant 139 leden van het Parijse parlement. Vier maanden later wordt de verbanning al weer ongedaan gemaakt.

- Genua herovert Corsica op Frankrijk.

- Keizer Karel V beperkt de macht van de gilden. →

- Lodewijk XV en zijn bondgenoten in het Duitse Rijk sluiten een verdrag met Leszczyński, waarin diens aanspraken op de Poolse troon worden erkend. Frederik August, de zoon van August de Sterke, de huidige Poolse koning, maakt kenbaar te zijner tijd zijn vader te willen opvolgen.

- In Rome worden de Trevifonteinen aangelegd naar een ontwerp van Nicola Salvi.

- Hermanus Boerhaave publiceert zijn *Elementa Chemiae*, een pioniersstudie over organische chemie.

Gestorven:

**4 december.** John Gay (16-9-1685), Engels dichter van onder andere *The beggar's opera*

*Standbeeld van keizer Karel VI.*

## Karel VI legt gilden aan banden

OOSTENRIJK - Keizer Karel VI heeft verschillende 'Handwerkspatente' uitgevaardigd, die de macht van de gilden moeten inperken. Deze vertegenwoordigers van een traditionele produktiewijze verzetten zich tegen het streven van de keizer om nieuwe industriële ondernemingen op te richten, waar hoogwaardige exportartikelen worden vervaardigd. Met de bevordering van de 'Fabriquen' wil de keizer de mercantilistische theorie in praktijk brengen.

De grondgedachte van het mercantilisme is dat de economie van een land pas gezond is als de export de import overtreft. Om dit doel te bereiken moet de staat een actieve rol als ondernemer spelen. In Oostenrijk worden vooral de wapen-, textiel-, porselein- en glasindustrie gestimuleerd door privileges en staatsmonopoliën.

Toch heeft de mercantilistische doctrine ook een stagnerende invloed op het economische leven in Oostenrijk. Het protectionisme wordt er angstvallig gehandhaafd, terwijl men in West-Europa al tot het inzicht is gekomen dat aan import niet louter nadelen kleven. De invoer van buitenlandse produkten stimuleert immers de koopkrachtige vraag, een voorwaarde voor een bloeiende binnenlandse nijverheid.

*Oostenrijks porselein (18de eeuw).*

# Godsdiensthysterie op Parijs kerkhof

PARIJS, 30 januari - Het kerkhof Saint-Médard is gisteren op last van eerste minister Fleury gesloten. De afgelopen weken was het kerkhof een trekpleister voor Parijzenaars uit alle lagen van de bevolking geworden vanwege de ongehoorde taferelen die zich daar afspeelden. Mensen raakten in trance, kregen aanvallen van stuipen en gaven zich over aan bizarre rituelen rond het graf van de jansenistische geestelijke Pâris. Pâris overleed enige jaren geleden en zou een ware heilige zijn geweest. Zijn grafsteen moet een wonderbaarlijke geneeskracht bezitten.

De vreemde toestanden op het kerkhof van Saint-Médard bezorgen het jansenisme veel populariteit, tot grote ergernis van de regering. Die probeert al jaren deze dissidente stroming binnen de Franse Katholieke Kerk uit te roeien en leek daarin de laatste tijd te slagen.

Het jansenisme (genoemd naar de Hollandse theoloog Cornelis Jansen) is in de vorige eeuw ontstaan en streeft onder meer een volledige onafhankelijkheid van Rome na. In deze opvatting wordt de groepering gesteund door de meeste parlementen in Frankrijk. Die weigeren bijvoorbeeld hun goedkeuring te hechten aan koninklijke decreten die jansenistische geschriften verbieden. Het gaat de parlementen overigens niet zozeer om de godsdienstvrijheid. Zij grijpen het conflict tussen de monarchie en het jansenisme aan om hun eigen macht en onafhankelijkheid te benadrukken.

In feite betreft het de eeuwenoude strijd om het hoogste gezag in Frankrijk. De parlementen, het Parlement

*Frankrijk was vaker het toneel van religieuze problemen: hier de sloop van de tempel van Charenton na de herroeping van het Edict van Nantes in 1685.*

van Parijs voorop, zijn altijd blijven volhouden dat zij als hoogste rechterlijke instantie het laatste woord over het bestuur van het land hebben. De wetten die de koning en zijn ministers uitvaardigen, moeten door de parlementen worden goedgekeurd, anders missen ze rechtsgeldigheid. De monarchie stelt daar tegenover dat de vorst de enige door God aangewezen heerser van het land is. Binnen dat idee kunnen de parlementen niet meer dan adviescolleges zijn.

In de praktijk is de macht van de parlementen altijd afhankelijk geweest van de meer of minder krachtige persoonlijkheid van de regerende vorst. De absolute monarchie van koning Lodewijk XIV bood de parlementen weinig speelruimte. De nieuwe koning Lodewijk XV heeft echter lang niet zoveel gezag als zijn overgrootvader. Sinds hij negen jaar geleden de troon besteeg is er een sterk wisselend beleid gevoerd. Soms wordt aan de eisen van de parlementen toegegeven, maar de leden zijn de afgelopen jaren ook herhaaldelijk in ballingschap gestuurd omdat ze de decreten van de koning niet wilden goedkeuren.

# Frederik Willem I versoepelt immigratie

BERLIJN, 2 februari - Frederik Willem I, de koning van Brandenburg-Pruisen, heeft de immigratie van geloofsvluchtelingen versoepeld. De tolerante immigratiepolitiek van de koning heeft tot doel het inwoneraantal van het ontvolkte Oost-Pruisen weer op peil te brengen en de economie te stimuleren. Een sterke economie zou de staatsinkomsten vermeerderen en de vergroting van het leger mogelijk maken.

De maatregel leidt tot de immigratie van ongeveer 15 000 uit Salzburg verdreven lutheranen. Dezen vestigen zich vooral in het door de pest ontvolkte Oost-Pruisen. De epidemie die hier in 1708 uitbrak verminderde de bevolking met een derde. Het is niet de eerste keer dat Pruisen grote aantallen geloofsvluchtelingen toelaat. Na de herroeping van het Edict van Nantes in 1685 vestigden zich ongeveer 20 000 Franse hugenoten in het land. Niet alle geloven werden echter getolereerd. Doopsgezinden waren, door hun prin-

*Koning Frederik Willem I van Pruisen begroet emigranten uit Salzburg.*

cipiële weigering in het leger dienst te nemen, niet welkom.

Om de economie te stimuleren voert Frederik Willem I een mercantilistische politiek. Pruisen heeft zelf slechts weinig natuurlijke rijkdommen en daarom richt de koning zich vooral op de bevordering van de nijverheid. Met staatssteun worden nieuwe industrieën opgezet; voor goederen die ook in Pruisen geproduceerd worden geldt een importverbod en de export van grondstoffen wordt verboden. Het succes van deze politiek wordt mede mogelijk gemaakt door de soepele immigratieregeling. De vluchtelingen zijn in het algemeen goed geschoold en brengen kennis mee die het opzetten van nieuwe industrieën mogelijk maakt. Ze worden bovendien bevoordeeld.

Om de macht van de gilden te breken heeft Frederik Willem I, na arbeidsconflicten in de afgelopen jaren, vorig jaar een aantal maatregelen doorgevoerd. Geschillen tussen meesters en gezellen moeten voortaan in het openbaar worden beslecht. Aan de andere kant wordt het gezellen verboden zich te verenigen of werk te weigeren. Het gildensysteem blijft wel gehandhaafd, omdat dit de staatscontrole op de economie vergemakkelijkt.

**1 februari.** August II de Sterke, keurvorst van Saksen en Polen, sterft. Zowel zijn zoon Frederik August als de vroegere koning Lesczcyński maakt aanspraak op de Poolse troon.

**26 mei.** John Kay vraagt patent aan voor zijn uitvinding van de 'snel-schietspoel'.

**26 augustus.** De Staten-Generaal van de Republiek nemen een resolutie aan waarin de wens wordt uitgesproken ten opzichte van de Poolse Successie neutraal te blijven. Van Frankrijk wordt de toezegging verkregen dat de Zuidelijke Nederlanden in een oorlog tegen Oostenrijk neutraal zullen zijn, waardoor ook de Republiek met de Barrière afzijdig kan blijven.

**12 september.** Stanislaw Lesczcyński wordt door de Poolse Landdag tot koning gekozen. Zowel Russische als keizerlijke troepen trekken Polen binnen.

**15 september.** Frederik Willem I van Pruisen vaardigt een edict uit waarbij Brandenburg-Pruisen in kantons wordt opgedeeld, die ieder een regiment soldaten moeten leveren. →

**22 september.** Lesczcyński vlucht uit Warschau en zoekt toevlucht in Danzig.

**26 september.** In Turijn sluiten Frankrijk, Spanje en Sardinië een verbond tegen de keizer. Frankrijk zal Savoye krijgen, Sardinië Milaan, terwijl Don Carlos Parma en Toscane aan zijn broer zal afstaan in ruil voor Napels, Sicilië en Presidi.

**5 oktober.** Keurvorst Frederik August van Saksen wordt door de Poolse Landdag tot koning gekozen. Hiermee begint de Poolse Successieoorlog.

**10 oktober.** Frankrijk verklaart keizer Karel VI de oorlog wegens zijn steun aan Frederik August bij diens verkiezing tot koning van Polen.

**7 november.** Frankrijk en Spanje sluiten het Escoriaal Verdrag. Zij garanderen elkaars grondgebied en vormen een bondgenootschap tegen Engeland.

- James Oglethorpe sticht Savannah als hoofdstad van Georgia, Engelands dertiende kolonie in Noord-Amerika.

- Engeland verbiedt de handel van zijn dertien koloniën in Noord-Amerika met de Franse en Nederlandse koloniën in West-Indië.

- Voltaire publiceert zijn *Lettres sur les Anglais* over zijn ballingschap in Engeland.

- Van Pergolesi wordt *La serva padrone*, de eerste belangrijke opera buffa, voor het eerst in Napels opgevoerd.

# Pruisen krijgt sterk leger

*Voor zijn garderegimenten prefereert de Pruisische koning lange kerels.*

ERLIJN, 15 september - Frederik Willem I heeft in Pruisen-Brandenurg het kantonsysteem ingevoerd. Hierdoor krijgt de boerenbevolking ienstplicht. Tijdens de regeerperiode an de 'soldatenkoning', die in 1713 op e troon kwam, werd de omvang van et leger meer dan verdubbeld en vond r een verregaande militarisering van e maatschappij plaats.

e invoering van het kantonsysteem idt tot een verdeling van het land in n aantal rekruteringsgebieden waarij 5000 huishoudens de soldaten voor n regiment leveren. De mannelije inwoners worden bij de geboorte auwkeurig geregistreerd en hebben anaf hun zeventiende jaar dienstlicht. Deze dienstplicht geldt voor het ele leven; alleen immigranten en eestelijken zijn vrijgesteld. De boeren aken ieder jaar drie maanden deel an het leger uit.

Het Pruisische leger bestaat behalve uit ienstplichtige soldaten ook uit beepsmilitairen. Deze worden vaak nder dwang gerekruteerd uit de ververde gebieden. Daarbij gaat de voureur van de koning uit naar lange solaten. Hij heeft een apart regiment (de otsdammer wachtparade) dat beaat uit soldaten die ongeveer twee eter lang zijn.

e mannelijke aristocratie, waaruit de fficieren worden gerekruteerd, is naenoeg in haar geheel werkzaam in het eger. Deze officieren zijn beroepsmiliir; de koning heeft in 1717 de dienstlicht van de adel afgeschaft. Aanvanelijk stuitte dat op weerstanden maar eleidelijk is het beroep van officier eeds populairder geworden. Dit ordt mede veroorzaakt door de moelijkheid zich in het leger te verrijken: slechts een deel van het bedrag dat voor rekrutering, kleding en voedsel wordt uitgekeerd, wordt door officieren daadwerkelijk aan het leger besteed. De betrokkenheid van de aristocratie bij het leger heeft bijgedragen tot de eenwording van Pruisen. Het land bestaat in feite uit een aantal verschillende graafschappen en heeft geen natuurlijke grenzen. Rondom het leger is Pruisen tot een eenheid gegroeid.

Tijdens de regeerperiode van Frederik Willem I is het leger van 40 000 tot 83 000 man toegenomen. Op een inwoneraantal van 2,5 miljoen mensen betekent dit het hoogste percentage soldaten in Europa. Het kenmerkende van Pruisen in de 18de eeuw is dan ook de verhouding tussen de omvang van de staat en de omvang van het leger.

De groei leidt tot een stijging van de kosten van het leger tot twee derde van de begroting. Om deze uitgaven te dekken wordt in Pruisen de hele economie gericht op het op de been houden van het leger. Frederik Willem I tracht door een mercantilistische politiek de economie te stimuleren en heeft de belastingen verhoogd. De koning zelf leidt vergeleken met andere vorsten een sober leven.

Tijdens de regeerperiode van Frederik Willem I vindt er zodoende een verregaande militarisering van de maatschappij plaats. De kleding van de koning is daarvoor representatief te noemen: hij is de eerste Europese vorst die permanent in uniform loopt. Ondanks het sterke leger voert hij slechts weinig oorlogen. Frederik Willem I nam tot dusverre alleen deel aan de Noordse Oorlog tegen Zweden waarbij Pruisen in 1720 Voor-Pommeren verkreeg.

**Februari.** Tussen Perzië en Turkije breekt oorlog uit.

**14 maart.** Prins Willem Karel Hendrik Friso van Oranje Nassau, stadhouder van Groningen, Friesland, Drenthe en Gelderland, trouwt met Marie Anne, dochter van koning George II van Engeland.

**Mei.** Het Spaanse leger onder Don Carlos trekt de Napolitaanse gebieden binnen. De Spaanse troepen verslaan het keizerlijke leger bij Bitonto, waarna de troepen van de keizer een reeks nederlagen lijden.

**Mei.** Franse troepen veroveren Lotharingen op Oostenrijk en bezetten het keurvorstendom Trier.

**17 juni.** Franse troepen nemen de strategisch belangrijke vesting Philipsburg aan de Rijn in. Bij het beleg sneuvelt de veldheer, de hertog van Berwick.

**30 juni.** Na een jaar beleg nemen Russische troepen Danzig in, het laatste steunpunt van Lesczcyński, de pretendent voor de Poolse troon. Franse pogingen de stad te ontzetten mislukken.

**Juni.** Frans-Spaanse troepen verslaan het Oostenrijkse leger bij Parma.

**Juni.** De *Lettres sur les Anglais* van Voltaire wordt tot de brandstapel veroordeeld. →

**2 juli.** Lesczcyński, de door Frankrijk gesteunde Poolse troonpretendent, wordt uit Polen verjaagd en krijgt asiel in Pruisen. Frederik August III, keurvorst van Saksen, is hierdoor van de koningstroon van Polen verzekerd.

**September.** Het Oostenrijkse leger wordt verslagen bij Guastella, Italië.

**Oktober.** Opstanden van Servische en Hongaarse boeren worden door het Oostenrijkse leger zonder mededogen neergeslagen.

**13 december.** Engeland en Rusland sluiten een handelsverdrag.

- Achtduizend protestanten die uit het bisdom Salzburg moeten vertrekken, vestigen zich in Georgia, Engels Noord-Amerika.

- Johann Sebastian Bach componeert zijn *Weihnachtsoratorium*.

- De jezuïetenschool in Fulda, Hessen-Kassel, wordt universiteit. Ook in Göttingen, Pruisen, wordt een universiteit gesticht.

- Turkije verovert Armenië en Georgië.

## Boek van Voltaire op brandstapel

PARIJS, juni - Het boek *Lettres philosophiques* van Voltaire is door het parlement van Parijs tot de brandstapel veroordeeld. Naar verluidt heeft Voltaire zelf de hoofdstad verlaten uit angst voor een arrestatie. *Lettres philosophiques* verscheen vorig jaar. Het werd vooral bekend onder de titel *Lettres sur les Anglais*. Het boek geeft een vergelijking tussen de Engelse en de Franse samenleving. Voltaire heeft het geschreven na een driejarig verblijf in Engeland.

Door een zeer positief beeld te geven van het Engelse leven levert de schrijver in feite forse kritiek op de situatie in zijn eigen land. Zo heerst er in Engeland een grote mate van tolerantie; iedereen moet er belasting betalen en de boeren eten wittebrood. In Frankrijk is dat anders geregeld. Het ten beste geven van een tegendraadse mening kan leiden tot gevangenisstraf, zoals Voltaire zelf heeft ervaren. Adel en geestelijkheid zijn vrijgesteld van belastingen. De meeste Franse boeren mogen al blij zijn als ze grof zwart brood te eten hebben.

Het was te verwachten dat *Lettres philosophiques* grote irritatie zou oproepen. Alleen al de opvatting dat het elders beter zou kunnen zijn dan in Frankrijk wordt belachelijk gevonden. Veel Fransen denken dat buiten de landsgrenzen de mensen nog 'hooi eten en op handen en voeten rondkruipen', zoals een buitenlandse bezoeker noteerde. In minder bekrompen kringen vindt het boek van Voltaire grote aftrek. De veroordeling tot de brandstapel wordt daar gezien als een bewijs van de juistheid van de kritiek.

*Voltaire (door Jean-Antoine Houdon).*

**Maart.** Spaanse troepen nemen Orbitello in het hertogdom Toscane, Italië, in.

**April.** Keizerlijke troepen verslaan het Franse leger bij Seckendorf.

**Mei.** Spaanse troepen beginnen het beleg van Mantua, Italië.

**3 oktober.** Frankrijk en de keizer komen in Wenen tot overeenstemming over vredesvoorwaarden. Keizer Karel VI krijgt Parma en Piacenza. Don Carlos wordt koning van Sicilië en Napels, op voorwaarde dat er geen personele unie met Spanje tot stand zal komen. Karel Emanuel III van Savoye houdt Novara en Tortona. Frankrijk erkent de Pragmatieke Sanctie van Karel VI. Leszczyński zal zijn aanspraken op de Poolse troon opgeven, maar het hertogdom Lotharingen krijgen, dat na zijn dood aan de Franse troon zal vervallen. De hertog van Lotharingen zal het groothertogdom Toscane krijgen als de groothertog overleden is. →

**Oktober.** De Turks-Perzische oorlog eindigt.

- Qian Loeng wordt keizer van China. →

- Abraham Darby gebruikt als eerste cokes in een hoogoven bij het smelten van ijzererts.

- In de Engelse Noordamerikaanse kolonie Georgia wordt de verkoop van alcoholische dranken verboden.

- Onder leiding van Charles de la Condamine vertrekt een Franse expeditie op zoek naar de bronnen van de Zuidamerikaanse Amazonerivier.

- In Litouwen verschijnt de eerste Litouwse vertaling van de bijbel.

- In de Republiek verschijnt *Systema Naturae* van de Zweedse arts en natuurvorser Carolus Linnaeus. Linnaeus studeerde en promoveerde aan de hogeschool in Harderwijk.

Geboren:

**15 maart.** Cesare Beccaria-Bonesana (†1794), Italiaans jurist
**30 oktober.** John Adams (†1806), Amerikaans staatsman
- Johann Christian Bach (†1782), Duits componist

# Bourbon regeert in Napels

*De Spaanse koning Filips V (tweede van links) met zijn familie. Filips V, wiens zoon Karel koning van Napels wordt, is de grondlegger van de Bourbon-dynastie.*

NAPELS, 3 oktober - De Spaanse prins Karel heeft zichzelf na de verovering van Napels op de Oostenrijkers uitgeroepen tot koning Karel VII van Napels en Sicilië.
Met deze actie wordt de Spaanse expeditie, vorig jaar begonnen op initiatief van Elisabeth Farnese, de vrouw van de Spaanse koning Filips V, althans gedeeltelijk met succes bekroond. De koningin, die ook erfgename is van het hertogdom Parma, stuurde haar tweede zoon, Karel, naar Spanje met de bedoeling Napels, Sicilië en Milaan op de Oostenrijkers te heroveren; deze gebiedsdelen gingen tijdens en kort na de Spaanse Successieoorlog voor Spanje verloren.
Karel trachtte na de landing in Italië in noordelijke richting door te stoten, maar stuitte daarbij op tegenstand van de Oostenrijkers. Hij trok daarop naar het zuiden en nam zonder veel moeite Napels en Sicilië in bezit.

*Staatsieportret van Qian Loeng, sinds 1735 keizer van China, geschilderd door de Italiaanse missionaris annex kunstenaar Giuseppe Castiglione.*

**26 januari 1736.** Stanislaw Leszczyński doet formeel afstand van zijn aanspraken op de Poolse troon.

**Februari.** Nadir wordt sjah van Perzië.

**21 april.** Prins Eugenius van Savoye, Oostenrijks staatsman en veldheer, sterft in Wenen. →

**Mei.** De Engelse wetgeving ten aanzien van hekserij wordt ingetrokken.

**Mei.** Gesteund door Oostenrijk valt Rusland Turkije binnen met het doel Azov te heroveren.

- Paus Clemens XII veroordeelt vrijmetselarij.

- De Franse academie van wetenschappen organiseert een wetenschappelijke expeditie met onder anderen de Zweed Anders Celsius naar Lapland en de noordpool.

- In Murano begint Giuseppe Briati de produktie van Venetiaans glaswerk.

**20 februari 1737.** Chauvelin, de Franse minister van Buitenlandse Zaken en sterk voorstander van het verbond met Spanje en een actieve buitenlandse politiek, wordt op instigatie van kardinaal Fleury ontslagen. →

**April.** William Byrd sticht Richmond in de Engelse kolonie Virginia.

**9 juli.** De laatste der Medici, heersers van het groothertogdom Toscane, sterft. Zoals bij de vredesvoorwaarden van Wenen op 3 oktober 1735 was overeengekomen volgt Stefan, hertog van Lotharingen en echtgenoot van Maria Theresia van Oostenrijk, hem op. Stanislaw Leszczyński volgt op in Lotharingen.

**18 juli.** Bij Banja Luka komt het tot de eerste grote veldslag sinds de Oostenrijkse deelneming aan de Turks-Russische oorlog met Rusland als bondgenoot. Het Oostenrijkse leger wordt verpletterend verslagen.

**17 september.** In Göttingen, Pruisen, wordt de Georg-August Universiteit geopend. Er wordt volledige vrijheid van onderzoek en onderwijs gegarandeerd. De stichting van de universiteit was een initiatief van koning George II van Engeland, die hem naar zijn vader vernoemde.

- Graadmetingen in Lapland en Peru bewijzen dat de aarde aan de noord- en zuidpool is afgeplat.

- Johann Georg Gmelin organiseert een wetenschappelijke expeditie door Siberië, die belangrijke resultaten voor de vergelijkende geografie zal opleveren.

# Fleury ontslaat minister

*Koning Lodewijk XV van Frankrijk (door François-Hubert Drouais; Versailles).*

PARIJS, 20 februari 1737 - Minister en grootzegelbewaarder Chauvelin is uit zijn functie gezet en naar de provincie verbannen. Hij wordt onder meer verdacht van intriges tegen minister-resident Fleury. De spanningen tussen Fleury en Chauvelin komen voort uit hun meningsverschillen over de buitenlandse politiek die Frankrijk zou moeten volgen.

Premier Fleury is van mening dat Frankrijk vóór alles vrede nodig heeft omdat de sociaal-economische problemen, veroorzaakt door de oorlogen van Lodewijk XIV, nog lang niet zijn overwonnen. Chauvelin vindt deze politiek van Fleury lafhartig en wordt daarin gesteund door een flink deel van

*De in 1736 overleden prins Eugenius van Savoye heeft een belangrijke bijdrage geleverd aan de prominente positie van Oostenrijk. Hij was een succesvol militair, op zowel organisatorisch als tactisch gebied. Een van zijn belangrijkste wapenfeiten was de overwinning bij Zenta (1697), waardoor de Turken definitief uit Hongarije werden verdreven.*

de adel, dat oorlog als het middel ziet om aanzien en glorie te verwerven. Bovendien moet de positie van Frankrijk als Europese grootmacht gehandhaafd worden. Fleury probeert dit laatste liever via diplomatieke middelen. Tot nu toe is hem dat redelijk gelukt.

De directe aanleiding tot de verbanning van Chauvelin is zijn halsstarrige opstelling in de onderhandelingen over de Poolse troonopvolging. Deze kwestie leidde vier jaar geleden tot een oorlog tussen Frankrijk en de Oostenrijkse Habsburgers, nadat de vader van de Franse koningin, Stanislaw Leszczyński, de Poolse troon had opgeëist. Fleury hield de strijd zo beperkt mogelijk. Het Franse leger bezette Lotharingen, maar mocht niet verder naar het oosten trekken. Een invasie van Oostenrijk via Tirol werd afgelast. Daarna sloot Fleury een wapenstilstand. Zijn zwakke gezondheid verhinderde dat hij zelf voor de vredesonderhandelingen naar Wenen afreisde. Chauvelin ging in zijn plaats. Het was de bedoeling van Fleury de Oostenrijkse kandidaat voor de Poolse troon te erkennen. In ruil daarvoor moest Leszczyński koning van Lotharingen worden; na diens dood zou dit gebied dan aan Frankrijk toevallen. Leszczyński had zelf al in deze constructie toegestemd. Tot grote woede van Fleury schijnt Chauvelin in Wenen weinig moeite te hebben gedaan om het plan aanvaard te krijgen.

Met de verbanning van Chauvelin is Fleury weer heer en meester binnen het kabinet. In de elf jaar dat hij eerste minister is, heeft hij op alle belangrijke regeringsposten zijn eigen mensen benoemd. Koning Lodewijk XV vertrouwt zijn premier volledig en laat het bestuur van het land geheel aan hem over.

## 1738

**28 maart.** In het Engelse parlement wordt aangedrongen op oorlog tegen Spanje in het debat over 'Jenkins' Ear'. In 1731 werd de Engelse kapitein Jenkins bij smokkel betrapt door Spaanse kustwachten in Zuid-Amerika, waarna zijn schip geplunderd werd en Jenkins zelf mishandeld. Bij de mishandeling werd Jenkins' oor afgesneden.

**9 mei.** Het Engelse parlement stuurt vlootversterkingen naar de Middellandse Zee en West-Indië. Een eskader patrouilleert voor de kust van Zuid-Spanje. In Georgia worden troepen in staat van paraatheid gebracht wegens grensgeschillen met Spaans Amerika.

**27 mei.** Turkije verovert in de oorlog tegen Rusland en Oostenrijk Orsova en Ochakov. Het Oostenrijkse leger trekt zich terug tot Belgrado.

**Augustus.** Minister Fleury van Frankrijk biedt Oostenrijk steun aan in de oorlog tegen Turkije in de hoop het bondgenootschap tussen Rusland en de keizer te breken.

**Oktober.** In Zweden krijgt de groep die een actievere buitenlandse politiek voorstaat de overhand. De nieuwe kanselier Gyllenborg is voorman van de 'hoeden' factie, die nu de 'petten' uit de regering zet. Gyllenborg sluit een bondgenootschap met Frankrijk.

**18 november.** In Wenen sluiten Frankrijk en Oostenrijk definitief vrede, nu aan alle afspraken gemaakt bij de voorlopige vrede van 3 oktober 1735 voldaan is. Frankrijk erkent hierbij de Pragmatieke Sanctie van keizer Karel VI. Hiermee is de Poolse Successieoorlog officieel beëindigd.

- De Franse controleur-generaal Orry introduceert het 'Corvée royale'-systeem voor het onderhoud van wegen. →

- Perzië valt Afghanistan binnen.

- In Herculaneum, dat tegelijk met Pompeji door lava werd bedolven, beginnen de eerste opgravingen onder leiding van kolonel Rocco de Alcubierre. →

- In Sint-Petersburg wordt de keizerlijke balletschool opgericht.

- Voltaire introduceert na zijn terugkeer uit ballingschap de ideeën van Newton in Frankrijk.

- Paus Clemens XII vaardigt de bul *In Eminenti* tegen vrijmetselarij uit.

- De gebroeders Wesley en George Whitfield stichten de methodistenbeweging en vestigen zich in Georgia, Engels Amerika.

- Koning Frederik Willem I van Pruisen houdt regelmatig een tabakscollege'. →

# Methodisten keren zich af van de Anglicaanse Kerk

ENGELAND - De Engelse predikanten John en Charles Wesley hebben samen met George Whitfield een nieuwe religieuze beweging gesticht, die het methodisme wordt genoemd. De nieuwe beweging heeft een piëtistische inslag en keert zich bewust af van de officiële Anglicaanse Kerk, die door de oprichters als te rationeel en te ongeïnspireerd wordt beschouwd. De methodisten proberen juist door emotionele predikingen en spectaculaire bijeenkomsten veel mensen te trekken, in de hoop hen te bekeren.

De naam 'methodisten' is te beschouwen als een geuzennaam. De aanhangers van de door de gebroeders Wesley en George Whitfield gepropageerde levenswijze werden aanvankelijk spottend leden van de 'holy club' of 'methodisten' genoemd. De laatstgenoemde naam is waarschijnlijk een verwijzing naar de levenswijze van de leden van deze religieuze groepering: zij propageren een streng naar de methoden van de bijbel geordend leven.

Naarmate de meningsverschillen tussen de officiële Anglicaanse Kerk en de methodisten zich toespitsen worden methodistische predikanten meer en meer uit de kerken geweerd. Zij gaan daarom bijeenkomsten in de openlucht houden die al snel een kenmerk - en een aantrekkelijk punt - van de nieuwe beweging worden.

*In Italië is men begonnen met de opgraving van het dorp Herculaneum, dat in 79 n.C. onder een 16 m dikke laag vulkanische modder werd bedolven. Hierboven een bij de opgraving gevonden fresco.*

# Frans wegennet verbeterd

*Op de Pont-Neuf in Parijs heerst elke dag een geweldige verkeersdrukte.*

PARIJS - Controleur-generaal Orry heeft een grootscheepse verbetering van het wegennet aangekondigd. In heel Frankrijk wordt daartoe de 'corvée' ingevoerd, die de bevolking verplicht een aantal dagen per jaar in de wegenbouw te werken. Bij zeer grote projecten zal de staat een financiële bijdrage leveren.

Het Franse wegennet verkeert in een erbarmelijke staat. Een aantal streken is alleen per paard bereikbaar; koetsen en wagens kunnen er niet komen. Om hieraan een eind te maken heeft Orry het reeds bekende systeem van de corvée nieuw leven ingeblazen. Voorheen werd slechts incidenteel een beroep op de bevolking gedaan om mee te helpen bij publieke bouwprojecten.

De nieuwe landelijke corvée verplicht mannen tussen de 16 en 60 jaar een bijdrage te leveren. Degenen die aan de beurt zijn, dienen zich aan te melden met gereedschap, proviand en de nodige lastdieren. Gezinshoofden kunnen zich eventueel laten vervangen door vrouw en kinderen. De gemeenten moeten zorgen voor de aanvoer van bouwmateriaal. Orry heeft niet aangegeven hoeveel dagen elke burger moet werken aan het wegennet; dit zal per gebied worden bepaald. Bewoners van

de streken waar de wegen dun gezaaid zijn en in slechte staat verkeren, zullen waarschijnlijk meer dagen corvée opgelegd krijgen.

Er zijn overigens nogal wat groepen vrijgesteld van de corvée. Ze geldt vanzelfsprekend niet voor de adel en de geestelijkheid. Maar ze geldt evenmin voor de meeste ambtenaren, voor smeden en glasblazers, voor chirurgijns en nog een aantal andere beroepsgroepen. Zoals gewoonlijk weten ook degenen die goede connecties hebben met de autoriteiten, onder hun verplichting uit te komen. De werkzaamheden zullen dus grotendeels door de armen worden uitgevoerd. Dat is ook de opzet van Orry, die zegt dat hij deze mensen beter kan vragen hun spieren dan hun geld aan te spreken.

De invoering van een soort directe wegenbelasting, waarbij de rijken ook meehelpen aan het herstel, acht Orry geen haalbare kaart. Dank zij een opbloeiende economie is er in Frankrijk genoeg geld, maar het merendeel van degenen die het bezitten geniet belastingvrijstelling. Pogingen om daaraan een einde te maken zijn in het verleden steeds gestrand, juist omdat de rijken door hun bezit veel invloed op de overheid hebben.

*Koning Frederik Willem I (rechts) maakt van Pruisen een op militaire leest geschoeide natie. Bekend wordt zijn 'tabakscollege' (boven). Graag dwingt hij zijn ministers en generaals tot het voeren van platvloerse gesprekken, waarbij van grote hoeveelheden tabak wordt genoten.*

# 1739

**14 januari.** Engeland en Spanje sluiten de Conventie van Pardo, waarmee de handels- en zeevaartgeschillen worden bijgelegd. Spanje zal Engeland een schadevergoeding betalen voor het in het verleden doorzoeken van schepen op smokkelwaar, maar blijft erop staan schepen te mogen inspecteren.

**Januari.** Frankrijk en de keizer sluiten een geheim verdrag, waarbij Frankrijk akkoord gaat met de opvolging in Gulik en Berg door het huis van Sulzbach-Palts.

**5 april.** Frankrijk sluit een geheim verdrag met Pruisen, waarbij de deling van Gulik en Berg tussen Pruisen en het Huis van Wittelsbach wordt overeengekomen wanneer de hertog sterft. Dit verdrag is in tegenspraak met het verdrag van januari.

**21 april.** Spanje en Napels sluiten definitief vrede met Oostenrijk nu aan de vredesvoorwaarden van 3 oktober 1735 is voldaan. Spanje en Napels erkennen de Pragmatieke Sanctie.

**22 juli.** Turkse troepen verslaan het keizerlijke leger bij Crocyka. Ook Belgrado wordt nu door het Turkse leger bedreigd.

**18 september.** Turkije en Oostenrijk sluiten in Belgrado vrede. Oostenrijk staat de veroveringen bij de vrede van 1718 (Belgrado, Orsova en Servië) weer af.

**23 september.** Rusland en Turkije sluiten in Belgrado vrede, waarbij Rusland de veroveringen, met uitzondering van Azov, teruggeeft. Rusland zal geen vloot in de Zwarte Zee noch in de Zee van Azov stationeren.

**19 oktober.** Engeland verklaart Spanje de oorlog, omdat Spanje de in januari afgesloten Conventie niet nakomt. →

- Het Perzische leger onder Nadir Sjah plundert Delhi, India, en verovert de Punjab.

- Spanje richt naast de twee bestaande onderkoninkrijken in Zuid-Amerika (Nieuw-Spanje met de hoofdstad Mexico-Stad en Peru met de hoofdstad Lima) een derde onderkoninkrijk, Nieuw Grenada met de hoofdstad Bogotá, op. →

- David Hume publiceert zijn werk *A treatise on human nature.*

- In het najaar verschijnt in Den Haag *Réfutation du 'Prince' de Machiavel*, een geschrift waarin tegen de ideeën van Machiavelli stelling wordt genomen. Hoewel de auteur anoniem bleef, werd later bekend dat de Pruisische kroonprins Frederik de schrijver was.

# Spanje sticht derde koninkrijk in Zuid-Amerika

*Vrouw gekleed in de traditionele klederdracht van Ecuador.*

MADRID - De Spaanse koning heeft besloten tot een bestuurlijke herindeling van het Spaanse koloniale rijk in Zuid-Amerika.

Naast de twee bestaande onderkoninkrijken Nieuw-Spanje en Peru, die in 1535 en 1543 zijn gesticht, wordt een derde onderkoninkrijk, Nieuw-Grenada, in het noordwesten van Zuid-Amerika ingesteld [het huidige Colombia, Ecuador en Venezuela]. In 1717 was al tot deze stap besloten maar in 1724 werd het onderkoninkrijk opgeheven. Nu wordt Nieuw-Grenada ingesteld vanwege de toenemende kolonisatie. Santa Fe de Bogota wordt de residentie van de te benoemen onderkoning, terwijl vanuit Cartagena rechtstreeks met Cádiz in Spanje gehandeld mag worden; een voorrecht dat maar weinig havens in Spaans-Amerika hebben.

Een onderkoning wordt steeds voor zes jaar benoemd. Hij geldt als de plaatsvervanger van de koning en voert diens decreten uit. Vaak blijken ze niet uitvoerbaar door de onbekendheid van de koning en zijn raadgevers met de omstandigheden in de koloniën. Als in de onderkoninkrijken tot niet-invoering van de plannen wordt besloten, maakt men gebruik van de formule 'Obeduzco, pero no cumplo' (Ik gehoorzaam, maar voer het niet uit).

Alle hogere bestuursambtenaren in de onderkoninkrijken zijn Spanjaarden; creolen (in Zuid-Amerika geboren blanken), mestiezen en Indianen worden geweerd. De taken van de onderkoning zijn bestuurlijk en militair; voor de rechtspraak zijn onafhankelijke 'audiencias' ingesteld, al zijn de bevoegdheden niet zo strikt gescheiden en bemoeit de onderkoning zich soms ook met de rechtspraak.

*eslag bij Gibraltar tussen Spaanse en Engelse vlooteenheden.*

# Oorlog om Jenkins' oor

ONDEN, 19 oktober - Na 25 jaar vrede trekt Engeland opnieuw ten strijde om zijn koloniale rijk uit te breiden, ~tmaal tegen Spanje. Vandaag werd ~ het Lagerhuis de getuigenis gehoord ~n kapitein Jenkins. Hij vertelde dat ~n schip geënterd was door Spanjaar~n die hem voor een smokkelaar aan~gen en dat hij tijdens deze actie aan ~ mast was vastgebonden. Hij meen~ dat zijn laatste uur geslagen had, ~ar bij wijze van waarschuwing sne~n de Spanjaarden hem alleen een oor . Als bewijs voor dit verhaal toonde ~nkins het afgesneden oor, dat hij al~d in een kistje bij zich draagt en aan ~dereen laat zien als protest tegen de ~rnedering een Brits onderdaan aan~daan. In de storm van verontwaardi~ng die hierop in het Lagerhuis ont~ak, werd tot oorlog tegen de Span~arden besloten: 'de oorlog om Jen~ns' oor'.

~oewel Engeland *bij het Asiento~rdrag bepaalde handelsfaciliteiten ~in toegestaan, wensen vele handela~n meer mogelijkheden om hun waren ~ de Spaanse koloniën te verhande~n. Inmiddels is hierdoor een levendi~ smokkelhandel op deze koloniën

ontstaan. De laatste tijd treden de Spanjaarden steeds harder op tegen de smokkelaars, die de schatkist voor grote bedragen benadelen omdat zij geen invoerrechten betalen. Al geruime tijd wordt door bepaalde groepen handelaren erop aangedrongen een oorlog tegen Spanje te beginnen om extra handelsrechten af te dwingen. Deze kooplieden menen niet alleen dat Engeland zo'n oorlog niet kan verliezen, maar verwachten bovendien dat een oorlog de prijzen van bepaalde artikelen zal doen stijgen, zodat zij extra winsten kunnen realiseren.

De Britse eerste minister Robert Walpole wilde een oorlog juist vermijden. De binnenlandse politieke situatie in Engeland is verre van stabiel. De extra kosten die een oorlog met zich brengt zullen een forse belastingverhoging noodzakelijk maken. Walpole vreest dat hierdoor de binnenlandse spanningen zullen toenemen. Bovendien is hij bang dat dit conflict ook tot oorlog met Frankrijk zal leiden. Hij reageerde cynisch op het besluit tot oorlog met de uitspraak: 'Nu luiden zij uit vreugde de kerkklokken, maar spoedig zullen zij zich de handen wringen.'

**31 mei.** Koning Frederik Willem I van Pruisen sterft en wordt opgevolgd door zijn zoon, Frederik II 'de Grote'.

**22 juni.** Frederik II van Pruisen schaft martelingen bij verhoren af, richt de Berlijnse Academie van Wetenschappen op en garandeert vrijheid van drukpers en godsdienst.

**17 juli.** Het conclaaf van kardinalen kiest in Rome Prospero Lambertini tot paus Benedictus XIV.

**13 augustus.** Rotterdam wordt door plunderingen getroffen. →

**17 oktober.** In Batavia komt een ware volkswoede tegen de Chinezen op gang. →

**20 oktober.** Karel VI, keizer van het Duitse Rijk, overlijdt. Zijn oudste dochter Maria Theresia volgt hem op als koningin van Bohemen en Hongarije en aartshertogin van Oostenrijk. De echtgenoot van Maria Theresia, Stefan van Toscane, wordt mederegent. Maria Theresia kan als vrouw niet tot keizer worden gekozen, evenmin als Stefan, die geen gebieden in het Duitse Rijk bezit.

**28 oktober.** Tsarina Anna, dochter van Peter de Grote van Rusland, sterft en wordt opgevolgd door Ivan VI, de kleinzoon van Anna's zuster Catharina. Catharina treedt op als regentes. Graaf Munnich leidt de regering.

**16 december.** Frederik II van Pruisen trekt met zijn leger Silezië binnen. →

- Bengalen wordt onafhankelijk onder Alivardi Chan.

- Nadir Sjah van Perzië verovert Bochara en Balkh.

- In Engeland en de Republiek wordt de bevolking met hoge voedselprijzen geconfronteerd. Ontevreden inwoners van Rotterdam plunderen een grutterswinkel.

- Balaji Baji Rao wordt heerser over het Mahratten-rijk met Poona als residentie.

- Mohammed Ibn Abd Al Wahhab wint Ibn Saoed, sjeik in Centraal-Arabië, voor zijn islamitische hervormingsbeweging.

Gestorven:

**8 februari.** Paus Clemens XII (7-4-1652) →
**31 mei.** Frederik Willem I (14-8-1688), koning van Pruisen
**17 oktober.** Anna (7-2-1693), tsarina van Rusland sinds 1730
**20 oktober.** Karel VI (1-10-1685), Duits keizer, aartshertog van Oostenrijk, koning van Bohemen en Hongarije

# Godsdienstkeuze in Pruisen vrij

BERLIJN, 22 juni - 'Alle religies moeten worden getolereerd en de overheid moet er slechts op toezien dat ze elkaar geen afbreuk doen, want hier moet een ieder op zijn manier zalig worden.' Dit heeft Frederik II de Grote drie weken na zijn kroning in een oorkonde verklaard.

De nieuwe koning van Pruisen, die na de dood van Frederik Willem I op 30 mei op de troon is gekomen, wil een actieve tolerante godsdienstige politiek voeren die baanbrekend is voor heel Europa.

De religieuze tolerantie sluit atheïsme uit; de inwoners van Pruisen blijven wel verplicht een geloof te belijden. De tot nu toe benadeelde minderheid van katholieken krijgt volledige rechtsgelijkheid. Tegenover joden houdt Frederik een slag om de arm: ze genieten wel geloofsvrijheid maar worden niet toegelaten tot de universiteit en mogen ook geen land bezitten. De nu officieel geworden godsdienstvrijheid vormde ook in het verleden al een belangrijke grondslag van de politiek van de Pruisische koningen: door middel van immigratie van geloofsvluchtelingen trachtte men het inwonertal in dunbevolkte gebieden te verhogen.

De nieuwe koning is op het moment van zijn troonsbestijging 28 jaar. Hij is door zijn vader Frederik Willem I altijd buiten staatszaken gehouden; de opvoeding van Frederik II is niet zonder problemen verlopen en zijn vader achtte hem niet geschikt als opvolger. In 1730 trachtte Frederik met luitenant von Katte naar Engeland te vluchten. De twee werden gepakt waarna Frederik twee jaar in gevangenschap in de vesting Küstrin doorbracht. Vanaf 1736 verbleef hij in Rheinsberg, waar hij zich vooral toelegde op filosofie, fluitspelen en het schrijven (in de Franse taal) van gedichten. In Rheinsberg kwam ook zijn boek *Réfutation du 'Prince' de Machiavel* tot stand. Hierin valt hij de standpunten die Machiavelli in *De prins* heeft uiteengezet aan. Frederik bepleit in zijn boek een verlichte, op moralistische principes gebaseerde politiek. Het werk is geïnspireerd op de denkbeelden van Voltaire en werd dit jaar anoniem in Den Haag gepubliceerd.

*Prins Frederik wordt door zijn vader betrapt bij het fluitspelen.*

# Pruisen valt Silezië aan

*Aartshertogin Maria Theresia.*

OOSTENRIJK, 16 december - Zonder dat hij Maria Theresia de oorlog heeft verklaard is koning Frederik II van Pruisen Silezië, een van de meest welvarende Oostenrijkse provincies, binnengevallen. Met deze aanval maakt de Pruisische koning duidelijk dat hij de Pragmatieke Sanctie van Karel VI uit 1713 niet accepteert. De belangrijkste clausule van deze Pragmatieke Sanctie luidt: 'Bij het uitsterven van de mannelijke lijn, wat God mag verhoeden, komen de Habsburgse erflanden ongedeeld aan de wettige dochters van Zijne Keizerlijke Majesteit, volgens het eerstgeboorterecht.'
Met de onverwachte dood van Karel VI op 20 oktober van dit jaar waren de mannelijke Habsburgers inderdaad uitgestorven waarmee de Pragmatieke Sanctie actueel werd. Karel VI werd opgevolgd door zijn oudste dochter, de 24-jarige Maria Theresia.
Sinds 1713 was de buitenlandse politiek van Karel VI erop gericht geweest, het recht van erfopvolging in de vrouwelijke lijn door de andere Europese landen te laten erkennen. Kosten noch moeite werden gespaard om dit doel te bereiken. Zo erkende Engeland in 1731 het recht op vrouwelijke erfopvolging in Oostenrijk pas nadat Karel VI een groot offer had gebracht: de ontbinding van de 'Oostendse Compagnie', die de handel van Engeland op 'Oost- en West-Indië concurrentie aandeed. De opheffing van deze handelscompagnie betekende het einde van de koloniale aspiraties van Oostenrijk. Bovendien maakte Engeland het voorbehoud dat Maria Theresia het Europese machtsevenwicht niet mocht doen wankelen als ze huwen met een vorst van een groot land. Toen Maria Theresia in 1736 met haar jeugdliefde Frans Stefan trouwde, konden Engeland en de andere Europese staten opgelucht ademhalen. Een huwelijk met de zoon van de hertog van Lotharingen bracht de 'libertas Europae' niet in gevaar.
De Pruisische aanval maakt duidelijk dat het diplomatieke offensief van Karel VI niet afdoende is geweest. De uitspraak van de grote Oostenrijkse veldheer, prins Eugenius van Savoye, is bewaarheid: 'Honderdduizend man en een volle schatkist zijn de beste garanties voor de Pragmatieke Sanctie.'

*Chinese porseleinwinkel in Batavia.*

# Volkswoede tegen Chinezen

BATAVIA, 17 oktober - De afgelopen dagen heeft er in Batavia een orgie van geweld geheerst; een plunderende menigte heeft een bloedbad aangericht onder de Chinese bevolking van de stad. Nu na het uitloven van premies de laatste VOC-soldaten zich in de kazernes hebben teruggetrokken en de rust is weergekeerd, is er tussen gouverneur-generaal Valckenier en de Raad van Indië een heftige strijd losgebarsten over de verantwoordelijkheid voor het gebeuren. Van Imhoff, onlangs als lid van de raad benoemd en een persoonlijke vijand van de gouverneur, beschuldigt hem ervan de slachting te hebben uitgelokt. Vast staat dat Valckenier niets heeft ondernomen om er een einde aan te maken en op 10 oktober persoonlijk het bevel gaf de Chinezen in het hospitaal en in de gevangenis om het leven te brengen.

Sinds het einde van de 17de eeuw hebben de Chinezen zich in grote aantallen op Java gevestigd, waar ze onder andere als koelies werken, actief zijn in de detailhandel en plantages hebben opgezet. Ze zijn geduchte concurrenten van de VOC geworden, maar hun toevloed is zo groot dat velen geen werk kunnen vinden en vervallen tot landloperij of zich aansluiten bij bandieten die de omgeving van Batavia onveilig maken. De compagnie, die toch al jarenlang in een crisis verkeert als gevolg van teruglopende winsten, corruptie en een steeds verdere betrokkenheid bij de machtsstrijd aan de hoven van de sultanaten Banten en Mataram, besloot tot strenge anti-Chinese maatregelen. Chinezen dienden permissiebriefjes te kopen en zwervers zouden in de ketenen geslagen worden om als dwangarbeider naar Ceylon of Kaap de Goede Hoop gedeporteerd te worden.
Omdat de stroom Chinezen bleef aanhouden werd in juli besloten om alle Chinezen die niet in hun onderhoud konden voorzien op te pakken en het land uit te zetten. Onder de Chinezen deden geruchten de ronde dat ze op volle zee overboord gezet zouden worden. Ze besloten zich te verdedigen; buiten Batavia werden kleine, gebrekkig bewapende legertjes gevormd. Berichten hierover bereikten Valckenier, die echter niets kon ondernemen door tegenwerking van Van Imhoff.
De spanning steeg, de Chinezen in Batavia sloten hun toko's en trokken zich in hun huizen terug. In de nacht van op 9 oktober voerden Chinese benden een slechts met moeite afgeslagen aanval op de Diestpoort uit. De Raad van Indië, die de volgende ochtend in spoedzitting bijeenkwam, gaf het bevel in alle Chinese huizen naar wapens te zoeken. De hiermee belaste VOC-soldaten, bedienden en slaven sloegen aan het plunderen. Er vielen schoten waarna een slachtpartij uitbrak die in enige dagen tijd 10 000 Chinezen het leven kostte.

# Rotterdamse grutterswinkel geplunderd

ROTTERDAM, 13 augustus - De grutterswinkel van Jacob de Vijver bij de Boerenvismarkt is door een woedende menigte geplunderd. De oproerlingen richtten grote schade aan in het pand. Toen het stadsbestuur ingreep lag de hele winkelvoorraad al op straat en was de inboedel totaal vernield.
Grutter Jacob de Vijver staat slecht bekend in Rotterdam. Hij heeft zich door zijn hoge prijzen zeer ongeliefd gemaakt. Ten gevolge van de hongersnood, waardoor de Maasstad evenals andere steden met grote voedseltekorten kampt, kwam het tot een uitbarsting. De Vijver had grote partijen levensmiddelen opgekocht, die hij slechts tegen extreem hoge prijzen wenste te verkopen. Behoeftigen die niet genoeg geld hadden, moesten maar 'swart meel en paardeboonen' eten.
Het rechtvaardigheidsgevoel van het Rotterdamse publiek was zodanig aangetast dat het besloot met geweld lagere prijzen af te dwingen. Onder druk van een opdringende massa gaf De Vijver inderdaad toe en verlaagde de prijzen. Maar hij wilde slechts een klein deel van zijn voorraden verkopen en sloot zijn winkel toen de menigte hiertegen protesteerde.
Deze werd hierop steeds agressiever en begon met stenen te gooien. De grutter vluchtte, met het kasboek onder zijn arm. Spoedig sneuvelde de eerste ruit en drongen oproerlingen de zaak binnen.
Ondertussen had het bericht van het oproer het stadhuis bereikt. Meteen begaven twee burgemeesters zich met een officier en twee schouten naar de plaats des onheils om met het volk te onderhandelen. De mensen hadden echter weinig vertrouwen in de stadsbestuurders.
Schouten en hellebaardiers probeerden daarna met getrokken degen het oproer te beëindigen, maar zij werden omsingeld en met stenen bekogeld. Volgens verslagen werd 'een diender op 't hart en een andren op het hoofd getroffen, zodat zij daarvan krank wierden'. Twee oproerlingen werden gearresteerd.
De massa reageerde woedend op de arrestatie en schreeuwde dat zij het stadhuis zou aanvallen als de gevangenen niet werden vrijgelaten.
Op dat moment verscheen echter een in aller ijl opgeroepen compagnie ten tonele, die dreigde het vuur op het volk te openen. De oproerige massa maakte zich hierop snel uit de voeten.
Dergelijke hongeroproeren zijn tot nu toe weinig voorgekomen in de republiek. Het land heeft goede handelsverbindingen en is vermogend genoeg om ruime voedselvoorraden aan te leggen. Vooral in het gewest Holland is de situatie erg gunstig en kan men adequaat op misoogsten reageren.
De nu ontstane noodtoestand is grotendeels veroorzaakt door de bijzonder koude winter, die de voorraden op de lange duur uitputte en grote tekorten deed ontstaan, met als gevolg snelle prijsstijgingen.

## Celsius herziet temperatuurschaal

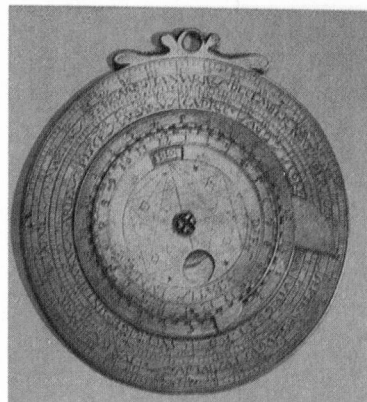

*Astrolabium (messing; 18de eeuw).*

STOCKHOLM, 25 december 1741 - De Zweedse sterrenkundige Anders Celsius heeft een nieuwe temperatuurschaal ingevoerd. Deze schaal is eenvoudiger te hanteren dan de tot dusverre gebruikte kwikzilver-thermometerschaal van de Duitse natuurkundige Fahrenheit. Celsius' uitgangspunt is dat bij een druk van één atmosfeer bij honderd graden het punt is bereikt waar ijs in water begint te veranderen (smeltpunt), terwijl bij nul graden water begint te veranderen in stoom (kookpunt). De nieuwe schaal zal zijn naam dragen.

Celsius, geboren in 1701 in Uppsala, komt uit een familie van bekende astronomen. Zowel zijn grootvader als zijn vader bekleedde de leerstoel sterrenkunde in zijn geboorteplaats en in 1730 trad Anders in hun voetsporen. Vijf jaar geleden maakte hij met Franse collega's een succesvolle expeditie naar Lapland. Door metingen van de breedtegraden wisten ze te bewijzen dat de aarde bij de polen afgeplat is. Met steun van de regering stichtte Celsius vorig jaar de eerste sterrenwacht in Zweden en deed er belangrijke waarnemingen. De nieuwe temperatuurschaal verleent hem nu ook internationale bekendheid.

*Een Russische handelsnederzetting aan de kust van Noord-Amerika.*

## Zeevaarder Bering sterft

COMMODORE-EILANDEN, 19 december 1741 - Tijdens een expeditie is de Deense ontdekkingsreiziger Bering overleden. Zijn ontdekking van Alaska en de naar hem genoemde Beringstraat maakte de weg voor de Russen vrij om zich handelsposten in Noord-Amerika te verwerven.

Vitus Jonassen Bering, geboren op Jutland in 1680, was in 1703 bij de Russische marine in dienst getreden. Bij de Russen stond hij bekend onder de naam Ivan Ivanovitsj. Tsaar Peter de Grote gaf hem in 1724 de opdracht een doorvaart tussen Azië en Noord-Amerika te vinden, zodat de zeeweg vanuit Europees Rusland naar China aanzienlijk bekort zou worden. Tijdens deze expeditie ontdekte Bering een zeestraat tussen de beide werelddelen. Slecht weer dwong hem echter terug te keren voordat hij het gebied goed in kaart had gebracht.

Hiermee werd een begin gemaakt tijdens een tweede expeditie die in 1733 van start ging. Tijdens deze expeditie bereikte Bering op 20 augustus van dit jaar de zuidkust van Alaska. Ook nu was hij gedwongen terug te keren. Aan boord van zijn schip, de 'Sint Petrus', brak vanwege onvoldoende voeding scheurbuik uit. Ook Bering werd door deze ziekte geveld. Bij het bereiken van de Commodore-eilanden leed Bering eind november schipbreuk en overleed enige tijd later. Het eiland waar hij de dood vond werd later naar de Deense zeevaarder Bering-eiland genoemd.

*Pruisisch-Oostenrijkse veldslag tijdens de Silezische oorlog.*

## Vredesverdrag in Breslau beëindigt Silezische oorlog

BERLIJN, 28 juli 1742 - Pruisen en Oostenrijk hebben besloten op basis van eerder te Breslau gevoerde onderhandelingen vrede te sluiten. Met deze vrede komt een einde aan de eerste Silezische oorlog, die als een onderdeel van de Oostenrijkse Successieoorlog beschouwd moet worden. In overeenstemming met het verloop van de gevechtshandelingen (Pruisen behaalde overwinningen bij Mollwitz en Chotusitz) valt de vrede vooral voor Frederik de Grote gunstig uit. Oostenrijk moet vrijwel heel Silezië (38 000 km² met ongeveer 1,4 miljoen inwoners) aan Pruisen afstaan. De oorlog was begonnen toen Pruisische troepen zonder oorlogsverklaring op 16 december 1740 het gebied dat al meer dan twee eeuwen in Oostenrijkse handen was, binnenvielen. Na een korte campagne hadden de Pruisen eind januari 1741, met uitzondering van enkele vestingsteden, vrijwel geheel Silezië bezet. Silezië is in economisch opzicht een belangrijk gebied: Oostenrijkse mercantilisten maakten de ontwikkeling van de Silezische mijnbouw en textielfabricage tot de hoeksteen van hun beleid. Aan het begin van de 18de eeuw werd Silezië als de rijkste provincie van Oostenrijk beschouwd.

*Slagorde van de Pruisische troepen voor de strijd om Silezië.*

# Première van Händels 'Messiah' in Londen

*Händel afgebeeld in een gondel op de Theems (anonieme prent; 18de eeuw).*

LONDEN, 23 maart 1743 - Anderhalf jaar na de Dublinse première (14 september 1741) is het oratorium *The Messiah* van Georg Friedrich Händel in de koninklijke schouwburg Covent Garden in Londen in première gegaan. Ondanks de negatieve publiciteit in sommige kranten (de onderneming werd door de puriteinen als godslasterlijk beschouwd, aangezien een oratorium een 'act of religion' is en dus niet geschikt voor een schouwburg), was de eerste Engelse uitvoering een groot succes. Zelfs zo dat koning George II tijdens het 'Halleluja'-koor in het tweede deel spontaan van zijn zetel opstond en staande deze lofprijzing aanhoorde; hij werd hierin door alle aanwezigen gevolgd. Een triomf voor de componist.

Händel heeft zijn veelzijdigheid weer eens laten zien: hij dirigeerde het koor en orkest, speelde de continuopartij op het klavecimbel en soleerde tijdens de pauze in een van zijn speciaal voor de pauzes van zijn oratoria geschreven

*Georg Friedrich Händel (1756).*

orgelconcerten. Het is in het verleden voorgekomen dat hij ook nog zelf de tenoraria's zong; zeker is dat hij bij de fraaie tenoraria's van *The Messiah* aan zijn eigen stem met zijn specifieke bereik heeft gedacht. De alt- en sopraanaria's werden gezongen door vrouwen; het ziet ernaar uit dat de dominante rol van de castraten op de Londense podia tot het verleden behoort.

De tekst van *The Messiah* is samengesteld door Charles Jennes en is een compilatie van teksten uit de boeken der Profeten, de Psalmen en de vier Evangeliën. In tegenstelling tot enkele van Händels andere oratoria (waaronder *Saul* en *Israel in Egypt*) is *The Messiah* geen heldenoratorium: Christus zelf wordt door geen enkele stem gezongen. De rol van het koor is van profeterende en lofprijzende aard. In het eerste deel wordt de komst van de Messias behandeld, in het tweede deel zijn lijden en sterven, de opstanding en de uiteindelijke overwinning van het Evangelie.

Händel lijkt met de oratoria van d laatste jaren meer succes te hebben da met alle vijftig Italiaanse opera's die h de afgelopen dertig jaar heeft gecon poneerd (om de bekendste te noeme *Radamiste*, *Ottone*, *Giulio Cesare* e *Admeto*). Gezien de jongste ontwikke lingen op dit gebied wekt dit geen ve wondering; na de eerste uitvoering van de satirische *Beggar's Opera* 1728 was het vrijwel meteen duidelij dat de 'ballad-opera' in Engeland ui eindelijk meer kans op succes zou m ken dan de serieuze Italiaanse oper Evenals in de Franse 'opéra comiqu bestaat de muziek van de ballad-oper uit volksachtige wijsjes en persiflag op bekende operamelodieën.

Ook de uitwassen van het zogenaam 'divadom' (onverbrekelijk verbonde met de Italiaanse opera) waren de afg lopen jaren een grote bron van irritati meer dan eens zijn voor de ogen van ee verbijsterd Londens publiek de prim donna's elkaar op het toneel in de ha ren gevlogen.

*De in Leipzig werkzame cantor van de Thomaskerk, Johann Sebastian Bach, publiceert in 1744 het tweede deel van 'Das Wohltemperierte Klavier'. Evenals het eerste bevat dit deel 24 preludes en fuga's die in alle toonsoorten voor het klavecimbel zijn gecomponeerd. De afbeelding toont Bach te midden van zijn gezin.*

# Koning Lodewijk ontslaat minister Orry

*Links koning Lodewijk XV van Frankrijk (circa 1722); rechts zijn maîtresse, Madame de Pompadour.*

PARIJS, december - Lodewijk XV heeft zijn controleur-generaal Orry na vijftien jaar trouwe dienst ontslagen nadat deze toestemming weigerde voor een handelstransactie met de gebroeders Pâris. Het ging slechts om een onbeduidende zaak en er wordt gezegd dat de nieuwe maîtresse van de koning de hand heeft gehad in het ontslag.

Orry is in zijn lange ambtsperiode erin geslaagd de positie van de Franse schatkist te verbeteren, al is hij daardoor ook een van de meest gehate mannen van Frankrijk geworden. Het botte gedrag van de controleur-generaal droeg daaraan nog eens extra bij. Niettemin was Orry een bekwaam minister. Onder zijn bewind zijn verschillende sectoren van de Franse economie vooruitgegaan en hij heeft een begin gemaakt met de zeer noodzakelijke verbetering van het wegennet. Het is niet verwonderlijk dat het ontslag van Orry wordt toegeschreven aan de invloed van de koninklijke maîtresse. Zij onderhoudt nauwe betrekkingen met de gebroeders Pâris.

Twee maanden geleden werd de markiezin van Pompadour officieel aan het hof voorgesteld als de nieuwe maîtresse van Lodewijk XV. Haar meisjesnaam is Jeanne-Antoinette Poisson en ze is de dochter van een financier. Het feit dat ze niet van adellijke afkomst is, riep de nodige weerstand op. Madame de Pompadour schijnt echter met haar charmes niet alleen de koning, maar ook een deel van de hofhouding te hebben ingepalmd. Haar schoonheid en intelligentie worden geroemd. Ze heeft een grote culturele belangstelling en organiseerde vele avonden waar geziene schrijvers als Montesquieu en Voltaire graag kwamen.

Kritiek is er ook op Madame de Pompadour. De luxe waarmee ze zich omringt, haar gedrag alsof ze de koningin zelf is, zijn velen een doorn in het oog. Bovendien zou ze zich vanaf het begin zijn gaan bemoeien met de landspolitiek. Lodewijk XV zelf is daar nauwelijks in geïnteresseerd. Na de dood van eerste minister Fleury, ruim twee jaar geleden, kondigde hij weliswaar aan dat hij voortaan persoonlijk het staatsbestuur zou gaan coördineren, maar daarvan is niet veel terechtgekomen. Als Madame de Pompadour inderdaad zo intelligent en ontwikkeld is als wordt beweerd, dan is het heel goed mogelijk dat zij de machtigste persoon van Frankrijk wordt.

## Japanse economie maakt crisis door

EDO - Ondanks vele hervormingen die door Josjimoene tijdens zijn sjogoenaat zijn doorgevoerd, hebben zowel de boeren en de samoerai als de handelsklasse zwaar onder de economische politiek te lijden.

Dit is des te verbazingwekkender omdat Josjimoene juist een aantal maatregelen heeft doorgevoerd om de economische positie van de boeren en de samoerai te verbeteren. Hij wilde door verhoging van de produktiviteit in de landbouw de positie van de boeren verbeteren. Toen de produktiecijfers inderdaad met sprongen omhooggingen waren juist de boeren en de samoerai hiervan de dupe: de rijstprijzen zakten immers drastisch en zij kregen hun loon in rijst uitbetaald.

Ten aanzien van de samoerai heeft Josjimoene geprobeerd de politiek van zijn voorganger, Arai Hakoeseki, door te voeren door de oude zeden en hoge morele deugden die de samoerai in het begin van de Tokoegawa-periode moesten hebben, opnieuw als maatstaf te stellen.

Voor het herstel van de macht van de vroegere Tokoegawa zijn nog enkele hervormingen doorgevoerd, die vooral de handelsklasse hebben getroffen. Met name in de belastingsfeer zijn maatregelen getroffen waardoor de handelaren op hun omzet hoger werden aangeslagen.

Daarnaast is er in 1721 een volkstelling gehouden om een overzicht te krijgen over de verdeling van de bevolking over de verschillende provincies en de belastinglijsten aan te passen. Ook worden de wetten van de Tokoegawa op schrift vastgelegd.

Van de kant van de centrale overheid worden er regelingen getroffen om de groeiende uitgaven te beteugelen. Tot nu toe hebben alle verordeningen geleid tot ontwikkelingen die men juist ermee hoopte te bestrijden. Naast de al genoemde verpaupering van boeren en samoerai zijn ook vele handelaren failliet gegaan. Dit heeft weer tot gevolg gehad dat de netto-inkomsten uit de handel gelijk bleven of zelfs gedaald zijn. De uitgaven van de centrale overheid voor de binnenlandse veiligheid en het handhaven van de openbare orde zijn gestegen vanwege de vele lokale opstanden van ontevreden boeren en samoerai.

Algemeen wordt dan ook uitgezien naar de sjogoen die wél effectieve maatregelen kan nemen om de economische en sociale omstandigheden van de bevolking te verbeteren.

# Swift: scherp satiricus

*Uit 'Gullivers Reizen': Gulliver wordt ontdekt door reuzen.*

DUBLIN, 19 oktober - Vandaag is in Dublin op 79-jarige leeftijd de Iers-Engelse schrijver Jonathan Swift overleden. Hij hield zich in pamfletten en romans bezig met allerlei actuele zaken waaronder politiek, wetenschap en religie. Kenmerken van zijn werk zijn een scherpe, satirische toon en een sombere kijk op de manier waarop Engeland en zijn vaderland, Ierland, worden bestuurd. Hij kwam hierdoor vaak in botsing met politici en wetenschappers die het gangbaar zijnde vooruitgangsgeloof deelden.

Na een studie aan het Trinity College te Dublin trad Swift op 21-jarige leeftijd als secretaris in dienst van Sir William Temple. Hier schreef hij zijn eerste satirische pamflet *Battle of the books*. Na de dood van Temple belastte Swift zich met de uitgave van diens staatkundige werken. Beroemd werd hij echter pas toen hij zich mengde in een religieus conflict tussen verschillende kerkelijke stromingen. Met zijn pamflet *Tale of a tub* (1704), dat voor die tijd zeer scherp en sarcastisch was, werd hij niet alleen beroemd maar kwam hij ook in botsing met een aantal kopstukken van de in Engeland regerende Whig-partij.

De satire is in Engeland een populair middel om in politieke debatten stelling te nemen. Wat Swift van andere satirische schrijvers als Alexander Pope, John Arbuthnot en John Gay onderscheidde was zijn scherpe toon, waarbij hij ook aanvallen op personen niet schuwde. Dit maakte hem tot een van de meest gevreesde schotschriftschrijvers van zijn tijd. Overigens verliep zijn carrière minder voorspoedig. Zijn grote wens, een bisdom, ging nooit in vervulling. Naar het schijnt heeft de koning op dit punt persoonlijk geïntervenieerd omdat hij de schrijver van een satirisch pamflet als *Tale of a tub* zo'n hoog ambt niet waardig keurde. Teleurgesteld trok Swift zich terug in Ierland, waar hij zich vanaf 1724 bezighield met het schrijven van zijn beroemdste boek *Gullivers reizen*, dat in 1726 verscheen. De hoofdpersoon van dit satirische meesterwerk, Gulliver, ontdekt tijdens zijn zeereizen een aantal fantasierijken, bevolkt met dwergen, reuzen of mensen die puur rationeel leven. Deze landen zijn niet alleen te beschouwen als utopieën, maar vooral als parodieën op staatslieden, geleerden en zogenaamd beschaafde mensen. Ook in deze satire rekende Swift af met het vooruitgangsgeloof en toonde hij weinig vertrouwen in de mensheid, die zich volgens hem meer liet leiden door eigenschappen als ambitie, ijdelheid en hebzucht dan door de rede.

*Gulliver bij de dwergen (illustratie uit 'Gullivers reizen').*

---

# 1746

**20 februari 1746.** Brussel valt na een beleg van twee maanden door het Franse leger.

**17 april.** In de Slag bij Culloden wordt het jakobitische opstandelingenleger onder leiding van prins Karel verslagen. →

**2 juni.** Oostenrijk sluit een verbond met Rusland, waarin wordt voorzien in de teruggave van Silezië, dat door de Pruisen is veroverd.

**16 juni.** In de Slag bij Piacenza verslaan Oostenrijks-Sardinische troepen het Frans-Spaanse leger, dat zich hierdoor uit Sardinië en Lombardije moet terugtrekken.

**9 juli.** Koning Filips V van Spanje sterft. Hij wordt opgevolgd door Ferdinand VI.

**20 september.** Prins Charles Stuart, de katholieke Engelse troonpretendent, geeft zijn veldtocht in Engeland op en vertrekt naar Frankrijk. Engelse troepen worden weer naar het continent verscheept ter versterking van het Pragmatieke Leger, dat de Franse verovering van de Zuidelijke Nederlanden tot staan moet brengen.

**21 september.** Na een kort beleg verovert een Frans expeditieleger onder Labourdonnais en Dupleix Madras in India.

- In China wordt een begin gemaakt met vervolgingen van christenen.

- Guettard tekent de eerste geografische kaart van Frankrijk.

**Januari 1747.** De Franse minister van Buitenlandse Zaken D'Argenson wordt ontslagen en vervangen door Puysieulx.

**4 mei.** Willem IV wordt door de Staten-Generaal benoemd tot opperbevelhebber van leger en vloot.

**19 juni.** Nadir, sjah van Perzië, wordt in Fath Abad bij Ferdaus vermoord. Perzië dreigt uiteen te vallen door anarchie en burgeroorlog. →

**16 september.** Na twee maanden beleg valt Bergen op Zoom in handen van het Franse leger. →

**9 december.** Engeland en de Republiek sluiten een verdrag met Rusland over de levering van dertigduizend soldaten.

- Na de moord op Nadir Sjah proclameert Ahmed Sjah zich tot koning van Afghanistan, dat daarmee weer onafhankelijk van Perzië wordt.

- Benjamin Franklin publiceert zijn boek *Plain Truth*. In hetzelfde jaar vindt hij de bliksemafleider uit.

---

# Nadir Sjah in Perzië vermoord

*Indiaas echtpaar (begin 18de eeuw).*

PERZIE, 19 juni 1747 - Muitende sodaten hebben bij de oasestad Ferdau in Oost-Perzië Nadir Sjah vermoord. Nadir Sjah verjaagde in 1730, aan het hoofd van de Turkse stam der Afsja ren, de Afghanen die in 1722 Perzi waren binnengevallen. In 1736 volgd hij Sjah Hoessein, de laatste sjah de Safawiden, op. Nadir Sjah ondernar enkele spectaculaire veldtochten di hem zelfs tot in India voerden, van waar hij de pauwetroon als tribuu meebracht. De pogingen om de hege monie van de Sji'a te doorbreken wa ren minder succesvol.

# Bergen op Zoom in Franse handen

*De Fransen belegeren Bergen op Zoon*

BERGEN OP ZOOM, 16 septembe 1747 - Na een beleg van twee maande is Bergen op Zoom in handen van d Fransen gevallen. Lange tijd gold d vesting als onneembaar, vooral nada op aanwijzingen van Van Coehoor versterkingen waren aangebracht.

De in april begonnen opmars van d Franse troepen is succesvol verlopen Zonder veel strijd kwamen de vestin gen Sluis en IJzendijke in Frans bezi en in mei was geheel Staats-Vlaandere al veroverd. In juli werd bij Lafeld ee Oostenrijks-Engels-Nederlands lege verslagen, waarna de Franse generaa Löwenthal het beleg van Bergen op Zoom begon.

*e Slag bij Culloden Muir tussen de Engelse en Frans-Schotse troepen.*

# Slag bij Culloden Muir

DINBURGH, 17 april 1746 - Giste-
n heeft de hertog van Cumberland bij
ulloden Muir een leger van Schotse
standelingen en Franse soldaten,
ngevoerd door Karel Eduard Stuart,
rpletterend verslagen. Hiermee zijn
kansen voor deze laatste Stuart-telg,
einzoon van de in 1688 verdreven Ja-
bus II, om gewapenderhand bezit
n de Engelse troon te nemen, tot nul
reduceerd.
e overwinning bij Culloden Muir is
t sluitstuk van een door Cumberland
briljante wijze gevoerde veldtocht
gen de opstandelingen. Nadat Karel
uart op 18 februari vorig jaar Inver-
ss had bezet en twee dagen later Fort
ugustus innam, zag de zaak er voor
rebellen hoopvol uit. In Schotland
eeg 'Bonnie Prince Charlie' direct na
n landing een brede aanhang vanwe-
de aldaar bestaande onvrede. De
nie van 1707 was eigenlijk alleen
nstig geweest voor de rijke landeige-
ren en handelaren, maar in kringen
n kleine boeren en eenvoudige hand-
rkslieden was de armoede alleen
aar toegenomen. De lagere adel was
rk anti-Engels omdat de Engelsen
n leden nooit als volwaardige bur-
rs hadden geaccepteerd. Karel
uart hoopte ook in Engeland steun te
nden, maar dat is hem niet gelukt. In
geland zelf waren maar weinig men-
n die de klok wilden terugdraaien
ar de situatie van voor 1688, die zou
tekenen dat de Engelsen een katho-
ke vorst moeten aanvaarden die niet
n plan is enige invloed aan het parle-
ent toe te kennen. Toen de schatkist
n Karel Eduard uitgeput raakte,
rden zijn kansen. De hertog van
mberland wist handig te profiteren
n de onenigheid en de chaotische be-

velvoering in het Frans-Schotse leger.
In de slag werden duizend mannen gedood en een zelfde aantal werd gevangengenomen. De Engelsen hadden niet
meer dan 310 doden en gewonde mannen te betreuren. Na de slag gaf de hertog van Cumberland opdracht zoveel
mogelijk opstandelingen op te sporen
en daarbij geen gevangenen te maken.
Naar verluidt is dit op een enorme
slachting uitgelopen. Over het lot van
Karel Stuart bestaat geen duidelijkheid. Hij is niet gesneuveld of gevangengenomen. Naar het schijnt is hij
voortvluchtig.
In Londen heerst grote vreugde over
deze overwinning. In de oorlog tegen
Spanje en Frankrijk zijn tot dusverre
immers weinig successen geboekt.

*Bonnie Prince Charlie.*

**26 januari.** De Republiek,
Engeland, Oostenrijk en Sardinië
sluiten een verdrag waarin de
veldtocht tegen Frankrijk voor de
zomer wordt geregeld. Het leger
zal uit 192 000 man bestaan, van
wie de Republiek er 70 000 voor
haar rekening neemt.

**Februari.** De door Engeland en de
Republiek gehuurde dertigduizend
Russische soldaten trekken door
Bohemen richting Zuidelijke
Nederlanden.

**8 maart.** In Den Haag wordt prins
Willem geboren. →

**30 april.** Na drie weken beleg valt
Maastricht, met Bergen op Zoom
de belangrijkste vesting in de
Republiek die door Frankrijk
wordt veroverd.

**30 april.** In Aken wordt een
wapenstilstand gesloten, waarna
vredesonderhandelingen over
beëindiging van de Oostenrijkse
Successieoorlog worden geopend.

**17 oktober.** Franse troepen maken
een eind aan het Engelse beleg van
Pondicherry.

**18 oktober.** In Aken wordt de
vrede getekend die een einde
maakt aan de Oostenrijkse
Successieoorlog (sinds 1740). →

**November.** Karel van
Lotharingen, de broer van keizer
Frans I, wordt gouverneur over de
Zuidelijke Nederlanden.

**26 december.** Frankrijk en
Oostenrijk sluiten een
overeenkomst over de ontruiming
door Frankrijk van de Zuidelijke
Nederlanden.

- Sjah Roech, de kleinzoon van de
vorig jaar vermoorde Nadir Sjah,
wordt sjah van Perzië. Hoewel hij
in de opvolgingsstrijd door een
rivaal blind werd gemaakt, weet
hij zijn gezag te vestigen.

- In Engeland verschijnt *De l'esprit
des lois* van een anonieme auteur.
Later blijkt Charles de Secondat,
baron de La Brède et de
Montesquieu, de schrijver te zijn.
In het boek wordt de leer van de
'trias politica', de scheiding tussen
wetgevende, rechtsprekende en
uitvoerende macht, ontwikkeld. →

- Van de Engelse filosoof David
Hume verschijnt *Essay on human
understanding*.

- Marie-Thérèse Geoffrin (geboren
Rochet) opent in Parijs haar salon
als literair trefpunt voor
'philosophes' en 'encyclopédistes'.

# Montesquieu geeft nieuwe visie op staatsinrichting

*Montesquieu.*

GENEVE, november - Bij de uitgever
J. Barrilot is onder de titel *De l'esprit
des lois* een boek verschenen waarin de
Franse rechtsgeleerde Charles-Louis
de Secondat, baron de La Brède et de
Montesquieu, zijn opvattingen over het
staatsbestuur uiteenzet. Hij blijkt een
tegenstander van het absolutistische
bewind in Frankrijk en een voorstander van het Engelse, meer democratische staatsbestel. Het werk heeft sterk
de aandacht getrokken en wordt al vergeleken met de *Politica* van Aristoteles.
Montesquieu geeft in zijn boek een
overzicht van de verschillende
rechtsstelsels en hun samenhang met
de zeden, staatsvorm, klimaat, geografische omstandigheden en economie
van het land in kwestie. De meeste aandacht gaat uit naar het hoofdstuk
waarin hij zijn leer over de scheiding
der machten uiteenzet, de zogenaamde
driemachtenleer (trias politica). Montesquieu verafschuwt despotisme.
Naar zijn idee wordt de individuele
vrijheid van de burgers het best gewaarborgd in een stelsel waarin de politieke macht wordt uitgeoefend door
drie zelfstandige organen. Deze dienen
de wetgevende, de rechterlijke en de
uitvoerende macht uit te oefenen. Verder geeft Montesquieu een indeling van
staatsvormen die hij baseert op een
fundamenteel principe dat hij aan de
verschillende vormen van bestuur toekent. De ideeën van Montesquieu worden in Europa niet overal met enthousiasme ontvangen. Zo gaan in Rome
reeds stemmen op om zijn werk op de
index te plaatsen.

*Op 5 juni 1752 wordt prins Willem V als Ridder van de Kouseband ingehuldigd.*

# Macht van Oranjes groot

DEN HAAG, 8 maart - De geboorte van een prins, genaamd Willem, wordt door Oranjegezinden de 'kroon' op de ontwikkelingen van de laatste maanden genoemd: nog nooit is de macht van de Oranjes zo groot geweest. Maar de Staatsgezinden daarentegen zeggen dat de kracht van de Republiek nog nooit zo gering is geweest.

De gebeurtenissen van de laatste maanden hebben een herhaling van die in het rampjaar 1672 te zien gegeven, met als voornaamste verschil dat de Republiek destijds nog een niet te onderschatten macht was en nu een vrij zielloos en zwak lichaam is.

Na de dood van Karel VI, Duits keizer en heer van de Oostenrijkse erflanden, brak de zogeheten Oostenrijkse Successieoorlog uit tussen verscheidene pretendenten voor de Oostenrijkse kroon en dus ook voor de macht in de Zuidelijke Nederlanden. Lodewijk XV van Frankrijk bemoeide zich intensief met deze strijd, vooral omdat Frankrijk nog altijd meende dat zijn 'natuurlijke grens' noordelijker lag. In 1744 vielen Franse legers de Zuidelijke Nederlanden binnen, twee jaar later vielen Brussel en Antwerpen. Eind 1746 waren bijna de gehele Zuidelijke Nederlanden onder Frans gezag en nu stak er in de Republiek - waar al sinds de dood van Willem III in 1702 geen stadhouder meer was - opnieuw een prinsgezinde reactie de kop op. Evenals in 1672 begon deze in Zeeland, in Veere. Eind april vorig jaar werd Willem IV in Zeeland tot stadhouder en kapitein-generaal uitgeroepen en al binnen een maand werd hij in alle gewesten als stadhouder erkend. In december werd die aanstelling zelfs erfelijk in beide linies zodat de Republiek voor het eerst sinds twee eeuwen bijna weer onder 'koninklijk' gezag viel, al werd die naam nog niet gebruikt.

De benoeming van Willem IV tot erfelijk stadhouder had niet alleen met de buitenlandse dreiging te maken maar was zeker ook het gevolg van een enorme onvrede binnen de Republiek. Die onvrede had vooral betrekking op de wijze waarop in de (met name) Hollandse en Zeeuwse steden de regenten hun ambten uitoefenen. Het probleem was dat de zittende regenten hun kliek gesloten hielden en ervoor zorgden dat anderen, die eveneens invloed wilden hebben, niet aan de bak konden komen. Een dergelijk probleem speelde ook ten aanzien van de posterijen, waarvan de inkomsten (alleen al te Amsterdam zo'n 200 000 gulden per jaar) altijd aan dezelfden toevielen. Zowel de buitenlandse dreiging als de binnenlandse onvrede speelde Willem IV en daarmee de Oranjes in de kaart. Zij zijn immers de enigen die 'boven de partijen' heten te staan. Maar aan de zwakheid van de Republiek zullen de Oranjes weinig kunnen veranderen, zoals ook wel bleek toen in september van het vorig jaar Bergen op Zoom door de Fransen werd ingenomen. De Republiek kon niet voldoende geld bijeenbrengen voor een krachtig leger en dus niets anders doen dan vrede zoeken. Besprekingen daartoe zijn in Aken begonnen maar voor de Republiek valt daar geen eer meer te behalen.

# Engeland met lege handen

LONDEN, 18 oktober - Voor Engeland heeft de Oostenrijkse Successieoorlog betrekkelijk weinig opgeleverd: Engeland en zijn voornaamste tegenstander Frankrijk zijn overeengekomen de 'status-quo ante' te herstellen, dat wil zeggen dat beide landen zich terugtrekken op de gebieden die zij bij het uitbreken van de vijandelijkheden bezaten. Men gelooft echter niet dat Engeland en Frankrijk hiermee een definitieve regeling van hun meningsverschillen hebben getroffen.

Tijdens deze oorlog is in Engeland de binnenlandse politieke situatie ingrijpend gewijzigd. Zoals bekend was Sir Robert Walpole vanaf het begin tegen de oorlogsverklaring. Toen de oorlog eenmaal was uitgebroken, zei hij bits tegen minister Newcastle, die al eerder overtuigd was van de noodzaak om Spanje de oorlog te verklaren: 'Het is jouw oorlog en ik wens je er veel plezier mee!' Al eerder was er veel kritiek op Walpole geweest, maar toen hij op nogal lauwe wijze de oorlogvoering ter hand nam, wankelde zijn positie. Na een verkiezingsnederlaag was zijn politieke echec compleet. Hierop nam Robert Walpole, de man die decennia lang de Britse politiek had beheerst, in 1742 ontslag. Hij overleed drie jaar later.

Na een korte regering onder Chatham kwam als opvallendste figuur William Pitt naar voren. Hij is een kleinzoon van de beroemde 'Diamond' Pitt, die zijn fortuin voornamelijk vergaarde door in India clandestien handel te drijven, buiten het monopolie van de East India Company om. William Pitt heeft naar men zegt van zijn kleurrijke grootvader zijn temperament geërfd.

Hij wordt echter gehinderd door ee zwakke gezondheid. Naar men zegt hij door zware depressies soms weke achtereen niet in staat om te werke Zijn grote gave is zijn overtuiging kracht. Over de buitenlandse politie heeft hij een uitgesproken mening (d vooral in handelskringen in de City g deeld wordt). Engeland moet volger hem een actieve buitenlandse politie voeren die erop gericht moet zijn z veel mogelijk koloniën en handel posten te verwerven. Het rijk van 'stervende reus' - hiermee bedoelt h Spanje - moet van deze politiek het b langrijkste doelwit vormen. Do bestudering van statistieken van Franse handel en nijverheid is hij e van overtuigd dat alleen dit land de E gelse plannen kan verijdelen. Een aa val op Frankrijk - en dan vooral op zi koloniën - ligt volgens Pitt dan oc voor de hand.

*Het Engelse kabinet onder leiding va Robert Walpole bijeen.*

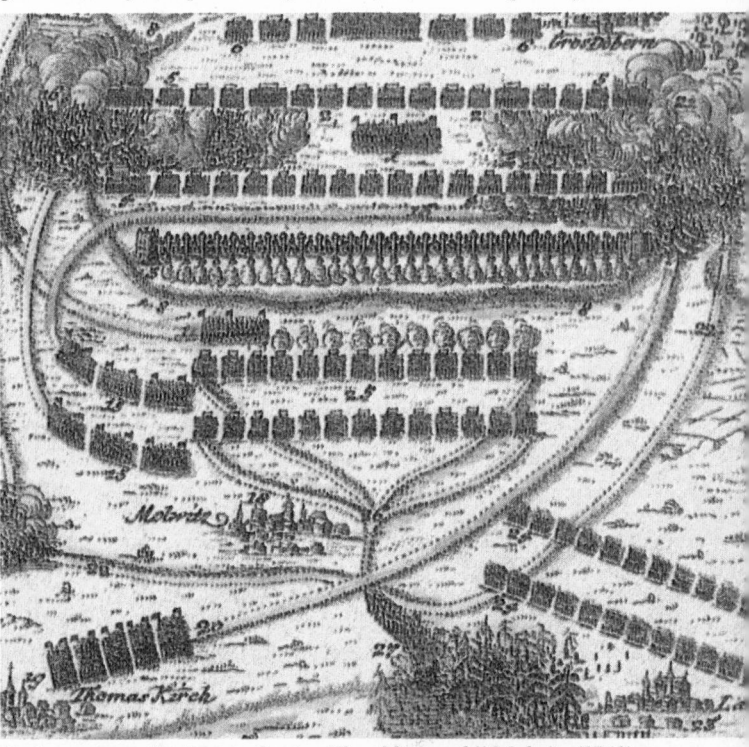

*De troepen van Pruisen en Oostenrijk rukken op bij Molwitz (1741).*

*Maria Theresia (met haar zoon Jozef II op de arm) smeekt de Hongaarse edelen om steun. Als antwoord beloven zij haar: 'Bloed en leven.'*

# Vrede van Aken gesloten

AKEN, 18 oktober - Na langdurige onderhandelingen is tussen Oostenrijk, Engeland, Sardinië en de Republiek enerzijds, en Frankrijk, Spanje, Modena en Genua anderzijds de Vrede van Aken gesloten. Hiermee is een einde gekomen aan de Oostenrijkse Successieoorlog, die op 16 december 1740 begon met de Pruisische invasie in Silezië, en zich ontwikkelde tot een omvangrijke internationale strijd.

Inzet was de troonopvolging van Karel VI door een vrouw, zijn dochter Maria Theresia, waarvan de legitimiteit door verscheidene Europese mogendheden werd aangevochten. Achter de opvolgingskwestie verborgen zich echter de ware motieven van de Europese staten, die de macht en omvang van Oostenrijk wilden inperken.

Maar Maria Theresia liet zich niet zo vlug uit het veld slaan. In december 1740 zwoer zij Silezië te zullen heroveren: 'Liever de Turken voor Wenen, liever de overdracht van de Nederlanden aan Frankrijk, liever concessies aan Beieren en Saksen, dan Silezië af te staan!'

Pruisen behaalde echter indrukwekkende militaire successen, zoals de verovering van Breslau, en in 1741 begon zich onder leiding van Frankrijk een anti-Oostenrijks front af te tekenen. Ook de landen die de Pragmatieke Sanctie hadden erkend, zochten toenadering tot Frederik II, die daarover cynisch opmerkte: 'Gibt es etwas zu gewinnen bei der Ehrlichkeit, so wollen wir ehrlich sein; ist es nötig zu dupieren, so wollen wir Schelme sein.' Zelfs Engeland, waarvan Maria Theresia de meeste steun verwachtte, hield zich afzijdig. Maria Theresia smeekte de Engelse gezant: 'Oh, wenn Ihr Herr, der König, nur marschieren wollte! Wenn er nur wollte!' Van Hongarije ontving Maria Theresia wel militaire steun en bovendien de koningskroon. Maar twee andere kronen, de Boheemse en de keizerskroon, kwamen in 1742 in handen van de vijand, de keurvorst Karl Albrecht van Beieren, die, geholpen door de Fransen, tot Praag wist door te stoten.

In 1743 kwam Engeland eindelijk in het Oostenrijkse kamp terecht door de toespitsing van een koloniaal conflict met Frankrijk. In 1743 verenigde een 16 000 man sterk Brits leger zich met de Oostenrijkse troepen tot de zogenaamde 'Pragmatische Armee', die de Beierse keizer verjoeg en de Fransen versloeg. Om te voorkomen dat het versterkte Oostenrijk Silezië zou terugwinnen, begon Pruisen in 1744 de Tweede Silezische Oorlog. In 1745 deed Maria Theresia tandenknarsend afstand van het grootste gedeelte van dit gebied.

Na de Tweede Silezische Oorlog woedde de Oostenrijkse Successieoorlog voort als een strijd tussen Engeland en Frankrijk om koloniale belangen, die zich afspeelde op het grondgebied van de Oostenrijkse Nederlanden, in Noord-Amerika en in Indië.

**Maart.** Graaf Kaunitz probeert in Oostenrijk zijn invloed uit te breiden door Maria Theresia te overtuigen van de noodzaak van een verdrag met Rusland en Frankrijk om Silezië op Pruisen te heroveren.

**2 mei;** De Habsburgse keizerin Maria Theresia ondertekent de 'Haugwitzschen Staatsreform'. →

**11 mei.** De Engelse marine wordt gereorganiseerd met het aannemen van de Consolidation Act door het parlement.

**Juli.** Ferdinand VI van Spanje zegt het Tweede Familieverdrag met Frankrijk op, nu met de Vrede van Aix-la-Chapelle de Spaanse doelen zijn bereikt.

**September.** De Franse minister van Financiën, Machault D'Annouville, stelt belastinghervormingen voor, onder meer de heffing van de twintigste penning (de Vingtième).

**2 november.** De Engelse Ohio Trade Company, die in maart koninklijk werd goedgekeurd, sticht de eerste handelspost in Noord-Amerika.

- De stichting van Fort Halifax in Nova Scotia, Engels Noord-Amerika, leidt tot grensincidenten met Frans Noord-Amerika.

- Een antikoloniale oorlog in Indonesië leidt tot de stichting van een staat op West-Java met als hoofdstad Yogjakarta.

- In Venezuela woedt korte tijd een anti-Spaanse opstand onder leiding van Juan Francisco de Leon.

- In Frankrijk breken wegens de hoge brood- en graanprijzen voedselrellen uit.

- Dupleix verkrijgt voor Frankrijk territoriale concessies van Hindoevorsten in India.

- Paus Benedictus XIV verleent koning Johan van Portugal de eretitel 'rei fidelissimo'. →

- Engeland en de Republiek sluiten handelsverdragen met de Zuidelijke Nederlanden. Deze handelsverdragen waren al in 1715 en 1731 in het vooruitzicht gesteld.

- De Buffon begint met de publikatie van zijn *Histoire naturelle des animaux*. Het werk zal uiteindelijk 36 delen omvatten en in 1788 worden afgerond.

- Keizerin Maria Theresia van Habsburg herroept het decreet waarbij alle joden werd gelast Praag te verlaten. →

- Giacobbo Rodriguez Pereire stelt de eerste werkbare gebarentaal voor doofstommen op.

- Denis Diderot wordt gevangen gezet wegens zijn boek *Lettre sur les aveugles à l'usage de ceux qui voient.*

# Eretitel voor Johan van Portugal

*Portugees kerkje in Olinda (Brazilië).*

LISSABON - Paus Benedictus XIV heeft koning Johan V de eretitel 'rei fidelissimo' (vroomste koning) verleend. Vermoedelijk voornamelijk als dank voor de gunstige leningen die de koning de paus heeft verstrekt. Johan V is zeer verguld met de titel, die hem op voet van gelijkheid plaatst met zijn Spaanse en Franse collega's, die voorheen al respectievelijk de titels 'katholiekste' en 'christelijkste' koning hadden gekregen.

Toen Johan V in 1706 op de troon kwam, was Portugal al een paar jaar aan Engels-Oostenrijkse zijde betrokken bij de Spaanse Successieoorlog. Portugal speelde in die oorlog een vrij marginale rol. Hoogtepunt was in wezen de verbetering van de handelsrelatie met Engeland: bij het Verdrag van Methuen (1703) werd de markt voor Portugese wijn en Engelse wol opengesteld. Uiteindelijk werd vrede met Frankrijk (1713) en Spanje (1715) gesloten.

Was Emanuel de 'specerijenkoning', Johan is met enig recht de 'diamantenkoning' te noemen. Het kroonaandeel van 20 procent in de opbrengst van de Braziliaanse bodemschatten (goud en diamant) maakt van de koning een schatrijk en machtig man. Hij kan het zich permitteren de Cortes niet meer bijeen te roepen en zelf de ministers te benoemen. Daardoor regeert hij als een absoluut vorst, geheel in de stijl van zijn grote voorbeeld: Lodewijk XIV. Johans lijfspreuk is: 'Ik ben aan niemand iets verschuldigd en ben voor niemand bang.'

Hoewel hij de kunsten en wetenschappen bevordert, geeft hij volgens velen toch te veel geld uit aan een luxueuze hofhouding en aan pompeuze barokke bouwwerken. Zijn pogingen de industrie en de landbouw te ontwikkelen zijn te mager; de nationale economie profiteert te weinig van de Braziliaanse rijkdommen. Ondanks een zege op de Turkse vloot in 1717 heeft Portugal niet meer de macht om het teloorgaan van het handelsrijk in het Oosten te voorkomen. Het land is een tweederangs natie in Europa geworden.

# Maria Theresia presenteert staatsplan

WENEN, 2 mei - Maria Theresia heeft de zogenaamde 'Haugwitzschen Staatsreform' geparafeerd waarmee zij van de Oostenrijkse erflanden en Bohemen een moderne, centraal geregeerde staat maakt. Deze door graaf Friedrich Wilhelm von Haugwitz ontworpen hervorming beoogt niets minder dan een coup d'état. De centrale overheid neemt alle politieke en financiële macht over van de standen in de Oostenrijkse landen.

Dat Maria Theresia een compleet nieuwe staatsinrichting heeft ingevoerd, is een gevolg van de Oostenrijkse Successieoorlog. Daarin is pijnlijk duidelijk geworden dat de Oostenrijkse staat de defensie niet altijd naar behoren kon uitvoeren omdat de financiering afhankelijk was van de bereidwilligheid van de standen. Naar eigen zeggen had Maria Theresia 'Ohne Geld, ohne Credit, ohne Armée, ohne eigene Experienz und Wissenschaft und endlich auch ohne allen Rath' voor haar troonsbestijging moeten vechten. Deze zwakke plekken in het Oostenrijkse staatsbestel vielen des te meer op daar doodsvijand Pruisen militaire successen kon boeken omdat het beschikte over een efficiënte centrale regering en bureaucratie.

De belangrijkste tegenspeler van von Haugwitz was graaf Friedrich Har-

*Links Maria Theresia, rechts haar man Frans I.*

rach, een vertegenwoordiger van de Boheemse standen. Hij leverde niet alleen kritiek op de ideeën van von Haugwitz, maar kwam vorig jaar met een tegenvoorstel, dat Maria Theresia hogere sommen voor de defensie beloofde. Harrach stelde echter twee voorwaarden: men moet 'denen Ländern alle Cameral- und Bancal-Fundos in die Hände geben' (alle financiële bevoegdheden in handen geven) en ze vrijlaten 'ihr Contingent nach Gutbedunken auf diese oder jene Art aufzubringen' (hun aandeel naar eigen goeddunken te besteden). Hierin stond

Harrach als vertegenwoordiger van de standenstaat lijnrecht tegenover de voorstander van het absolute gezag. Maria Theresia gaf hem tien dagen bedenktijd of hij als 'ein getreuer Unterthan seiner Frau' gehoorzamen zou. Zij wilde van geen wijken weten: 'Es mag geschehen, was immer will, ich bleibe bei meiner Resolution; wer nicht gehorsamen kann, der lasse es bleiben, allein hier und vor meinen Augen soll kein solcher mehr erscheinen.' Harrach gaf toe: de voornaamste spreekbuis van de oppositie tegen het absolute gezag was het zwijgen opgelegd.

# Joden onder voorbehoud welkom in Praag

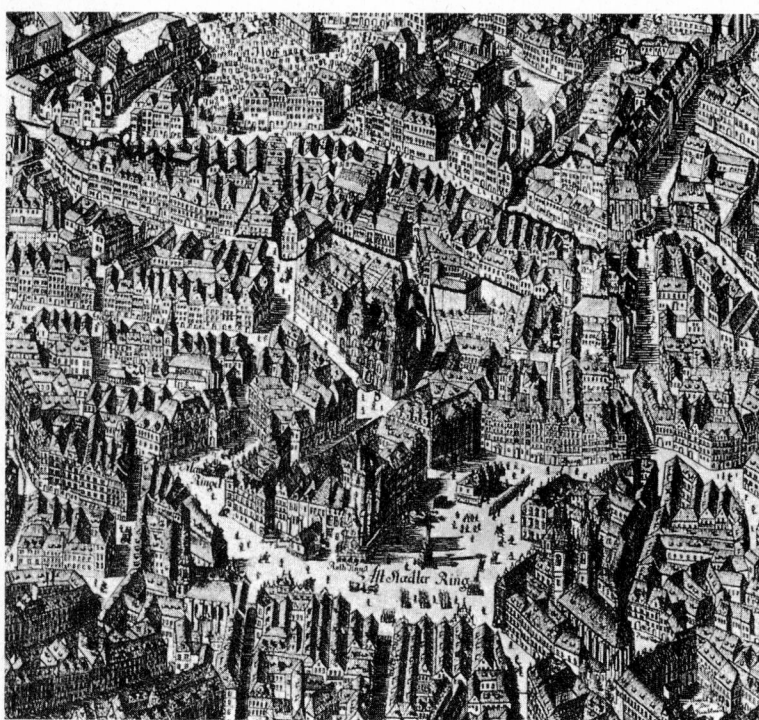

*De binnenstad van Praag met links een deel van de joodse wijk (18de eeuw).*

PRAAG - Het decreet dat de Habsburgse keizerin Maria Theresia in 1744 uitvaardigde, waarna alle joden uit Praag werden verdreven, is herroepen.

De diplomatieke druk van verscheidene landen op de keizerin heeft hierbij een beslissende rol gespeeld.

Pas in 1704 werd begonnen met het

herbouwen van de joodse wijk in Praag die vijftien jaar eerder door brand in de as was gelegd. Toen het dagelijkse leven van de joden langzamerhand weer zijn gewone loop nam, kondigde de keizerin haar internationaal betreurde besluit af. Niet-joden en 'bekeerden' namen de plaats van de vroegere bewoners in.

De Asjkenazische gemeente van Londen nam hierop de stap koning George II te benaderen. Vervolgens droeg de koning zijn gezant in Wenen op de zaak met de keizerin te bespreken. Door deze onverwachte actie aangespoord, kwamen ook joden in andere landen voor hun geloofsgenoten op, onder wie de Nederlandse gezant Van Burmania.

De order moge herroepen zijn, Maria Theresia heeft als 'concessie' afgedwongen dat de joden nieuwe en hogere belastingen moeten opbrengen. Bovendien heeft ze, na deze toezegging losgekregen te hebben, bepaald dat 'alle joden zonder baard met inbegrip van de vrouwen verplicht (worden) de "gele lap" op hun kleding te dragen'. Dit is de reden dat inmiddels, enkele maanden na het herroepen van het decreet uit 1744, nog niet de helft van de oorspronkelijke bewoners naar het getto van Praag, 'Stad en Moeder in Israël', is teruggekeerd.

---

**April.** In Noord-Amerika vinden langs de grens tussen Canada en Nova Scotia incidenten plaats tussen Franse en Engelse kolonisten.

**5 oktober.** Engeland doet afstand van het asiento-monopolie, de slavenimport in Spaans Zuid-Amerika, in ruil voor erkenning van zijn andere commerciële rechten.

- In Pruisen wordt de positie van joden wettelijk geregeld. →

- In een verdrag regelen Spanje en Portugal de ruil tussen San Sacramento en Paraguay. In Paraguay leidt het nieuwe Portugese gezag tot een oorlog.

- Vietnam verkeert in een economische crisis. →

- In Parijs vinden ongeregeldheden plaats, die dreigen uit te groeien tot een opstand met een mars naar Versailles. De mars vindt echter niet plaats.

- In Oostenrijk voert Maria Theresia een munthervorming door om orde te scheppen in de financiële chaos. Om vermindering van het zilvergehalte van de munten te voorkomen, wordt het randschrift ingevoerd.

- Ferdinando Galiani publiceert zijn *Trattato della moneta*, een economische verhandeling op mercantilistische grondslag.

- De bevolking van Europa groeit uit tot boven 140 miljoen.

- De Engelse Lord Chancellor Hardwicke, die als minister toezicht houdt op de koloniën, stelt de grens tussen Pennsylvanië en Maryland opnieuw vast.

- Nicolas de Lacaille leidt een Franse expeditie naar Kaap de Goede Hoop om de tienduizend sterren, zichtbaar vanaf het Zuidelijk Halfrond, te bestuderen.

- William Watson levert als eerste een wetenschappelijke beschrijving van platinum.

- In Londen vindt de wereldpremière plaats van Pergolesi's opera *The servant as mistress*.

- Het Engelse parlement verbiedt de ijzerindustrie in de Amerikaanse koloniën.

- In Sint-Petersburg wordt de eerste heteluchtverwarming aangelegd.

- Thomas Gray publiceert zijn *Elegy written in a country churchyard*.

- Johann Sebastian Bach voltooit zijn *Kunst der Fuge*.

Gestorven:

**1 november.** G.W. van Imhoff (8-8-1705), Nederlands gouverneur-generaal van Indië →

## Pruisen regelt positie van joden

*Frederik de Grote van Pruisen.*

BERLIJN - De verlichte vorst Frederik de Grote heeft een Reglement uitgevaardigd dat de positie van de joden in Pruisen moet regelen. Het is van toepassing op bijna alle joden in Pruisen. Ze worden onderverdeeld in 'gewone' en 'buitengewone' Schutzjuden. Beide groepen hebben beperkte verblijfs- en beroepsrechten, alleen is dit bij de eerste groep overdraagbaar op de oudste zoon en is dat bij de tweede groep niet het geval.

Door de politiek van de absolutistische heersers van Duitsland, Oostenrijk en Rusland in deze eeuw zijn de joodse gemeenschappen in die landen langzamerhand hun autonomie aan het verliezen.

Vele joden hebben hun baard al afgeschoren en mengen zich vaker dan ooit onder niet-joden. Dit Reglement lijkt een stap in de richting van de al op gang gekomen sociale acceptatie van de joden in Pruisen.

# Van Imhoff kon tij in Indië niet keren

BATAVIA, 1 november - De vandaag overleden gouverneur-generaal Van Imhoff had zich bij zijn benoeming in 1743 de opdracht gesteld de VOC in Indië tot nieuwe bloei te brengen en had daartoe blanco volmachten ontvangen van de Hoogmogende Heren Zeventien, die vertrouwen in hem hadden. Dat enthousiasme was inmiddels al behoorlijk bekoeld. Als zovelen voor hem bleek ook Van Imhoff niet in staat te zijn een einde te maken aan het verval, de dalende winsten en de corruptie onder de ambtenaren.

Gustaaf Willem, baron Van Imhoff werd op 8 augustus 1705 in Leer aan de Eems (Oost-Friesland) geboren. In 1725 vertrok hij naar Batavia en in dienst van de VOC maakte hij snel carrière. In 1736 werd hij benoemd tot gouverneur van Ceylon [Sri Lanka], waar hij het bestuur hervormde en een einde aan misbruiken maakte. In 1740 keerde hij op Java terug als lid van de Raad van Indië.

Met de toenmalige gouverneur-generaal Valckenier voerde hij een persoonlijke vete, die tot uitbarsting kwam bij de zogenaamde 'Chinezenmoord': een massale slachtpartij (10 000 doden) onder de Chinese burgers van Batavia. Van Imhoff stelde Valckenier verantwoordelijk voor het gebeuren, waarop deze zijn tegenstander gevangen liet nemen en naar Holland zond. Eenmaal in Holland gearriveerd wist Van Imhoff de bewindvoerders zodanig van zijn gelijk te overtuigen, dat zij hem tot opvolger van Valckenier benoemden. Deze was al onderweg naar

*De 'Pura Taman Ajun', een hindoeïstische tempel op Bali.*

Holland toen Van Imhoff hem liet arresteren. Valckenier werd ter dood veroordeeld wegens de moordpartij en andere ongerechtigheden, maar tekende beroep aan, waardoor hij nu nog steeds gevangen zit in het kasteel van Batavia. De voortvarende Van Imhoff ontplooide een ongekende werkzaamheid. Hij hield inspectiereizen over geheel Java, poogde privé-handel tussen Batavia en andere Aziatische havens mogelijk te maken, richtte de Amfioen Sociëteit op om de smokkel in opium tegen te gaan, stimuleerde de verbouw van handelsgewassen als koffie, bevorderde de vestiging van Europese kolonisten, richtte een scheepvaartschool op en nam de ontginning van Batavia's achterland ter hand waarbij

nog niet ontgonnen stukken grond verkocht werden. Zelf verwierf hij een landgoed bij Bogor, waar hij de fraaie residentie Sans Souci, of Buitenzorg, liet bouwen. Helaas was Van Imhoff niet in staat veel van al zijn grootse plannen te realiseren. Hij kwam voortdurend met nieuwe maatregelen zonder zich de tijd te gunnen ze goed uit te werken en werd tegengewerkt door de VOC, die in wezen niet bereid was haar achterhaalde handelssysteem te veranderen. Daarbij kwam dat de gouverneur-generaal in de Javaanse sultanaten Banten en Mataram zeer ontactisch intervenieerde bij opvolgingskwesties. Het gevolg was dat er burgeroorlogen uitbraken, die de VOC dwongen in te grijpen.

# Vietnamese crisis lijkt uitzichtloos

THANG LONG - Duizenden boeren uit het noorden van Vietnam zijn naar het zuiden getrokken om de ellende van het bestaan in hun eigen landstreek te ontvluchten. Dit is wel het duidelijkste teken van de algehele crisis waarin de Vietnamese samenleving verkeert. Het verlaten van het dorp waarin men is geboren en waar de voorouders zijn begraven, is voor de boeren de meest drastische stap die zij kunnen nemen. Zowel economische als politieke redenen liggen ten grondslag aan de huidige crisis. De grond is grotendeels in handen van grootgrondbezitters die tegen woekerprijzen het land verpachten aan de kleine boeren, van wie de meesten geen land bezitten. Enkele landbouwhervormingen die in het verleden zijn voorgesteld, hebben niet de gewenste resultaten opgeleverd. Zo zouden de gemeenschappelijke gronden om de drie jaar herverdeeld worden. De rijke boeren en grootgrondbezitters wisten zich hieraan echter met succes te onttrekken en hielden de vruchtbaarste stukken grond in handen. Zij wisten zelfs gemeenschapsgronden tot

privé-eigendom te maken door het omkopen van ambtenaren en het vervalsen van kadasters. Een voorstel dat tien jaar geleden is gedaan om alle landbouwgronden te nationaliseren, stuitte op verzet van de kant van het hof. Terwijl de arme boeren zelf nauwelijks in hun bestaan konden voorzien, werden juist zij door belastingverhogingen het zwaarst getroffen. Sinds 1722 hoeven mandarijnen feitelijk geen belastingen meer te betalen, terwijl de uitgaven van de staat voor het in stand houden van een uitgebreid bureaucratisch apparaat en een groot staand leger slechts toenemen. Gevolg van dit alles is een aanzienlijke lastenverzwaring voor de boeren.

Op bijna alle produkten wordt nu belasting geheven: zout, visserij- en mijnbouwprodukten en grondstoffen zoals kolen, hout en metalen, zijde, kaneel en vele andere artikelen die in het dagelijks leven worden gebruikt. Dit heeft geleid tot het vernietigen van spinnewielen door spinners, het verbergen van bijlen door houthakkers, het illegaal delven van grondstoffen en win-

nen van zout en tot verval van de vissersvloot.

Effectieve maatregelen van de kant van de ambtenaren kunnen de boeren ook niet meer verwachten, aangezien de ambten nu niet meer worden bezet door bekwame en integere mensen die via examens op hogere posten zijn gekomen, maar door vermogende lieden die ambten kopen. Voor zover er nog examens worden afgenomen, slagen voornamelijk de meest biedenden. Op die manier is in feite de bodem waarop de bestuursstructuur rustte, drijfzand geworden.

Tot overmaat van ramp volgen de laatste jaren natuurrampen elkaar op, waardoor de boeren met acute hongersnood worden bedreigd. Door de uitzichtloze situatie waarin zij verkeren hebben nu vele boeren het besluit genomen naar het zuiden te trekken om daar naar nieuwe bestaansmogelijkheden te zoeken. Ook neemt het aantal boerenopstanden toe. Deze hebben echter in het verleden geen verbetering gebracht in de situatie en het is de vraag of zij nu wél effect zullen sorteren.

*De Yoruba-stammen leven in Benin en Zuid-Nigeria. Zij aanbidden een groot aantal goden waarvan de hemelgod Obatalla en de aardgodin Odudua de voornaamste zijn. Boven een voorbeeld van hun houtsnijkunst: moeder en kind als dansmasker.*

**20 maart.** Frederik Lewis, de Engelse kroonprins, sterft.

**Maart.** Het Engelse parlement besluit tot aanpassing van de kalender aan de Gregoriaanse dagtelling. In september 1752 zullen elf dagen worden overgeslagen, terwijl de eerste januari het officiële begin van het nieuwe jaar wordt.

**5 april.** Koning Frederik II van Zweden sterft. Hij wordt opgevolgd door zijn zwager, Adolf Frederik van Holstein-Gottorp. →

**Mei.** De Portugese eerste minister Pombal beperkt de macht van de inquisitie. Voor het voltrekken van straffen uitgesproken door de inquisitie, auto-da-fé's, zal nu toestemming van de regering nodig zijn.

**31 augustus.** Een Engels legertje onder Sir Robert Clive neemt Arcot in Zuidoost-India in.

**13 september.** Engeland sluit zich aan bij de Oostenrijks-Russische alliantie van juni 1746 tegen verdere machtsuitbreiding van Pruisen.

**November.** Een Engels leger onder Sir Robert Clive verslaat een Frans expeditieleger onder gouverneur Dupleix bij Coveripack in Zuidoost-India. Na de overwinningen bij Arcot in juni en Arni in september worden Franse veroveringsplannen tenietgedaan.

**23 december.** In Frankrijk wordt de door de minister van Financiën voorgestelde belasting voor de geestelijkheid ingetrokken. De poging om door deze belasting de staat van de schatkist te verbeteren is dus mislukt. →

- In Göttingen wordt de eerste speciale kraamkliniek ter wereld geopend. In Londen wordt een tehuis voor krankzinnigen-verpleging geopend.

- China begint de verovering van Tibet.

- Carolus Linnaeus stelt in zijn *Philosophia Botanica* de binominale benaming, met namen in het Latijn en de landstaal, voor planten op.

- Denis Diderot en Jean Le Rond d'Alembert beginnen in Parijs met de publikatie van de *Encyclopédie ou Dictionnaire Raisonné des Sciences, des Arts et des Métiers, par une société de gens des Lettres.*

- In Parijs laait de 'guerre des bouffons' op, de strijd tussen voorstanders van in het Italiaans en in het Frans gezongen opera's.

- In Pruisen vervangt de door Cocceji opgestelde 'Codex Fredericianus' het Romeins recht.

Geboren:

- James Madison (†1836), vierde president van de Verenigde Staten van Noord-Amerika

*Galante maaltijd (18de-eeuwse gravure van Moreau le Jeune).*

# Geen belastinghervorming

PARIJS, 23 december - De Koninklijke Raad heeft de belastingaanslag opgeschort, die de Franse geestelijkheid onlangs was opgelegd. Het besluit betekent een nederlaag voor controleur-generaal Machault. Hij wilde een nieuwe belasting invoeren waarbij iedereen, ongeacht zijn afkomst of positie, voortaan jaarlijks een twintigste deel van zijn inkomsten aan de staat zou moeten afdragen.

Van oudsher zijn adel, geestelijkheid en dienaren van de overheid in Frankrijk vrijgesteld van het betalen van directe belasting. De schatkist vertoont daardoor een voortdurend tekort. Er zijn in het verleden vele pogingen gedaan het belastingstelsel te herzien, maar die zijn altijd gestrand. Het plan van Machault blijkt hetzelfde lot beschoren te zijn. Het genoot in eerste instantie de volledige steun van koning Lodewijk XV, maar deze is ten slotte toch gezwicht onder druk van de Kerk. De geestelijkheid heeft zich zeer heftig verzet tegen de 'Twintigste' van Machault. Gewoonlijk geeft de Kerk elk jaar een vrijwillige bijdrage van twee à drie miljoen aan de Franse staat. De 'Twintigste' zou tot gevolg hebben dat de Kerk verplicht zou zijn zo'n vijf à zes miljoen pond te betalen. Het was niet alleen het bedrag dat de protesten veroorzaakte. De strijd richtte zich vooral op de verplichting die de Franse staat aan de Kerk oplegde. Er is het afgelopen jaar een stroom van pamfletten en geschriften over deze kwestie verschenen, zowel van voor- als van tegenstanders.

Theologen en andere kerkelijke leiders houden vol dat de staat als wereldlijke macht niet het recht bezit om de geestelijkheid verplichtingen op te leggen. Voorstanders vinden dat het maar eens afgelopen moet zijn met de materiële voorrechten van de Kerk. Van de hand van Voltaire verscheen een zogenaamde brief van de inquisitie, waarin te lezen stond: 'De antichrist is gekomen; hij heeft verschillende brieven gestuurd aan de Franse bisschoppen, waarin hij de brutaliteit heeft gehad hen te behandelen als Fransen en onderdanen van de koning. [...] Hij heeft uiteengezet dat degenen die een derde deel van het nationale inkomen bezitten er ook minstens een derde deel aan moeten bijdragen, vergetend dat onze broeders zijn geschapen om alles te bezitten en niets te geven.' De woede die deze satire in kerkelijke kringen veroorzaakte, is inmiddels geluwd. De geestelijkheid heeft haar zin gekregen en de Franse schatkist blijft even leeg als voorheen.

## Rusland benoemt koning van Zwede[n]

STOCKHOLM, 5 april - Adolf Fred[e]rik van Holstein-Gottorp is op bev[el] van tsarina Elisabeth van Rusland t[e] koning van Zweden gekroond. Het [is] een uitvloeisel van het verdrag van Åb[o] (1743), dat een eind maakte aan e[en] voor Zweden slecht verlopen oorlog t[e]gen de Russen. Inzet van deze do[or] Zweden begonnen oorlog was de h[er]overing van zijn Oostzee-imperium.

In feite heeft de nieuwe koning wei[nig] te vertellen. De macht berust al dece[n]nia bij de drie standen. Na de plotseli[n]ge dood van Karel XII in 1718 was er [in] Zweden een machtsvacuüm ontstaa[n.] Karels jongere zuster, Ulrika Eleon[o]ra, had de beste papieren maar w[as] geen sterke persoonlijkheid. Zij li[et] zich door de Rijksdag tot koningin kie[zen], wat al in geen tijden meer was ge[beurd]. De standen wisten haar in ee[n] paar jaar tijd nagenoeg alle macht [te] ontnemen. Het absolutisme moest h[et] veld ruimen en de periode van de 'fr[ij]hetstid' (vrijheidstijd) brak aan.

Omdat de Rijksdag slechts eens in d[e] drie jaar vergaderde lag de werkelij[ke] macht in het begin bij de uit edelen b[e]staande Rijksraad onder leiding va[n] Arvid Horn. Gematigd als hij wa[s] stond hij een vreedzame politiek voo[r]. Zijn aanhangers werden de 'Mössa[r]' (Mutsen) genoemd. Zijn tegenstan[ders], de meer conservatieve en chauv[i]nistische figuren onder de adel en d[e] kooplieden, werden de 'Hattar' (Ho[e]den) genoemd. Zij slaagden er in 173[9] in Horn ten val te brengen.

De Hoeden stond een mercantilistisch[e] politiek voor ogen: grote invloed va[n] de staat in het economische leven. Z[ij] bevorderden zij de winstgevende e[x]port van ijzer, koper en later ook hou[t]. Op het politieke vlak kwam de mach[t] nu in handen van een geheim comité. Het waren de Hoeden die in 1741 ee[n] revanche-oorlog tegen de Russen be[ge]gonnen, die echter uitliep op een com[]pleet fiasco. Niet alleen verloor me[n] grondgebied in Finland, de Russe[n] kregen nu ook het recht een troonop[]volger aan te wijzen.

*Tsarina Elisabeth van Rusland.*

## Rousseau kiest met opera voor Italiaanse school

FONTAINEBLEAU, 18 oktober - Jean-Jacques Rousseau (1712) lijkt zich met zijn nieuwe opera *Le devin du village* (De waarzegger van het dorp), die vandaag in Fontainebleau voor het koninklijk hof in première is gegaan, definitief aan de Italiaanse zijde in de buffonistenstrijd te hebben opgesteld. *Le devin* is een opera geheel in de stijl van *La serva padrona* (de dienstbodemeesteres) van de Italiaan Giovanni Battista Pergolesi (1710-1736), die eerder dit jaar in Parijs zijn première beleefde. Een komische opera ('opéra comique'), op een simpel, realistisch thema: de overwinning van de deugd op de corruptie van de hogere standen. De muziek is van een volksmuziekachtige eenvoud.

De buffonistenstrijd, die momenteel met vuur in de kranten wordt uitgevochten, heeft de volgende achtergrond: in het seizoen '51-'52 hadden de Italiaanse 'bouffons' (narren) veel succes met twee opera's 'buffa' van Pergolesi: *La serva padrona* en *Il Maestro di musica* (de muziekleraar). Zij boden met hun humor voor het eerst sinds jaren een aangenaam alternatief voor de eentonigheid van de tragische Franse opera (de 'opera seria') met zijn ernstige en bovenmenselijke helden en goden. De componist en theoreticus Jean Philippe Rameau (1683) wierp zich, als belangrijkste vertegenwoordiger van de traditionele Franse opera, op als de woordvoerder van de anti-buffonisten; de encyclopedist Rousseau sloot zich echter aan bij het Italiaanse kamp en wist tele intellectuelen te mobiliseren; het oude conflict tussen de Italiaanse en Franse muziek werd hierdoor opnieuw aangewakkerd.

Volgens Rousseau leent de Franse taal zich er niet voor gezongen te worden. Onlangs verklaarde hij nog: 'De Fransen hebben in feite geen eigen muziek en als ze er wel een hebben, is dat des te erger.'

Rousseau is momenteel medewerker aan Diderots *Encyclopédie* en heeft al een groot aantal artikelen over de theoretische aspecten van de muziek op zijn naam staan. Muziek zou volgens hem niet te problematisch moeten zijn, maar direct moeten aanspreken. Het compositieproces definieert hij schijnbaar eenvoudig als volgt: 'De kunst melodieën te ontdekken en deze te voorzien van passende begeleidingsakkoorden.' In 1743 schreef hij zijn proefschrift *Dissertation sur la musique moderne*, waarin hij inging op de problemen van de traditionele muzieknotatie; een van de conclusies uit zijn onderzoek was dat muzieknoten door letters vervangen zouden moeten worden. Tot op heden heeft deze gedachte geen respons gevonden.

*Vastenavond in de rijschool van de Wiener Burg.*

# Leger Oostenrijk hervormd

WIENER NEUSTADT, 11 november - De 'Theresianische Militärakademie' heeft haar poorten geopend voor 200 cadetten, die op staatskosten in 6 tot 8 jaar tot officier zullen worden opgeleid. Deze nieuwe hogere krijgsschool is het symbool van de hervormingen die Maria Theresia in het Oostenrijkse leger wil doorvoeren.

De belangrijkste vakken zijn: exerceren, lichamelijke oefening, vechten, fortenbouw, paardrijden, dansen, rekenen, Frans, Italiaans, Boheems en aardrijkskunde. Op de academie wordt een ijzeren tucht gehandhaafd: de geringste ongehoorzaamheid wordt streng bestraft. De cadetten worden al tijdens hun schooltijd bij twee compagnieën ingelijfd. De ene is bestemd voor jongens uit onbemiddelde adellijke families, de andere voor officierszonen. De kandidaten worden door Maria Theresia zelf geselecteerd, waarbij ze de armsten bevoorrecht. Aan het hoofd van de militaire academie staat Reichsgraf Leopold von und zu Daun, die sinds 1748 ook belast is met de reorganisatie van het leger.

In de strijd tegen de Pruisen tijdens de Oostenrijkse Successieoorlog was duidelijk geworden waardoor het Oostenrijkse leger niet voldeed. Geldgebrek, verouderde artillerie, onvoldoende kennis van zaken bij officieren en soldaten en gebrek aan tucht ondermijnden de slagvaardigheid. Nadat zij door de staatshervorming van 2 mei 1749 de defensie een betere financiële basis had verschaft, ging Maria Theresia ertoe over de 'militaire tucht, de exercities en het reglement met behulp van de wijze en nauwgezette bemoeienis van generaal Daun' te perfectioneren. Want, zo klaagde zij, 'ein jeder machte ein anderes manoeuvre in Marche, in Exercitio und in allen, einer schüssete geschwind, der andere langsam; die nemliche Wort und Befehle wurden bey einem also, bey dem andern wiederumb anderst ausgedeütet.'

Bij deze reorganisatie diende het meest efficiënte leger van Europa, namelijk het Pruisische, als voorbeeld. De Pruisische gezant in Wenen, graaf Podewils, schreef aan Frederik II: 'In het algemeen heeft men zich naar de manoeuvres van Uwe Majesteit gericht, maar verscheidene officieren hebben mij verzekerd dat het op de manier waarop men hier de zaken aanpakt nooit zal gelukken soortgelijke successen te boeken.'

## Alaungpaya redt Birma van Mon-overheersing

SHWEBO, april - Door de veel sterker geachte Mon te verslaan heeft koning Alaungpaya de overheersing van de Birmezen door de Mon verijdeld.

Geruime tijd hadden de laatsten de weigering van Alaungpaya en de zijnen een eed van trouw aan het gezag van de Mon af te leggen, als een lokale opstand van weinig betekenis beschouwd. Na twee mislukte militaire expedities naar het hoofdkwartier van de opstandelingen veranderde deze houding. Dalaban was zich bewust geworden van de ernst van de situatie en liet versterkingen uit Pegu aanrukken. Alaungpaya liet zich echter niet verleiden tot een openlijke veldslag, maar bleef met zijn troepen in de vesting. Na een beleg van vijf dagen besloot Dalaban 1500 man elitetroepen aan één kant de vesting te laten bestormen, terwijl andere troepen aan de andere kant de tegenstander zouden bezighouden. Slechts 50 man kwamen binnen de vesting, maar zij werden gedood voordat zij de poort konden openen. Daarna vielen de troepen van Alaungpaya de Mon aan en verdreven hen tot aan de oevers van de Irrawaddy, waar slechts enkelen zich met boten in veiligheid wisten te brengen.

# 'Encyclopédie' verboden

*Titelpagina van de omstreden 'Encyclopédie' van Diderot.*

PARIJS, 7 februari - De Koninklijke Raad heeft beslag laten leggen op de twee reeds verschenen delen van de *Encyclopédie* en de verkoop verboden. Het werk, dat onder redactie van Diderot is verschenen, zou een aantasting van de goede zeden zijn, de autoriteit van de koning in gevaar brengen en het bestaan van God loochenen.

Al sinds de verschijning van het eerste deel, bijna een jaar geleden, proberen met name jezuïeten en jansenisten het werk verboden te krijgen. Zij vinden de *Encyclopédie* godslasterlijk. Dit oordeel is onder meer gebaseerd op artikelen als 'Het christendom', waarin kritiek wordt uitgeoefend op het fanatisme en de intolerantie van de Katholieke Kerk.

De Koninklijke Raad keert zich fel tegen artikelen als 'Politieke autoriteit'. De eerste zin daarvan luidt: 'Geen enkel mens heeft van nature het recht om anderen zijn wil op te leggen.' Deze opvatting staat haaks op de goddelijke autoriteit die de koning officieel bezit. In het vonnis van de Raad staat dan ook te lezen dat de schrijvers van de *Encyclopédie* verschillende uitspraken hebben opgenomen die ertoe neigen 'de autoriteit van de koning te vernietigen en een geest van onafhankelijkheid en opstandigheid te bevorderen'.

Meer verlichte geesten zijn overigens vol lof over het project. Al voor het eerste deel uit was, hadden zo'n tweeduizend mensen zich geabonneerd op alle te verschijnen delen. Zij hebben vooruitbetaald en het is nog niet duidelijk wat er met hun geld zal gebeuren.

# 1753

**11 januari.** Ferdinand VI van Spanje sluit een concordaat met paus Benedictus XIV, die zijn recht op patronage en benoemingen erkent.

**25 maart.** De Franse filosoof en schrijver Voltaire (François Marie Arouet) verlaat na een ruzie met de koning het hof van Frederik II van Pruisen, waar hij sinds 1750 op uitnodiging verbleef. →

**5 april.** In Londen wordt bij Koninklijk Besluit The British Museum opgericht.

**April.** Het Franse parlement vaardigt de 'Grote Remonstranties' (vermaningen) uit naar aanleiding van een affaire met biechtbriefjes die al enige maanden de gemoederen verhit.

**April.** Graaf Kaunitz, staatskanselier van Maria Theresia van Oostenrijk, krijgt het buitenlands beleid onder zijn hoede. De 'Geheime Haus-, Hof- und Staatskanzlei' wordt daarmee ministerie van Buitenlandse Zaken.

**9 mei.** De Franse koning Lodewijk XV stuurt het parlement naar huis. →

**Mei.** In Pruisen worden de geheime artikelen van het Oostenrijks-Russische verdrag van juni 1746 over de herovering van Silezië bekend.

**13 juni.** Oostenrijk, Engeland en het hertogdom Modena sluiten een geheim verdrag over wederzijdse militaire bijstand.

**7 juli.** Het Engelse parlement neemt een wet aan waardoor joden genaturaliseerd kunnen worden.

**Augustus.** Een Frans expeditieleger onder bevel van Duquesne, de gouverneur van Frans Canada, verovert de Ohiovallei.

**18 september.** De Engelse gouverneurs van de koloniën in Noord-Amerika krijgen de instructie om bondgenootschappen met de Irokezen-Indianen te sluiten als voorbereiding op de komende oorlog met Frankrijk.

**22 september.** Pangeran Gusti wordt als sultan van Banten geïnstalleerd. →

**30 november.** Benjamin Franklin ontvangt de Sir Godfrey Copley-penning. →

- In Herculaneum, Italië, wordt de Villa dei Papiri opgegraven, zo genoemd naar de erin gevonden papyrusrollen.

- In Praag voltooien de gebroeders Dientzenhofer de jezuïetenkerk van Sint-Nicolaas. →

# Filosoof Voltaire ruziet met Frederik de Grote

*Voltaire (links) en Frederik de Grote in gelukkiger dagen.*

BERLIJN, 25 maart - De Franse filosoof Voltaire heeft na een conflict met Frederik de Grote Berlijn verlaten. Voltaire (geboren in 1694 als François Marie Arouet) verbleef sinds 1750 op uitnodiging van de Pruisische koning in het slot Sanssouci in Potsdam. De Pruisische hofhouding had hier in 174. haar intrek genomen. Voltaire had de status van kamerheer en ontving een aanzienlijke toelage.

Frederik is een overtuigd aanhanger van de verlichtingsfilosofie. Hij bestempelt zichzelf graag als de 'filosoof van Sanssouci'. Zijn vriendschap met Voltaire dateerde van de tijd dat hij nog geen koning van Pruisen was. Tijdens zijn verblijf in Rheinsberg in 173. begon hij een correspondentie met Voltaire.

Zijn enthousiasme voor de Franse taal was zo groot dat hij zich voortaan in deze taal uitdrukte. Op de studering van de Franse literatuur baseerde hij zijn eigen politieke en levensfilosofie: de ideale regeringsvorm moest volgens hem zowel verlicht als absoluut zijn. Voltaire was aanvankelijk erg tevreden met zijn verhuizing naar Berlijn: 'Na dertig stormachtige jaren heb ik eindelijk een haven gevonden.' Al spoedig ontstonden er echter problemen. Het kwam tot een uitbarsting na de publikatie van het pamflet *Akakia*, gericht tegen de Franse directeur van de academie in Berlijn, Maupertius. Het geschrift werd op last van Frederik in het openbaar verbrand.

*De markt in Banten (tekening van Simon de Vries).*

# Opstand op Java ten einde

BANTEN, 22 september - Met de installatie van de uit ballingschap teruggekeerde pangeran Gusti als sultan van Banten is een einde gekomen aan de onrust in dit Westjavaanse rijkje. De problemen begonnen enige jaren geleden toen de oude sultan Arifin onder de invloed van een van zijn echtgenotes, de Arabische ratu Fatima, begon te raken. Door de kroonprins (pangeran Gusti) ervan te beschuldigen zijn vader te willen vermoorden wist zij een neef van haar als troonopvolger benoemd te krijgen. De prins vluchtte naar Batavia, waar de VOC hem gevangennam en naar Ceylon overbracht.

Fatima had zich namelijk verzekerd van de steun van de toenmalige gouverneur-generaal Van Imhoff, die ook bereid bleek mee te werken aan het krankzinnig verklaren van de sultan, die in 1748 werd overgebracht naar Ambon. Fatima werd namens de compagnie regentes. Deze ontwikkeling zorgde voor grote beroering onder de bevolking: de dame in kwestie was niet van adel, werd gehaat vanwege haar schraapzucht en weigerde de rijksraad in het bestuur te betrekken. In oktober 1750 braken ernstige opstanden uit en binnen de kortste keren hadden de rebellen Banten totaal in handen en werden de VOC-forten Speelwijk en Diamant, waarbinnen Fatima een goed heenkomen had gezocht, belegerd.

Gouverneur-generaal Mossel, de opvolger van de juist overleden Van Imhoff, besloot tot een andere politiek over te gaan. Hij liet de ratu en haar neef op geruisloze wijze verwijderen en stelde de rijksraad voor pangeran Gusti terug te halen en tot sultan uit te roepen. De rebellen bleken echter niet bereid de wapens neer te leggen en trokken op naar Batavia, dat zij ernstig in gevaar brachten. Pas na een jaar was de VOC in staat een einde aan de verwoede aanval te maken.

Van de macht van het sultanaat, in de vorige eeuw nog een belangrijke peperhaven, is weinig meer over. De VOC heeft ook in 1684 al ingegrepen bij een opvolgingsoorlog, als gevolg waarvan het rijk in feite de soevereiniteit verloor en de haven moest sluiten voor alle niet-VOC-schepen. De nieuwe sultan heeft nu moeten instemmen met een verdrag dat definitief een einde maakt aan zijn zelfstandigheid en Banten zijn peperrijke Lampong-districten (Zuid-Sumatra) doet verliezen.

# Bliksemafleider bekroond

PHILADELPHIA, 30 november - Aan de Amerikaanse uitvinder Benjamin Franklin is vandaag de gouden Sir Godfrey Copley-penning uitgereikt voor zijn ontdekkingen op het gebied van de elektriciteit. De 47-jarige Franklin verwierf internationaal grote publieke en wetenschappelijke bekendheid door zijn uitvinding van de bliksemafleider.

Door middel van verschillende laboratoriumexperimenten ontdekte Franklin in 1747 als eerste dat bliksem een 'elektrisch vuur' is dat 'wordt aangetrokken door materie, voornamelijk door een gescherpte ijzeren punt'. Na publikatie van zijn boek *Experiments and Observations on Electricity* werd de eerste proefneming met de bliksemafleider uitgevoerd op 10 mei vorig jaar in het Franse stadje Marley-la-Valle. De op een hoog gebouw geplaatste ijzeren staaf werd met een wassen handgreep vastgehouden. Het experiment werd later in het bijzijn van de Franse koning herhaald. Dat bliksem onschadelijk kan worden gemaakt door hem naar de grond te geleiden bewees Benjamin Franklin vorig jaar zomer nog

*Benjamin Franklin met zijn vlieger.*

eens door tijdens een onweersbui een (geleide) vlieger op te laten.

Het onderzoek dat Franklin op het gebied van elektriciteit heeft verricht, wordt van groot belang geacht. Bliksem is van een mysterieus en angstaanjagend natuurlijk fenomeen tot een rationeel verklaarbare zaak geworden. Tevens heeft de uitvinder laten zien hoe belangrijk laboratoriumwerk kan zijn voor het verklaren van natuurlijke fenomenen.

# Parlement wordt uit Parijs verbannen

PARIJS, 9 mei - Afgelopen nacht hebben boodschappers van de koning bij een groot aantal parlementsleden het bevel bezorgd dat zij de hoofdstad moeten verlaten. Deze maatregel volgt op de weigering van het Parlement een wet te registreren waarmee de koning het Parlement verbiedt zich te bemoeien met de kwestie van de biechtbriefjes.

De biechtbriefjes moeten op het sterfbed worden overgelegd om de laatste sacramenten toegediend te krijgen. De briefjes zijn een paar jaar geleden ingevoerd door de aartsbisschop van Parijs. Hij hoopte daarmee de invloed van dissidente katholieken, de jansenisten, te beperken. Alleen de priesters die de autoriteit van de aartsbisschop erkennen, kunnen biechtbriefjes uitschrijven. Het betekent dat gelovigen die meer vertrouwen hebben in jansenistische geestelijken, het zonder laatste sacramenten moeten stellen.

Het invoeren van de biechtbriefjes heeft een storm van protest ontketend. Vorig jaar waren bij de begrafenis van een priester aan wie de laatste sacramenten waren geweigerd, zo'n tienduizend mensen aanwezig. Het Parlement

schakelde deurwaarders in om priesters, op straffe van hoge boetes, te dwingen de laatste sacramenten toe te dienen. De koning vond dat het Parlement daartoe niet bevoegd was. In februari besloot hij dat problemen rond biechtbriefjes voortaan door de Koninklijke Raad moesten worden behandeld. Het Parlement, dat in een voortdurende machtsstrijd was gewikkeld met de koning, weigerde dit te aanvaarden. Lodewijk XV heeft nu dus teruggegrepen op een bekend recept: de onwillige parlementsleden worden in ballingschap gestuurd.

Van groter belang dan de zoveelste ballingschap van het Parlement is dat de hele affaire rond de biechtbriefjes verder afbreuk doet aan de geloofwaardigheid van de Katholieke Kerk. Minister d'Argenson verzuchtte onlangs dat 'men zich in ontwikkeld gezelschap geen voorstander meer kan tonen van de geestelijkheid; men wordt bespot en bekeken als een verwant van de inquisitie.' Dat de achteruitgang van het geloof zou worden veroorzaakt door de ideeën van de filosofen, met hun nadruk op de rationaliteit van de mens, wordt door hem ontkend. Hun invloed beperkt zich tot een kleine elite. Gevaarlijker vindt hij de haat die onder de gewone bevolking aan het ontstaan is jegens de traditionele geestelijkheid. D'Argenson wees op het laatste carnaval in de hoofdstad: nooit eerder waren er zoveel maskers te zien die op een weinig eerbiedige manier geestelijken moesten voorstellen.

*'Het filosofenmaal' met Voltaire (met geheven hand), Diderot (rechts naast hem) en D'Alembert (vooraan links).*

# Tsjechische barok Bohemen

*De Sint-Nicolaaskerk op de Praagse Malá Strana.*

PRAAG - Negenenveertig jaar heeft het de gebroeders Dientzenhofer gekost om de jezuïetenkerk van Sint Nicolaas, het belangrijkste barokke bouwwerk ten noorden van de Alpen, op de Malá Strana te bouwen. Aan de Dientzenhofer broers heeft Praag ook twee andere juwelen - het Loretto op de Praagse Burcht en het Lobkowitzpaleis - te danken. De beelden op de Karelsbrug (hier geplaatst in de jaren 1705-1714) vormen de belangrijkste Europese openluchtgalerie van de barokke beeldhouwkunst. Niet alleen in Praag, maar overal in Bohemen en Moravië vindt men schitterende barokke landhuizen en kerken.

De barok, ontstaan in zuidelijk Europa, bereikte Bohemen in de eerste helft van de vorige eeuw. Na de Dertigjarige Oorlog stond deze kunst geheel in dienst van de overwinnaars, de katholieke Habsburgers. Ze haalden beroemde kunstenaars, als de Italianen Lurago en Caratti of de Vlaming Adriaen de Vries, naar Bohemen en lieten daar door hen de prachtigste beeldhouw- en bouwwerken vervaardigen. Maar ook onder de plaatselijke kunstenaars (zoals de architect Kaňka, de schilders Brandl, Hollar, Skréta, Kupecký of de beeldhouwers Brokof en Braun) vond de barok een zeer vruchtbare grond. Kastelen, paleizen en kerken werden in de barokstijl gebouwd en versierd.

Het is niet overdreven te zeggen dat het stadsbeeld van de Boheemse hoofdstad Praag door de barok gedomineerd wordt. De adembenemende paleizen van de voornaamste Tsjechische adellijke families op de Praagse Malá Strana (Kleine Zijde) en op Hradčany (de Praagse Burcht) getuigen van enorme rijkdom. In de jaren 1653-1722 werkte men aan de bouw van het Clementinum-complex, een indrukwekkend bastion van de machtige jezuïeten. Wereldberoemd is de Tsjechische schilder Jan Kupecký, die onder andere portretten maakte van de Duitse keizer Karel VI en de Russische tsaar Peter de Grote.

*De beelden op de Karelsbrug.*

---

# 1754

**8 maart.** De markies van Ensenada wordt eerste minister in Spanje. Hij staat bekend om zijn pro-Franse sympathieën.

**18 maart.** In Engeland volgt de hertog van Newcastle zijn op 6 maart overleden broer, Henry Pelham, op als eerste minister.

**April.** De eerste volkstelling in Oostenrijk becijfert de bevolking op 6 134 558 inwoners.

**19 juni.** Delegaties uit New York, Pennsylvania en Maryland nemen op het Congres in Albany het plan van Benjamin Franklin voor een Amerikaanse Unie aan.

**Juni.** In Noord-Amerika breekt een Frans-Engelse oorlog uit nadat een Engels legertje onder George Washington bij Fort Duquesne (Pittsburgh) in de Ohiovallei met Franse troepen is slaags geraakt.

**10 juli.** Afgevaardigden uit de Engelse koloniën aanvaarden het 'Albany Plan of Union'. →

**Juli.** Om een eind te maken aan de tegenstellingen over religieuze zaken, waardoor burgeroorlog dreigt, roept Lodewijk XV van Frankrijk het parlement van Parijs na veertien maanden uit verbanning terug.

**Juli.** De markies van Ensenada wordt als eerste minister van Spanje ontslagen, nadat een pro-Frans komplot is ontdekt.

**Augustus.** In Parijs worden Engels-Franse besprekingen gehouden over vaststelling van de grenzen tussen de kolonies in Noord-Amerika.

**December.** De Engels-Franse besprekingen in Parijs over de grenzen in Noord-Amerika worden afgebroken.

- De gouverneur van de Franse vestiging in de Indische gebieden, J.F. Dupleix, wordt naar Parijs teruggeroepen. →

- David Hume publiceert zijn *History of Great Britain.* Gedurende de eerste twaalf maanden na verschijnen worden er maar 45 exemplaren verkocht.

- Thomas Chippendale, Engels meubelmaker, vestigt zich in St. Martin's Lane, het toonaangevend centrum van de meubelproduktie in Londen.

- In New York wordt King's College [Columbia University] gesticht.

Gestorven:

**28 januari.** Ludvig van Holberg (3-12-1684), Deens dichter en historicus
**9 april.** Christian von Wolff (24-1-1679), Duits Verlichtingsfilosoof
**8 oktober.** Henry Fielding (22-4-1707), Engels jurist en schrijver (o.a. *The history of Tom Jones a Foundling*)

---

# Eenwording van koloniën bepleit

ALBANY, 10 juli - Tijdens een congres in Albany, waar afgevaardigde uit de Engelse koloniën hebben be raadslaagd in verband met een dreigende oorlog tegen de Fransen, is ee plan aanvaard om een koloniale unie t stichten. Dit 'Albany Plan of Union' opgesteld door Benjamin Franklin e Thomas Hutchinson, die de aar eensluiting van de Engelse koloniën 'absoluut noodzakelijk voor derzelve voortbestaan' achten.

Het plan voorziet in de vorming va één koloniale regering, bestaande u een raad waarin vertegenwoordiger van de koloniën zitting hebben, en ee door de Engelse kroon benoemd voorzitter. De te vormen regerin wordt volgens het plan belast met d behartiging van alle Engelse belange in het westen, zoals het sluiten van ver dragen met Indianen, het bevordere van de handel, het treffen van verdedi gingsmaatregelen en vestigen van nieu we nederzettingen.

Het congres van Albany is niet het ini tiatief van de kolonisten zelf, maar va Engeland. Het heeft de bijeenkoms georganiseerd vanwege de slechte wordende betrekkingen met de India nen, wier steun onontbeerlijk geach wordt indien het tot een Frans-Brit treffen komt. Er bestaan aanwijzinge dat sommige Irokezenstammen, di van oudsher bondgenoten van de En gelsen zijn, in een conflict de zijde va de Fransen zullen kiezen.

Van meet af aan bestond er bij enkel afgevaardigden van de Engelse kolo niën evenwel de wens om ook d kwestie van de koloniale eenwording ter tafel te brengen. Reeds voor he congres verklaarde gouverneur Shirley van Massachusetts dat de unie er sne diende te komen, aangezien de Fran sen met rasse schreden op weg zijn 'zich meester van dit continent te maken'. Nieuw-Frankrijk strekt zich momen teel uit van Quebec in het noordoosten via Louisiana in het westen tot aan de Golf van Mexico in het zuiden, en het vormt voor de Engelsen een obstakel voor hun westwaartse expansie.

*Indianen uit de Amerikaanse koloniën.*

*De Indiase raja Ajmal Dev uit Mankot (rond 1720).*

# Dupleix verliest steun

PARIJS/PONDICHERRY - Joseph François Dupleix (57), sinds 1742 gouverneur van de Franse vestiging in de Indische gebieden, Pondicherry, is door het directoraat van de Franse Oostindische Compagnie teruggeroepen naar Frankrijk. De Compagnie heeft het vertrouwen in Dupleix verloren vanwege zijn te grote investeringen in weinig winstgevende expedities. Dupleix introduceerde in India het machtsspel dat door de Engelsen 'nabobism' wordt genoemd, waarbij plaatselijke machthebbers worden gebruikt om het eigen machtsgebied uit te breiden.

De Franse Oostindische Compagnie, die in 1664 werd opgericht, vestigde een jaar later haar Indisch hoofdkwartier in Pondicherry, iets ten zuiden van Madras.

In de laatste decennia van de 17de eeuw, terwijl de Engelsen Bombay uitbreidden en in het Bengaalse Calcutta hun Fort William bouwden, stichtten de Fransen ook factorijen in Bengalen (in Tsjandarnagar) en aan de westkust, in Surat. Een hevige concurrentiestrijd tussen beide landen ontstond, die alleen maar erger werd nadat de Fransen militaire bases vestigden op de eilanden Mauritius en Bourbon [Réunion] in de Indische Oceaan.

In 1746 kwam het tot een uitbarsting onder invloed van de gebeurtenissen in Europa, waar de Oostenrijkse Successieoorlog de Fransen en de Engelsen tegenover elkaar bracht. Nadat een Engelse vloot een aantal Franse schepen tot zinken had gebracht, vroeg gouverneur Dupleix assistentie uit Mauritius, waarna zonder veel moeite Madras op de Engelsen werd veroverd.

Anwar-ud-din, de nawab (in naam vice-koning voor de Mogol-keizer) van het gebied rond Madras, vond nu dat de Fransen Madras aan hem zouden moeten afstaan. Dupleix weigerde en versloeg de nawab met een leger van 230 Fransen en 700 sepoys (Indiërs in dienst van Europeanen) bij Saint-Thomé. Hij kocht vervolgens een zoon van Anwar vrij uit gevangenschap en plaatste deze op de nawabtroon. De feitelijke nawab was echter Dupleix zelf.

Op een dergelijke manier wist Dupleix zijn macht uit te breiden naar het gebied tussen de Godavari- en Krishna-rivieren, het gebied van de nizam, aanvankelijk de eerste minister van de Mogol-keizer, maar al geruime tijd opererend als zelfstandig machthebber.

Bij het Europese vredesverdrag van 1749 kreeg Engeland Madras weer terug. De kansen keerden en Dupleix werd met zijn eigen methoden bestreden: in 1752 zetten de Engelsen een andere zoon van de nawab op de troon. Frans gebrek aan interesse voor gebiedsuitbreiding en de hoge kosten van de militaire expedities deden de directie van de compagnie Dupleix terugroepen.

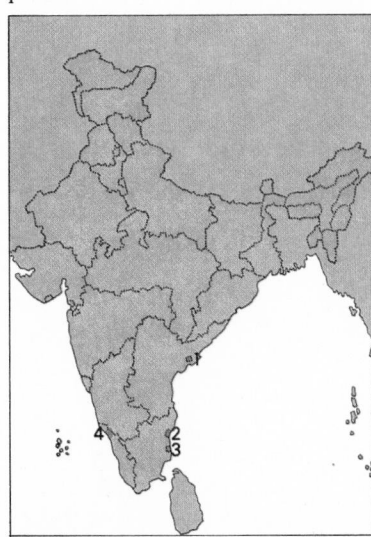

*Het Indiase Pondicherry: Yanam (1), Pondicherry (2), Karikal (3) en Mahé (4).*

**Januari.** Engeland en Pruisen beginnen opnieuw onderhandelingen over een mogelijk bondgenootschap.

**26 april.** In Moskou wordt de eerste universiteit van Rusland geopend, met drie faculteiten. Op 12 januari gaf tsarina Elisabeth haar goedkeuring aan de oprichting. →

**April.** Pasquale de' Paoli wordt op Corsica tot generaal gekozen, hetgeen het sein vormt voor een opstand tegen het Genuese bewind.

**30 juni.** Bij decreet wordt bepaald dat alle niet-gedoopte Chinezen zich niet meer in de Filippijnen mogen ophouden. →

**Juni.** De landgraaf van Hessen zegt in een verdrag toe Engeland troepen te zullen leveren voor de verdediging van het keurvorstendom Hannover.

**9 juli.** Het Engelse leger onder generaal Braddock wordt door de Fransen bij Fort Duquesne (Pittsburgh) in de Ohiovallei in Noord-Amerika vernietigend verslagen.

**15 juli.** De Franse ambassadeur in Londen wordt naar Frankrijk teruggeroepen.

**Augustus.** Engeland zegt het bondgenootschap met Oostenrijk op.

**8 september.** Bij Lake George in Noord-Amerika wordt het Franse leger door Engelse troepen verslagen.

**19 september.** In Sint-Petersburg sluiten Engeland en Rusland een conventie, waarbij Rusland in ruil voor jaarlijkse subsidies soldaten aan Engeland verhuurt.

**20 oktober.** Rusland verklaart in een oorlog elke tegenstander van Pruisen te zullen steunen.

**1 november.** Bij een aardbeving wordt Lissabon, de hoofdstad van Portugal, vrijwel geheel verwoest. Ruim dertigduizend mensen komen om. Engeland schenkt honderdduizend pond als bijstand. →

**November.** Bij een overrompelingsactie veroveren Engelse kaperschepen onder admiraal Hawke in één keer driehonderd Franse handelsschepen.

**November.** Het Engelse kabinet wordt gewijzigd. De tegenstanders van het voorgestelde subsidieverdrag met Rusland, dat nog geratificeerd moet worden door het parlement, verlaten het kabinet.

- De Duitse filosoof Immanuel Kant publiceert zijn *Allgemeine Naturgeschichte und Theorie des Himmels.*

# Moskou krijgt universiteit

*Michail Lomonosov.*

MOSKOU, 12 januari - Tsarina Elisabeth heeft haar goedkeuring gehecht aan het plan om in Moskou een universiteit te stichten met een filosofische, een juridische en een medische faculteit.

De universiteit is tot stand gekomen op initiatief van Michail Lomonosov, een universeel geleerde en dichter, zoon van een visser uit de buurt van Archangelsk. Als jongen is hij in de winter van 1730 met een viskar mee naar Moskou gelopen en daar naar school gegaan. In 1736 werd hij samen met twee andere jongens door de Russische regering naar Duitsland gestuurd om er natuurwetenschappen te studeren.

Lomonosov schreef de eerste Russische grammatica en is een ijveraar voor het gebruik van de Russische taal. Hij kan worden beschouwd als de stichter van de Russische chemie, astronomie, geologie en wiskunde en geldt tot op zekere hoogte als een van de 'stichters' van de moderne literatuur.

*Tijdens een zware aardbeving wordt Lissabon, de hoofdstad van Portugal, vrijwel volledig verwoest. Christenen zien in deze catastrofe een straf van God. Zeker 32 000 mensen zijn bij de ramp omgekomen.*

# Chinezen weg uit Manila

*Prauwen van 'heidense' Chinese handelaren op de Filippijnen.*

MANILA, 30 juni - Vandaag treedt het decreet van gouverneur Pedro Manuel de Arandia in werking, dat alle niet-gedoopte Chinezen verbiedt zich in de Filippijnen op te houden. Gisteren nog hebben 515 vooraanstaande Chinezen zich laten dopen om zo uitzetting te voorkomen. Op dit moment hebben al ruim 2000 van hun landgenoten Manila verlaten.

De maatregel is gebaseerd op een uit 1644 daterend koninklijk decreet, waarin uitwijzing van 'heidense' Chinezen werd bevolen. Het doel zou zijn de geloofsafval onder Chinezen (die zich overigens meestal om economische redenen laten dopen) te beperken door contact met boeddhisten en confucianisten onmogelijk te maken.

In werkelijkheid is het gericht tegen de economische positie van de Chinezen, die niet alleen een groot deel van de aanvoer van Aziatische produkten, maar ook de gehele kleinhandel monopoliseren. De Spanjaarden voelen zich voortdurend bedreigd door het grote aantal Chinezen dat zich in de Filippijnen gevestigd heeft. Als gevolg daarvan is het geregeld (1603, 1639, 1662, 1686, 1749) tot massale slachtpartijen gekomen, waarbij tienduizenden Chinezen op beestachtige wijze zijn omgebracht.

Na dergelijke uitbarstingen werden de Spanjaarden iedere keer geconfronteerd met een sterke economische teruggang; ze konden duidelijk niet zonder de Chinese handelaren, die dan na verloop van tijd weer toestemming kregen om zich in de kolonie te vestigen, waarna ze doorgaans hun oude positie heroverden.

Of dit na deze maatregel ook zal gebeuren is nog zeer de vraag. In de kleinhandel presenteren zich de mestizo's (gemengdbloedigen) zich steeds meer als concurrenten, terwijl de vanuit India opererende Engelsen de handel in Aziatische produkten dreigen te gaan overnemen.

**16 januari.** Engeland en Pruisen sluiten het Verdrag van Westminster. Frederik II garandeert de neutraliteit van Hannover.

**Februari.** Het Engelse parlement ratificeert het verdrag met Rusland van september 1755.

**Maart.** Carvalho wordt eerste minister van Portugal.

**April.** Rusland stelt Oostenrijk de deling van Pruisen voor.

**1 mei.** Frankrijk en Oostenrijk sluiten de Alliantie van Versailles. Het keizerrijk zal in een Engels-Franse oorlog neutraal blijven. Bij een aanval op een van beide door Pruisen zal de ander te hulp komen.

**17 mei.** Engeland verklaart Frankrijk de oorlog.

**Eind mei.** Frankrijk verovert Menorca op Engeland.

**4 juni.** Met het terugtreden van zes leiders uit de assemblée eindigt de quaker-suprematie over het bestuur in Pennsylvania, Noord-Amerika.

**14 augustus.** De Franse bevelhebber Montcalm verovert Oswego in Noord-Amerika en geeft opdracht tot het bouwen van forten in Illinois. De Engelsen worden verdreven uit de omgeving van de Grote Meren.

**29 augustus.** Frederik II van Pruisen valt Saksen binnen en verovert Dresden. →

**29 augustus.** Engeland raakt in oorlog met Frankrijk. →

**15 oktober.** Het Saksische leger geeft zich bij Pirna aan Pruisen over. 19 000 soldaten worden gevangengenomen.

**6 december.** Robert Clive, die sinds 16 oktober met admiraal Watson actie onderneemt tegen de nawab van Bengalen, India, neemt Fulta in.

**31 december.** Rusland treedt toe tot de Alliantie van Versailles tussen Oostenrijk en Frankrijk (1 mei).

- De burgeroorlog die sinds 1750 Paraguay teistert, loopt ten einde. De Spaansgezinde partij heeft de overhand.

- Vizier Mehmed Pasja Kukavica onderdrukt in Bosnië een burgeroorlog. →

- Voltaire voltooit zijn *Siècle de Louis XIV*.

- Piranesi publiceert vier delen etsen van Romeinse ruïnes, *Antichità Romana*.

- In Sint-Petersburg wordt onder leiding van de dichter Aleksandr Soemarokov het Russisch Theater opgericht.

*Scheepswerven in de Britse marinehaven Chatham.*

## Europese oorlog tegen Frankrijk

LONDEN, 29 augustus - Zoals reed geruime tijd werd verwacht is Enge land opnieuw met Frankrijk in oorlog geraakt. Anders dan tijdens de vorig oorlog, die in 1748 werd beëindigd heeft Engeland nu een bondgenoot schap met Pruisen gesloten. Men ver wacht dat de oorlog zich op verschil lende terreinen zal afspelen: i Europa, waar Engeland en Pruisen zich tegen de gecombineerde mach van Frankrijk en Oostenrijk te wee zullen stellen, en in de koloniën, waa Frankrijk en Engeland zullen gaan ui maken wie na deze oorlog de belang rijkste koloniale mogendheid is.

Frankrijk en Engeland bezitten divers vestigingen in India. Op het Ameri kaanse vasteland bezitten de Franse meer gebied, de Engelse gebieden telle echter meer inwoners. Twee jaar gele den heeft het Britse bestuur in Alban in New York een conferentie bijeenge roepen met vertegenwoordigers uit d verschillende gebieden. De Engelse hoopten dat de koloniën een zekere ver antwoordelijkheid zouden willen ne men in de oorlog, waarvan men toe reeds meende dat die ophanden was Daarvoor werd het door Benjami Franklin opgestelde 'Albany plan o Union' aangenomen. De besturen va de koloniale gebieden weigerden he plan echter te accepteren: men wild onafhankelijk blijven maar rekende e wel op dat de Engelsen de oorlog tege Frankrijk zouden voeren.

De rijken die nu met elkaar in oorlo zijn, worden bestuurd volgens mercan tilistische principes, wat onder meer wi zeggen dat de koloniën wingeweste van het moederland zijn. Het Britse systeem is enerzijds vrijer dan het Fran se (immigranten van andere landen zijn welkom in de Engelse koloniën, terwij ook lokaal zelfbestuur is toegestaan) anderzijds is het Engelse bestuur strik ter dan de Franse variant ervan: bij de Akten van Navigatie is bepaald da goederen vanuit de koloniën alleen ver voerd mogen worden door schepen ui Engeland of uit de koloniën, met ee bemanning uit deze gebieden.

# Eerste slag voor Pruisen

OOSTENRIJK, 29 augustus - Meer an 60 000 Pruisische soldaten hebben e grens met Saksen, de bondgenoot an Oostenrijk, overschreden. Met eze aanval reageert Frederik II van ruisen op de mobilisering van de oostenrijkse troepen. Indachtig zijn evies 'Besser praevenire als praeveni-' (Beter verhinderen dan verhinderd orden) deelt hij de eerste klap uit. iermee is de oorlog tussen Pruisen en oostenrijk, die al sinds het einde van de oostenrijkse Successieoorlog diplo-atiek werd voorbereid, een feit.

e Pruisische koning bracht in 1752 reffend onder woorden welke con-lictstof er tussen Oostenrijk en Prui-en lag opgetast: 'Van alle Europese achten hebben wij Oostenrijk het iepst gekwetst. Nooit zal het het ver-es van Silezië kunnen verkroppen, ooit zal het vergeten dat het zijn aan-ien in Duitsland met ons moet delen.' nderdaad: de Oostenrijkse buiten-andse politiek stond sinds 1748 in het eken van de herovering van het rijke ilezië, dat in de Oostenrijkse econo-ie de rol van 'Fabrikant und Spedi-eur' had vervuld. Om dit doel te berei-en was de belangrijkste adviseur van Maria Theresia, graaf Wenzel Anton on Kaunitz-Rietberg, zelfs bereid tot en diplomatieke volte-face. Hij zocht oenadering tot de erfvijand van het uis Habsburg: Frankrijk.

n de Oostenrijkse Successieoorlog vas het Oostenrijk pijnlijk duidelijk eworden dat de 'natuurlijke bondge-oot' Engeland pas hun zijde had ge-ozen in de oorlog met Frankrijk toen e Britse koloniale belangen bedreigd

werden, en niet uit liefde voor Oosten-rijk. Engeland was helemaal niet geïn-teresseerd in Silezië en in de politieke verhoudingen op het Europese vaste-land om slechts 'Canada in Duitsland te veroveren', zoals William Pitt senior het uitdrukte. In Londen wist men dat Kaunitz en Maria Theresia niet veel waarde meer hechtten aan 'das alte System'. Erg rouwig waren de Engel-sen er niet om - een nieuwe politieke liefde was snel gevonden. Op 16 janua-ri sloot Engeland met Pruisen het Ver-drag van Westminster. Oostenrijk en Frankrijk werden het minder gemak-kelijk met elkaar eens, omdat beide landen sinds 1477, het jaar waarin Maximiliaan I met Maria van Bour-gondië huwde, in onmin leefden. Op 1 mei sloten zij het Verdrag van Versail-les. De 'Renversement des Alliances' (de totale ommekeer van de bondge-nootschappen) was voltooid.

*De koets (de Engels-Oostenrijkse alliantie) is omgevallen.*

# Vizier Mehmed Pasja pacificeert Bosnië

TRAVNIK - Vizier Mehmed Pasja Kukavica, die vier jaar geleden naar Bosnië werd gestuurd om een einde aan de daar heersende anarchie te maken, ijkt in zijn opzet geslaagd te zijn. De oorlog tussen de verschillende leger-eenheden is onderdrukt.

Als grensprovincie van een gestaag ver-zwakkend Osmaans Rijk is Bosnië her-haaldelijk strijdtoneel geweest van conflicten tussen de Donaumonarchie en het Osmaanse Rijk. Bovendien is de sociale situatie complex. De oude Sla-vische moslemadel, de hoge ambtena-ren en militairen vormen de heersende klasse: de 'begs' of 'beys'. Direct daar-onder komt de lagere adel ('aga's'), die bestaat uit kleine landeigenaren, lage militairen ('sipahi's') en janitsaren. Deze groep krijgt steeds meer greep op het land. De Slavische boeren, ortho-doxen en ook wel katholieken, die op hun land werken, zijn er in het alge-meen beter aan toe dan hun lotgenoten op de landgoederen van de 'begs'.

De situatie in Bosnië is na het vertrek van de capabele vizier Ali Pasja Hekim Oglu naar Egypte in 1740 snel verslech-

terd. Hij was er nog in geslaagd te rege-ren met behulp van een raad die was sa-mengesteld uit provincienotabelen en vertegenwoordigers van het centrale bestuur. Na zijn vertrek brak er echter een machtsstrijd uit tussen de militaire elementen in Bosnië, die al snel het ka-rakter van een burgeroorlog kreeg. De voornaamste tegenstanders waren de kapiteins die belast waren met de grensbewaking en die militaire leen-goederen hadden. Zij streefden naar erfelijk grootgrondbezit en politieke macht en stuitten hierbij op de tegen-stand van de janitsaren, die steeds meer bij plaatselijke aangelegenheden be-trokken raakten. Dit alles ging ten koste van het overkoepelende provin-ciale bestuur.

Ali Pasja, die in 1745 en 1747 terug-keerde, kon niet langer op de steun van de plaatselijke aanzienlijken rekenen, omdat hij van hogerhand zware be-lastingen moest doorvoeren. Na zijn vertrek inden de lokale machthebbers lange tijd zelf de belastingen en ze be-vochten elkaar. De situatie lijkt nu ech-ter voorlopig onder controle te zijn.

---

**2 januari.** Robert Clive verovert Calcutta, India. Siraj ud-Dawah, de nawab van Bengalen, sluit daarop een verdrag met de Engelsen. →

**5 januari.** Damiens probeert Lodewijk XV van Frankrijk te vermoorden, hetgeen mislukt. Hij wordt terechtgesteld.

**17 januari.** De Duitse Rijksdag, gevolgd door Rusland, Polen en Zweden, verklaart Pruisen de oorlog.

**Februari.** Rusland en Oostenrijk sluiten een nieuw verbond. Geen van beide mag vrede met Pruisen sluiten voor Silezië en Glatz zijn heroverd.

**14 maart.** De Engelse admiraal Byng wordt, na een veroordeling door de krijgsraad, geëxecuteerd wegens plichtsverzuim bij de verdediging van Menorca (mei 1756).

**17 maart.** Mas Saïd, de rebelerende prins van Mataram, onderwerpt zich aan zijn achterneef Mangkubumi. →

**1 mei.** Oostenrijk en Frankrijk breiden de Alliantie van Versailles (1 mei 1756) uit. Pruisen zal worden verdeeld, waarna Silezië en Glatz bij Oostenrijk komen. Frankrijk zal de jaarlijkse subsidies aan Oostenrijk verhogen. De Zuidelijke Nederlanden zullen aan Don Filips toekomen.

**6 mei.** Frederik II van Pruisen verslaat bij Praag het keizerlijke leger onder Karel van Lotharingen, de landvoogd van de Zuidelijke Nederlanden.

**18 juni.** Het keizerlijke leger verslaat Frederik II met zijn troepen bij Kolin, ten oosten van Praag. Van de 33 000 Pruisische soldaten verliest Frederik er 13 000.

**23 juni.** Robert Clive belegert met het Engelse expeditieleger bij Plassey, India met succes de nawab van Bengalen, die het verdrag van januari heeft verbroken en zich met Frankrijk heeft verbonden. →

**8 september.** Het Engelse leger geeft zich bij Kloster Seven over aan Frankrijk. Hannover en Brunswijk, de Duitse gebieden van George II, capituleren eveneens. George II weigert de Conventie te ondertekenen.

- De Militia Act stelt de omvang van het staande leger in Engeland vast op 32 340 man.

- China sluit de veroveringsoorlogen sinds 1752 in Centraal-Azië af met de verovering van Xianjiang. →

---

# Clive verslaat nawab Bengalen

*Robert Clive met nawab Siraj.*

PLASSEY, 23 juni - Bij Plassey, ten noorden van Calcutta in Bengalen, heeft luitenant-kolonel Robert Clive (32) het leger van de nawab Siraj van Bengalen verslagen. De Engelse kandi-daat voor het nawabschap, Mir Jafar, kan nu op de troon geïnstalleerd wor-den. De Engelse invloed in Bengalen heeft daarmee een nieuw hoogtepunt bereikt nadat Clive in maart van dit jaar de Franse factorij in Tsjandarna-gar veroverde en de Fransen uit Benga-len verdreef.

Toen in 1740 Ali Vardi Chan nawab van Bengalen werd maakte hij zich fei-telijk onafhankelijk van het Mogol-rijk. Bengalen voer wel bij de in-komsten uit handel met de Europea-nen. De enige bedreiging voor Ali Var-di Chan kwam uit het westen van de Mahratten. Het rijk van deze hindoes ontstond halverwege de vorige eeuw en was sindsdien uitgegroeid tot een machtig rijk waarin vier generaals elk een eigen gebied bestuurden terwijl ze trouw zwoeren aan de raja (koning) van Satara, wiens pesjwa (eerste minis-ter) echter de werkelijke machthebber was.

Ali Vardi Chan bleek in staat deze Mahratten handig tegen elkaar uit te spelen en Bengalen onaangetast te la-ten. Toen hij vorig jaar april stierf liet hij echter geen zoon achter om deze po-litiek voort te zetten. Hij had de zoon van zijn jongste dochter aangewezen om hem op te volgen.

Deze onstuimige twintigjarige Siraj zag in een versterking van Fort William in Calcutta, waarvoor hij geen toe-stemming had verleend, aanleiding om de Engelsen aan te vallen. Hij ver-overde het fort op 20 juni vorig jaar. In januari van dit jaar zag Robert Clive, die met versterking vanuit Madras was gekomen, kans het fort te heroveren. Gebruik makend van de vijandigheden die zich op dat moment in Europa voordeden, verdreef Clive de Fransen uit Bengalen en met steun van hin-doeïstische bankiers, die ontevreden waren met de op macht beluste nawab, versloeg hij Siraj.

*Ook op Sri Lanka is de aanwezigheid van de VOC onmiskenbaar.*

# Mas Saïd geeft zich over

SURAKARTA, 17 maart - Mas Saïd, de laatste rebellerende Mataramse prins, heeft zich na onderhandelingen met de VOC-gouverneur van Java's oostkust, Nicolaas Hartingh, onderworpen aan zijn achterneef, de susuhunan van Surakarta. Hij krijgt de waardigheid van pangeran Mangkunegoro en zal als vazal van de susuhunan gaan regeren over een zelfstandig vorstendom van 4000 huishoudens. Twee jaar geleden al werd een verzoening bereikt tussen de door de VOC gesteunde susuhunan Pakubuwono III van Mataram en zijn oom pangeran Mangkubumi. Bij het op 13 februari 1755 gesloten Verdrag van Gianti werd toen het rijk Mataram opgedeeld in twee delen van ieder 12 000 huishoudens: Jogyakarta, met Mangkubumi als sultan Hamengkubuwono I, en het door Pakubuwono te regeren Surakarta.

Met deze deling is een streep gezet onder de traditionele politiek van de VOC om op Midden-Java een stabiel en ongedeeld rijk in stand te houden. Voor een bloeiende handel is politieke rust noodzakelijk, maar daaraan ontbreekt het sinds decennia ten enen male. Het Mataramse hof werd geteisterd door elkaar voortdurend bestrijdende facties; bijna elke troonopvolging werd betwist en tientallen prinsen kwamen in de loop der jaren in opstand. De VOC voelde zich iedere keer weer gedwongen in te grijpen en werd daardoor steeds meer betrokken bij het bestuur over Java.

Na de Eerste (1704-1708) en Tweede (1719-1723) Javaanse Successieoorlog en de zogenaamde Chinese en Madurese oorlogen (1740-1746) was de VOC in het bezit van het grootste deel van Java gekomen. In Mataram werd de labiele en onzekere Pakubuwono II in het zadel gehouden. In 1746 kwam diens invloedrijke broer Mangkubumi in opstand na in het openbaar door gouverneur-generaal Van Imhoff te zijn beledigd. Samen met Mas Saïd voerde hij een hardnekkige guerrilla, waartegen de VOC niet opgewassen bleek.

De doodzieke susuhunan tekende op 11 december 1749 een contract met de VOC waarbij hij haar de soevereiniteit over Mataram overdroeg, om op die wijze de opvolging door de kroonprins veilig te stellen. Negen dagen daarna overleed hij en werd in aller ijl Pakubuwono III geïnstalleerd. De nieuwe vorst, een weinig indrukwekkende persoonlijkheid, bleek over bitter weinig aanhang te beschikken; de meeste Javaanse groten kozen de zijde van Mangkubumi. Tot 1752 poogde de VOC de opstand met geweld neer te slaan, maar toen dit niet mogelijk bleek besloot men een schikking te treffen. Mangkubumi, die inmiddels met Mas Saïd in conflict was geraakt, verklaarde zich in 1755 daartoe bereid. Nu ook met Mas Saïd een overeenkomst is gesloten heerst voor het eerst sinds drie kwart eeuw weer vrede op Java, dat zwaar onder alle geweld heeft geleden: hele districten liggen er kaal bij, het bevolkingsaantal is met meer dan 40 procent verminderd.

## Tegenslag voor Frederik de Grote

KOLIN, 18 juni - Het leger van Pruisen, dat geleid werd door koning Frederik de Grote, heeft een zware nederlaag geleden tegen een Oostenrijkse legereenheid die onder leiding stond van L.J. von Daun.

In april zijn de Pruisen Bohemen binnengetrokken en op 6 mei leden de Oostenrijkers bij Praag een grote nederlaag. Ondanks zware verliezen begon Frederik daarna aan de belegering van Praag. Enkele weken later trok von Daun met een groot versterkt leger op om Praag te ontzetten. De Pruisen werden verslagen, waarna het beleg werd opgeheven.

# China slaat opstand neer

*Qian Loeng (keizer sinds 1735) met een groot gezelschap tijdens de jacht.*

PEKING - De opstand van de Westmongoolse Zungaren is bedwongen. Het hele gebied rond de Ilirivier en het Balchasmeer is in Chinese handen. Deze overwinning houdt in dat China nu een groter gebied in Centraal-Azië beheerst dan ooit tevoren in de geschiedenis. Naast de veroveringen in Ili, Chinees Toerkestan en de pacificatie van Buiten-Mongolië heeft China tevens vaste voet in Tibet gekregen. Nadat een interventie van de Zungaren in Tibet op een burgeroorlog was uitgelopen, werd het onder Mantsjoe-protectoraat geplaatst.

Zungaren of Eleuten (Weilate) waren oorspronkelijk een jagersvolk dat aan de Jenisejrivier in Siberië woonde. Ze sloten zich aan bij Djingiz Chan tijdens diens veroveringen. Sinds hun migratie naar het Iligebied hebben zij zich met landbouw beziggehouden. Ze worden als een van de vier Westmongoolse 'stammen' beschouwd.

In 1755 trokken Mantsjoe-legers Zungari (Zhungeer) binnen en schenen een makkelijke overwinning te zullen behalen. Maar al spoedig plaatste Amursan (Amuersan), die door de Mantsjoes als heerser over alle Eleutenstammen was aangesteld, zich aan het hoofd van een massale opstand tegen de Mantsjoe-overheersing. In de twee jaren strijd die daarop volgden werden de Eleuten nagenoeg uitgeroeid: van een bevolking van 600 000 werd 30 procent uitgemoord, 40 procent stierf aan de pokken en 20 procent vluchtte naar Siberië. Het nieuwveroverde en nu ontvolkte Iligebied zal door het Mantsjoe-bewind gebruikt worden als een verbanningsoord en kolonisatie-

gebied. De kolonisatieplannen worden mede ingegeven door de expansie van Rusland en Centraal-Azië.

De rebellie van de Zungaren is een van de vele opstanden van niet-Chinezen in China in de afgelopen tientallen jaren. In 1735 en 1741 werd strijd gevoerd door de Miao (Meo)-stammen in Guizhou en Hunan. In de jaren 1748-1749 werden de Tibetaanse bergbewoners van Sichuan bedwongen. De enorme financiële lasten van zowel de laatstgenoemde militaire campagne als die tegen de Zungaren getuigen van de strijdvaardigheid van de opstandige volkeren.

Na het bedwingen van Zungari worden in Peking nu plannen opgesteld voor de verovering en pacificatie van het gebied ten zuiden van de Hemelbergen (Tian Shan) waar Oejgoeren (Weiwuer) wonen.

*Keizer Qian Loeng op hertejacht.*

# 1758

# Vrede VOC en Buginezen

*Een Buginees en een Ambonees, beiden in krijgstenue.*

LINGGI, 1 januari 1758 - Geheel onverwacht is een vredesakkoord gesloten tussen de VOC en daeng Kemboja van Linggi, de Buginese yang dipertuan muda (onderkoning) van het vorstendom Johore/Riau. De Buginezen, die sinds enige tientallen jaren de feitelijke heersers over grote delen van het Maleise schiereiland zijn, belegerden enige maanden geleden het VOC-fort te Malakka als reactie op een door de Hollanders met sultan Sulaiman van Johore/Riau gesloten verdrag. De sultan, een machteloze marionet van de onderkoning, had in een wanhopige poging zijn zelfstandigheid te herwinnen steun gezocht bij de VOC, in ruil waarvoor deze onder andere Johores Sumatraanse onderhorigheid Siak en een monopolie op de handel in tin zou verkrijgen. Deze toezeggingen zijn bij de thans gesloten overeenkomst ook door de Buginezen erkend.

De om hun strijdlust en zeemanschap bekend staande Buginezen zijn afkomstig uit Celebes, dat zij gedwongen waren te verlaten toen de VOC met hun verovering van Makasar (1667) een einde aan hun handelsactiviteiten maakte. Ze zwierven uit over de Aziatische wateren en maakten snel naam als piraten en huurlingen. Aan het einde van de 17de eeuw werden de Buginezen ook door de sultans van Johore ingeschakeld in hun vele regionale conflicten en grote aantallen vestigden zich in het vorstendom (met name in Selangor).

In 1699 werd sultan Mahmoed, de laatste vorst uit de oude Malakka-dynastie, vermoord op bevel van de bedahara (eerste minister), die nu zelf als sultan Abdul Jalil op de troon plaats nam. De nieuwe vorst werd onmiddellijk geconfronteerd met een groot aantal opstanden. Deze kwamen niet alleen voort uit de verontwaardiging over de moord, een daad van derhaka (heiligschennis), maar ook uit verzet tegen het bewind van raja Muda, de broer van de sultan, die in feite regeerde en zich in korte tijd bij de meeste Maleise orang kaya's (vooraanstaanden) gehaat maakte. In 1717 wist een van de opstandelingen, raja Kecil van Siak, zich meester te maken van de hoofdstad van Johore (op dat moment in de Riau-archipel). Sultan Abdul Jalil wist te ontvluchten, maar werd later vermoord.

In Johore heerste nu chaos en de Buginezen maakten hiervan handig gebruik. In 1722 verjoegen ze raja Kecil uit Riau, riepen Abdul Jalils zoon Sulaiman uit tot sultan, installeerden een van hun leiders als yang dipertuan muda en maakten zich op deze wijze meester van de macht. De Buginezen zijn nauwelijks geïnteresseerd in Johore zelf. Ze gebruiken het als uitvalshaven voor plundertochten (bijvoorbeeld tegen de noordelijke Maleise rijkjes Perak en Kedah) en concentreren zich in de Selangor-districten, waar ze in 1740 een onafhankelijk (Buginees) sultanaat vormden. Het vroeger zo machtige rijk Johore valt steeds verder uiteen in zelfstandig optredende staatjes en de tot voor kort zo levendige haven van Riau biedt nu een troosteloze aanblik.

# Astronoom Halley voorspelde komst van grote komeet

LONDEN, december 1758 - Rond Kerstmis is aan het firmament boven Europa een indrukwekkende komeet zichtbaar geworden. Dit betekent dat de voorspellingen van de in 1742 overleden Engelse astronoom Edmund Halley juist blijken te zijn. Gebruik makend van de bewegingswetten van Newton heeft hij op basis van berekeningen kunnen aankondigen dat de komeet dit jaar weer zichtbaar zou worden. Besloten is de komeet voortaan 'komeet van Halley' te noemen.

In 1705 publiceerde Halley *A synopsis of the astronomy of comets.* Hij was toen als hoogleraar werkzaam in Oxford. In dit boek berekent hij de baan van 24 kometen die tussen 1337 en 1698 zijn waargenomen. Ook de nu verschenen komeet wordt in dit boek genoemd. Halley toont aan dat deze komeet dezelfde is als die in 1607 en 1531 was verschenen. Hij heeft zo de eerste elliptische kometenbaan ontdekt. Op 64-jarige leeftijd werd Halley in 1720 benoemd tot directeur van de sterrenwacht in het Engelse Greenwich, waar hij is overleden.

*De Zevenjarige Oorlog is op een Franse nederlaag uitgelopen. Bij Quebec vond de beslissende slag plaats. Onder generaal James Wolfe voerden de Engelsen een aanval uit die de Fransen verraste. Dit schilderij van Benjamin West toont de laatste momenten van Wolfe.*

# Pruisen lijdt nederlaag bij Kunersdorf

*De Pruisische generaal Friedrich Wilhelm von Seydlitz.*

KUNERSDORF, 12 augustus 1759 - Pruisen is door de Oostenrijkse en Russische legers in de Slag bij Kunersdorf verslagen. In deze drie jaar geleden uitgebroken oorlog probeert Oostenrijk, gesteund door Frankrijk en Rusland, de macht van Pruisen terug te dringen en Silezië te heroveren. Ook spelen commerciële en koloniale conflicten tussen Engeland en Frankrijk een rol.

De oorlog werd voorafgegaan door intensief diplomatiek overleg tussen de verschillende Europese staten. Dit leidde in 1756 tot de zogenaamde 'Renversement des alliances', waarbij Pruisen en Oostenrijk van bondgenoot wisselden. Engeland, dat voorheen de bondgenoot van Oostenrijk was, en Pruisen sloten op 16 januari 1756 het Verdrag van Westminster. Oostenrijk sloot op 1 mei van hetzelfde jaar een verdrag met zijn voormalige tegenstander Frankrijk. Rusland, Zweden en een aantal Duitse staten sloten zich hierbij aan. Het verbond werd bekrachtigd door het uithuwelijken van de dochter van Maria Theresia, Marie Antoinette, aan de Franse troonopvolger Lodewijk XVI.

In Frankrijk was dit bondgenootschap omstreden. Door de vernietiging van Pruisen zou Oostenrijk zijn heerschappij in het Duitse Rijk vestigen en zou er een einde aan het Duitse dualisme en de verdeeldheid in dit gebied komen. Bovendien hadden vooral Franse intellectuelen grote bewondering voor Frederik de Grote.

De oorlog begon met de inval van Pruisen in Saksen. Na de capitulatie van Pirna werd dit land de Pruisische operatiebasis. Van hieruit trachtte Frederik de Grote te voorkomen dat de coalitielegers zich zouden samenvoegen. Hij moet strijden tegen drie landen die elk wat inwonertal betreft meer dan driemaal zo groot als Pruisen zijn.

# 1760

**22 januari.** Het Franse expeditieleger in India onder bevel van Lally wordt bij Wandewash verslagen door Engelse troepen onder Eyre Coote.

**25 februari.** Robert Clive, de eerste Engelse gouverneur van Bengalen, keert naar Engeland terug.

**1 april.** Oostenrijk en Rusland sluiten een verdrag over voortzetting van de oorlog tegen Pruisen.

**23 juni.** Pruisische troepen die de passen naar Silezië bewaken, worden bij Landshut verpletterend verslagen door keizerlijke troepen.

**26 juli.** Oostenrijkse troepen onder Laudon nemen het Silezische fort Glatz in.

**15 augustus.** Ondanks de tegenslagen weet Frederik II bij Leignitz een overwinning op het Oostenrijkse leger te behalen.

**8 september.** Engelse troepen nemen Montreal in, waarna de Franse gouverneur van Nieuw-Frankrijk, Canada, capituleert.

**September.** Russische en Zweedse troepen plunderen Pommeren, Oost-Pruisen, terwijl troepen van de keizer Saksen en Halle bezetten.

**9-13 oktober.** Russische en Oostenrijkse troepen bezetten en plunderen Berlijn, de hoofdstad van Pruisen, terwijl Frederik II vanuit Silezië optrekt. Bij diens nadering wordt de stad weer opgegeven.

**25 oktober.** Koning George II van Engeland en Ierland, keurvorst van Hannover, sterft. Hij wordt opgevolgd door zijn 22-jarige kleinzoon George III.

**3 november.** Frederik II verslaat het Oostenrijkse leger bij Torgau. Oostenrijk moet Saksen met uizondering van Dresden weer ontruimen.

- Giacomo Girolamo Casanova wordt in de adelstand verheven. →

- De Nederlandse ontdekkingsreiziger Jacobus Coetzee ontmoet na het overtrekken van de Oranjerivier in de Kaapprovincie, zuidelijk Afrika, de stam der Hottentotten.

- Het keizerrijk China beperkt de contacten met het buitenland tot de havenstad Kanton. Slechts een beperkt aantal Chinezen mag nog met buitenlanders handeldrijven.

- De Engelse East India Company sluit een geheim verdrag met Mir Kassem, die hierop nawab van Bengalen, India, wordt.

Gestorven:

**9 mei.** Nikolaus Ludwig graaf von Zinzendorf und Pottendorf (26-5-1700), Duits evangelist en componist van religieuze liederen

# Adellijke titel voor Casanova

*Casanova, Chevalier de Seingalt.*

PARIJS - Giacomo Girolamo Casanova is in de adelstand verheven. De bekende Italiaanse avonturier draagt voortaan de titel: Chevalier de Seingalt.

Met name in kringen van de Franse aristocratie is de nu 35-jarige Casanova, die als avonturier een indrukwekkende staat van dienst heeft, een graag geziene en veelbesproken figuur. Na op zijn zestiende wegens aanstootgevend en immoreel gedrag van het seminarium te zijn verwijderd heeft de Chevalier, geboren in Venetië maar op 1-jarige leeftijd bij zijn oma in Londen achtergelaten, onder meer gewerkt als journalist, prediker, spion, abt, diplomaat, soldaat en violist.

In 1755 werd hij, na lang de beschermeling van de Venetiaanse senator Bragadin te zijn geweest, wegens libertinisme, atheïsme, occultisme en vrijmetselarij gevangengezet in het Dogenpaleis in Venetië. Na een spectaculaire ontsnapping vestigde Casanova zich in november 1756 in Parijs. Hier introduceerde hij de (voor hem zeer winstgevende) loterij. Ook richtte hij een fabriek op voor het verven van zijden stoffen. Zijn bekendheid met diverse vorsten, schrijvers en wetenschappers dankt Casanova volgens sommigen aan zijn grote vermogen 'om te verleiden en te behagen'.

*Casanova maakt een verovering.*

# 1761

**7 januari.** Het Afghaanse leger verslaat de Mahratten bij Panipat, ten noorden van Delhi, India.

**16 januari.** Eyre Coote neemt met een Engels legertje, na een beleg sinds september 1760, de laatste Franse vesting in India, Pondicherry, in.

**26 januari.** De Oostenrijkse Staatsrat komt voor de eerste maal bijeen. →

**Juni.** Hendrik Hop leidt de expansie vanuit de Nederlandse Kaapprovincie, Zuidelijk Afrika, ten noorden van de Oranjerivier na de eerste tocht van Coetzee in 1760.

**15 augustus.** Frankrijk en Spanje sluiten het Derde Bourbon Familie-Verbond, waarbij de bezittingen van beide landen worden gegarandeerd. Spanje zal in de oorlogen van Frankrijk gaan deelnemen als per 1 mei 1762 geen vrede is gesloten, waarbij de vijand van de een en van de ander zal zijn. Ook wordt een handelsverdrag gesloten.

**September.** Op initiatief van de Franse minister van Buitenlandse Zaken, Choiseul, worden de eerste contacten over vrede met Engeland gelegd.

**Oktober.** Oostenrijkse troepen nemen Schweidnitz en blokkeren de positie van Frederik II van Pruisen in Bunzelwitz.

**16 december.** Het Russische leger neemt Kolberg in, van waaruit over zee verbindingen kunnen worden onderhouden met Rusland.

- Iëharoe wordt sjogoen van Japan.

- Joseph Gottlieb Köllreuter toont wetenschappelijk de juistheid van de theorie van Camerarius uit 1694 over de bestuiving-bevruchting van planten aan.

- Op het schiereiland Yucatán, Mexico, wordt een Indianenopstand door het Spaanse leger bloedig onderdrukt.

- Denemarken financiert een wetenschappelijke expeditie onder leiding van C. Niebuhr naar Arabië.

- Jean-Jacques Rousseau begint met de publikatie van *Julie; ou la nouvelle Héloïse*.

- Duhamel du Monceau publiceert een door de Franse academie van wetenschappen goedgekeurde catalogus van nieuwe produkten en uitvindingen.

- In de Republiek ontstaat het 'bloedschande'-schandaal rond Onno van Haren. Tegelijkertijd wordt geprobeerd zijn broer Willem en andere invloedrijke Friezen uit Den Haag te verwijderen.

# Goede raad voor keizerin Maria Theresia

*De eerste uitreiking van de militaire Maria-Theresia-orde.*

WENEN, 26 januari - De Staatsrat, een centrale instelling die Maria Theresia moet adviseren in alle aangelegenheden van de Oostenrijkse erflanden en de staten van het Duitse Rijk, is voor de eerste maal bijeengekomen.

In november en december vorig jaar besprak graaf Wenzel Anton von Kaunitz-Rietberg, Maria Theresia's belangrijkste raadsman, met zijn vorstin de wanhopige positie waarin Oostenrijk verkeerde. De staat was bankroet en de oorlog tegen Pruisen had een ongunstig verloop: zowel op 15 augustus als op 3 november leden de Oostenrijkse troepen zware verliezen. Oostenrijk leek te zijn overgeleverd 'à la discrétion de tous ses ennemis'.

Het instellen van een overkoepelend adviserend en controlerend lichaam zag Kaunitz als eerste redmiddel. Deze Staatsrat zou voor alle kwalen waaraan Oostenrijk leed een remedie moeten vinden. 'Wat mij betreft, ik ben er ten diepste van overtuigd dat slechts deze instelling Uwe Majesteit de middelen in handen kan geven om de staat te redden, om het binnenlandse bestuur uit een staat van wanorde en verval op te voeren tot een graad van perfectie waarin zich wellicht geen Europese regering bevindt.' Maria Theresia onderschreef zijn voorstel: 'Onze huidige situatie is hoogst kritiek. Met de hulp van deze Staatsrat durf ik de ondergang van de staat het hoofd te bieden.'

De Staatsrat, die geen uitvoerende macht bezit, moet de misstanden in het bestuur opsporen en verbeteringen voorstellen. Hij krijgt tot taak 'in einer fortwährenden Aufmerksamkeit Religion, Recht, Polizei, Kredit usw. aufrechtzuhalten, mit fleissiger Obsorge an der Verbesserung und Vermehrung der Pflege von Fabriken und des Handels in allen Erbländern zu arbeiten.'

**4 januari.** Engeland verklaart Spanje en Napels de oorlog.

**5 januari.** Tsarina Elisabeth van Rusland sterft. Zij wordt opgevolgd door Peter III.

**12 februari.** Een Engels eskader verovert de Franse kolonie Martinique.

**18 februari.** Tsaar Peter III heft in Rusland de dienstplicht voor de adel op. →

**April.** In Amsterdam publiceert Jean-Jacques Rousseau zijn essay *Du contrat social; ou Principes du droit politique* en in juni *Emile; ou de l'éducation*. →

**5 mei.** Rusland en Pruisen sluiten vrede. Rusland geeft alle veroverde gebieden terug. Tegelijkertijd wordt een defensief en offensief verbond gesloten.

**22 mei.** Pruisen en Zweden sluiten in Hamburg vrede.

**Mei.** Spanje valt Portugal binnen na de Portugese afwijzing van een Spaans-Franse nota, waarin sluiting van de Portugese havens voor Engelse schepen en Portugese neutraliteit werd geëist. →

**8 juni.** Rusland en Pruisen sluiten na de overeenstemming van 5 mei formeel een verdrag tegen Oostenrijk.

**15 juni.** In Oostenrijk wordt voor het eerst papiergeld uitgegeven.

**17 juli.** Peter III, tsaar van Rusland, wordt vermoord. Catharina II volgt hem als tsarina op. Panin wordt eerste minister.

**14 augustus.** Havana, de belangrijkste Spaanse haven in het Caribisch gebied, wordt door een Engels eskader veroverd.

**6 oktober.** Manila, een Spaanse vestiging, valt voor Engelse troepen.

**29 oktober.** Prins Hendrik van Pruisen verslaat het Oostenrijkse leger bij Freiburg. Het is de enige door Pruisen gewonnen veldslag in de Zevenjarige Oorlog waarbij Frederik II niet het bevel voerde.

**1 november.** Keizerlijke troepen veroveren Kassel op het Franse leger, dat zich op de linker Rijnoever terugtrekt.

**3 november.** Engeland, Spanje en Frankrijk tekenen in Fontainebleau een wapenstilstand.

**24 november.** Pruisen, Saksen en het keizerrijk sluiten een wapenstilstand.

- De Zweedse natuuronderzoeker Karel Linné (Linnaeus) wordt in de adelstand verheven. →

- De Bulgaarse monnik Paisi Hilendarski voltooit zijn *Een Slavisch-Bulgaarse geschiedenis*. →

# Geen dienstplicht voor adel

SINT-PETERSBURG, 18 februari - Tsaar Peter III heeft de dienstplicht voor de adel opgeheven. Volgens zijn Manifest is dwang niet langer nodig. Er zijn nu genoeg bekwame en dappere militairen en ontwikkelde mensen in het landsbestuur. Enthousiasme voor de dienst is bij iedereen aanwezig, aldus het Manifest. Er wordt wel verwacht dat men vrijwillig dienst doet, zoals uit de slotzin van het Manifest blijkt: 'Al diegenen die nergens gediend hebben, maar al hun tijd doorbrengen in luiheid en ijdelheid en hun kinderen geen nuttige opvoeding geven tot welzijn van het vaderland (...) zullen geen toestemming krijgen aan ons hof te verschijnen noch op openbare bijeenkomsten en festiviteiten.'

Op het organiseren van goed onderwijs wordt door de leden van de adel zelf aangedrongen. Hun zonen hoeven, als ze onderwijs gevolgd hebben, hun dienst niet te beginnen in de rang van gemeen soldaat. Het volgen van onderwijs is populair onder de adel. Op landeigenaren die geen belangstelling hebben voor het leren van vreemde talen, voor de natuurwetenschappen en de algehele oriëntatie op het Westen, wordt neergekeken.

*Tsaar Peter III van Rusland.*

*Catharina II de Grote.*

De meeste edelen zijn niet rijk; drie vijfde van de adel heeft minder dan twintig zielen (dat wil zeggen lijfeigenen). Zij zijn niet in staat hun gezin naar Petersburg of Moskou mee te nemen en een beheerder op hun landgoed aan te stellen. Hun vrouw voert het beheer en zij zien hun gezin alleen als ze met verlof gaan. De staat betaalt voor hun diensten wel een toelage, maar die is ontoereikend en vaak, net als de opbrengst van hun landgoed, in natura. De regeling uit 1736, waarbij werd bepaald dat één zoon niet hoefde te dienen en voor het landgoed kon zorgen, betekende een grote verbetering.

Iemand als Aleksandr Mensjikov, medewerker van Peter de Grote, die op het toppunt van zijn macht 300 000 lijfeigenen bezat, behoorde tot de uitzonderingen. Hij bezat drieduizend dorpen en gehuchten in veertig verschillende districten in Europees Rusland. Hij behoorde tot het vijfde deel van de landeigenaren dat meer dan honderd zielen en tachtig procent van de boeren bezit. Het overgebleven vijfde deel heeft tussen de twintig en de honderd zielen en vijftien procent van de boeren in eigendom.

# Rousseau publiceert 'Contrat Social'

AMSTERDAM, juni - De filosoof en componist Jean-Jacques Rousseau heeft een storm van protest veroorzaakt met zijn roman getiteld *Émile; ou de l'éducation,* in feite een verhandeling over de opvoeding. Rousseau stelt zich op het standpunt dat het kind van nature goed is. Hij zoekt het kwaad eerder in de sociale omgeving van het kind. Moreel verval wordt naar zijn idee veroorzaakt door maatschappelijke ongelijkheid. Rousseau pleit er daarom voor kinderen te vrijwaren voor maatschappelijke invloeden. Het komt erop aan kinderen in moreel en intellectueel opzicht zelfstandig te maken, zodat ze als evenwichtige en vrije burgers aan het maatschappelijke verkeer kunnen deelnemen.

Eerder baarde Rousseau opzien met *Du contrat social; ou Principes du droit politique,* dat in april verscheen. In dit boek stelt hij dat maatschappelijke orde gebaseerd is op een vrijwillig aangegaan contract, zodat de leden aan een gemeenschappelijke wil gehoorzamen. De macht berust zo bij de vrije burgers. De voornaamste steen des aanstoots in zijn werk is zijn deïstische geloofsbelijdenis. De predikanten van de Waalse Kerk hebben *Émile* reeds scherp veroordeeld. Het Parijse parlement heeft zelfs een arrestatiebevel tegen Rousseau uitgevaardigd.

# Monnik schrijft Bulgaarse geschiedenis

SOFIJA - De Bulgaarse monnik Paisi Hilendarski heeft zijn werk *Een Slavisch-Bulgaarse geschiedenis* voltooid. Hij draagt dit geschrift op aan het Bulgaarse volk, en spoort het aan trots op zijn taal en nationaliteit te zijn. Daartoe grijpt Paisi terug naar de periode vóór de Osmaanse overheersing, die hij idealiseert en romantiseert.

Het is de Bulgaren sinds de Osmaanse overheersing vanaf de 14de eeuw in het algemeen niet voor de wind gegaan. Net als in Thracië en Macedonië is de Turkse aanwezigheid altijd zeer duidelijk voelbaar geweest. Vooral in Thracië en Macedonië hebben zich veel Turkse boeren gevestigd. Dezen betalen in vergelijking met hun christelijke collega's minder belasting en kregen het land in eigendom. In de Maritsaval-lei en ten noorden van Thessaloniki zijn veel 'tsjiftliks', erfelijke landgoederen in handen van moslems, te vinden.

Gedurende de eerste eeuwen van de Osmaanse overheersing werden de Bulgaren min of meer uit de steden verdreven. De stadsbevolking werd hoofdzakelijk door Turken en Grieken gevormd. Deze ontwikkeling begint zich geleidelijk aan te keren: steeds meer Bulgaren, onder wie onteigende boeren, trekken naar de steden in de hoop er een bestaansmogelijkheid en een zekere veiligheid te vinden. Zij zijn actief als handelaars en handwerkslieden. Het leven van de Bulgaren onder de Osmaanse overheersing is weinig aangenaam. Met de desintegratie van het centrale Turkse bestuur zijn zij, evenals hun Slavische verwanten elders op de Balkan, steeds meer afhankelijk geworden van de grillen van de plaatselijke potentaten. Als niet-moslems worden zij op velerlei manieren achtergesteld en vernederd. De situatie wordt nog verergerd door de hoge positie die de Grieken in het Osmaanse Rijk innemen. De vóór de Turkse verovering onafhankelijke Bulgaarse Kerk wordt goeddeels gedomineerd door de Griekse (Fanariotische) geestelijkheid. Deze is druk doende de Bulgaarse nationale cultuur te vernietigen. Ofschoon de liturgie nog in het Kerkslavisch is en de kloosters een belangrijke functie als bewaarplaatsen van de Bulgaarse cultuur vervullen, wordt het Grieks steeds meer de taal van de elite, die het Bulgaars beschouwt als een vulgaire, barbaarse taal.

# Linné: 'God schiep, Linnaeus ordende'

*De botanische tuin van Linnaeus, de grote rangschikker van het plantenrijk.*

STOCKHOLM - Karel Linné, de Zweedse natuuronderzoeker, is vanwege zijn grote verdiensten voor de wetenschap door de koning in de adelstand verheven. Hij mag zich nu Karel van Linné noemen. In de wetenschappelijke wereld is hij echter beter bekend onder zijn Latijnse naam: Linnaeus. Zijn systematisering van de gehele planten- en dierenwereld is universeel als standaard erkend. Een populair gezegde in Zweden luidt: 'God schiep, Linnaeus ordende.'

Linnaeus is in 1707 in Småland geboren. Zijn vader, een dominee, had tuinieren als hobby en hij wist zijn liefde voor de plantenwereld op zijn zoon over te dragen. Toch ging de jonge Karel medicijnen studeren omdat daarmee meer te verdienen was. Maar al zijn vrije tijd besteedde hij aan het observeren van planten. Ordening brengen in de chaotische wereld van flora en fauna werd het voornaamste doel in zijn leven.

Linnaeus promoveerde in Harderwijk en rijke vrienden maakten het hem mogelijk veel van zijn manuscripten in Nederland uit te geven. In 1735 verscheen zijn *Systema Naturae*, een werk dat tot op heden al zeer vele herdrukken heeft beleefd. In dit boek geeft hij een scherpe en duidelijke omgrenzing van de plantengeslachten. Zo ordent hij het plantenrijk op basis van de voortplantingsorganen, voornamelijk de meeldraden en vruchtbeginsels. Ook voerde hij een korte, vaste terminologie in voor de verschillende delen van de plant (bijvoorbeeld: corolla = bloemkroon). Tot dusverre werden deze steeds verschillend en vaak heel omslachtig benoemd.

In 1739 was Linnaeus een van de oprichters van de 'Vetenskapsakademien', de Zweedse academie van we-

*Karel Linné, die voor zijn werk nu in de adelstand is verheven.*

tenschappen, waarvan hij ook de eerste president was. Drie jaar later werd hij benoemd tot hoogleraar plantkunde in Uppsala. In 1753 en 1758 verschenen er werken waarmee hij orde schiep in de grote verwarring die er op het gebied van de naamgeving in de planten- en dierenwereld bestond. Zijn binaire nomenclatuur bestaat hierin dat ieder levend wezen een Griekse of Latijnse geslachtsnaam krijgt, gevolgd door een soortnaam (wolf = Canis lupus). De verheffing in de adelstand is een bewijs van erkenning voor deze grote geleerde uit de Gouden Eeuw van de Zweedse wetenschap.

*Koning Karel III.*

# Ook Spanje nu betrokken bij Europese oorlog

SPANJE, mei - De Spaanse koning Karel III van Bourbon heeft de neutraliteitspolitiek van zijn halfbroer Ferdinand VI, van 1740 tot 1759 koning van Spanje, niet kunnen voortzetten. Door het sluiten van het derde familieverdrag tussen de Bourbons van Spanje en Frankrijk vorig jaar, is Spanje betrokken geraakt bij de oorlog die in 1756 is uitgebroken.

Zowel Groot-Brittannië als Frankrijk zocht Spaanse steun. Maar Britse aanvallen op Spaanse koloniën en schepen, en het ondergraven van de Spaanse handel in Amerika (Engelsen voorzagen Spaans Amerika via handel in contrabande van de consumptiegoederen die Spanje niet aan zijn koloniën kon leveren) verwijderden Karel III van Groot-Brittannië. Het verdrag dat Frankrijk en Spanje ten slotte sloten bevat afspraken op militair, politiek en economisch gebied en omvat meer dan de eerder gesloten familieverdragen tussen de Bourbons (in 1733 en in 1743). Zo werden er ook commerciële afspraken tussen beide landen gemaakt.

Volgens het familieverdrag zullen beide landen elkaar na overleg steunen in welke strijd dan ook. Overeengekomen werd dat Portugal gedwongen zou worden zijn havens voor Groot-Brittannië te sluiten. Portugal voelde daar echter niets voor waarop de Spanjaarden het land binnenvielen. De Engelsen stuurden meteen versterkingen naar Portugal. De oorlog had zich nu tot het hele Iberische schiereiland gebreid.

## 1763

# Engelse onvrede over vredesregeling

LONDEN, 10 februari - In het Engelse parlement is met een meerderheid van vier vijfde het Verdrag van Parijs, dat een einde maakt aan de Zevenjarige Oorlog, aangenomen. Hoewel men dat uit de stemverhouding niet zou afleiden, bestaat er in Engeland veel onvrede over de vredesregeling, die voor het totaal verslagen Frankrijk geenszins ongunstig is. Algemeen is men van mening dat de Engelse delegatie zich heeft laten inpakken door de voornaamste Franse onderhandelaar, de hertog van Choiseul. Men zegt dan ook spottend over de vredesregeling: 'Engeland heeft de oorlog gewonnen, maar Frankrijk de vrede.'

Hoogtepunt van het debat vandaag was het optreden van de twee jaar geleden afgetreden eerste minister William Pitt. In een drie uur durende rede brak hij de staf over de vredesregeling. Als vanouds gaf hij een staaltje van welsprekendheid ten beste. Diverse ministers verbleekten onder zijn honende uitspraken. Tot slot vatte Pitt zijn betoog kernachtig samen: 'Wij hebben

*Oud-premier William Pitt.*

alles gewonnen, maar houden niets over.' Grootste grief van Pitt is dat Frankrijk een aantal belangrijke handelsposten, die in de afgelopen oorlog door de Engelsen bezet zijn, terugkrijgt. Dat toch met een grote meerderheid voor de omstreden regeling werd gestemd, moet volgens ingewijden ver-

klaard worden uit de enorme kosten en de toenemende belastingdruk die de oorlog met zich bracht en uit het verlangen naar vredesbegrotingen.

Voor William Pitt bracht de oorlog zowel succes als nederlagen. Een jaar na het uitbreken van de vijandelijkheden nam Pitt de leiding van de oorlog op zich; de binnenlandse politiek liet hij over aan Newcastle. De gevoerde strategie, waarbij het accent lag op het lamleggen van de Franse handel door de Britse vloot, was geheel het werk van Pitt. Hoewel Pitt na de eerste overwinningen zeer populair werd, ontstond er ook verzet tegen de oorlog vanwege de hoge kosten ervan. Bovendien had in 1760 George III, kleinzoon van George II, de troon bestegen. Hij haatte de adviseurs van zijn grootvader en wenste zelf invloed op de politiek uit te oefenen. Het kostte hem weinig moeite om Pitt uit te schakelen toen deze in 1761 Spanje de oorlog wilde verklaren. Hiermee kwam een eind aan de politieke carrière van de kleurrijke William Pitt.

# Aan Zevenjarige Oorlog komt een einde

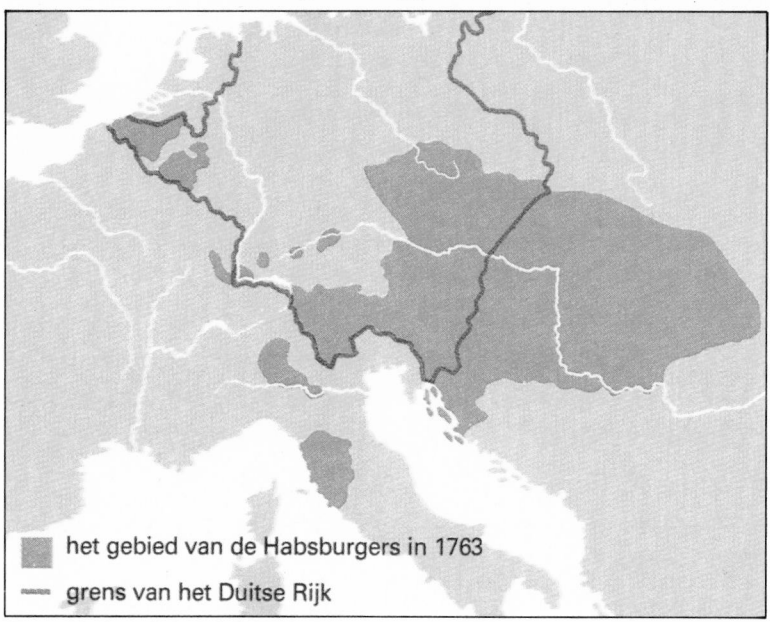

het gebied van de Habsburgers in 1763

— grens van het Duitse Rijk

*Het gebied van het Habsburgse Huis in 1763.*

HUBERTUSBURG, 15 februari - Met de vijf dagen geleden gesloten Vrede van Hubertusburg en de Vrede van Parijs is een einde gekomen aan de Zevenjarige Oorlog die in 1756 uitbrak. In deze oorlog probeerde Oostenrijk, gesteund door Frankrijk en Rusland, de macht van Pruisen terug te dringen en Silezië te heroveren. Daarnaast speelden commerciële en koloniale conflicten tussen Engeland en Frankrijk een rol.

Frederik van Pruisen had weliswaar enkele overwinningen behaald maar kon de strijd niet lang voortzetten. Hij

moest een aantal bezette gebieden prijsgeven nadat Rusland Oost-Pruisen was binnengevallen. Bovendien had Engeland in 1761 zijn steun gestaakt. Frederik was al enige tijd bereid tot onderhandelingen, maar Maria Theresia en tsarina Elisabeth van Rusland besloten de oorlog voort te zetten.

Ook de andere coalitie werd verzwakt. Na de dood van Elisabeth besloot de nieuwe tsaar Peter III, een bewonderaar van Frederik de Grote, Pruisen te steunen. Ondanks Peters vroege dood kon Frederik nog van de Russische

steun gebruik maken in de voor Pruisen succesvolle Slag bij Burkendorf. Bovendien trokken Frankrijk en Zweden zich uit de coalitie terug en werd Oostenrijk door financiële uitputting tot onderhandelingen gedwongen. Dit keerpunt in de oorlog staat bekend als het 'Mirakel van Brandenburg'.

De vredesonderhandelingen leidden tot twee verdragen. Tussen Engeland en Frankrijk werd de Vrede van Parijs gesloten, waarbij Engeland Frankrijk uit een aantal koloniën verdrong. Pruisen en Oostenrijk kwamen de Vrede van Hubertusburg overeen. Daarbij worden weinig territoriale veranderingen aangebracht. Het Pruisische bezit van Silezië wordt nogmaals bevestigd en het Duitse dualisme blijft bestaan.

*Frederik II (r) en Adolf Frederik van Zweden.*

# Engelse triomf in Amerika

*Franciscaanse missiepost in de Amerikaanse koloniën in de zeventiende eeuw.*

BOSTON, 10 februari - De Engels-Franse oorlog in Noord-Amerika, die in 1755 was uitgebroken, is geëindigd met een overwinning voor de Engelsen. Bij de Vrede van Parijs, die een officieel einde heeft gemaakt aan de koloniale gevechtshandelingen, is bepaald dat Engeland alle Franse bezittingen ten oosten van de Mississippi, alsmede Canada krijgt. Bovendien moet Frankrijks bondgenoot Spanje zijn bezittingen in Florida aan de Engelsen afstaan. Het einde van de oorlog betekent eveneens het einde van het Franse koloniale rijk in Noord-Amerika, dat nu vrijwel geheel in handen van Engeland is.

De 'French and Indian war', zoals de oorlog in de Engelse koloniën genoemd wordt, vormt de Amerikaanse tegenhanger van de in Europa gevoerde Zevenjarige Oorlog, die deze maand eveneens is afgelopen. In Europa streden Frankrijk, Oostenrijk en Rusland tegen Pruisen en Engeland, dat zich hoofdzakelijk beperkt had tot het geven van financiële steun aan zijn bondgenoot. Het was de strategie van de Engelsen onder William Pitt om het vechten in Europa zoveel mogelijk aan de troepen van Frederik II over te laten, zodat Engeland zich geheel kon wijden aan de strijd op zee en in de koloniën.

Het is niet de eerste keer dat Engeland en Frankrijk in Amerika met elkaar slaags zijn geraakt. Sinds het eind van de 17de eeuw is het geregeld tot gewapende conflicten tussen beide Europese machten gekomen, waarbij zij elkaar het bezit van gebieden in het noorden en de toegang tot handelsmogelijkheden in het noordwesten betwistten. Bij de meeste confrontaties had Spanje zich bij Frankrijk aangesloten. Omdat Spanje zelf bezittingen ten zuidwesten van de Engelse koloniën had, achtte dit land het in zijn eigen belang zich met Frankrijk te verbinden, teneinde de Engelse expansie een halt toe te roepen.

Anders dan het geval was bij vorige oorlogen die Frankrijk en Engeland op het Amerikaanse continent hebben uitgevochten, werden de oorlogsinspanningen aan Engelse zijde dit keer vrijwel geheel geleverd door uit Engeland overgekomen troepen. Voorheen hadden de Amerikaanse kolonisten het grootste aandeel in de gevechten geleverd. Na aanvankelijke nederlagen wisten de Engelsen hun betere strategische positie uit te buiten en de Fransen uiteindelijk te verslaan. Het wegvallen van buitenlandse vijanden heeft de Amerikaanse kolonisten echter pijnlijk aan hun afhankelijkheid van Engeland herinnerd.

---

**19 januari.** Het Engelse Lagerhuislid John Wilkes wordt als lid van het parlement geschorst. In Londen organiseren Wilkes' aanhangers relletjes.

**21 februari.** John Wilkes wordt in Engeland veroordeeld wegens zijn geschriften.

**3 april.** Aartshertog Jozef van Oostenrijk, zoon van Maria Theresia, wordt in Frankfurt am Main tot Rooms-koning gekroond. Hierdoor kan hij zijn vader, keizer Frans I, te zijner tijd als keizer opvolgen.

**11 april.** Rusland en Pruisen verklaren de wettelijke regelingen in Polen over de opvolging van August III, die op 3 oktober 1763 overleed, te garanderen. Dezelfde garantie wordt voor Zweden gegeven.

**5 mei.** In Sint-Petersburg wordt het Smolny-instituut opgericht. Hier zullen adellijke meisjes worden opgeleid.

**18 mei.** Het Engelse parlement wijzigt de suikerheffing van een import- tot een algemene, ook voor de koloniën geldende, belasting. Voor alle koloniën samen wordt één vice-admiraliteit ingesteld.

**31 mei.** Spaanse troepen trekken Manila binnen. →

**23 oktober.** Hector Munro verslaat met een Engels expeditieleger de nawab van Oudh in India.

**26 november.** In Frankrijk wordt de jezuïetenorde verboden.

- Catharina II van Rusland onteigent de Kerk van het landbezit en stelt salarissen voor de geestelijkheid in.

- Hyder Ali verovert met zijn aanhang Calcutta in India en neemt de titel heer van Mysore, dat vorig jaar werd veroverd, aan.

- Réunion wordt een Franse kroonkolonie.

- De Bougainville eist met een eskader de Malvinas-Falkland-eilanden voor Frankrijk op. Ook Spanje en Engeland maken aanspraak op de strategisch gelegen eilanden.

- Winckelmann publiceert zijn *Geschichte der Kunst des Altertums.*

- James Hardgreaves construeert het eerste model van een weefmachine in Blackburn, Engeland, de zogenoemde 'self acting Jenny'.

- Immanuel Kant publiceert zijn *Beobachtungen über das Gefühl des Schönen und Erhabenen.*

- In Londen richt Samuel Johnson de Literary Club op. Onder anderen Edmund Burke, Edward Gibbon en Joshua Reynolds sluiten zich hierbij aan.

---

# Hargreaves komt met spinmachine

LONDEN - In Lancashire is door de textielfabrikant en molenmaker James Hargreaves een spinmachine uitgevonden, die hij, naar zijn dochter 'self acting Jenny' heeft genoemd. Hiermee is een grote stap voorwaarts gedaan in de mechanisatie van de katoenfabricage. Al eerder waren belangrijke vernieuwingen doorgevoerd in andere onderdelen van het fabricageproces, het weven en kaarden, zodat deze machine voor verhoging van de produktie en arbeidsbesparing zorgt waar deze nodig zijn, namelijk bij het spinnen.

Door allerlei technische vindingen is de katoenfabricage in enkele decennia volledig van karakter veranderd. In de jaren dertig werd door Kay de zogenaamde 'schietspoel' uitgevonden. Met een schietspoel kan men niet alleen sneller werken, het is ook mogelijk bredere - en derhalve duurdere - lappen stof te maken. Het gebruik van de schietspoel werd in de jaren vijftig na genoeg algemeen. Na de uitvinding van de kaardmachine in 1748 door Paul bleef er een probleem: hoewel men nu snel stoffen van hoogwaardige kwaliteit kon weven, bleef de fabricage van katoenen garens tijdrovend. Dit probleem is door de vinding van Hargreaves opgelost. De machine, die maar liefst acht spoelen heeft, is bovendien geschikt voor zowel de handbediening in de huisnijverheid als voor mechanische aandrijving in de fabrieken. Hoewel katoen nog voornamelijk in de huisnijverheid wordt verwerkt, neemt de laatste jaren het aantal fabrieken snel toe.

De katoenfabricage is niet zo belangrijk als de produktie van wollen stoffen. De omzet in de katoensector bedraagt circa £ 600 000 per jaar (waarvan een derde wordt geëxporteerd). De waarde van de geproduceerde wollen stoffen is niet exact bekend, maar de export brengt ongeveer £ 5 500 000 op, wat het verschil in belangrijkheid van beide takken van de textielsector wel illustreert. Toch verwacht men veel van de katoenfabricage. De vraag naar katoenen stoffen die goedkoper en beter wasbaar zijn, is de laatste jaren enorm toegenomen. Daarom worden allerlei prijzen uitgeloofd voor mensen die in staat zijn de kwaliteit van de katoenen garens te verbeteren.

*De 'self acting Jenny' van James Hargreaves.*

# Britten weg uit Manila

*De stad Manila volgens een 17de-eeuwse kaart.*

MANILA, 31 mei - Onder luide toejuichingen van de bevolking zijn vanmorgen Spaanse troepen Manila binnengetrokken om een einde aan een 20 maanden durende Britse bezetting te maken. Op de patio van de Santa-Cruzkerk heeft De Anda, de leider van het Spaanse verzet tegen de bezetting en tot voor kort waarnemend gouverneur-generaal van de Filippijnen, de stad officieel overgenomen van de Engelse gouverneur Dawsonne Drake. De nieuwe gouverneur-generaal De la Torre heeft zich ziek gemeld, om de als een held binnengehaalde De Anda in staat te stellen deze overgave zelf in ontvangst te nemen. Vanavond zal een staatsbanket gegeven worden, waarvoor ook de Britse bevelhebbers zijn uitgenodigd. Over ruim een week zal de Engelse vloot het anker lichten en de Filippijnse wateren verlaten.

De bezetting van de hoofdstad van de Spaanse kolonie is een gevolg van de Zevenjarige Oorlog (1756-1763) tussen Frankrijk en Engeland, waarin Spanje betrokken raakte door het sluiten van een 'pacto de familia' met het eveneens door een koning uit het Huis Bourbon geregeerde Frankrijk. De Engelsen, die bang waren dat vanuit de Filippijnen hun handelsroute op China bedreigd zou gaan worden, besloten tot een bezetting. De Filippijnen waren op dat moment slecht voorbereid op een oorlog: sinds de laatste Hollandse aanval (1647) was de defensie zwaar verwaarloosd, de kanonnen stonden te roesten en de militaire bezetting van Manila was gereduceerd tot 630 man. Daarbij kwam dat het gouverneur-generaalschap werd waargenomen door aartsbisschop Rojo del Rio, een zwak en incompetent bestuurder.

Op 22 september 1762 verscheen een sterk Brits eskader in de baai van Manila en na enige schermutselingen werd op 5 oktober de stad bestormd en ingenomen. De volgende dag tekende Rojo de capitulatie voor Manila, Cavite en omgeving: de Spanjaarden verplichtten zich tot een oorlogsschatting van 2 miljoen peso's en het koloniale bestuur, inclusief de audiencia (hooggerechtshof en soort ministerraad), bleef bestaan. Dezelfde dag begon een week durende gruwelijke plundering van de stad door Britse troepen en Chinezen, een door de Spanjaarden gediscrimineerde bevolkingsgroep.

De dag voor de bestorming van Manila had de audiencia Don Simon de Anda y Salazar, een van haar junior oidores (rechters), benoemd tot luitenant-gouverneur-generaal en de stad uitgesmokkeld. Hij vestigde zich in de provincie Pampanga, waar hij een effectief bestuur voor de Filippijnen buiten Manila op poten zette, daarin gesteund door plattelandsgeestelijken en milities van Pampango's, die opstanden (onder andere in Ilocos) snel onderdrukten. Vanwege hun rol in de plundering van Manila werd op last van De Anda in 1762 een ware slachting onder Chinezen aangericht.

De Britten, geïsoleerd in Manila, oefenden zodanig sterke druk uit op aartsbisschop Rojo dat deze De Anda tot rebel verklaarde. Die reageerde meteen door zichzelf te benoemen tot gouverneur-generaal, zich beroepend op het feit dat hij het enige lid van de regering was dat niet in gevangenschap verkeerde. Het beëindigen van de oorlog (de Vrede van Parijs, februari 1763) bracht in de situatie geen verandering, De Anda weigerde eenvoudigweg het nieuws te geloven. Pas na het overlijden van Rojo op 30 januari van dit jaar werd een oplossing mogelijk: Drake erkende De Anda als gouverneur-generaal en bereikte met hem een akkoord over de machtsoverdracht.

Voor de Filippijnen als geheel heeft de Britse aanwezigheid weinig gevolgen gehad. Het Spaanse prestige heeft echter een flinke deuk opgelopen en door de openstelling van Manila voor schepen van niet-Spaanse handelaren werd de kolonie, zij het kortstondig, uit haar economisch isolement verlost.

# 1765

**23 maart.** Het Engelse parlement neemt de Stamp Act aan, een speciale belasting voor de Noordamerikaanse koloniën.

**29 mei.** In de assemblée van de Engelse kolonie Virginia, Noord-Amerika, wordt het recht van Engeland tot het heffen van speciale belastingen door Patrick Henry fel aangevallen.

**Mei.** Sir Robert Clive maakt een begin met bestuurlijke hervormingen in Bengalen, India. Hij overtuigt de grootmogol Sjah Alam II ervan de Engelse East India Company tot nawab van Bengalen te benoemen.

**13 augustus.** Aartshertog Leopold wordt heerser van Toscane en schaft de inquisitie af.

**18 augustus.** Keizer Frans I, de echtgenoot van Maria Theresia, sterft. Hij wordt opgevolgd door hun oudste zoon Jozef II, die tevens co-regent in Bohemen en Hongarije wordt. →

**September.** De Engelse regering verkrijgt belastingrechten over het eiland Man, in Het Kanaal, van de eigenaar, de Duke of Atholl.

**25 oktober.** 27 gedelegeerden uit negen Engelse koloniën, die in New York een Anti-Stamp-Act Congress bijwonen, nemen een verklaring over hun rechten en vrijheden aan. →

**December.** De Franse kroonprins sterft. Zijn opvolgingsrechten gaan over op zijn zoon, Lodewijk.

- In Parijs wordt het eerste vrij toegankelijke restaurant geopend.

- In Breslau wordt het eerste gymnasium geopend.

- Horace Walpole publiceert zijn *The castle of Otranto*, een vroegromantisch werk in de Engelse literatuur.

- James Watt vindt de condensator uit.

- Ange-Jacques Gabriel ontwerpt de Place de la Concorde in Parijs.

Geboren:

**27 maart.** Franz Xaver von Baader (†23-5-1841), Duits roomskatholiek theoloog en filosoof

Gestorven:

**5 april.** Edward Young (3-7-1683), Engels dichter (*Night thoughts on Life, Death and Immortality;* 1742-1745)
**15 april.** Michail Vasiljevitsj Lomonosov (19-11-1711), Russisch universeel geleerde en dichter
**18 augustus.** Frans I Stefan (8-12-1708), Duits koning en keizer, hertog van Lotharingen, groothertog van Toscane
**21 december.** Joseph Thaddäus Stammel (9-9-1695), Oostenrijks beeldhouwer

# Amerikaans verzet tegen Engelse belastingheffing

NEW YORK CITY, 25 oktober - Tijdens een congres van vertegenwoordigers uit een negental Amerikaanse koloniën is scherpe kritiek geuit op de Engelse Zegelwet, die begin dit jaar in de koloniën van kracht is geworden. Deze 'Stamp Act' bepaalt dat al het in de koloniën gebruikte drukwerk - van kranten, vlugschriften en brochures tot en met vergunningen en overeenkomsten - van een belastingzegel moet worden voorzien. De Amerikaanse kolonisten op het 'Stamp Act Congress' achten de wet onrechtmatig en zien in de belastingmaatregel een poging tot inmenging van het Engelse parlement in Amerikaanse aangelegenheden. In een resolutie dringen zij er bij de Engelse regering op aan de Zegelwet in te trekken.

Engeland besloot tot het invoeren van deze en andere belastingwetten, omdat het de koloniën wilde laten delen in de kosten van de Zevenjarige Oorlog, die vorig jaar met de Vrede van Parijs werd beëindigd. In deze oorlog, die volgens Londen mede in het belang van de kolonisten was gevoerd, had Engeland door de verovering van Canada op de Fransen de oppermacht in Noord-Amerika gekregen.

De Amerikaanse kolonisten vinden de Zegelwet onrechtmatig omdat zij is opgelegd door het Britse parlement, waarin zij zelf geen stem hebben. Van hun eigen koloniale wetgevende organen aanvaarden de kolonisten wel belastingmaatregelen, want in deze organen worden zij direct vertegenwoordigd. Een veelgehoorde leus op het congres is dan ook: No taxation without representation'.

Londen stelt zich evenwel op het standpunt dat de maatregel wel legitiem is, omdat het Engelse parlement, als representatief lichaam van alle gebiedsdelen van het koninkrijk, ook de Amerikaanse belangen vertegenwoordigt.

De afkondiging van de Zegelwet, in maart van dit jaar, heeft in de Amerikaanse koloniën tot een golf van protesten geleid. Kooplieden sloten zich aaneen en gingen over tot een boycot van Engelse produkten. Werklieden in de steden richtten geheime genootschappen op, de 'Sons of Liberty', die de uitvoering van de gewraakte wet probeerden te verhinderen, door onder meer onwillige ambtenaren te intimideren. En nadat de volksvertegenwoordiging van Virginia de belastingmaatregel als een gevaarlijk precedent had gebrandmerkt, nam de wetgevende vergadering van Massachusetts het initiatief tot het houden van een congres ter nadere bestudering van de 'Zegelwet'. De gespannen verhouding tussen Engeland en de Amerikaanse kolonisten heeft een climax bereikt.

# Jozef maakt 'Denkschrift'

*De kroningsmaaltijd ter ere van Jozef II, die door Maria Theresia als haar mederegent is benoemd.*

WENEN - Kort nadat hij door Maria Theresia tot mederegent is benoemd - als opvolger van zijn op 18 augustus overleden vader, keizer Frans I Stefan - heeft Jozef II zijn moeder een 'Denkschrift' voorgelegd. Daarin zet de 24-jarige oudste zoon van Maria Theresia zijn politieke denkbeelden uiteen. 'Man braucht viel Mut und noch mehr Patriotismus, um in unserem Jahrhundert ein Neuerer zu sein!' en 'Grosse Dinge müssen mit einem Schlage verwirklicht werden' zijn veelbetekenende zinnen uit deze beginselverklaring.

De vaderlandsliefde van Jozef II is geen vaag sentiment. Hij is er vast van overtuigd dat het voor alle onderdanen, ook voor de keizer, een eer, een plicht en een noodzaak is de staat te dienen naar beste vermogen. De ideale absolute staat is een 'universum' waaraan iedereen ondergeschikt is, maar waarin ook iedereen liefderijk is opgenomen. De staat heeft namelijk de taak de 'Glückseligkeit' van de onderdanen te bevorderen.

Hoewel Jozef zeer ontvankelijk is voor de denkbeelden van de Verlichting, ontleent hij zijn politieke inzichten niet aan theoretische verhandelingen. Hem

staan voorbeelden uit de praktijk voor ogen: het Frankrijk van Lodewijk XIV en het Pruisen van Frederik II. Maar in zijn rijk ontbreekt een belangrijke voorwaarde voor het absolutisme, die in deze staten wel aanwezig is: eenheid. Oostenrijk is een conglomeraat van verschillende 'vaderlanden'. Deze omstandigheid vormt voor Jozef II echter geen beletsel, maar juist een uitdaging om zijn hervormingen na te streven. Ze behelzen de beknotting van de macht van iedere organisatie die het waagt zich tussen staat en onderdaan te stellen, zoals de standen, de gilden en de Kerk.

Maria Theresia is geschokt door het radicalisme dat uit het 'Denkschrift' van haar zoon spreekt. Zij heeft Kaunitz, haar voornaamste politieke raadgever, een antwoord laten opstellen, waarin Jozef II tot voorzichtigheid wordt gemaand. 'Nichts steht zum Wohlstand des Staates in grösserem Widerspruch als eine militärische, harte und despotische Regierung wie die des Königs von Preussen (...).' Maar juist het besef dat Oostenrijk achterop raakt bij Pruisen, de absolute 'Obrigkeitsstaat' bij uitstek, maakt de nieuwe mederegent zo ongeduldig.

**23 februari.** Stanislaw Leszcyński, ex-koning van Polen en hertog van Lotharingen en Bar, sterft. Beide hertogdommen vervallen aan de Franse troon.

**18 maart.** Het Engelse parlement trekt de gewraakte, op 23 maart 1765 afgekondigde Stamp Act in, maar neemt een wet aan waarbij het recht op het heffen van belastingen in de koloniën door het moederland wordt vastgelegd. →

**Maart.** In Frankrijk bereikt de competentiestrijd tussen Bretagne en het centraal gezag een hoogtepunt.

**9 mei.** John Byron keert in Engeland terug van een zeiltocht rond de wereld.

**Juni.** Hertog Aranda wordt eerste minister in Spanje en stelt het middelbaar onderwijs in.

**12 november.** De nizam Ali van Hyderabad, India, draagt Noordelijk Circarsa, Madras, over aan Engels bestuur.

- Rusland en Pruisen komen in Poolse aangelegenheden tussenbeide ten koste van de nationalisten, die zich tegen het bewind van koning Poniatovski verzetten.

- In Frankrijk wordt de in 1763 ingestelde binnenlandse vrije handel in graan afgeschaft.

- De Russische regering staat de vrije uitvoer van graan toe.

- De Duitse filosoof Gotthold Lessing publiceert zijn studie *Laokoon*.

- John Byron eist, onwetend van de Franse aanspraak door De Bougainville in 1764, de Malvinas-Falklandeilanden voor Engeland op en sticht Port Egmont.

- De Turkse regering besluit tot opheffing van het Servische patriarchaat van Pec. →

- Ali Bey wordt heerser over Egypte.

- De Franse geestelijkheid wordt door Lodewijk XV verzocht zich te houden aan de regels van de Gallische Kerk van 1682, waarmee de autoriteit van de paus in Frankrijk werd beknot.

- Als grens tussen Pennsylvania en Maryland wordt de Mason-Dixon-lijn getrokken.

- Paus Clemens XIII sanctioneert de viering van de Heilig-Hartmis, zoals door Marguerite Alacoque ingesteld.

- Als gevolg van te grote voedselexporten kampt Schotland zelf met ernstige tekorten.

- Denis Diderot publiceert zijn *Essai sur la peinture*.

- Oliver Goldsmith publiceert zijn *Vicar of Wakefield*.

# Patriarchaat van Servië opgeheven

*Turks badhuis (hamam).*

PEC - De Turkse regering heeft beslo ten tot opheffing van het onafhankelij ke Servische patriarchaat van Pec e de jurisdictie ervan overgeheveld naa het patriarchaat van Constantinope Ten gevolge hiervan komt het zwaarte punt van de Servische Kerk en het Se vische culturele bewustzijn definitie buiten het Osmaanse Rijk te liggen, na melijk in de metropolis van Sremsk Karlovci [Karlovitz] in de Donaumo narchie.

Dit religieuze en kerkelijke middelpun te Sremski Karlovci is ontstaan na d grootscheepse vlucht van Serven u het Osmaanse Rijk in het kielzog va het terugtrekkende Oostenrijkse leg in 1690. De toenmalige patriarch va Pec, Arsenije III Crnojevitsj, riep i 1688 zijn gelovigen op om tegen he Turkse regime in opstand te komen Bij het keren van de krijgskansen tw jaar later besloot de patriarch, uit vree voor de wraak van de Turken, me 200 000 Serven naar de Donaumona chie te emigreren. In 1694 volgde op nieuw een uittocht van Serven uit he Osmaanse Rijk. Dit had overigens ee belangrijke demografische wijzigin voor het oude woongebied der Serve tot gevolg; het aldus ontstane vacuü in dit vroegere centrum van het midde eeuwse Servische Rijk werd door Alb nezen opgevuld.

Het, in de ogen van de Porte, 'verraad van de Servische patriarch beïnvloedd de houding van de Turken ten aanzie van Pec. Sindsdien werden er regelma tig Fanarioten (Grieken) op de post va patriarch benoemd. Toen de Dona monarchie in 1737 via haar bondge noot Rusland opnieuw met de Turke in oorlog raakte, deed zij weer een be roep op Servische steun, waaraan pa triarch Arsenije IV gehoor gaf. Ook h moest vluchten. Sindsdien is het sn bergafwaarts gegaan met het patria chaat van Pec. De rol van erfgenaa van het Servische Rijk en van het be wustzijn van een nationale missie overgenomen door Sremski Karlov dat in het door de Donaumonarch bestuurde Slavonië ligt.

*De begrafenis van 'Miss America-Stamp'.*

# Zegelwet weer ingetrokken

LONDEN, 18 maart - Koning George III heeft zijn fiat gegeven aan het besluit van het Lager- en Hogerhuis een eind te maken aan de in de Amerikaanse koloniën hevig omstreden Zegelwet. Begin deze maand heeft het Lagerhuis zich al met een grote meerderheid uitgesproken voor intrekking van de wet; onder druk van de koning heeft gisteren ook het Hogerhuis daarmee ingestemd. De wet tot intrekking van de Zegelbelasting wordt op 1 mei van kracht.

De Zegelwet - ook Engeland zelf heeft zo'n zegelbelasting - is vorig jaar ingevoerd en verplichtte de dertien koloniën in Amerika belasting te heffen (in de vorm van een zegel) op al het drukwerk. De belasting moest jaarlijks een bedrag van £ 60 000 voor de financiering van de Britse troepen in de koloniën opleveren. De dertien koloniën verzetten zich tegen deze belastingheffing en besloten tot een boycot van Engeland. Door die boycot zijn de Britse havens leeg gebleven, kwamen de Engelse reders, havenwerkers en fabrieksarbeiders zonder werk te zitten en hebben de handelaren grote verliezen geleden. Het is dan ook geen wonder dat de Londense kooplieden hun collega's in dertig fabrieks- en havensteden hebben opgeroepen bij het Lagerhuis op het intrekken van de Zegelwet aan te dringen.

Vanaf 3 februari heeft het parlement de vertegenwoordigers van de koloniën gehoord. De meest opmerkelijke verklaring werd op 13 februari afgelegd door Benjamin Franklin, de vertegenwoordiger van Pennsylvania. Hij vestigde de aandacht op de hoge uitgaven die de koloniën zich in de strijd tegen de Fransen en de Indianen tijdens de Zevenjarige Oorlog hebben getroost (Pennsylvania heeft £ 500 000 gespendeerd met een bijdrage van slechts £ 60 000 van de Britse kroon). Bovendien, zo zei Franklin, hebben de koloniën nog steeds grote uitgaven te doen in de strijd tegen de Indianen en

beschikken ze over onvoldoende fondsen om de zegelbelasting te kunnen opbrengen. De Amerikanen zouden volgens Franklin de zegelheffingen nooit betalen, 'tenzij met geweld van wapenen daartoe gedwongen'.

Hoewel onder de koloniale vertegenwoordigers en hun vrienden de vreugde over de intrekking van de Zegelwet groot is, laten politieke waarnemers een waarschuwing horen: ondanks de leus 'no taxation without representation' heeft het Londense Lagerhuis vandaag met algemene stemmen een wet aangenomen waarin staat dat 'het parlement van Groot-Brittannië de volledige bevoegdheid had, heeft en hoort te hebben om met voldoende kracht en geldigheid wetten en bepalingen vast te stellen die bindend zijn voor de koloniën en de bevolking van Amerika'.

## Opluchting en rust in Amerika

BOSTON, 30 juni - De vreugde in Engelands Amerikaanse koloniën kende geen grenzen toen daar eind april het nieuws doordrong dat de zo gehate Zegelwet was ingetrokken. Milities zijn door de straten getrokken met trommels en fluitspel, de kroegen puilden uit van de feestvierders en er werd loyale dank aan koning en parlement betuigd. Tot opluchting van menigeen is ook de boycot onmiddellijk stopgezet: de bestellingen voor Engelse produkten zijn weer op gang gekomen en de kriebelige, zelfgeweven kleding (ter vervanging van het importprodukt) is aan de armen gegeven. Het Newyorkse parlement heeft de oprichting van twee standbeelden gelast, één van de koning en één van William Pitt. Volgens John Adams zijn de kolonisten nu 'volkomen rustig en onderdanig jegens de regering; het intrekken van de wet heeft elke golf van onrust tot bedaren gebracht'.

**Januari.** Robert Clive vertrekt, na het Engelse bestuur op poten te hebben gezet, uit India. Na zijn vertrek breekt chaos uit.

**1 maart.** Karel III verbiedt de jezuïetenorde in Spanje en koloniën, wegens ondermijning van het staatsgezag.

**7 april.** Birmese troepen vallen Siam [Thailand] binnen. Ayutthaya, de hoofdstad van het Thai-koninkrijk, wordt verwoest. De inval in Siam doorkruist de veroveringspogingen van Kambodja op de Nguyên van Vietnam door de Thais. →

**April.** Rusland en Pruisen herzien hun bondgenootschap. Polen zal tegen een Oostenrijkse inval beschermd worden. Pruisen zegt toe Rusland in geval van oorlog met Turkije te zullen steunen.

**Juni.** In het Engelse parlement worden op voorstel van Townshend, de minister van Financiën, importbelastingen voor de Amerikaanse kolonies aangenomen voor thee, glas, papier en kleurstoffen. Uit de opbrengst zullen de kosten van het bestuur bekostigd worden.

**22 augustus.** Russische lijfeigenen wordt het recht ontzegd in beklag te gaan. →

**September.** Op een openbare bijeenkomst in Boston, Noord-Amerika, wordt een proclamatie, 'The Boston Convention', overeengekomen tegen de nieuwe, in juni door Engeland afgekondigde importbelastingen.

**November.** In Polen komt de Landdag onder druk van Rusland bijeen.

**16 december.** In Wenen gaat de opera *Alceste* van Christoph Willibald, Ritter von Gluck, in première. →

- In Montenegro en Bosnië zijn Russische agenten actief om een opstand tegen het Turkse bestuur uit te lokken.

- Keizerin Maria Theresia voert in Hongarije enkele belangrijke hervormingen door. →

- Denemarken en Sleeswijk-Holstein worden verenigd in een personele unie onder koning Christiaan VII, die in 1766 zijn vader, Frederik V, als koning van Denemarken was opgevolgd.

- In Londen wordt het veilinghuis Christie's opgericht.

- Gotthold Ephraim Lessing publiceert zijn *Minna von Barnhelm* en *Hamburgische Dramaturgie*.

- Mercier de la Rivière en Quesnay publiceren *L'ordre naturel et essentiel des sociétés politiques*, een economische studie op fysiocratische grondslag.

# Meer rechten voor boeren Hongarije

BOEDA - De opstand van de Hongaarse boeren van twee jaar geleden heeft alsnog resultaat gehad. Keizerin Maria Theresia heeft gebruik gemaakt van de angst van de Hongaarse edelen en belangrijke hervormingen bekendgemaakt. De verplichtingen van de boeren in goederen, geld en arbeid zijn vanaf vandaag precies omschreven, de exacte hoeveelheid land die een boer in pacht mag hebben is vastgesteld en het trekken van boerenbezittingen bij grootgrondbezit is vanaf nu verboden. Het is voor het eerst sinds de 16de eeuw dat de Hongaarse boeren weer recht op land krijgen. Het overgrote deel van de grond in Hongarije is tijdens deze eeuw in handen van een kleine groep zeer machtige families geraakt (onder wie Esterházy, Batthyány, Széchenyi) geraakt.

In 1711 sloot de Hongaarse heersende klasse een compromis met de Habsburgse dynastie. Volgens dit verdrag van Szatmár mochten de Hongaarse edelen - in ruil voor erkenning van het erfelijk recht van de Habsburgers op de Hongaarse kroon, - hun bezittingen houden en hoefden zij geen belastingen te betalen.

De keizerlijke troepen bleven in Hongarije, wat een zware belasting voor de boeren betekende. Bovendien werden zij door de heren opnieuw aan de grond gebonden. Alle verworven vrijheden en privileges werden afgeschaft, in feite werden de boeren weer lijfeigenen. Wenen hield ondertussen ieder Hongaars economisch initiatief tegen. Toen met de dood van Karel III de mannelijke lijn van de Habsburgers uitstierf, werd Maria Theresia's opvolging betwist door een Frans-Beiers-Pruisische coalitie. Terwijl de vijand het rijk binnenviel smeekte Maria Theresia met haar pasgeboren kind in haar armen de 'dappere Hongaarse natie' om hulp. Tot tranen toe geroerd boden de Hongaarse edelen haar 'vitam et sanguinem' (leven en bloed) in de hoop zo meer privileges te verwerven.

De Hongaarse steun redde haar troon, maar privileges werden niet verstrekt. De monarchie bleef absolutistisch, Hongarije bleef een soort kolonie voor Oostenrijk.

De Zevenjarige Oorlog (1756-1763) en de noodzaak Silezië terug te winnen bracht de Habsburgers tot de overtuiging dat er meer belastingen moesten worden opgebracht. Het staatsbestuur moest daarom effectiever worden. In 1760 werd de Staatsraad opgericht onder leiding van vorst Kaunitz. Deze zag de autonome rechten van de Hongaarse edelen en vooral hun vrijdom van belasting als het voornaamste obstakel tot centralisatie. De nu afgekondigde hervormingen hebben dan ook de bedoeling de positie van de Hongaarse adel aan te tasten.

# Birmese leger verwoest Ayutthaya-rijk

*De bark van de koning van Ayutthaya met in totaal 76 roeiers.*

AYUTTHAYA, 7 april - Het Birmese leger heeft onder leiding van koning Hsinbyushin Ayutthaya ingenomen en vervolgens de stad platgebrand. Hiermee is een einde gekomen aan het rijk van Ayutthaya, dat eeuwenlang een machtige positie op het vasteland van Zuidoost-Azië heeft ingenomen.

Er zijn drie redenen aan te voeren voor de snelle inname van de stad en het einde van het rijk. De eerste reden is gelegen in de interne verhoudingen in Ayutthaya. Koning Ekatat was in 1758 eigenlijk door een staatsgreep aan de macht gekomen. Aanvankelijk had zijn broer, Maha Uparat, dat zelfde jaar als koning Utumporn de troon bestegen.

Utumporn was zich bewust van de oppositie van zijn drie halfbroers tegen zijn regering en liet hen ombrengen. Dit ondermijnde echter zijn positie bij een groot deel van de ambtenarij. Toen daarbij ook nog zijn ambitieuze broer uit het klooster terugkwam, werd hij min of meer gedwongen af te treden en de troon over te dragen aan zijn broer, die als koning Ekatat ging regeren. Zijn regering is uiteindelijk een catastrofe voor Ayutthaya geworden. De koning bleek niet in staat het land te besturen. Hij legde zich voornamelijk toe op zijn passie voor vrouwen. Terwijl hij zelf volhield een afstammeling van de fameuze koning Boromaraja te zijn, werd hij door de bevolking wel de leprozenkoning genoemd omdat hij aan een hardnekkig eczeem leed. Net als zijn broer zag hij overal samenzweringen tegen zijn regering.

Hij liet zijn halfbroer Teppipit verbannen naar Ceylon en de andere samenzweerders gevangenzetten.

Binnen zijn regering waren de meningen verdeeld over de koers die op het vlak van de binnenlandse en buitenlandse politiek gevolgd moest worden. Ekatat liet echter toe dat lokale heersers binnen het Birmese Rijk voortdurend tot opstand werden aangezet. Dit feit en de argwaan van Birmese zijde dat Ekatat het rijk van Ayutthaya wilde herstellen in alle luister die het had onder koning Burongnong, brachten de Birmese koning Alaungpaya ertoe in 1760 met een leger Ayutthaya aan te vallen. Nadat de hoofdstad al ruim een maand was belegerd, raakte de Birmese koning gewond bij het voortijdig afgaan van een kanon. Daarop besloot het leger terug te trekken. Zodra dit gebeurd was viel echter de eenheid die er tijdens de belegering was geweest uiteen en vochten de facties onderling even hard als voorheen.

Moe van alle onderlinge twisten besloot Ekatat ten slotte zich terug te trekken in zijn boeddhistische klooster Wat Pradu Rongtham. De ambtenaren die hem steeds hadden gesteund, gingen met hem mee. Hierdoor kreeg die factie die het Birmese gezag wilde tarten, de overhand. Waar Ayutthaya maar kon, werden nu opstanden uitgelokt. Hierdoor geprovoceerd, besloot koning Hsinbyushin Ayutthaya voorgoed te bestraffen. De Birmese koning heeft het gezag over de stad overgenomen.

## Russische lijfeigene mag niet klagen

SINT-PETERSBURG, 22 augustus - De Russische lijfeigenen hebben niet langer het recht zich over een onrechtvaardige behandeling door hun heer te beklagen. De lijfeigen boeren kunnen de landeigenaar niet meer voor het gerecht dagen, terwijl de landeigenaar wel zijn boeren op eigen gezag naar Siberië kan sturen en hun tuchthuisstraf kan opleggen.

Sinds 1746 is het de adel niet langer verboden lijfeigenen zonder land te kopen. Een lijfeigene zonder land kan als arbeider in een fabriek worden ingezet. Catharina de Grote stimuleert de ontwikkeling van de industrie; zij is een voorstandster van vrijhandel en monopoliën zijn afgeschaft. Zonder uitzondering mag iedereen een fabriek beginnen van welke soort dan ook en daarin elk gewenst produkt vervaardigen.

Het technische niveau blijft echter erg laag, want de Russische kennis op dit gebied loopt achter bij die in West-Europa. De voornaamste krachtbronnen zijn water en paarden terwijl met name in Engeland steeds meer stoommachines in gebruik komen. Wat bereikt wordt komt tot stand door het werk van een grote massa ongeschoolde en slechtbetaalde arbeiders, die meestal lijfeigenen zijn. Noch in de industrie noch in de landbouw kan de op basis van de lijfeigenschap gebaseerde economie produktief zijn.

Catharina zag dat ook in en heeft zeer voorzichtig de discussie over de lijfeigenschap op gang gebracht. Zij liet de consequenties van de afschaffing tot in detail uitzoeken door graaf N.I. Panin. Een oplossing die ten koste zal gaan van de adel, welhaast onvermijdelijk in ieders opinie, is voor Catharina ondenkbaar, omdat zij dan haar bewind in gevaar ziet komen. Zij voelt zich in hoge mate afhankelijk van de adel, mede omdat zij op niet bepaald rechtmatige wijze aan de macht is gekomen.

De afschaffing van de lijfeigenschap in Rusland is nog niet bespreekbaar. De winnende inzending van een opstelwedstrijd over de vraag of het voordelig zou zijn voor de maatschappij als boeren land zouden mogen bezitten (gehouden onder auspiciën van Catharina), kon niet gepubliceerd worden. De winnaar, een Fransman, stelt voor de lijfeigenen het bezit van een miniem stuk eigen land toe te staan om hen aan hun grond te binden, waardoor zij niet weglopen. 'De rijken hoeven niet meer steeds op te letten en krijgen hun inkomen stipt op tijd. Het is een genoegen je hond je overal te zien volgen (...), dat is toch niet te vergelijken met de zware taak van het leiden van een beer?'

*Christoph Willibald, Ritter von Gluck*

## Glucks 'Alceste' in première

WENEN, 16 december - Vijf jaar na het grote succes van zijn opera *Orfeo e Euridice* is vandaag in de hofopera te Wenen *Alceste*, een nieuwe opera van Christoph Willibald, Ritter von Gluck, in première gegaan. De tekst voor *Alceste* is vrij naar Euripides' treurspel bewerkt door De Calzabigi. Evenals hij in *Orfeo* had gedaan, heeft Gluck in *Alceste* met de traditionele Italiaanse coloratuuraria, waarin de technische virtuositeit op de voorgrond staat, gebroken en stelt hij daarvoor aria's met een zuivere, dramatische uitdrukking in de plaats. Het koor behandelt hij in de geest van het koor van de Griekse treurspelen; Händels oratoria hebben kennelijk invloed op hem uitgeoefend tijdens zijn Londens verblijf in de jaren veertig.

Gluck heeft zijn bedoelingen uiteengezet in het voorwoord van zijn nieuwe partituur: 'Ik tracht de muziek terug te brengen tot haar ware roeping, dat wil zeggen: het gedicht te ondersteunen en daardoor de uitdrukking van de affecten en het belang van de in het gedicht gesuggereerde omstandigheden te versterken; de handeling mag niet door muziek worden onderbroken. Ook ben ik van mening dat een ouverture de toeschouwers moet voorbereiden op het karakter van de handeling en tevens de inhoud van die handeling moet aanduiden.'

Dit betekent een duidelijke stellingname tegenover wat wel genoemd wordt 'de oppervlakkigheid en de weke zinnelijkheid van het gemiddelde Italiaanse libretto': anders dan voor de Italianen is voor Gluck het hogere drama doel van de muzikale uitdrukking. Hij kan bij zijn vernieuwingspogingen in ieder geval rekenen op de steun van het keizerlijk hof en de adellijke kringen. De Weense burgers krijgt hij waarschijnlijk niet mee, want die zijn in hun smaak door en door Italiaans. Zo beweerden onlangs enkele tegenstanders van Gluck dat *Orfeo* eerder een requiem (dodenmis) dan een opera was en 'dat het toch wel wat veel gevraagd was om zich voor de twee Groschen entreegeld te laten opwinden en ontroeren in plaats van zich te amuseren'.

*De koning op zijn olifant.*

**20 januari.** In het Engelse kabinet wordt de eerste minister voor de koloniën benoemd.

**25 mei.** James Cook vertrekt voor zijn eerste ontdekkingsreis vanuit Engeland.

**8 juni.** Bij een roofoverval in een herberg in Triëst wordt de Duitse kunsthistoricus en grondlegger van de moderne archeologische wetenschap, Johann Joachim Winckelmann, vermoord.

**Juli.** In de Engelse kolonie Massachusetts, Noord-Amerika, wordt de assemblée ontbonden na de weigering de nieuwe belastingen, afgekondigd in juni 1767, te innen.

**Juli.** Frankrijk koopt Corsica van Genua. Hiermee komt een einde aan de Corsicaanse opstand tegen Genua sinds 1755.

**Augustus.** In Bar, Polen, wordt met Franse steun een confederatie gevormd, gericht tegen de Russische invloed in Polen.

**September.** In Boston, Engels Noord-Amerika, weigeren burgers soldaten in te kwartieren die gestuurd zijn om relletjes tegen de nieuwe belastingen neer te slaan.

**Oktober.** Oostenrijk geeft alle aanspraken op Silezië, dat tijdens de Oostenrijkse Successieoorlog door Pruisen werd veroverd, op.

**Oktober.** Op Frans aandringen verklaart Turkije Rusland de oorlog om de Poolse vrijheid te herstellen. In Rusland wordt de wetgevende commissie ontbonden. →

**3 december.** Prins von Kaunitz, de Oostenrijkse kanselier, dringt bij Jozef II aan op de verdeling van Polen tussen Oostenrijk, Pruisen en Rusland.

- Paus Clemens XIII confisqueert Parma als vergelding voor de verbanning van de jezuïeten uit Spanje. Napels valt de Pauselijke Staat binnen, terwijl Frankrijk Avignon bezet.

- De Gurkha's veroveren Nepal.

- De rococo beleeft haar bloeiperiode. →

- De Franse bevolking reageert met korte maar zeer felle oproeren op de hoge voedselprijzen.

Gestorven:

**20 april.** Giovanni Antonio Canal (Canaletto) (18-10-1697), Italiaans landschapschilder →

# Wetgevende commissie wordt ontbonden

*In juli 1770 wordt de Osmaanse vloot bij Cesme door de Russen vernietigd.*

SINT-PETERSBURG, 25 september/6 oktober - In verband met de oorlogsverklaring van de Turkse sultan is de wetgevende commissie in Rusland ontbonden. De wetgevende commissie, gekozen volgens een gecompliceerd kiessysteem, bestond uit vertegenwoordigers van de adel, de steden, de niet-lijfeigen boeren en uit ambtenaren van de centrale regering. Zij waren in opdracht van Catharina bezig met de codificatie van het recht. Catharina zelf had eerst 'algemene principes volgens welke goede en nuttige wetten uit te vaardigen zijn' neergelegd in een instructie, gewoonlijk aangeduid als 'Grote Instructie'. Deze instructie was gebaseerd op de ideeën van Montesquieu en Beccaria - de beroemde voorvechter van een modern strafrecht. Catharina heeft de politieke theorieën van de Verlichting goed bestudeerd. Montesquieus *Esprit des lois* noemt zij het gebedenboek waarop zij haar politieke denken heeft gebaseerd. In Frankrijk is de Franse vertaling van de instructie zelfs verboden vanwege het blijkbaar als revolutionair aangevoelde karakter ervan.

De vroegtijdig naar huis teruggekeerde commissie heeft tot nog toe weinig van de opdracht tot het maken van een wetboek volgens liberale hervormingsideeën terechtgebracht. Het enige door de commissie gemaakte wetsvoorstel dat kracht van wet heeft gekregen, is het toekennen aan Catharina van de titel 'de Grote', 'wijste moeder des vaderlands'.

Catharina de Grote (de Duitse prinses Sofia Frederika van Anhalt-Zerbst) greep, nadat haar echtgenoot tsaar Peter III zes maanden op de troon had gezeten, op 28 juni 1762 de macht met behulp van het garderegiment. Peter III kwam acht dagen later onder nooit opgehelderde omstandigheden om het leven. Catharina had zich sinds haar huwelijk in 1745 als het ware op deze machtsgreep voorbereid door alles te lezen wat er over regeren geschreven was. Van *De vorst* van Machiavelli tot en met de schrijvers van de Franse Verlichting.

De tsarina houdt uitdrukkelijk de wetgevende macht in eigen hand. Wel werd er een aantal hervormingen doorgevoerd, waarbij het bestuur gedecentraliseerd werd en waarbij sprake is van een tendens naar deling van de macht. Mede door de verbeteringen in het bestuur deed zich het gemis aan een goed systeem van wetten voelen. Daarom had Catharina het plan tot de codificatie van het recht opgevat.

*In de 18de eeuw viert in de Duitse landen de rococostijl hoogtij. Speels, luchtig en elegant zijn de trefwoorden waarmee men deze in Frankrijk ontstane stijl aanduidt. Boven: de bibliotheek van het klooster Wiblingen.*

*Giovanni Antonio Canal, die als Canaletto bekend werd, begon bij zijn vader Bernardo Canal in Venetië als schilder van theaterdecors. In Rome leerde hij naar de natuur te schilderen. Canaletto wist op briljante wijze het leven in Venetië weer te geven. Hoewel hij gebouwen minutieus afbeeldt maakt zijn werk een levendige indruk omdat het spel van licht, lucht en water een grote rol speelt, zoals hier op dit 'Hemelvaartsdag in Venetië'.*

# Watt krijgt patent op stoommachine

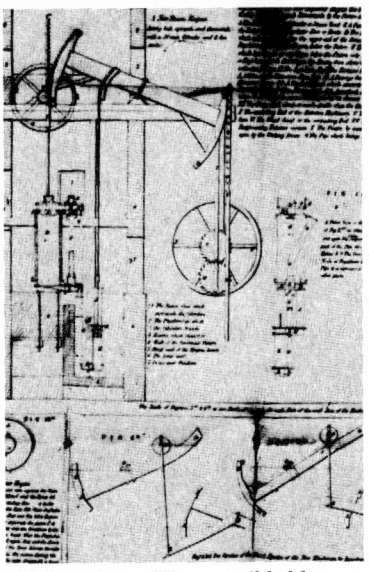

*De door James Watt ontwikkelde stoommachine.*

GLASGOW - James Watt, instrumentmaker aan de universiteit van Glasgow, heeft patent verkregen op de door hem geconstrueerde stoommachine. De belangstelling voor een goed functionerende stoommachine is de laatste jaren sterk toegenomen, voornamelijk van de kant van mijndirecteuren, die, nu tegenwoordig steeds dieper gelegen steenkool- en ijzerertslagen worden aangeboord, steeds krachtiger pompen nodig hebben om de mijnen vrij van water te houden. Ook van de kant van textielfabrikanten is interesse getoond. De bij de textielfabricage gebruikte machines worden nu nog voornamelijk door waterkracht en paarden aangedreven.

Het principe van de stoommachine was al in de Oudheid bekend, maar de praktische toepassing van de vindingen van Hero van Alexandrië (circa 100 n.C.) en latere onderzoekers werd uitgevonden door Thomas Newcomen in 1708. Het nieuwe van zijn uitvinding was dat hij om een op- en neerwaartse beweging te veroorzaken, gebruik maakte van een zuiger in een cilinder. Deze machine werd al snel toegepast voor het leegpompen van mijnen. Een belangrijke verbetering was de uitvinding van de veiligheidsklep door Henry Beighton in 1717. Hierdoor werd het explosiegevaar van stoommachines aanzienlijk verminderd. Nadeel van de machine was echter dat zij veel brandstof verbruikte.

Wetenschappers en technici bleven om deze reden zoeken naar manieren om de machine te verbeteren. De belangrijkste uitvinding werd gedaan door James Watt. Bij de machine van Newcomen vond het condensatieproces plaats in de cilinder, zodat deze afwis selend koud en warm moest zijn. Hier door ging veel energie verloren. In 176 deed Watt een belangrijke ontdekking door een aparte condensator te con strueren (zodat de cilinder steeds warm kon blijven) verhoogde Watt de effi ciëntie van de machine viermaal. Dez belangrijke vinding heeft voorlopi weinig invloed. Inmiddels werkt Wat al vier jaar met financiële steun va John Roebuck aan een praktische toe passing van de uitvinding waarop h nu patent verkregen heeft.

## Cugnot bouwt stoomautomobiel voor Franse leger

AMIENS - De Franse artillerieofficie Nicolas Joseph Cugnot is er als eerst in geslaagd een rijdende stoomauto mobiel te bouwen.

Het voertuig is bedoeld voor het voor trekken van kanonnen. De uit Lorrai ne afkomstige Cugnot demonstreerd zijn automobiel in aanwezigheid va generaal der artillerie Gribeuval. He is zeer de vraag of het voertuig prak tisch zal worden ingezet. De stoomau tomobiel is bijzonder zwaar en haal een snelheid van 3,6 kilometer per uu Een belangrijk nadeel is dat de driewi ler, die plaats biedt aan vier personer niet voorzien is van een watertank. Al gevolg hiervan moet ieder kwartier ha worden gehouden voor het bijvullen e verhitten van water.

De eerste poging een stoomautomobie te bouwen werd ondernomen doc Ferdinand Verbiest, een Belgisch mi sionaris in China. Omstreeks 166 construeerde deze een wagen waarb een stoomstraal, via een rad, de wiele in beweging moest zetten. Het staa echter niet vast of deze stoomwage ook heeft gereden.

Het ideaal van een automobiel in de zi van een niet door dieren voortgetrok ken voertuig, is al eeuwen oud. Fara Amenemhet III moet al omstreek 1830 voor Christus de eerste zeilwa gens hebben gebouwd.

*Dit jaar reist Jozef II van Oostenrijk met zijn broer Leopold naar Italië om zich door de beroemde schilder Pompeo Batoni te laten portretteren. Het resultaat is het bovenstaande dubbelportret. Jozef II staat rechts, hand in hand met zijn broer, tegen de achtergrond van Rome. De overige attributen verwijzen naar de humanistische vorming van de geportretteerden.*

*De stoomautomobiel van Cugnot.*

# James Cook met 'Endeavour' op Tahiti

*Het offeren van mensen op Tahiti (gravure uit Cooks reisverslag).*

TAHITI, 3 juni - De Engelse ontdekkingsreiziger James Cook verricht op het eiland Tahiti astronomische observaties. Het is de bedoeling dat de door Cook geleide expeditie drie maanden op het eiland blijft om dieren en planten te verzamelen en het leven van de inboorlingen te bestuderen. Cook is vorig jaar vanuit Engeland vertrokken met een omgebouwd kolenschip dat hij de 'Endeavour' heeft gedoopt. Cook kreeg van de Britse Royal Society twee opdrachten mee. Eerst moet hij de baan van Venus bestuderen, die omstreeks deze tijd tussen de aarde en de zon door gaat. Deze studie is het Britse aandeel in een internationaal onderzoeksproject dat tot doel heeft de afstand van de aarde tot de zon te bepalen. Daarna moet hij doorvaren naar het Zuiden om het mysterieuze continent 'Terra australis incognita' te zoeken. Men verwacht namelijk dat bij Nieuw-Zeeland en Australië nog een groot continent ontdekt wordt.

*18de-eeuwse kaart van het gebied waarin Cook zijn waarnemingen doet.*

**5 maart.** In Boston, Engels Noord-Amerika, vindt een treffen plaats tussen burgers en Engelse troepen. Vijf burgers komen om, 'the Boston massacre'. →

**19 april.** De stad Amsterdam en de West-Indische Compagnie nemen een aandeel in de kolonie Suriname. →

**April.** Het Engelse parlement besluit de importbelastingen voor de dertien Noordamerikaanse kolonies op glas, papier en kleurstoffen, ingesteld in juni 1767, in te trekken. De heffing op thee blijft gehandhaafd.

**6 juli.** De Russische vloot onder bevel van Engelse officieren verslaat de Turkse marine in de Slag bij Cesme.

**Augustus.** Bemiddeling van de Franse minister van Buitenlandse Zaken, de hertog de Choiseul, voorkomt oorlog tussen Engeland en Spanje om de Malvinas-Falklandeilanden voor de oostkust van Spaans Zuid-Amerika.

**13 september.** In Denemarken bewerkstelligt Struensee, de vertrouweling van koningin Caroline Mathilde, de val van eerste minister Bernstorff.

**5 december.** In Denemarken schaft Struensee de ministerraad af en begint een hervormingsprogramma, met onder meer vrijheid van godsdienst en drukpers.

**24 december.** Na intriges van Madame du Barry, de officiële maîtresse van Lodewijk XV, wordt minister van Buitenlandse Zaken Choiseul vervangen door de hertog d'Aiguillon.

**28 december.** De keurvorst van Beieren kondigt de doodstraf voor graansmokkelaars aan. →

- De Mahratten veroveren in India Delhi.

- Spanje ontruimt de Engelse bevoorradingspost op de Falklandeilanden. →

- Edmund Burke publiceert zijn *Thoughts on the cause of the present discontents* over het functioneren van het Engelse politieke systeem.

- De Engelsman John Wilkes publiceert kritische artikelen over het parlement. →

- Na opeenvolgende misoogsten wordt Bengalen, India, getroffen door hongersnood. Het aantal slachtoffers wordt geschat op 10 miljoen. Ondanks de massale sterfte geeft de Engelse koloniale overheid geen voedselhulp.

- James Cook ontdekt Botany Bay. Hij eist Australië voor de Engelse kroon op.

# Doden in rellerig Boston

*Engelse 'roodjassen' openen het vuur op de Amerikaanse kolonisten.*

BOSTON, 5 maart - Tijdens rellen in de Amerikaanse stad Boston hebben Engelse soldaten drie kolonisten gedood en zijn acht personen gewond geraakt.

Het 'Bloedbad van Boston', zoals radicale kolonisten het tragische incident noemen, begon nadat enige honderden kolonisten een groepje Engelse soldaten allerlei verwensingen naar het hoofd slingerden en hen tevens met sneeuwballen bekogelden. Het onschuldig lijkende sneeuwballengevecht ontaardde al spoedig in een massale aanval, toen een geïrriteerde 'roodjas' zijn geduld verloor en op de menigte begon te schieten.

Het is niet de eerste keer dat het in Boston tot ongeregeldheden is gekomen. Zo kwam twee jaar geleden een volksmassa op de been, nadat het schip de 'Liberty' wegens smokkelarij door de havenautoriteiten in beslag genomen was. Douanebeambten die verantwoordelijk waren voor het innen van invoerrechten, werden door een woedende menigte gemolesteerd en tevens werden er grote vernielingen aangericht. Naar aanleiding van dit incident werden twee regimenten Engelse soldaten naar Boston gezonden. Het Britse krijgsvolk symboliseert voor vele kolonisten niet alleen het gehate Engelse gezag, maar wekt vooral wrevel bij werkzoekende stedelingen, die in de roodjassen concurrenten op de arbeidsmarkt zien.

De betrekkingen tussen Engeland en de Amerikaanse koloniën zijn vooral verslechterd in 1763, na afloop van de Zevenjarige Oorlog, die in Amerika de 'French and Indian war' werd genoemd. Omdat Engeland vond dat de oorlog mede in het belang van de kolonisten was gevoerd, had het besloten om de Amerikanen in de enorme onkosten van deze oorlog te laten delen. Alleen door een sterker centraal gezag konden de koloniën belastingen opgelegd worden, en een vergroting van het gezag van de centrale regering was slechts mogelijk ten koste van het koloniaal zelfbestuur.

De eerste stap in deze richting was de Suikerwet van 1764, waarbij rechten op de invoer van suiker in de koloniën werden geheven. Er volgden meer belastingwetten, zoals de Zegelwet (1765).

Onder druk van de protesten trok de Engelse regering de Zegelwet in. Maar in 1767 kwam zij met een nieuwe serie accijnswetten, de Townshend Acts, genoemd naar de Engelse minister van Financiën. Opnieuw kwamen er protesten, die dit keer resulteerden in een boycot van Engelse produkten.

*Een theepot uit de aardewerkfabriek Etruria bij Stoke-on-Trent. Het bedrijf is door Josiah Wedgwood en zijn partner Thomas Bentley opgericht.*

# John Wilkes hekelt Engelse parlement

LONDEN - Tot grote woede van koning George III en zijn regering blijft John Wilkes doorgaan met het publiceren van kritische artikelen over het Engelse parlement. In scherpe bewoordingen hekelt hij de incompetentie en het ondemocratische karakter ervan. Volgens Wilkes liggen de stemverhoudingen in het parlement nagenoeg vast omdat koning en regering er door middel van baantjes uitdelen en stemmen opkopen bij verkiezingen wel voor zorgen dat er voldoende regeringsvriendelijke parlementsleden

zijn. Deze klachten zijn niet nieuw en dateren in feite al van de dagen van Walpole, maar om diverse redenen ontstaat nu in brede kring verzet tegen deze praktijken. Wilkes is al jaren met koning en regering in een bitter conflict verwikkeld, wat voor hem geleid heeft tot zware politieke onderdrukking, verwijdering uit het parlement en een aanslag op zijn leven, maar waaruit hij tot dusverre als (morele) overwinnaar te voorschijn is gekomen.

Het conflict begon in 1763 toen Wilkes in zijn blad *The North Briton* de buiten-

landse politiek van George III fel aanviel. Sinds zijn troonsbestijging wilde George III een nieuwe buitenlandse politiek, gericht op beëindiging van de oorlog, gaan voeren. Deze koerswijziging leidde al eerder tot de val van William Pitt (1761). Wilkes was het met de nieuwe lijn niet eens en bestreed deze in ongewoon felle bewoordingen, waardoor de koning zich beledigd voelde. Wilkes schreef bijvoorbeeld: 'De koning is eigenlijk alleen maar de hoogste magistraat van het land (...). Hij is verantwoording schuldig aan het volk voor het goed uitvoeren van zijn taak, waartoe ook de keuze van goede ministers behoort.' Hoewel John Wilkes toen reeds zitting in het parlement had werd hij gearresteerd door middel van een zogenaamde 'general warrant', een arrestatiebevel waarop geen naam staat. Hij werd opgesloten in de Tower en zijn huis werd doorzocht. Wilkes reageerde furieus. In een serie rechtszaken kreeg hij het gelijk aan zijn zijde. Zijn grootste overwinning behaalde hij toen rechter Camden de 'general warrant' onwettig verklaarde. Vooral diens uitspraak over het verweer van de kant van de kroon dat gehandeld was uit 'staatsbelang' deed veel stof opwaaien. Camden stelde dat 'politiek in rechtszaken niet als argument gebruikt mag worden'. Deze overwinning maakte van Wilkes een populaire figuur in Londen, waar om allerlei redenen onvrede met de gevoerde politiek bestond. De koning en zijn regering accepteerden deze nederlaag niet maar vochten terug: Wilkes werd uit het parlement verwijderd. Bovendien wist premier Grenville Wilkes in diskrediet te brengen door in het Lagerhuis een obsceen gedicht, *An Essay on Woman*, dat Wilkes in een van zijn bladen had gepubliceerd, voor te lezen. Wilkes werd na deze affaire uitgedaagd tot een duel, waarbij hij gewond raakte. Later werd zelfs een aanslag op zijn leven gepleegd. Toen nieuwe aanklachten tegen hem werden ingediend, nam Wilkes in 1764 de wijk naar Frankrijk en velen meenden dat hiermee aan de affaire-Wilkes een einde was gekomen.

Voor de verkiezingen van 1768 keerde hij echter terug. Met een grote meerderheid en onder luide bijval in brede lagen van de volksklasse, voor wie Wilkes een symbool van verzet tegen tirannie geworden was, werd hij gekozen. Opnieuw werd Wilkes uit het parlement verwijderd en gevangengezet, tot verontwaardiging van velen. In de gevangenis ontving hij stapels post en vele cadeaus, onder andere vanuit de Amerikaanse koloniën, waar men al jaren ontevreden is met de belastingpolitiek van deze regering. Na zijn vrijlating gaat Wilkes op de oude voet door. Ook al is hij geen parlementslid meer,

*De Britse koning George III.*

zijn artikelen wekken de woede van de koning en de regering op, maar worden in kringen van de groeiende oppositie gretig gelezen. De regering heeft geen legale middelen om zich tegen de aanvallen van deze onverzoenlijke rebel te weer te stellen.

Achtergrond van de affaire die de gemoederen al jarenlang verhit, is de toenemende oppositie tegen koning George III en zijn ministers. De onvrede blijft niet beperkt tot de kleine kring die politiek actief is. Door de toegenomen welvaart en het verschijnen van kranten is politiek de laatste decennia in toenemende mate een zaak geworden die algemeen in de belangstelling staat. Door de betere verkeersverbindingen kan men bijvoorbeeld in Liverpool binnen twee dagen het nieuws uit Londen in de kranten brengen. Algemeen meent men dat George III en zijn ministers de invloed van deze publieke opinie ernstig hebben onderschat.

## Aandeel Suriname verkocht

*Openbare verkoop van een slavin in de kolonie Suriname.*

AMSTERDAM, 19 april - De stad Amsterdam en de West-Indische Compagnie hebben van de erven Van Aerssen van Sommelsdijck hun aandeel in de kolonie Suriname overgenomen. Er is in totaal 700 000 gulden met de transactie gemoeid. De transactie heeft doorgang kunnen vinden ondanks de bezwaren van de hoofdparticipanten. Sinds 1683 zijn Amsterdam, de WIC en de familie Van Aerssen verenigd in de Sociëteit van Suriname, de gezamenlijke eigenares van de plantagekolonie Suriname. Dank zij de aanvoer van negerslaven van de kust van Guinea kwam de suikerrietcultuur tot bloei. Suriname levert inmiddels nieuwe produkten als cacao (sedert 1702), katoen (1706) en tabak (1713). Sinds 1721 is koffie een belangrijk uitvoerartikel geworden. De laatste decennia is de koffieproduktie hoofdzaak geworden en wordt de suikercultuur meer en meer verlaten.

De hoofdparticipanten van de Surinaamse Sociëteit zien geen voordeel in de uitbreiding, te meer daar door de transactie een groot bedrag uit de kas vloeit. Daarbij zijn de kosten van het beheer van de kolonie de laatste jaren aanzienlijk gestegen. Het feit dat de

Sociëteit nu maar twee partners heeft, maakt een oplossing van een eventueel conflict moeilijk. De bewindhebbers van de Sociëteit van Suriname hebben deze bezwaren echter naast zich neergelegd.

*Surinaamse planter in ochtendgewaad laat zich door een slavin bedienen.*

*Wilkes, de horzel van het Britse parlement.*

*Engelse driemaster onder zeil (anonieme kopergravure).*

# Crisis om Falklandeilanden

PORT LOUIS/PORT STANLEY - Tussen Spanje en Engeland dreigt oorlog uit te breken nu Spanje de Engelse bevoorradingspost op de Falklandeilanden heeft ontruimd. De Falklandeilanden worden gevormd door een groep rotsen met twee grotere eilanden, East en West Falkland, ongeveer 500 kilometer ten noordoosten van de Straat van Magalhães. Door de ligging zijn de eilanden strategisch en als bevoorradingspunt belangrijk.

De Falklandeilanden kregen in 1690 van de Engelse kapitein Strong hun naam. In de eerste helft van deze eeuw bezochten Franse avonturiers uit Saint Malo de eilanden, die daardoor de Franse naam Iles Malouines en de Spaanse naam Islas Malvinas kregen. In 1764 eiste kapitein Bougainville de eilanden voor Frankrijk op en hij stichtte de nederzetting Port Louis. Twee jaar later erkende Frankrijk een Spaanse aanspraak en ontruimde de eilanden. In 1766 eiste John Byron de eilanden echter voor Engeland op en hij richtte een bevoorradingspost voor schepen op West Falkland op. Deze post is nu door Spanje ontruimd uit vrees voor Engelse smokkelhandel met Buenos Aires en Engelse beheersing van de Straat van Magalhães. Engeland dreigt met oorlog als de post niet hersteld wordt. Spanje lijkt echter niet bereid oorlog te riskeren met Engeland, dat duidelijk de sterkste vloot heeft. De Spaanse positie wordt nog verzwakt door de val van de pro-Spaanse minister van Buitenlandse Zaken van Frankrijk, Choiseul, waardoor Spanje niet op het bondgenootschap met Frankrijk hoeft te rekenen.

# Beieren: doodstraf voor graansmokkel

BEIEREN, 28 december - De keurvorst van Beieren heeft aangekondigd graansmokkelaars voortaan ter dood te veroordelen. Hij acht deze strenge maatregel noodzakelijk vanwege de ware hongersnood in zijn land. Tot nu toe kregen graansmokkelaars slechts lichte straffen. Zij konden bijvoorbeeld verplicht worden hun graan tegen vastgestelde lage prijzen te verkopen. Soms werd hun handel verbeurd verklaard en werden zij gevangengezet.

Graanexport is in verband met de voedselschaarste verboden. Toch breidt de graansmokkel zich steeds verder uit. Kleine boeren, die geld nodig hebben maar slechts weinig te koop kunnen aanbieden, rijden 's nachts naar een gebied waar de prijzen hoger liggen. De grenzen van de Duitse staten worden echter steeds strenger bewaakt. Ook worden graanvoorraden geïnspecteerd. Als een overheidscontroleur een voorraad ontdekt die duidelijk te groot is voor eigen gebruik, kan hij de eigenaar tot verkoop dwingen. Bij zware overtredingen wordt het graan geconfisqueerd. De schuldige krijgt dan een pak slaag en belandt in de gevangenis of aan de schandpaal. Het achterhouden van graanvoorraden wordt als een zwaar misdrijf aangemerkt, omdat het prijsverhogend werkt, terwijl het voedsel door de enorme tekorten toch al veel duurder geworden is.

Grote delen van Europa zijn getroffen door de hongersnood. Een koude en natte zomer deed de oogst mislukken. Uit veel landen komen dezelfde berichten. In Engeland klaagt men over een ongekend slechte zomer en in Hongarije en Tirol sneeuwde het tot in juli. De Kerken verkondigen de mening dat de honger een straf van God is voor de vele zonden die de mensen begaan hebben. Zij roepen de gelovigen op tot gebed en boetedoening. Met deze houding proberen de geestelijken te voorkomen dat er sociale onrust uitbreekt.

---

# 1771

**22 januari.** Spanje erkent de Engelse soevereiniteit over de Malvinas-Falklandeilanden voor de oostkust van Spaans Zuid-Amerika, maar geeft geen genoegdoening voor belediging van de Engelse vlag. De crisis over de eilanden werd in september 1770 acuut.

**Januari.** Prins Hendrik van Pruisen bezoekt Rusland en brengt de verdeling van Polen ter sprake.

**Januari.** Maupeou, de Franse eerste minister, stelt de parlementen buiten werking en vervangt ze door ambtelijke instellingen. Het 'triumviraat' van ministers (Maupeou, Terray en d'Aiguillon) bindt de strijd aan met de parlementen, die naar de zin van de regering te veel macht hebben.

**12 februari.** Koning Adolf Frederik van Zweden sterft. Hij wordt opgevolgd door zijn zoon Gustaaf III. →

**27 maart.** In Engeland wordt de drukker Brass Cosby gearresteerd, in een laatste poging van de overheid te voorkomen dat de parlementsdebatten in druk verschijnen.

**Juni.** Rusland voltooit de verovering van de Krim, het schiereiland in de Zwarte Zee, op Turkije.

**6 juli.** Oostenrijk en Turkije sluiten een verdrag waarin beoogd wordt dat Rusland alle veroverde gebieden aan Turkije teruggeeft.

- Ali Bey van Egypte verovert Damascus op Turkije.

- De Chinese keizer Qian Loeng veroordeelt het christendom.

- De Franse minister Terray verbiedt de uitvoer van graan.

- In Savoye wordt de lijfeigenschap afgeschaft.

- De eerste volkstelling in Oostenrijk-Hongarije noemt een inwonertal van 18 875 099.

- In Engeland verschijnt de eerste uitgave van *The Encyclopaedia Britannica*.

- Deluc stelt regels op volgens welke de hoogte kan worden vastgesteld met een barometer.

- In Wenen wordt de eerste Oostenrijkse Normalschule geopend, als voorbeeld in het afgekondigde onderwijsprogramma.

Gestorven:

**7 juli.** Thomas Gray (26-12-1716), Engels dichter (*Elegy written in a country churchyard*, 1749)

**26 december.** Claude Adrien Helvétius (26-1-1715), Frans filosoof (*De l'esprit*)

---

# Gustaaf III wordt nieuwe koning van Zweden

*Koning Gustaaf III van Zweden.*

STOCKHOLM, 12 februari - Na de dood van koning Adolf Frederik van Zweden valt de troon toe aan zijn zoon, die zal regeren onder de naam Gustaaf III. Op het moment van het overlijden van zijn vader is de prins, belast met een diplomatieke missie, in Parijs. Frankrijk heeft namelijk financiële steun beloofd aan Zweden, met de bedoeling dit land als bondgenoot te winnen tegen Rusland, maar tot dusverre is van dit geld nog niets overgemaakt. Het schijnt echter dat de Fransen onder bepaalde voorwaarden bereid zijn het geld te betalen. De toekomstige koning wordt pas eind volgende maand in Stockholm terug verwacht.

De nieuwe koning, die op 24 januari 1746 geboren werd, wacht een zware taak. Na de dood van Karel XII is in Zweden de zogenaamde 'vrijheidsstrijd' aangebroken, dat wil zeggen een periode waarin de monarchie steeds meer invloed verloor en de werkelijke macht in handen van de adel kwam. Het beleid van de adel wordt hier algemeen als slecht beschouwd: deze stand is onderling zeer verdeeld en komt door de voortdurende ruzies tussen de twee vrijwel even sterke facties (de pro-Russische Mutsen en de pro-Franse Hoeden) niet tot effectieve maatregelen.

Hoewel Gustaaf III na zijn troonsbestijging van de adel weinig speelruimte zal krijgen, verwacht men dat de goed opgeleide en politiek zeer geslepen vorst zal proberen zich een sterke positie te verwerven. Naar het schijnt is dit zelfs een van de voorwaarden geweest die de Franse koning aan de betaling van subsidies heeft verbonden.

# Van Swieten: lijfarts en vertrouweling

*De keizerlijke familie (gouache van aartshertogin Maria Christina).*

WENEN, 18 juni - In Schönbrunn, de keizerlijke zomerresidentie bij Wenen, is op 72-jarige leeftijd de medicus Gerard van Swieten overleden. Hij was naast lijfarts van Maria Theresia haar voornaamste vertrouweling, en een prominente vertegenwoordiger van de katholieke 'Aufklärung' in Oostenrijk.

Van Swieten werd in Leiden geboren, waar hij bij Hermanus Boerhaave medicijnen studeerde. Hij gold als Boerhaaves begaafdste leerling. Omdat Van Swieten als katholiek aan de Leidse universiteit geen carrière kon maken, accepteerde hij in 1745 het aanbod van Maria Theresia om als lijfarts bij haar in dienst te treden. Hoewel hij haar geliefde zuster Maria Anna in 1744 niet van de pokken had kunnen genezen, achtte Maria Theresia hem zeer hoog. Zij beschouwde hem als haar 'meilleur ami, confident et bienfaiteur'. Haar vertrouwen in zijn kunnen was zo groot dat zij hem tijdens de pokkenepidemie van 1767 toestemming verleende een vanwege het besmettingsgevaar bijzonder riskant medisch experiment uit te voeren: het inspuiten van gezonde volwassenen en kinderen met een uit gedroogde menselijke pokpuisten vervaardigde entstof. Behalve Maria Theresia's eigen zonen Ferdinand en Maximiliaan en haar kleindochter Theresia werden 65 kinderen van arme ouders met succes tegen de veelal dodelijke ziekte ingeënt. Niet alleen aan het hof maar ook aan de universiteit van Wenen bracht Van Swieten zijn kennis in praktijk. Hij was ervan overtuigd dat slechts aanschouwelijk onderricht aan het ziekbed van de patiënt bekwame artsen voort-

brengt. Op zijn initiatief werden in de jaren tussen 1749 en 1754 een botanische tuin, een chemisch laboratorium en een snijkamer aan de Weense medische faculteit toegevoegd.

Officieel was Van Swieten alleen verantwoordelijk voor de verbetering van de medicijnenstudie, maar door zijn vertrouwensrelatie met Maria Theresia had hij een belangrijke stem in de hervorming van het gehele hoger o[...] derwijs. Hij behoorde tot 'die Gro[...] sen', een groep jansenistische hervo[...] mers die de strijd leverden met de u[...] jezuïeten bestaande katholieke bove[...] laag. De hervormingsgezinde kath[...] lieken slaagden er ten slotte in de j[...] zuïeten uit hun traditionele sleute[...] posities in het onderwijs te manoeuvr[...] ren.

## Struensee bekoopt liefde met de dood

KOPENHAGEN, 28 april - Na een kort proces is graaf Frederik van Struensee, eerste minister van Denemarken, op beschuldiging van overspel met de koningin en aantasting van het koninklijk gezag, ter dood veroordeeld en geëxecuteerd. Zijn tegenstander Guldberg heeft de macht overgenomen.

Struensee, oorspronkelijk lijfarts van de zwakbegaafde koning Christiaan VII, nam na een staatsgreep twee jaar geleden de macht in handen. Het absolutisme, dat zich sinds 1665 probleemloos had gehandhaafd, moest wijken. Struensee liet zijn voorganger graaf Bernstorff (regeringsleider vanaf 1755) ontslaan. Bernstorffs naam is verbonden met de invoering van het mercantilisme in Denemarken. In korte tijd steeg de invloed van de staat in het economische leven enorm: de handel op de Deense koloniën werd gestroomlijnd, burgers werden opgeroepen alleen nog Deense artikelen te kopen en buitenlandse investeerders werden met vette subsidies het land in gelokt. De staatsuitgaven stegen fors maar het economische succes bleef uit, vooral door de concurrentie van Engeland.

Struensee had al nooit veel vertrouw[...] in het mercantilisme gehad. Aangeste[...] ken door de Verlichting begon hij [...] hoog tempo liberale hervorminge[...] door te voeren die de invloed van [...] staat in de economie weer beperkte[...] Zo was hij een voorstander van vrijha[...] del in plaats van protectie en schafte h[...] de staatssubsidies af. In de zestie[...] maanden van zijn regering gaf hij ni[...] minder dan 1880 decreten uit. Hij ve[...] tigde een nieuw burgerlijk gerechtsho[...] schafte het martelen af en beloofde de [...] minderheden in het land een betere be[...] handeling. Ook verminderde hij h[...] aantal ambtenaren, maar hij gara[...] deerde de zittende ambtenaren wel ee[...] vast loon, hetgeen de corruptie aa[...] zienlijk deed afnemen. Revolutiona[...] was de instelling van persvrijheid, w[...] hem de complimenten van Voltai[...] opleverde.

Dit kordate maar andersoortige bele[...] leverde hem vele tegenstanders o[...] vooral aan het hof en in kringen va[...] mercantilisten. Maar vooral het feit da[...] hij 's konings gezag ook in diens be[...] aantastte werd de aanleiding van he[...] proces dat hem vandaag - letterlijk - d[...] kop heeft gekost.

**Februari.** Lodewijk XV en Gustaaf III vernieuwen het bondgenootschap tussen Frankrijk en Zweden.

**12 maart.** Het House of Burgesses in Virginia, Engels Noord-Amerika, benoemt een provinciaal comité met correspondentie om tot actie tegen het Engelse bestuur te komen. Andere koloniën volgen.

**Mei.** Het Engelse parlement neemt de British East India Company Regulating Act aan, waarin het bestuur van de gebieden in India wordt geregeld. Er is voorzien in een gouverneur-generaal, terwijl ambtenaren geen particuliere handel mogen drijven. De East India Company krijgt het monopolie voor de opiumhandel met China.

**21 juli.** Paus Clemens XIV vaardigt de bul *Dominus ac Redemptor* uit, waarmee de orde der jezuïeten wordt ontbonden. →

**September.** Warren Hastings, de eerste Engelse gouverneur-generaal in India in de zin der wet van mei, sluit een verdrag met de staat Oudh voor een oorlog tegen de Mahratten.

**16 oktober.** Denemarken draagt de soevereiniteit over Oldenburg over aan Rusland.

**Oktober.** Een Russische troonpretendent, Jemeljan Poegatsjov, leidt een kozakken-opstand, waardoor de opmars tegen Turkije tot staan wordt gebracht.

**16 december.** Het verzet tegen het Engelse koloniale gezag bereikt in Noord-Amerika een voorlopig hoogtepunt met de 'Boston Tea Party'. Uit protest tegen de speciale thee-importheffing worden 342 kisten thee in zee gegooid.

**24 december.** Sultan Moestafa III van Turkije sterft. Hij wordt opgevolgd door zijn broer Abdül-Hamid I.

**December.** Frankrijk geeft Avignon met onderhorigheden terug aan de Pauselijke Staat.

- John Erskine voltooit zijn studie *Institutes of the Law of Scotland*.

- In Stockholm wordt het Zweeds Nationaal Theater opgericht.

- In Pennsylvania wordt het Philadelphia Museum opgericht.

- Goethe publiceert zijn *Götz von Berlichingen*.

Gestorven:

**12 juli.** Johann Joachim Quantz (30-1-1697), Duits componist
**21 oktober.** Johann Conrad Schlaun (5-6-1695), Duits architect in barokstijl
**22 november.** Robert Clive (1725), Engels veroveraar en bestuurder in Bengalen, India

## Clemens XIV maakt een einde aan jezuïetenorde

ROME, 21 juli - Per pauselijke bul, maar met frisse tegenzin, heeft Clemens XIV ingestemd met de opheffing van de jezuïetenorde: 'daar zij niet meer zoals vroeger de rijke vruchten brengt en tot nut is en haar voortbestaan het herstel van de vrede in de Kerk in de weg staat'. Zware druk van diverse Europese vorsten is aan deze beslissing voorafgegaan. Alleen Rusland en Pruisen leggen de bul naast zich neer, de orde kon in die landen dan ook blijven bestaan.

De jezuïeten zijn vooral bekend geworden door hun niet aflatende strijd tegen de Reformatie in Europa en hun onvoorwaardelijke trouw aan de paus. Dit laatste is hun opgebroken: de pretenties van de paus om de bevoorrechte positie van de Rooms-Katholieke Kerk te handhaven, botsten steeds vaker met de ideeën van veel Europese machthebbers en de Verlichting. Deze machthebbers waren van mening dat de Kerk zich moest onderwerpen aan de staat en niet omgekeerd.

Sommige, de jezuïeten niet onvriendelijk gezinde, koningen bezweken voor de druk van hun binnenlandse oppositie of hun oppermachtige eerste ministers die niets van de orde willen weten. En alhoewel veel Verlichtingsfilosofen niet antigodsdienstig zijn stoorden zij zich wel aan de grote macht van de paus in nationale geestelijke aangelegenheden. Het was niet geheel ten onrechte dat de onvrede zich richtte op de jezuïeten: als geen ander hadden zij het primaat van de paus in woord en geschrift verdedigd.

Daar kwam nog bij dat de jezuïeten ervan werden beschuldigd te veel invloed op de staatszaken te hebben als biechtvaders van veel regerende koningen. De grote invloed van de jezuïeten in het onderwijs, de rijkdom van de orde en hun deelname aan het handelsverkeer waren velen een doorn in het oog. Een aantal (financiële) schandalen waarbij jezuïeten waren betrokken, deed de rest. In 1759 was Portugal het eerste land dat de orde verbood. Frankrijk, waar de anti-Romeinse gevoelens altijd al sterk waren geweest (gallicanisme en jansenisme), volgde in 1764, Spanje en Napels-Sicilië in 1767 en Parma in 1768. De heersers van deze landen begonnen nu druk op de paus uit te oefenen om de hele orde maar op te heffen. De paus voelde daar aanvankelijk weinig voor, maar toen Frankrijk en Napels gebieden gingen bezetten die tot de Kerkelijke Staat behoorden, ging Clemens overstag. De opheffing van de jezuïetenorde betekent een ernstige verzwakking van het katholicisme in het algemeen en van de machtspositie van de paus in het bijzonder.

**April.** Met de Quebec Act wordt het rooms-katholicisme door het Engelse parlement in Canada getolereerd en het Romeins recht ingevoerd. Hiermee wordt gehoopt dat Canada loyaal zal blijven aan het moederland.

**April.** Warren Hastings verovert Rokilhand in Noordwest-India.

**10 mei.** Koning Lodewijk XV van Frankrijk overlijdt. Hij wordt opgevolgd door zijn kleinzoon Lodewijk XVI, die met Marie Antoinette is getrouwd. Maurepas wordt de nieuwe eerste minister, terwijl Vergennes minister van Buitenlandse Zaken wordt.

**18 juli.** Poegatsjov kondigt in Rusland de afschaffing van de lijfeigenschap af.

**21 juli.** Na de nederlaag in de Slag bij Çumra sluit Turkije de Vrede van Kutsjuk Kainardzji met Rusland, in de oorlog die sinds 1768 woedde. →

**12 augustus.** Denemarken en Rusland sluiten een geheim bondgenootschap.

**Augustus.** Lodewijk XVI van Frankrijk roept de parlementen terug uit ballingschap en benoemt Turgot tot minister van Financiën.

**5 september - 25 oktober.** In Philadelphia komen vertegenwoordigers uit twaalf Engelse koloniën in Noord-Amerika (Georgia neemt niet deel, noch de Canadese gebieden) voor het eerste Continentaal Congres bijeen. →

**13 september.** De Franse minister van Financiën Turgot staat de in 1766 afgeschafte binnenlandse graanvrijhandel weer toe.

**14 september.** De opstandige kozakken leveren na een nederlaag hun leider en troonpretendent Poegatsjov aan de regering uit.

**September.** Oostenrijk verovert Boekovina, zuidoostelijk Galicië, op Turkije.

**27 oktober.** Het parlement van Parijs wordt in ere hersteld. →

- Doordat koning Jozef I van Portugal steeds verder in krankzinnigheid vervalt, krijgt eerste minister Pombal, de vertrouweling van koningin-regentes Marie Anne, vrijwel alle macht in handen.

- John Wilkinson ontwikkelt de boormachine, waarmee cilinders voor stoommachines kunnen worden geproduceerd.

- Johann Wolfgang von Goethe publiceert zijn brievenroman *Die Leiden des jungen Werthers*.

- Onafhankelijk van de Duits-Zweedse chemicus Carl Wilhelm Scheel, die in 1771-1772 vergelijkbare resultaten publiceerde, toont de Engelse bioloog Joseph Priestley wetenschappelijk zuurstof aan.

## Parlement Parijs in ere hersteld

PARIJS, 27 oktober - Vandaag is officieel bekend geworden dat het parlement van Parijs weer in ere wordt hersteld. Ruim drie jaar geleden werd dit hoogste gerechtshof opgeheven en vervangen door een nieuw stelsel van rechtbanken. Het eerherstel is mede te danken aan de nieuwe koning, Lodewijk XVI.

In 1770 besloten de toenmalige minister-president Maupeou en zijn collega van Financiën Terray het parlement van Parijs eens en voor altijd onschadelijk te maken. Het was de enige manier om een aantal dringend noodzakelijke belastingmaatregelen in te voeren. Het parlement had deze steeds met succes tegengehouden. Dat gold overigens ook voor veel andere wetten. Het bewind van Lodewijk XV kenmerkte zich door een voortdurende machtsstrijd tussen het parlement en de monarchie.

In januari 1771 werden de rechters van het parlement in ballingschap gestuurd en werd het nieuwe rechtsstelsel aangekondigd. Het veroorzaakte een storm van protest. Er werd gesproken over een staatsgreep van de monarchie en men betoogde dat het parlement van oudsher het noodzakelijke tegenwicht tegen de absolute macht van de vorst vormde. Om die reden werd het verzet ook gesteund door mensen die nooit veel sympathie voor het parlement hadden gehad. Filosofen bijvoorbeeld, wier boeken in het verleden door het parlement waren verboden. Maar iemand als Voltaire juichte de maatregel van Maupeou toe. Volgens hem was het nog altijd beter te moeten gehoorzamen aan een mooie leeuw dan aan tweehonderd ratten.

De instelling van nieuwe rechtbanken ter vervanging van het parlement ging gepaard met een opmerkelijke hervorming. De functie van rechter zou voortaan niet meer hoeven te worden gekocht en zou ook niet meer erfelijk zijn. Allerlei overheidsfuncties, van hoog tot laag, worden al sinds jaar en dag door de staat permanent verhuurd. Ambtenaren berekenen de kosten van hun functie door aan de burgers, maar daarvoor bestaan geen vaste tarieven. In de praktijk valt er vaak goed te verdienen aan een functie bij de overheid. Met de afschaffing van dit systeem wordt de rechtspraak voor de bevolking goedkoper, zoals de nieuwe rechtbanken al bewezen hebben.

Wellicht zou Maupeou met zijn hervormingen op de lange duur succes hebben gehad. De toch nog plotselinge dood van Lodewijk XV heeft daaraan een einde gemaakt. Zijn kleinzoon wilde zijn regeringsperiode niet beginnen in een sfeer van ruzie met de edelen, die het oude parlement merendeels steunden. Vandaar dat hij nu een verzoening tot stand gebracht heeft.

# Radicale kolonisten boeken overwinning

PHILADELPHIA, 28 september - Afgevaardigden uit 12 Amerikaanse koloniën hebben op het Continental Congress in Pennsylvania de wetten die Engeland dit jaar voor Amerika heeft uitgevaardigd, ongrondwettig en ongeldig verklaard. In een 'Declaration of Rights', gericht aan de Engelse koning, beloven de kolonisten weliswaar hun trouw aan de kroon, maar ontkennen zij het recht van het Britse parlement om voor de koloniën geldige wetten aan te nemen. De 56 afgevaardigden hebben de bevolking voorts opgeroepen alle Engelse produkten te boycotten en gewapende milities te formeren.

De besluiten van het congres betekenen een overwinning voor de radicale kolonisten, die aansturen op onafhankelijkheid van Amerika. De conservatieve afgevaardigden, die de band met Engeland niet willen verbreken, hebben een gevoelige nederlaag geleden. In de uitspraken van het congres zien zij een 'oorlogsverklaring aan Groot-Brittannië'.

De aanleiding tot de bijeenkomst in Philadelphia vormt een reeks wettelijke maatregelen, waarmee Engeland beoogt de Amerikaanse kolonisten, die zich de laatste jaren steeds opstandiger tonen, tot de orde te roepen. De wetten zijn vooral gericht tegen de kolonie Massachusetts, die de haven van Boston op bevel van de Engelsen voor alle scheepvaart heeft moeten sluiten. Voorts werd de kolonie gedwongen

Als Indianen verklede burgers van Boston gooien de lading thee in zee.

veranderingen in haar bestuur te aanvaarden. Zo kreeg de Engelse koning het recht om de raadsleden van Massachusetts te benoemen, terwijl dezen voorheen door de koloniale bevolking werden gekozen.

De 'Intolerable Acts', zoals de Britse wetten in Amerika bekendstaan, zijn een vergeldingsmaatregel voor de ongeregeldheden die zich vorig jaar in Boston hebben voorgedaan en die eindigden met de zogenaamde 'Boston Tea Party'. Hierbij begaf zich een groep als Indianen vermomde mannen aan boord van drie Engelse theeschepen, waarvan zij de lading overboord wierpen. Met deze daad protesteerden de kolonisten tegen het beleid van de Engelse regering, die de Oostindische Compagnie het monopolie van de thee-export naar de koloniën had verleend. De kolonisten hadden de compagnie steeds geboycot en waren overgegaan op smokkelhandel.

Geschat wordt dat na 1770 ongeveer 90 procent van de in Amerika geconsumeerde thee uit het buitenland werd geïmporteerd, zonder betaling van de verschuldigde invoerrechten. Het besluit van de compagnie om haar thee ver onder de prijs te verkopen om de smokkelhandel tegen te gaan en bovendien de Amerikaanse tussenhandel uit te schakelen, leidde in koloniale handelskringen tot grote verontwaardiging. In Boston kwam het tot ernstige ongeregeldheden, die eindigden met het overboord gooien van de kostbare thee. Voor de regering in Londen was dit incident aanleiding tot het treffen van de strafmaatregelen, want de kolonisten hadden niet alleen het wettig gezag getart maar tevens particuliere eigendommen vernietigd.

## Russen tevreden over Osmaanse vrede

KUTSJUK KAINARDZJI, juli - Bij de Vrede van Kutsjuk Kainardzji hebben de Russen zich verzekerd van belangrijke handelsrechten: de Zwarte Zee en de Donau zijn opengesteld voor Russische handelsschepen; Rusland mag in het Osmaanse Rijk consuls en vice-consuls stationeren ter ontwikkeling van de handel. Van immens belang zijn de bepalingen die Rusland vaste diplomatieke voet in het rijk geven: een vaste vertegenwoordiging bij de Porte en het beschermheerschap over de orthodoxen. Het bedoelde artikel, hoe vaag geformuleerd ook, zet de deur open voor een min of meer legitieme Russische interventie in het Osmaanse Rijk. In de loop van deze eeuw heeft er op de Balkan een machtsverschuiving plaatsgevonden. Naast de Habsburgse monarchie is Rusland zich steeds sterker gaan profileren als voorvechter van de strijd van de christelijke Balkanbevolking tegen de Osmanen. In het huidige Turks-Russische verdrag heeft Rusland het (overigens vaag geformuleerde) beschermheerschap over de orthodoxe Balkanchristenen weten te verwerven.

De Oostenrijkse gezant in Constantinopel, Thugut, noemt dit verdrag 'een voorbeeld van de handigheid van de Russische diplomaten en een zeldzaam toonbeeld van stompzinnigheid aan Turkse zijde'.

Sinds de jaren zestig zijn Russische agenten her en der op de Balkan actief geweest om de ontevreden christenen tot opstand aan te zetten. Ofschoon de in 1768 uitgebroken Russisch-Turkse oorlog niet leidde tot een grote Balkanopstand - de rebellie in de Morea [Peloponnesos] kon door de Turken gemakkelijk worden onderdrukt - was het Russische machtsvertoon indrukwekkend. Het leidde onder meer tot de bezetting van de Donauvorstendommen. De Donauvorstendommen komen nu weliswaar weer onder Osmaanse suzereiniteit te staan, maar Rusland heeft het recht om ten behoeve van deze via gezanten in Constantinopel op te komen. Voorts heeft Rusland het territorium van zijn rijk weten uit te breiden ten koste van de Turken: een klein gebied aan de Dnepr-monding, Klein-Kabardije, en de Straat van Kertsch die zich ten oosten van de Krim bevindt. Het Krimchanaat zelf is onafhankelijk geworden. Met deze bepalingen is het machtsevenwicht in het Zwarte-Zeegebied grondig gewijzigd.

Inwoners van Boston besmeuren een belastinginner met teer en veren.

**10 januari.** De leider van de kozakkenopstand en troonpretendent Poegatsjov wordt in Moskou terechtgesteld. Hij werd na de nederlaag op 14 september 1774 door de kozakken uitgeleverd. →

**15 februari.** In Rome kiest het kardinalenconclaaf Angelo Braschi tot paus Pius VI.

**Februari.** In Bohemen komen boeren in opstand tegen herendiensten.

**19 maart.** Polen en Pruisen sluiten een handelsverdrag.

**Maart.** De Portugese vloot doet een aanval op Montevideo, Spaans Zuid-Amerika, maar wordt teruggeslagen.

**19 april.** In Engels Noord-Amerika begint de Onafhankelijkheidsoorlog met de nederlaag van Engelse troepen onder Thomas Gage bij Lexington, Massachusetts. →

**7 mei.** Turkije staat Boekovina, Zuidoost-Galicië, formeel aan Oostenrijk af, dat het gebied sinds september 1774 bezet hield.

**10 mei.** Het Tweede Continentaal Congres van twaalf Engels-Noord-amerikaanse koloniën komt in Philadelphia bijeen om te praten over de strijd tegen de Engelsen.

**15 juni.** George Washington wordt benoemd tot opperbevelhebber van de Continental Army, in dienst van het Tweede Continentaal Congres.

**17 juni.** Engelse troepen veroveren Bunker Hill en verwoesten Charlestown, in de nabijheid van Boston.

**25 juli.** James Cook keert van zijn tweede reis door de Stille Zuidzee in Engeland terug. Hij heeft onder meer de Sandwich Eilanden ontdekt.

- In Rusland wordt Zaporozjer Setsj ontmanteld. De autonomie van de Dnepr-kozakken wordt afgeschaft.

**9 november.** Uit protest tegen de oorlog in Noord-Amerika treedt Grafton uit de Engelse Kroonraad.

**25 december.** Het Engelse parlement verbiedt de handel met de opstandige Noordamerikaanse koloniën vanaf 1 maart 1776.

- Na twee jaar verboden te zijn geweest, wordt in Parijs de opera *De Barbier van Sevilla* van Beaumarchais opgevoerd.

- Ondanks protesten en relletjes verhoogt de Franse overheid de broodprijs. →

- Na hongersnood in voorgaande jaren wordt met name in Pruisen de aardappelteelt gestimuleerd.

*De schermutselingen bij Lexington, die het begin van de Amerikaanse Vrijheidsoorlog betekenen.*

# Gevechten bij Lexington

LEXINGTON, 19 april - De spanningen tussen Amerikaanse kolonisten en Engelse soldaten zijn opnieuw hoog opgelaaid. Nadat de Britse generaal Gage opdracht had gegeven beslag te leggen op een wapendepot van de kolonisten, braken er gevechten uit tussen gewapende Amerikanen (de zogenaamde 'minutemen') en Engelse soldaten. Daarbij zijn ongeveer 50 kolonisten en 65 Britten om het leven gekomen.

De eerste schermutselingen vonden plaats in Lexington toen een groep minutemen wilde verhinderen dat Engelse soldaten naar Concord, de plaats van het wapendepot, zouden trekken. De tegenstand was echter te gering om de Britse troepen tegen te houden.

Toen zij in Concord arriveerden, trof fen zij een lege stad: de bewoners waren gevlucht en hadden de wapenopslagplaats leeggehaald. De Engelse soldaten besloten daarop naar Boston terug te keren, maar even buiten Lexington werden zij door een groep van 4000 minutemen aangevallen. Na hevige gevechten wisten de Engelsen ten slotte Boston te bereiken. De minutemen, versterkt met gewapende kolonisten uit New Hampshire, Connecticut en Rhode Island, dreigden de stad aan te vallen, maar trokken zich na overleg terug.

Het is de eerste keer dat er op dergelijk grote schaal gevechten tussen Amerikaanse kolonisten en soldaten van het moederland hebben plaatsgevonden. Voor het eerst ook opereerden de kolonisten in kleine georganiseerde legertjes.

*Aanval van de Britten op de koloniale stellingen bij Bunker Hill en de Brand van Charlestown.*

# Poegatsjov geëxecuteerd

MOSKOU, 10 januari - Met de terechtstelling van Poegatsjov is een einde gekomen aan de opstand die een deel van Rusland twee jaar lang heeft geteisterd.

Jemeljan Poegatsjov, een gedeserteerde Donkozak, gaf zich uit voor tsaar Peter III, de - naar men aanneemt in 1762 vermoorde - echtgenoot van de huidige tsarina Catharina II. Zijn eerste aanhang kreeg Poegatsjov onder de kozakken in het Oeralgebied, maar al spoedig breidde de opstand zich uit tot lijfeigenen, mijn- en metaalwerkers, oud-gelovigen en nationale minderheden zoals Basjkieren en Tataren.

Poegatsjovs programma had grote aantrekkingskracht op maatschappelijk onderdrukten: afschaffing van de lijfeigenschap, belastingen en dienstplicht. Een andere reden voor het aanvankelijke succes van de beweging was het feit dat Rusland verwikkeld was in een oorlog met het Osmaanse Rijk en er onvoldoende troepen in het zuidoostelijke deel van Europees Rusland waren gelegerd. Hierdoor kon de opstand zich snel verspreiden over het gebied tussen de rivieren de Oeral en de Wolga. Als verste punt bereikte hij de stad Kazan.

Niettemin was de opstand door gebrek aan organisatie en discipline tot mislukken gedoemd. Toen de regering was bekomen van de schok werd de bestrijding van Poegatsjovs benden energiek ter hand genomen. Verleden jaar is Poegatsjov op de vlucht terug naar de Oeral door zijn eigen mensen aan de autoriteiten uitgeleverd.

*De kozakkenrebel Jemeljan Poegatsjov.*

Ondanks de uiteindelijke overwinning van de centrale regering heeft de rebellie eens te meer de diepe kloof binnen de Russische maatschappij aangetoond. Verwacht mag worden dat de tsarina als reactie hierop de toch al nauwe banden met de adel, dank zij welke zij in 1762 op de troon is gekomen, verder zal aanhalen, waardoor een verzachting van de lijfeigenschap van de baan zal zijn. Ofschoon Catharina zich graag profileert als een verlicht monarch - zij is goed thuis in de werken van 'philosophes' als Montesquieu en Diderot, en voert al jarenlang een correspondentie met Voltaire - is zij in feite een 'Realpolitiker' die zich hard verweert tegen elke vorm van bedreiging van haar machtsbasis.

# Broodprijs veroorzaakt oproer in Parijs

PARIJS - Parijs is het toneel geweest van grote sociale onrust. Op verscheidene plaatsen in de stad braken rellen uit. De oproeren worden veroorzaakt door de onbetaalbaar hoge broodprijzen, waarvoor de regering verantwoordelijk wordt gesteld door de oproerlingen. Zij eisen een verlaging van de broodprijs om te voorkomen dat de mensen van honger sterven.

De broodprijs wordt echter allerminst verlaagd. Op last van minister van Financiën Turgot wordt het brood zelfs anderhalve sol duurder. Het is de bakkers verboden brood onder de voorgeschreven prijs te verkopen. Niet iedereen is het met deze politiek eens. Een politieofficier nam uit protest ontslag en het parlement vroeg de koning maatregelen te nemen 'om de prijzen van graan en brood op een voor het volk aanvaardbaar niveau te brengen'. Het Franse prijsbeleid heeft zich de afgelopen vijfentwintig jaar duidelijk verhard. De overheid voelt zich steeds minder verplicht om het volk te beschermen tegen hoge voedselprijzen. Zij wil vraag en aanbod zoveel mogelijk vrij spel geven.

De Kerken steunen het prijsbeleid van de overheid. Tijdens de oproerige dagen in Parijs wezen priesters er in hun preken op dat het onrechtvaardig was voedsel te eten waarvoor minder betaald was dan de officiële prijs. Zij beklemtoonden dat het tegen de goddelijke en menselijke wetten was om met geweld lagere prijzen af te dwingen. Volgens Hardy, een Parijse boekhandelaar die zo'n preek bijwoonde, mopperden de toehoorders daarover.

De overheid drukt protesten tegen de hoge voedselprijzen het liefst zo snel mogelijk de kop in. Zij toont zich uiterst gevoelig op dit punt en voert een zeer repressief beleid. Zij is niet snel geneigd prijsverlagingen af te kondigen, maar doet dit alleen in uiterste nood, bijvoorbeeld als zij oproerige menigten niet meer kan beteugelen en bang is voor grootscheepse plunderingen.

In Versailles werd de broodprijs onder druk van een oproer verlaagd. De verantwoordelijke bestuurders kregen echter een golf van kritiek te verwerken, omdat zij zich te weekhartig hadden opgesteld en te snel hadden toegegeven.

## Aardappel in Pruisen populair

*Frederik de Grote bij aardappeltelers op bezoek.*

PRUISEN - De aardappelteelt gaat in Pruisen steeds meer de traditionele graanbouw verdringen. De afzet van granen loopt met ongeveer de helft terug. Tot voor kort bestond het menu van de boeren voornamelijk uit ongeveer drie pond brood per dag.
Frederik de Grote heeft de aardappelteelt geïntroduceerd na de grote hongersnood van 1771/1772. Deze teelt is veel economischer dan de graanbouw omdat de opbrengst van een aardappelakker een driemaal hogere voedingswaarde heeft. Bovendien groeit de aardappel bijzonder goed op de lichte, zanderige grond van Midden-Duitsland.
Aanvankelijk stuitte de introductie van het nieuwe gewas op nogal wat wantrouwen van de kant van de boeren. Dit kwam voort uit de geringe vertrouwdheid met de aardappel. Men kreeg buikpijn omdat het gewas ongekookt werd gegeten en een aantal boeren stierf na het eten van de giftige planten. Zo werd een vracht aardappelen die Frederik de Grote vorig jaar naar Kolberg stuurde door de hongerende bevolking geweigerd. Hierop greep de koning in. Hij trok persoonlijk het land door om toe te zien op de verbouw van het gewas. Het wantrouwen werd hierdoor weggenomen en steeds meer boeren schakelden over op de verbouw van de aardappel. De Pruisische landbouw is verder verbeterd door de verbouw van klaver en braakliggende akkers. De fabrieksmatige werkwijze heeft ook de goederenproduktie in de steden verhoogd. De daarvoor benodigde arbeidskrachten worden door de fabrikanten vaak uit tucht- en weeshuizen gehaald. De produktieverbetering wordt door de staat gestimuleerd om de binnenlandse economie te versterken, dure importen te vermijden en armoede tegen te gaan. De arbeidsomstandigheden blijven echter in het algemeen bijzonder slecht. De gemiddelde arbeidsdag bedraagt tussen de 14 en 17 uur.

# 1776

**2 januari.** In Oostenrijk worden folteringen bij verhoren afgeschaft.

**6 januari.** In Frankrijk wordt de Corvée, de verplichte arbeid bij de aanleg van wegen, afgeschaft.

**9 januari.** Thomas Paine publiceert zijn pamflet *Common Sense.* →

**15 januari.** Engeland en Hessen sluiten een verdrag waarbij Hessen 17 000 soldaten zal leveren voor de oorlog in Noord-Amerika voor 21,3 thaler.

**5 februari.** De Franse minister van Financiën Turgot schaft de Jurandes, de geprivilegieerde corporaties, af.

**1 maart.** Het Engelse handelsembargo met de opstandige Amerikaanse koloniën, afgekondigd op 25 december 1775, treedt in werking.

**23 maart.** Keizer Jozef II van Oostenrijk bevordert het 'Theater nächst der Burg' tot 'Hof- und Nationaltheater'. →

**April.** Denemarken en Rusland sluiten in Kopenhagen een verdrag waarbij Rusland de aanspraken op Holstein opgeeft.

**2 mei.** Frankrijk verstrekt de Amerikaanse opstandelingen een lening van één miljoen livres.

**12 mei.** Turgot wordt ontslagen als minister van Financiën van Frankrijk wegens te ver doorgevoerde hervormingen.

**4 juli.** Het Congres van de opstandige Amerikaanse Engelse koloniën proclameert de Declaration of Independence, opgesteld door Thomas Jefferson, Benjamin Franklin en John Adams. →

**15 september.** Engelse troepen nemen New York in.

**Oktober.** De Zwitser Jacques Necker wordt benoemd tot minister van Financiën van Frankrijk. De Franse openbare financiën verkeren in erbarmelijke staat.

- Buenos Aires wordt de hoofdstad van het nieuwe Spaanse onderkoninkrijk Rio de la Plata. Vanuit de stad mag nu rechtstreeks handel met het moederland worden gedreven.

- Potemkin, de favoriet van tsarina Catharina II van Rusland, organiseert een Russische vloot in de Zwarte Zee en maakt van Sevastopol een marinebasis.

- James Watt perfectioneert de stoommachine.

- De Duitse dichter Friedrich Maximilian Klinger publiceert zijn *Sturm und Drang*.

- Adam Smith publiceert zijn economische studie *An inquiry into the nature and the causes of the wealth of nations*. →

# Smith bepleit vrijhandel

LONDEN - De Schotse econoom en filosoof Adam Smith heeft in Londen het werk *An inquiry into the nature and the causes of the wealth of nations* gepubliceerd. In dit werk formuleert Smith een theorie over het functioneren van de economie, die op een aantal punten nieuw is. Ten eerste zet hij zich af tegen het werk van oudere economen als Thomas Mun en William Petty, die hij vanwege hun eenzijdige nadruk op de handelssector 'mercantilisten' noemt. Ten tweede heeft hij kritiek op de overheid, die zich naar zijn mening te veel met het economisch leven bemoeit.
Smith legt veel nadruk op de betekenis van het prijsmechanisme voor een evenwichtige economische ontwikkeling. Door het prijsmechanisme komt volgens hem automatisch ('door middel van natuurlijke wetten') een evenwicht tussen vraag en aanbod tot stand. Deze conclusie brengt hem ertoe voor volledige vrijhandel en een minimum aan overheidsingrepen te pleiten. In dit opzicht wijkt hij sterk af van zijn voorgangers, die de overheid een centrale plaats in de economie toekenden. De conclusies van Smith komen overeen met het rationalisme, dat veel aanhangers in Engeland heeft, en de belangen van industriëlen die, om hun afzet te kunnen vergroten, uiteraard bij vrijhandel gebaat zijn.
Smith wordt als een autoriteit beschouwd. Hij reisde geruime tijd over het vasteland van Europa, waar hij met bekende economen als Quesnay sprak. Hier heeft hij waarschijnlijk ook kennis genomen van het werk van Cantillon, die in zijn *Essai sur la nature du commerce en général* (1755) conclusies publiceerde die vergelijkbaar zijn met die in het werk van Smith. Naar het schijnt heeft de Schotse econoom met enige onderbrekingen ongeveer tien jaar aan zijn *Wealth of nations* gewerkt. In kringen van industriëlen zijn de conclusies van Smith met instemming begroet. Het ziet ernaar uit dat de regering, die al zoveel kritiek te verduren krijgt vanwege haar houding ten aanzien van de Amerikaanse koloniën en de affaire Wilkes, binnenkort met een nieuwe pressiegroep geconfronteerd wordt.

*De Schotse econoom Adam Smith.*

# Groot succes Paines 'Common Sense'

*Thomas Paine.*

PHILADELPHIA, 31 maart - Niet minder dan 120 000 exemplaren zijn er de afgelopen drie maanden verkocht van een pamflet van de kersverse immigrant Thomas Paine, een medewerker van het Pennsylvania Magazine, die twee jaar geleden op aanraden van Benjamin Franklin naar de koloniën is gekomen.
In dit begin januari gepubliceerde pamflet, *Common Sense*, dat gezien het enthousiaste onthaal de gevoelens van de Amerikaanse kolonisten heel goed weergeeft, voert Paine een praktisch en ideologisch pleidooi voor onmiddellijke onafhankelijkheid. Paine doet in zijn 50 pagina's tellende geschrift een felle aanval op George III, die hij de 'koninklijke bruut' noemt en als eerste verantwoordelijk acht voor de omstreden maatregelen tegen de koloniën, en hij haalt fel uit naar de monarchie als regeringsvorm, parlement of geen parlement.
Paine baseert zijn argumentatie voor een onafhankelijk Amerika voor een belangrijk deel op het economisch profijt voor de koloniën: het is volgens hem in het zakelijke belang van de kolonisten hun banden met het moederland door te snijden; Engeland probeert de koloniën uit te buiten en houdt de verdere economische ontwikkeling in Amerika alleen maar tegen. Onafhankelijkheid zal de wereldmarkt voor de Amerikaanse koloniën openleggen

# Amerikanen scheiden zich af

PHILADELPHIA, 4 juli - Het congres van de opstandige kolonisten in Amerika heeft 'The Declaration of Independence' aanvaard. Hiermee hebben de Amerikanen zich officieel onafhankelijk van Engeland verklaard.

De Onafhankelijkheidsverklaring, die voor het grootste deel het werk van Thomas Jefferson is, bevat een 'Declaration of Rights', een klacht over het optreden van de Engelse koning George III en een bevestiging van de voormalige koloniën dat zij vrije, onafhankelijke staten zijn.

In de Declaration wordt expliciet erend dat 'alle mensen als gelijken zijn geschapen' en 'dat hun Schepper hun bepaalde onvervreembare rechten heeft gegeven zoals 'het recht op leven, vrijheid en het nastreven van geluk'. Vervolgens stellen de auteurs van de Onafhankelijkheidsverklaring dat regeringen deze rechten moeten waarborgen. Doen zij dit niet, dan mag het volk de regeringsvorm veranderen of afschaffen. Volgens de opstellers van de Declaration heeft de Engelse koning geen rekening gehouden met de wensen van de kolonisten, die zich dan ook niet meer aan het gezag van George III willen onderwerpen.

Volgens de Onafhankelijkheidsverklaring berust de soevereiniteit niet langer bij een boven iedereen verheven staatshoofd. De ingezetenen van een staat zijn geen onderdanen maar burgers: zij delegeren een deel van hun macht aan een regering. Aldus ademt de Declaration of Independence de sfeer van de Verlichting en de ideeën van John Locke over volkssoevereiniteit. Begrippen als volkssoevereiniteit

*Generaal George Washington, de legeraanvoerder van de opstandige kolonisten, steekt de Delaware over.*

en democratie zijn bij een groot publiek met name bekendgemaakt door Thomas Paine met de publikatie van zijn pamflet *Common Sense* in januari.

Aan de Onafhankelijkheidsverklaring is een lange periode van wederzijdse irritatie en onvrede voorafgegaan. De Engelsen hebben sinds 1764 (de invoering van de Sugar Act) verscheidene keren geprobeerd de relatieve belastingvrijheid van de kolonisten in Amerika te beperken. Maar vooral de Stamp Act en de Townshend Duties brachten dusdanig scherpe reacties van de kolonisten teweeg, dat het moederland werd gedwongen bakzeil te halen. Alleen de belasting op thee bleef gehandhaafd. De kolonisten verklaarden dat het Engelse parlement geen recht had belasting te heffen in Amerika, omdat de Amerikanen niet in het parlement werden vertegenwoordigd: 'no taxation without representation' was hun leus.

Juist de heffing op thee leidde tot een Amerikaanse boycot van Engelse produkten, de 'Boston Tea Party', het beperken van de politieke rechten van de kolonisten in Massachussetts en het sluiten van de havenstad Boston.

De verontwaardiging van de Amerikanen werd nog groter toen bleek dat Londen de expansie van de koloniën in westelijke richting verhinderde met de Quebec Act (1774). Deze wet voorzag in een bestuursstructuur voor de Fransen in Canada en bepaalde de grenzen van Quebec.

De centrale planning en het gezag van het parlement in Londen werden door de kolonisten als onrechtvaardig en onevenredig zwaar ervaren. De Amerikanen waren steeds minder geneigd toe te geven aan de Engelsen, die meer rekening leken te houden met de Fransen in Quebec en de Britse belastingbetaler dan met de kolonisten in Amerika. Sommige groepen in de koloniën begonnen zich dan ook te bewapenen. Begin vorig jaar kwam het tot een eerste treffen tussen deze 'minutemen' en Britse soldaten.

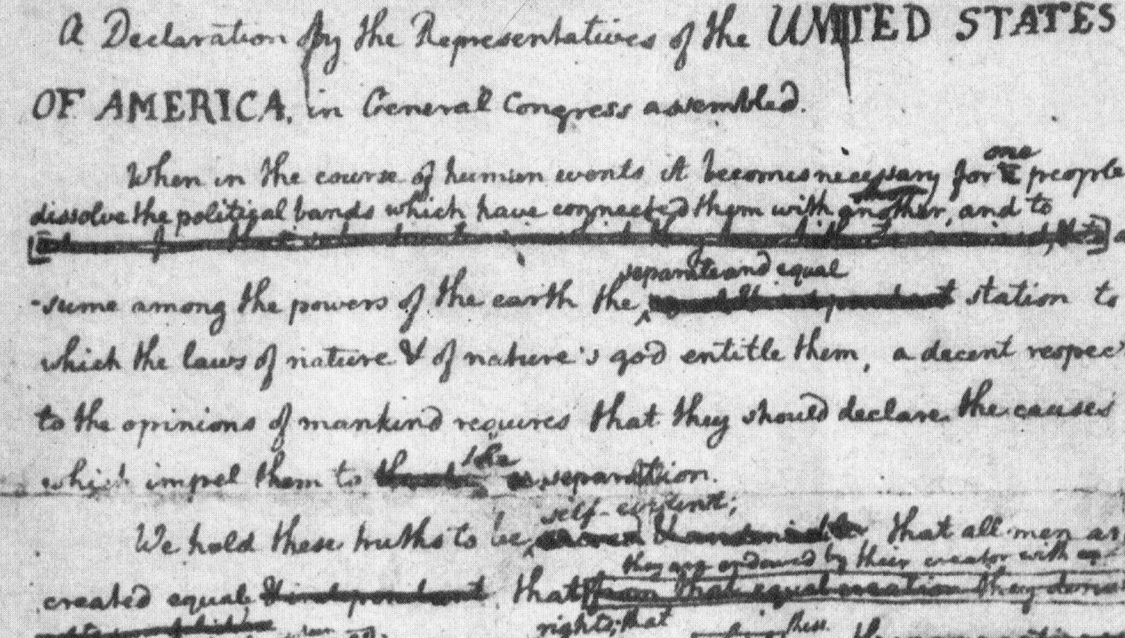

*Een ontwerptekst van Thomas Jefferson voor de Onafhankelijkheidsverklaring van de Amerikaanse koloniën.*

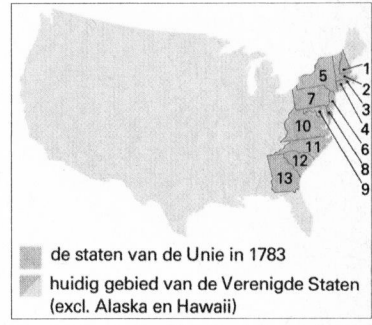

de staten van de Unie in 1783

huidig gebied van de Verenigde Staten (excl. Alaska en Hawaii)

*De dertien koloniën die zich van het Engelse moederland hebben afgescheiden: 1. New Hampshire, 2. Massachusetts, 3. Rhode Island, 4. Connecticut, 5. New York, 6. New Jersey, 7. Pennsylvania, 8. Delaware, 9. Maryland, 10. Virginia, 11. North Carolina, 12. South Carolina, 13. Georgia.*

# Keizer subsidieert Duits toneel

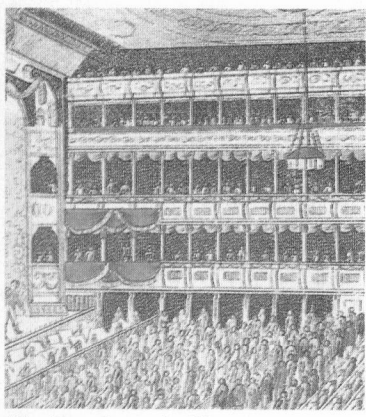

*Het Burgtheater in Wenen.*

WENEN, 23 maart - Keizer Jozef II heeft het 'Theater nächst der Burg' tot 'Hof- und Nationaltheater' bevorderd. Het theater wordt voortaan door het hof gesubsidieerd en de toneelspelers treden als ambtenaren in dienst van de staat. De keizer krijgt een belangrijke stem in de keuze van het repertoire. Hij heeft tevens bepaald dat er uitsluitend Duitstalige toneelstukken mogen worden opgevoerd. Jozef II verwacht dat het 'Teutsche Nationaltheater' vooral 'gute regelmässige Originale und wohlgeratene Übersetzungen' ten tonele zal voeren. De verduitsing van het Burgtheater is kenmerkend voor de mate waarin de idealen van de Duitse Aufklärung de Weense hofcultuur hebben beïnvloed. Toneel- en muziekuitvoeringen nemen aan het Habsburgse hof een belangrijke plaats in. Maria Theresia was er vanaf haar prille jeugd aan gewend dat alle hoogtijdagen met speciaal voor de gelegenheid geschreven toneelstukken en opera's werden opgeluisterd. Met toneelspelers had Maria Theresia echter weinig op. In 1772 waarschuwde zij Jozef II voor hun gezelschap: 'Wenn sie gut spielen, zeige Dich freigebig ihnen gegenüber; im Übrigen hast Du Dich um ihre Namen und ihren Klatsch nicht zu kümmern.'
Jozef II houdt zich inderdaad intensief met het toneel bezig, maar niet alleen met het 'schlechte Brut', zoals zijn bezorgde 'treue Mutter' de acteurs bestempelde. Zijn belangstelling gaat in de eerste plaats uit naar de inhoud van de drama's. Beïnvloed door de Duitse denker en toneelschrijver Gotthold Ephraim Lessing en de Oostenrijkse hervormer Joseph von Sonnenfels propageert Jozef II het 'natuurlijke' Duitse drama, dat zonder opsmuk de diepere menselijke emoties toont. Hij verwerpt het Franse en Italiaanse toneel, omdat het in zijn ogen oppervlakkig, onnatuurlijk en frivool is. De keizer is ervan overtuigd dat het Duitse toneel een belangrijke opvoedende rol kan spelen door 'Tugend' en 'Menschenliebe' te verbreiden.

---

# 1777

**3 januari.** Het leger van de twaalf opstandige koloniën onder bevel van George Washington verslaat Engelse troepen bij Princeton, New Jersey.

**5 maart.** Maria I wordt koningin van Portugal. Zij ontslaat de machtige eerste minister Pombal. →

**1 april.** Het toneelstuk *Sturm und Drang* van Friedrich Maximilian Klinger wordt in Leipzig voor het eerst opgevoerd. →

**April.** De markies de La Fayette arriveert met vrijwilligers in Noord-Amerika om aan de zijde van de opstandige koloniën te vechten. Ook de Duitse officier baron von Kalb en de Poolse generaal Kosciuszko zijn met vrijwilligers onderweg.

**13 mei.** In Wenen wordt de Universiteitsbibliotheek geopend.

**16 augustus.** Amerikanen verslaan Engelse troepen bij Bennington, Vermont.

**11 september.** Engelse soldaten verslaan het Amerikaanse leger bij Brandywine, Pennsylvania.

**27 september.** Engelse troepen veroveren Philadelphia.

**17 oktober.** Bij Saratoga geeft de Engelse generaal Burgoyne zich met 5000 man over aan de Amerikanen. →

**15 november.** Het Amerikaanse Congres, bijeen in Baltimore, neemt de Confederation Articles aan voor de eeuwige unie van de Verenigde Staten van Noord-Amerika. Het wordt naar de afzonderlijke staten gestuurd voor ratificatie als eerste grondwet.

**30 december.** Maximiliaan III van Beieren sterft. Hij wordt opgevolgd door Karel Theodoor, die tevens keurvorst van de Palts is. Keizer Jozef II maakt aanspraken op zuidelijk Beieren.

- De Zwitserse kantons vrezen Oostenrijkse agressie en sluiten een verbond met Frankrijk.

- Spanje en Portugal stellen bij verdrag de grenzen vast tussen de Zuidamerikaanse koloniën.

- David Bushnell vindt de torpedo uit.

- Edmund Burke publiceert zijn *A letter to the sheriffs of Bristol* en *Address to the King*.

Gestorven:

**1 maart.** Georg Christoph Wagenseil (29-1-1715), Oostenrijks componist
**12 april.** Claude Prosper Jolyot Crébillon (14-2-1707), Frans schrijver
**25 september.** Johann Heinrich Lambert (26-8-1728), Frans universeel geleerde
**12 december.** Albrecht von Haller (16-10-1708), Zwitsers arts, schrijver en bioloog

---

*Na een jaar waarin de Amerikanen in hun vrijheidsoorlog weinig successen boekten en Philadelphia zelfs verloren ging, neemt de oorlog voor hen nu een goede wending. Bij Saratoga, in het dal van de Hudson, wordt op 17 oktober het Engelse leger onder bevel van generaal John Burgoyne een zware nederlaag toegebracht. Burgoyne was op 21 juni met een grote krijgsmacht vanuit Montreal opgetrokken met de bedoeling Albany in te nemen. Deze gravure toont generaal Washington en zijn staf.*

# Ontslag minister Pombal

*Kerkje van Porto Salvo (18de eeuw).*

LISSABON, 5 maart - Koningin Maria I, die vorige week haar overleden vader Jozef is opgevolgd, heeft haar eerste minister, de markies van Pombal, op staande voet ontslagen. Daarmee is een abrupt einde gekomen aan de alleenheerschappij van Pombal en is Portugal verlost van de man die het land - tevergeefs - op hardhandige wijze trachtte te moderniseren.
Pombal, wiens werkelijke naam José de Carvalho E Melo is, werd in 1750 minister in het eerste kabinet van Jozef I. Jozef, die door zijn vader Johan V nooit bij regeringszaken was betrokken, liet deze van meet af aan behartigen door zijn bekwaamste minister, en dat was Pombal. Diens macht werd na-genoeg absoluut toen Lissabon op november 1755 getroffen werd doo een zware aardbeving. In de grote pa niek die daarop volgde was Pombal d enige die het hoofd koel hield, d reddings- en herstelwerkzaamhede coördineerde en en passant de rege ringsmacht overnam.
Pombal zette zijn plannen zo nodig o hardhandige wijze door. Als mercant list gruwde hij van de grote Engelse in vloed in het Portugese economische le ven, en met name in de wijnhandel. Hi richtte een wijncompagnie op, die de verkoop controleerde en de prij vaststelde. Protesten van kleine hande laren werden met geweld onderdrukt Er verschenen meer grote, gesubsi dieerde, monopolistische compag nieën op het gebied van de visvangst, d textiel en de handel met Brazilië. He resultaat viel tegen. Pombal slaagde e niet in Portugal zijn economische on afhankelijkheid terug te geven.
Het meeste opzien in Europa baard Pombal door zijn strijd tegen de jezuïe ten. Niet alleen was de markies de me ning toegedaan dat de Kerk zich moes onderwerpen aan de staat, hij be schouwde de jezuïeten ook als een be dreiging voor zijn machtspositie. I 1759 werd hun (bij koninklijk besluit bevolen Portugal en diens koloniën te verlaten. Een daad die navolging vond een paar jaar later deden Frankrijk Spanje en de paus hetzelfde.
Na een komplot van edelen tegen d koning trad Pombal hard op, wat hem ook de haat van de adel opleverde Gaandeweg ontaardde Pombals ver licht despotisme in een terreurbewind reden waarom Maria hem nu heeft ont slagen.

# Première 'Sturm und Drang'

*Werther met pistool in zijn hand.*

LEIPZIG, 1 april - Het toneelstuk *Sturm und Drang* van de Duitse schrijver Maximilan Klinger heeft in Leipzig een succesvolle première beleefd. De titel van het stuk geeft zijn naam aan een literaire stroming die in Duitsland zeer populair is.

Uitgangspunt van de beweging is een ontkenning van de rationele eenzijdigheid van de Verlichting. De aanzet tot de 'Sturm und Drang' wordt gegeven door J. G. Hamann. De idealen van de beweging worden verwoord door zijn leerling J. G. Herder. Hij kritiseert niet zozeer de door de Verlichting geuite denkbeelden als wel de koude rationele wereld waartoe die leiden. Herder legt grote nadruk op het gevoel, het scheppende vermogen van de mens, zijn intuïtie en zijn originaliteit. Dit zijn de eigenschappen van het genie dat door de groep als ideaalbeeld van de mens wordt verheerlijkt. De tijd van de 'Sturm und Drang' werd daarom aanvankelijk de 'Genieperiode' genoemd. De beweging oogst vooral met haar toneelstukken groot succes. Hierin wordt vaak kritiek geleverd op maatschappelijke situaties en het conflict geschilderd tussen enerzijds de (natuurlijke) mens en anderzijds cultuur en maatschappij. Ondanks deze sociale bewogenheid is de politieke invloed gering. De heersende klasse oriënteert zich vooral op de Franse cultuur, terwijl de 'Sturm und Drang' zich juist afzet tegen de volgens strikte regels opgebouwde Franse klassieke tragedie. De schrijvers hebben grote bewondering voor Shakespeare, wiens werken door C. M. Wieland worden vertaald.

Het middelpunt is naast Herder de schrijver Johann Wolfgang Goethe, die in deze tijd buitengewoon produktief is. Op 23-jarige leeftijd schreef hij het belangrijkste toneelstuk van de 'Sturm und Drang': *Götz von Berlichingen* (1773).

Een jaar later publiceerde Goethe de briefroman *Die Leiden des jungen Werthers*, waarin hij het noodlot van de jonge Werther beschrijft. Deze lijdt aan een onbeantwoorde liefde, strandt in de maatschappij en kiest ten slotte voor een vrijwillige dood. Het boek maakt zeer veel indruk in Duitsland en in de rest van Europa. Er ontstaat een ware 'Wertherfieber' waarbij veel jonge Duitsers de hoofdpersoon uit bewondering imiteren.

*Paartje gekleed in Werther-mode.*

*Polen maakt moeilijke tijden door. Na de Poolse delingen in 1772 en 1773 staat koning Stanislaw II Poniatovski voor de zware taak in zijn wankele monarchie een eind te maken aan de anarchistische politieke situatie. Dit schilderij van Bellotto uit 1777 toont zijn kroning in 1764.*

---

**3 januari.** De keurvorst van Beieren-Palts erkent bij het Verdrag van Wenen de Oostenrijkse aanspraken op Zuid-Beieren.

**6 februari.** Frankrijk en de opstandige Amerikaanse koloniën tekenen een offensief en defensief verbond en een handelsverdrag. →

**Februari.** Engeland verklaart Frankrijk de oorlog.

**5 april.** Engelse gezanten worden benoemd om met het Amerikaanse Congres over vrede te onderhandelen.

**28 mei.** Het Engelse strafrecht tegen rooms-katholieken wordt verzacht.

**17 juni.** Het Amerikaanse Congres verwerpt de Engelse vredesvoorstellen.

**3 juli.** Pruisen verklaart Oostenrijk de oorlog wegens de Beierse Successie.

**4 september.** De Staten van Holland tekenen een handelsverdrag met de Amerikaanse koloniën.

**September.** Frankrijk verovert Dominica, in de Caribische Zee.

**November.** Een Engelse vloot verovert Sint-Lucia in de Caribische Zee op Frankrijk.

- Warren Hastings verovert in India Chandernagore, Bengalen, en Hector Munro verovert Pondicherry, het laatste Franse steunpunt in India, voor Engeland op Frankrijk.

- Joseph Bramah verbetert het watercloset.

- Portugal staat Fernando Po en de Annobon Eilanden in de Golf van Guinea af aan Spanje.

- Lichtenberg maakt onderscheid tussen positief en negatief geladen elektriciteit.

Geboren:

**6 december.** Louis Gay-Lussac († 1850), Frans natuur- en scheikundige
**17 december.** Humphry Davy († 1829), Engels scheikundige

Gestorven:

**10 januari.** Carl Linné (23-5-1707), Zweeds grondlegger van de moderne biologie
**11 mei.** William Pitt (15-11-1708) Engels staatsman →
**30 mei.** François Marie Arouet Voltaire (21-11-1694), Frans schrijver en filosoof
**2 juli.** Jean-Jacques Rousseau (28-6-1712), Frans filosoof, schrijver, componist en muziektheoreticus
**9 november.** Giovanni Battista Piranesi (4-10-1720), Italiaans etser
- J.A. Groneman (1710), Nederlands componist

---

# William Pitt: groot verdediger van Engelands eer

LONDEN, 12 mei - Gisteren is op zijn zomerverblijf Hayes in Kent op 70-jarige leeftijd de staatsman William Pitt overleden. William Pitt, graaf van Chatham, was sinds 1735 lid van het Lagerhuis. Vanaf het eind van de jaren veertig drukte hij in toenemende mate zijn stempel op de Engelse politiek.

Gedurende de Oostenrijkse Successieoorlog pleitte hij voor een krachtige strijd tegen Frankrijk maar hij weigerde bondgenootschappen met Duitse vorsten, tot onvrede van koning George III, tevens keurvorst van Saksen, die hem in 1761 tot ontslag dwong. Pitt was toen met succes in de Zevenjarige Oorlog verwikkeld.

Dat hij in leidende kringen in de Londense City zeer populair bleef, blijkt wel uit de officiële dankbetuiging die het stadsbestuur hem bracht voor zijn optreden en het monument dat voor deze staatsman op de Blackfriars-brug werd onthuld.

Pitt is zijn hele leven opgekomen voor de eer van Engeland. Hij kwam direct in het geweer als deze in zijn ogen gekrenkt werd. Hij kampte met een zwakke gezondheid: regelmatig had hij last van zware depressies, en hij werd zijn hele leven door jicht gekweld. In 1768 nam hij om deze reden ontslag als minister. Naar het schijnt is zijn laatste optreden in het Hogerhuis, op 7 april jongstleden toen hij fulmineerde tegen de schande zijn vaderland aangedaan, hem fataal geworden.

De verhouding tussen Engeland en de Noordamerikaanse koloniën is steeds verder verslechterd totdat nu een volledige oorlogstoestand tussen beide gebieden bestaat. Hoewel Engeland met veel zelfvertrouwen aan deze strijd begon, is sinds de nederlaag bij Saratoga (november vorig jaar) de stemming geheel omgeslagen. Van steeds meer kanten wordt op vrede aangedrongen en ook tot het parlement drongen deze stemmen door. Hoewel Pitt zwaar ziek was, kwam hij op 7 april toch naar de zitting van het Hogerhuis omdat hij wist dat de graaf van Richmond daar zou voorstellen vrede te sluiten met de vroegere kolonie. In een woedende rede gaf Pitt aan dat zo'n stap een vernedering zou betekenen, een voetval voor de Bourbons (Frankrijk neemt aan Amerikaanse zijde deel aan de oorlog). Na korte tijd raakte hij echter de draad van zijn betoog kwijt en zakte in elkaar.

De volgende weken verslechterde zijn toestand zienderogen totdat hij gisteren de laatste adem uitblies.

Toen zijn overlijden bekend werd, besloot het parlement unaniem tot een staatsbegrafenis voor de staatsman. Hij zal in Westminster Abbey worden bijgezet.

# Frankrijk steunt Amerika

*De Amerikaanse gezant Franklin bepleit de Amerikaanse zaak bij Lodewijk XVI.*

PARIJS, 6 februari - Twee jaar na de Onafhankelijkheidsverklaring hebben de Amerikanen in hun strijd met Engeland een politiek en diplomatiek succes behaald. Door het sluiten van twee verdragen met Frankrijk hebben de voormalige koloniën zich verzekerd van de politieke, economische en militaire steun van een van de machtigste staten van Europa.

De Fransen en Amerikanen zijn overeengekomen dat beide staten geen afzonderlijke vrede met Engeland zullen sluiten en dat Frankrijk afstand doet van zijn vermeende territoriale rechten in Noord-Amerika. Verder voorziet een verdrag in een versoepeling van de handel tussen de twee staten en heeft Lodewijk XVI toegezegd soldaten en oorlogsmaterieel naar Amerika te sturen. De Fransen kunnen met name hun grote vloot in de strijd werpen. Admiraal D'Estaing heeft opdracht van de koning gekregen in Toulon een strijdmacht samen te stellen.

Met de ondertekening van de verdragen hebben de Fransen de Verenigde Staten van Amerika officieel erkend. Het verbond is voor het grootste deel het werk van de Franse minister van Buitenlandse Zaken Vergennes en de Amerikanen Franklin, Deane en Lee. De onderhandelingen hebben ongeveer anderhalf jaar geduurd.

Na de Slag bij Saratoga (oktober vorig jaar), die in een grote overwinning voor de Amerikanen is geëindigd, raakte Vergennes ervan overtuigd dat de opstandige koloniën hun onafhankelijkheid zouden kunnen veroveren. Het wegvallen van een deel van hun koloniale rijk zou de Engelsen grote schade berokkenen; een teruglopende handel zou de machtspositie van de Britten in Europa aantasten. Dat is voor de Fransen dan ook de achterliggende gedachte voor het sluiten van de verdragen met de Amerikanen: het ondergraven van de Engelse hegemonie en wraak voor de Franse nederlaag in de Zevenjarige Oorlog (1756-1763). De Amerikaanse Onafhankelijkheidsoorlog biedt daartoe uitstekende mogelijkheden.

De Amerikaanse motieven voor een bondgenootschap met de Fransen waren vanaf het begin van de strijd met de Engelsen duidelijk. Toen de spanning tussen de kolonisten en het moederland toenam, werd door de Amerikanen in de Oude Wereld naar politieke en economische steun gezocht. Na de Zevenjarige Oorlog zijn de Fransen uit Noord-Amerika verdreven. Frankrijk vormt voor de Amerikaanse kolonisten dan ook geen bedreiging meer, maar is als vijand van Engeland nu een potentiële bondgenoot.

**Januari.** Engelse troepen vallen de Franse kolonie Senegal binnen.

**14 februari.** Bij een bemiddelingspoging in een ruzie vindt de Engelse ontdekkingsreiziger James Cook op Hawaii de dood. →

**25 februari.** Amerikaanse troepen onder George Clark voltooien de verovering van the Old Northwest met de Engelse overgave bij Vincennes.

**Maart.** De Ierse Protestantse Vrijwilligersorganisatie tegen een mogelijke Franse invasie in Ierland telt in korte tijd 40 000 leden.

**13 mei.** De Vrede van Tsechen beëindigt de oorlog om de Beierse Successie tussen Oostenrijk en Pruisen, die 3 juli 1778 uitbrak. Oostenrijk krijgt het Inn-kwartier, terwijl Pruisen de atavistische rechten over Ansbach en Bayreuth verwerft.

**Mei.** Engeland verovert Goree in West-Afrika op Frankrijk.

**16 juni.** Spanje verklaart Engeland de oorlog en begint het beleg van Gibraltar.

**18 juni.** Frankrijk verovert Sint-Vincent in de Caribische Zee.

**4 juli.** Frankrijk verovert Grenada in de Caribische Zee.

**14 augustus.** Het Amerikaanse Congres stelt voorwaarden voor een eventuele vrede met Engeland. →

**Augustus.** Het Amerikaanse Congres zet troepen in tegen de Indianen in de Wyomingvallei, die op 3 en 4 juli 1778 een slachting in Pennsylvania aanrichtten.

- In India breekt oorlog uit tussen Engeland en de Mahratten.

- John Acton vormt de marine van Napels. Hierdoor neemt de Engelse invloed in Napels toe ten koste van de Franse.

- In Engeland wordt de eerste metalen brug gebouwd. →

- In Parijs wordt de eerste vélocipède geconstrueerd.

Gestorven:

**13 februari.** James Cook (27-10-1729), Engels ontdekkingsreiziger

**29 juni.** Anton Raphael Mengs (22-3-1728), Duits classicistisch schilder

**13 november.** Thomas Chippendale (5-6-1718), Engels meubelmaker →

**6 december.** Jean-Baptiste Siméon Chardin (2-11-1699), Frans schilder van stillevens

*De gietijzeren brug over de Severn heeft een spanwijdte van 30 meter.*

## Eerste gietijzeren brug geopend

LONDEN - Onlangs is over de Severn de eerste gietijzeren brug ter wereld gebouwd. De brug, die een spanwijdte heeft van maar liefst dertig meter, is ontworpen door ingenieur A. Darby III. De brug bestaat geheel uit gietijzer en is gemaakt in een ijzergieterij in Coalbrookdale. Zij kan worden beschouwd als een symbool van de modernisering die de Engelse economie de laatste decennia doormaakt. Niet alleen was de constructie van een geheel gietijzeren brug enkele decennia geleden ondenkbaar, maar is deze brug ook een teken van de waarde die men de laatste jaren is gaan hechten aan een goed functionerend transportsysteem. Dit laatste moet verklaard worden uit de toenemende urbanisatie en de sterke stijging die de produktie de laatste decennia doormaakt.

Het transportsysteem is de laatste jaren sterk verbeterd. Hoewel de zorg voor het wegennet in feite een zaak van de overheid is, zijn de belangrijkste verbeteringen toch het werk van ondernemers. Deze ondernemers verbeteren de wegen en krijgen in ruil daarvoor van de overheid het recht om er tol te heffen. Jaarlijks worden gemiddeld zo'n veertig van deze concessies in het parlement goedgekeurd. Het transport van goederen verloopt echter waar mogelijk voornamelijk over water omdat dit aanzienlijk goedkoper is. Adam Smith maakte in zijn *Wealth of Nations* (1776) de volgende vergelijking tussen de beide middelen van vervoer: 'Om de hoeveelheid goederen die zes of acht man per schip van Londen naar Edinburgh vervoeren in dezelfde tijd per kar te transporteren zijn 50 wagens, 100 mannen en 400 paarden nodig'. Hoewel deze schatting voor het wegtransport wellicht iets te ongunstig uitvalt, kan men begrijpen waarom er vanaf 1760 zoveel kanalen zijn gegraven. Het startsein voor deze 'kanalenmanie' werd gegeven door de hertog van Bridgewater, die zeer veel kosten wist te besparen door het kanaal dat hij van de Worsley-kolenmijn naar Manchester liet aanleggen. Nu de handel door de moeilijkheden in de Amerikaanse koloniën stagneert, is de laatste jaren ook het enthousiasme voor het graven van kanalen verflauwd.

# VS stellen eisen aan vrede met Engeland

PHILADELPHIA, 14 augustus - Het Amerikaanse Congres heeft een aantal voorwaarden opgesteld voor een eventuele vrede met Engeland. De Amerikanen hebben daarbij, conform het Amerikaans-Franse verdrag van vorig jaar, contact gehad met de Franse ambassadeur in Philadelphia, Alexandre Gérard.

De Amerikanen eisen van de Britten dat zij de Amerikaanse onafhankelijkheid erkennen en hun troepen uit de Verenigde Staten terugtrekken. Het grondgebied van de Verenigde Staten wordt volgens de Amerikanen begrensd door de Atlantische Oceaan, de Mississippi, Canada en Florida. Daarnaast claimen de Amerikanen het recht van visserij in de Hudsonbaai.

Met het opstellen van de vredesvoorwaarden, vier jaar na het uitbreken van de Onafhankelijkheidsoorlog, wordt Engeland de mogelijkheid geboden onderhandelingen te openen over een vrede met de Verenigde Staten. De

*De Slag van Bunker Hill bij Charlestown (1775) tussen Engelsen (rood uniform) en Amerikanen.*

Britten zelf hebben daartoe in 1776 en 1778 (missies van respectievelijk Howe en Carlisle) al pogingen ondernomen, maar stuitten toen op Amerikaanse onwil. Dat de Amerikanen nu wel bereid zijn over vrede te praten, heeft alles te maken met de angst dat Spanje zijn aanspraak op Noordamerikaanse territoria uitbreidt. Ondertussen gaat de oorlog verder. Gisteren nog versloeg de Engelse vloot uit New York de Amerikaanse uit Boston.

# Ontdekkingsreiziger Cook omgekomen

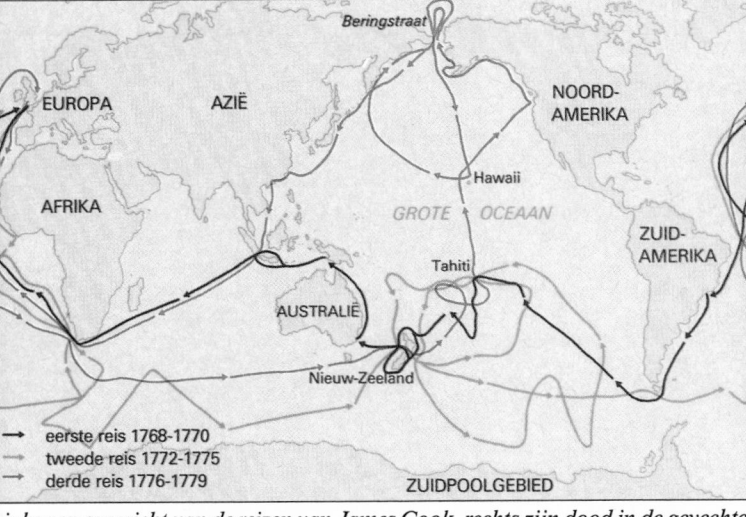

→ eerste reis 1768-1770
→ tweede reis 1772-1775
→ derde reis 1776-1779

*Links een overzicht van de reizen van James Cook, rechts zijn dood in de gevechten op Hawaii.*

HAWAII, 14 februari - De bekende Engelse ontdekkingsreiziger James Cook is tijdens een ongelukkig treffen met inboorlingen omgekomen. Hij was een bekwaam cartograaf en heeft grote delen van het zuidelijk halfrond in kaart gebracht.

James Cook werd in 1728 in Marton-in-Cleveland geboren. In 1746 trad hij in dienst van John Walker, een bekend scheepseigenaar. Deze zond hem naar zee en gaf hem 's winters onderricht in navigatie en mathematica. Toen Cook voldoende ervaring had opgedaan trad hij in 1755 in dienst van de Engelse marine. Daar vestigde hij een reputatie als cartograaf en astronoom. In 1767 verscheen in het blad *Philosophical Transactions* van de Royal Society een verslag van de waarnemingen die Cook van een zonsverduistering had gedaan. In 1768 kreeg Cook opdracht voor de Royal Society naar Tahiti te gaan om de baan van de planeet Venus te bestuderen. Verder werd hem verzocht van Tahiti naar het zuiden door te varen. Het veronderstelde zuidelijke vasteland vond hij echter niet. Cook zette uiteindelijk koers naar Nieuw-Zeeland en ontdekte dat het land uit twee eilanden bestond.

De vraag of er in het zuiden een groot continent bestond bleef hem intrigeren. Hij stelde daarom voor zo ver mogelijk naar het zuiden om de aarde te varen. Op 13 juli 1772 vertrok hij. Tijdens deze reis, misschien wel de grootste die ooit door mensen werd ondernomen, kwam vast te staan dat er in het zuiden geen nieuwe ontdekkingen meer gedaan zouden worden.

Na zijn terugkomst in 1775 stelde hij een nieuwe tocht voor. Ditmaal wilde hij het noordelijk deel van Amerika's westkust verkennen en zou naar een noordelijke doorgang worden gezocht. Op 18 januari vorig jaar ontdekte hij de eilandengroep waarvan Hawaii deel uitmaakt. Daarna werd koers gezet naar de kust van Amerika. Cook zeilde naar het noordwesten, ontdekte de Beringstraat, maar moest vanwege pakijs terugkeren. Hij besloot op Hawaii te overwinteren. Op 4 februari vertrok hij van het eiland maar keerde wegens een defect aan het schip terug. Toen er vervolgens gevechten op het eiland uitbraken, is Cook onder onduidelijke omstandigheden omgekomen.

# Nieuwe meubelstijl van Chippendale

LONDEN, 13 november - De aan tuberculose overleden Engelse meubelmaker Thomas Chippendale is vooral bekend geworden door zijn uitgave *The Gentleman and Cabinet Makers Directory,* die in 1754 verscheen. Op 160 afbeeldingen geeft hij daarin een vrijwel compleet overzicht van alle meubeltypen die in Engeland in gebruik zijn. De invloed van het werk is zo groot dat men zelfs is gaan spreken van een Chippendalestijl.

Van het vroegste leven van Thomas Chippendale is weinig bekend. In 1748 trad hij met Catherine Redshaw in het huwelijk. In 1753 vestigde hij zich als zelfstandig meubelmaker in St. Martin's Lane, het toonaangevend centrum van de meubelmakers in het hart van Londen. Hij zou daar tot aan zijn dood werkzaam zijn.

Op de ontwerpen in de *Directory* (overigens naar alle waarschijnlijkheid van de hand van Chippendale's ondergeschikten) is de invloed van de Franse rococo duidelijk aanwijsbaar. Deze komt vooral in de ornamentiek tot uiting. Een opmerkelijk ander aspect is de Chinese invloed. Deze blijkt vooral uit de vorm van de poten. Stoelen worden veelal voorzien van een 'ball and claw'-poot: een S-vormig gebogen poot die eindigt in een klauw die een bal omklemt. Aan de gotiek is het spitsboogmotief ontleend dat in stoelruggen en raamwerk in glazen kastdeuren is toegepast. De laatste jaren is onder invloed van Robert Adam een neoklassieke stijl in zwang geraakt. De firma van Chippendale zal worden voortgezet door zijn gelijknamige zoon.

# 1780

**16 januari.** In een zeeslag bij Kaap Sint Vincent verslaat de Engelse vloot de Spaanse, waardoor het beleg van Gibraltar tijdelijk doorbroken wordt.

**10 maart.** Rusland kondigt de gewapende neutraliteit af in de Engelse oorlog tegen Spanje, Frankrijk en in Noord-Amerika. Het doel is het doorzoeken van schepen op contrabande door Engeland tegen te gaan. Frankrijk, Spanje, Oostenrijk, Pruisen, Denemarken en Zweden erkennen de Russische positie.

**8 juni.** In Londen vinden relletjes plaats uit protest tegen de verzachting van het strafrecht voor rooms-katholieken, zoals voorgesteld in 1778. Engeland telt 70 000 katholieken.

**Juni.** Keizer Jozef II confereert met Catharina II van Rusland over een verdrag.

**9 juli.** Denemarken verklaart zich in navolging van Rusland gewapend neutraal.

**Juli.** Franse troepen onder Rochambeau worden in Newport, Rhode Island, ontscheept.

**1 augustus.** Zweden verklaart zich in navolging van Rusland en Denemarken gewapend neutraal.

**10 september.** Hyder Ali van Mysore verovert de Carnatic, India. Hiermee begint de Tweede Mysore-oorlog.

**Oktober.** In Bohemen en Hongarije wordt de horigheid afgeschaft.

**20 november.** Engeland verklaart de Republiek de oorlog, om te voorkomen dat de Republiek tot de groep van gewapend neutrale landen toetreedt. Het is het begin van de Vierde Engelse Oorlog.

**29 november.** Maria Theresia, aartshertogin van Oostenrijk en koningin van Hongarije, sterft. Zij wordt opgevolgd door haar zoon, keizer Jozef II. →

**13 december.** Ierland krijgt vrijhandel met Engeland.

- Johann Jacob Hemmer richt 39 meteorologische stations in tussen Bologna in Italië en Groenland.

- Maria-Christina wordt gouvernante over de Zuidelijke Nederlanden. Zij volgt Karel van Lotharingen op, die op 4 juli overleed.

- De cirkelzaag wordt geïntroduceerd, evenals de schroevedraaier.

- In Berlijn maakt Acker de eerste suiker uit bieten.

## Maria Theresia was alom geliefd

*Maria Theresia.*

WENEN, 29 november - Met het overlijden van Maria Theresia verliest Oostenrijk een zeer geliefd vorstin. Ze werd door iedereen gewaardeerd en verwierf daarom het predikaat 'Landesmutter'.

Haar regeringsperiode, die de jaren 1740 tot 1780 beslaat, werd voor een groot deel bepaald door de rivaliteit met de Pruisische koning Frederik de Grote. Na haar kroning tot koningin in 1740 brak de Oostenrijkse Successieoorlog uit. Bij de Vrede van Breslau moest Oostenrijk Silezië opgeven. Maria Theresia berustte niet in deze situatie. Ze voerde bestuurshervormingen door en moderniseerde het leger. Een verdrag met erfvijand Frankrijk stelde haar in staat te proberen Silezië te herwinnen. De Zevenjarige oorlog had echter niet de door haar gewenste afloop.

Maria Theresia maakte Oostenrijk tot een welvarende, goed bestuurde natie. Ze was een doortastend vorstin en gevreesd bij haar tegenstanders. Van belang zijn haar hervormingen in het onderwijs. Tijdens haar regeringsperiode werd een algemene belastingplicht ingevoerd. Uit haar huwelijk met Frans Stefan van Lotharingen kwamen zestien kinderen voort, van wie er tien in leven bleven.

*Maria Theresia vlak voor haar dood.*

# 1781

**Januari.** Het Amerikaanse leger onder Daniel Morgan verslaat het Engelse leger bij Cowpens, South Carolina. Veel Engelse soldaten worden gevangengenomen.

**Februari.** Rusland en Oostenrijk sluiten een verdrag met het doel de Turken uit Europa te verdrijven.

**1 maart.** In de Amerikaanse stad Philadelphia worden de 'Artikelen van de Confederatie' goedgekeurd. →

**29 april.** Frankrijk verovert Tobago in de Caribische Zee.

**April.** De Franse vloot onder Suffren verhindert de Engelse verovering van Kaap de Goede Hoop op de Republiek.

**8 mei.** Pruisen verklaart zich gewapend neutraal in de oorlogen van Engeland tegen de Noordamerikaanse ex-koloniën, Spanje, Frankrijk en de Republiek.

**19 mei.** Necker neemt ontslag als minister van Financiën van Frankrijk. →

**Juni.** Warren Hastings, de Engelse gouverneur-generaal in India, zet de raja van Benares af wegens diens weigering in de kosten van de oorlog bij te dragen.

**Juli.** Het Spaanse leger verovert Pensacola, Florida, op Engeland.

**5 september.** In een zeeslag in Chesapeake Bay, Noord-Amerika, verslaat de Franse vloot de Engelse marine. De Engelse aanvoerlijn over zee naar de vesting Yorktown is afgesneden.

**30 september.** Amerikaans-Franse troepen onder Washington en La Fayette beginnen het beleg van Yorktown.

**13 oktober.** Jozef II van Oostenrijk decreteert godsdienstvrijheid en vrijheid van drukpers. →

**19 oktober.** Het Engelse leger geeft zich over bij Yorktown. →

**13 november.** Engeland verovert Negapatam op Ceylon op de Republiek.

- Portugal verkrijgt de Baai van Delagoa in Oost-Afrika van Oostenrijk.

- Een opstand in Peru die al ruim een jaar duurt, wordt door het Spaanse leger onderdrukt. →

- Nadat een opstandelingenleger Bogotá heeft ingenomen, belooft de Spaanse onderkoning hervormingen. →

- De chassidiem moeten Litouwen verlaten. →

Gestorven:

**15 februari.** Gotthold Ephraim Lessing (22-1-1729), Duits filosoof→

*Afgevaardigden van de koloniën bij d[e] Onafhankelijkheidsverklaring.*

## Artikelen van de Confederatie zijn goedgekeurd

PHILADELPHIA, 1 maart - De de[r]tien opstandige staten hebben de 'Art[i]kelen van de Confederatie' goedge[-] keurd. De Artikelen zijn te beschou[-] wen als d[e] Amerikaanse grondwet e[n] maken van de dertien voormalige ko[-] loniën een losse statenbond. Dit bete[-] kent dat de afzonderlijke staten ee[n] grote mate van zelfstandigheid krijge[n] en dat een federale regering ontbreek[t.] Daarmee hebben de tegenstanders va[n] een sterke centrale regering een over[-] winning behaald.

Het enige bondsorgaan binnen d[e] Confederatie is het Congres, dat we[r-] kelijke macht moet ontberen. He[t] Congres wordt gevormd door verte[-] genwoordigers van de dertien state[n.] Daadkrachtig optreden van het Con[-] gres wordt verhinderd doordat de sta[-] ten in de eerste plaats hun eigen belan[-] gen behartigen en niet die van d[e] Confederatie. Daarnaast wordt het ge[-] zag van het Congres verzwakt door he[t] ontbreken van het recht van belasting[-] heffing, rechtspraak en handelsregu[-] latie.

Het zijn vooral de radicale opstande[-] lingen van het eerste uur die fel hebbe[n] geageerd tegen een sterk centraal ge[-] zag. Zij waren bang dat een dergelijk[e] regering dezelfde fouten zou begaa[n] als het Britse parlement. De gematig[-] den in Amerika zijn daar minder ban[g] voor. Zij zijn van mening dat, gezien d[e] chaotische politieke en economisch[e] situatie, een sterke centrale overhei[d] noodzakelijk is.

Het heeft lang geduurd voordat all[e] staten de Confederatie-artikelen ratifi[-] ceerden. De Artikelen verschaffen d[e] staten die in hun koloniale handvest[en] aanspraak maken op nieuwe stukke[n] land, de mogelijkheid hun gebied uit t[e] breiden. Maryland, verstoken van di[e] mogelijkheid, stelde voor de nieuw[e] territoria als aparte staten in de Confe[-] deratie op te nemen. Na vijf jaar touw[-] trekken werd dat voorstel geaccep[-] teerd en konden de Artikelen van d[e] Confederatie worden geratificeerd.

# Necker dient ontslag in

PARIJS, 19 mei - Directeur-generaal van Financiën Necker heeft zijn ontslag ingediend, nadat de koning had geweigerd hem meer macht te geven. Necker had al zeer veel invloed op het financiële beleid. Hij genoot grote populariteit onder de bevolking omdat onder zijn bewind de belastingen niet werden verhoogd. Zijn ijdelheid zette echter onder zijn collega's kwaad bloed en heeft hem bovendien de vijandschap van de parlementen opgeleverd.

Necker werd vier jaar geleden benoemd. Hij is bankier en afkomstig uit Genève, waar hij zeer veel geld heeft verdiend met slimme speculaties. Zijn belangrijkste opdracht werd het financieren van de Franse deelneming aan de

*Minister van Financiën Necker.*

Amerikaanse onafhankelijkheidsoorlog. De Franse schatkist was zo goed als leeg. De gebruikelijke methode in zo'n situatie was een tijdelijke verhoging van de belastingen. Volgens Necker kon de staatskas echter beter worden gevuld door het uitschrijven van leningen. Het lukte hem inderdaad om op die manier veel geld binnen te krijgen. Zijn reputatie steeg enorm. Vóór hem was nog nooit een minister erin geslaagd een oorlog te financieren zonder belastingverhoging.

Er waren wel mensen die waarschuwden voor het gevaar van een stijgende rentelast. Zij beschuldigden Necker ervan een tweede John Law te zijn, die Frankrijk naar een faillissement zou leiden. Deze zorg werd door Necker als onzin afgedaan. Om een eind te maken aan elke tegenstand, publiceerde hij begin dit jaar de *Compte rendu*. Voor het eerst in de Franse geschiedenis werd hiermee voor een groot publiek een overzicht gegeven van de inkomsten en uitgaven van de staat. Binnen enkele weken waren er ruim 100 000 exemplaren van verkocht. Staatsfinanciën werden het gesprek van de dag.

Necker liet in zijn *Compte rendu* zien dat de inkomsten en uitgaven van de staat met elkaar in evenwicht waren. Er was zelfs een klein overschot van tien miljoen pond. De bankier liet in zijn publikatie niet na zichzelf veelvuldig te complimenteren met dit opmerkelijke resultaat. De critici waren er snel bij om zijn ongelijk aan te tonen. Volgens hen zal de Franse staat dit jaar uitkomen op een tekort van bijna 219 miljoen pond.

*Nieuwjaarsreceptie aan het keizerlijk hof; zittend bij het rechterraam Jozef II.*

# Keizer bepleit tolerantie

WENEN, 13 oktober - Keizer Jozef II heeft verschillende 'Patente' uitgevaardigd die betrekking hebben op de vrijheid van godsdienst. Het 'Toleranzpatent' is het belangrijkste. Dit edict garandeert de lutheranen, de calvinisten en de aanhangers van de Orthodoxe Kerk de vrije beoefening van hun religie. Elke gemeente van meer dan honderd gezinnen krijgt het recht om een eigen kerk en een eigen school te stichten. Om verzet van de plaatselijke bevolking te voorkomen mag de ingang van het godshuis niet direct aan de openbare weg worden gesitueerd en

wordt alleen aan de rooms-katholieken het recht voorbehouden klokken te luiden. De niet-katholieke inwoners van Oostenrijk krijgen dezelfde burgerlijke rechten als de aanhangers van het katholicisme. Zij mogen land bezitten, een universitaire studie volgen en overheidsdienaar worden.

In de preambule verwoordde Jozef II de ideële en praktische achtergronden van deze maatregelen: 'Overtuigd, enerzijds van de schade die geweld kan aanrichten aan het geweten, anderzijds van het grote voordeel dat de religie en de staat hebben bij een ware christelijke verdraagzaamheid [...]' Jozef II is zeer ontvankelijk voor de idealen van de Verlichting: 'Fanatisme zal in de toekomst in mijn landen alleen bekend zijn door de verachting die ik ervoor koester [...] Tolerantie is een gevolg van die weldadige vermeerdering van kennis die Europa verlicht.' Door de filosofen van de Verlichting wordt religieuze intolerantie gezien als een overblijfsel uit de middeleeuwen, onmenselijk en onrechtvaardig. Bovendien spelen praktische overwegingen een rol. Geloofsvervolging remt immers de vooruitgang, verdrijft vaak de meest getalenteerde onderdanen en heeft een averechts effect: door onderdrukking groeien de rijen der dissidenten juist aan.

Aan de joden verleent Jozef II eveneens meer rechten. De keizer is wars van het antisemitisme dat ten tijde van Maria Theresia deel uitmaakte van de hofcultuur. Hij ontslaat de joden van de verplichting om als merkteken een gele davidster te dragen. Ook met deze maatregel wordt het belang van de staat gediend. 'Om de joden nuttiger te maken, wordt de discriminatie die tot nu toe met betrekking tot hun kleding bestond, volledig opgeheven.'

# Lessing: dood van een Duits Verlichter

BRUNSWIJK, 15 februari - De schrijver Gotthold Ephraim Lessing, de belangrijkste vertegenwoordiger van de Duitse Verlichting, is op 52-jarige leeftijd in Brunswijk overleden. Tijdens zijn leven publiceerde hij onder andere toneelstukken, theaterkritieken en filosofische en theologische werken.

Lessing werd op 22 januari 1729 in Lausitz (Saksen) geboren als zoon van een predikant. Na studie aan de universiteit trok hij naar Berlijn waar hij als schrijver een onafhankelijk bestaan trachtte op te bouwen, hetgeen zeer moeilijk bleek te zijn. Het taalgebied was wel groot, maar door de versplintering van het Heilige Roomse Rijk ontbrak een overkoepelende regeling inzake auteursrechten. Bovendien was het uitgeverswezen slecht georganiseerd.

Na 1768 was Lessing enige tijd leider van het theater in Hamburg. Hoewel hij daar was aangenomen om toneelstukken te schrijven, publiceerde hij voornamelijk theaterkritieken die hij bundelde tot de *Hamburgische Dra-*

*Gotthold Ephraim Lessing (1760).*

*maturgie* (1667-1669). Hierin hield hij zich vooral met de theoretische kanten van de toneelkunst bezig.

In 1772 ging zijn burgerlijk treurspel *Emilia Galotti* in première. Dit genre raakte onder invloed van de opkomende burgerij in de mode. In deze treurspelen stonden burgers en waarden als deugd, menselijkheid en indivi-

dualiteit in het middelpunt.

Zijn opvattingen omtrent theologie en filosofie legde Lessing neer in *Nathan der Weise* (1779) en *Die Erziehung des Menschengeschlechts* (1777-1780). Volgens Lessing zou de ideale maatschappij nooit bereikt kunnen worden. Hij zag in de geschiedenis wel een ontwikkeling in de richting van deze maatschappij. Godsdiensten speelden hierbij een belangrijke rol. In tegenstelling tot veel Franse verlichte schrijvers keerde Lessing zich niet tegen het verschijnsel religie. Wel bepleitte hij religieuze tolerantie. Hij ontkende in *Nathan der Weise* het bestaan van het 'ware geloof' en vond dat alle religies hun bijdrage hadden geleverd aan de ontwikkeling van de mensheid.

Hoewel Lessing wat betreft denkwijze dicht bij de Pruisische koning Frederik de Grote staat, heeft deze zich nooit voor zijn werk geïnteresseerd. De koning oriënteerde zich vooral op de Franse Verlichting en bovendien had Lessing in zijn jeugd onenigheid met Voltaire gehad.

# Indianenopstand in Peru en Nieuw-Grenada

*De gedwongen evacuatie van Indianen bij de nadering van Spaanse veroveraars.*

LIMA/BOGOTA - De Spaanse onderkoninkrijken Peru en Nieuw-Grenada zijn in de ban van Indianenopstanden. Na de terechtstelling van Tupac Amaru, de laatste afstammeling van de Inca-koningen, en de moord op zijn hele familie wordt het onderkoninkrijk Peru geteisterd door verspreide opstanden. Zo werd La Paz gedurende een halfjaar door tienduizenden Indianen onder leiding van Jacinto Rodríguez (Tupac Catari) belegerd. Er bestaat een zijdelings verband tussen deze Tupac Amaru-opstand in Peru en de Comunero-opstand in Nieuw-Grenada.

Directe aanleiding voor de opstand in Nieuw-Grenada zijn de hoge belastingen voor creolen, de blanke Zuidamerikanen, en de inningsmethoden van de belastingambtenaren. De regering zag zich gedwongen in te gaan op de eisen van de opstandelingen, nadat dezen op weg naar de hoofdstad Bogotá enkele legereenheden hadden verslagen. Toen de rust leek te zijn weergekeerd werden echter alle leiders van de opstand gevangengenomen en de hervormingen ingetrokken. De leiders werden op gruwelijke manier terechtgesteld en hun hoofden op staken in Bogotá opgesteld.

De achtergrond van de opstanden in Peru waren hervormingen van het koloniale bewind. Hierdoor werd de functie van 'corregidores de Indios', ambtenaar belast met het welzijn van en toezicht op Indianen in een gebied opgeheven, waardoor een ware terreur van de ex-ambtenaren tegen de Indianen ontstond. Indianen werden gedwongen tegen hoge prijzen goederen van hen te kopen. Om hieraan en aan de 'mita', de dwangarbeid opgelegd door de Spanjaarden en georganiseerd via de 'caciques' (afstammelingen van de Inca-adel) te ontkomen' ontvluchtten veel Indianen hun dorpen. Deze 'Indios Forasteros', zwervende Indianen, werden door de creolen, die ook ontevreden waren over de voorgenomen hervormingen, georganiseerd. Onder leiding van Tupac Amaru kwam het echter tot een onbedoelde massale Indianenbeweging tegen de Spanjaarden, waarop de creolen de opstand alsnog de rug toekeerden. Nu Tupac Amaru is vermoord en het beleg van La Paz is opgeheven beheersen kleine groepjes opstandelingen nog delen van het land.

Ook in Chili, het zuidelijke deel van het onderkoninkrijk Peru, waren er dit jaar onlusten. Op een zeker moment was het hele Andesgebied tegen de Spanjaarden in verzet. Nu de opstanden zijn neergeslagen zijn door het Spaanse bestuur het 'Quecha' (de Inca taal), de cape als traditionele Inca kleding en het boek *Comentarios Reales* van de Inca Garcilaso de la Vega verboden.

# Rabbijn in Litouwen spreekt zich uit tegen chassidisme

WILNA - Opnieuw is de chassidische beweging in Litouwen een slag toegebracht. In een proclamatie heeft rabbijn Elia ben Solomon Zalman de chassidiem bevolen '[...] onze gemeenschappen met vrouw en kinderen te verlaten. Het is verboden hun onderdak voor de nacht te geven. De afwijkende rituele slachtingen van de chassidiem zijn verboden. Zo ook huwelijken met chassidiem en zakelijke transacties.'

Het chassidisme kwam voor het eerst op in Podolië en Wolhynië als een revolte van de ongeletterden tegen het strenge gezag van de rabbijnen. Na de ontmaskering van de valse Messias Sjabtai Tswi in 1666 verkeerden de joden in Oost-Europa in een ernstige geestelijke crisis.

De stichter van de chassidische beweging, Israël ben Eliëzer van Medsjibosj, werd in 1700 geboren in Okopy, het zuiden van Polen. Hij leefde in zelfgekozen armoede. Beroemd werd hij pas toen hij zich op 36-jarige leeftijd benoemde tot gebedsgenezer en wonderdoener, Baäl Sjem Tov, meestal afgekort tot Besjt (meester van de Goede Naam). Israël ben Eliëzer bezat een ongekend geloofsvuur en bleek een charismatische persoonlijkheid op zijn vele reizen door Zuid-Polen.

Hij verkondigde dat het uitvoeren van een gebod voor de Meester van het Universum minder belangrijk was dan de emotie waarmee dit gepaard ging. God eren met zang en dans, daar ging het bij hem om, waarbij de nadruk op het gebed lag. Niet als verplichting op vaste tijden maar als een zaak van het hart. Zijn boodschap was optimistisch: 'Een mooie vrouw heeft haar schoonheid van God gekregen, teneinde een zondige daad te veranderen in een verheerlijking van God.'

Het chassidisme als beweging rukte onstuitbaar op en kreeg na de dood van Besjt in 1760 honderdduizenden aanhangers. Dit ondanks de pogingen van het traditionele jodendom deze 'ketterij' te bestrijden. In de hoofdstad van Litouwen, Wilna, centrum van de talmoedstudie, heeft rabbijn Elia zich aan het hoofd van de antichassidische beweging geplaatst en is de spreekbuis geworden van de mitnagdiem (tegenstanders). Toen in 1772 de chassidische beweging in Polen in de ban werd gedaan, reageerde Elia in Litouwen hierop met een woonverbod voor chassidiem. Het effect van de ban was trouwens miniem.

*Joodse gebedsmantel (tallith) van handgeborduurde zijde (eind 18de eeuw).*

# Engelse nederlaag tegen Amerikanen

*De Engelse troepen geven zich over.*

YORKTOWN, 19 oktober - Het Engelse leger onder leiding van Cornwallis heeft een grote nederlaag geleden bij Yorktown, Virginia. De Amerikaanse troepen van opperbevelhebber George Washington hebben na een belegering van de havenplaats zo'n grote overwinning behaald, dat de rol van de Britse militairen in Amerika uitgespeeld lijkt en dat de Amerikanen definitief hun onafhankelijkheid hebben verworven.

Bijna 8000 Engelsen hebben drie weken in Yorktown opgesloten gezeten. Rondom de stad waren in totaal 18 000 Amerikanen en Fransen gelegerd. Deze troepenmacht, met onder anderen de Europeanen von Steuben en la Fayette in de gelederen, wisten zich op zee gesteund door een superieure Franse vloot die verhinderde dat Cornwallis versterking van buitenaf kon krijgen. Door gebrek aan voedsel en munitie werden de Engelsen gedwongen de strijd op te geven.

De Amerikaanse onafhankelijkheidsoorlog begon in 1775 met gevechten in Lexington en Concord. De oorlog heeft tot nu toe zes jaar geduurd en kostte aan Amerikaanse zijde zware offers: 70 000 doden.

Aanvankelijk leken de Amerikanen de oorlog te verliezen, maar in 1777 keerde het tij toen het eerste Amerikaanse leger de Engelsen bij Saratoga een gevoelige nederlaag wist toe te brengen. Toen Frankrijk en Spanje een jaar daarna openlijk partij kozen tegen Engeland, bleken de opstandelingen te sterk voor de Britten, die veel hinder ondervonden van de onbekendheid met het gevechtsterrein.

Daarnaast werkte de grote afstand tussen Amerika en het moederland in het nadeel van de Engelsen: berichten waren te lang onderweg om nog effectief te kunnen zijn, het Engelse parlement kon de situatie in de rebellerende koloniën moeilijk beoordelen en het bevoorraden van de troepen was moeilijk.

---

**11 januari.** Het Nederlandse garnizoen van Trincomalee op Ceylon geeft zich aan de Engelsen over.

**13 februari.** Frankrijk verovert Sint-Christopher in de Caribische Zee.

**22 februari.** Een motie gericht tegen de regering en voortzetting van de oorlog in Noord-Amerika wordt in het Engelse parlement met de meerderheid van één stem verworpen.

**12 april.** In een zeeslag bij The Saints in de Caribische Zee verslaat de Engelse vloot de Franse, waardoor Engeland verdere territoriale verliezen worden bespaard.

**9 mei.** Na een regeringswisseling op 19 maart wordt Thomas Grenville als gezant naar Parijs gezonden, om onderhandelingen over vrede te openen met de hertog De Vergennes voor Frankrijk en Benjamin Franklin voor de Verenigde Staten van Noord-Amerika.

**17 mei.** Het Verdrag van Salbai maakt een einde aan de Tweede Mahratten-oorlog met de Engelse kolonisatoren in India.

**17 mei.** Het Engelse parlement stemt, gedwongen door de precaire buitenlandse politiek, waardoor een opstand desastreus zou kunnen worden, in met de intrekking van de Ireland Act van 1720. Hierdoor krijgt Ierland eigen wetgevende macht, terwijl het parlement alleen gekozen wordt door protestanten.

**15 juli.** De beroemde castraat Farinelli overlijdt. →

**Juli.** Portugal, sinds het Methuenverdrag Engels bondgenoot, verklaart zich gewapend neutraal in de oorlogen van Engeland tegen Spanje, Frankrijk en de Verenigde Staten van Noord-Amerika.

**30 november.** Vredesvoorwaarden, opgesteld door Benjamin Franklin en John Adams, worden door Engeland en de Verenigde Staten geaccepteerd.

**7 december.** Tippoe Sahib volgt de overleden Hyder Ali op als heerser van Mysore.

- Keizer Jozef II van Oostenrijk herroept het Edict van Maria Theresia dat joden verplicht een gele lap te dragen. →

- Rama I sticht een nieuwe dynastie in Siam met Bangkok als hoofdstad.

- In Frankrijk publiceert Pierre Ambroise François Choderlos de Laclos zijn eigentijdse zedenschets *Les liaisons dangereuses*, waarin hij het cynisme, de boosaardigheid en bandeloosheid van de als hoger beschouwde kringen afschildert.

- James Watt vraagt patent aan voor een nieuw type stoommachine. →

---

# Jozef II stelt Edict bij

WENEN - Keizer Jozef II van Oostenrijk heeft het voor de joden vernederende Edict van Maria Theresia uit 1749 herroepen en bepaald dat joden zonder baard en joodse vrouwen niet langer verplicht zijn een gele lap op hun kleding aan te brengen.

Dit nieuwe edict heeft tot doel het aantal joden constant te houden. Zij die toestemming hebben in het land te wonen, krijgen een zware schatting opgelegd; wanneer joden een grens overschrijden moeten ze een 'Leibzoll' betalen, een hoofdelijke omslag die ook wordt berekend wanneer ze een stad binnenkomen. Kennelijk heeft het woord tolerant in het Habsburgse rijk een geheel andere betekenis dan in Frankrijk, waar de rationalisten dit begrip hanteren bij hun pogingen een meer menselijke maatschappelijke orde te creëren.

## James Watt vraagt tweede patent aan

*James Watt in gedachten verzonken tijdens de ontwikkeling van een machine.*

BIRMINGHAM - De bekende uitvinder James Watt heeft patent genomen op een nieuw type stoommachine, een zogenaamde 'double-acting' machine. Na het patent op zijn eerste stoommachine (1769) heeft Watt vele jaren gewerkt aan de perfectionering van zijn aanvankelijke uitvinding. Er was niet alleen veel onderzoek maar vooral veel geld nodig om zijn vinding toepasbaar te maken. Omdat hij zelf niet voldoende middelen bezat, trad Watt in dienst bij John Roebuck, medicus en ondernemer te Glasgow. Tijdens zijn reis naar Londen om patent aan te vragen op zijn eerste machine, maakte hij kennis met Matthew Boulton, een rijke zakenman uit Birmingham. Na het bankroet van Roebuck trad Watt bij Boulton in dienst. Achteraf gezien was zijn verhuizing van Glasgow naar Birmingham gunstig: Watt bevond zich hier dichter bij de staalfabrieken en de technici die onderdelen voor zijn machine konden maken.

Pas na jaren begon het kostbare onderzoek vrucht af te werpen. In 1776 installeerden Watt en Boulton hun eerste machine bij een tinmijn in Cornwall. Een brandstofbesparende machine (de machine van Watt gebruikte slechts 25 procent van de hoeveelheid brandstof die de tot dan toe gebruikte machine van Newcomen nodig had) kwam daar extra van pas omdat steenkool niet ter plaatse aanwezig was, maar uit Wales of het nog veel verder gelegen Sunderland moest worden aangevoerd.

De nieuwe machine, de Watt/2 genaamd, wijkt op twee belangrijke punten af van het oorspronkelijke ontwerp. Ten eerste is deze machine 'double-acting', wat betekent dat de zuiger beurtelings van onder en van boven onder stoom gezet wordt. Deze vinding maakt de machine veel efficiënter.

Ten tweede maakt de machine geen op en neer gaande, maar een draaiende beweging. Dit maakt de machine beter bruikbaar voor die takken van nijverheid waar men van machines gebruik maakt (voornamelijk de spinnerij en de brouwerij).

# Castraat Farinelli dood

*Karikatuur van een scène uit een opera van Georg Friedrich Händel: in het midden de primadonna, rechts en links van haar twee castraten.*

BOLOGNA, 15 juli - Op 77-jarige leeftijd is vandaag in Bologna de beroemde castraat Farinelli (Carlo Broschi) overleden. Farinelli (zo genoemd naar de hertog van Farinella in wiens dienst hij zich als kind bevond en bij wie hij tot castraatzanger werd opgeleid) heeft de laatste jaren als kluizenaar geleefd in een villa te Bologna, omringd door de clavecimbels en spinetten die indertijd aan zijn vriend Domenico Scarlatti (1685-1757) hadden toebehoord.

De carrière van Farinelli is zeer opmerkelijk geweest: in 1734 vertrok hij op 29-jarige leeftijd naar Londen waar hij ware triomfen vierde in de Italiaanse opera's van Georg Friedrich Händel (1685-1759). Toen het Londense opera- en oratoriumpubliek zich in de jaren veertig sterk tegen de castraten begon te keren, nam Farinelli de wijk naar Madrid, waarheen hij door koningin Elisabeth, de vrouw van de zieke koning Filips V, was ontboden.

Hierover doet het volgende verhaal de ronde: na zijn aankomst in Madrid werd een concert georganiseerd in een kamer naast het appartement van de doodzieke Filips V. Farinelli zong de meest hartverscheurende liederen en werd aan het eind van zijn programma ontboden bij de koning; dit was het begin van een langdurig verblijf aan het Spaanse hof. Na de dood van Filips V (1746) werd Farinelli door diens opvolger Ferdinand VI (1746-1759) als hofzanger in dienst gehouden. Onder het

bewind van Ferdinand ging hij zich steeds meer met staatszaken bemoeien: zo was hij betrokken bij de voorbereidingen om de loop van de rivier de Taag te wijzigen; als dank voor zijn inspanningen werd hij in 1750 verheven tot ridder in de orde van Calatrava. Bij de troonsbestijging van Karel III in 1759 werd hij echter vanwege zijn vele staatsactiviteiten gesommeerd onmiddellijk het land te verlaten; Farinelli ging terug naar Italië.

De afgelopen jaren is het castratendom in een steeds kwader daglicht komen te staan; de stedelijke wetgeving heeft de wrede castratiepraktijk in principe in geheel Italië verboden. Toch wordt de operatie nog steeds verricht; de Sixtijnse Kapel in Rome heeft immers vele castraten in dienst en op de audities voor het koor van de kapel blijft hun aantal groeien. Sir Charles Burney schreef in 1771 in zijn *The present state of music in France and Italy* hierover het volgende: 'Ik vroeg in heel Italië waar jongens werden opgeleid voor castraatzang, maar kon er geen hoogte van krijgen. In Milaan zeiden ze dat het in Venetië was en in Venetië Bologna. In Bologna werd het zelfs ontkend en verwees men mij naar Florence; in Florence naar Rome, in Rome naar Napels etc. De operatie is in al deze plaatsen tegen de wet (en ook tegen de natuur, lijkt mij) en alle Italianen schamen zich er zo voor dat elke provincie een andere de schuld geeft.'

---

**14 februari.** Engeland gaat over tot een wapenstilstand in de Amerikaanse onafhankelijkheidsoorlog.

**20 februari.** De Verenigde Staten van Noord-Amerika proclameren van hun kant de wapenstilstand in de onafhankelijkheidsoorlog.

**8 april.** Catharina II van Rusland kondigt de annexatie van de Krim aan.

**9 april.** Tippoe Sahib, heerser van Mysore in India, dwingt de Engelsen Bednore op te geven.

**April.** De Nguyên-familie wordt verdreven uit Vietnam. →

**Juni.** Jozef II voert het Duits in als voertaal in Bohemen en stelt de permanente adviesraad van de Landdag op non-actief.

**17 juli.** Het parlement van Besançon, Frankrijk, roept op tot het bijeenkomen van de overkoepelende Franse Staten-Generaal.

**Juli.** Rusland annexeert Koeban onder het mom de rust en orde te herstellen.

**Juli.** Oostenrijk en Engeland brengen Turkije ertoe Rusland niet de oorlog te verklaren wegens de annexatie.

**3 september.** In Versailles sluiten Engeland, de Verenigde Staten, Frankrijk en Spanje vrede. Engeland erkent de onafhankelijkheid van de Verenigde Staten en krijgt andere voormalige bezittingen in de Caribische Zee terug. Frankrijk krijgt Sint-Lucia, Tobago, Senegal, Goree en de Oostindische bezittingen van Engeland terug. Spanje behoudt Florida en Menorca. Frankrijk mag Dunkerque fortificeren.

**Oktober.** Nadat Tiflis door Perzen is geplunderd, valt Rusland Georgië binnen, verovert Bakoe en dwingt Heraclius van Georgië de Russische soevereiniteit te erkennen.

**21 november.** Twee Fransen maken in Parijs met een montgolfière, zoals de luchtballon is gedoopt, als eerste mensen een luchtreis. →

- In Japan verschijnt *Inleiding tot de Nederlandse wetenschappen.* →

- Bij de Parijse uitgeverij Rollin verschijnt een herdruk van een uit 34 delen bestaand boek dat een overzicht geeft van de Chinese cultuur. →

- In Engeland bouwt James Watt een verbeterde versie van zijn stoommachine.

---

# Stichtelijke brieven uit China in Parijs

*De Chinese keizer Kang-Xi gaat op bezoek in de jezuïetenkerk van Peking.*

PARIJS - Bij uitgeverij Rollin in de Franse hoofdstad is een herdruk verschenen van een belangrijke verzameling artikelen over de Chinese maatschappij en cultuur. De belangstelling voor deze artikelen is te verklaren vanuit de debatten over politiek, religie en moraal die op dit ogenblik in Frankrijk worden gevoerd.

*Stichtelijke en curieuze brieven geschreven door missies in het buitenland* werd oorspronkelijk gepubliceerd in de jaren 1702-1776. Het werk bestaat uit 34 delen en vormt het volledigste overzicht van de Chinese cultuur en geschiedenis in een Europese taal tot nu toe. Het bevat vertalingen, compilaties en beschouwingen van jezuïeten die korte of langere tijd in het Verre Oosten zijn geweest. Naast 'Chinees materiaal' bevatten de *Stichtelijke brieven* ook beschrijvingen van India. Dit materiaal vormt weer een keuze uit rapporten die met name door de jezuïetenmissie in Peking naar het Vaticaan zijn gestuurd.

De oorspronkelijke publicatiereeks had al aan het begin van de 16de eeuw in Europa het beeld gepopulariseerd van China als een modelland, gezegend met een verlichte en goedaardige monarchie. De merkwaardige tegenspraak tussen dit beeld enerzijds en de corruptie en het despotisme in het hedendaagse China anderzijds is maar voor een deel te verklaren door de functie die de *Stichtelijke brieven* hadden: de fondsenwerving ten behoeve van de jezuïetenmissie in Peking en de centrale rol die in de bekeringsplannen van de jezuïeten aan de heersers van China was toebedeeld.

De populariteit van de *Stichtelijke brieven* onder Europese intellectuelen is behalve op het ruime gebruik van de anekdotische verteltrant voornamelijk terug te voeren op iets wat nooit de bedoeling van de jezuïetenpaters is geweest: de waarde van China als symbool van een ethische beschaving die het zonder God en Kerk kan stellen. Met name door Franse intellectuelen als Voltaire en Diderot is in een recent verleden vaak graag in dit verband naar China gewezen.

# Eerste bemande ballonvaart een succes

PARIJS, 21 november - Markies D'Arlande en Jean François Pilâtre hebben de eerste bemande ballonvaart volbracht. Opgestegen uit het Bois de Boulogne legden zij in ruim twintig minuten een afstand van ongeveer tien mijl af.

De eerste ballonvlucht is de kroon op het werk van de broers Joseph en Etienne Montgolfier, eigenaars van een papierfabriek te Annonay (Frankrijk). Begin juni verbaasden zij hun stadgenoten door vanaf het marktplein hun 'Globe Aerostatique', een bolvormige zak, gemaakt van licht weefsel en papier dat als een overhemd aan elkaar geknoopt zit, tien meter in doorsnede en gevuld met rook, stro en brandhout, bijna anderhalve mijl door de lucht te laten zweven.

Op deze demonstratie volgde een uitnodiging om het experiment aan het hof van Lodewijk XVI in Versailles te herhalen. Hoewel de demonstratie bijna moest worden afgelast omdat de ballon vier dagen van te voren door een storm verwoest werd, kon de vlucht zoals gepland op 19 september plaatsvinden. Aangezien de 'passagiers' van deze vlucht - een schaap, een haan en een eend - door de hoogte geen schade

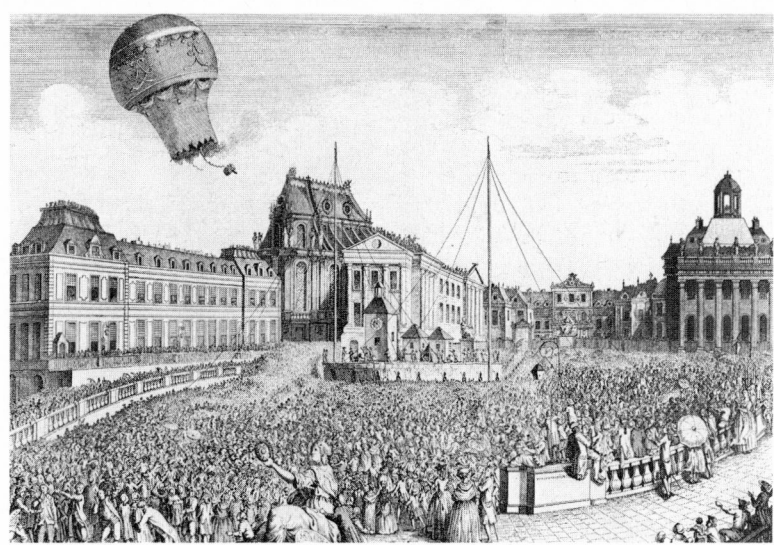

*Het opstijgen van de heteluchtballon van de gebroeders Montgolfier.*

opliepen, maakte dit de weg vrij voor de eerste bemande vlucht. Het plan om voor het gewaagde experiment enkele veroordeelden te gebruiken, werd door Pilâtre en D'Arlande verworpen omdat anders de verkeerde mensen de eer zou toekomen.

De vlucht van vandaag, die begon in de Jardin de la Muette in het Bois de Boulogne en eindigde in het bijna tien mijl verder gelegen Gentilly, duurde precies 23 minuten. Pilâtre en D'Arlande moesten gedurende die tijd keihard werken om het vuur brandende en daarmee de ballon zwevende te houden. Rook is niet het enige dat de ballon

in de lucht houdt. Dit bewees onlangs de natuurkundige J.A.C. Charles, een landgenoot van de Montgolfiers, wiens met waterstof gevulde ballon op 27 augustus van dit jaar maar liefst vijftien mijl aflegde. Hoewel de ballon door boeren uit het plaatsje Gonesse, die de uit de wolken neerdalende verschijning voor een monster aanzagen, met zeisen en hooivorken aan stukken werd gereten, staat er voor 1 december een bemande vlucht op het programma. Aangezien er voor waterstof geen vuur brandend hoeft te worden gehouden, ziet het ernaar uit dat de ballon van Charles, nu al 'Charlière' genoemd, enkele grote voordelen biedt boven de 'montgolfière'. Het idee van een luchtballon is overigens van Charles noch van de Montgolfiers afkomstig. Voortbordurend op een idee van de middeleeuwer Roger Bacon ontwikkelde de jezuïet Francesco de Lana in 1670 een theorie voor een door vier ballons omhooggetrokken 'luchtschip'. Verder dan een theorie wilde De Lana echter niet gaan omdat 'God de uitvoering van een dergelijke uitvinding nooit zou toestaan vanwege de verstoring die zoiets zou geven voor de menselijke samenleving'.

# Japanners zeer geïnteresseerd in Nederlandse cultuur

EDO, augustus - Met de presentatie van het boek *Inleiding tot de Nederlandse wetenschappen* is een nieuwe stap gezet op de weg naar het doorbreken van het isolement van Japan.

Het is niet verwonderlijk dat juist nu dit boek verschijnt. Er is al enige jaren sprake van 'rampeki', wat zoveel betekent als 'Nederland-manie'. Men hoort overal zeggen dat 'de wind van Nederland door het hele land waait'.

De basis voor de hernieuwde belangstelling voor het Westen werd gelegd in het begin van deze eeuw. De angst voor een te grote invloed van het christendom was langzamerhand weggeëbd en voor geleerden werd het weer mogelijk interesse te tonen voor de ontwikkelingen op wetenschappelijk gebied in het Westen. Aangezien alleen contacten met het Westen werden onderhouden via de nog steeds op Desjima aanwezige Nederlanders, werden alle nieuwe ontwikkelingen, met name binnen de exacte wetenschappen, aangeduid met het woord 'rangakoe' ofte wel 'Nederlandse studies'.

In het begin van de eeuw werd een boek gepubliceerd van de hand van de eminente staatsman en geleerde Arai Hakoeseki. In zijn *Verslag over het Westen* had hij veel materiaal verwerkt uit gesprekken met een Italiaanse priester die in 1708 illegaal Japan was binnengekomen en vervolgens was gevangengenomen.

*Nederlanders in Japan aan de maaltijd en bij een verrekijker-demonstratie.*

In 1720 werd het algehele verbod op de import van westerse boeken door de sjogoen verzacht, hoewel alle boeken over het christendom verboden bleven. Wetenschappers trokken nu ook naar Nagasaki om onderricht te krijgen in de Nederlandse taal van de tolken die daar aanwezig waren om de handelscontacten van de Nederlanders met Japan te vergemakkelijken.

Een van de geleerden, Aoki Konyo, voerde de zoete aardappel in Japan in. Hij werd tot hoofdbibliothecaris aangesteld en deed met zijn stimulerende arbeid vele jonge wetenschappers inzien hoe belangrijk het is kennis te nemen van de ontwikkelingen in het Wes-

ten. Een van hen, de fysicus Otsoeki Gentakoe, is de auteur van het zo juist verschenen boek *Inleiding tot de Nederlandse wetenschappen*.

Ook op medisch gebied is de invloed van het Westen merkbaar. Op de in 1773 te Sjimizoe geopende medische school zijn de traditionele Chinese geneesmethoden gedeeltelijk vervangen door methoden die vanuit het Westen zijn geïntroduceerd. In 1774 is door Soegita Gempakoe een Nederlands medisch handboek vertaald, dat nu gebruikt wordt voor onderwijs en door praktizerende artsen. Sommige ziekten die tot nu toe ongeneeslijk waren, worden thans met succes bestreden.

Ook op het gebied van cartografie en botanie worden vertaalde Nederlandse handboeken veelvuldig gebruikt.

Ten slotte heeft de invoering van de nieuwste technieken op het gebied van de constructie en fabricage van wapens de aandacht van de centrale regering. Slechts op filosofisch terrein en inzake staatkundige ordening is de belangstelling voor het Westen gering. Dit is waarschijnlijk toe te schrijven aan het feit dat de heersende orde door kennis te maken met andere systemen gemakkelijk zou kunnen worden ondermijnd. Voor iedereen is immers duidelijk waar te nemen dat het politieke bestel in verval is.

# Nguyên-familie geeft macht prijs

QUI NHON, april - Precies twaalf jaar na het uitbreken van de Tay Son-opstand is de Nguyên-familie van het vasteland van Vietnam verdreven. De leden van de familie hebben hun toevlucht moeten zoeken op het eiland Phu Quoc ten zuiden van het vasteland. Hiermee lijkt de opstand, die een ware omwenteling in het zuiden van Vietnam heeft teweeggebracht, met succes te zijn bekroond.

In april 1771 brak in het centrale hoogland in het midden van Vietnam de zoveelste boerenopstand tegen het centrale gezag uit. Op dat moment werd het zuiden 'geregeerd' door de Nguyên-familie, terwijl de Trinh zich in het noorden staande probeerden te houden. De opstand werd vernoemd naar het dorp waar de drie broers, Nhac, Lu en Hue, die de opstand leidden, geboren waren.

Al geruime tijd hadden de Nguyên hun greep op het zuiden min of meer verloren. Overal waren boeren in verzet gekomen en hadden, gesteund door rondzwervende lieden, ontevreden ambtenaren, ambachtslieden en handelaren op lokaal niveau zelf het bestuur in handen genomen. Hun eisen waren grotendeels dezelfde als die van de opstandige boeren in het noorden: kwijtschelding van de schulden, herverdeling van het land, een eerlijker belastingstelsel en voedsel voor iedereen. Naast deze eisen vormde de opvolging van prins Chua Vo Vuong de directe aanleiding voor deze opstand. Na diens dood in 1765 had de regent Truong Phuoc Loan alle macht aan zich getrokken en benoemde hij de 12-jarige Dinh Vuong, de zoon van zijn concubine, tot opvolger.

Truong Phuoc blonk uit in het onderdrukken van opstanden en het negeren van de eisen van de bevolking. Juist daarom kreeg prins Duong, die in feite de rechtmatige troonpretendent was, massale steun voor zijn aanspraken op de troon. Vanuit het centrale hoogland verspreidde de opstand zich snel door het hele zuiden. In korte tijd werden de Nguyên teruggedrongen. In 1773 viel de stad Quinhon, die onmiddellijk tot hoofdstad van de Tay Son werd uitgeroepen.

In 1778 hadden de Tay Son bijna heel het zuiden onder controle; ook Gia Dinh [Saigon] was in hun handen. De hele Nguyên-familie werd uitgemoord, behalve de 16-jarige Nguyên Phuoc Anh, die in de moerassen in het uiterste zuiden wist te vluchten. Een van de Tay Son-broers, Nhac, riep zichzelf tot keizer uit onder de naam Thai Duc.

Nguyên Phuoc Anh slaagde erin een legermacht te formeren die nog enkele aanvallen op Gia Dinh deed. Uiteindelijk werd hij dit voorjaar verdreven naar het eiland Phu Quoc en nu hebben de Tay Son heel het zuiden in handen.

---

# 1784

**6 januari.** Rusland en Turkije sluiten in Constantinopel een verdrag waarbij Turkije in de Russische annexatie van de Krim en Koeban berust.

**20 maart.** De Republiek en Engeland sluiten in Versailles vrede, waarmee een einde komt aan de Vierde Engelse Oorlog. De Republiek staat Negapatam op Ceylon af, terwijl Engeland ook vrije doorvaart tussen de Molukse eilanden krijgt.

**11 mei.** Engeland sluit in India vrede met Tippoe Sahib van Mysore.

**4 juli.** Na een opstand in Transsylvanië stelt Jozef II van Oostenrijk de wet buiten werking, verplaatst het Hongaarse hof naar Wenen en schaft de feodale hoven af.

**13 augustus.** Met de aanneming van de India Act plaatst het Engelse parlement de East India Company, die het gezag over de kolonie in India uitoefent, onder toezicht van een regeringsraad en verbiedt inmenging in India's interne aangelegenheden.

**Oktober.** Jozef II van Oostenrijk, heer van de Zuidelijke Nederlanden, verbreekt de betrekkingen met de Republiek, nadat op twee Oostenrijkse schepen, die de Nederlandse controle over de Schelde negeerden, was geschoten. Er ontstaat een algehele Europese crisis. Lodewijk XVI van Frankrijk biedt aan te bemiddelen.

**20 december.** De beroemde Vietnamese intellectueel Lê Quy Dôn overlijdt. →

**30 december.** Jozef II kondigt voor Oostenrijk beperkingen aan op de invoer van eindproducten en grondstoffen. →

- In Parijs richt Valentin Hauy de eerste blindenschool op. →

- In West-Frankrijk breken voedselrellen uit. →

- De Engelsman Henry Cort vraagt patent aan op de Puddel-ijzer-ertsoven. →

- Henry Cavendish stelt vast dat water bestaat uit zuurstof en waterstof.

- Catharina de Grote opent het laatste deel van de Hermitage. →

- Antonio Salieri componeert zijn opera *Les Danaïdes.*

- De Franse schrijver Beaumarchais publiceert zijn toneelstuk *Le mariage de Figaro.*

- De Duitse filosoof Herder publiceert zijn *Ideen zur Philosophie der Geschichte der Menschheit.*

- De Franse koning gelast een onderzoek naar de geneesmethoden van de arts Franz Mesmer. →

---

# Erudiet Lê Quy Dôn dood

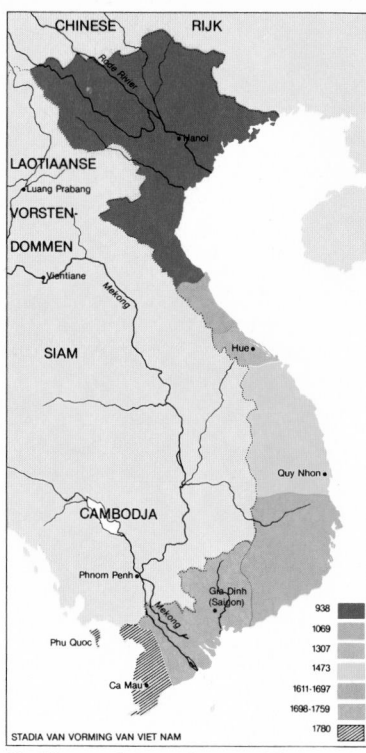

*Stadia van de vorming van Vietnam.*

THANG LONG, 20 december - Het bericht van de dood van de diplomaat, dichter, geograaf, historicus en encyclopedist Lê Quy Dôn heeft grote verslagenheid in Vietnam teweeggebracht. Op 58-jarige leeftijd is de meest vooraanstaande intellectueel van het land deze ochtend plotseling gestorven.

Lê Quy Dôn werd geboren in de provincie Thai Binh en kreeg een klassieke opvoeding. Door zijn uitzonderlijke literaire kwaliteiten werd hij na het slagen voor een aantal examens door het hof in verschillende hoge functies aangesteld. Zijn ambtelijke loopba[an] bracht hem in 1760 onder meer in Ch[i]na.

Hij verbleef als ambassadeur van Vie[t]nam ruim twee jaar in China. Ook a[an] het Chinese hof baarde hij opzien do[or] zijn grote belezenheid en zijn litera[ire] talenten. Niet alleen kon hij zich met[en] met de grootste literatoren aan het h[of,] maar hij won zelfs beide jaren dat hij [in] Peking verbleef de eerste prijs in [de] voornaamste literaire wedstrijde[n,] waaraan naast Chinese ook Koreaa[n]se, Japanse en Vietnamese dichte[rs] deelnamen. Zowel voor, tijdens als [na] zijn verblijf in China werkte hij aan e[en] aantal bloemlezingen van Vietname[se] literatuur. Ook werd er in die tijd e[en] aantal filosofische opstellen van he[m] gepubliceerd, die niet alleen in Vie[t]nam, maar ook daarbuiten opviel[en] door hun kwaliteit.

Naast zijn diplomatieke en literaire g[a]ven werd hij vermaard door de enorm[e] eruditie die sprak uit zijn werken o[p] geografisch, historisch en encyclop[e]disch gebied. Zijn *Geschiedenis v[an] Vietnam* geldt als de beste en meest om[-]vattende geschiedschrijving van h[et] land. Niet slechts de dynastieke wiss[e]lingen, maar vooral de oorzakelijk[e] verbanden tussen de verschillende g[e]beurtenissen die tot grote veranderi[n]gen in de maatschappij hebben gelei[d,] worden door hem minutieus en met g[e]voel voor de zin van de geschiedschri[j]ving uiteengezet.

Zijn geografische beschrijvingen va[n] Vietnam zijn de eerste gedetailleer[de] weergaven van het land en zijn gre[n]zen.

Ten slotte dient nog te worden verme[ld] dat hij als eerste een encyclopedie hee[ft] samengesteld. De talloze zaken d[ie] daarin aan de orde komen, zijn eve[n] zovele bewijzen van Lê Quy Dô[ns] enorme kennis.

*De feestelijke thuiskomst van de ambtenaar (detail van een Vietnamese tekening[).]*

# Jozef II beperkt handel met buitenland

WENEN, 30 december - Keizer Jozef II heeft de invoer van alle industrieprodukten en van talrijke grondstoffen uit het buitenland verboden. Onder het invoerverbod vallen zulke uiteenlopende produkten als katoen, wol, zijde en linnen, glas en aardewerk, alle ijzerwaren, koffie, suiker, wijn, boter en kaas. Om zelf het goede voorbeeld te geven heeft de keizer alle levensmiddelen van buitenlandse herkomst die zich nog in de hofkeuken bevinden, ter beschikking van het grootste Weense ziekenhuis gesteld.

Jozef II is van mening dat 'de hang naar buitenlandse waren, die vaak slechts op een vooroordeel tegen inheemse produkten is gebaseerd', de ontwikkeling van de Oostenrijkse economie afremt. 'Daardoor wordt de afzet van de nationale fabrieken beperkt, aan de nijverheid het loon waarop zij recht heeft onttrokken, en het de arbeidende, dat wil zeggen de nuttigste klas-

De keizerlijke familie aanwezig bij een concert in het Weense Hoftheater.

se van het volk, van dag tot dag zwaarder en onmogelijker gemaakt om in haar levensonderhoud te voorzien.'

Om de Oostenrijkse nijverheid te stimuleren treft hij regelingen die variëren van het toekennen van premies aan ondernemers en het contracteren van buitenlandse vaklieden, tot het lanceren van campagnes om boerinnen in de winter aan het spinnen, weven en breien te krijgen.

Jozef II is een populationist, een aanhanger van de economische theorie die dicteert dat er een positief verband bestaat tussen de omvang van de bevolking en de mate van rijkdom van een land. Hij besteedt niet alleen veel aandacht aan de materiële, maar ook aan de menselijke hulpbronnen van Oostenrijk. Zo zei hij onder meer: 'Ik ben van mening dat het hoogste doel waarop het politieke, het fiscale en zelfs het militaire bestuur hun activiteiten moet richten de bevolking is, dat wil zeggen het handhaven en het vergroten van het aantal onderdanen.' Elke burger is verplicht naar zijn beste kunnen de gemeenschap te dienen: 'Het algemeen belang wordt geschaad als er ook maar één individu mist.'

Om te voorkomen dat iemand zich - bewust of onbewust - aan het produktieproces zou onttrekken, nam Jozef II een aantal maatregelen, waarvan sommige nogal bizar waren. Mensen die tevergeefs hadden geprobeerd zelfmoord te plegen worden net zo lang opgesloten totdat zij beseffen dat zelfbehoud een plicht jegens God en de staat is. Het is verboden om in de Donau te baden. Boeren mogen geen bronwater drinken zonder er eerst azijn aan te hebben toegevoegd. Ouders moeten er streng op toezien dat hun kinderen geen giftige planten eten. Meisjes die werken of worden opgevoed in staatsinstellingen, mogen geen korsetten dragen, omdat geloofd wordt dat deze kledingstukken schadelijk zijn voor de voortplantingsorganen.

In naam van het nut van het algemeen controleert de absolute staat alle facetten van het leven van zijn onderdanen.

Tsarina Catharina II de Grote.

## Catharina opent Hermitage

SINT-PETERSBURG - Catharina de Grote heeft het laatste deel van de Hermitage geopend. Het eerste gedeelte, de Kleine Hermitage, was in 1768 gereedgekomen. Naar het voorbeeld van Frederik II van Pruisen is Catharina begonnen met het verzamelen van schilderijen. De verzameling moest echter ook tentoongesteld kunnen worden, zoals de koningen en edelen in Europa dat doen in hun schilderijenkabinetten in hun paleizen en landhuizen. Vandaar de bouw van de Hermitage. Catharina's eerste grote aankoop was in 1764 in Berlijn bij dezelfde handelaar van wie Frederik de Grote zijn schilderijen betrok. Catharina schafte in één koop 225 schilderijen aan die anders in Frederiks slot 'Sanssouci' terechtgekomen zouden zijn. Er waren verschillende Rembrandts bij: *De ongelovige Thomas, Potifars vrouw, Portret van een Turk*. Verder nog werken van Hals, Van der Helst en Goltzins. De Hollandse en Vlaamse meesters zijn nu zeer in trek. Na deze goede start gaf Catharina haar ambassadeurs in heel Europa opdracht uit te zien naar verkopingen en nalatenschappen.

In 1765 gaf haar ambassadeur in Parijs haar de tip dat de Franse 'philosophe' Diderot krap bij kas zat en dat hij overwoog de bibliotheek te verkopen die hij had opgebouwd toen hij aan de *Encyclopédie* werkte. Catharina bood meer dan Diderot gevraagd had en benoemde hem tot bibliothecaris van zijn eigen boeken. Ze betaalde hem zijn salaris voor de komende vijftig jaar. Toen Catharina in 1766 een standbeeld van Peter de Grote wilde laten maken bracht Diderot haar in contact met Falconet. De Russische ambassadeur in Parijs regelde vele kunstaankopen, onder meer *De terugkeer van de verloren zoon* van Rembrandt. Na het vertrek van de ambassadeur naar Den Haag nam Diderot deze taak van hem over. Via zijn tip wist Catharina drie schilderijen van Gerard Dou en een Murillo te verwerven. Het voorbeeld van Catharina heeft aanstekelijk gewerkt; er is onder de rijke adel een ware wedijver in het verzamelen van schilderijen ontstaan.

## Voedselrellen in westen van Frankrijk

Minister Turgot van Financiën.

PARIJS - In verschillende streken van West-Frankrijk is het tot ernstige ongeregeldheden gekomen. De extreem hoge voedselprijzen die samenhangen met de misoogsten van dit jaar, zijn de oorzaak van de grote sociale onrust. Maar vooral de weigering van minister van Financiën Turgot om de prijzen te verlagen wekte algemene woede in het land op.

Grote groepen gewapende burgers trokken met vaandels en marsmuziek door het land en vielen graanschuren, kastelen, kloosters en boerderijen aan, in de hoop graanvoorraden te vinden. Met deze actie wordt niet alleen het prijsbeleid van Turgot aangevallen. Het totale maatschappelijke systeem wordt erdoor bedreigd. Zonder dat zij zich dit volledig bewust zijn, vertonen de opstandelingen revolutionaire trekken.

De nieuwe strijdwijze van de oproerlingen getuigt van veel meer agressie dan het bekende afdwingen van prijsverlagingen en het blokkeren van graantransporten. De aanvallen op de graanvoorraden zoals die zich dit jaar voordeden, zetten de maatschappelijke orde op losse schroeven. Verschillende geledingen van de maatschappij voelen zich er hevig door bedreigd.

Bovendien doorkruisen deze acties de economische politiek van de overheid. Minister Turgot is de verantwoordelijke man voor het prijsbeleid. Hij is een fel voorstander van vrije handel en vrij transport. Deze zijn volgens hem belangrijke voorwaarden voor economische groei. Turgot behoort tot de groep der Fysiocraten, die de mening verkondigt dat de economie moet functioneren volgens de natuurlijke orde. Rijkdom ontstaat volgens de Fysiocraten door het natuurwonder dat er op de akkers gewassen groeien. De natuur laat planten gratis groeien en is daarom de belangrijkste bron van welvaart. De mensen kunnen de produkten die de grond hun schonk, wel bewerken, maar de belangrijkste waardevermeerdering vindt toch in de natuur plaats. De Fysiocraten leggen de nadruk op het belang van grote investeringen in de landbouw en van het vrijlaten van de prijzen. Overheidsbemoeienis met de prijsvorming wordt beschouwd als een belemmering van de natuurlijke orde. De overheid mag niet ingrijpen, ook al bereiken de voedselprijzen recordhoogten.

Tegenstanders van de fysiocratische zienswijze verwijten minister Turgot een koude intellectueel te zijn, die alleen denkt aan de economische toekomst en niet aan de ellende van de hongerlijdende mensen.

# Kritiek op therapie Mesmer

PARIJS - Op last van de Franse koning is een commissie van vooraanstaande wetenschappers ingesteld die de geneeswijze van de in Parijs gevestigde Oostenrijkse arts Franz Anton Mesmer moet gaan onderzoeken. De koning heeft het onderzoek gelast nu geruchten de ronde doen dat tijdens de medische behandeling seksuele orgieën plaatsvinden.

Over de wonderbaarlijke genezingen van de Oostenrijkse arts zijn de afgelopen jaren honderden boeken en pamfletten verschenen. De patiënten worden behandeld met behulp van het zogenaamde 'dierlijk magnetisme', een 'kosmische kracht' waarover voornamelijk Mesmer zelf beschikt. Mesmer behandelt zijn patiënten in langdurige seances met magische handelingen, astrologische symbolen en muzische middelen. Ook laat hij patiënten plaatsnemen aan een tobbe, gevuld met ijzervezel. Door de tobbe zijn stangen gestoken die de patiënten moeten vasthouden. Zodra zij dit doen, beginnen zij heftig te schudden en sommigen raken in trance. Een aantal veel voorkomende klachten, zoals verlammingsverschijnselen en pijn, zou met deze methode verdwijnen. Sinds zijn komst naar Parijs in februari 1778 is er rond de Oostenrijkse arts een enorme beweging ontstaan. Mesmer en zijn aanhangers beschikken over een eigen genootschap met vertakkingen in de meeste grote steden in Frankrijk. De patiënten stromen bij duizenden toe en aan de Duitse universiteiten zijn de afgelopen jaren zelfs leerstoelen in het

*Behandeling door een magnetiseur.*

mesmerisme opgericht.

De zo juist in het leven geroepen commissie, waarin ook de Amerikaan Benjamin Franklin zitting heeft, moet gaan onderzoeken of 'dierlijk magnetisme' - met behulp waarvan Mesmer beweert zelfs de zon te hebben gemagnetiseerd - inderdaad bestaat.

Mesmer ging in zijn onderzoekingen door op een suggestie van de Engelse natuurkundige Isaac Newton, die in zijn *Principles of Nature Philosophy* de mogelijkheid opperde dat het heelal gevuld is met ether. Ether wordt sinds de oudheid als een magische stof gezien. Volgens Newton zou ether de bron kunnen zijn van de lichtstralen, de zwaartekracht en het magnetisme van het heelal. Mesmer vermoedt dat ook in de menselijke geest ether aanwezig is. De spirituele kracht die hiervan uitgaat, noemt hij het 'dierlijk magnetisme'.

## Fabricage van smeedijzer verbeterd

BIRMINGHAM - De Britse ondernemer Henry Cort heeft een patent verkregen op het door hem uitgevonden 'puddel-proces'.

Het 'puddel-proces' (afgeleid van het Engelse werkwoord 'to puddle', dat omroeren betekent) is bedoeld om de fabricage van smeedijzer eenvoudiger te laten verlopen. Naar het schijnt heeft de ijzerfabrikant Peter Onions vrijwel tegelijkertijd dezelfde uitvinding gedaan. Doordat het patent aan Cort is toegewezen, zal Onions er nauwelijks van kunnen profiteren.

De fabricage van ijzer heeft de afgelopen jaren aanzienlijke verbeteringen ondergaan. Een belangrijk probleem was - en is - het feit dat het in Engeland gewonnen ijzererts niet erg zuiver is. Door het ijzererts te smelten met behulp van steenkool, ontstaat een soort ijzer dat niet geschikt is voor gebruik als smeedijzer. De onzuiverheden uit de steenkool vervuilen het erts en maken het ijzer te breekbaar. De oplossing hiervoor was de vervaardiging van een schonere soort steenkool, die niet alleen voor een heter vuur zorgt, maar ook het ijzer niet vervuilt. Deze uitvin-

ding, cokes geheten, werd gedaan door Abraham Darby. De toepassing van mechanische luchtpompen, ter vervanging van blaasbalgen, zorgde voor een nog heter vuur. Het bleef echter nodig om het ijzer met een 'tilthammer' langdurig uit te hameren.

Het puddling-proces betekent in diverse opzichten een verbetering. Het ijzererts wordt hierbij verhit in een oven zonder direct in contact met de brandstof te komen, zodat het mengsel zuiver blijft. Tijdens de verhitting wordt het erts omgeroerd waardoor veel onzuiverheden verdwijnen en uithameren minder nodig is. Het puddling-proces is voor de arbeiders een zwaar karwei: een ervaren metaalarbeider moet met een twee meter lange pook, die ongeveer twintig kilo weegt, dertig tot veertig minuten in het gesmolten ijzererts roeren. Per keer wordt in een oven ongeveer 250 kilo ijzererts verhit tot een temperatuur van ongeveer 1400 graden. Hoewel het puddling-proces dus veel tijd en kracht vereist, is het profijt zo goed van kwaliteit dat men verwacht dat dit produktieproces algemeen navolging vindt.

**Januari.** Jozef II van Oostenrijk en heer van de Zuidelijke Nederlanden probeert Karel Theodoor van Beieren over te halen zijn gebied voor de Zuidelijke Nederlanden (met uitzondering van de vestingen Luxemburg en Namen) te verruilen.

**21 april.** Catharina II kondigt in Rusland adelsprivileges af.

**Juni.** De Engelse gouverneur-generaal in India, Warren Hastings, keert na zijn ontslag naar zijn vaderland terug. →

**23 juli.** Frederik II van Pruisen vormt met Saksen en Hannover Die Fürstenbund om de Oostenrijkse plannen, de Zuidelijke Nederlanden voor Beieren te verruilen, te dwarsbomen en verdere isolatie van Pruisen door de Oostenrijks-Russische toenadering te voorkomen.

**15 augustus.** In Frankrijk wordt kardinaal De Rohan gearresteerd na de Affaire du Collier, waarbij ook koningin Marie Antoinette zijdelings betrokken is.

**1 september.** De Oostenrijkse componist W.A. Mozart publiceert zes strijkkwartetten die aan de componist Joseph Haydn zijn opgedragen. →

**10 september.** Pruisen sluit een handelsverdrag met de Verenigde Staten.

**8 november.** In Fontainebleau sluiten de Republiek en Jozef II een verdrag. →

**10 november.** De Republiek en Frankrijk sluiten een bondgenootschap.

- De eerste Russen vestigen zich op de Aleoeten, eilanden in het noorden van de Stille Oceaan.

- In Malakka kiezen de Minangkabause stammen een vorst. →

- Jean Blanchard en John Jeffries steken Het Kanaal over in een luchtballon.

- In de Verenigde Staten wordt de verkoop van land ten westen van de dertien deelstaten geregeld in de Land Ordinance Act.

- In Frankrijk publiceert Choderlos de Laclos zijn *De l'éducation des femmes.*

- Matthew Boulton en James Watt plaatsen de eerste stoommachine met roterende beweging in een katoenspinnerij in Papplewick, Nottinghamshire, Engeland.

Gestorven:

**21 augustus.** Jean-Baptiste Pigalle (28-1-1714), Frans beeldhouwer

*De haven van Antwerpen, 17de eeuw.*

## Oostenrijk gaat akkoord met sluiting Schelde

FONTAINEBLEAU, 8 november Vertegenwoordigers van de Republiek en Oostenrijk hebben een verdrag getekend waarbij bepaald is dat de Schelde gesloten zal blijven. In ruil daarvoor zal Oostenrijk een schadevergoeding van 10 miljoen gulden ontvangen en zullen enkele grenswijzigingen tussen de Republiek en de Zuidelijke Nederlanden worden doorgevoerd. Het verdrag van Fontainebleau is tot stand gekomen dank zij de bemiddeling van Frankrijk.

De problemen begonnen vorig jaar toen de Oostenrijkse keizer Jozef II opening van de Schelde eiste. De sinds 1585 bestaande blokkade van de rivier vormt immers een ernstige belemmering voor de economische ontwikkeling van de, overigens vrij welvarende Zuidelijke Nederlanden. Nadat onderhandelingen tussen graaf Belgioioso, de gevolmachtigd minister in de Zuidelijke Nederlanden, en afgezanten van de Republiek mislukt waren, stelde Jozef II een ultimatum. Op 23 augustus vorig jaar liet hij weten dat schepen onder Oostenrijkse vlag naar Antwerpen zouden varen en dat elke poging dat te belemmeren als een oorlogsverklaring zou worden uitgelegd. De daad bij het woord voegend liet hij twee schepen koers richting Scheldestad zetten. Maar de Hollanders en Zeeuwen, die niet van plan waren de blokkade op te heffen en zich ook niet lieten intimideren, reageerden prompt. Eén schip werd met kanonvuur bestookt en een ander ter hoogte van Vlissingen opgebracht.

Even dreigde het inderdaad tot een oorlog tussen Oostenrijk en de Republiek te komen, maar diplomatieke tussenkomst van de Fransen heeft dit voorkomen.

# Nieuwe sultan in Malakka

MALAKKA - Het bericht dat de hoofden van de Minangkabause suku's (stammen) eindelijk een vorst voor hun federatie, de Negeri Sembilan (negen staten), hebben gekozen, is in Malakka met opluchting ontvangen. Een conflict uit 1780 over het aanwijzen van een nieuwe dato penghulu (opperhoofd) in dit in het achterland van de VOC-nederzetting gelegen gebied heeft tot onrust en ontwrichting van de tin- en voedselproduktie geleid. De VOC voelde zich genoodzaakt in te grijpen en op haar aandringen is nu uiteindelijk Ahmad ibni raja Bayang als sultan geïnstalleerd. De nieuwe vorst staat bekend als iemand die bedreven is in het tegen elkaar uitspelen van rivaliserende suku-hoofden en mag in staat worden geacht meer eenheid binnen de federatie tot stand te brengen.

De Minangkabauers zijn in stamverband levende landbouwers, afkomstig van het tegenover Malakka gelegen deel van Sumatra. Ze vestigden zich in het achterland van Malakka nadat deze havenstad in 1641 door een Hollandse oorlogsvloot op de Portugezen was veroverd. Dat gebied maakte formeel deel uit van het rijk Johore, waar sinds het begin van deze eeuw Buginezen (ook een niet-Maleise bevolkingsgroep, afkomstig van Celebes) de dienst uitmaken. Deze goed getrainde en geduchte krijgers, berucht om hun plundertochten op en rond het Maleise schiereiland, wisten een Minangkabause eenwording en machtsontplooiing te voorkomen.

In 1759 stond de sultan van Johore zijn soevereiniteitsrechten over de door de Minangkabauers bewoonde districten (Rembau, Naning en Sungai Ujung) af aan de VOC, die althans in dit gebied een einde aan de Buginese agressie maakte en voor politieke stabiliteit zorgde. De Minangkabauers kregen nu de mogelijkheid een geheel eigen bestuursvorm te ontwikkelen: een samensmelting van hun traditionele matrilineaire erfsysteem en het islamitisch recht.

Toen in 1778 de Maleise raja van Rembau overleed, besloten de sukuhoofden samen het gebied te gaan besturen, als onderhorigheid van de VOC, en de federatie Negeri Sembilan op te richten.

*De slag bij Nagapatam (door Dominic Serres, circa 1780).*

# Hastings neemt ontslag

CALCUTTA/LONDEN - De eerste gouverneur-generaal van de Engelse belangen in India, Warren Hastings (53), heeft zijn ontslag genomen nadat hij de inhoud vernam van de India Act, die vorig jaar op initiatief van William Pitt door het parlement werd aangenomen. Onder meer is daarin opgenomen dat de kroon gemachtigd is 'de huidige of iedere toekomstige gouverneur-generaal van Fort William in Bengalen' en ieder ander persoon in dienst van de compagnie terug te roepen. De India Act bepaalde verder dat de uiteindelijke verantwoordelijkheid over het bestuur in Bengalen van de Raad van Commissarisen van de compagnie is overgeheveld naar een nieuwe Commissie van Toezicht waarin minimaal drie en maximaal zes leden van het Britse kabinet zitting hebben. Hastings beschouwt dit als een motie van wantrouwen: 'Ik vergrootte en gaf vorm en samenhang aan de domeinen die u bezit ... Ik gaf u alles en u beloont me met confiscatie, schande en diskrediet.'

Hastings werd in 1773 gouverneur-generaal, nadat in de Regulating Act was bepaald dat Madras en Bombay onder het bestuur van Calcutta zouden vallen. Bengalen, met Orissa en Bihar, was sinds 1765 de grootste bron van inkomsten voor de compagnie. In dat jaar stierf de nawab van Bengalen die sinds 1757 onder controle van de Engelsen stond. Zijn opvolger trachtte zich met medewerking van de Mogols van de Engelsen te ontdoen. Deze coalitie werd verslagen, waarna de compagnie van Mogol-keizer Sjah Alam het recht kreeg de belastingen van Bengalen, Orissa en Bihar te innen.

Van deze inkomsten stroomde echter minder in de Engelse staatskas dan in de zakken van de dienaren van de compagnie, wat het Engelse parlement deed besluiten Hastings orde op zaken te laten stellen en in de Regulating Act zijn invloed op het bestuur van de compagnie te vergroten.

Hastings vergrootte inderdaad de inkomsten, maar gaf ook veel uit aan een aantal veldslagen op Mahratten-gebied en in de Karnatik. Om zijn bestuur te kunnen betalen voelde Hastings zich genoodzaakt een aantal van zijn rijkste Indische bondgenoten grote sommen geld af te dwingen, wat, tot zijn verbazing, tegen de moraal van het parlement inging, dat als antwoord de India Act uitvaardigde.

# Mozart draagt kwartetten aan Haydn op

WENEN, 1 september - Zes strijkkwartetten opus 10 van Wolfgang Amadeus Mozart zijn bij de uitgeverij Artaria in Wenen in druk verschenen. De tussen 1782 en 1785 ontstane kwartetten zijn alle opgedragen aan Joseph Haydn. De opdracht wekt geen verwondering, aangezien Mozart zich door het grote voorbeeld van kwartetkunst, Haydns *Russische kwartetten* opus 31, diepgaand heeft laten beïnvloeden.

Nadat de twee laatste kwartetten van de reeks op 10 en 14 januari van dit jaar waren voltooid (het laatste kwartet wordt ingeleid door een merkwaardige dissonantenpassage, waardoor het na de eerste uitvoering spontaan het 'dissonantenkwartet' werd gedoopt), werd op 15 januari ten huize van Wolfgang Amadeus Mozart de eerste uitvoering gegeven van alle zes de kwartetten achter elkaar. Mozart en zijn vader Leopold, de beroemde violist, speelden beiden mee. Ook Joseph Haydn was in de intieme kring aanwezig en bij deze gelegenheid verzekerde hij Leopold Mozart: 'Ik zeg U voor God, als een eerlijk mens, dat Uw zoon de grootste componist is die ik van persoon en naam ken; hij heeft smaak en bovendien de grootst denkbare kennis van het componeren.' Deze uitspraak vond ogenblikkelijk zijn weg naar de *Wiener Realzeitung*, die prompt reageerde: 'Haydns erkenning gold een man van het allergrootste genie.'

Het mag een wonder heten dat Mozart gedurende de afgelopen jaren de tijd

*Leopold Mozart met Wolfgang Amadeus en 'Nannerl' (aquarel; 1764).*

heeft gevonden zich met kamermuziek bezig te houden: sinds hij zich in 1781 als vrij kunstenaar in Wenen heeft gevestigd, heeft hij een zeer intensieve concertpraktijk als pianist en improvisator (ten behoeve hiervan schreef hij onder andere een groot aantal piano-concerten). Eveneens organiseert hij op eigen risico abonnementsconcerten. Daarnaast is hij ook actief in de opera: in 1783 ging met veel succes *Die Entführung aus dem Serail* in première en een nieuwe opera, *Figaro*, staat voor volgend jaar op het programma.

## Mendelssohn: vader van de 'Haksalah'

*De joodse denker Mozes Mendelssohn.*

BERLIJN - Mozes Mendelssohn, die wel de vader van de Haksalah (joodse Verlichting) wordt genoemd, is overleden. Hij werd in 1729 geboren in het getto van Dessau als zoon van een arme tora-schrijver en kreeg een traditioneel joodse opvoeding. Zijn leraar David Fränkel maakte hem vertrouwd met bijbel, talmoed en de filosofie van Maimonides. De door een kinderziekte gebochelde student volgde zijn leermeester in 1743 naar Berlijn, waar hij zich het Duits, Hebreeuws, Latijn, Grieks, Engels, Frans en Italiaans eigen maakte. Tijdens een partij schaak ontmoette hij de Duitse schrijver Gotthold Ephraim Lessing, die in zijn eerste toneelstuk, *Die Juden*, de jood met sympathieke trekken had afgeschilderd. Lessing was de eerste christen in Duitsland die zijn stem ten gunste van de joden verhief. *Nathan der Weise*, dat jarenlang niet opgevoerd mocht worden, baseerde Lessing op Mendelssohn. Met hulp van Lessing begon Mendelssohn in 1754 met het schrijven van verhandelingen over filosofische onderwerpen.

In 1761 streefde Mendelssohn Kant voorbij door voor een filosofisch essay de eerste prijs te behalen aan de Pruisische Academie van Wetenschappen in Berlijn. Als erkenning van zijn verdiensten gaf Frederik de Grote hem de rechten van een geprivilegieerde jood, die niet meer gedwongen kon worden Berlijn te verlaten.

## Franse klimmers bereiken top van Mont Blanc

CHAMONIX, 8 augustus - Na ve[r]scheidene pogingen zijn twee Fran[se] klimmers erin geslaagd voor het eer[st] de Mont Blanc te beklimmen.

De Mont Blanc is met 4807 meter [de] hoogste top in Europa buiten de Ka[u]kasus. De berg maakt onderdeel u[it] van een omvangrijk bergmassief op [de] grens van Frankrijk, Italië en Zwitse[r]land. De arts M.G. Paccard en [de] kristallenzoeker Jacques Balmat, be[i]den afkomstig uit het aan de voet va[n] de berg gelegen dorpje Chamoni[x] hebben de Mont Blanc vanaf de Fran[se] kant beklommen.

De klimmers maken met deze presta[tie] aanspraak op de geldprijs die de Zw[it]serse hoogleraar H.B. de Saussure vij[f]entwintig jaar geleden instelde voor d[e]gene die een weg naar de top zo[u] vinden. De Saussure verricht sin[ds] 1760 metingen in het Mont-Blanc-ma[s]sief. Het valt te verwachten dat, nu [er] eenmaal een weg naar de top gevonde[n] is, de Zwitserse hoogleraar in eige[n] persoon ook zal proberen de berg [te] bedwingen.

# Vrijspraak voor kardinaal De Rohan

PARIJS, 1 april - De Grote Kamer van het Parlement van Parijs heeft gisteravond vrijspraak verleend aan kardinaal De Rohan. Hij was hoofdverdachte in het proces rond het diamanten halssnoer van koningin Marie Antoinette. De toch al geringe populariteit van de koningin is op een nieuw dieptepunt beland.

Kardinaal De Rohan werd vorig jaar augustus gearresteerd. Hij had op naam van de koningin een diamanten halssnoer met een waarde van maar liefst anderhalf miljoen pond aangeschaft. Toen de hofjuwelier discreet informeerde waar het geld bleef, bleek Marie Antoinette van niets te weten. De koning had de kardinaal zelf een straf kunnen opleggen, maar hij stemde toe in diens wens voor het gerechtshof te verschijnen. Dat is een zeer onverstandig besluit geweest. Het gerechtshof, het Parlement van Parijs, is traditioneel een tegenstander van de monarchie en heeft de hele zaak aangegrepen om de koninklijke familie in diskrediet te brengen.

Het proces zorgde tot in het buitenland voor een enorme sensatie. Kardinaal De Rohan bleek zelf het slachtoffer te zijn geweest van een aantal oplichters. In een poging de sympathie te winnen van de koningin, had hij de hulp aanvaard van gravin De la Motte, afstammelinge van een van de natuurlijke kinderen van koning Hendrik II van Valois. Gravin De la Motte had geen enkel contact met de koningin, maar ze

*Marie Antoinette (door Elisabeth Louise Vigée-Lebrun, 1784).*

wist De Rohan met vervalste brieven te overtuigen. Ze organiseerde zelfs een vluchtige nachtelijke ontmoeting in het Venusbosje in Versailles tussen Marie Antoinette en de kardinaal. Daartoe werd de hulp ingeroepen van een prostituée die enigszins op de koningin leek. Ten slotte bestelde De Rohan op advies van De la Motte het beruchte halssnoer, in de veronderstelling dat hij hiermee in de gunst van de koningin zou komen. De la Motte liet het halssnoer vervolgens door haar echtgenoot in het buitenland verkopen

en streek zelf de winst op.

De gravin is tot levenslang veroordee[ld] en zal worden gebrandmerkt. [De] Rohan is vrijgesproken, maar hij [is] desondanks in ballingschap gestuur[d]. Volgens velen is dat gebeurd op aa[n]dringen van Marie Antoinette, die zi[ch] wil wreken voor de aantasting van ha[ar] eer. Niet voor niets bevatte de aa[n]klacht felle kritiek op het feit dat [de] kardinaal alleen al geloofd had dat [de] koningin in staat was tot zulk lichtzi[n]nig gedrag als vertoond in het Venu[s]bosje in Versailles.

# East India Company neemt bezit van eiland Penang

PENANG, 11 augustus - Met het hijsen van de Britse vlag heeft Francis Light namens de Engelse koning George III bezit genomen van Penang, een klein en nauwelijks bevolkt eilandje voor de kust van het Maleise staatje Kedah.

Light, door de East India Company tot 'superintendant' benoemd, sloot vorig jaar met sultan Abdullah van Kedah een verdrag waarbij de Britten, in ruil voor een jaarlijkse vergoeding en bescherming tegen Siam, toestemming kregen op Penang, nu omgedoopt in Prince of Wales Island, een steunpunt te vestigen. Tot op heden is de overeenkomst nog niet goedgekeurd door de gouverneur-generaal van India en de directeuren van de compagnie in Londen, die bezwaren hebben tegen de toegezegde bescherming. Desondanks besloot Light het eiland alvast in bezit te nemen, in de overtuiging dat er met de sultan uiteindelijk een bevredigende (financiële) overeenkomst zal worden bereikt.

De Britten zijn al enige jaren op zoek naar een goede haven ten oosten van de Baai van Bengalen. In de eerste plaats

*Links het hijsen van de Engelse vlag op Penang, rechts een gezicht op de haven van het eiland.*

omdat de marinehaven Madras enige maanden per jaar (door de noordoostmoesson) niet bruikbaar is. Ten tweede om het monopolie van de VOC in de Maleise wateren te breken en ten slotte ook met het oog op de zich sinds het

midden van deze eeuw steeds verder uitbreidende handel met China. Op het Maleise schiereiland kopen de Engelsen, in ruil voor Indiase katoen en opium, peper en vooral tin. Dit metaal wordt in China weer verhandeld voor

thee, een produkt dat in Europa erg in de mode geraakt is.

De situatie werd plotseling urgent toen in 1782-1783, als gevolg van de Amerikaanse onafhankelijkheidsoorlog, een Franse vloot in de Baai van Bengalen verscheen, die de handel bijna tot stilstand wist te brengen en toen bovendien alle VOC-havens gesloten werden voor Engelse schepen (Hollanders en Fransen waren bondgenoten van de rebellerende koloniën). IJlings werden nu alle eventuele mogelijkheden van havens in en rond de Straat van Malakka onderzocht. Deze bleken beperkt te zijn; de VOC had zich juist in 1784 meester gemaakt van de Riau-archipel en beheerste daarmee de hele zuidpunt van het Maleise schiereiland. Light, die al jaren handel drijft in deze wateren, kwam nu met de suggestie te gaan onderhandelen met Kedah.

Al in 1771 had Muhammad Jiwa, de toenmalige sultan, via hem gepoogd met de EIC een verdrag te sluiten. Kedah had op dat moment bijzonder te lijden van de strooptochten van de Buginezen (de van Celebes afkomstige feitelijke heersers over het rijk Johore-Riau) en hoopte op Britse bescherming. Londen was ook toen al huiverig voor militaire verplichtingen en de zaak ging niet door. Inmiddels is het gevaar van de zijde der Buginezen geweken (in 1784 werden ze verslagen door de VOC), maar nu komt de dreiging uit het noorden. Kedah was altijd formeel een vazal van de Thaise staat Ayuthia, maar dit stelde in de praktijk niet veel voor. Het in 1782 door Cakri (Rama I) gevormde nieuwe rijk Siam lijkt echter vast van plan werkelijke onderwerping af te dwingen. Sultan Abdullah (die het verlies van zijn troon vreesde) was dan ook maar al te graag bereid Penang af te staan, maar het is nog de vraag of hij daardoor de door hem verlangde Britse protectie inderdaad zal ontvangen.

# Frederik de Grote op Sanssouci overleden

POTSDAM, 17 augustus - Op 74-jarige leeftijd is de Pruisische koning Frederik II in zijn slot Sanssouci overleden. Al tijdens zijn leven kreeg hij van zijn onderdanen de bijnaam 'de Grote'. Frederik II heeft zijn land vanaf 1740 geregeerd en Pruisen tot een grootmacht gemaakt. Door de opkomst van Pruisen en Oostenrijk in de 18de eeuw werd de basis gelegd voor het Duits dualisme en kwam er een einde aan de vroegere verdeeldheid en versplintering van het Heilige Roomse Rijk. De laatste jaren leidde Frederik een teruggetrokken leven op zijn slot in Potsdam. Hij wordt opgevolgd door zijn neef Frederik Willem II.

Frederik de Grote werd op 24 januari 1712 in Berlijn geboren. Zijn jeugd verliep niet zonder problemen; om aan zijn strenge opvoeding te ontkomen ondernam hij in 1730 een vluchtpoging naar Engeland die mislukte. Na zijn arrestatie werd zijn medevluchter luitenant von Katte voor de ogen van Frederik terechtgesteld en de kroonprins zelf zat enige tijd gevangen.

Vanaf 1736 verbleef hij in Rheinsberg, waar hij in contact kwam met de denkbeelden van de Franse Verlichting. Zijn vriendschap met Voltaire leidde in 1750 tot de komst van de Fransman naar Potsdam. Na een aantal conflicten verliet Voltaire Pruisen echter in 1753. Frederik schreef in het Frans en heeft voor de Duitse verlichte schrijvers minder oog gehad. Hij zette zijn opvattingen over politiek uiteen in het boek *Réfutation du 'Prince' de Machi-*

*Frederik de Grote (door Anton Graff).*

*avel*, dat in 1740 anoniem in Den Haag verscheen.

Een aantal van deze denkbeelden heeft Frederik na zijn troonsbestijging begin juni 1740 getracht te verwezenlijken. Hij geldt daarom als een verlicht absoluut heerser. In tegenstelling tot Lodewijk XIV, die zich als de verpersoonlijking van zijn staat beschouwde ('L'état, c'est moi', de staat dat ben ik), zag Fre-

derik zich als 'eerste dienaar' van zijn land. Volgens hem moest een heerser in de eerste plaats de belangen van zijn onderdanen dienen. Dezen hoefden echter niet bij het bestuur betrokken te worden; de macht bleef in handen van de koning.

In zijn eigen land voerde Frederik een politiek van religieuze tolerantie. Drie weken na zijn troonsbestijging in 1740 verklaarde hij in een oorkonde dat de overheid zich in principe niet met godsdienst moest bemoeien en dat het iedereen vrij stond zijn eigen religie te kiezen. Daarnaast bepleitte Frederik in 1771 de rechtsgelijkheid voor alle onderdanen. Tot dan toe maakte men in Pruisen bij de berechting van misdaden duidelijk onderscheid tussen de verschillende klassen.

Tijdens de regeerperiode van Frederik werd het grondgebied van Pruisen aanzienlijk uitgebreid. Bij de drie oorlogen die Frederik tegen Oostenrijk voerde, verkreeg hij het economisch welvarende Silezië. Na de Pruisische inval (december 1740) deed Oostenrijk in het Verdrag van Breslau (1742) afstand van het gebied. In de twee volgende conflicten (de Tweede Silezische Oorlog en de Zevenjarige Oorlog) werd Silezië door Pruisen verdedigd.

De tweede belangrijke gebiedsuitbreiding ontstond door de Eerste Poolse Deling, die in 1772 op initiatief van Pruisen tot stand kwam. Hierdoor werden de voorheen door Pools grondgebied gescheiden delen van Pruisen met elkaar verbonden.

*Jozef II aanschouwt met zijn staf de manœuvres van het Oostenrijkse leger.*

# Keizer wijzigt strafrecht

WENEN, 13 januari - Keizer Jozef II heeft verklaard dat het nieuwe *Allgemeine Gesetzbuch über Verbrecher und deren Bestrafung* van kracht is geworden. De voornaamste clausule luidt: 'Niemand zal meer de doodstraf krijgen, behalve wanneer deze door de krijgsraad is uitgesproken.' In plaats van de doodstraf worden zware lichamelijke straffen, zoals levenslange dwangarbeid, opgelegd.

Het nieuwe wetboek is een verbetering ten opzichte van dat van Maria Theresia. Jozef II schaft barbaarse straffen als verminking af. In strafrechtelijk opzicht worden krankzinnigen, dronkaards en kinderen verminderd toerekeningsvatbaar verklaard. Hekserij, waarop onder Maria Theresia nog de doodstraf stond, wordt gelijkgesteld aan oplichterij, een veel lichter vergrijp. De invloed van de Kerk op de rechtsgang wordt geëlimineerd. Een ieder is voor de wet gelijk: ook een baron kan in gevangeniskleding en met kaalgeschoren hoofd als dwangarbeider tewerkgesteld worden.

Een vorm van dwangarbeid die vanwege zijn economisch nut in dit wetboek een belangrijke plaats inneemt, is het jagen, het voorttrekken van schepen over de moeilijk bevaarbare trajecten van de Donau. 'Harde, langdurige en publieke arbeid maakt straf nuttig voor de staat,' zo rechtvaardigt Joseph von Sonnenfels, de juridisch adviseur van de keizer, deze praktijken.

Op sommige plaatsen in het nieuwe Oostenrijkse wetboek van strafrecht botsen de idealen van de Verlichting met die van het absolutisme. De keizer wilde alle onderdanen een eerlijk proces garanderen, maar duldt geen inmenging van derden in zijn justitiële apparaat. De bijstand van een verdediger is de verdachte ontzegd, en alle rechtszaken vinden achter gesloten deuren plaats. De grondgedachte van de rechtsfilosofie van de Verlichting is dat alleen de schuldige strafbaar is. Onschuldige familieleden mogen niet van hun vrijheid of eigendommen worden beroofd. Jozef II huldigt dit principe, maar past het niet toe op het delict dat het absolute gezag van de vorst aantast, majesteitsschennis. Mèt hoogverraad wordt majesteitsschennis als de zwaarste misdaad beschouwd. Ook van de verwanten van degene die zich hieraan schuldig heeft gemaakt, kunnen de goederen geconfisqueerd worden.

Vergeleken met het Franse of Engelse strafrecht is het Oostenrijkse een toonbeeld van rationaliteit en humaniteit.

## Nieuwe inzichten van Lavoisier

*Het echtpaar Lavoisier in hun laboratorium aan het werk.*

PARIJS - De Franse chemici Guyton de Morveau, Fourcroy, Berthollet en Lavoisier hebben de *Méthode de nomenclature chimique* gepubliceerd. Dit werk is gebaseerd op recent verworven inzichten van Antoine Lavoisier. Hij ziet verbranding niet langer als het vrijkomen van een denkbeeldige stof, het flogiston, maar als het verbinden van de brandende materie met een vitaal bestanddeel uit de lucht dat hij zuurstof noemt, omdat hij meent dat deze stof zuren voortbrengt.

## Nederlanden tegen hervormingen

BRUSSEL, 30 mei - De gouverneur generaal van de Zuidelijke Nederlanden, Maria Christina en haar echtgenoot Albrecht van Saksen-Teschen hebben de uitvoering van de onlangs afgekondigde hervormingsmaatregelen opgeschort. Zij doen dit na hevige protesten van de adel en de geestelijkheid in de Statenvergaderingen en n volksopstootjes. De Staten van Brabant hadden zelfs al geweigerd belastingen te betalen. Het is overigen niet erg waarschijnlijk dat keizer Jozef II met de opschorting zal instemmen. De maatregelen waartegen zo'n fel verzet is gerezen, behelzen vernieuwingen van bestuur en rechtspraak. Jozef heeft, voortgaande op de weg naar een centraler geleide staatsstructuur, een Algemene Regeringsraad ingesteld e de gewesten heringedeeld in negen Kreitsen met aan het hoofd een intendant die over zeer verregaande bevoegdheden beschikt. De rechtspraak moet volledig gescheiden worden van het bestuur. Alle bestaande jurisdictie en rechtbanken, waaronder de Grote Raad van Mechelen, worden afgeschaft en vervangen door een nieuwe doorzichtiger organisatie, met rechtbanken van eerste aanleg, hoven van beroep en een Soevereine Raad van Justitie. Bovendien wordt de rechtspraak goedkoper, en voor de armen zelfs gratis.

De maatregelen hebben vooral bij de lokale machthebbers kwaad bloed gezet. Zij dreigen immers hun bestuurlijke, juridische en politieke invloed grotendeels kwijt te raken. Ook zullen de lucratieve baantjes afgeschaft worden en zal de macht van de Statenvergaderingen worden ingeperkt.

Tegen de veranderingen is daarom sterk geageerd door de 'Statisten', die in de Brusselse advocaat Hendrik van der Noot een briljant voorvechter hebben. Zij hebben met behulp van de door de hoge broodprijzen ontevreden bevolking de regering in Brussel, al thans voorlopig, met succes onder druk gezet. Het wachten is nu op een reactie uit Wenen.

*Maria Christina van Habsburg.*

# Amsterdam zwicht voor Pruisisch leger

AMSTERDAM, oktober - Amsterdam heeft gecapituleerd voor het leger van koning Frederik Willem II van Pruisen; de meeste 'democraten' (ook wel patriotten genoemd) zijn gevlucht en het gezag van stadhouder Willem V is hersteld. De democratische troebelen lijken opgelost.

De democratische troebelen staken het eerst de kop op toen Willem IV in 1748 onder Franse dreiging tot erfelijk stadhouder werd benoemd. Dat was nog niet gebeurd of talloze klachten over het misbruik van ambten kwamen bij hem binnen. Willem IV werd het symbool van een nieuwe groepering uit de burgerij die tot nu toe geen macht had kunnen krijgen en hoopte dat zij via aansluiting bij Oranje de zittende regenten kon verdrijven.

In zekere mate lukte dat maar Willem IV stierf al in 1751 en zijn zoon was toen pas drie jaar oud. Onder voogdij van zijn moeder en (sinds 1759) van de hertog van Brunswijk werden er geen hervormingen doorgevoerd. Integendeel. Ook toen Willem V in 1766 achttien jaar werd, bleef alles bij het oude. De onvrede onder de democraten groeide, de spanning in de Republiek nam toe. Bij het begin van de Vierde

*Links de patriotten bij hun vertrek uit Utrecht, rechts de aanhouding van prinses Wilhelmina.*

Engelse Oorlog in 1780 kwamen deze spanningen tot ontlading. Net als in 1672 en 1747 waren het gebeurtenissen in de buitenlandse politiek die de situatie binnen de Republiek bepaalden.

Een goed jaar na het uitbreken van deze oorlog, in september 1781, verscheen een anoniem pamflet dat wel het manifest van de democratische beweging genoemd wordt. Het heeft als titel *Aan het volk van Nederland* en naar men zegt is de schrijver ervan een

Gelderse edelman, Joan Derk van der Capellen tot den Pol.

In dit pamflet keert de schrijver zich fel tegen Willem V, die er onder meer van wordt beschuldigd dat hij de Republiek van de 'aangenaamheden van een gulle, openhartige samenleving' beroofd heeft. 'O, Willem de Vijfde! Is uw snode toeleg ons niet welbekend? Ik daag U uit voor God en onze natie. Ja, vorst Willem, het is alles uw schuld.' De situatie werd nog eens extra gecom-

pliceerd doordat de zittende regenten en stadhouder Willem als vanouds op gespannen voet leefden. Zo werd in 1784 het dragen van Oranje door de Staten van Holland verboden en het jaar daarop Willems macht als commandant van Den Haag ingeperkt. Willem vertrok daarop uit de residentie en vestigde zich in het oosten des lands, waar de traditionele adel hem grotendeels trouw was gebleven en - belangrijker nog - waar hij dichter bij zijn neef, koning Frederik Willem II van Pruisen, de broer van zijn vrouw, was. Voor diens macht had de schrijver van het pamflet *Aan het volk van Nederland* ook al gewaarschuwd: 'De koning van Pruisen behoeft enkel met die troepen die hij reeds in Westfalen heeft, maar een uitstapje van weinige dagen te komen doen om een einde aan al onze patriottische pogingen te maken.' Dat gebeurde dan ook.

Vorig jaar waren er overal in de Republiek relletjes: in Den Haag van voorstanders van Oranje, in Utrecht van patriotten. In deze stad kwam het zelfs zó ver dat de zittende regering door patriotten werd vervangen. Daarop wendden de Staten van Utrecht zich tot de prins, die nu de tijd rijp achtte om in te grijpen. Door Utrechtse vrijkorpsen (legers van patriotten) werd hij echter teruggeslagen. Dat gebeurde in mei van dit jaar, in dezelfde maand dat ook in Amsterdam en Rotterdam veranderingen in de vroedschap werden aangebracht. Het zag ernaar uit dat de patriotten, gestimuleerd door de successen van de Amerikaanse opstandelingen en Franse revolutionairen, de wind in de zeilen hadden. Met de bedoeling hiertegen iets te ondernemen begaf prinses Wilhelmina zich in de maand juni richting Den Haag. Halverwege, bij Goejanverwellesluis, werd zij door een patriots vrijkorps aangehouden en teruggestuurd. Dat was voor haar broer het sein om met een leger van 20 000 man de Republiek binnen te trekken. De dreigende revolutie werd daarmee afgewend.

# Catharina terug van bezoek aan de Krim

*Vorst Grigorij Potemkin.*

SINT-PETERSBURG, 22 juli - Tsarina Catharina de Grote is teruggekeerd van een reis naar de Krim. Vorst Grigorij Potemkin, ex-minnaar van Catharina, gouverneur van Zuid-Rusland en de Krim, heeft haar en de Oostenrijkse keizer Jozef II op de Krim rondgeleid.

Op de Krim wonen Tataren die tot de Russische annexatie altijd aan de Turkse sultan schatplichtig waren. Pieter van Woensel, een Nederlandse arts in dienst bij de Russische marine in de Zwarte Zee, vertelde dat de bevolking voor een groot deel is gevlucht en dat land- en tuinbouw in verval zijn.

Hij maakte ook het bezoek van Catharina en Jozef II aan de Krim mee. 'Als Catharina haar nieuwe wingewest beoordeelt naar wat ze ziet, bedriegt zij zichzelf. Langs de kant van de weg (vooral in de vlakte tussen Achmedsjed en Bachtsjisaraj), waar de stoet langstrok, plaatste men op bepaalde afstanden Tataren, die bezig waren het land te bebouwen. In Bachtsjisaraj liet men winkeliers van elders komen om een indruk te geven van handel, bedrijvigheid en welvarendheid. Men bouwde haastig voorgevels van huizen, waarachter niets stond. Speelde men ooit komedie zo in het groot?! Keizer Jozef liep belangstellend rond en stak zijn keizerlijke neus in en achter alles, en had denkelijk veel moeite om niet te lachen over dit apenspel.' Tot zover Van Woensel.

Potemkins aspiraties liggen net als die van Catharina niet alleen op de Krim maar in heel Zuidoost-Europa. Catharina's plan is het Turkse Rijk van binnenuit te ondermijnen door de christenen in Griekenland, Kreta, Servië, Montenegro en Bosnië enthousiast te maken voor haar project: het terugdringen van de islam en het herstellen van het Byzantijnse Rijk, dat bestuurd zou moeten worden door aanhangers van de Grieks-Orthodoxe Kerk. Potemkin wil dan vice-koning worden. Een Russische vloot heeft na van de Oostzee naar de Egeïsche Zee te zijn ge-

*Tsarina Catharina II de Grote.*

varen in 1770 de Turkse vloot vernietigend verslagen. Ook op het land werden grote gebieden op de Turken veroverd. Bij de vrede van 1774 werd voor Russische handelsschepen een vrije doorvaart door de Bosporus verkregen. De Krim werd geannexeerd, de niet-christelijke bewoners werden gedwongen te verhuizen en er werd begonnen met de kolonisatie van Nieuw-Rusland in het zuiden. Deze kolonisatie is echter niet zo snel verlopen als Potemkin wel gewild had. Vandaar dat hij ter gelegenheid van het bezoek van de tsarina en de keizer zelf enige Potemkin-dorpen liet inrichten.

# Nieuwe grondwet voor Verenigde Staten

PHILADELPHIA, 17 september - De constitutionele conventie die sinds 14 mei in Philadelphia bijeen is, heeft een nieuwe grondwet voor de Verenigde Staten van Amerika opgesteld en ter goedkeuring naar de staten gestuurd. De nieuwe grondwet vervangt de 'Artikelen van de Confederatie' (de oude grondwet uit 1781) en verandert de Verenigde Staten in een bondsstaat met een president aan het hoofd. Dit betekent dat het centrale gezag sterker wordt dan voorheen.

Al vlak na het uitvaardigen van de 'Artikelen van de Confederatie' lieten prominente Amerikanen zoals George Washington en Alexander Hamilton hun ongenoegen over de constitutie blijken. Zij waren van mening dat de grensoorlogen met de Indianen en de stagnerende economie een nauwere samenwerking tussen de verschillende staten noodzakelijk maakten. Deze Federalisten wilden de macht van de centrale overheid vergroten. Daarvoor was het nodig een nieuwe grondwet op te stellen.

*De ondertekening van de grondwet; op het podium George Washington.*

In mei kwamen afgevaardigden van de afzonderlijke staten onder leiding van Washington bijeen om de mogelijkheid van een nieuwe grondwet te bespreken. Op die constitutionele conventie werden de Federalisten geconfronteerd met een groep die zich hevig verzette tegen een sterke, nationale regering. Deze Particularisten wilden de zelfstandigheid van de diverse staten handhaven en beschouwden wijziging van de 'Artikelen van de Confederatie' voldoende om de problemen het hoofd te bieden. Na maandenlang debatteren heeft men ten slotte een compromis gesloten op basis van het zogenaamde Virginia Plan, dat op 29 mei werd ingediend door Edmund Randolph. Er werd besloten tot het instellen van een nationale regering die de bevoegdheid heeft de burgers van de lidstaten haar wil op te leggen. De federale overheid mag daarbij de rechten van de burgers en de lidstaten, vastgelegd in de grondwet, geen geweld aandoen. Defensie, financiën, buitenlandse politiek en handel zijn de voornaamste beleidsterreinen van de nationale regering. De staten regelen zelf politie, justitie, verkeer en dergelijke.

De constitutie van de VS is de eerste geschreven democratische grondwet. Een van de kenmerken is de door de Franse filosoof Montesquieu gepropageerde scheiding der machten. De president is in de nieuwe machtsstructuur van de VS het hoofd van de uitvoerende macht. Hij wordt voor vier jaar gekozen. De wetgevende macht wordt gevormd door het Congres, dat uit twee kamers bestaat: het Huis van Afgevaardigden (gekozen in verhouding tot het aantal inwoners van elke lidstaat) en de Senaat (uit elke staat twee vertegenwoordigers). De rechtsprekende macht is in handen van het Hooggerechtshof. Het bestaat uit negen onafhankelijke rechters die door de president voor het leven worden benoemd. De drie staatsmachten van de Unie controleren en beperken elkaar onderling in hun bevoegdheden (het 'checks and balances'-systeem).

## Oud-gouverneur verlaat Filipijnen

MANILA, 30 november - In Manila is met verbazing gereageerd op het bericht dat de onlangs afgetreden gouverneur-generaal José de Basco y Vargas in stilte naar Mexico is vertrokken, zonder de gebruikelijke huldiging af te wachten. De gouverneur, die in de afgelopen negen jaar veel hervormingen tot stand heeft gebracht, was verbitterd over de tegenwerking die hij ondervond in zijn streven de Filippijnse economie te versterken. In zijn verzoek om ontslag aan koning Karel III verklaarde hij moe te zijn van het gekrakeel en gekonkel van de elite van ambtenaren en handelaren in Manila, die hem laatdunkend 'die señor' (hij was niet van adel) noemden.

De in 1778 benoemde De Basco had van de koning de opdracht gekregen de Filippijnse economie te hervormen en de natuurlijke rijkdommen te ontwikkelen. De kolonie had tot dan toe nauwelijks enige bron van inkomsten en per jaar had zij een situado (Spaanse bijdrage) van 250 000 peso's nodig. De enige handelsactiviteit was de door de overheid georganiseerde galjoenvaart op Mexico (eens per jaar 1 à 2 met Aziatische produkten beladen schepen) waarvan slechts een kleine groep handelaren kon profiteren. Directe handel met Europa was verboden en de haven van Manila was gesloten voor niet-Spanjaarden.

De Basco ontwierp een alles omvattend hervormingsplan en richtte in 1781 de Economische Vereniging van Vrienden van het Land op, die allerlei nieuwe handelsgewassen (indigo, tabak, katoen, suikerriet, koffie, opium, etcetera) heeft geïntroduceerd, prijzen uitlooft voor hoge produktie, voorlichting geeft over landbouwmethoden en een begin heeft gemaakt met het opzetten van kleine industrieën. Twee jaar geleden werd, ondanks tegenwerking door de gevestigde handelsbelangen, een Koninklijke Compagnie opgericht, die via Kaap de Goede Hoop rechtstreeks goederen naar Spanje mag vervoeren.

In 1782 werd een tabaksmonopolie van kracht, waardoor de staatsinkomsten sterk zijn gestegen en men de situado niet meer nodig heeft. De bevolking van bepaalde gebieden (Ilocos, Nueva Ecija en de Cagaya-vallei) is verplicht een bepaalde hoeveelheid tabak te verbouwen, die tegen een vaste prijs aan de overheid geleverd dient te worden. Bij te weinig produktie wordt een boete opgelegd, overschotten worden vernietigd. De tabak wordt verder onder staatstoezicht verwerkt en verhandeld. Het systeem heeft als neveneffect dat de bevolking overgeleverd is aan de willekeur van corrupte controleurs, die vaak haar huizen plunderen en voor de tabak te weinig of niets betalen. Het gevolg is dat men geneigd is weg te trekken naar andere streken, terwijl ook al enige revoltes zijn voorgekomen.

Verdere belangrijke aspecten van gouverneur-generaal De Basco's ambtsperiode zijn: het instellen van rondreizende rechters met speciale bevoegdheden tegen het banditisme, opheffing van de uit 1768 daterende uitwijzingsregeling van Chinezen, het uitbreiden en herstellen van de Spaanse soevereiniteit (onder andere Noord-Luzon) en het inperken van piraterij door moslems uit Mindanao.

**1 januari.** Het eerste nummer van het Londense dagblad *The Times* verschijnt.

**20 januari.** Het Parlement van Parijs publiceert een lijst met grieven tegen de regering.

**28 januari.** Een Engelse strafkolonie wordt gesticht aan Botany Bay, Australië. →

**30 januari.** Karel Edward Stuart, de laatste Stuart-pretendent voor de Engelse troon, sterft in Rome.

**9 februari.** Oostenrijk verklaart Turkije de oorlog om de bondgenoot, Rusland, te steunen.

**9 mei.** Het Engelse parlement neemt een motie voor de beëindiging van de slavenhandel aan.

**21 juni.** Met de ratificatie door de negende staat, New Hampshire, treedt de grondwet van de Verenigde Staten in werking.

**Juni.** Zweden verklaart Rusland, dat al tegen Turkije vecht, de oorlog en valt Russisch Finland binnen.

**17 juli.** Rusland vernietigt de Zweedse vloot.

**8 augustus.** Lodewijk XVI besluit de Franse Staten-Generaal op 1 mei 1789 bijeen te roepen. →

**13 augustus.** Pruisen treedt toe tot het Engels-Nederlandse bondgenootschap, om de vrede in Europa te bewaren.

**22 augustus.** Engeland sticht in Sierra Leone een kolonie als repatriëringsoord voor slaven.

**27 augustus.** Jacques Neeker wordt opnieuw benoemd tot Frans minister van Financiën.

**6 november.** Na bemiddeling van de Triple Alliantie sluiten Denemarken en Zweden een conventie, waarop de Deense troepen worden teruggetrokken.

**November.** Koning George III van Engeland vertoont voortschrijdende tekenen van een geesteziekte. In het parlement wordt over een regentschap gedebatteerd.

**14 december.** Koning Karel III van Spanje sterft. Hij wordt opgevolgd door zoon Karel IV. →

**17 december.** Het Russische leger onder Grigorij Potemkin neemt Ochákov.

- In de Amerikaanse pers verschijnen artikelen waarin gepleit wordt voor goedkeuring van de grondwet die vorig jaar in Philadelphia werd opgesteld. →

- De schrijfsters Betje Wolff en Aagje Deken vertrekken uit Nederland en vestigen zich in Frankrijk. →

- Na terugkeer van zijn tweejarige reis door Italië publiceert Goethe zijn toneelstuk *Egmont*.

*Elizabeth Wolff-Bekker (boven) en Agatha Deken.*

## Betje Wolff en Aagje Deken gaan naar Frankrijk

BEVERWIJK - Sommigen hebben met spijt, anderen met plezier de dames Wolff en Deken uit het buiten 'Lommerlust' in Beverwijk zien vertrekken. Zij zijn naar Frankrijk afgereisd, waar zij in Trévoux in de Bourgogne een nieuwe verblijfplaats gevonden hebben. Men neemt aan dat beide vrijzinnige dames zich niet langer op hun gemak voelen nu de Pruisen in de landspolitiek ingegrepen hebben en er voor vrijheid dus geen enkele waarborg meer is. En al zijn de dames geen actievoersters, dit gaat hun blijkbaar te ver. Vandaar ook dat de tegenstanders schreven dat 'wij ons Vaderland, den Belijderen der zuivere Gereformeerder waarheijd, en den Liefhebberen van het gezeegende Huis van Oranje, hartelijk geluk wenschen met die emigratie'.

Er zijn echter nog andere redenen voor dit vertrek te geven: de gezondheid van beide dames en de aanhoudende aanvallen die zij van anonieme critici te verduren krijgen. Hun vrijzinnige gedachten zoals beschreven in de *Historie van mejuffrouw Sara Burgerhart* (1782) en de *Historie van den Heer Willem Leevend* (1784-1785) werden hun dan ook niet in dank afgenomen. Wie neemt er nu een vrouw tot hoofdpersoon van een boek en schrijft dan 'een oorspronkelijk vaderlandschen Roman' waarin mensen voorkomen 'die men in ons Vaderland werkelijk vindt' en geen helden, feeksen of feeën? En wie schrijft er nu een roman in brieven?

# 'The Federalist': 'Centraal gezag noodzaak'

NEW YORK CITY, mei - Opnieuw is er een aantal essays dat vanaf oktober vorig jaar in de *New York Independent Journal* is verschenen, in boekvorm gepubliceerd. Een eerste deel met artikelen verscheen in maart. Beide bundels hebben de titel *The Federalist*. De anonieme geschriften (zeer waarschijnlijk geschreven door Alexander Hamilton, John Jay en James Madison) propageren de goedkeuring van de grondwet van de Verenigde Staten. Deze constitutie, vorig jaar opgesteld door een conventie in Philadelphia, voorziet in een versterking van het centrale gezag ten koste van de staatsbesturen. *The Federalist* maakt de bedoeling van de leden van de constitutionele conventie duidelijk.

Het nationale debat over goedkeuring van de opgestelde grondwet door de afzonderlijke staten startte onmiddellijk nadat de inhoud van de constitutie bekend gewarden was. Eind september vorig jaar verscheen in de *New York Journal* een serie antifederalistische artikelen van de hand van 'Cato' (George Clinton, de gouverneur van New York). Een maand later publiceerde Hamilton onder het pseudoniem 'Publius' in de *New York Independent Journal* het artikel 'The Federalist No. 1'. In dit essay kondigde hij een serie artikelen aan die de noodzaak van een sterke nationale regering willen aantonen. Volgens de Federalisten was egoïsme het primaire politieke motief van de mens. Voor hen was het oprichten van goede politieke instituties, die de menselijke tekortkomingen konden compenseren, de beste garantie voor een rechtvaardiger samenleving. Tevens verdedigde Hamilton de stelling dat juist een federaal bestuur de rechten en vrijheden van individuen voldoende beschermt.

De Antifederalisten of Particularisten zijn bang dat dat laatste bij een centrale overheid niet is gewaarborgd. Maar nog meer vrezen zij dat de afzonderlijke staten door de nieuwe constitutie machteloos tegenover de nationale regering zullen staan.

Hoewel vooraanstaande Amerikanen de particularistische ideeën uitdragen (George Clinton en Samuel Adams bijvoorbeeld), moeten de Antifederalisten een leider ontberen. Daarnaast zijn ze slecht georganiseerd en niet in staat een goed alternatief voor de voor-

*Eerste deel van 'The Federalist'.*

gestelde constitutie op te stellen. Vandaar dat hun campagne voor het aanpassen van de Confederatieartikelen minder effectief is dan die van de Federalisten, die voor een nieuwe grondwet strijden.

*Omdat Engeland zijn koloniën in Amerika is kwijtgeraakt ontstaat de behoefte aan een nieuw gebied waar veroordeelde misdadigers heen gezonden kunnen worden. Kapitein Arthur Phillip kreeg daarom de opdracht in Australië een strafkolonie te vestigen. Het land ligt ver weg en lijkt gemakkelijk gekoloniseerd te kunnen worden. Op 13 mei vorig jaar verliet Phillip met een vloot van elf schepen Portsmouth. Op 18 januari van dit jaar bereikte hij na een zware tocht, waarbij veel opvarenden het leven lieten, Botany Bay op de kust van Nieuw-Zuid-Wales. Hij besloot verder te varen naar Port Jackson waar hij met 736 gestraften (onder wie 188 vrouwen), bewaakt door 210 manschappen de nederzetting Sydney vestigde. Dit schilderij van Alerson Talmage toont het hijsen van de Engelse vlag op 26 januari.*

# Staten-Generaal in Frankrijk weer bijeen

*Politieke spotprent: Lodewijk XVI en Jacques Necker bij een lege staatskas.*

PARIJS, 8 augustus - Koning Lodewijk XVI heeft een bijeenkomst van de Staten-Generaal belegd op 1 mei van het volgende jaar. De vorige oproep dateert van 1614. De koning is hiertoe gedwongen vanwege de voortdurende onrust in het land. Zowel de hoofdstad als de provincie is het afgelopen jaar het toneel geweest van heftige rellen. In Bretagne bereidt de plaatselijke adel zich zelfs voor op een oorlog tegen het koninklijke leger.

De onrust begon vorig jaar mei, toen de koning het Parlement van Parijs 'met vakantie' stuurde. Tegelijk met deze maatregel werd een aantal wetten ingevoerd die het Parlement niet had willen registreren en werd een nieuw systeem van rechtbanken aangekondigd. De parlementsleden weigerden zich hierbij neer te leggen. In het verleden bonden ze meestal in als de koning drastische maatregelen nam, maar zij weten zich nu gesteund door de meerderheid van de adel en de geestelijkheid. Beide groepen spinnen garen bij het verzet van het Parlement tegen de belastingverhogingen en ze geven de voorkeur aan een zwakke monarchie die hun eigen macht niet te veel inperkt. Binnen de elite van adel en geestelijkheid bestaat overigens ook een meer vooruitstrevende stroming, die de Nationalen wordt genoemd. Zij keren zich eveneens tegen een al te absolute macht van de koning, maar zijn bij-voorbeeld een voorstander van belastinghervormingen. Hun ideaal is een constitutionele monarchie, waarin de koning samen met een volksvertegenwoordiging het land regeert.

Frankrijk heeft officieel nog altijd een volksvertegenwoordiging in de vorm van de Staten-Generaal, ook al is dit instituut in geen 174 jaar bijeen geweest. Het wanbeleid van de monarchie heeft geleid tot de eis de Staten-Generaal nieuw leven in te blazen. In conservatieve kringen ziet men het als een nieuwe mogelijkheid om de eigen macht te vergroten, terwijl meer verlichte geesten hopen dat hierdoor hervormingen op allerlei terrein eindelijk kunnen worden doorgevoerd.

Onder druk van de omstandigheden is Lodewijk XVI uiteindelijk overstag gegaan. Er is opdracht gegeven alle documenten die betrekking hebben op vroegere vergaderingen van de Staten-Generaal, te verzamelen, zodat de nieuwe bijeenkomst grondig kan worden voorbereid.

# Karel III van Spanje na ziekte gestorven

MADRID, 14 december - Na een ziekte van twee dagen is Karel III, voormalig koning van Spanje, gestorven. Hij zal worden opgevolgd door zijn tweede zoon Karel IV, een nogal zwakke persoonlijkheid die gedomineerd wordt door zijn vrouw.

Op 17-jarige leeftijd, in 1733, werd Karel III koning van Napels. In 1759, nadat hij daar 25 jaar had doorgebracht, werd hij koning van Spanje en volgde zijn derde zoon Ferdinand hem op in Napels en Sicilië. Hij bleef niet lang een vreemde; al spoedig had hij zich aan het Spaanse leven aangepast, in tegenstelling tot andere niet-Spaanse heersers zoals Filips V in 1700 en Karel I in 1517.

Zijn bewind werd gekenmerkt door de verlichte ideeën die hij en zijn ministers aanhingen. Hij stelde zijn absolute macht in dienst van de belangen van het volk en regeerde Spanje volgens redelijke principes en de wet. Spanje bloeide onder de verlichte despoot Karel III. Hij voerde in Spanje en Amerika economische en bestuurlijke hervormingen door welke de inkomsten van de Spaanse kroon verhoogden. Onder hem werd de macht van de geestelijkheid beperkt en in 1767 werden de jezuïeten uit Spanje en Amerika verbannen (niet lang daarvoor waren ze ook al uit Frankrijk en Portugal verdreven). Het onderwijs werd door Karel III geseculariseerd en verbeterd.

Tijdens zijn bewind raakte Karel III twee keer verwikkeld in een oorlog met Groot-Brittannië vanwege de concurrerende handelspositie die dat land innam. Deze oorlogen brachten zware lasten voor de Spaanse bevolking met

*Koning Karel IV van Spanje met zijn gezin (1800).*

zich mee. Met Frankrijk onderhield hij nauwe contacten sinds het in 1761 gesloten familieverdrag van de Bourbons.

Hoewel Spanje vergeleken met Noordwest-Europa is achtergebleven, heeft het land gedurende het bewind van Karel III veel vooruitgang geboekt. Karel III wordt door zijn consistente en intelligente leiderschap door het Spaanse volk gerespecteerd. Hij heeft in Spanje een eenheid en orde geschapen die kenmerkend zijn voor de verlichte staten in Europa.

**1 februari.** Chinese troepen worden uit Thang Long, de hoofdstad van Vietnam, verdreven. →

**3 februari.** In het Engelse parlement wordt de Regentschapswet voorgesteld, in verband met de afnemende geestelijke vermogens van George III.

**10 februari.** Keizer Jozef II vaardigt het 'Steuer- und Urbarialpatent' uit. →

**28 april.** In de Stille Zuidzee wordt kapitein Bligh door de muitende bemanning van de 'Bounty' van boord gezet. →

**30 april.** George Washington wordt geïnaugureerd als eerste president van de Verenigde Staten. →

**April.** In Parijs vinden de Réveillon-rellen plaats, het hoogtepunt van een serie voedselrellen die de afgelopen maanden Frankrijk teisterden. →

**1 mei.** In Frankrijk voelt de Derde Stand zich ernstig gediscrimineerd wanneer zijn vertegenwoordigers door koning Lodewijk XVI in diens slaapvertrek worden ontvangen. →

**20 juni.** De Franse Derde-Stand-vertegenwoordiging belooft in de Eed op de Kaatsbaan niet uiteen te gaan eer de grondwet is opgesteld. →

**27 juni.** Op bevel van de koning voegen de Eerste en Tweede Stand zich bij de Derde Stand, die zichzelf heeft uitgeroepen tot Nationale Vergadering. →

**4 juli.** De markies De Sade wordt in een inrichting opgenomen. →

**14 juli.** De ongeregeldheden in Parijs leiden tot de bestorming van de gevangenis, de Bastille. →

**5 augustus.** De horigheid in Frankrijk wordt afgeschaft. →

**26 augustus.** De Nationale Vergadering van Frankrijk neemt de *Verklaring van de rechten van de mens en de burger aan*. →

**26 augustus.** Constantijn-Franciscus van Hoensbroech ziet zich genoodzaakt zijn prinsbisdom Luik te verlaten. →

**6 oktober.** De koning wordt gedwongen zijn residentie naar het Louvre-paleis in Parijs te verplaatsen. →

**Oktober.** Nadat Jozef II de rechten van Brabant en Henegouwen buiten werking heeft gesteld, breekt in de Zuidelijke Nederlanden een opstand uit. →

**13 december.** Opstandelingen verklaren de Zuidelijke Nederlanden onafhankelijk, onder de naam België. →

**-** In Brazilië komen creolen onder leiding van (Tiradentes) Da Silva Xavier in opstand. →

# Keizer hervormt landbouw

*'Het harde bestaan van de boer,' inge-kleurde tekening uit 1790.*

WENEN, 10 februari - Keizer Jozef II heeft het 'Steuer- und Urbarialpatent' uitgevaardigd. Dit zeer radicale decreet ondermijnt de laatste bastions van de feodale heerschappij van de Oostenrijkse adel. Het gelast de opheffing van de 'Robot' (de gedwongen arbeid van de boeren ten bate van de landeigenaar) en de invoering van een algemene grondbelasting. Voortaan mogen de boeren 70 procent van hun bruto-inkomen zelf houden, 12,5 procent moet als belasting aan de staat worden afgedragen en 17,5 procent komt ten goede aan de landgoedbezitters en de gemeenten.

Hoe revolutionair deze wet is blijkt wel uit het feit dat de boeren voorheen over slechts 30 procent van hun inkomen konden beschikken. De adellijke landeigenaren zijn fel gekant tegen deze en eerdere agrarische hervormingen van Jozef II. Spottend noemen zij hem de 'boerengod'.

In het hoofdstuk 'Von den herrschaftlichen Urbarialforderungen' (herendiensten) zet de keizer zijn bedoelingen uiteen: 'Het doel van de staat - het heffen van een evenredige grondbelasting, waardoor de grondbezitters aan hun burgerlijke verplichtingen kunnen voldoen zonder in nood te raken [...] - kan nooit bereikt worden als niet tegelijkertijd de lasten verlicht worden van degenen die gebukt gaan onder de vorderingen van hun landheren.'

Het 'Steuer- und Urbarialpatent' is de laatste van een reeks maatregelen die diep ingrijpen in de oude rechts-, eigendoms- en machtsverhoudingen in de Oostenrijkse erflanden. In 1781 schafte de keizer de persoonlijke lijfeigenschap af. Dit betekende dat een boer zich kan verplaatsen en kan trouwen zonder toestemming aan de heer te vragen. Bovendien werden de monopolies van de heer, zoals die op de jacht en de visvangst, beperkt. Al deze hervormingen hadden echter weinig zin als niet het belangrijkste machtsmiddel van de heer verdween: de 'Robot'. Zolang de heer van de boeren bepaalde diensten kon afdwingen, kon hij ook hun lot bepalen.

In Jozefs opinie komt het recht om te beschikken over leven en welzijn - en het belastinggeld!- van de onderdanen uitsluitend toe aan de absolute staat. 'Het land en de bodem zijn door de natuur aan de mensen gegeven en zijn de bron waaruit al het andere voortspruit.' Deze uitspraak van Jozef II verwoordt op dichterlijke wijze de fiscale motieven achter zijn agrarische hervormingen.

## Chinezen moeten Thang Long prijsgeven

THANG LONG, 1 februari - Zeer onverwachts hebben de legers van keizer Quang Trung de Chinese troepen onder leiding van generaal Sun Shih-i in de hoofdstad overvallen. Sun Shih-i wist te ontkomen en heeft alle bruggen over de Rode Rivier achter zich verbrand. Enkele tienduizenden Chinese soldaten hebben daarna nog getracht zwemmend de overkant te bereiken, maar zij zijn bijna allemaal verdronken.

Het Chinese hof had besloten Vietnam binnen te vallen omdat de wettige erfgenaam van de Lê-dynastie, Lê Chieu Thong, naar de provincie Kwangtung was gevlucht en de gouverneur van die provincie had weten over te halen de Chinese keizer te verzoeken Vietnam aan te vallen. Lê Chieu Thong had beweerd dat hij een volksbeweging in Vietnam achter zich had staan die zich tegen een van de Tay Son-broers zou verzetten.

Vorig jaar november vielen de Chinese troepen binnen en op 19 december namen zij de hoofdstad Thang Long in. De Vietnamese troepen, onder aanvoering van Ngo Van So, moesten wel wijken voor de overmacht.

Als reactie op het bezetten van de hoofdstad riep Hue, een van de drie broers, zichzelf op 21 december tot keizer Quang Trung uit, waarmee hij dacht zijn aanspraken op het gebied kracht bij te zetten.

In januari bracht hij een legermacht van meer dan 100 000 man en meer dan 100 olifanten op de been. Zijn leger mocht eerst twee weken voor het eigenlijke nieuwjaar (volgens de maankalender) feestvieren. Toen de Chinezen nieuwjaar vierden viel de keizer hen met succes aan en verdreef hen.

Hiermee is de positie van keizer Quang Trung in het noorden versterkt. Het valt echter te bezien of de verhouding tot zijn broer Nhac, die zich tot keizer in het zuiden heeft uitgeroepen, zich gunstig zal ontwikkelen.

*Schermutselingen in Saint-Antoine tussen plunderaars en het leger.*

# Doden bij voedselrellen

PARIJS, 30 april - Na twee dagen van hevige rellen is gisterenavond de rust weergekeerd in de Parijse wijk Saint-Antoine. Voor zover bekend zijn er 25 doden en evenveel gewonden gevallen. Belangrijkste oorzaak van de rellen is de schaarste aan levensmiddelen en de daarmee gepaard gaande hoge prijzen. De rellen begonnen naar aanleiding van het gerucht dat behangfabrikant Réveillon op een verkiezingsbijeenkomst in verband met de komende opening van de Staten-Generaal zou hebben gezegd dat het loon van de arbeiders omlaag kon. Een ongeschoolde arbeider in zijn werkplaats verdient gemiddeld vijftien sous per dag. De prijs van een tweekilobrood, de normale hoeveelheid per week voor een arbeidersgezin, is de afgelopen maanden gestegen tot ruim veertien sous. Réveillon staat overigens bekend als een goede werkgever en zijn eigen werklieden schijnen ook niet aan de rellen te hebben meegedaan. Vermoedelijk is hij zelf de dupe geworden van de benarde omstandigheden waarin de arbeiders op het moment leven.

Vijf- à zeshonderd mensen trokken eergisteren in de loop van de middag naar de Réveillon-werkplaatsen. 's Avonds groeide de menigte aan tot zo'n drieduizend mannen en vrouwen. Winkels werden geplunderd en ook het huis van Réveillon moest het ontgelden. Troepen van de Gardes Françaises schoten in het wilde weg in een poging de orde te herstellen. Een aantal van de plunderaars werd gearresteerd. De rellen waren nog niet begonnen of er deden geruchten de ronde dat het hier om een politieke opstand zou gaan. De hertog van Orléans zou oproerkraaiers tegen betaling hebben aangezet om zoveel mogelijk chaos te veroorzaken. Het is algemeen bekend dat de hertog hoopt op de val van Lodewijk XVI, maar het lijkt onwaarschijnlijk dat hij hierin de hand heeft gehad. Er heerst al heel lang een schrijnende armoede onder de arbeiders, om maar niet te spreken van al degenen die geen werk hebben.

De laatste twee graanoogsten zijn door de slechte weersomstandigheden grotendeels mislukt en het brood dat er is wordt tegen woekerprijzen verkocht. Ook op het platteland hebben zich de afgelopen maanden veel voedselrellen voorgedaan. Vrouwen spelen daarin een grote rol. Zij ondervinden als eersten de schaarste aan levensmiddelen en zij zijn vaak degenen die het initiatief tot dit soort opstanden nemen.

# Omstreden opening van Staten-Generaal

De opening van de Franse Staten-Generaal in het Paleis van Versailles: op de voorgrond de burgerij, links de geestelijkheid en rechts de adel (met sjerpen).

VERSAILLES, 1 mei - De plechtigheden die voorafgaan aan de opening van de Staten-Generaal hebben vandaag direct geleid tot irritatie bij de vertegenwoordigers van de Derde Stand. Zij zijn door de koning ontvangen in zijn slaapkamer, terwijl de leden van de Eerste en de Tweede Stand een ontvangst kregen in de werkkamer van Lodewijk XVI. Hoewel deze procedure gebaseerd is op een oude traditie, wezen leden van de Derde Stand de koning erop 'hoe kwetsend zulke verschillen zijn voor de meest nationale partij van de drie standen'. De kwestie geeft aan dat er nog heel wat problemen te verwachten zijn bij deze eerste Staten-Generaal sinds 175 jaar.
In de eerste plaats is er het punt van de verdeling in standen. De Franse samenleving zag er 175 jaar geleden heel anders uit. Toen was het wellicht terecht dat de volksvertegenwoordiging was opgedeeld in afvaardigingen van de Eerste Stand, ofwel de geestelijkheid, de Tweede Stand, ofwel de adel, en de Derde Stand, de gewone burgers. Alle drie de standen hadden evenveel in te brengen in de Staten-Generaal, hoewel de Derde Stand ook toen het grootste deel van de bevolking omvatte. De burgerij had destijds echter weinig invloed. Dat is sterk veranderd. Rijke bankiers, hereboeren, hoge en lagere ambtenaren, doktoren en juristen bepalen nu voor een flink deel het aanzien van de maatschappij.
De verontwaardiging onder de burgerij was groot toen het Parlement van Parijs vorig jaar aankondigde dat de Staten-Generaal in dezelfde samenstelling als in 1614 zou worden gehouden. Het betekende dat de eerste twee standen samen altijd de meerderheid zouden hebben. Er verscheen een stortvloed van pamfletten waarin geëist werd dat de Derde Stand minstens twee keer zoveel leden zou krijgen en dat men hoofdelijk moest stemmen, in plaats van per stand. Eind december stemde de koning in met de eerste eis. Hij herwon daarmee veel van zijn verloren aanzien bij de burgerij.
Over de tweede eis zal de Staten-Generaal de komende weken zelf een beslissing moeten nemen. Hoe dat moet is nog onduidelijk. Sinds de aankondiging van het Parlement van Parijs bestaat er bij de burgerij een groot wantrouwen tegen met name het conservatieve deel van adel en geestelijkheid.

# Kapitein Bligh overleeft 'Bounty'-muiterij

TIMOR, 12 juni - Na een reis van bijna 4000 zeemijl in een open boot heeft de Engelse kapitein William Bligh met achttien opvarenden van het schip de 'Bounty' de haven van Timor weten te bereiken.
Bligh was twee jaar geleden met de 'Bounty' vertrokken met als opdracht broodbomen van Tahiti mee te brengen voor plantages op de Westindische eilanden. De 'Bounty' bleef ongeveer een half jaar liggen in de haven van Tahiti, terwijl Bligh planten verzamelde en onderzoek verrichtte. Ondanks de strenge voorschriften vonden ontmoetingen plaats tussen leden van de bemanning en Tahitiaanse vrouwen. Bligh wilde echter niet langer dan noodzakelijk op het eiland blijven. Na het vertrek uit Tahiti brak op 28 april een muiterij uit waarbij de scheepsjongen Fletcher Christian de leiding had.

Muiterij op de 'Bounty': kapitein Bligh vertrekt met achttien man in een sloep.

De kapitein werd met achttien schepelingen in een sloep gezet. Bligh verklaarde in Timor niet strenger geweest te zijn dan gebruikelijk is. Hij zag als voornaamste oorzaak van de hele affaire dat de bemanning ervan overtuigd was geraakt dat het leven in de Stille Zuidzee gelukkiger is dan in Engeland. De autoriteiten hebben inmiddels laten weten dat de schuldigen gestraft zullen worden.
Naar het schijnt hebben de muiters koers gezet naar de Pitcairn Eilanden.

## Markies De Sade naar inrichting overgebracht

PARIJS, 4 juli - De beruchte markies De Sade is vanuit de Bastille overgebracht naar een gesticht. De overplaatsing volgt na een gevangenschap van ruim dertien jaar.

De 49-jarige markies Donatien-Alphonse-François de Sade is in het verleden het middelpunt geweest van vele geruchtmakende schandalen. In 1763 werd de Franse edelman, een maand na zijn huwelijk met de dochter van een Parijse rechter, gearresteerd wegens seksuele mishandeling van publieke vrouwen. Opsluiting en wrede mishandeling van de prostituée Rose Keller resulteerden in 1768 in gevangenschap. De rechtbank van Aix veroordeelde de markies en zijn knecht op 11 september 1772 bij verstek ter dood wegens sodomie en een poging tot vergiftiging. Snoepjes gevuld met het lustopwekkende middel 'Spaanse Vlieg' hadden de dood van twee publieke vrouwen veroorzaakt. Wegens gebrek aan bewijs is dit vonnis later weer ingetrokken.

In 1777 werd de markies, die zich erop voorstaat atheïst te zijn, opgesloten in een kerker in Vincennes. De aanklachten waren: ontvoering en mishandeling van kinderen, omvangrijke schulden en een verhouding met zijn schoonzus. In de gevangenis heeft de markies zich inmiddels tot schrijver ontwikkeld. Het werk *De 120 dagen van Sodom*, waarin een opsomming wordt gegeven van 600 seksuele variaties, schreef de markies in 37 dagen op een rol papier van twaalf meter. Toch blijkt hij daarin meer dan een gewone pornograaf te zijn. In het boek bouwt hij een heel eigen wereld op waarin de mens getoond wordt als een wezen dat in principe tot alles in staat is.

*De vertegenwoordigers van de Derde Stand zweren de Eed in de Kaatsbaan (Jacques-Louis David, 18de eeuw).*

# Derde Stand wil grondwet voor Frankrijk

VERSAILLES, 20 juni - De Nationale Vergadering heeft in de 'Eed in de Kaatsbaan' gezworen dat men niet meer uit elkaar gaat voordat Frankrijk een grondwet heeft gekregen. Het gaat hier om de afgevaardigden van de Derde Stand voor de Staten-Generaal. Deze burgers hebben zichzelf drie dagen geleden uitgeroepen tot Nationale Vergadering, uit protest tegen het uitblijven van een samenvoeging van de afvaardigingen van de drie verschillende standen waaruit de Staten-Generaal is samengesteld.

De vertegenwoordigers van de Derde Stand hebben vanaf het begin voor deze samenvoeging gepleit. Alleen dan zouden zij evenveel invloed bezitten als de leden van de andere twee standen, de geestelijkheid en de adel. Bij de openingsbijeenkomst op 5 mei bleek dat de koning weinig voor een samenvoeging voelde. De werkzaamheden moesten volgens hem binnen elke stand apart plaatsvinden. Terwijl adel en geestelijkheid aan de slag gingen, besloten de afgevaardigden van de Derde Stand niets te doen zolang niet aan hun wens was voldaan. Zij bleven demonstratief hun bijeenkomsten houden in de enige zaal die groot genoeg was om alle drie de standen te herbergen.

De afgelopen weken zijn er op initiatief van de Derde Stand besprekingen tussen de verschillende standen gevoerd. Zowel onder de (verlichte) adel als onder de (lagere) geestelijkheid zijn er voorstanders van een samenvoeging. Maar omdat die besprekingen weinig opleverden nam de Derde Stand drie dagen geleden een motie aan waarbij hij zichzelf uitriep tot Nationale Vergadering. Daarmee werd onomwonden aangegeven dat men zich als de ware vertegenwoordiger van het Franse volk ziet.

Wellicht om een einde te maken aan de ontstane impasse schreef de koning een nieuwe algemene zitting van de Staten-Generaal uit. De grote zaal werd voor deze bijeenkomst tijdelijk gesloten 'wegens werkzaamheden'. De meesten van de 580 afgevaardigden waren vanmorgen nog niet op de hoogte van het koninklijk besluit. Toen zij 'hun' zaal gesloten aantroffen ging al snel het gerucht dat de Staten-Generaal naar huis zouden worden gestuurd. Het hele gezelschap trok daarop naar het dichtstbijzijnde grote gebouw, een kaatsbaan, waar men de eed gezworen heeft.

# Lodewijk erkent Nationale Vergadering

VERSAILLES, 27 juni - De Franse koning Lodewijk XVI heeft de afgevaardigden van de adel en de geestelijkheid in de Staten-Generaal opdracht gegeven zitting te nemen in de Nationale Vergadering.

Dit betekent de opheffing van de verdeling in standen bij de volksvertegenwoordiging. Het besluit kan worden gezien als een overwinning van de burgerij van Frankrijk en als een nederlaag voor de reactionaire adel en Lodewijk XVI, die zich nog geen vier dagen geleden tegen deze gang van zaken had uitgesproken.

De Nationale Vergadering werd tien dagen geleden als een soort nieuwe volksvertegenwoordiging opgericht door de afgevaardigden van de Derde Stand, de burgerij. Zij hoopten op een bondgenootschap tussen koning en burgers, aangezien de adel en de hoge geestelijkheid in het verleden vele pogingen hebben gedaan om de positie van de monarchie te ondergraven. Lodewijk XVI wilde echter niets van zo'n samenwerking weten. In de koninklijke toespraak op de tweede algemene zitting van de Staten-Generaal, vier dagen geleden, werd zijn absolute autoriteit beklemtoond: '...Vergeet niet, heren, dat geen van uw plannen, geen van uw maatregelen, kracht van wet kan hebben zonder mijn speciale goedkeuring.' Dat die goedkeuring niet een Nationale Vergadering gold, bleek wel aan het einde van de toespraak. De drie standen kregen opnieuw opdracht elk apart aan het werk te gaan.

De hervormingsgezindheid onder sommige leden van de Eerste en de Tweede Stand is langzamerhand echter groter dan het gezag van de koning. De afgelopen dagen zijn er zo'n 170 geestelijken en 50 edelen overgelopen naar de Nationale Vergadering. De afgevaardigden die wel binnen hun stand bleven vergaderen, werden op straat door de bevolking lastig gevallen. Er is een sfeer van angst en verdachtmakingen aan het ontstaan. Het gewone volk wantrouwt de toenemende troepenconcentraties rond Versailles en Parijs. Gevreesd wordt dat de koning met militaire macht een einde wil maken aan de pogingen de feodale voorrechten af te schaffen. Aan het hof heerst daarentegen grote angst voor een massale volksopstand. Wellicht heeft Lodewijk XVI daarom uiteindelijk besloten de Nationale Vergadering toch te erkennen als de enige volksvertegenwoordiging.

# Volksmenigte bestormt Bastille

PARIJS, 14 juli - Aan het einde van de middag heeft een grote volksmenigte de Bastille, de staatsgevangenis in het oosten van de stad, veroverd. De gouverneur van dit fort, De Launay, gaf zich over in ruil voor een vrijgeleide. Op weg naar het stadhuis is hij alsnog met een slagersmes onthoofd. Het hoofd werd daarna op een staak door de straten gedragen. De verovering van de Bastille is het voorlopige hoogtepunt van een opstand die in feite een ware revolutie kan worden genoemd. Het begon twee dagen geleden, toen bekend werd dat de koning zijn minister Necker in ballingschap had gestuurd. Necker (vorig jaar benoemd) is zeer geliefd bij het volk en geniet bovendien het vertrouwen van de hogere burgerij. De koersen op de beurs van Parijs daalden onmiddellijk toen het nieuws bekend werd. Radicale woordvoerders riepen het volk op zich te bewapenen. Ook in meer gematigde kringen heerst angst voor een aanval van de buitenlandse huursoldaten die op last van de koning net buiten de stad en in het naburige Versailles gelegerd zijn. Er werd een comité opgericht, dat het feitelijke bestuur van de stad op zich nam. De eerste taak was het organiseren van een burgermilitie. Het vinden van leden was geen probleem, het vinden van wapens des te meer. Normaal gesproken beschikt een burger niet over wapens, in tegenstelling tot een gemiddelde edelman. Het stadhuis werd bezet en de 32 000 geweren die in de kelders lagen opgeslagen, werden verdeeld onder de nieuwbakken militieleden. Daarnaast zijn gisteren en

*Gouverneur De Launay wordt gearresteerd na de bestorming van de Bastille.*

vandaag nog verscheidene andere gebouwen waarin gewoonlijk wapens liggen opgeslagen, door grote menigten bestormd en geplunderd.

De belegering van de Bastille begon vanmorgen. Ook in dit fort zou zich een grote hoeveelheid wapens en kruit bevinden. In eerste instantie voerde het nieuwe Parijse stadsbestuur onderhandelingen over het leveren van wapens vanuit de Bastille. Gouverneur De Launay en zijn manschappen schijnen echter in paniek te zijn geraakt door de enorme mensenmassa die het binnenhof van het fort had weten te bereiken. Er werd geschoten en daarbij vielen 98 doden en zo'n 73 gewonden. Deze gebeurtenissen leidden tot nog grotere woede bij de menigte, maar daarmee was de Bastille nog niet veroverd. Dat gebeurde uiteindelijk dank zij de steun van een aantal opstandige soldaten van de Gardes Françaises, die de beschik-

king over 5 kanonnen hadden.
In feite is het fort niet zo'n belangrijk bolwerk, er bleken bijvoorbeeld maar 7 gevangenen in te zitten. Het is echter nog altijd het symbool van de macht van de staat. De val van de Bastille wordt op het moment dan ook gevierd als een grote overwinning van het volk. Het lijdt geen twijfel dat de macht van de monarchie en de conservatieve adel door de gebeurtenissen van de afgelopen dagen volledig is gebroken.
De hoofdstad van het land wordt bestuurd door een comité van burgers. De koning moet, tegen zijn wil, sinds enkele weken rekening houden met een volksvertegenwoordiging waarin burgers de overhand hebben. En voor het eerst is ook de kleine burgerij massaal in opstand gekomen tegen het gezag van de monarchie. Een groot deel van de mensen die deelnamen aan de bestorming van de Bastille, behoort tot de groep van geschoolde arbeiders en kleine zelfstandigen. Zij hebben in het verleden in politiek opzicht nooit veel betekend, maar alleen al door hun aantal zouden ze in de toekomst een belangrijke machtsfactor kunnen gaan vormen.

## Opstand Brazilië mislukt

*Drie van de profeten, gemaakt door de beroemde beeldhouwer Aleijadinho. Hij gaf hun uit solidariteit de gezichten van de opstandelingenleiders.*

RIO DE JANEIRO - Brazilië is dit jaar in de ban geraakt van de Tiradentes-opstand. Onder invloed van ideeën van de Amerikaanse Revolutie is in Minas Gerais onder leiding van Joaquim José da Silva Xavier een opstand uitgebroken van 'mazombo'-kooplieden (mazombo's zijn de blanke afstammelingen van Portugese veroveraars, ook wel creolen genoemd) en grootgrondbezitters tegen het Portugese bewind.

Een serie populaire eisen als de oprichting van een universiteit in Brazilië, afschaffing van de slavernij en het bouwen van fabrieken heeft de aanhang van de opstand, die zijn naam ontleent aan het beroep van Da Silva: tandarts (tiradentes = tandentrekker) groot. Aan het eind van het jaar werd Da Silva echter gevangengenomen, nadat Portugese troepen Minas Gerais waren binnengetrokken.

*Met overweldigende meerderheid is generaal George Washington gekozen tot president van Amerika. Daarmee wordt de loopbaan bekroond van de man die als geen ander een stempel op de Amerikaanse vrijheidsstrijd drukte. Twee jaar geleden werd hij al unaniem gekozen tot president van de constituerende vergadering in Philadelphia. George Washington legt op 30 april de ambtseed af in Federal Hall in New York.*

*'Overval op een postkoets' (Francisco Goya, 1787): Roverij tiert welig in Europa.*

# Chaos onder Franse boeren

VERSAILLES, 5 augustus - Afgelopen nacht heeft de Nationale Vergadering besloten dat alle landsheerlijke rechten zullen worden afgeschaft. Met deze drastische en onverwachte maatregel hoopt men een einde te maken aan de chaos op het Franse platteland. Het oude gezag is daar ingestort, maar het nieuwe gezag krijgt geen voet aan de grond.

Het gaat een groot deel van de plattelandsbevolking al een tijd zeer slecht. De zelfstandige boeren betalen naar verhouding de meeste belasting van alle Fransen. Degenen die zelf geen grond bezitten, lijden honger, zeker na de misoogsten van de laatste jaren. Daarbij is er de afgelopen maand op grote schaal paniek ontstaan bij de mensen op het platteland. Overal deden de wildste geruchten de ronde over benden en buitenlandse legers die plunderend door de dorpen van Frankrijk trokken. In veel gevallen werd er een adellijk komplot achter vermoed.

Boerenlegertjes, gewapend met wat geweren en veel hooivorken, trokken er herhaaldelijk op uit om een plunderende bende te achterhalen. Als die onvindbaar bleef, richtte de opgelaaide emotie zich vaak op het plaatselijke kasteel. De boeren, wellicht aangestoken door het enthousiasme van de burgers, bleken dan ter plekke hun eigen hervormingen door te voeren. Als men in het kasteel documenten vond waarin de zogenaamde heerlijke rechten staan opgetekend, dan werden die verbrand. Al heel lang bestaat er op het platteland verzet tegen deze heerlijke rechten. Ze stammen nog uit de middeleeuwen en verplichten bijvoorbeeld tot het tegen betaling gebruiken van de wijnpers van de heer in een bepaald gebied. Er bestaan duizenden vormen van dit soort heerlijke rechten en ze zijn lang niet altijd meer in het bezit van de plaatselijke edelman. Andere edelen en rijke burgers hebben in het verleden vaak heer-

lijke rechten opgekocht en beschouwen ze als een extra inkomstenbron. De afgevaardigden van de Nationale Vergadering zijn voor het merendeel mensen die geen belang hebben bij het afschaffen van de heerlijke rechten. De nieuwe burgerlijke militie, de Nationale Garde, kreeg dan ook opdracht streng op te treden tegen acties van boeren. Dat lukte niet erg en een aantal van de meer vooruitstrevende leden van de Nationale Vergadering begreep dat de chaos alleen kon worden beteugeld door zelf het initiatief te nemen.

## Prins-bisschop ontvlucht Luik

LUIK, 26 augustus - Na een week van ernstige onlusten heeft Constantijn-Franciscus van Hoensbroech zijn prinsbisdom Luik verlaten. Het is erg onrustig, vooral in Luik zelf, waar de omwenteling radicale vormen lijkt aan te nemen.

Precies acht dagen geleden kwam de hongerige bevolking, die door de misoogst van het afgelopen jaar zwaar te lijden heeft, in opstand. Met behulp van een deel van de, door de gebeurtenissen in Frankrijk beïnvloede, burgerij slaagden de Luikenaars erin enkele oude reglementen af te schaffen. Ze dwongen de prins-bisschop twee nieuwe, door hen gekozen burgemeesters te benoemen. Het zijn baron de Chestret en Jacques Joseph Fabry.

Maar daarbij is het niet gebleven. Inmiddels worden geen gemeentelijke belastingen meer geheven en is een *Verklaring van de rechten van de mens en de burger* gepubliceerd, die in veel opzichten verder gaat dan het Franse voorbeeld waarop zij is geïnspireerd. In deze revolutionaire situatie oordeelde de van zijn macht beroofde prins-bisschop het raadzamer zijn gebied te verlaten. Hij is naar Trier gevlucht.

# 'Vrijheid en gelijkheid'

*De 'Verklaring van de rechten van de mens en de burger'.*

VERSAILLES, 26 augustus - De Nationale Vergadering heeft de *Verklaring van de rechten van de mens en de burger* aangenomen. Het bevat de grondslagen voor de toekomstige grondwet van Frankrijk. Die zal moeten uitgaan van de 'natuurlijke en onaantastbare rechten van de mens', zoals vrijheid, gelijkheid en eigendomsrecht. In de twaalf artikelen van de *Verklaring* zijn de ideeën van de verlichte filosofen terug te vinden, maar er is ook geput uit de Franse rechtstraditie. Er zijn verder duidelijke overeenkomsten met de recente Amerikaanse grondwet.

De Nationale Vergadering heeft vanaf begin juli aan de *Verklaring* gewerkt. Haar officiële taak, het opstellen van een volledige grondwet, vergt een behoorlijk lange tijd en er was grote behoefte om al op kortere termijn een aantal basisprincipes vast te leggen. Want zoals in de *Verklaring* staat: [...] de onwetendheid, de veronachtzaming of de minachting van de rechten van de mens zijn de enige oorzaken van de publieke ellende en van de corruptie van regeringen [...] Hoe eerder daaraan een

eind kan worden gemaakt, hoe beter. De vrijheid, het belangrijkste recht van een mens, bestaat volgens artikel 4 uit 'alles te kunnen doen wat geen hinder voor anderen vormt'. Dank zij de vrijheid heeft het individu ook het recht om in opstand te komen tegen onderdrukking. Iedereen is gelijk, al betekent dat niet dat sociale verschillen worden opgeheven.

Naast de fundamentele rechten van de mens bevat de *Verklaring* ook een aantal uitspraken over de inrichting van de staat. Het hoogste gezag, de soevereiniteit, ligt voortaan bij de natie. De macht van de koning is slechts een afgeleide daarvan. De gebeurtenissen van de afgelopen maanden, waarbij het gezag van de koning herhaaldelijk is ontkend, kunnen hierdoor achteraf gewettigd worden.

Het is nog wel een open vraag bij wie precies de bevoegdheid ligt om besluiten kracht van wet te geven. In het verleden had de koning altijd het laatste woord. Het is nu de bedoeling dat hij wel de uitvoerende macht behoudt, maar de wetgevende macht zou bij de Nationale Vergadering komen te liggen.

# Koninklijke familie verhuist naar Parijs

PARIJS, 6 oktober - De koninklijke familie heeft vanavond haar intrek genomen in de Tuilerieën, het gebouwencomplex dat 120 jaar geleden door het Franse vorstenhuis werd verlaten voor Versailles. De verhuizing is afgedwongen door de Parijse bevolking, die hiervoor gisteren en de afgelopen nacht in groten getale naar Versailles was getrokken. De bedreigende aanwezigheid van ruim 30 000 mensen heeft er bovendien toe geleid dat Lodewijk XVI instemde met de belangrijkste besluiten van de Nationale Vergadering.

In Parijs heerst al maanden een revolutionaire stemming. De democratie is in feite op hol geslagen. Het nieuwe stadsbestuur kan weinig doen vanwege de vele verkiezingen die telkens een nieuwe gemeenteraad opleveren. Het gezag daarvan wordt regelmatig betwist door de 66 wijkraden die de hoofdstad sinds de gebeurtenissen van half juli telt. De invloedrijke populaire pers houdt de gemoederen verhit door een constante stroom artikelen over mogelijke adellijke samenzweringen. Wellicht de belangrijkste oorzaak van de gespannen situatie in de hoofdstad is de schaarste aan levensmiddelen en de stijgende werkloosheid.

*Parijse vrouwen trekken in optocht naar Versailles (houtsnede).*

Degenen die gisteren als eersten naar Versailles trokken waren dan ook vrouwen, die van de koning brood eisten. Het waren er zo'n 6000, onder wie veel marktvrouwen van de Hallen, maar er liepen ook beter gesitueerde dames mee. Bij hun aankomst in Versailles was er overigens bijna geen onderscheid meer, want het regende de hele dag en de weg was veranderd in één grote modderpoel. In Parijs was de roep om brood inmiddels overgegaan in de eis dat de koning naar Parijs moest verhuizen, weg van de invloed van de reactionaire adel aan het hof. Met tegenzin gaf het gematigde stadsbestuur toestemming aan de Nationale Garde, de burgermilitie, om Lodewijk XVI in Versailles op te halen. De 15 000 man sterke Nationale Garde, gevolgd door een zelfde aantal gewone burgers, arriveerde daar gisteravond.

De Nationale Vergadering maakte gebruik van de situatie door de koning te verzoeken alsnog in te stemmen met de besluiten van 4 augustus (waarbij de feodale rechten waren afgeschaft), de *Verklaring van de rechten van de mens en de burger* en de eerste artikelen van de grondwet. Lodewijk XVI had weinig keus. Hij beschikte slechts over een handvol betrouwbare troepen. Die konden weinig uitrichten tegen de enorme menigte in de paleistuinen.

Vanmorgen hebben enkele heethoofden een poging gedaan de koninklijke vertrekken binnen te dringen. De Nationale Garde heeft niet kunnen verhinderen dat een aantal soldaten van de lijfwacht daarbij werd gedood. De tocht van de koninklijke familie naar Parijs is verder zonder geweld verlopen.

*Xiangfei, minnares van de Chinese keizer. Het Chinese keizerrijk is onder de Tj'ing-dynastie sterk uitgebreid en op het hoogtepunt van zijn macht gekomen. Na delen van Birma te hebben veroverd, zijn de Chinese legers Annam binnengetrokken en hebben de bevolking onder Chinees bestuur gebracht.*
*Eerder werden Mongolië, Sinkiang [Chinees Toerkestan] en Tibet veroverd. Sinkiang doet nu dienst als verbanningsoord voor gestrafte ambtenaren en misdadigers. Politieke verwikkelingen in het grensgebied leidden ertoe dat in 1776 een veldtocht tegen Birma werd ondernomen.*

# Oostenrijks leger uit Zuidelijke Nederlanden verjaagd

BRUSSEL, 18 december - De leider van de opstand tegen de Oostenrijkse overheersing, advocaat Hendrik van der Noot, wacht vandaag een triomfantelijke ontvangst in Brussel. Met de verovering van de hoofdstad, enkele dagen geleden, zijn de Oostenrijkse troepen door een Belgisch bevrijdingsleger uit bijna de gehele Zuidelijke Nederlanden verdreven. Alleen in Luxemburg, waarheen de Oostenrijkse regering gevlucht is, konden de legers van keizer Jozef II standhouden. Met deze 'Brabantse omwenteling' is een eind gekomen aan 76 jaar Oostenrijkse overheersing. De overwinning zal gevierd worden met een speciaal Te Deum in de Sint-Goedelekerk en met een opvoering, vanavond, van het toneelstuk *Mort de César* van Voltaire in de Muntschouwburg.

De omwenteling komt niet onverwacht. In de Zuidelijke Nederlanden wordt al enkele jaren oppositie gevoerd tegen de centralistische maatregelen van Jozef II. Niet alleen de veranderingen in het bestuur en in de rechtspraak werden afgewezen, ook de autoritaire manier waarop ze werden doorgevoerd viel niet in goede aarde. Al in 1787 kwamen de Zuidelijke Nederlanden tegen de Oostenrijkse maatregelen in opstand. Toen die onlusten niet luwden schafte keizer Jozef II in juni van dit jaar de Staten af en trok de 'Blijde Inkomst' (een middeleeuws

*Deze Vonckistische afbeelding toont het gruwelijke optreden van de Statisten.*

stedenprivilege) in.

De oppositie bestond uit twee partijen: de conservatieve Statisten met als voorman Van der Noot, en de democratische Vonckisten, zo genoemd naar hun leider J.F. Vonck. De Statisten wensten geen veranderingen, terwijl de Vonckisten de maatregelen zelf toejuichten maar de manier waarop ze aan de Zuidelijke Nederlanden werden opgedrongen verwierpen.

Het zijn vooral de Vonckisten geweest die de militaire operatie tegen de Oostenrijkers op poten hebben gezet. In het geheim brachten zij een bevrijdingsleger op de been dat was samengesteld uit uitgewekenen, deserteurs uit het Oostenrijkse leger, buitenlandse officieren en avonturiers. Opperbevelhebber was generaal J.A. vander Mersch, een vertrouweling van leider Vonck.

Vanuit het Noordbrabantse Breda viel het 2000 man sterke leger op 24 oktober de Kempen binnen en veroverde in enkele weken tijds de ene na de andere stad. Op de dag van de inval publiceerde Van der Noot zijn *Manifest van het Brabantse volk*, waarin hij Jozef II van de troon vervallen verklaarde, de onafhankelijkheid proclameerde en erkenning van de privileges eiste. Van der Noot sloot zich daarmee bij de opstand aan en lijkt van zijn grote populariteit in Brabant gebruik te hebben gemaakt om de beweging naar zijn hand te zetten. De voor vandaag geplande intocht, terwijl Vonck zich nog in Gent bevindt, mag daarvoor als bewijs gelden. Het plan bestaat om op korte termijn de Staten-Generaal bijeen te roepen, die een beslissing zullen moeten nemen over de toekomst van de Zuidelijke Nederlanden.

1790

# Reorganisatie Franse Kerk

*Satirisch vlugschrift over de onteigening door de staat van kerkelijke goederen.*

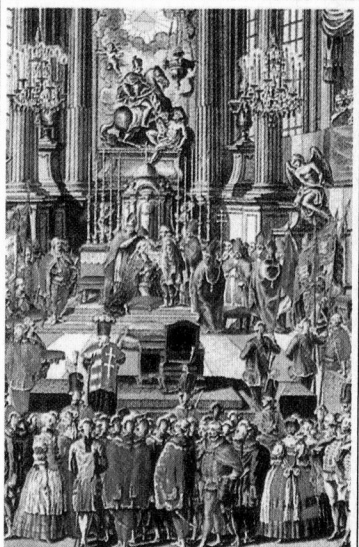

*Leopold II volgt de overleden keizer Jozef II van het Habsburgse Rijk op. Jozef was sterk beïnvloed door de Verlichting. Zijn politiek van hervormingen stuitte echter op weerstanden en veroorzaakte tal van opstanden.*

PARIJS, 12 juli - De Nationale Vergadering heeft de 'Burgerlijke Grondwet voor de Geestelijkheid' aangenomen. Deze regelt de organisatie van de Katholieke Kerk in Frankrijk. Bisschoppen en pastoors zullen voortaan gekozen worden door de actieve burgers, degenen die stemrecht hebben voor de volksvertegenwoordiging. Bij hun aanstelling zullen de geestelijken straks waarschijnlijk een eed op de grondwet moeten gaan afleggen. De 'Burgerlijke Grondwet voor de Geestelijkheid' vormt de afsluiting van een serie maatregelen die de macht van de Kerk danig verzwakken.

Het begon in november vorig jaar met de nationalisatie van het kerkelijke grondbezit. Frankrijk kampt al jaren met een tekort aan vruchtbaar land. Het was velen een doorn in het oog dat de Kerk zo veel grond bezat en er zo weinig mee deed. In de Nationale Vergadering ontspon zich een discussie rond de vraag of de geestelijkheid niet net als alle andere mensen het eigendomsrecht bezat dat in de *Verklaring van de rechten van de mens en de burger* was vastgelegd. Het pleit werd gewonnen door hen die stelden dat materieel bezit in principe in tegenspraak is met het uitoefenen van een religieuze functie. Het merendeel van de lagere geestelijkheid steunde de nationalisatie. De overheid zou namelijk ter compensatie voortaan salarissen gaan betalen en die waren hoger dan de vergoeding die de pastoors tot dan toe kregen.

Het is niet de bedoeling dat het kerkelijke grondbezit in handen van de staat blijft. Een eerste deel, ter waarde van 400 miljoen pond, is al aan particulieren verkocht. De overheid kan hierdoor eindelijk de staatsfinanciën in orde brengen en dat was in feite de belangrijkste reden om tot nationalisatie over te gaan.

Vier maanden geleden werd ook besloten tot de opheffing van de vele religieuze orden die Frankrijk telt. In het algemeen heerste er wantrouwen tegen een aantal van deze orden en hun ledental daalt daardoor ook al jaren.

De 'Burgerlijke Grondwet voor de Geestelijkheid' heeft uitsluitend betrekking op de organisatie van de Katholieke Kerk. De Nationale Vergadering wil zich uitdrukkelijk niet met het geloof zelf bemoeien. Het is echter de vraag of geloof en politiek gescheiden zullen kunnen blijven in toekomstige verkiezingen van geestelijken.

# Revolutie viert eerste verjaardag

*Jakobijnen richten in Parijs de eerste vrijheidsboom op.*

PARIJS, 14 juli - De weergoden waren niet erg gunstig gestemd, maar Parijs heeft vandaag toch uitbundig feest gevierd op de Champ de Mars, het grote oefenterrein voor het leger aan de westelijke rand van de stad. In totaal waren er zo'n 300 000 toeschouwers bij deze afsluiting van de talloze zogenaamde federatiefeesten die de afgelopen maanden overal in Frankrijk zijn gehouden.

Deze federaties zijn samenwerkingsverbanden tussen de verschillende nieuwe gemeente- en provinciale besturen van het land. Begonnen op kleine schaal tussen bijvoorbeeld twee dorpen, zijn de federaties uitgegroeid tot een landelijk netwerk dat sterk staat tegenover eventuele pogingen de verworvenheden van de revolutie ongedaan te maken. 10 000 afgevaardigden van de diverse federaties waren vandaag in Parijs te gast om de vereniging van de hoofdstad met de rest van het land te vieren.

In aanwezigheid van het koninklijk gezin werd eerst een heilige mis gelezen door de bisschop van Autun, Talleyrand. Hij werd bijgestaan door 400 in het wit geklede koorknapen. Daarna kwam het hoofd van de Nationale Garde, La Fayette, die trouw zwoer aan de natie, de wet en de koning. Door de afgevaardigden van de federaties, allen lid van de Nationale Garde, ging een golf van enthousiasme. Degenen op de voorste rijen omhelsden La Fayette. Deze verbroedering kenmerkte de sfeer van het feest. Niet alleen in Parijs, maar in het hele land is het merendeel van de bevolking gelukkig met 'haar' nieuwe Frankrijk. Niet voor niets is het vandaag precies een jaar geleden dat de Bastille viel, een gebeurtenis die het symbool van de geslaagde revolutie is geworden.

# Kant voltooit 'Kritik der Urteilskraft'

KONINGSBERGEN - Met de publikatie van de *Kritik der Urteilskraft* heeft de filosoof Immanuel Kant zijn belangrijkste filosofische werk voltooid. In dit boek, het laatste van een drietal filosofische kritieken, onderzoekt Kant de gevoelens die het aanschouwen van kunst en natuur bij mensen oproept. Eerder publiceerde hij de *Kritik der praktischen Vernunft* (1788) over het menselijk handelen en de *Kritik der reinen Vernunft* (1781).

Kant is de zoon van een zadelmaker en wordt algemeen beschouwd als een der grootste filosofen; hij geldt als de grondlegger van de moderne wijsbegeerte.

Kant werd geboren op 22 april 1724 in Koningsbergen, een stad die hij gedurende zijn leven slechts zelden heeft verlaten. Hij studeerde aldaar theologie, filosofie en wis- en natuurkunde. In 1755 werd hij privaatdocent aan de universiteit en in 1770 hoogleraar in de logica en de metafysica. Kant bleef ongetrouwd en uit vrees voor een voortijdig verlies van zijn krachten (hij was nogal ziekelijk en zwak) leidde hij een teruggetrokken, geregeld leven van studie, colleges en sociaal contact. Zijn dagschema was zo precies ingedeeld dat de bewoners van Koningsbergen de klok erop gelijk konden zetten. Kenmerkend voor de filosofie van Kant is dat de mens centraal staat.

Men onderscheidt bij Kant wel een voorkritische en een kritische periode (na 1770). In de eerste periode, die eindigt bij zijn inaugurele oratie, legde hij zich vooral toe op de bestudering van het werk van voorgangers als Leibniz, Newton en Rousseau. Hij hield zich in deze tijd ook bezig met natuurkundige vraagstukken.

In de *Kritik der reinen Vernunft*, het

*Immanuel Kant, geflankeerd door de titelbladen van twee van zijn werken.*

eerste boek uit zijn kritische periode, onderzoekt Kant de grenzen en mogelijkheden van ons denken. Volgens hem wordt kennis verkregen door middel van zintuiglijke waarnemingen, en door het verstand dat deze zintuiglijke waarnemingen ordent. Objectieve kennis is volgens Kant onmogelijk omdat we niet kunnen weten of onze zintuigen (reuk, gehoor, gezicht, gevoel en smaak) de werkelijkheid weergeven of deze vervormen. Materiële objecten zoals tafels en stoelen kunnen in werkelijkheid anders zijn dan we ze waarnemen. Kennis van het 'Ding an sich' zoals Kant het noemt is daarom onmogelijk. Volgens hem zijn ook tijd en ruimte slechts ordeningsprincipes voor ons verstand; het zijn geen werkelijkheden buiten de mens om.

In zijn filosofie is ook geen plaats voor God of voor de menselijke ziel, twee onderwerpen waarmee filosofen zich tot nu toe voornamelijk bezighielden, omdat zij voor onze zintuigen niet

waarneembaar zijn. In dit opzicht is er een ontwikkeling in zijn denken te bespeuren.

In zijn natuurkundig boek *Allgemeine Naturgeschichte und Theorie des Himmels* (1755) probeert Kant een antwoord te geven op de vraag waarom de planeten een eigen baan volgen en niet naar de zon worden getrokken. Newton had hierin de hand van God gezien; Kant doet dat niet. Hij tracht het uitblijven van een botsing door natuurkundige wetten te verklaren. De schepping van het zonnestelsel schrijft hij wel toe aan God.

In zijn moraalfilosofische boek *Kritik der praktischen Vernunft* stelt Kant een wet op die aan het juiste menselijk handelen ten grondslag zou moeten liggen. Volgens de zogenaamde 'Kategorischen Imperativ' moet het doel van onze handelingen door alle mensen onderschreven kunnen worden. Bovendien moeten onze daden vrij van vrees of eigenbelang zijn.

# Leopold herovert Zuidelijke Nederlanden

BRUSSEL, 2 december - Zonder enige tegenstand van betekenis hebben de Oostenrijkse legers de Zuidelijke Nederlanden opnieuw in bezit genomen. Met de intocht van de keizerlijke troepen in Brussel, hedenmorgen, is feitelijk een einde gekomen aan de zogeheten Brabantse Omwenteling die precies een jaar geleden haar beslag kreeg met het verjagen van de Oostenrijkers uit de Zuidelijke Nederlanden. Graaf de Mercy d'Argenteau is inmiddels tot waarnemend gouverneur-generaal benoemd in afwachting van de terugkeer van Maria-Christina en Albrecht.

Keizer Leopold II, die de in februari overleden Jozef II is opgevolgd, had na het beëindigen van de oorlog tegen de Turken zijn handen vrij om eindelijk in de opstandige Zuidelijke Nederlanden orde op zaken te stellen.

Dat de Oostenrijkse troepen zonder slag of stoot het bewind van hun keizer

konden herstellen, hing niet alleen samen met het uitblijven van buitenlandse steun voor de begin januari geproclameerde Republiek van de Verenigde Belgische Staten. Ook interne tegenstellingen verlamden de jonge republiek. De twee oppositiegroepen die samen in het najaar van 1789 de Oostenrijkers hadden verslagen, de conservatieve Statisten en de democratische Vonckisten, zijn na het uitroepen van de republiek op 7 januari in een onverkwikkelijke machtsstrijd verwikkeld geraakt. De Statisten wisten de twist over de inrichting van de republiek uiteindelijk in hun voordeel te beslissen na een, met hulp van de geestelijkheid gevoerde, lastercampagne tegen de Vonckisten. Ook ontketenden ze een volksactie waarbij woningen van Vonckisten werden bestormd. Met de vlucht van Vonck en andere democratische kopstukken

naar Frankrijk en de arrestatie van generaal Vander Mersch, opperbevelhebber van het bevrijdingsleger, waren de kaarten begin april geschud.

Vanaf dat moment was de populaire leider van de Statisten, Hendrik van der Noot, onbetwist de sterke man in de republiek. Hij had zichzelf overigens begin januari al uitgeroepen tot enige minister van de Verenigde Belgische Staten.

Lang heeft hij daarvan niet kunnen genieten. De door verdeeldheid verscheurde gewesten waren een makkelijke prooi voor de omvangrijke Oostenrijkse legers. Van der Noot is naar Noord-Nederland gevlucht.

Van keizer Leopold II wordt verwacht dat hij gematigder zal optreden dan zijn voorganger Jozef II, die met een te grote voortvarendheid de Zuidnederlandse gewesten heeft willen reorganiseren.

**Februari.** Pruisen en Oostenrijk garanderen een vrije grondwet voor Polen.

**4 maart.** Vermont wordt een nieuwe staat van de Verenigde Staten.

**18 april.** Een demonstratie verhindert Lodewijk XVI de mis in Saint-Cloud bij te wonen. Dit lijkt aan te tonen dat hij een gevangene is.

**6 mei.** De Canada Constitution Act splitst de Engelse kolonie in twee delen, Upper en Lower Canada, met ieder eigen wetgevende vergaderingen.

**14 mei.** Tipu Sahib van Mysore komt na de verloren slag tegen de Engelsen bij Seringapatam ten val.

**14 juni.** In Frankrijk wordt de wet van Le Chapelier aangenomen, die in feite elke georganiseerde actie van werknemers tegen werkgevers verbiedt.

**25 juni.** Bij een poging uit Frankrijk te vluchten, wordt de Franse koninklijke familie bij Varennes gearresteerd en naar Parijs teruggebracht. →

**17 juli.** Een slachting op de Champ de Mars door soldaten van de markies de La Fayette herstelt de orde in Parijs. →

**4 augustus.** Oostenrijk en Turkije sluiten in Sistova vrede, waarbij Oostenrijk Orsova annexeert.

**22 augustus.** Tijdens de burgeroorlog op Frans Santo Domingo (Haïti) breekt een slavenopstand uit onder leiding van Toussaint Louverture en Jean Jacques Dessalines.

**27 augustus.** Oostenrijk en Pruisen geven de Declaratie van Pillnitz uit, waarin gesteld wordt dat zij bereid zijn in Frankrijk te interveniëren. →

**3 september.** De Franse Nationale Vergadering keurt de grondwet goed. Frankrijk wordt een constitutionele monarchie. →

**14 september.** Lodewijk XVI zweert trouw aan de grondwet. →

**27 september.** De Franse Nationale Vergadering verleent de joden het recht op staatsburgerschap. →

**16 oktober.** Grigorij Potemkin overlijdt in Jassy.

**December.** Gustaaf III van Zweden stelt zich beschikbaar om een kruistocht tegen Frankrijk aan te voeren.

- De Transsylvaanse Roemenen eisen in de Landdag herstel van hun oude rechten. →

- Mozart componeert de opera *Die Zauberflöte* en zijn *Requiem*. →

- Boswell publiceert zijn *Life of Samuel Johnson*.

- De markies De Sade schrijft zijn boek *Justine*.

# Lodewijk na vluchtpoging terug in Parijs

PARIJS, 25 juni - Een poging van koning Lodewijk XVI om het revolutionaire Frankrijk te verlaten is door pech en onhandigheid mislukt. Drie dagen geleden werd hij, samen met zijn vrouw, kinderen en enkele bedienden, aangehouden in het dorp Varennes in het noordoosten van Frankrijk. De reispapieren stonden op een valse naam en alleen al daaruit bleek dat de koning van plan was het land in het geheim te verlaten. Geruchten over een mogelijke vlucht van de koninklijke familie deden al maanden de ronde.

De afgelopen dagen waren er in het noordoosten allerlei manœuvres van de koninklijke troepen geweest onder het mom van een bijzonder transport dat binnenkort zou plaatsvinden. Achteraf gezien ging het om een wel zeer uitzonderlijk transport, namelijk dat van de koning en zijn gezin. Zij verlieten op 21 juni in alle vroegte de Tuileieën door een weinig gebruikte zijingang. Aan de rand van de stad wachtten twee koetsen. Pech onderweg zorgde ervoor dat men uren op het reisschema achter kwam te liggen. De koninklijke soldaten verlieten daarom hun posten, in de veronderstelling dat het transport was uitgesteld. Er was niemand meer om te verhinderen dat de koetsen rond middernacht in Varennes ter controle werden aangehouden door de Nationale Garde.

Sommigen meenden in de kamerheer

*De koninklijke familie wordt tijdens de maaltijd in Varennes door de Nationale Garde aangehouden.*

die in de reispapieren stond vermeld, de koning te herkennen, maar er bleef enige aarzeling. Lodewijk XVI werd definitief ontmaskerd door een plaatselijke rechter die de koning vaak in Parijs had gezien. Toen hij de kruidenierswinkel binnenkwam waar de koning werd vastgehouden, viel hij op zijn knieën en riep: 'Ah, Sire!' Ontkennen had geen zin meer. Onder bescher-

ming van de Nationale Garde werd de terugtocht naar Parijs aanvaard.

De ontvangst vanmiddag in Parijs was zeer koel. Er waren affiches aangeplakt met de tekst 'Wie de Koning toejuicht zal stokslagen krijgen; wie hem beledigt zal worden gehangen' en iedereen hield zich daaraan. Onder de grote menigte die was komen kijken, heerste een ijzige stilte. Niemand nam,

zoals gebruikelijk, zijn hoed af en de leden van de Nationale Garde die de route bewaakten, presenteerden evenmin het geweer. Alleen toen de koningin de koets uitstapte werd er geroepen: 'Weg met de Oostenrijkse!' Marie Antoinette is nooit geliefd geweest bij het Franse volk. De wel aanwezige aanhankelijkheid jegens de koning lijkt nu eveneens danig bekoeld.

*Tijdens de vredesonderhandelingen in Jassy is de vertrouweling van de Russische keizerin Catharina II de Grote, Grigorij Aleksandrovitsj Potemkin, op 16 oktober aan een hartaanval bezweken. Naar zijn plannen werd de Krim veroverd. Hij leefde daar na de annexatie in 1783 als een absoluut heerser die niemand spaarde bij het in ontwikkeling brengen van het gebied.*

# Betoging tegen koning eindigt in bloedbad

PARIJS, 17 juli - Een grote betoging tegen de koning is geëindigd in een bloedbad. Een actie van de Nationale Garde leidde tot ruim vijftig doden onder de demonstranten. Het is de eerste keer dat de Nationale Garde in opdracht van het gemeentebestuur optrad tegen een grote volksdemonstratie.

De onrust in de hoofdstad begon na de vluchtpoging van Lodewijk XVI met zijn gezin, ruim drie weken geleden. Die heeft veel kwaad bloed gezet bij de bevolking. De Nationale Vergadering schortte de bevoegdheden van de koning tijdelijk op. Daarna werd in de volksvertegenwoordiging gediscussieerd over een eventueel aftreden, maar dat ging het merendeel van de afgevaardigden te ver. Bij het ontwerpen van de grondwet is men uitgegaan van een constitutionele monarchie. Een gedwongen aftreden van Lodewijk XVI zou een drastische wijziging vereisen juist op het moment dat de grondwet bijna klaar is. Gisteren besloot men definitief dat de koning kon aanblijven, zij het voorlopig zonder bevoegdheden.

Met name de volkssociëteiten, de meest radicale van de politieke clubs,

*Marianne met de driekleur, het symbool van de Franse Revolutie.*

namen daarmee geen genoegen. Er werd een petitie opgesteld waarin het besluit van de Nationale Vergadering ongeldig werd verklaard omdat het tegen de wil van het volk in zou gaan.

Daarnaast werd er een nieuwe vorm van uitvoerende macht geëist, wat in feite betekent dat Frankrijk een republiek moet worden. De petitie kon vanaf vanmorgen op de Champ de Mars worden ondertekend.

Zowel de Nationale Vergadering als het Parijse gemeentebestuur had inmiddels besloten dat hoe dan ook moest worden verhinderd dat de petitie een succes zou worden. Beide organen worden merendeels gevormd door leden van de gegoede burgerij en zij vinden dat de lagere klassen zich niet met politiek moeten inlaten. Niet voor niets geeft de grondwet hun geen stemrecht. Het gemeentebestuur riep dan ook de staat van beleg uit toen zich in de loop van vanmiddag steeds meer mensen op de Champ de Mars verzamelden. Met de rode vlag voorop, het teken van de staat van beleg, trokken regimenten van de Nationale Garde op naar de Champ de Mars. Ze werden er ontvangen met een regen van stenen. Vervolgens is er een schot gevallen, van welke kant blijft nog duister. In ieder geval heeft de Nationale Garde daarna het vuur op de menigte geopend. De sfeer in het revolutionaire Parijs wordt met de dag grimmiger.

*Keizer Leopold II van Oostenrijk met echtgenote Maria Louise van Spanje en acht kinderen.*

# Oostenrijkse reactie op Franse Revolutie

PILLNITZ, 27 augustus - In het slot Pillnitz bij Dresden hebben de Oostenrijkse keizer Leopold II, koning Frederik Willem II van Pruisen en graaf Karel van Artois de zogenaamde Declaratie van Pillnitz opgesteld. De graaf van Artois, de broer van de Franse koning Lodewijk XVI, is de leider van de Franse émigrés. Met dit verdrag schaart Leopold II zich achter zijn bedreigde zwager Lodewijk XVI, zij het onder één voorbehoud. Hij zal slechts tegen de Franse revolutionairen ten strijde trekken als alle andere Europese vorsten hem vergezellen.

De houding van Leopold II van Oostenrijk ten opzichte van de Franse Revolutie is gecompliceerder dan men uit de Declaratie van Pillnitz zou kunnen afleiden. In 1788 juichte hij het bijeenroepen van de Franse Staten-Generaal toe: 'Die Regeneration Frankreichs wird ein Vorbild sein, welches alle Souveräne und Regierungen Europas freiwillig oder unfreiwillig nachzuahmen durch die Völker gezwungen werden. Es wird daraus überall unbegrenztes Glück entstehen, das Ende der Ungerechtigkeiten, Kriege, Zwistigkeiten und Unruhen und es wird eine der nützlichsten Moden sein, die Frankreich in Europa eingeführt hat.' Dit commentaar weerspiegelde Leopolds afkeer van de onderdrukking van de standen door zijn broer Jozef II. Leopold herstelde na de dood van Jozef II de orde en rust in Oostenrijk door aan de standen weer een aantal van de rechten toe te kennen die hun door zijn voorganger waren ontnomen.

Leopold II keurde de gematigde hervormingen 'van onderen' in Frankrijk goed, omdat hij de Oostenrijkse 'revolutie van bovenaf' verwierp. 'Es ist nicht nützlich, den Leuten selbst Gutes mit Gewalt zu tun, wenn sie nicht von der Nützlichkeit überzeugt sind.' Hij veranderde echter van gedachten toen de Franse Revolutie gewelddadige vormen aannam. Onder de indruk van de smeekbeden van zijn zuster Marie Antoinette heeft hij met zijn erfvijand, de koning van Pruisen, het antirevolutionaire monsterverbond van Pillnitz gesloten. De Declaratie van Pillnitz wordt door de revolutionairen in Frankrijk als een rechtstreekse oorlogsverklaring opgevat.

ALBA IULIA - In de Landdag van Transsylvanië is grote opschudding ontstaan naar aanleiding van een verzoekschrift van Transsylvaanse Roemenen betreffende herstel van de oude rechten.

In dit memorandum, getiteld *Supplex Libellus Valachorum* (Smeekbede van de Walachs), brengen de opstellers, Roemeense intellectuelen, de reeds eerder geponeerde stelling van de Romeinse oorsprong van het Roemeense volk naar voren, waarmee zij claimen de oudste natie in Transsylvanië te zijn. Zij wijzen erop dat de orthodoxe Roemenen tot de 15de eeuw op hetzelfde niveau als de Hongaren en de Saksen hebben gestaan en dat zij nu slechts vragen om teruggave van de oude rechten die hun in de vorige eeuw, door 'de vijandigheid der tijden', waren ontnomen (Transsylvanië was na het terugtrekken van de Turken in 1691 in het bezit van de Habsburgers gekomen).

De Roemenen hebben een bijzonder ongunstig tijdstip voor het indienen van hun verzoek uitgezocht. Zij zonden het in maart aan keizer Leopold II net nadat deze niet zonder moeite tot overeenstemming met de Transsylvaanse Landdag was gekomen. Hij stuurde de petitie door naar deze Landdag die, zoals te verwachten was, een afwijzende houding aannam. Na succesvol de centralisatiepogingen van keizer Jozef II te hebben weerstaan zijn de bevoorrechte naties niet bereid hun voorrechten aan de Roemenen af te staan.

# 'Die Zauberflöte' van Mozart in première

WENEN, 30 september - Vanavond gaat *Die Zauberflöte*, de nieuwe opera van de bekende Weense componist Wolfgang Amadeus Mozart (1756), in het keizerlijke Wienertheater 'auf der Wieden' in Wenen in première.

De opera is gemaakt naar een libretto van de directeur van het Wiednertheater, Emanuel Schikaneder (1748). Schikaneder zal zelf een van de hoofdrollen zingen, namelijk die van Papageno, de met vogelveren getooide man. Het programmaboekje vermeldt over Mozarts aandeel het volgende: 'De muziek is van de heer W.A. Mozart, kapelmeester en koninklijk kamercomponist. De heer Mozart zal uit hoogachting voor een genadig en vererenswaardig publiek en uit vriendschap jegens de schrijver van het stuk, het orkest zelf dirigeren.'

Het is bekend dat Mozart en Schikaneder in 1780-1781 contact met elkaar hebben gehad in Salzburg, toen Mozart nog in dienst van de aartsbisschop stond; hun samenwerking resulteerde toen in een aantal muziekdramatische

*Mozart met zijn zuster 'Nannerl' aan het klavecimbel, rechts vader Leopold.*

werken (*Zaide* en *Thamos*). In maart van dit jaar kwam Schikaneder met zijn groep naar Wenen en in de loge van de vrijmetselaars werd het contact tussen de beide kunstenaars hernieuwd. Al enige tijd had Mozart met het idee gespeeld om na zijn Italiaanse opera's *Le nozze di Figaro* (1785), *Don Giovanni* (1787) en *Cosi fan tutte* (1790) weer een Duits 'Singspiel' te maken. Schikaneder bood aan een tekst te maken

voor een 'toveropera' in twee akten. De compositie verliep zeer voorspoedig. De première werd echter uitgesteld vanwege de opdracht voor een opera voor de kroning van keizer Leopold II. Deze opera, *La Clemenza di Tito* (in Praag op 28 augustus in première gegaan), werd binnen achttien dagen geschreven en kreeg een enthousiast onthaal. Vanavond zal de opera in Praag voor de laatste keer worden opgevoerd

# Eerste Franse grondwet

*Koning Lodewijk XVI van Frankrijk.*

PARIJS, 14 september - Lodewijk XVI heeft vandaag de eed van trouw aan de grondwet afgelegd. Daarmee heeft de Nationale Vergadering het doel bereikt dat ze zichzelf ruim twee jaar geleden met de 'Eed in de Kaatsbaan' oplegde: niet meer uit elkaar te gaan voordat het land een grondwet heeft.

Frankrijk is vanaf nu een parlementaire monarchie. De volksvertegenwoordiging wordt de wetgevende macht, terwijl de koning de uitvoerende macht bezit. Hij krijgt een opschortend veto en kan dus besluiten van de volksvertegenwoordiging alleen tijdelijk tegenhouden. Het kiesrecht is voorbehouden aan de 'actieve burgers', mannen die een bepaalde hoeveelheid inkomsten hebben. Het aantal 'actieve burgers' bedraagt zo'n 60 procent van de mannelijke bevolking. Zij kiezen niet alleen de volksvertegenwoordigers

op alle niveaus, maar ook de ambtenaren en de leden van de rechtbank. Bestuurlijk wordt Frankrijk onderverdeeld in 83 departementen.

Het is met de nieuwe grondwet voor ogen moeilijk voor te stellen dat Frankrijk drie jaar geleden nog een absolute monarchie was met een wetgeving die grotendeels uit de feodale tijd stamde. Er bestaat in sommige kringen nog veel weerstand tegen de revolutionaire veranderingen. Veel geestelijken weigeren de verplichte eed op de grondwet af te leggen, zeker nu hun dat door paus Pius VI verboden is. De conservatieve adel heeft zich vanaf het begin tegen elke hervorming gekeerd. Het merendeel van deze edelen is naar het buitenland geëmigreerd.

De revolutie is vooral ten goede gekomen aan de burgers. Zij zijn in feite de nieuwe machthebbers, zoals is gebleken tijdens de gebeurtenissen op de Champ de Mars in juli van dit jaar. Er is nu ter gelegenheid van de nieuwe grondwet wel gratie verleend aan degenen die toen zijn gearresteerd, maar onder de lagere klassen blijft een bitter gevoel bestaan. Dat wordt ook veroorzaakt door de grote werkloosheid, die door de Nationale Vergadering nauwelijks is aangepakt. Het nationale saamhorigheidsgevoel dat vorig jaar op de federatiefeesten tot uiting kwam, is echter niet verdwenen. Aanstaande zondag zijn er weer tal van festiviteiten ter ere van de grondwet. Waarschijnlijk zal de overgrote meerderheid van de Fransen, veelal getooid met de nieuwe nationale driekleur, vol overgave eraan deelnemen.

# Joden in Frankrijk gelijkgerechtigd

PARIJS, 27 september - De Nationale Vergadering heeft besloten de joden in Frankrijk het recht te verlenen de eed als staatsburger af te leggen.

Vier jaar geleden publiceerde graaf Mirabeau *Over Mendelssohn en de staatkundige hervorming der joden*. Als lid van de Nationale Vergadering schreef hij: 'Als gij [Lodewijk XVI] wenst, dat de joden betere mensen en nuttige burgers worden, hef dan elk vernederend onderscheid op en stel elke bestaansmogelijkheid voor hen open.' Het reglement van Frederik de Grote uit 1750 deed hij af als 'een wet een kannibaal waardig'.

Toen de Société Royale des Sciences et des Arts enkele jaren geleden een prijsvraag uitschreef voor de beste verhandeling over de vraag 'Zijn er middelen om de joden in Frankrijk gelukkiger en nuttiger te maken?', was het opnieuw een lid van de Nationale Vergadering, abbé Henri Grégoire, die het winnende essay schreef. Deze bleek een krachtig verdediger en voorvechter van de rechten voor de joden.

Vorig jaar, in 1790, is al een eerste aan-

*Graaf Mirabeau (gravure, Fiesinger).*

zet gegeven door een aangenomen resolutie, die bepaalde dat Portugese, Spaanse of Avigonese (in Bordeaux en Bayonne wonende) joden in Frankrijk alle voorrechten van actieve burgers krijgen. De volgende stap was het afschaffen van de hoge belastingen die joden in de Elzas voor hun bescherming moesten betalen en nu, twee jaar na het uitbreken van de Revolutie, is de leuze 'Vrijheid, Gelijkheid en Broederschap' voor de joden wettelijk vastgelegd.

---

**9 januari.** Rusland sluit met Turkije vrede in Jassy.

**5 februari.** Tippu, de vorst van Mysore in India, staat na zijn nederlaag in de oorlog tegen Hyderabad en de Engelsen half Mysore aan Engeland af.

**7 februari.** Oostenrijk en Pruisen sluiten een verbond tegen revolutionair Frankrijk.

**29 maart.** Koning Gustaaf III van Zweden overlijdt. →

**20 april.** Frankrijk verklaart Oostenrijk de oorlog.

**19 mei.** Rusland valt Polen binnen.

**1 juni.** Kentucky treedt toe tot de Verenigde Staten.

**13 juni.** Koning Lodewijk XVI ontslaat zijn ministers wegens aanhoudende kritiek.

**8 juli.** Frankrijk verklaart Pruisen de oorlog.

**22 juli.** De Wetgevende Vergadering in Frankrijk roept alle burgers op om dienst te nemen in het leger. →

**10 augustus.** Een menigte bestormt de Tuilerieën in Parijs en vermoordt de Zwitserse paleiswachten. →

**13 augustus.** De Franse koninklijke familie wordt gevangengezet. →

**Augustus.** Oostenrijks-Pruisische troepen trekken Frankrijk binnen.

**6 september.** Het gemeentebestuur van Parijs vraagt de bevolking dringend zich te onthouden van gewelddadigheden tegenover gevangenen. →

**22 september.** In Frankrijk wordt de republiek uitgeroepen en de revolutionaire kalender ingevoerd. →

**6 november.** Na de nederlaag in de Slag bij Jemappes en de val van Brussel voor Franse troepen, ontruimt Oostenrijk de Zuidelijke Nederlanden. →

**5 december.** George Washington begint aan zijn tweede ambtstermijn. →

- Rouget de Lisle componeert 'La Marseillaise , chant de guerre de l'armée du Rhin.' →

- Verschil van mening over de te voeren financiële politiek leidt in de Verenigde Staten tot de oprichting van twee politieke stromingen, de Republikeinen van Jefferson en de Federalisten van Hamilton.

- Mary Wollstonecraft publiceert in Frankrijk haar eis tot vaststelling van vrouwenrechten in *Vindication of the rights of women.*

Gestorven:

**30 april.** John Montagu, graaf van Sandwich, voormalig Engels minister van Marine →

---

# Gustaaf bezwijkt aan verwondingen bij moordaanslag

STOCKHOLM, 29 maart - Koning Gustaaf III van Zweden is, dertien dagen na een aanslag tijdens een gemaskerd bal in de opera, aan zijn verwondingen bezweken. Nog voor zijn dood wist hij de absolute macht over te dragen aan zijn zoon, die nu als Gustaaf IV het land bestuurt.

Het was Gustaaf III die in 1772 via een staatsgreep een eind aan de vrijheidsstrijd in Zweden maakte. De aanleiding daartoe was een door de Hoeden opgezette militaire opstand in Finland ten gunste van het koninklijk gezag. Gebruik makend van de verwarring onder de toen regerende Mutsen wist de koning door snel te reageren het absolutisme te herstellen. Zo liet hij een nieuwe regeringsvorm uitvaardigen die de Rijksraad tot adviesorgaan degradeerde. De Rijksdag mocht alleen nog vergaderen als de koning dat wilde en had nog slechts invloed bij oorlogsverklaringen en het bepalen van belastingen. De verdere wetgevende taken lagen voortaan weer bij de koning. Gustaaf III regeerde als een verlicht despoot. Hij had oog voor de noden van het volk: bij slechte oogsten liet hij graan importeren en hij stimuleerde de boeren de voedselproduktie op te voeren. De rechtspraak werd ingrijpend verbeterd en de religieuze vrijheden van minderheden (zoals joden) werden uitgebreid. Ter consolidatie van zijn positie voerde hij echter een strenge censuur en een geheime politiemacht in.

Onder Gustaaf maakte Zweden een culturele bloeiperiode door. Frankrijk werd als politiek en cultureel voorbeeld beschouwd en het Zweedse hof werd het 'Versailles van het Noorden' genoemd. Dichters als Bellman en Kellgren braken internationaal door en ook op muzikaal en architectonisch gebied werden opmerkelijke prestaties geleverd.

De weelde aan het hof werd uit zwaar drukkende belastingen bekostigd. Ook de koning zelf was heel talentvol: hij maakte gedichten, leidde het hoftheater, schreef opera's en gedichten en richtte academies voor muziek en beeldende kunsten op.

In 1788 begon Gustaaf een nieuwe oorlog met Rusland om meer invloed in het Baltische gebied te krijgen. De adel protesteerde tegen deze ongewenste oorlog, waarop de koning met behulp van de drie andere standen een tegen de adel gerichte *Wet voor Eenheid en Veiligheid* afkondigde. Zo werden de voorrechten van de adel met betrekking tot het grondbezit, de toetreding tot staatsambten en bij de rechtspraak afgeschaft. Het was vermoedelijk de haat van de adel die tot de moordaanslag van 16 maart leidde.

# Mobilisatie van Franse vrijwilligers

*'Vrijheid of dood', de leuze waarmee Franse vrijwilligers de oorlog ingaan.*

PARIJS, 22 juli - De Wetgevende Vergadering heeft een oproep aan alle Fransen laten uitgaan. De tekst luidt: 'Talrijke troepen naderen onze grenzen; al degenen die de vrijheid verafschuwen nemen de wapens tegen onze Grondwet op. Burgers, het Vaderland is in gevaar![...]' De oproep heeft tot doel zoveel mogelijk vrijwilligers te werven ter versterking van het regulie-re Franse leger. Dat is op dit moment nauwelijks op zijn taak berekend. Frankrijk verklaarde in april Oostenrijk de oorlog. Er heerste al enige tijd een oorlogszuchtige stemming in de Wetgevende Vergadering, met name onder de Girondijnen. Hun woordvoerder, Brissot, verklaarde dat de geëmigreerde adel een herstel van het oude regime voorbereidde met de hulp van conservatieve vorsten zoals keizer Leopold van Oostenrijk. Hij wees daarbij op de Declaratie van Pillnitz van augustus vorig jaar. Frankrijk zou een aanval niet gelaten moeten afwachten, maar zelf de strijd moeten beginnen. Vol van de idealen van de revolutie veronderstelde Brissot bovendien dat alle andere Europeanen uitkeken naar de komst van Franse troepen om zelf tegen hun vorsten in opstand te kunnen komen.

Brissot wist vele afgevaardigden te overtuigen. Een oorlog werd ook door de conservatieven aangemoedigd. Zij hoopten heimelijk op een nederlaag van het Franse leger. Dat zou de weg kunnen openen voor het herstel van het oude regime. Robespierre, de leider van de Jakobijnen, waarschuwde bijna als enige voor de gevaren. Het Franse leger was door de revolutie uiteengevallen en nog nauwelijks gereorganiseerd. Een oorlog zou ook een grote financiële last betekenen. Wat het verspreiden van de idealen van de revolutie aangaat verklaarde hij: 'Niemand houdt van gewapende missionarissen.' De waarschuwingen van Robespierre bleken terecht. Bij de opmars naar Luik, in de Oostenrijkse Nederlanden, sloeg het Franse leger bij de eerste de beste tegenstand op de vlucht. Oostenrijkse troepen drongen vervolgens Noord-Frankrijk binnen, maar hielden al snel halt. Hun Pruisische opperbevelhebber, de bejaarde hertog van Brunswijk, is een voorzichtig strateeg, die liever geen risico's neemt. Ondertussen was de onrust onder de Franse bevolking na de nederlaag flink toegenomen. In Parijs keerde de woede zich niet tegen de Wetgevende Vergadering, maar opnieuw tegen de koning en de vertegenwoordigers van het oude regime. Op 20 juni drong een grote menigte het paleis binnen. De Nationale Garde kon haar nauwelijks in bedwang houden. Lodewijk XVI wist zijn leven te redden door zich zeer gaand op te stellen. Hij zette ond meer een hem aangereikte muts op va het soort dat de patriotten dragen.

In andere delen van Frankrijk keer het nieuws van de nederlaag zich wel t gen de volksvertegenwoordiging. H en der vonden en vinden contrarevo tionaire opstandjes plaats.

De Wetgevende Vergadering dreig haar greep op het land te verliezen. N lang aarzelen besloot men het volk te roepen het vaderland te verdedige Het risico is dat de situatie nog ver uit de hand kan lopen wanneer ve burgers de beschikking over wape krijgen. De oproep kan echter ook ee hernieuwde eensgezindheid en ve broedering teweegbrengen. Bove dien moet de volksvertegenwoord ging een snelle oplossing voor zwakte van het leger vinden.

## Graaf van Sandwich bekend om goklus

LONDEN, 30 april - In Londen is John Montagu, de vierde graaf van Sandwich, op 73-jarige leeftijd overleden. Montagu heeft een aantal hoge posities bekleed. Zo was hij tot tweemaal toe minister van Marine.

Tijdens zijn laatste ambtsperiode is er bijzonder veel kritiek op hem geweest. Publiekelijk werd hij beschuldigd van wanbeleid, corruptie en verslaving aan gokken. Hoewel de meningen verdeeld zijn over in hoeverre de eerste beschuldigingen hout snijden, kan men onm gelijk iets afdingen op de gokzucht v de Engelse graaf. Montagu presteer het in 1762 om meer dan vierentwint uur achter elkaar aan de goktafel blijven zitten. Zelfs voor de maaltijd werden er geen pauzes ingelast. plaats daarvan gaf de graaf van San wich zijn bedienden opdracht vlees tu sen twee sneetjes brood te serverer Deze broodjes worden sindsdi 'sandwiches' genoemd.

# Opnieuw revolutie in Parijs: Lodewijk XVI gevangengezet

PARIJS, 10 augustus - Een groot aantal doden na hevige gevechten bij de Tuilerieën, Lodewijk XVI gevangengezet, de grondwet afgeschaft. Dat zijn de resultaten van de volksopstand die de afgelopen nacht en vandaag in de Franse hoofdstad woedde. De revolutionaire wijkraden of secties van Parijs hadden vijf dagen geleden al met een opstand gedreigd als hun eisen niet werden ingewilligd. De Wetgevende Vergadering negeerde de dreigementen en zocht evenmin naar een compromis.

Het is in Parijs deze zomer bijna voortdurend onrustig geweest, maar het Manifest van de hertog van Brunswijk, waarin geëist werd de koning te ontzien, zorgde voor een stroomversnelling. Het werd op 1 augustus bij de bevolking bekend. De reactie van enkele van de meest radicale secties was de eis dat de koning zou aftreden en zou worden aangeklaagd vanwege samenwerking met de vijand. Een petitie van deze aard werd aan de Wetgevende Vergadering verzonden met de mededeling dat men 'geduldig zou wachten in vreedzaamheid en waakzaamheid [...] maar dat, als het volk geen recht werd

*De verovering van de Tuilerieën in Parijs (door Jacques Bertaux, 1792).*

gedaan, door de afgevaardigden op donderdag 9 augustus om 11 uur 's avonds, nog dezelfde dag, om middernacht, de alarmklok zal luiden en de trom zal worden geroerd, en iedereen tegelijk in opstand zal komen.'

Vannacht was het zo ver. Vertegenwoordigers van het merendeel van de wijkraden bezetten het stadhuis en rie-pen zichzelf uit tot de nieuwe gemeenteraad. Vanmorgen om acht uur vertrok er een gewapende menigte vanuit de wijk Saint-Antoine naar de Tuilerieën. Men zong behalve het revolutionaire lijflied 'Ca Ira' een nieuw lied, de 'Marseillaise'.

De gevechten die bij de Tuilerieën uitbraken, hadden vele honderden doden tot gevolg. Het merendeel van slachtoffers viel onder het Zwitser regiment dat het paleis verdedigde. I koning en zijn familie zochten met ve moeite hun toevlucht in het gebou van de Wetgevende Vergadering. I president beloofde hun beschermin Maar de geslaagde invasie van de Tu lerieën betekende dat de radicale se ties hadden gewonnen. De Wetgeve de Vergadering kon niets anders doe dan aan hun eisen toegeven.

Het nieuw opgerichte gemeenteb stuur, of de Commune, wordt erker als de belangrijkste macht in de hoof stad. De koning is van al zijn bevoeg heden ontheven en gevangengezet in grote toren van de Temple. De uitvo rende macht is inmiddels overgedrage aan een ministerraad, gekozen doo het meest radicale deel van de Wetg vende Vergadering. Ook de eis van al gemeen kiesrecht wordt uitgevoerd. worden tevens verkiezingen uitg schreven voor een zogenaamde Nati nale Conventie, die moet gaan werke aan de noodzakelijke herziening va de grondwet. Zodra die is geïnsta leerd, wordt de Wetgevende Vergad ring opgeheven.

## Parijse Commune wil moordpartijen halt toeroepen

PARIJS, 6 september - De Commune (het gemeentebestuur van Parijs) heeft de inwoners opgeroepen een eind aan de moordpartijen in en bij de gevangenissen te maken. De afgelopen vier dagen zijn ruim duizend gevangenen op wrake gruwelijke wijze omgebracht. Onder hen zijn vele priesters en edelen, die waren opgesloten op verdenking van samenwerking met de vijand. Ook gewone misdadigers werden echter het slachtoffer en eergisteren vond een nog onbekend aantal prostituées de dood in de La Salpétrière-gevangenis.

De moordpartijen zijn het gevolg van aanhoudende geruchten dat er zich in Parijs een 'vijfde colonne' zou bevinden. De sinistere plannen van de contrarevolutionairen zouden in werking treden zodra het Oostenrijks-Pruisische leger van de hertog van Brunswijk de hoofdstad bereikt. Op dit moment belegeren zijn troepen Verdun. Hoewel dat nog zo'n 200 kilometer ten oosten van de hoofdstad ligt, brak er onder de Parijzenaars grote paniek uit toen het nieuws op 2 september bekend werd. De Commune liet de stadspoorten sluiten en vaardigde een proclamatie uit waarin stond te lezen: 'Burgers! De vijand staat aan de poorten van Parijs; Verdun houdt hem nog tegen, maar kan hoogstens acht dagen standhouden [...] Dat er zo snel mogelijk een leger van 60 000 man wordt gevormd!' Nog dezelfde dag werd een konvooi van gevangen priesters bij de abdij van Saint-Germain door zo'n vijftig radicale revolutionairen aangehouden. Zij beschuldigden de priesters ervan met de vijand te heulen en voltrokken ter plekke de doodstraf.

Het was het startsein voor een soort volksgericht tegen iedereen die twijfels uitte over de koers van de revolutie. Opvallend is wel dat de bevolking niet massaal deelneemt aan de moordpartijen. Bij alle grote gebeurtenissen van de afgelopen jaren waren veelal duizenden Parijzenaars betrokken, terwijl de groepen 'septembermoordenaars', zoals ze al worden genoemd, maak uit niet meer dan 200 radicalen bestaan.

De autoriteiten hebben tot nu toe weinig gedaan tegen het ombrengen van al dan niet vermeende 'landverraders'. De centrale overheid, de Wetgevende Vergadering, heeft na de gebeurtenissen van 10 augustus weinig meer in te brengen als het gaat om de openbare orde. De Commune heeft nog wel enige invloed op de Nationale Garde, maar heeft deze burgermilitie geen enkel bevel gegeven op te treden. De Commune telt een aantal zeer radicale leden en die waren waarschijnlijk niet afkerig van een 'opruiming' onder adel en geestelijkheid.

# Frankrijk nu officieel republiek

PARIJS, 22 september - Zonder veel ophef is Frankrijk vandaag een republiek geworden. De Nationale Conventie maakte slechts bekend dat vanaf heden alle stukken van de overheid zullen worden gedateerd op het jaar I van de Republiek. De nieuwe jaartelling krijgt waarschijnlijk weinig publiciteit uit angst voor een contrarevolutionaire reactie. Weliswaar functioneerde het koningschap niet meer sinds Lodewijk XVI op 10 augustus gevangengezet werd, maar formeel bleef zijn terugkeer tot nu toe mogelijk.

Met de nieuwe jaartelling wordt symbolisch een nieuw tijdperk ingeluid. Niet alleen is de monarchie opgeheven, maar het revolutionaire Frankrijk heeft ook voor het eerst bewezen sterk te staan tegen buitenlandse mogendheden. Twee dagen geleden werd in de Slag bij Valmy het Oostenrijks-Pruisische leger gedwongen zich uit Frankrijk terug te trekken. De Pruisen hebben de naam het beste leger van Europa te bezitten en generaal Dumouriez, opperbevelhebber van de Franse troepen, wordt hier nu als een held vereerd. De verbroedering uit de eerste periode van de revolutie lijkt even te zijn teruggekeerd. Ook de idealen over vrijheid en gelijkheid voor alle Europese volken komen weer ter sprake.

Toch zijn er in Frankrijk zelf nog genoeg problemen op te lossen. De nieuwe jaartelling is het eerste besluit van de zogenaamde Nationale Conventie. Deze volksvertegenwoordiging is de

*De Nationale Conventie roept de republiek uit (door Jean Jacques Champin).*

afgelopen weken getrapt gekozen als opvolger van de Wetgevende Vergadering. Die was door de gebeurtenissen van 10 augustus buiten spel gezet. De verkiezingen verliepen rustig, ondanks de gelijktijdig plaatsvindende moordpartijen in Parijs en op kleinere schaal elders in het land. Voor het eerst mochten alle Franse mannen stemmen. De opkomst was echter gering. Waarschijnlijk hebben velen geen gebruik van hun stemrecht gemaakt omdat ze niet weten wat de betekenis ervan is. De Wetgevende Vergadering was mede daarom al bezig met een verbetering van het onderwijs.

Een van de grootste discussiepunten in de Conventie zal de handhaving van het openbare gezag zijn. Sinds het begin van de revolutie in 1789 hebben opeenvolgende 'revolutionaire dagen' in Parijs de politieke situatie telkens drastisch veranderd. Tegen deze acties van het gewone volk is zelden opgetreden omdat vooral het nieuwe gezag van Frankrijk, de gegoede burgerij, er tot nu toe profijt van heeft getrokken. Nu echter door de 'septembermoorden' letterlijk een eind aan de oude macht is gemaakt, zou een volgende actie zich wel eens tegen de nieuwe autoriteiten kunnen richten.

## Luik en Zuidelijke Nederlanden bezet

JEMAPPES, 6 november - Franse troepen hebben de Zuidelijke Nederlanden en het prinsbisdom Luik veroverd. Dit is het resultaat van de nederlaag die de Fransen vandaag bij Jemappes aan de Oostenrijkse legers hebben toegebracht. Met 40 000 soldaten, onder wie zo'n 2500 Zuidnederlandse en Luikse vrijwilligers, had de Franse generaal C.F. Dumouriez niet veel moeite de numeriek zwakkere Oostenrijkers te verslaan. Zeker niet nadat een deel van de Belgische troepen uit het aanvankelijk 28 000 man tellende Oostenrijkse leger naar de vijand was overgelopen.

Op 20 april al hadden de Fransen Oostenrijk de oorlog verklaard. Eind oktober was Dumouriez met zijn troepen de Zuidelijke Nederlanden binnengetrokken. De Oostenrijkse legers zullen de Zuidelijke Nederlanden binnen enkele dagen verlaten.

Dumouriez heeft beloofd dat in de Zuidelijke Nederlanden in vrijheid een democratische grondwet gekozen mag worden en dat de blokkade van de Schelde zal worden opgeheven.

*De Nationale Garde verlaat Parijs om zich bij het Franse leger aan te sluiten.*

# Washington blijft aan als president

*George Washington met zijn zoon.*

PHILADELPHIA, 5 december - Het kiescollege van de Verenigde Staten heeft George Washington voor de tweede maal als president gekozen. John Adams is opnieuw vice-president geworden.

In zijn eerste ambtstermijn is Washington met diverse problemen geconfronteerd. Dat heeft zijn keuze om zich opnieuw verkiesbaar te stellen bemoeilijkt.

De taak van de president in zijn eerste ambtsperiode was tweeledig: het opzetten van een overheidsapparaat en het verwerven van steun voor het regeringsprogramma. Vooral dat laatste is niet helemaal gelukt.

Voor de eerste president van de Verenigde Staten waren moeilijkheden met het besturen van de jonge natie te verwachten; het opzetten van de departementen en de bestuursstructuur van de presidentiële macht brachten de nodige kinderziekten met zich. Maar het grootste probleem voor Washington was de verdeeldheid binnen de regering en het Congres over de economische plannen van Alexander Hamilton, de minister van Financiën. Binnen de regering maakte Thomas Jefferson ernstige bezwaren tegen de voorgestelde economische maatregelen. James Madison sprak in het Congres zijn ongenoegen uit over de economische rapporten van Hamilton. Zij vertegenwoordigden echter de gevoelens van een niet onaanzienlijk deel van de publieke opinie.

Een ander punt van tweespalt in het Congres en in de maatschappij was de Franse Revolutie. In het zich ontwikkelende conflict tussen de nieuwe Franse republiek en Engeland koos een deel van de Amerikanen partij voor het moederland. Anderen echter steunden de Franse revolutionairen.

**21 januari.** Lodewijk XVI wordt na zijn doodvonnis op 17 januari onthoofd. →

**23 januari.** Pruisen en Rusland komen de Tweede Deling van Polen per 7 mei overeen. Rusland bezet Litouwen en de West-Oekraïne, Pruisen Dantzig, Thorn, Posen, Gnesen en Kalisch. →

**13 februari.** Engeland, Oostenrijk, Pruisen, de Republiek, Spanje en Sardinië vormen de Eerste Coalitie tegen Frankrijk. Catharina de Grote van Rusland verbreekt de betrekkingen met Frankrijk.

**7 maart.** Frankrijk verklaart Spanje de oorlog. Spanje valt de Roussillon en Navarra binnen. →

**18 maart.** Het Franse leger lijdt bij Neerwinden een nederlaag. België wordt weer bevrijd. →

**26 maart.** Het keizerrijk Duitsland verklaart Frankrijk de oorlog.

**22 april.** De Verenigde Staten verklaren zich neutraal in de Europese oorlog.

**25 mei.** In de Vendée verstevigen de contrarevolutionairen hun positie. →

**2 juni.** In Frankrijk komt de regering van Girondijnen ten val. →

**13 juli.** Marat, een van de prominentste revolutionaire leiders in Frankrijk, wordt in bad door Charlotte Corday vermoord.

**23 augustus.** Alle Franse mannen (tussen 18 en 25 jaar) vallen onder de dienstplicht, de zogenoemde 'levée en masse'. →

**29 september.** In Frankrijk worden maximumprijzen en vaste lonen bij wet vastgesteld. →

**16 oktober.** Koningin Marie Antoinette van Frankrijk wordt onthoofd. →

**31 oktober.** Prominente Girondijnen worden in Parijs op de Place de la Révolution onthoofd. →

**Oktober.** In Frankrijk wordt een nieuwe tijdrekening ingevoerd.

- Het koninklijk paleis in Parijs, het Louvre, wordt museum.

- In Engeland wordt het Departement van Landbouw opgericht. →

- In de Verenigde Staten ontwikkelt Eli Whitney de katoenmachine, waardoor de produktie een grote vlucht neemt. →

- Jacques-Louis David maakt zijn schilderij *Marat in bad vermoord.* →

*Overleg tijdens de Eerste Poolse Deling (augustus 1772); vlnr: tsarina Catharina de Grote, Stanislaw Poniatovski, keizer Jozef II en Frederik de Grote.*

# Tweede Deling van Polen

WARSCHAU, 23 januari - Rusland en Pruisen hebben vandaag de delingsconventie van Polen getekend. Het is al de tweede keer dat het verzwakte en intern verscheurde koninkrijk Polen het slachtoffer wordt van de territoriale ambities van zijn buurlanden. In 1772 hebben Rusland, Oostenrijk en Pruisen het uit elkaar vallende land van de 'adellijke democratie' substantieel verkleind. De wanhopige pogingen van de koning en van het parlement om het land te ordenen, het leger te versterken en de grote adel tot een eendrachtige houding te dwingen, zijn mislukt.

Deze keer nemen Rusland en Pruisen delen van Polen in beslag die meer dan twee derde van het koninkrijk omvatten. Het koninkrijk wordt geplaagd door boerenopstanden, kleine oorlogen en onlusten. De talrijke unies en verenigingen ter redding van het vaderland, opgericht door de verontruste Poolse adel, worden gedwarsboomd door even talrijke organisaties van edellieden die elke poging tot hervormingen en het versterken van Polen als een persoonlijke belediging en bedreiging zien.

Al vijftig jaar kent Polen twee duidelijke stromingen: de hervormingsgezinde en de conservatieve stroming. Ondanks het conservatieve verzet slaagden de koning en de progressieve factie erin een aantal Verlichtingsideeën in Polen te introduceren.

De jurisdictie is gemoderniseerd, het werk van het parlement versoepeld. Er zijn pogingen gedaan om het lot van de boeren te verlichten. De invloed van Westeuropese rationalistische ideeën heeft geresulteerd in de oprichting van het eerste Europese ministerie van Onderwijs, en in hervorming van het onderwijs, zodat de burgers en boeren in het Poolse koninkrijk toegang tot scholen kregen.

Op 3 mei 1791 nam het Poolse parlement de grondwet aan, die grote gelijkenissen met de Franse grondwet vertoont: Polen werd een constitutionele monarchie, de adellijke willekeur aan banden gelegd. De opstand van de conservatieve adel tegen de vooruitstrevende grondwet heeft de uitwerking ervan echter totaal verlamd.

## Oostenrijk dringt Fransen terug uit Nederlanden

NEERWINDEN, 18 maart - De Oostenrijkers hebben opnieuw de Zuidelijke Nederlanden in handen. In een directe confrontatie zijn de Franse legers vandaag bij Neerwinden verslagen door de troepen van keizer Frans II. De Oostenrijkers, gesteund door de anti-Fransgezinde mogendheden Engeland, Pruisen en Holland, werden aangevoerd door Frederik van Saksen-Coburg.

De Franse opperbevelhebber C.F. Dumouriez is overgelopen naar het kamp van de geallieerden. Hij heeft na zijn overwinning vorig jaar bij Jemappes tevergeefs geprobeerd de Zuidelijke Nederlanden bij Frankrijk in te lijven. Het Franse leger is inmiddels begonnen zich terug te trekken uit wat weer de Oostenrijkse Nederlanden genoemd kunnen worden.

# Lodewijk XVI wordt onthoofd

*...inks Lodewijk XVI vlak voor zijn onthoofding op het schavot op de Place de la Concorde; rechts toont een van de beulen zijn hoofd aan de menigte.*

PARIJS, 21 januari - Even na tien uur 'anmorgen heeft de guillotine een ein-'e gemaakt aan het leven van Lode-'ijk XVI, de laatste koning van Frank-'ijk. Op de Place de la Révolution [de 'uidige Place de la Concorde] stonden 'n 20 000 toeschouwers zwijgend peengepakt. Pas na afloop van de 'xecutie, toen de beul het hoofd van 'e koning omhooghield, riep de me-'igte in koor: 'Leve de Natie!'
'odewijk XVI was door de Nationale 'onventie ter dood veroordeeld. Hij 'at sinds augustus vorig jaar gevangen. 'e voorbereidingen voor een proces 'ijn in gang gezet toen de Conventie 'nderhalve maand later aantrad. Er 'erd besloten dat men als volksverte-'nwoordiging de koning zelf zou be-'echten. Op 15 januari verklaarden de 'fgevaardigden bijna unaniem burger 'odewijk Capet schuldig aan het 'amenzweren tegen de algemene veilig-'eid van de Staat'.
'ver de strafmaat bestond grote ver-'eeldheid. Radicale leden eisten onver-'iddelijk de doodstraf, andere vonden 'at niet nodig en bovendien gevaarlijk 'anwege de mogelijke reacties. In een 'tting die 36 uur duurde omdat het me-'ndeel van de 749 afgevaardigden een 'emverklaring wenste af te leggen, 'erd de koning met een meerderheid 'an 5 stemmen ter dood veroordeeld. 'anwege fouten in de procedure werd 'e stemming een dag later nog eens 'vergedaan. Er bleef een meerderheid 'an 1 stem bestaan. Dat was voldoen-'e. Een eerder voorstel om dit belang-'jke besluit alleen met een twee derde 'eerderheid te nemen had het niet ge-'aald. En zo kon de beul gisteravond 't schavot opstellen.
'I zeer vroeg klonk vanmorgen in de 'ele stad tromgeroffel. Voor alle ze-'erheid waren er bijna 100 000 man

Nationale Garde en andere troepen op-geroepen. Zij werden in dubbele rijen opgesteld langs de boulevards die van de Temple-gevangenis naar de Place de la Révolution voeren. De koets met de koning werd nog eens begeleid door 1500 manschappen. De stoet vertrok om halfnegen in de grauwe ochtend-schemering. Het regende zachtjes.
Tegen tien uur bereikte men het eind-punt. De koning leek kalm toen hij de koets verliet, maar toen aan de voet van het schavot zijn jas werd uitgetrok-ken, zijn handen op zijn rug werden ge-bonden en zijn haar werd geknipt, ver-zette hij zich kort. Ondersteund door een geestelijke beklom hij vervolgens de ladder, het gezicht rood aangelo-pen. Eenmaal op het platform begon hij te roepen, maar zijn woorden wer-den overstemd door het tromgeroffel dat nu dubbel zo hard klonk. Toen het mes van de guillotine viel, was de ko-ning nog steeds aan het schreeuwen.

Na afloop van de executie haastte de menigte zich naar voren om het ko-ninklijke bloed aan te raken. De jas die Lodewijk XVI had moeten uittrekken, werd in stukken gescheurd en verdeeld. Onder het zingen van de Marseillaise werd nog een korte optocht gehouden, maar daarna hernam iedereen zijn da-gelijkse beslommeringen. Dat valt makkelijk te verklaren uit de grote on-verschilligheid die er onder de bevol-king heerste als het om de koning ging.

# Frankrijk en Spanje met elkaar in oorlog

PARIJS, 7 maart - De spanningen die tussen Spanje en Frankrijk heersen sinds het uitbreken van de Franse Re-volutie, zijn op een oorlog uitgelopen. Vier jaar lang heeft het geduurd voor-dat het tot een directe confrontatie kwam. De sentimenten tegen Frank-rijk zijn de laatste jaren hoog opgelo-pen en het valt te verwachten dat de oorlog van Spaanse zijde met grote ver-ve gevoerd zal worden.
De positie van Spanje was gecompli-ceerd vanaf het moment van het uitbre-ken van de Franse Revolutie (1789). Spanje was niet bang voor hervormin-gen op zichzelf, maar de Franse her-vormingen gingen Spanje te ver; de re-volutie daar tastte de wortels van de monarchie en de aristocratie aan en daagde de traditionele structuur van de Europese samenleving uit. De Spaanse positie werd nog ingewikkelder door-dat Spanje via het Bourbon-familie-verdrag van 1761 officieel met zijn buurland verbonden was.
Aanvankelijk werd door de regering gekozen voor een politiek van voor-zichtigheid en afwachten. Franse pu-blikaties werden onderworpen aan censuur om te voorkomen dat er te veel

nieuws uit Frankrijk naar Spanje over-waaide. Zo werd ook aan Franse emi-granten verboden zich in Madrid op te houden. Maar de stemming tegenover het revolutionaire Frankrijk werd steeds negatiever toen Frankrijk, in strijd met het familieverdrag, Spanje niet steunde in een conflict met Groot-Brittannië en ook bleef weigeren Lode-wijk XVI, een neef van Karel IV, vrij te laten.
De Spaanse regering bleef proberen de neutraliteit te handhaven. De gebeur-tenissen in Frankrijk van vorig jaar maakten dit echter bijzonder moeilijk. In dat jaar werd de eerste minister van Spanje vervangen door de 25-jarige Manuel Godoy, een gunsteling van het Spaanse koningspaar en naar men zegt de minnaar van koningin Maria Loui-se.
De executie van Lodewijk XVI dit jaar veroorzaakte grote verontwaardiging in Spanje. Godoy, die de Franse repu-bliek niet heeft erkend, eiste de veilig-heid van de rest van de Franse konink-lijke familie en het staken van Franse revolutionaire propaganda in andere landen. Deze eisen werden door de Franse Conventie afgewezen waarna

*Manuel Godoy, premier van Spanje.*

de oorlog tussen Frankrijk en zijn voormalige bondgenoot is uitgebro-ken. Spanje sloot zich direct aan bij de anti-Franse coalitie.

*Gewapende boeren uit de Vendée met aanvoerder Henri de Larochejaquelein.*

# Contrarevolutie in Vendée

PARIJS, 25 mei - De contrarevolutionaire opstand in de Vendée, het gebied ten zuiden van Bretagne, lijkt te zijn geslaagd nu de regeringslegers zich ook uit Fonteney hebben moeten terugtrekken. Zij waren niet opgewassen tegen het 'katholieke en koninklijke leger' dat bestaat uit inwoners van de Vendée en wordt aangevoerd door generaals uit het leger van Lodewijk XVI. Alleen in Nantes bevinden zich nog 'blauwen', zoals de soldaten van de regering worden genoemd vanwege de kleur van hun uniform.

De opstand in de Vendée begon naar aanleiding van de invoering van de dienstplicht, eind februari. In de voorgaande jaren had de volksvertegenwoordiging zich beperkt tot het aantrekken van vrijwilligers voor het leger. Nu kreeg elk departement, elke gemeente opdracht een voorgeschreven aantal mannen te rekruteren. Hoe dat moest gebeuren werd aan de burgers zelf overgelaten. In totaal moesten er 300 000 nieuwe soldaten komen. Her en der was er weerstand tegen deze dienstplicht; het kwam soms tot rellen. In de Vendée kwam het echter tot een ware volksopstand.

De boerenbevolking van de Vendée was in 1789 even enthousiast over de val van het oude regime geweest als de rest van Frankrijk. Men haatte het feodale systeem, maar er bestond in dit gebied ook van oudsher een afkeer van vreemdelingen. Ambtenaren van het nieuwe gezag werden met argwaan ontvangen. Vooral de komst van nieuwe priesters, ter vervanging van degenen die weigerden de verplichte eed op de grondwet af te leggen, zette kwaad bloed.

Er bestaat bovendien nauwelijks besef van een mogelijke buitenlandse vijand. De paniek die de invasie van het Oostenrijks-Pruisische leger in Parijs veroorzaakte, is aan de Vendée geheel voorbijgegaan doordat men tenslotte zeer ver van de noordoostgrens verwijderd is. De invoering van de dienstplicht werd dan ook als volstrekt overbodig beschouwd. Het was vooral de zoveelste maatregel van een centraal gezag waarmee men weinig te maken wil hebben.

Het verzet in de Vendée bood degenen die al sinds het begin van de revolutie hopen op een grote opstand een mogelijkheid hun droom te verwezenlijken. Er is de afgelopen maanden een opleving te zien geweest van contrarevolutionaire acties, juist omdat de revolutie gewonnen lijkt te hebben. De overheid is daardoor minder gespitst op mogelijke komplotten. De autoriteiten waren ook niet voorbereid op een opstand in de Vendée.

# Radicalen grijpen macht

PARIJS, 2 juni - In totaal 31 leden van de Nationale Conventie zijn vanavond gearresteerd. De arrestatie volgt op een dag vol spanningen, waarbij het gebouw van de Conventie door een groot aantal troepen werd belegerd. De gearresteerde afgevaardigden behoren allen tot de gematigde vleugel. Frankrijk zal voortaan geregeerd worden door een Conventie waarin alleen nog radicale leden zitting hebben.

De gebeurtenissen van vandaag vormen de afsluiting van een machtsstrijd tussen de verschillende groepen binnen de Conventie. Aan de ene kant stonden de Girondijnen, die hun naam ontlenen aan het departement Gironde, waar enkele belangrijke woordvoerders vandaan komen. Zij vertegenwoordigen de gegoede burgerij uit de provincie en hadden vooral veel macht in de Wetgevende Vergadering, die door de volksopstand van 10 augustus vorig jaar in Parijs gedwongen werd zichzelf op te heffen. De Girondijnen zijn er in de Conventie steeds op uit geweest de radicale invloed van het hoofdstedelijke gemeentebestuur en de wijkraden te verminderen.

Hun tegenspelers in de Conventie hebben hun machtsbasis juist in de hoofdstad. Zij nemen de hoogst gelegen zit-

*Vrijlating van de Jakobijn Marat door het revolutionaire tribunaal.*

plaatsen in de Conventie in en worde daarom de Montagnards, 'bergbewo ners', genoemd. Het merendeel va deze afgevaardigden maakt deel uit van de politieke club van de Jakobi nen. Hun belangrijkste woordvoerde is Robespierre. Zij vertegenwoordige vooral de kleinere burgerij, zoals d middenstanders en de geschoolde a beiders.

Toen de Conventie vorig jaar septe ber werd geïnstalleerd, vormden de G rondijnen en de Montagnards slech kleine groepen, die elk probeerde greep te krijgen op de grote hoevee heid afgevaardigden die er minder du delijke meningen op na hield. De Vla te of het Moeras zoals zij werde genoemd, stemde nu eens met de G rondijnen, dan weer met de Monta gnards mee. De balans is vanwege ee aantal gebeurtenissen doorgeslagen het voordeel van de radicalere Jakobi nen.

In sommige delen van Frankrijk is laatste maanden sprake van een bu geroorlog. Met name in de Vende slaagt de centrale overheid er niet in macht van de contrarevolutionairen breken. Er bestaat bovendien het risic dat de opstandelingen steun uit het bu tenland zullen krijgen. Het enthous asme om de revolutie over heel Europ te verbreiden, leidde begin dit jaar e toe dat de Conventie ongeveer alle E ropese landen de oorlog heeft ve klaard. Het ging toen nog goed met h Franse leger, maar dat is inmiddels ni meer zo. Half maart leden de troepe van opperbevelhebber Dumouriez ee gevoelige nederlaag bij Neerwinden België. In Parijs ontstond opnieuw vrees dat contrarevolutionairen m hulp van een invasie van vijandelij troepen de kans zouden benutten o de macht te grijpen.

In deze situatie was het niet moeilijk bevolking op te roepen tot nieuwe a tie. Het initiatief daartoe werd gen men door enkele Parijse wijkrade Men eiste de arrestatie van gematig leden van de Conventie omdat zij h voortbestaan van de revolutie Frankrijk op het spel gezet zouden he ben.

# 'Cotton gin' verhoogt katoenproduktie

*Negerslaven aan het werk met de 'cotton gin', de katoenmachine van Eli Whitney.*

GEORGIA - De 27-jarige Eli Whitney uit Connecticut heeft een machine uitgevonden die het ontzaden van katoenpluis makkelijker maakt. Door de 'cotton gin', zoals de machine wordt genoemd, kan de katoenproduktie aanzienlijk worden verhoogd en kunnen er meer slaven op de plantages tewerkgesteld worden. De Amerikanen kunnen met de uitvinding van Whitney een antwoord geven op de toegenomen vraag naar ruwe katoen - veroorzaakt door Engelse uitvindingen als de 'spinning jenny' (een soort gemechaniseerd spinnewiel) en de fijnspinmachine. Het plukken van de katoen gebeurt in Amerika op grote plantages in de zui-

delijke staten. Aan het hoofd van zo'n plantage staat een blanke. Het katoenplukken zelf wordt door slaven gedaan: negers die vaak eigendom van de plantagehouder zijn.

De katoenhandel en -markt hebben als stapelmarkt met problemen te kampen. Zo is de katoenmarkt zeer gevoelig voor vraag en aanbod en daardoor grillig en moeilijk te voorspellen.

Het belang van Whitney's uitvinding is voor de economie van het zuiden van de Verenigde Staten enorm groot. Een groot aantal fabrikanten heeft zich op de produktie van de machine gestort. Whitney probeert daarom patent op zijn uitvinding te verkrijgen.

*links twee vrolijke rekruten, rechts schrijven vrijwilligers zich in voor de militaire dienst.*

# Frankrijk kondigt totale mobilisatie af

PARIJS, 23 augustus - Na anderhalve week debatteren heeft de Conventie besloten tot een 'levée en masse'. In eerste instantie worden alle ongehuwde mannen tussen de 18 en 25 jaar onder de wapenen geroepen. De sterkte van het Franse leger zal daarmee op meer dan een miljoen manschappen komen. De oproep tot mobilisatie richt zich tot het hele volk: Getrouwde mannen zullen de wapens smeden en het transport regelen, vrouwen zullen de tenten en de kleding maken en in de ziekenhuizen dienen.'

Algemene mobilisatie is een tot nu toe onbekend fenomeen in Europa. Bij de gewone dienstplicht zijn er altijd legio mogelijkheden om vrijgesteld te worden. De Conventie heeft tot deze opmerkelijke stap besloten vanwege de voortdurende dreiging uit het buitenland. Frankrijk verkeert nog altijd op voet van oorlog met verscheidene Europese staten. Diplomatieke onderhandelingen met onder meer Engeland zijn zonder resultaat gebleven.

Daarnaast is er de afgelopen tijd een opleving van de angst voor reactionaire komplotten die met hulp van buitenlandse mogendheden zouden worden uitgevoerd. Half juli werd Marat, een zeer populaire en radicale journalist, in Parijs neergestoken door Charlotte Corday. Het is niet bewezen dat haar actie deel uitmaakte van een omvangrijke samenzwering, al zijn er diverse arrestaties verricht. Verder werd eind juli geheime correspondentie onthuld van de Engelse regering, waaruit zou blijken dat overal in Frankrijk provocateurs en spionnen aan het werk zijn. Vooral in de provincie groeit het verzet tegen de centrale overheid, maar het is de vraag of Engeland hierin de hand heeft. Het hangt eerder samen met de gebeurtenissen van 2 juni in Parijs, waarbij de gematigde vleugel van de Conventie geheel werd uitgeschakeld. De radicalisering van de centrale overheid zorgt voor onderlinge verdeeldheid in Frankrijk, te meer daar die overheid alle macht aan zich trekt.

Twee weken terug, nadat weer een nieuwe grondwet was aangenomen, bleek dat zeer duidelijk. Wettelijk moeten er nu verkiezingen komen, maar de leden van de oude Conventie weigeren op te stappen. Verkiezingen betekenen zonder twijfel een minder radicale volksvertegenwoordiging en daarmee wordt naar de mening van de zittende Conventieleden de voltooiing van de revolutie in gevaar gebracht. Dat doel gaat boven alles en dus is de nieuwe grondwet voorlopig opgeschort. De nu afgekondigde 'levée en masse' kan ook worden gezien als een poging de bevolking te doordringen van de gevaren die de revolutie bedreigen.

*an Paul Marat in bad doodgestoken door Charlotte Corday.*

## Franse regering bevriest lonen en prijzen

PARIJS, 29 september - Het leven van de Fransen wordt steeds meer door de overheid beïnvloed. Vanaf vandaag zijn de lonen en prijzen van een aantal belangrijke consumptiegoederen in Frankrijk aan een maximum gebonden. De maatregel is genomen om de sterke inflatie te beteugelen en om tegemoet te komen aan de voortdurende protesten tegen de schaarste van sommige levensmiddelen.

Al op 4 mei van dit jaar werd een eerste 'Wet van het Maximum' voor de brood- en meelprijzen uitgevaardigd. Er is toen fel gediscussieerd over de vraag in hoeverre een prijsstop in strijd is met het in de grondwet verankerde eigendomsrecht en het vrijheidsbeginsel. Voordat verdere stappen werden ondernomen, besloot de Conventie eerst een onderzoek naar het loon- en prijsverloop sinds 1790 te doen.

De 'Wet van het Algemene Maximum', die nu van kracht is geworden, maakt gebruik van dit onderzoek, maar de invoering is vooral het gevolg van de radicalisering van de Conventie in de afgelopen zomer. De invloed van de revolutionaire 'sans-culottes', de kleine burgerij van Parijs, is sterk vergroot. Zij zijn voorstanders van prijsregulering en gaan uit van het standpunt dat 'het eigendomsrecht niet het recht kan inhouden medeburgers te laten verhongeren'.

Een rem op de lonen behoort niet tot de eisen van de 'sans-culottes', maar wordt door de overheid noodzakelijk geacht vanwege de schrikbarende inflatie. Het assignaat, het papiergeld dat vanaf 1790 wordt gebruikt, bezit op dit moment nog maar 22 procent van zijn oorspronkelijke waarde.

Het 'Algemene Maximum' is een duidelijk voorbeeld van het streven van de overheid om meer greep op de maatschappij te krijgen. Sinds enige maanden kent het revolutionaire Frankrijk voor het eerst een machtig uitvoerend orgaan, het Comité du salut public. Dit dagelijks bestuur van de Conventie werd in april uit louter praktische overwegingen ingesteld. De leden zouden elke maand opnieuw worden gekozen om te voorkomen dat ze te veel macht kregen. Na de radicale machtsgreep van 2 juni is het Comité du salut public echter een soort regering met absolute volmachten geworden, waarvan de leden niet meer worden vervangen. Zij zijn allen radicale revolutionairen, vastbesloten om de laatste resten van het oude Frankrijk op te ruimen. Zo is een week geleden een wet aangenomen die de arrestatie mogelijk maakt van al degenen die niet pal achter de revolutie staan. Als de ambtenaren deze wet nauwgezet uitvoeren, zullen de gevangenissen binnenkort overvol zijn.

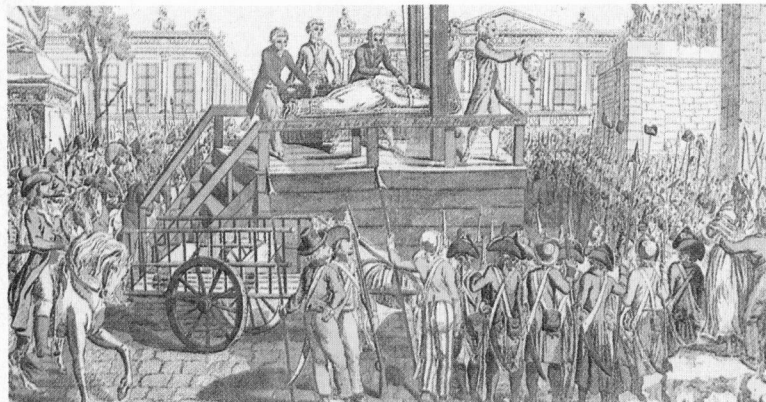

*Koningin Marie Antoinette van Frankrijk wordt in het openbaar onthoofd.*

# Topdagen voor guillotine

PARIJS, 31 oktober - De beul op de Place de la Révolution had vanmorgen 38 minuten nodig om een eind te maken aan het leven van twintig mannen uit de top van de Girondijnse partij. Zij werden afgelopen nacht ter dood veroordeeld na een proces van een week, waarin ze weinig kans kregen zich te verdedigen. Met hun terechtstelling is het aantal slachtoffers van de guillotine in oktober op 51 gekomen. Onder hen is ook de koningin, Marie Antoinette, die al meer dan een jaar gevangen zat.

Het is het Jakobijnse Comité du salut public ernst met de twee maanden geleden aangekondigde terreur tegen al zijn vijanden. Het zijn er velen. Onder hen bijvoorbeeld de 75 afgevaardigden van de Nationale Conventie die protest aantekenden tegen de machtsgreep van de Jakobijnen op 2 juni. Die dag werd ook een deel van de Girondijnse leiders gearresteeerd. Op hun veroordeling werd door extreme radicalen al lang aangedrongen. Zij wisten ook te bereiken dat de Conventie eergisteren besloot tot beëindiging van het proces tegen de Girondijnen, dat op 24 oktober was begonnen. De jury werd min of meer verplicht binnen 24 uur een uitspraak te doen. Hoewel de doodstraf op zich geen verbazing wekte, blijft de terechtstelling van vandaag opmerke-

lijk. Voor de eerste keer werd het schavot beklommen door mannen die actief aan de revolutie hadden meegewerkt. Toen waren het patriotten, nu zijn ze veroordeeld als vijanden van de revolutie.

In dat licht ligt de onthoofding van Marie Antoinette op 16 oktober meer in de lijn der verwachting. Het proces tegen de koningin duurde drie dagen. Haar contrarevolutionaire activiteiten werden haar het zwaarst aangerekend, maar er werden haar ook beschuldigingen ten laste gelegd uit de periode vóór de revolutie, grotendeels gebaseerd op roddelpraat. In de meeste gevallen verschool ze zich achter de autoriteit van haar echtgenoot en ontkende ze dat ze zelfstandig acties had ondernomen. Wellicht dacht ze op grond daarvan een milde beoordeling te krijgen, want terwijl ze tijdens de hele rechtszaak kalm bleef, was ze duidelijk met verbijstering geslagen toen ze de doodstraf hoorde uitspreken. Kort daarna werd ze op een boerenkar naar het schavot gevoerd, een muts op de kortgeknipte haren, de handen op de rug gebonden. Marie Antoinette laat een dochter en een zoon achter. De acht jaar oude Lodewijk XVII staat onder strenge bewaking van de overheid om te voorkomen dat hij in handen van de royalisten valt.

*Allegorie op het terreurbewind van Maximilien de Robespierre.*

# Engelse landbouw bloeit

*'Op weg naar de markt' (door Constant Troyon, 1859).*

LONDEN - In Londen is een nieuwe overheidsdienst opgericht: het Departement van Landbouw. Het departement wordt geleid door Arthur Young, bekend van zijn publikaties over landbouwkundige onderwerpen en het vanaf 1784 door hem geredigeerde tijdschrift *Annals of Agriculture*. De oprichting van een aparte overheidsdienst die zich alleen met landbouw gaat bezighouden, is geheel in overeenstemming met het belang dat aan een goed functionerende landbouw wordt gehecht. Door het invoeren van technische vernieuwingen is de landbouw de laatste decennia ingrijpend veranderd. Ze hebben geleid tot een enorme groei van de produktie. De spectaculaire vernieuwingen hebben ook buiten landbouwkringen de nodige aandacht getrokken. Koning George III heeft bij Windsor zijn eigen modelboerderij, waar hij zich bezighoudt met het fokken van merinosschapen. Naar het schijnt wordt de koning zo door zijn hobby in beslag genomen dat hij niet alleen onder het pseudoniem Ralph Robinson artikelen in de *Annals of Agriculture* schreef, maar er ook prijs op stelt om aangesproken te worden als 'boer George'.

De vernieuwingen die de produktiviteit van de landbouw zo hebben opgevoerd, komen vooral neer op een in-

tensiever gebruik maken van de gro[...] en het veredelen van gewassen en die[...] soorten. De ouderwetse landbou[...] waarbij de akkers van een dorp aa[...] eengesloten worden bebouwd, o[...] zoomd door woeste en gemene gro[...] den, is langzaam maar zeker aan h[...] verdwijnen. Door 'enclosures' of he[...] verkaveling van de landbouwgrond[...] ontstaan grote boerenbedrijven die [...] ficiënter geleid kunnen worden. In h[...] nieuwe systeem laat men ook geen la[...] braak liggen; men herstelt de vruch[...] baarheid van de grond door het pla[...] ten van bodemverbeterende gewass[...] en intensievere bemesting. Ook de to[...] genomen ontginningen vergroten [...] hoeveelheid bebouwd land.

De invoering van de nieuwe landbouw[...] technieken die niet alleen meer arbei[...] maar ook meer kapitaal vergen, wor[...] in verband gebracht met de gestad[...] gestegen graanprijzen. Hierdo[...] wordt het voor grootgrondbezitte[...] aantrekkelijk om geld in de landbou[...] te investeren. Hoewel de publikati[...] van Young en anderen vol staan m[...] voorbeelden van boeren die vernie[...] wingen invoeren, verloopt de mode[...] nisering van de landbouw maar lan[...] zaam. Het nieuwe departement hoo[...] dit proces door gerichte voorlichti[...] en het aanleggen van proefvelden [...] versnellen.

# Danton onthoofd: oppositie buitenspel

PARIJS, 6 april/22 germinal, jaar II - Gisteravond heeft de onthoofding plaatsgevonden van Danton, de leider van de gematigde vleugel in de Conventie. Met zijn terechtstelling is de oppositie geheel uitgeschakeld. Twee weken geleden ondergingen de leiders van de ultraradicale vleugel namelijk hetzelfde lot als Danton. De Conventie volgt nu weer geheel de koers van het door de Jakobijnen beheerste Comité du salut public.

De voorman van dit machtigste orgaan van Frankrijk, Robespierre, had al begin februari gezinspeeld op de uitschakeling van zowel de gematigde als de ultraradicale vleugel: 'De interne vijanden van het Franse volk zijn verdeeld in twee groepen. Ze marcheren onder banieren van verschillende kleuren en langs verscheidene wegen, maar ze marcheren naar hetzelfde doel: dat doel is de ontwrichting van de volksregering, de ruïnering van de Conventie, ofwel de triomf van de tirannie. De ene groep drijft ons naar de zwakheid, de andere naar het exces...'

De belangrijkste ultraradicale leiders werden op 14 maart gearresteerd. Onder hen was de journalist Hébert, naar wie de beweging ook wel wordt genoemd. Hébert had veel invloed in de Commune, het gemeentebestuur van Parijs. Zijn krant *Père Duchesne* werd met subsidie van de overheid gratis in de provincie en binnen het leger verspreid. Hébert was de laatste maanden zeer actief in de campagnes tegen het geloof. Zijn achterban is vooral te vin-

*Georges Jacques Danton, een van de grootste rivalen van Robespierre.*

den onder de 'sans-culottes', de radicale, kleine burgerij van de hoofdstad. Hij pleitte voor een betere verdeling van het bezit en zette zich sterk af tegen gegoede burgers, die volgens hem veel te rijk waren.

Nauwelijks twee weken voor zijn arrestatie nam het Comité du salut public een paar denkbeelden van Hébert over. De Conventie aanvaardde toen enkele wetten volgens welke de bezittingen van 'vijanden van de Revolutie' in beslag konden worden genomen ten gunste van 'armlastige patriotten'. Het zou kunnen dat deze 'decreten van ventôse' zijn uitgevaardigd om mogelijk verzet tegen de arrestatie van Hébert en

andere leiders in de kiem te smoren. Als dit het geval is, dan is de opzet gelukt. Noch de arrestatie, noch de onthoofding van de leidende Hébertisten heeft tot tumult van enige omvang geleid.

In het geval van de Dantonisten bestond er nauwelijks vrees voor rellen. Zij hadden weinig aanhang onder het volk van Parijs. Danton zelf genoot nog wel enige populariteit. Zowel qua postuur als qua redenaarstalent stak hij met kop en schouders boven de meesten van zijn collega's uit. Hij werd in augustus 1792 minister van Justitie en hield zich later binnen de Conventie enige tijd bezig met het buitenlandse beleid. De doctrine van de 'natuurlijke grenzen' van Frankrijk kwam uit zijn koker.

Danton had ook zijn zwakke kanten. Het was een publiek geheim dat hij zijn ruime inkomsten nooit op geheel legale wijze kon hebben vergaard. Als minister van Justitie richtte hij de revolutionaire rechtbanken op, maar toen deze een belangrijk instrument van de Terreur bleken, deed hij pogingen de gevolgen af te zwakken. Dit gebrek aan standvastigheid maakte hem ten slotte in de ogen van Robespierre en andere Jakobijnen gevaarlijk. Zij willen mensen die onvoorwaardelijk achter het ideaal van de Revolutie staan. De uitschakeling van Hébertisten en Dantonisten wordt ook als zodanig gerechtvaardigd. Achter idealistische overtuigingen gaat echter ook een pure machtsstrijd schuil, die tot op heden door de Jakobijnen is gewonnen.

# Pesjwa Sindia wilde Mahratten verenigen

POONA - In Poona is generaal en pesjwa (officieel de belangrijkste van de vijf Mahratten-generaals) Madhu Rao Sindia overleden. Daarmee is alle hoop vervlogen dat een vanuit Delhi bestuurd rijk zoals het Mogol-rijk, zij het dan met hindoebestuur, zou kunnen worden hersteld. Sindia was sinds 1785 de feitelijke machthebber aan het hof van Sjah Alam, die zelf in 1761 na een Afghaanse interventie tot keizer van de overblijfselen van het Mogol-rijk was gemaakt.

Het verval van het Mogol-rijk begon begin deze eeuw, nadat Bahadur Sjah I, de opvolger van Alamgir, stierf. Een opvolgingsstrijd verzwakte het rijk. In 1719 wist Mohammed Sjah de touwtjes in handen te krijgen. Door een verdeel-en-heerspolitiek te voeren wist hij de macht tot 1748 te behouden. Wel verloor hij het zuidelijk deel van zijn rijk dat in de jaren twintig door zijn eerste minister (nizam) Asaf Jah als een onafhankelijk rijk vanuit Hyderabad werd bestuurd.

De Sikhs werden in 1716 door de Mogols verslagen, en verloren definitief het pleit tegen de Mahratten. In 1738

wisten die de provincie Malwa te veroveren, waardoor het rijk van de nizam ook geografisch werd afgescheiden van Delhi. Eén jaar later werd Delhi na een Perzische invasie geplunderd. De Mogols wisten zich echter enigszins te herstellen en konden in 1748 een eerste Afghaanse invasie nog weerstaan. De dood van Mohammed Sjah in datzelfde jaar betekende het werkelijke einde voor het Mogol-rijk. In 1750 verloor het Goedsjarat en Surat en vier jaar later ook het welvarende Oudh en de Punjab. Bengalen was al eerder feitelijk onafhankelijk.

Afghaanse troepen veroverden in 1757 onder leiding van de kundige generaal Ahmad Sjah Abdali de stad Delhi. De regerende Mogols vroegen steun aan hun hindoeïstische zuiderburen, de Mahratten, die op 13 januari 1761 bij Panipat slag leverden tegen de Afghanen. De Mahratten moesten zo'n gevoelige nederlaag incasseren - 75 000 manschappen sneuvelden - dat het hun ruim tien jaar kostte weer een machtspolitieke factor van betekenis te worden.

De confederatie van Mahratten-staten

*De Groot-Mogol van India (18de eeuw).*

veranderde nu in vijf vrijwel onafhankelijke staten, die ook elkaar bestreden. Madhu Rao Sindia bleek de sterkste van de vijf generaals, die zijn grootste rivaal Holkar versloeg, het pesjwaschap in Poona verwierf, in het noordwesten de Rajputen versloeg en vanaf 1785 de controle over het hof van Sjah Alam verkreeg.

# Parijs viert Feest van het Opperwezen

*De viering van het Feest van het Opperwezen in Parijs (door Pierre Antoine Demachy).*

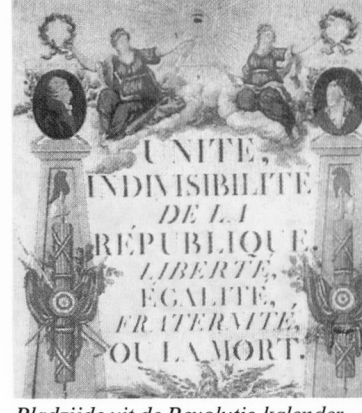

*Bladzijde uit de Revolutie-kalender.*

## Nieuwe kalender in Frankrijk

PARIJS - Om de breuk die het revolutionaire bewind met het verleden betekent te accentueren heeft men in de Franse Republiek in oktober vorig jaar een nieuwe tijdrekening ingevoerd. Daarbij is men met de jaartelling over nieuw begonnen, zodat het thans het jaar II is. Ook de namen van de maanden zijn nieuw (bijvoorbeeld Vendémiaire voor januari, Brumaire voor februari enzovoort). Ze werden bedacht door de dichter Fabre d'Eglantine. Iedere maand heeft 30 dagen en zo nodig een extra dag, een zogenaamde 'jour sans-culottide', die gewijd is aan Deugd, Vernuft, Werkzaamheid, Gezindheid en Beloning.

PARIJS, 8 juni/20 prairial, jaar II - 'Onvergetelijk', 'ontroerend', 'overweldigend'. Dat was de teneur van de reacties na afloop van het Feest van het Opperwezen dat vandaag in de Franse hoofdstad plaatsvond. Het is het eerste van de religieuze feesten die de Conventie ter vervanging van de oude christelijke feestdagen heeft ingesteld. Het merendeel van de Fransen heeft zich sinds de Revolutie tegen de Kerk als instituut gekeerd, maar is nog altijd diepgelovig. De nieuwe feestdagen moeten voor dit dilemma uitkomst bieden.

Het besluit van de Conventie is ook een reactie op de vooral door de Hébertisten gevoerde campagne tegen elke vorm van godsdienst. Priesters moesten het op straat ontgelden en in november vorig jaar liet de Commune, het Parijse gemeentebestuur, alle kerken sluiten. De Notre-Dame was inmiddels in gebruik als 'Tempel van de Rede'. Het Comité du salut public reageerde hier niet direct op. Pas later ontstond het besef dat de 'Cultus van de Rede' het bestaan van God volledig ontkende. Steun aan zo'n beweging zou kunnen leiden tot een breuk tussen de overheid en het volk. Niet voor niets luidt artikel 1 van de wet die de nieuwe feestdagen regelt: 'Het Franse volk erkent het bestaan van God en de onsterfelijkheid van de ziel.'

De religieuze gevoelens van de Fransen richtten zich na de federatiefeesten van vier jaar geleden op de Revolutie zelf. Er ontstond een soort geloof in de Natie, compleet met eigen riten, lofzangen en symbolen. Er is het altaar voor het Vaderland, de Vrijheidsboom, de tafel van de Grondwet, de pilaar van de Rechten van de Mens. Er wordt gesproken over de Heilige Gelijkheid, de Heilige Vrijheid en de Heilige Berg, een verwijzing naar de benaming van de Jacobijnen in de Conventie. De opzet

van de nieuwe feestdagen sluit bij al deze gebruiken aan.

Vandaag eindigde de ceremonie bijvoorbeeld op het Champ de Mars, waar een grote berg was gebouwd met op de top een vrijheidsboom. De hele dag was tot in details voorbereid. Om 8 uur vertrok de bevolking vanuit elke wijk in keurig opgestelde rijen naar de Jardin National, de voormalige Tuilerieën. De mannen droegen zwaarden en eikeloof, de vrouwen bossen rozen en manden met bloemen. De ceremonie werd geleid door Robespierre. Gestoken in een hemelsblauwe jas riep hij het Opperwezen aan. Daarop zongen alle aanwezigen een loflied dat de avond tevoren was gerepeteerd. Het massale gezang maakte op iedereen een diepe indruk. Er werd nog een standbeeld van de Wijsheid onthuld en toen ging men per wijk weer op weg naar het Champ de Mars, waar de stoet werd ontbonden.

# Kabelballon draagt bij aan Franse zege

FLEURUS, 26 juni - Voor de tweede keer in twee jaar tijds hebben Franse troepen de Oostenrijkers uit de Zuidelijke Nederlanden verjaagd. De directe en bloedige confrontatie tussen beide legermachten bij Fleurus, even ten noorden van Charleroi, is vandaag in het voordeel van de Fransen beslecht. Het Oostenrijkse leger, versterkt met Engelse, Pruisische en Hollandse soldaten, bleek niet opgewassen tegen de troepen van opperbevelhebber J.B. Jourdan.

Het feit dat de 32-jarige Jourdan op het uitgestrekte en onoverzichtelijke slagveld gebruik kon maken van een kabelballon heeft in belangrijke mate bijgedragen aan zijn succes. Met de 'l'Entreprenant' konden de bewegingen van het vijandige leger nauwkeurig worden waargenomen. Ballonvaarders wierpen steeds briefjes met aanwijzingen over troepenverplaatsingen en met andere informatie in ballastzakjes naar beneden. Het is de eerste keer dat gebruik gemaakt is van een dergelijke observatiemethode. De Fransen hebben het nieuwe middel doeltreffend uitgebuit.

Rond 19.00 uur bliezen de Oostenrijkers de aftocht. Op het slagveld bleven zo'n 14 000 doden, onder wie

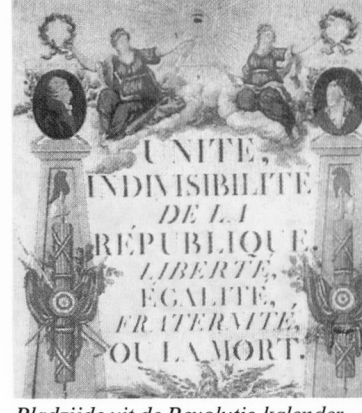

*De Franse kabelballon, waarmee generaal Jourdan de Oostenrijkers verslaat.*

ongeveer 5000 Fransen, achter.
De Zuidelijke Nederlanden zijn door het terugtrekken van de Oostenrijkers weer onder Franse heerschappij gekomen. Ook in 1792 veroverde Frankrijk het gebied na de Slag bij Jemappes,

maar amper vier maanden later keerden de Oostenrijkers triomfantelijk terug. Zij zegevierden bij Neerwinden welke overwinning nu weer ongedaan is gemaakt. De Fransen willen de bezetting deze keer langer volhouden.

# Revolutie 'versteend' na val Robespierre

PARIJS, 28 juli/10 thermidor, jaar II - aan het begin van de avond is Robespierre, een van de grootste leiders van de Revolutie, samen met 22 anderen onthoofd. Het publiek verborg zijn vreugde niet tijdens de terechtstelling. Robespierre was in de ogen van velen de verpersoonlijking van de Terreur. Hij was de voorman van het machtige Comité du salut public. De directe oorzaak van zijn val is een machtsstrijd binnen dit orgaan.

Na de machtsgreep van juni 1793 werd Robespierre de belangrijkste man van Frankrijk. Hij was niet het type om een volksheld te zijn. Zijn gezag ontleende hij eerder aan zijn onkreukbaarheid, een weinig voorkomende eigenschap onder Franse politici. Een deugdzaam leven was voor hem de grondslag van de ideale maatschappij en hij was er ook van overtuigd dat deugdzaamheid van nature door het volk wordt nagestreefd. De Terreur was voor Robespierre een middel om alle kwade elementen uit te schakelen, zodat ten slotte de goedheid van het volk zou zegevieren. In de praktijk leidde de Terreur vooral tot een atmosfeer van angst en wantrouwen, die alle successen van de Revolutie is gaan overschaduwen. Vooral sinds begin juni was niemand zijn leven meer zeker. Er werd toen een wet ingevoerd, waardoor de revolutionaire rechtbanken verdachten alleen nog maar konden vrijspreken of naar het schavot sturen. Het aantal terechtstellingen nam schrikbarend toe. In Parijs vonden van maart vorig jaar tot juni dit jaar gemiddeld 3 onthoofdingen per dag plaats. Het gemiddelde van de afgelopen periode is 30 per dag.

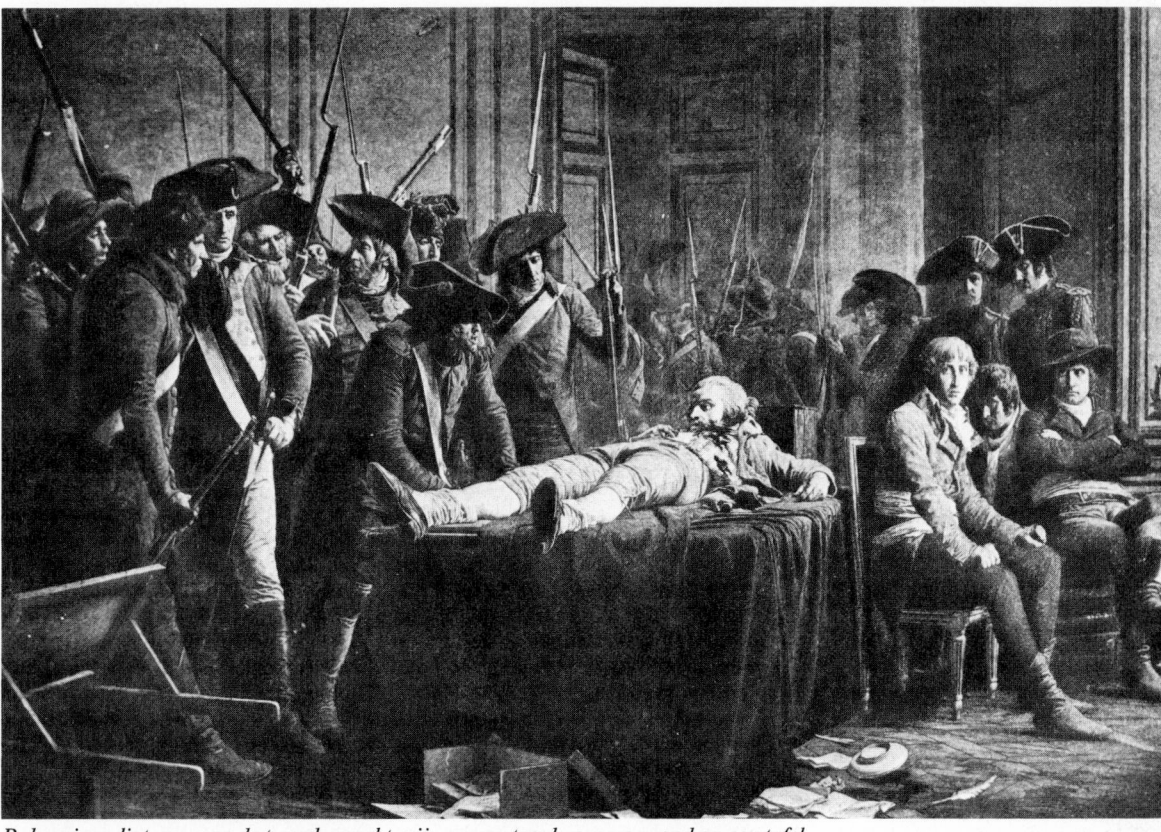

*Robespierre ligt, na voor de tweede maal te zijn gearresteerd, zwaargewond op een tafel.*

Eensgezindheid binnen het Comité du salut public en de Conventie was de basis waarop de meest tirannieke wetten met succes werden uitgevoerd. De verheviging van de Terreur heeft er mede toe geleid dat deze eensgezindheid is verbroken. Individuele leden van de Conventie voelden zich nu persoonlijk bedreigd. Om het gevaar af te wenden keerden zij zich tegen de man die strikt volhardde in zijn overtuiging dat de Terreur uiteindelijk een deugdzame maatschappij zou opleveren: Robespierre.

In hoeverre Frankrijk nu een andere koers zal gaan varen is onzeker. Het vurige enthousiasme van de bevolking in de beginperiode van de Revolutie is in ieder geval aanzienlijk bekoeld. Terecht merkte een van de naaste medewerkers van Robespierre, de nu eveneens onthoofde Saint-Just, al enige tijd geleden op dat de 'Revolutie is versteend'.

# Verzet Ohio-Indianen definitief gebroken

OHIO, 20 augustus - Het Amerikaanse legioen van generaal Wayne heeft het leger van de verenigde Ohio-Indianen een beslissende nederlaag toegebracht. Het Indiaanse verzet in het Ohio-gebied is hiermee definitief gebroken. Het noordwesten van Amerika ligt open voor de kolonisatie door de blanken.

In de jaren na de Vrede van Parijs (1783) hebben zich tienduizenden Amerikaanse kolonisten in de Ohio-vallei gevestigd. Het land tussen de Appalachen en de Mississippi is bij de vrede met de Engelsen aan de Verenigde Staten overgedragen. Bij de vredesonderhandelingen is er echter geen rekening mee gehouden dat dit land eigenlijk aan de Indianen toebehoort. De Indianen in het gebied leven voornamelijk van de jacht en wat landbouw. Hun cultuur, die heel anders is dan die van de kolonisten, werd bedreigd door Engelse, Franse en Amerikaanse rivaliteit en de oprukkende blanke kolonisten met hun technologische superioriteit.

Spoedig ontstonden er gevechten tussen de pioniers en de Indianen. President Washington besloot in 1790 een Amerikaans leger onder leiding van generaal Harmar naar de rivier de Maumee te sturen om het verzet van de Indianen te breken. De veldtocht werd voor de Amerikanen een complete mislukking: ze verloren tweehonderd man. Het Indiaanse zelfvertrouwen werd door deze overwinning versterkt en de diverse stammen besloten zich aaneen te sluiten in de Indiaanse Confederatie. Ze spraken af gezamenlijk tegen de Amerikanen te vechten en geen land aan de kolonisten te verkopen. De Confederatie bracht de Amerikanen in 1791 opnieuw een zware nederlaag toe. Generaal Anthony Wayne ('Mad Anthony') organiseerde ten slotte een campagne tegen de Ohio-Indianen die wel succesvol was. Met een numeriek overwicht wist hij de Indianen in de Slag bij Fallen Timbers te verslaan.

Wayne heeft het in deze slag moeten opnemen tegen zo'n 1500 tot 2000 Indianen die zich achter een natuurlijke blokkade van gevallen bomen hadden opgesteld: de Miamis onder leiding van Little Turtle, Black Wolf met zijn Shawnee, de 'drie vuren' van de Ottawa, Chippewa en Pottawatomi onder leiding van Blue Jacket, Sauk en Fox, een paar Iroquois-Indianen en 70 blanke Canadese 'rangers'. Wayne beschikte over 2000 reguliere manschappen die hij de afgelopen twee jaar duchtig heeft getraind in de techniek van gevechten in bosrijk terrein; een jaar geleden heeft hij bovendien versterking gehad van een paar honderd geharde, bereden schutters uit Kentucky. Tegen deze troepen waren de Indianen niet opgewassen: het hele gevecht was in een tijd van veertig minuten voorbij. Wayne is inmiddels met zijn manschappen teruggekeerd in zijn winterkwartier in Greenville.

*De uit Pruisen afkomstige generaal Friedrich Wilhelm von Steuben sterft op 64-jarige leeftijd in Oneida County. In de Amerikaanse Onafhankelijkheidsoorlog schaarde hij zich aan de zijde van de kolonisten, drilde het leger en vocht met generaal Washington tegen de Engelsen.*

# Sterfte in Japan neemt af

*Straat in de Japanse hoofdstad Edo [Tokio] bij maanlicht.*

EDO - De hervormingsmaatregelen van de daimio Matsoedaira Sadanoboe lijken goede resultaten op te leveren.

Sinds de invoering van de eerste verordeningen in 1787 wordt Japan niet meer zo hard getroffen door tegenvallende oogsten die tot nu toe altijd tot hongersnoden en grote sterfte leidden. Dit is deels toe te schrijven aan de gunstige weersomstandigheden van de afgelopen zeven jaar. Een goede organisatie van de distributie van voedsel is daarbij een andere factor.

Tussen 1721 en 1786 nam door hongersnoden de bevolking van 26 miljoen tot 25 miljoen mensen af.

Sadanoboe zette met succes in zijn district, Sjirakawa, een distributiesysteem voor voedsel op. Zelfs tijdens het hoogtepunt van de Temmei-hongersnood in 1783, die vooral in de streek waarin Sjirakawa ligt vele slachtoffers maakte, kwam er in het district van Sadanoboe niemand van honger om.

De onlusten die in de zomer van 1787 uitbraken naar aanleiding van de schaarste aan voedsel en het slechte beleid dat door de autoriteiten werd gevoerd, leidden ertoe dat Matsoedaira Sadanoboe werd aangesteld als hoofd van een raad die hervormingen moest voorstellen.

Korte tijd later werd hij eveneens aangesteld tot adviseur van de sjogoen. In die functie kreeg hij in feite de macht van een regent.

Hij stelde maatregelen voor om de financiën van de staat weer gezond te maken, de corruptie van ambtenaren tegen te gaan en de criteria voor hun selectie en promotie te veranderen. Het muntstelsel moest worden herzien en er werden sancties getroffen tegen woekeraars. De rijsthandelaren, met name die van Osaka, werden onder toezicht van de centrale overheid gesteld, zodat zij niet meer met rijst konden speculeren. De prijzen van rijst werden van staatswege vastgesteld. Boeren werden aangemoedigd terug te keren van de steden naar het platteland, grond in cultuur te brengen en zich voort te planten om de bevolking weer op peil te brengen. Een ieder die zou proberen deze politiek tegen te werken, zou zwaar worden gestraft.

De meeste mensen zijn tevreden over deze maatregelen omdat de laatste zeven jaar de levensstandaard van het merendeel van de bevolking aanzienlijk is gestegen. Slechts degenen die afhankelijk zijn van industriële productie en van buitenlandse handel, worden door deze verordeningen getroffen. Daimio Matsoedaira Sadanoboe heeft namelijk de handelscontacten met Vietnam en de Filippijnen verboden en de productie van industriële goederen afgeremd door het vaststellen van productieplafonds. Verzet tegen deze politiek treft men dan ook op de eerste plaats in handelssteden als Osaka.

---

# 1795

**19 januari.** Franse troepen trekken Amsterdam binnen. De vloot valt bij Texel ongeschonden in Franse handen.

**15 februari.** In La Jaunaie sluit de Franse regering een pacificatie met de opstandelingen in de Vendée.

**Februari.** De Bataafse Republiek verklaart Engeland de oorlog. Engeland verovert Ceylon op de Republiek.

**8 maart.** Girondijnen keren terug in de Conventie. →

**11 maart.** De Mahratten verslaan de Mogols bij Kurdla, India.

**5 april.** Pruisen en Frankrijk sluiten vrede. Pruisen krijgt de Franse veroveringen op de oostoever van de Rijn en Pruisen bemiddelt over vrede voor Saksen, Hannover, de Palts en Hessen-Kassel.

**16 mei.** De Bataafse Republiek en Frankrijk sluiten een verdrag. →

**20 mei.** De Hongaarse revolutionair Martinovics wordt terechtgesteld. →

**20-25 mei.** Op verzoek van de Conventie slaat het leger rellen in de volksbuurten van Parijs neer. →

**27 juni.** Engelse troepen en Franse adellijke émigrés landen bij Quiberon om de Bretonse opstand te steunen. De invasiemacht wordt echter teruggeslagen.

**27 juli.** Spanje sluit vrede met Frankrijk en staat zijn deel van Santo Domingo af.

**22 augustus.** In Frankrijk wordt de derde grondwet afgekondigd, die de macht aan het Directoire geeft. →

**September.** Engeland verovert Kaap de Goede Hoop als kolonie voor prins Willem van Oranje, die tijdens de Franse inval in de Republiek naar Engeland vluchtte.

**1 oktober.** België wordt door Frankrijk geannexeerd. →

**5 oktober.** In Parijs breekt een monarchistische opstand uit. →

**24 oktober.** Pruisen, Oostenrijk en Rusland voeren de overeengekomen, derde deling van Polen uit. →

**27 oktober.** De Verenigde Staten en Spanje sluiten een overeenkomst over de grens tussen Florida en de VS. Ook krijgen de VS het recht de Mississippi te bevaren.

**25 november.** Stanislaw II van Polen, wiens land is opgedeeld door Pruisen, Rusland en Oostenrijk, doet troonsafstand.

**31 december.** Oostenrijk sluit een wapenstilstand met Frankrijk.

- Alois Senefelder ontwikkelt de steendruk. →

---

# Girondijnen keren terug in Conventie

*'De redenaar' (karikatuur).*

PARIJS, 8 maart/15 ventôse, jaar II. Vertegenwoordigers van de Girondijnse partij mogen vanaf vandaag hun zetels in de Conventie weer innemen. Een aantal van hen had daar eind vorig jaar al toestemming voor gekregen. De Franse politiek wordt nu weer grotendeels geleid door leden van de gegoede burgerij, die een gematigde politiek nastreven.

Na de val van Robespierre vorig jaar juli heeft de Conventie veel van haar radicale maatregelen teruggedraaid. Zo is het Algemene Maximum afgeschaft, de wet waarmee de prijzen en lonen centraal werden geregeld; lokale overheden hebben een deel van hun bevoegdheden teruggekregen; de revolutionaire rechtbanken zullen binnenkort worden opgeheven. De leden van het Comité du salut public worden weer elke maand opnieuw gekozen. Er is bovendien een commissie aan het werk die een nieuwe grondwet moet voorbereiden.

De val van Robespierre heeft ook geleid tot wraakacties tegen zijn aanhangers, de Jakobijnen. Verscheidene Jakobijnse Conventieleden zijn in staat van beschuldiging gesteld. De Club van de Jakobijnen is gesloten. Op straat vinden herhaaldelijk botsingen plaats tussen de zogenaamde Muscadins en de Jakobijnen. De Muscadins, of de 'vergulde jeugd' zoals ze ook worden genoemd, zijn een nieuw opgekomen sociale groep. Ze staan onverschillig tegenover de vroegere revolutionaire idealen en zijn vooral geïnteresseerd in uiterlijk vertoon. Als ze al een politieke interesse bezitten, dan gaat hun voorkeur uit naar conservatieve groeperingen.

*'De volksvertegenwoordiger'.*

# Sans-Culottes in opstand

PARIJS, 25 mei/6 prairial, jaar III - De afgelopen dagen zijn zo'n 9000 'rebellen' door het leger in de volkswijken van Parijs gearresteerd. Daarmee lijkt definitief een einde te zijn gemaakt aan de beweging van de sans-culottes, de kleine burgerij van de hoofdstad. Vijf dagen geleden startte op hun initiatief een grote opstand tegen de Conventie onder de leuze 'Brood en de Grondwet van '93!'.

Het economische beleid van de overheid is na de val van Robespierre gewijzigd ten nadele van de arbeiders en kleine middenstanders, die de hoofdmoot van de sans-culottes vormen. Het Algemene Maximum, de wet die de lonen en prijzen regelde, is eind vorig jaar afgeschaft. Alleen brood wordt nog voor een minimumprijs gedistribueerd. De distributie verloopt problematisch. Mensen met lage inkomens zijn zo gedwongen tegen gepeperde prijzen extra brood op de 'vrije markt' te kopen. De prijzen van alle andere levensbehoeften zijn fors gestegen. Tegelijkertijd is de koopkracht vanwege de enorme inflatie gedaald.

Schaarste en prijsstijgingen hebben in de revolutionaire periode al vaak geleid tot volksopstanden met verregaande politieke gevolgen. De wanhoop en woede van de massa over het gebrek aan betaalbaar voedsel werden door politieke leiders gebruikt om maatschappelijke veranderingen door te drukken. Vooral de Jakobijnen hebben altijd sterk geleund op de steun van de Parijse volksbeweging.

De onvrede over het economische beleid van de huidige Conventie kwam anderhalve maand geleden tot een uitbarsting. Op 1 april stroomden mannen en vrouwen uit de arbeidersbuurten de vergaderzaal binnen waar de afgevaardigden bijeen waren. Ook toen eiste men 'Brood en de Grondwet van '93'. Met dit laatste wordt vooral een terugkeer van de prijsstop bedoeld. De menigte kon na verloop van tijd verwijderd worden. Aan haar eisen werd geen gehoor gegeven. Wel paste de Conventie de wet aan die het leger verbood zijn kamp op te slaan binnen een bepaalde straal rondom de hoofdstad. Mocht het volk op grotere schaal in opstand komen, dan was er in ieder geval een mogelijkheid om binnen korte tijd versterkingen te laten aanrukken. De Conventie kon korte tijd later al de vruchten van deze gedachte plukken.

Vijf dagen geleden, op 20 mei, ontstond grote onrust in enkele volkswijken. Bij de bakkers wonden vrouwen zich heftig op over de geringe hoeveelheid brood. Al spoedig gingen, onder het gelui van de alarmklok, de eerste demonstranten op weg naar de Conventie. In de loop van de middag waren er zo'n 50 000 mensen in de omgeving van het gebouw, dat vervolgens werd bezet. Na moeizame onderhandelingen beloofden de afgevaardigden een beperkte terugkeer van de prijscontrole. In de loop van de avond keerden de demonstranten naar huis terug. Twee dagen heerste er een gespannen rust, tijdens welke periode de Conventieleden zich inspanden het vertrouwen van de sans-culottes te winnen.

Ze bleken vooral tijd te willen winnen. Eergisteren bereikten 20 000 soldaten de hoofdstad en omsingelden de meest opstandige wijk, Saint-Antoine. De bevolking kreeg de keus tussen overgave en een gewelddadige invasie. De sans-culottes tellen geen grote voormannen meer sinds de Terreur, die zij overigens van harte ondersteunen. Hun aanhang is niet langer in staat goed georganiseerd actie te voeren. Men had weinig andere keus dan zich over te geven. Tegen de avond marcheerde het leger de wijk in, waarna een golf van arrestaties volgde. Het lijkt erop dat deze Conventie en daarmee de welgestelde burgerij het lastige Parijse volk onder de duim heeft gekregen.

*Franse troepen trekken Nederland binnen (door Dirk Langendijk).*

# Bataafse Republiek erkend

'S-GRAVENHAGE, 16 mei - Er is een verdrag gesloten tussen de republiek Frankrijk en de jonge Bataafse Republiek, die daarmee voor het eerst door een vreemde mogendheid wordt erkend. Het verdrag hoopt een einde te maken aan de onduidelijke verhouding die tussen beide landen bestond sinds Franse troepen in januari het gehele Nederlandse grondgebied bezetten.

Deze bezetting was begin november 1794 reeds te voorzien, toen de Fransen in korte tijd achtereenvolgens Zeeuws-Vlaanderen, Noord-Brabant en de strategisch belangrijke steden Maastricht en Nijmegen bezetten. Hun opmars werd gestuit door de grote rivieren, maar toen die in de tweede helft van december dichtvroren, lag het hart van Nederland open. De verdedigers waren veelal gedemoraliseerd, zodat de Fransen snel konden oprukken. Utrecht viel op 16 januari; twee dagen later vertrok stadhouder Willem V in ballingschap naar Engeland.

Het nieuws betreffende Utrecht veroorzaakte in verscheidene Hollandse steden, zoals Amsterdam en Leiden, een machtsovername door de patriotten. De binnentrekkende Fransen werden daar ontvangen door hun welgezinde stadsbesturen.

Naar aanleiding van deze gebeurtenissen meenden de patriotten dat de omwenteling in Nederland een binnenlandse aangelegenheid was geweest, die slechts bespoedigd was door de hulp van de Fransen. In Parijs was men echter van mening dat Nederland veroverd gebied was, waar de Fransen verregaande eisen konden stellen. Aan de heftige discussies hierover is met het verdrag nu een einde gekomen. De Nederlanders zijn voorlopig weer baas in eigen land, maar moeten de aanwezigheid van 25 000 Franse militairen accepteren. De Franse soldaten worden bovendien door Nederland betaald. Verder betaalt de Bataafse Republiek een oorlogsbijdrage van 100 miljoen gulden en verstrekt zij aan Frankrijk een omvangrijke lening tegen zeer lage rente. Ten slotte doen de Nederlanders afstand van alle vestingen in de Zuidelijke Nederlanden, van Zeeuws-Vlaanderen en van Maastricht en Venlo.

*De Schotse ontdekkingsreiziger en arts Mungo Park heeft voor de African Association in Londen tijdens een expeditie in West-Afrika de bronnen van de rivier de Niger opgespoord. Het was een zware tocht, vol ontberingen. Park belandde zelfs in een gevangenis, waar hij vier maanden zat opgesloten. Hij wist echter te ontsnappen en keerde met niet meer dan een paard en een kompas terug.*

*'De sans-culottes' (gravure van M.L. Massard, naar een tekening van H. Baron).*

*Zitting van het Directoire, de uitvoerende macht van het Franse parlement (Alexis Chataignier, 19de eeuw).*

# Conventie keurt nieuwe grondwet goed

PARIJS, 22 augustus/5 fructidor, jaar III - De Conventie heeft na anderhalve maand debatteren een nieuwe grondwet aangenomen, die conservatiever is dan de voorgaande constituties. De belangrijkste wijzigingen zijn de invoering van een inkomensdrempel voor afgevaardigden en de opdeling van de volksvertegenwoordiging in twee Kamers. De 'Grondwet van het jaar III' moet nog door een algemene volksstemming worden goedgekeurd.

De commissie die de grondwet heeft voorbereid, bestond bijna uitsluitend uit voormalige Girondijnen. Van enig radicalisme was in hun voorstellen dan ook niets te bespeuren. De voorzitter, Boissy d'Anglas, verklaarde dat een 'land geregeerd door bezitters in de maatschappelijke orde ligt'. Een hoog inkomen is daarom in de toekomst een voorwaarde om tot de kieslijst te worden toegelaten. De nationale volksvertegenwoordiging wordt indirect gekozen. Naar Amerikaans voorbeeld zal deze uit twee Kamers bestaan: de Raad van Ouden (250 leden) en de Raad van Vijfhonderd. De uitvoerende macht komt in handen van het Directoire, bestaande uit vijf directeuren die door de volksvertegenwoordiging worden gekozen.

De Conventie heeft ook de voorstellen van de commissie aanvaard die dienen om 'de Revolutie te beëindigen'. Het betekent in feite dat van de in totaal 750 leden van de volksvertegenwoordiging er per keer slechts 250 worden vervangen.

Snelle veranderingen van het staatsbestel worden op deze manier voorkomen. Deze maatregel zal al gelden bij de eerstvolgende verkiezingen. De huidige Conventieleden - althans 500 van hen - hebben daarmee in feite zichzelf herkozen. Het besluit is daarom van alle kanten onmiddellijk bekritiseerd. De nieuwe grondwet kan worden beschouwd als een tweede overwinning van de gegoede burgerij in Frankrijk. Zij zegevierde in 1789 over de feodale machthebbers van het oude regime, maar moest haar macht na vier jaar afstaan aan de Jakobijnen, de groep die de arbeiders en kleine zelfstandigen vertegenwoordigde. Na deze bittere ervaring lijkt het onwaarschijnlijk dat Frankrijk op korte termijn weer een radicaal bewind zal krijgen.

## Fransen annexeren Luik en Zuidelijke Nederlanden

BRUSSEL/PARIJS, 1 oktober - Zowel de Zuidelijke Nederlanden als het prinsbisdom Luik zijn met ingang van heden officieel bij Frankrijk ingelijfd. Het gebied, dat de afgelopen jaren als een speelbal heen en weer geslingerd is tussen Oostenrijk en Frankrijk, werd vorig jaar door de revolutionaire Franse troepen veroverd. Sindsdien is langzaam maar zeker een nieuwe bestuurlijke en rechtelijke organisatie doorgevoerd.

Met de definitieve annexatie zal dat proces ongetwijfeld worden versneld.

Er is in de Zuidelijke Nederlanden vrij passief op de inlijving gereageerd. Gehoopt wordt dat er eindelijk rust komt in de zwaargeteisterde gewesten.

## Senefelder ontdekt de steendruk

MUNCHEN - In München heeft de in Praag geboren Alois Senefelder een nieuwe vlakdruktechniek ontwikkeld: de lithografie of steendruk. Senefelder hield zich aanvankelijk als amateur met de druktechniek bezig. Om zich te oefenen in het schrijven van spiegelschrift, schafte hij zich een gladgepolijste kalksteen aan. Op deze manier ontdekte hij de lithografie, die gebaseerd is op het principe dat water en vet elkaar afstoten. Bij de lithografie worden de gedeelten die een afdruk moeten geven behandeld met vet, de gedeelten die blanco moeten blijven met water: de opgebrachte inkt wordt afgestoten door het water, maar trekt wel in de met vet behandelde gedeelten die droog zijn gebleven.

*Alois Senefelder.*

# Hongaarse Jakobijnen terechtgesteld

BOEDA, 20 mei - 'Ik ben te vroeg geboren in dit land; ik moet een te vroege dood sterven om de heerschappij van de duisternis niet te verstoren [...] Ik vergeef mijn keizer en mijn andere vijanden [...] ik omhels mijn geliefde vaderland...' Dit waren de laatste woorden van Ignác Martinovics, die vandaag samen met vier andere revolutionaire Hongaarse leiders in Boeda is onthoofd.

Op 16 augustus vorig jaar kwamen de Oostenrijkse autoriteiten achter het bestaan van het 'Genootschap voor Vrijheid en Gelijkheid', toen zij Martinovics in Wenen arresteerden. Tijdens het verhoor bekende deze in twee manifesten het programma van de Hongaarse Jakobijnen vastgelegd te hebben: het stichten van een onafhankelijke republiek, met een eigen nationaal leger, een onafhankelijke buitenlandse politiek en handel, een vrije pers en een federaal systeem met beperkt zelfbeschikkingsrecht voor de nationaliteiten binnen Hongarije.

De franciscaan Martinovics was aanvankelijk aalmoezenier, maar werd later hoogleraar in de natuurkunde aan de universiteit van Lemberg. Hij was een geestdriftig voorstander van de hervormingen van keizer Jozef II. Enige tijd schreef hij in dienst van de Habsburgers rapporten over de onrustige situatie in Hongarije. Die onrust was ontstaan na de dood van keizer Jozef II, toen de Hongaarse adel zich sterk ging maken voor economische onafhankelijkheid.

De crisis werd versterkt door de revolutionaire stemming in Europa. De Hongaarse Landdag kwam in koortsachtige opwinding bijeen in Boeda. De nieuwe keizer Leopold probeerde zich op alle mogelijke manieren onder de eisen om concessies uit te werken: hij moedigde de Servische nationalistische beweging aan en steunde de anti-aristocratische eisen van de Hongaarse steden en de ontevreden boeren. De Hongaarse standen moesten steeds meer concessies doen, maar de radicale ontwikkelingen in Frankrijk brachten beide partijen tot een compromis. In 1791 werd bepaald dat Hongarije als onafhankelijke staat alleen geregeerd kon worden volgens zijn eigen wetten en dat de Landdag naast de keizer het recht had wetten uit te vaardigen en af te schaffen, belastingen te heffen en het leger te mobiliseren. Drie jaar geleden stierf Leopold, zonder dat er veel hiervan terechtgekomen was.

Zijn opvolger Frans toonde zich al snel openlijk reactionair uit angst voor besmetting van de Franse Revolutie. Nu gingen ook gematigde Hongaarse hervormers als Hajnóczy, Szentmarjay en Pál Oz vergaande sociale hervormingen eisen. Enkele jaren geleden kwam Martinovics met deze radicale hervormers in contact en besloot actie te ondernemen. Hij schreef een open brief aan de Habsburgse keizer, waarin hij de Franse Revolutie verdedigde. In de lente van vorig jaar begon Martinovics de Hongaarse nationalistische beweging te organiseren.

De meedogenloze maatregelen waarmee de Oostenrijkse autoriteiten de Hongaarse revolutionairen nu hebben aangepakt, hebben de intellectuele echter grote schrik aangejaagd. De adel heeft zich niet alleen in meerderheid gedistantieerd van de vooruitgangsideeën, maar zelfs van het ideaal van een onafhankelijk Hongarije.

# Honderden doden bij royalistische rellen

PARIJS, 5 oktober/13 vendémiaire, jaar IV - Twee- à driehonderd doden is de balans van een dag van hevige gevechten in het centrum van de Franse hoofdstad. Royalistische sympathisanten waren in opstand gekomen tegen de Conventie, die de hulp inriep van legereenheden die in de buurt van Parijs waren samengetrokken. Aan het eind van de dag had bevelhebber Barras samen met zijn collega Bonaparte de stad grotendeels weer onder controle. Aanleiding voor de opstand was de uitslag, twee weken geleden, van de volksstemming over de 'Grondwet van het jaar III' én de bepaling dat twee derde van de huidige Conventieleden kon blijven zitten. Beide voorstellen zijn aanvaard. Vooral de royalisten waren hierdoor hevig teleurgesteld. Zij hadden gehoopt hun invloed via de komende verkiezingen te vergroten.

Het royalisme is als beweging nooit uit de Franse maatschappij verdwenen. Overal waar conservatief verzet is gepleegd tegen de revolutionaire overheid, was ook de roep om de koning te horen. Dit gold voor de opstand in de Vendée met zijn 'koninklijke en katho-

*Straatgevechten in Parijs tussen de troepen van het Directoire (links) en de royalisten (rechts).*

lieke leger', voor de opstanden in Bretagne en Normandië, voor Toulon. Het is de tactiek van de geëmigreerde adel en andere royalisten om het plaatselijke verzet in Frankrijk voor hun eigen karretje te spannen.

Er heeft zich binnen het Franse koningshuis ook een troonswisseling voorgedaan. De kleine Lodewijk XVII, die door de revolutionairen angstvallig werd bewaakt, is in juni van dit jaar in de gevangenis overleden aan tuberculose. Hij is opgevolgd door zijn oom, de graaf van Provence. Deze liet vanuit zijn ballingsoord Verona in Italië weten dat hij als Lodewijk XVIII met niet minder dan een volledige restauratie van het oude regime genoegen nam. De hoop van de Fransen die een herstel van de constitutionele monarchie nastreven, werd daarmee de bodem ingeslagen.

Uit het Manifest van Verona blijkt hoe ver de geëmigreerde adel buiten de werkelijkheid staat. Er zijn in Frankrijk alle kleuren van het politieke spectrum te vinden, maar mensen die de klok werkelijk geheel willen terugdraaien moeten met een lantarentje worden gezocht.

De opstandelingen van vandaag bestonden vooral uit beter gesitueerde burgers, die niet zozeer naar het oude regime terugverlangen als wel hun eigen macht willen vergroten. Van hun onvrede met de bepaling van twee derde hebben de royalisten gebruik gemaakt.

# Derde deling wordt Polen noodlottig

POLEN, 24 oktober - Pruisen, Oostenrijk en Rusland hebben voor de derde maal besloten tot een deling van het Poolse grondgebied. Hierdoor houdt het koninkrijk Polen op te bestaan. Rusland krijgt twee derde en Pruisen en Oostenrijk krijgen ieder een zesde van het voormalige Poolse grondgebied. De delingen hebben ervoor gezorgd dat de drie landen hun territoriale ambities in Oost-Europa konden verwezenlijken zonder met elkaar in conflict te komen.

Tot aan de eerste deling in 1772 was Polen de grootste Europese mogendheid. Het land had echter een verouderde politieke structuur en viel ten prooi aan interne verdeeldheid en anarchie. De buitenlandse invloed in Polen werd vergroot doordat de strijdende Poolse partijen bij hun conflicten steun zochten bij de verschillende Europese mogendheden.

De Eerste Poolse Deling kwam in 1772 op initiatief van Pruisen tot stand. Het Oosteuropese machtsevenwicht dreigde door de voor Rusland succesvolle oorlog tegen het Osmaanse Rijk verstoord te worden. Om een conflict tussen Rusland en Oostenrijk te voorkomen stelde Pruisen de twee landen voor hun territoriale ambities ten koste van Polen te verwezenlijken. Pruisen had hier zelf baat bij omdat het land de door Pools grondgebied gescheiden Pruisische gebieden met elkaar kon verbinden.

*'De Poolse rozijnenkoek' (karikatuur van de Poolse deling).*

In 1793 besloten Rusland en Pruisen opnieuw tot een deling van Polen. Oostenrijk was bij het verdrag, dat op 23 januari in Petersburg werd ondertekend, niet betrokken. De deling was een gevolg van de groeiende Pruisische invloed in Polen. Pruisen had de patriottische gevoelens, die waren ontstaan na de eerste deling, gesteund. Deze patriottische gevoelens bleven echter bestaan en leidden tot een opstand die werd gesteund door het revolutionaire Frankrijk. De opstand werd echter neergeslagen door Rusland. Om het gevaar van opstanden in de toekomst te vermijden besloten Oostenrijk en Rusland tot een definitieve deling van het Poolse grondgebied. Pruisen is na aanvankelijke aarzeling akkoord gegaan met de nieuwe deling.

Als gevolg van de delingen schuiven de Russische grenzen op naar het westen, die van Oostenrijk naar het noorden en vormt Pruisen nu een aaneengesloten rijk dat zich uitstrekt vanaf de Elbe tot aan de grenzen van Litouwen.

Omdat in de Poolse provincies die bij het Russische Rijk komen een grote joodse minderheid woont (joden maken een achtste deel van de Poolse bevolking uit) bevinden zich nu opeens joden binnen de grenzen van het Russische Rijk. In 1762 had Catharina een manifest gepubliceerd dat alle buitenlanders, behalve de joden, toestond in Rusland te reizen of er zich te vestigen. Nu bevinden vele honderdduizenden joden zich binnen de grenzen van haar rijk.

Het is de joodse inwoners in het Russische Rijk verboden zich buiten hun oorspronkelijke woongebied te vestigen (uitgezonderd in de grensprovincies Vitebsk, Mogiljov, Tsjernichov, Poltava, Jekaterinoslav en Taurida. De twee laatste zijn dunbevolkte gebieden die pas kort bij het rijk behoren). Dit gebied van vestiging wordt ook wel het Paalgebied genoemd.

*Napoleon Bonaparte (1792).*

**2 maart.** Napoleon Bonaparte wordt benoemd tot opperbevelhebber van het Franse leger voor de veldtocht in Italië. →

**5 maart.** De opstanden in de Vendée en Bretagne, Frankrijk, worden neergeslagen.

**13 april.** Het Franse leger onder Napoleon verslaat de Oostenrijkse troepen bij Millesimo, Italië.

**22 april.** In Italië verslaat het Franse leger de troepen van Piemonte in de Slag bij Mondovi.

**15 mei.** Na de nederlaag van de Oostenrijkers in de Slag bij Lodi op 10 mei valt Milaan voor de Fransen.

**15 mei.** Frankrijk en Sardinië sluiten vrede. Savoye en Nice komen bij Frankrijk.

**16 mei.** In Lombardije wordt de republiek uitgeroepen.

**1 juni.** Tennessee treedt toe tot de Verenigde Staten.

**5 augustus.** Pruisen en Frankrijk sluiten een verdrag waarbij het Pruisische gebied ten westen van de Rijn wordt geruild voor Münster en andere gebieden van de Kerk.

**19 augustus.** Frankrijk en Spanje sluiten een bondgenootschap tegen Engeland.

**Augustus.** Het Franse leger wordt bij Amberg in Duitsland verslagen door de Oostenrijkers onder aartshertog Karel.

**17 september.** George Washington, die niet genomineerd wil worden voor nog een termijn als president van de Verenigde Staten, houdt zijn 'Farewell Address'. →

**September.** De invasie van de Albanese heerser Busjati in Montenegro loopt op een mislukking uit. →

**5 oktober.** Spanje verklaart Engeland de oorlog.

**17 november.** Tsarina Catharina de Grote van Rusland sterft. Zij wordt opgevolgd door haar zoon Paul I. →

**17 november.** Napoleon verslaat met het Franse leger de Oostenrijkse troepen bij Arcole in Italië.

**November.** John Adams verslaat Thomas Jefferson in de Amerikaanse presidentsverkiezingen. Jefferson wordt vice-president.

- Engeland verovert Demerara, Essequibo, Berbice en Grenada op Frankrijk, maar geeft Corsica op.

- Frankrijk en Spanje sluiten in San Ildefonso een verdrag tegen Engeland. →

- Keizer Gao Zong van China treedt terug ten gunste van Ren Zong.

*Onder aanvoering van Napoleon Bonaparte arriveert het Franse leger bij Salò aan het Gardameer.*

# Napoleon Bonaparte leidt Franse troepen

PARIJS, 2 maart/9 ventôse, jaar IV - Het Directoire heeft bekendgemaakt dat Napoleon Bonaparte opperbevelhebber wordt van het leger dat in Italië de strijd met Oostenrijk zal aanbinden. De campagne is bedoeld als ondersteuning van de Franse aanval op de Oostenrijkse troepen in Duitsland.

Bonaparte dankt de benoeming aan zijn succesvolle optreden tijdens de royalistische opstand vorig jaar in Parijs. Hij had al eerder furore gemaakt bij de herovering van Toulon op de Engelsen en mocht zich daarna de jongste generaal van Frankrijk noemen. Als aanhanger van de Jakobijnen werd hij na de machtswisseling in 1794 aan de kant gezet. Zijn kwaliteiten als legeraanvoerder worden nu echter weer zeer op prijs gesteld.

Het Directoire is vastbesloten ook zijn laatste buitenlandse vijanden onschadelijk te maken. Daartoe behoren nu alleen nog Oostenrijk en Groot-Brittannië. Vorig jaar zomer sloten Pruisen, Spanje en de Nederlanden vrede met Frankrijk. De eerste twee staten lieten andere belangen voorgaan boven de bestrijding van het door hen eerst zo verfoeide revolutionaire bewind. De Nederlanden zijn inmiddels met steun van het Franse leger omgedoopt tot de Bataafse Republiek, die op dezelfde leest geschoeid is als haar machtige zuiderbuur. Beide landen grenzen aan elkaar sinds Frankrijk in juni 1794 België inlijfde. Deze annexatie had alles te maken met de oorlog tegen Oostenrijk. Nadat Frankrijk de Habsburgers in april 1792 de oorlog verklaarde, heeft de strijd tussen beide landen zich grotendeels voltrokken in de Zuidelijke Nederlanden ofwel België. Frankrijk heeft daarbij uiteindelijk gezegevierd. De veldtocht naar Italië heeft tot doel Oostenrijk te dwingen de inlijving van België officieel te aanvaarden.

Frankrijk dankt de militaire successen van de laatste jaren vooral aan zijn volksleger. Sinds de afkondiging van een algemene mobilisatie in de zomer van 1793 is de hele bevolking actief betrokken bij de oorlogvoering. Franse soldaten worden voortdurend door de overheid voorgelicht over het doel van de strijd. Zij bezitten daardoor een veel hoger moreel dan de huurlingen die het grootste deel van de andere Europese legers uitmaken. Een extra stimulans vormt het Franse bevorderingsbeleid. In overeenstemming met de revolutionaire beginselen is dit niet meer op afkomst gebaseerd. Elke burger kan het dank zij moed en inzicht tot generaal brengen. De Corsicaan Napoleon Bonaparte is daarvan een sprekend voorbeeld.

## Spanje en Frankrijk sluiten verbond

SAN ILDEFONSO - Nog geen jaar na de oorlog tussen Frankrijk en Spanje hebben beide partijen zich weer met elkaar verbonden. Het verdrag van San Ildefonso voorziet in een offensieve en defensieve verbintenis alleen gericht tegen Groot-Brittannië; Spanje blijft neutraal tegenover de andere landen met welke het Directoire in oorlog is. Geheime clausules in het verdrag verplichten Spanje Groot-Brittannië de oorlog te verklaren.

De oorlog tussen Spanje en Frankrijk eindigde vorig jaar met de Vrede van Basel. Godoy was een voorstander van vrede, aangezien de oorlog zware lasten met zich bracht en er in Spanje een republikeinse samenzwering ontmaskerd was. Frankrijk eiste weinig tijdens de vredesonderhandelingen omdat het Spanje uit de Britse antirevolutionaire verbintenis wilde losweken.

Dit is Frankrijk gelukt; Spanje heeft zijn bezwaren tegen de aard van het Franse regime laten varen en als zwakke imperiale macht gekozen voor een bondgenootschap met Frankrijk. Groot-Brittannië wordt weer de traditionele vijand van het Spaanse Rijk. Daarnaast is Spanje, zoals in 1761 een Franse satellietstaat geworden wiens vloot ter beschikking van zijn buren staat.

*John Adams is tot president van Amerika gekozen. In 1776 was hij een van de opstellers van de resolutie waarin vrijheid en onafhankelijkheid voor de Amerikaanse koloniën werd geëist.*

# George Washington betreurt verdeeldheid

PHILADELPHIA, 17 september - De Amerikaanse president George Washington trekt zich terug uit het actieve politieke leven. Hij stelt zich niet verkiesbaar voor een nieuwe ambtstermijn. Dit schrijft Washington in een artikel in de *American Daily Adverser*, een krant uit Philadelphia. In het *Farewell Address*, zoals het stuk wordt genoemd, gaat de aftredende president in op de politieke situatie in de Verenigde Staten en geeft hij de nieuw te kiezen regering advies ten aanzien van het te voeren buitenlandse beleid. Daarnaast is het artikel te beschouwen als de start van een federalistische campagne voor de verkiezingen van dit jaar. Alexander Hamilton, belangrijkste adviseur van de president en fel Federalist, heeft Washington bij het schrijven geassisteerd.

*Links de Federalist Alexander Hamilton, rechts zijn rivaal Thomas Jefferson.*

Aan het einde van Washingtons tweede ambtstermijn is er door de Franse Revolutie en het regeringsbeleid politieke verdeeldheid in de Verenigde Staten ontstaan. De tegenstanders van de economische plannen van Alexander Hamilton hebben zich verenigd als Antifederalisten. De belangrijkste woordvoerder van deze groep is Thomas Jefferson, de auteur van de Onafhankelijkheidsverklaring en grootste politieke tegenstander van Hamilton. De president betreurt deze verdeeldheid. In zijn *Farewell Address* beklemtoont hij - als Federalist - de noodzaak van eenheid binnen de Verenigde Staten. Alleen dan kan Amerika de corruptie en buitenlandse invloeden weerstaan, aldus Washington.

Meningsverschillen over de buitenlandse politiek zijn er de oorzaak van dat de Federalisten en Antifederalisten verder uit elkaar drijven. De Antifederalisten zijn van mening dat de Amerikanen - gezien de Franse hulp bij de Amerikaanse Onafhankelijkheidsoorlog - de revolutie in Frankrijk moeten ondersteunen. De president, de exponent van het federalisme, stelt in zijn afscheidsrede dat hij geen reden ziet de Franse Revolutie te steunen.

In zijn aanbevelingen hoe het buitenlandse beleid er in de toekomst zou moeten uitzien, is Washington tweeslachtig. Enerzijds propageert hij nauwe handelsbetrekkingen met andere staten, anderzijds waarschuwt hij voor te grote politieke betrokkenheid met die landen: 'Europa heeft een aantal primaire belangen die voor ons niet [...] relevant zijn. Onze geïsoleerde en verre situatie noodt ons tot een andere koers.'

## Albanese machthebber Busjati gedood

*Een Osmaans legerkamp (gravure naar een tekening van Luigi Mayer, 1810).*

SHKODER, september - De invasie van Kara Mahmoed Busjati in Montenegro is op een mislukking uitgelopen; Busjati heeft hierbij het leven gelaten. In een recente brief van de Franse ambassadeur in Venetië aan Parijs zegt deze over hem: 'Kara Mahmoed won de harten van de Albanezen want hij handhaafde hun onafhankelijkheid en slaagde er bijna in hun absolute heerser te worden.'

Het zwaartepunt van de macht van de Busjati-familie lag rond de Noord-Albanese stad Shkodër. Hier bouwde Kara's vader, Mehmed Bey Busjati, tussen de jaren 1757 en 1775 een machtsbasis op. Gesteund door bergstammen lukte het hem zijn gezag uit te breiden, en hij kreeg van de Porte (Turkse regering) officiële functies. Toen hij weigerde de door hem geïnde belastingen door te sturen naar de Osmaanse regering, liet deze hem vergiftigen. De carrière van zijn zoon en opvolger Kara Mahmoed kenmerkte zich eveneens door perioden van strijd voor en tegen de Turken. Hij knoopte na het uitbreken van de oorlog tussen de Donaumonarchie en Turkije kortstondig betrekkingen aan met Wenen, dat aanvankelijk bereid was hem als onafhankelijk heerser van Albanië te erkennen in ruil voor steun aan Oostenrijk. De Oostenrijkse gezanten die naar Shkodër waren gekomen om te onderhandelen, liet hij echter vermoorden; hun hoofden stuurde hij als verzoeningsgebaar naar de sultan. Het feit dat de Turken aan de winnende hand waren zal hierbij ongetwijfeld een rol hebben gespeeld. Maar zijn ambities gingen de Turken uiteindelijk te ver. Zij stuurden in het voorjaar van 1793 een 40 000 man tellend leger dat echter geen succes boekte.

Dit jaar achtte Kara Mahmoed het tijdstip gunstig om voorgoed met het Osmaanse Rijk te breken en sloot een militaire alliantie met Napoleontisch Frankrijk. De overeenkomst hield in dat Albanese troepen Montenegro zouden veroveren en zich vervolgens via Bosnië bij het Franse leger zouden aansluiten. Aan het hoofd van een 20 000 man sterk leger trok Kara Mahmoed in juli dit jaar naar Montenegro. Hij stuitte hier op fel verzet. Bij de Slag bij Krusi werd hij verslagen, door de Turken gevangengenomen en vervolgens onthoofd.

*Op 17 november overlijdt Catharina de Grote. Zij was sinds 1762, toen zij door een staatsgreep tegen haar echtgenoot aan de macht kwam, keizerin aller Russen. In haar verlicht despotisme steunde ze op de adel en verzwaarde zij de lasten voor de lijfeigenen. Haar behendigheid op het terrein van de buitenlandse politiek dwong in heel Europa bewondering af. Het afgebeelde staatsieportret is uit 1783 (Tretjakov-galerie, Moskou).*

# Leger steunt zuivering Frans parlement

PARIJS, 5 september/19 fructidor, jaar V - Een groot deel van de onlangs gekozen afgevaardigden voor de Franse Raad van Ouden en Raad van Vijfhonderd is naar huis gestuurd. Daarnaast zijn twee van de vijf leden van het Directoire in staat van beschuldiging gesteld. Onder de afgezette volksvertegenwoordigers bevinden zich veel voorstanders van een terugkeer van de monarchie. De zuivering werd uitgevoerd met steun van het leger, dat gisterenmorgen in alle vroegte het centrum van de Franse hoofdstad bezette.

Bij de verkiezingen van april dit jaar leden de republikeinen een gevoelige nederlaag. Van de 216 republikeinse afgevaardigden die moesten worden vervangen, werden er slechts 13 herkozen. De uitslag betekende een versterking voor de royalisten. Hun aanhang is vergroot dank zij een nieuwe strategie, die inhoudt dat ze in het openbaar zijn afgestapt van de eis dat alle revolutionaire veranderingen moeten worden teruggedraaid. De graaf van Provence, ofte wel Lodewijk XVIII, verklaarde begin dit jaar vanuit Italië dat

*'De journalist'.*

hij bereid was de misdaden uit het verleden te vergeten en dat het instituut van de monarchie voor verbetering vatbaar is.

De royalistische beweging heeft ook een sterke impuls gekregen door de terugkeer van grote aantallen geëmigreerde edelen. Volgens de wet hebben zij nog steeds speciale toestemming nodig om Frankrijk binnen te komen. De overheid heeft zich op dit vlak echter nogal laks en corrupt getoon[d]. De aandacht van de politie was eerd[er] gericht op de uitschakeling van 'ana[r]chisten' en aanhangers van Gracch[us] Babeuf. Hun streven naar een bezi[ts]loze maatschappij werd als zeer staat[s]gevaarlijk beschouwd. Gezien hun g[e]ringe aanhang kan dat overtrokke[n] worden genoemd; de verschillend[e] royalistische clubs en salons ontvinge[n] heel wat meer bezoekers.

Behalve een bezwering van het roy[a]listische gevaar kan de zuivering va[n] vandaag met enig recht een militai[re] staatsgreep worden genoemd. Leide[n] de generaals als Napoleon drongen [er] enige tijd aan op maatregelen tegen e[en] deel van de volksvertegenwoordigin[g]. Hij en zijn collega's hadden daar al [een] belang bij, want steeds meer afgevaa[r]digden keerden zich tegen een offe[n]sieve militaire politiek. De onafhank[e]lijke opstelling van enkele opperbeve[l]hebbers was daaraan overigens ni[et] vreemd. De buitenlandse politiek va[n] Frankrijk in Italië wordt al enige tij[d] niet meer door het Directoire, ma[ar] door Napoleon bepaald.

## Edmund Burke: staatsman en publicist

LONDEN, 9 juli - In zijn villa Beaconsfield is op 68-jarige leeftijd de conservatieve schrijver en staatsman Edmund Burke overleden. De laatste jaren leefde Burke tamelijk teruggetrokken in zijn villa waar hij zich alleen nog met publiceren en liefdadigheid bezighield. Hoewel hij met een korte onderbreking ruim 25 jaar in het Lagerhuis heeft gezeten en enkele malen als betaalmeester zitting had in de regering, is hij als publicist in feite bekender dan als staatsman.

De op 12 januari 1729 in Dublin geboren Edmund Burke studeerde achtereenvolgens te Ballytore, Dublin en Londen. Hij legde zich voornamelijk toe op de studie van rechten en wijsbegeerte. Burke begon al vroeg met publiceren en kreeg bekendheid in Engeland en Duitsland met zijn *Philosophical enquiry into the origin of our ideas on the sublime and beautiful* (1757). Zijn politieke loopbaan werd gestimuleerd door de markies van Rockingham, bij wie hij in 1765 als particulier secretaris in dienst trad. Rockingham bezorgde hem een plaats in het parlement, waar hij door zijn redenaarstalent al snel een rol speelde. Hij behoorde tot de oppositie tegen de regering-Pitt en verdedigde de rechten van de Amerikaanse kolonisten. Hij was al in een vroeg stadium voorstander van een verzoening met de koloniën: op 22 maart 1775 bracht hij in het parlement zijn beroemde dertien artikelen, die de basis voor zo'n verzoening moesten vormen, naar voren. Toch heeft hij in de politiek nooit tot de bekendsten behoord. Burke opereerde altijd min of

*Edmund Burke.*

meer in de schaduw van prominenten als Rockingham, Shelburne en Fox. Met deze laatste raakte hij in conflict naar aanleiding van de Franse Revolutie. Toen Fox verklaarde dat deze revolutie een der roemrijkste gebeurtenissen was die ooit hadden plaatsgehad, scheidden zich de wegen van Fox en Burke. Burke zag in Frankrijk niets dan goddeloosheid en wanorde. Zijn boek *Reflections on the revolution in France* (1790), waarin hij deze mening verkondigde, werd in heel Europa gelezen en had een belangrijke invloed op de openbare mening in Engeland. Hij vervreemdde hiermee vele vrienden van zich zodat er een einde aan zijn politieke loopbaan kwam. Toen hij zich in 1791 terugtrok, ontving hij van de koning een pensioen dat hem in staat stelde zijn laatste levensjaren in redelijke welstand door te brengen.

## Engelsen verslaan Nederlandse vloot

DEN HELDER, 11 oktober - T[er] hoogte van Kamperduin, nabij De[n] Helder, heeft een kleine Nederland[se] vloot slag met de Engelsen gelever[d]. Het treffen is geëindigd in een klinke[nde] de overwinning voor de Engelsen.

De Nederlandse vloot telde niet mee[r] dan een dozijn schepen welk aant[al] door de vijand verre overtroffen wer[d]. Hoewel de Nederlanders zich ma[n]moedig verdedigden, moesten zij zic[h] ten slotte gewonnen geven. Naar scha[t]ting zijn zo'n 1000 van de in totaal 700[0] opvarenden van de Nederlandse vloo[t] bij de slag omgekomen.

Tot de krijgsgevangenen behoord[e] vice-admiraal De Winter, die vooraf [al] weinig heil in de operatie had gezien[.] Hij werd echter door zijn politiek[e] superieuren, met name het Comité t[e] de Buitenlandse Zaken, gedwongen u[it] te varen. Over de beweegredenen va[n] het Comité is al enige tijd druk gespe[c]uleerd. Men neemt aan dat de moeiza[a]me verhouding tot de Franse bondge[n]noot de directe aanleiding is geweest[.] De Franse militaire aanwezigheid i[n] Nederland wordt steeds minder o[p] prijs gesteld en hier en daar zijn ree[ds] anti-Franse rellen uitgebroken. Ee[n] steviger greep op de Nederlandse situa[ti]e wordt door verscheidene Franse po[li]tici wenselijk geacht.

Het schijnt dat de Nederlanders me[t] het optreden tegen de Engelsen hun be[-] trouwbaarheid als bondgenoot wilde[n] tonen. Nu de Slag bij Kamperduin z[o] pijnlijk is verlopen, lijkt men eerd[er] het tegendeel te hebben bereikt.

# Frankrijk en Oostenrijk tekenen verdrag

CAMPO FORMIO, 17 oktober - In Campo Formio hebben Frankrijk en Oostenrijk een verdrag getekend dat een eind maakt aan de in 1793 begonnen oorlog en dat de uiterst succesvolle Franse veroveringstocht in Noord-Italië formaliseert. Oostenrijk staat België en Lombardije af aan Frankrijk en krijgt Istrië, Dalmatië en Venetië toegewezen.

De vrede is een kroon op het briljante werk van de Franse generaal Napoleon Bonaparte. Toen Frankrijk in 1793 Sardinië en Oostenrijk de oorlog verklaarde, slaagden de Piemontezen en de Oostenrijkers erin drie jaar lang de Fransen aan gene zijde van de Alpen tegen te houden. In maart kreeg Napoleon Bonaparte de leiding over de Franse troepen en nog geen vijf weken later werden de Piemontezen verslagen. Op 15 mei vorig jaar werd Sardinië bij de Vrede van Parijs al gedwongen het gebied ten westen van de Alpen af te staan en de Fransen vrije doortocht te verlenen. Op dezelfde dag trok Bonaparte Milaan binnen, om vervolgens de Oostenrijkers tot op het gebied van de republiek Venetië te achtervolgen.

Begin dit jaar was de hele Povlakte in Franse handen, had de paus Bologna en het noorden van de Pauselijke Staat moeten afstaan, was Modena bezet en stonden de Fransen tot in Livorno. Toen Bonaparte naar het noorden oprukte en Wenen bedreigde, boden de Oostenrijkers onderhandelingen aan die uiteindelijk zijn uitgemond in het Verdrag van Campo Formio.

In het kielzog van de zegevierende Franse legers zijn in Noord-Italië republieken uitgeroepen die gemodelleerd zijn naar de Franse. Genua werd de Ligurische Republiek, Reggio, Bologna, Modena en Ferrara vormden samen de Cispadaanse Republiek en Milaan, Brescia en enkele kleinere steden de Cisalpijnse Republiek. Op suggestie van Bonaparte hebben deze laatste twee republieken zich in juli verenigd tot de Cisalpijnse Republiek.

Deze ontwikkelingen hebben de verhoudingen in Italië drastisch gewijzigd en de revolutionaire onderstromen, die sinds 1789 naar aanleiding van de Franse Revolutie in Italië aanwezig waren, naar de oppervlakte gebracht. Italië is de afgelopen decennia gedomineerd door pausen en vorsten die van ingrijpende hervormingen niet veel wilden weten. En hoewel de Italiaanse pers aandacht heeft besteed aan 'de gebeurtenissen in Frankrijk' is de kennis die over de Franse Revolutie in Italië bestaat fragmentarisch en beperkt zich tot de constatering dat in Frankrijk de monarchisten en de revolutionairen tegenover elkaar staan.

De gebrekkige informatie en de onwil van zelfs de meest verlichte vorsten om vergaande hervormingen door te voeren leidden tot een toenemende repressie van 'illuminati', vrijmetselaars die in hun geheime cellen met de Franse revolutionairen sympathiseerden. Maar de sympathie voor de revolutionairen strekte zich in sommige staten in Italië ook uit tot de boeren (Sardinië), de ondernemers (Napels, Rome) en zelfs de adel (Venetië). Tot werkelijke samenzweringen kwam het echter slechts twee keer, eenmaal in Piemonte en eenmaal in Napels.

De Franse legers hebben in Noord-Italië tot op zekere hoogte een bevrijdingsstrijd gevoerd. In de dit jaar gevormde republieken zijn democratische grondwetten van kracht geworden, geënt op die van thermidor maar met een zwaarder accent op het terugdringen van de invloed van de Kerk.

In de praktijk zijn de republieken minder democratisch dan hun grondwet voorschrijft. In de Cisalpijnse Republiek zijn kranten verboden, journalisten en schrijvers zitten gevangen en democratische clubs worden ontbonden.

De uitroeping van de republieken is gebeurd op initiatief van Bonaparte, die meende dat Frankrijk beter gediend was met deze 'zusterrepublieken' dan met de simpele annexatie van het veroverde gebied, zoals het hoogste Franse bestuursorgaan, het Directoire, eigenlijk wenste.

*Napoleon (links) tijdens de gevechten met het Oostenrijkse leger in Tirol (door Nicolas Didier Boguet).*

# Sjah van Perzië door bediende vermoord

TEHERAN, 17 juni - Sjah Aga Mohammed, stichter van de dynastie der Kadjaren, is tijdens een veldtocht in de Kaukasus door een bediende vermoord. Aga Mohammed was vorig jaar tot sjah gekroond nadat hij in een verbitterde strijd die vele jaren duurde, de overwinning had behaald op de Zend-dynastie.

De regering van Karim Chan (lid van de Zend-dynastie) werd gekenmerkt door vrede en welstand. In deze jaren maakte de economie van Perzië een opmerkelijke bloei door. De toenmalige hoofdstad Sjiraz werd onder deze sjah Karim Chan aanzienlijk uitgebreid en verfraaid.

De in 1758 tot sjah gekroonde Karim Chan werd algemeen als een bekwaam heerser beschouwd, maar zijn gezag was geenszins onbetwist. Hij hield slechts een gedeelte van het land onder controle. Bovendien streefde de Turkse clan der Kadjaren er geruime tijd naar om de positie van de Zend-dynastie in te nemen. Om dit gevaar te bezweren hield Karim Chan aan zijn hof de zoon van zijn vroegere tegenstander, Aga Mohammed, gevangen. Na de dood van Karim Chan in 1779 slaagde Aga Mohammed erin te ontsnappen. Hij bereikte zijn geboortestreek en organiseerde van daaruit een opstand tegen de Zend-dynastie. Door meedogenloos optreden slaagde Aga Mohammed er na enkele jaren in overal als sjah erkend te worden. Hij maakte vervolgens Teheran tot de nieuwe hoofdstad van Perzië. Ook ondernam hij veroveringstochten om zijn gebied verder uit te breiden. In 1795 veroverde hij Azerbajdzjan, Armenië en Georgië.

Aga Mohammed wordt opgevolgd door Fath Ali, eveneens uit de dynastie der Kadjaren.

*Aga Mohammed Chan, sjah van Perzië.*

# Verkiezingen voor Bataafs parlement

'S-GRAVENHAGE, 13 juli - Vandaag zijn in de gehele Bataafse Republiek verkiezingen voor een nieuw parlement gehouden. De verkiezingen volgen de staatsgreep van een maand geleden, toen gematigde patriotten in Den Haag de macht overnamen van de radicalen, die zelf in januari van dit jaar de macht hadden gegrepen.

De radicale staatsgreep van januari is grotendeels op een mislukking uitgelopen omdat het bewind er niet in geslaagd is zich van voldoende aanhang onder de bevolking te verzekeren. De radicalen hebben echter één belangrijke daad verricht: zij hebben een aanvaardbare grondwet ontworpen.

Over zo'n grondwet is in Nederland geruime tijd gedebatteerd. In de eerste Nationale Vergadering, die in 1796 en 1797 in zitting was, stonden twee stromingen tegenover elkaar. De radicalen wilden een nieuwe eenheidsstaat creëren, waarbij de macht van de Provinciale Staten ondergeschikt werd gemaakt aan een centraal vertegenwoordigend lichaam in Den Haag. Volgens de radicalen moesten de schulden van de provincies bijeengevoegd worden tot een nationale schuld en zouden de belastingen in alle provincies op gelijke voet geheven moeten worden.

De gematigde federalisten wilden in grote lijnen de oude structuur van vóór

*'Alliantiefeest op de Dam', 1795 (door J. Kuyper).*

1795 handhaven, compleet met vrijwel autonome provincies. Een grondwet in deze geest werd echter in 1797 door de kiezers verworpen. Na de staatsgreep van januari is een radicale, unitaristische grondwet aan de kiezers voorgelegd, die zij wel aanvaardbaar vonden. Het gematigde bewind dat in juni aan de macht is gekomen, heeft besloten deze grondwet te handhaven, alhoewel zij strijdig is met zijn eigen opvattingen over de meest wenselijke staatsinrichting. Men wil vermijden dat de discussies van de afgelopen jaren heropend worden. Bovendien is de huidige grondwet inmiddels door de bevolking goedgekeurd.

Nu de nieuwe machthebbers hebben aangekondigd de grondwet te accepteren, kunnen zij waarschijnlijk op het vertrouwen van de kiezers rekenen. Naar verwachting zal een groot aantal gematigde volksvertegenwoordigers gekozen worden.

## Pinel zet grote vraagtekens bij krankzinnigenzorg

PARIJS - Philippe Pinel, de directeur van de Salpêtrière (het Parijse gasthuis), heeft demonstratief een aantal krankzinnigen van hun ketenen bevrijd. Met de vrijlating brengt Pinel zijn zienswijze over de mogelijkheid van behandeling van bepaalde vormen van waanzin in praktijk.

Hij heeft deze denkbeelden neergelegd in het *Medisch-filosofisch traktaat over de geestelijke vervreemding.* In dit traktaat onderscheidt Pinel twee geesteszieken: de 'manie', een stoornis van het verstand, en de 'dementie', de afwezigheid van verstandsvermogen (aangeboren of door aftakeling veroorzaakt). Volgens Pinel is manie te genezen. De behandeling moet volgens Pinel berusten op acceptatie van de autoriteit van de genezer. Door overredingskracht, dreiging en afschrikking moet de patiënt afhankelijk worden van de geneesheer, zodat deze zijn overwicht kan aanwenden. Om dit zo goed mogelijk te laten verlopen, wil Pinel een speciale kliniek voor deze vorm van waanzin openen. Maar zowel zijn ideeën als zijn recente daad hebben voornamelijk afkeurende reacties opgeroepen.

# Vlaamse opstand gebroken

HASSELT, 5 december - Franse troepen hebben na een hevig bombardement opstandige boeren uit Hasselt gejaagd. De boeren, die gisteren de stad hadden ingenomen, hebben nog geprobeerd naar het nabijgelegen Sint-Truiden te vluchten maar dat is door de Fransen op bloedige wijze verhinderd. Met de vernietiging van het ordeloze boerenleger is een eind gekomen aan een opstand die twee maanden lang het Vlaamse platteland teisterde en aan duizenden mensen het leven heeft gekost.

Directe aanleiding tot wat de 'boerenkrijg' wordt genoemd, is de invoering van de dienstplicht voor mannen van 20 tot 25 jaar. De gemoederen in de drie jaar geleden bij Frankrijk ingelijfde Zuidelijke Nederlanden waren al danig verhit door maatregelen tegen de Katholieke Kerk en door het steeds nijpender voedselgebrek. Na de afkondiging van de wet op de conscriptie, eind september, sloeg dan ook vrijwel onmiddellijk de vlam in de pan.

In verscheidene streken in Vlaanderen braken spontane opstanden uit. In Oost- en West-Vlaanderen wisten de Fransen snel orde op zaken te stellen, maar in het gebied ten oosten van de Schelde was de weerstand hardnekkiger. Een ongeorganiseerde groep van zo'n 10 000 boeren, plattelandsburgers en dorpelingen trok, gewapend met hooivorken en knuppels, van de ene naar de andere stad. In een veroverde stad werd de door de Fransen gesloten kerk opengebroken en kreeg een priester opdracht een Te Deum op te dragen. Vrijheidsbomen, symbool van de Franse overheersing, werden omgezaagd en registers met namen van dienstplichtigen vernietigd.

Steeds wisten de Fransen de steden vrij snel te heroveren, waarna de opstandelingen bij verrassing weer een nieuwe plaats innamen. Zo bezetten de 'brigands', zoals de boeren genoemd worden, onder meer Sas van Gent, Dendermonde, Geel en Diest. Telkens slaagden zij erin uit de greep van de inmiddels versterkte Franse garnizoenen te blijven. Hasselt, dat met hulp van Waalse boeren werd overmeesterd, wisten de opstandelingen echter niet op tijd te verlaten zodat de Fransen vernietigend konden toeslaan.

Het valt overigens niet te verwachten dat de bewoners van de Zuidelijke Nederlanden zich voortaan gedwee bij de dienstplicht zullen neerleggen. Zeker niet nu de Franse overheid heeft laten weten dat de wet op de conscriptie door de Vlamingen nauwkeurig nageleefd zal moeten worden.

# Griekse dichter Velestinlis in Belgrado onthoofd

BELGRADO - De Griekse dichter en vrijheidsstrijder Rhigas Velestinlis is in Belgrado terechtgesteld. Hiermee hebben de Griekse nationalisten hun eerste martelaar.

Rhigas ontvluchtte zijn geboortestreek Thessalië wegens de moord op een Turk, en trad na enige omzwervingen in dienst van de Fanariotische vorsten van Walachije, waar hij in aanraking kwam met de ideeën van de Verlichting. Vervolgens studeerde hij in Parijs en ten slotte belandde hij in de Donaumonarchie. Daar viel hij in handen van de Oostenrijkse autoriteiten, die een grote hoeveelheid revolutionaire geschriften op hem vonden. Uitlevering aan de 'bevriende mogendheid' Turkije volgde, met deze trieste terechtstelling als resultaat.

Rhigas heeft de Griekse zaak op verschillende manieren gediend: hij richtte een geheim genootschap op, schreef nationalistische liederen en stelde een concept-grondwet samen, die gebaseerd is op de Franse constituties van 1793 en 1795.

Zijn lied *Thourios*, ook wel de 'Griekse Marseillaise' genoemd, is bijzonder populair, zelfs bij de Turken, die overigens de tekst niet begrijpen.

# Malthus: 'Bevolkingsgroei heeft risico's'

*Uitdelen van voedsel aan de armen in Engeland (circa 1800).*

LONDEN - Onlangs verscheen van de hand van de dominee en econoom Thomas Robert Malthus het werk *Essay on the principle of population and its effects on human happiness*. In dit werk formuleert Malthus een bevolkingstheorie die een sombere toekomst in het vooruitzicht stelt. Hij beweert namelijk dat de bevolking de neiging heeft aanzienlijk sneller te groeien dan de hoeveelheid bestaansmiddelen. Hij heeft hiervoor zelfs een formule gevonden, waaraan volgens hem niet te veel exacte waarde moet worden toegekend, maar die wel het probleem illustreert. Malthus stelt dat de bevolking groeit volgens een meetkundige reeks (2, 4, 8, 16 enz.) terwijl de bestaansmiddelen slechts toenemen volgens een rekenkundige reeks (2, 4, 6, 8, 10 enz.).

Deze theorie betekent een belangrijke breuk met de visie die de mercantilisten op het bevolkingsvraagstuk hadden: bevolkingsgroei is gunstig, omdat er een direct verband zou bestaan tussen de omvang van de bevolking en de militaire en derhalve politieke macht die een land kan ontplooien. Malthus meent dat bevolkingsgroei alleen gunstig is als deze de levensstandaard niet in gevaar brengt. Als remedie ziet hij het afzien van voortplanting met name door mensen die niet in staat zijn een gezin te onderhouden. Hoewel Malthus de economische visie van Adam Smith ondersteunt en dus tegen al te veel overheidsingrijpen is, meent hij dat de regering op dit punt een taak heeft: de armenzorg moet niet zo georganiseerd worden dat mensen die in feite niet voor een gezin kunnen zorgen, hun verantwoordelijkheid op de armenkassen afwentelen.

Op de theorie van Malthus is al veel kritiek geuit. Van christelijke kant meent men dat deze theorie strijdig is met de bijbel, waarin staat 'Weest vruchtbaar en vermenigvuldigt u'. Ook socialisten hebben woedend op deze ideeën gereageerd. Zij hebben er bezwaar tegen dat de remedie voor het probleem in feite alleen vele leden van de arbeidersklasse het recht ontzegt een gezin te stichten. Bovendien menen zij dat er bij een rechtvaardige verdeling van de bestaansmiddelen geen sprake zal zijn van hongersnoden en tekorten.

# Jenner ontdekt inenting tegen pokken

LONDEN - De plattelandsarts Edward Jenner heeft een opzienbarende brochure geschreven: *An enquiry into the causes and effects of the variolae vaccinae*. In deze publikatie maakt Jenner bekend dat hij een methode heeft ontdekt om mensen immuun voor pokken te maken. De vinding van de plattelandsarts is van groot belang omdat deze ziekte veel slachtoffers maakt. Juiste cijfers zijn bij gebrek aan statistieken niet te geven maar deskundigen schatten dat een tiende van de totale sterfte door pokken wordt veroorzaakt. Hierbij is dan nog geen rekening gehouden met de vele mensen die door deze ziekte blind worden.

Jenner deed zijn ontdekking in zijn geboorteplaats Berkeley in het graafschap Gloucester, waar hij zich na zijn studie te Londen als arts vestigde. Een boerin had hem gewezen op de eigenschap van koepokken. Kinderen die met deze onschuldige aandoening werden besmet, waren volgens haar daarna immuun voor menselijke pokken. Jenner onderzocht dit en ontdekte dat de boerin gelijk had. Inmiddels is ook uit het buitenland belangstelling getoond voor deze uitvinding, die verstrekkende gevolgen voor de volksgezondheid kan hebben.

*De zeeslag van Aboekir tussen de Britse en Franse vloot (door George Arnold).*

# Nelson verslaat Fransen bij Aboekir

EGYPTE, 1 augustus - De Franse vloot onder admiraal Breuys heeft bij Aboekir een verpletterende nederlaag geleden in een zeeslag tegen een Engels eskader dat werd aangevoerd door admiraal Horatio Nelson. Deze nederlaag heeft het welslagen van de Egyptische veldtocht in gevaar gebracht.

Nelson slaagde erin de Franse vloot die bij Aboekir voor anker lag te verrassen en deze vrijwel geheel te vernietigen. Door het verlies van zijn vloot is voor Napoleon de terugweg over zee nu afgesneden. De Franse generaal had deze expeditie ondernomen om de positie van de Engelsen in deze streken te verzwakken. Aan de expeditie nemen ongeveer 40 000 soldaten deel. Zij worden vergezeld door een groep geleerden die zich met wetenschappelijk onderzoek moesten bezighouden. Aanvankelijk verliep de expeditie zeer gunstig: nadat medio juni Malta was veroverd, overwon Napoleon op 21 juli het leger van de Mamelukken. Drie dagen later viel Caïro. Men verwacht dat met het verlies van de vloot de expeditie tot mislukken gedoemd is, te meer daar het Osmaanse Rijk van plan lijkt Frankrijk de oorlog te verklaren.

*Karikatuur op de inenting tegen pokken (James Gillray, eind 18de eeuw).*

**2 januari.** Engeland sluit zich aan bij het Russisch-Turkse bondgenootschap.

**1 maart.** Russisch-Turkse troepen voltooien de verovering van de Ionische Eilanden, waar onder Turkse bescherming een republiek wordt gevestigd.

**12 maart.** Oostenrijk verklaart Frankrijk de oorlog.

**5 april.** Het Franse leger wordt bij Magnano door de Oostenrijkers verslagen.

**27 april.** De overwinning van Oostenrijk in de Slag bij Cassano betekent het einde van de Cisalpijnse Republiek.

**28 april.** Het vredesoverleg in Rastatt wordt afgebroken.→

**4 mei.** Tippoe van Mysore, India, wordt bij Seringapatam vermoord. Zijn rijk wordt verdeeld tussen Engeland en de nizam van Hyderabad.

**1 juni.** Tot de Tweede Coalitie van Engeland en Rusland tegen Frankrijk treden Oostenrijk, Turkije, Portugal en Napels toe. De Russische generaal Soevorov voert de Coalitietroepen aan.

**22 augustus.** In het geheim verlaat de Franse opperbevelhebber Napoleon, met achterlating van zijn soldaten in Egypte.

**19 september.** Een Oostenrijks-Russisch invasieleger wordt bij Bergen op Zoom verslagen.

**28 september.** De Commissie Generaal, die de reorganisatie van de VOC moet bewerkstelligen, wordt ontbonden.→

**Herfst.** Het Engelse parlement staat achter het voorstel van minister-president William Pitt de Jongere om de politieke vrijheden in te perken.→

**8-9 oktober.** Napoleon keert uit Egypte terug in Frankrijk.→

**18 oktober.** De hertog van York capituleert met het Engelse invasieleger bij Alkmaar.

**22 oktober.** Rusland verlaat de Tweede anti-Franse Coalitie.

**9 november.** Napoleon grijpt de macht binnen het Directoire. →

**22 november.** In de Bataafse Republiek wordt een monarchiste terechtgesteld.→

**24 december.** Na zijn geslaagde staatsgreep op 9 november tegen het Directoire wordt Napoleon uitgeroepen tot eerste consul voor tien jaar.

- In Frankrijk breken op verschillende plaatsen opstanden uit tegen de hoge voedselprijzen.

- Rusland verstrekt een Russisch-Amerikaanse onderneming het handelsmonopolie met Alaska.

- In zijn *Metakritik* valt Herder de filosofie van Kant en Fichte aan.

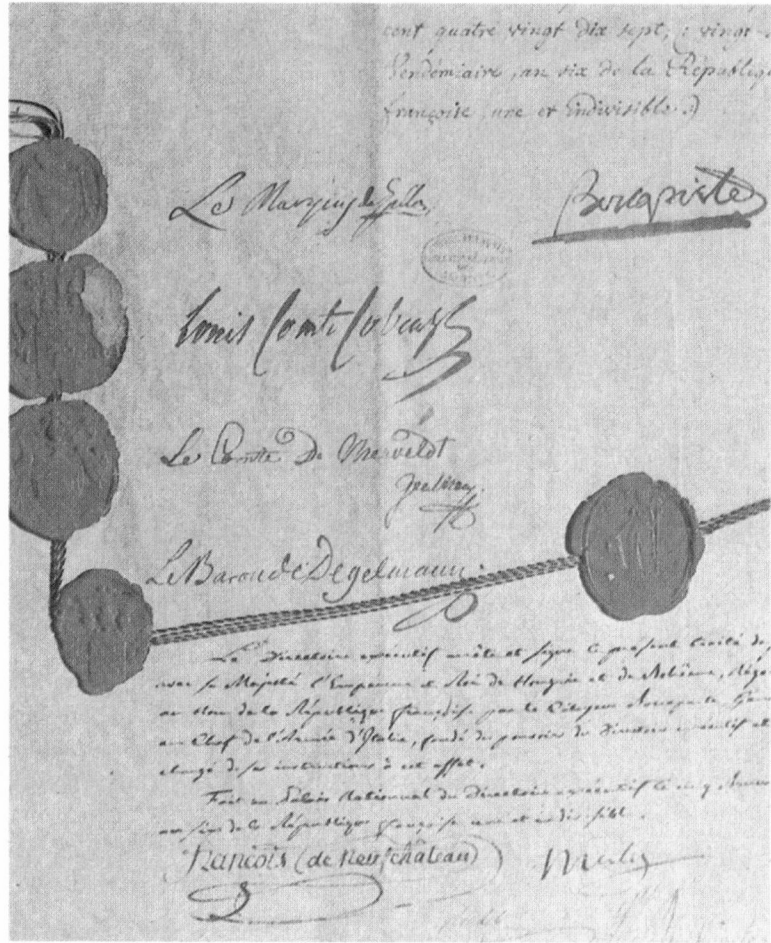

*Slotpagina van het verdragsdocument van de Vrede van Campo Formio (1797).*

# Vredescongres afgebroken

RASTATT, 28 april - Na het uitbreken van de Tweede Coalitieoorlog is het Vredescongres van Rastatt afgebroken. Hier werd vergaderd over de gevolgen van de in 1797 beëindigde Eerste Coalitieoorlog en over de toekomst van het Heilige Roomse Rijk. Het vredescongres is geëindigd met een schandaal; op de terugweg werden twee leden van de Franse delegatie door Hongaarse huzaren vermoord.

Het congres van Rastatt kwam op 9 december 1797 op initiatief van de Duitse keizer Frans II bijeen om de bepalingen van het vredesverdrag van Campo Formio tussen Oostenrijk en Frankrijk nader uit te werken. Deze vrede maakte een einde aan de Eerste Coalitieoorlog, die in 1792 was uitgebroken.

In deze oorlog moest Frankrijk het opnemen tegen onder andere Oostenrijk, Pruisen, Engeland en Nederland. Ondanks de tegenstand waren de Franse legers onder leiding van opperbevelhebber Napoleon buitengewoon succesvol. Op 5 april 1795 werd met Pruisen de Vrede van Basel gesloten waarbij de Franse annexatie van de linker Rijnoever werd erkend. Volgens een geheime clausule zou Pruisen compensatie krijgen voor de verloren gegane gebieden op de rechter Rijnoever.

De vrede kwam na aanvankelijke aarzeling van de kant van de Pruisische koning Frederik Willem II tot stand. Deze wilde zijn leger vrijmaken voor eventuele problemen die zouden kunnen ontstaan bij de Derde Poolse Deling.

Bij de Vrede van Campo Formio (een kasteel bij Venetië), die op 17 oktober 1797 werd gesloten, erkende ook Oostenrijk de Franse annexatie van de linker Rijnoever en kreeg Frankrijk de voormalige Oostenrijkse Nederlanden (België). Bovendien werd bepaald dat een congres bijeen zou komen om de schadeloosstelling voor de verloren gegane gebieden te regelen. Deze compensatie zou ten koste moeten gaan van de kerkelijke gebieden. Een dergelijke regeling zou leiden tot een herindeling van het Heilige Roomse Rijk.

Zover kwam het echter niet. Het Vredescongres van Rastatt werd na het uitbreken van de Tweede Coalitieoorlog door Oostenrijk beëindigd. In deze oorlog sloot Rusland zich bij de coalitie aan. Tsaar Paul I, de opvolger van Catharina II, voelde zich bedreigd omdat Frankrijk zich openlijk had uitgesproken voor een herstel van het oude Polen, dat na de Derde Deling in 1795 in zijn geheel van de landkaart was verdwenen.

## Ontbinding van commissie voor reorganisatie VOC

BATAVIA, 28 september - De in 179. ingestelde Commissie Generaal, d. als opdracht had het bestuurs- en ha. delssysteem van de VOC te reorganis. ren, is ontbonden. In de jaren van ha. bestaan heeft zij weinig tot stand g. bracht en haar voortbestaan werd bc vendien overbodig door de ontwikk. lingen in Nederland. Na de omwent. lingen van 1795 is het opperbestuur va. de VOC in handen gekomen van ee. 'Committee tot de zaken van den Oos. Indische handel'; de bijna failliete ha. delsmaatschappij werd in feite door c staat overgenomen. Bij de staatsreg. ling van vorig jaar is bepaald dat per 3. december de VOC ophoudt te bestaa. en dat haar bezittingen en schulde. overgaan op de Bataafse Republiek. Die schulden waren in 1790 opgelope. tot 120 miljoen gulden. Winsten we. den er niet meer gemaakt, het gevo. van het vasthouden aan een totaal ac. terhaald handelssysteem, een door e. door corrupt ambtenarenapparaat e. hoog opgelopen bestuurskosten. E. werd wel dividend uitgekeerd, maa. het geld daarvoor moest geleend wo. den. In de Vierde Engelse Zeeoorlo. (1780-1784) was bovendien gebleke. hoe kwetsbaar de Republiek en c VOC waren geworden.

De bewindvoerders der compagnie za. gen in dat er iets moest veranderen e. besloten een commissie in te stellen. onder leiding van mr. S.C. Nede. burgh, die een plan ontwikkeld ha. om, met handhaving van de oud. structuur, de compagnie weer leven. vatbaar te maken. Het was een simp. plan: bezuinigen op de uitgaven en h. heffen van belasting op de inkomste. (afkomstig uit illegale handelsactiv. teiten) van de ambtenaren. Eenmaal. Batavia gearriveerd werd Nederburg. echter al snel ingekapseld door de hee. sende familieregering van gouverneu. generaal Alting en kwam er van he. vormingen niets terecht.

*Prins Willem V nam in 1768 zitting al. opperbevelhebber van de VOC.*

# William Pitt treedt op tegen vakbonden

De Engelse minister-president William Pitt de Jongere (door John Hoppner).

LONDEN, herfst - In het parlement is een voorstel van minister-president William Pitt de Jongere om de politieke vrijheid in te perken, aangenomen. De wet, die het coalitieverbod genoemd wordt, is naar algemeen wordt aangenomen vooral bedoeld om de radicale oppositie en de vakbonden, die de laatste jaren veld winnen, de mond te snoeren.

De radicale beweging waartegen nu wordt opgetreden, bestaat al sinds de jaren zestig van deze eeuw en is in feite geen beweging maar een heterogene groep die de onvrede van haar achterban naar voren brengt. Hoewel het politieke leven sinds het aantreden van William Pitt als minister-president in december 1793 een stabieler karakter heeft gekregen, blijft een aantal kwesties onopgelost. Ten eerste streven de Ieren naar meer zelfstandigheid, te meer daar zij formeel een apart koninkrijk met een eigen parlement vormen. Ten tweede bestaat er in Engeland een grote groep 'dissenters', protestanten die niet willen behoren tot de staatskerk, de Church of England. De uitoefening van hun godsdienst wordt weliswaar getolereerd, maar in politiek opzicht zijn zij tweederangs burgers. Ten derde is er een groep politici en burgers die het functioneren van het parlement wil verbeteren, onder verwijzing naar de Glorious Revolution van 1688. Zij menen dat het parlement, door het districtenstelsel en doordat slechts weinigen stemrecht hebben en veel leden hun zetel te danken hebben aan de koning of aan machtige parlementsleden, niet democratisch maar despotisch is. Hun held is uiteraard John Wilkes, die jarenlang op de bres stond voor wat hij de vrijheden, 'the liberties', noemde. Hun credo is de door medestanders van Wilkes in 1769 opgestelde Bill of Rights. De belangrijkste leden van deze radicale oppositie zijn naast Wilkes majoor John Cartwright, Richard Price, Joseph Priestley en Christopher Wyvil. Het coalitieverbod past volledig bij de opvattingen van William Pitt. Al in een vroeg stadium, toen daarvoor in Engeland nog vele sympathisanten waren, zette hij zich af tegen de principes van de Franse Revolutie en, naar eigen zeggen, in het verlengde daarvan tegen de ideeën van de Engelse radicalen. Algemeen wordt het strenger optreden tegen de oppositie in verband met de oorlog tegen Frankrijk gebracht.

Portret van de sociaal-hervormer en industrieel Robert Owen. De op 14 mei 1771 te Newtown in Wales geboren Owen werkte enige jaren in textielfabrieken voordat hij mede-eigenaar werd van een katoenspinnerij te New Lanark in Schotland. Owen was behalve zakelijk ook zeer idealistisch: bij de fabriek stichtte hij een modeldorp voor de arbeiders, met scholen om de kinderen onderwijs te kunnen geven. Ook verbeterde hij de werkomstandigheden.

# Mislukte expeditie Napoleon in Egypte

Napoleon Bonaparte bekijkt de mummie van een farao (Egypte, 1798).

CAIRO, 8 oktober - Napoleon Bonaparte, de leider van het Franse leger, die vanaf juli vorig jaar geprobeerd heeft Egypte te bezetten, is teruggekeerd naar Frankrijk.

De Franse expeditie naar Egypte was een combinatie van de wens van Napoleon om naar het Oosten te gaan - omdat men 'alleen in het Oosten iets belangrijks kan doen' - en het beleid van de Franse regering om vaste voet in Egypte te krijgen. Egypte werd beschouwd als een land dat zowel tot de Afrikaanse landen als tot de islamitische wereld behoort. Het is een strategische plaats in verband met de handelsroute naar Indië. Daarnaast had de Engelse regering in 1778 een akkoord gesloten met Ali Bey, de belangrijkste leider van de Mamelukken in Egypte.

Het was een handelsakkoord, waarin de Engelsen meer invloed in de Rode Zee kregen. De expeditie van Napoleon Bonaparte werd dan ook georganiseerd om een aanval op de belangen van de Engelsen te doen. Naast zijn troepenmacht nam Napoleon ook een aantal geleerden mee.

Napoleon boekte bij de piramiden een overwinning op de Turkse Mamelukken, maar verloor vorig jaar augustus van de Britten de zeeslag bij Aboekir. Hij voerde in Egypte een westers regeringssysteem in en legde de grondslag voor de studie van de Egyptische archeologie.

Een strafexpeditie tegen de Turken in Syrië slaagde maar half en in augustus van dit jaar wist hij ternauwernood een Turkse invasie in Egypte af te slaan.

Op 12 oktober is in het onlangs verbouwde theater van Weimar het eerste deel van de Wallenstein-trilogie van Friedrich von Schiller in première gegaan. Deze trilogie is Schillers belangrijkste toneelstuk en wordt door kenners met het werk van Shakespeare vergeleken. De prent laat een scène uit de première van het eerste deel van de trilogie zien, de zogenaamde proloog 'Wallensteins kamp'. Het voorstel om de proloog tot een zelfstandig deel om te werken kwam van Johann Wolfgang von Goethe, bij wie Schiller in september vorig jaar in Weimar logeerde. Tijdens de omwerking werd het oorspronkelijke stuk in drie delen gesplitst (naast 'Wallensteins kamp' de delen 'De Piccolomini' en 'Wallensteins dood'). Elk van deze delen vormt volgens Schiller 'in zekere zin een eenheid'.

# Napoleon trekt macht aan zich

*Napoleon wordt na zijn toespraak voor de Raad van Ouden uitgejouwd.*

PARIJS, 9 november / 18 brumaire, jaar VIII - Generaal Bonaparte heeft dank zij een staatsgreep de macht binnen het Directoire verkregen. Dat Directoire is enige tijd geleden in diskrediet gebracht. Frankrijk wordt steeds onveiliger. Elke dag wordt er meer geroofd en geplunderd. Zowel linkse als rechtse extremisten lijken de dienst uit te maken. Economisch is het land er bar slecht aan toe. Aan de oorlogen lijkt geen einde te komen.

Sieyès, in het voorjaar van 1799 benoemd tot lid van het Directoire, was begonnen voorbereidingen te treffen voor wat een legale overstap zou moeten zijn naar een versterking van de uitvoerende macht. Hij dwong drie van de vier andere leden van het Directoire tot aftreden, verving hen door mensen die zijn plannen gunstig gezind waren en ging, met de steun van de bourgeoisie en de bankwereld, op zoek naar een populaire generaal.

Napoleon Bonaparte kwam in aanmerking door zijn succesvolle veldslagen. Hij is de broer van Lucien Bonaparte, voorzitter van de Raad van Vijfhonderd (kamer van afgevaardigden), die evenals andere gezaghebbende politici, zoals Talleyrand, tot de samenzweerders behoorde.

De coup is niet helemaal naar wens verlopen. De samenzweerders wilden een soepele, 'legale' ontbinding van het Directoire, maar de parlementsleden dachten daar anders over. Lemercier, voorzitter van de Ouden (Senaat), ook in het komplot, stelde de leden van zijn kamer voor Napoleon Bonaparte, zojuist teruggekeerd van zijn veldtocht in Egypte, aan het hoofd van de Parijse troepen te plaatsen en tegelijkertijd het Directoire te ontbinden. Aanleiding daarvoor zou zijn een zojuist ontdekt komplot van de Jakobijnen. De Ouden vertrouwden de zaak echter niet, de Raad van Vijfhonderd evenmin. Generaal Bonaparte maakte hun wantrouwen nog groter door een onhandige toespraak tot de Ouden. Bij de Raad van Vijfhonderd werd hij vervolgens ontvangen met de kreten 'Weg met de dictator! Vogelvrij!' Lucien Bonaparte kon nog net voorkomen dat de kamer zijn broer inderdaad vogelvrij verklaarde - dat zou diens doodvonnis betekend hebben. 's Avonds lukte het de samenzweerders uiteindelijk toch de Ouden, plus een dertigtal afgevaardigden en het Directoire, te vervangen door een voorlopig Consulaat, een driemanschap waarvan Napoleon Bonaparte de leiding krijgt. Tevens worden twee commissies in het leven geroepen teneinde samen met de consuls een nieuwe grondwet op te stellen. Ondanks die tegenslag heet Bonaparte toch zo verheugd te zijn over de afloop, dat hij de straat waarin hij woont 'rue de la Victoire' wil gaan noemen.

# Aanhangster Oranjehuis geëxecuteerd

HERVELD, 22 november - Heden is de 42-jarige freule van Dorth tot Holthuizen voor een vuurpeloton terechtgesteld. Het vonnis was gisteren uitgesproken door een militaire rechtbank onder leiding van generaal Giraud. De freule is veroordeeld wegens het openlijk vertoon van haar aanhankelijkheid aan het Oranjehuis, wegens steun aan de Engels-Russische inval deze herfst en wegens uitlatingen gericht tegen de regering van de Bataafse Republiek en haar Franse bondgenoot.

De directe aanleiding voor de gedragingen van de freule was het binnentrekken van enkele honderden prinsgezinde emigranten in Overijssel begin september. De slechtbewapende troep had zich in Duitsland verzameld, was de grens gepasseerd en via Deventer in de Achterhoek beland. Daar had de freule hen verwelkomd door op haar kasteel Het Harreveld (bij Lichtenvoorde) de Oranjevlag te hijsen. Tevens was zij, te zamen met haar broer, met de prinsgezinden naar het nabijgelegen Groenlo getrokken.

De inval van het Oranjelegioen was

*De Slag bij Castricum: Franse troepen deinzen terug voor een Russische aanval.*

bedoeld als steun voor de Engels-Russische invasie in Noord-Holland enige dagen eerder. De Engelsen hadden Den Helder bezet, later ook Hoorn, Enkhuizen en Alkmaar. In de nabijheid van Amsterdam hadden zij de Nederlandse vloot overmeesterd, nadat de matrozen bij het zien van de Oranjevlag hadden geweigerd de bevelen van hun officieren verder op te volgen. Van een algemene opstand tegen de Haagse regering en de Franse legers in Nederland is echter geen sprake geweest. Het schijnt dat de Engelsen daarop gehoopt hadden toen zij hun invasie waagden. Ook bij de inval in Overijssel was erop gerekend dat de bevolking zich massaal achter het Oranjevaandel zou scharen. Toen daarvan geen sprake bleek te zijn, waren de operaties tot mislukken gedoemd. In het oosten van het land werden de invallers binnen korte tijd overmeesterd; eind oktober werd ook Noord-Holland door de Engelse en Russische troepen verlaten.

# Jefferson derde president

WASHINGTON, 3 december - De Amerikaanse politiek heeft een harde en verbitterde strijd om het president-schap achter de rug die gewonnen lijkt te gaan worden door Thomas Jeffer-son, de Democratisch-Republikeinse kandidaat. Jefferson en zijn Repu-blikeinse medekandidaat Aaron Burr hebben in het kiescollege beiden 73 stemmen gehaald, terwijl de zittende president, John Adams, niet verder is gekomen dan 65 stemmen. Voor de de-finitieve uitslag is het wachten echter op een stemming in het Huis van Afge-vaardigden begin volgend jaar; hoewel er in de campagne van meet af aan geen enkele twijfel over heeft bestaan dat Jefferson de presidentskandidaat was en Aaron Burr kandidaat voor het vice-presidentschap, weigert Burr zich ten gunste van Jefferson terug te trekken. Het Huis van Afgevaardigden moet nu de doorslag geven.

De Sedition Act, die twee jaar geleden van kracht is geworden, heeft in de af-gelopen campagne een belangrijke rol gespeeld. In deze wet wordt onder an-dere bepaald dat personen die veroor-deeld worden wegens het publiceren van 'valse, scandaleuze en kwaadaar-dige geschriften' die de Amerikaanse regering, het Congres of de president in diskrediet brengen, een boete van ten hoogste 2000 dollar of een gevange-nisstraf van ten hoogste twee jaar te wachten staat. De Sedition Act, die de Federalisten duidelijk hebben inge-steld om de politieke oppositie mond-dood te maken, wordt door de Demo-ratisch-Republikeinen bestempeld als onnodig, despotisch en strijdig met de grondwet. Op grond van deze wet zijn inmiddels 25 mensen vervolgd van wie er tien zijn veroordeeld, stuk voor stuk Republikeinse journalisten en druk-kers. De Federalistische pers heeft van de Sedition Act geen last gehad en heeft in de campagne dan ook wild om zich heen geslagen. Federalisten riepen de kiezers op te stemmen voor 'God - en een godsdienstige president' en zich af te wenden van 'Jefferson - en godde-loosheid'. Ze waarschuwden dat wan-neer Jefferson gekozen zou worden, moord, roof, verkrachting, overspel en incest openlijk zullen worden aan-geprezen en bedreven'.

Een belangrijk element in de Republi-keinse verkiezingsoverwinning was de grote verdeeldheid aan de kant van de Federalisten. Dit bleek bijvoorbeeld in oktober toen Aaron Burr beslag wist te leggen op een kopie van een brief van oud-minister Alexander Hamilton, de 'Kolossus van het Federalisme', waar-in deze scherpe kritiek uitte op het publieke optreden en het karakter van de Federalistische president John Adams.

Alexander Hamilton, vertrouweling van de in december vorig jaar overle-den George Washington, gedurende vele jaren dé politieke machthebber in de Amerikaanse politiek en volgens John Adams 'een intrigant, de grootste intrigant ter wereld', wordt door zijn partijgenoten ook verantwoordelijk gesteld voor de nederlaag die de Fede-ralisten begin dit jaar hebben geleden bij de verkiezingen voor het staatspar-lement van New York. Ook bij de pre-sidentsverkiezingen hebben de Federa-listen in New York in het zand moeten bijten. Het Federalistische verlies in New York zou wel eens de doorslag hebben kunnen geven bij de uitslag van deze presidentsverkiezingen. Het is een wel grillige speling van het lot dat, als Jefferson volgend jaar tot Amerika's derde president wordt gekozen, hij deze verkiezing mede te danken heeft aan Alexander Hamilton, zijn oude, conservatieve aartsvijand.

*De Italiaanse uitvinder Volta toont zijn 'batterij' aan Napoleon Bonaparte.*

# Volta vindt batterij uit

PAVIA - In een mededeling aan de Ko-ninklijke Academie heeft de Italiaanse natuurkundige Alessandro Volta de uitvinding van de zogenaamde 'volta-zuil' bekendgemaakt. De voltazuil, ook wel batterij genoemd, is de eerste praktisch bruikbare spanningsbron waarmee een tamelijk constante elek-trische stroom kan worden opgewekt. De uitvinding vergroot de toepas-singsmogelijkheden van elektriciteit aanzienlijk.

De nu 55-jarige hoogleraar houdt zich al jaren intensief met elektriciteit be-zig. Drie jaar geleden resulteerde dit in de uitvinding van de elektroscoop. Naast natuurkunde heeft de geleerde ook aandacht voor de landbouw. Te-rugkomend van een van zijn vele reizen - waarbij hij onder andere Nederland aandeed - voerde hij in Lombardije de aardappelteelt in.

## Lieven Bauwens burgemeester van Gent

*Bauwens vestigt zijn atelier in het voormalig kartuizerklooster (doorsnede).*

GENT, 11 juli - De industrieel Lieven Bauwens heeft het burgemeesterschap in zijn geboortestad Gent aanvaard. In een eerste verklaring heeft hij laten we-ten dat 'l'amour de la paix et de l'ordre et la reconnaissance à nos libérateurs seront les bases de ma conduite'.
De 31-jarige Bauwens heeft de afgelo-pen jaren een grote faam als katoen-fabrikant opgebouwd. Vanuit Enge-land heeft hij in de jaren 1797 en 1798 essentiële onderdelen van katoenspin-machines en vakbekwame arbeiders naar het vasteland gesmokkeld. Na deze gewaagde vorm van industriële spionage richtte hij, eerst in Passy bij Parijs en onlangs in Gent, constructie-werkplaatsen in waar de 'mule jennies' worden vervaardigd.
Zijn benoeming tot burgemeester is een voorlopige bekroning van zijn carrière. Of het zijn toch al geringe po-pulariteit bij de Gentse bevolking ten goede zal komen, valt te betwijfelen. Bauwens is rijk geworden als leveran-cier aan de Franse bezetter en door het opkopen van geconfisqueerde kerke-lijke goederen tegen woekerprijzen. Beide zaken hebben nogal wat kwaad bloed gezet in het katholieke Vlaande-ren. Ook de slechte behandeling van de fabrieksarbeiders in zijn werkplaatsen draagt niet bepaald bij tot een positieve kijk op de persoon Lieven Bauwens. Nu hij bovendien nog burgemeester is geworden, en daarmee openlijk de Franse overheersing ondersteunt, hoeft Bauwens al helemaal niet meer op sympathie van zijn landgenoten te rekenen.
Hij schijnt daar overigens ook niet op uit te zijn. Voor hem zijn de katoen-fabricage en de winst die hij daarmee denkt te kunnen boeken, verreweg het belangrijkste in zijn leven. Hij schijnt van plan te zijn in Gent en omgeving nog meer constructieateliers op te rich-ten. Van de Franse overheid heeft hij alvast alle mogelijke steun toegezegd gekregen.

*Portret van Friedrich Leopold von Hardenberg, beter bekend als de dichter Novalis. Sinds een uiterst ongelukkig verlopen liefdesgeschie-denis met Sophie von Kühn - zij overleed in 1797 aan tering - uit Novalis zijn gevoelens in gedichten die een sfeer van onvervuld verlan-gen en bodemloze droefheid ade-men. Enkele dagen na de dood van Sophie noteerde hij: 'Es ist Abend um mich geworden... und es ist mir, als würde ich früh weggehen.' Ook de 'Fragmente' getuigen van dit levensgevoel.*

# Nieuwe hoofdstad voor Verenigde Staten

*Het Witte Huis in Washington, de ambtswoning van de president van de Verenigde Staten, omstreeks 1799.*

WASHINGTON, 17 november - De Verenigde Staten hebben hun nieuwe federale hoofdstad in gebruik genomen: Washington, aan de oever van de Potomac. Adams heeft zijn intrek genomen in de presidentiële ambtswoning en het Congres heeft vandaag zijn eerste bijeenkomst gehad in de pas voltooide Senaatsvleugel van het Capitool.

Het idee om een gloednieuwe hoofdstad te bouwen kwam in juni 1783 voor het eerst op tijdens een vergadering van het Congres in de Old City Hall in Philadelphia. De Vrijheidsoorlog was net achter de rug, de schatkist was leeg, het land had geen krediet en had zijn soldaten nog een grote som achterstallige soldij te betalen. Een president was er niet en hoewel de dertien koloniën vrij waren, waren ze een groep min of meer onafhankelijke deelstaten met sterk verschillende belangen. Op 20 juni van dat jaar trok een grote groep soldaten die hun soldij uitbetaald wilden hebben, Philadelphia binnen om het Congres hun grieven voor te leggen. Gewelddadigheden deden zich niet

voor, maar de Congresleden voelden zich in Philadelphia niet meer veilig en verplaatsten hun vergaderingen naar New York. Ze begonnen een actie voor een federale stad waar de parlementariërs zonder intimidatie van buitenaf hun werk zouden kunnen doen. Zes jaar lang woedde er een hevige competitie tussen de verschillende kandidaat-steden, tot er uiteindelijk een compromis werd gesloten: de bouw van een volledig nieuwe federale hoofdstad.

Het aanwijzen van de lokatie werd overgelaten aan de pas gekozen president George Washington, die zijn keuze liet vallen op een moerassig gebied van zestien vierkante kilometer aan de Potomac, tussen Georgetown in het noorden en Alexandria in het zuiden, niet ver van zijn landgoed Mount Vernon.

Het maken van een stadsplan droeg Washington op aan een jonge Fransman, Pierre-Charles L'Enfant, die een groots en weids ontwerp heeft gemaakt, waarbij hij niet is uitgegaan van de dertien koloniën met hun drie miljoen inwoners, maar van een stad van uiteindelijk 800 000 inwoners en

een republiek die uiteindelijk vijftig staten en niet minder dan 500 miljoen burgers moet tellen. Washington legde zeven jaar geleden de eerste steen van het Capitool, toen tegelijk de bouw startte van de presidentiële ambtswoning (een ontwerp van de Ier James Hoban).

*Met de introductie van nieuwe genotmiddelen als koffie, thee, cacao en tabak ontstaan in Europa nieuwe zeden en gebruiken. Koffie is zeer geliefd en wordt in speciale huizen genuttigd. Op de afbeelding geniet een gezelschap van cacao.*

*Madame Julie Récamier is een van de centrale figuren van het mondaine Parijse leven geworden. In navolging van madame De Staël opende zij een salon die het trefpunt van royalisten werd. Als 15-jarige huwde ze de bankier Jacques Récamier. In diens opdracht schilderde Jacques-Louis David een portret van haar, dat onvoltooid bleef omdat de over de gelijkenis ontevreden Récamier bij François Gérard een ander portret bestelde (rechts).*

# Oostenrijk verliest bezittingen in Italië

*De Slag bij de Piramiden tussen Fransen en Mamelukken (François Watteau).*

LUNÉVILLE, 9 februari - In Lunéville hebben Frankrijk en het vorig jaar bij Marengo verslagen Oostenrijk vrede gesloten in een verdrag dat grote consequenties voor de machtsverhoudingen in Italië heeft. Oostenrijk raakt zo goed als al zijn bezittingen in Italië kwijt. Het Verdrag van Lunéville heeft definitief de Oostenrijks-Russische successen van 1799 en later ongedaan gemaakt en de Franse invloed in Italië hersteld.

Die Franse invloed is na de Vrede van Campo Formio in 1797 alleen nog maar toegenomen. In december 1798 werd de koning van Sardinië-Piemonte gedwongen zijn land te verlaten. Piemonte werd prompt door Frankrijk geannexeerd.

In hetzelfde jaar vielen de Fransen, daartoe aangezet door de vijandige houding van de paus en de activiteiten van revolutionairen in diens gebied, de Pauselijke Staat binnen. In maart werd de republiek Rome uitgeroepen. Na het vertrek van Napoleon Bonaparte naar Egypte trachtte koning Ferdinand IV van Napels deze Romeinse republiek weliswaar te elimineren, maar die aanvankelijk succesvolle poging werd al snel ongedaan gemaakt door een Franse tegenactie die niet alleen resulteerde in een Franse bezetting van Napels, maar ook in Ferdinands vlucht naar Sicilië en de uitroeping van de Parthenopeïsche Republiek.

De kansen keerden na de vorming van de Tweede Coalitie tegen Frankrijk in maart 1799 en de inval in Noord-Italië van een Oostenrijks-Russisch leger onder generaal Soevorov. Dit leger verdreef in snel tempo de gehele Povlakte tot aan Turijn.

De Fransen trokken daarop hun troepen uit Napels terug. De Napolitaanse koning stuurde vanuit Sicilië een leger Engelse, Oostenrijkse en Turkse troepen onder kardinaal Ruffo naar Napels. Dit leger, bijgestaan door groepen ongedisciplineerde boeren en bandieten, maakte in snel tempo een eind aan de Parthenopeïsche Republiek. Twee dagen lang was Napels het toneel van plundering, moord en brandstichting. Daarna gaven de revolutionairen zich over. Kardinaal Ruffo beloofde hun leiders een vrijgeleide naar Marseille, maar de Britse kolonel Nelson, die juist na de overgave in de stad aankwam, verscheurde het capitulatiedocument, hing de revolutionaire leider, admiraal Caracciolo, op en leverde de anderen uit aan koning Ferdinand.

De wraak van Ferdinand op de kopstukken van de republiek was wreed: meer dan honderd van hen, de meest vooraanstaande intellectuelen van het land, werden opgehangen of doodgeschoten; 220 anderen werden voor de rest van hun leven en 312 voor een bepaalde tijd naar de galeien gestuurd; nog eens 100 anderen werden verbannen.

Na hun vertrek uit Napels en hun verdrijving uit de Povlakte werden de Fransen in 1799 eveneens uit Toscane verdreven - daar kwam het tot bloedbaden tegen collaborateurs - en viel ook de Romeinse republiek. Alleen in Genua konden de Fransen zich handhaven.

In de lente van 1800 had de uit Egypte teruggekeerde Napoleon een leger bijeen om Italië te heroveren. Het kostte hem uiteindelijk slechts enkele maanden: op 14 juni bracht hij de Oostenrijkers in Marengo een zware nederlaag toe; in dezelfde maand veroverde Joachim Murat Napels.

Het Verdrag van Lunéville voegt heel Noord-Italië bij Frankrijk; Oostenrijk behoudt alleen een deel van Venetië. Toscane wordt bij Parma gevoegd en vervolgens tot het nieuwe koninkrijk Etrurië uitgeroepen, en ook de Cisalpijnse Republiek zal nieuw leven ingeblazen worden.

*De Franse overwinning op de Osmanen (door Louis François Lejeune).*

# Ieren zijn kritisch over Unie met Engeland

*Huwelijksvoorbereidingen, schilderij van William Hogarth (1697-1754).*

LONDEN, 1 januari - Met ingang van het nieuwe jaar is de Unie tussen Ierland en Engeland van kracht geworden. Evenals dat in 1707 met Schotland het geval was, is de Unie bedoeld om de in Ierland heersende onvrede te beteugelen. Deze onvrede leidde in het verleden regelmatig tot opstanden, die alle bloedig werden onderdrukt. In Ierland gaan, geïnspireerd door de onafhankelijkheid van Amerika, stemmen op voor onafhankelijkheid. Het is echter onwaarschijnlijk dat die er op korte termijn zal komen. Koning George III wil er niets van weten, terwijl de bestaande toestand voor veel Engelsen zeer lucratief is: veel in Engeland wonende edelen bezitten grond in Ierland die hun een aanzienlijke pacht oplevert.

De laatste opstand in Ierland dateert van enkele jaren geleden: na twee jaar onrust werd in 1798 een leger van opstandelingen bij Vinegar Hill verpletterend verslagen. Ook op deze opstand volgde een bloedige repressie.

De grieven van Ierse zijde spitsen zich toe op twee punten: de Ierse pachters, van wie velen zeer arm zijn, hebben geen enkele bescherming tegen hun landheren. Bovendien moeten de Ieren, die overwegend katholiek zijn, tienden betalen aan de Anglicaanse Church of Ireland. De Iers-Engelse schrijver Jonathan Swift schreef in 1727 in een aanklacht tegen de situatie: 'Een vreemdeling die door Ierland reist waant zich eerder in Lapland of IJsland dan in ons land dat door de natuur zo rijk begiftigd is met een gunstig klimaat en vruchtbare grond (...). De aanblik van boerengezinnen die hoge pachten moeten betalen, maar in vuil en smerigheid leven, terwijl ze niet veel anders als voeding hebben dan aardappelen en karnemelk; het beeld van mensen die geen schoenen hebben en wonen in huizen die minder comfort bieden dan een Engelse varkensstal. De aanblik van al die ellende is misschien aangenaam voor Engelsen die hier rondreizen en vervolgens terugkeren naar hun vaderland, waarheen al onze welvaart verdwijnt.'

William Pitt (de Jongere) zag de noodzaak tot emancipatie van de Ieren wel in, maar koning George III wist iedere vooruitgang tegen te houden. Hierop nam Pitt ontslag, zodat deze door onvrede en verbittering explosieve situatie blijft bestaan.

*In Engeland is een heftig meningsverschil ontstaan over de activiteiten van Thomas Bruce Elgin, de Engelse gezant in Constantinopel. Hij heeft met toestemming van de Turkse autoriteiten grote aantallen antieke Griekse beelden, of delen daarvan, van Athene naar Engeland laten overbrengen. Vooral Lord Byron heeft zich zeer afwijzend uitgelaten over Elgin, die hij van vandalisme beschuldigt. Elgin zal nu waarschijnlijk van zijn post worden ontheven. Afgebeeld: enkele omstreden sculpturen.*

# Jefferson president VS

WASHINGTON, 17 februari - Thomas Jefferson (57) is tot derde president van de Verenigde Staten van Amerika gekozen. Aan de presidentsverkiezingen is een langdurige campagne voorafgegaan. Na een impasse in het kiescollege was het aan het Huis van Afgevaardigden een beslissing te nemen. Na niet minder dan 36 stemmingen heeft men voor Thomas Jefferson, de leider van de Republikeinen, gekozen. De Federalisten, vertegenwoordigd door de huidige president John Adams, zijn de grote verliezers. In de jaren die aan de presidentsverkiezingen zijn voorafgegaan, zijn de politieke verschillen in de Verenigde Staten steeds duidelijker geworden. Meningsverschillen over het goedkeuren van de grondwet (1787) waren de eerste tekenen die erop duidden dat de politieke eenheid in Amerika niet erg groot was. Toen Alexander Hamilton enkele jaren later zijn economische plannen publiceerde, stonden de voorstanders van ratificatie van de grondwet, de Federalisten, opnieuw tegenover de Antifederalisten. De laatsten verzetten zich tegen het beleid van Hamilton. In de jaren negentig waren de relaties met Frankrijk een punt van conflict. De

*President Thomas Jefferson.*

Antifederalisten, die zich inmidde[ls] Republikeinen zijn gaan noemen, ui[t]ten voortdurend kritiek op de regeri[ng] en zagen hun aanhang groeien.

In 1798 probeerde de regering va[n] John Adams via de 'Sedition Act' en [de] 'Alien Act' de Republikeinen de win[d] uit de zeilen te nemen. De 'Seditio[n] Act' verbood onder meer het voere[n] van heftige oppositie; door de 'Alie[n] Act' moest een immigrant voortaa[n] veertien in plaats van vijf jaar wachte[n] voordat hij via zijn burgerschap van [de] Verenigde Staten aanspraak kon m[a]ken op stemrecht, en het waren juist [de] nieuwkomers die de partij kozen voor [de] Republikeinen.

Desalniettemin heeft de aanvoerd[er] van de Republikeinen, Thomas Jeffe[r]son, de presidentsverkiezingen gewo[n]nen.

Jeffersons verkiezing tot president [is] de bekroning van een lange politiek[e] carrière. Eerder bekleedde hij functi[es] als gouverneur van Virginia, minist[er] van Buitenlandse Zaken (onder pres[i]dent Washington) en vice-preside[nt] (onder president Adams). Tevens gel[dt] Jefferson als de auteur van de Ona[f]hankelijkheidsverklaring.

# Tsaar Paul bij paleisrevolutie gedood

*Ruslands nieuwe tsaar, Alexander.*

SINT-PETERSBURG, 23 maart - Een paleisrevolutie onder leiding van graaf Peter von der Pahlen, de militaire gouverneur van Petersburg, heeft een einde aan het bewind van tsaar Paul gemaakt. De tsaar is hierbij omgekomen. Zijn zoon en opvolger Alexander Pavlovitsj was op de hoogte van de samenzwering, maar of de moord bewust gepland was blijft in het ongewisse. Voor Alexander kwam deze naar het schijnt als een verrassing.

De groeiende afkeer jegens de tsaar heeft tot de coup geleid. Tsaar Paul heeft door zijn grofheid, zijn gewelddadige temperament en onvoorspelbare gedrag uiteindelijk zelfs zijn naaste medewerkers van zich vervreemd. Dat de troonopvolger niet in de samenzwering ingreep is niet al te verwonderlijk. Alexander heeft van jongs af moeten manoeuvreren tussen zijn grootmoeder Catharina II en zijn vader Paul, die elkaar haatten.

Alexander bracht meer tijd door met zijn grootmoeder dan met zijn ouders. Hij leerde al vroeg de kunst van vleierij en hypocrisie. Catharina had een belangrijk aandeel in zijn opvoeding. Zij benoemde de Zwitserse filosoof en liberaal Frédéric-César de La Harpe in 1783 tot gouverneur van de tsarevitsj (troonopvolger). Hij doordrong de jonge Alexander van progressieve ideeën en humane gevoelens, die scherp met de realiteit in Rusland contrasteerden. Catharina overwoog zelfs gedurende haar laatste levensjaren haar zoon Paul als opvolger te passeren ten gunste van haar favoriete kleinzoon. Slechts haar plotselinge dood verhinderde dit.

Reeds als tsarevitsj gaf Alexander te kennen Ruslands geluk te zullen dienen door een 'constitution libre'. Hij had veel kritiek op het chaotische bestuur van zijn vader en het gebrek aan lijn in diens besluiten. Het valt echter zeer te bezien of de nieuwe tsaar zijn plannen

*Bericht over de coup in 'Le Moniteur'.*

van een paar jaar geleden, namelijk om een grondwet uit te vaardigen en de macht aan het volk over te dragen, ook metterdaad zal (willen) uitvoeren. In feite is hij niet goed voorbereid op de zware taak die hem te wachten staat: zijn opleiding is eenzijdig en kunstmatig. Niettemin hebben vele Russen hooggespannen verwachtingen van de jonge vorst die behalve over progressieve ideeën, ook over een grote charme beschikt.

*De wiskundige Carl Gauss geeft in zijn dit jaar gepubliceerde werk 'Disquisitiones arithmeticae' een overzicht van de huidige kennis op het gebied van de wiskunde. Uitgebreid met nieuwe vondsten vormt het de grondslag van de getallenleer.*

## Napoleon sluit concordaat met paus

PARIJS, 16 juli - De eerste consul van Frankrijk, Napoleon Bonaparte, heeft in Parijs een concordaat met de paus getekend. Daarmee komt er een einde aan het zogenaamde gallicanisme, waarmee de Franse monarchie eeuwenlang de inmenging van Rome in Franse kerkelijke zaken wist te weren en waaruit heel wat conflicten zijn voortgevloeid. Maar het betekent ook en vooral het einde van de scheuring die tijdens de Franse Revolutie optrad binnen de Franse Katholieke Kerk zelf.

De historische betekenis van dit nieuwe concordaat is des te groter daar het vorige van 1516 dateert. Ondanks die overeenkomst tussen de bisschop van Rome en de Franse koning heeft het tussen de Heilige Stoel en de Franse monarchie nooit willen boteren. Onder Lodewijk XIV liepen de wrijvingen zelfs zo hoog op, dat de paus weigerde bisschoppen die door de koning waren benoemd, in hun ambt te bevestigen.

Met de 'burgerlijke grondwet voor de priesterlijke macht' van 1790 werd het allemaal nog een graadje erger. In die tekst werd bepaald, dat Franse koningen waar het wereldlijke zaken betrof, aan geen enkele priesterlijke macht onderworpen konden zijn. De Franse Kerk werd autonoom verklaard. Het concilie van Franse priesters zou zich niet meer aan Rome hoeven te onderwerpen.

Natuurlijk konden de gevolgen niet uitblijven. Nog geen jaar later sprak paus Pius VI zijn veroordeling uit over de eigenzinnigheid van de Fransen. In 1794 werd in Parijs door de Conventie de scheiding van Kerk en staat uitgesproken, maar de scheuring binnen de Franse katholieke wereld was toen al een niet meer terug te dringen feit.

Het huidige concordaat bepaalt dat de Franse overheid de bisschoppen benoemt. Zij moeten door Rome in hun ambt worden bevestigd. De Ka-

Napoleon Bonaparte op de St.-Bernhard (schilderij van Jacques-Louis David).

tholieke Kerk zal de tijdens de Franse Revolutie genationaliseerde bezittingen niet terugeisen. Daar staat tegenover dat de Franse staat voortaan voorziet in het onderhoud van de priesters. Napoleon Bonaparte hoopt met dit concordaat het gras weg te maaien voor de voeten van met name de opstandige chouans (koningsgezinden) in de westelijke provincie Vendée. Meer in het algemeen wordt de terugkeer van de rust in Frankrijk beoogd. Pas dan zal gewerkt kunnen worden aan het herstel van de vrede buiten de grenzen.

---

De filosoof Johann Caspar Lavater.

## Lavater legt grondslag voor gelaatkunde

ZÜRICH, 2 januari - Na een langdurig ziekbed is vandaag de schrijver en predikant Johann Caspar Lavater overleden.

Lavater, die met onder anderen Goethe bevriend was, werd op 15 november 1741 in Zürich geboren. Bekend werd hij vooral door zijn geschriften over de leer der gelaatkunde, de fysionomiek.

Na een studie theologie verliet Lavater enige jaren zijn geboortestreek, omdat hij het niet eens was met het tirannieke bewind van de landvoogd. Teruggekeerd werd hij bekend door de publicatie van de Schweizerlieder (1764).

Al vroeg bleek Lavater over een grote dosis mensenkennis te beschikken. Doordat hij in staat bleek mensen relatief snel te doorgronden, kwam hij tot de conclusie dat de gezichtsuitdrukking van mensen een weergave was van hun innerlijk. Dit maakte hem tot grondlegger van de gelaatkunde.

In 1769 verscheen zijn Physiognomische Fragmente zur Beforderung der Menschenkenntnis und Menschenliebe. Het boek werd een bestseller, omdat veel mensen gecharmeerd waren van de in het werk opgenomen prenten van merkwaardige gezichten en de (enigszins gezwollen) schrijfstijl waarin deze verklaard werden.

## Produktie Engelse landbouw groeit sterk

LONDEN - In het Engelse parlement is de 'General Enclosure Act' aangenomen. Door deze wet wordt een 'enclosure', ook wel aangeduid met de term erverkaveling, eenvoudiger en vooral goedkoper. Sinds 1760 is het aantal erverkavelingen spectaculair toegenomen, waardoor het platteland op veel plaatsen een geheel ander aanzien heeft gekregen. Deze activiteit moet in verband worden gebracht met de nieuwe landbouwtechnieken die de laatste tijd ingang vinden en die de produktie van de Engelse landbouw aanzienlijk hebben opgevoerd. De wens om een meer marktgerichte landbouw uit te oefenen is ongetwijfeld gestimuleerd door het feit dat de graanprijzen de laatste decennia gestadig stijgen. Hierdoor is de landbouw voor velen een

aantrekkelijk investeringsobject geworden.

Bij een enclosure gaat het in vrijwel alle gevallen om een initiatief van de bezitters van grotere stukken land en de grotere boeren. Zij zijn erop uit om grote, aaneengesloten stukken land te verkrijgen. Dit maakt het eenvoudiger om het land te bewerken en de nieuwe landbouwtechnieken toe te passen. Bij een enclosure wordt niet alleen de bestaande landbouwgrond op een andere manier verdeeld. Vaak worden ook woeste gronden of gemene gronden (stukken grond waarvan iedereen die in het dorp woont, gebruik mag maken om hout te kappen, vee te weiden enz.) ontgonnen. Door deze maatregelen is het landbouwareaal aanzienlijk toegenomen. Tot dusverre werd een dorp

waar een enclosure moest plaatsvinden, bezocht door een parlementaire commissie die de rechten die alle inwoners op de grond konden laten gelden, onderzocht en hiervoor een zo rechtvaardig mogelijke regeling op papier zette. Deze regeling werd in het parlement besproken, waarna ze kracht van wet kreeg. Deze enclosures waren hierdoor nogal kostbaar, hetgeen de financiële mogelijkheden van vooral de kleinere boeren te boven ging. Zij hadden daardoor niet veel andere mogelijkheden dan hun land te verkopen en pachter of landarbeider te worden. Niemand twijfelt eraan dat deze stroomlijning van de wettelijke procedure voor enclosure vooral in het voordeel is van de boeren die een groot bedrijf exploiteren.

De Italiaanse astronoom Giuseppe Piazzi heeft de planetoïde Ceres ontdekt. Naar aanleiding hiervan toonde de wiskundige Gauss zijn superioriteit op mathematisch gebied door de baan van dit hemellichaam te berekenen. De afbeelding toont een telescoop die door de in Engeland werkzame astronoom Herschel is gebouwd.

# Staatsgreep in Den Haag

*Tamboers en fluitisten van Hollandse regimenten in het Napoleontische leger.*

's-GRAVENHAGE, oktober - Voor de derde maal in drie jaar tijds is de Bataafse Republiek opgeschrikt door een staatsgreep. Evenals de twee voorgaande is deze zonder bloedvergieten verlopen. Meer dan bij de machtswisselingen in 1798 hebben de Fransen ditmaal hun betrokkenheid getoond. Troepen onder bevel van generaal Augereau namen actief deel aan de gebeurtenissen.

De Fransen hebben zo langzamerhand genoeg gekregen van de onmacht die de Nederlandse politici de laatste jaren ten toon spreidden. De grondwet van 1798, die jaren onderwerp van discussie is geweest, heeft niet de gewenste rust gebracht. In Parijs wordt de Bataafse Republiek in de eerste plaats beschouwd als een financiële melkkoe, die echter door de politieke troebelen niet de begeerde geldbedragen kan afscheiden. Achter de staatsgreep wordt daarom ook de hand van de leidende Amsterdamse bankiers vermoed.

Om hun tegemoet te komen wordt de staatsinrichting van de Bataafse Republiek, zoals vastgelegd in de grondwet van 1798, in conservatieve richting gewijzigd. Het wetgevend lichaam in Den Haag verliest veel bevoegdheden, de provincies krijgen daarentegen veel van hun oude rechten terug. In feite wordt de toestand die voor de omwenteling van 1795 bestond, in grote lijnen hersteld.

Voorstellen van deze aard werden, vanzelfsprekend, in het parlement afgewezen. Daarop werd de vergadering op 14 september door Augereaus troepen in gijzeling genomen en vervolgens ontbonden.

De laatste wijzigingen in de grondwet zijn wel voorgelegd aan het Nederlandse volk. De uitslag van het referendum, dat plaatsvond op 1 oktober, was echter bepaald pijnlijk voor het nieuwe bewind.

Amper vijftien procent van de 416 619 stemgerechtigden nam de moeite naar de stembus te gaan. Slechts 16 771 van hen waren voor de wijzigingen. In Den Haag heeft men echter van de nood een deugd gemaakt. Alle thuisblijvers worden geacht voorstemmers te zijn, waardoor de wijzigingen, officieel althans, door een grote meerderheid zijn goedgekeurd. Of een dergelijke oplichterij de ideale manier is voor het oplossen van 's lands problemen, staat nog te bezien.

*Ex-stadhouder Willem V.*

---

# 1802

**27 maart.** Tussen Engeland en Frankrijk wordt de Vrede van Amiens gesloten. De Republiek krijgt al haar koloniën, behalve Ceylon, terug. →

**Mei.** Er wordt een wapenstilstand gesloten tussen François Dominique Toussaint Louverture, Caribisch generaal, revolutionair en slavenbevrijder en de Franse ondergeneraal Leclerc in Santo Domingo. Kort hierop wordt Toussaint in strijd met het gesloten verdrag naar Frankrijk gevoerd.

**2 augustus.** De eerste consul Napoleon laat zich door een senaatsbesluit tot consul voor het leven benoemen. Tevens krijgt hij het recht zijn opvolger aan te wijzen.

**4 september.** De Duitser Georg Friedrich Grotefend ontcijfert het spijkerschrift van Persepolis. Zijn verhandeling wordt echter door het 'Gesellschaft der Wissenschaften' geweigerd en pas 91 jaar later gedrukt.

**23 oktober.** Na Piemonte annexeert Napoleon Parma en Piacenza.

**16 november.** Friedrich von Schiller wordt in de adelstand verheven. →

**31 december.** Volgens het Verdrag van Bassein met de Oost-Indische Compagnie doet Peshwa van Poona afstand van zijn onafhankelijkheid.

- De Vietnamese generaal Nguyên Anh brengt met Franse hulp de sinds 1788 heersende Tay-Son-dynastie ten val en neemt als keizer Gia Long bezit van de troon. →

- Tsaar Alexander I benoemt een commissie die de verbetering van de toestand der joden moet onderzoeken. →

- De hertog van Richmond stelt het paardenrennen in Goodwood in.

- Thomas Wedgwood maakt de eerste foto, die snel vervaagt vanwege onbekendheid met een goede fixeermethode.

- John Dalton, Engels natuur- en scheikundige, formuleert zijn atoomtheorie en onderzoekt de verhouding van de gewichtshoeveelheden van elementen in verbindingen.

- In Jeremy Benthams *Civil and Penal Legislation* wordt de theorie van het utilitarisme geïntroduceerd.

- William Herschel, Engels sterrenkundige, ontdekt dat er sterren zijn die bij elkaar horen en om elkaar heen bewegen (dubbelsterren).

Gestorven:

**18 april.** Erasmus Darwin (12-12-1731), Engels geneesheer, natuurkenner en dichter
**22 juli.** M. F. X. Bichat (11-11-1771), Frans geneesheer

---

# Tsaar Alexander wil positie joden verbeteren

PETERSBURG - Tsaar Alexander heeft een commissie ingesteld ter verbetering van de toestand der joden. Vertegenwoordigers van joodse gemeenten zijn uitgenodigd advies over de behoeften en wensen van de joodse bevolking uit te brengen.

De Derde Poolse Deling tussen Oostenrijk, Pruisen en Rusland in 1795 heeft het aantal joden binnen de grenzen van Rusland op 900 000 gebracht, hetgeen neerkomt op tien procent van de totale bevolking.

Het zogenaamde 'joodse vraagstuk' in Rusland is niet meer eenvoudigweg op te lossen door de joden uit te wijzen. In de 16de eeuw kon tsaar Ivan de Verschrikkelijke zich dat nog permitteren met als argument dat zij 'vergiftigde geneesmiddelen importeerden en de aanhangers van het christelijk geloof op een dwaalspoor brachten'. Nu worden in gebieden waar de joden vóór de delingen woonden, hun rechten in speciale wetten vastgelegd.

Catharina de Grote stelde in 1791 een vestigingsgebied voor joden in, het zogenaamde Paalgebied, een verzamelnaam van een gebied van vijftien gouvernementen in Polen, Koerland, de Oekraïne en Wit-Rusland. Toch moeten joodse kooplieden en andere bewoners binnen deze streek dubbele belastingen opbrengen. Ook andere klachten zullen door de commissie op hun ontvankelijkheid worden beoordeeld.

De eerste resultaten die nu zijn uitgelekt, zijn dat ondanks de beperking van het joodse zelfbestuur joodse kinderen voortaan op staatsscholen zullen worden toegelaten. Ook de uitoefening van de landbouw is niet langer meer voor joden verboden. Het lijkt erop dat de liberale wind die al zo lang uit West-Europa waait, nu ook in het oosten van dit werelddeel vrucht begint af te werpen.

*Hebreeuws manuscript over de uittocht uit Egypte.*

# Nieuwe keizer in Vietnam

*...en met parelmoer ingelegd figuraal doosje uit Gia Dinh [Saigon].*

HUE,1 juni - Tijdens een plechtigheid in Hue heeft Nguyên Anh zichzelf tot keizer Gia Long uitgeroepen. Hij heeft deze naam gekozen om aan te duiden dat hij zowel over het zuiden als over het noorden regeert: Gia ontleent hij aan Gia Dinh [Saigon] in het zuiden en Long aan Thang Long, de hoofdstad in het noorden. De nieuwe vorst moet wel zeker van zijn zaak zijn, want hij maakt met deze naam ook aanspraak op het bestuur over het noorden van Vietnam. Dat deel staat echter tot nu toe niet onder zijn gezag.

Nguyên Anh was als enige overgebleven telg uit de Nguyên-familie bij het uitbreken van de Tay Son-revolutie in 1771 als eenjarig kind door vluchtende aanhangers van de Nguyên naar het eiland Phu Quoc meegenomen.

Ruim zeventien jaar later slaagde hij erin met hulp van de oude landadel in het zuiden vaste voet aan de grond te krijgen. Na de inname van Gia Dinh vestigde hij daar zijn hoofdkwartier. Nguyên Lu, de zwakste van de drie broers die de Tay Son-revolutie leidden, was bij de nadering van Nguyên Anh naar de noordelijker gelegen stad Qui Nhon gevlucht.

De Franse regering onder Lodewijk XVI had zich terughoudend opgesteld ten aanzien van een directe militaire interventie ten gunste van Nguyên Anh. Zij was met name bevreesd dat zij de Engelsen voor het hoofd zou stoten als zij zich als regering op grote schaal in de binnenlandse aangelegenheden van Vietnam zou mengen. Wel gaf de Franse katholieke bisschop Pierre Pigneau de Behaine politieke en militaire adviezen. Ook leverden later vier Franse oorlogsschepen een bijdrage aan de veroveringstocht van Nguyên Anh. Hierbij speelden naast politieke ook economische en religieuze motieven een rol.

Keizer Gia Long heeft nu van de Fransen te horen gekregen dat hij op alle steun kan rekenen. Bij de ceremonie in Hue zijn ook vertegenwoordigers van Frankrijk aanwezig. Velen vragen zich af hoe de invloed van Frankrijk op Gia Long en zijn ministers zal zijn en in hoeverre westerse ideeën hier zullen worden geïntroduceerd.

*De overwinning van Horatio Nelson voor de kust van Kopenhagen in 1801.*

# Vrede in Europa hersteld

AMIENS, 27 maart - Met het tekenen van een verdrag te Amiens hebben Frankrijk en Engeland een einde aan de Tweede Coalitieoorlog gemaakt. Dit betekent dat in Europa de vrede grotendeels is hersteld.

In het verdrag verplichten de Engelsen zich ertoe alle gebieden die zij in de koloniën veroverd hebben op Frankrijk of een van diens bondgenoten, terug te geven. Engeland behoudt alleen Trinidad, dat werd veroverd op de Spanjaarden, en Ceylon, dat van de Bataafse Republiek is afgenomen. Bovendien zijn de Engelsen bereid stellingen aan de Middellandse Zee te ontruimen en beloven zij Egypte aan het Osmaanse Rijk en Malta aan de johannieterorde terug te geven. Ook trekken de Engelsen hun vloot terug van de Middellandse Zee, maar zij behouden wel Gibraltar zodat de toegang tot deze zee in Britse handen blijft.

Napoleon zegt toe zijn garnizoen uit Napels terug te trekken en de onafhankelijkheid van Portugal te erkennen. De Portugese kolonie Guinee blijft echter in Franse handen. Ook Frankrijk is bereid stellingen aan de Middellandse Zee te ontruimen. Hierdoor worden mogelijkheden geschapen voor een vrede met het Osmaanse Rijk. In het verdrag zijn echter niet voor alle conflictpunten tussen beide staten regelingen getroffen. Bij de Vrede van Amiens wordt niets bepaald over de Belgische provincies, Savoye en Zwitserland, voornamelijk omdat men het over deze punten niet eens is. Een ander geschilpunt is de regeling van de handelscontacten tussen Engeland en de gebieden onder Franse controle.

*Op voorstel van hertog Karel August van Weimar heeft keizer Frans II de dichter Friedrich Schiller (links) in de adelstand verheven. Schiller heeft nu, evenals zijn vrouw, toegang tot het keizerlijk hof. Eerder is deze eer zijn vriend Johann Wolfgang von Goethe (rechts) te beurt gevallen.*

*Engelands koning George III bestudeert aandachtig een zeer kleine Napoleon.*

# Politieke 'ruilverkaveling' in Duitse Rijk

*Franse revolutionaire troepen steken in 1795 bij Düsseldorf de Rijn over.*

REGENSBURG, 25 februari - Een groot aantal rijksstanden van het Heilige Roomse Rijk is opgeheven. Het gaat om 112 aartsbisdommen, bisdommen, abdijen, steden en één wereldlijk vorstendom. De Duitse Rijksdag heeft het voorstel hiertoe, dat is opgesteld door vertegenwoordigers van de rijksstanden, goedgekeurd.

De 112 aartsbisschoppen, steden enzo-voort bezaten tot nu toe een grote ma[...] van onafhankelijkheid. Zij waren a[...] leen ondergeschikt aan de keizer. Doo[...] het besluit van de Rijksdag zullen [...] getroffen standen nu onderdeel gaa[...] uitmaken van andere vorstendom[...] men. Vooral Pruisen, Baden, Beiere[...] en Württemberg winnen hierdoor aa[...] grondgebied ten koste van de Kerkeli[...] ke Staten en de vrije steden. Van [...] Kerkelijke Staten blijft er niet één b[...] staan, van de 55 vrije steden behoude[...] slechts 6 steden hun onafhankelij[...] status.

De enige geestelijke die nog grond[...] bied behoudt is de aartsbisschop [...] keurvorst van Mainz. Hij behoudt oo[...] het hoogste geestelijke gezag in h[...] Duitse Rijk. Wel wordt hem een and[...] gebied toegewezen en zetelt hij nu [...] Regensburg.

De 'ruilverkaveling' in het Duitse Ri[...] begon twee jaar geleden, na de Vre[...] van Lunéville. Toen ging Oostenri[...] akkoord met de annexatie van h[...] Rijnland door Frankrijk. De Duit[...] vorsten, die hierdoor gebieden verl[...] ren, kregen recht op schadeloosste[...] ling, in de vorm van land ten oosten va[...] de Rijn. Dit maakte de 'ruilverkav[...] ling' noodzakelijk. Baden, Pruise[...] Württemberg en Beieren zijn echt[...] meer dan schadeloos gesteld. Bad[...] ontving acht keer zoveel gebied a[...] het in het Rijnland verloren ha[...] Württemberg kreeg vier maal zoveel[...] Het besluit van de Rijksdag is tot star[...] gekomen onder druk van Rusland e[...] Frankrijk. Vooral de Franse minist[...] Talleyrand heeft bij de reorganisat[...] een belangrijke rol gespeeld. Voo[...] Oostenrijk is de herverdeling o[...] gunstig. Het college van keurvorste[...] bestaat nu voor het merendeel uit pr[...] testanten. Dat maakt het onwaa[...] schijnlijk dat bij de volgende verki[...] zing opnieuw een (katholieke) Hab[...] burger tot keizer wordt gekozen. B[...] vendien betekent de inbreuk op de o[...] schendbare soevereiniteit, die a[...] Duitse vorsten in 1648 is verleend en d[...] werd gegarandeerd door de keizer, e[...] zware slag voor het prestige van 'h[...] Rijk'.

De invloed van Frankrijk in het Duit[...] Rijk is toegenomen, een invloed d[...] toch al groot is door de annexatie va[...] het Rijnland. In dit gebied heeft h[...] Franse bestuur een eind gemaakt aa[...] de feodale structuren. De adel is 'afg[...] schaft', het feodale grondbezit wor[...] verkocht, de gilden zijn ontbonden e[...] de vrijheid van beroep is ingevoerd.

De winnaars van de reorganisatie in h[...] Duitse Rijk zijn de middelgrote state[...] De Franse minister Talleyrand heeft[...] eerder gesproken over de noodza[...] om te komen tot een 'Derde Duit[...] land'. Dit 'Derde Duitsland' zou, do[...] het voeren van een onafhankelijke p[...] litiek, een tegenwicht tegen Oostenri[...] en Pruisen kunnen vormen.

*'De slaap van de rede brengt monsters voort', een ets uit de serie 'Los Caprichos' van de Spaanse schilder Francisco Goya. De etsen, waarvoor Goya geïnspireerd werd door Rousseaus 'Philosophie' en de Franse Revolutie, riepen na hun publikatie in 1797 grote verontwaardiging op. De Spaanse koning Karel IV besloot daarop dit jaar de hele serie op te kopen, waarmee hij de schilder redde uit de armen van politiek rechts en de inquisitie.*

*De Amerikaanse onderhandelaars praten met Talleyrand (r) over Louisiana.*

# Amerika koopt Louisiana

PARIJS, 2 mei - De Verenigde Staten van Amerika hebben na lange onderhandelingen met Frankrijk Louisiana kunnen kopen. Het gebied, dat sinds 1800 weer in het bezit van de Fransen was, heeft de Amerikanen zestig miljoen francs gekost.

Door het verwerven van Louisiana is het territorium van de Verenigde Staten verdubbeld (het hele gebied tussen de Mississippi en de Rocky Mountains is nu ook van de Amerikanen) en zijn de mogelijkheden tot westwaartse expansie toegenomen.

In 1801 werd in Amerika bekend dat de Fransen een jaar daarvoor het Verdrag van San Ildefonso met Spanje hadden gesloten. Hierdoor kreeg Frankrijk de Louisiana-gebieden terug die het in 1763 aan de Spanjaarden had moeten afstaan. Deze overeenkomst was voor de Amerikanen onaanvaardbaar: de controle over de monding van de Mississippi door een krachtige, agressieve staat was voor de Verenigde Staten een grotere bedreiging dan de aanwezigheid van de zwakke Spanjaarden aldaar. President Jefferson stuurde daarom James Monroe naar Parijs met de opdracht New Orleans en West-Florida van de Fransen te kopen. Hij kreeg daarvoor een budget van 2 miljoen dollar.

Net zoals bij de Onafhankelijkheidsstrijd wisten de Amerikaanse onderhandelaars te profiteren van de Engels-Franse rivaliteit. De Verenigde Staten dreigden een verbond te sluiten met de Engelsen, die op voet van oorlog met de Fransen leefden. Napoleon besloot daarop Louisiana te verkopen: zo kon hij een alliantie tussen Engeland en Amerika voorkomen en de Amerikanen gebruiken om de Engelse expansie af te remmen. Een andere overweging van Napoleon was geldgebrek, veroorzaakt door de strijd tegen Engeland. Bovendien was Louisiana na het verlies van het eiland Santo Domingo minder belangrijk voor Frankrijk geworden. (Louisiana had als bevoorradingsgebied van Santo Domingo gefungeerd.)

Door de ondertekening van het verdrag hebben de Verenigde Staten de Louisiana-gebieden, inclusief New Orleans, verkregen. De inwoners van die gebieden worden als volwaardige Amerikaanse burgers beschouwd. Zij verkrijgen alle Amerikaanse rechten. De grenzen van het nieuwverworven gebied zijn echter niet duidelijk in de koopovereenkomst opgenomen.

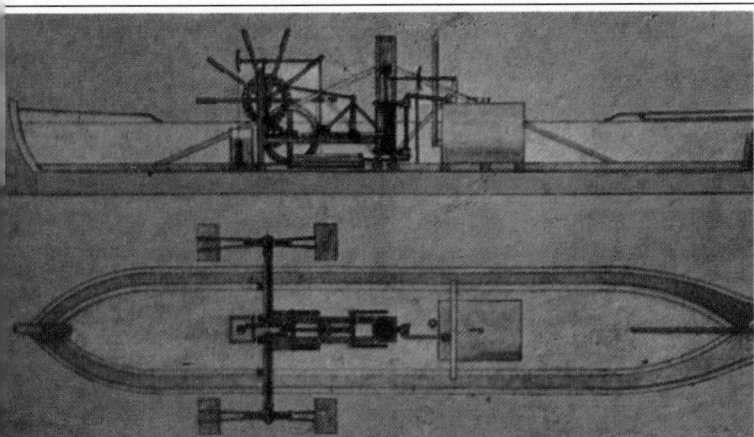

*De Amerikaanse ingenieur Robert Fulton heeft op de Seine een door hem ontworpen stoomschip getest. Het vaartuig wordt aangedreven door een stoompomp waaraan twee raderen met platte bladen zijn bevestigd. Hoewel het schip brak toonde Fulton zich tevreden over de resultaten.*

**1 januari.** Haïti wordt onafhankelijk van Frankrijk. →

**20 maart.** Na de ontdekking van een samenzwering tegen Napoleon wordt de hertog van Enghien zonder enige vorm van proces geëxecuteerd.

**21 maart.** In Frankrijk wordt de Code Civil (Code Napoléon) ingevoerd. →

**16 april.** Er breekt oorlog uit tussen de Engelse Oost-Indische Compagnie en Holkar van Indore in India.

**24 mei.** Koning Frederik Willem III van Pruisen en tsaar Alexander I van Rusland verbinden zich tegen Napoleon.

**11 augustus.** De keizer van het Heilige Roomse Rijk, Frans II, neemt tevens de erfelijke keizerstitel aan voor Oostenrijk. →

**9 oktober.** Hobart, de hoofdstad van Tasmanië, wordt gesticht.

**6 november.** Oostenrijk en Rusland verklaren het Osmaanse Rijk te zullen beschermen tegen Franse expansie.

**2 december.** Napoleon heeft zich na zalving door paus Pius VII tot erfelijk keizer gekroond. →

**12 december.** Volgens de afspraak met Frankrijk, verklaart Spanje de oorlog aan Groot-Brittannië.

- Het Chinese geheime genootschap de Witte Lotus wordt een beslissende nederlaag toegebracht. →

- Osman dan Fodio, leider van de volksstam van de Fulani, verovert met zijn troepen grote delen van Nigeria en Kameroen.

- De Serviërs komen in opstand tegen de janitsaren. →

- Mekka en Medina worden door de Wahhabitische Arabieren veroverd.

- De Duitse bevolking lijdt nu al een jaar onder een zware hongersnood. Ook de oogst van dit jaar is mislukt. De overheid probeert met voedselhulp de nood te verzachten. Het aantal bedelaars neemt snel toe.

- Friedrich Hölderlin vertaalt tragedies van Sophocles in het Duits. →

- Friedrich von Schiller schrijft het toneelstuk *Wilhelm Tell*.

Gestorven:

**6 februari.** Joseph Priestley (13-3-1733), Engels theoloog, chemicus en filosoof
**12 februari.** Immanuel Kant (22-4-1724), Duits filosoof
**12 juli.** Alexander Hamilton (11-1-1755), voormalig adviseur van de Amerikaanse president Washington →

# Haïti maakt zich los van Frans moederland

PORT AU PRINCE, 1 januari - Op de Franse kolonie Haïti is de onafhankelijkheid uitgeroepen. Het is de eerste kolonie op het westelijk halfrond, na de Verenigde Staten van Noord-Amerika, die deze stap neemt. Jean Jacques Dessalines wordt keizer over de nieuwe staat, die in 1697 door Spanje aan Frankrijk was afgestaan.

Op Haïti (het westelijk deel van het eiland Hispaniola) woedde al sinds 1791 een burgeroorlog. Vóór deze burgeroorlog was Haïti de commercieel belangrijkste Franse kolonie, waar de suikerproduktie op de plantages groter was dan die op alle Engelse Westindische eilanden te zamen. Behalve suiker worden op de plantages cacao, tabak en indigo geproduceerd. In 1780 woonden bijna 35 000 blanke Fransen op de eilandhelft, 20 000 gekleurde vrije mensen (mulatten) en een half miljoen zwarte slaven.

De burgeroorlog begon nadat de kolonie in 1790 was uitgenodigd een afvaardiging te sturen naar de Nationale Vergadering in Parijs. Behalve de blanken wilden ook de mulatten, de groep die door zowel de slaven als de blanken werd veracht, een afvaardiging sturen. Hierop braken de eerste onlusten uit. In 1791 volgde een opstand onder leiding van Toussaint Louverture.

Louverture was een als slaaf geboren kleinzoon van een Afrikaanse koning, die dank zij de gedeeltelijke vrijheid die hij kreeg een groot kapitaal kon vergaren. Met dit geld organiseerde hij een legertje. Na mislukte interventies vanuit Frankrijk, Engeland en Spanje vanaf de oostelijke (Spaanse) helft van het eiland, beheerste het opstandelingenlegertje in 1801 zowel Haïti als de Spaanse helft van het eiland. Napoleon meende echter dat, hoewel de slaven in 1794 vrij verklaard waren, er geen sprake van kon zijn dat de economisch zo belangrijke kolonie in zwarte handen kwam. Een expeditiemacht van 54 schepen en 23 000 soldaten onder leiding van generaal Leclerc werd gestuurd. Hoewel de gele koorts het Franse leger uitdunde zag het toch kans de soldaten van Louverture, die slecht bewapend waren, te verslaan. In maart 1802 werd Louverture gevangengenomen en opgesloten in de gevangenis Fort Joux in Frankrijk, waar hij op 7 april vorig jaar stierf.

Dessalines organiseerde echter opnieuw een leger, dat erin slaagde de Franse troepen in november tot de aftocht te dwingen. Door de burgeroorlog zijn vrijwel alle blanken vermoord of verdreven, terwijl de leidende positie van Dessalines als keizer verre van onbetwist is. Ook de verhouding met Spanje, dat de oostelijke helft van het eiland weer beheerst, is gespannen.

# Napoleon presenteert burgerwetboek

PARIJS, 21 maart - Vandaag, drie dagen nadat eerste consul Napoleon Bonaparte liet weten dat Frankrijk een keizerrijk wordt en hijzelf de eerste keizer van dat land zal zijn, is de *Code Civil* (Burgerlijk Wetboek) of *Code Napoléon* uitgevaardigd.

In dat Burgerlijk Wetboek worden de principes van de Franse Revolutie vastgelegd: vrijheid, gelijkheid, bezit. De vrijheid waarom het gaat, is de vrijheid van handel drijven en ondernemen. Met de *Code Civil* is het economische liberalisme bevestigd. Over sociale vrijheden wordt in de *Code Civil* niet gesproken.

De handelsvrijheid geldt trouwens niet voor de handel met Engeland. Bonaparte heeft twee jaar geleden wel vrede gesloten met die mogendheid, maar de uit Engeland geïmporteerde produkten worden zwaar belast. Het door de eerste consul ingevoerde protectionisme heeft als doel het 'perfide Albion' alsnog klein te krijgen.

Met zijn bestuurlijke hervormingen

*Napoleon Bonaparte bespreekt de plannen voor de keizerskroning.*

maakte Bonaparte overigens al een begin in 1800. Door middel van de wet van 28 pluviôse, jaar VIII, werd een vertegenwoordiger van de centrale overheid aan het hoofd van iedere provincie of onderdeel daarvan geplaatst. Zodoende kreeg Frankrijk een zeer gecentraliseerde bestuursvorm.

In feite ligt nu alle macht in handen van Bonaparte, die het vorig jaar al voor elkaar kreeg zich te laten uitroepen tot consul voor het leven, waarbij hij bovendien gerechtigd werd zijn opvolger aan te wijzen. De wetgevende macht stelt niet veel voor. De Senaat is vrijwel geheel in handen van de toekomstige keizer. Het Tribunaat (of Kamer van Afgevaardigden), feitelijk de enige plaats waar de oppositie zich nog kan uiten, heeft lijdelijk moeten toezien hoe zijn ledental werd gehalveerd. Een ingreep in het kiesstelsel heeft tevens het aantal kiezers drastisch verminderd.

Op de Franse Antillen werd de slavernij weer ingevoerd, hetgeen een opstand tot gevolg had.

In het buitenland wordt Bonapartes beleid steeds kritischer gevolgd. Engeland heeft vorig jaar al de ontruiming van Holland geëist. De Engelsen geven financiële steun aan tegenstanders van de eerste consul, maar tot nu toe hebben dezen niet veel bereikt.

*Ondanks een inzinking heeft Friedrich Hölderlin toneelwerk van Sophocles vertaald. Hölderlin raakte in een geestelijke crisis toen hij hoorde dat zijn geliefde Susette Gontard, die hij als 'Diotima' verheerlijkte in zijn roman 'Hyperion oder der Eremit in Griechenland', was overleden.*

*Keizer Frans I van Oostenrijk.*

## Oostenrijk vanaf nu een keizerrijk

WENEN, 11 augustus - De Duitse keizer Frans II heeft zich tot keizer van Oostenrijk laten kronen. In het vervolg zal hij als Frans I door het leven gaan. Hiermee is Oostenrijk een keizerrijk geworden en lijkt het eind van het Heilige Roomse Rijk nabij.

Deze stap wordt gezien als een antwoord op de kroning tot keizer van Napoleon Bonaparte. Deze kroonde zichzelf op 2 december in de Notre-Dame in Parijs tot keizer van Frankrijk en liet zich vervolgens zalven door paus Pius VII. Aan het Oostenrijkse hof was men geschokt. Na de recente nederlagen (bij Marengo en Hohenlinden) en het verlies van enkele gebiedsdelen zocht het Habsburgse Huis naar een nieuwe waardigheid.

Staatskanselier graaf Johann Ludwig Cobenzl, die sinds 1801 belast is met Buitenlandse Zaken, stelde daarom voor van Oostenrijk eveneens een keizerrijk te maken. Door zo te handelen komen de Oostenrijkers in ieder geval in naam op gelijke hoogte met de Franse tegenstander.

# Hamilton na duel met Burr overleden

NEW YORK, 12 juli - De 47-jarige Alexander Hamilton is na een duel met kolonel Aaron Burr overleden. De laatste had Hamilton uitgedaagd omdat hij meende door Hamilton te zijn beledigd. Burr heeft na het tweegevecht New York verlaten. De Verenigde Staten hebben een belangrijke politieke figuur verloren.

Het tweegevecht met het pistool vond in de vroege ochtend van de elfde juli plaats ter hoogte van Weehawken, even buiten New York. Hamilton, die zelf niet schoot, werd door het schot van Burr getroffen. Zijn secondant en een arts lieten de zwaargewonde naar Greenwich overbrengen. Vierentwintig uur later overleed Hamilton daar, na het ontvangen van de communie.

Aaron Burr (1756) had tot de gouverneursverkiezingen van New York dit jaar een succesvolle politieke carrière. Hij behoorde tot het kamp der Republikeinen en bekleedde onder andere het ambt van vice-president. Nadat hij zich kandidaat had gesteld bij de gouverneursverkiezingen van New York, werd hij voortdurend bestookt door Alexander Hamilton, die zich laatdunkend over Burr uitliet: 'Het is een man met een grillige en onverzadigbare ambitie [...] die niet de teugels van de regering in handen hoort te krijgen.' Hamilton beschouwde Burr als een gevaar voor de Verenigde Staten.

Toen Burr daarop de verkiezingen verloor, daagde hij Hamilton uit tot een duel. Hoewel Hamilton ethische en religieuze bezwaren had tegen het uitvechten van een duel, besloot hij de uitdaging van Burr te accepteren. Als figuur die volop in de publieke be-

langstelling stond, kon Hamilton, ondanks zijn bezwaren, niet weigeren.

De verliezer van het tweegevecht was een van de belangrijkste personen in de vroege geschiedenis van de Verenigde Staten. Hij nam actief deel aan de strijd tegen de Engelsen en raakte na het verkrijgen van de onafhankelijkheid overtuigd van de noodzaak van een federale staat. Samen met James Madison en John Jay schreef hij *The Federalist Papers*, waarin hij de goedkeuring van de voorgestelde grondwet

*Alexander Hamilton wordt dodelijk getroffen in het duel met Aaron Burr.*

propageerde. In 1789 werd hij do[...] George Washington tot minister va[...] Financiën benoemd. In die funct[...] schreef hij een aantal rapporten die d[...] basis moesten leggen voor een flor[...] rende Amerikaanse economie. H[...] *Farewell Address*, dat president Wa[...] hington in 1796 publiceerde, was vo[...] een groot deel door Hamilton geschre[...] ven, die inmiddels de belangrijkste ad[...] viseur van de president was geworde[...] De afgelopen tijd bekleedde Hamilto[...] geen openbare functie van betekenis [...]

# Napoleon kroont zichzelf tot Frans keizer

ARIJS, 2 december - In de Parijse
otre-Dame-kathedraal is Bonaparte
ot keizer van Frankrijk gekroond. Hij
nu keizer Napoleon, vorst bij de gra-
e Gods. De ceremonie werd geleid
oor paus Pius VII. Toen de paus ech-
r de kroon op Bonapartes hoofd wil-
e zetten, nam deze haar uit zijn han-
en en kroonde zichzelf. Vervolgens
roonde hij zijn echtgenote, Joséphine
e Beauharnais.

a het revolutionaire tijdperk, de
onstitutionele monarchie, de Jako-
ijnse Republiek, het Directoire en het
onsulaat, is Frankrijk nu terug bij af.
aar verluidt gebeurde dat op aan-
ringen van de Senaat, die de eerste
onsul zou hebben gesmeekt 'zijn werk
f te sluiten en het even onsterfelijk als
jn glorie te maken'.

n werkelijkheid was de Senaat toen al
auwelijks meer dan een instrument in
anden van de eerste consul. Als keizer
ndervindt Napoleon weinig belem-
ering in de uitoefening van de macht.
iettemin wordt voorspeld dat hij de
och al zeer beperkte bevoegdheden
an de wetgevende lichamen nog meer
al gaan beknotten. Ook op het gebied
an de justitie wordt de keizer geacht
ersoonlijk in te grijpen.

ij het nieuwe keizerrijk behoren ook
en nieuwe adel (te beginnen met de fa-

*Napoleon kroont zijn vrouw Joséphine tot keizerin van Frankrijk (door Jacques-Louis David).*

milies Bonaparte en De Beauharnais)
en nieuwe hoogwaardigheidsbekleders. In mei van dit jaar werden achttien maarschalken benoemd: een bewijs dat het leger, in de ogen van Napoleon, boven aan de sociale ladder staat.

Het buitenland stelt deze gang van zaken geenszins gerust. Enerzijds wordt
Napoleon nog beschouwd als een vertegenwoordiger van het revolutionaire
tijdperk en, in die hoedanigheid, als
een avonturier, anderzijds roepen zijn

autoritaire regeermethoden, zijn ambities en zijn expansiedrift een groot
wantrouwen op. Het ziet er dan ook
naar uit dat steeds meer landen zich
zullen scharen aan de zijde van Engeland, Frankrijks vijand nummer één.

# Rol Witte-Lotusgenootschap na nederlaag uitgespeeld

EKING - Het geheime genootschap
e Witte Lotus, dat in de bergen van
lubei, Sichuan en Shanxi uitgegroeid
as tot een machtige anti-Mantsjoe-
eweging, lijkt definitief verslagen.
liermee is echter geenszins een einde
ekomen aan de populariteit van ge-
eime genootschappen, die gevoed
ordt door de corruptie van het Qing-
ewind.

e opstand begon in 1795 (nadat eer-
ere pogingen in 1774 en 1793 waren
islukt). Hij werd geleid door mensen
ie zeiden de voortzetters te zijn
an het Witte-Lotusgenootschap, een
oeddhistische sekte die een rol heeft
espeeld bij de omverwerping van de
Iongoolse Yuan-dynastie in de 14de
euw. De nieuwe beweging verkondig-
e onder meer de terugkeer van Boed-
ha, de restauratie van de Ming-
ynastie alsmede persoonlijke verlos-
ing van het lijden in deze en de daarop-
olgende wereld.

oewel de beweging vanaf het begin
eer slecht georganiseerd was, werd zij
n de kaart gespeeld door de totale in-
ompetentie en corruptie van de mili-
aire bevelhebbers van het Mantsjoe-
ewind. In het bijzonder speelde daar-
ij de corruptie van premier He Shen
en rol. Deze favoriet van keizer Qian
oeng (die China 63 jaar regeerde) had
edurende twintig jaar de feitelijke

*Een delegatie komt aan bij het hof van de Chinese keizer (circa 1800).*

macht in China. Toen hij na de dood
van Qian Loeng door diens opvolger
tot zelfmoord werd gedwongen, had
hij een fabelachtig fortuin verzameld
dat vier zevende van het hele staatsinkomen over twintig jaar van zijn bewind zou hebben bedragen.
Pas na de dood van Qian Loeng in 1799
begon de militaire campagne tegen de
rebellen vrucht af te werpen. Onder het
motto 'Versterk de muren en ontruim
het platteland' werd de bevolking
samengebracht in fortachtige dorpen.
Terwijl men de politiek van de ver-

schroeide aarde toepaste, werd de bevolking gedwongen dienst te nemen in
de boerenmilitie. Het zijn uiteindelijk
deze militie-eenheden die de oorlog
voor de Mantsjoes hebben gewonnen.
Na de overwinning vonden in alle gebieden waar de opstand zich had afgespeeld massale executies plaats.
Honderdduizenden Chinese boeren
verloren tijdens de opstand en bij deze
executies het leven. De totale militaire
uitgaven aan het bedwingen van de
opstand gedurende negen jaar van
het Mantsjoe-bewind bedragen 200

miljoen liang. Het grootste deel van
deze som is via het opvoeren van fictieve uitgaven terechtgekomen bij
de Mantsjoe-officieren. Desondanks
werden ze na het bedwingen van de
opstand met eretitels en geld beloond.
De opstand van de Witte Lotus is een
aanduiding van het feit dat de onteve-
denheid over het Mantsjoe-bewind nu
ook onder de etnisch-Chinese bevolking groeiende is. De ontevredenheid
wordt mede aangewakkerd door de
verpaupering en conflicten die hun
oorzaak vinden in de stijgende bevol-
kingsdruk op het beschikbare landbouwareaal. De volkstelling van 1790
leverde een ongehoord resultaat op:
301 487 115 mensen.
Reeds in de jaren tachtig werden
opstanden onder de moslembevolking
van Gansu neergeslagen met het langzamerhand voor het militaire apparaat
van de Mantsjoes kenmerkende mengsel van wreedheid, corruptie en lafheid. Het enig echte wapenfeit van de
Qing-dynastie in de afgelopen tijd is
het verjagen van de Gurkha's uit Nepal
door de corrupte, maar competente generaal Fu Kangan. Met de beslissende
en zware Slag bij Katmandu in 1792 behaalde zijn leger de overwinning. De
Gurkha's hebben zich verplicht van
aanvallen op Tibet af te zien en om de
vijf jaar een schatting te betalen.

# Serviërs komen in opstand tegen janitsaren

BELGRADO - De Serviërs binnen de grenzen van het Osmaanse Rijk zijn in opstand gekomen. Zij hebben George Petrovitsj, bijgenaamd Karageorge (Zwarte George), tot hun opperbevelhebber gekozen. De opstandelingen streven niet naar nationale onafhankelijkheid; centraal staat de poging een einde te maken aan de onderdrukking door de janitsaren, een eigenmachtig opererend Turks infanteriekorps. Deze staan daarom ook op gespannen voet met het Turkse gezag.

Einde vorige eeuw heeft sultan Selim III een aantal decreten uitgevaardigd waarin herstel van de orde en openbare veiligheid in de door strijd geteisterde Servische streken en bovendien een verruiming van de lokale autonomie werden beloofd. De centrale regering stond echter machteloos tegenover de janitsaren en andere opstandige moslemelementen die de bevolking terroriseerden. De janitsaren, die uit Constantinopel waren verwijderd omdat zij daar een destabiliserend element vormden, hadden zich in de loop van de tijd in de provincies meester gemaakt van dorpen. Zij vestigden zich op 'tsjiftliks' (grootgrondbezit) en buiten de boeren uit in een mate die ongekend was bij traditionele grootgrondbezitters. Zij joegen niet alleen de christelijke bevolking, maar ook islamitische ambtenaren en kooplieden tegen zich in het harnas.

In 1797 wist de pasja van Belgrado deze stad met succes tegen de janitsaren te verdedigen. Hij had hiertoe de Serviërs bewapend. Het jaar daarna moest hij hen echter weer toelaten. De janitsaren namen de macht over en vermoordden de pasja. Twee jaar geleden verenigden vier janitsarenleiders ('dahis' genoemd naar de rang die zij in het korps bekleedden) de janitsaren onder hun gezag. De Servische bevolking was voor haar bescherming geheel op zichzelf aangewezen; van de moslembevolking was nagenoeg geen steun te verwachten.

De opstand begon toen de dahis besloten alle leidende Serviërs om het leven te brengen, teneinde hun macht over Belgrado definitief te vestigen. In de eerste twee maanden van dit jaar doodden zij circa 150 man. Aanvankelijk misten de Serviërs een centraal leiderschap en had de revolte het karakter van een spontane reactie tegen de wreedheden van de janitsaren. In februari dit jaar kwamen echter zo'n 300 vooraanstaande Serviërs bijeen in Orosjac en kozen Karageorge tot hun leider; dit voorjaar had deze reeds 30 000 man strijdvaardig. Karageorge, van beroep varkenskoopman, ondertekent tegenwoordig zijn proclamaties met 'hoogste vojvoda' en 'leider'.

*Pelgrims op weg naar Mekka en Medina trekken door Caïro (19de eeuw).*

# Ook Medina nu veroverd

MEDINA-NEDZJED - Nadat vorig jaar Mekka al in handen van de Wahhabieten was gevallen, is dit jaar de op één na belangrijkste islamitische stad, Medina, door hen veroverd. Met de val van Medina is geheel Nedzjed in het midden van Arabië onder de macht van de Wahhabieten gekomen.

De Wahhabieten zijn de volgelingen van Mohammed ibn Abd al-Wahhab (geboren 1703). Deze man weigerde de Osmaanse kalief te erkennen en pleitte voor een zuiver islamitisch geloof en een islamitische maatschappij. Hij weigerde de heilige plaatsen te vereren en meende dat degenen die afstand namen van de oorspronkelijke islamitische wetten, streng gestraft moesten worden.

In 1740 bekeerde het hoofd van de Anaizah-stam, Mohammed ibn Saoed, zich tot het Wahhabitische geloof. Onder dat vaandel begon hij zijn macht uit te breiden. In het jaar 1791 stierf de oprichter van het wahhabisme.

Zijn aanhangers waren echter niet bereid de strijd op te geven: in 1797 veroverden de Wahhabieten de heilige stad Kerbala in Mesopotamië. Daarna richtte men zich op de belangrijke bedevaartsteden Mekka en Medina, die in handen waren van de alawitische (sji'itische) leider Sharif Ghalib. Vorig jaar werd Mekka bezet en Sharif Ghalib verjaagd. De Wahhabieten wilden direct verder optrekken naar Medina, maar deze poging werd vertraagd omdat een sji'itische man de leider van de Wahhabieten, Abd al-Aziz ibn Mohammed ibn Saoed, vermoordde. Zijn zoon Saoed nam het leiderschap op zich en veroverde vervolgens Medina. Al het goud waarmee het graf van profeet Mohammed was bedekt, is door de Wahhabieten geroofd.

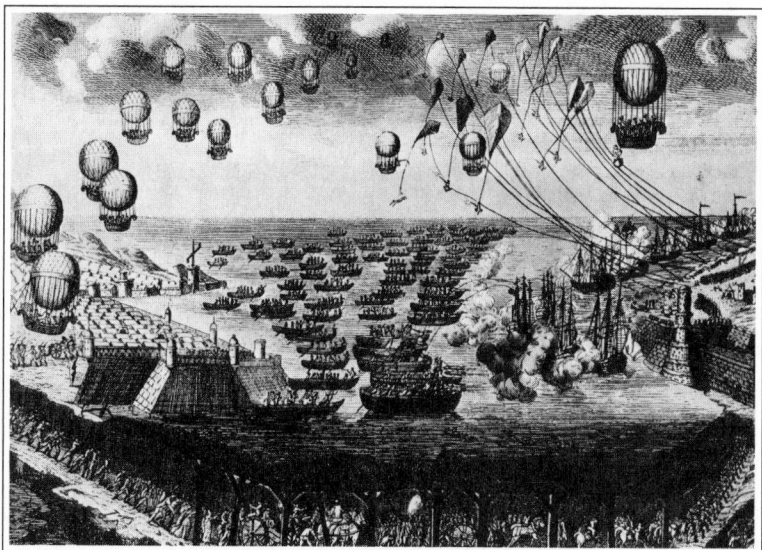

*De Franse autoriteiten zijn plannen aan het ontwikkelen voor de verovering van Engeland: onder Het Kanaal zou een tunnel moeten komen voor het artillerietransport. Het troepentransport zou over zee moeten gaan, waarbij een vloot van Montgolfier-ballons moet dienen voor de bescherming.*

**7 april.** Ludwig van Beethoven voltooit zijn *Derde symfonie* (de *Eroica*). →

**11 april.** Met het Verdrag van Sint-Petersburg tussen Rusland en Groot-Brittannië komt de derde coalitie tegen Frankrijk tot stand.

**26 mei.** Keizer Napoleon I wordt in de kathedraal van Milaan tot koning van Italië gekroond.

**10 juni.** Vanuit Constantinopel wordt Mohammed Ali door de sultan tot pasja (Osmaanse stadhouder) van Egypte benoemd. →

**9 augustus.** Oostenrijk sluit zich aan bij de derde coalitie.

**8 september.** De Derde Coalitieoorlog breekt uit. Frankrijk, Spanje, Beieren, Württemberg en Baden bestrijden Groot-Brittannië, Rusland, Oostenrijk en Zweden.

**21 oktober.** Nelson verslaat de Frans-Spaanse vloot bij Trafalgar. Hij wordt dodelijk verwond. →

**13 november.** Napoleon trekt Wenen binnen. →

**23 november.** Een vredesverdrag tussen de Britse Oost-Indische Compagnie en Sindhia komt tot stand.

**2 december.** De Driekeizersslag bij Austerlitz vindt plaats. Keizer Napoleon I verslaat de Russisch-Oostenrijkse troepen van keizer Frans I en tsaar Alexander I. →

**15 december.** Pruisen geeft zijn neutraliteit op en sluit een offensief-defensief bondgenootschap met Frankrijk.

**26 december.** De Vrede van Pressburg tussen Frankrijk en Oostenrijk beëindigt de Derde Coalitieoorlog. →

- In de Bataafse Republiek wordt Schimmelpenninck eerste raadpensionaris.

- Einde van de tweede Mahrattenoorlog tussen de Britse Oost-Indische Compagnie en Indiase Mahratten-heersers.

- Begin van een financiële crisis in Frankrijk.

- Niccolò Paganini, Italiaans vioolvirtuoos en componist, begint aan tournees in Europa.

- Henry Thomas Colebrooke, Engels oriëntalist, publiceert het *Essay on the Vedas* en *Sanskrit Grammar*.

Gestorven:

**4 maart.** Jean-Baptiste Greuze (21-8-1725), Frans genre- en portretschilder

**9 mei.** Friedrich von Schiller (10-11-1759), Duits dichter en toneelschrijver →

**21 oktober.** Horatio Nelson (29-9-1758), Engels admiraal →

# Friedrich von Schiller: dramaturg, dichter en historicus

De werkkamer van Friedrich von Schiller in zijn huis in Weimar.

WEIMAR, 9 mei - De Duitse dichter Johann Christoph Friedrich von Schiller is op 45-jarige leeftijd overleden. Hij is vooral bekend geworden als toneelschrijver, dichter en historicus. Schiller werd op 10 november 1759 in Marbach geboren als zoon van een arts. Hij groeide op onder armelijke omstandigheden en ging op bevel van hertog Karl Eugen von Württemberg naar de Militär-Pflanzschule. Uit het leerlingenbestand van deze school rekruteerde de hertog zijn ambtenaren en officieren. Na zijn studie rechten en medicijnen werd Schiller in 1780 regimentsarts in Stuttgart. Hij kwam in conflict met de hertog omdat hij zonder diens toestemming in 1782 de (succesvolle) première van zijn toneelstuk *Die Räuber* bijwoonde en omdat de strekking van het stuk de hertog niet beviel. Schiller kreeg een schrijfverbod

De dichter Friedrich von Schiller.

opgelegd en vluchtte nog hetzelfde jaar uit Württemberg.

De daaropvolgende jaren schreef hij onder andere het burgerlijke treurspel *Kabale und Liebe* (1784), waarin hij forse maatschappijkritiek uitte, en vestigde hij zich in Weimar. Hier kwam hij in contact met Herder en Wieland en een jaar later ook met Goethe. In 1787 voltooide hij *Don Carlos*, zijn eerste drama. Het stuk speelt in Spanje ten tijde van de Nederlandse Opstand.

Hierna legde Schiller zich toe op de geschiedenis. In 1788 publiceerde hij *Geschichte des Abfalls der Vereinigten Niederlande*, eveneens over de Nederlandse Opstand. Op advies van Goethe werd Schiller benoemd tot (onbezoldigd) hoogleraar geschiedenis aan de Universiteit van Jena. Hij moest deze positie opgeven toen hij in 1791 ernstig ziek werd. Tijdens zijn herstel verdiepte hij zich in het werk van de filosoof Kant.

In 1794 ontstond een hernieuwde kennismaking met Goethe toen Schiller hem vroeg bijdragen te leveren aan zijn tijdschrift *Die Horen*. In de hierna volgende jaren ontstond een inspirerende vriendschap tussen de twee Duitse schrijvers. Gezamenlijk schreven ze in 1797 *Xenien*, waarin ze kritiek leverden op hun literaire tijdgenoten. De gezondheid van Schiller bleef echter zeer zwak. De afgelopen jaren schreef hij nog een aantal toneelstukken (waaronder *Wilhelm Tell*).

# 'Sinfonica Eroica' klaar

Beethoven, componist van de 'Eroica'.

WENEN, 7 april - Ludwig van Beethovens *Derde symfonie*, de *Eroica*, is gereed: de langste symfonie die tot nog toe is gecomponeerd (langer dan welke ook van Haydn of Mozart). De *Eroica* is een weinig traditioneel werk: het volgens traditie langzame tweede deel - bij Mozart en Haydn meestal een adagio - is een 'marche funèbre' (treurmars), de finale - meestal een allegro - een set van variaties die zich fugatisch ontwikkelt en wordt gevolgd door een coda. Evenals in zijn *Eerste* en *Tweede symfonie* wijkt Beethoven zich in zijn *Derde* tegen de Weens-symfonische traditie te willen afzetten door het veelvuldig gebruik (volgens sommigen zelfs misbruik) van blazers. Geheel in tegenstelling tot Haydn en Mozart bezigt Beethoven een uitermate subjectieve en zelfs emotionele taal in zijn symfonische werken. De componist Carl Maria von Weber zei daarover laatst: 'Het is jammer dat men in de muziek van van Beethoven niet die duidelijkheid kan ontdekken die de muziek ten tijde van Gluck, Händel en Mozart had.'

Aanvankelijk was Beethoven voornemens geweest zijn Derde symfonie op te dragen aan Napoleon Bonaparte, omdat hij in hem de man meende te zien 'die de ketenen van de mensheid wilde breken, de held die een vrij volk gelukkig wilde maken'. Reeds had hij bij het Franse gezantschap in Wenen de daarvoor noodzakelijke stappen ondernomen, toen hij vernam dat Napoleon zich in de Notre-Dame te Parijs tot keizer had laten kronen (18 mei 1804). Onmiddellijk daarna wijzigde hij de opdracht en het werk draagt nu dan ook de titel: 'Sinfonica Eroica, composta per festiggiare il souvenire di un grand uomo' (Heroïsche Symfonie, gecomponeerd ter feestelijke herinnering aan een groot mens), om daarmee, naar Beethovens zeggen, 'tegenover de schijngrootheid van een Bonaparte de ideale opvatting van het echte, waarlijk grootse heldendom te stellen'.

Na de capitulatie van de Oostenrijkse troepen bij Ulm (17 oktober) en de gelijktijdige overwinning van de Fransen op het Korps Werneck bij Neresheim, lag voor Napoleon de weg naar Wenen open. Op 30 oktober bezetten de Fransen Salzburg (voor het eerst in haar geschiedenis werd de vesting Hohensalzburg door buitenlandse soldaten betreden), op 5 november marcheerden ze Innsbruck binnen, om ten slotte op 13 november (zie boven) een triomfantelijke intocht te maken in de stad Wenen. Twee dagen later sloot ook keizer Napoleon zelf zich bij zijn troepen in Wenen aan.

# Lord Nelson sneuvelt na zege bij Trafalga

*De zeeslag bij Trafalgar: de Engelse vloot onder leiding van Nelson valt het Frans-Spaanse eskader aan. Rechts: Engelands zeeheld admiraal Lord Nelson.*

SPANJE, 21 oktober - Tijdens een zeeslag tegen de Spaans-Franse vloot bij Trafalgar is de Engelse admiraal Lord Nelson gesneuveld. Admiraal Nelson, onder andere bekend door zijn overwinning op de Fransen bij Aboekir (1 augustus 1798), werd aan boord van zijn vlaggeschip, de 'Victory', dodelijk getroffen door een geweerkogel toen de slag in feite al in het voordeel van de Engelse vloot was beslist. De 47-jarige admiraal was zowel bij de Engelse bevolking als bij zijn ondergeschikten populair vanwege de vele overwinningen die hij heeft behaald.

Vanmorgen kreeg de Engelse vloot, die uit 27 schepen bestond, een verenigd Spaans-Frans eskader van 33 linieschepen in zicht. Geruime tijd was het onduidelijk of deze ontmoeting op een slag zou uitlopen. Reeds eerder had de Spaans-Franse vloot een contact afgebroken en de dichtstbijzijnde haven opgezocht. Nelson was nu echter vastbesloten om slag te leveren. Rond het middaguur gaf hij zijn dagorder uit: 'Engeland verwacht dat iedere man zijn plicht doet'. Het Spaans-Franse eskader was minder gebeten op een treffen. In verband met de zwakke wind besloot de Franse admiraal het contact af te breken en zich terug te trekken in de haven van Cádiz. Bij het manoeuvreren maakten de Fransen echter een belangrijke fout waardoor zij verzeild raakten in het Spaanse deel van de vloot, waar het bevel om koers te zetten naar de Spaanse marinehaven kennelijk nog niet gegeven was. Nelson profiteerde van de verwarring en begon de slag om 12.25 uur: hij doorbrak de vijandelijke linie en opende h[et] vuur. De slag werd een grote Brit[se] overwinning. De Engelsen maakte[n] twintig schepen buit. Aan Spaan[s-] Franse zijde vielen ongeveer 28[00] slachtoffers, terwijl op de vloot va[n] Nelson slechts 429 doden te betreure[n] vielen. Een van hen was, zoals gezeg[d,] de onstuimige Britse admiraal. Me[n] verwacht dat zijn lichaam zal worde[n] bijgezet in de St.-Paul's Cathedral. In Londen is verheugd gereageerd op d[e] overwinning die nog eens de superior[i-] teit van de Britse vloot onderstreept.

# Coalitie houdt geen stand tegen Napoleon

*De 'Slag van de drie keizers' bij Austerlitz, een triomf voor het Grote Leger.*

PRESSBURG, 26 december - In Pressburg is de vrede getekend tussen Frankrijk en Oostenrijk. In nog geen twee maanden tijds heeft het Grote Leger heel wat gebieden in Europa veroverd. De derde coalitie (Engeland, Zweden, Napels, Oostenrijk en Rusland) heeft tegen Napoleon geen stand weten te houden.

Toch begon de oorlog hoofdzakelijk omdat Napoleon geen andere mogelijkheid zag de binnenlandse problemen het hoofd te bieden. Door overwinningen op het slagveld zou alles opgelost kunnen worden.

De economische moeilijkheden van Frankrijk waren buitengewoon hardnekkig. Napoleon mocht de pers aan banden gelegd en de oppositie monddood gemaakt hebben, de Fransen werden toch wel gewaar dat de schatkist vrijwel leeg was. Het geld ontbrak om broodnodige moderniseringen door te voeren. Er werden wel enkele maatregelen getroffen om de landbouw te ontwikkelen (invoering van de suikerbiet) en er werd een programma van grote publieke werken opgezet teneinde de economie te stimuleren. Een en ander was echter niet voldoende. Daar kwam nog bij dat de Franse keizer wilde afrekenen met het 'perfide Albion' en diens bondgenoten op het vasteland. Bovendien droomde hij al lang van een groot keizerrijk. Het is duidelijk dat Napoleon als veld-heer een unieke troef in handen heeft: Frankrijk is het enige land in Europa met algemene dienstplicht. Het Grote Leger verdient zodoende zijn naam: het kan beschikken over een miljoen soldaten van verschillende nationaliteiten, die door de keizer persoonlijk worden aangevoerd.

Het resultaat is verbluffend. Op 30 september trok het Grote Leger de Rijn over. Binnen een maand was Ulm veroverd. Zodoende werd de nederlaag van Trafalgar, waar Nelson vrijwel gelijktijdig de Franse vloot versloeg, goedgemaakt. Begin december was Austerlitz aan de beurt, nadat Napoleon zich ook nog had veroorloofd Wenen te bezetten. De hoogvlakte waar deze 'Driekeizersslag' plaatsvond, was door Napoleon zelf verkend en met dat doel uitgezocht. De Oostenrijkse en Russische troepen liepen in de val en werden door het Grote Leger vermorzeld, precies een jaar nadat Napoleon tot keizer werd gekroond.

Frans I van Oostenrijk vroeg om een wapenstilstand en trad daarmee uit de coalitie. De troepen van tsaar Alexander trokken zich in Polen terug. Vandaag is de vrede getekend. Frans I verliest Venetië, Tirol, Vorarlberg en Trentino.

*Mohammed Ali, Egyptes stadhouder*

# Mohammed Ali onderkoning

CAIRO, 10 juni - De Porte, de Turks[e] regering, heeft Mohammed Ali be[noemd] noemd tot onderkoning van Egypt[e.] Hiermee hoopt men een eind te make[n] aan de nu al vier jaar durende politie[ke] anarchie, die ontstond toen in 1801 d[e] Franse troepen het land verlieten. Mohammed Ali kwam in 1798 naa[r] Egypte, als officier in het Turkse lege[r] dat zich te weer stelde tegen de inva[l] van Napoleon. Nadat de Fransen wa[ren] ren vertrokken kreeg hij de bevolki[ng] van Caïro op zijn hand, toen hij zic[h] verzette tegen de willekeur va[n] gouverneur-generaal Ahmad Khurs[-] hid Pasja.

# 1806

**8 januari.** De Kaapkolonie wordt definitief een Britse kolonie.

**3 maart.** Napoleon I benoemt zijn broer Jozef Bonaparte tot koning van Napels.

**5 juni.** Napoleon I benoemt zijn broer Lodewijk Napoleon tot koning van de Bataafse Republiek. →

**12 juli.** Onder protectoraat van Napoleon wordt de Rijnbond gesticht, welke zich verplicht hem bij te staan in oorlog.

**6 augustus.** Onder druk van Napoleon I doet Frans I afstand van de keizerskroon. Dit betekent het einde van het Heilige Roomse Rijk. →

**26 augustus.** Boekhandelaar Palm uit Neurenberg wordt gefusilleerd wegens zijn geschrift *Duitsland in zijn diepste vernedering*, waarin hij zich de enige martelaar voor de Duitse zaak toont.

**Augustus.** Soldaten van het vice-koninkrijk Rio de la Plata verdrijven de Engelse soldaten uit Buenos Aires.

**23 september.** De Amerikaanse onderzoekers Meriwether Lewis en William Clark treffen elkaar in Saint Louis, na een tweejarige verkenning van het Missouri-Mississippi-gebied. →

**9 oktober.** De Vierde Coalitieoorlog breekt uit tussen Pruisen, waarbij Saksen, Brunswijk en Saksen-Weimar zich aansluiten, en Frankrijk.

**14 oktober.** In de Slagen bij Jena en Auerstedt lijdt het Pruisisch-Saksische leger een vernietigende nederlaag tegen de Fransen. →

**17 oktober.** Keizer Jean-Jacques I Dessalines van Haïti, na de Verenigde Staten de eerste onafhankelijke staat op het westelijk halfrond, wordt door rivalen vermoord.

**21 november.** Napoleon kondigt het continentale stelsel tegen Engeland af.

**11 december.** Volgens de Vrede van Posen [Poznán] met Frankrijk wordt Saksen een koninkrijk en sluit zich aan bij de Rijnbond.

**27 december.** Het Osmaanse Rijk verklaart Rusland de oorlog.

- De Verenigde Staten kondigen een importstop van Britse goederen af.

- Claude Clodion begint met de bouw van de Arc de Triomphe in Parijs.

- J.G. Fichte schrijft zijn *Bericht über die Wissenschaftslehre*.

Gestorven:

**23 januari.** William Pitt (de Jongere) (28-5-1759), Engels staatsman →

# Bataafse Republiek: koninkrijk Holland

*De intocht van de 27-jarige Lodewijk Napoleon in Den Haag, residentie van het kersverse koninkrijk Holland.*

'S-GRAVENHAGE, 18 juni - Koning Lodewijk Napoleon heeft vandaag officieel zijn intrede gedaan in Den Haag. Tussen de haastig opgerichte triomfbogen viel weinig publiek te bespeuren en het enthousiasme was nog minder. De meeste belangstellenden waren uitgelopen om de nieuwe vorst eens met eigen ogen te aanschouwen.

De instelling van het koninkrijk Holland, en daarmee de benoeming van de nu 27-jarige vorst, is geschied onder druk van de Fransen. Dezen hadden de Bataafse Republiek vorig jaar reeds ingrijpende institutionele hervormingen opgelegd, maar die hebben kennelijk niet het gewenste effect gehad.

De hervormingen van verleden jaar voorzagen in een sterk gecentraliseerd staatsbestel in de Bataafse Republiek. In overleg met de keizer en zijn ondergeschikten in Parijs werd een grondwet samengesteld die de uitvoerende macht grotendeels in handen legde van één persoon, te weten Rutger Jan Schimmelpenninck.

Het bewind van Schimmelpenninck heeft in een jaar opmerkelijk veel tot stand gebracht, onder meer een belastingstelsel en een onderwijswetgeving. Schimmelpenninck leed echter aan toenemende blindheid en werd om die reden in Parijs als een risico beschouwd. Bovendien hoopte men daar blijkbaar door een nog directere greep op de Nederlandse politiek een effec-

tiever anti-Engels beleid af te dwingen. Er wordt hier en daar al gesproken over een handelsblokkade.

Hoe het ook zij, keizer Napoleon besloot dat zijn jongere broer in Nederland het bewind in handen diende te nemen. De Nederlanders werden letterlijk gedwongen Lodewijk Bonaparte te vragen hun koning te worden. Deze heeft positief op dat verzoek gereageerd. Schimmelpenninck was echter niet bereid mee te werken aan deze omwenteling en heeft op 4 juni afstand van zijn functie gedaan. De volgende dag werd Lodewijk als koning aangewezen. De familierelatie met de Franse keizer doet vermoeden dat de Nederlanders worden opgescheept met een marionet, wiens touwtjes direct met Parijs verbonden zijn.

*Keizer Napoleon I tijdens de Slag bij Jena tegen de Pruisen en de Saksen op 14 oktober; naar een van de schilderijen van Horace Vernet. Emile Jean Horace Vernet (geboren 1789) begon op jeugdige leeftijd met verdienstelijke landschapschilderijen en portretten. Keizer Napoleon I wist zijn talent te waarderen en gaf hem opdrachten voor een groot aantal werken waarin de successen van de keizer worden verheerlijkt.*

*Rutger Jan Schimmelpenninck.*

# 'Heilige Roomse Rijk' houdt op te bestaan

*De capitulatie van de Oostenrijkse troepen na Napoleons overwinning bij Ulm.*

WENEN, 6 augustus - Keizer Frans I van Oostenrijk heeft afstand gedaan van de titel 'Rooms keizer', die - zeker in het volksgeloof - de Habsburgse heersers eeuwenlang een aureool van heiligheid heeft verleend. Hij heeft verklaard dat het 'Heilige Römische Reich Deutscher Nation' ophoudt te bestaan. Met deze daad reageert Frans I op de door de Franse keizer Napoleon veroorzaakte machtsverschuiving in Midden-Europa.

In het politieke spel, waarvan de keizerskroon de inzet is, deed Napoleon de eerste zet. In mei 1804 benoemde de 'Franse eerste consul' zichzelf tot 'keizer der Fransen'. Door ook van Frankrijk een keizerrijk te maken tastte Napoleon de unieke waarde van de titel 'Rooms keizer' aan. Dit werd in Wenen als agressie beschouwd. Om tenminste op voet van gelijkheid te komen met het 'premier empire' werd Oostenrijk op 11 augustus 1804 tot keizerrijk verheven. 'Hoewel wij door goddelijke beschikking en door de keuze van de keurvorsten van het Rooms-Duitse Rijk een waardigheid hebben verworven die ons voor onze persoon geen uitbreiding van titel en aanzien te wensen overlaat, moet toch onze zorg als regent van het huis en de monarchie van Oostenrijk erop gericht zijn, dat de volkomen gelijkheid van de titel en de erfelijke waardigheid ten opzichte van de meest vooraanstaande Europese machten en vorsten gehandhaafd blijven...' zo luidde een veelzeggende zinsnede uit de verklaring van keizer Frans (Frans I als keizer van Oostenrijk, Frans II als keizer van het Duitse Rijk). De zwarte tweekoppige adelaar, het symbool van het Duitse Rijk, werd het wapen van het keizerrijk Oostenrijk.

De gebeurtenissen van het jaar 1805 maakten duidelijk dat de grenzen van Napoleons machtsstreven nog niet waren bereikt. Hij dwong Oostenrijk tot ondertekening van de harde vredesvoorwaarden van Pressburg, en wierp zich op als 'protector' van de Duitse staten. Deze hadden in de drie Coalitie-oorlogen het vertrouwen in Oostenrijk als hun beschermer en bevrijder voorgoed verloren.

De ontbinding van het Duitse Rijk komt daarom niet als een verrassing. Met de 'ruilverkaveling' van drie jaar geleden werd al duidelijk dat alles in het rijk in beweging is. Sinds 16 juli van dit jaar is het overduidelijk dat een groot aantal Duitse vorsten zich niet meer gebonden voelt aan het rijk: zestien Duitse vorsten richtten in Parijs de Rijnbond op. In artikel 12 van het verdrag stellen de zestien vorsten zich onder het protectoraat van keizer Napoleon. Artikel 35 behelst een offensief en defensief verbond met Frankrijk. Frankrijk krijgt hierdoor de vrije beschikking over de troepen van de Rijnbondstaten (63 000 soldaten). In andere artikelen van het verdrag wordt een gebiedsuitbreiding voor de zestien Rijnbondstaten aangekondigd. De kleinere landen die zich binnen de grenzen van de Rijnbond bevinden, zullen worden ingelijfd. Hun vorsten zullen ondergeschikt worden aan de vorsten van de Rijnbond. Dit betekent een inbreuk op de grondwet van het Duitse Rijk, dat dan ook sinds 12 juli feitelijk heeft opgehouden te bestaan. Volgens deze grondwet moesten alle geschillen over grondgebied worden voorgelegd aan de keizer en de Rijksdag. Door de oprichting van de Rijnbond wordt Napoleon scheidsrechter in een groot deel van de Duitse gebieden.

De belangrijkste leden van de Rijnbond zijn Beieren, Württemberg, Baden en Hessen. Al eerder dit jaar (vanaf 1 januari) hebben de keurvorsten van Beieren en Württemberg hun keurvorstendom voor het koningschap ingeruild. Dit gebeurde dank zij het ingrijpen van Napoleon, die er in de onderhandelingen voor de Vrede van Pressburg bij de voormalige keizer op aandrong met deze rangverhoging in te stemmen.

De bemoeienis van Frankrijk met de Duitse gebieden stuit tot nu toe op weinig verzet. Ook over het einde van het Duitse Rijk wordt weinig getreurd. De zestien vorsten die zich verenigd hebben in de Rijnbond, behouden een grote mate van zelfstandigheid in hun binnenlandse politiek. In hun buitenlandse politiek zijn ze gebonden aan Frankrijk.

# Kritiek velt William Pitt de Jongere

LONDEN, 23 januari - Vandaag is in zijn buitenhuis de premier, William Pitt de Jongere, overleden. Men schrijft zijn toch nog onverwachte dood toe aan de inspanningen die hij zich de laatste jaren getroost heeft om de oorlog tegen Frankrijk, die in 1803 opnieuw ontbrand is, te winnen.

De carrière van de nu overleden staatsman, die om hem te onderscheiden van zijn beroemde vader met dezelfde naam gewoonlijk William Pitt de Jongere genoemd wordt, vertoont in een aantal opzichten een merkwaardige ontwikkeling. Hoewel hij aan het begin van zijn politieke loopbaan in het hervormingsgezinde kamp te vinden was, schoof hij onder invloed van de ontwikkelingen in Frankrijk zozeer door naar conservatieve zijde, dat hij in 1799 een wetgeving tot stand bracht om de oppositie monddood te maken. Hij was aan het begin van zijn carrière tamelijk populair, met name door zijn ijveren voor hervorming van het parlement, gelijkberechtiging van rooms-katholieken en een oplossing van de Ierse kwestie.

De laatste tijd was hij het mikpunt van veel kritiek. Een voorstel om een monument voor hem op te richten in Westminster Abbey, zal slechts met moeite door het parlement worden aangenomen. Ook in de gemeenteraad van Londen had Pitt kennelijk veel

*Napoleon (rechts) en William Pitt de Jongere verdelen de wereld.*

tegenstanders: een voorstel om een gedenkteken voor hem aan te brengen in de Guild Hall, werd slechts met 77 stemmen voor en 71 tegen aangenomen.

De laatste jaren was Pitt zeer actief om de oorlog tegen Frankrijk tot een goed einde te brengen. Hij zorgde voor uitbouw van leger en vloot en een door Engelse politici zo vaak gebruikt wapen: het vormen van een coalitie, in dit geval met Oostenrijk en Rusland,

tegen het expanderende Frankrijk. Hoewel de overwinning van Nelson bij Trafalgar een invasie van Engeland onmogelijk maakte, was de overwinning van Napoleon bij Austerlitz, die in feite het einde van de coalitie betekende, een streep door Pitts rekening. Deze teleurstelling, gecombineerd met de toenemende kritiek op zijn leiding, heeft naar men aanneemt de genadeslag betekend voor het altijd al zwakke gestel van de 46-jarige politicus.

*Keizer Frans I van Oostenrijk.*

*Lewis, een van de leiders van de expeditie door het westen van Noord-Amerika.*

# Expeditie Lewis en Clark

ST. LOUIS, 23 september - Meriwether Lewis (32) en William Clark (36) zijn na een ontdekkingstocht door het westen van Noord-Amerika teruggekeerd in St. Louis. Tijdens hun tocht zijn ze op de westgrens van het Amerikaanse continent gestuit: de oceaan. De expeditie, die ruim twee jaar heeft geduurd en bijzonder weinig geld heeft gekost, was een initiatief van president Thomas Jefferson.

Lewis en Clark hebben het nieuwe gebied zoveel mogelijk in kaart gebracht. De kolonisatie van het land ten westen van de Mississippi is daardoor minder moeilijk geworden. Daarnaast is de aanspraak van de Verenigde Staten op deze territoria door de reis van Lewis en Clark vergroot.

Sedert het bereiken van de onafhankelijkheid was Thomas Jefferson van mening dat de verkenning van het onbekende Westen voordelen zou kunnen opleveren: ze zou de Amerikaanse rechten op de westelijke gebieden vergroten (ook Engeland, Spanje en Rusland maken aanspraak op deze territoria), eventuele kolonisering eenvoudiger maken, en ten slotte de Verenigde Staten nieuwe rijkdommen opleveren. Nadat Jefferson president was geworden wist hij zijn plannen voor een dergelijke tocht te realiseren. In 1803 gaf hij Meriwether Lewis de opdracht een ontdekkingstocht naar het onbekende Amerikaanse Westen te organiseren. Lewis nodigde zijn vriend Clark uit om hem bij te staan. Na een jaar voorbereiding vertrokken beiden in het gezelschap van een aantal soldaten, roeiers en een tolk.

Gedurende hun tocht kwamen zij diverse malen in contact met Indianen, die hun informatie gaven over de nog onbekende gebieden. De Indianen hebben zo een belangrijke bijdrage geleverd aan het succes van de Amerikaanse ontdekkingstocht.

De ontdekkingsreizigers zijn 28 maanden onderweg geweest en hebben 12 000 kilometer afgelegd. De totale expeditie kostte 40 000 dollar.

Eén man verloor tijdens de tocht het leven. Sergeant Charles Floyd overleed, waarschijnlijk aan een blindedarmontsteking.

**2 januari.** Napoleon betrekt Polen in zijn oorlog tegen Pruisen en Rusland.

**7 januari.** Groot-Brittannië kondigt een blokkade af van alle havens aan de Franse kust en die van Napoleons bondgenoten. Tevens zullen alle schepen die handelen in havens waar Groot-Brittannië uitgesloten is, de kans lopen door Groot-Brittannië in beslag genomen te worden.

**12 januari.** Een reusachtige ontploffing in Leiden kost het leven aan 151 mensen. →

**29 mei.** Sultan Selim III wordt afgezet door Moestafa IV.

**Juni.** In Buenos Aires wordt een Engels expeditieleger verslagen. →

**7 en 9 juli.** De Russisch-Franse en de Pruisisch-Franse Vrede van Tilsit beëindigen de Vierde Coalitieoorlog. →

**17 augustus.** De stoomboot 'Clermont' van de uitvinder Robert Fulton maakt op de Hudsonrivier haar eerste tocht. →

**5 september.** De Britten veroveren Kopenhagen. De Denen verliezen hun vloot. →

**9 oktober.** Baron Heinrich Friedrich Karl vom und zum Stein, invloedrijk minister van Pruisen, voert fundamentele hervormingen door ten aanzien van de bevrijding van de Pruisische boeren.

**27 oktober.** In het geheime Verdrag van Fontainebleau komen Frankrijk en Spanje de deling van Portugal overeen.

**7 november.** Rusland breekt relaties met Groot-Brittannië af (volgens het Verdrag van Tilsit).

**29 november.** De koninklijke familie van Portugal vlucht naar haar kolonie Brazilië.

**17 december.** Napoleon verscherpt de Continentale Blokkade. →

- In Parijs wordt het joodse Sanhedrin heropgericht. →

- Jacques-Louis David voltooit zijn schilderij *De kroning van Napoleon.*

- Comte de Saint-Simon schrijft *Introduction aux Travaux Scientifique du XIX Siècle.*

- Charles Bell publiceert zijn *System of Comparative Surgery.*

- Georg Wilhelm Friedrich Hegel publiceert *Phaenomenologie des Geistes.*

- William Turner schildert *Sun Rising in a Mist.*

- Thomas Moore dicht Ierse liederen die door John Stevenson op muziek worden gezet.

- Benjamin Constant schrijft *Adolphe.*

- Engeland verbiedt de slavenhandel.

# 151 doden door ontploffing van kruitschip

LEIDEN, 13 januari - Gisteren heeft zich in Leiden een grote ramp voltrokken. Niet ver van het centrum is een kruitschip ontploft, dat was afgemeerd aan het Steenschuur. De boot was geladen met 37 000 pond kruit. De ontploffing, die plaatsvond in de namiddag om 4.15 uur, heeft 151 doden tot gevolg gehad en immense schade aangericht. Ten minste 200 woningen en andere panden zijn geheel verwoest of zodanig beschadigd dat ze moeten worden afgebroken. Ook in andere delen van Leiden is schade ontstaan. De Leidse bevolking is, na bekomen te zijn van de eerste schrik, massaal met het puin ruimen begonnen.

Volgens ooggetuigen stond de gehele stad na de klap te trillen. Het leek alsof er een aardbeving plaatsvond. De ontploffing ging gepaard met een enorme steekvlam en was in de wijde omgeving te horen en te zien. Koning Lodewijk Napoleon heeft nog dezelfde avond de stad bezocht en zijn lijfartsen ter beschikking gesteld voor het verzorgen van de talloze gewonden. Ook heeft hij 30 000 gulden uit eigen zak toegezegd en nog eens 100 000 gulden uit de openbare kas.

Intussen betreuren talrijke Leidenaars het verlies van familieleden en vrienden. Een van hen is mr. J. Romswinkel, een vooraanstaand inwoner van de stad, wiens huis aan het Steenschuur in een ruïne is veranderd. Hij was zelf in Den Haag toen het ongeluk zich voltrok, maar een dochtertje is onder het puin bedolven. Zijn 9-jarige zoon is als door een wonder aan de dood ontsnapt.

De jongen was in de school aan de overzijde met een kameraadje met de kachel aan het spelen. Het gebouw stortte om hen heen in, maar de schoorsteen bleef staan en via het rookkanaal wisten de twee naar buiten te komen. Zij meenden aanvankelijk dat hun onvoorzichtige gespeel de ramp had veroorzaakt, maar konden gerustgesteld worden.

Naar de ware toedracht wordt een onderzoek ingesteld. Inmiddels is echter reeds komen vast te staan dat de schipper van de ongeluksboot als voornaamste schuldige moet worden beschouwd. Komende van Delft had hij, tegen alle regels in, zijn vaartuig met de dodelijke lading in de stad afgemeerd, om vervolgens ter gelegenheid van koppermaandag op kroegentocht te gaan. Omstreeks vier uur zou hij in zwaar beschonken toestand bij het schip zijn teruggekeerd. Een kwartier later vond de ramp plaats, die uiteraard ook de schipper zelf het leven heeft gekost. Zijn stoffelijk overschot is meer dan honderd meter van de plaats des onheils teruggevonden.

# Napoleon vergroot invloed in Duitsland

*De 'maiden voyage' van de 'Clermont'.*

## Uitvinder Fulton bouwt stoomboot

NEW YORK, 17 augustus - Eindelijk heeft ingenieur Robert Fulton succes! Op de Hudsonrivier heeft hij met een door stoomkracht aangedreven schip een tocht gemaakt van New York naar Albany. Fulton beschouwt dit als een eerste stap op weg naar een tijdperk waarin het stoomschip het zeilschip zal hebben verdrongen.

Fulton verbleef twintig jaar in Europa, waar hij de aandacht trok met opzienbarende vindingen. Zo bouwde hij een vaartuig dat zich onder water voortbewoog: de 'Nautilus'. Al in 1803 nam hij op de Seine in Frankrijk proeven met een door een stoompomp aangedreven schip. Tijdens de proefnemingen brak het schip in tweeën, maar Fulton bleef overtuigd van de toepasbaarheid van zijn idee. Terug in Amerika verzekerde hij zich van voldoende financiële steun om een nieuw stoomschip te bouwen. Na deze succesvol verlopen tocht is Fulton van plan zijn schip, de 'Clermont', commercieel te exploiteren.

*Eenheden van het Grote Leger, de basis voor Napoleons machtspositie.*

TILSIT, 9 juli - Napoleon heeft zijn invloed in Duitsland opnieuw vergroot. Pruisen moet alle gebieden ten westen van de Elbe afstaan. Samen met Hannover worden deze gebieden samengevoegd tot het koninkrijk Westfalen, waarover Napoleons broer Jérôme koning wordt. Tevens verliest Pruisen de provincies die voor 1772 tot Polen behoorden. Uit dit gebied wordt het groothertogdom Warschau gevormd. Pruisen doet ook afstand van Danzig, dat een vrije stad wordt. Dit is overeengekomen in het vredesverdrag tussen Pruisen en Frankrijk dat in Tilsit is ondertekend.

Pruisen moet met de inkrimping van zijn grondgebied akkoord gaan, nadat het Frankrijk de oorlog verklaarde (26 september 1806) en die vervolgens verloor.

De Pruisische koning Frederik Willem III heeft vanaf zijn ambtsaanvaarding (1797) steeds een politiek van neutraliteit gevoerd. In de Tweede Coalitieoorlog tegen Frankrijk (1799-1802) en in de Derde (1805) bleef Pruisen afzijdig. In december 1805 kwam er echter een eind aan de neutraliteit. Toen sloot Pruisen een offensief en defensi[ef] verbond met Frankrijk, en raak[te] daardoor in oorlog met Engelan[d]. Napoleon had inmiddels zijn invlo[ed] in Duitsland vergroot, onder ande[re] door de oprichting van de Rijnbon[d]. Hij wilde vervolgens Engeland op [de] knieën dwingen. Pruisen werd daaro[m] door Napoleon geprest zijn have[ns] voor Engelse schepen te sluiten.

Toen bekend werd dat Napoleon [de] Engelse koning als koning van Hann[o]ver wilde herstellen, besloot Freder[ik] Willem III met Frankrijk te breke[n]. Hij stuurde Napoleon een ultimatu[m] waarin hij eiste dat Frankrijk alle tro[e]pen uit Duitsland zou terugtrekke[n]. Napoleon weigerde en Pruisen ve[r]klaarde Frankrijk de oorlog.

De Pruisische legers rukten op, ma[ar] waren niet opgewassen tegen de Fra[n]sen. Eén leger werd bij Jena verslage[n] door Franse troepen, die onder bev[el] van Napoleon zelf stonden. Een twee[-]de Pruisisch leger moest zich terugtre[k]ken na de Slag bij Auerstedt. De Fra[n]sen bezetten een groot deel va[n] Pruisen, waaronder Berlijn. De go[u]verneur van Berlijn, graaf von d[e] Schulenburg, had toen al een oproe[p] aan de Berlijners gepubliceerd: 'Nu rust de eerste burgerplicht.'

Tot een vredesverdrag kwam het no[g] niet. Een deel van het Pruisische leg[er] vocht door in Oost-Pruisen. Toen Na[-]poleon daar de Pruisische en ook d[e] Russische troepen op 14 juni van d[it] jaar (Slag bij Friedland) wist te ve[r]slaan, begonnen de onderhandelinge[n] die hebben geleid tot de Vrede van T[il]sit.

Behalve met verlies van gebied mo[est] Frederik Willem III ermee instemme[n] dat Pruisen bezet blijft door Frans[e] troepen, totdat de oorlogsschatting [is] betaald. De hoogte van dit bedrag [is] nog niet vastgesteld.

# Liniers verslaat Engelsen

BUENOS AIRES, juni - Het Engelse expeditieleger onder generaal Whitelock, dat vanuit Montevideo oprukte naar Buenos Aires, is verslagen door creoolse soldaten onder leiding van een Fransman in Spaanse dienst, Santiago Liniers.

Vorig jaar landde een Engels legertje, afkomstig uit de Britse kolonie Kaap de Goede Hoop, op eigen initiatief bij Buenos Aires en nam op 27 juni de stad in. De Spaanse onderkoning, de markies van Sobremonte, bleek niet in staat het verzet te organiseren en vluchtte met een deel van zijn hofhouding naar het binnenland. De creolen in Buenos Aires namen wél het initiatief om de Engelsen te verdrijven. Op 12 augustus werd de aanval op de Engelse troepenmacht van 1200 soldaten geopend met het nieuwe leger van 8000 man, getraind en aangevoerd door Liniers. De Engelse invasiemacht werd verslagen en gevangengenomen en Liniers werd de nieuwe militaire gouverneur over Buenos Aires.

Op 3 februari van dit jaar kwamen echter Engelse hulptroepen aan, die Montevideo bezetten. De Spaanse onderkoning werd nu gevangengezet wegens onbehoorlijk bestuur, een precedent in de geschiedenis van de Spaanse heerschappij in Amerika. Liniers werd tijdelijk benoemd tot onderkoning. De 9000 man sterke Engelse troepenmacht onder Whitelock begon ondertussen met de opmars naar Buenos Aires, waarbij het leger van Liniers werd ontweken. In de stad zelf echter moest Whitelock zich na hevige straatgevechten overgeven.

Na de overwinning weigert onderkoning Liniers vooralsnog, ondanks Spaanse druk, het creoolse leger te ontbinden. Het zelfstandig verdrijven van de Engelsen en het eigen leger geven de creolen een sterk zelfbewustzijn tegenover de Spanjaarden. Het verslaan van de Engelsen in 1806 staat al bekend als de Reconquista, terwijl de recente gebeurtenissen de Defensa worden genoemd.

*Kopenhagen wordt door Britse artillerie onder vuur genomen. Op 5 september krijgen de Britten hun zin: de neutrale Denen zullen afstand doen van hun marine om te voorkomen dat keizer Napoleon die gaat gebruiken in zijn strijd tegen Engeland. Voordat de Denen daartoe bereid waren, moest er wel een Brits eskader aan te pas komen, dat de afgelopen dagen grote delen van Kopenhagen in een ruïne heeft veranderd.*

# Blokkade weer verscherpt

*Een Franse karikaturist drijft de spot met de Continentale Blokkade.*

*Napoleon sluit een overeenkomst met de Franse joden.*

# Sanhedrin in Parijs bijeen

PARIJS - Van de met pracht en praal omgeven eerste bijeenkomst van het heropgerichte Sanhedrin, onder leiding van David Sinzheim, de rabbijn van Straatsburg, zijn de resultaten bekendgemaakt. Er is godsdienstige sanctie verleend aan de besluiten van de voorlopige vergadering, gehouden in juli vorig jaar onder voorzitterschap van de bankier Furtado.

Het Sanhedrin was in de Hellenistisch-Romeinse tijd de benaming voor het hoogste joodse gerechtshof, dat onder voorzitterschap stond van de hogepriester. Toen het centrum van het jodendom naar Babylonië verhuisde (5de eeuw), had het Sanhedrin zijn langste tijd gehad.

Omdat het 'nieuwe' Sanhedrin evenals vroeger godsdienstig gezag heeft, betekent dit dat de antwoorden die de verbouwereerde afgevaardigden toen gaven op de hun door Napoleon voorgelegde twaalf vragen betreffende de problematiek van de assimilatie van de joden in Frankrijk, nu officiële geldigheid hebben verkregen. Met de besluiten van het Sanhedrin hebben de joden van Frankrijk afstand gedaan van de jurisdictie van de rabbijnen en de hoop op een terugkeer naar Israël. Joden mogen alle beroepen uitoefenen en zullen moeten helpen met de verdediging van hun vaderland: Frankrijk. Gemengde huwelijken tussen joden en niet-joden worden door het Sanhedrin niet-afkeurenswaard bevonden, hoewel volgens de joodse geloofsopvatting een dergelijk huwelijk niet wettig is.

Napoleon besloot tot het bijeenroepen van joodse notabelen nadat hij een uitstel van één jaar had afgekondigd van alle schulden aan joodse geldschieters. Hem waren namelijk klachten ter ore gekomen uit de Elzas. De bij wet vastgestelde rente was zo hoog dat de weinig kapitaalkrachtige boeren, aan wie de meeste bezittingen van de adel en geestelijkheid waren toegevallen, hun schulden niet konden terugbetalen. In een rede, enkele dagen later, verklaarde Napoleon dat het '[...] een teken van zwakte zou zijn de joden te verjagen, maar een teken van kracht hen terecht te wijzen'. Hij reageerde hiermee op een krantenartikel waarin de emancipatie van de joden een 'betreurenswaardige vergissing van de Revolutie' werd genoemd. Dit 'terechtwijzen' gebeurde in de openingstoespraak van graaf Molé, Napoleons adviseur voor joodse aangelegenheden, die de 'Woekerpraktijken' aan de kaak stelde, waarna de twaalf vragen werden gesteld.

MILAAN, 17 december - Opnieuw heeft Napoleon een decreet uitgevaardigd om het Continentale Stelsel te verscherpen. De Franse keizer wil Engeland 'verstikken' en dat land op die manier ertoe dwingen vrede te sluiten. Ook hoopt Frankrijk, dank zij deze verscherpte blokkade, de economische alleenheerschappij over Europa te krijgen.

Het eerste decreet werd op 21 november 1806 in Berlijn uitgevaardigd. Dat was nog grotendeels bedoeld als antwoord op de Engelse maatregelen tegen schepen met Franse of voor Frankrijk bestemde waar aan boord. Die werd in beslag genomen, ook als de schepen onder neutrale vlag voeren.

De Engelsen matigden zich het recht aan alle - ook de neutrale - schepen op hun lading te onderzoeken.

Napoleon ging nog een stapje verder: ieder schip dat in een Engelse haven had aangelegd, mocht niet meer in een Franse of door Frankrijk bezette haven binnenlopen. Iedere handel, iedere verbinding met de Britse eilanden werd verboden: Groot-Brittannië werd 'in staat van blokkade' verklaard. Natuurlijk liet Engeland dat niet op zich zitten. De escalatie was op gang gebracht.

Vandaag is Napoleon weer aan de beurt geweest. Het decreet van Milaan vormt (voorlopig) de laatste aanvulling op het in oktober in Fontainebleau afgekondigde decreet. Ieder schip dat, in welke vorm dan ook, Engelse belastingen heeft betaald of zelfs maar door Engelsen is bezocht, wordt van nu af aan beschouwd als een schip zonder nationaliteit, dat daarom zo maar in beslag genomen mag worden.

Napoleon hoopt dat dit Continentale Stelsel, dat nagenoeg de gehele Europese kust isoleert, de Franse buitenlandse handel ten goede zal komen.

Lang niet iedereen deelt echter die mening. Met name in de door Frankrijk bezette gebieden die grotendeels van de handel leven (Holland, Noord-Duitsland), zijn sinds het begin van de blokkade zeer sterke anti-Franse gevoelens ontstaan. Vrijwel overal wordt trouwens getracht de blokkade te ontduiken. Het gevolg is een bloeiende smokkelhandel.

Voor de Franse landbouw heeft de blokkade onverwachte, positieve gevolgen gehad. Daar suikerriet en andere exotische gewassen nog maar in zeer beperkte mate worden aangevoerd, is de teelt van vervangende produkten van eigen bodem (met name suikerbieten) er zeer op vooruitgegaan.

*De hoofdrolspelers die in juli in Tilsit [Sovetsk] bijeenkwamen voor hun vredesbesprekingen. In het midden van links naar rechts: Napoleon, tsaar Alexander I (hij heeft op 7 juli een bondgenootschap met Napoleon gesloten), Napoleons vrouw Louise, en de Pruisische koning Frederik Willem III, die op 9 juli een groot deel van Pruisen aan de Fransen moest afstaan.*

**1 januari.** Sierra Leone wordt een Britse kolonie.

**1 januari.** De Verenigde Staten verbieden het importeren van slaven uit Afrika. →

**2 februari.** Napoleon I bezet de Kerkelijke Staat nadat paus Pius VII geweigerd heeft aan het continentale stelsel deel te nemen.

**22 februari.** Na de betrekkingen met Zweden verbroken te hebben, bezetten Russische troepen Finland.

**28 februari.** Oostenrijk sluit zich aan bij het continentale stelsel van Napoleon.

**27 maart.** In Wenen wordt het oratorium *Die Schöpfung* van Joseph Haydn voor de eerste maal opgevoerd. →

**3 mei.** Karel IV van Spanje en kroonprins Ferdinand doen onder druk van Napoleon afstand van de troon. →

**Vanaf mei.** Door de oorlog van Spanje met Frankrijk zijn in alle Spaanse koloniën in Zuid-Amerika onafhankelijkheidsbewegingen ontstaan.

**9 juni.** Keizer Frans I besluit tot de oprichting van een volksleger. →

**15 juni.** Jozef Napoleon wordt koning van Spanje.

**15 juli.** De Franse maarschalk Joachim Murat, zwager van Napoleon, wordt koning van Napels.

**Juli.** Mahmoed II volgt de afgezette Moestafa IV op als sultan van Turkije.

**Augustus.** De Britse Arthur Wellesley, hertog van Wellington, verdrijft de Fransen uit Lissabon.

**27 september.** Vorstendag in Erfurt: Napoleon ontmoet tsaar Alexander I en vorsten van de Rijnbond. Hij poogt steun voor zijn politiek te krijgen, wat mislukt. →

- Napoleon schaft de inquisitie in Spanje en Italië af.

- Antonio Canova maakt een beeld van Pauline Bonaparte als Venus.

- Het eerste gedeelte van de *Faust* van J.W. Goethe verschijnt.

- Richard Trevithick demonstreert in Londen zijn 'Catch-Me-Who-Can'-locomotief. →

- Friedrich von Schlegel publiceert *Über die Sprache und Weisheit der Inder.* Hiermee vestigt hij de Oudindische filologie in Duitsland.

- Tijdens het bewind van Napoleon ontstaat in Frankrijk de empire-stijl.

- Alexander von Humboldt schrijft *Ansichten der Natur.* →

- Jean Ingres schildert *La Grande Baigneuse.*

# Slavenhandel in VS verboden

*Slavenhandelaars met Afrikaanse slaven aan de kust.*

WASHINGTON, 1 januari - In de Verenigde Staten van Amerika is een wet van kracht geworden die de handel in Afrikaanse slaven verbiedt. In december 1805 had senator Bradley een wetsvoorstel ingediend dat het invoeren van slaven in de Verenigde Staten verbood. Enige tijd daarvoor al had president Jefferson erop aangedrongen de slavenhandel af te schaffen.

Het wetsvoorstel van Bradley werd na een gecompliceerde procedure in maart vorig jaar aanvaard: de Afrikaanse slavenhandel is met ingang van vandaag voor alle Amerikaanse state verboden.

De wet probeert tevens een oplossing bieden voor het vraagstuk van illega geïmporteerde slaven. Het wordt aa de afzonderlijke staten van de Un overgelaten de status van die slaven bepalen. Bovendien voorziet de ant slavenhandelwet in een strafmaat voo degenen die haar ontduiken.

Ondanks het belang van de slaverr voor de economie van het zuiden va de Verenigde Staten heeft men de sl venhandel verboden. Humanitaire r denen en angst liggen daaraan te grondslag. Vooral in het noorden va Amerika beschouwt men de slaverr en slavenhandel steeds meer als ee moreel te verwerpen zaak, die bove dien in strijd met de grondwet is. In he zuiden is men echter in paniek geraa door de bloedige slavenopstand o Santo Domingo (1791). Men vreest d radicale ex-slaven vanaf de Westind sche eilanden naar de Verenigde State zullen komen om daar de slaven t opstand aan te zetten. Vandaar dat oo de zuidelijke staten de havens voor d slavenhandel willen sluiten.

## Verjaardag van componist Haydn

*De uitvoering van 'Die Schöpfung'.*

WENEN, 27 maart - Een enthousias publiek is in de aula van de Weense uni versiteit getuige geweest van een bij zondere uitvoering van *Die Schöp fung,* het in 1798 voltooide oratorium van Franz Joseph Haydn. Het concer werd georganiseerd ter gelegenhei van de 76ste verjaardag van de bejaar de meester.

De uitvoering moet Haydn grote vol doening hebben geschonken. De laat ste jaren wordt hij geplaagd door eer slechte gezondheid en heeft hij weinig gecomponeerd. Na de voltooiing van het oratorium *Die Jahreszeiten,* in 1801, voelde hij zich niet meer in staat een grootschalig werk te componeren

*Richard Trevithick, een ontwerper van mijnpompen, heeft als eerste een loco-motief gebouwd die op rails kan rijden. Op een cirkelbaan in het Londense Euston Road heeft hij zijn locomotief gedemonstreerd; de demonstratie moest voortijdig worden beëindigd omdat de trein omviel.*

# Madrilenen in opstand tegen Fransen

MADRID, 3 mei - Nadat Franse troepen tegen elke afspraak in een groot gedeelte van Noord-Spanje bezet hebben, de eerste minister Godoy is afgezet en Karel IV van Spanje ten gunste van zijn zoon Ferdinand VII afstand van de Spaanse troon heeft gedaan, verkeert de gehele hoofdstad in rep en roer. Het Madrileense volk is in opstand gekomen tegen de Franse soldaten die zich daar bevinden. Er doen geruchten de ronde dat Napoleon Ferdinand niet als troonopvolger wil erkennen en zijn broer Jozef Bonaparte op de Spaanse troon probeert te krijgen.

Het tegen Portugal gerichte Verdrag van Fontainebleau (1807) voorzag in de Spaanse toestemming voor de doorgang van Franse troepen via Spanje naar Portugal. Vele Franse troepen bleven echter in Spanje; ge-

*De bloedige strijd van de Madrilenen tegen de Egyptische huurlingen (Goya).*

schat wordt zo'n 100 000 soldaten. Deze bezetting veroorzaakte grote verwarring. Vol woede bestormde het volk in maart van dit jaar het paleis in Aranjuez van de impopulaire Godoy, die verantwoordelijk gesteld werd. Karel IV werd gedwongen hem te ontslaan en deed zelf afstand van zijn troon. Ferdinand VII, zijn zoon, zou hem opvolgen.

Vermoed wordt dat Napoleon andere plannen heeft. Hij heeft de koninklijke familie bijeengeroepen in het Franse Bayonne. Er wordt gevreesd dat hij Ferdinand niet als koning zal erkennen. Toen ook Karels dochter en kleinzonen vanuit Madrid aanstalten maakten zich naar Bayonne te begeven, kwam het volk in opstand. De menigte wierp zich op de Fransen; bloedige gevechten en schietpartijen volgden. De Fransen stuurden hulptroepen van Mamelukken (Egyptische huurlingen) ter versterking. Uiteindelijk wisten ze de opstand te onderdrukken.

De reactie van de Fransen op de opstand is verschrikkelijk. Alle Span-

*Franse troepen trekken door de Sierra de Guadarrama.*

jaarden van wie wordt vermoed dat ze iets met de opstand te maken hebben gehad, zijn zonder enige vorm van proces geëxecuteerd. Woede en chaos heersen momenteel in geheel Spanje.

*La Poule, een van de figuren uit de contradans, een van oorsprong Engelse dans ('country dance') die ook in Duitsland en Frankrijk (Napoleons vijandschap jegens Engeland ten spijt) erg populair is geworden. De contradans wordt uitgevoerd door vier kruisgewijs opgestelde paren die een groot aantal figuren dansen.*

## Humboldt analyseert veranderingen

*De Duitse natuuronderzoeker en geograaf Alexander von Humboldt.*

PARIJS - Van de hand van Alexander von Humboldt is onlangs het werk *Ansichten der Natur* verschenen.

De natuuronderzoeker von Humboldt werd in 1769 in Berlijn geboren. Sinds 1790 maakte hij diverse studiereizen door West- en Zuid-Europa. Deze ondernemingen maakten bij hem een romantische interesse voor de tropen wakker. Hij reisde onder meer naar Zuid-Amerika in gezelschap van de beroemde plantkundige Aimé Bonpland.

Sinds vorig jaar woont von Humboldt in Parijs, waar hij ook zijn *Ansichten der Natur* schreef. Met dit werk heeft von Humboldt een begin gemaakt met de publikatie van de resultaten van zijn onderzoeksreizen, tijdens welke hij planten en dieren onderzocht en in het bijzonder de manier waarop zij zich aanpassen aan de omgeving waarin zij leven.

Hiermee slaat von Humboldt een nieuwe richting in op het terrein van de geografie: hij beschrijft niet alleen veranderingen maar analyseert ze ook. Een ander belangrijk aspect van zijn werk is dat zijn publikaties in feite een synthese vormen van de resultaten van verschillende wetenschappen (onder andere botanie, biografie en geologie).

Von Humboldt is door zijn reizen en publikaties nu al een beroemd man.

*'Het fusilleren van de opstandelingen op 3 mei 1808' van Francisco de Goya.*

# Keizer Frans I mobiliseert Oostenrijkers

*De soldaten van de Tiroler Landsturm krijgen een enthousiast onthaal.*

WENEN, 9 juni - Keizer Frans I van Oostenrijk heeft de oprichting verordend van een volksleger: 'de Landwehr'. Een algemene dienstplicht wordt afgekondigd voor alle mannen tussen 18 en 45 jaar. Deze militie moet elke zondag exerceren en ieder jaar een oefening van drie weken houden. De instelling van een 'Landwehr' is een van de voorbereidingen die worden getroffen om Napoleon de genadeslag toe te brengen.

Na de Slag bij Austerlitz schreef aartshertog Karel, Oostenrijks militair leider, aan zijn broer keizer Frans I: 'Oostenrijk moet een verschrikkelijke crisis het hoofd bieden. Na een korte maar vreselijke oorlog staat Uwe Majesteit alleen; Uw land is verwoest, Uw schatkist is leeg, U hebt Uw krediet verloren, de eer van Uw leger is aangetast, Uw reputatie is beschadigd en de economische welvaart van Uw onderdanen is voor vele jaren geruïneerd. De toewijding van Uw volk is wankel, U hebt geen bondgenoten.'

Frans I wilde ter bestrijding van deze crisis niet overgaan tot zulke ingrijpende maatschappelijke hervormingen als die welke in Pruisen de vaderlandsliefde van de bevolking hadden opgewekt. Ook bij legerhervormingen denkt de legerleiding in het Habsburgse keizerrijk eerder aan de centralisering van het opperbevel en de verbetering van de discipline van het beroepsleger, dan aan het op de been brengen van een militie.

Dit jaar begon de militaire top van mening te veranderen. De kracht van de Spaanse volksopstand tegen Napoleon maakte grote indruk. Bovendien wordt het onderhoud van een beroepsleger te duur. Aartshertog Karel gaf toe dat een volksleger noodzakelijk was om 'na vijftien jaren oorlog en vijftien jaren tegenslag' de ontoereikende militaire hulpbronnen aan te vullen. Tegelijkertijd werd er van hogerhand een campagne gelanceerd om de 'Landwehrmann' ervan te doordringen dat Oostenrijk het waard was verdedigd te worden. 'Wo ist der Bürger und Landmann mehr Herr seines Eigentumes, seines Gewerbes und vor allem seiner persönlichen Freiheit, als unter der milden Regierung Österreichs?'

*Een lid van de Oostenrijkse Landwehr keert bij zijn familie terug.*

*Van 27 september tot 4 oktober heeft Napoleon in Erfurt overleg gevoerd met tsaar Alexander I, in de hoop Russische steun te krijgen voor zijn veroveringspolitiek. Om indruk op de tsaar te maken had Napoleon een keur van Duitse vorsten naar Erfurt uitgenodigd, maar de tsaar bleek niet bereid aan Napoleons wensen tegemoet te komen.*

**5 januari.** Groot-Brittannië en Turkije sluiten het Verdrag van de Dardanellen.

**8 februari.** Frans I van Oostenrijk verklaart Napoleon de oorlog.

**1 maart.** De Verenigde Staten weigeren met Groot-Brittannië en Frankrijk te handelen totdat de handelsrestricties opgeheven zijn.

**4 maart.** James Madison wordt geïnstalleerd als de vierde president van de Verenigde Staten. →

**29 maart.** Na militaire nederlagen wordt Gustaaf IV van Zweden gedwongen afstand van de troon te doen. Zijn oom Karel XIII volgt hem op (5 juni).

**25 april.** De Britten sluiten een vriendschapsverdrag in Amritsar met de Sikhs.

**12 mei.** Arthur Wellesley, hertog van Wellington, dwingt de Franse troepen Portugal te verlaten.

**17 mei.** Napoleon annexeert de rest van de Kerkelijke Staat, waarop paus Pius VII 'de dief van het Patrimonium Petri' excommuniceert.

**22 mei.** Russische offensieven tegen de Turken worden hervat.

**5 juli.** Napoleon verslaat de Oostenrijkse troepen bij Wagram.

**6 juli.** Paus Pius VII wordt op bevel van Napoleon gevangengenomen. →

**16 juli.** In het noorden van Peru breekt een opstand uit tegen de Spaanse autoriteiten.

**4 augustus.** Klemens Wenzel graaf von Metternich wordt minister van Buitenlandse Zaken in Oostenrijk.

**17 september.** Zweden erkent de annexatie van Finland door de Russen. →

**14 oktober.** Bij de Vrede van Schönbrunn verliest Oostenrijk gebieden en sluit zich aan bij het continentale stelsel. →

**19 november.** Franse troepen veroveren heel zuidelijk Spanje behalve de havenstad Cádiz.

**16 december.** De scheiding van Napoleon en Joséphine de Beauharnais wordt uitgesproken.

- Groot-Brittannië verovert Martinique en Cayenne op de Fransen.

- Osman dan Fodio verdeelt het Fulani-rijk (gelegen in Centraal-Afrika) tussen zijn zonen.

- John Constable schildert *Malvern Hall*.

- Joseph de Maistre schrijft *Principe Générateur des Constitutions Politiques.* →

# Annexatie Finland door Russen zware slag voor Zweden

FREDERIKSHAVN, 17 september - Zweden heeft zich uiteindelijk toch moeten neerleggen bij de annexatie van Finland door Rusland. Dit is het resultaat van een nieuwe Russisch-Zweedse oorlog die dit keer door tsaar Alexander I was begonnen. Het is ook een gevolg van de Napoleontische oorlogen, die Europa nu al zoveel jaren in hun greep houden.

Zweden had in het conflict met Frankrijk al snel de zijde van Engeland gekozen. Rusland aanvankelijk ook, maar twee jaar geleden wist Napoleon bij de Vrede van Tilsit de tsaar als bondgenoot voor zich te winnen. De Franse keizer gaf Rusland de vrije hand in Noord-Europa. Zweden was verzwakt door nederlagen tegen de Fransen in Duitsland en tsaar Alexander zag in februari vorig jaar zijn kans schoon om Finland te bemachtigen. Al in maart verklaarde Alexander Finland ingelijfd bij Rusland. De Finnen zelf waren onderling verdeeld in hoeverre ze Zweden moesten steunen dan wel een akkoord met Rusland moesten sluiten.

De oorlog verliep slecht voor Zweden. Koning Gustaaf IV was geen begenadigd veldheer en ook door zijn officieren werden grote strategische fouten gemaakt. In feite was de oorlog al binnen een jaar beslist. Op 29 maart van dit jaar kwam de Finse Landdag in Borgå bijeen en erkende de annexatie van hun land door de Russen. Tsaar Alexander, die in deze onzekere tijden een goede band met de Finnen wilde hebben, beloofde de Finse godsdienst, wetten en rechten te eerbiedigen. Zo werd Finland een constitutioneel groothertogdom, waarin een Finse gouverneur-generaal de tsaar-grootvorst vertegenwoordigde. Sprengtporten werd de eerste gouverneur-generaal.

Gustaaf IV, wiens onbekwaamheid in deze oorlog opnieuw was gebleken,

*Tsaar Alexander I, nu ook tsaar-grootvorst van het groothertogdom Finland.*

werd door zijn eigen officieren afgezet. Dat verhinderde echter niet dat in mei de Zweden hun sterkste Finse vesting, Sveaborg, aan de Russen verloren. Nu hebben ze de vredesvoorwaarden van de Russen moeten accepteren. Het verlies van Finland betekent een gevoelige aderlating voor Zweden.

Om het bezit van Finland is al eeuwen tussen Zweden en Rusland gevochten.

In de 12de eeuw vestigden Zweedse kolonisten zich in het gebied en begonnen de bevolking te kerstenen. Pas na de Karelische Oorlog (1323) erkenden de Russen het Zweedse bezit van Finland. Het land werd een Zweeds hertogdom, later grootvorstendom. De Zweden behandelden Finland niet als een veroverd gebied, maar meer als een Zweedse provincie. De Finse adel was redelijk zelfstandig en lange tijd ook pro-Zweeds.

De Russen bleven echter proberen hun macht in Finland te vergroten. De Finse oostgrens werd nauwelijks verdedigd en het land had veel te lijden van Russische invallen. Na de Noordse Oorlog (1721) werd het strategisch belangrijke Karelië bij Rusland ingelijfd. De zwakheid van de Zweedse monarchie in de 18de eeuw versterkte de Finse eigenwaarde. Toen Zweden in 1788 een (mislukte) oorlog tegen Rusland begon, waagden Finse officieren onder leiding van Sprengtporten (de man die nu tot gouverneur-generaal is benoemd) een coup. Deze had tot doel een Finse republiek op te richten maar werd door Zweden onderdrukt. De huidige inlijving bij Rusland onder zulke gunstige omstandigheden zal vermoedelijk het Finse nationalisme verder stimuleren.

## De Maistre zet zich af tegen de Franse Revolutie

SINT-PETERSBURG - De Franse diplomaat en polemist Joseph de Maistre, als buitengewoon gezant van de koning van Sardinië sinds zes jaar gestationeerd in Sint-Petersburg, heeft een boek gepubliceerd, *Essai sur le principe générateur des constitutions politiques*, waarin hij zich krachtig afzet tegen de principes van de Franse Revolutie.

De persoonlijke en voor hem onthutsende ervaringen die hij met de revolutie heeft opgedaan - sinds republikeinse troepen in 1792 Savoye binnenvielen (hij werkte daar in de ambtelijke dienst), heeft hij zijn geboortegrond de rug toegekeerd en de rest van zijn leven in ballingschap doorgebracht -, hebben hem gebracht tot de stelling dat elke tijdelijke orde, inclusief de monarchie, is afgeleid van een geestelijk absolutisme, het enige principe van stabiliteit en continuïteit. De Maistre, die in het Zwitserse Coppet de salon van Madame De Staël frequenteerde en toen een felle polemiek voerde met Benjamin Constant die leidde tot zijn *Considérations sur la France* dat in 1796 is verschenen, heeft zich met zijn boeken als een van de eersten tot een welsprekende pleitbezorger gemaakt van de conservatieve traditie.

# Napoleon laat paus Pius VII arresteren

ROME, 6 juli - Keizer Napoleon I Bonaparte heeft paus Pius VII laten arresteren en naar Savona laten overbrengen, waar hij is gevangengezet. Napoleon is tot deze drastische stap overgegaan omdat de paus weigerde mee te werken aan de invoering van het Continentaal Stelsel.

Deze ontwikkeling komt niet als een verrassing. Omdat Napoleon overtuigd was van het nut van de Kerk als steun van het gezag, was hij bij het sluiten van het concordaat met de Kerk in 1801 tot concessies bereid. Bij dit concordaat herkreeg de katholieke Kerk vrijwel de status van voor de revolutie. Tussen Napoleon en de Kerk ontstond echter een gespannen situatie toen de Fransman in 1802 eenzijdig maatregelen afkondigde die de macht van de Kerk beknotten. Paus Pius VII tracht-

*Paus Pius VII wordt in Rome aangehouden en naar Savona gebracht.*

te bij de keizerskroning van Napoleon in 1804 de zaak terug te draaien, maar had geen succes. De betrekkingen raakten hierna zo gespannen dat de paus weigerde verder mee te werken aan de plannen van Napoleon.

In 1808 bezetten de Fransen Rome en confisqueerden de pauselijke bezittingen. De paus deed daarop de invallers in de ban. Voor Napoleon was de maat vol: hij liet de paus arresteren en naar Frankrijk overbrengen.

# Oostenrijk verliest Tirol

WENEN, 14 oktober - In slot Schönbrunn bij Wenen is tussen Oostenrijk en Frankrijk de vrede getekend, die een einde maakt aan de op 9 april begonnen oorlog. De voorwaarden die Napoleon de Oostenrijkse keizer stelt zijn hard. Oostenrijk moet in totaal meer dan 120 000 km² van zijn grondgebied afstaan, de oppervlakte van een middelgrote staat. Tirol wordt verdeeld tussen Frankrijk, Beieren en Italië. Van een aantal Zuidoostenrijkse gebieden wordt een van Frankrijk afhankelijke 'Illyrische provincie' gemaakt. Deze provincie grendelt Oostenrijk af van de Adriatische Zee en moet als opmarsgebied dienen voor de Franse troepen als er opnieuw een Frans-Oostenrijkse oorlog mocht uitbreken. Bovendien verlangt Frankrijk een oorlogsschatting van 85 miljoen frank en moet Oostenrijk zijn leger terugbrengen tot 150 000 man.

In april dit jaar achtte Oostenrijk de tijd rijp om Napoleon, die nog niet had afgerekend met de guerrilla in Spanje, de genadeslag toe te brengen. De belangrijkste vertegenwoordigers van de oorlogspartij, graaf Philipp Stadion en graaf Klemens Wenzel von Metternich, wilden van de tegen Frankrijk en Beieren gerichte rebellie in Tirol gebruik maken om de Duitse staten, en uiteindelijk geheel Europa, tegen Napoleon op te zetten. In een manifest richtte aartshertog Karel zich met klem tot de Duitse staten: 'Unsere Sache ist die Sache Deutschlands. Mit Österreich war Deutschland selbständig und glücklich; nur durch Österreichs Beistand kann Deutschland wieder beides werden (...)' Maar de loyaliteit van de Duitse staten was een onzekere factor in het Oostenrijkse krijgsplan, en nog twijfelachtiger was de actieve steun van Pruisen en Engeland. Oostenrijk hoefde zich geen illusies te maken: Europa zou pas ten strijde trekken als het grootste gevaar was geweken.

De ambitieuze plannen schrompelden ineen toen de in Zuid-Duitsland oprukkende troepen van aartshertog Karel door Napoleon werden teruggeslagen. Op 13 mei kon Napoleon het onbeschermde Wenen innemen. Op 21 en 22 mei vond er echter ten oosten van Wenen, bij de dorpen Aspern en Essling, een veldslag plaats die eindigde met de aftocht van de Fransen. De vreugde in het Oostenrijkse kamp was groot: Napoleon, de onoverwinnelijke veldheer, was verslagen!

Maar aartshertog Karel, de 'Sieger von Aspern', die door de dichter Heinrich von Kleist als de 'Überwinder des Unüberwindlichen' werd betiteld, wist zijn zege niet uit te buiten. Niet de bevrijding van geheel Europa, maar de redding van zijn vaderland en dynastie bepaalde zijn strategie: hij wilde aansturen op een vergelijk met Napoleon. Bij de volgende Franse aanval, bij Wagram op 5 en 6 juli, trok hij zijn legers terug toen hij hoorde dat de hulptroepen onder leiding van zijn broer Johann niet tijdig zouden arriveren. De Slag bij Wagram eindigde met een overwinning van Napoleon, die niet tot remise bereid was. Op 19 juli moest keizer Frans I de wapenstilstand sluiten die zou leiden tot de voor hem zo onvoordelige Vrede van Schönbrunn.

*James Madison, Jeffersons opvolger als president van de Verenigde Staten.*

# Madison president VS

WASHINGTON, 4 maart - Ondanks de verdeeldheid in de Republikeinse gelederen heeft Amerika, na acht jaar te zijn geleid door Thomas Jefferson, opnieuw een Republikeinse president: James Madison, de vader van de Amerikaanse grondwet en samen met Jefferson de leidsman van de Democratisch-Republikeinse Partij, is vandaag als Amerika's vierde president geïnstalleerd. Madisons overwinning in de presidentsverkiezing van eind vorig jaar lijkt de dominerende rol die de Republikeinen sinds 1800 in de Amerikaanse politiek spelen, te bevestigen: de Federalistische kandidaat, Charles Pinckney, haalde in het kiescollege niet meer dan 47 stemmen tegenover 122 voor Madison.

Als Jefferson had gewild, had hij ongetwijfeld voor een derde ambtstermijn gekozen kunnen worden, maar hij heeft er de voorkeur aan gegeven het voorbeeld van George Washington te volgen en na twee termijnen terug te treden. Hij wil zich nu gaan wijden aan de oprichting van een universiteit in Virginia, 'de laatste dienst die ik mijn land nog kan bewijzen'.

Het belangrijkste thema van de campagne van vorig jaar was het embargo tegen Engeland en Frankrijk (in 1807 door Jefferson ingesteld als een vergeldingsmaatregel tegen de voortdurende belemmering van de Amerikaanse scheepvaart, wat door Jefferson en Madison werd gezien als inbreuk op de Amerikaanse neutraliteit in de Napoleontische Oorlogen). De Europese mogendheden hebben van dit embargo weinig hinder ondervonden, maar de Amerikaanse economie heeft het grote schade toegebracht: dokwerkers, zeelieden en anderen die voor hun inkomen afhankelijk zijn van de koopvaardij, zijn werkloos geworden, handelshuizen zijn failliet gegaan en voor de export bestemde landbouwprodukten rotten in de pakhuizen weg. Hoewel het embargo een enorme stimulans is voor de binnenlandse industrie, die niet meer hoeft te concurreren met importprodukten, is het verzet tegen deze maatregel, vooral in het sterk van de internationale handel afhankelijke New England, steeds sterker geworden. Eerder dit jaar heeft Jefferson met de Non-Intercourse Act het embargo voor een deel opgeheven. In de veertien maanden dat het heeft geduurd, heeft het embargo aan invoerrechten alleen al 16 miljoen dollar gekost.

Het groeiende verzet tegen het embargo heeft de oppositionele Federalisten in de verkiezingsstrijd wel geholpen, vooral in het noordoosten van het land, maar het is toch onvoldoende gebleken om de machtspositie die de Republikeinen zich tijdens het presidentschap van Jefferson hebben verworven, te doorbreken. De zuidelijke en westelijke staten hebben massaal voor Madison gestemd.

Madison is na Washington en Jefferson de derde president die afkomstig is uit Virginia, de 'Old Dominion'. De Newyorker George Clinton, die zich als tegenkandidaat opwierp, heeft op het Republikeinse Congres in januari vorig jaar tevergeefs geprobeerd het monopolie van de Virginiërs te doorbreken.

*Aartshertog Karel van Oostenrijk tijdens de Slag bij Aspern en Essling.*

**6 januari.** Volgens het Verdrag van Parijs sluit Zweden zich aan bij het Continentaal Stelsel.

**20 februari.** Andreas Hofer, Tiroolse vrijheidsstrijder, wordt in Mantua geëxecuteerd. →

**11 maart.** Napoleon trouwt met Marie-Louise, dochter van Frans I van Oostenrijk. →

**16 mei.** J. W. Goethe publiceert *Zur Farbenlehre.* →

**25 mei.** Een junta, bestaande uit creolen, zet in Rio de la Plata (Argentinië) vice-koning Jozef Bonaparte af en stelt een autonome regering in. →

**1 juli.** Lodewijk Napoleon, koning van Holland, treedt onder druk van zijn broer af.

**9 juli.** Napoleon lijft Holland in bij Frankrijk volgens het Decreet van Rambouillet. →

**21 augustus.** Karel XIII van Zweden adopteert Bernadotte als kroonprins. →

**16 september.** Onder leiding van de priester Miguel Hidalgo y Costilla breekt een opstand uit onder de Indianen in Mexico tegen het koloniale bewind van Spanje.

**18 en 25 oktober.** Napoleon vaardigt decreten uit waarin hij verklaart alle Britse goederen die in Napoleontische staten gevonden worden te confisqueren.

**31 oktober.** In Berlijn wordt een nieuwe universiteit opgericht. →

- Guadeloupe, de laatste Franse kolonie in West-Indië, wordt door de Britten ingenomen.

- Kambodja roept de hulp van Vietnam in tegen Siam. →

- Goya begint aan zijn etsenserie *Los Desastres de la Guerra.*

- Samuel Hahnemann, de grondlegger van de homeopathie, schrijft *Organon der rationellen Heilkunde.* →

- Madame De Staël schrijft *De l'Allemagne.* De gehele oplage wordt op bevel van de Franse minister van Politie Savary vernietigd. Napoleon verbant de schrijfster uit Frankrijk.

- Walter Scott schrijft *The Lady of the Lake.*

Gestorven:

**23 januari.** Johann Wilhelm Ritter (16-12-1776), Duits natuur- en scheikundige

**24 februari.** Henry Cavendish (10-10-1731), Engels chemicus

**26 juni.** Joseph Michel de Montgolfier (26-8-1740), Frans luchtballonpionier

# Opstand Tirol bloedt dood

*De aanvoerder van de opstandige Tiroolse boeren, Andreas Hofer.*

MANTUA, 20 februari - Andreas Hofer, de Tiroolse vrijheidsstrijder, is op uitdrukkelijk bevel van Napoleon ter dood gebracht. Deze aanvoerder van de slechtbewapende Tiroolse boeren heeft de Franse keizer hardnekkiger tegenstand geboden dan aartshertog Karel, de opperbevelhebber van de geregelde Oostenrijkse troepen.

In april vorig jaar kwamen de Tiroolse boeren in opstand tegen Beieren, dat sinds 1805 in Tirol de dienst uitmaakt. In dat jaar moest Oostenrijk bij de Vrede van Pressburg, die aan de Derde Coalitieoorlog een einde maakte, Tirol afstaan aan Beieren, de bondgenoot van Frankrijk. Op 9 april 1809, dezelfde dag dat Oostenrijk Frankrijk de oorlog verklaarde, brak in Tirol de opstand uit, die door de Oostenrijkse regering werd ondersteund. Tirol was namelijk van groot belang in de strategie die in Wenen werd uitgestippeld. In Metternichs dominotheorie was Tirol het eerste land dat zich aan de invloed van Napoleon zou ontworstelen, waarna alle staten van het Duitse Rijk moesten volgen. De Tiroolse boeren liepen niet in de eerste plaats te wapen voor de bevrijding van geheel Europa. Zij streden voor het herstel van hun aloude rechten, die door de Beierse landvoogd geschonden waren.

Aanvankelijk verliep de strijd tegen de Beierse en Franse troepen voorspoedig voor de manschappen van Andreas Hofer. Al op 12 april veroverden zij Innsbruck. Deze stelling kon niet worden behouden, maar op 29 mei vond de legendarische slag bij de berg Isel plaats. Dank zij hun fanatisme en gebruik makend van hun betere bekendheid met de omgeving wisten de boeren de veel beter getrainde en bewapende vijand te verslaan. Met de hulp van een keizerlijk leger werd Tirol bevrijd van Beieren en Fransen.

Eind mei leken de Tiroolse 'Ober-Kommandant' Andreas Hofer en de Oostenrijkse keizer Frans I te triomferen, want ook de keizerlijke troepen hadden de vijand in de Slag van Aspern op 22 mei een gevoelige nederlaag toegebracht. Op 29 mei meende keizer Frans I Tirol te kunnen beloven dat het nooit meer door een vreemde macht zou worden bezet: 'Im Vertrauen auf Gott und Meine gerechte Sache, erkläre ich hiermit Meiner treuen Grafschaft Tyrol, mit Einschluss des Vorarlbergs, dass sie nie mehr von dem Körper des Österreichischen Kaiserstaates soll getrennt werden.'

Maar na de nederlaag van zijn strijdmacht op 6 juli in de Slag bij Wagram gaf de keizer de strijd op. Hij kon zich niet aan zijn belofte houden. Bij de Vrede van Schönbrunn van 14 oktober moest Oostenrijk Tirol wederom afstaan. Om de eenheid van dit zo opstandige gebied te vernietigen werd het opgedeeld tussen Frankrijk, Beieren en Italië. Verstoken van alle hulp vochten de Tirolers ook na 14 oktober verbeten door. Op 1 november werden zij, 8500 man sterk, verpletterend verslagen door een overmacht van 20000 Beierse soldaten. Andreas Hofer vluchtte de bergen in, maar werd verraden en aan de Fransen uitgeleverd.

# Graaf Metternich als koppelaar

WENEN, 11 maart - In de kapel van de Weense Hofburg is aartshertogin Marie-Louise van Habsburg-Lotharingen in de echt verbonden met keizer Napoleon I van Frankrijk. De 18-jarige dochter van keizer Frans I van Oostenrijk trouwt met de handschoen; als plaatsvervanger van de bruidegom fungeert aartshertog Karel - nog geen jaar geleden diens tegenstander in de Slag bij Wagram.

De makelaar van dit, gezien de vijandschap tussen Oostenrijk en Frankrijk, zo verrassende huwelijk is graaf Metternich, de Oostenrijkse minister van Buitenlandse Zaken. Hij paste een eeuwenoude Habsburgse succesformule toe. Is een vijand niet op het slagveld te verslaan, dan moet geprobeerd worden om hem voor het altaar op de knieën te krijgen. Napoleon was zo'n onoverwinnelijke vijand. Nog op 14 oktober vorig jaar heeft Napoleon aan Oostenrijk de moeilijk te verteren vredesvoorwaarden van Schönbrunn opgelegd.

Toen in Parijs geruchten de ronde deden dat Napoleon zijn huwelijk met Joséphine de Beauharnais wegens kinderloosheid wilde laten ontbinden, begreep Metternich onmiddellijk welke politieke Oostenrijkse belangen er gediend waren bij een verstandshuwelijk tussen Napoleon en een dochter van keizer Frans I. De Franse keizer zelf had ook wel enig belang bij een dergelijke verbintenis. De Habsburgse dynastie beschikte nog in hoge mate over datgene wat Napoleon ook na al zijn militaire successen ontbeerde: prestige. Marie-Louise werd niet naar haar mening gevraagd. Volgens sommige zegslieden was het meisje, 'dat veel hield van haar papa, haar speelgoedbeesten en slagroom', doodsbang voor haar 40-jarige aanstaande echtgenoot, die werd afgeschilderd als de antichrist. Anderen vertelden dat zij dolblij was te kunnen ontsnappen aan haar betuttelende gouvernantes en zich verheugde op het Parijse leven.

*De huwelijksplechtigheid in de Hofburg.*

# Junta neemt macht over in Buenos Aires

BUENOS AIRES, 25 mei - In Buenos Aires heeft de 'cabildo abierto', een soort uitgebreide gemeenteraad, die in tijd van nood bijeengeroepen kan worden, na drie dagen vergaderen een driemans-junta benoemd, die zal regeren in naam van de uit Spanje verdreven koning Ferdinand VII. Op 13 mei bracht een Engels schip het nieuws van de val van Sevilla, de laatste Spaanse stad die nog in handen van de aan Ferdinand VII getrouwe troepen was. Onder druk van Saavedra, de leider van de creoolse militie, die in 1806 gevormd is, werd daarop de cabildo abierto bijeengeroepen.

Sinds de inval van Napoleon in Spanje in 1808 zijn de verhoudingen in het onderkoninkrijk Rio de la Plata en vooral in de hoofdstad Buenos Aires verscherpt. Liniers, die na de Engelse invasie van 1806-1807 als tijdelijk onderkoning was aangesteld, liet oogluikend handel met Engelse schepen toe. De nieuwe Spaanse onderkoning, die in juli 1809 arriveerde, verbood deze contacten echter. Deze rigide handhaving

*De verdreven koning Ferdinand VII.*

van de Spaanse wetten maakte verhitte discussies los. Nu het moederland is bezet, wordt het loyaliteitsvraagstuk het kernprobleem: blijft men trouw

aan Ferdinand VII en diens onderkoning of moet een junta het bestuur in handen nemen tot de situatie in Spanje duidelijk is? Ook de mogelijkheid van onafhankelijkheid wordt geopperd. De cabildo abierto kwam op 22 mei bijeen om hierover te spreken. Van de 450 genodigde notabelen kwamen er overigens maar 251 opdagen. In de vergadering kregen de creolen, die voor een juntabewind waren, de overhand. Cornelio Saavedra, de belangrijkste leider van de creolen-militie, is tot president van de 'Junta provisional gubernativa de la provincia Rio de la Plata', zoals de naam volledig luidt, benoemd. In hoeverre het onderkoninkrijk instemt met de juntaregering is niet duidelijk. De gebeurtenissen en besluitvorming hebben zich vrijwel beperkt tot Buenos Aires zelf. In één van de belangrijkste steden in het onderkoninkrijk, het nabijgelegen Montevideo, is het bestuur al sinds twee jaar in handen van een cabildo abierto, die zich weinig aantrekt van de hoofdstad Buenos Aires.

# Nederland verliest onafhankelijkheid

*Smokkelaars ontduiken de boycot tegen Groot-Brittannië.*

'S-GRAVENHAGE, 9 juli - Nederland is door het Franse keizerrijk geannexeerd. Nadat zij zich meer dan 200 jaar geleden aan de Spaanse heerschappij hadden ontworsteld, verliezen de Nederlanders nu hun onafhankelijkheid.

De annexatie volgt precies een week na het aftreden van koning Lodewijk. Zijn vertrek wordt in Nederland vrij algemeen betreurd, want in de drieënhalf jaar van zijn bewind is de koning bepaald populair geworden bij de Nederlanders. Vanaf zijn aantreden in het najaar van 1806 heeft de koning zich sterk met zijn koninkrijk geïdentificeerd, ondanks het feit dat hij zelf uit Frankrijk afkomstig is. Zijn betrokkenheid bij het welzijn van zijn onderdanen bleek bij verscheidene gelegenheden, bijvoorbeeld na de ontploffing

van het kruitschip in Leiden in januari 1807. Ook heeft koning Lodewijk getracht de Nederlandse belangen te beschermen tegenover de vanuit Parijs opgelegde politiek. Dit is overigens de voornaamste reden voor zijn aftreden geweest.

In Parijs was men ontstemd over de geringe medewerking van de Nederlanders aan het Continentaal Stelsel, de economische boycot van Groot-Brittannië. De smokkelhandel op de Noordzee had een grote omvang aangenomen en het was een publiek geheim dat deze door de koning oogluikend werd getolereerd. Lodewijk was van mening dat een totale sluiting van de grenzen fatale gevolgen zou hebben voor de economie van Nederland, waar men toch al in ernstige mate te kampen heeft met grote werkloosheid

en wijdverbreide armoede.

Meer in het algemeen heeft men zich in Parijs gestoord aan de onafhankelijke opstelling van de koning, die bij voorkeur luisterde naar zijn Nederlandse raadgevers, in plaats van naar de Franse wensen.

Sedert 1795 hebben de Fransen steeds geprobeerd de politieke situatie in Nederland te beheersen. Verscheidene door Parijs gesteunde machtswisselingen hadden dit ten doel. Ook de instelling van het koninkrijk Holland past in dit beleid. Nu alle andere oplossingen om uiteenlopende redenen mislukt zijn, blijft annexatie als enige oplossing over. Daarmee is overigens nog niet zeker of de Fransen er nu inderdaad in zullen slagen de Nederlanders naar hun pijpen te laten dansen.

*Het nu ingelijfde koninkrijk Holland.*

ÖREBRO, 21 augustus - De Rijksda[g] te Örebro heeft unaniem de Frans[e] maarschalk Bernadotte tot troonop[-] volger in Zweden gekozen. Als kroon[-] prins Karel Johan zal hij koning Kare[l] XIII terzijde staan.

De kwestie van de troonopvolgin[g] heeft de Zweden ruim een jaar bezigge[-] houden. Het begon met de afzettin[g] van koning Gustaaf IV in het begin va[n] vorig jaar. Gustaaf, die in 1792 zij[n] vermoorde vader had opgevolgd, wa[s] geen groot staatsman. Zijn politie[k] bracht Zweden aan de rand van de a[f]grond. In 1805 mengde Gustaaf zich i[n] de Napoleontische oorlogen aan de zi[j]de van Engeland, Rusland, Napels e[n] Oostenrijk. De strijd in Duitsland ve[r]liep slecht voor de coalitie: Pruise[n] werd vernietigend verslagen en Ru[s]land koos in 1807 onverwachts voo[r] een bondgenootschap met de Franse[n.] De Russen vielen in 1808 Finland bi[n]nen, terwijl Denemarken (ook ee[n] Franse bondgenoot) Zuid-Zweden b[e]dreigde.

Gustaaf wist het tij niet te keren en n[a] grote nederlagen in Finland werd hij i[n] maart vorig jaar door een aantal off[i]cieren afgezet. Deze actie betekende te[-] vens het einde van het absolutisme i[n] Zweden.

De Rijksdag maakte van de situatie g[e]bruik door in juni snel een nieuw[e] grondwet aan te nemen. In navolgin[g] van de leer van Montesquieu werd ee[n] scheiding der machten doorgevoerd: [er] kwam een onafhankelijke rechtspraa[k] en de wetgevende macht kwam i[n] hoofdzaak terug bij de Zweedse Rijk[s]dag. Machteloos werd de koning ech[-] ter niet: hij behield de uitvoerend[e] macht, benoemde de ministers en ha[d] een vetorecht bij de besluiten van [de] Rijksdag.

### Beroerte

De oom van Gustaaf, Karel, werd t[ot] koning gekozen. Hij bleek echter oo[k] geen resoluut regeerder en was bove[n]dien al op leeftijd. Omdat hij geen e[r]genamen had werd de kwestie van [de] troonopvolging actueel. De beoogd[e] kandidaat, Christiaan August, [de] Deense stadhouder in Noorwege[n,] stierf dit jaar aan een beroerte. In [de] hoop Scandinavië opnieuw te veren[i]gen dachten velen toen aan koning Fr[e]derik van Denemarken, maar deze ste[l]de de eis uitsluitend als absoluut vor[st] te regeren.

De hang naar de sterke man, die inte[rne] orde op zaken kan stellen en (wellich[t] Finland kan heroveren, heeft ten slot[te] tot de verrassende keuze van maa[r]schalk Bernadotte geleid, een man d[ie] door de Franse keizer Napoleon zelf [als] een mogelijke concurrent wordt [be]schouwd.

# Filosoof Fichte rector van nieuwe universiteit in Berlijn

BERLIJN, 31 oktober - In Berlijn is een nieuwe universiteit opgericht ter vervanging van de universiteiten van Halle en Erlangen, die voor Pruisen verloren gegaan zijn. Tot de aangetrokken hoogleraren behoren onder anderen de filosoof Fichte, de rechtsgeleerde Savigny en de pedagoog en filoloog Friedrich August Wolf.

Deze professoren worden in hun ideeën over de gewenste onderwijsmethode sterk beïnvloed door de Zwitserse pedagoog Pestalozzi. Pestalozzi heeft een methode gevonden om de 'zielskracht' van de jeugd tot volledige ontplooiing te brengen. Dat is ook het streven van de hoogleraren en oprichters van de Berlijnse universiteit. De universitaire opleiding zal niet gericht zijn op de praktische beroepsuitoefening, maar op de algemene geestelijke ontwikkeling van de student.

De filosoof Fichte is tot rector van de universiteit gekozen. Al eerder heeft hij op het belang van een vernieuwing van het onderwijs gewezen. 'De leerling moet tot mondigheid worden opgevoed,' aldus Fichte. Uit zijn uitspraken blijkt dat hij een goede vorming vooral belangrijk vindt omdat het voortbestaan van Duitsland als natie ervan afhangt. 'Niet het geweld van het leger, maar de kracht van het gemoed is het, waardoor de overwinning wordt behaald,' zegt hij in een van zijn 'Reden an die Deutsche Nation'.

*De opvolgster van de universiteiten van Halle en Erlangen, de Friedrich-Wilhelm-universiteit aan de Unter den Linden.*

Tussen 13 december 1807 en 20 maart 1808 hield Fichte elke zondag één van die veertien redevoeringen voor een Berlijns publiek. In het door de Fransen bezette Berlijn riep hij in versluierde termen op tot een nationaal verzet. 'Aan de strijd van de Germanen tegen de Romeinen hebben wij te danken dat we nog Duitsers zijn,' aldus Fichte. 'Ook nu moeten wij weer Duitsers worden en ons niet onderwerpen aan een vreemde geest. Wij moeten ons karakter vormen, want karakter hebben en Duits zijn, is zonder twijfel synoniem.'

Fichte is van mening dat het onderwijs hierbij een belangrijke rol kan spelen. Hij was, zoals veel Duitse intellectuelen, een voorstander van de Franse Revolutie. In 1794 werd hij benoemd tot hoogleraar aan de universiteit van Jena. In 1799 werd hij ontslagen op beschuldiging van 'atheïsme'. Hij definieerde God als de zedelijke wereldorde. Later ging Fichte naar Berlijn, waar hij een van de voormannen van het nationale verzet tegen Frankrijk werd.

Hij werkte tevens mee aan de oprichting van de universiteit, als medewerker van Freiherr Wilhelm von Humboldt. Von Humboldt heeft, als hoofd van de afdeling onderwijs in het ministerie van Binnenlandse Zaken, de leiding bij de oprichting van de universiteit. 256 studenten hebben zich bij de nieuwe universiteit ingeschreven.

# Goethe publiceert zijn 'Kleurenleer'

WEIMAR, 16 mei - Johann Wolfgang von Goethe heeft in twee delen een studie over de kleurenleer gepubliceerd: *Zur Farbenlehre*.

Goethe, die vooral naam heeft gemaakt als dichter, heeft zich al sinds 1780 met natuurwetenschappelijk onderzoek beziggehouden. Ook op dit terrein wist hij een veelzijdig, hoewel enigszins onomstreden oeuvre op te bouwen.

In zijn nu verschenen boek zet Goethe zich af tegen de manier waarop Isaac Newton natuurwetenschappelijk onderzoek verrichtte. Newton beperkte zich uitsluitend tot het waarneembare en kwantificeerbare en wordt daarom beschouwd als de grondlegger van de mathematische natuurkunde. Goethe daarentegen wil het subjectieve, de manier waarop waarnemingen - in dit geval kleuren - op mensen overkomen, in de beschouwingen betrekken. In tegenstelling tot Newton die er door middel van een prisma in slaagde aan te tonen dat zonlicht uit diverse kleuren (de kleuren van het spectrum) is opgebouwd, stelt Goethe dat licht een ondeelbare eenheid is. Hoewel zijn weerlegging van Newtons stellingen niet erg overtuigend is, vinden commentatoren het natuurkundige werk van Goe-

*Schema van Goethes opvattingen uit de eerste uitgave van zijn 'Farbenlehre'.*

the toch zeer de moeite waard: de manier waarop hij aantoont dat veel waarnemingen subjectief zijn en zijn zeer goed gedocumenteerde historische inleiding worden over het algemeen gewaardeerd.

## Veel verzet tegen homeopathie

SAKSEN - Tegen homeopathie, de dit jaar door de Duitse geneeskundige Samuel Hahnemann geïntroduceerde nieuwe geneeswijze, is in gevestigde medische kringen veel verzet gerezen. Met name de apothekers hebben laatdunkend gereageerd op Hahnemanns recent gepubliceerde *Organon der Heilkunst*. De kritiek van de medici richt zich vooral op het door Hahnemann bepleite gebruik van in principe ziekteverwekkende stoffen. Door het in zeer kleine doses toedienen van deze stoffen wil Hahnemann de natuurlijke weerstand van de patiënten verhogen. Ondanks de scepsis van de medici stromen de patiënten toe. Zij zien in de nieuwe geneeswijze een zachtaardig alternatief voor de bij andere artsen gebruikelijke behandeling. Aderlaten, purgeren, gestimuleerd braken en de toediening van een grote hoeveelheid bedwelmende medicamenten zijn daarbij eerder regel dan uitzondering.

## Kambodja zoekt steun bij keizer Vietnam

PHNOM PENH - Met de overheersende invloed van Siam [Thailand] aan het Kambodjaanse hof is het voorlopig gedaan. Koning Chan van Kambodja heeft besloten om de hulp en de bescherming van de Vietnamese keizer Gia Long in te roepen om de druk vanuit Siam weerstand te bieden. Gia Long is hier direct op ingegaan, aangezien al lange tijd pogingen door Vietnam zijn ondernomen meer invloed in het buurland te verwerven.

Koning Chan is tot zijn besluit gekomen omdat hij de laatste jaren meer dan eens conflicten met het Siamese hof heeft gehad. De eerste ruzies braken uit onder de Siamese koning Rama I. Toen deze door Rama II was opgevolgd bleven de verhoudingen tussen beide landen slecht. Chan verdenkt de Siamezen ervan dat zij proberen zijn positie aan het Kambodjaanse hof te ondermijnen ten voordele van andere leden van de koninklijke familie, die graag de troon willen overnemen. Hij heeft duidelijke bewijzen dat Rama II zowel via hoge ambtenaren als via de koningin-moeder probeert zijn positie te ondergraven.

Keizer Gia Long heeft verklaard dat hij in deze interne strijd aan het hof ondubbelzinnig de kant van Chan wenst te kiezen.

Men verwacht echter ook dat een reactie vanuit Siam op deze politieke koerswijziging niet lang op zich zal laten wachten. Siam en Vietnam proberen immers beide al vele jaren hun invloed in Kambodja ten koste van de ander uit te breiden.

De Tiroolse vrijheidsstrijder Andreas Hofer ontvangt de laatste sacramenten. Nadat de Fransen de Tiroolse opstand hebben neergeslagen, wordt hij op de vlucht gearresteerd en in Mantua terechtgesteld.

# 1811

**5 februari.** Vanwege krankzinnigheid van George III wordt de prins van Wales regent.

**20 februari.** Oostenrijk verklaart zich bankroet.

**1 maart.** Mohammed Ali, de Osmaanse stadhouder van Egypte, schakelt de Mamelukken als machtsfactor in Egypte uit nadat hij hun leider vermoord heeft. →

**20 maart.** François-Charles-Joseph, de troonopvolger van Napoleon, wordt geboren. Hij krijgt de titel 'koning van Rome'.

**21 maart.** In Mexico wordt een belangrijke samenzwering de kop ingedrukt. →

**3 april.** Een Engels-Portugees leger boekt bij Sabugal een grote overwinning op de Fransen. →

**16 mei.** Gouverneur-generaal van Nederlands-Indië Daendels draagt zijn ambt over aan generaal Janssens. →

**17 juni.** Het nationale concilie komt bijeen om de ruzie tussen paus Pius VII en Napoleon te beslechten (het wordt op 6 juli ontbonden).

**5 juli.** Venezuela wordt onafhankelijk. Dit is besloten op een congres dat op initiatief van Simón Bolívar en Francisco de Miranda is bijeengeroepen. →

**14 augustus.** Paraguay verklaart zich onafhankelijk van Spanje (en op 12 oktober van Buenos Aires).

**Augustus.** De Britten bezetten Java. Sir Thomas Raffles vormt het bestuur.

**21 november.** Heinrich von Kleist (18-10-1777), Duits schrijver en vertaler pleegt, kort na het schrijven van zijn toneelstuk *Prinz Friedrich von Homburg*, samen met Henriette Vogel zelfmoord. →

- Begin van de Luddites-beweging in Engeland. Groepen arbeiders vernielen in enige textielfabrieken nieuw opgestelde weef- en spinmachines.

- Amedeo Avogadro, Italiaans natuurkundige, stelt zijn moleculaire theorie van gassen op.

- De carrousel doet zijn intrede als kermisattractie. →

- Ludwig van Beethoven componeert zijn pianosonate *Les adieux*.

- Carl von Weber componeert de opera *Abu Hassan*.

- De Duitse historicus Berthold Niebuhr begint aan zijn driedelig werk *Römanische Geschichte*.

- J.R. Meyer beklimt de Jungfrau.

De geëxecuteerde Mexicaanse opstandelingenleider Miguel Hidalgo y Costilla.

# Indianenopstand ten einde

MEXICO-STAD, 21 maart - Met de executie van opstandelingenleider Hidalgo in Chihuahua in Noord-Mexico lijkt een einde gekomen aan de Indianenopstand, die Mexico een halfjaar lang heeft geteisterd.

In september vorig jaar werd de Querétaro-samenzwering ontdekt, kort na de aankomst van de nieuwe onderkoning, Francisco Javier de Venegas. De samenzwering kwam van een organisatie van creolen (in Mexico geboren blanken) wie onafhankelijkheid en een creools junta-bewind voor ogen stond. Omdat de creolen een in aantal vrij kleine groep zijn in de Mexicaanse samenleving, waren contacten gelegd met de onder de Indianen bijzonder populaire creoolse priester Miguel Hidalgo y Costilla. Bij de arrestatiegolf die volgde op de ontdekking van de samenzwering bleef Hidalgo buiten schot.

Op 16 september riep Hidalgo tijdens een mis in het dorpje Dolores de Indianen opnieuw op hun lot in eigen handen te nemen en door de Spanjaarden gestolen land en rijkdommen terug te veroveren, in de hoop dat de Mexicaanse creolen zich bij deze oproep zouden aansluiten. Deze oproep wordt de 'Grito de Dolores' genoemd en werd het sein tot een grote opstand. Op 28 september werd het stadje Guanajuato ingenomen, waarna in snel tempo de hele streek Bajío door groepen India-

nen werd geplunderd.

Na de val van Guanajuato was al geb[l]ken dat weinig creolen zich bij [de] opstand aansloten. Bij de veroveri[ng] van de Bajío, een van de rijkste lan[d] bouwgebieden in Mexico, dat vrijw[el] geheel eigendom van Spanjaarden [en] creolen is, werden blanken door groe[p] jes Indianen vermoord. Buiten de B[a] jío was Hidalgo's aanhang onder [de] Indianen kleiner, omdat zij daar w[el] land konden bezitten en vrijer ware[n.] De meerderheid van de één miljo[en] creolen keerde zich juist tegen Hidal[go] door diens voorstellen voor landbou[w] hervormingen.

Terwijl Hidalgo over het grootste de[el] van zijn 80 000 volgelingen geen direc[te] controle meer had, organiseerden [de] creolen en Spanjaarden de omsing[e]ling van de Bajío, waarna het leger v[an] Hidalgo op 17 januari bij de Brug v[an] Calderon verpletterend werd vers[la]gen. Hidalgo en een groep volgeling[en] konden ontkomen en vluchtten noord[]waarts, maar werden op 21 maart g[e]vangengenomen, naar Chihuahua g[e]bracht en geëxecuteerd. De Indiane[n]opstand, die werd ontketend door e[en] samenzwering van creolen tegen [de] Spaanse overheersing, is zodoende [ge]broken door de creolen, die zich te ze[er] bedreigd voelden door de oncontr[o]leerbare Indianenmassa en uiteindel[ijk] toch de zijde van het Spaanse geza[g] over Mexico kozen.

# Portugal vrij, maar arm

*Wellesley, hertog van Wellington.*

SABUGAL, 3 april - Het gecombineerde Engels-Portugese leger onder leiding van de hertog van Wellington heeft een einde aan de Franse bemoeienis met Portugal gemaakt door vandaag een glanzende overwinning bij Sabugal te behalen. De Napoleontische oorlogen, die het land bijna twintig jaar teisterden, hebben het Portugese politieke en economische leven echter totaal ontwricht.

De onthoofding van Lodewijk XVI en het bondgenootschap met Engeland brachten Portugal in 1793 in oorlog met Frankrijk. Hoewel de Fransen op het continent aan de winnende hand waren, bleef Portugal zelf voorlopig buiten schot. Tot 1801. Toen stelde Spanje, Frankrijks bondgenoot, de Portugezen een ultimatum: alle banden met Engeland moesten op straffe van oorlog worden verbroken. Toen prins Johan VI (regent sinds 1792) weigerde, viel Spanje met een leger het land binnen. Maar Frankrijk gaf zijn bondgenoot nauwelijks steun, waarop deze zich weer terugtrok.

In 1806 proclameerde Napoleon het Continentaal Stelsel, dat alle handel met Engeland verbood. Dit hield een directe bedreiging in voor Portugal, dat door Napoleon door middel van een ultimatum nog eens extra onder druk werd gezet. Terwijl de Portugese regering in tweestrijd stond viel in november 1807 een klein Frans leger het land binnen. Op advies van Engeland vertrok de koninklijke familie naar Brazilië. De Fransen bezetten heel Portugal. Toen de Spanjaarden in 1808 tegen het Franse gezag in opstand kwamen, stuurden de Britten Wellington met een leger naar het Iberisch schiereiland. Hij verjoeg in korte tijd de Fransen uit Portugal. Een jaar later kwamen ze terug, maar de Engelsen hielden stand. Wellington, die een derde Franse invasie verwachtte, liet een sterke verdedigingslinie rond Lissabon aanleggen (de Torres-Vedraslinie).

Op 10 mei vorig jaar begon de beslissende Franse inval. Wellington had echter al het voedsel langs de Franse marsroute laten weghalen en toen het uitgeputte Franse leger eindelijk de Torres-Vedraslinie bereikte durfde bevelhebber Masséna een aanval niet aan. Hij trok zich terug, achtervolgd door Wellington, die hem bij Sabugal inhaalde en vernietigend versloeg.

*Raja Umed Singh van het Indiase Kotah op tijgerjacht. De staat Kotah, op de rechteroever van de Chambal, 180 kilometer ten zuiden van Jaipur, heeft zich in 1625 van de staat Bundi afgescheiden. Raja Umed Singh heeft in 1796 aan de oever van een kunstmatig meer een nieuwe hoofdstad gebouwd, Jhalrapatan, met bestuursgebouwen, een paleis en een legerplaats.*

*Gouverneur Daendels, die zijn ambt heeft overgedragen aan generaal Janssens.*

# Daendels teruggeroepen

BUITENZORG, 16 mei - In zijn residentie te Buitenzorg heeft mr. Herman Willem Daendels, de gouverneur-generaal van Nederlands-Indië, zijn ambt overgedragen aan de op 26 april onverwacht in de haven van Surabaya gearriveerde generaal Janssens. Al een halfjaar geleden, bij de inlijving van Holland bij Frankrijk, blijkt Napoleon het besluit genomen te hebben Daendels te vervangen. Deze heeft zich door zijn autoritaire en onbeheerste optreden vele vijanden gemaakt, die zich bij de keizer uitputten in beschuldigingen over wanbeheer en zelfverrijking. Tot het ontslag droeg ook bij dat Daendels niet in staat is gebleken de Indische bezittingen winstgevend te maken.

Daendels (in 1762 geboren) sloot zich op jeugdige leeftijd aan bij de patriotten, werd na 1788 gedwongen te vluchten, maar keerde in 1792 in het kielzog van de Franse troepen in de Nederlanden terug en werd generaal in het leger van de Bataafse Republiek. Van een vooruitstrevend revolutionair werd hij een groot bewonderaar van Napoleon en diens doortastende, dictatoriale optreden.

In 1807 benoemde Napoleons broer Lodewijk, koning van Holland, hem tot gouverneur-generaal van Indië, met de titel Maarschalk van Holland en kreeg hij speciale volmachten.

Na een lange en avontuurlijke reis (de Engelsen met wie Napoleon en dus Holland in oorlog verkeren beheersen de zee) via Lissabon, Marokko en New York bereikte Daendels pas in januari 1808 Java. Zijn eerste taak was het in staat van verdediging brengen van Java vanwege een mogelijke Engelse invasie. Het zwaar verwaarloosde leger werd uitgebreid met duizenden Javanen, het vervallen kasteel van Batavia gesloopt en nieuwe versterkingen werden aangelegd (Meester Cornelis en Weltevreden). Tussen Anjer (Banten) en Panarukan kwam de Grote Postweg tot stand, die troepenverplaatsingen over Java van 40 tot 6 dagen terugbracht. De aanleg werd in een moordend tempo in herendienst verricht en kostte talloze dessabewoners het leven.

Een tweede taak was de introductie van een sterk en centralistisch bestuur. Daendels zorgde voor behoorlijke salariëring van de ambtenaren, bestreed corruptie, en hervormde de rechtspraak, met als belangrijke vernieuwing de instelling van speciale (adat-)rechtbanken voor de 'inlanders'. De inheemse regenten kregen de status van ambtenaar, met een vast salaris en militaire rang, wat bij hen kwaad bloed zette omdat het een achteruitgang van inkomen en aanzien betekende.

Van de opdracht een einde aan de contingentering en gedwongen leveranties in de koffieteelt te maken kwam niet veel terecht; de produktie werd zelfs verhoogd, waardoor de bevolking onder zware druk kwam te staan.

Daendels trad hard op tegen de vorsten. Na een rebellie tegen de door hem geëiste, ongehoord zware herendiensten in Banten, maakte hij een einde aan de zelfstandigheid van dat sultanaat, viel het binnen en plunderde de kraton. Hij hervormde het ceremonieel aan de hoven van Solo en Jogya en sultan Sepuh (Hamengku Buwono II) van Jogya werd na een bestorming van de kraton afgezet, omdat Daendels hem niet langer vertrouwde.

Java staat er financieel rampzalig voor. De (militaire) uitgaven zijn schrikbarend gestegen, de inkomsten sterk gedaald omdat de Engelsen de handel onmogelijk maken. Om aan geld te komen moest Daendels overgaan tot de verpachting van opiumkitten, uitgifte van (waardeloos) papiergeld en de zeer bekritiseerde verkoop van gouvernementsgronden, waarbij hele districten in particuliere handen overgingen. Zelf werd hij er niet armer van. Hij had een aanzienlijk salaris en maakte negen ton winst toen hij het van zijn voorganger overgenomen landgoed te Buitenzorg aan het gouvernement doorverkocht.

*Jeugdportret van de dichter Heinrich von Kleist.*

## Heinrich von Kleist pleegt zelfmoord

POTSDAM, 21 november - Op 34-jarige leeftijd heeft de schrijver Heinrich von Kleist aan de oever van de Wannsee een eind aan zijn leven gemaakt. Even daarvoor had hij met een pistoolschot zijn ongeneeslijk zieke vriendin Henriette Vogel op haar verzoek gedood.

Von Kleist stamt uit een oud Pruisisch geslacht. Hij diende enkele jaren in het Pruisische leger, maar nam al snel ontslag om zich aan de studie te kunnen wijden. De bestudering van de filosofie van Kant deed hem echter twijfelen aan het nut van kennis. Von Kleist gaf zijn studie op en trok naar Zwitserland met het plan boer te worden. Niettemin begon hij hier te schrijven. Hij stelde zich het hoogste ten doel en wilde met *Robert Guiscard* Goethe overtreffen. Ten prooi aan geestelijke verwarring verbrandde hij echter het manuscript. Later voltooide hij enkele toneelwerken. Onder regie van Goethe ging *Der zerbrochene Krug* in 1808 in Weimar in première. Tot de bekendste novellen van Von Kleist behoren *Michael Kohlhaas* en *Marquise von O*.

# Venezuela los van Spanje

CARACAS, 5 juli - Vandaag heeft de junta die Venezuela sinds april vorig jaar regeert, de onafhankelijkheid van de voormalige Spaanse kolonie uitgeroepen. De onafhankelijkheid komt tot stand na een lange periode van onvrede en mislukte opstanden. De mogelijkheid om met het moederland te breken deed zich voor toen de Spaanse macht ineenstortte, als gevolg van Napoleons invasie van het Iberisch schiereiland.

Venezuela is een van de rijkere koloniën van het Latijnsamerikaanse continent. De belangrijkste exportprodukten zijn tabak, suiker, cacao en huiden. In de loop van de 18de eeuw wisten Spaanse handelaren nagenoeg een monopolie te vestigen. Deze handel, georganiseerd door de zogenaamde Caracas-maatschappij, bracht grote voorspoed in de kolonie. Toch lag hier een begin van moeilijkheden tussen Venezuela en het moederland: de plaatselijke producenten hadden andere belangen dan de handelaren en drongen daarom aan op ontmanteling van het monopolie en de Caracas-maatschappij.

Belangrijke figuren in de nieuwe staat zijn Francisco de Miranda en Simón Bolívar. Miranda leidde al eerder (1806) een mislukte opstand tegen de Spanjaarden. Simón Bolívar bevond zich tussen 1799 en 1807 voornamelijk in Europa, waar hij mensen trachtte te

*De vrijheidsstrijder Simón Bolívar.*

winnen voor de zaak van de Venezulaanse onafhankelijkheid. Na zijn terugkeer vocht hij aan de kant van de opstandelingen, die hem in 1810 naar Londen stuurden om wapens te kopen. Bolívar diende vervolgens als luitenant-kolonel onder Miranda.

Men verwacht dat de jonge staat het nog moeilijk zal krijgen: de Spanjaarden zijn nog niet verslagen en lijken geenszins van plan de onafhankelijkheid van hun voormalige kolonie te erkennen.

## Mamelukse oppositie uitgeschakeld

CAIRO, 1 maart - De onderkoning van Egypte, Mohammed Ali, heeft in één klap de Mamelukse oppositie buiten werking gesteld. Ongeveer 300 beys zijn in de citadel van Caïro door zijn volgelingen onder vuur genomen en vermoord.

Sinds zijn ambtsaanvaarding in 1806 als onderkoning van Egypte heeft Mohammed Ali voortdurend strijd moeten leveren tegen de Mamelukken, die hem vijandig gezind waren. In 1807 steunde hij bovendien sultan Selim III in zijn strijd tegen de Engelsen. Mohammed Ali versloeg met zijn legermacht de Engelse troepen tweemaal. Daarmee beroofde hij de Mamelukken van hun steun. Hij zocht vervolgens naar een mogelijkheid de Mamelukse oppositie te elimineren. Eerst dwong hij de Mamelukkenaanvoerders zich of bij Caïro te vestigen, zodat hij ze onder controle kon houden. Sommige hielden echter gewapende volgelingen ter beschikking en vormden zo een potentieel gevaar. Toen de Turkse regering Mohammed Ali opdracht gaf de Wahhabieten in Arabië te bestrijden, gaf deze zijn zoon Tusun het bevel over het leger. Ter gelegenheid van de plechtige installering van Tusun als aanvoerder nodigde hij alle Mamelukse beys uit.

Nauwelijks waren de gasten binnen de poorten van Caïro verzameld of Mohammed Ali gaf opdracht het vuur op hen te openen. Slechts één bey overleefde de verraderlijke aanslag.

*De jaarmarkten van Europa hebben er de laatste jaren een nieuwe attractie bij gekregen die zich in een steeds grotere popu- lariteit bij de bezoekers mag verheugen: de carrousel. Het woord carrousel komt uit het Arabisch en had aanvankelijk be- trekking op het middeleeuwse ridderfeest. De moderne carrousel bestaat uit houten paarden die op een draaibare schijf ge- monteerd worden, ter nabootsing van het steekspel van de ridders.*

# Joden in Pruisen krijgen gelijke rechten

BERLIJN, 11 maart - In Pruisen hebben de joden dezelfde rechten en vrijheden gekregen als de overige staatsburgers. Zij mogen voortaan het beroep van hun keuze uitoefenen en zij kunnen de getto's verlaten om zich overal in de steden of op het land te vestigen. Ambtelijke en militaire functies blijven voor hen echter gesloten.

De maatregel van gelijke rechten is een van de hervormingen die sinds 1807 in Pruisen tot stand gekomen zijn. Op 9 oktober van dat jaar werden de boeren per koninklijk edict bevrijd uit de lijfeigenschap. De maatregel had echter een belangrijke schaduwzijde voor de boeren: met hun bevrijding viel ook de

*Karl August von Hardenberg.*

(geringe) sociale en materiële bescherming weg. De regulering van deze kwestie werd tot een later tijdstip uitgesteld.

Een tweede hervormingsmaatregel betreft het bestuur van de steden. Op 19 november 1808 werd bepaald dat de stadsbesturen zouden worden gekozen door de stedelijke burgerij. Hierbij hebben alleen zij kiesrecht die een jaarinkomen van 150 taler of meer genieten. Het stadsbestuur kan autonoom beslissen over aangelegenheden betreffende het onderwijs, de financiën en de sociale instellingen.

Eveneens in 1808 werd er een nieuw 'officiersreglement' uitgevaardigd. Hierin werd bepaald dat alle burgers die bewezen hebben over voldoende kennis, vorming en dapperheid te beschikken, tot officier kunnen worden benoemd. Voorheen konden alleen zij die een adellijke titel bezaten, officier worden. De belangrijkste man achter de hervormingspolitiek is Freiherr vom Stein. Onder zijn leiding zijn de 'boerenbevrijding' en de 'verordening op de stadsbesturen' tot stand gekomen.

Hij werd op 4 oktober 1807 door Frederik Willem III tot minister benoemd. Zijn benoeming werd gestimuleerd door het bankroet, waarin de Pruisische regering zich bevond na de verloren strijd met Frankrijk. Vom Stein heeft uitgesproken ideeën over de manier waarop Pruisen gemoderniseerd en versterkt kan worden. Zijn idee komt erop neer dat burgers die vrij zijn en verantwoordelijkheden in het bestuur hebben, zich ook betrokken zullen voelen bij het wel en wee van de gemeenschap.

*Rahel Levin, het middelpunt van de Berlijnse 'society'.*

Vom Stein werd in december 1808 op bevel van Napoleon ontslagen. De directe aanleiding was een brief van vom Stein, waarin deze plannen ontvouwde voor de organisatie van het Duitse verzet tegen de Franse overheersing. De brief werd door de Franse bezettingsmacht onderschept.

In 1810 zette de meer gematigde von Hardenberg de hervormingspolitiek voort. Von Scharnhorst is als minister van Oorlog verantwoordelijk voor de hervormingen in het leger.

# Tsaar verbant belangrijke medewerker

ST.-PETERSBURG, maart - Tsaar Alexander heeft Michail Speransky uit St.-Petersburg verbannen, naar zijn zeggen onder druk van de openbare mening. Ofschoon de tsaar geen geloof hecht aan de geruchten die in de Russische hoofdstad de ronde doen over Speransky - hij zou een verrader en een Franse spion zijn - kan hij het zich in het kader van de Franse oorlogsdreiging niet permitteren om het publiek tegen zich in het harnas te jagen. Met het ontslag van deze briljante bureaucraat zijn de hervormingen, die Rusland zouden moeten transformeren in een rechtsstaat, in ieder geval voorlopig op de lange baan geschoven.

Michail Speransky is als zoon van een arme dorpsgeestelijke een vreemde eend in de aristocratische bijt. Dank zij zijn uitzonderlijke intelligentie, werklust en bestuurlijke capaciteiten wist hij het te brengen tot feitelijke 'premier' van Alexander (overigens een in Rusland niet bestaande functie). Hij wenste in Rusland een sterke mo-

narchie te vestigen, vast geworteld in het recht en de legale procedure, dat wil zeggen een systeem vrij van willekeur, corruptie en verwarring. Drie jaar geleden diende hij bij de tsaar een doorwrocht voorstel in voor een grondwet die sterke nadruk op centralisme legde. De in 1810 ingestelde Staatsraad, naar het voorbeeld van Napoleons 'Conseil d'Etat' en het hoogste adviserend lichaam in de wetgeving, is hiervan het resultaat.

Tijdens de regering van Alexander is tot nog toe weliswaar een aantal hervormingen doorgevoerd, maar deze zijn tamelijk geïsoleerd. In het door de tsaar ingestelde 'Geheime Comité' debatteerden de leden druk over de afschaffing van de autocratie en de lijfeigenschap, daar deze als remmende factoren voor een moderne staat worden beschouwd, maar het bleef goeddeels bij woorden. Wel is het klimaat tijdens de regering van Alexander geliberaliseerd: personen die door tsaar Paul de laan uit waren gestuurd zijn in

*Tsaar Alexander I.*

hun functie hersteld; de lastige beperkingen op buitenlandse reizen zijn afgeschaft; de censuur is milder; foltering bij gerechtelijk onderzoek behoort tot het verleden. Bestuurlijk hebben er tot nu toe echter geen ingrijpende wijzigingen plaatsgevonden, de instelling van ministeries in 1802 daargelaten. Op het gebied van het onderwijs zijn wel enige resultaten geboekt, bijvoorbeeld de oprichting van het Lyceum te Tsarskoje Selo.

# Vrede Russen en Osmanen

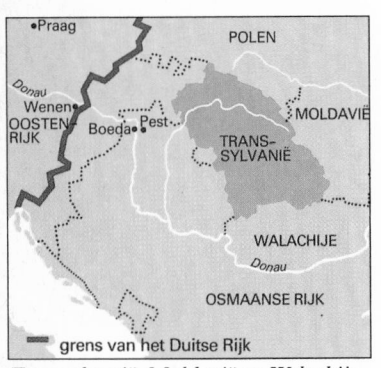

*Transsylvanië, Moldavië en Walachije.*

BOEKAREST, 28 mei - Rusland en het Osmaanse Rijk hebben in de hoofdstad van Walachije de vrede getekend. Hiermee is de Russische grens verder opgeschoven ten koste van het Osmaanse Rijk. Bessarabië, een provincie van Moldavië, komt binnen het Russische imperium te liggen. De Proet wordt grensrivier tot waar deze in de Donau stroomt; vanaf dat punt vormt de linkeroever van de Donau tot aan de Zwarte Zee de grens.

Bovendien heeft het Osmaanse Rijk zich verplicht zich te zullen houden aan de bepalingen van de verdragen van Kutsjuk Kainardji (1774) en Iasi (1792), die betrekking hebben op een verbetering van het bestuur in de Donauvorstendommen. Voor de eerste keer zijn ook de vrijheden van Servië in een Russisch-Turks verdrag opgenomen: een zekere mate van autonomie en matiging van de belastingplichten. Weliswaar zal Servië weer geheel onder Osmaans gezag ressorteren en keren Osmaanse garnizoenen terug, maar hiertegenover staat amnestie voor de opstandelingen. Met het oog op de dreigende invasie van Napoleon in Rusland trekken de Russische troepen zich terug, niet alleen uit Servië maar ook uit Moldavië en Walachije. Dit betekent dat de Russen een gedegen uitvoering van de verdragsbepalingen niet met militaire kracht kunnen garanderen.

*Het Amerikaanse fregat 'Constitution' (rechts) in actie tegen de Engelsen.*

# VS: oorlog met Engeland

WASHINGTON, 18 juni - Bijna dertig jaar na de Onafhankelijkheidsoorlog hebben de Verenigde Staten van Amerika Groot-Brittannië opnieuw de oorlog verklaard. Dit is een direct gevolg van de Napoleontische oorlogen in Europa. De Amerikanen hebbe lang geprobeerd niet betrokken te r ken bij het Engels-Franse conflic maar zagen zich ten slotte toch genoo zaakt de zijde van de Fransen te kieze Na het uitbreken van de oorlog tusse Engeland en Frankrijk in 1793 hebbe de Verenigde Staten geprobeerd ee neutraliteitspolitiek te voeren. D leek aanvankelijk te lukken toen Amerikanen met beide partijen tot e vergelijk wisten te komen (Jay-verdra en de Conventie van Mortefontain en de Engelsen en Fransen een kor periode van vrede beleefden. De ec nomische maatregelen die beide la den na de hervatting van de oorlog n men, wekten de toorn op van Amerik In 1806 ging Engeland Amerikaan schepen op contrabande controlere Napoleon verbood daarop Ame kaanse schepen vanuit een Europe haven naar Groot-Brittannië te zeile In de jaren daarna werden deze maa regelen verscherpt. Omdat de Britt heer en meester op de oceanen ware ondervonden de Amerikanen voor hinder van de Engelse verordeninge Toen bekend werd dat Engeland de b manning van Amerikaanse schepe van desertie uit de Engelse vloot b schuldigde, kwam de Amerikaan neutraliteit in gevaar. De Verenig Staten beschouwden het beleid van Engelsen als een ontkenning van Amerikaanse onafhankelijkheid. Nadat Napoleon had beloofd de Fra se controle over buitenlandse sche te versoepelen, besloot de Amerikaa se president Madison de handel m Engeland te blokkeren. Tegelijkerti was er in het Amerikaanse Congres e groep van jonge Republikeinen o gestaan die aanstuurde op een oorl met Engeland, omdat volgens hen h oude moederland de Amerikaanse so vereiniteit niet respecteerde. De 'War Hawks' onder leiding van Hen Clay wisten een meerderheid in h Congres te verkrijgen toen preside Madison de oorlogsverklaring aan E geland in stemming bracht.

# Engeland weigert hulp bij hongersnood

BOMBAY - Het Britse gouvernement heeft geweigerd hulp te bieden aan de bevolking van de Indiase staten Bombay, Agra en Madras, die onder een zware hongersnood lijdt. Het heeft grote bezwaren tegen voorstellen om extra graanaankopen te doen en deze onder de marktprijs aan behoeftigen aan te bieden. Deze houding komt voort uit de diepe overtuiging dat elk ingrijpen in de economie het bereiken van voorspoed en welvaart zal belemmeren. Het functioneren van vraag en aanbod mag volgens de Britten onder geen beding verstoord worden. Om dezelfde reden weigerde de koloniale overheid ook maximumprijzen voor graan en brood vast te stellen of graan-transporten uit gebieden met grote voedseltekorten te verbieden.

Een groot aantal Britse bestuurders in India staat onder invloed van Smith en Malthus. Smith schreef in 1776 zijn boek *Inquiry into the nature and causes of the wealth of nations* en inspireerde hiermee velen tot het voeren van een vrijhandelspolitiek. Malthus geeft sinds 1805 lezingen bij de East India Company. Hij meent dat het aantal mensen sneller groeit dan de voedsel-produktie. Hierdoor ontstaan er volgens hem hongersnoden op het moment dat het evenwicht te zeer verstoord is. Hij acht het onjuist om de mensen tijdens een hongersnood te hulp te schieten. Dat zou het natuurlijk proces van de economie belemmeren. Malthus concludeert dat de mensen moeten besluiten zich minder veelvuldig voort te planten. Als er minder kinderen geboren worden, zouden de voedseltekorten vanzelf minder groot worden. Malthus pleit voor 'moral restraint'. Dit houdt in dat de mensen zich seksueel moeten beheersen en daardoor minder nakomelingen verwekken. Volgens Malthus is de beloning van deze beheersing dat een volk niet blijft steken op het niveau van honger en ellende maar juist een hoger peil van welvaart kan bereiken.

De consequenties van deze theorieën zijn duidelijk: duizenden Indiërs zijn inmiddels de hongerdood gestorven.

*Grafische weergave, door Charles Minard, van Napoleons Russische veldtocht. De breedte van de band geeft de omvang van de troepen weer: Napoleon start bij de Niemen met 442 000 manschappen, van wie er slechts 100 000 in Moskou arriveren; op de terugtocht (de zwarte band) blijven er uiteindelijk maar 10 000 soldaten over.*

# Veldtocht Napoleon rampzalig mislukt

MOSKOU, 26-28 november - Ten gevolge van een fout van een Russische bevelhebber zijn de restanten van Napoleons Grande Armée erin geslaagd de rivier de Berezina over te steken en, achtervolgd door de Russische legers, Rusland achter zich te laten. Napoleons tocht naar Rusland is op een rampzalige mislukking uitgelopen. Van de 600 000 man die in totaal Rusland binnentrokken zijn er uiteindelijk slechts circa 40 000 uit Rusland teruggekeerd. De Frans-Russische vrede die in 1807 te Tilsit werd gesloten, was van meet af aan een ongemakkelijke vrede. Beide partijen realiseerden zich de breekbaarheid ervan. De invasie van Napoleon in juni kwam dan ook niet als een verrassing en was de belangrijkste reden waarom Rusland eerder dit jaar vrede met het Osmaanse Rijk sloot. Napoleon trok Rusland binnen via de lijn Vilna - Vitebsk - Smolensk, precies zoals de Zweedse koning Karel XII een eeuw geleden. Onder druk van de publieke opinie, verhit ten gevolge van de gestage Franse opmars, stelde tsaar Alexander vorst Michail Koetoezov tot opperbevelhebber aan. Deze vond in feite achter een politiek van terugtrekking, maar achtte het niettemin uit 'publiciteits'-overwegingen noodzakelijk slag te leveren alvorens Moskou over te geven.

Het Frans-Russische treffen vond op 7 september plaats bij Borodino. Hier vielen aan Russische zijde 42 000 doden en gewonden (van de 112 000 man), terwijl de verliezen bij de Fransen en hun bondgenoten 58 000 (van de 130 000)

*De branden in september in Moskou maakten het de Fransen onmogelijk zich in de Russische hoofdstad te bevoorraden.*

bedroegen. Koetoezov trok hierop zijn troepen ten zuiden van Moskou terug. Een week later nam Napoleon Moskou in, in de stellige verwachting zich daar te kunnen bevoorraden. De grote branden, die spoedig na het binnentrekken van de Franse troepen uitbraken en die drie kwart van de stad verwoestten, sloegen deze hoop de bodem in.

De tsaar hield koppig vast aan zijn weigering om vrede te sluiten zolang zich nog één Franse soldaat op Russische bodem bevond. Napoleon was geïso-

leerd en achtte het in die situatie noodzakelijk zich voor het invallen van de winter terug te trekken. Die terugtocht is een catastrofe geworden, niet in de laatste plaats ten gevolge van de instorting van de aanvoer- en communicatielijnen van de Grande Armée. Het Russische leger in Malojaraslavets, ten zuiden van Moskou, verhinderde de Fransen een andere weg via vruchtbare, nog niet door de oorlog verwoeste gebieden te nemen en dwong hen zich via dezelfde route als op de heenweg terug te trekken. Het werd een verwarde vlucht waarin de Fransen, behalve aan honger en kou, blootstonden aan aanvallen van het Russische leger en guerrillabenden.

# Gebroeders Grimm publiceren 'Sprookjes'

*Illustraties van Rie Cramer bij de sprookjes van de gebroeders Grimm.*

HEIDELBERG, 23 december - Het eerste deel van de *Kinder- en huissprookjes* is verschenen. De sprookjes zijn verzameld door de gebroeders Jacob en Wilhelm Grimm.

Aan de publikatie van sagen, sprook-

jes en volksliederen wordt de laatste tijd veel aandacht besteed. In 1808 verscheen bijvoorbeeld *Des Knaben Wunderhorn*, een verzameling Duitse volksliederen, bijeengebracht door Achim von Arnim en Clemens Brentano.

Von Arnim, Brentano en de gebroeders Grimm worden gerekend tot de 'jongere romantiek', waarvan Heidelberg het middelpunt is. De romantici willen, met name door de publikatie van oude verhalen en liederen, meer begrip wekken voor de eigen, Duitse geschiedenis. Ze geloven dat het historische leven zich op een spontane wijze heeft geuit in de volkskunst, die daarmee een realiteit weergeeft die in de geschiedschrijving niet is opgenomen. Zij hebben vooral belangstelling voor het mysterieuze, halfbewuste, inconsequente en de fantasie.

In de kunst (en in het leven) moeten volgens de romantici de 'wetten van de rede worden opgeheven'. 'De kunst moet ons weer in de schone verwarring van de fantasie, in de oorspronkelijke chaos van de natuur plaatsen', zoals Friedrich von Schlegel het formuleerde. In het irrationele ligt de 'oergrond' van de poëzie en van het leven. De romantici kunnen zowel een reactionaire als een progressieve politieke overtuiging hebben.

*Russische soldaten bij Molodetsjno (schilderij door Johannes Hari).*

# Nederlandse dienstplichtigen in Rusland

'S-GRAVENHAGE, 4 december - In Parijs is gisteren bekend geworden dat keizer Napoleon heeft besloten de veldtocht in Rusland verder aan zijn generaals over te laten en zelf naar de Franse hoofdstad terug te keren. Algemeen wordt dit beschouwd als een aanwijzing dat de keizer geen hoop meer heeft op een succesvol einde van de campagne.

In Nederland bestaat voor de veldtocht grote belangstelling, niet in de laatste plaats vanwege het feit dat ruim 14 000 Nederlandse dienstplichtigen aan de zijde van de Franse troepen strijden. Aanvankelijk was men vol enthousiasme over de veldtocht. Dit was vooral te danken aan de optimistische berichtgeving in de Franse pers, die allerwegen de verwachting wekte dat een nieuwe serie glorieuze overwinningen nabij was. De Nederlanders voelden zich vanwege hun bijdrage ook een beetje trots.

Sinds kort is de stemming echter omgeslagen. De Fransen, die de pers onder strenge censuur hebben gesteld, gaven zo'n twee weken geleden toestemming berichten over Nederlandse slachtoffers te publiceren. Klaarblijkelijk verwachtten zij dat de publieke opinie zich tegen de Russen, en ook hun Engelse bondgenoten, zou keren. Die verwachting is echter niet uitgekomen.

De berichten zijn zo afschuwelijk, dat de Nederlanders zich juist tegen de Fransen hebben gekeerd, die immers de dienstplichtigen aan dit lot hebben blootgesteld. Zo is onder andere bekend geworden dat het 126ste regiment van de Grande Armée, dat grotendeels uit Nederlanders bestond, vrijwel is weggevaagd. Dit regiment, dat nog niet zo lang geleden bij de verovering van de stad Smolensk uit 1900 manschappen bestond, was tijdens het eerste gedeelte van de terugtocht uit Moskou al tot 347 man gereduceerd. Na de verdediging van de bruggen over de Berezina waren er nog slechts 206 over, die op 28 november door de Russen krijgsgevangen zijn gemaakt.

De tocht van Moskou naar het Westen schijnt een ware verschrikking te zijn, met ijzige koude en nauwelijks voedsel. Volgens de berichten waren de gevangengenomen Nederlanders niet meer dan wandelende geraamten. Het zijn nu de Fransen die in Nederland de schuld van deze verschrikkingen krijgen.

Ook in andere vazalstaten begint het onrustig te worden. De bezettingen hebben bij veel volkeren nationalistische gevoelens wakker gemaakt.

In Frankrijk zelf is men de oorlog meer dan beu. De enorme verliezen werken demoraliserend op de bevolking.

**10 januari.** In York worden 17 arbeiders wegens hun aandeel in de rellen van vorig jaar opgehangen. →

**28 februari.** Pruisen en Rusland gaan te Kalisch een bondgenootschap aan tegen Napoleon.

**17 maart.** Pruisen verklaart Frankrijk de oorlog. →

**Maart.** De Spanjaarden beginnen met het heroveren van Chili.

**21 juni.** Arthur Wellesley, hertog van Wellington, zegeviert over de Fransen in de Slag bij Vitoria. →

**12 augustus.** Oostenrijk verklaart Frankrijk de oorlog door zich bij Rusland en Pruisen aan te sluiten.

**5 oktober.** In Noord-Amerika lijdt het Britse leger, gesteund door het stamverbond van Indianen, een nederlaag tegen de Amerikanen. →

**12 oktober.** Paraguay vestigt zich als zelfstandige republiek.

**19 oktober.** De Russen en Pruisen overwinnen de Fransen in de Volkerenslag bij Leipzig. →

**24 oktober.** Perzië en Rusland sluiten de Vrede van Gulistan na negen jaar van oorlogvoeren. Perzië staat de Kaukasus af aan Rusland.

**Oktober.** De Russische kapitein Golovnin mag Japan verlaten. →

**4 november.** Nadat ook Württemberg uit de Rijnbond is getreden, beschouwt de Rijnbond zich als ontbonden.

**6 november.** Mexico verklaart zich onafhankelijk. →

**30 november.** Prins Willem Frederik keert terug in Nederland. →

**2 december.** Koning Willem I van de Nederlanden neemt de titel van soeverein vorst aan. →

**11 december.** Ferdinand VII wordt koning van Spanje volgens het Verdrag van Valençay.

- De Duitse filosoof Arthur Schopenhauer dient aan de universiteit van Jena zijn proefschrift in met de titel *Die vierfache Wurzel des Satzes vom Grunde.*

- Karl Friedrich Christian Ludwig Freiherr Drais von Sauerbronn construeert de zogenaamde draisine, ofte wel de loopfiets.

- Gioacchino Rossini componeert de opera *Tancredi.*

- Jane Austen schrijft *Pride and Prejudice.* →

Gestorven:

**5 oktober.** Tecumseh (1768), voorman van de Shawnee-Indianen en leider van het stamverbond van Noordamerikaanse Indianen →

*De gemechaniseerde textielnijverheid: een half-automatische spinnerij.*

# 17 Luddieten opgehangen

*Als vrouw verklede Luddiet.*

YORK, 10 januari - Vandaag zijn in York 17 mannen opgehangen. Zij waren onlangs ter dood veroordeeld voor hun aandeel in de rellen die de laatste twee jaar plaatsvinden in gebieden waar katoenfabrieken zijn gevestigd (bijvoorbeeld Lancashire). Bij deze opstanden werden vele machines vernietigd. De deelnemers aan de ongeregeldheden worden Luddites genoemd, omdat zij beweren onder bevel van King Ludd te staan. Deze King Ludd is echter geen bestaande figuur, maar, naar analogie van Robin Hood, een volksheld die alleen in verhalen bestaat.

De opstanden worden beschouwd als een symptoom van de zich verscherpende sociale tegenstellingen. Sinds enige jaren wordt de Engelse katoenindustrie geconfronteerd met ernstige afzetproblemen. Deze crisis is veroorzaakt door het Continentaal Stelsel van Napoleon. De vermindering van de afzet van de katoenfabrieken leidde in de textielgebieden tot massale werkloosheid. In deze situatie ontstond onvrede met de mechanisering van de textielnijverheid, die veel arbeid overbodig maakt. Tijdens rellen in verschillende streken werden tientallen machines stukgeslagen. De vernielingen zijn niet alleen te beschouwen als een verzet tegen mechanisatie. Het vernietigen van machines is door arbeiders al eerder toegepast om de werkgevers tot het creëren van betere arbeidsvoorwaarden te bewegen. Bij de rellen schijnen de geschoolde arbeiders uit niet-gemechaniseerde bedrijven een belangrijke rol gespeeld te hebben. Zij zijn bang dat hun werkplaatsen weggeconcurreerd worden door de grotere, steeds efficiënter werkende bedrijven. De overheid heeft niets gedaan om de onvrede te beteugelen en heeft bijzonder streng ingegrepen. Tegen de opstandige arbeiders zijn 12 000 soldaten ingezet, aanzienlijk meer manschappen dan het leger waarmee Wellington in Spanje landde en uiteindelijk Lissabon innam. De vonnissen voor de gearresteerde arbeiders waren bijzonder streng: zich beroepend op een wet uit 1769 spraken de rechters in een massatribunaal tientallen doodvonnissen uit. Daarvan zijn er nu 17 voltrokken. De overige ter dood veroordeelden kregen 'gratie': hun vonnis werd omgezet in 14 jaar deportatie naar Australië.

*In januari is het nieuwste boek van de Engelse schrijfster Jane Austen verschenen, 'Pride and Prejudice', waarin de leeghoofdige en babbelzieke mevrouw Bennet voor haar vijf dochters een 'partij' probeert te vinden. Jane Austen maakte in november 1811 haar debuut met 'Sense and Sensibility'.*

# Pruisische koning wil bevrijdingsoorlog

BRESLAU, 17 maart - De Pruisische koning Frederik Willem III heeft een proclamatie uitgegeven, waarin hij de gehele bevolking oproept om de strijd met de Fransen aan te binden. De proclamatie, *An mein Volk*, is uitgegeven in Breslau en niet in Berlijn omdat deze stad nog steeds door Franse troepen bezet is.

Van alle standen zullen grote offers gevraagd worden, want onze onderneming is groot en niet gering zijn het getal en de middelen van onze vijand,' aldus de koning in de proclamatie. 'Maar hoe groot de offers ook zullen zijn, zij kunnen niet opwegen tegen de heilige doelstellingen waarvoor wij ze brengen. Wij moeten strijden voor ons bestaan, voor onze onafhankelijkheid en onze welstand. Wij moeten strijden voor Pruisen en om Duitsers te kunnen blijven.'

Sinds één maand is er sprake van openlijk verzet van de Pruisische regering tegen de Fransen. Een jaar geleden, op 24 februari 1812, sloot Pruisen nog een verbond met Frankrijk. Frederik Willem III zag toen geen mogelijkheid om tegen Napoleon in opstand te komen. Hij noemde de plannen tot verzet een 'mooi sprookje'. Pruisen stelde Napoleon 20 000 man ter beschikking; de manschappen maakten deel uit van het 'Grote Leger', dat werd ingezet om Rusland te veroveren. Generaal York, de bevelhebber over deze troepen, sloot echter in december 1812, op eigen initiatief, een geheim verbond met de tsaar (de Conventie van Tauroggen). York en zijn collega von Clausewitz kwamen met de tsaar overeen dat de Pruisische troepen tot 1 maart niet tegen de Russen zouden vechten. De beide generaals zouden proberen voor die datum het verdrag met Frankrijk ongedaan te maken.

De Pruisische koning durfde dit avontuur echter nog niet aan. York en von Clausewitz besloten toen zonder toestemming van de koning tot een voortzetting van hun anti-Franse politiek. Twee maanden geleden riepen York en von Stein op tot een algemene bewapening van het volk en besloten tot de oprichting van een Landwehr. De actie heeft groot succes. Duizenden Pruisen en andere Duitsers melden zich voor het leger. Napoleon heeft in Rusland het aureool van de onoverwinnelijkheid verloren; het lijkt nu mogelijk

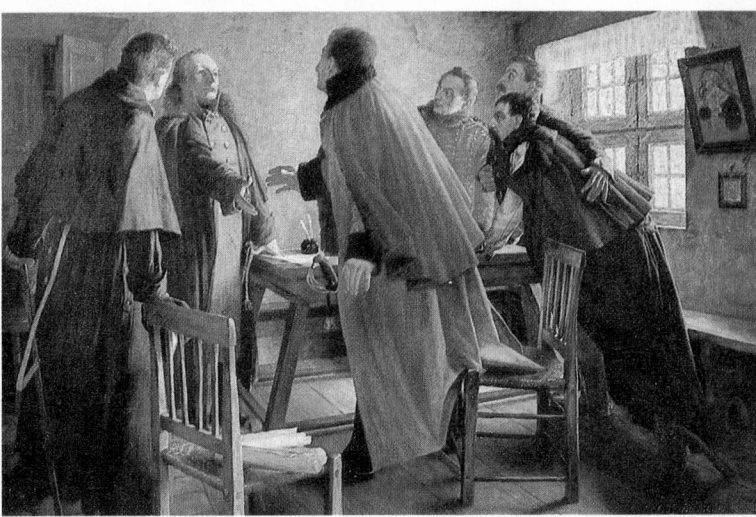

*Generaal York (tweede van links) tijdens de besprekingen in Tauroggen.*

hem ook in Duitsland ten val te brengen.

De golf van patriottische geestdrift, die heel Duitsland overspoelt, heeft tot gevolg dat ook Frederik Willem III gaat geloven in een succesvol verzet tegen de Fransen. In februari riep hij de Pruisische jeugd op zich te melden voor een detachement van jagers. 50 000 vrijwilligers melden zich. Op 9 februari werd de algemene dienstplicht afgekondigd. De oproep *An mein Volk*, de eerste oproep waarin een Pruisische koning zich direct tot de bevolking wendt, versterkt de patriottische geestdrift nog meer.

# Spanje wint onafhankelijkheidsoorlog tegen Frankrijk

VITORIA, 21 juni - Het einde van de Spaanse onafhankelijkheidsoorlog, die in 1808 begon, is in zicht gekomen met de Slag bij Vitoria. Britse troepen onder leiding van Arthur Wellesley, de hertog van Wellington, hebben Jozef Bonaparte en zijn Franse soldaten verslagen. De Fransen hebben zich met vele 'afrancesados' (Spanjaarden die de Fransen steunden) achter de Pyreeeën teruggetrokken. Jozef Bonaparte zal niet meer als koning terugkeren. Te verwachten valt dat de liberale grondwet, die tijdens de oorlog (1812) in het vrije Cádiz uitgevaardigd is, op korte termijn in werking zal treden.

Spanje heeft enorm geleden onder de verschrikkingen van de oorlog. Dank zij de guerrilla's van het Spaanse volk en de hulp van de Engelsen, die vanuit Portugal opereerden, is het enige land dat massaal in verzet kwam tegen Napoleon, bevrijd.

De algemene verwachting is dat de zoon van Karel IV als koning Ferdinand VII naar Spanje zal terugkeren. Tijdens de oorlog heeft een regentschapsraad vertegenwoordigers van heel Spanje (ook Amerika) te Cádiz bijeen laten komen. Zij hebben een parlement (Cortes) bijeengeroepen dat vorig jaar een liberale grondwet naar Frans model heeft vervaardigd. In deze constitutie is vastgelegd dat de koning het hoofd van de staat is, maar dat de soevereiniteit bij de Cortes ligt: één Kamer, volgens algemeen mannelijk kies-

*Twee werken van Goya: 'Nada' uit de serie 'Los Desastres de la Guerra' (links) en 'Saturnus die zijn kind verslindt'.*

recht gekozen. De wetgevende macht zal eveneens bij de Cortes liggen. Hoewel de centrale regering de uiteindelijke verantwoordelijkheid behoudt, zal Spanje worden opgedeeld in provincies die elk een eigen bestuur hebben. Ter advies zal de koning worden bijgestaan door een raad die gekozen wordt door de Cortes. De inquisitie wordt afgeschaft en de meeste kerkgoederen worden geconfisqueerd. Vooral deze laatste punten leiden tot meningsverschillen tussen de liberalen en de niet-hervormingsgezinden binnen Spanje. De bedoeling van de Cortes is dat, nu Jozef Bonaparte afstand van de troon wordt, Ferdinand VII koning wordt, op voorwaarde dat hij deze, vergeleken met andere landen zeer progressieve grondwet erkent en respecteert.

# Tecumseh gesneuveld: stamverbond Indianen valt uiteen

MORAVIAN TOWN, 5 oktober - Het stamverbond dat de Noordamerikaanse Indianen tegen de blanken hebben gesloten heeft een zware slag te verduren gekregen: hun leidsman en samenbindende kracht, Tecumseh, opperhoofd van de Shawnee, is in een gevecht tussen Amerikaanse en Britse troepen aan de rivier de Thames bij het Canadese Moravian Town gesneuveld. Het is onwaarschijnlijk dat het wankele stammenverbond van de Indianen zonder Tecumseh, die als brigadegeneraal aan Britse zijde heeft meegevochten tegen de Verenigde Staten, stand kan houden en de Indianen hun ideaal van een eigen Indianennatie, ongehinderd door blanken, nog zullen kunnen verwezenlijken.

Nadat zijn vader veertig jaar geleden door blanken om het leven werd gebracht, nam Tecumseh de rol van verzetsleider op zich tegen de oprukkende blanken en werd hij de woordvoerder van de Indianen in de Ohiovallei. 'Waar zijn de Pequot gebleven?' riep hij zijn volgelingen toe. 'Wat is er geworden van de Narraganset, de Mohikanen, de Pokanoket en vele andere eens machtige stammen van ons volk? Ze zijn verdwenen voor de hebzucht en de onderdrukking van de Blanke Man, als sneeuw voor een zomerzon. Laten wij ons op onze beurt zonder strijd vernietigen, geven we onze woonplaatsen prijs, doen we afstand van ons land dat de Grote Geest ons gegeven heeft, keren wij de graven van onze doden en alles wat ons dierbaar en heilig is, de rug toe? Ik weet dat u met mij zult uitroepen: Nooit! Nooit!'

De afgelopen acht jaar heeft Tecumseh geprobeerd de verschillende Indianenstammen in een verbond tegen de blanken te verenigen. Na het uitbreken van de oorlog schaarde hij zich aan de kant van de Britten en speelde hij een belangrijke rol bij de verovering van Detroit en de invasie van Ohio. Een gevecht met de Amerikaanse troepen onder leiding van William Henry Harrison, oud-gouverneur van het Indiana Territory, is Tecumseh nu fataal geworden. Tecumsehs broer heeft met een Indianenleger van 650 man twee jaar geleden al eens een gevoelige nederlaag geleden tegen Harrison in de slag bij Tippecanoe Creek in Indiana. Deze slag heeft Harrison de bijnaam 'Old Tippecanoe' bezorgd.

Na de dood van zijn vader werd de zesjarige Tecumseh vervuld van een gevoel van wraak en bittere haat jegens de blanken. Toen zijn moeder met een deel van haar stam wegtrok naar Missouri, werd Tecumseh door het opperhoofd van de Shawnee, Blackfish, geadopteerd en groeide op in het gezelschap van verschillende blanke pleegbroers die door Blackfish waren gevangen genomen. Tot deze pleegbroers behoorde de befaamde 'fron-

tiersman' Daniel Boone, die in Kentucky was gevangen genomen maar na korte tijd weer wist te ontsnappen.

Massamoorden, de invasie van het land van de Shawnee en de vernietiging van hun oogst versterkten de haat die Tecumseh jegens de blanken voelde. Na de Amerikaanse Vrijheidsoorlog was Tecumseh jarenlang als plunderaar actief; hij ondernam acties tegen de blanken in het noordwesten en hielp de Cherokee in het zuiden. Op verzoek van Bluejacket, het opperhoofd van de Shawnee, die een strijdmacht bijeen probeerde te brengen tegen een Amerikaanse troepenmacht onder leiding van Anthony Wayne, keerde Tecumseh naar Ohio terug. Op 20 augustus 1794 werd dit Indianenleger door Wayne bij Fallen Timbers verslagen.

Toen de opperhoofden in augustus 1795 met de blanken het verdrag van Greenville sloten, weigerde Tecumseh dit te erkennen: hij vond dat de opperhoofden land hadden verkwanseld dat niet hun eigendom was: land was, net als lucht en water, het gezamenlijke eigendom van alle Indianen.

Zes jaar geleden vestigde Tecumseh zich samen met zijn broer Tenskwata-

*Tecumseh, leider van de Shawnee.*

wa (ook wel 'de Profeet' genoemd, omdat hij een boodschap had ontvangen van de 'Meester van het Leven') zich in Indiana waar de broers de Indianen probeerden af te houden van blanke gewoonten en goederen (vooral whisky, die vele Indianen tot dronkenschap bracht en hele stammen vernietigde), de eigen stammenoorlogen te vergeten en een gezamenlijk front te maken tegen de oprukkende blanken.

Met onuitputtelijke energie reisde T cumseh het hele land door om zijn ve bond van stammen van de grond krijgen. Nadat de Verenigde Stat Engeland vorig jaar de oorlog ve klaarden, sloot hij zich aan bij de Brit troepen op de Canadese oever van Detroit. Daar bracht hij het groots Indianenleger bij elkaar dat Noor Amerika ooit heeft gezien en speeld hij met zijn troepen een beslissende r in de verovering van Detroit en de g vangenneming van 2500 Amerikaan soldaten.

Met de Britse generaal Procter belege de hij tevergeefs Ft. Meigs. Ze moeste vluchten en werden bij Moravia Town verslagen, waarbij Tecumse sneuvelde.

Tecumseh is niet de eerste Indiaan d heeft geprobeerd de Indianen tegen blanken te verenigen. In de jaren zest van de vorige eeuw probeerden de Vi Naties van de Iroquois, de machtigs en meest ontwikkelde stam in het oo ten, tevergeefs een vrede met de bla ken te bewerkstelligen. Na jaren bloe vergieten voor hun politieke onafha kelijkheid werden de Vijf Naties te slotte verslagen. Sommigen kond naar Canada ontsnappen.

# Napoleon ten onder in Slag bij Leipzig

*De Slag bij Leipzig, waarbij de coalitie van Russen, Pruisen en Oostenrijkers een overwinning heeft behaald op Napoleon.*

LEIPZIG, 19 oktober - Na een veldslag bij Leipzig, die drie dagen heeft geduurd, is Napoleon Bonaparte gedwongen zijn nederlaag te erkennen. Op het slagveld lieten 50 000 van zijn soldaten het leven. Men verwacht dat na deze nederlaag het rijk dat Bonaparte in de afgelopen jaren heeft opgebouwd, ineen zal storten.

De eerste tekenen van verval van het

Franse Rijk werden al eerder zichtbaar. Nadat Napoleon tijdens zijn rampzalig verlopen expeditie tegen Rusland het grootste deel van zijn 'Grande Armée' had verloren, moest hij alle mogelijke moeite doen om een nieuw leger op de been te brengen: steeds jongere soldaten werden ingelijfd. Bovendien zagen Oostenrijk en Pruisen nu hun kans schoon om met

Napoleon af te rekenen: zij sloten zic aan bij Rusland. Nadat Napoleon in d campagne van 1813 nog enige minde belangrijke overwinningen had wete te behalen, werd hij bij Leipzig door c Russen, Pruisen en Oostenrijkers ve pletterend verslagen.

Met slechts 100 000 soldaten heeft Na poleon de terugtocht naar Frankri ondernomen.

## Isolationisme in Japan sterker

KIOTO, oktober - Na een groot afscheidsfeest en overladen met geschenken is de kapitein van de 'Diana', Golovnin, naar zijn vaderland teruggekeerd. Twee jaar heeft hij in Japan gevangengezeten en hebben hij en zijn bemanning folteringen en vernederingen moeten doorstaan.

De gevangenneming van de kapitein en de bemanning in 1811 was de Japanse reactie op de herhaaldelijke plundertochten van Russische marineschepen op de kusten van de Koerilen Eilanden en Yezo.

In 1807 hadden twee officieren van de Russische marine, Khovstov en Davidov, Sachalin en Yezo aangevallen. Zij waren vertrokken met allerlei goederen die zij hadden geroofd en hadden een brief achtergelaten waarin zij dreigden terug te komen, tenzij Rusland en Japan hun diplomatieke geschillen op korte termijn zouden bijleggen. De Russische regering wist echter van deze actie niets af en ook de brief was niet uit Petersburg gekomen. De Bakoefoe kon een dergelijke schending van Japans grondgebied natuurlijk niet zonder meer laten passeren. De kustbewaking werd uitgebreid om het hoofd te kunnen bieden aan eventuele nieuwe aanvallen. In een memorandum aan de regering in Petersburg deelde de Japanse regering mee dat zij niet lijdzaam zou toezien als de Russische schepen opnieuw zouden aanvallen. Een gewapend treffen zou dan onvermijdelijk zijn.

Gedurende enkele jaren werden memoranda over en weer gestuurd, totdat in 1811 kapitein Golovnin met zijn schip van de 'Diana' voor de kust van Etofoe verscheen. Het was in geen geval zijn bedoeling de streek te plunderen. Hij maakte er contact met Japanse soldaten en de eerste dagen verliepen in een vriendschappelijke sfeer. De Japanners bleven echter wantrouwig.

Toen Golovnin dan ook enkele dagen later met zijn schip aanmeerde op de kust van Koenasjiri, werd hij kort nadat hij met zijn bemanning aan land was gegaan gevangengenomen. Twee jaar zijn zij in Hakodate gevangengehouden, totdat een officiële verklaring uit Petersburg kwam waarin werd bevestigd dat Khovstov en Davidov individuele acties hadden ondernomen en dat dit geenszins de politiek van de Russische regering was. Hierop zijn nu Golovnin, die inmiddels veel sympathie onder zijn bewakers had verworven, en zijn bemanning vrijgelaten en uitgebreid gefêteerd.

Voor de Japanse regering betekent dit incident en de pogingen van de kant van de Engelse regering om in Japan door te dringen met de bedoeling handel te drijven, dat zij zich dient te bezinnen op de tot nu toe gevoerde isolatiepolitiek.

*Prins Willem Frederik zet in Scheveningen voet op vaderlandse bodem.*

# Willem Frederik landt in Scheveningen

SCHEVENINGEN, 30 november - Onder grote belangstelling en luid gejuich heeft vandaag prins Willem Frederik in Scheveningen voet op Nederlandse bodem gezet. Sedert 1795, toen hij met zijn vader, stadhouder Willem V, vanuit ditzelfde Scheveningen naar Engeland vertrok, is de prins niet meer in zijn vaderland geweest.

Een week geleden is de prins zonder zijn medeweten, terwijl hij nog in Engeland verbleef, in Den Haag met de 'Hooge Overheid' van het land bekleed, maar niemand weet nog wat dat precies betekent. Tijdens de tocht van Scheveningen naar Den Haag werd hier en daar al een 'Leve de Koning' aangeheven. Indien de prins met de waardigheid van soeverein zal worden bekleed, zal hij koning Willem I gaan heten.

De aankomst van de prins volgde na een aantal weken van stormachtige ontwikkelingen. Sedert de Slag bij Leipzig, half oktober, zijn de Franse troepen zonder onderbreking op de terugtocht geweest. Begin november reeds bereikten de oprukkende Russen de Nederlandse oostgrens. De Fransen hoopten Nederland te behouden om zo een invasie van hun eigen grondgebied, via België, te voorkomen. De toestand was echter zo verward, dat men in Nederland geen effectieve verdediging meer kon organiseren.

Bovendien achtten de Nederlanders de tijd rijp om zelf een bijdrage aan de bevrijding van hun land te leveren. Liever dan opnieuw veroverd te worden - maar nu door de Russen - wilden de politieke leiders in Nederland zelf het initiatief nemen. Daarbij konden zij gebruik maken van de vrijwel algemene haat tegen de Fransen in Nederland. Op 14 en 15 november werden in Amsterdam de symbolen van de Franse overheersing door opgewonden menigten vernield. De 17de klonk in Den Haag het 'Oranje boven' en een dag later werd een voorlopige regering gevormd door Van Hogendorp, Van Limburg Stirum en Van der Duyn van Maasdam. Deze stuurde onmiddellijk een delegatie naar de prins in Londen, met het verzoek naar Nederland te komen. Nadat bleek dat dit verzoek ook elders in het land werd gesteund, heeft de 41-jarige prins daaraan gevolg gegeven. Het land dat hem zo hartelijk ontvangt is, na 18 jaar Franse overheersing, in een staat van politieke chaos en economische depressie. De prins wacht een zware taak.

## Amsterdam juicht koning Willem I toe

AMSTERDAM, 2 december - In het raadhuis van Amsterdam is Willem Frederik, erfprins van het Huis Oranje-Nassau, geproclameerd tot soeverein vorst der Nederlanden. Hij zal regeren onder de naam Willem I. Na de eigenlijke plechtigheid verscheen Willem I op het - door Lodewijk Napoleon voor dit doel speciaal aangebouwde - balkon en liet zich door het op de Dam samengestroomde volk uitgebreid toejuichen. Het 'Oranje boven' was niet van de lucht. Hiermee is Nederland - ondanks het feit dat er nog keizerlijke troepen in het land aanwezig zijn - weer een zelfstandige natie.

De vorst zei in zijn proclamatie onder meer: 'Uw vertrouwen, uwe liefde legt de Soevereiniteit in mijne handen en van alle zijden dringt men aan op de aanneming daarvan, wijl de nood van het Vaderland, wijl de toestand van Europa dit vordert. Welaan dan. Ik zal mijn bedenkingen aan uwe wenschen opofferen. Ik aanvaarde, wat Nederland mij aanbiedt, maar ik aanvaarde het ook alleen onder waarborging eener wijze constitutie, welke uwe vrijheid tegen volgende mogelijke misbruiken verzekert...'

*Willem I (portret van Kruseman).*

Al tijdens zijn ballingschap maakte de prins er geen geheim van dat hij vond dat Oranje en Nederland bij elkaar hoorden. De snelheid waarmee hij tot soeverein vorst is geproclameerd, heeft ondertussen vriend en vijand verbaasd.

Nederland heeft nu een 'soeverein vorst'. Wat zijn macht en zijn status zijn hangt af van de komende grondwet.

# Zege VS op Engels leger

*De Amerikaanse bevelhebber Oliver Perry tijdens de slag op het Eriemeer.*

MORAVIAN TOWN, 5 oktober - Amerikaanse troepen hebben bij de Thames, een rivier ten noorden van het Eriemeer, een grote overwinning op de Engelsen behaald. Het Engelse leger, dat uit nog geen duizend manschappen bestond en zich gesteund wist door ongeveer vijfhonderd Indiaanse krijgers, is gevlucht. De Indiaanse leider Tecumseh werd bij de veldslag gedood. Ondanks de Britse nederlaag is het doel van de Amerikanen, namelijk de verovering van Canada, nog lang niet bereikt.

Nadat de Engelse vloot de controle over het Eriemeer had verloren, waren de Britse troepen onder leiding van generaal Henry Procter gedwongen zich naar het noordoosten terug te trekken. Omdat de Amerikanen het Eriemeer beheersten, was de bevoorrading van de in Fort Malden gelegerde Britten bijna onmogelijk geworden. Het befaamde opperhoofd Tecumseh en de Indianen verzetten zich aanvankelijk tegen de gezamenlijke terugtocht. Zij legden zich bij Procters besluit neer toen deze beloofde langs de zijriviertjes van de Thames versterkingen aan te brengen om daar tegen de Amerikanen slag te leveren.

De terugtocht van de Engelse soldaten en de Indianen (inclusief vrouwen en kinderen) verliep bijzonder chaotisch. Procter, die steeds voor zijn troepen uitreed, vertoonde zich nauwelijks bij zijn soldaten. Op aandringen van de Indianen besloot de Engelse generaal ook nog de bruggen over de diverse rivieren in tact te laten. Dit vereenvoudigde de Amerikaanse achtervolging aanzienlijk.

Beide partijen troffen elkaar ten slotte langs de oever van de Thames. De Amerikanen (met meer dan 3000 man) bleken superieur; maar liefst 600 Engelsen werden krijgsgevangen gemaakt. De Amerikanen ondervonden alleen van de Indianen noemenswaardige tegenstand.

## Mexico roept onafhankelijkheid uit

CHILPANCINGO, 6 november - Het congres van Chilpancingo heeft de onafhankelijkheid van de Republiek Mexico afgekondigd. Het congres bestaat uit mensen, die door José Maria Teclo Morelos y Pavon zijn uitgekozen. Morelos is sinds de dood van Hidalgo in maart 1811 een van de leiders van de verdeelde Mexicaanse onafhankelijkheidsbeweging. Net als Hidalgo is hij priester, met veel aanhang onder de Indianen. Tijdens zijn samenwerking met Hidalgo en sinds diens dood heeft Morelos een serie plannen uitgewerkt en decreten uitgevaardigd, die vooral op verbetering van de positie van de Indiaanse bevolking zijn gericht, terwijl hij ook nationalistische ideeën naar voren brengt. Zo zullen alle inwoners, behalve de Europeanen, voortaan worden aangeduid als Amerikanen en niet als creool, mesties of Indiaan. Ook de slavernij moet worden afgeschaft, terwijl de boeren eigenaar moeten zijn van de opbrengst van het land. Morelos' macht is gebaseerd op een goedgetraind en beweeglijk legertje van bijna 3000 soldaten.

# 1814

**2 januari.** Simón Bolívar wordt dictator van de Tweede Republiek Venezuela. →

**15 januari.** Groot-Brittannië en Zweden dwingen Denemarken tot het sluiten van de Vrede van Kiel. →

**11 maart.** Koning Ferdinand VII laat de zeer liberale grondwet van Cádiz (1812) nietig verklaren.

**6 april.** Napoleon treedt in Fontainebleau als keizer der Fransen af. →

**20 april.** Oostenrijk profiteert van een opstand in Milaan en bezet Lombardije. →

**25 mei.** Paus Pius VII keert uit Franse gevangenschap naar Rome terug. Hij stelt de inquisitie, de index en de jezuïetenorde weer in.

**30 mei.** Met het tekenen van de Vrede van Parijs tussen Frankrijk en de geallieerden: Pruisen, Oostenrijk, Rusland en Groot-Brittannië, worden de grenzen van vóór 1792 hersteld.

**4 juni.** Lodewijk XVIII wordt koning van Frankrijk op grond van zijn erfelijk recht op die titel. →

**19 juli.** Matthew Flinders publiceert zijn *A Voyage to Terra Australis*, waarin hij het tot dusver Nieuw-Holland genoemde continent de naam Australië geeft. →

**25 juli.** De eerste stoomlocomotief van George Stephenson wordt in gebruik genomen.

**9 augustus.** De Creek-Indianen worden onderworpen. →

**24 augustus.** Een Brits leger neemt Washington in en steekt alle overheidsgebouwen in brand. →

**29 november.** Het Londense dagblad *The Times* neemt als eerste een stoomdrukpers in gebruik.

**24 december.** Het Verdrag van Gent betekent het einde van de oorlog tussen Groot-Brittannië en de Verenigde Staten. →

**31 december.** In Odessa richten Grieken een geheim anti-Turks genootschap op. →

- Er breekt oorlog uit tussen de Gurkha's in Nepal en de Britten.

- J.N. Mälzel vindt de metronoom uit.

- De Duitse fysicus Fraunhofer ontdekt zwarte lijnen in het spectrum van de zon. Uiteindelijk zal zo bepaald kunnen worden uit welke elementen de zon is opgebouwd.

- Berzelius introduceert zijn elektrochemische theorie van de chemische affiniteit.

Gestorven:

**29 januari.** Johann Gottlieb Fichte (19-5-1762), Duits-idealistisch filosoof →

# Bolívar benoemd tot dictator van Venezuela

*Venezuela's leider Simón Bolívar.*

CARACAS, 2 januari - In Carácas, belangrijkste havenstad aan de noordkust van het Spaanse onderkoninkrijk Nieuw-Grenada in Zuid-Amerika, opnieuw de onafhankelijke republiek Venezuela uitgeroepen. Simón Bolívar is benoemd tot dictator over de republiek.

Al eerder, op 5 juli 1811, werd in Carácas de eerste onafhankelijke republiek in Zuid-Amerika uitgeroepen. De ideeën die hieraan ten grondslag lagen waren rechtstreeks afkomstig uit Europa en Noord-Amerika, maar bleken niet van toepassing op de omstandigheden in het kapitein-generaalschap Venezuela (elk Spaans onderkoninkrijk is verdeeld in een aantal kapitein-generaalschappen). De meeste steden gaven dan ook geen gehoor aan de enthousiaste oproepen en plannen van Carácas. Toen deze stad op 26 maart 1812 door een aardbeving vrijwel geheel werd verwoest, kostte het de Spaanse en Spaansgezinde troepen weinig moeite de macht weer over te nemen.

Een van de leiders van de eerste republiek, Simón Bolívar, ontkwam via Curaçao naar Cúcuta in Colombia, waar hij een revolutionair leger organiseerde. Bolívar slaagde erin dit leger over het 5000 meter hoge Andesgebergte te leiden en Carácas op 6 augustus vorig jaar te veroveren. Om de fouten van de idealistische Eerste Republiek te vermijden, zijn nu aan Bolívar, die als veldheer groot aanzien geniet, ruime bevoegdheden gegeven.

# Gedwongen aftreden Napoleon

*Karikatuur van Fichte als lid van de Berlijnse Landwehr (hij weigerde mee te vechten in de Vrijheidsoorlog).*

## Fichte bewonderde filosoof Kant

BERLIJN, 29 januari - Op 51-jarige leeftijd is de filosoof Johann Gottlieb Fichte aan de gevolgen van tyfus overleden. Hij was een bewonderaar van Kant en stelde zich ten doel Kants filosofie een alomvattend fundament te verschaffen.

Fichte was van eenvoudige afkomst. Na zijn studie in de theologie was hij korte tijd werkzaam als huisonderwijzer. De filosofie van Immanuel Kant sprak hem zozeer aan dat hij het plan opvatte de wijsgeer te bezoeken. Ter introductie schreef hij een verhandeling die hem op slag beroemd maakte en voor hem de weg vrij maakte voor een hoogleraarschap in Jena. Hij werd echter van atheïsme beschuldigd, zodat hij van de universiteit moest vertrekken. Hij ging naar Berlijn en was daar betrokken bij de stichting van de universiteit, waarvan hij in 1810 rector werd.

Fichtes *Wissenschaftslehre* gaat uit van één absoluut uitgangspunt: het kennend 'Ik' dat zich tegenover het 'nietik' stelt: de wereld. Hij ziet de relatie van de mens tot de wereld als een scheppende activiteit met een morele lading.

PARIJS, 6 april - Napoleon heeft afstand van de troon gedaan. Lodewijk XVIII is nu de nieuwe koning van Frankrijk. Napoleon, op de knieën gedwongen door zowel de zesde coalitie (Engeland, Pruisen, Rusland, Zwitserland, Holland, Napels) als door de binnenlandse ontevredenheid, mag koning van Elba worden. Zijn vrouw, Marie-Louise, vertrekt met haar zoon naar Wenen.

Zowel binnen als buiten Frankrijk is men Napoleon nu al geruime tijd liever kwijt dan rijk. Frankrijk zelf is de economische crisis van 1811 en de desastreuze gevolgen van de Russische nederlaag niet te boven gekomen.

De geallieerden brachten Napoleon in oktober vorig jaar weer een ernstige nederlaag toe. Daarmee raakte de keizer Duitsland kwijt en werd voor de geallieerden de weg geopend naar de Franse grens, die zij eind vorig jaar passeerden. Begin maart werd Chaumont (252 km ten oosten van Parijs) bezet. De geallieerden bekrachtigden daar hun bondgenootschap met een verdrag. Vervolgens marcheerden de geallieerde troepen naar Parijs.

Talleyrand, de vroegere minister en vertrouwensman van Napoleon, die echter al verscheidene jaren tegen hem komplotteert en daarom in ongenade is gevallen, heeft op verzoek van de geallieerden een voorlopige regering samengesteld, in een poging om te redden wat er nog te redden valt. Vervolgens riep hij de Senaat bijeen en liet Napoleon afzetten.

Tevens is Lodewijk XVIII, de broer van Lodewijk XVI, teruggeroepen. Hij probeert al sinds de dood van Lodewijk XVII, in 1795, terug te komen en heeft daartoe vele malen gekomplotteerd. Gedurende de revolutie onderhield Lodewijk zelfs een netwerk van koningsgezinde spionnen! Lodewijk XVIII wil zo graag de Franse troon bestijgen dat hij zich bij voorbaat bereid verklaard heeft als een constitutionele vorst te regeren, zodat men niet bevreesd hoeft te zijn voor een

*Napoleon Bonaparte na zijn gedwongen aftreden als keizer van Frankrijk.*

nieuwe heerser als Napoleon. Deze zal overigens in ballingschap de keizerstitel, alsmede een jaarinkomen van 2 miljoen franken behouden. Marie-Louise wordt hertogin van Parma en Piacenza.

# Frans bondgenootschap komt Denemarken duur te staan

KIEL, 15 januari - Het star vasthouden aan het bondgenootschap met Frankrijk heeft Denemarken duur moeten bekopen. Vandaag wordt Noorwegen aan de Zweedse koning overgedragen om een 'koninkrijk te vormen, verenigd met het koninkrijk van Zweden'. Helgoland moet worden afgestaan aan Engeland; alleen de voormalige Noorse koloniën IJsland, Groenland en de Faröer blijven Deens.

Zo slecht als het met Denemarken gaat in de eerste vijftien jaren van deze eeuw, zo goed ging het de laatste decennia van de vorige eeuw. Handel en

scheepvaart floreerden, in eerste instantie dank zij mercantilistische steunmaatregelen, later ook op basis van vrijhandel. In 1788 werd de lijfeigenschap van de boeren afgeschaft en vier jaar later werd ook de slavenhandel verboden. Met deze maatregelen liep Denemarken ver voor op veel Europese landen.

De buitenlandse politiek was lange tijd in handen van graaf Bernstorff de Jongere. Hij was de initiatiefnemer van het in 1780 gesloten 'verbond van gewapende neutraliteit' met Zweden, Pruisen en later ook Rusland. Het was be-

doeld om de handel van neutrale landen te beschermen, met name tegen blokkademaatregelen van de Engelsen. De winstgevende handel met Frankrijk was de Engelsen een doorn in het oog. In 1801 zeilde een Engelse vloot onder leiding van Nelson naar Kopenhagen, versloeg de Deense vloot en dwong Denemarken het verbond te verlaten.

In de daaropvolgende jaren wist Denemarken zijn neutraliteit te bewaren. Dat veranderde toen Napoleon in 1807 een verbond met Rusland sloot en Engeland (abusievelijk) dacht dat de De-

nen zich hierbij zouden aansluiten. Een Engelse vloot beschoot Kopenhagen waarop de woedende Denen Engeland de oorlog verklaarden.

Denemarken werd echter meegesleurd in Napoleons ondergang. Het was nota bene Zweden dat Denemarken eind vorig jaar de genadeslag toebracht. De Britten hadden de Zweden als bewijs van trouwe dienst Noorwegen beloofd, ook als compensatie voor het verlies van Finland. Behalve een verloren oorlog nopen ook een lege staatskas en een crisis in de landbouw de Denen om vandaag de vrede te sluiten.

# Onderkoning moet vluchten uit Milaan

MILAAN, 20 april - Een opstand in Milaan tegen het Franse gezag heeft een eind gemaakt aan het bewind van onderkoning Eugène de Beauharnais. De Oostenrijkers hebben Lombardije bezet.

De opstand brak uit vier dagen na de wapenstilstand van Schiarini-Rizzino; Eugène de Beauharnais was erin geslaagd Lombardije te behouden, ondanks zijn nederlaag tegen de Oostenrijkers en tegen de overloper Joachim Murat van Napels.

Bij de opstand vochten Eugènes voor- en tegenstanders tegen elkaar. Na de moord op de capabele, maar gehate minister van Financiën Prina was het pleit snel beslecht en kon de Oostenrijkse maarschalk Bellegarde Milaan bezetten. Hiermee is een eind gekomen aan de Franse machtspositie in Italië, die daar ruim vijftien jaar geleden werd gevestigd.

Sinds het Verdrag van Lunéville in 1801 is Italië buiten de oorlogen gebleven. Het Franse gezag heeft het schiereiland geleidelijk doen uiteenvallen in drie staten: het koninkrijk Napels, het koninkrijk Italië, en Piemonte, Toscane en de Pauselijke Staat, die door Frankrijk werden geannexeerd.

De Cisalpijnse republiek werd na de Slag van Marengo hervormd tot de Italiaanse republiek en, nadat Napoleon

*Onderkoning Eugène de Beauharnais.*

keizer was geworden, tot het koninkrijk Italië, met Napoleon als koning en zijn stiefzoon Eugène als onderkoning. In 1806 werd Venetië, twee jaar later Tirol en in 1810 de Marche bij het koninkrijk gevoegd. Italië had toen een bevolking van zeven miljoen zielen en een leger van 100 000 man.

In 1806 regelde Napoleon de kwestie-Napels. Koning Ferdinand vluchtte bij de nadering van een Frans leger opnieuw naar Sicilië. Zijn troon en titel gingen naar Napoleons broer Jozef, die twee jaar later koning van Spanje werd en in Napels werd opgevolgd door Napoleons maarschalk Joachim Murat. De Pauselijke Staat kwam bij Frankrijk. Aanvankelijk stelde Frankrijk zich tevreden met Ligurië (1805) en Toscane (1806 - formeel 1809). In 1809 maakte Napoleon een eind aan de wereldse macht van paus Pius VII. Toen de paus Napoleon in de ban deed, werd hij gevangengezet, eerst in Frankrijk, later in Savona. De Fransen domineerden daarna, direct of indirect, Italië, op Sicilië en Sardinië na.

Het eind van de Franse overheersing begon na Napoleons tocht naar Rusland. Joachim Murat en Eugène vergezelden hem daarbij. Tijdens die veldtocht deserteerde Murat: hij sloot zich bij de Oostenrijkers aan en had een aandeel in de nederlaag van Eugène de Beauharnais.

Hoewel het Franse bewind in Italië belangrijke en vergaande hervormingen heeft gebracht, heeft het ook de stoot gegeven tot de opkomst van geheime nationalistische genootschappen, vooral vanaf 1812. De verdeeldheid over het voortduren van Eugènes heerschappij heeft de Oostenrijkers geholpen bij hun bezetting: de opstand gaf maarschalk Bellegarde de kans Milaan zonder veel problemen te bezetten.

*Lodewijk XVIII van Frankrijk.*

## Terugkeer naar Ancien Régime

PARIJS, 4 juni - De Charte constitutionnelle (grondwet), waarop Frankrijk sinds de terugkeer van Lodewijk XVIII, ruim een maand geleden, wachtte, is vandaag openbaar gemaakt. Lodewijk, 'in het negentiende jaar van mijn bewind', erkent voor een deel de verworvenheden van de revolutie en het keizerrijk, in het bijzonder de door Napoleon ingestelde, sterk gecentraliseerde bestuursvorm. Verworven titels en bezittingen mogen ook behouden worden.

Op andere punten echter betekent de nieuwe grondwet een terugkeer naar het Ancien Régime, de tijd vóór de revolutie: het katholicisme wordt weer staatsgeloof, clerus en adel krijgen een aantal voorrechten terug.

Het kiesstelsel (men moet 300 F belasting betalen om te kunnen stemmen, en 1000 F om zich verkiesbaar te kunnen stellen) houdt in, dat voornamelijk grootgrondbezitters en de rijke adel in de Kamer van Afgevaardigden kunnen komen. Van het Hogerhuis, naar Engels voorbeeld Chambre des Pairs genoemd, worden de leden door de koning aangewezen. Dat lidmaatschap geldt voor het leven en is erfelijk.

De koning behoudt nog heel wat rechten voor zichzelf. Zo moeten wetten bijvoorbeeld wel door de twee Kamers worden aangenomen, maar de koning moet ze bekrachtigen. Hij is ook de enige die wetsontwerpen mag indienen. Artikel 14 van de nieuwe grondwet stelt de koning bovendien in staat te regeren door middel van ordonnanties (verordeningen), waarbij hij het parlement in het geheel niet nodig heeft. De koning benoemt ook de ministers, die tegenover hem en niet tegenover het parlement verantwoordelijk zijn. De vorst kan het parlement naar goeddunken bijeenroepen of ontbinden.

De grondwet is zichtbaar een compromis tussen wat de rechtse ultra's (onder wie de eigen broer van de koning, de graaf van Artois, die tot luitenant-generaal van het koninkrijk is benoemd) willen en wat de meer liberaal georiënteerde Senaat, in samenwerking met Talleyrands voorlopige regering, had voorbereid.

## Flinders noemt vijfde continent Australië

LONDEN, 19 juli - Het vijfde continent heeft een naam gekregen: op de dag van zijn dood is van de Britse zee- en ontdekkingsreiziger Matthew Flinders een verslag gepubliceerd over diens tocht rond het continent die hij in de jaren 1801 tot 1803 heeft gemaakt, en dat hij de titel *A Voyage to Terra Australis* heeft meegegeven. Hij heeft het boek pas nu kunnen publiceren, omdat hij jarenlang door de Fransen op Mauritius is vastgehouden.

Flinders is in 1795 naar New South Wales gekomen en verkende eerst de omgeving van Botany Bay, waar in 1788 de eerste Britse gevangenen aan land waren gebracht (de Britten vinden dit continent een geschikte plek om gevangenen te huisvesten, omdat het ver van de beschaafde wereld ligt en ontsnapping erg moeilijk is). In 1798 zeilde Flinders vervolgens om het 'Van Diemensland', daarmee bewijzend dat het een eiland is. Na zijn tocht rond 'Australië' werd hij op de terugreis naar Engeland door averij gedwongen het Franse eiland Mauritius aan te doen, waar hij bijna zeven jaar heeft vastgezeten. Voor zijn vrijlating in 1810 moest hij zich verplichten niet tegen Frankrijk te vechten.

## Jackson onderwerpt Creek-Indianen

FT. JACKSON, 9 augustus - De Creek-Indianen van Georgia en Alabama hebben hun bondgenootschap met de Britten duur moeten bekopen: de oorlog die ze vijf maanden lang tegen de Verenigde Staten hebben gevoerd en die is uitgemond in een desastreuze nederlaag tegen de militiegroepen van Andrew Jackson bij Horseshoe Bend (eind maart), hebben hen nu genoodzaakt een wurgverdrag met Jackson te tekenen. Twee derde van hun grondgebied moeten ze afstaan aan de federale overheid in Washington, wat neerkomt op een vijfde deel van het grondgebied van de staat Georgia en drie vijfde deel van het Alabama-territorium. Een immens gebied is daarmee voor blanke vestiging vrijgekomen. Ook Andrew Jackson kan tevreden zijn: met zijn oorlog tegen de Creeks heeft hij voor zichzelf een reputatie opgebouwd van de 'held van het westen'.

Drie jaar geleden kregen de Creeks in het Alabama-territorium bezoek van de Indianenleider Tecumseh, die blijkbaar hun steun wilde verwerven voor zijn stammenverbond. Onder invloed van Tecumseh kwamen zo'n tweeduizen Creek-krijgers, de 'Red Sticks', vorig jaar in opstand. De oorlog brak in alle hevigheid uit toen de Creeks in de zomer van vorig jaar een aanval uitvoerden op Ft. Mims op de oostelijke oever van de Alabama. Van de 550 mensen die het fort bemanden, werden er 250 afgeslacht en vele anderen verbrand. Andrew Jackson, generaal-majoor van de militie in Tennessee, trommelde daarop tweeduizend vrijwilligers op; ook in Georgia en het Mississippi-territorium werden er vrijwilligerslegers geformeerd.

Na reeksen schermutselingen waarbij zeer veel slachtoffers vielen, stootte Jackson dit voorjaar met zijn troepen tot in het hart van het Creek-gebied door. Eind maart voerde hij aan het hoofd van zijn drieduizend man sterke leger een aanval uit op de stellingen van de Creeks en hun bondgenoten, de Cherokee, bij Tohopeka (Horseshoe Bend) in Alabama. Deze slag liep uit op een grote nederlaag voor de Indianen en hun opperhoofd Red Eagle: naar schatting zijn tussen de 850 en 900 krijgers gesneuveld en zijn er zo'n 500 vrouwen en kinderen gevangengenomen. Aan Amerikaanse kant waren er relatief weinig slachtoffers te betreuren, 51 doden en 148 gewonden, hoewel de blanke troepen gekweld werden door dysenterie, onvoldoende bevoorrading en deserties.

De oorlog tegen de Creeks heeft Andrew Jackson geen windeieren gelegd: zijn naam ligt op ieders lippen en inmiddels is hij gepromoveerd tot generaal-majoor van het reguliere leger.

# Washington geplunderd

*e verwoesting van de stad Washington door de Britten.*

ASHINGTON, 27 augustus - De urgerbevolking van Washington is nthutst en des duivels: enkele Britse enheden onder leiding van generaal obert Ross en schout-bij-nacht Sir eorge Cockburn zijn de afgelopen agen de hoofdstad binnengetrokken hebben het Capitool, het Witte uis, alle ministeries, enkele particu ere woningen en het kantoor van de ational Intelligencer in brand ge oken. De schade wordt geschat op eer dan anderhalf miljard dollar.
e Britten hebben bij hun plunder cht door de stad geen enkele hinder an Amerikaanse militairen onder onden: het door paniek bevangen le er is samen met regeringsfunctiona ssen naar Virginia gevlucht. Twee agen geleden hebben de Britten hun amp opgebroken en zijn richting Bal more getrokken. President Madison enkele leden van zijn kabinet zijn in iddels in Washington teruggekeerd. nder druk van een ziedende burgerij militie is minister van Oorlog rmstrong vervangen door James lonroe, die die functie moet combine n met zijn ministerschap van Buiten ndse Zaken.
e brandstichting in Washington rmt onderdeel van een Britse 'aflei ingsmanoeuvre' ter ondersteuning an hun leger in Canada. De opdracht an de bevelvoerders luidt 'zoveel ste en en districten langs de kust te vernie gen als u doenlijk voorkomt'.
e Amerikaanse generaal William Vinder verzamelde in aller ijl troepen m de Britse opmars te stuiten. Hij kon iteindelijk beschikken over een troe enmacht van ongeveer 7000 man (van ie overigens maar een paar honderd eguliere soldaten). Met dit leger haast te Winder zich op 24 augustus naar ladenburg, gevolgd door president ladison en de meeste leden van het ka inet. Ondanks hun numerieke over richt werden ze daar door 3000 Britse

soldaten op de vlucht gejaagd en moes ten ze zich terugtrekken in George town. Nadat de Britten vervolgens nog een eenheid van 400 mariniers aan de rand van het District of Columbia had den verslagen, konden ze zonder ver der verzet naar de hoofdstad Washing ton oprukken.

## Anti-Turks genootschap in Griekenland

ODESSA, 31 december - In de Russi sche havenplaats Odessa hebben Grie ken het afgelopen jaar een geheim anti Turks genootschap opgericht. De lei ding van dit Genootschap van vrien den, het 'Filiki Hetairia', berust bij de welgestelde Griekse hertog Giovanni Kapodistrias, een intimus van de Rus sische tsaar Alexander I.
Het onlangs opgerichte Genootschap van vrienden is niet de eerste organisa tie die de strijd poogt aan te binden met het Osmaanse gezag in Griekenland, een overheersing die al sinds 1453 duurt.
Met name onder invloed van de Franse Revolutie en de ideeën van de Verlich ting heeft het verzet tegen de Turken aan kracht gewonnen. De onvrede over de Osmaanse onderdrukking van Griekenland manifesteert zich de laat ste jaren in bredere kring. Niet alleen onder de gegoede burgerij maar vooral onder de lokale bevolking, die in groepjes onder leiding van 'kapeta nios' opereert.
In het Filiki Hetairia zijn echter nau welijks representanten van dit klassie ke lokale verzet betrokken. Het ge nootschap borduurt vooral voort op de burgerlijke oppositie tegen het Osmaanse gezag uit de vorige eeuw. De bekendste 'revolutionair' uit die kring was de in 1757 in Thessalië geboren Rhigas Velestinlis, alias Rhigas Ferai os. Zijn *Ephimeris* (Revolutionaire traktaten) en *Thourios* (Oorlogshym ne) uit 1797 hadden ideologische bete

kenis omdat Rhigas Feraios daarin voor het eerst de noodzaak van een ge welddadige opstand koppelde aan de wenselijkheid om het aldus bevrijde Griekenland te stoelen op een grond wet naar Frans model.
Nog geen jaar na de *Thourios* kwam Rhigas Feraios om het leven. In Triëst werd hij in december 1797 gearres teerd, met duizenden manifesten in zijn bagage. De Oostenrijkse autoritei ten leverden hem uit aan de Turken. Zijn doodgemartelde lichaam werd vervolgens in juni 1798 opgedregd uit de Donau.
Vorig jaar werd een volgende poging ondernomen om het verzet tegen de Turken op het organisatorische vlak enige ruggegraat te bieden, zij het dat die vooral cultureel van aard was (de Sociëteit van Vrienden van de Muzen). Het nu opgerichte Genootschap van Vrienden heeft weliswaar een politiek karakter, maar beschikt allerminst over een coherente ideologie.
Het geheime ledenbestand van het Ge nootschap is nog klein en eenzijdig van samenstelling. Het Filiki Hetairia heeft nog geen duizend aanhangers. Ruim de helft van hen zit in de handel. Voorts bestaat het genootschap uit welgestelde burgers als advocaten, le raren, doktoren (tien procent), pro vinciale notabelen, met name op het schiereiland Peloponnesos, geestelijke leiders en kapetanios. Van het genoot schap maakt slechts een twintigtal boe ren en ambachtslieden deel uit.

*Vergadering van de Indiaanse stamhoofden in Wisconsin (augustus 1825).*

# Amerikaanse vrede in Gent

GENT, 24 december - Engeland en de Verenigde Staten hebben op kerst avond in het Belgische Gent vrede ge sloten. De oorlog die in 1812 was be gonnen, is hiermee beëindigd. Beide landen zijn overeengekomen dat de si tuatie van voor het uitbreken van de oorlog moet worden hersteld.

De oorlog heeft voor de Verenigde Sta ten ingrijpende gevolgen gehad. In de zomer van dit jaar raakten steeds meer Amerikanen ervan overtuigd dat er vrede met Engeland gesloten zou moe ten worden. De Federalisten hadden zich altijd al verzet tegen 'mister Madi son's war'. Maar ook de Republikei nen, die vreesden dat een nederlaag te gen de Engelsen hen politiek vleugel lam zou maken, zagen nu de voordelen van een vredesverdrag. Militair hiel den beide landen elkaar in evenwicht, maar door de nederlaag van Napoleon in Europa zou de balans wel eens in het voordeel van de Engelsen kunnen doorslaan. Groot-Brittannië kon zich nu immers volledig op de oorlog met de vroegere koloniën richten.
Terwijl de vredesonderhandelingen in Gent gaande waren, werd er in het En gelse kabinet nog gedebatteerd over de vraag of men zich nu met de Verenigde Staten moest verzoenen of dat men zou proberen de oude koloniën te verove ren. Castlereagh, de Engelse minister van Buitenlandse Zaken, wilde de oor log beëindigen. Het Britse volk was volgens hem oorlogsmoe en een over winning op de Amerikanen zou te gro te verliezen met zich brengen. Boven dien dreigde er een conflict met Rusland. Castlereagh wist het kabinet te overtuigen: men zag af van verdere oorlogvoering.
De Amerikanen hebben door de oor log een sterkere nationale identiteit verkregen. Hoewel de Noordameri kaanse nijverheid een periode van bloei beleefde, geraakten 's lands fi nanciën door de oorlog in wanorde. Het noord- en het zuidwesten van het continent kunnen nu echter gemakke lijk worden gekoloniseerd omdat veel Indianenstammen (waaronder die van Tecumseh) die aan de zijde van de En gelsen hebben gevochten, tijdens de oorlog een aantal grote nederlagen hebben geleden.

# Geheim verdrag tegen Rusland en Pruisen

WENEN, 3 januari - Oostenrijk, Engeland en Frankrijk hebben op het Congres van Wenen een geheim verdrag gesloten tegen Rusland en Pruisen. Metternich, Castlereagh en Talleyrand beloven elkaar plechtig om desnoods gewapenderhand te voorkomen dat de zogenaamde 'Pools-Saksische kwestie' in het voordeel van de Russische tsaar en diens bondgenoot, de koning van Pruisen, zal worden beslist. De voorspelling die de Franse afgevaardigde Talleyrand in oktober vorig jaar heeft gedaan lijkt uit te komen: 'Het diner loopt ten einde, ik vrees alleen dat we kanonskogels als dessert krijgen.'

Het Congres van Wenen kwam op 18 september bijeen om de staatkundige toestand in Europa na de val van Napoleon te ordenen. Dat bleek een zware opgave omdat de belangen van de grote Europese staten nogal uiteenliepen. De meeste landen wilden wel een restauratie van de oude regimes in de voormalige Napoleontische vazalstaten, maar vele wilden ook territoriale gebiedsuitbreiding.

Een van de eerste strijdpunten die op de agenda stonden was de 'Pools-Saksische kwestie'. Pruisen had zijn oog laten vallen op Saksen en de Russische tsaar wilde de Poolse delingen ongedaan maken en het herstelde koninkrijk Polen in een personele unie met het Russische keizerrijk verenigen. Dit zou een ernstige aantasting van de positie van Oostenrijk in Midden-Europa betekenen. Om de uitbreiding van de Russische invloed te keren moest Metternich de andere Europese machten tegen de tsaar opzetten.

*Napoleon ziet vanaf Elba toe hoe Alexander I, Frans I en Frederik Willem III Europa opnieuw aan het verdelen zijn.*

Dit doel probeerde hij niet alleen langs diplomatieke weg te bereiken; Metternich paste ook een vertragingstactiek toe die de Fürst von Ligne het commentaar ontlokte: 'Le congrès danse, mais ne marche pas.' Elk bal en ieder concert waarmee de Oostenrijkse ceremoniemeester zijn hoge gasten afleiding bezorgde, leverden Oostenrijk tijdwinst op. Deze tijd gebruikte Metternich om Pruisen voor zijn zaak te winnen. Van de steun van Frankrijk, waar na de val van Napoleon de Bourbons waren hersteld, waren de Oostenrijkers al verzekerd.

Talleyrand greep iedere vorm van onenigheid tussen de vier geallieerden aan om de Franse positie in Europa te verbeteren. Engeland koos de zijde van Oostenrijk omdat verdere Russische gebiedsuitbreiding de zo moeizaam bevochten Europese 'balance of power' in gevaar zou brengen. De 'werkwijze' van het Congres is hiermee goed geïllustreerd: weinig plenaire vergaderingen, veel onderlinge afspraken.

Ondanks al zijn raffinement slaagde Metternich er echter niet in om Pruisen van Rusland los te weken. Omdat de Pruisische koning Frederik Willem III voor zijn pogingen om Saksen te verwerven meer steun van Rusland dan van Oostenrijk verwachtte, haalde hij met de woorden 'Je ferai comme l'Empereur Alexandre' een streep door de rekening van Metternich.

# Britten verpletterd ná vredesverdrag

NEW ORLEANS, 8 januari - De grootste overwinning te land die de Verenigde Staten in hun oorlog met Engeland hebben behaald, is twee weken na de ondertekening van de vrede van Gent gerealiseerd en heeft daardoor geen gevolgen meer kunnen hebben op de uitkomst van de oorlog: de strijd om New Orleans. Deze strijd heeft de nationale trots hersteld en Amerika een nieuwe militaire held opgeleverd: Andrew Jackson.

Het is allemaal begonnen toen een grote Britse vloot met 7500 veteranen van de Napoleontische Oorlogen onder leiding van Sir Edward Pakenham op 26 november vorig jaar Jamaica verliet en door de Golf van Mexico voer voor een aanval op New Orleans, met de bedoeling het strategisch belangrijke Mississippidal in handen te krijgen. Toen generaal Andrew Jackson, commandant van het zuidwestelijke leger, dit bericht ter ore kwam, trok Jackson met zijn troepen naar New Orleans waar hij vervolgens de noodtoestand uitriep (15 december).

Pakenham had voor het ontschepen van zijn troepen een hele week nodig. Na enkele eerste schermutselingen is hij vanmorgen met een troepenmacht van 5300 man zijn aanval op New Orleans begonnen. Jackson beschikte over 4500 soldaten, onder wie vele voortreffelijke scherpschutters, gewapend met lange geweren, uit Tennessee en Kentucky, en volgelingen van de Franse piraat Jean Lafitte. Onder een vernietigend geweer- en artillerievuur van Jacksons manschappen hebben de Britten tot twee maal toe een aanval ondernomen, maar ze werden kansloos neergehaald en door de Amerikanen teruggedreven.

De strijd heeft niet langer dan een halfuur geduurd. Generaal Pakenham en twee andere Britse generaals zijn gesneuveld. De Britten telden maar liefst 2036 doden en gewonden; aan Amerikaanse zijde zijn er slechts acht doden en dertien gewonden gevallen. Generaal John Lambert heeft zich inmiddels met de rest van de Britse troepen teruggetrokken.

*Napoleon keert naar Frankrijk terug na zijn ontsnapping van Elba.*

# Napoleon weer in Parijs

PARIJS, 20 maart - Napoleon is Parijs binnengetrokken. Twintig dagen geleden is hij, na zijn ontsnapping van Elba, bij Golfe-Juan aan de Franse zuidkust aan land gegaan. Zonder dat er ook maar één schot hoefde te worden gelost, kon de Franse keizer vervolgens Parijs en de Tuilerieën binnentrekken. Zijn prestige bleek nog groot genoeg te zijn om voldoende aanhangers op de been te krijgen en de doortocht van het leger mogelijk te maken. Napoleon heeft mede gebruik kunnen maken van de ontevredenheid die, na een eerste periode van onverschilligheid of zelfs opluchting, door het bewind van Lodewijk XVIII teweeggebracht is. Dat geldt vooral voor de lagere standen, en degenen die tot Napoleons Grote Leger behoorden. Officieren zijn ontslagen. De belastingen zijn, in tegenstelling tot vroegere beloften, niet verlaagd. De armoede is nog groot. Daar komt bij dat de keizer juist bij die bevolkingsgroepen altijd erg populair is geweest.
Het is de vraag of Napoleon de notabelen mee kan krijgen. Op het internationale vlak is hij vogelvrij verklaard. Het

Congres van Wenen zal zijn bewind op geen enkele manier erkennen.
In afwachting van de dingen die gaan komen, is Lodewijk XVIII in elk geval naar Gent gevlucht. Napoleon heeft zijn intrek genomen in het Elyséepaleis bij de Champs-Elysées.

*De landing van Napoleon bij Cannes.*

# Galjoenvaart is ten einde

MANILA, 23 april - Door proclamatie van een koninklijk decreet is een einde gekomen aan de galjoenvaart op Mexico, een handelssysteem dat ruim twee eeuwen lang het economische leven op de Filippijnen heeft beheerst.
Het ontstond in de laatste decennia van de 16de eeuw, aan het begin van de Spaanse kolonisatie van de archipel. Produkten uit China vonden toen op grote schaal hun weg naar Spanjes Amerikaanse bezittingen. De handelaren van Cádiz en Sevilla protesteerden heftig tegen deze concurrentie en koning Filips II besloot de Filippijnse handel te beperken.
Vanaf 1593 mochten er per jaar slechts één of twee galjoenen met een beperkte tonnage naar de Mexicaanse haven Acapulco uitvaren. De handel vond plaats onder staatstoezicht en bepaalde categorieën burgers (ambtenaren, weduwen van Spanjaarden, soldaten, geestelijken) kregen het recht een deel van de laadruimte van een galjoen te gebruiken. Ze kregen zogenaamde boletas, laadcoupons die door handelaren werden opgekocht.
In de praktijk werd door de wijdverspreide corruptie onder ambtenaren de beperking in tonnage op grote schaal ontdoken.
Door de galjoenvaart ging alle aandacht uit naar de handelsactiviteiten in Manila, waarvan slechts een zeer klein deel van de bevolking profiteerde; de ontwikkeling van de provincies werd verwaarloosd, terwijl de overheersende contacten met Amerika de Filippijnen isoleerden van de rest van Azië. Aan het eind van de vorige eeuw voerde men hervormingen door. Er werd een compagnie opgericht om rechtstreeks handel met Spanje drijven; nieuwe produkten (tabak, koffie, hennep) werden geïntroduceerd en er werd een nijverheid op poten gezet. Het staken van de kwijnende galjoenvaart betekent niet dat de Filippijnen nu opengesteld worden voor buitenlandse handelaren; het Spaanse monopolie blijft bestaan.

# Teleurstelling over beperkte Duitse Bond

WENEN, 8 juni - 'De soevereine vorsten en vrije steden van Duitsland verenigen zich in een duurzame bond, die de Duitse Bond zal heten.' Zo luidt het eerste artikel van de oprichtingsakte van de Duitse Bond. De akte is in Wenen ondertekend door 39 Duitse landen.
De oprichting van de Duitse Bond betekent niet dat de aangesloten vorsten hun onafhankelijkheid (opnieuw) verliezen. De vorsten kunnen over hun binnen- en buitenlandse aangelegenheden vrijwel autonoom beslissen. Alleen waar het militaire bondgenootschappen betreft is de vrijheid beperkt. De lidstaten verplichten zich namelijk geen bondgenootschappen te sluiten die de veiligheid van een andere bondsstaat in gevaar brengen. Wanneer een der lidstaten wordt bedreigd, zijn de andere lidstaten verplicht de aangevallene te hulp te komen.
Dat de politiek van de Duitse Bond hiertoe beperkt blijft, stelt velen teleur. In de bondsakte wordt niet gesproken over een munteenheid, een tolunie, een gemeenschappelijk leger of een hoger gerechtshof. Bovendien zijn de vorsten niet verplicht bepaalde politieke hervormingen door te voeren. Het enige artikel dat betrekking heeft op hervormingen stelt dat alle bondsstaten een grondwet zullen ontwerpen, die gebaseerd is op het principe van de standenvertegenwoordiging. Het wordt aan de vorsten zelf overgelaten hoe zo'n grondwet er zal komen uit te zien.
'Die Nation ist betrogen!' roepen diegenen die tegen de Franse overheersing hebben gevochten, zonder dat zij overigens een terugkeer van het absolute

*Freiherr Karl vom und zum Stein: 'De bondsakte is een gebrekkige wet'.*

vorstendom willen. De voormalige minister van Pruisen, Freiherr vom Stein, beoordeelt de bondsakte als 'een gebrekkige wet, waarvan slechts een zeer zwakke invloed ten goede kan worden verwacht'. 'Men moet hopen,' aldus vom Stein, 'dat de despotische principes, waarvan verscheidene vorsten zich nog niet hebben losgemaakt, langzamerhand onder druk komen te staan van de openbare mening, de vrije pers en het goede voorbeeld.' Vom Stein hoopt dat de koning van Pruisen dat goede voorbeeld zal geven door zijn onderdanen een 'wijze en weldadige grondwet toe te staan'.
De bondsakte is ondertekend door 39 landen. Dat betekent dat de indeling van Duitsland, zoals die in de Napoleontische tijd tot stand is gekomen, gehandhaafd blijft. In 1790 telde het Duitse Rijk nog 360 staten. De vorsten die inmiddels onteigend zijn, of afhankelijk geworden zijn van de 'grotere' vorsten, worden niet in ere hersteld.
Pruisen wordt naast Oostenrijk de grootste staat in de Duitse gebieden. Hamburg, Bremen, Lübeck en Frankfurt worden weer vrije steden.
De 39 lidstaten van de Duitse Bond zullen vertegenwoordigd zijn in de Bondsdag, die in Frankfurt am Main bijeenkomt en onder voorzitterschap van Oostenrijk staat.

# Metternich realiseert politieke plannen

*De deelnemers aan het Congres van Wenen, links (staande) Metternich.*

WENEN, 8 juni - Met de ondertekening van de 'Kongressakte', waarin de nieuwe grenzen van Europa zijn vastgelegd, is het Congres van Wenen besloten. De gastheren, keizer Frans I van Oostenrijk en zijn minister van Buitenlandse Zaken, Fürst Metternich, kunnen tevreden zijn. Gedurende meer dan een halfjaar is Wenen de diplomatieke hoofdstad van Europa geweest. Bovendien heeft Metternich, 'de koetsier van Europa', vele van zijn politieke plannen kunnen realiseren.

Ondanks zijn actieve deelname aan de vele festiviteiten van het Congres van Wenen, die hem de bijnaam 'prince papillon' bezorgde, verloor Metternich geen moment de politieke belangen van het Habsburgse Rijk uit het oog. Zijn hoogste doel was het creëren van een sterk Midden-Europa, geleid door Oostenrijk, dat iedere aanval van buitenaf zou kunnen weerstaan en elke interne opstand kon onderdrukken. Op de Europese landkaart tekende Metternich drie concentrische cirkels met Wenen als middelpunt. Het Habsburgse Rijk vormt de binnenste cirkel. Hiervan maakte hij een afgeronde staatkundige eenheid door perifere bezittingen als de Oostenrijkse Nederlanden te ruilen voor gebieden in Noord-Italië. De tweede cirkel omsluit geheel Italië en het Duitse Rijk. Zijn plan om alle Italiaanse staten onder te brengen in een 'Lega Italica', een confederatie onder 'protectie' van Oostenrijk, kon Metternich niet uitvoeren. Toch oefent Oostenrijk, de enige van de geallieerden die Italiaans gebied kreeg toebedeeld, in Italië een aanzienlijke invloed uit, alleen al omdat vele Italiaanse vorsten verwant zijn aan de Oostenrijkse Habsburgers.

Het Congres van Wenen heeft de drie aristocratische republieken Venetië, Genua en Lucca geëlimineerd, Piemonte versterkt en vóór alles de Oostenrijkse overheersing in Noord-Italië bevestigd.

Bepaald is dat de Oostenrijkse keizer Frans I koning wordt van Lombardije-Venetië, dat aldus deel gaat uitmaken van het Habsburgse Rijk. Het oude bisdom Trente wordt door Oostenrijk geannexeerd.

Koning Victor Emanuel I van Sardinië-Piemonte krijgt niet alleen Piemonte, maar ook Ligurië terug. Het hertogdom Parma is toegewezen aan Marie-Louise, Napoleons vrouw en dochter van Frans van Oostenrijk; na haar dood komt Parma aan het Huis Bourbon-Parma, dat voorlopig genoegen moet nemen met Lucca. De paus krijgt zijn verloren gebied terug en de vroegere koning Ferdinand IV van Napels mag als Ferdinand I van het koninkrijk der Beide Siciliën naar Na-

pels terugkeren.

Italië heeft bij de beraadslagingen op het Congres van Wenen geen belangrijke rol gespeeld. Zoals de oude Sardinische ambassadeur Joseph de Maistre het uitdrukte: 'Italië was het wisselgeld.' Het belangrijkste was Oostenrijk een sterk bruggehoofd te bezorgen en de Franse rol te beëindigen. Metternich was al twee jaar geleden met Engeland overeengekomen dat Oostenrijk het toenmalige koninkrijk Italië zou krijgen; de beloften aan Lombardije met betrekking tot vrijheid en onafhankelijkheid zijn al op de eerste dag van het congres zowel door keizer Frans als door de Britse minister Castlereagh gebroken. Frans vertelde de Milanese afgevaardigden zelfs dat zij 'beter kunnen vergeten dat zij Italianen zijn'.

Toch is niet elke wens van Frans in vervulling gegaan: de Pauselijke Staat, die hij ook opeiste, en Novara heeft Oostenrijk niet gekregen.

De Duitse staten werden op 8 juni van dit jaar samengevoegd tot de Duitse Bond, waarin Oostenrijk de macht met Pruisen moet delen. Maar Oostenrijk, de sterkste Duitse mogendheid, bekleedt als 'primus inter pares' het voorzitterschap van de Duitse Bond. Als buitenste cirkel zou het bondgenootschap tussen Oostenrijk, Pruisen en Rusland Europa moeten omsluiten. In eendrachtige samenwerking met Engeland en Frankrijk, dat is teruggedrongen binnen de grenzen die het in 1792 had, moet deze alliantie de herstelde absolutistische orde van Europa bewaken.

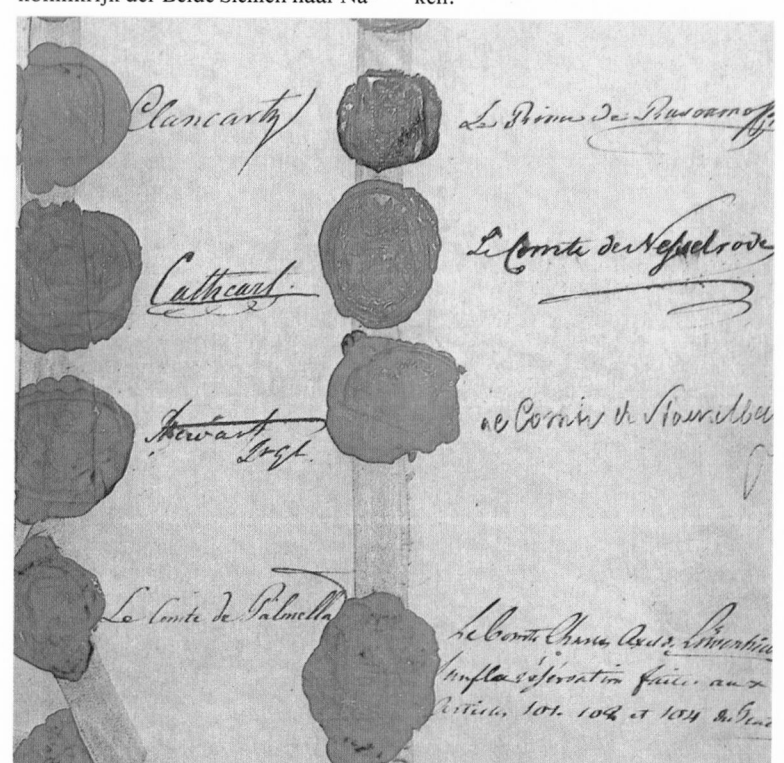

*De gezegelde en ondertekende oorkonde van het Congres van Wenen.*

## New England flirt met afscheiding

HARTFORD, 5 januari - De vrede met de Engelsen en de euforie over de triomf van Andrew Jackson in de slag om New Orleans hebben een abrupt einde gemaakt aan een geheime bijeenkomst van Federalistische tegenstanders van de oorlog. De 26 deelnemers aan deze 'Hartford Convention' - allen afgevaardigden uit staten in New England - hadden inmiddels voorstellen uitgewerkt voor veranderingen in de grondwet met de bedoeling de invloed van het Zuiden, en met name Virginia, in te perken. Radicale afgevaardigden hebben zelfs gepleit voor een afscheiding van de betrokken staten.

De conventie van Hartford is een duidelijk symptoom van de enorme verdeeldheid die de oorlog tegen Engeland in de Verenigde Staten heeft gezaaid. Het Federalistische New England heeft altijd een zwak gehad voor het Oude Engeland. In een tijd dat het moederland alles op alles moet zetten om een eind te maken aan het despotisme van Napoleon had, zo vinden de Federalisten, de VS te hulp moeten schieten in plaats van hem de oorlog te verklaren; de oorlog was een daad van lafheid van de Virginia-Republikeinen met hun pro-Franse sympathieën en de Republikein Madison was met die oorlog een feitelijk bondgenootschap aangegaan met 'de Corsicaanse slachter' en de Anti-Christ'. De Federalisten verzetten zich ook tegen de oorlog omdat ze het niet eens waren met de pogingen Canada te veroveren; de verovering van zo'n groot gebied zou alleen maar nog meer landbouwstaten aan de Unie toevoegen, wat de electorale positie van de Jefferson-Republikeinen slechts kon versterken.

De verbittering van de Federalisten in New England tegen 'Mr. Madisons War' heeft het noordoosten van de Verenigde Staten op de rand van landverraad gebracht. De geldmagnaten van New England hebben waarschijnlijk meer dollars uitgeleend aan de Britten dan aan de federale overheid in Washington; boeren uit New England hebben enorme hoeveelheden voorraden (waaronder veel vee) naar het noordelijke Canada gestuurd, wat het de Britten mogelijk heeft gemaakt New York binnen te vallen. De New-englanders die in Hartford hebben aangedrongen op afscheiding van de Unie, althans een aparte vrede met Engeland, zijn echter in de minderheid gebleven. De gematigden is het er slechts om te doen geweest New England zijn prominente plaats op het nationale podium terug te geven en de politieke invloed van de Federalisten te herstellen. Voor de Federalisten moet gevreesd worden dat in de euforie van de vrede en de overwinning de Hartford-voorstellen als een boemerang op hen zullen terugslaan.

# Waterloo ramp voor Napoleon

BRAINE-L'ALLEUD, 18 juni - Het Franse leger, onder aanvoering van Napoleon Bonaparte, is bij Braine-l'Alleud, drie kilometer ten zuiden van Waterloo, vernietigend verslagen door n gezamenlijke Engels-Pruisische legermacht. Napoleon is met het rest van zijn troepen bezig aan een chaotische terugtocht naar Frankrijk. Drie dagen geleden vielen de Fransen onverwacht België binnen en joegen bij Ligny de Pruisen op de vlucht. De Engelse troepen, onder leiding van Wellington, durfden de confrontatie niet aan en trokken vanuit Quatre-Bras terug, richting Waterloo. Gehinderd door de hevige regenval slaagde Napoleon er niet in de Engelsen te achterhalen. Gisteravond namen beide legers n zuiden van Waterloo hun stellingen , waarbij de Engelsen zich verschansten in een slot, Hougoumont, en twee versterkte boerderijen, La Haye Sainte en Papelotte. Wellington had van de Pruisische legeraanvoerder Blücher inmiddels bericht gekregen dat zijn troepen zich via een omweg bij de Engelse troepen zouden voegen. Met die wetenschap durfde Wellington de strijd aan te gaan.

Vanochtend bescheen een bleek zonnetje de zompige akkerlanden tussen beide legermachten. Overal waren soldaten, die door de stromende regen van de afgelopen nacht nauwelijks een oog dichtgedaan hadden en tot op het bot verkild waren, bezig vuurtjes aan te leggen om zichzelf te verwarmen, hun kleren te drogen en soep te maken.

Napoleon wilde in alle vroegte aanvallen, maar het drassige terrein maakte dat onmogelijk. Pas tegen halftwaalf oordeelden de Fransen het terrein gevechtsklaar en werd het sein tot de aanval gegeven. Een hevige strijd, die ruim acht uur zou duren, ontbrandde.

Op drie fronten werd hevig gevochten. Het lawaai van kanongebulder en rondvliegende kogels was oorverdovend; het gekerm van stervende soldaten en het paardegehinnik werden er volledig door overstemd. De kruitdampen maakten het terrein zeer onoverzichtelijk. Al spoedig werd duidelijk dat de Fransen niet hun verhoopte snelle doorbraak konden forceren. Met name de cavalerieaanvallen, die in de middag in hevigheid toenamen, strandden op een muur van Britse onverzettelijkheid. Tegen vier uur bereikten de Pruisen het strijdtoneel. Voor Napoleon was dat een onaangename verrassing; met hun komst had hij geen rekening gehouden.

Hoewel de Fransen er rond zes uur nog in slaagden La Haye Sainte te veroveren, konden zij daarvan niet voldoende profiteren. De strijd op meer fronten versnipperde hun krachten. Tegen zeven uur werden de elitetroepen door Napoleon ingezet voor een laatste wanhoopsaanval. Maar daarvan kwam niets terecht. Voordat de Fransen tot actie konden overgaan, werden ze vanuit het hoge graan door Engelse soldaten onder vuur genomen. Met de kreet 'sauve qui peut' sloegen de uiteengeslagen Fransen op de vlucht, achternagezeten door de nog betrekkelijk frisse Pruisen. Napoleon wist op het nippertje uit de greep van zijn achtervolgers te blijven. Om halftien 's avonds hebben de overwinnaars, Wellington en Blücher, elkaar ontmoet in La Belle Alliance, de herberg die tijdens de slag als Napoleons hoofdkwartier had dienst gedaan.

Het slagveld zelf, waarop zo'n 200 000 militairen strijd geleverd hebben, biedt een troosteloze aanblik. Overal liggen dode en gewonde soldaten en paardekadavers. Volgens een eerste schatting zijn er minstens 40 000 dodelijke slachtoffers, van wie het merendeel aan Franse zijde. Gezien het grote aantal zwaargewonde militairen zal dat aantal de komende dagen ongetwijfeld nog toenemen. Overigens lijkt met deze nederlaag het lot van Napoleon nu wel definitief bezegeld.

*De Engels-Pruisische legermacht maakt in de Slag bij Waterloo een eind aan Napoleons laatste ambities.*

*De laatste grote aanval van de eenheden van de alliantie tegen Napoleon.*

*Blücher (rechts) en Wellington begroeten elkaar na de overwinning.*

*Napoleon neemt gedwongen afscheid van Frankrijk.*

# Napoleon treedt weer af

PARIJS, 22 juni - Napoleon heeft voor de tweede keer afstand van de troon gedaan. De ex-keizer wordt verbannen naar het in de Atlantische Oceaan gelegen eiland Sint-Helena. De Slag bij Waterloo is hem fataal geworden. Napoleon hoopte nog vanuit Parijs de strijd tegen de vijandelijke mogendheden te kunnen voortzetten, maar de Kamer van Afgevaardigden wilde daar niets meer van weten.

Waterloo is voor de Fransen op een nachtmerrie uitgelopen. Het was een ware slachting, een van de bloedigste veldslagen van de afgelopen jaren. Er zijn tienduizenden doden gevallen. De 18de juni is in de Franse geschiedenis een zwarte dag geworden.

Napoleon weet dat het voor hem voorgoed afgelopen is. Ook het enigszins democratischer bewind dat hij gedurende deze 'honderd dagen' voerde, kan hem niet meer van de ondergang redden.

De slotakte van het Congres van Wenen, die op 9 juni door de grootmachten werd ondertekend en die bedoeld is om 'Frankrijk aan ketenen te leggen', kan met enige vertraging in praktijk gebracht worden. Frankrijk keert terug binnen de grenzen van 1789. Alle geografische én revolutionaire veroveringen worden tenietgedaan. Koning Lodewijk XVIII wordt binnenkort in Parijs terugverwacht. De Restauratie van het Franse koninkrijk kan nu echt beginnen.

# Unie Zweden en Noorwegen

OSLO/STOCKHOLM, 6 augustus - Vandaag is zowel in de Zweedse Rijksdag als in het Noorse Storting de Rijksakte aangenomen, die de personele unie tussen beide koninkrijken bekrachtigt. De landen hebben slechts de koning en de minister van Buitenlandse Zaken gemeen; verder zullen ze zelfstandig zijn en op voet van gelijkheid staan. Toch is het voor de Noren een achteruitgang: vorig jaar zijn ze een paar maanden helemaal onafhankelijk geweest.

De Noren hebben al een lange en bewogen geschiedenis achter de rug. In de 9de eeuw werd Noorwegen voor het eerst verenigd door Harald Harfagri ('Schoonhaar'). De Noorse Vikingen veroverden tijdens hun plundertochten de Orkaden, Shetland, de Färöer, IJsland en Groenland. Interne twisten deden ernstig afbreuk aan de politieke en economische machtspositie, die gaandeweg steeds meer door de Hanzesteden werd overgenomen. Na het uitsterven van de Ynglingen-dynastie werd Noorwegen eerst in een personele unie met Zweden en later ook met Denemarken (Unie van Kalmar, 1397) verenigd. In deze Unie maakten de Denen de dienst uit. Zweden wist in 1523 zijn onafhankelijkheid te verwerven. Toen Denemarken in 1536 probeerde Noorwegen het lutheranisme en de Deense taal op te dringen, waagden de Noren onder leiding van aartsbisschop Engelbrechtsson een poging de Noorse autonomie te herstellen. Dat mislukte; het Noorse koninkrijk werd opgeheven en het land werd een Deense provincie.

In de 16de en 17de eeuw bloeide de Noorse handel, vooral dank zij de export van hout, vis, koper en ijzer. Maar Noorwegen had veel te lijden van de Deens-Zweedse oorlogen en er ontstonden spanningen met de Denen. In 1807 koos Denemarken de zijde va Napoleon, waarop de Engelsen ee zeeblokkade instelden. De Noorse eco nomie werd zwaar getroffen, afhanke lijk als ze was van de handel met Enge land en Nederland en van graanimpor ten. In 1808 en 1812 werd het land ge troffen door ernstige hongersnoder Door de isolatie groeide echter ook he nationale bewustzijn en de Noren be gonnen eisen aan de Denen te steller men wilde een eigen universiteit (di kwam er in 1813) en men wilde dat d pro-Franse politiek werd opgegever In een laatste poging de eenheid te rec den stuurde de Deense koning zijn nee Christiaan Frederik als stadhoude naar Noorwegen. Maar deze kon nie beletten dat het land in januari vori jaar aan Zweden werd overgedragen. De Noren (en Christiaan Frederik) wa ren niet van plan zich bij die overdrach neer te leggen. Noorse officierer kooplieden en boeren kwamen in apr in het stadje Eidsvoll bijeen en stelde een grondwet op: er moest een parle ment (Storting) komen die alle wetge vende macht bezat, de koning zo slechts een opschortend vetorecht be houden. Op 17 mei werd deze grond wet aangenomen en Christiaan Frede rik tot koning uitgeroepen. De Nore hoopten dat de mogendheden zich b dit feit zouden neerleggen.

Zweden wachtte niet af wat Europa e van zou vinden. Karel Johan viel in ju met een leger Noorwegen binnen. D Noren besloten daarop alsnog d Zweedse koning als soeverein te erke nen, mits hij de grondwet van mei (d meest liberale van Europa) zou respec teren. Op 4 november verklaarde h Storting dat Karel XIII 'unaniem to koning van Noorwegen was gekoze en erkend'. De vandaag aangenome Rijksakte heeft de personele unie n ook officieel vorm gegeven.

# Koning Joachim Murat terechtgesteld

NAPELS, 13 oktober - In Pizzo, niet ver van Napels, is koning Joachim Murat (Joachim I) van Napels geëxecuteerd, een dag nadat hij door een militaire rechtbank ter dood veroordeeld was.

De koning, die tijdens de Russische veldtocht van 1812 Napoleon in de steek liet en zich bij de Oostenrijkers aansloot, had dank zij die actie zijn koninkrijk behouden. Hij stelde de geallieerden zelfs een leger van 30 000 man ter beschikking en droeg bij tot de val van onderkoning Eugène van Italië. Na Napoleons ontsnapping van Elba, zijn landing in Frankrijk en zijn intocht in Parijs liep Joachim Murat dit jaar opnieuw over en sloot zich bij Napoleon aan.

Op 10 april verklaarde Oostenrijk Napels de oorlog wegens het bezetten van Rome, Florence en Bologna; op 3 mei werd Murats leger bij Tolentino door de Oostenrijkers verslagen. Een maand later bevond Murat zich in Lyon, op weg naar het noorden, toen hem het bericht van Napoleons nederlaag bij Waterloo bereikte. Daarop scheepte de Napolitaanse koning - door de bondgenoten was hem het recht op de troon ontnomen, door de Britten de toegang tot Engeland ontzegd, met een prijs op zijn hoofd - zich in naar Corsica.

Op Corsica kreeg de ex-koning gezelschap van een aantal sympathisanten, die hem overhaalden naar Napels te gaan om zijn koninkrijk te heroveren. Op 28 september zette hij koers naar Calabrië, met 250 man op zes schepen. Vier van de zes schepen werden door een storm uit de koers geslagen, één liet hem in de steek. Op 8 oktober landd Murat met 25 man op het strand va Pizzo. Van een herovering van Napel was geen sprake meer.

De ex-koning werd vrijwel onmidde lijk door de dorpelingen van Pizz overmeesterd. Op last van zijn in er herstelde voorganger Ferdinand I werd hij gisteren ter dood veroordeel en vandaag terechtgesteld.

In een laatste brief aan zijn vrouw Napoleons zuster Caroline, schree Murat: 'Ik laat u zonder koninkrijk e zonder middelen achter te midden va vijanden; toont u superieur aan het or geluk, denkt aan wat u bent en gewees bent en God zal u zegenen. Vervloe mijn herinnering niet. Ik verklaar da mijn grootste pijn in de laatste oger blikken van mijn leven is ver van mij kinderen te sterven.'

*Villem I op weg naar zijn inhuldiging voor de Staten-Generaal in Brussel.*

# Onvrede over hereniging

BRUSSEL, 21 september - Voor de Staten-Generaal te Brussel heeft koning Willem I vandaag de eed afgelegd op de nieuwe grondwet. De Noordelijke en Zuidelijke Nederlanden zijn verenigd in één koninkrijk, maar de stemming in Noord en Zuid is verdeeld. Om de Belgen gunstig te stemmen is besloten het ceremonieel gebeuren in Brussel te laten plaatsvinden. Het is echter niet waarschijnlijk dat daarmee de reserves in het Zuiden tegen de opgelegde hereniging zijn weggenomen.

Tijdens de voorbereiding van het feestelijk vuurwerk werden door een ongeluk een man gedood en twee kinderen zwaar gewond. In de volksmond heet het dat 'het ryk van Willem is met ongelukken begonst; het zal ook met ongelukken eyndigen.'

De geestelijkheid in het Zuiden is tegen de gelijkstelling van het katholicisme met de andere godsdiensten. Sinds de Bataafse tijd zijn in de Noordelijke Nederlanden alle godsdiensten voor de wet gelijk. Koning en ministers hebben steeds gezegd daarom niet tegemoet te kunnen komen aan de wensen van de geestelijkheid in het Zuiden, te meer daar er afspraken gemaakt zijn met de grote mogendheden over de vrijheid van godsdienst. De Gentse bisschop De Broglie cum suis heeft gedreigd de sacramenten te onthouden aan degenen die de grondwet trouw zweren. In het katholieke Zuiden werd het prompt problematisch om voldoende volksvertegenwoordigers te vinden. Omdat een koning pas kan worden ingehuldigd als de Staten-Generaal volallig zijn, moest snel een oplossing

gevonden worden. Na koortsachtig overleg achter de schermen kwam als compromis uit de bus dat voor de katholieken de eed niet geldig zou zijn als de paus de grondwet zou veroordelen. Door dit compromis was het mogelijk op tijd voldoende parlementsleden te beëdigen, zodat de geplande feestelijkheden gewoon doorgang konden vinden.

Het Noorden brengt in het nieuwe huwelijk een schuld in van maar liefst 1250 miljoen gulden. De staatsschuld in het Zuiden bedraagt slechts 26 miljoen gulden. Vele Belgen hebben er grote bezwaren tegen voor de Hollandse schulden op te draaien. Ook is men in het Zuiden ontevreden over het feit dat beide delen van het koninkrijk in de Staten-Generaal met 55 zetels vertegenwoordigd zijn, terwijl er 3 208 000 Belgen en maar 2 miljoen Nederlanders geteld zijn.

De onvrede in het Zuiden blijkt uit het feit dat het merendeel van de 1604 stemgerechtigde Belgische notabelen tegen de nieuwe grondwet stemde, een aantal vanwege de geloofsartikelen. 'Zoo de waarheid niet verduisterd ware door eenige menschen, van welke de maatschappij integendeel het voorbeeld der Evangelische liefde en verdraagzaamheid verwagten mogt, zouden tenminste de gemelde stemmen zich gevoegd hebben bij de vijfhonderdzevenentwintig Notabelen, welke het ontwerp hebben goedgekeurd.' Na enig rekenwerk kwam het kabinet zo toch nog tot een meerderheid voor de nieuwe grondwet; niets stond de Brusselse plechtigheid meer in de weg.

**16 januari.** De kolonie Brazilië wordt een koninkrijk binnen het 'Verenigd Koninkrijk Portugal, Brazilië en de Algarve'.

**9 februari.** In Sint-Petersburg wordt door jonge liberale gardeofficieren een geheim politiek genootschap opgericht: de 'Bond der redding'. →

**27 februari.** In Rome gaat de nieuwe opera van Rossini, *De Barbier van Sevilla*, in première. →

**20 maart.** Johan I wordt koning van Portugal nadat zijn krankzinnige moeder Maria I, voor wie hij al regent was, overlijdt. Johan zal in Rio de Janeiro blijven wonen.

**26 maart.** Thomas Stamford Raffles neemt afscheid als luitenant-gouverneur van Java. →

**5 mei.** Groothertog Karl August van Saksen-Weimar geeft zijn land een grondwet.

**21 juni.** De Nederlanden sluiten zich aan bij de Heilige Alliantie.

**26 juni.** Een uitzonderlijk slechte zomer veroorzaakt misoogsten in het noordoosten van de Verenigde Staten en grote delen van Europa. Klimatologen veronderstellen dat het koude weer veroorzaakt wordt door de uitbarsting van de Tombora-vulkaan in april 1815. →

**9 juli.** Op het Congres van Tucumán verklaren de Verenigde Provinciën van Rio de la Plata [Argentinië] zich onafhankelijk van Spanje. →

**8 augustus.** Beieren sluit zich aan bij de Heilige Alliantie.

**4 december.** James Monroe wordt tot vijfde president van de Verenigde Staten gekozen. →

**11 december.** Indiana wordt een staat van de Verenigde Staten.

**December.** De Britten geven Java terug aan de Nederlanden.

- Nikolai Karamzin begint met het schrijven van *De geschiedenis van de Russische staat*.

- Samuel Taylor Coleridges *Kubla Khan*, geschreven in 1797, wordt gepubliceerd.

- Karl Friedrich Schinkel trekt in Berlijn de aandacht met zijn enscenering van de opera *Die Zauberflöte* van W.A.Mozart. →

- Alexander von Humboldt voert het begrip 'isotherm' in. Hiermee wordt hij de grondlegger van de vergelijkende klimatologie.

- In Berlijn wordt de opera *Undine* van Ernst Theodor Hoffmann voor het eerst uitgevoerd.

- Benjamin Constant schrijft *Adolphe*. →

- Karl von Clausewitz, Pruisisch strateeg, begint aan het schrijven van zijn hoofdwerk *Vom Kriege*.

# Bond strijdt voor hervorming in Rusland

SINT-PETERSBURG, 9 februari - Jonge adellijke gardeofficieren hebben een geheim genootschap opgericht, de 'Bond der Redding', dat zich wil inzetten voor de opheffing van de lijfeigenschap en de invoering van een constitutionele monarchie. De aanvoerder van de officieren is Alexander Moeravjov, die de politieke en maatschappelijke problemen van zijn land in de geest van de ideeën van de Franse Revolutie wil oplossen.

Door de Napoleontische oorlogen zijn de officieren in aanraking gekomen met de filosofie van de Franse Revolutie. Velen van hen hebben in het buitenland politieke publikaties gelezen en zijn aanwezig geweest bij de debatten van volksvertegenwoordigingen. Ze strooien met citaten uit boeken van auteurs als J.L. Delolme, graaf A. Destutt de Tracy, Benjamin Constant, Gaetano Filangieri en baron Louis Bignon. Bij hun terugkeer in Rusland zijn ze geschrokken van het schrille contrast dat hun eigen land hun biedt: het arbitraire bewind van de tsaar, de misbruiken van de bureaucratie, de corruptie van de rechterlijke macht, de ellende van de lijfeigenen en het ontbreken van algemene onderwijsvoorzieningen.

De rebellerende Alexander Moeravjov en zijn medestanders hebben hun geheime genootschap georganiseerd naar het model van de vrijmetselaarsloges. Hun Bond van Redding onderscheidt zich vooral van de rebellieën die zich de vorige eeuw hebben voorgedaan, doordat nu voor het eerst leden van de maatschappelijke bovenlaag in Rusland radicale ideeën aandragen voor de economische, politieke en maatschappelijke stagnatie waar het rijk van tsaar Alexander I onder gebukt gaat.

*'Verlovingsfeest' (Michail Sjibanov).*

# 'De Barbier van Sevilla' gaat in première

ROME, 27 februari - In het Teatro Argentina te Rome is de afgelopen week de nieuwe komische opera van Gioacchino Rossini (1792), *Il barbiere di Siviglia* (De barbier van Sevilla), in première gegaan. De eerste uitvoering op 20 februari veroorzaakte een van de grootste schandalen die ooit in de operageschiedenis zijn voorgekomen; de 24-jarige Rossini had het gewaagd een opera te componeren op hetzelfde libretto als de zeer populaire Giovanni Paesiello (1741) enkele jaren geleden voor een gelijknamige opera had gekozen: men sprak van de grofst denkbare vorm van plagiaat! Bij de tweede uitvoering deze week liet het publiek zich echter toch bekoren door de schitterende muziek van Rossini, die men al kende van opera's als *La cambiale di matrimonio* (De huwelijksverwisseling, 1810) en *Tancredi* (1813). Binnen enkele dagen heeft Rossini in de volksmond de bijnaam de 'Italiaanse Mozart' gekregen. Dus toch een zeer groot succes.

Rossini heeft inderdaad een onderwerp gekozen dat de allergrootsten voor hem hebben beproefd: Wolfgang Amadeus Mozart (1756-1791) heeft de stof van het verhaal (naar Beaumarchais) in 1786 reeds bewerkt in zijn opera *Le nozze di Figaro* (De bruiloft van Figaro). Naar ieders oordeel heeft Rossini Mozart echter met zijn in nog geen twee weken geschreven opera buffa verre overtroffen; ten eerste omdat zijn libretto door de bewerking van Cesare Sterbini deugdelijker is geworden dan dat van Mozarts opera en ten tweede omdat hij de mogelijkheden die het verhaal biedt voor belcantozang en

*Schrijvers en componisten bij Rossini thuis. Rossini zelf staat helemaal links.*

virtuoze coloratuurtechniek, die de komische werking alleen maar kunnen versterken, ten volle heeft benut.

Het verhaal heeft de volgende inhoud: de oude arts Bartolo bewaakt argwanend en jaloers zijn welgeschapen en gefortuneerde nichtje Rosina, met wie hij wil trouwen. Er zijn echter nog andere kapers op de kust: de muziekleraar Basilio en graaf Almaviva. Op advies van de barbier Figaro dringt Almaviva als een gewonde soldaat het huis van dr. Bartolo binnen; zijn poging blijft zonder succes. Een andere keer vermomt hij zich als de muziekleraar die Basilio zou moeten vervangen. Bartolo merkt dat men hem Rosina wil ontnemen en gaat snel naar de notaris om het huwelijk te laten regelen; Almaviva is zojuist bij de notaris geweest, vermomd als Bartolo, en wordt met Rosina in de echt verbonden. Bartolo krijgt tot troost Rosina's bruidsschat, die hij echter met Figaro moet delen.

*Benjamin Constant.*

## Constant schrijft over Mme De Staël

PARIJS - Benjamin Constant heeft i[n] een roman, *Adolphe,* een nauwelij[ks] verhuld verslag gedaan van zijn be[r]faamde liaison met Madame De Staël De hoofdpersoon van het boek, dat ge[-] kenmerkt wordt door een psycholo[gi]sche benadering, is de jonge Adolphe die sterk beïnvloed wordt door zijn ver[-] houding met een vrouw met uitgespro[-] ken intellectuele opvattingen, en niet i[n] staat is zich aan de gewone conventie[s] van het dagelijks leven te conforme[-] ren. Hij gaat een liaison aan met Ellé[o]nore, maîtresse van graaf P-. De auteu[r] gaat uitvoerig in op de drijfveren va[n] Adolphe en laat zien hoe deze doo[r] schuldgevoelens geen eind kan make[n] aan de relatie.

## Misoogsten door vulkaanuitbarsting

VERMONT, 26 juni - De zomer in de Noordamerikaanse staat Vermont is bijzonder nat en koud. Volgens de *Connecticut Gazet* kunnen zelfs de oudste bewoners zich niet zo'n slechte zomer herinneren. Er ligt nog 30 cm sneeuw in de heuvels van Vermont. Een groot aantal schapen is door de aanhoudende kou omgekomen.

De mogelijkheid bestaat dat het abnormaal slechte zomerweer in verband staat met een uitbarsting van de Tombora-vulkaan op de Sumbawa-eilanden ten oosten van Java. Bij de eruptie, die vorig jaar april plaatsvond, werd een enorme hoeveelheid as de lucht in geslingerd. De stofsluier die hierdoor ontstond zou volgens de klimatologen verhinderd hebben dat gebieden op het noordelijk halfrond normaal werden verwarmd. In de desbetreffende streken ontwikkelde zich hierdoor een la-

gedrukgebied, dat voortdurend pola[i]re winden veroorzaakte.

Velen zijn de mening toegedaan dat d[e] slechte weersomstandigheden te wijte[n] zijn aan het toegenomen aantal zonne[-] vlekken, 'die de weldadige kracht va[n] de zon voor altijd tegenhouden'. Zi[j] beweren zelfs dat deze kosmische ver[-] schijnselen het einde van de werel[d] aankondigen.

Door het koude en natte weer mislu[k]ken de oogsten. Dit gebeurt niet allee[n] in het noordoosten van de Verenigd[e] Staten, maar ook in West- en Midde[n] Europa. In Frankrijk zijn de druive[n] ongekend laat rijp.

Maar veel gewassen zijn niet eens rij[p] geworden, waardoor de oogst grote[n] deels is mislukt. Het gevolg is dat d[e] voedselprijzen plotseling sterk zij[n] gestegen en voor velen de hongerdoo[d] dreigt.

*Een van de decorstukken die de Duitse architect en schilder Karl Friedrich Schinkel dit jaar heeft ontworpen voor de uitvoering van Mozarts 'Zauberflöte' in het Berlijnse Schauspielhaus: de ingang tot het paleis van de Koningin van de Nacht. Schinkel, sinds vorig jaar bouwmeester van Berlijn, begint een steeds grotere bekendheid te krijgen als decorontwerper en architect van classicistische bouwwerken. Hij heeft zijn eerste opleiding gehad in de werkplaats van de vroeg-classicistische David Gilly. Van 1803 tot 1806 heeft hij studiereizen naar Italië en Frankrijk gemaakt.*

# Afscheid Raffles van Java

BATAVIA, 26 maart - Met gloedvolle espraken en een feestelijke huldiging eeft Batavia afscheid genomen van homas Stamford Raffles, de bij de ollandse gemeenschap zeer populai-  Britse luitenant-gouverneur. Hij eeft grote verdiensten gehad voor het ulturele leven op Java en zette zich in oor de verbetering van het lot van de landbevolking. Maar de vele door em aangekondigde hervormingen erden niet of nauwelijks uitgevoerd  nog minder dan zijn voorgangers eek Raffles in staat Java winstgevend  maken.

affles, geboren in 1781, trad op jeug-ge leeftijd in dienst van de East India ompany en werd in 1805 uitgezonden aar Penang, een Britse kolonie voor  kust van het Maleise schiereiland. ij onderscheidde zich al snel van zijn ollega's en trok de aandacht van Lord linto, de gouverneur-generaal van dia, die hem opdracht gaf een invasie p Java voor te bereiden. De Britten aren bang dat na Napoleons inlijving n Holland de Fransen op Java een itvalsbasis voor een aanval op India uden vestigen.

 augustus 1811 verscheen een sterke ritse vloot voor Batavia, dat zich zon-r slag of stoot overgaf. Gouverneur-eneraal Janssens wist in het binnen-nd nog enige weken verzet te bieden aar moest uiteindelijk ook capitule-n.

e tot luitenant-gouverneur benoem- Raffles vond de meeste Nederlandse mbtenaren bereid tot samenwerking n begon op voortvarende wijze met et ontwerpen van bestuurshervor-ingen. Die zouden niet alleen het lot an de bevolking (volgens hem onder et Hollandse systeem genadeloos on-erdrukt) verbeteren, maar ook Java oor het eerst in jaren de kosten van het estuur laten opbrengen.

eneinde het door hem verafschuwde ysteem van herendiensten en gedwon-gen leveranties te kunnen afschaffen besloot Raffles tot de invoering van een 'landrente'. Hij ging ervan uit dat het gouvernement eigenaar was van alle gronden, waarvoor de dessabewo-ners pacht dienden te betalen. Deze be-lasting zou voor goede gronden de helft, voor slechtere gronden een kwart van de oogst gaan bedragen. De be-langrijke koffiecultures in de Preanger werden vrijgesteld van deze belasting. In de praktijk ontbrak het echter aan ambtenaren om het systeem naar be-horen uit te voeren.

Java werd verdeeld in 16 residenties, de macht van de inheemse regenten werd sterk beknot en met de vorsten van Solo en Jogya werd een nieuw verdrag gesloten. Sultan Sepuh van Jogya, die in 1808 door Daendels was afgezet maar bij de komst van de Britten de troon weer had beklommen, maakte zich echter op om zijn sterk geslonken macht te vergroten. De Britse luitenant-gouverneur strafte zijn uit-dagende houding radicaal af: Jogya werd bestormd, Sepuh verbannen en de schatkist geconfisqueerd. Tevens verloor Jogya, evenals het bij Sepuhs plannen betrokken Solo, een deel van zijn grondgebied. Raffles maakte ver-der een definitief einde aan het bestaan van de sultanaten Banten en Cirebon. De kosten van het bestuur stegen schrikbarend, de inkomsten stagneer-den en Raffles zag zich gedwongen zijn toevlucht te nemen tot de verkoop van gouvernementsgronden, waarbij zich onregelmatigheden schenen voor te doen. Beschuldigingen dienaangaan-de, gecombineerd met de voortdurende begrotingstekorten, brachten de direc-teuren van de East India Company er-toe Raffles terug te roepen. Bij het Con-gres van Wenen van 1815 was overigens al besloten de kolonie aan het jonge ko-ninkrijk Nederland terug te geven. Raf-fles' opvolger Fendall hoeft alleen zorg te dragen voor een goede overdracht.

*Ferdinand VII, sinds twee jaar weer koning van Spanje.*

# Vrijheid Rio de la Plata

BUENOS AIRES, 9 juli - De grond-wetgevende vergadering van de Ver-enigde Provincies van Rio de la Plata, die sinds maart in Tucumán bijeen is, heeft de onafhankelijkheid van het Spaanse onderkoninkrijk uitgeroe-pen. Juan Martín de Pueyreddón is al op 3 mei benoemd tot eerste leider van de nieuwe republiek. Een aantal pro-vincies, zoals Uruguay, Entre Rios, Santa Fe, Corrientes en Córdoba, heeft geen vertegenwoordigers naar de vergadering gestuurd. Paraguay heeft zich al op 14 augustus 1811 zowel van Spanje als van het onderkoninkrijk onafhankelijk verklaard.

Niet alleen door de binnenlandse on-enigheid wordt het voortbestaan van de nieuwe staat bedreigd. In Peru staat het Spaanse leger na de herovering van Chili (waar tussen 5 juli 1811 en 2 okto-ber 1814 sprake was van een onafhan-kelijke republiek) gereed om een po-ging te wagen de Andes over te trekken. In het noordwesten dreigt het Portuge-se leger vanuit Brazilië de strategisch belangrijke provincie Uruguay in te lij-ven. De belangrijkste taak van Juan Martín de Pueyreddón is dan ook het bewerkstelligen van binnenlandse een-heid en het weerstaan van de Spaanse en Portugese dreiging.

*Thomas Stamford Raffles, de Britse luitenant-gouverneur van Java.*

# Monroe president Verenigde Staten

*Monroe, Amerika's nieuwe president.*

WASHINGTON, 4 december - De Federalistische partij heeft bij de presidentsverkiezingen van dit jaar een zware tol moeten betalen voor haar verzet tegen de oorlog tegen de Engelsen: ze hebben met hun kandidaat, Senator Rufus King, een verpletterende nederlaag geleden tegen de Democratisch-Republikeinen die minister van Buitenlandse Zaken James Monroe in het veld brachten. Monroe heeft in alle staten, met uitzondering van Massachusetts, Connecticut en Delaware, gewonnen. Dat Monroe, die dank zij de steun van oud-president Jefferson ('Keer zijn ziel binnenste buiten en men zal geen vlekje vinden,' zei hij jaren geleden eens over Monroe) en aftredend president Madison de Republikeinse nominatie naar zich toe heeft weten te halen, de strijd met grote voorsprong zou winnen, was iedereen van meet af aan duidelijk; de Republikeinen hebben dan ook amper de moeite genomen campagne te voeren.

Met deze nederlaag lijkt de ondergang van de Federalistische Partij onafwendbaar te zijn geworden. De Federalistische teloorgang wordt door kenners toegeschreven aan hun onvermogen of onwil politiek adequaat te organiseren, aan hun gebrek aan overleg en partijdiscipline, en aan het ontbreken van een programma dat brede lagen van het electoraat aanspreekt, met name de boeren en kleine grondbezitters. Hun felle verzet tegen de oorlog van 1812 lijkt hun doodsklap te zijn geweest. Daar komt bij dat de Democratisch-Republikeinen veel van het economisch gedachtengoed van de Federalisten hebben overgenomen en in iemand als Thomas Jefferson een veel kundiger politiek leider hebben gehad dan de altijd met elkaar overhoop liggende Federalistische voormannen Alexander Hamilton en John Adams.

Hoewel het in brede kring, met name in de staat New York, wenselijk wordt geacht dat er aan de 'Virginia Dynastie' een eind komt, is deze wens vooralsnog geen werkelijkheid geworden: ook Monroe komt, net als drie van zijn vier voorgangers - Washington, Jefferson en Madison - uit Virginia.

---

# 1817

**Januari.** In Estland wordt lijfeigenschap afgeschaft. Met deze maatregel beginnen de boerenhervormingen die Rusland tot 1819 in de Baltische staten laat doorvoeren.

**Mei.** Zweden sluit zich aan bij de Heilige Alliantie.

**26 juni.** In Rotterdam worden op grote schaal winkels geplunderd. →

**25 juli.** De Servokroatische vrijheidsstrijder Karadjordje wordt op last van zijn tegenstander Milos Obrenović vermoord. Het Osmaanse Rijk erkent Obrenović als Servisch vorst en stemt toe in gedeeltelijke autonomie.

**Juli.** De Amerikaanse president Monroe maakt een rondreis door zijn land. →

**23 september.** In een verdrag met Groot-Brittannië stemt Spanje toe de slavenhandel te stoppen.

**5 oktober.** Verbijsterde Brusselaren stellen vast dat *Manneken-Pis* gestolen is. →

**18 oktober.** Tijdens het Wartburg Festival, ter herinnering aan de Reformatie en de Volkerenslag bij Leipzig, breken nationalistisch-liberale protesten van Duitse studenten uit. →

**30 oktober.** Simón Bolívar vestigt een onafhankelijk, niet-liberaal bewind in Venezuela.

**5 november.** De derde Mahrattenoorlog breekt in Brits-Indië uit.

**10 december.** Mississippi wordt tot de Unie toegelaten als een Amerikaanse staat.

**16 december.** Op het Molukse eiland Ambon wordt de leider van een opstand, Pattimura, geëxecuteerd. →

- David Ricardo, Brits econoom, publiceert zijn *Principles of Political Economy and Taxation*. →

- Carl Ritter, Duits geograaf, schrijft *Geografie in haar relatie tot de Natuur en de Geschiedenis*.

- Juan Antonio Llorente, voormalig secretaris van de inquisitie, begint aan het schrijven van zijn *Geschiedenis van de Inquisitie in Spanje*.

- Het *Essai sur l'indifférence en matière de religion* van de hand van Hugues Lamennais, Frans geestelijke en schrijver, is verschenen.

Gestorven:

**15 oktober.** Tadeusz Kościusko (12-2-1746), Pools vrijheidsstrijder →

---

# Hongeroproer in Europa

*De verkoop van een boerderij na gerechtelijke inbeslagneming.*

ROTTERDAM, 26 juni - In Rotterdam heeft een grote groep hongerige mensen aardappelkooplieden en bakkers aangevallen en hun hele handel gestolen. Het stadsbestuur zette mariniers in om het oproer te beteugelen, maar dezen konden niets uitrichten. Pas met de komst van honderd huzaren 'verspreidde de schrik zich onder het gemeen' en kon de menigte worden uiteengejaagd.

Dergelijke hongeroproeren doen zich voor in heel West-Europa. De volkswoede richt zich op de onbetaalbaar hoge prijzen van de meest noodzakelijke levensmiddelen, zoals brood en aardappelen. De hoge prijzen zijn veroorzaakt door een misoogst in het afgelopen jaar en de daaropvolgende voedseltekorten.

Oproerlingen proberen vaak met geweld een prijsverlaging af te dwingen. Deze zogenaamde 'taxation populaire' is vooral in Frankrijk al lange tijd bekend. Maar ook Nederlanders maken gebruik van deze methode. In Amsterdam weigerde een schipper zijn lading aardappelen te verkopen voor zestien gulden per ton. Volgens een politierapport gebeurde daarna het volgende: 'De omstandigheden brachten de menigte in een kwaden luim en het stond er een ogenblik naar geschapen dat men zich met geweld van de lading zoude trachten meester te maken, hetgeen door goed beleid van de Commissaris des Kantons is voorkomen, terwijl vervolgens de bedoelde schipper een zeer ernstige vermaning heeft gekregen, hetgeen teweegbracht dat hij tot fl. 18 is afgekomen en hoogstwaar-

schijnlijk wel tot nog minderen pr... verkopen zal.'

Het is opvallend dat de overheid zich ... dit geval aan de kant van het vo... opstelde en prijsverlaging afdwon... Zij verdacht de schipper kennelijk va... woeker. In de Duitse stad Koblenz na... de politie een zelfde houding aan. ... plaatselijke politiecommissaris pleit... tegen bestraffing van hongeroproe... lingen, omdat hun misdaad zo begr... pelijk was. In de meeste gevallen na... de politie echter een veel hardere ho... ding aan.

Om de nood enigszins te lenigen koc... de gemeente Amsterdam grote pa... tijen rogge en aardappels op. Deze pr... dukten werden tegen verlaagde prijze... aan de bevolking verkocht. Amste... dam liet ook speciale broden bakke... voor zijn behoeftigen. Deze brode... werden gemaakt van rogge en graana... val, dat normaal als paardevoer g... bruikt wordt. De geneeskundige co... missie concludeerde na onderzoek d... dit voedsel onschadelijk was voor ... gezondheid.

In een aantal Duitse steden hebbe... burgers verenigingen opgericht, d... met behulp van een aandelenkapita... zo goedkoop mogelijk grote hoevee... heden graan voor hun stad proberen ... kopen. In Neurenberg kregen de ... hoeftigen bonnen uitgereikt, waarm... zij zich brood konden aanschaffen t... gen verlaagde prijzen. Een aantal we... gestelden maakte het mogelijk dat 12... plaatselijke armen per dag een bo... soep kregen. Als blijk van dankbaa... heid werd de soep naar deze weldo... ners vernoemd.

# Federalisten bereiden president groots onthaal

PLATTSBURG, juli - President James Monroe, die een reis maakt door het noordoosten van de Verenigde Staten, is in Plattsburg gearriveerd. Ook hier werd hij door een enthousiaste mensenmassa verwelkomd. Het grootste onthaal heeft Monroe tot nu toe in Boston, het bolwerk van de Federalisten, gekregen. Hij heeft vijf dagen in die stad doorgebracht, er diverse farieken bezocht en met verscheidene mensen gesproken (onder wie ex-president Jefferson en Timothy Pickering). Daarbij waren ook veel Federalisten aanwezig. 'I want to get them back in the great family of the union,' aldus Monroe.

James Monroe werd in december vorig jaar tot president van de Verenigde Staten gekozen; hij versloeg de federalistische senator Rufus King met grote voorsprong. De politieke carrière van Monroe is zeer voorspoedig verlopen: hij werd in 1783 lid van het Congres, was gezant in Parijs en Londen en minister onder Madison.

De Federalisten toonden zich in Boston goede verliezers door een groot deel van de feestelijkheden te organiseren. Als politieke partij echter hebben zij feitelijk opgehouden te bestaan. De Federalisten profileerden zich de eerste keer als groep tijdens de Philadelphia-conventie (1787) en de campagne voor goedkeuring van de grondwet. De grote man van het federalisme in de 18de eeuw was Alexander Hamilton. De partij ondervond in deze tijd felle tegenstand van de Antifederalisten of Republikeinen, die onder leiding van Thomas Jefferson stonden, maar beleefde desalniettemin een periode van grote bloei. Daarna ging het snel bergafwaarts en kreeg de Republikeinse partij steeds meer aanhangers.

James Monroe bracht de Federalisten bij de presidentsverkiezingen van vorig jaar de definitieve nederlaag toe. Het verzet tegen de oorlog die de Amerikanen sinds 1812 tegen de Engelsen voeren, had de partij geen goed gedaan. Bovendien was het politieke programma van de Federalisten te ouderwets om nog veel mensen aan te spreken. Monroe is zijn reis begonnen om de gevoelens van onvrede, die vooral in het noordoosten van Amerika leven, weg te nemen. Met name in New England heeft men zich zeer kritisch uitgelaten over Monroes voorganger, James Madison. Getuige zijn ontvangst in Boston lijkt de nieuwe president in zijn opzet geslaagd te zijn. Monroe heeft daarmee een belangrijke stap gezet in de richting van zijn grote doel: het scheppen van een gevoel van nationale eenheid en het elimineren van partijrivaliteit. Dit streven is kenmerkend voor 'The Era of Good Feelings.'

*Leden van de Duitse 'Burschenschaften' verbranden boeken, waaronder de 'Code Napoléon', op de Wartburg.*

# Studenten demonstreren op de Wartburg

EISENACH, 18 oktober - Twee jaar na de oprichting van de eerste 'Allgemeine Burschenschaft' in Jena, hebben studenten uit heel Duitsland zich verzameld op de Wartburg, de plaats waar driehonderd jaar geleden Luther zich verborgen hield en het Nieuwe Testament in het Duits vertaalde. De 'Burschenschaften', die inmiddels in veel Duitse universiteitssteden zijn opgericht, herdenken op deze historische plaats de Reformatie en de Volkerenslag bij Leipzig.

De studenten verzamelden zich om 9 uur 's morgens in het centrum van Eisenach en trokken van daaruit, met muziek en vlaggen voorop, naar de Wartburg. In redevoeringen werden de politieke ideeën van de 'Burschenschaften' naar voren gebracht: 'Eenheid van het Duitse Vaderland' en 'Vrijheid voor het Duitse Volk'.

Heinrich von Gagern, een student uit Jena en een enthousiast 'Burschenschaftler' schreef al eerder: 'Wij willen dat de staten van Duitsland hun politiek meer op elkaar afstemmen [...] Wij willen dat Duitsland als één land en het Duitse volk als één volk kan worden gezien [...] Wij willen dat het volk één grondwet gegeven wordt, zodat niet elke vorst zijn volk alleen geeft wat hém goeddunkt en wat zijn privé-belangen dient.' De basisprincipes van deze grondwet zouden moeten worden opgesteld door een 'Deutsche Bundesversammlung'.

Op de Wartburg werd dit verlangen naar eenheid en vrijheid verwoord door verscheidene sprekers, die allen stelden dat het Duitse volk door de oprichting van de Duitse Bond (1815) verraden is. In de Duitse Bond staat de erkenning van de soevereiniteit van Duitse vorsten voorop. De verdeeldheid die daardoor in stand wordt gehouden, wordt als een verraad beschouwd aan het nationale enthou-

siasme in de strijd tegen de Fransen. Na de redevoeringen op de Wartburg woonden de studenten een dienst bij in de stadskerk van Eisenach. 'De preek maakte veel indruk,' aldus een van de aanwezigen. 's Avonds trokken de ongeveer 600 studenten opnieuw naar de burcht. Daar werd een vuur ontstoken waarin verschillende voorwerpen onder verwensingen werden verbrand. Onder de vervloekte voorwerpen was een Oostenrijkse korporaalsstok en de 'Code Napoléon'. De studenten hebben een afkeer van de Franse principes, waardoor de wetgeving in onder andere het Rijnland nog sterk beïnvloed is. Het Duitse volk, zo stellen zij, moet een grondwet opstellen waarin zijn eigen mentaliteit tot uitdrukking komt.

Een van de hoogleraren die het feest bijwoonden, schrijft: 'Wij mannen waren tot tranen geroerd, uit schaamte dat wij niet zo gehandeld hebben [...] en uit vreugde dat wij onze zonen zo hebben opgevoed dat zij eens zullen bereiken wat wij verspeeld hebben.'

*Het bronzen beeldje dat H. Duquesnoy in 1619 in opdracht van het stadsbestuur heeft gemaakt als versiering voor een fontein in Brussel (het manneke is zélf fontein geworden), is door een onbekende in de nacht van 4 op 5 oktober ontvreemd. De maker van deze prent dicht (in het Frans en het Nederlands) tot troost: 'Ey lieve meisjes! staakt geschrey, al koomt gy door dees dieverey een zoeten troost te missen; hy zal met neerstig onderzoek nog wel eens koomen uit den hoek om zonder schroom te pissen.'*

# Dood van Poolse vrijheidsstrijder in Zwitserland

SOLOTHURN, 15 oktober - Op 71-jarige leeftijd is de Poolse vrijheidsstrijder Tadeusz Kościuszko in het Zwitserse Solothurn, waar hij sinds vorig jaar woont, gestorven. Zijn stoffelijk overschot zal op last van tsaar Alexander I in de kathedraal van Krakov worden bijgezet.

Kościuszko was de laatste opperbevelhebber van de Poolse Republiek. Hij verliet zijn land in 1777 en streed als adjudant van George Washington mee in de Amerikaanse Vrijheidsoorlog. In 1786 keerde hij terug en vocht als luitenant-generaal tegen de Russen. Na de tweede deling van Polen (1793) woonde Kościuszko in Leipzig, maar op 23 maart 1794 reisde hij, bij het opnieuw uitbreken van de Poolse revolutie, weer naar zijn vaderland, waar hij vier dagen later door de Nationale Vergadering tot dictator werd gekozen; bij de toen volgende gevechten was de vrijheidsstrijder ondanks enkele successen niet opgewassen tegen de Russisch-Pruisische overmacht.

Sinds 1796 woonde Kościuszko in Groot-Brittannië en Amerika. In 1815 vestigde hij zich in Solothurn.

Op 14 juli is Germaine barones de Staël-Holstein, een van de meest geruchtmakende schrijfsters van deze tijd, overleden. Reeds in haar jeugd schitterde ze door haar intelligentie in de Parijse salon van haar vader, de Geneefse bankier Jacques Necker, waar zij ook de Zweedse gezant De Staël-Holstein ontmoette, met wie zij in het huwelijk trad. Door haar onafhankelijke stellingname tegenover de revolutie, werd haar positie moeilijk en verbleef ze veel in Coppet bij Genève, waar zij het middelpunt was van een exclusief cultureel gezelschap. Haar boeken brachten haar steeds in conflict met de autoriteiten: na de publikatie van haar roman 'Delphine' werd ze uit Parijs verbannen en haar 'De l'Allemagne' werd in 1810 in Frankrijk verboden. Tot aan haar dood heeft ze gewerkt aan het nog niet gepubliceerde 'Considérations sur les principaux événements de la Révolution française'.

# Rebellenleider Pattimura opgehangen

AMBON, 16 december - Vanmorgen om 7 uur vond op het Groene Zoodje, de esplanade voor het stadhuis van Ambon-stad, de terechtstelling plaats van Thomas Matulesia, beter bekend als Pattimura. Hij was de leider van de opstand tegen de terugkeer van het Nederlandse gezag, die de afgelopen maanden op het Molukse eiland Saparua heeft gewoed. Zijn lijk is in een langwerpige kooi geplaatst om ter afschrikking ten eeuwigen dage tentoongesteld te worden.

De in 1799 opgeheven VOC had op de zuidelijke Molukse eilanden een geleide kruidnageleconomie ingesteld, die met harde hand werd gehandhaafd en de bevolking onnoemelijk veel leed heeft berokkend. Als gevolg van de politieke omwenteling in de Nederlanden in 1795 en de Napoleontische oorlogen kwamen de Molukken tweemaal onder Engels gezag te staan (1796-1803 en 1810-1817). In beide gevallen ruimden de Hollanders zonder slag of stoot het veld, wat het gezag van de 'Kompenie' geen goed deed.

Onder gouverneur-generaal Herman Willem Daendels (1808-1811) stagneerde de handel, de marktprijzen stegen sterk, terwijl op grote schaal jongemannen werden geronseld om als sol-

Thomas Matulesia (Pattimura).

daat of dwangarbeider naar Java gezonden te worden.

De in 1810 aangestelde Engelse resident Byam Martin maakte een einde aan de gedwongen kruidnagelteelt (het monopolie bleef), waardoor de handel herleefde en de economie opbloeide. Deze kundige bestuurder had een grote invloed op het kerkelijk leven van de overwegend protestantse bevolking. Dank zij hem wonnen de godsdienstleraren en schoolmeesters sterk aan invloed. Hij richtte ook een Ambonese militie op van 400 soldaten, die behoorlijke soldij ontvingen.

De in maart van dit jaar gearriveerde Nederlandse bestuurscommissie, bestaande uit de heren Engelhard en Middelkoop, beiden even arrogant als onbekwaam, weigerden Martins militie over te nemen omdat ze te duur zou zijn. De soldaten keerden naar hun familie terug, maar namen hun wapens mee.

Teneinde een scheiding tussen Kerk en staat tot stand te brengen verbood het tweemanschap de predikanten zich met de scholen te bemoeien, terwijl de schoolmeesters ten laste van de negorijen (dorpsgemeenschap) zouden komen. Onder de bevolking gingen geruchten dat de Nederlanders haar godsdienst zouden willen verbieden. De ontevredenen kwamen bijeen op Saparua, waar tot een opstand besloten werd. Men wees Pattimura, een ex-sergeant-majoor van de ontbonden militie, als aanvoerder aan.

Op 14 mei bestormden de opstandelingen, onder wie opvallend veel schoolmeesters, het vervallen fort Duurstede, waarbij de gehele bezetting werd uitgemoord. Tot de slachtoffers behoorden ook resident Van den Berg en zijn gezin. Alleen zijn zesjarig zoontje

Jan Lubbert bleef gespaard en we door Salomo Pattiwaal, een vroege slaaf van de familie, meegenomen een zes maanden durende omzwervi door het oerwoud. Vanuit Amb werden versterkingen gestuurd, die 22 mei op het strand van Wae Sisil co pleet in de pan werden gehakt.

Pattimura beheerste nu geheel Sap rua, liep als een vorst te paraderen een bijeengeraapt uniform, ma handhaafde wel orde en rust en zag t op de naleving van godsdienstige plic ten.

Batavia besloot tot krachtige maat gelen en zond een sterke vloot ond schout-bij-nacht Buyskes, die in ok ber in Ambonese wateren aankwa In een enige weken durende campag werd Saparua onderworpen: alle gorijen gingen in vlammen op. Pat mura werd gevangengenomen, in de zers geslagen en aan boord van 'Evertzen' overgebracht naar Ambo Aan boord was ook Jan Lubbert v den Berg, die op 12 november uit h oerwoud te voorschijn was gekome De jongen was hedenmorgen een v de aanwezigen bij de terechtstelling.

# Distributie van 'vruchten der aarde' beschreven

LONDEN - In een dit jaar verschen verhandeling, *Principles of Politic Economy and Taxation*, probeert Engelse econoom David Ricardo wetten te omschrijven die, in een vr markt, de distributie bepalen van ' vruchten der aarde' onder de drie kla sen van de samenleving: de landhere de boeren en de landarbeiders. H soms duistere boek is een zeer system tische uiteenzetting van zijn opvatti gen over rente, loon en eigendom.

Ricardo heeft al verscheidene econ mische publikaties op zijn naam staa Zeven jaar geleden baarde hij bijvoo beeld veel opzien met zijn pamflet T High Price of Bullion. Dit pamflet lei de, na een onderzoek door een cor missie van het Lagerhuis, tot de intre king van de Bank Restriction Act.

David Ricardo (in 1772 in Londen g boren) kwam op zijn veertiende jaar, 1786, werken in het kantoor van zi vader, een succesvol lid van de Lo dense beurs. De jonge zoon bleek goed gevoel voor zaken te hebbe Toen hij in 1793 het joodse geloof a viel en met een quaker in het huweli trad, raakte hij van zijn familie g scheiden en werd hij op zichzelf teru geworpen. Hij bleef echter lid van beurs, waar zijn talenten en karakt hem de steun opleverden van een aanstaand bankiershuis. Hij heeft m zijn beursactiviteiten inmiddels een aanzienlijk fortuin vergaard.

**6 januari.** De Rajput-staten komen onder Britse controle te staan.

**5 februari.** Na de dood van koning Karel XIII van Zweden en Noorwegen volgt zijn adoptiefzoon hem op.

**3 april.** In Parijs wordt de eerste bestuurbare loopfiets tentoongesteld. →

**5 april.** Het Chileense bevrijdingsleger verslaat de Spanjaarden en stelt de onafhankelijkheid veilig. →

**Juni.** Het Engelse leger maakt een definitief einde aan de heerschappij van de Mahratten in India. →

**Najaar.** In Londen wordt de *Sonate für das Hammerklavier* van Ludwig van Beethoven uitgegeven. →

**18 oktober.** In Jena wordt een studentenvereniging opgericht die studenten van veertien universiteiten vertegenwoordigt.

**20 oktober.** De grens tussen de Verenigde Staten en Canada wordt vastgesteld.

**15 november.** De Franse koning Lodewijk XVIII sluit zich op de Conferentie van Aken bij de Viervoudige Alliantie aan (Pruisen, Oostenrijk, Rusland en Groot-Brittannië) die 'de Rust van de Wereld' voorstaat.

**30 november.** De geallieerde troepen verlaten Frankrijk en de verplichte herstelbetalingen worden verlaagd.

**3 december.** Illinois wordt een staat van de Verenigde Staten.

**21 december.** De hertog van Richelieu neemt zijn ontslag nadat Franse verkiezingen een toenemende invloed van links hebben uitgewezen.

- Na de moord op de Zoeloe-leider Dingiswayo grijpt stamhoofd Tsjaka naar de macht. Hij sticht met behulp van zijn krijgers het Zoeloe-rijk in Zuid-Afrika.

- De Verenigde Staten onderwerpen in de eerste Seminolenoorlog de Seminolen-Indianen in Florida.

- Friedrich Wilhelm Bessels *Fundamenta Astronomiae deducta ex observationibus J. Bradley* verschijnt.

- F. Stromeyer en K. Hermann ontdekken het element cadmium.

- Lord Byron schrijft de eerste verzen van het gedicht *Don Juan*.

- John Keats schrijft *Endyminion*.

- Mary Shelley schrijft *Frankenstein*.

- Georg Hegel volgt Fichte op als professor in de filosofie in Berlijn. →

# Chili definitief onafhankelijk van Spanje

SANTIAGO DE CHILE, 5 april - Bij Maipú, enkele kilometers ten zuiden van Santiago de Chile, hebben het Chileense bevrijdingsleger en Spaanse troepen slag geleverd. Rond twee uur in de middag werden de Spaanse troepen tot de terugtocht gedwongen. Hiermee is de onafhankelijkheid van Chili, die op 12 februari door O'Higgins als staatshoofd in Talca werd afgekondigd, zeker gesteld.

De Slag bij Maipú sluit de strijd af die twee jaar geleden met de invasie vanuit Mendoza begon. Op 18 januari vorig jaar begonnen de eerste divisies van het bevrijdingsleger, bestaande uit 2928 soldaten en officieren, 801 cavaleristen, 1200 vrijwilligers, 120 ingenieurs, 1600 paarden, 7296 pakezels en 261 stukken geschut aan de tocht over de Andes naar Chili. Aan deze expeditie was twee jaar minutieuze voorbereiding door San Martín en, gedurende de laatste maanden, O'Higgins (de zoon van de ex-onderkoning van Peru) voorafgegaan. De tocht over de Andes ging via vier passen waardoor een front van bijna zevenhonderd kilometer lengte ontstond. Dank zij de precieze

*Generaal José de San Martín.*

voorbereidingen bleven de verliezen aan mensenlevens beperkt en verenigden de troepen van San Martín zich bij San Felipe, van waaruit met de opmars naar het zuiden werd begonnen.

De Spaanse onderkoning werd compleet verrast door de plotselinge aanwezigheid van het bevrijdingsleger. Op 12 februari vorig jaar kwam het bij Chacabuco tot een veldslag waarbij het Spaanse leger vernietigend werd verslagen. Op 14 februari nam het leger van San Martín en Bernardo O'Higgins Santiago de Chile in. Met de vlucht van de onderkoning naar Valparaiso was het noorden van Chili bevrijd. Een jaar lang werden schermutselingen zonder doorslaggevend belang uitgevochten.

Ter herdenking van de Slag bij Chacabuco werd op 12 februari van dit jaar voor de tweede keer de Chileense onafhankelijkheid uitgeroepen. De eerste keer was dat op 5 juli 1811 gebeurd. In oktober 1814 werd echter de herovering van Chili door Spaanse troepen voltooid. Plannen om tevens de onafhankelijke Verenigde Provincies van Rio de la Plata te heroveren werden door de Spaanse onderkoningen niet verwezenlijkt. Nu is ook de onafhankelijkheid van Chili, met de nederlaag van het Spaanse leger bij Maipú, definitief.

## Dialecticus Hegel docent in Berlijn

*Hegel tijdens een van zijn lessen.*

BERLIJN - De filosoof Georg Hegel wordt de nieuwe hoogleraar filosofie aan de universiteit van Berlijn. Hij is momenteel nog als docent filosofie verbonden aan de universiteit van Heidelberg. Hegel heeft al een indrukwekkende reeks boeken op zijn naam staan. In 1807 verscheen van hem het belangrijke boek *Phänomenologie des Geistes*. Twee jaar geleden heeft hij zijn *Wissenschaft der Logik* voltooid. Volgens Georg Hegel wordt het proces van de werkelijkheid bepaald door de wet van de dialectiek: elke these impliceert zijn eigen antithese, en hun conflict eindigt in een synthese die op haar beurt weer een antithese oproept. De geschiedenis, dialectisch beschouwd, wordt voortgebracht door de botsende belangen van mensen, maar toont ook de voortgaande zelfverwerkelijking van de menselijke rede en de vrijheid.

*Hoe gevaarlijk de loopfiets kan zijn, blijkt uit deze anonieme karikatuur (1819).*

## Eerste fiets wekt grote belangstelling

PARIJS, 3 april - In Parijs is vandaag onder grote belangstelling de eerste bestuurbare loopfiets tentoongesteld. De fiets is een uitvinding van de Duitse baron Carl von Drais. De *Karlsruher Zeitung* van 1 augustus 1817 omschreef de zogenaamde 'draisine' al als een 'hoogst interessante rijmachine zonder paarden'. Deze 'machine', aldus de krant, 'die voor estafette en voor andere doeleinden en zelfs voor grote reizen zeer goed te gebruiken is, weegt nog geen vijftig pond en kan voor ten hoogste vijfendertig gulden met reistassen en ander toebehoren, solide en mooi gefabriceerd worden.'

Loopfietsen zijn al jaren bekend. Het eerste patent voor een dergelijk - in dit geval vierwielig - rijmachien stamt uit 1645. Parijs kende rond 1790 zelfs een kortstondige loopfietsrage. Nadeel van de oude modellen is dat ze alleen maar rechtuit kunnen. Bij de draisine is dat niet het geval. Een as bij het voorwiel maakt deze loopfiets, die inmiddels ook al in andere landen, waaronder Groot-Brittannië, wordt geproduceerd, bestuurbaar.

Hoewel de belangstelling voor rijmachines toeneemt, hoort men ook geluiden dat de fiets schadelijk zou zijn voor de gezondheid. In Frankrijk werd onlangs zelfs beweerd 'dat de fiets het einde van de vrouw betekent, omdat door het gebruik hiervan de vrouwelijke organen die voor het huwelijk noodzakelijk zijn, ernstige stoornissen oplopen'.

# Engelse troepen herstellen gezag in India

POONA, juni - Onder leiding van Mountstuart Elphinstone (39) hebben Engelse troepen een einde aan de heerschappij van pesjwa (eerste minister) Badsji Rao II gemaakt, waarmee de macht van de Mahratten nu definitief vernietigd is.

Sinds 1778 hebben de Britten drie oorlogen met de Mahratten uitgevochten met een complete Britse overwinning als resultaat. Al in 1802 leken de Mahratten zich te onderwerpen en tekenden ze een verdrag met de Engelsen. Maar de pesjwa bleek zich hierbij toch niet neer te leggen, zodat Elphinstone, de Engelse resident in Poona, zich genoodzaakt zag zijn troepen in actie te laten komen. Het gehele Indische schiereiland, behalve de door Sikhs gecontroleerde Punjab, staat nu onder direct of indirect bestuur van John Company Raj (de compagnie als bestuurder).

De werkelijke architect van John Company Raj is Lord Cornwallis (1738-1805), die in 1785 Warren Hastings opvolgde als gouverneur-generaal van Bengalen. Cornwallis was er vast van overtuigd dat de Britten de beste bestuurders voor iedereen zijn en voerde een aantal hervormingen door die de basis voor het Britse bestuur in India vormen.

De Code of Forty-Eight Regulations,

De Britse kolonel James Todd laat zich tijdens de jacht per olifant vervoeren (Indiase miniatuur).

in de wandeling de Cornwallis Code genoemd, die hij in 1793 uitvaardigde, geeft een aantal standaardregelingen voor bestuur, rechtspraak en belastinginning in Bengalen. Hij scheidde het politieke bestuur van de commerciële activiteiten van de compagnie, zoda een koopman niet langer ook bestuu der kon zijn. Ook voerde Cornwall een europeanisering binnen de geled ren van de compagnie door. 'Iedere I diër', schreef hij, 'is naar mijn vas overtuiging corrupt', en hij benoemd Engelsen in functies die tot dan tc door Indiërs waren vervuld.

Lord Richard Wellington, graaf va Mornington, die in 1798 gouverneu generaal werd, zorgde vervolgens voc de territoriale uitbreiding van de Brits macht. Behalve commerciële motieve was ook de angst voor Franse avont ren in de Oost, nadat Napoleon in 179 naar Egypte was getrokken, een rede de door Frankrijk beheerste gebiede in India te veroveren. Een jaar na zij aankomst versloeg Wellington de su tan van Mysore, Tipoe Sultan, die ne gen jaar eerder, onder Cornwallis, ha geprobeerd zijn gebied uit te breider De Sultan werd aan de kant gezet e Mysore werd als een onderhorig bondgenoot ingelijfd, net zoals ee jaar eerder met het rijk van de nizar was gebeurd.

Op een zelfde wijze werd Oudh, in he noorden, in 1801 ondergeschikt aa John Company Raj gemaakt. Off cieel maakte Wellington ook de Mal ratten in 1802 bondgenoot, volgens ee verdrag dat hij pesjwa Badsji Rao dwong te tekenen. De Mahratten, ee van de oudste en grootste bevolkings groepen van India, staan bekend als ge duchte strijders, maar ze hebben ni toch de suprematie van de Britten moe ten erkennen.

# Monumentale sonate van Beethoven

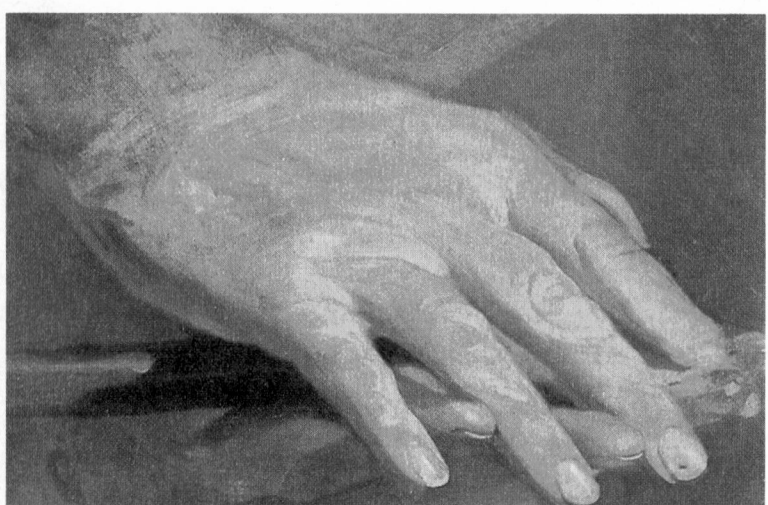

De handen van Beethoven.

LONDEN, najaar - Bij de muziekuitgeverij Boosey te Londen is dit najaar de grote sonate nr. 29 opus 106, *Sonate für das Hammerklavier*, van de in Wenen woonachtige componist Ludwig van Beethoven verschenen. Deze pianosonate, opgebouwd uit vier delen, is Beethovens langste sonate tot nu toe: de duur ervan is ongeveer drie kwartier. Evenals enkele van zijn eerdere pianowerken is deze sonate opge-

dragen aan zijn briljante leerling en vriend, aartshertog Rudolf van Oostenrijk; vanaf 1805 tot 1812 was de hertog compositieleerling van Beethoven. Reeds in juni van dit jaar werden de vorst door de componist ter ere van zijn naamdag de eerste twee delen toegezonden. De eerste indruk van de sonate is symfonisch: er zijn grote dynamische tegenstellingen en bijna orkestrale effecten. Voorts wordt een groot be-

roep gedaan op het technische vermogen van de uitvoerder; vooral de fuga aan het slot stelt hoge eisen. In de recente werken van de componist is overigens een toenemende aandacht voor deze compositievorm waarneembaar. Beethoven zelf zei hierover enige jaren geleden het volgende: [...] een fuga maken is geen kunst; waar het om gaat is de fantasie aan bod te laten komen; in de traditionele fugavorm moet echte poëzie geïntroduceerd worden.'

De componist heeft zijn sonate gecomponeerd voor het hamerklavier, een wat zwaardere uitvoering van de fortepiano. De fortepiano (in 1709 ontworpen door Bartelomeo Christofori; het eerste toetseninstrument dat zowel hard als zacht kan spelen) is namelijk vanwege het geheel houten snarenraam nauwelijks geschikt om een echt forte op te vangen. De laatste jaren zijn de Engelse Bedfordvleugels - niet alleen zwaarder van constructie, maar ook dieper van klank - veel gevraagd. Beethoven is zelf vanaf 1814 niet meer in het openbaar opgetreden, naar verluidt vanwege doofheidsverschijnselen. Tijdens een van zijn laatste pianooptredens had hij zijn forte-aanslag niet meer onder controle; dit resulteerde in een wirwar van gebroken snaren in het fragiele instrument.

## Kroniek

# Compromis VS en Spanje in grensconflict

*De Seminole-Indianen, die hier een Amerikaans fort bestoken, opereren vooral vanuit de staat Florida.*

WASHINGTON, 22 februari - De Amerikaanse minister van Buitenlandse Zaken, John Quincy Adams, heeft met de Spaanse onderhandelaar Luis de Onís een verdrag getekend dat de grenzen tussen de Verenigde Staten en de Spaans-Amerikaanse territoria bepaalt. In het Adams-Onís-verdrag, ook wel het Transcontinentale Verdrag genoemd, is bepaald dat een groot deel van het gebied ten oosten van de Mississippi tot de Verenigde Staten behoort. De Spaans-Amerikaanse grens loopt van Texas naar de Rocky Mountains via de 42ste breedtegraad tot aan de Grote Oceaan. De Verenigde Staten zijn daardoor een continentale staat geworden.

Het grote probleem bij de onderhandelingen was het bepalen van de grens tussen de Verenigde Staten en de westelijke Spaans-Amerikaanse gebieden. Beide partijen wisten uiteindelijk door bemiddeling van de Fransman Hyde de Neuville tot een vergelijk te komen: Spanje draagt Florida over aan de Verenigde Staten en laat de aanspraken op Oregon vallen. De Spanjaarden behouden Texas.

Nadat de Amerikanen Louisiana van Napoleon hadden gekocht (1803), stelden zij belang in het verkrijgen van Oost- en West-Florida, een gebied in het uiterste zuidoosten van het Noordamerikaanse continent dat in handen van de Spanjaarden was. Aanvankelijk wilde Spanje niets daarvan weten. Maar toen bleek dat de Spanjaarden in Europa geen bondgenoot konden vinden die hen in de strijd om Florida zou steunen, besloten zij met de Amerikanen te onderhandelen. Onís kreeg vanuit Madrid de instructie om Florida te ruilen voor Amerikaanse concessies ten westen van de Mississippi.

De onderhandelingen werden afgebroken toen Andrew Jackson met een leger van 2000 man Oost-Florida binnentrok. Deze manoeuvre was aanvankelijk bedoeld als strafexpeditie tegen de Seminole-Indianen, die vanuit Florida plunderingen op Amerikaans grondgebied uitvoerden. Jackson vernietigde echter niet alleen de Indiaanse nederzettingen, maar bezette ook het Spaanse fort St. Marks en doodde twee Engelsen die zich daar bevonden. Ondanks dit incident weigerde Engeland de zijde van Spanje te kiezen. De Spanjaarden hadden geen andere keus dan weer om de onderhandelingstafel te gaan zitten en vrede te sluiten.

# Britse handelspost op Singapore

SINGAPORE, 6 februari - Sir Stamford Raffles heeft door handig gebruik te maken van de politiek verwarde situatie in het sultanaat Johore/Riau kans gezien op het eilandje Singapore een nieuw Brits entrepot te vestigen. Hij installeerde vandaag tijdens een eenvoudige plechtigheid tunku Long als sultan Hussein van Johore. Meteen daarna werd een verdrag gesloten dat de Engelsen het recht geeft op vestiging en beheer van een handelsnederzetting tegen betaling van $ 5000 per jaar aan de sultan en $ 3000 aan de lokale machthebber, de temenggong. Raffles heeft zich een groot tegenstander van de Nederlandse monopolistische politiek in Zuidoostaziatische wateren getoond en meent dat het voor Engeland van groot belang zou zijn zich daar permanent te vestigen. Londen daarentegen wilde voorkomen dat er nog meer territoriale verplichtingen ontstonden. Bij het Congres van Wenen (1815) kreeg het jonge Koninkrijk der Nederlanden zijn Indische bezittingen terug. Raffles moest het veld ruimen en werd benoemd tot luitenant-gouverneur van Bengkulu, een onbetekenende handelspost op de zuidwestkust van Sumatra, van waaruit hij bleef ageren voor een Engels steunpunt ergens in de strategisch zo belangrijke Straat van Malakka. Er zou een vrijhandelshaven moeten komen, die de handel in Indo-nesische produkten naar zich toe zou kunnen zuigen en meteen een overslagplaats zou zijn voor de handel op China (de in 1786 gestichte kolonie Penang had zich in dit opzicht teleurstellend ontwikkeld). Lord Hastings, de gouverneur van India, bleek bereid hem te steunen, mits het te verwerven gebied niet tot de invloedssfeer van Nederland behoorde.

Raffles zette koers naar de Riau-archipel, centrum van het vervallen sultanaat Johore, maar daar bleken de Hollanders inmiddels gearriveerd. Na enige andere eilanden onderzocht te hebben landde hij de 28ste januari op Singapore. Raffles was meteen enthousiast over de mogelijkheden van het eiland, dat echter officieel tot het sultanaat Johore behoort, waar momenteel de door de Hollanders gesteunde Abdul Rahman regeert. Hij is de jongere zoon van de in 1812 overleden sultan Mahmud, wiens oudste zoon kroonprins tunku Long bij de troonopvolging werd gepasseerd. In het grootste deel van het rijk is de werkelijke macht in handen van twee rijksgroten: de bedahara en de temenggong. De laatste heeft sinds kort zijn hoofdkwartier op Singapore en is bovendien de schoonvader van tunku Long. Met hem knoopte Raffles onderhandelingen aan die resulteerden in de benoeming van een tegensultan.

# Vreedzame betoging loopt uit op bloedbad

*'Het Bloedbad van Peterloo', door George Cruikshank (1819).*

MANCHESTER, 16 augustus - Een vreedzame betoging op de St. Peter's Field bij Manchester is vandaag geëindigd in een bloedbad. Een menigte van 60 000 personen had zich buiten de stad verzameld om te luisteren naar een redevoering van de radicale agitator Henry Hunt. Bij St. Peter's Field had echter ook een grote groep vrijwillige militie, afkomstig van het platteland, verzameld. Kort nadat Hunt zijn redevoering was begonnen probeerde deze bereden militie hem te arresteren. Toen de menigte geen ruim baan voor hen wilde maken, openden de militieleden het vuur en hakten zij met sabels in op de betogers. Tijdens deze charge werden 11 mensen gedood en raakten er 400 gewond, onder wie 113 vrouwen. Veel mensen hebben met afgrijzen gereageerd op het felle optreden van de militieleden. In de volksmond wordt de 'overwinning' van de militie met een spottende verwijzing naar de Slag bij Waterloo, het 'Peterloo-bloedbad' genoemd.

De onvrede die tot de betoging leidde, heeft zowel economische als politieke oorzaken. Sinds het einde van de oorlog heerst er in de Britse industrie een ernstige depressie. Bovendien heeft het parlement, waarin met name de landadel de toon aangeeft, in 1815 de zogenaamde Graanwetten aangenomen. Deze wetten zijn bedoeld om bij wijze van bescherming van de landbouw de invoer van graan vrijwel onmogelijk te maken, maar hebben als neveneffect dat de graanprijzen - en daarmee de broodprijzen - in Engeland hoog blijven. De menigte die zich bij Manchester verzamelde, vroeg om intrekking van deze wetten. Bovendien werden op de betoging eisen naar voren gebracht om het kiessysteem ingrijpend te veranderen. Nu is het zo dat alleen de rijkeren stemrecht hebben. Bovendien is het districtenstelsel in die zin verouderd dat er na de bevolkingsgroei van de laatste decennia een wanverhouding bestaat tussen de omvang van een plaats en het aantal mensen dat deze naar het parlement mag afvaardigen. Zo heeft de grote stad Manchester geen afgevaardigde, terwijl het dorp Newton twee zetels heeft.

Overigens wordt niet verwacht dat de zittende Tory-regering concessies zal doen om de onvrede te beteugelen.

*Willem I, koning der Nederlanden.*

# Nederlands wordt officiële taal van Vlaanderen

's-GRAVENHAGE/BRUSSEL, september - Bij Koninklijk Besluit heeft koning Willem I bepaald dat in Vlaanderen het Nederlands de officiële taal wordt. De vernederlandsing gaat niet onmiddellijk in. Pas op 1 januari 1823 moet de Franse taal in administratieve, rechterlijke en militaire zaken in Vlaanderen volledig door het Nederlands vervangen zijn.

Willem I heeft hiertoe besloten op aandringen van onder anderen minister van Justitie C.F. van Maanen. Gehoopt wordt dat deze maatregel de integratie van Noord- en Zuid-Nederland ten goede komt en dat de Vlamingen daardoor voor het nieuwe bewind gewonnen worden.

Of dat ook zal gebeuren lijkt echter twijfelachtig. Vooral uit liberale hoek valt er nogal wat kritiek te beluisteren op het taalbesluit. De verfranste Vlaamse elite weigert zich het als minderwaardig beschouwde Nederlands laten opdringen. Ook het feit dat de maatregel dwingend wordt opgelegd zint de liberalen allerminst.

# Engels parlement kondigt noodwet af

*Karikatuur op de Engelse 'vrijheid'.*

LONDEN, 20 september - Vandaag zijn in het parlement de zogenaamde 'Six Acts' (de zes wetten) aangenomen. Door deze wetten wordt het voeren van oppositie nog verder bemoeilijkt. De repressiemaatregel is niet gericht tegen de parlementaire oppositie, maar tegen de radicalen die door middel van betogingen en petities actie voeren tegen de Graanwetten en voor herziening van het kiesstelsel. Nog onlangs liep zo'n betoging uit op een bloedbad toen leden van de bereden landmilitie het vuur openden en een charge uitvoerden op een menigte die zich buiten Manchester had verzameld. De zich verscherpende sociale tegenstellingen hebben in Engeland de laatste jaren meermalen tot opstanden en ongeregeldheden geleid. Zonder aandacht aan de grieven te schenken heeft de Tory-regering van Lord Liverpool tot nu toe alleen gereageerd met steeds scherpere onderdrukking.

Niet iedereen is even gelukkig met het optreden van de regering. Grote delen van de middenklasse hebben hun bedenkingen tegen de repressie en menen dat er iets gedaan moet worden aan de sociale conflicten zonder de betogers direct voor criminelen uit te maken. Zij wijzen erop dat radicale leiders als Cobbet en Hunt meermalen hebben opgeroepen tot vreedzaam betogen en afzien van geweld. In regeringskringen twijfelt men echter niet aan de juistheid van de gekozen politieke lijn. Lord Wellington schreef aan een buitenlandse correspondent: 'Frankrijk en Duitsland kunnen iets leren van ons en we hopen dat de wereld ontsnapt aan de algemene revolutie die overal dreigt.'

De 'Six Acts' voorzien in afkondiging van de staat van beleg bij rellen, deportatie van gearresteerde deelnemers, censuur en eenvoudige arrestatiemogelijkheden voor radicale leiders. Algemeen wordt verwacht dat deze wetten een zware klap zullen betekenen voor de radicale oppositie omdat die in feite alleen nog ondergronds kan voortbestaan en geen gebruik meer kan maken van de vormen van agitatie waarvan zij zich tot dusverre bediende.

*'Het Vlot van de Méduse', een schilderij van Jean Louis Théodore Géricault, dat in mei op de expositie van beeldende kunstenaars in Parijs aan het publiek is gepresenteerd. Het schilderij verbeeldt de redding van schipbreukelingen, nadat hun schip, de 'Méduse', in juli 1816 door onkunde van de kapitein was gezonken.*

# Rapport kinderarbeid

*Met harde hand worden kinderen aan het werk gezet (houtsnede, circa 1840).*

BERLIJN, 1 juni - In een rapport voor de Pruisische Oberpräsident von Heydebreck in Berlijn heeft het Berlijnse Stadsbestuur een beeld geschetst van de situatie waarin kinderen in fabrieken werken. De daar werkzame kinderen in de leeftijd van negen tot veertien jaar - moeten dagelijks (met uitzondering van de zondag) twaalf uur werken. Er is geen zorg voor hun onderricht.

Over de arbeidsvoorwaarden schrijven de opstellers van het rapport onder andere: 'Een aanzienlijk aantal kinderen in de prille leeftijd van negen tot veertien jaar is genoodzaakt twaalf uur per dag met monotone, vaak zware maar in ieder geval vanwege de duur belastende lichamelijke arbeid, voor een loon van vier pfennig per uur, in de fabriek door te brengen en heeft voor een deel niet de tijd, voor een deel niet de gelegenheid de meest noodzakelijke kennis te verwerven voor zelfs maar de meest eenvoudige rol in het burgerlijke leven'.

De kinderen hebben 'doorgaans niet de tijd door de aanschouwing van de natuur, door het binnentreden in de natuur zelf, door een innerlijke vrolijkheid en stemming hun gevoel te ontwikkelen en kunnen dus slechts gevoelloos en stemmingloos worden. De behoefte naar iets hogers dan het dagelijks brood is hun geheel vreemd; ze zijn helemaal niet meer ontvankelijk voor onderricht, als ze dat al zouden krijgen, en met name niet voor de religie.'

De vorming van de jeugdige werkers en werksters vindt plaats in avond- en zondagsscholen, waarbij de avondscholen op werkdagen onderricht geven van zeven tot negen uur: ook de zondagsscholen geven twee uur les, veneens vanaf zeven uur.

Van de 715 kinderen die bij het onderzoek betrokken zijn geweest, kunnen slechts 234 rekenen, 351 schrijven en 55 lezen. Slechts 39 kinderen bezitten enige kennis van religie.

Zelfs een uitbreiding van het aantal scholen zou naar het oordeel van de opstellers van het rapport het probleem van de gebrekkige vorming van de jeugdige fabrieksarbeiders niet verhelpen: de kinderen, die na hun werk ook nog taken hebben te verrichten in de huishouding, kan men het niet aandoen om zich 'bij een volkomen uitputting van het lichaam ook nog twee uur geestelijk in te spannen'.

De schrijvers stellen ten slotte dat zulke 'ongeschikte, onwetende, misvormde, lichamelijk zwakke en gemoedloze mensen' slechts tot misdaad geneigd zullen zijn.

## Eerste stoomboot steekt de oceaan over

*De 'Savannah', de eerste stoomzeilboot die de Atlantische Oceaan oversteekt.*

LIVERPOOL, 20 juni - Na een reis van 25 dagen is de 'Savannah', die op 24 mei vanuit Amerika is vertrokken, in Liverpool aangekomen. De 'Savannah' is daarmee de eerste stoomboot (zonder afstand te hebben gedaan van haar zeilen) die de Atlantische Oceaan is overgestoken. Stoomboten zijn tot dusver slechts in de binnenvaart gebruikt voor korte afstanden, omdat de kool- of houtvoorraad voor grotere afstanden te veel ruimte in zou nemen.

*Terwijl de moordenaar de kamer verlaat, valt von Kotzebue zwaar gewond neer.*

## Duitse vrijheden beperkt

FRANKFURT, 20 september - De Bondsdag in Frankfurt am Main heeft unaniem de 'Besluiten van Karlsbad' goedgekeurd. Alle Duitse vorsten verplichten zich hiermee de universiteiten onder overheidscontrole te plaatsen. Leraren en professoren die tijdens het onderwijs kritiek uitoefenen op de bestaande staatsinrichtingen, moeten worden ontslagen. Dagbladen, tijdschriften en boeken mogen niet zonder toestemming van de overheid worden uitgegeven. De 'Burschenschaften' worden verboden. Bovendien wordt er een Centrale Onderzoekscommissie ingesteld die vanuit Mainz zal optreden tegen 'revolutionaire intriges' in (een van) de Duitse staten.

De angst voor deze 'revolutionaire intriges' is versterkt door de moord op de conservatieve toneelschrijver August von Kotzebue. Kotzebue schreef als redakteur van het *Literarische Wochenblatt* vaak op spottende manier over de ideeën van de 'Burschenschaften'. Toen het gerucht in omloop kwam dat hij een Russische spion zou zijn, was dat voor de theologiestudent en 'Burschenschaftler' Karl Sand aanleiding om Kotzebue te vermoorden. Dit gebeurde in Mannheim, op 23 maart.

Een Berlijnse professor in de theologie schreef aan Sands moeder: 'Zoals de daad zich voltrokken heeft, door deze zuivere, vrome jongeling, met dit geloof, dit vaste vertrouwen, is zij een mooi teken des tijds.' Voor velen is Sand een held.

De moord en het enthousiasme waarmee de daad door een deel van de burgerij is ontvangen, zijn voor koning Frederik Willem III aanleiding om harder op te treden tegen alle nationalistische en liberale tendensen. De Pruisische politie kreeg direct na de moord een buitengewone volmacht. Er werd een ministeriële commissie ingesteld ter vervolging van 'demagogen'. Een aantal hoogleraren, onder wie de historicus en filosoof Ernst Moritz Arndt, is ontslagen.

Ook de Oostenrijkse vorst Metternich vond dat nu het moment gekomen was om op te treden tegen het Duitse nationalisme en liberalisme. Hij riep de vertegenwoordigers van de negen grootste Duitse landen bijeen in Karlsbad. Op deze bijeenkomst werden de wetten opgesteld die nu als de 'Besluiten van Karlsbad' zijn goedgekeurd door de Bondsdag in Frankfurt.

Volgens de 'Besluiten' zal worden opgetreden tegen iedereen die 'de veiligheid van een der bondsstaten in gevaar brengt; die kritiek uitoefent op het bestuur of de grondwet van een bondsstaat; of die de vrede en rust in Duitsland in gevaar brengt'.

# Bolívar leidt Colombia

ANGOSTURA, 17 december - Het Congres van Angostura heeft Simón Bolívar benoemd tot president over de nieuwe republiek Nieuw-Grenada, een unie tussen de bevrijde gebieden van het voormalige Spaanse onderkoninkrijk Nieuw-Grenada en de republiek Venezuela. Het congres met vertegenwoordigers uit heel Nieuw-Grenada en Venezuela was op 15 februari op verzoek van Bolívar in Angostura bijeengekomen.

Sinds het uitroepen van de Tweede Venezolaanse Republiek in 1814 hebben de revolutionairen veel tegenslagen ondervonden. Op 10 juli 1814 voltooiden Spaanse troepen de herovering van Venezuela met de val van Carácas. In 1815 en 1816 kregen de Spaanse troepen bovendien versterking uit Europa na de terugkeer van Ferdinand VII op de Spaanse troon. Ondanks de tegenslagen wist het bevrijdingslegertje van Bolívar na de landing op nieuwjaarsdag bij Barcelona vanuit Haïti in de loop van 1817 de Orinocovallei in het oosten van Venezuela te veroveren. Nadat 1818 zonder beslissende schermutselingen was verstreken, kreeg Bolívar in februari het vertrouwen van het Congres van Angostura en toestemming voor de veldtocht.

In mei begon een legertje van 2500 man, onder wie veel Engelse en Amerikaanse vrijwilligers en 'llaneros' (de cowboys van de drassige delta), onder leiding van Bolívar met de tocht westwaarts. Dit leidde op 7 augustus tot de Slag bij Boyacá, waar het Spaanse leger vernietigend werd verslagen. Een paar dagen later werd Bogotá ingenomen. De campagne van de Orinocovallei naar Bogotá had uiteindelijk 75 dagen gekost. Terwijl met het beleg van Cartagena, de belangrijkste stad op het continent ten noorden van Bogotá, die nog in Spaanse handen was, werd begonnen, keerde Bolívar terug naar Angostura, waar het congres hem vandaag tot president over de onafhankelijke Republiek Gran Colombia heeft uitgeroepen. Angostura zal worden herdoopt in Ciudad Bolívar.

Hoewel er in heel Gran Colombia nog groepjes Spaanse soldaten actief zijn, ziet de zaak van de bevrijdingslegers er positief uit. Bolívar maakt plannen voor een veldtocht zuidwaarts, terwijl in Chili San Martín de opmars naar het noorden voorbereidt.

## René Laënnec introduceert stethoscoop

PARIJS - De Franse hoogleraar in de medicijnen, René Laënnec, is erin geslaagd met behulp van een nieuw instrument het hart en de longen te beluisteren. Drie jaar geleden ontdekte Laënnec dat een hol voorwerp, op de borst van de patiënt geplaatst, een heldere weergave van de geluiden van hart en longen geeft. Laënnec noemde zijn methode auscultatie en zijn instrument de stethoscoop (stethos = borst). Onlangs heeft hij zijn bevindingen gepubliceerd in een boekwerk: *Verhandeling over de indirecte auscultatie*, waarin hij tevens een beschrijving geeft van de anatomische afwijkingen bij een aantal longziekten en van andere klinische observaties.

In de medische wereld is momenteel een debat gaande waarin Laënnec een nieuw medisch-filosofisch uitgangspunt verdedigt. Laënnec keert zich tegen de traditionele opvatting dat alle ziekteverschijnselen op een specifieke oorzaak berusten. Hij stelt daarvoor in de plaats dat ziekte gezien moet worden als een reactie op weinig specifieke, schadelijke inwerkingen op het lichaam. Als voorbeeld noemt hij het geval van een ontsteking. Tot op heden worden ontstekingen als een ziekte beschouwd en bijvoorbeeld door aderlating of purgatie bestreden. Laënnec stelt dat de ontsteking gezien moet worden als de natuurlijke verdedigingsreactie van het lichaam op een schadelijke stof. Purgatie of aderlating is zinloos en verzwakt de patiënt nodeloos. Volgens de Franse arts moeten de afweerreacties van het lichaam juist versterkt worden om de ontsteking te kunnen bestrijden.

Laënnec, die vooral als patholoog-anatoom bekendheid heeft verworven, wordt door zijn medestanders gezien als de grondlegger van een nieuwe, klinische benaderingswijze van de geneeskunde.

*Van de Duitse filosoof Arthur Schopenhauer is dit jaar een belangrijk werk verschenen: 'Die Welt als Wille und Vorstellung', waarin hij de stelling poneert dat de verlangens van de mens en de krachten van de natuur alle uitingen zijn van één enkele wil, de wil tot leven, de essentie van de wereld.*
*Aangezien de werking van de wil een voortdurend streven inhoudt zonder vervulling, is het leven volgens Schopenhauer een lijdensweg.*

# 1820

**1 januari.** In het zuiden van Spanje geeft majoor Rafael del Riego Nuñez het signaal voor een liberale revolutie tegen het absolutistische bewind van koning Ferdinand VII.→

**3 maart.** Met het zogenoemde Missouri-compromis wordt het slavenhoudende Missouri toegelaten tot de Amerikaanse Unie.→

**7 maart.** Ferdinand VII van Spanje wordt gedwongen de constitutie van 1812 weer in te voeren en de inquisitie af te schaffen.

**30 maart.** Richelieu schaft de persvrijheid weer af.

**April.** De Deense natuurkundige Hans Christian Ørsted ontdekt de samenhang tussen magnetisme en elektriciteit.→

**8 juli.** In Frankfurt am Main wordt de Wener slotakte aanvaard. De soevereiniteit van alle staten van de Duitse Bond wordt bevestigd en het monarchistische principe wordt afgekondigd.

**13 juli.** Evenals in Spanje komt het in het koninkrijk der Beide Siciliën tot een liberale revolutie.→

**Augustus.** In China wordt de overleden keizer Ren Zong opgevolgd door Xuan Zong.

**Augustus.** De Portugese Cortes (parlement) kondigen in afwezigheid van koning Johan VI, die in Rio de Janeiro resideert, een grondwet af naar Spaans model.

**19 november.** Tijdens de conferentie in Tropau drijft Metternich tegen de wil van Groot-Brittannië en Frankrijk het interventieprincipe door.→

- Johannes Jelgerhuis schildert het *Interieur van de winkel van de boekhandelaar Pieter Meyer Warnars op de Vijgendam te Amsterdam.*→

- Het eerste ijzeren stoomschip wordt te water gelaten.

- Kinine (een middel tegen malaria) wordt ontdekt.

- Walter Scott schrijft de roman *Ivanhoe.*

- Ampère stelt zijn elektrodynamische wetten op.

- In China komt een verbod op de opiuminvoer.

- Het beeld van de *Venus van Milo* wordt gevonden.

- Alphonse de Lamartine schrijft *Méditations Poétiques.*

- Percy Bysshe Shelley schrijft het gedicht *Prometheus Unbound.*

- De gebroeders Heim in Offenbach bouwen de eerste papiersnijmachine voor boekbinders.

*Augustina van Aragón, Spaans heldi[n]*

## Staatsgreep van Spaans leger

MADRID, 1 januari - Een militai[re] staatsgreep onder leiding van majo[or] Rafael del Riego de Nuñez heeft Ferd[i]nand VII, koning van Spanje, g[e]dwongen de zeer liberale Constitut[ie] van Cádiz (1812) weer in te voeren. Ve[le] liberale opstandjes zijn deze 'pronun[-] ciamiento' (militaire opstand) voora[f] gegaan zonder dat ze effect hadden. D[e] opstand is waarschijnlijk geslaagd om[dat] dat Spanje in zo'n deplorabele toestan[d] verkeert sinds de oorlog tegen Frank[-] rijk en het bestuur te zwak blijkt o[m] hierin verandering te brengen.

De liberalen hadden in 1814 ten o[n]rechte gemeend dat Ferdinand VII, n[a] zijn terugkomst in Spanje uit balling[-] schap, de nieuwe liberale grondw[et] zou respecteren. Maar dank zij een m[i]litaire coup werd de autoritaire mona[r]chie weer hersteld en werden de lib[e]ralen vervolgd. De koning voer[de] een financieel-economisch wanbelei[d]. Daarnaast brokkelde het Spaanse i[m]perium af, onafhankelijkheidsbew[e]gingen in Amerika namen de Spaans[e] bezittingen over en zo ging het groots[te] gedeelte van de koloniën verloren.

Vanaf 1814 werd de liberale opposit[ie] vooral vertegenwoordigd door diss[i]dente afdelingen van het leger. Dit wa[s] een geheel nieuwe ontwikkeling, wa[nt] vóór de Franse invasie was het Spaans[e] leger een goed gedisciplineerde milita[i]re macht die trouw aan de koning wa[s]. De onafhankelijkheidsoorlog had ee[n] heel nieuw kader van middenklasse[-] officieren aangetrokken die na het ei[n]de van de strijd zonder taak zaten. G[e]wend aan macht en respect als zij wa[-] ren, konden zij zich niet neerleggen b[ij] de tweederangs status en de slechte so[l]dij tijdens het bestuur van Ferdinan[d]. Hun ontevredenheid kreeg een ideol[o]gische inhoud door het liberalisme e[n] constitutionalisme. Het waren deze l[i]berale officieren die opstanden tege[n] Ferdinand VII organiseerden.

De koning heeft gezworen de grondw[et] van Cádiz te respecteren.

Slavenarbeid op een plantage in het zuiden van de Verenigde Staten.

# Missouri en Maine bij VS

WASHINGTON, 3 maart - Het Amerikaanse Congres heeft een voorstel goedgekeurd dat een oplossing biedt voor het al dan niet toelaten van slavenhoudende staten tot de Amerikaanse Unie. Missouri wordt een nieuwe lidstaat van de Verenigde Staten waarbinnen slavernij is toegestaan. Maine wordt als vrije staat toegelaten. Het zogenaamde Missouri-compromis verbiedt de invoering van slavernij in de gebieden die boven de lijn 36° 30′ liggen; ten zuiden van deze lijn wordt het grondgebied opengesteld voor slavernij. Nieuwe staten worden in paren (slavenhoudend en niet-slavenhoudend) in de Unie opgenomen om het politieke evenwicht binnen de Verenigde Staten te handhaven.

Omstreeks 1800 beschouwde men zowel in het noorden als in het zuiden van de Verenigde Staten de slavernij als een tijdelijk en betreurenswaardig systeem. Vandaar dat er nauwelijks werd geprotesteerd tegen de 'North-West Ordinance' (1787) waarmee werd bepaald dat een gebied in het noordwesten van Amerika alleen als nieuw lid van de Unie werd geaccepteerd indien slavernij daar verboden was. Vanaf circa 1815 werd slavernij echter het onderwerp van verhitte discussies. Een van de belangrijkste oorzaken was de expansie van de katoenteelt. De vraag naar ruwe katoen was enorm gegroeid. Door de uitvinding van de cotton-gin konden de katoenplantages in het Zuiden hun produktie verhogen. De katoenplanters hadden daardoor veel goedkope en ongeschoolde arbeiders nodig. Slavernij werd voor de economie van het Zuiden onmisbaar, terwijl in het Noorden steeds meer mensen de slavernij vanuit moreel oogpunt verwierpen. Het Noorden was een heel ander gebied. Handel en industrie vormden daar de basis van de economie.

Het Noorden en Zuiden kwamen steeds meer tegenover elkaar te staan. Dat bleek ook uit de discussies over de toelating van nieuwe lidstaten. Het Zuiden wilde dat slavernij in die staten zou worden toegestaan, het Noorden wilde die verbieden. In wezen ging het hier om de vraag wie de politieke controle over de Federatie zou verwerven: indien de nieuwe territoria als slavenhoudende staten tot de Unie zouden toetreden, dan zou het Zuiden het voor het zeggen krijgen. In het andere geval zou het Noorden de Federatie domineren. Door het Missouri-compromis wordt het politieke evenwicht echter gehandhaafd.

# Grondwet voor Napels

NAPELS, 13 juli - Koning Ferdinand I van de Beide Siciliën is na een mars op Napels door een leger ontevreden soldaten en Carbonari gedwongen tot de afkondiging van een nieuwe grondwet, de vorming van een regerende junta en de bijeenroeping van het parlement. Vandaag heeft de koning in het gezelschap van de opstandelingenleider, generaal Pepe, de eed op de grondwet afgelegd.

Napels en Sicilië zijn sinds de terugkeer van Ferdinand in 1815 in steeds chaotischer vaarwater gekomen. Niet alleen bleek Ferdinand niet meer te zijn dan een zetbaas van de Oostenrijkers, er is de afgelopen jaren bovendien weinig gedaan om het land te pacificeren. Struikrovers en bandieten maakten het land onveilig en de post, die twee keer per week van Napels naar Calabrië wordt gebracht, moest steeds door een escorte van duizend man worden begeleid.

Koning Ferdinand heeft getracht aan deze situatie een eind te maken door de vorming van een militie. Generaal Pepe, de bevelhebber van Avellino en Foggia, stelde in zijn district deze militie vrijwel geheel samen uit Carbonarileden en de geheime, liberale en patriottische genootschappen die in de Napoleontische tijd overal in Italië zijn ontstaan. Pepe was zelf geen Carbonaro. Hij besloot echter wel zijn militie te gebruiken om Ferdinand tot een grondwet en een liberaler, minder autoritair bewind te dwingen. Tegelijkertijd riep hij Carbonari in de rest van het koninkrijk op zich bij de nieuwe militie te voegen.

Ferdinand I, koning van Beide Siciliën.

In januari brak de opstand in Spanje uit, waarbij de regering omvergeworpen werd. Dit nieuws bereikte Napels in maart en bracht regering en volk in rep en roer. De koning zocht zijn toevlucht in een militair kamp in Sesso. Toen op 9 juli generaal Pepe aan het hoofd van tienduizend ontevreden soldaten en gewapende Carbonari Napels binnentrok, gaf Ferdinand de bevolking een grondwet nog voordat die eis werd gesteld. Bij de intocht van Pepe droegen de koning en zijn familieleden zelfs Carbonari-rozetten.

De zege van de Carbonari is zonder verwachte wraakacties tegen aanhangers van het bewind van Ferdinand verlopen. Er viel maar één dode, de gehate minister van politie Giampietro.

'Interieur van de winkel van boekhandelaar Pieter Meyer Warnars op de Vijgendam te Amsterdam', een schilderij dat de 50-jarige tekenaar, graveur, kostuumontwerper, acteur, pedagoog en schilder Johannes Jelgerhuis dit jaar heeft gemaakt. Jelgerhuis heeft vele interieurs van handelaars en geleerden getekend en geschilderd.

# Europese staten verdeeld

*Spotprent op het Congres van Wenen: in het midden keizer Frans I.*

TROPAU, 19 november - De samenwerking tussen de Europese grote mogendheden, waartoe op het Congres van Wenen van 1815 is besloten, begint

## Verband tussen elektriciteit en magnetisme

*Hans Christian Ørsted.*

KOPENHAGEN, april - De Deense natuurkundige Hans Christian Ørsted heeft ontdekt dat een gemagnetiseerde naald van stand verandert wanneer men deze in de buurt plaatst van een draad waar een elektrische stroom doorheen loopt. Hij heeft dit verband tussen elektriciteit en magnetisme beschreven in *Experimenta circa effectum conflictus electrici in acum magneticam.*

Ørsted heeft op verscheidene gebieden zijn sporen verdiend. Zo publiceerde hij essays over esthetiek en de geneeskunde. Hij promoveerde op een dissertatie die gewijd was aan de filosofie van Kant.

barsten te vertonen. Dit is duidelijk naar voren gekomen op het congres te Tropau, waar de Europese staten in twee kampen zijn verdeeld. De Oostenrijkse kanselier Metternich heeft Pruisen en Rusland meegekregen in wat in wezen een antirevolutionaire alliantie is; Groot-Brittannië en Frankrijk daarentegen hebben geweigerd het protocol van Metternich te ondertekenen.

De strekking van het protocol is dat de Europese staten door collectieve internationale actie, en in het belang van vrede en veiligheid, beschermd moeten worden tegen interne veranderingen die door geweld worden veroorzaakt. Het duidt op een wijziging van de Russische houding dat tsaar Alexander zijn instemming met dit in wezen reactionaire document heeft betuigd. De Europese confederatie die hij in een document (bekend als de Heilige Alliantie) in 1815 propageerde, steeg uit boven eng nationale principes; christelijke broederschap tussen de Europese staten en internationale overeenstemming waren de kernpunten van deze enigszins mystiek aandoende intentieverklaring. Ofschoon de tsaar al in 1818 erkende dat staten tegen gewelddadige veranderingen veilig gesteld moesten worden, eventueel door handhaving van een internationale militaire troepenmacht, was de achterliggende gedachte toch steeds dat regeringen aldus gewilliger constitutionele en liberale hervormingen zouden doorvoeren. Van dit laatste lijkt weinig meer over te zijn. Alexander is enigszins gedesillusioneerd over de ondankbaarheid van de Polen, terwijl hem geruchten ter ore zijn gekomen over onrust onder de officieren in zijn eigen leger. Hij heeft zich dan ook laten overreden door Metternich, en de bereidheid uitgesproken diens politieke oordeel te volgen.

---

# 1821

**Maart.** De Griekse vrijheidsoorlog begint in Moldavië met een opstand onder leiding van Alexandros Ypsilanti tegen de Turken.

**8 april.** Het Oostenrijkse leger verslaat de troepen van de Italiaanse regent Karel Albert bij Novara.

**20 april.** Besprekingen tussen Griekse en Roemeense opstandelingen lopen op niets uit. →

**22 april.** In Constantinopel nemen janitsaren wraak voor het bloedbad in Morea en doden onder anderen de Griekse patriarch Gregorius. →

**7 mei.** De Engelse Afrika Compagnie wordt ontbonden. Brits West-Afrika wordt gevormd.

**19 juni.** De Grieken worden bij Dragetsani door de Turken verslagen. De Russische ambassadeur wordt uit Constantinopel teruggeroepen. →

**28 juli.** Na de verovering van Lima roept San Martín de onafhankelijkheid van Peru uit. Grote delen van het land worden nog door het Spaanse leger beheerst.

**Augustus.** De Portugese koning Johan VI aanvaardt de grondwet-in-wording, waardoor Portugal een constitutionele monarchie wordt. →

**15 september.** Guatemala wordt onafhankelijk van Spanje en verbindt zich met Mexico.

**5 oktober.** Griekse opstandelingen veroveren Tripolis (Peloponnesos) op de Turken. →

**28 november.** Panama wordt onafhankelijk en sluit zich aan bij de Republiek van Colombia.

- Siam verovert Kedah, Penang voert een non-interventiepolitiek.

- Thomas de Quincey schrijft *Confessions of an English Opium-Eater.* →

- Liberia wordt onafhankelijk.

- De Duitse arts Samuel Hahnemann introduceert een nieuwe wijze van geneesmiddelengebruik, de 'homeopathie'. →

- John Constable schildert *Hay Wain.*

- De opera *Der Freischütz* van Carl Maria von Weber wordt in Berlijn voor het eerst opgevoerd.

- Michael Faraday ontdekt het principe van de elektromotor.

- De 'École de Chartes' wordt in Parijs gesticht ter bestudering van historische documenten.

- Le Comte de Saint-Simon schrijft *Du Système Industriel.*

Gestorven:

**5 mei.** Napoleon (15-8-1769), Frans keizer →

---

# Roemeens en Grieks verzet verder uit elkaar

BOEKAREST, 20 april - De ontmoeting tussen de Griekse opstandelingenleider Ypsilanti en de Roemeen Vladimirescu heeft niet het verhoopte resultaat opgeleverd. In plaats van hun geschillen bij te leggen zijn de belangentegenstellingen geaccentueerd.

Alexandros Ypsilanti, zoon van een voormalige Fanariotische hospodar (heer) van Walachije en vleugeladjudant van de Russische tsaar, leidt sinds vorig jaar de Filiki Hetairía. Deze in 1814 te Odessa opgerichte 'vrienden-club' heeft zich van meet af aan te doel gesteld zich van de Osmaanse overheersing te ontdoen en het oude Byzantijnse Rijk te doen herleven. De Hetairía heeft de laatste tijd grote aanhang gekregen onder de Fanarioten in Constantinopel en in de Donau-vorstendommen, en onder de Griekse kooplieden in Zuid-Rusland. Zij bereidde een opstand voor die vanuit Morea (Peloponnesos) had moeten beginnen. Aangezien daar geen schot in zat besloot men de eerste revolutionaire actie vanuit de Donauvorstendommen te lanceren. Hierbij speelde de gunstige geografische ligging een rol: de gebieden grenzen aan Rusland, van waaruit men op hulp bleef hopen; bovendien zouden de revolutionaire troepen op weg van de Donauvorstendommen naar Griekenland de andere Balkan-volkeren tot opstand kunnen stimuleren. Verder leken de Donauvorstendommen zelf rijp voor een opstand. De Grieken maakten hier echter een ernstige misrekening. Inderdaad was voor de Roemeense boerenbevolking de grens van haar geduld bereikt, maar niet ten aanzien van de Turken. Een eeuw van Fanariotische uitzuigerij had de Griekse kliek zeer gehaat gemaakt. Vele Roemeense bojaren maakten met de boeren gemene zaak. Ofschoon zij in groten getale met de Fanarioten hadden gecollaboreerd bleef hun voornaamste wens de instelling van een autochtone regering. Tudor Vladimirescu werd de voornaamste Roemeense leider. Hij kwam met de Hetairía overeen dat hij haar zou helpen bij een opstand in de Donauvorstendommen mits de Grieken vervolgens de Donau zouden oversteken, en riep daartoe de boeren op hem te steunen. Met een geweldig enthousiasme volgden de Roemeense boeren Vladimirescu, echter niet uit nationale of politieke overwegingen, maar in de hoop hun sociale toestand te verbeteren.

Door deze belangentegenstelling lijkt het Grieks-Roemeense verbond gedoemd te mislukken. Het feit dat de opstandelingen bovendien niet over een goed georganiseerd leger beschikken, maakt de kans op succes bepaald niet groter.

# Oostenrijk slaat opstand in Piemonte neer

*Keizer Frans I aan het hoofd van zijn troepen (J.N. Höchle).*

NOVARA, 8 april - Oostenrijkse troepen hebben de volgelingen van regent Karel Albert bij Novara verslagen. Daarmee is een eind gekomen aan de tweede grote opstand binnen een jaar in Italië tegen reactionaire regimes.

De opstand tegen het reactionaire bewind van koning Victor Emanuel was aanvankelijk het werk van een groep hoge officieren onder graaf Santorre di Santarosa. Zij hoopten de koning tot een constitutioneel bewind te dwingen en stuurden op een oorlog met Oostenrijk aan. Afzetting van de koning was geen doel van de samenzwering.

De samenzweerders steunden op ontevreden legereenheden. Op 21 maart kwamen dergelijke legereenheden in opstand in Vercelli, Alessandria en andere steden. Toen het nieuws Turijn bereikte, brak paniek uit. Terwijl de koning met zijn ministers overlegde, kwam ook het garnizoen van Turijn in opstand. De soldaten schoten hun commandant dood en dreigden de stad te bombarderen als de koning geen grondwet afkondigde. Juist op dat moment kwam in Turijn een Oostenrijkse nota binnen waarin de koning onder bedreiging van een invasie werd verboden een grondwet af te kondigen, waardoor de verwarring nog groter werd.

Geplaatst voor de keuze tussen oorlog en burgeroorlog wist Victor Emanuel niet wat te doen: op 13 maart trad hij af. Zijn broer, Karel Felix, werd tot zijn opvolger benoemd. Aangezien deze zich in Modena bevond, werd prins Karel Albert, zoon van de afgetreden koning, regent.

De onverwachte troonsafstand verraarde de opstandelingen, die geen enkel heil verwachtten van de al even reactionaire en absolutistische Karel Felix. Terwijl Karel Albert - door velen, inclusief de nieuwe koning, verdacht van sympathieën voor de Carbonari - met grote moeite een nieuw kabinet samenstelde, sloten protesterende menigten in Turijn zich bij de opstandige soldaten aan, vooral dank zij agitatorische acties van de Carbonari.

De regent beloofde de opstandelingen een nieuwe grondwet, onder voorbehoud van instemming van de nieuwe koning. Toen de druk aanhield, kondigde Karel Albert definitief de gewenste nieuwe grondwet af.

In Modena gaf Karel Felix zich echter niet gewonnen. Hoewel hij weinig animo had de troon te bestijgen, kon hij ook slechts met afgrijzen reageren op het gedrag van zijn neef. Om de situatie op te lossen, wendde hij zich tot de Oostenrijkers met het verzoek de rebellie de kop in te drukken. Aan dit verzoek werd zonder dralen gevolg gegeven. Tegelijkertijd gaf Karel Felix de regent opdracht zich in Novara onder het bevel van de loyale generaal De la Tour te stellen. De prins gehoorzaamde en werd vervolgens in ballingschap naar Florence gestuurd.

De Oostenrijkse overwinning op de opstandige eenheden liet daarna niet lang op zich wachten. De sleutels van het veroverde Alessandria zijn met typisch Oostenrijkse arrogantie naar de keizer in Wenen gestuurd in plaats van naar de rechtmatige koning Karel Felix.

Het Oostenrijkse ingrijpen in Piemonte kwam slechts twee weken nadat de Oostenrijkers in Napels orde op zaken hadden gesteld. Daar was in juli vorig jaar koning Ferdinand een liberale grondwet afgedwongen door generaal Pepe en zijn militie van Carbonari. Ferdinand had zich ogenschijnlijk aan zijn woord gehouden, de grondwet trouw gezworen en een parlement bijeengeroepen. Tegelijkertijd had hij zich echter tot Oostenrijk om hulp gewend. In november zette hij dat verzoek in Laibach nog eens kracht bij en in februari marcheerde het Oostenrijkse leger naar het zuiden op. Op 7 maart werden de Napolitanen verslagen. Op 23 maart bezetten de Oostenrijkers Napels, op veilige afstand gevolgd door koning Ferdinand. Een lange

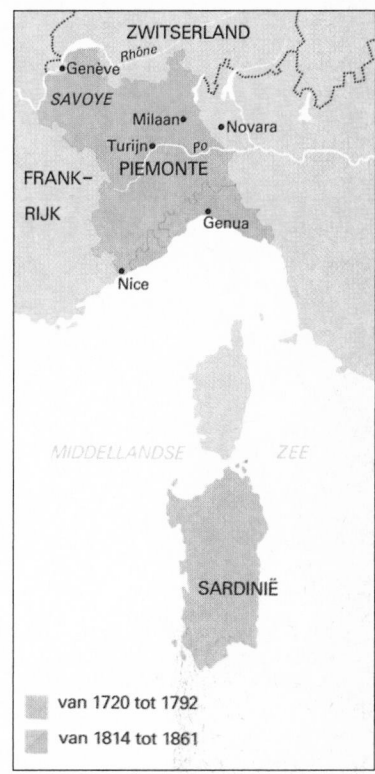

*Koninkrijk Sardinië-Piemonte van 1720 tot de eenwording van Italië.*

| | |
|---|---|
| | van 1720 tot 1792 |
| | van 1814 tot 1861 |

reeks lijfstraffen, executies, gevangenisstraffen en verbanningen van Carbonari en hun sympathisanten volgde en de grondwet, waaraan Ferdinand vorig jaar trouw had gezworen, werd afgeschaft.

# 'Bekentenissen van een opiumgebruiker'

LONDEN - In het tijdschrift *London Magazine* zijn twee artikelen verschenen die sterk de aandacht hebben getrokken. Ze zijn getiteld *Confessions of an English Opium-Eater* en zijn geschreven door Thomas de Quincey, een medewerker van het blad.

Thomas de Quincey was in zijn jeugd een opvallende leerling. Hij studeerde in Oxford, waar hij zich niet thuis voelde. Het studentenleven daar, dat voor een deel gekenmerkt werd door het nuttigen van grote hoeveelheden alcohol, stond hem tegen. Begin 1804 nam hij voor de eerste maal opium, om zenuwpijnen te verzachten. Deze ervaring was van blijvende invloed op zijn leven.

Na de publicatie van enige kritieken raakte De Quincey bekend in literaire kringen en ontmoette de dichters Wordsworth en Coleridge. Evenals deze dichters vestigde hij zich in 1809 in het Lake-district en nam zijn intrek in een huisje in Grasmere. Vanaf 1813 gebruikte hij regelmatig opium.

De Quincey is een van de eerste critici die de waarde inziet van de *Lyrical Ballads*, de vernieuwende poëzie waarmee

*Chinese opiumrokers in 19de-eeuws Kanton: links wordt een pijp klaargemaakt.*

Wordsworth en Coleridge aan het begin van deze eeuw het Engelse publiek verrasten. Zijn *Confessions* ontleent zijn betekenis aan de fraaie en welsprekende manier waarop verslag wordt gedaan van de beklemmende en morbide ervaringen van een verslaafde aan opium.

*Eugène Delacroix: 'Griekenland sterft op de ruïnes van Missolonghi'.*

# Slachting Morea gewroken

CONSTANTINOPEL, 22 april - Op de avond voor Pasen is de Griekse patriarch Gregorius bij het verlaten van de kerk door een groep janitsaren gegrepen en samen met drie aartsbisschoppen opgehangen. Dit is de reactie op de massamoord van christenen op moslems eerder deze maand in Morea (Peloponnesos) waarbij naar schatting 15 000 van de 40 000 moslembewoners het leven hebben gelaten.

Terwijl de Grieks-Roemeense opstand in de Donauvorstendommen niet naar wens verloopt, lijkt de eerder deze maand uitgebroken revolutie in Morea een grotere kans van slagen te hebben. Het feit dat de Turkse legers de handen vol hebben aan het bedwingen van de opstandige Albanese Ali Pasja van Janina werkt hieraan mee.

Voorafgaand aan de revolutie vond vorige maand een aantal lokale uitbarstingen van agressie tegen de Turken plaats. Aanleiding was de gevangenneming van een aantal orthodoxe leiders die door de Osmaanse autoriteiten waren gesommeerd aan een conferentie deel te nemen. Op 2 april brak er revolutie uit in Mani, in het zuidoosten van Morea. Naar gezegd wordt gaf bisschop Patras op 6 april het sein voor

een algehele opstand. Deze verspreidde zich als een lopend vuur over het vasteland en de eilanden.

De situatie is dan ook vrij gunstig voor een opstand in de Griekse landen. Het bestuur is regionaal goed georganiseerd en grotendeels in handen van Grieken.

## Hahnemann pleit voor 'homeopathie'

LEIPZIG - Na tien jaar noeste arbeid heeft de Duitse arts Samuel Hahnemann de resultaten van zijn onderzoek naar de werking van medicijnen gepubliceerd. In *Reine Arzneimittellehre* (het vervolg op *Organon der Heilkunst* uit 1810) werkt hij zijn medische theorie verder uit.

De oorsprong van Hahnemanns leer ligt in zijn ontdekking dat kinine bij een zieke tot vermindering van de koorts leidt, maar bij een gezond persoon koorts veroorzaakt. Hieruit leidde de Duitse arts en privaatdocent de basisprincipes af van wat hij de 'homeopathie' (van *homoion pathos* = gelijkend lijden) noemt. Deze geneeswijze staat tegenover de allopathie, waarbij tegenwerkende geneesmiddelen in ruime mate worden aan-

gewend. De homeopathie gaat ervan uit dat medicijnen in grote hoeveelheden toegediend een ziekte veroorzaken, maar dat zij in kleine hoeveelheden genezen. Een tweede principe van Hahnemann is 'toediening door verdunning': door verschillende porties van verdunde medicijnen te geven, wordt een beter resultaat bereikt. Hoewel Hahnemann beklemtoont dat alleen symptomen van belang zijn bij genezing, stelt hij dat één ziekteoorzaak ten grondslag ligt aan vele ziekten, waaronder epilepsie, rachitis, hysterie en kanker. Dit miasma is herkenbaar door de heftige jeuk die het teweeg brengt. Zijn leer is aangeslagen bij medici en apothekers, die de ontwikkeling van de officiële geneeswijze met de nodige scepsis gadeslaan.

# Rusland in moeilijk parket

ST.-PETERSBURG, 19 juni - De Russische regering heeft haar ambassadeur uit Constantinopel teruggeroepen. Hiermee drukt Rusland zijn ongenoegen uit over de wrede vergeldingsmaatregelen van Turkse zijde tegen de Grieken die in april dit jaar in opstand zijn gekomen.

De Griekse revolutie heeft de Russische regering in een lastig parket gebracht. Rusland beschouwt zich sinds bijna een halve eeuw als beschermer van de orthodoxe Balkanchristenen. Het land heeft voorts economische banden met de Griekse kooplieden-gemeenschap. Daarbij komt bovendien dat de Russische publieke opinie met de Griekse zaak sympathiseert. Tegenover deze factoren, die voor steun aan de Griekse zaak spreken, staat echter dat tsaar Alexander steeds meer de conservatieve Oostenrijkse kanselier Metternich volgt. En Metternich wenst de Griekse revolutie te beschouwen als een rebellie van onderdanen van de sultan, hun wettige heerser;

*Tsaar Alexander I van Rusland.*

de mogelijkheid van een Grieks rijk da van Rusland afhankelijk zou zijn spreekt hem uiteraard niet aan. U machtspolitieke motieven zou de tsaa de revolutie van Ypsilanti moeten ste nen, maar voorlopig lijkt het princip van internationale solidariteit tegen r volutionair geweld zwaarder te wege

# Portugal krijgt grondwet

LISSABON, augustus - Koning Johan VI is gedwongen zich neer te leggen bij de grondwet-in-wording. Daardoor is Portugal nu een constitutionele monarchie geworden. Tegenover de invoering van burgerlijke verworvenheden als godsdienstvrijheid en persvrijheid staat de afschaffing van alle feodale rechten en privileges van de adel. Er komt een vrij machtige, uit één kamer bestaande Cortes (parlement) zonder adel en geestelijkheid. Het zich ontwikkelende Brazilië dient weer een ondergeschikte positie in het rijk in te nemen. De rust lijkt daarmee echter niet teruggekeerd.

Het is al onrustig in Portugal sinds het einde van de Napoleontische oorlogen, die het land zwaar hadden geteisterd.

De handel was ingestort en het platte land was verwoest. Vanaf 1812 wer het land geleid door de Britse maa schalk Beresford, bij afwezigheid va prins-regent Johan, die in 1807 voor d naderende Franse legers naar Brazili was gevlucht. Beresford regeerde auto ritair en vol willekeur. Het verzet tege zijn beleid was groot: het leger waagd verscheidene (mislukte) staatsgrepe en de liberale oppositie verenigde zic in vrijmetselaarsloges.

Ondanks smeekbeden van zijn vol bleef Johan, sinds 1816 koning, in Bra zilië resideren. Het beviel hem daar z goed, dat hij besloot Brazilië te verhe fen tot een koninkrijk, de havens t openen voor de handel en een national Braziliaanse bank te vestigen. Brazili ontwikkelde zich zo voorspoedig, da het leek of Rio de hoofdstad van he rijk was, en niet Lissabon, waar dit a les met onvrede werd gadegeslagen.

De situatie in Portugal werd nijpen toen vorig jaar in Spanje de liberalen d koning dwongen hun grondwet va 1812 aan te nemen. Toen Beresfor naar Brazilië vertrok om de terugke van de koning te bepleiten, namen o 24 augustus vorig jaar militairen i Porto de macht over. De revolutie ve spreidde zich over het hele land, de re gering werd afgezet en in Lissabo werd een junta gevormd onder leidin van kolonel Cabreira. Deze besloot d Cortes bijeen te roepen om een grond wet op te stellen. In juli keerde Joha VI eindelijk naar Portugal terug. H beloofde zich bij de grondwet te zulle neerleggen, tot onvrede van de Brazilia nen, die niet van plan zijn zich opnieu door Portugal te laten uitbuiten.

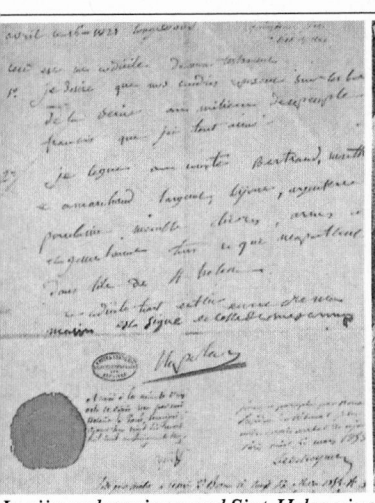

*In zijn verbanningsoord Sint-Helena is op 51-jarige leeftijd de voormalige keizer van Frankrijk, Napoleon I Bonaparte, overleden aan maagkanker. Na de nederlaag bij Waterloo, zes jaar geleden, heeft Napoleon zijn dagen gesleten in monotonie. De gouverneur van Sint-Helena, Sir Hudson Lowe, was hem niet gunstig gezind en zag slechts toe op een strikte naleving van de voorschriften. In zijn testament (boven) laat Napoleon weten dat hij aan de oever van de Seine begraven wil worden, te midden van zijn geliefde Franse volk. De steen op zijn graf draagt als opschrift: 'Ci-git' (Hier ligt).*

# Succes voor Grieks verzet

TRIPOLIS, 5 oktober - Opstandige Grieken hebben vandaag gewapenderhand het stadje Tripolis op de Peloponnesos op de Turken veroverd. Het is de eerste succesvolle slag die de Griekse vrijheidsstrijders hebben toegebracht aan het centrale Osmaanse gezag. De Turken zijn ook elders op het schiereiland teruggedrongen in hun fortificaties.

Het signaal tot de gewapende opstand werd op 25 maart van dit jaar gegeven. In het klooster Aghia Lavra, boven het dorpje Kalavryta, hees de orthodoxe geestelijke leider Germanos, metropoliet van Patras, demonstratief de Griekse vlag. Kort daarop trokken gewapende groepen onder leiding van Demetrios Ypsilanti, broer van de leider (Alexandros) van het geheime Genootschap van vrienden ('Filiki Hetairia'), en de uit Italië afkomstige Marokordatos naar de Peloponnesos op. In dezelfde maand opende Alexandros Ypsilanti in Moldavië een offensief tegen de Turken. Veel succes wisten de vierduizend man van Ypsilanti daar niet te boeken, bij gebrek aan steun van Servische en Bulgaarse geestverwanten. In juni van dit jaar wisten de Turken op hun beurt Ypsilanti's troepen te verslaan.

Ook in Griekenland genieten de opstandelingen nauwelijks steun. De patriarch van de orthodox-christelijke Kerk heeft de rebellie vanuit Constantinopel veroordeeld en Ypsilanti als een 'ongelovige' en 'destructieve verrader' gehekeld.

De vier grote mogendheden - Engeland, Oostenrijk, Rusland en Frankrijk - hebben tot nu toe ook geen werkelijke steun willen toezeggen. De druk van de Russische tsaar, die zijn Griekse

*Lord Byron in Albanees krijgstenue.*

vriend hertog Kapodistrias in 1816 heeft benoemd tot minister van Buitenlandse Zaken, heeft de grote mogendheden op hun periodieke conferentie van het 'Europese orkest' in Laibach (Slovenië) niet kunnen vermurwen. De tsaar heeft vervolgens, bij wijze van symbolisch gebaar, zijn ambassadeur uit Constantinopel teruggetrokken.

De bevrijdingsstrijd heeft in intellectuele kring in Europa echter wel een golf van sympathie opgeroepen. Het filhellenisme kende het afgelopen halfjaar ongekende hoogtepunten. De Russische dichter Poesjkin en de Britse dichter Lord Byron hebben zich zelfs onder het banier van de troepen van de Ypsilanti's geschaard.

---

# 1822

**1 januari.** Op het Grieks Nationaal Congres van Epidauros wordt de Griekse zelfstandigheid uitgeroepen.

**22 april.** De Turkse vloot neemt het Griekse eiland Chios in, vermoordt de christelijke bewoners of verkoopt hen als slaven. →

**19 mei.** Een deel van het Mexicaanse leger roept Agustin de Iturbide uit tot keizer, nadat de hervormingsvoorstellen door Spanje zijn afgewezen.

**24 mei.** Equador sluit zich aan bij Gran Colombia.

**1 augustus.** In Rusland worden alle geheime gezelschappen verboden, waaronder de vrijmetselarij.

**13 augustus.** De Britse minister van Buitenlandse Zaken Castlereagh pleegt zelfmoord. →

**20 oktober tot 14 december.** Op het vorstencongres in Verona veroordelen Pruisen, Oostenrijk, Rusland en Napels-Sicilië de opstand van de Grieken tegen de Osmanen. Groot-Brittannië trekt zich terug uit de interventie en alliantie.

**1 december.** Peter I wordt de eerste keizer van een onafhankelijk Brazilië. →

- Na het mislukken van de aardappeloogst breekt in Ierland een hongersnood uit.

- De eerste voormalige Amerikaanse slaven keren terug naar hun geboortegrond in West-Afrika. →

- Franz Liszt debuteert op 11-jarige leeftijd als pianist in Wenen.

- Franz Schubert begint met het componeren van zijn Achtste symfonie, die hij nimmer afmaakt: *Die Unvollendete*.

- Aleksandr Poesjkin begint de roman *Jevgeni Onegin* te schrijven.

- Joseph Fourier ontdekt de theorie van de warmtegeleiding.

- François Fourier, Frans utopisch socialist, schrijft *Traité de l'association domestique agricole*.

- Jean François Champollion ontcijfert met behulp van de Steen van Rosette het Egyptisch hiërogliefenschrift. →

Gestorven:

**25 juni.** Ernst Theodor Amadeus Hoffmann (24-1-1776), Duits dichter, componist, tekenaar en schilder

**8 juli.** Percey Bysshe Shelley (4-8-1792), Engels dichter →

**13 oktober.** Antonio Canova (1-11-1757), Italiaans beeldhouwer

---

# Engelse minister pleegt zelfmoord

*Markies Castlereagh.*

LONDEN, 13 augustus - Henry Robert Stewart Castlereagh, de minister van Buitenlandse Zaken, heeft vandaag zelfmoord gepleegd. Wat de omstreden minister tot zijn daad heeft gebracht is onduidelijk - hij stond op het punt te vertrekken naar Verona om de Engelse belangen bij de Franse interventie in Spanje te behartigen - maar men gaat ervan uit dat zijn toenemende impopulariteit en de binnen en buiten het parlement groeiende oppositie tegen zijn beleid de 53-jarige staatsman te veel zijn geworden.

Markies Castlereagh werd op 18 juli 1769 in Mount Stewart in Ierland geboren. In 1793 werd hij lid van het parlement van Ierland en onder Lord Camden eerste secretaris van Ierland. Castlereagh maakte zich gehaat door de manier waarop hij de Engelse belangen in Ierland behartigde. Na zijn medewerking aan de Unie tussen Ierland en Engeland werd hij in 1801 lid van het Engelse parlement. Sindsdien heeft hij verscheidene hoge functies, waaronder ministersambten, bekleed. Castlereagh viel op omdat hij zo'n felle tegenstander van de liberale oppositie en van Frankrijk was. Door zijn onverzoenlijke houding tegenover Frankrijk, die hij onder andere op het Congres van Wenen demonstreerde, isoleerde hij zichzelf in het parlement. Castlereagh had zich ten doel gesteld Engeland te laten deelnemen aan de Heilige Alliantie, maar dit ging zelfs vele conservatieven te ver. Zowel de andere leden van het kabinet als de prins-regent vonden de doelstellingen van dit verbond te reactionair, zodat Castlereagh in deze zaak een pijnlijke nederlaag leed. Zijn houding baarde opnieuw opzien toen hij naar aanleiding van de toenemende radicale agitatie zeer harde maatregelen voorstelde. Men verwacht dat Castlereagh zal worden opgevolgd door de meer flexibele George Canning. De ironie van het lot wil dat de nieuwe minister zijn ambt dankt aan de dood van de man met wie hij zozeer van mening verschilde over de ten aanzien van het revolutionaire Frankrijk aan te nemen houding, dat deze hem uitdaagde tot een duel, waarbij Canning gewond raakte.

# Dichter Shelley verdrinkt

*De cremate van de dichter P.B. Shelley (schilderij van L.E. Fournier).*

VIAREGGIO, 8 juli - In het bijzijn van enkele vrienden, onder wie Lord Byron, is de Engelse dichter Shelley op het strand van Viareggio gecremeerd. Shelleys kleine zeilboot de 'Don Juan' was in een storm voor de Toscaanse kust omgeslagen; de dichter is nog geen dertig jaar oud geworden.

Met Shelley is niet alleen een groot romantisch dichter heengegaan, maar tevens een belangrijk maatschappijcriticus. Shelley zag zichzelf en andere schrijvers van zijn tijd als de herauten van de op handen zijnde sociale omwentelingen. In het vorig jaar geschreven *A Defence of Poetry* waarschuwde de dichter voor de gevolgen van een al te snelle ontwikkeling van de wetenschap. In Shelleys ogen zou de mens dan een mechanische macht verwerven waarvoor hem echter de wijsheid ontbreekt om die op de juiste manier te gebruiken. Daarnaast drong hij er in *A Philosophical View of Reform* bij de machthebbers aan op revolutie en

anarchie niet door bloedige onderdrukking tegen te gaan maar door middel van geleidelijke hervormingen.

De afgelopen vier jaar was Shelley echter steeds meer dichter dan hervormer geworden. Sinds hij in Italië woonde verwoordde hij zijn politieke en religieuze ideeën liever in verzen dan in politieke pamfletten. Het hoogtepunt van deze vermenging van poëzie en filosofie is het in 1820 gepubliceerde *Prometheus Unbound*, waarin de held (een voorstander van vrijheid en hervormingen) vervolgd wordt door de heerser van het heelal om zijn pogingen het lot van de mensheid te verbeteren. In dit werk toonde Shelley zijn diep geloof in de roeping van de mensheid: 'All things confess his strength [...] The tempest is his steed, he strides the air; And the abyss shouts from her depth laid bare, Heaven, hast thou secrets? Man unveils me; I have none.'

Shelleys leven is stormachtig verlopen voortdurend reizend en op zoek naar de ideale vrouw. Met zijn nadruk op het individualisme past Shelley in de beweging van de romantiek die de eerste decennia van deze eeuw kenmerkt. Het romantisch levensgevoel uit zich op velerlei wijzen: vlucht in het verleden, verlangen naar het onbekende, onderwerping aan de fantasie.

De romantici verzetten zich in feite allen tegen het vooruitgangsgeloof en het rationalisme van de Verlichting en tegelijkertijd tegen het burgerlijke leven onder de Restauratie. Vanuit hun verzet kunnen ze zowel in progressieve (met name in Frankrijk en Engeland) als reactionaire (vooral in Duitsland) kampen terechtkomen. De hang naar geborgenheid, die alle romantici gemeen hebben, is tekenend voor deze tijd, waarin het oude bestel ineengestort is en de toekomst slechts verwarrende perspectieven biedt.

---

*De Steen van Rosette met een tekst in hiërogliefen, Grieks en Demotisch.*

# Hiërogliefen ontcijferd

PARIJS - De 22-jarige Franse taalgeleerde Jean François Champollion is dit jaar als eerste erin geslaagd de Egyptische hiërogliefen te ontcijferen. Champollion maakte zijn ontdekking wereldkundig in een lezing voor de Académie Française.

De Franse geleerde is al vanaf zijn elfde jaar met het onderwerp bezig en beheerste op zijn zestiende zes oosterse talen naast Grieks en Latijn. De doorbraak in de ontcijfering kwam na vele tegenslagen. Geleerden die zich tot nu toe met de ontcijfering hebben beziggehouden, zijn altijd ervan uitgegaan dat hiërogliefen als symbolen moesten worden gelezen. Champollion heeft nu bewezen dat het voornamelijk een fonetisch schrift is.

De belangrijkste sleutel tot de ontcijfering vormt de Steen van Rosette. Deze werd in 1799 in Egypte bij toeval ontdekt door ingenieurs uit Napoleons leger. De steen is van groot belang omdat de tekst erop niet alleen staat afgebeeld in hiërogliefen en in het zogenaamde demotisch (het Oudegyptische volksschrift), maar ook in het Grieks.

Door gedetailleerde vergelijkingen heeft Champollion een lijst kunnen opstellen van Egyptische woorden en hun Griekse equivalenten. De Franse hoogleraar maakte hierbij mede ge-

bruik van de bevindingen van de Engelse arts en taalgeleerde Thomas Young.

Er zijn in de afgelopen eeuwen verscheidene pogingen gedaan om het heilige schrift van de oude Egyptenaren te ontcijferen. Met name in de 18de eeuw heeft men zich hiermee intensief beziggehouden. Ondanks tegenwerking van vakgenoten is Champollion daarin nu eindelijk geslaagd.

*Op het eiland Chios in de Egeïsche Zee is vorig jaar een opstand uitgebroken tegen de Osmaanse heerschappij. Voortdurend worden guerrilla-acties tegen de Turken uitgevoerd (zie afbeelding). In april nemen de Turken vreselijk wraak: 23 000 bewoners worden vermoord en 47 000 worden als slaven verkocht, slechts 5000 kunnen ontsnappen.*

*De kroningsplechtigheid van keizer Peter I in Rio de Janeiro.*

# Brazilië onafhankelijk

RIO DE JANEIRO, 1 december - Peter, de Portugese troonopvolger en regent in Brazilië, is in de kathedraal van Rio tot keizer Peter I gekroond. De scheiding van Portugal is daarmee definitief geworden: de Portugezen verliezen hun grootste en rijkste kolonie.

Alhoewel de onafhankelijkheid slechts een kwestie van tijd was, heeft het Portugese beleid zeker als katalysator gewerkt. Terwijl het koningshuis van de Bragança's nog redelijk populair was omdat het de Braziliaanse ontwikkeling bevorderde, waren de Portugese Cortes daarentegen erop gebrand het land weer terug te dringen in zijn koloniale status. Toen koning Johan VI (sinds 1807 in Brazilië) wegens de gespannen situatie vorig jaar naar het moederland moest terugkeren, koos zijn zoon en regent Peter voor Brazilië: 'fico' (ik blijf).

Op 7 september, tijdens een dienstreis, bereikte Peter het bericht dat Portugal niet bereid was de Brazilianen meer vrijheid te geven, waarop hij spontaan bij de Ypiranga-rivier de onafhankelijkheid uitriep. Hij wist zich gesteund door de machtige Braziliaanse plantersaristocratie en de wetenschap dat Portugal niet bij machte was zich hiertegen te verzetten. De paar Portugese garnizoenen werden snel ontwapend en zo vloeide bij deze machtsovername vrijwel geen bloed.

*Voor de eerste maal is een aantal vrijgelaten negerslaven uit de Verenigde Staten teruggekeerd naar hun moederland Afrika. Zes jaar geleden werd in Washington een vereniging opgericht die zich ten doel stelt de kolonisatie door vrijgelaten negerslaven van gebieden in Afrika te bevorderen. Bij Kaap Mesurado op de westkust van Afrika is daartoe een kolonisatiegebied aangekocht. Onder leiding van de blanke Amerikaan Jehudi Ashum is nu een groep vrijgelaten slaven begonnen dit gebied in cultuur te brengen. Boven: een slavenkaravaan (houtsnede).*

**19 maart.** Keizer Augustin I treedt na een jaar aan de macht te zijn geweest af, onder druk van de dreigende burgeroorlog. Mexico wordt een republiek met een federale grondwet.

**18 juni.** Opstanden tegen zijn bewind en het verlies van Brazilië leiden ertoe dat Johan VI van Portugal de Portugese grondwet negeert.

**1 juli.** Costa Rica, Guatemala, El Salvador, Nicaragua en Honduras richten de Confederatie van Centraal Amerikaanse Staten op.

**14 juli.** Zwitserland weigert buitenlandse vluchtelingen op te nemen.

**28 september.** Na de dood van paus Pius VII wordt Annibale Sermattei della Genga tot paus Leo XII gekozen.

**2 december.** Als reactie op het Franse ingrijpen in Spaanse aangelegenheden kondigt de Amerikaanse president James Monroe de Monroe Doctrine af. →

- Als afgevaardigde van de Heilige Alliantie heeft Frankrijk soldaten naar Spanje gestuurd ('de 100 000 zonen van de heilige Lodewijk') om het liberalisme te onderdrukken. Ferdinand VII wordt wederom absoluut monarch. →

- De Griekse bevrijdingsoorlog vindt veel weerklank in Europa. Vrijwilligers sluiten zich aan bij de Griekse opstandelingen en talrijke Griekse verenigingen worden opgericht.

- In Vlaanderen wordt het taalbesluit van 1819 van kracht. In de Vlaamse provincies zal voortaan alleen nog Nederlands gesproken mogen worden.

- De Russische grootvorst Constantijn doet in het geheim afstand van zijn successierechten ten gunste van Nicolaas.

- Er wordt een begin gemaakt met de bouw van het British Museum (1847).

- Michael Faraday maakt chloor vloeibaar.

- Charles Babbage begint een rekenmachine te construeren.

- Friedrich Schleiermacher schrijft *Christian Dogma*.

- Het Verdrag van Erzurum tussen het Perzische en het Osmaanse Rijk wordt getekend. →

- Friedrich Wilhelm Bessel, Duits astronoom, stelt na waarnemingen van de baanbeweging van de planeet Uranus vast dat er een nog onbekende planeet buiten Uranus moet zijn (1846, Neptunus). →

Gestorven:

**20 augustus.** Paus Pius VII (14-8-1740) →

# Pius VII: strijder voor machtige katholieke Kerk

ROME, 20 augustus - Na een pontificaat van ruim 23 jaar is paus Pius VII overleden. Hoorden de eerste jaren van zijn pontificaat door de conflicten met Napoleon tot de zwartste jaren van het pausdom, het laatste decennium heeft de paus veel van de verloren gegane invloed weten terug te winnen.

De wrijvingen met Napoleon stamden al uit 1801, toen Napoleon een concordaat met de paus eigenmachtig via de toevoeging van 'organieke artikelen' in Frans-nationalistische zin wijzigde. In 1804 werd de paus regelrecht vernederd toen Napoleon bij zijn keizerskroning de kroon uit handen van de Heilige Vader griste en zichzelf tot keizer kroonde. De spanningen liepen uiteindelijk zo hoog op dat Napoleon de paus in Frankrijk gevangenzette en de Kerkelijke Staat annexeerde.

Op het Congres van Wenen (1815) kreeg de paus zijn gebied terug. De toestand in Europa was toen aanzienlijk veranderd: de Restauratie bracht de oude absolute machthebbers weer in het zadel en alle vormen van oppositie werden door de Heilige Alliantie hardhandig onderdrukt. Ook de paus sloot zich bij de conservatieve vorsten aan. Hij regeerde in zijn eigen Kerkelijke Staat als een absoluut vorst, maar werkte tegelijkertijd aan een versterking van het bondgenootschap tussen troon en altaar. Pius kreeg daarbij steun uit onverwachte hoek: dichters uit de romantiek als Novalis en Schlegel verheerlijkten het primaat van de paus.

De katholieke Kerk en met name het pausdom hadden door de Verlichting en de Napoleontische oorlogen veel van hun macht verloren. Bijna overal in Europa was de invloed van de staat op de Kerk fors vergroot. Een van de eerste dingen die Pius na de val van Napoleon deed was de jezuïetenorde in ere herstellen, die sinds 1773 verboden was geweest. Hoewel het verlies van kerkelijke goederen en wereldlijke invloed een voldongen feit was, trachtte Pius via het sluiten van concordaten met verscheidene landen tenminste op geestelijk gebied nog te redden wat er te redden was. De vorsten van de Restauratie bleken niet ongenegen daaraan tegemoet te komen: met Spanje, Sardinië, Frankrijk, Beieren, Napels en Pruisen werden concordaten gesloten. Zo werd de katholieke hiërarchie hersteld, maar de vorsten behielden in de meeste gevallen grote invloed op de benoeming van bisschoppen.

Pius trad fel op tegen de vrijmetselarij en tegen de beweging van de Carbonari, die voor meer vrijheid streden en zich afzetten tegen de Heilige Alliantie. Ook bevorderde hij de kunsten en de wetenschappen.

# Verdrag Perzen en Turken

ERZURUM - Na een langdurig conflict tussen het Perzische en het Osmaanse Rijk zijn vertegenwoordigers van beide landen in de stad Erzurum bij elkaar gekomen om een vredesverdrag te tekenen. Perzië werd door Abbas Mirza vertegenwoordigd en het Osmaanse Rijk door Ra'oef Pasch.

Het Verdrag van Erzurum heeft een algemene inleiding met citaten uit de koran, waarbij het accent wordt gelegd op het feit dat moslems broeders voor elkaar moeten zijn. De twee rijken moeten hun betrekkingen met elkaar verbeteren. Wat betreft concrete zaken wordt in het verdrag de nadruk gelegd op het volgende:

1. Het is beide regeringen verboden om zich te bemoeien met de binnenlandse aangelegenheden van de andere. De Perzische regering moet zich niet langer mengen in de kwestie van de Koerden in Mesopotamië. Bovendien heeft de Perzische regering geen stem in de benoeming van de gouverneur in Bagdad. Als nomadenstammen de grens van het ene rijk naar het andere oversteken, moeten de daaruit voortvloeiende problemen via onderhandelingen worden opgelost.

2. De behandeling van Perzische pelgrims moet gelijk zijn aan die van andere islamitische bedevaartgangers. De Perzische pelgrims hoeven geen extra belasting aan het Osmaanse Rijk te betalen. De handelaren van beide rijken moeten gelijk worden behandeld.

3. De Osmaanse regering moet twee stammen, namelijk de Haiderorloe en de Sepiekali, verbieden om naar Perzië te gaan en dorpen en steden aldaar aan te vallen. Als ze toch naar Perzië gaan, dan behoudt de Perzische regering zich het recht voor hen te dwingen in Perzië te blijven.

4. Geen van beide rijken zal vluchtelingen uit het buurland bescherming bieden.

5. Al het kapitaal en materiaal dat het Osmaanse Rijk in bezit heeft genomen, moet aan Perzië worden teruggegeven.

6. Zowel het Perzische als het Osmaanse rijk moet iedere drie jaar een nieuwe ambassadeur benoemen.

Dit verdrag werd getekend ondanks het feit dat de centrale regering in Perzië zeer zwak is en in verscheidene gebieden van Perzië weinig invloed heeft. De wali (gouverneur) van Azerbajdzjan, Abbas Mirza (de ondertekenaar van het verdrag), en de wali van Kermanshah, Mohammed Ali Mirza, erkennen geen van beiden de centrale regering van Perzië. Beide leiders voerden bijvoorbeeld regelmatig oorlogen tegen het Osmaanse Rijk. Met het Verdrag van Erzurum is wel, althans op papier, een einde aan het conflict tussen de twee rijken gekomen.

'De poort van de kalief': straatbeeld van Bagdad door William Logsdail (1887).

Een politicus houdt een redevoering in een Spaanse herberg.

# Ferdinand herstelt gezag

MADRID - De Spaanse koning Ferdinand VII heeft de liberale Constitutie van Cádiz evenals in 1814 weer afgeschaft en de absolute monarchie in ere hersteld. Dit is het resultaat de Franse interventie om een einde te maken aan de wanorde en anarchie die Spanje de laatste tijd beheersen. Lodewijk XVIII had 100 000 soldaten onder leiding van de hertog van Angoulême over de Pyreneeën gestuurd om koning Ferdinand VII hulp te bieden.

De staatsgreep van majoor Riego de Nuñez in 1820 bewerkstelligde de herinvoering van de liberale grondwet van Cádiz die tijdens de onafhankelijkheidsoorlog was opgesteld. De liberalen, die sinds 1814 uitgeschakeld waren geweest, kwamen weer aan de macht. Maar Spanje bleef verdeeld; de royalisten en katholieke regionalisten zagen niets in de antiklerikale grondwet en bleven het ancien régime steunen. De liberalen splitsten zich langzaam maar zeker op in 'moderados' (gematigden) en 'exaltados' (radicalen). De verschillende facties bestreden elkaar; Spanje bevond zich op de rand van een burgeroorlog. Gevluchte liberalen uit Napels en Piemonte, waar Oostenrijk het absolutisme hersteld had, vergrootten de polarisatie nog.

De conservatieve landen van de Heilige Alliantie, Groot-Brittannië, Pruisen, Rusland, Frankrijk en Oostenrijk, zagen de chaos met grote zorg aan. Dat de situatie een revolutie zoals in 1789 tot gevolg zou hebben wilden ze tot elke prijs voorkomen. De Alliantie, Groot-Brittannië uitgezonderd, besloot tot interventie toen de 'exaltados' steeds machtiger werden.

Frankrijk heeft als afgevaardigde van de Alliantie ingegrepen in de hoop da Ferdinand VII een gematigde constitutionele monarchie, volgens een minder rigoureuze grondwet dan die van Cádiz, zou vestigen. Franse troepen konden met zo'n 35 000 Spaanse royaliste gemakkelijk de liberalen verslaan waarna Ferdinand de liberale grondwet afschafte. Aan de Franse wense van een gematigde constitutionele monarchie weigert hij tegemoet te komen. Om eventuele opstanden te voorkomen is overeengekomen dat er zo' 45 000 Franse soldaten in Madrid zullen blijven.

De Duitse wiskundige en astronoom Friedrich Bessel is na zorgvuldige bestudering van de baan die de planeet Uranus beschrijft, tot de conclusie gekomen dat achter deze planeet nog een planeet aanwezig moet zijn. Bessel is werkzaam als directeur van de sterrenwacht in Königsbergen (Pruisen).

# Felle kritiek VS op Europa

WASHINGTON, 2 december - De Amerikaanse president James Monroe heeft in zijn jaarlijkse rede tot het Congres fel naar Europa uitgehaald. Monroe verklaarde dat de Verenigde Staten zich afzijdig zullen houden van Europese conflicten en eiste van de Europese staten dat zij de status-quo op het westelijk halfrond zullen respecteren.

De president heeft zijn toespraak in nauw overleg met John Quincy Adams, de minister van Buitenlandse Zaken, opgesteld. Het deel van Monroe's boodschap dat aan de buitenlandse politiek is gewijd, bevat drie belangrijke punten. Ten eerste verklaarde Monroe dat de Europeanen de onafhankelijkheid van de staten in de Nieuwe Wereld moeten erkennen. Ten tweede kondigde hij aan dat de Verenigde Staten zich zullen verzetten tegen een Europese interventie op het westelijk halfrond. En ten slotte beloofde de president dat Amerika zich niet zal mengen in een Europees conflict - mits de Amerikaanse rechten niet in gevaar zijn.

Monroe's verklaring is een gevolg van de Europese ontwikkelingen. Nadat Napoleon in 1815 was verslagen, willen de Europese mogendheden de situatie herstellen zoals die voor de Napoleontische oorlogen geweest was. Daartoe was het noodzakelijk de revolutie te bestrijden en de monarchieën te restaureren. Zo sloot Alexander I, tsaar van Rusland, samen met de heersers van Pruisen en Oostenrijk het zogenaamde Heilig Verbond; een bondgenootschap dat zich ten doel stelde de autocratie te behouden.

Het is in deze sfeer van restauratie dat Spanje zijn oude koloniën in de Nieuwe Wereld opeiste (deze koloniën in Latijns Amerika hadden zich tijdens de Napoleontische oorlogen onafhankelijk verklaard). Spanje wist zich gesteund door het Heilig Verbond. Daarnaast meende Rusland - vanuit Alaska aanspraak te kunnen maken op gebiedsuitbreiding op het Noordamerikaanse continent.

De Verenigde Staten, die de Spaanse en Russische ambities wilden afremmen, kregen steun van Groot-Brittannië. De

*President James Monroe.*

Engelsen steunen de Europese restauratiepolitiek, maar weigeren de revolutie in andere delen van de wereld te onderdrukken. Deze Britse politiek is niet geheel zonder eigenbelang. De Spanjaarden hadden de handel met hun koloniën altijd gemonopoliseerd, maar tijdens de Napoleontische oorlogen was dat monopolie afgebrokkeld en kon de handel tussen Engeland en Latijns Amerika enorm toenemen. De Engelsen realiseren zich dat deze voor hen zo winstgevende situatie alleen kan voortduren als de staten in Zuid-Amerika onafhankelijk blijven.

Groot-Brittannië en de Verenigde Staten verzetten zich dus tegen verdere kolonisering van de Nieuwe Wereld. De Engelsen deden de Amerikanen het voorstel om dat standpunt in een gemeenschappelijke verklaring te verkondigen, maar president Monroe weigerde daar op in te gaan.

De Amerikanen hebben met de toespraak van hun president zelfstandig een verklaring uitgegeven waarin zij verdere kolonisering van het westelijk halfrond veroordelen. Monroe's woorden kunnen echter alleen effectief zijn met de steun van de Britse vloot. Het ontbreekt de Amerikanen zelf aan macht om kolonisatie tegen te gaan.

*'Die Weilburg', het dit jaar voltooide paleis van aartshertog Karel van Oostenrijk. Nadat Karel door zijn broer keizer Frans I van staatszaken was uitgesloten, gaf hij in 1820 opdracht tot de bouw van een slot bij Baden waar hij zich kon terugtrekken.*

**17 februari.** Simón Bolívar wordt tot dictator van Peru uitgeroepen om een eind te maken aan de burgeroorlog en de strijd tegen de Spanjaarden.

**24 februari.** De gouverneur-generaal van India verklaart Birma de oorlog nadat dit land het eiland Shahpuri ingenomen heeft. Dit eiland behoort tot het gebied van de Oostindische Compagnie.

**17 maart.** Engeland en Nederland bereiken een akkoord over Zuidoost-Azië. →

**17 april.** Rusland en de Verenigde Staten sluiten een grensverdrag.

**21 juni.** In Engeland worden vakverenigingen weer toegestaan. →

**6 augustus.** Bij Junin, Peru, lijdt het Spaanse leger een grote nederlaag tegen een bevrijdingsleger onder bevel van Bolívar.

**16 september.** Lodewijk XVIII van Frankrijk overlijdt en wordt opgevolgd door Karel X.

**4 oktober.** In Mexico wordt een nieuwe grondwet afgekondigd. →

**Oktober.** Heinrich Heine beëindigt de wandeling die hij in september begonnen is, waarover hij een boek zal schrijven: *Die Harzreise*.

**9 december.** Bij Ayacucho verslaat het Peruaanse bevrijdingsleger onder bevel van Sucre de Spaanse troepen.

**12 december.** Spanje geeft de hoop op herovering van de koloniën in Zuid-Amerika op en zegt toe de soldaten terug te trekken. Peru sluit zich bij Gran Colombia aan.

**31 december.** Engeland erkent de onafhankelijkheid van Mexico, Colombia en de Verenigde Provincies van Rio de la Plata (Argentinië).

- In Wenen wordt de Negende symfonie van Ludwig van Beethoven voor de eerste maal uitgevoerd. →

- De Nederlandsche Handel-Maatschappij wordt opgericht.

- Leopold von Ranke schrijft deel I (1494-1514) van zijn *Geschichte der romanischen und germanischen Völkerschaften*.

- Sequoyah vindt het Cherokee-alfabet uit.

- J. F. Herbart schrijft *Psychology as a Science*.

- In Londen wordt de eerste vereniging voor dierenbescherming opgericht.

Gestorven:

**26 januari.** Théodore Géricault (21-9-1791), Frans schilder
**19 april.** Lord Byron (22-1-1788), Engels dichter →

# Akkoord Engeland en Nederland over Zuidoost-Azië

LONDEN, 17 maart - De Britse en Nederlandse regering hebben na lange beraadslagingen eindelijk een akkoord weten te bereiken over een afbakening van hun invloedssferen in Zuidoost-Azië. Bij traktaat is vastgelegd dat het Engeland vrij staat zijn macht uit te breiden in het gebied ten oosten van een denkbeeldige lijn door de Straat van Malakka, inclusief Singapore. En juist dit kleine eilandje, officieel deel uitmakend van de onder Nederlandse soevereiniteit staande Riau-archipel, was een bron van conflicten geworden. In 1819 slaagde Sir Thomas Raffles erin, handig gebruik makend van een onduidelijke troonopvolging in het sultanaat Riau-Johore, om Singapore een snel groeiende handelsnederzetting te stichten, een ernstige concurrent voor de Hollandse handelshavens in Indië. Nederland heeft zich nu bij de voldongen feiten neergelegd, in ruil voor de toezegging dat zijn aanspraken op de rest van de Indonesische archipel niet betwist zullen worden. Een uitzondering wordt gevormd door het op het noordpunt van Sumatra gelegen Atjeh. Beide koloniale mogendheden stellen zich garant voor de onafhankelijkheid van het sultanaat, maar Nederland krijgt wel de taak ervoor te zorgen dat er opgetreden wordt tegen de in de Atjehse wateren opererende piraten. Als gevolg van de overeenkomst gaat de Hollandse vesting Malakka over in Engelse handen, terwijl de Britten op hun beurt Bengkulu, op Sumatra's westkust, zullen ontruimen.

*Gezicht op Fort Marlborough in Bengkulu op Sumatra.*

# Peel staat vakbonden toe

LONDEN, 21 juni - In het parlement is besloten de 'Combination Acts', die onder andere het vormen van vakverenigingen verbieden, op te heffen. Na een verbod van 25 jaar wordt het voor arbeiders nu weer mogelijk vakbonden op te richten. Enerzijds moet de liberalisering van de wetgeving die deze beslissing inhoudt niet overschat worden. Het blijft namelijk onduidelijk hoe ver de vakbonden mogen gaan bij het voeren van acties. Het ziet er bijvoorbeeld naar uit dat het organiseren van stakingen strafbaar blijft als 'samenzwering'. Anderzijds betekent het herroepen van de door Pitt de Jongere uitgevaardigde wetten in vergelijking met andere Europese landen een unicum. In vrijwel alle landen op het Europese vasteland is na de nederlaag van Napoleon een restauratie ingevoerd, waarbij in vrijwel alle gevallen de politieke rechten van de arbeidersklasse aanzienlijk zijn beknot. Bovendien betekent deze stap van de regering een belangrijke breuk met het repressieve beleid dat tot dusverre werd gevoerd en dat in feite erop gericht was de oppositie van de radicalen monddood te maken. Een symptoom van dit beleid waren bijvoorbeeld de vijf jaar geleden aangenomen 'Six Acts'.

De gematigde ommezwaai moet vooral op het conto van Robert Peel en George Canning geschreven worden. Toen Lord Liverpool deze mannen in zijn regering opnam, koos hij daarmee voor een meer gematigd en hervormingsgezind beleid. De ministers Peel en Canning behoren geen van beiden tot de oude aristocratie en hebben een degelijke universitaire opleiding gevolgd. Zij verdedigen in de regering, zoals zij dat eerst in het parlement deden, niet zo eenzijdig de belangen van de grootgrondbezitters en de landadel (de zogenaamde 'landed interests') als voorheen onder Liverpool gebruikelijk was.

Peel, die sinds 1822 minister van Binnenlandse Zaken is, heeft aangekondigd dat hij met name het strafrecht ingrijpend wil herzien. Zo zijn er naar zijn mening zeker honderd vergrijpen en misdaden aan te wijzen die niet langer met een doodvonnis bestraft moeten worden.

Het is goed mogelijk dat deze liberalisering van het beleid de sociale spanningen, die sinds 1810 alleen maar zijn toegenomen en die onder andere leidden tot aanslagen op de prins-regent en enkele Tory-ministers, zal doen verminderen.

*Spotprent: 'De vriend van het volk en zijn belastinginner bezoeken John Bull'.*

*1821: Kolonel Iturbíde doet triomfantelijk zijn intocht in Mexico-Stad.*

# Mexico federale staat

MEXICO-STAD, 4 oktober - Het congres in Mexico-Stad, dat sinds de val van keizer Agustín op 19 maart vorig jaar de macht uitoefent, heeft een federale republikeinse grondwet voor het onafhankelijke Mexico aangenomen. De grondwet vertoont veel gelijkenis met die van de Verenigde Staten. Het land wordt opgedeeld in negentien staten en vier federale gebieden.

Na de onderdrukking van de Indianenopstanden van Hidalgo en Morelos tussen 1810-1815 leek de Spaanse macht in Mexico tot 1820 vrijwel onbetwist; in creoolse kringen werden weer plannen gemaakt over mogelijk zelfbestuur en onafhankelijkheid. In 1820 kwamen de ontwikkelingen in een stroomversnelling door de noodgedwongen liberalisering van het bewind van Ferdinand VII in Spanje. Hierdoor leek de positie van de Rooms-Katholieke Kerk en van de creolen bedreigd te worden.

Kolonel Iturbíde, die als opperbevelhebber in Zuid-Mexico groepjes guerrillero's bestreed, wierp zich op als de leider van de zich bedreigd voelende creolen. In zijn 'Plan de Iguale' van 24 februari 1821 garandeerde hij het voortbestaan van de bestaande sociale verhoudingen onder een onafhankelijke constitutionele monarchie. Op 27 september nam Iturbíde Mexico-Stad in en stelde zich aan het hoofd van een vijfmansbestuur, dat de onafhankelijkheid uitriep.

Na een halfjaar verwarring over de staatsvorm, pleegde Iturbíde op 19 mei 1822 een staatsgreep en riep zichzelf uit tot keizer Agustín I. Bolívar noemde hem spottend 'de keizer bij de gratie Gods en de bajonetten'. Op 19 maart vorig jaar werd de keizer gedwongen af te treden. Het congres, dat sindsdien de macht uitoefende, heeft nu een grondwet afgekondigd, maar het is de vraag in hoeverre deze verband houdt met de sociale structuur en politieke verhoudingen in Mexico. Later dit jaar zullen er presidentsverkiezingen worden gehouden.

# Byron laatste romanticus

*Lord Byron, geportretteerd door de Schotse schilder David Allan.*

SALONA, 19 april - Met de dood van Lord George Gordon Byron is de laatste van drie grote Engelse romantische dichters heengegaan. Twee jaar geleden verdronk Shelley voor de kust van Toscane; een jaar eerder stierf John Keats in Rome aan tuberculose. Byron overleed na een pijnlijke ziekte (een koortsinfectie veroorzaakt door aderlating) in het Griekse Salona, waar hij een conferentie van Griekse onafhankelijkheidsstrijders zou bijwonen. Sinds april vorig jaar werkte Byron als agent voor het London Greek Committee en probeerde hij voorraden en geld voor de Grieken bij elkaar te brengen. In Italië was hij enkele jaren geleden betrokken bij de revolutionaire aciviteiten van de Carbonari.

In de gedichten van Byron komen zowel romantische frustraties ten gevolge van een onvolmaakte wereld naar voren ('man is half dust, half deity, alike unfit to sink or soar') als ironie en satire over de schijnheilige werkelijkheid (*Don Juan*).

Zijn mederomanticus John Keats hield zich afzijdig van het revolutionaire enthousiasme van zijn tijdgenoten. Hij wijdde zich geheel aan zijn kunst en werd met name geïnspireerd door de Griekse mythologie. Een hoogtepunt bereikte Keats met oden, zoals *Ode on a Grecian Urn:* 'Beauty is truth, truth beauty, that is all you'll ever know on earth and all you need to know.'

*In het Weense Kärtnertheater is voor de eerste maal de negende symfonie van Ludwig van Beethoven uitgevoerd.*

**4 januari.** Ferdinand I van Napels overlijdt en wordt opgevolgd door Frans I.

**6 januari.** In Moskou wordt het nieuwe gebouw van het Bolsjoitheater geopend. →

**9 februari.** John Adams wordt door het Amerikaanse Huis van Afgevaardigden als de nieuwe president aangewezen. →

**28 februari.** Groot-Brittannië en Rusland sluiten een verdrag betreffende Russische gebieden aan de noordwestkust van Afrika en over rechten in de Grote Oceaan.

**April.** Robert Owen sticht 'New Harmony' in de staat Indiana in de Verenigde Staten. →

**29 mei.** Karel X wordt in Reims tot koning van Frankrijk gekroond. →

**14 juni.** Koning Willem I der Nederlanden beperkt de vrijheid van onderwijs. →

**31 juli.** Siam en Engeland sluiten een verdrag over het Maleise schiereiland. →

**6 augustus.** Bolivia (Opper-Peru) verklaart zich onafhankelijk van Peru. →

**25 augustus.** Uruguay verklaart zich, gesteund door Argentinië, weer onafhankelijk van Brazilië, dat pogingen ondernam dat land in te lijven.

**Augustus.** Portugal erkent de onafhankelijke status van Brazilië. →

**27 september.** Tussen Darlington en Stockton in Engeland wordt de eerste spoorweg voor openbaar vervoer in gebruik genomen. →

**7 november.** De Duitse dichter Johann Wolfgang von Goethe wordt in Weimar groots onthaald. →

**November.** In de Verenigde Staten vindt de opening van het Eriekanaal plaats. →

**26 december.** In Sint-Petersburg wordt een opstand van officieren bedwongen. →

- Onder leiding van prins Dipo Negoro verzet het vorstendom Jogyakarta zich tegen de Nederlandse koloniale overheersing.

- Alexander Poesjkin schrijft *Boris Godoenov.*

- Wilhelm Weber en zijn broer Ernst publiceren hun boek *Wellenlehre auf Experimente gegründet.*

Gestorven:

**19 mei.** Claude Henri de Rouvroy, graaf van Saint-Simon (17-10-1760), Frans socialist →

**29 december.** Jacques-Louis David (30-8-1748), Frans schilder →

# Robert Owen geeft New Lanark op

NEW LANARK, juni - Robert Owen, succesvol ondernemer en filantroop, trekt zich na 25 jaar terug uit de katoenspinnerij New Lanark in Schotland. Een aantal compagnons, protestantse quakers, weigert om godsdienstige redenen nog langer geld te steken in de onderneming: het godsdienstonderwijs dat wordt gegeven aan de kinderen die in New Lanark werken, is niet naar hun zin.

Owen heeft, in tegenstelling tot de meeste andere ondernemers, steeds een open oog gehad voor de ellendige werk- en woonomstandigheden van de Engelse fabrieksarbeiders, die het gevolg zijn van de voortschrijdende industrialisatie. Hij heeft zich daadwerkelijk bekommerd om het lot van zijn eigen werknemers en vanaf het begin een groot aantal hervormingen doorgevoerd in New Lanark. Zo heeft Owen in zijn modelgemeenschap de zogeheten 'normaal-arbeidsdag' van tien uren ingevoerd en mogen er geen kinderen jonger dan tien jaar werken. Bovendien heeft de fabriek zich verplicht opvoeding en onderwijs te verzorgen voor de kinderen die er werken. Elders is een zestienurige werkdag voor volwassenen en arbeid door kinderen vanaf vijf jaar geen uitzondering.

Owens bemoeienis strekt zich ook uit tot voorbij de werkplek. Hij heeft zijn werknemers weten te bewegen een zesde deel van hun loon in een fonds voor zieken, invaliden en ouden van dagen te storten. Toen de Verenigde Staten in 1806 een embargo op katoen legden en de meeste ondernemers hun arbeiders ontsloegen, betaalde Owen - hoewel de fabriek stillag - het volle loon door. Verder heeft hij scholen en huizen gebouwd voor de fabrieksarbeiders en hun gezinnen en is hij corrigerend opgetreden ten aanzien van zedeloos gedrag en dronkenschap.

Owen heeft in april van dit jaar in Amerika de nederzetting New Harmony gevestigd. Daar wil hij opnieuw zijn beginselen in praktijk brengen: sociale harmonie, vrijheid, gelijkheid en bedrijfsvoering op basis van coöperatie en gemeenschappelijk eigendom.

*Owens New Harmony in Indiana.*

# Congres geeft presidentschap aan Adams

*Een avondzitting van het Amerikaanse Huis van Afgevaardigden in Washington.*

WASHINGTON, 9 februari - Tot grote woede van Andrew Jackson en zijn volgelingen heeft het Huis van Afgevaardigden de minister van Buitenlandse Zaken, John Quincy Adams, gekozen als opvolger van president James Monroe. De Jackson-aanhangers schrijven de uitslag van de stemming toe aan de 'corrupte afspraak' die Adams zou hebben gemaakt met Henry Clay, de voorzitter van het Huis van Afgevaardigden. In ruil voor diens steun zou Adams hem het ministerschap van Buitenlandse Zaken hebben aangeboden. Bij de stemming van vandaag kreeg Adams de steun van dertien staten; zeven staten spraken zich uit voor Jackson en vier voor Crawford.

De stemming die in het Huis van Afgevaardigden is gehouden, was nodig omdat geen van de kandidaten er bij de verkiezingen in december vorig jaar in slaagde een meerderheid in het kiescollege achter zich te krijgen. Het Huis moest daarop een keuze uit de drie koplopers maken.

De verkiezingsstrijd heeft zich vorig jaar van meet af aan toegespitst op een strijd tussen twee culturen: de koele en afstandelijke aristocraat, John Quincy Adams, als representant van het oostelijke establishment, en de onstuimige en volkse vechtjas, Andrew Jackson, als representant van het westen. De drie andere kandidaten - alle kandidaten waren van republikeinse huize - kwamen in het spel nauwelijks voor: John Calhoun van South Carolina, nu

nog minister van Oorlog, trok vanwege Jacksons populariteit bij het electoraat zijn kandidatuur in en stelde zich beschikbaar voor het vice-presidentschap (hij behaalde daarvoor op 1 december een royale meerderheid); William Crawford van Georgia, minister van Financiën, kampt met ernstige gezondheidsproblemen sinds hij anderhalf jaar geleden door een beroerte is getroffen; en Henry Clay van Kentucky ten slotte was nauwelijks een partij voor zijn mede-westerling Jackson, de populaire held van New Orleans. Behalve tegen Adams moest Jackson het vooral opnemen tegen de argwaan die er in conservatieve kringen in het oosten tegen hem bestaat; men beschouwt hem daar als een impulsieve heethoofd die zijn passies nauwelijks in bedwang kan houden. Ook de inmiddels 82-jarige Thomas Jefferson vindt Jackson niet geschikt voor het presidentschap en ziet hem als een 'gevaarlijke man'. Adams, Amerika's nieuwe president, heeft evenmin veel waardering voor zijn opponent: 'Een barbaar die geen fatsoenlijke zin kan schrijven en amper zijn eigen naam kan spellen.'

Desondanks behaalde Jackson bij de verkiezingen de meeste stemmen: 152 933 (99 kiesmannen) tegen 115 696 (84 kiesmannen) voor John Quincy Adams; Crawford en Clay bleven op ruime achterstand - 41 respectievelijk 37 kiesmannen. Omdat ze geen van allen een meerderheid in het kiescollege hadden behaald, moest het Huis van Afgevaardigden een keus maken tussen Jackson, Adams en Crawford. Het

was een situatie waarin de afgevalle[n] kandidaat Henry Clay als voorzitt[er] van het Huis in een machtige positi[e] kwam te verkeren - en Clay is gee[n] vriend van Jackson: 'Hij is onwetend[,] onstuimig, hypocriet, corrupt en laa[t] zich gemakkelijk beïnvloeden door d[e] lage figuren om hem heen.'

Adams weigerde zich ten gunste va[n] Jackson terug te trekken en begon n[a] de verkiezingen met een agressiev[e] campagne onder de leden van het Hui[s] van Afgevaardigden; hij praatte me[t] zoveel mogelijk leden van het Huis (da[t] leverde hem de steun van drie state[n] op) en had vooral een indringend ge[-] sprek met de voorzitter, wiens steu[n] hem eveneens drie staten opleverde e[n] zijn verkiezing als Amerika's zesd[e] president zeker stelde.

John Quincy Adams, zoon van voor[-] malig president John Adams, is ee[n] zeer ervaren en alom gerespecteerd po[-] liticus; hij is Amerikaans ambassadeu[r] in Nederland, Pruisen, Engeland e[n] Rusland geweest, was lid van de Senaa[t] en heeft voor de Verenigde Staten me[-] nige onderhandeling gevoerd; hi[j] wordt in brede kring gezien als een va[n] de meest succesvolle ministers van Bui[-] tenlandse Zaken - een post die hij de af[-] gelopen acht jaar bekleed heeft - die d[e] Verenigde Staten ooit hebben gehad[.] Tijdens zijn ministerschap heeft hi[j] met name een belangrijke rol gespeel[d] in de formulering van de Monroe[-] doctrine.

## Koning Willem I maakt eind aan klein-seminaries

BRUSSEL, 14 juni - Koning Willem [I] heeft maatregelen afgekondigd waar[-] door de staat meer greep op de prie[s-] teropleidingen krijgt. Het vrije mid[-] delbaar onderwijs, met inbegrip van d[e] klein-seminaries, zal worden afge[-] schaft. Als vooropleiding voor d[e] priesterstudie aan de bisschoppelijk[e] seminaries zal in Leuven een Filoso[-] fisch College worden opgericht. Dez[e] opleiding, waarvan het lesprogramm[a] door de regering moet worden goedge[-] keurd, is verplicht voor alle nieuw op t[e] leiden geestelijken. De docenten zulle[n] door de koning en niet door de bis[-] schoppen benoemd worden.

In katholieke kring wordt heftig gepro[-] testeerd tegen deze maatregelen, die i[n] hun ogen de vrijheid van onderwij[s] aantasten. Het is al het zoveelste con[-] flict dat Willem I sinds de oprichting[] van het Verenigd Koninkrijk der Ne[-] derlanden met de katholieke gezags[-] dragers heeft.

En met name de onderdanen in het Zui[-] den zien in deze maatregelen een dic[-] taat van de koning uit het Noorden.

*In Brussel is op 77-jarige leeftijd de Franse schilder Jacques-Louis David overleden. Hij was bevriend met Robespierre en zat na diens val enige tijd gevangen. In 1804 werd hij hofschilder van Napoleon; toen deze werd afgezet vluchtte David naar Brussel waar hij als balling leefde. Davids heroïsche taferelen uit zijn beginperiode waren zeer gewild. Na een bezoek aan Italië streefde hij er echter naar zijn kunst te vernieuwen. Hij raakte enthousiast over de schoonheid van de klassieken en met 'De eed van de Horatii' (1784) begint zijn neoklassieke periode. Tijdens de revolutie gaf David enkele belangrijke gebeurtenissen op monumentale wijze weer. In dienst van Napoleon schiep hij een geïdealiseerd beeld van zijn opdrachtgever. Boven: 'De sluimerende Endymion' uit 1793.*

*Karel X wordt in de kathedraal van Reims tot koning van Frankrijk gekroond.*

# Portugal erkent Brazilië

LISSABON, augustus - Na lange onderhandelingen onder supervisie van Engeland heeft Portugal zich neergelegd bij de onafhankelijkheid van Brazilië. Een schadeloosstelling van 2 miljoen pond neemt niet weg dat het verlies van Brazilië de grootste klap is uit de Portugese koloniale geschiedenis. Door het wegvallen van de inkomsten uit Brazilië is Portugal gedwongen zijn hele economie te reorganiseren. Bovendien heeft het tot een ernstige staatkundige crisis geleid. Koning Johan VI had zich redelijk aangepast aan de grondwet van 1821, getuige zijn uitspraak 'het beste dat je kunt doen is niets doen'. Maar zijn vrouw en zoon Miguel weigerden de grondwet te erkennen en streefden (in navolging van de gebeurtenissen in Spanje) naar herstel van de absolute macht. Miguel stelde zich in mei 1823 aan het hoofd van een opstand, waarop Johan de radicale ministers door meer gematigde verving. De absolutisten waren niet tevreden en waagden in april vorig jaar een nieuwe coup: slechts het ingrijpen van buitenlandse diplomaten kon de constitutie redden. Miguel werd naar Wenen verbannen.

# Koning Karel X gekroond

REIMS, 29 mei - Met ongekende praal is de graaf van Artois, de jongere broer van Lodewijk XVIII, in de kathedraal van Reims tot koning Karel X gekroond. De ultramonarchisten, die onder Lodewijk al stevig in het zadel waren geholpen, zitten met deze koning helemaal op rozen. Met de kroning van Karel X lijkt de terugkeer naar het Ancien Régime, de tijd van voor de revolutie, voltooid.

Een en ander begon met de witte terreur, de vervolgingen van bonapartisten, vooral in het westen en zuiden van Frankrijk. Het klimaat leek op dat van een burgeroorlog. Dat bevoordeelde de ultramonarchisten. Zo werd een 'onvindbare kamer' (zo genoemd vanwege haar extreme loyaliteit aan de koning) verkozen: van de 402 afgevaardigden waren er 350 ultra's. Met enkele tussenpozen wonnen de ultra's steeds meer terrein.

De laatste poging tot een enigszins progressiever beleid werd tenietgedaan door de moord op de hertog van Berry (de zoon van Karel X, toen nog graaf van Artois, de enige die het nageslacht van de Bourbons had kunnen veilig stellen). De ultra's weten de moord aan het volgens hen te liberale beleid. Het roer werd prompt omgegooid. De hertog van Richelieu werd weer eerste minister en ontwierp een nieuwe kieswet, die vooral de grootgrondbezitters ten goede kwam.

De persvrijheid werd zwaar aangetast. Iedere publikatie die de koning niet aanstond, kon zonder meer verboden worden.

De oppositie werd in de clandestiene hoek gedreven. Dat riep weer geheime genootschappen en komplotten in het leven die, als ze ontdekt werden, onherroepelijk tot de doodstraf leidden. In La Rochelle werden vier sergeanten terechtgesteld om geen andere reden dan dat ze een met de vrijmetselarij verwant geheim genootschap ('carbonari') hadden opgericht, zonder dat er verder sprake was van enige poging tot opstand. De vier werden door de regering gebruikt om een voorbeeld te stellen en door de tegenstanders van het bewind als martelaars beschouwd.

Vorig jaar werd een 'hervonden kamer' (zo genoemd omdat het in feite een herhaling van de Eerste Kamer was) gekozen, even ultramonarchistisch als de 'onvindbare kamer' van 1815. Karel X, die als hertog van Artois reeds zijn broer Lodewijk in de richting van de ultra's probeerde te duwen en zich vóór de revolutie bij het volk onbemind maakte door zowel zijn uitspattingen als zijn uitspraken ten gunste van de absolute monarchie, kan zich geen gunstiger situatie wensen.

*Onder toezicht van blanke opzichters zoeken negerslaven naar diamanten.*

# Siamezen zien af van machtsuitbreiding

*Scène aan het water, uit een Birmees manuscript.*

LIGOR, 31 juli - Siam zal afzien van verdere machtsuitbreiding op het Maleise schiereiland. Deze toezegging werd gedaan bij het sluiten van een verdrag met Henry Burney, de afgevaardigde van de Britse East India Company. Het gevaar voor een invasie in de sultanaten Perak en Selangor lijkt hiermee bezworen, tot grote opluchting van de Engelsen, die veel belang aan een ongehinderde toegang tot de tinmijnen in deze staatjes hechten.

De noordelijke Maleise rijkjes Kedah, Trengganu en Kelantan zijn al eeuwenlang vazallen van de Siamese koningen. Tijdens de vorige eeuw waren de vorsten van het in verval verkerende rijk Ayutthaya niet in staat metterdaad onderwerping af te dwingen; soms ontvingen ze niet eens de bunga mas dan perak (gouden bloemen), een symbolische tributbetaling. De in 1782 aan de macht gekomen Chakri-dynastie breidde echter haar invloedssfeer uit naar het zuiden en aarzelde niet het leger in te zetten om gehoorzaamheid af te dwingen.

Sultan Ahmad van Kedah toonde zich niet gewillig genoeg, ondanks het feit dat hij in 1818 op Siamees bevel zijn buurstaat Perak had aangevallen, en in 1821 veroverde een barbaars optredend Siamees leger Kedah. De sultan vluchtte met duizenden van zijn onderdanen naar de kust, naar de provincie Wellesley, die samen met het eiland Penang een Britse kolonie vormt.

De East India Company voert een non-interventiepolitiek en weigerde aanvankelijk Ahmad te steunen. Maar nu de imperialistische politiek van de huidige Siamese koning Rama III zich ook tot door de Engelsen tot hun invloedssfeer gerekende gebieden dreigde uit te strekken, meende men toch te moeten ingrijpen.

# Feestelijke opening van eerste spoorlijn

DARLINGTON, 27 september - Vandaag is de eerste commerciële spoorlijn, die van Darlington naar Stockton loopt, feestelijk in gebruik genomen. De spoorlijn werd geconstrueerd door mijndirecteur George Stephenson en is uitsluitend bedoeld voor het transport van steenkool. Bij wijze van uitzondering mocht een groep genodigden vandaag in de kolenwagentjes plaatsnemen voor een proefrit.

Het is niet voor de eerste keer dat stoomkracht wordt gebruikt voor het aandrijven van een locomotief. De eerste op rails rijdende stoommachine werd in 1808 gebouwd door Richard Trevithick. Deze locomotief diende echter alleen als kermisattractie. Op Euston Square in Londen kon men à raison van 5 shilling (voor velen betekende dit een half weekloon!) een ritje maken. Een andere toepassing was niet mogelijk omdat deze stoommachine zeer veel brandstof verbruikte.

De lijn die door Stephenson is gebouwd, is dus de eerste waarvan men mag verwachten dat hij een aanzienlijk financieel rendement oplevert, omdat de transportkosten van steenkool erdoor verlaagd worden. Met de opening

*De 'Locomotion no 1', de eerste locomotief op de spoorlijn Darlington-Stockton.*

van deze lijn heeft de stoommachine, die door James Watt in enkele fasen aanzienlijk is verbeterd, opnieuw een commerciële toepassing gevonden. Stoommachines werden aanvankelijk vooral gebruikt in de mijnen, maar vonden later ook ingang in de textielindustrie voor de aandrijving van spin- en weefmachines. Nog later ging men in de ijzerindustrie stoomkracht gebruiken voor de aandrijving van blaasbalgen. Inmiddels experimenteren ook reders met stoommachines. Een probleem is echter dat stoommachines en hun brandstof op schepen veel plaats

innemen. Tot nu toe gebruikte men de stoommachine dan ook alleen als aanvulling op de zeilen. Op 20 juli 1819 kwam in Liverpool na een reis van 25 dagen het schip de 'Savannah' aan. Dit was het eerste (hulp)stoomschip dat de Atlantische Oceaan over voer.

De toepassingsmogelijkheden van de stoommachine lijken vooralsnog niet uitgeput. Naar het schijnt loopt Stephenson rond met plannen om een spoorlijn tussen Liverpool en Manchester aan te leggen. De aanleg van deze lijn zal echter nog wel enige jaren op zich laten wachten.

---

*De op 65-jarige leeftijd overleden Claude Henri de Rouvroy, graaf van Saint-Simon, was doordrongen van het gedachtengoed van de Verlichting. In de Franse Revolutie deed hij dan ook afstand van zijn adellijke titel. Hij laat een omvangrijk werk na, waarin hij gedachten ontvouwde over de inrichting van een ideale samenleving. Saint-Simon meende dat deze door een planmatige ontwikkeling tot grotere sociale rechtvaardigheid kon komen.*

# Dichter Goethe krijgt in Weimar koninklijk onthaal

WEIMAR, 7 november - Johann Wolfgang von Goethe is in Weimar als een vorst geëerd. Vijftig jaar geleden kwam de toen al wereldberoemde dichter en schrijver op uitnodiging van groothertog Karel August naar Weimar. Hij werd al snel in de regering van het kleine hertogdom opgenomen en in 1782 door de Duitse keizer in de adelstand verheven. Groothertog Karel August heeft nu een proclamatie uitgevaardigd waarin hij Goethe, zijn raadgever en vertrouweling, het 'mooiste sieraad van zijn regering' noemt. De medische en filosofische faculteit van Jena heeft hem tot 'doctor honoris causa' benoemd en hem het recht gegeven naar eigen inzicht twee doctorsbullen uit te reiken. Het feest ter ere van Goethe werd besloten met een gala-uitvoering van zijn toneelstuk *Iphigenie auf Tauris*.

De wereldroem van Goethe begon met de publikatie in 1774 van *Die Leiden des jungen Werthers*. Goethe behoorde toen tot de dichters van de 'Sturm und Drang'. Zijn toneelstuk *Götz von Berlichingen* werd bekend als hét kunstwerk van deze beweging, die kritiek had op de eenzijdige nadruk die de Verlichting op de ratio zou hebben gelegd. De dichters van de Sturm und Drang wilden een erkenning van 'het hart' en de hartstochten.

Goethe distantieerde zich van de Sturm und Drang na zijn reis door Italië, die hij van 1786 tot 1788 maakte. In zijn toneelstukken *Iphigenie auf Tauris* en

*'Goethe in der Campagna'; geschilderd door Wilhelm Tischbein (1787).*

*Torquato Tasso* liet hij zien dat men zich van de 'dwang der hartstocht' kan en moet bevrijden. Met Friedrich Schiller werd Goethe de belangrijkste representant van de Duitse klassieke literatuur. Goethes *Faust* werd in 1808 gepubliceerd.

Behalve aan het schrijven van toneelstukken, gedichten en proza heeft Goethe zich ook gewijd aan wetenschappelijke studies. In zijn boek *Zur Farbenlehre* kritiseerde hij de kleurenleer van Newton. Daarnaast was hij directeur van het theater in Weimar. Na

een conflict met groothertog Karel August legde Goethe deze functie neer, maar de verstandhouding tussen de vorst en de dichter werd hierdoor niet blijvend verstoord. Op het feest getuigden de eerste en de tweede man in de staat opnieuw van hun vriendschap.

# Russische officieren plegen staatsgreep

*n opstand gekomen soldaten (dekabristen) worden op straat neergeschoten.*

Na de recente dood van de kinderloze tsaar Alexander was het enige tijd onduidelijk wie van zijn broers hem zou opvolgen, Constantijn of Nicolaas. Legerkringen gaven de voorkeur aan Constantijn. Dat deze twee jaar geleden van zijn rechten op de troon had afgezien, wist niemand.

De autoriteiten waren reeds enige tijd op de hoogte van het bestaan van de zuidelijke bond en arresteerden Pestel gisteren, waarmee het zuidelijke genootschap geen leider meer had. Nicolaas had vandaag vastgesteld voor het afleggen van de trouweed. De samenzweerders kozen deze datum voor hun opstand: in St.-Petersburg riepen zij Constantijn tot tsaar uit en lieten hun soldaten schreeuwen: 'Constantijn en Constitutie!' De soldaten dachten dat Constitutie de vrouw van Constantijn was. De opstand is, toen overreding niets uithaalde, neergeslagen. Hierbij hebben 60 à 70 rebellen het leven gelaten en zijn tallozen gearresteerd.

*Tsaar Alexander.*

T.-PETERSBURG, 26 december (14 december oude stijl) - In de verwarring rond de troonopvolging van de vorige maand overleden tsaar Alexander hebben opstandige officieren vergeefs en greep naar de macht gedaan. Deze rebellie (Dekabristenopstand) onderscheidt zich van eerdere opstanden doordat ze is geïnspireerd door een ideologisch programma en doordat de opstandigen naar politieke macht streven.

De dragers van de beweging zijn officieren, overwegend afkomstig uit aristocratische kringen. Tijdens hun militaire dienst in het buitenland, in de laatste fase van de strijd tegen Napoleon, kwamen zij in direct contact met de Europese cultuur en ideeën. Vergelijkingen met de toestand in hun eigen land drongen zich onvermijdelijk op. Het gevolg was onvrede met de toestand in het autocratische Rusland. Er werden geheime genootschappen opgericht, die alle op zijn minst een constitutionele staatsvorm en elementaire vrijheden in Rusland nastreven. Verder variëren hun ideeën. De Petersburgse kring rond Nikita Moeravjov bijvoorbeeld streeft naar een tamelijk conservatieve, constitutionele monarchie. De zuidelijke, radicalere bond onder leiding van kolonel Paul Pestel daarentegen staat een sterk gecentraliseerde republiek voor.

## Oostkust profiteert van Eriekanaal

NEW YORK, november - Gouverneur DeWitt Clinton van New York heeft het Eriekanaal geopend door het storten van een fles water uit het Eriemeer in de baai van New York. Daarmee werd het binnen- en buitenwater van de Verenigde Staten symbolisch vermengd. Het werk aan het vijfhonderd kilometer lange kanaal, dat de plaatsen Buffalo en Albany verbindt, heeft acht jaar geduurd. Door het kanaal is het belang van de havensteden aan de oostkust van de Verenigde Staten toegenomen en is het Amerikaanse achterland makkelijker bereiken.

Voordat het kanaal werd gegraven had het noordwesten moeilijk toegang tot de markten in het oosten van de Verenigde Staten. Het was voor boeren en kooplui goedkoper om hun produkten over de Mississippi via New Orleans naar de oostkust te sturen dan over land.

DeWitt Clinton, gouverneur van New York, vreesde dat de havens in het oosten hun sterke positie zouden moeten prijsgeven als zij de produkten van het noordwesten niet direct konden verschepen. Vandaar dat hij een groot voorstander was van het graven van een kanaal door de Mohawkvallei dat de Atlantische Oceaan met de Grote Meren zou verbinden. Amerikaanse sceptici noemden het kanaal aanvankelijk *Clinton's ditch* (de sloot van Clinton), maar dat veranderde spoedig in *Clinton's wonder*.

*In Moskou is het nieuwe gebouw van het Bolsjoitheater in gebruik genomen. Het gebouw is ontworpen door de Russische architect Ossip Ivanovitsj Bove. Het gezelschap werd in 1776 opgericht en verwierf bekendheid door de uitvoering van opera's van Russische componisten. Ook werken van bekende westerse componisten worden ten gehore gebracht. Opmerkelijk is verder dat dit gezelschap zowel opera- als toneeluitvoeringen verzorgt.*

# Engeland vernedert Birma

*Koning George IV van Engeland.*

RANGOON, 24 februari - De vernederende 'Vrede van Yandabo' heeft het prestige van de Birmese koning Bagyidaw ernstig geschaad. De Engelsen hebben de koning gedwongen 10 miljoen rupees schadevergoeding te betalen voor de kosten van het expeditieleger dat vanuit India naar Birma is gestuurd. Birma kan voortaan geen aanspraken meer maken op de grensprovincies met India en moet de kustprovincies Arakan en Tenasserim aan de Engelsen afstaan. Tevens is in het verdrag vastgelegd dat Birma het buurland Siam met rust moet laten. Het meest vernederend voor de koning is echter het moeten toestemmen in de aanstelling van een Engelse resident in de hoofdstad.

De conflicten tussen Engeland en Birma over het grensgebied tussen India en Birma zijn tot 1811 steeds langs vreedzame weg opgelost. In dat jaar vond echter een gewapend treffen plaats en vanaf die tijd is het herhaaldelijk tot vechtpartijen gekomen.

Engeland besloot twee jaar geleden via de zee een expeditieleger te sturen. Toen de Engelse legers Rangoon naderden zag Bagyidaw zich genoodzaakt vrede te sluiten. De voorwaarden waren echter zo vernederend dat men eraan mag twijfelen of de koning nog lang op zijn troon kan blijven zitten.

# Amateur-uitvinder vereeuwigt uitzicht

*De eerste foto ter wereld (1826): blik vanuit de werkkamer van Nièpce.*

CHALONS-SUR-SAONE - De Franse amateur-uitvinder Joseph Nicéphore Nièpce is er als eerste in geslaagd een afbeelding van de werkelijkheid te vereeuwigen.

Geïnspireerd door Alois Senefelders ontdekking van het steendrukprocédé in 1796, heeft Nièpce sinds 1811 zijn renteniersbestaan op zijn landhuis in Noord-Frankrijk gevuld door met verschillende materialen en chemische processen te experimenteren.

In plaats van de zware Beierse leisteen van Senefelder gebruikte hij blikken platen, die hij voorzag van dunne laagjes bitumen waaraan allerlei chemische toevoegingen waren gedaan. Zijn zoon Isidore maakte op deze platen lijntekeningen, die Nièpce vervolgens probeerde te fixeren met het doel ze te drukken.

Nièpce, die zelf niet kan tekenen, raakte ernstig in verlegenheid toen zijn zoon in 1814 in het leger moest. Vanaf die tijd probeerde hij het licht zelf voor de tekeningen te laten zorgen door ze te belichten in een camera obscura. Nièpce voorzag deze kijkdozen, die vooral door schilders als hulpmiddel worden gebruikt, van een speciale lens met een iris-diafragma.

Met dit apparaat boekte hij vanaf 1822 de eerste resultaten. Inmiddels hadden de experimenten wel een groot deel van het familievermogen opgeslokt.

Nu is Nièpce overgeschakeld op tinnen platen en nieuwe chemicaliën. Op dit materiaal is het eerste beeld vastgelegd: het uitzicht uit het raam van zijn studeerkamer, bij een belichtingstijd van rond de acht uur.

*Kolonisten in Minnesota (circa 1850).*

# 'De laatste der Mohikanen' van Fenimore Cooper

NEW YORK, februari - Twee jaar n *The Pilot* heeft James Fenimore Coo per een nieuw boek gepubliceerd: *Th last of the Mohicans.* Net als in *The Pio neers* (1823) is Natty Bumppo, c Leather-Stockings, de hoofdpersoo Samen met zijn Indiaanse vriend Chir gachook beleeft hij weer talloze avor turen in de wildernis.

Het einde van *The Pioneers* deed nie vermoeden dat Natty Bumppo no eens de hoofdfiguur van een roma van Cooper zou worden: 'This was th last that they ever saw of the Leathe Stockings [...] He had gone towar the setting sun[...]'. In *The last of th Mohicans* zien we hem echter terug, n in een eerdere periode van zijn leven. Het verhaal speelt zich af in het ja 1757, ten tijde van de Engelse en Fra se strijd over het nog niet gekolonisee de achterland van Amerika. Sommig Indianenstammen vechten aan de ka van de Engelsen of Fransen, ande willen niets met de blanken te make hebben. Natty Bumppo, in dit boe ook wel Hawk-eye genoemd, weet sa men met het opperhoofd van de Moh kanen Chingachook een groep Engel mannen en vrouwen uit handen van c vijandelijke Huron te redden. D daarbij nogal wat bloed vloeit kunne zij niet voorkomen. De blanken wo den vervolgens door Leather-Stockin naar de beschaving teruggebrach Hijzelf gaat daarna weer op zoek na het avontuur in de wildernis.

*The last of the Mohicans* toont ve overeenkomsten met *The Pioneer* Opnieuw schetst Cooper - zelf opg groeid in Burlington, aan de rand va de beschaving - een romantisch bee van de blanke mens in de wildernis Natty Bumppo is in die vijandelijk omgeving de vertegenwoordiger va het goede. Hij is weggevlucht uit de b schaving, maar hij realiseert zich w dat de wildernis niet zonder de waa den en wetten van diezelfde beschavir kan. Daar vecht Leather-Stockin dan ook voor.

Cooper heeft als eerste de magie van c drang naar het Westen beschreven. Hij afficheert zich met *The last of th Mohicans* als exponent van de Amer kaanse romantici.

# Metternich waarschuwt voor revolutie

Klemens Wenzel Fürst von Metternich (door Thomas Lawrence, circa 1815).

WENEN, 9 juni - In een instructie aan de Oostenrijkse gezanten in Zwitserland heeft 'Hof- und Staatskanzler' Metternich de grondslagen van zijn politiek uiteengezet. Hieruit blijkt hoe sterk het politieke denken van de Oostenrijkse kanselier is beïnvloed door de Franse revolutie en door het staatssysteem van Napoleon.

Het ergste kwaad dat de Oostenrijkse regering en haar bondgenoten moeten bestrijden, is volgens Metternich de 'revolutionaire geest [...], gevoed door de hebzuchtige hartstochten en diepe onzedelijkheid van de een, begroet door het fanatisme van de ander'. De revolutionaire geest die, zoals het voorbeeld van Frankrijk leert, onvermijdelijk tot dictatuur, dood en verderf leidt, kan volgens Metternich vele gedaanten aannemen, maar manifesteert zich vooral in het liberalisme en het Duitse en Italiaanse nationalisme. Naar zijn vaste overtuiging willen de leiders van de 'goddeloze revolutionaire sekte' overal in Europa de bestaande orde omverwerpen. 'Wo sie im Augenblick ihre Brandfackel noch nicht schleudern können, bauen sie ihre Batterien für die Zukunft auf; durch Unglauben und Freigeisterei korrumpieren sie die Gesinnung einer irregeleitende Jugend, um ihr im günstigen Augenblick die Waffen in die Hand zu drücken.'

Vooral de Duitse universiteiten ziet Metternich als broeinesten van de revolutie en oproer. Hij vreest dat hele generaties van toekomstige ambtenaren, leraren en geleerden met het 'Jakobinismus' besmet zullen worden. Metternich koestert een diep wantrouwen tegen professoren en literatoren, wier 'aufgeklärte Demagogie' voor de democratie de weg zou effenen. De 'Freigeisterei' tracht Metternich te bestrijden met methoden die hij van Napoleon heeft afgekeken. De Oostenrijkse staatspolitie wordt op Franse leest geschoeid. Zij moet door middel van spionage en het onderscheppen en vervalsen van correspondentie de revolutionaire samenzweringen op het spoor komen. Ook Metternichs maatregelen tegen de vrije pers zijn op Napoleons bestuursapparaat geïnspireerd. Kanselier Metternich is ervan overtuigd dat de Franse alleenheerser het met zijn uitspraak 'De openbare mening maakt en breekt soevereinen' bij het rechte eind had.

Carl Maria von Weber.

## Weber schiep Duitse operastijl

LONDEN, 5 juni - Vlak na de première van zijn voor het Covent Garden Theatre geschreven opera *Oberon* is de Duitse componist Carl Maria von Weber overleden. Weber was door een ernstige ziekte al niet meer in staat zelf het stuk te dirigeren.

Weber was de eerste nationaal-Duitse operacomponist. Hij streefde naar een Duitse operastijl die de overheersing van de Italiaanse opera's zou kunnen doorbreken. Dit bereikte hij in 1821 met zijn opera *Der Freischütz,* die het Berlijnse publiek enthousiast ontving als de vertolking van het patriottische Duitse vrijheidsgevoel.

Weber werd in 1786 geboren als zoon van de musicus Franz Anton Weber, die van zijn zoon een tweede Mozart wilde maken. Op 12-jarige leeftijd reeds componeerde Carl Maria enkele opèra's en pianomuziek. In 1810 richtte Weber de 'Harmonischer Verein' op, een democratische vereniging van musici die zich ten doel stelde de groeiende produktie van banale amusementsmuziek te bestrijden.

# Twee 'founding fathers' sterven op 'Glorious Fourth'

BOSTON/WILLIAMSBURG, 4 juli - Op deze 'Glorious Fourth', precies vijftig jaar na de aanvaarding van de Amerikaanse Onafhankelijkheidsverklaring, hebben twee 'founding fathers' van dit land het leven gelaten: Thomas Jefferson, de auteur van de Onafhankelijkheidsverklaring, is op 83-jarige leeftijd gestorven in zijn buitenhuis 'Monticello' in Virginia. Enkele uren later stierf John Adams, de tweede president van de Verenigde Staten, in Quincy, Massachusetts; Adams is 90 jaar geworden.

Het was al langer duidelijk dat het leven van deze twee groten uit Amerika's geschiedenis ten einde liep en iedereen vroeg zich af of ze de vierde juli nog zouden halen. Rond middernacht is Jefferson voor het laatst bij bewustzijn geweest. 'Is dit de vierde?' fluisterde

Links John Adams, tweede president van de VS; rechts Thomas Jefferson op weg naar zijn inauguratie in 1801.

hij tegen een familielid. Toen dit werd bevestigd, slaakte Jefferson een zucht van voldoening. Rond het middaguur heeft hij zijn laatste adem uitgeblazen. Op dat ogenblik schudde het huis van John Adams onder het gebulder van saluutschoten en hoorden de wakers in zijn kamer het gejuich op het stadsplein toen een redenaar de leus herhaalde van de oude Adams: 'Independence forever!' Zijn kleindochter boog zich over hem heen en hoorde hem fluisteren: 'Thomas - Jefferson - leeft - nog -'. Hij stierf bij het vallen van de avond.

# Siam en Engeland sluiten handelsakkoord

*Indiase arbeiders bij het vlechten van stoelen, bestemd voor de Europese markt.*

BANGKOK, 20 juni - Acht jaar na het hernieuwen van de contacten tussen het Siamese hof en westerse landen is een handels- en vriendschapsverdrag tussen Siam [Thailand] en Engeland gesloten. Er zijn van het verdrag versies in vier talen, Thai, Engels, Portugees en Maleis, omdat de Siamezen geen Engels kennen en de Engelsen geen Thai.

In het verdrag zijn regelingen over belastingen op import en export vastgelegd. De handel zal worden onderworpen aan de lokaal geldende praktijken; Engeland mag geen opium invoeren en rijst exporteren; voor het pachten van land moet altijd goedkeuring van de hoogste autoriteiten worden verkregen. Voor Engeland is een betere bescherming van zeelieden erg belangrijk vanwege de dominante positie van de Engelse koopvaardijvloot in de interaziatische handel. Met het oog daarop zijn enkele paragrafen van het verdrag gewijd aan het geven van wederzijdse hulp in geval van schipbreuk of gelijksoortige ongevallen.

De in Siam aanwezige Engelse onderdanen moeten zich wel aan de wetten van het land houden en zullen in geval van overtreding worden berecht overeenkomstig het Siamese strafrecht.

Siam zal zich van zijn kant niet in de Engelse handelsaangelegenheden op het Maleise schiereiland mengen, zo is in het verdrag vastgelegd.

Op het gebied van territoriale aanspraken is afgesproken dat Siam de Engelse aanspraken op het eiland Penang en de onafhankelijkheid van Perak en Selangor erkent, terwijl Engeland akkoord gaat met de Siamese suzereiniteit over Kedah, Kelantan en Trengganu.

Hoewel Siam door dit verdrag open blijft voor westerse handelaren, is duidelijk overeengekomen dat de Siamese regering het bestaande monopoliesysteem mag handhaven.

Al in 1818 had de Portugese gouverneur van Macao een afgezant naar Bangkok gestuurd om te vragen of de monopolies konden worden opgeheven en scheepsbouw- en handelsfaciliteiten aan Portugal konden worden geboden. Behalve de kwestie van de monopolies zijn toen alle Portugese wensen ingewilligd.

John Morgan werd in 1821 als afgezant van Singapore naar Bangkok gestuurd met dezelfde wensen. Hij keerde terug naar Singapore met de mededeling dat 'met de Siamezen slechts goed handel valt te drijven als alle zaken in een verdrag zijn vastgelegd'. De gouverneur-generaal van de Engelse kolonie India heeft daarop John Crawford gezonden om een dergelijk verdrag met de Siamese regering te sluiten. Crawford had al veel ervaring in Zuidoost-Azië opgedaan, omdat hij onder Sir Stanley Raffles op Java had gediend en enige tijd de functie van Engels resident in Singapore had bekleed. Hij werd in Siam echter geconfronteerd met twee eisen die moeilijk konden worden ingewilligd: het leveren van moderne wapens aan het leger van koning Rama II en het aanvaarden van een regeling waarbij Engeland grote hoeveelheden Siamese suiker moet afnemen. Hoewel op enkele punten wel afspraken zijn gemaakt, vormden de twee Siamese eisen een onoverkomelijk struikelblok en Crawford keerde in 1822 zonder verdrag naar India terug.

Nu is uiteindelijk kapitein Burney erin geslaagd een verdrag tot stand te brengen. Burney, die ambtenaar te Penang is, kan worden beschouwd als een kenner van de politieke verhoudingen op het Maleise schiereiland. Een ander voordeel is dat hij Thai spreekt, waardoor de communicatie aanzienlijk beter is gelopen.

Koning Rama III heeft van zijn kant bij zijn ambtenaren erop aangedrongen in een of andere vorm tot een verdrag te komen, om de druk van Engeland op het vasteland van Zuidoost-Azië te verminderen. De Siamese regering is hierin geslaagd. Slechts de koninklijke monopolies vormen nog een obstakel voor de Engelsen.

*Een Siamese delegatie knielt nederig voor de Britse troon.*

# Ontdekkingen van Georg Simon Ohm worden betwijfeld

*Georg S. Ohm.*

BERLIJN - De Duitse natuurkundige Georg Simon Ohm heeft een pamflet gepubliceerd onder de titel *Die galvanische Kette mathematisch bearbeitet.* In dit pamflet introduceert hij een wet waarin de sterkte van een elektrische stroom in een geleider gelijkgesteld wordt aan het potentiaalverschil tussen de uiteinden, gedeeld door de weerstand van de geleider.

Ohm werd op 16 maart 1787 in Erlangen geboren. Na de lagere school doorlopen te hebben, studeerde hij aan de universiteit aldaar. In 1817 werd hij benoemd tot leraar in de mathematica aan het door jezuïeten geleide gymnasium in Keulen. Dit jaar volgde zijn benoeming tot hoogleraar aan de krijgsschool in Berlijn.

In de periode dat Ohm werkzaam was in Keulen, publiceerde hij reeds enkele boeken over natuurkundige onderwerpen, die echter weinig aandacht kregen. Geïnspireerd door de geschriften van J. Schweigger en J. Pogendorf begon hij met onderzoekingen op het gebied van de elektriciteit. Dit leidde tot het opstellen van de wet die in het pamflet van de Duitse geleerde openbaar is gemaakt.

Tot grote teleurstelling van Ohm wordt in wetenschappelijke kringen zeer terughoudend gereageerd op zijn ontdekkingen. Men betwijfelt de juistheid van zijn wet. Als gevolg daarvan is men zelfs gaan twijfelen aan de persoonlijke integriteit van Ohm. De natuurkundige voelt zich nu in zijn werkzaamheden belemmerd en heeft het voornemen aangekondigd zich terug te trekken als hoogleraar.

Naar het schijnt is zelfs de Royal Society in Londen in de zaak betrokken. Daar worden pogingen in het werk gesteld om de juistheid van de Wet van Ohm te verifiëren.

# Sultan rekent voorgoed af met janitsaren

*Sultan Mahmoed II.*

CONSTANTINOPEL, 19 juni - Mahmoed II is er in tegenstelling tot zijn voorganger sultan Selim III in geslaagd definitief met de janitsaren af te rekenen. Een opstand van het korps is bloedig onderdrukt en duizenden lijken van janitsaren zijn in de Bosporus gegooid. Hiermee zijn een belangrijk destabiliserend element in de Osmaanse maatschappij en de voornaamste steun van de traditionele conservatieve krachten verdwenen.

Het janitsarenkorps, ooit een elite-korps van tot de islam bekeerde christenjongens, had zich ontwikkeld tot een broedplaats van corruptie voor carrièrezoekers. De belastingvrijheid die het korps genoot, trok velen aan. Zonen van janitsaren werden in het korps opgenomen en vanaf hun geboorte gesalarieerd. Het aantal janitsaren nam gigantische proporties aan en drukte zwaar op de schatkist. Het korps kreeg de macht en aspiraties van een pretoriaanse garde: het oefende druk uit op de keuze van een nieuwe sultan, aan wie het pas trouw zwoer indien deze beloofde geen actie tegen het korps te ondernemen. In sommige gevallen zetten janitsaren de sultan af. Ze hielden waar mogelijk hervormingen tegen. In de provincie verbonden zij zich rond de eeuwwisseling met Osman Pasvantoglu, de pasja van Vidin [Bulgarije]. Deze steunde de janitsaren in Servië tegen de pasja van Belgrado. Selim III, de eerste sultan die de metterdaad de Osmaanse staat naar westers model wilde moderniseren, werd op

*'Turkse wachtpost' (schilderij van Jean-Léon Jerome).*

grond van deze pogingen voor ketter uitgemaakt. De reactionairen, de janitsaren en de religieuze autoriteiten, die zich onder de banier van de verdediging van het ware islamitische geloof schaarden, dwongen hem door een opstand zijn hervormingen in te trekken. Hij werd in 1808 gewurgd. De huidige sultan, Mahmoed II, zet zijn hervormingswerk voort, zij het dat hij ruimschoots de tijd heeft genomen alvorens zijn slag te slaan. Aan het begin van zijn bewind was hij reeds met de janitsaren in conflict gekomen. Zij eisten het hoofd van de hervormingsgezinde grootvizier Bairakdar en kregen dat ook.

Mahmoed realiseerde zich toen dat hij, wilden zijn hervormingen enige kans van slagen hebben, eerst met het probleem van de janitsaren moest afrekenen. Hij heeft van de fouten van zijn voorganger geleerd en zich vooraf van de steun van de geestelijkheid verzekerd. Aldus kon hij de rollen omkeren: toen de janitsaren tegen zijn legerhervorming naar westers model in opstand kwamen, werd niet hij maar het janitsarenkorps van ketterij beschuldigd. Met de uitroeiing van de janitsaren is de hervorming in theorie geslaagd. Of de feitelijke uitvoering ook zal lukken is de vraag. De corruptie, die op alle niveaus van de Osmaanse maatschappij en regering bestaat en waarop tot nog toe geen bevredigend antwoord is gevonden, blijft een factor die belemmerend op vernieuwingen werkt.

# East India Company verwacht dit jaar miljoenenverlies

PENANG, 29 december - Naar het er nu laat aanzien zal de Britse East India Company dit jaar enige honderden miljoenen Straits-dollars verlies lijden op haar bezittingen in de Straat van Malakka, die juist dit jaar zijn samengevoegd in de Straits Settlements, een vierde 'Presidency' (naast Bombay, Calcutta en Madras) van het Indiase koloniale bestuur. Het deficit wordt veroorzaakt door de hoge bestuurskosten. De drie handelsnederzettingen Penang, Malakka en Singapore hebben zich niet zo voorspoedig ontwikkeld als aanvankelijk werd aangenomen en de gehele bureaucratie kan als topzwaar worden omschreven. Het tegenover de kust van het sultanaat gelegen eilandje Penang is de oudste kolonie. Die werd in 1786 gesticht als tussenhaven op de handelsroute naar China, maar bleek al gauw niet gunstig genoeg te liggen om een werkelijk bloeiende haven te kunnen worden. De verwachtingen bleven echter hooggespannen en in 1805 werd Penang zelfs een 'Presidency'.

Malakka was tot voor kort Nederlands bezit, maar werd in 1824 geruild tegen Bengkulu. Het is totaal verwaarloosd, de Engelsen hebben het tijdens hun, van 1796 tot 1817 durende, bezetting bewust ontmanteld om de handelaren te bewegen zich naar Penang te verplaatsen.

Het in 1819 door Sir Stamford Raffles gestichte Singapore maakt momenteel een stormachtige ontwikkeling door; het trekt duizenden, voornamelijk Chinese, handelaren aan. Het aantal inwoners steeg van 150 vissers en wat Chinezen binnen twee jaar tot 10 000. Het handelsvolume bedroeg vorig jaar 22 miljoen Straits-dollars. Het succes van dit uiterst strategisch gelegen eiland is te danken aan de door Raffles geïntroduceerde vrijhandel en de Engelse wetgeving en rust. Die vrijhandel betekent echter wel dat het bestuur buiten de heffingen op opium, gokken, arak (rijstbrandewijn) en pandjeshuizen geen inkomsten heeft. Het chronische tekort aan financiën heeft al enige malen geleid tot de overweging de nederzetting op te heffen.

*Gezicht op Bengkulu (Sumatra): rechts boven de ambtswoning van de Engelse gouverneur.*

# Griekse rebellen troeven Turkse vloot af

*Tafereel uit de Slag bij Navarino, die voor de Turkse marine desastreus is verlopen.*

NAVARINO, 20 oktober - De vloot van de Griekse opstandelingen heeft vandaag bij Navarino op de Peloponnesos de Turkse marine vernietigend verslagen. 'Een onaangename gebeurtenis,' aldus de Engelse minister van Buitenlandse Zaken, de Duke of Wellington. De vorming van een onafhankelijke Griekse natie lijkt nu onvermijdelijk geworden.

Feitelijk is een deel van het Griekse vasteland al enige jaren onafhankelijk van de Turken. Sinds het eerste offensief van Demetrios Ypsilanti in het voorjaar van 1821 hebben de Osmaanse autoriteiten geen gezag meer kunnen uitoefenen op het westelijk deel van het schiereiland. Vanaf dat moment lag de macht bij de voorzitter van de inmiddels opgerichte Senaat, Alexander Mavrokordatos, een 'fanariot' uit de elite

van de Griekse samenleving, en zijn collega van de Algemene Vergadering, Theodore Negris, eveneens een notabele uit de hogere sociale kringen.
Onder leiding van Mavrokordatos en Negris stelde de Nationale Vergadering in december 1821 in Argos de eerste grondwet op, die zeer weinig centralistische elementen bevatte.
Deze grondwet weerspiegelde de feitelijke gezagsverhoudingen. Want buiten de enkele steden op de Peloponnesos oefenden de 'kapetanios', de leiders van de klephten-benden, de macht uit. Kolokotronis was hun voornaamste woordvoerder.
In maart 1823 probeerde de Nationale Vergadering de dreigende tweedeling het hoofd te bieden door een uit drie personen bestaand uitvoerend comité te kiezen. Kolokotronis wist daarin de

positie van vice-voorzitter te bemachtigen, naast voorzitter Petros Mavromchalis en secretaris Mavrokordatos.
Het eerste succes van Kolokotronis li niet lang op zich wachten. Onder dr van de klephten-leider verhuisden vertegenwoordigende lichamen na de havenplaats Nauplion. De opposi koos daarop het hazepad en beconcu reerde vanaf 1823 onder leiding va Georgos Koundouriotis het gezag Nauplion. Deze scheuring had voor sociale oorzaken. De samenwerki tussen de volkse en militaire represe tanten, zoals Androutsos en Kolok tronis, en aristocraten als Mavrokc datos, Ypsilanti en Negris bleek moeilijk. In april van dit jaar werd w derom een poging gedaan de gelederr te sluiten. De Nationale Vergaderin in Troezene bijeen, koos toen herte Joannis Capodistrias tot haar pre dent. Een maand later stelde ze e grondwet op, de derde sinds 1821, beoogde de macht van de nieuwe pre dent van de republiek te beperken.
Hiermee stelde de jonge Griekse na de grote mogendheden wederom vo een voldongen feit. Twee maand later, in juli, erkenden zij dan ook een bijeenkomst in Londen het besta van de onafhankelijke Griekse sta De mogendheden besloten tot die 'v delievende inmenging' om te voork men dat het conflict op de Balkan uit hand zou lopen en zij vervolgens a vier met elkaar in conflict zouden r ken uit angst in dit deel van Europa i vloed aan elkaar te verliezen.

*De Griekse en Turkse vloot bestoken elkaar in de Zeeslag bij Navarino.*

# Oppositie België één front

LUIK, 21 maart - In een opzienbarend artikel in de vandaag verschenen *Mathieu Laensbergh* roept Paul Devaux de katholieken op met de liberalen de krachten te bundelen in het verzet tegen de regering. Het op de voorpagina van de liberale Luikse krant afgedrukte pleidooi is een eerste duidelijk teken van liberale zijde in de richting van een door de katholieken reeds eerder geopperde mogelijkheid van een gezamenlijke Zuidnederlandse oppositiebeweging.

Eind 1825 had de katholieke voorman in de Tweede Kamer, E.C. de Gerlache, al naar de liberalen gelonkt. Maar de aarzeling bij vooral de conservatief-liberalen was groot. Door de jonge liberalen zoals Devaux, bij wie het anti-klerikalisme veel minder sterk ontwikkeld is, lijkt nu de uitgestoken katholieke hand gegrepen te worden.

De twee groepen vinden elkaar in hun streven naar vrijheden. De katholieken wensen vrijheid van onderwijs en de liberalen die van drukpers en taal. Vooral de taalbesluiten en maatregelen als de afschaffing van het klein-seminarie zijn in het zuiden van het Verenigd Koninkrijk verkeerd gevallen. Onduidelijk is hoe de oppositiebeweging, die zich vooral richt tegen minister Van Maanen en niet tegen koning Willem I zelf, vorm zal krijgen.

*De Oostenrijkse componist Franz Schubert heeft de liederencyclus 'Die Winterreise' gepubliceerd, waarin hij twaalf gedichten van Wilhelm Müller heeft getoonzet. Schubert toont zich in de twaalf liederen een absoluut meester in dit genre. De afbeelding, van de hand van Leopold Kupelwieser, toont een Schubert-zanggezelschap tijdens een uitstapje.*

## Physicus Volta ontwikkelde de batterij

*Alessandro Volta.*

COMO, 5 maart - De op 82-jarige leeftijd overleden Italiaanse natuurkundige Alessandro Volta was de eerste die erin slaagde een spanningsbron te construeren die een constante elektriciteitsstroom voortbrengt: de batterij.

Volta deed vooral onderzoek op het gebied van de elektriciteit. Hij publiceerde zijn eerste wetenschappelijke werk op 24-jarige leeftijd: *De vi attractiva ignis electrici*. In 1779 volgde zijn benoeming tot hoogleraar natuurkunde aan de universiteit van Pavia. Volta ontdekte dat elektriciteit opgewekt kan worden door geleiders van verschillende samenstelling met elkaar in contact te brengen. Dit leidde tot de constructie van de batterij.

## Siamese troepen plunderen Vientiane

VIENTIANE, november - De plotselinge aanval van Chao Anou, de vorst van Vientiane, op Siamese troepen bij zijn bezoek aan Siam vorig jaar is door de legers van Rama II bloedig gewroken.

Tijdens een bezoek aan Siam zag hij dat de positie van de Siamese troepen zodanig was dat hij wel een aanval op de hoofdstad Bangkok zou kunnen uitvoeren. Deze manœuvre zou de vergelding moeten zijn voor al datgene wat de Siamezen hem en zijn voorouders hadden aangedaan. In het verleden hadden zij herhaaldelijk de Laotiaanse vorstendommen aangevallen en sinds enkele eeuwen moesten de Laotianen schatting betalen aan het hof in Bangkok. Tegen het einde van de 18de eeuw werden de territoriale aanspraken van Siam op Laos steeds groter. De vernederingen die zijn familie en hijzelf moesten ondergaan, zouden mogelijk nu gewroken kunnen worden.

Chao Anou maakte echter een misrekening. Hoewel de Siamezen aanvankelijk in paniek raakten, versterkten zij de verdediging van Bangkok en traden vervolgens het leger van Chao Anou tegemoet. Ondanks de steun die deze van zijn zoon, de vorst van Champassak, kreeg, moest hij zich terugtrekken. Eerst rekenden de Siamezen met Champassak af; daarna hebben zij Vientiane aangevallen en veroverd. De stad is geplunderd en in brand gestoken. Chao Anou is met zijn familie en enkele volgelingen de bijna ondoordringbare bossen ingevlucht en zal waarschijnlijk de eerste tijd niet meer naar Vientiane kunnen terugkeren.

# Beethoven onder grote belangstelling begraven

*Een enorme menigte is in Wenen op de been om de componist Ludwig van Beethoven de laatste eer te bewijzen.*

WENEN, 29 maart - Onder overweldigende belangstelling is de Duitse componist Ludwig van Beethoven op het Währinger Friedhof ten grave gedragen. De componisten Johann Hummel en Franz Schubert behoorden tot de menigte uit binnen- en buitenland die hem de laatste eer bewezen. Beethoven heeft de instrumentale muziek tot het allerhoogste niveau gebracht.

Beethoven stamde uit een muzikaal geslacht. Zijn eerste muzieklessen kreeg hij van zijn vader Johann.

Al snel viel zijn grote muzikaliteit op en er volgden lessen van de componist Neefe. In 1783 werd hij cembalist in het orkest van de keurvorst van Bonn. Drie jaar later studeerde hij korte tijd bij Mozart, die onder de indruk was van zijn improvisatietalent. In 1791 ontmoette hij Haydn, die hem als leerling aannam. Inmiddels was hij door graaf Waldstein geïntroduceerd in Weense aristocratische kringen. Deze steunden hem, zodat hij zich geheel aan het componeren kon wijden.

Aanvankelijk stond Beethoven onder invloed van Mozart en Haydn. Geleidelijk echter ontwikkelde hij zijn eigen muzikale persoonlijkheid. Het stormachtige pathos van de *Sonate Pathétique* is hier een uiting van, evenals de monumentale inleiding van de *Tweede symfonie*. De *Derde symfonie* uit 1803 is een hoogtepunt in zijn œuvre.

Beethoven werd in deze periode steeds meer gekweld door hardhorendheid. Hij werd humeurig en was snel beledigd. In 1820 werd hij geheel doof. Wellicht heeft dit ertoe bijgedragen dat zijn laatste composities soms duister en moeilijk te doorgronden zijn. Een van zijn grootste successen boekte hij met de uitvoering van de *Negende symfonie* in 1824. Beïnvloed door het vrijheidsgevoel van Schiller geeft Beethoven hier, ondanks zijn misantropie, blijk van vertrouwen in de mensheid.

# Grote welvaart in Wenen

*Blik op Wenen, door de Oostenrijkse schilder Rudolf Alt (1843).*

WENEN - In Leipzig is onder de titel *Wien wie es ist* een 'karakter- en zedenschets' van de Oostenrijkse hoofdstad verschenen. De schrijver van dit werk vestigt de aandacht op de hoge levensstandaard van de inwoners van Wenen. 'Het is een aangenaam schouwspel voor iemand die graag vrolijke en gelukkige mensen om zich heen heeft, om op zondagen een bezoek te brengen aan de verzamelplaatsen van de laagste klassen, waartoe de handwerkslieden, de dagloners, de opperlieden, de handarbeidsters en fabrieksarbeiders behoren. Men ontwaart bij hen vrijwel nooit gescheurde of vuile kleding. Men ziet bijna geen vrouw uit de onderste standen die geen zijden kledingstuk heeft [...] het merendeel

draagt zelfs met gouddraad bestikte mutsen.'
Het aan Oostenrijk gewijde deel van de serie *The world in miniature*, dat in 1823 in Londen is uitgekomen, geeft een zelfde beeld van het welvaartsniveau in Wenen. 'De menselijke geest wordt hier niet geschokt door het verschijnsel van vuile misère dat zowel afgrijzen als medelijden oproept, noch

door de bedelaars die de meeste andere grote steden teisteren.' De - anonieme - auteur schrijft deze welvaart in de Oostenrijkse hoofdstad echter niet toe aan structurele economische factoren: 'Als de lagere klassen hier beter af zijn dan in sommige andere landen, komt dat vooral door hun hogere moraliteit en goede gedrag, dat hen vrijwaart van armoede en gebrek.'

*De Weense Kohlmarkt biedt alle dagen van de week een levendige aanblik.*

## Pestalozzi wijdde zijn leven aan kinderopvoeding

BRUGG IN AARGAU, 17 februar De op 81-jarige leeftijd overled Zwitserse pedagoog Johann Heinri Pestalozzi heeft vrijwel zijn hele lev gewijd aan de opvoeding van kind ren. In verscheidene werken heeft zijn gedachten hierover op papier g zet.
Pestalozzi studeerde aanvankeli theologie. Hij behoorde tot de revol tionaire kringen die dweepten met h gedachtengoed van Rousseau. Hij v tooide zijn studie niet en begon e boerderij (Neuhof), die hij omzette een tehuis voor arme kinderen. Het e periment mislukte echter en hij va daarna de wetenschap weer op. In 18 stichtte hij in Yverdon opnieuw een ternaat waarmee hij internationale b kendheid verwierf. Zijn denkbeeld zijn terug te vinden in zijn socia pedagogische roman *Lienhard u. Gertrud*. Zijn hoofdwerk is *Wie G trud ihre Kinder lehrt*. Voor Pestalo stond het werken aan de mens vooro Hij ontwierp een methode waarm men dit de kinderen op school kan b brengen.
Volgens Pestalozzi ligt het binnen e ieders vermogen het ware mens-zijn bereiken. Het 'morele zijn' is voor he van doorslaggevende betekenis. M deze opvattingen heeft Pestalozzi o der pedagogen een grote invloed v worven.

# Rusland stelt dienstplicht voor joden in

PETERSBURG - De anti-joodse politiek van tsaar Nicolaas I heeft een nieuw hoogtepunt bereikt met de ondertekening van een wet, welke de rekrutering van joodse jongens tussen twaalf en achttien jaar voor het Russische leger verplicht stelt. Jongens onder de achttien moeten een opleiding volgen aan een militaire school, samen met kinderen van soldaten. De vastgestelde dienstplicht gaat pas in na de eerste opleiding in de kantonnistenbataljons en duurt 25 jaar.
De wet heeft betrekking op de joodse gemeenten in Litouwen en de Oekraïne. Deze gebieden zijn zelf verantwoordelijk gesteld voor de levering van vastgestelde contingenten. Speciale functionarissen, 'chappers' genoemd, zijn belast met het bijeenbrengen van de vereiste aantallen soldaten. Zij boezemen de kantonnisten, zoals de jonge dienstplichtigen worden genoemd, grote angst in. Een andere reden voor grote ongerustheid binnen de joodse gemeenten is dat de Russische tsaar heeft verordonneerd dat er in het leger een fanatieke zending moet worden bedreven.
De reactie, die na het Congres van We-

*Russische officieren zweren trouw aan tsaar Nicolaas I.*

nen in Europa opgeld doet, lijkt in Rusland met deze wet stevig verankerd te zijn. Nu al doen geruchten de ronde over het stelen van jongens op het platteland door chappers of door door hen ingehuurde lieden. Ook verhalen over ouders die hun kinderen zodanig verminken dat ze de medische controles

niet passeren of ouders die hun kind ren voor de autoriteiten proberen verbergen, zijn niet van de lucht.
De situatie van de joden van Rusla (het Paalgebied) begint veel overee komsten te vertonen met de eeuwen Rusland die wel worden aangeduid de 'Tijd der Troebelen'.

# 'Ein treuer Diener seines Herrn' verboden

*Links de Oostenrijkse schrijver Franz Grillparzer in zijn werkkamer en rechts een portret door von Waldmüller.*

WENEN, 4 maart - Keizer Frans I van Oostenrijk heeft de schrijver Franz Grillparzer laten weten dat zijn tragedie *Ein treuer Diener seines Herrn* niet meer mag worden opgevoerd. Het stuk, dat in opdracht van het hof is geschreven, beleefde op 28 februari in het Burgtheater een succesvolle première, die door de keizer in eigen persoon werd bijgewoond. Dat zelfs dit toneelstuk verboden wordt, geeft aan hoe streng de Oostenrijkse censuur is. Grillparzer beschrijft zijn bezoek aan de minister van politie: [...] Ik had al vernomen dat de keizer zich zeer gunstig over *Ein treuer Diener seines Herrn* had uitgelaten en rekende daarom op complimenten. Ik was echter al vaker in de hel geweest, waar vele voetstappen heen leiden, maar weinige terug, en maakte me dus ernstige zor-

gen. Ik trad binnen. Zijne Majesteit, zo luidde het, had mijn stuk met groot welgevallen gadegeslagen, en had bevolen mij zijn tevredenheid mee te delen. Hij koesterde echter nog één wens. Welke? Het stuk geheel alleen te bezitten. Ik was met stomheid geslagen. Zijne Majesteit zal mij volledig schadeloos stellen voor de inkomsten die ik zal derven. Maar het handschrift wordt in de privé-bibliotheek van de keizer opgeborgen, er mogen geen kopieën van worden gemaakt, het mag niet buiten Wenen worden opgevoerd, en niemand mag te weten komen dat het niet in druk zal verschijnen. In Wenen zelf zal het na verloop van tijd wel weer eens worden opgevoerd, maar daarna zal het geleidelijk verdwijnen. Niet de censuur verlangde deze maatregelen, want dan zou men het zonder meer kunnen

verbieden, maar het was de wens van Zijne Majesteit om de enige bezitter van dit stuk te zijn, dat bij hem zo in de smaak was gevallen [...] Dit is de mildste tirannie waarvan ik ooit heb gehoord!'

De inhoud van het gewraakte toneelstuk lijkt onschuldig: de held, 'een treuer Diener seines Herrn', krijgt van zijn koning de opdracht om diens kind in veiligheid te brengen. In de theatertraditie van deze tijd is het koningskind de belichaming van de politieke orde. Door de trouwe dienaar bij de redding van het koningskind gebruik te laten maken van de diensten van een huurmoordenaar, gaf Grillparzer aan dit sprookjesmotief een politieke lading. Noch het publiek, noch de censuur is de staatsvijandige strekking van dit drama ontgaan.

# Argentinië en Brazilië erkennen Uruguay

MONTEVIDEO, 27 augustus - De Verenigde Provincies van de Rio de la Plata [Argentinië] en het keizerrijk Brazilië hebben vrede gesloten, waarbij de onafhankelijke Republiek Oriental del Uruguay wordt erkend. De vrede is tot stand gekomen na Engelse bemiddeling.

Bij de bestuurlijke herindeling van de Zuidamerikaanse koloniën in 1776 eiste Spanje het gebied dat nu Uruguay is, op voor het nieuwe onderkoninkrijk Rio de la Plata. Al langer echter werd de soevereiniteit over het gebied opgeëist door de Portugezen in Brazilië. Sinds de introductie van de veehouderijen door de jezuïeten in het begin van de 18de eeuw is het gebied economisch interessant, terwijl het door de ligging strategisch belangrijk is. Door de Spaanse aanspraak zou het mondingsgebied van de Rio de la Plata onder één bestuur komen, terwijl de rivier de Uruguay de directe verbinding met zee voor de Braziliaanse provincies vormt.

Uiteindelijk viel Brazilië in augustus 1816 de Banda Oriental del Uruguay

*Karavaan geëscorteerd door militairen (uit J.-B. Debrets 'Schets van Brazilië).*

('de oostoever van de rivier de Uruguay') binnen en veroverde vijf maanden later Montevideo. Door de chaos in het net onafhankelijk geworden Argentinië bleef de verovering van die kant onbeantwoord. In Uruguay zelf ontstond een beweging voor onafhankelijkheid, maar door de welvaart onder het Braziliaanse regime bleef die vrij klein. Na de Slag bij Ayacucho in december 1824 echter ontstond een oorlogsstemming in Buenos Aires, waarbij de Banda Oriental onder Braziliaans regime als het enig overgebleven deel van Spaans Zuid-Amerika

werd gezien dat nog bevrijd moest worden. In april 1825 werd een expeditie van gevluchte Uruguayanen vanuit Buenos Aires uitgezonden om de guerrilla van de onafhankelijkheidsbeweging te steunen. Tegelijkertijd brak om het gebied oorlog uit tussen Brazilië en Argentinië. De partijen bleken echter aan elkaar gewaagd en geen van beide kon een beslissende slag winnen. Dit bood de kans aan de onafhankelijksbeweging. Na Engelse bemiddeling hebben Argentinië en Brazilië nu vrede gesloten en de onafhankelijke republiek Uruguay erkend.

## Webster komt met lijvig lexicon

NEW HAVEN, november - Noah Webster, auteur van onder andere *A Grammatical Institute of the English Language* en *Compendious Dictionary of the English Language*, heeft een woordenboek gepubliceerd: *An American Dictionary of the English Language*.

Het werk bestaat uit twee delen en bevat 70 000 woorden. In de inleiding zet de lexicograaf zijn ideeën over taal en etymologie uiteen. Het enorme boek van Webster - hij heeft er twintig jaar aan gewerkt - is bij verschijnen al een standaardwerk op lexicografisch gebied.

*An American Dictionary of the English Language* is te beschouwen als een uiting van het Amerikaanse streven naar culturele onafhankelijkheid.

Webster had al vroeg belangstelling voor de Engelse taal. De Amerikaanse variant van die taal interesseerde hem het meest. Het Engels, zoals dat in de Verenigde Staten werd gesproken, zou zich, volgens Webster, ontwikkelen tot een apart dialect met eigen spreekwoorden en een eigen spelling. Hij zag het als zijn taak die ontwikkeling te stimuleren. Bovendien was hij ervan overtuigd dat taal een belangrijke rol speelde bij het ontstaan van een gevoel van nationale eenheid en eigenwaarde.

Hoewel de Verenigde Staten in 1783 de begeerde politieke onafhankelijkheid hadden verkregen, waren zij in cultureel opzicht een kolonie van de Europeanen gebleven. De Amerikaanse literatuur, schilder- en beeldhouwkunst imiteerden datgene wat er op die gebieden in Europa gebeurde, zonder ooit het Europese niveau te evenaren.

Het Amerikaanse nationalisme dat zich na de Onafhankelijkheidsoorlog langzaam ontwikkelde, eiste echter een eigen Amerikaanse cultuur. De Amerikanen kregen daardoor meer oog voor het karakteristieke van hun cultuur. In dit verband moet de publikatie van *An American Dictionary of the English Language* gezien worden als een pleidooi voor een nationale Amerikaanse cultuur. Voor vele Amerikaanse kunstenaars blijft Europa echter het grote voorbeeld.

# Jackson wint presidentsverkiezingen VS

*Op weg naar Washington stopt de nieuwe Amerikaanse president Jackson in een dorpje voor een toespraak.*

WASHINGTON, 3 december - Andrew Jackson heeft de Amerikaanse presidentsverkiezingen gewonnen. Hij heeft op overtuigende wijze zijn rivaal John Quincy Adams verslagen. Aan de verkiezingen is een ongemeen felle campagne voorafgegaan, waarbij persoonlijke rivaliteit de boventoon voerde. Op de achtergrond van de verkiezingsstrijd speelden klassenverschillen. Door de overwinning van 'Old Hickory', zoals Jackson ook wel wordt genoemd (naar een plaatsje waar hij een groot aantal Indianen wist te verslaan), is er een president aan het bewind gekomen die niet afkomstig is van de oostkust.

Adams en Jackson stonden in 1824 ook al tegenover elkaar. Toen moest Old Hickory het onderspit delven, volgens eigen zeggen wegens een 'corrupte afspraak' die Adams zou hebben gemaakt met de machtige Henry Clay (in ruil voor diens steun zou Adams Clay een ministerspost hebben aangeboden). Deze beschuldiging zette de toon voor de presidentsverkiezingen vier jaar later.

Jackson, die de steun had verkregen van de invloedrijke Martin van Buren, heeft een uitstekend georganiseerde campagne gevoerd. Old Hickory en de democratische Republikeinen appelleren aan een groot deel van de Amerikaanse bevolking: de arbeiders in de steden, de plantagehouders in het Zuiden, grote bankiers, kleine boeren en vooral de mensen in het verre Westen. John Quincy Adams, geboren en getogen in Massachusetts, is de laatste in een rij presidenten die afkomstig waren van de Amerikaanse Oostkust.

Met Jackson is er een nieuwe mentaliteit naar voren gekomen. Jackson, de 'King Mob', zoals zijn tegenstanders hem smalend noemen, is de verpersoonlijking van de pioniersgeest. De hoop, aspiraties en belangen van diverse groepen uit de Amerikaanse samenleving zijn in de nieuwe president verenigd. Jackson gelooft in het gezond verstand van de 'common man' (de gewone man) en heeft begrip voor de noden van de slecht bedeelden in de Amerikaanse maatschappij.

Door de grote overwinning van Andrew Jackson is het tweepartijensysteem in de Verenigde Staten teruggekeerd. Nu staan echter niet de Federalisten en Republikeinen, maar de Democraten en de Republikeinen tegenover elkaar.

# Zoeloe-koning Tsjaka door broers gedood

ZUID-AFRIKA, 22 september - De vorig jaar krankzinnig geworden Zoeloe-koning Tsjaka is door zijn broers vermoord. Onder de moordenaars bevindt zich ook zijn opvolger Dingaan.

Tsjaka, die in 1818 na de moord op het Mtetwa-opperhoofd Dingiswayo een Zoeloe-rijk stichtte, laat geen kinderen na, ondanks een harem van 1200 vrouwen. Elke vrouw die zwanger werd, liet hij doden. Voor zijn onderdanen was de vermoorde koning de absolute heer-

ser over leven en dood. Tsjaka werd in 1810 als 23-jarige krijger door Dingiswayo belast met het bevel en de reorganisatie van het leger.

De traditionele, haast homerische wijze van oorlogvoering moest plaats maken voor Romeinse discipline. Uitgerust met korte assegaaien kreeg het leger van de kleine stam der Zoeloes onder zijn leiding de reputatie onverslaanbaar te zijn. Zelfs bij de Europeanen was hij gevreesd.

Voor veel Zuidafrikaanse stammen

begon de tijd van de 'mfecane', de tijd der troebelen. Achtervolgd door de Zoeloes, die jaarlijks hele streken plunderden en de bevolking op de vlucht joegen, trokken veel Nguni- en Sotho-sprekende volken weg. De Ndebele (Matabele) naar Rhodesië, de Nguni naar Zambia, Malawi en Tanzania en de Sotho (Kololo) naar Barotseland (Zambia). Tsjaka laat een Zoeloeland na dat twintigmaal groter is dan op het moment dat hij tien jaar geleden de macht overnam.

# Verdrag Rusland en Perzië

*De Russische tsaar Nicolaas I.*

PERZIE - Na een militaire nederlaag van het Perzische leger in de oorlog tegen Rusland heeft Perzië een akkoord met dit land moet sluiten. De overeenkomst, die het Toerkmantsjai-akkoord wordt genoemd, is onlangs door beide regeringen getekend. Volgens dit akkoord moet Perzië alle kosten van de oorlog betalen en daarnaast erkennen dat verscheidene gebieden definitief tot het grondgebied van Rusland behoren. De Perzische regering wordt ook verplicht om niet meer dan 5 procent invoerrechten op Russische goederen te heffen.

Het akkoord is het resultaat van een oorlog die Fath Ali Sjah, de sjah van Perzië, aan Rusland had verklaard. Vanaf het begin van de 19de eeuw heeft de Perzische regering geprobeerd een alliantie te vormen, hetzij met Frankrijk, hetzij met Engeland, met het doel een van een van beide landen militaire hulp te krijgen. Zowel de Engelsen als de Fransen hadden belangen bij een alliantie met Perzië. Aangezien Napoleon echter de voorkeur gaf aan een samengaan met Rusland om zodoende Indië te veroveren, viel de keus van Perzië op Engeland, dat met de alliantie zijn kolonie (namelijk Voor-Indië) wilde beschermen. Engeland beloofde militaire steun aan Perzië te geven in ruil voor Perzische hulp als de Russen of Fransen zouden proberen Indië te veroveren.

De vijandschap tussen Perzië en Rusland kwam vooral voort uit het feit dat Perzië Georgië als Perzisch grondgebied beschouwde, terwijl Georgië in die tijd tot de Russische soevereiniteit behoorde.

De betrekkingen tussen Rusland en Engeland verbeterden echter, waardoor Perzië zich genoodzaakt zag zich van Engeland te distantiëren en een alliantie met Frankrijk te sluiten. De landen bereikten het Akkoord van Finenstein in 1807. Frankrijk beloofde Perzië steun in zijn strijd tegen Rusland. Perzië beloofde Frankrijk Engeland de oorlog te verklaren als Frankrijk Indië zou binnenvallen. De Fransen stuurden bovendien een militaire missie naar Perzië om met de organisatie van het leger te helpen.

*De provincie Azerbajdzjan in het grensgebied tussen Rusland en Perzië.*

De map legenda:
- Azerbajdzjan
- door Rusland veroverd op Perzië in de oorlog van 1804-1813
- huidige staatsgrenzen
- Russisch-Perzische grens volgens het verdrag van Toerkmantsjai (1828)

De alliantie met Frankrijk kwam zeer snel ten einde. Nog hetzelfde jaar, 1807, na zijn Europese overwinningen, sloot Napoleon de Vrede van Tilsit met tsaar Alexander van Rusland. Als reactie daarop sloot de Perzische regering in 1809 een akkoord met hun oude bondgenoten, de Engelsen. In 1814 sloten de beide landen nog twee verdragen. Door deze akkoorden met Engeland beëindigde Perzië zijn alliantie met Frankrijk. Engeland beloofde Perzië financiële en militaire hulp als een ander land Perzië zou binnenvallen. Tijdens deze periode raakte Perzië in een militair conflict met Rusland verwikkeld. In 1813 leed het Perzische leger een nederlaag tegen de Russen.

In 1826 verklaarde Fath Ali Sjah de jihad (heilige oorlog) aan de Russen. Het Perzische leger werd wederom verpletterend verslagen, waarna het land zich gedwongen zag een nieuw akkoord met Rusland te sluiten, dat alleen voorzag in de belangen van Rusland.

*De Spaanse schilder Francisco de Goya y Lucientes is in Bordeaux overleden. Vincente López schilderde dit portret van hem in 1827.*

**19 januari.** Het eerste deel van de tragedie *Faust* van Johann Wolfgang von Goethe wordt in Brunswijk voor de eerste keer opgevoerd.

**4 maart.** Andrew Jackson wordt als president van de Verenigde Staten geïnaugureerd.

**11 maart.** Onder leiding van Felix Mendelssohn-Bartholdy wordt de *Matthäus Passion* van Johann Sebastian Bach voor de eerste keer sinds Bachs dood uitgevoerd in Berlijn. →

**31 maart.** Na de dood van paus Leo XII wordt Francesco Saverio Castiglioni tot paus Pius VIII gekozen. →

**13 april.** De Catholic Emancipation Act in Groot-Brittannië laat katholieken tot het parlement toe. →

**9 augustus.** Over het traject Baltimore-Ohio rijdt de eerste stoomlocomotief in de Verenigde Staten.

**2 tot 14 september.** De Vrede van Adrianopel beëindigt de in 1828 uitgebroken Russisch-Turkse oorlog. →

**10 oktober.** De eerste locomotiefwedstrijd wordt gewonnen door de 'Rocket' van Robert Stephenson. →

**4 december.** Lord Bentinck, de Britse gouverneur-generaal in India, verbiedt de weduwenverbranding. →

- Louis Braille ontwerpt het brailleschrift voor blinden.

- Spanje hoopt, gebruik makend van de burgeroorlog, Mexico te heroveren en stuurt een expeditieleger.

- In Mexico wordt de slavernij afgeschaft.

- Thomas Graham formuleert de wet van diffusie van gassen.

- G. Rossini componeert de opera *Wilhelm Tell*.

- F. Guizot schrijft *Histoire de la Civilisation en France*.

- Het literaire werk *Les Chouans* van Honoré de Balzac verschijnt, waarmee zijn roem gevestigd wordt.

Gestorven:

**12 januari.** Friedrich von Schlegel (10-3-1772), Duits cultuurfilosoof en dichter
**10 mei.** Thomas Young (13-6-1773), Brits natuurwetenschapper
**29 mei.** Humphry Davy (17-12-1778), Brits chemicus →
**18 december.** Jean-Baptiste de Lamarck (1744), Frans natuuronderzoeker

## Rebellen op Bohol geven zich over

BOHOL, 31 augustus - De laatste achterblijvers van het in de bergen van het Filippijnse eiland Bohol opererende rebellenleger hebben zich vandaag overgegeven. Ondanks heldhaftig verzet bleken de vestingen van de sinds 85 jaar in onafhankelijkheid levende Boholanos niet langer opgewassen tegen de voortdurende aanvallen van de Spaanse artillerie. Gouverneur-generaal Mariano Ricafort heeft de in totaal 19 420 mannen, vrouwen en kinderen gratie verleend en toestemming gegeven zich te vestigen in een aantal dorpen in de laagvlakte, waar zij een nieuw bestaan zullen kunnen opbouwen.

De rebellie begon in 1744. In dat jaar weigerde de pastoor van Inabangan een politieagent, die uit hoofde van zijn opdracht een afvallige had achtervolgd maar daarbij om het leven was gekomen, in gewijde grond te begraven. De broer van de dode, Francisco Dagohoy, was zo verontwaardigd over deze handelwijze, dat hij de Boholanos opriep in opstand te komen tegen het gehate Spaanse gezag. In korte tijd wist hij enige duizenden aanhangers te verzamelen. Al plunderend en moordend, waarbij vooral geestelijken het moesten ontgelden, trok men de bergen in, waar uitgebreide vestingwerken werden aangelegd.

Jaar in jaar uit poogden de diverse Spaanse gezagsdragers de rebellie neer te slaan. Dagohoy bleek een inspirerend en militair kundig leider te zijn en wist in de bergen een goedgeorganiseerde samenleving van zo'n 30 000 leden op te bouwen. Hij werd in het geheim gesteund door de inwoners van de laagvlakten. Na zijn dood (rond de eeuwwisseling) verzwakte de leiding, maar de onafhankelijkheid bleef gehandhaafd. De in 1825 gearriveerde gouverneur-generaal Ricafort zag deze situatie echter als een ernstige bedreiging voor het Spaanse prestige en liet zwaarbewapende troepen er een einde aan maken.

*Bron in Karlsbad. De arts Emil Osann was een van de eersten die wezen op de heilzame werking van bronwater.*

# Concert Matthäus-Passion

*Felix Mendelssohn-Bartholdy.*

BERLIJN, 11 maart - Voor het eerst sinds 85 jaar wordt vandaag Johann Sebastian Bachs groot passieoratorium, de *Matthäus Passion* (1729), weer integraal uitgevoerd. Het Berlijns Symfonieorkest en het groot gemengd koor staan onder leiding van de bekende jonge componist Felix Mendelssohn-Bartholdy. De uitvoering zal plaatshebben in de Singakademie aan de Unter den Linden te Berlijn.

De eerste voorbereidingen voor deze uitvoering zijn reeds lang geleden getroffen door de oprichter van de Berlijner Singakademie, Carl F. Zelter. Zelter heeft in 1811 een uitvoerige studie gemaakt van Bachs *Hohe Messe* en in 1815 van diens *Matthäus Passion*, echter niet met de bedoeling deze werken ook uit te voeren. In 1823 gaf hij toestemming om ten behoeve van een eventuele uitvoering van de *Matthäus-Passion* een kopie van Bachs handschrift te maken. Een van zijn leerlingen moest de directie op zich nemen. Niemand had in 1823 kunnen bevroeden dat de toen 14-jarige Felix Mendelssohn-Bartholdy zes jaar later daarvoor in aanmerking zou komen.

Felix Mendelssohn, een kleinzoon van de bekende Hamburgse, joodse filosoof Mozes Mendelssohn, maakte in april 1827 grote furore met zijn ouverture voor Shakespeares *Midsummernightsdream*, een voor een 17-jarige briljant gecomponeerde partituur. In hetzelfde jaar verscheen van zijn hand de opera *Die Hochzeit des Camacho* (De bruiloft van Camacho), die in Berlijn een gunstig onthaal vond. Zijn muziek is bij uitstek zangerig en, evenals bij Franz Schubert, geheel vanuit het lied gedacht. Enkele bundels *Lieder ohne Worte* (Liederen zonder woorden) voor piano getuigen daarvan.

Sinds het verschijnen van het boek *Über die Reinheit der Tonkunst* van Justus Thibaut (1825) staat de muziek uit de 17de en het midden van de 18de eeuw weer volop in de belangstelling. Voor Johann Sebastian Bach betekent dat een belangrijk eerherstel: waar Palestrina, Purcell en Händel nog altijd een zekere bekendheid genoten, was Bachs faam al lang verdwenen ten voordele van zijn vele zonen (onder anderen Johann Christian en Carl Philipp Emanuel). Na Bachs dood (1750) vond zijn muziek nog slechts aandacht bij een kleine groep Berlijnse Bachadepten, van wie Johann Kirnberger (1721-1783), een van Bachs leerlingen, speciale vermelding verdient. Bij hen werden Bachs manuscripten bewaard. Via baron van Swieten vonden deze hun weg naar Wenen en werden daar in de jaren tachtig van de vorige eeuw nog door Mozart bestudeerd.

Een belangrijke stimulans voor de herwaardering van Bach in deze dagen ging uit van de estheticacolleges van Georg Wilhelm Friedrich Hegel aan de Universiteit van Berlijn in de herfst van 1827. Daar werd aandacht geschonken aan 'Bachs grote, waarachtig protestantse, robuuste en erudiete genie, dat we pas onlangs weer in zijn volle omvang hebben leren waarderen'.

*Spotprent (1829): 'Politieke leiders biljarten met het Osmaanse Rijk als inzet'.*

# Griekenland zelfstandig

ADRIANOPEL, 14 september - In Adrianopel hebben Rusland en Turkije vandaag een vredesverdrag getekend dat een einde maakt aan de oorlog die was uitgebroken na de nederlaag van de Turkse vloot bij Navarino in oktober 1827. Gevolg van het vredesverdrag van vandaag is tevens dat de onafhankelijkheid van Griekenland nu een feit is.

De omvang van de Griekse natie was al eerder, op 22 maart van dit jaar, vastgesteld toen in Londen de grote mogendheden bijeenkwamen om zich te buigen over de voortdurende oorlog tussen Griekse en Turkse troepen. De toen vigerende frontlijn tussen Arts en Volos werd als grens van het nieuwe Griekenland door alle deelnemende mogendheden in Londen aanvaard.

De nieuwe Griekse staat herbergt maar een klein deel van het Griekse volk.

De soevereiniteit van president Kap distrias strekt zich slechts uit tot ee groot aantal eilanden in de Egeïsc Zee, de Peloponnesos en het zuideli deel van het vasteland, alsmede Attic De meerderheid van de Grieken woo altijd nog buiten dit staatkundige ve band, in Thessalië, Thracië, Epiru Macedonië, Klein-Azië, op eilanden a Kreta en overal verspreid langs d Zwarte Zee.

Met het verdrag van Adrianopel zijn c wensen van de Filhellenen, die al jare ijveren voor de wederopstanding va het oude Hellas, slechts ten dele in ve vulling gegaan. De nieuwe staat, ond leiding van Giovanni Kapodistrias, d door zijn autoritair gedrag veel mens tegen zich in het harnas jaagt, is econo misch zwak, politiek sterk verdeeld, e het grondgebied omvat slechts ee klein deel van het oude Hellas.

# Britse katholieken krijgen volledige politieke rechten

LONDEN, 13 april - Met de ondertekening van de 'Catholic Emancipation Act' hebben de rooms-katholieken in Groot-Brittannië dezelfde politieke rechten als de protestanten gekregen. Enerzijds werd al lang verwacht dat de regering tot deze stap zou besluiten. Niet alleen leefde bij veel katholieken de wens tot gelijkberechtiging, maar ook lag een dergelijke stap voor de hand toen vorig jaar door toedoen van Lord John Russell alle beperkende maatregelen voor niet tot de Church of England behorende protestanten (zogenaamde 'Dissenters') werden ingetrokken. Anderzijds waren er ook veel bezwaren tegen volledige emancipatie van de katholieken.

Dit vraagstuk is nauw verbonden met de Ierse kwestie. Sinds de Unie tussen Ierland en Engeland mochten ook de

*Daniel O'Connell.*

Ieren leden in het Engelse parlement kiezen. Een probleem daarbij was dat de overwegend katholieke Ieren alleen

protestanten mochten afvaardigen, iets wat, gecombineerd met de andere grieven die ter plaatse leven, tot grote verbittering leidde. Veel Engelsen, met name de landheren die in Ierland grond bezitten, wilden, evenals de leiding van de Church of England, in deze situatie geen verandering brengen. Ook leefde in Engeland de angst dat het parlement 'overspoeld' zou worden met Ierse katholieken, zodat de politieke verhoudingen ingrijpend ten nadele van hen zouden veranderen.

### Agitatie

In Ierland wordt al jaren agitatie voor emancipatie gevoerd. In deze campagne trad vooral Daniel O'Connell naar voren. Hij richtte in 1823 de Catholic Association op. Vorig jaar werd Daniel O'Connell met een overweldigen-

de meerderheid gekozen in het kie district County Clare. Hoewel hij va wege zijn katholieke geloof onverkie baar was, wees hij hiermee toch duid lijk op het ondemocratische karakt van de verkiezingen. De protestante in Ierland lieten zich echter niet onb tuigd en richtten 'Brunswick Club op, met het doel elke vorm van emanc patie voor het katholieke bevolking deel te voorkomen.

Onder invloed van de dreiging van ee burgeroorlog besloot minister van Bi nenlandse Zaken Peel tot indienir van de nu aangenomen wet. Het demo cratische karakter ervan heeft hij ec ter direct afgezwakt door het stemrec aan strikte bepalingen (een hogere cei sus) te verbinden, waardoor het aant stemgerechtigden in Ierland gedaald van 200 000 naar 26 000.

# 'Rocket' winnaar locomotiefwedstrijd

IVERPOOL, 10 oktober - Na drie edstrijddagen is de locomotief van obert Stephenson, de 'Rocket', win-aar geworden van de eerste race tus-n de ijzeren reuzen van het spoor. Op e binnenkort te openen spoorlijn tus-n Manchester en Liverpool was een aject van 2,5 kilometer uitgezet. De eelnemende locomotieven moesten n aantal uiteenlopende proeven oorstaan, waaronder een snelheids-n trekkrachtproef.

p de eerste dag kwamen alle locomo-even in de strijd: naast de 'Rocket' de ans Pareil' uit Darlington, de 'No-lty' uit Londen en de 'Preverance' t Edinburgh. De snelheidsproef werd ewonnen door de 'Novelty', die een elheidsrecord vestigde met ruim 51 n per uur. De trekproef kon wegens brek aan voldoende steenkool en ater niet meer gehouden worden en erd naar de volgende dag verplaatst. aar op de tweede dag werd wegens vervloedige regenval de wedstrijd af-last. Eergisteren konden alle proe-n, waaronder het trekken van een ein van driemaal het gewicht van de comotief, doorgang vinden. Alleen e 'Novelty' en de 'Rocket' bleken alle oeven te hebben doorstaan. Uitein-elijk wees de toeziend rechter de 'Roc-t' als de sterkste, zuinigste en snelste n. De krachtige locomotief van ephenson heeft als enige een directe ndrijving tussen stoomcilinder en rijfwielen. De prijs van 500 Engelse onden werd door constructeur Ro-

*Een vroege replica van Robert Stephensons 'Rocket' in aanbouw.*

bert Stephenson in ontvangst geno-men.

De jonge Stephenson is de zoon van de bekende locomotiefbouwer George Stephenson. Vader Stephenson ver-raste in 1814 de wereld met zijn 'My-lord', ook wel de eerste echte locomo-tief genoemd, omdat deze in staat was een kolenwagen tegen een heuvel op te trekken. Voor Stephenson zijn stoom-locomotief bouwde, bestonden alleen de kleine locomotieven zonder trek-kracht die in de mijnstreek op vlakke stukken rails worden gebruikt. Deze locomotieven zijn niet veel krachtiger

dan de 'catch me who can' van Richard Trevithick, die enige jaren als kermisat-tractie dienst heeft gedaan. Op een baan met een doorsnee van 60 meter trok de 'catch' een wagentje voort waarin de passagiers voor de prijs van één shilling een rondje mochten rijden. De locomotieven van de Stephensons kunnen veel meer wagens trekken en ook hellingen van meer dan twee pro-cent stijging nemen. Daarom zijn ze ge-schikt voor de nieuwe spoorweg tussen Manchester en Liverpool, die vooral gebruikt zal worden voor het vervoer van industriegoederen.

*Paus Pius VIII, opvolger van Leo XII.*

## Nieuwe paus is gematigd liberaal

ROME, 31 maart - Het conclaaf van kardinalen heeft Francesco Saverio Castiglioni, de prefect van de congre-gatie van de geloofsleer, gekozen tot opvolger van de overleden paus Leo XII. Castiglioni heeft de naam Pius VIII aangenomen. De nieuwe paus staat bekend als gematigd; hij stond welwillend tegenover de Julirevolutie in Frankrijk. Hij heeft al aangekon-digd dat hij het politieregime in de Pau-selijke Staat zal verzachten.

Zijn voorganger, Leo XII, heeft zich laten kennen als een reactionair, tegen wiens optreden dan ook verzet is gere-zen. Het geheim genootschap der Car-bonari heeft zodoende een groeiende aanhang verworven; in het recente ver-leden werden opstanden in Napels, Tu-rijn en Milaan door hen geleid.

Pius VIII zal zich zeker genoodzaakt zien op te treden tegen deze door de Kerk verboden groepering.

# Weduwenverbranding in India strafbaar

*Weduwenverbranding ('sati') in India (gravure van Bernard Picart).*

ALCUTTA, 4 december - Volgens n verordening, uitgevaardigd door uverneur-generaal Lord Bentinck, het hindoeïstische gebruik van sati eduwenverbranding) voortaan ver-

boden. Sati, door de Engelsen suttee genoemd, is in orthodox-hindoeïs-tische kringen de praktijk waarbij weduwen zichzelf vrijwillig op de brandstapel storten waarop hun man

wordt gecremeerd om zich zo in de zui-verende vlammen weer bij hun god-man te voegen.

Volgens de mythologie ontstond sati toen de hindoegod Shiva een twist over een offer kreeg met zijn schoonvader Daksha. Shakti, Shiva's vrouw, besloot daarop, uit smart over de smaad die haar vader haar beminde echtgenoot had aangedaan, zelf de of-ferdood te ondergaan. Zij trok zich in eenzaamheid terug om bepaalde yoga-oefeningen te doen die vuur in haar li-chaam deden ontgloeien, waarna ze verbrandde. Sindsdien heet zij Sati: de goede vrouw. De weduwen die hun liefde tot hun gemaal bewijzen door in het vuur te springen, heten daarom ook sati.

Sati is een eretitel geworden, wat bij de vrijwilligheid van de daad soms vraag-tekens zet. Vele weduwen in India zijn door hun ambitieuze familie gedwon-gen zich op de brandstapel te storten zodat de familie zich er later op kan be-roemen.

Archeologische vondsten wijzen uit dat het gebruik van sati wellicht al in de Indus-civilisatie van rond 2000 v.C. voorkwam.

*Een batterij van 200 elementen, ge-bouwd door de op 29 mei overleden Britse chemicus Humphry Davy. Davy heeft de ontdekking van vele chemische elementen op zijn naam staan, heeft de pijnverdovende wer-king van lachgas aangetoond en een naar hem genoemde veiligheids-mijnlamp uitgevonden.*

# Prins Dipanegara naar Menado verbannen

*Na zijn overgave wordt Dipanegara gearresteerd en door militairen weggevoerd.*

MALANG, 20 maart - De opstandelingenleider Dipanegara, die in Malang onder de belofte van een vrijgeleide onderhandelde over beëindiging van de Java-oorlog, is door generaal De Kock gearresteerd en zal naar Menado worden verbannen. Volgens de generaal stelde de prins buitensporige eisen en verzamelde hij weer aanhangers om zich heen. De door de arrestatie beëindigde oorlog heeft vijf jaar geduurd, kostte 200 000 Javanen en 15 000 Chinezen en Europeanen het leven en heeft de Nederlands-Indische regering aan de rand van een bankroet gebracht.

De Java-oorlog werd veroorzaakt door een complex van factoren. In de vorige eeuw maakte de Hollandse expansie een einde aan het bestaan van het sultanaat Mataram; het werd opgedeeld in de rijken Solo en Jogya. De vorsten hielden er een uitgebreide hofhouding op na, essentieel voor hun status en macht. Deze priyayi (beambten) ontvingen geen salaris, maar kregen 'appanages' (landbouwgronden met hun opgezetenen) toegewezen. Onder het bewind van Daendels (1808-1811) en Raffles (1811-1816) verloren de vorsten in een serie conflicten het grootste deel van hun gebieden. Het aantal ambtsdragers bleef gelijk, dus moesten de appanages verkleind worden.

Vaak gingen de priyayi ertoe over hun gronden te verhuren aan Europese en Chinese ondernemers, die er plantages vestigden en bereid waren grote voorschotten te geven. In 1823 verbood gouverneur-generaal Van der Capellen plotseling deze landhuur, om de bevolking te beschermen, maar ook omdat de ondernemingen een concurrentie gingen vormen voor de overheidscultures. De priyayi werden gedwongen hun voorschotten terug te betalen,

de kratons vervielen tot grote armoede.

De priyayi gingen nu het uiterste van de boeren eisen, wat onder meer leidde tot het uitbreken van hongersnoden en epidemieën. De bevolking leed toch al sterk onder de verpachting van belastingen en tolpoorten aan Chinezen. Er waren in de vorstenlanden meer dan 300 tolpoorten en het kwam voor dat een in een slendang gedragen kind werd aangemerkt als vracht, waarvoor tol betaald diende te worden. De tijd was rijp voor een opstand. Met name in Jogya heerste grote onrust, mede als gevolg van de Hollandse inmenging in opvolgingskwesties.

Daarbij passeerde men meermale pangeran Dipanegara, een zoon va sultan Hamengku Buwono III. D prins zag zichzelf als de legendarisch Ratu Adil (rechtvaardige konin voorbestemd om de eenheid en de oud maatschappelijke verhoudingen Java te herstellen. Hij was ook een ze gelovig islamiet, een mysticus, zo over magische krachten beschikken had daarom grote aanhang onder bevolking.

In juni 1825 werd zonder Dipanegara toestemming een weg aangelegd ov zijn landgoed Tegalreja. De pangera liet de werklieden wegjagen, waaro vanuit Jogya een detachement solda ten werd gestuurd, dat slaags raak met de toegestroomde dessabewoner Dipanegara riep een Prang Sabil (hei ge oorlog) uit en in korte tijd stond g heel Midden-Java in vuur en vlam Vele prinsen uit Jogya schaarden zic achter de opstand, maar Solo hield zic afzijdig. De Nederlanders werden be legerd in Jogya, maar wisten de aanva af te slaan.

De oorlog had een wisselend verloo In de eerste jaren beheerste Dipaneg ra door het voeren van een regelrech guerrilla het platteland volkomen. 1827 arriveerden echter nieuwe Ned landse troepen en werd door genera De Kock het zogenoemde benten stelsel opgezet: een zich steeds uitbr dende kring van versterkingen, va waaruit mobiele eenheden de omli gende dessa's 'pacificeren' en ond controle houden. Dipanegara verloo hierdoor zijn machtsbasis, zijn aa hang slonk en hij moest zich steeds ve der in de bergen terugtrekken. Overga ve werd onvermijdelijk.

*Een visioen brengt Dipanegara tot de overtuiging dat hij de 'Ratu Adil' is.*

# Karel X na opstand afgetreden

PARIJS, 29 juli - Karel X is afgetreden. Dat is het gevolg van de drie 'glorieuze' dagen van hevige onlusten waarmee de Parijse bevolking reageerde op de vier ordonnanties, die de koning onlangs vanuit zijn buitenverblijf in Saint-Cloud uitvaardigde. Eén van de 'ordonnanties van Saint-Cloud' schafte de toch al beperkte persvrijheid volledig af. Een andere hield een ernstige ingreep in de kieswet in, waardoor het aantal kiezers nog kleiner werd. De ordonnanties vormden de druppel die de emmer deed overlopen.

Onmiddellijk na zijn troonsbestijging liet de weinig geliefde Karel X de rechten en bevoegdheden van de katholieke kerk sterk uitbreiden. De Kerk kreeg gezicht op het onderwijs. De mogelijkheden om nieuwe missies en andere instellingen te openen werden sterk uitgebreid. Op heiligschennis kwam dwangarbeid of zelfs de guillotine te staan.

Veel weerstand werd opgewekt door 'het miljard voor de émigrés', bestemd om de tijdens de revolutie naar het buitenland uitgeweken adel in staat te stellen zijn bezittingen terug te krijgen.

In de kamer zijn felle discussies gevoerd over al die maatregelen, zeer tegen de zin van de koning, die om zijn macht te tonen provocerende uitlatingen aan het adres van het parlement deed. Dat leidde tot een verklaring waarin een meerderheid van afgevaardigden de onaantastbaarheid van de nationale vertegenwoordiging uitriep. Daarop besloot Karel X de kamer te ontbinden. In de nieuwe kamer bleek de liberale oppositie nog groter te zijn. De koning dacht zich uit deze situatie te kunnen redden door ordonnanties uit te vaardigen. Zijn impopulariteit had echter inmiddels het toppunt bereikt. Vijfenveertig journalisten verspreidden een fel protest tegen de nieuwe ver-

*'De vrijheid die het volk leidt' (schilderij van Eugène Delacroix uit 1830).*

ordeningen. De politie probeerde de drukkers te intimideren, maar ook dat lukte niet. Zelfs de sleutelmakers, die de politie toegang hadden moeten verschaffen tot de vergrendelde drukkerijen, weigerden hun medewerking. Winkeliers en ambachtslieden sloten hun bedrijven. Op de straten en pleinen verschenen sprekers die commentaar op de ordonnanties leverden. Binnen korte tijd was het hele Parijse volk op straat en werden er barricaden opgericht, 6000 in totaal.

La Fayette, sinds zijn aandeel aan de Amerikaanse onafhankelijkheidsstrijd de grote vrijheidsheld, voerde de opstandige troepen aan. De troepen van de koning moesten het onderspit delven. Zelf was Karel X inmiddels naar Rambouillet gevlucht, op weg naar Cherbourg om vandaar Engeland te bereiken.

Ofschoon er aan de kant van de opstandelingen 6500 slachtoffers gevallen zijn, is het doel van de 'drie glorieuze dagen', zoals de Julirevolutie al heet, bereikt. Aan het autoritaire koningschap is een einde gekomen.

## Louis-Philippe koning van Frankrijk

PARIJS, 9 augustus - Frankrijk heeft een nieuwe grondwet en een nieuwe koning. Louis-Philippe is de nieuwe 'burgerkoning', zoals hij genoemd wordt, met wie de Orléans-familie nu weer de troon bestijgt. Belangrijker is echter dat hij trouw gezworen heeft aan de Charte, de grondwet van 1814, die door de Kamer van Afgevaardigden herzien en door Louis-Philippe ondertekend werd.

De herziene grondwet heeft de persvrijheid in ere hersteld. Het katholieke geloof is geen staatsgeloof meer. Een aantal voorrechten van de Katholieke Kerk is daarmee verdwenen. Ook in de kieswet zijn tamelijk ingrijpende veranderingen aangebracht. De bedragen die Franse burgers aan belasting moeten betalen om kiesgerechtigd, respectievelijk verkiesbaar te zijn, werden sterk verlaagd, zodat het aantal kiezers is verdubbeld. De grote moot van de Franse kiezers wordt nu gevormd door de welgestelde burgers.

Ook de bevoegdheden van het parlement zijn behoorlijk uitgebreid. De koning kan niet meer wetten ongedaan maken door middel van ordonnanties. De uitvoerende macht en de buitenlandse politiek liggen nog wel in zijn handen. Een en ander betekent een grote stap in de richting van de democratie, al is aan 'het volk', dat door de Julirevolutie deze democratisering teweeg heeft gebracht, nog niet gedacht.

*Gevechten bij Porte Saint-Denis in Parijs (door Hippolyte Lecomte, 1830).*

# België eist onafhankelijkheid op

*Opstandelingen barricaderen de ingang van het park in Brussel.*

## Ongeregeldheden in Brussel

BRUSSEL, 26 augustus - Uit Brussel, waar gisteren ernstige onlusten zijn uitgebroken, komen verwarde berichten. Op grote schaal zijn vernielingen aangericht en er is gevochten met leger en politie, die zich echter niet voldoende krachtig te weer konden stellen. Vanochtend is daarom inderhaast de burgerwacht opgetrommeld die er, onder leiding van baron Emmanuel Vanderlinden d'Hoogvorst, wel enigszins in geslaagd lijkt te zijn de rust te doen terugkeren.

De ongeregeldheden begonnen in de Muntschouwburg, waar al wekenlang de opera *La Muette de Portici* loopt. Tijdens de opvoering, gisteravond, raakten de gemoederen dermate verhit door de aria 'Amour sacré de la patrie' dat de meeste toeschouwers nog voor de laatste akte de zaal verlieten. Samen met het op het Muntplein verzamelde volk zijn zij door de binnenstad getrokken en hebben hun woede gekoeld op allerlei gebouwen. De woning van de gehate minister van Justitie, C.F. van Maanen, moest het ontgelden, evenals het kantoor van de regeringsgezinde krant *Le National*. Ook machines van fabrieken in de voorsteden van Brussel zijn kort en klein geslagen en op muren staat op vele plaatsen de tekst 'weg met de koning' te lezen.

De uitbarsting komt na het mislukken van de oogst en de toenemende spanningen in het zuidelijk deel van het Verenigd Koninkrijk door de gemeenschappelijke grieven van liberalen en katholieken, verenigd in de zogenaamde Unie, het monsterverbond van 1828. Ook het succes van de revolutie in Parijs vorige maand is niet vreemd aan de groeiende opstandigheid. Begin deze week was het al dermate onrustig in de stad dat de geplande feestelijkheden in verband met de verjaardag van koning Willem I (op 24 augustus) grotendeels zijn afgelast.

*Vertrek van Luikse vrijwilligers naar Brussel onder leiding van Charles Rogier (door Charles Soubre, 1878).*

BRUSSEL, 4 oktober - Een 'voorlopig bewind' heeft de onafhankelijkheid van België uitgeroepen. Het land rukt zich daarmee los uit het Verenigd Koninkrijk waarin het sinds 1815 met Nederland verbonden was. Aangekondigd is dat er binnenkort een commissie zal worden benoemd die een ontwerp voor een grondwet zal opstellen. Een nog bijeen te roepen Nationaal Congres zal zich vervolgens over het ontwerp moeten uitspreken.

De situatie in het zuiden van het Verenigd Koninkrijk is bijzonder snel geëscaleerd. In augustus braken er onlusten uit, waarna de Belgen aan koning Willem I om wat genoemd werd het 'herstel der grieven' vroegen. Door de halsstarrige weigering van de koning ook maar in iets aan de verlangens van de Zuidnederlanders tegemoet te komen, werd de oppositie al-

leen maar heftiger. De komst naar Brussel van een troepenmacht onder aanvoering van de prinsen Willem en Frederik, begin september, bedaarde de gemoederen niet in het minst; integendeel, de Belgen eisten een bestuurlijke scheiding van Noord en Zuid.

Het bleek dat kroonprins Willem genegen was dat voorstel bij zijn vader te verdedigen. Koning Willem I wenste daarop echter niet in te gaan en riep voor 13 september een buitengewone zitting van de Staten-Generaal bijeen. Opnieuw werd duidelijk dat van de koning geen toegevingen te verwachten waren. Hij wilde juist met harde hand zijn gezag in het opstandige Zuiden herstellen en stuurde daartoe prins Frederik met een 10 000 man tellend leger richting Brussel. Op 23 september trok Frederik met zijn manschappen de zuidelijke hoofdstad binnen, waarbij zij

op zeer felle tegenstand stuitten. N[...] vier dagen lang zware gevechten in e[...] nabij het stadspark geleverd te hebbe[...] besloot Frederik verder bloedvergiete[...] te voorkomen en terug te trekken. D[...] strijd had honderden slachtoffe[...] geëist en leidde tot de definitieve breu[...] tussen Noord en Zuid. In België, waa[...] de opstand inmiddels ook naar ander[...] steden is overgeslagen, wil men ·d[...] naam Oranje niet meer horen.

Tijdens de laatste dagen van septembe[...] is het voorlopig bewind gevormd[...] waarvan de liberalen Rogier, De Potte[...] en Van de Weyer de belangrijkste lede[...] zijn. De aanhangers van een afschei[...] ding hebben duidelijk de overhand ge[...] kregen. Het uitroepen van de onafhan[...] kelijkheid is daarvan het onvermijde[...] lijke gevolg. Het valt overigens niet t[...] verwachten dat koning Willem I zic[...] bij de afscheiding zal neerleggen.

# Simón Bolívar overleden

*Simón Bolívar: 'El Libertador.'*

ANTA MARTA, 17 december - In de Colombiaanse stad Santa Marta is Simón Bolívar, bijgenaamd El Libertador, gestorven aan tuberculose, waaraan hij al lang leed. Hij heeft zijn bijnaam verworven doordat hij een an de belangrijke strategen in de bevrijdingsoorlogen in Zuid-Amerika egen Spanje was.

Bolívar was actief in het noordelijke deel van het continent. Hij was de belangrijkste leider van de onafhankelijkheidsstrijd in Venezuela. In 1819 bewerkstelligde hij de bevrijding van Colombia en werd de president van de unie met Venezuela, Gran Colombia. Hiertoe traden na de onafhankelijkheid ook Panama (28 november 1821), Ecuador (24 mei 1822) en Peru (december 1824) toe.

Het ideaal van Bolívar, de vorming van en republiek van Verenigde Staten van Zuid-Amerika, bleek echter niet te verwezenlijken. Binnen Gran Colombia traden al te veel verschillen aan het icht, met de uittreding van Bolivia (6 ugustus 1826) en Peru (26 januari 1827) wegens de dictatoriale neigingen van Bolívar, als gevolg. Op 7 april lit jaar trad El Libertador af als president van de unie Gran Colombia. Hij werd opgevolgd door zijn vertrouwe-

ling Joaquin Mosquera.

Op het Zuidamerikaanse continent lijkt de periode van staatkundige veranderingen voorlopig afgesloten. Sinds de verovering van Spanje door Napoleon in 1808 hebben de creolen in Zuid-Amerika de macht steeds meer aan zich getrokken en in verschillende stadia van de emancipatie zijn onafhankelijke staten ontstaan, vooral tijdens het repressieve bewind van Ferdinand VII, die in 1813 als koning op de Spaanse troon terugkeerde.

In Argentinië ging dit na de onafhankelijkheidsverklaring in 1816 gepaard met binnenlandse onrust en geschillen over de staatsvorm, zonder dat er sprake was van een reële Spaanse heroveringsdreiging. Andere landen moesten de onafhankelijkheid in bloedige oorlogen bevechten. Na de Spaanse nederlaag bij Ayacucho in Peru op 9 december 1824 bleek het gedaan met de Spaanse hoop op herovering van de koloniën.

Grensgeschillen houden de landen nu verdeeld. Ook de grenzen van de vroegere Portugese kolonie Brazilië, die in 1822 als keizerrijk onder de Bragança's onafhankelijkheid verwierf, liggen nog geenszins vast en hebben al tot een gewapend treffen met het buurland Argentinië (1824 -1828) geleid, die de oprichting van de onafhankelijke bufferstaat Uruguay tot gevolg had.

*Ruiterstandbeeld van Simón Bolívar.*

*De eerste spoorverbinding tussen Liverpool en Manchester; boven de wagons van de eerste klasse, onder de tweede klasse.*

# Nieuwe spoorverbinding

LIVERPOOL, 15 september - De Engelse locomotiefbouwer George Stephenson heeft opnieuw een groot succes behaald: de passagiersrijtuigen die gaan rijden op de vandaag geopende spoorlijn van Liverpool naar Manchester, worden voortgetrokken door locomotieven die door Stephenson zijn ontworpen.

De 'Rocket' kan vijfmaal zijn eigen gewicht (7,35 ton) trekken en een snelheid ontwikkelen van maximaal 56 kilometer per uur. Deze locomotief belooft daarmee een revolutie te veroorzaken in het transport van goederen en personen: met zo'n snelheid kunnen reistijden worden teruggebracht tot een derde of nog minder van wat gebruikelijk is bij het reizen met postkoetsen.

De 'Rocket' heeft in ieder geval bij een van de eerste passagiers, de jonge actrice Fanny Kemble, een grote geestdrift losgemaakt. Ze vertelt: 'Ze bestaat uit een ketel, een kachel, een balkonnetje, een werkbank... ze beweegt zich voort op twee wielen die haar voeten zijn en die in beweging worden gebracht door

fonkelende stalen benen die zuigers worden genoemd, die worden aangedreven door stoom, en hoe meer stoom er tot de bovenste ledematen van die zuigers (de heupgewrichten, veronderstel ik) wordt toegelaten, hoe sneller ze de wielen laten draaien... De leidsels, het bit en de teugel van dit prachtige beest worden gevormd door een kleine stalen hendel die de stoom tot de benen of zuigers toelaat en eraan onttrekt, zodat een kind ermee zou kunnen omgaan. De kolen, die haar haver zijn, liggen onder de bank en er zit een glazen buisje aan de ketel met water erin, dat door de mate waarin het is gevuld, aangeeft wanneer het schepsel water wil hebben...'

De zeven locomotieven die op de nieuwe spoorlijn zijn ingezet, zijn allemaal gebouwd in de fabriek die Stephenson met zijn neef Thomas Richardson en een collega, Edward Pease, in Newcastle heeft opgezet. Op de spoorlijn die vijf jaar geleden is geopend tussen Stockton en Darlington, worden eveneens locomotieven van George Stephenson gebruikt.

*Op het eerste spoorstation van de Engelse industriestad Liverpool zijn de spoorrails nog niet beveiligd.*

# Isolationisme in Japan versterkt

KIOTO, juli - De daimio van Mito, Nariaki, heeft vergaande voorstellen gedaan voor politieke hervormingen in Japan die het isolationisme moeten waarborgen.

De afsluiting van het land kan volgens hem het best in stand worden gehouden door de eenheid te versterken en het leger te moderniseren. Aan deze voorstellen koppelt hij een grotere vrijheid van de daimio's op financieel en militair gebied ten opzichte van het sjogoenaat. Hierbij volgt Nariaki de politiek die door de vorige daimio's van

Mito al is gevoerd. Dezen hebben steeds acties gevoerd tegen de centrale macht van het sjogoenaat op militair en financieel terrein.

De hervormingsvoorstellen die nu door Nariaki zijn gedaan, liggen in het verlengde van de 'Nieuwe Voorstellen' van Aizawa Seisjisai. Deze zijn door de meerderheid van de daimio's met instemming ontvangen. Het lijkt dan ook of de druk op het sjogoenaat om Japan voor vreemde mogendheden gesloten te houden, met deze ontwikkeling is toegenomen.

# Felle reacties op boek István Széchenyi

*Op 28 september is Ferdinand I plechtig tot koning van Hongarije gekroond.*

PEST - István Széchenyi, de Hongaarse graaf die zich de afgelopen jaren heeft ingespannen voor de modernisering van zijn land, heeft een boek gepubliceerd dat tot nu toe een van de meest welsprekende en weldoordachte pleidooien voor de economische en politieke ontwikkeling van Hongarije is.

Het boek, *Hitel* (Krediet), is een diepgaande analyse van de crisis in het achtergebleven Hongarije, een crisis die naar het oordeel van Széchenyi vooral te wijten is aan de feodale structuur van het land en niet, zoals de gangbare theorieën zeggen, aan de afhankelijkheid van Wenen. Dat geldt zeer zeker voor de crisis in de noodlijdende landbouw, waar bebouwingsmechanismen sterk verouderd zijn en waar van gedwongen arbeid gebruik wordt gemaakt omdat betaalde arbeid te duur is.

Een oplossing van de crisis zal volgens Széchenyi pas kunnen worden bereikt door een verruiming van de kredietmogelijkheden die tot een afschaffing van de gedwongen landarbeid kan leiden. Daarnaast is de Hongaarse crisis te wijten aan een reeks andere feodale instellingen, zoals het belastingsysteem, het prijs- en gildensysteem en dergelijke. Hij bepleit het eigendomsrecht op land, de afschaffing van de belastingvrijdom voor de adel (met ruim een half miljoen leden even talrijk als de stedelijke bevolking) en de vergroting van de zeggenschap voor de niet-adellijke klassen.

Széchenyi heeft zijn provocatieve thesen opgesteld na grote studiereizen naar Frankrijk en vooral Engeland. Hij heeft zich de laatste jaren ontwikkeld tot een evolutionair hervormer, die binnen het kader van de bestaande grondwet een ommekeer nastreeft. In 1825 stond Széchenyi een jaarinkomen af aan de nieuwe Academie van Wetenschappen, die zich sindsdien on-

der andere heeft beziggehouden met een hervorming van het Hongaars.

De in *Hitel* verwoorde denkbeelden hebben in Hongarije een ware storm veroorzaakt. De respons is enorm, de instemming echter niet algemeen. Dat deel van de adel dat liever Wenen dan de feodale structuur de schuld van de malaise geeft, of dat profiteert van de bestaande situatie, keert zich in vaak bittere aanvallen tegen hem. Dat geldt ook voor radicalen die Széchenyi verwijten dat hij binnen de grondwet blijft. De verlichte adel, de bourgeoisie en de jongeren waarderen *Hitel* wel.

*Graaf Istvan Széchenyi, de auteur van het geruchtmakende 'Hitel' (Krediet).*

# Polen komen in opstand tegen Rusland

*Beeld van de straatgevechten die op 30 november in Warschau plaatsvinden.*

WARSCHAU, 29 november - De leerlingen van de officiersschool en de burgers van Warschau hebben vanavond een aanval op het hoofdkwartier van de Russische prins Constantijn uitgevoerd. Hiermee is de anti-Russische opstand in Warschau een feit.
De samenzweerders werden gedwongen de opstand voortijdig te beginnen.

Tsaar Nicolaas I kondigde namelijk een paar dagen geleden een algehele mobilisatie in Polen af, zodat de Poolse eenheden samen met het Russische leger de revolutie in Frankrijk konden onderdrukken. De mobilisatie is de straf voor enkele ontdekte antitsaristische samenzweringen.
De Polen willen zich overduidelijk niet

neerleggen bij het feit dat hun land va de kaart van Europa is weggevaagc De overwinning van Napoleon op Rus land en Pruisen, en de actieve bijdrag van vele Poolse militairen, resultee den in 1807 in het oprichten van h Groot Prinsdom van Warschau. D prinsdom, dat op de codex van Napc leon gebaseerd was, verdween in 181 nadat Napoleon zijn nederlaag in Ru land had geleden.
Vanaf 1815 heette het nog kleiner g maakte prinsdom het Poolse Congre Koninkrijk, omdat het bij machte va de beslissingen van het Congres va Wenen was ontstaan. De tsaar va Rusland werd tegelijkertijd konin van Polen. Het kleine koninkrijk be leefde een tijd van stormachtige in dustriële ontwikkeling. Tegelijkertij werden in verschillende steden talrijk patriottische geheime bonden en sa menzweringen gesmeed, met een onaf hankelijk Polen als doel. Het ontdek ken van sommige ondergronds organisaties heeft tot zware represai les geleid. Zo zijn onder meer de lede van de onlangs opgerichte vrijmetse laarsbeweging gearresteerd.

**15 januari.** In Engeland wordt het doodvonnis van acht deelnemers aan de 'Swing-opstanden' van vorig jaar omgezet in levenslang. →

**20 januari.** Op de Conferentie van Londen bevestigen Groot-Brittannië, Frankrijk, Pruisen en Rusland de onafhankelijkheid en neutraliteit van België.

**3 februari.** In Parma, Modena en de Pauselijke Staten breken revoluties uit naar het voorbeeld van de Julirevolutie in Frankrijk (1830).

**Maart.** Oostenrijkse troepen vallen Italië binnen om de opstanden te onderdrukken. →

**1 juli.** De Britse admiraal James Clark Ross bereikt als eerste de magnetische noordpool.

**21 juli.** Leopold van Saksen-Coburg-Gotha wordt de eerste koning van België. →

**13 augustus.** Door tussenkomst van het Franse leger moeten de Nederlandse troepen hun Belgische veldtocht beëindigen. →

**8 september.** De Poolse opstand is onderdrukt nadat Russische troepen Warschau hebben ingenomen. →

**9 oktober.** In Griekenland wordt president Capodistrias vermoord. →

**7 november.** De Zuidamerikaanse staat Gran Colombia wordt opgeheven nadat in september 1830 Venezuela en Ecuador al waren uitgetreden en Peru zich in 1827 reeds had afgescheiden.

**11 november.** De negerleider Nat Turner wordt in Virginia opgehangen omdat hij een opstand tegen de slavenwetgeving geleid heeft. →

**24 november.** In Lyon komen arbeiders uit de zijde-industrie in opstand en vormen een regering. →

- De Italiaanse vrijheidsstrijder Giuseppe Mazzini sticht in Marseille in ballingschap de geheime bond Giovine Italia (Jong Italië) tot nationale eenheid en vernieuwing.

- Mohammed Ali, de onderkoning van Egypte, verovert Syrië. →

- Michael Faraday ontdekt het verschijnsel van de elektrische inductie, waardoor het mogelijk wordt elektriciteit met behulp van dynamo's op te wekken. →

- De Engelse overheid geeft voedselhulp aan Ierland, dat door een hongersnood getroffen is.

Gestorven:

**23 augustus.** August von Gneisenau (27-10-1760), Pruisisch veldmaarschalk →

**16 november.** Carl von Clausewitz (1-6-1780), Pruisisch militair theoreticus →

## Deportatie van deelnemers aan 'Swing'-opstanden

HAMPSHIRE, 15 januari - Naar aanleiding van een petitie aan de Engelse koning en diverse ministers om het doodvonnis van elf mannen om te zetten in een lichtere straf is, naar vandaag bekend werd, in acht gevallen gunstig beschikt. Het vonnis zal worden omgezet in levenslange gevangenisstraf of deportatie naar Australië of Nieuw-Zeeland. De mannen hebben allen deelgenomen aan de zogenaamde 'Swing-opstanden', die vorig jaar op verscheidene plaatsen op het platteland uitbraken.

Deze opstanden waren in eerste instantie gericht tegen boeren die gebruik maakten van dorsmachines, maar in feite vormden ze de uitbarsting van al jaren bestaande onvrede. Na het beëindigen van de Napoleontische oorlogen werden vele Engelse soldaten gedemobiliseerd.

Op het platteland leidde dit in diverse streken tot structurele werkloosheid en daling van de lonen. Door deze situatie ontstond grote onvrede tegen boeren die arbeidsbesparende machines aanschaften en daarmee de werkloosheid vergrootten. Deze boeren ontvingen dreigbrieven waarvan de tekst bijvoorbeeld als volgt luidde: 'Meneer, hierbij berichten wij u wat u moet doormaken als u uw machines niet wegdoet en de lonen niet verhoogt. De getrouwde mannen moeten 2 shilling en 6 pence per dag krijgen, de ongetrouwde 2 shilling. Als u aan deze oproep geen gehoor geeft, zullen wij uw schuur in brand steken en ervoor zorgen dat u zich dan in die schuur bevindt. Dit is de laatste waarschuwing, Captain Swing.' Deze Swing was, evenals Ned Ludd enkele decennia eerder, een niet-bestaande figuur, een mythische volksheld. In veel gevallen werd overgegaan tot brandstichting en vernieling van de machines.

Hoewel bij sommige plaatselijke magistraten het besef bestond dat men niet alleen de orde moest herstellen, maar ook iets aan de sociale spanningen zou moeten doen, reageerde de centrale overheid alleen met krachtige onderdrukking.

Naar de opstandige gebieden werden soldaten gestuurd. Bovendien werden Speciale Commissies samengesteld om recht te spreken. De regering in Londen was namelijk bang dat de plaatselijke rechters te zacht zouden optreden.

Tot dusverre zijn in ongeveer 2000 rechtszaken 250 doodvonnissen uitgesproken en werden ruim 500 mensen tot deportatie veroordeeld. Men verwacht dat sommige van deze vonnissen, evenals nu in Hampshire is gebeurd, in de toekomst enigszins verzacht zullen worden.

*De inhuldiging van Leopold van Saksen-Coburg tot eerste koning van België.*

# Leopold koning van België

BRUSSEL, 21 juli - Het opstandige België heeft een koning. Zonder dat met Nederland al overeenstemming is bereikt over de scheidingsprocedures, heeft vandaag Leopold van Saksen-Coburg de eed op de grondwet afgelegd. Op het Koningsplein werd de 41-jarige Duitse prins ingehuldigd ten overstaan van het voltallige Nationaal Congres en een enorme mensenschare. De aanwijzing van een koning heeft heel wat voeten in de aarde gehad. In eerste instantie had het Nationaal Congres gekozen voor de hertog van Nemours, een zoon van de Franse koning Louis-Philippe. Na Engelse druk weigerde deze echter, eind februari, de troon te aanvaarden. Daarna besloot het congres zijn voorzitter, Surlet de Chokier, tijdelijk tot regent te benoemen.

Het is vooral minister van Buitenlandse Zaken Joseph Lebeau geweest, die is gaan ijveren voor een door Engeland gesteunde pretendent. Al snel werd de naam van prins Leopold genoemd. Leopold is de weduwnaar van de in 1817 overleden Engelse kroonprinses Charlotte, en heeft nog niet zo lang geleden de Griekse kroon afgewezen. Begin juni ging het congres in ruime meerderheid akkoord met het voorstel Leopold het koningschap aan te bieden. Na enige aarzeling besloot de prins op 26 juni het aanbod te accepteren. Hij stelde wel als voorwaarde dat het scheidingsverdrag met Nederland de onlangs door België geformuleerde territoriale eisen zou inwilligen. Deze eisen (Zeeuws-Vlaanderen, Limburg en Luxemburg bij België voegen) staan in de XVIII artikelen die momenteel in de Londense conferentie, waar de gro-te mogendheden de toekomst van het Verenigd Koninkrijk der Nederlanden bespreken, bediscussieerd worden. Koning Willem I heeft al laten weten de XVIII artikelen niet te zullen accepteren. Desondanks is Leopold enkele dagen geleden vanuit Dover via Calais in België aangekomen, alwaar hij feestelijk onthaald en inmiddels tot koning gekroond is.

## Griekse president vermoord

NAUPLION, 9 oktober - President Joannis Capodistrias, president van de twee jaar jonge Griekse republiek, is in Nauplion door twee politieke tegenstanders vermoord. Hiermee is een einde gekomen aan zijn bijna dictatoriale bewind.

Daders zijn de gebroeders Mavromichaelis. Georgos en Konstantinos Mavromichaelis zijn niet alleen uit wraak tot hun daad gekomen - beiden hebben op last van Capodistrias gevangengezeten - maar hebben ook gehandeld conform het groepsbelang van de 'clan' waartoe zij behoorden. De clans hebben zich de laatste tijd steeds meer in het nauw gedreven gevoeld door het centralistische beleid van de president. Al in januari 1828 schafte hij het parlement, de 'Vouli', in Nauplion af en stelde vervolgens een 27-koppige raad, de 'Panhellenion', aan. Anderhalf jaar later moest de Panhellenion echter plaats maken voor een Senaat. Hierdoor raakte Capodistrias steeds frequenter in conflict met de lokale patroons, die een grote greep op de dorpsgemeenschappen hebben.

# Oostenrijk slaat Italiaanse opstand neer

ANCONA, 31 maart - Oostenrijkse troepen hebben de strijdkrachten van de liberaal-nationalistische opstandelingen in de Pauselijke Staat en Modena tot in Ancona achtervolgd en verspreid. Daarmee is een eind gekomen aan een opstand die op 3 februari begon.

De afgelopen tien jaar, sinds de opstanden in Napels en Piemonte van 1821, is Italië geregeerd door wrede en reactionaire heersers onder controle van Oostenrijk. Zowel de Pauselijke Staat als Beide Siciliën en Sardinië-Piemonte zijn politiestaten, vooral steunend op rigoureuze onderdrukking en een leger verklikkers en informanten, dit alles nauwlettend gecontroleerd door eeuwig konkelende Oostenrijkse spionagediensten.

Het is vooral één man geweest die met tomeloze energie getracht heeft daarin verandering te brengen: Enrico Misley, een jonge advocaat uit Modena. Zijn doel: een constitutioneel koninkrijk Centraal-Italië, te bereiken door een gelijktijdige opstand in de diverse staten en staatjes. Russische hulp zou een eventueel neerslaan van de opstand

door de Oostenrijkers moeten voorkomen. Het koninkrijk zou geregeerd gaan worden door hertog Frans IV van Modena.

Misley kreeg aanvankelijk steun van de Russen, die een oorlog tegen de Turken voorbereidden en baat hadden bij anti-Oostenrijkse acties. Terwijl Misley in 1829 van diverse landen steun voor zijn plan kreeg, bracht in Modena zijn vriend en vertrouweling Ciro Menotti alles voor de opstand in gereedheid.

Het plan viel in duigen toen Rusland in september vrede met Turkije sloot. Frans van Modena, bang dat Oostenrijk iets te weten zou komen van zijn contact met de samenzweerders, trok zich terug en haastte zich naar Wenen voor een gesprek met Metternich.

Een nieuwe kans voor Misley, Menotti en de Carbonari kwam na de Juli-revolutie in Parijs, die Karel X de troon kostte. De opstand werd vastgesteld op 3 februari van dit jaar. Frans van Modena, Lodewijk Filips van Frankrijk en de Spaanse regering steunden de plannen. De opstandelingen hadden echter één ding over het hoofd gezien: het verraderlijke karakter van Frans

van Modena. Toen hij geruchten vernam dat de Oostenrijkers van de komende opstand hadden gehoord, vreesde hij te worden afgezet als de opstand zou mislukken.

Frans koos het zekere voor het onzekere. Op 2 februari, toen alle samenzweerders in een woning in Modena de laatste voorbereidingen voor de opstand troffen, liet Frans het huis omsingelen en iedereen arresteren.

Toen desondanks de opstand uitbrak, eerst in Bologna, daarna ook in Modena, Parma en de Pauselijke Staat, vluchtte Frans - met de gevangen Menotti - naar het Oostenrijkse garnizoen in Mantua.

De opstand breidde zich in zeer snel tempo uit. Alle steden van Rimini en Bologna tot aan Perugia wierpen het pauselijke juk af. Hun afgevaardigden riepen in Bologna de Verenigde Italiaanse Provinciën uit.

Het Oostenrijkse antwoord was evenwel snel en afdoende: na een Franse geruststelling dat niet zou worden ingegrepen, marcheerden de Oostenrijkers op naar Bologna en vandaar naar Rimini en Ancona.

De opstand is de laatste geweest van de geheime genootschappen, die het ver-

zet tegen de autoritaire regimes sin het begin van de eeuw gestalte hebbe gegeven. De Carbonari hebben afg daan met hun eden en symbolen, hu vreemde rituelen en wachtwoorden. Een nieuw type verzet heeft zich al aar gediend. Een 26-jarige Genuees, Gi seppe Mazzini, die sinds vorig jaar i Frankrijk woont, heeft daar de organ satie Giovine Italia (Jong Italië) opge richt, een eenheidsbeweging zonder d egalitaire en jakobijnse voorkeure van de oude genootschappen. De nieu we republikeinse beweging steun meer dan de geheime genootschapper op het deelnemen van de bevolking e maakt te dien einde gebruik van d pers.

Een tweede belangrijke wijziging in d Italiaanse situatie is de komst van Lc dewijk Filips van Frankrijk. Tot voo kort heeft Oostenrijk zonder noe menswaardige oppositie in Italië zij gang kunnen gaan. Bij de laatst kwestie moest Frankrijk echter ge raadpleegd worden voordat Oosten rijk kon ingrijpen, en al trokken d Fransen hun handen af van Menotti er Misley, het feit dat Wenen niet meer al leen in Italië de dienst uitmaakt, is vee betekenend.

## Einde tiendaagse veldtocht

*De Nederlandse troepen van koning Willem I op weg naar Brussel.*

LEUVEN, 13 augustus - Door Franse interventie is een eind gekomen aan een tien dagen durende veldtocht van het Nederlandse leger in België. Weliswaar is Leuven gisteren veroverd maar van doorstoten naar Brussel heeft de prins van Oranje, opperbevelhebber van het Nederlandse leger, afgezien. Zijn manschappen zijn immers niet opgewassen tegen het numeriek veel sterkere Franse leger dat enkele dagen geleden de Belgische troepen te hulp gekomen is.

Tot heden was de onverwachte opmars van de Nederlandse troepen door België succesvol verlopen. De volkomen ongeorganiseerde Belgische legers werden bij Hasselt, vijf dagen geleden, en Leuven, gisteren, vernietigend ver-

slagen. De onlangs ingehuldigde Belgi sche koning Leopold I heeft al een zon debok voor de pijnlijke nederlagen ge vonden: minister van Oorlog generaa De Failly is inmiddels ontslagen. De Nederlandse koning Willem I gaf begin augustus het bevel tot over meestering van België om betere schei dingsvoorwaarden af te dwingen. De Conferentie van Londen, waar de scheiding van het Verenigd Koninkrijk geregeld wordt, is in een impasse ge raakt doordat Willem I weigert de XVIII artikelen te ondertekenen. De berichten over de succesvolle veld tocht zijn in Nederland enthousiast ontvangen. De 'kaaskoppen' hebben de Belgen duidelijk gemaakt dat ze niet met zich laten sollen.

SAVOYE
LOMBARDISCH-VENETIAANS KONINKRIJK
Turijn
Milaan
Venetië
Genua
Bologna
PARMA
SAN MARINO
MODENA
Florence
LUCCA
TOSCANE
KERKELIJKE STAAT
CORSICA
Rome
Napels
SARDINIË
KONINKRIJK DER BEIDE SICILIËN
Palermo
SICILIË

- koninkrijk Sardinië in 1815
- verworven in 1859
- verworven in 1860
- afgestaan aan Frankrijk in 1860
- verworven in 1866
- verworven in 1870

*De staten van het Italiaanse schiereiland in de periode 1815-1870.*

# Rebellenleider Nat Turner opgehangen

*en slavenmarkt in de VS, volgens Garrison een zaak van barbaarse wreedheid.*

OUTHAMPTON COUNTY, 11 november - De slaaf en rebellenleider Nat urner, in augustus aanstichter van de noordpartij op zestig blanken, is samen met achttien medeopstandelingen er dood veroordeeld en opgehangen. De bende van Nat Turner heeft na de achting twee maanden in het zuidosten van Virginia rondgezworven en aar voor grote onrust gezorgd. Een norme klopjacht was ingezet waarbij ele tientallen slaven om het leven kwamen, maar Nat Turner wist steeds aan anhouding te ontkomen. De rest van e bende werd op 30 oktober door een eger van slaveneigenaren uitgeschaeld.

Nat Turner, een charismatische figuur ie een grote invloed op zijn medeslaen had, was vanaf zijn geboorte in 800 slaaf. Hij kon lezen en schrijven en had als baptistenprediker een grote aanhang onder de slaven. Hij zag zichzelf als instrument van God, die hem zou hebben uitverkoren om een speciale opdracht te vervullen. Sinds enkele jaren hoorde hij stemmen uit de hemel die hem zeiden: 'De laatsten zullen de eersten zijn'. Op 21 augustus zond God een teken - een helder blauw schijnsel -, dat Nat Turner beschouwde als het beginsignaal voor de opstand tegen de slavenhouders. Met zes volgelingen moordde hij die nacht zijn meester en diens gezin uit. Ruim vijftig slaven sloten zich bij Nat Turner aan en nog die zelfde nacht doodden de slaven 24 kinderen, 18 vrouwen en 13 mannen, allen blanken. Een inderhaast gevormd leger van slavenhouders begon onmiddellijk de jacht op de moordenaars. De hevig geschokte blanke gemeen-

schap in het Zuiden, die negen jaar geleden ook al werd opgeschrikt door geruchten over een slavenopstand - voordat deze opstand een feit kon worden, werden de 37 samenzweerders gearresteerd en geëxecuteerd - ziet wel degelijk verband met de eveneens in dit jaar in het Noorden opgekomen beweging voor de afschaffing van de slavernij.

Het Zuiden beschuldigt de abolitionisten ervan moordpartijen op blanken in het Zuiden aan te wakkeren en wijst op het pas verschenen blad *The Liberator*, waarin William Lloyd Garrison schrijft dat het leven van een slavenhouder een vuile vermenging is van ongebreidelde lust, zwetsende snoeverij, laffe beestachtigheid, verlopen uitspattingen, hooghartige overheersing, ongeëvenaarde onbeschaamdheid, grenzeloze onderdrukking en barbaarse wreedheid.

## Mohammed Ali zet expansie voort

CAIRO - Mohammed Ali, de onderkoning van Egypte, zet zijn expansiepolitiek onverdroten voort: hij heeft de Egyptische invloedssfeer nu uitgebreid tot het oostelijk bekken van de Middellandse Zee, door met zijn troepen onder leiding van zijn zoon Ibrahim Syrië te bezetten.

De bezetting is gevolgd op een weigering van de Turkse regering, de Porte, Mohammed Ali's aanspraken op Syrië in te willigen; de Porte zou Syrië aan de pasja van Caïro beloofd hebben in ruil voor diens deelneming aan de oorlog tegen Griekenland.

## Warschau valt in handen van Russische troepen

WARSCHAU, 8 september - Vandaag is het laatste bastion van de opstandige Polen, de hoofdstad Warschau, in handen van de Russische troepen gevallen. De strijd van de opstandelingen tegen de overweldigende Russische macht heeft anderhalf jaar geduurd. Nadat in januari het Poolse parlement de Russische tsaar van de troon stootte, werd de onafhankelijkheid van Polen uitgeroepen. Het parlement (Sejm) werd de hoogste macht in het land, en de uitvoerende macht kwam in de handen van de voorlopige regering te liggen. Het leger werd geleid door officieren en generaals die hun ervaring nog in de campagnes van Napoleon hebben opgedaan.

In een aantal briljante manoeuvres en veldslagen wisten de Polen de Russische troepen onder de generaals Dybitsj en Paskevitsj gevoelige nederlagen toe te brengen. Door intern gekonkel en verscheuring in de Poolse regering, en vooral door de absolute numerieke overmacht van het Russische leger is vandaag een einde aan de opstand gekomen.

Tsaar Nicolaas I heeft de leiders tot de doodstraf veroordeeld en een aantal maatregelen uitgevaardigd die tot het inlijven van Polen in het Russische Rijk moeten leiden. De Russische taal wordt verplicht gesteld in scholen en instellingen, het Pools wordt verboden, studenten uit Wilna zijn verbannen en vele professoren ontslagen. De repressie na de mislukte opstand zou de patriottische gevoelens in Polen echter wel eens sterk kunnen aanwakkeren.

## Massale toepassing elektriciteit

*Michael Faraday houdt een voordracht in het Royal Institution.*

ONDEN - De Britse fysicus (hij oemt zichzelf natuurfilosoof) Michael Faraday heeft in het laboratoum van het Royal Institution een bengrijke ontdekking gedaan die het ogelijk maakt mechanische energie m te zetten in elektrische energie. Met aradays ontdekking, de elektromagetische inductie, gaan het opwekken an elektriciteit voor massale toepasng en de distributie over grote gebie-

den tot de mogelijkheden behoren. De 40-jarige Faraday, die al sinds tien jaar gebiologeerd is door het idee magnetisme in elektriciteit om te zetten, werd in 1813 assistent van Davy, toen hoogleraar aan het Royal Institution, met wie hij indertijd een grote studiereis door Europa heeft gemaakt. In 1824 is Faraday Fellow van de Royal Society geworden en in 1825 directeur van het Royal Institution.

*Twee vernieuwers van de militaire strategie die beiden dit jaar zijn overleden: Carl von Clausewitz (links), de schrijver van het befaamde 'Vom Kriege' is op 16 november in Breslau gestorven aan de cholera, nog voor hij zijn manuscript heeft kunnen voltooien; een andere belangrijke organisator van de oorlogen tegen Napoleon, de Pruisische veldmaarschalk August Wilhelm Anton Graf von Gneisenau, is eveneens door de cholera geveld: hij is op 23 augustus op zijn hoofdkwartier in Posen [Poznán] overleden. Beide militairen waren verbonden aan de Pruisische oostfronttroepen, in verband met de revolutie in Polen.*

## Zijdearbeiders van Lyon komen in opstand

LYON, 24 november - Sinds twee dagen is vrijwel heel Lyon in opstand. Er is op het stadhuis een 'voorlopige regering' gevormd; zestien arbeiders uit de zijde-industrie ('canuts') maken deel uit van het nieuwe stadsbestuur.

De onrust in de zijde-industrie in Lyon duurt nu al een maand. De canuts protesteren tegen de lange dagen die ze maken (zestien tot achttien uur) en de lage lonen. De zijde-industrie in Lyon, die aan het eind van de vorige eeuw naar deze streek werd overgebracht, heeft een geweldige vlucht genomen. Lyon heeft een gezonde economie. Aan de omstandigheden waarin de arbeiders moeten leven en werken, is de welvaart echter geheel voorbijgegaan. Veertien jaar geleden zijn de canuts al eens in opstand gekomen, dit heeft echter geen verbetering gebracht in hun werkomstandigheden.

Een maand geleden dachten zij eindelijk iets te hebben bereikt. Met steun van de prefect en van de Kamer van Koophandel, en onder toezicht van de 'prud'hommes', de sociale rechtbank, werd op 25 oktober een minimumtarief voor de werknemers in de zijde-industrie vastgesteld. Een aantal fabrikanten bleek echter niet geneigd zich aan de afspraken te houden. Ze blokkeerden de zijdeproduktie. Het resultaat kon niet uitblijven: de werknemers gingen in staking en de actie ging als een lopend vuurtje door de stad.

In Parijs heerst grote opschudding over de toestand in Lyon. Of de canuts een overwinning zullen behalen, blijft echter twijfelachtig. Koning Louis-Philippe heeft nooit enige sociale bewogenheid aan den dag gelegd, al kwam hij aan de macht dank zij een andere volksopstand. Het enige wat hem blijkt te interesseren is zijn eigen rijkdom en, toch ook weer, net als zijn voorgangers, persoonlijke macht.

*Franse arbeiders getekend door de karikaturist Daumier.*

# 1832

**17 januari.** Johannes van den Bosch wordt benoemd tot gouverneur-generaal van Nederlands Oost-Indië. →

**Januari.** Moldavië krijgt een grondwet naar model van Walachije. →

**26 februari.** Tsaar Nicolaas I schaft de Poolse grondwet af en stelt hiervoor een 'organisch statuut' in de plaats. Polen krijgt partiële autonomie maar in theorie blijft het onverbrekelijk met Rusland verbonden.

**3 maart.** Cherokee-Indianen behalen juridische overwinning. →

**4 mei.** De Nederlandse zeeofficier Jan van Speyck wordt in de Nieuwe Kerk in Amsterdam begraven. →

**4 mei.** De Oosterdoksluis in Amsterdam wordt officieel geopend. →

**27 tot 30 mei.** Tijdens het Hambach Festival roepen Zuidduitse democraten om vrijheid, nationale eenheid en gekozen volksvertegenwoordigers. →

**4 juni.** In Groot-Brittannië wordt de sinds jaren heftig omstreden wet voor kieswethervorming aangenomen. →

**5 juni.** In Parijs breken republikeinse onlusten uit naar aanleiding van de begrafenis van hun leider generaal Lamarque.

**28 juni.** Als reactie op het Festival in Hambach kondigt Metternich zes artikelen af ter onderdrukking van de liberale beweging.

**10 juli.** De Amerikaanse president Andrew Jackson weigert het octrooi van de Tweede Bank van de VS te verlengen. →

**8 augustus.** De Griekse nationale vergadering kiest prins Otto van Wittelsbach tot koning Otto I van Griekenland. →

**23 december.** Franse troepen bezetten Antwerpen, waardoor Holland gedwongen wordt de onafhankelijkheid van België te erkennen. →

- Een opstand in de Vendée, geïnstigeerd door de hertogin van Berry, mislukt. De hertogin probeerde haar zoon Hendrik van Chambord op de Franse troon te krijgen.

- Emir Abd el-Kader leidt in Algerije de opstand tegen de Fransen.

Gestorven:

**13 mei.** Georges Cuvier (23-8-1769), Frans natuuronderzoeker →
**21 september.** Sir Walter Scott (1761), Engels schrijver →

# Cultuurstelsel verhard

*Javaanse jongens op karbouwen, die intensief op de sawahs worden gebruikt.*

BATAVIA, 17 januari - Met de benoeming van gouverneur-generaal Johannes van den Bosch tot commissaris-generaal is een nieuwe fase ingetreden in de invoering van het zogenoemde Cultuurstelsel op Java. Dit systeem van gedwongen arbeid op overheidscultures stuit op sterke bezwaren bij de liberale leden van de Raad van Indië, grote delen van het ambtenarencorps en particuliere ondernemers en wordt op ruime schaal tegengewerkt. Het Cultuurstelsel werd vorig jaar ingevoerd om de financiële situatie in Indië en Nederland te verbeteren. Na de Napoleontische oorlogen verkeert de Nederlandse economie in het slop en de Belgische opstand van 1830 heeft het land aan de rand van de afgrond gebracht. In Indië was het al even droevig gesteld: het door Van der Capellen (1816-1826) van het Britse tussenbestuur (1811-1816) overgenomen landrentesysteem (een belasting op landbouwgronden) leverde minder op dan verwacht en het noodzakelijke bestuursapparaat bleek zeer kostbaar, met als gevolg gigantische schulden. Van der Capellen werd daarom vervangen door Du Bus du Gisignies, die de uitdrukkelijke opdracht meekreeg te bezuinigen.

Daarvan kwam weinig terecht door het uitbreken van de Java-oorlog (182? 1830); het bedwingen daarvan kostt meer dan 20 miljoen gulden. Du Bu meende dat Java meer zou kunnen op brengen door tussenkomst van Euro pees kapitaal en kennis en stelde voo particuliere ondernemingen toe te la ten. In een aantal geschriften over d koloniale politiek betwijfelde Van de Bosch of dit mogelijk was met vrije a beid; elders in de wereld kon men i mers gebruik maken van goedkope sla ven. Hij stelde voor terug te keren naa het oude VOC-stelsel van gedwonge cultures en berekende de produkti met 15 miljoen gulden te kunnen ve groten. Koning Willem I zag hierin ee kans om op korte termijn uit de finan ciële problemen te komen en benoem de Van den Bosch tot gouverneu generaal.

Het Cultuurstelsel voorziet in de ve plichte verbouw van voor de werel markt bestemde produkten als koffie suiker, indigo, peper, tabak en katoe op één vijfde van de voor de rijstve bouw bestemde gronden. Het produk wordt tegen een vaste prijs aan de ove heid geleverd. De bevolking is ve plicht maximaal 66 dagen te werken o de overheidscultures, onder toezich van de inheemse bupati's (regenten) e Nederlandse controleurs.

*Beeld van het feest dat op 9 augustus is gegeven in de Parijse Tuilerieën ter gelegenheid van het huwelijk van Leopold van Saksen-Coburg, sinds vorig jaar koning van België, en Louise Marie d'Orléans, dochter van Louis-Philippe.*

# Eerbetoon Van Speyck

*De feestelijkheden bij de opening van de Oosterdoksluis in Amsterdam.*

AMSTERDAM, 4 mei - De officiële opening van de Oosterdoksluis in het Amsterdamse IJ stond vandaag volledig in het teken van de strijd tegen de Belgen. De opening van de sluis viel op dezelfde dag als de teraardebestelling van luitenant-ter-zee Van Speyck in de Nieuwe Kerk. In verschillende redevoeringen werd stilgestaan bij de daad van opoffering van Van Speyck.

Van Speyck, een voormalige 'burgerwees' van Amsterdam, werd de laatste eer bewezen door een op de kademuur opgesteld borstbeeld met daarnaast een erehaag van acht Amsterdamse wezen aangevuld met overlevenden van de in de lucht gevlogen 'Kanonneerboot 2'. Aan boord van het gloednieuwe oorlogskorvet 'Van Speyck' werd het stoffelijk overschot van de nationale held door de sluis naar de Amsterdamse binnenhaven gebracht, op weg naar zijn laatste rustplaats.

De vandaag opengestelde Oosterdoksluis vormt een belangrijke schakel in het Groot Noord-Hollandsch Ka-

naal tussen de hoofdstad en de marinehaven Den Helder. De haven van Amsterdam wordt afgesloten door een dijk met twee sluizen. Er zullen twee beschutte binnenhavens ontstaan. De Westerdoksluis zal door moeilijkheden tijdens de bouw pas in 1834 klaar zijn.

Met man en macht is gegraven aan het 90 km lange kanaal dwars door Noord-Holland. Behalve een snelle verbinding voor schepen van de marine met Amsterdam is het kanaal bedoeld om de haven beter bereikbaar te maken voor de binnen- en buitenlandse handelsvaart. Aan het eind van de 18de eeuw bleken de Zuiderzee en de mond van het IJ zodanig te verzanden, dat de Amsterdamse haven aan de oostelijke zijde voor de scheepvaart onbereikbaar dreigde te worden.

De reis over de Zuiderzee kan nu enkele maanden in beslag nemen, terwijl de reistijd door het nieuwe Noord-Hollandsch Kanaal slechts enkele dagen zal bedragen.

# Grondwet voor Moldavië

IASI, januari - In Moldavië is het 'Organiek Reglement' afgekondigd. Na de afkondiging van het Reglement vorig jaar in Walachije is de bestuursstructuur van Moldavië volgens identieke lijnen geregeld. Het Reglement, geesteskind van de Russische graaf Pavel Dmitrievitsj Kiseljov, is in feite een grondwet. Beide vorstendommen hebben nu parallelle instituties, hetgeen een mogelijke vereniging in de toekomst vergemakkelijkt. Beide provincies worden geregeerd door een uit de bojarengelederen voor het leven gekozen vorst. De wetgevende macht berust bij de bojarenvergadering, de vorst houdt het vetorecht over de door de bojaren voorgestelde wetten.

Ofschoon het Reglement een verbetering betekent in vergelijking met het vroegere wanbestuur, komt de boerenbevolking er bekaaid af. De bojaren hebben de macht in handen, hetgeen in de praktijk betekent dat de boeren op de politie noch de gerechtshoven kunnen steunen als bescherming tegen onrechtvaardige behandeling. Daarnaast

wijst het Reglement de bojaren aan als eigenaren van het land dat de boeren kunnen pachten. De boeren zijn verplicht per jaar in Walachije ongeveer 30 dagen, in Moldavië ongeveer 50 dagen arbeid voor de grootgrondbezitter te verrichten. Ofschoon de boeren sinds de vorige eeuw niet langer aan de grond gebonden zijn, betekent dit niet dat zij onbeperkte bewegingsvrijheid genieten. Als zij hun land willen verlaten moeten zij eerst hun deel van de dorpsbelastingen voldoen. Dit belemmert de mobiliteit aanzienlijk.

De bojaren hebben de laatste jaren nog een belangrijke winst geboekt met de bepaling van de Vrede van Adrianopel (1829) die de Donauvorstendommen ontslaat van de verplichting het Osmaanse Rijk de eerste rechten op hun buitenlandse handel te geven. Door de vrije export biedt de (graan)handel met het Westen ongekende mogelijkheden, nu de industriële bevolking daar snel toeneemt. En het zijn niet de boeren, maar de grootgrondbezitters die daarvan de vruchten plukken.

*Demonstranten zwaaien met de zwart-rood-gouden vlag voor de Duitse eenheid.*

# Feest voor Duitse eenheid

NEUSTADT, 30 mei - Ruim 30 000 Duitsers hebben gedurende drie dagen gedemonstreerd voor 'de eenheid en vrijheid van het Duitse vaderland'. Zij waren naar het Hambacher Schloss gekomen om daar het feest van de liberaal-patriottische beweging te vieren.

Onder de demonstranten bevonden zich boeren, burgers, ambachtslieden, dichters en schrijvers, Poolse emigranten, Franse democraten en Duitsers die naar Frankrijk zijn geëmigreerd, zoals de bekende publicist Ludwig Börne.

Johann Wirth, hoofdredacteur van de *Münchener Tribune* en Philip Siebenpfeiffer, hoofdredacteur van de *Westfalenboten* organiseerden het feest voor de Duitse eenheid.

'Ja, hij zal komen, de dag waarop een gemeenschappelijk Duits vaderland zich verheft...! Leve het vrije Duitsland! Leve het volk, dat zijn ketenen verbreekt en met ons de Bond van de Vrijheid zweert,' aldus Siebenpfeiffer. Deze wees in zijn openingstoespraak vooral op het belang van een gemeenschappelijk handelen tegen de restauratie.

De in 1830 ondernomen pogingen van de liberalen om grondwetswijzigingen af te dwingen, hebben onder andere gefaald doordat de liberalen alleen in eigen land werkzaam waren. Een overkoepelende organisatie ontbrak. Bovendien bleek dat een deel van de burgerij zich terughoudend opstelde of samen met de aristocratie, in burgerwachten, optrad tegen demonstrerende arbeiders en handwerksgezellen.

De Duitse Bondsdag kon in oktober 1830 maatregelen nemen tot 'herstel en handhaving van de rust in Duitsland'. De 'demagogenvervolgingen' en de censuur werden verscherpt en grondwetswijzigingen kwamen niet tot stand.

Het Hambacher Festival is echter een nieuw hoogtepunt van de beweging tegen de restauratie. Hoewel een voorstel om ter plekke een tijdelijke regering van een verenigd, vrij Duitsland te vormen, niet werd aangenomen, luisterden duizenden naar redevoeringen waarin gezamenlijk optreden werd bepleit tegen 'de aristocratie die de vrijheid knecht'. Net als bij de studenten die in 1819 op de Wartburg bijeenkwamen, waaide ook hier de zwart-rood-gouden vlag.

Karte zum Mittagsmahl beim
**MAIFEST**
auf dem Hambacher Schloss
am
27ten Mai 1832.
Nro. 280
Preis fl. 1 - 45 kr.

*Entreekaartje voor het Meifeest.
Reactie en conservatisme belachelijk gemaakt op een spotprent.*

# Peel versterkt positie Britse bourgeoisie

*Massabijeenkomst in Birmingham voor kieswethervorming.*

*Peel, auteur van de Reform Bill.*

LONDEN 4 juni - In het parlement is de Reform Bill, opgesteld door Robert Peel, aangenomen. Men kan Robert Peel geenszins rekenen tot de hervormingsgezinde kamerleden. Na de overwinning van de liberalen in 1830 was hij leider van de conservatieve oppositie. Onder invloed van de nieuwe wet wordt het kiessysteem in Engeland ingrijpend gewijzigd. Over het oude systeem bestond in brede kringen al lange tijd onvrede omdat het verouderd en ondemocratisch was. Sinds 1688 zijn geen nieuwe kiesdistricten meer gecreëerd zodat er een wanverhouding bestond tussen het aantal te kiezen parlementsleden en de inwoners van het desbetreffende district. De onvrede spitste zich toe op de zogenaamde 'rotten boroughs'. Dit zijn kiesdistricten

waar vrijwel niemand woont (een van deze rotten boroughs staat al decennia lang onder water) en waar de stemmen meestal eenvoudig worden opgekocht, zodat een aantal parlementszetels in feite te koop is. In een publikatie uit 1820 werd geschat dat minder dan 500 mensen (merendeels leden van het Hogerhuis) de meerderheid van het Lagerhuis kiezen.

Het aannemen van de kieswet wordt in verband gebracht met de gebeurtenissen in Parijs van juli 1830. Onder invloed van de snelheid waarmee de Franse regering overstag ging, meenden de Radicalen in Engeland dat dit het moment was om eisen tot hervormingen te stellen. De middenklassen wilden wel gebruik maken van deze onrust, vooral toen zij zagen dat de ongeregeldheden in Parijs in feite ertoe geleid hadden dat de wensen van de bourgeoisie werden ingewilligd.

De nu aangenomen kieswet werd in maart 1831 aan het Lagerhuis aangeboden en direct verworpen. Dit leidde tot een kabinetscrisis waardoor nieuwe verkiezingen nodig waren. Bij deze verkiezingen verkregen de (hervormingsgezinde) Whigt voor het eerst sinds 1783 een meerderheid. De hervormingswet werd nu opnieuw ingediend. Deze keer werd zij aangenomen in het Lagerhuis maar in mei verworpen in het Hogerhuis. Het kabinet-Grey bood nu zijn ontslag aan. Hierop ging een golf van verontwaardiging over de stijfkoppige houding van het Hogerhuis door het land. De woede leidde plaatselijk tot ongeregeldheden. In Bristol werd het paleis van de bisschop (die tegen de Reform Bill had gestemd) in brand gestoken en opstandelingen hielden de stad enkele dagen in handen. In het parlement was inmiddels een patstelling ontstaan: het

kabinet van Grey was afgetreden, maar Lord Wellington, tegenstander van elke hervorming, slaagde er niet in een kabinet te formeren. Toen de onvrede en de ongeregeldheden toenamen, was het duidelijk dat de leden van het Hogerhuis moesten toegeven. Grey formeerde een nieuwe regering en nu werd de Reform Bill wel aangenomen in het Hogerhuis. Algemeen wordt gesteld dat met de nieuwe wet een ernstige crisis, die het land op de rand van opstand had gebracht, is bezworen. De nieuwe wet is in feite een compromis: 56 rotten boroughs verdwijnen en van 30 kiesdistricten wordt het aantal parlementariërs dat zij mogen afvaardigen, verminderd van twee tot één. De hierdoor vrijkomende 143 zetels zullen in handen komen van de middenklassen uit de industriesteden. De Radicalen zijn dan ook zeer ontevreden: de wet leidt niet tot de democratisering waarop zij gehoopt hadden, maar zorgt er alleen voor dat de nieuwe, door de Industriële Revolutie naar voren gekomen elite in het parlement een plaats krijgt naast de oude elite, de landed interests.

ANTWERPEN, 23 december - Frans[e] troepen hebben Antwerpen bezet en d[e] laatste troepen die koning Willem I no[g] in het Zuiden had, uit de Citadel ve[r] dreven om de Hollandse koning t[e] dwingen de onafhankelijkheid va[n] België te erkennen.

Koning Willem I heeft weliswaar toe[ge] gestemd in een wapenstilstand, maa[r] blijft een definitieve regeling verwer[pen]. Van Belgische zijde wordt daa[r] ook niet sterk op aangedrongen: z[o] lang Nederland de XXIV artikelen nie[t] onderschrijft, hoeft België de dele[n] van Luxemburg en Limburg die aa[n] het Noorden zijn toegewezen maar i[n] feite door Brussel worden geregeerd ook niet te ontruimen.

Koning Willem I weigert van zijn kan[t] vrede omdat hij verwacht dat Belgi[ë] hem op den duur wel weer zal toevalle[n] en hij wil nu niet door de aanvaardin[g] van een compromis afstand doen va[n] zijn soevereiniteit over het Zuiden. Ee[n] poging van de koning om zijn gezag ge[... ] wapenderhand te herstellen met d[e] Tiendaagse Veldtocht, mislukte even[s] eens door Franse tussenkomst.

*Links: Sir Walter Scott. Rechts: een illustratie uit 'Ivanhoe'.*

# Walter Scott overleden

EDINBURGH, 21 september - Op zijn buitenhuis 'Abbotsford' is de dichter en romanschrijver Sir Walter Scott overleden. Scott is vooral bekend geworden door zijn historische romans, die in brede kring gelezen werden. Na zijn studie werd Scott in 1792 aangesteld als advocaat bij de rechtbank van Edinburgh. Na zijn huwelijk vestigde hij zich in Lasswade. Twee jaar later, in 1797, werd hij sheriff van Selkirkshire. Inmiddels had hij enige historische publikaties op zijn naam staan, maar de grote bekendheid moest nog komen. In 1806 werd hij benoemd tot secretaris bij de rechtbank van Edinburgh. In deze functie had hij veel vrije tijd, iets wat zijn schrijverschap zeker heeft gestimuleerd. Nu verschenen met enige regelmaat boeken van hem, waarvan vooral *The lady of the lake* (1810) hem grote be-

kendheid bezorgde. Als gevolg van d[e] prachtige natuurbeschrijvingen in di[t] boek bezochten veel reizigers de omge[...] ving van Loch Katrine, om met eige[n] ogen het landschap uit de bekende ro[... ] man te zien. In de jaren 1820 nam zij[n] bekendheid nog toe, onder ander[e] door de publikatie van *Ivanhoe* (182[0] waarin hij de terugkeer uit het Heilig[e] Land van Richard Leeuwenhart be[... ] handelde. Scott identificeerde zic[h] sterk met de middeleeuwen. Zijn land[... ] huis 'Abbotsford', dat hij in 181[... ] kocht, liet hij geheel in middeleeuws[e] stijl herbouwen.

In 1830 werd Sir Walter Scott - in 182[... ] was hij tot baronet verheven - door ee[n] beroerte getroffen. Hij hersteld[e] slechts langzaam en verbleef enige tij[d] in Italië om op krachten te komen. Hi[j] overleed echter kort na zijn terugke[er] op 'Abbotsford'.

# Otto van Wittelsbach koning Grieken

*De triomfantelijke intocht van Otto van Wittelsbach met een deel van de Beierse soldaten die hij mocht meenemen.*

ΑΤΗΕΝΕ, 8 augustus - De 17-jarige Otto van Wittelsbach, zoon van koning Lodewijk van Beieren, is tot koning van Griekenland gekroond. De republiek Griekenland is nu ter ziele. Het komst van koning Otto is voorlsnog een einde gekomen aan de burgeroorlog die Griekenland nu al weer en halfjaar teistert. Na de moord op resident Capodistrias bleken de tenstellingen binnen de aristocratie en ussen de elite en de lokale patroons alrminst beslecht. Het driemanschap at na president Capodistrias' dood de

touwtjes in handen nam, was ondanks zijn gemêleerde samenstelling (het bestond uit Kolokotronis, een klephtenleider, Kolletis en de zoon van ex-president Capodistrias) niet in staat de eenheid te forceren die Griekenland vanaf het begin van de opstand tegen de Turken in 1821 eigenlijk al heeft moeten missen.

De kroning van Otto van Wittelsbach is een uitvloeisel van een conferentie in mei van dit jaar in Londen, waaraan behalve Engeland ook Rusland, Frankrijk en Beieren deelnamen om

een oplossing te zoeken voor de burgeroorlog in Griekenland.

Al eerder, in februari 1830, hadden de grote mogendheden gepoogd Griekenland tot een monarchie om te vormen. Hun toenmalige kandidaat voor de troon, Leopold van Saksen-Coburg, weigerde de offerte echter.

Otto van Wittelsbach heeft van zijn protégés een lening van zestig miljoen francs meegekregen. Bovendien is het hem toegestaan 3500 Beierse soldaten mee te nemen als kern van het nog te vormen nationale leger.

## Cuvier verdeelde dierenrijk in vier soorten

PARIJS, 13 mei - De Franse zoöloog Georges Cuvier, sinds 1818 lid van de Académie Française en de grondlegger van de vergelijkende anatomie en de paleontologie, is vandaag op 62-jarige leeftijd, na een kort ziekbed, in zijn woonplaats Parijs overleden.

Cuvier, die heilig geloofde in de onveranderlijkheid der soorten, maar bij zijn paleontologische onderzoekingen tegelijkertijd moest constateren dat latere levensvormen verschillen van de voorgaande, heeft dit probleem in zijn werk proberen op te lossen met de catastrofentheorie: overstromingen en aardbevingen van catastrofale, maar plaatselijke omvang zouden ervoor zorgen dat bepaalde flora's of fauna's ter plaatse verdwijnen en later door andere, van elders komende flora's of fauna's worden vervangen. Hij was met deze opvattingen een fervent tegenstander van Jean-Baptiste Lamarck en Étienne Geoffroy Saint-Hilaire.

Cuvier heeft verder faam verworven met zijn systematische ordening van het dierenrijk; hij deelde dit in vier soorten in: gewervelde dieren, gelede dieren, weekdieren en straaldieren. Het totaal van zijn bevindingen en opvattingen over levende en fossiele dieren heeft Cuvier neergelegd in het monumentale, uit vier delen bestaande werk *Le Règne animal distribué d'après son organisation,* waarvan recentelijk een tweede editie in vijf delen is verschenen.

# President Jackson wil af van Amerikaanse Centrale bank

*...ckson, de kampioen van het volk.*

'ASHINGTON, 10 juli - De Ameri-aanse president Andrew Jackson eeft zijn veto uitgesproken over het etsvoorstel waarin de verlenging van t octrooi van de Tweede Bank van de erenigde Staten is geregeld. Andrew

Jackson wil van de bank af. In zijn veto zegt Jackson dat de bank het instrument is van speciale belangengroepen, de 'rijken en machtigen', waarmee de daden van de regering voor hun zelfzuchtige doeleinden worden omgebogen'. De president veı wijt Nicholas Biddle, de president van de bank, onverantwoordelijk beleid: de bank bevoordeelt de rijken ten koste van de armen, en is een monopolie dat in strijd is met de democratische grondbeginselen.

De aanval op 'Het Monster van Chestnut Street', zoals senator Thomas Hart Benton de nationale bank noemt, is geheel in de stijl van Jackson. 'Old Hickory' strijdt onvermoeibaar tegen alles wat naar aristocratie riekt en beroept zich telkenmale op het volk. 'De president is de directe afgevaardigde van het volk,' verklaarde Jackson bij het indienen van het veto, 'en is even goed als het Congres in staat uit naam van het volk te spreken.' Jackson is inderdaad de kampioen van het volk. Hij is de eerste president 'van over de bergen'. Hij komt uit een arm boerengezin en is op-

*Andrew Jackson als 'King Andrew I'.*

gegroeid in een afgelegen streek van Carolina; zijn voorgangers waren allen afkomstig uit het Oostkust-establishment.

Jacksons carrière spreekt tot de verbeelding van de gewone man. Jackson

is de ongeschoolde boerenkinkel die als generaal een oorlogsheld werd, die het tot rijke planter schopte, die opgewassen is tegen de erudiete en machtige elite van de Oostkust en die uiteindelijk met grote meerderheid president van de natie is geworden. De president is de verpersoonlijking van het glorieuze motto van de Amerikaanse republiek: 'Vrijheid en Gelijkheid'.

Andrew Jacksons optreden als president wordt gekenmerkt door zijn oorlog tegen de gevestigde macht. Volgens Jackson vormen ambtenaren die te lang op een post zitten, een soort aristocratie en nadat hij tot president was verkozen, heeft hij vele ambtenaren door partijgenoten vervangen. Ofschoon Jacksons bezemwerk ook te maken had met de stemming onder de Amerikaanse ambtenaren - velen beschouwden de 'Wilde man uit het Westen' als een gevaar in het Witte Huis na de gecultiveerde John Quincy Adams - past het in de Amerikaanse democratische filosofie dat iedere burger heel goed bestuurswerk kan verrichten.

# Ook Cherokee moeten land opgeven

*Taferelen uit het Indianenleven zoals George Catlin die heeft vastgelegd. Catlin verbleef sinds 1829 veel bij de Indianen.*

WASHINGTON, 3 maart - De Cherokee-Indianen hebben een juridische overwinning geboekt, maar iedereen is het erover eens dat die geen praktische betekenis heeft: de wetten van Georgia, zo heeft John Marshall, president van het Hooggerechtshof, vandaag bepaald, zijn niet van kracht binnen de grenzen van de Cherokee-natie (die binnen het territorium van Georgia ligt) en de blanke inwoners van Georgia dienen de Cherokee-wetten te respecteren. Georgia is echter niet van plan zich van deze uitspraak van Marshall iets aan te trekken en lijkt daarin gesteund te worden door president Andrew Jackson, die gezegd zou hebben: 'John Marshall heeft zijn besluit genomen, laat hem nu maar eens proberen

*Indianen in krijgsuitrusting.*

738

dat besluit uitgevoerd te krijgen!' Het valt daarom te verwachten dat ook de Cherokee, de uitspraak van Marshall ten spijt, hun land zullen moeten opgeven en naar het westen geëvacueerd zullen worden.

Onder een serie verdragen die de Verenigde Staten sinds 1791 met de Cherokee in Georgia hebben gesloten, worden ze erkend als een volk met eigen wetten en gewoonten. Maar de blanke inwoners van Georgia hebben zich in het verleden van de rechten van de Cherokee- en de naburige Creek-Indianen weinig of niets aangetrokken, zeker niet toen er drie jaar geleden in het Cherokee-land goud werd aangetroffen.

Ook in Alabama en Mississippi worden de verdragen die met de Indianen zijn gesloten, veelvuldig geschonden door het land van de Choctaw en de Chickasaw te annexeren.

Het juridische gevecht rond de Cherokee is een uiting van het verscherpte beleid dat tijdens het presidentschap van Andrew Jackson jegens de Indianen is gevoerd. Jackson heeft zich nooit iets aangetrokken van hun soevereiniteit in het zuidoosten en hij steunt Georgia in zijn pogingen de Cherokee uit hun gebied te verdrijven. Op basis van de twee jaar geleden van kracht geworden Indian Removal Act heeft hij niet minder dan 94 verdragen met uiteenlopende stammen gesloten waarbij ze hun land opgaven en zich ten westen van de Mississippi hebben gevestigd. Zo hebben in het zuidwesten de Creeks, de Choctaw en de Chickasaw evacuatieverdragen met de blanke overheid in Washington getekend.

*Boven: Indianenvrouw (Sioux) en opperhoofd. Onder: sneeuwschoendans.*

De Cherokee-Indianen wensen nog aan hun land vast te houden, maar niemand verwacht dat ze die strijd lang vol kunnen houden.

[In 1838-1839 leiden federale troepen ongeveer 15 000 Cherokee-Indianen in een verschrikkelijke mars uit Georgia weg naar hun nieuwe woongebied. Eén op de vier Indianen sterft onderweg.

De Cherokees noemen die barre reis de 'Trail of Tears'.]

**1 januari.** Engeland hernieuwt de claim op de Falkland Eilanden tegenover Argentijnse aanspraken.

**20 maart.** De Verenigde Staten sluiten een handelsverdrag met Siam [Thailand]. →

**1 april.** Generaal Santa Ana, die al naam maakte met het ten val brengen van keizer Augustin I in 1823 en de verdediging tegen een Spaanse expeditie in 1829, wordt president van Mexico. Hij heeft de inrichting van een centraal bestuur voor ogen.

**3 april.** Studenten en handwerkers proberen een revolutie in Zuidwest-Duitsland te ontketenen. Dit mislukt en heeft repressieve maatregelen tot gevolg. →

**2 mei.** De Russische tsaar Nicolaas I verbiedt de verkoop van lijfeigenen op openbare markten.

**3 mei.** Turkije erkent de onafhankelijkheid van Egypte en staat Syrië en Aden aan Mohammed Ali af.

**8 juli.** Rusland en het Osmaanse Rijk sluiten in Unkiar Iskelessi een verdrag. →

**29 augustus.** De fabriekswet (Factory Act) in Groot-Brittannië verbiedt arbeid van kinderen onder de 9 jaar. →

**29 september.** Ferdinand VII van Spanje sterft. Via een pragmatieke sanctie heeft hij ervoor gezorgd dat zijn dochter Isabella hem kan opvolgen. Dit betekent het begin van de eerste Carlistenoorlog.

**15 oktober.** In Berlijn komen Pruisen, Rusland en Oostenrijk overeen het Osmaanse Rijk als geheel te steunen en de Heilige Alliantie voort te zetten.

**4 december.** In Philadelphia wordt de 'American Anti-Slavery Society' opgericht. →

- De eerste 'penny press'-krant verschijnt in de Verenigde Staten.

- Bij het voormalige fort Dearborn wordt Chicago gebouwd, dat in 1837 tot stad verklaard wordt.

- De gouverneur-generaal van Brits-Indië, Lord William Bentinck, vaardigt de Charter Act uit. →

- Er vindt een samenzwering plaats tegen koning Karel Albert van Piemonte door 'Giovine Italia'.

- Carl Friedrich Gauss stelt absolute maatsystemen voor (grondeenheden: millimeter, milligram, seconde). →

- De Franse historicus Jules Michelet begint aan zijn zeventiendelig werk *Histoire de France.*

- Speranskij codificeert het Russisch Recht.

# Verbond tsaar en sultan

UNKIAR ISKELESSI, 8 juli - Rusland en het Osmaanse Rijk hebben te Unkiar Iskelessi een verdrag gesloten. Dit is de prijs die de Porte heeft moeten betalen voor de Russische steun tegen de rebellerende onderkoning van Egypte, Mohammed Ali. Ofschoon het formeel een wederzijds defensieverdrag is, betekent het in feite dat Rusland de speciale bondgenoot en in zekere zin de beschermer van deze oude, in verval zijnde vijand wordt. Daarmee is een belangrijke doelstelling van de Russische buitenlandse politiek zoals die in 1829 werd geformuleerd - het in stand houden van het Osmaanse Rijk - verwezenlijkt. Afgezien van de politieke voordelen is de Russische bemoeienis volledig in overeenstemming met de legitimistische overtuigingen van tsaar Nicolaas. Deze beschouwt de opstandige onderkoning van Egypte, Mohammed Ali, als een rebel die onrechtmatig verzet pleegt tegen zijn rechtmatige heerser, de sultan.

Het is voor de Osmaanse regering een bittere pil om uitgerekend op erfvijand Rusland te moeten terugvallen. De sultan merkte in het kader hiervan op: 'Als je aan het verdrinken bent zoek je zelfs houvast bij een slang.'

Afgelopen februari landde een machtig Russisch eskader bij Constantinopel en enige weken later landden 10 000 Russische troepen aan de Aziatische kust van de Bosporus. Dit was voor de grote mogendheden reden tot ongerustheid en zij drongen er bij de sultan op aan tot een overeenkomst met zijn rebellerende Egyptische vazal te komen. De Russische troepen hebben zich onmiddellijk na het sluiten van het verdrag teruggetrokken. Met deze overeenkomst heeft Rusland van de Porte de garantie gekregen dat in tijd van oorlog de Bosporus en de Dardanellen zullen worden gesloten voor bewapende schepen van andere naties. Ofschoon deze garantie was vervat in een geheime clausule, was Groot-Brittannië reeds binnen vier dagen op de hoogte van het bestaan ervan. Er bestaat in Britse regeringskringen dan ook enige ongerustheid over hoe dit artikel geïnterpreteerd moet worden: indien de overeenkomst voorziet in de sluiting van de zeeëngten (Bosporus en Dardanellen) voor alle oorlogsschepen, is dit wat de Britten betreft prima; indien echter de Russische vloot wel vrijelijk de Zwarte Zee in en uit kan gaan zonder dat een soortgelijk privilege voor een tegenstander geldt, dan betekent dit verdrag een reusachtige Russische overwinning.

Kozakken schrijven de sultan van Turkije een brief (schilderij van Ilja Repin).

*Onderhandelingen tussen Sikhs en de Britse bestuurders in India.*

# Charter Act voor Indiërs

CALCUTTA - In Calcutta is door Lord William Bentinck (59), sinds 1828 gouverneur-generaal in India, de Charter Act uitgevaardigd. Deze wet, ook wel de Liberal Charter genoemd, die onder invloed van de liberale stromingen uit het moederland is ontstaan, geeft aan dat ook in India voor iedereen gelijke kansen moeten gelden op het gebied van onderwijs, bestuur en handel. Artikel 87 zegt: 'Geen inlander van de zogenoemde Territoria, noch een Brits onderdaan van de koning daar aanwezig, zal slechts op grond van religie, geboorteplaats, afkomst, huidkleur of dergelijke criteria worden afgehouden van een functie onder de compagnie.'

De Charter Act heeft bovendien India opengelegd voor iedere Britse zakenman of missionaris die erheen wil en alle handelsmonopolies van de compagnie (behalve op zout en opium) opgeheven.

Onder invloed van de missie, die eind vorige eeuw op gang kwam maar werd tegengewerkt door de compagnie uit angst voor schade aan de handel met Hindoes en moslems, groeide het besef dat de Engelsen in India ook een idealistische taak hadden: de civilisatie van India's 'arme en onwetende inlandse zielen'. Daarom werd in 1813 bij wet bepaald dat 'erkende' missionarissen in India aan het werk mochten. Ook werd bepaald dat £ 10000 moest worden besteed aan onderwijs. Dat geld werd aangewend om Indiërs Engels te leren. Deze factoren, gecombineerd met door Britten begonnen Indische studies in de in 1784 opgerichte Asiatic Society of Bengal, deden vooral in Bengalen een groep goed opgeleide jonge Indiërs ontstaan die Engelse kennis en manieren combineerden met de beoefening en studie van hun eigen geloof, het hindoeïsme. Een van de belangrijkste voorvechters van deze Hindoe-renaissance was Ram Mohun Roy, die als Bengaalse brahmaan eerst Sanskriet, Perzisch en Arabisch en later Engels, Latijn en Grieks studeerde. In de principes van de rede en de rechten van het inidividu zag hij overeenkomsten tussen het westerse christelijke denken en het hindoeïsme.

Hij probeerde het hindoeïsme aan te passen aan de westerse ideeën, hoewel hij een wettelijk verbod op sati (rituele weduwenverbranding), waarmee hij het in principe eens was, nooit openlijk heeft durven propageren.

# Invloed van VS in Siam

BANGKOK, 20 maart - Op aandrang van handelskringen in de Verenigde Staten van Amerika is door Edmund Roberts een vriendschaps- en handelsverdrag getekend met Siam [Thailand]. Roberts heeft in korte tijd de onderhandelingen over het verdrag afgerond. De wensen van de Amerikanen zijn veel bescheidener dan die van de Engelsen. Zij hebben geen extra lage belastingen gevraagd en ook geen speciale positie voor hun onderdanen in Siam. Mede om die redenen wordt Roberts nu 'Emin Rabad' ofte wel 'edelman uit Amerika' genoemd.

Van de kant van de Siamese regering bestond al enige tijd belangstelling voor een dergelijk verdrag, omdat de Amerikanen zonder voorwaarden vooraf wapens leveren en suiker en hout kopen in het land. De Verenigde Staten wensen slechts gelijke behandeling met enkele andere landen die handel met Siam drijven.

In kringen van Amerikaanse handelaren is men echter niet tevreden over datgene wat Roberts heeft bereikt. Zij staan een positie voor zoals die welke de Engelsen in Siam hebben bedongen. Het ligt voor de hand dat na dit verdrag onder druk van de invloedrijke kooplieden in de nabije toekomst opnieuw gepraat gaat worden over de voorwaarden voor het drijven van handel.

# Anti-slavernij organisatie

PHILADELPHIA, 4 december - Ongeveer zestig afgevaardigden van plaatselijke comités hebben in Philadelphia de 'American Anti-Slavery Society' opgericht, een nationale organisatie die wil ijveren voor afschaffing van de slavernij. Als voorzitter is een rijke zakenman uit New York, Arthur Tappan, gekozen. De vereniging is een initiatief van de bekende abolitionist William Lloyd Garrison, uitgever van de anti-slavernijkrant de *Liberator,* Arthur en Lewis Tappan en een groep filantropische zakenlieden.

De 'American Anti-Slavery Society' brengt de twee grote centra van radicaal abolitionisme, de steden Boston en Cincinnati, onder één noemer en wil via een netwerk van lokale organisaties en met pamfletten, kranten en propagandisten het Amerikaanse publiek overtuigen van de noodzaak van afschaffing.

De afgevaardigden hebben de Beginselverklaring, opgesteld door William Lloyd Garrison, goedgekeurd. Hierin wordt opgeroepen tot onmiddellijke, compensatieloze en totale afschaffing van de slavernij door middel van 'morele en politieke actie'.

In de verklaring staat verder dat de ondertekenaars plechtig beloven 'zich volledig in te zetten om het meest verwerpelijke systeem van slavernij dat ooit op deze wereld heeft bestaan, omver te werpen...en om de gekleurde bevolking van de Verenigde Staten te verzekeren van de rechten en voorrechten waarop zij als mens en Amerikaan recht hebben.'

*Slaven op een katoenplantage in het zuiden van de VS.*

De vorming van een landelijke organisatie luidt een nieuwe fase in de strijd tegen de slavernij in. De verschuiving naar een radicalere aanpak houdt natuurlijk verband met het falen van gematigde hervormers in de laatste jaren, maar vloeit vooral voort uit hun religieuze instelling. De 'American Anti-Slavery Society' laat zich leiden door de evangelische doctrine van onmiddellijke boetedoening. Slavernij is een zonde en moet dus onmiddellijk verworpen worden.

De abolitionisten geven actieve steun aan gevluchte slaven. Zij hebben een vluchtorganisatie opgesteld, de Underground Railroad. Via deze 'railroad', een reeks schuiladressen, worden gevluchte slaven de grens over, naar het veilige Canada, gebracht.

## Gauss doet voorstellen voor absolute maten

GOTTINGEN - De Duitse wiskundige, astronoom en fysicus Carl Friedrich Gauss, directeur van de sterrenwacht van de universiteit van Göttingen en hoogleraar wiskunde aan deze instelling, heeft in zijn dit jaar verschenen studie *On the Intensity of the Earth's Magnetic Field, Expressed in Absolute Measure* voorstellen gedaan voor een absoluut maatsysteem. De millimeter, de milligram en de seconde zijn in zijn voorstel de grondeenheden. Het eenhedenstelsel dat nu algemeen gebruikt wordt, is het in 1799 geformuleerde Metrieke Stelsel, met als grondeenheden de meter en het kilogram met daarvan afgeleide eenheden als de vierkante en kubieke meter en, voor dichtheid, de kilogram per kubieke meter. Een eenhedenstelsel voor de gebieden van elektriciteit en magnetisme dat goed aansluit op het meten met mechanische eenheden, ontbrak tot dusver echter.

In zijn voorstel voor een absoluut maatsysteem geeft Gauss, die door zijn collega's als de Princeps Mathematicorum wordt beschouwd, een beschrijving van twee eenvoudige experimenten waarmee hij de kracht van het magnetisch veld van de aarde meet in termen van lengte, massa en tijd. De Duitse geleerde heeft met zijn studie overtuigend aangetoond dat ook magnetische hoeveelheden kunnen worden gemeten in termen van (door hem absoluut genoemde) mechanische eenheden.

# Engeland neemt maatregelen tegen arbeid van kinderen

*Werkende kinderen worden uit een mijn opgetakeld.*

LONDEN, 29 augustus - In het Engelse parlement is de zogenaamde 'Factory Act' aangenomen, die kinderarbeid in fabrieken enigszins aan banden legt. Onder de nieuwe wet is fabrieksarbeid voor kinderen jonger dan 9 jaar verboden. Voor kinderen tot 19 jaar wordt het wekelijks te werken aantal uren aan een maximum gebonden: slechts 48 uur voor kinderen tot 13 jaar en 68 uur voor kinderen van 13 tot 19 jaar.

Enerzijds wordt verwacht dat de wet veel effect zal hebben; om op de naleving van de bepalingen toe te zien, worden namelijk inspecteurs aangesteld die tevens onderzoek naar arbeidsomstandigheden zullen verrichten. Anderzijds vallen mijnen niet onder de wet, terwijl daar juist veel misstanden zijn. Kinderen worden in mijnen veelvuldig gebruikt om kolenwagens te duwen en ondergrondse deuren te openen en te sluiten. Een mijndirecteur heeft verklaard dat het geen kwaad kan dat kinderen de hele dag ondergronds werken. Kinderen zijn volgens hem zeer geschikte arbeiders omdat ze klein zijn en weinig kosten.

De nu aangenomen wet stuitte, zoals te verwachten was, op grote bezwaren bij de meeste fabrieksdirecteuren. Zij vrezen dat de arbeidskosten door deze wet zullen toenemen en moeten in het algemeen niet veel hebben van overheidsbemoeienis met de gang van zaken in hun fabrieken. Een ondernemer als Robert Owen, die in New Lanark te Schotland sinds 1800 een wolspinnerij drijft, waar de arbeidsomstandigheden zonder meer voorbeeldig zijn, is duidelijk een uitzondering. Ook zijn niet alle arbeiders gelukkig met de nieuwe wet. Hun lonen zijn zo laag dat zij de inkomsten van hun kinderen, hoe gering die ook zijn, niet kunnen missen.

Het aannemen van de wet moet overigens in verband gebracht worden met de verandering van de politieke verhoudingen sinds de kieswethervorming van verleden jaar. Deze hervorming leidde ertoe dat in het Lagerhuis niet alleen de 'landed interests' zijn vertegenwoordigd, maar ook de in handel en industrie rijk geworden bourgeoisie er een sterke stem heeft. Mede hierdoor zijn de oude partijnamen als Whigs en Tories aan het verdwijnen. De Whigs, die de Reform Bill door het parlement hebben gekregen, gaan samen met enkele radicalen en Tories de liberale partij vormen. Andere kamerleden, voornamelijk Tories, sluiten zich aaneen tot de conservatieve partij. Juist deze laatste partij probeert aanhang te verwerven onder de arbeidersklasse en diende mede daarom de nu aangenomen Factory Act in.

*IJzersmelterij in Engeland.*

# Duitse revolutie mislukt

*De bestorming van de Haupt- und Konstablerwache in Frankfurt am Main.*

FRANKFURT, 3 april - De bezetting van de Konstablerwache in Frankfurt die enkele tientallen studenten en handwerkslieden vandaag hebben uitgevoerd om een revolutionaire opstand in Duitsland te ontketenen, is op een mislukking uitgedraaid. Onmiddellijk na de gewapende overval is het leger met grote overmacht in actie gekomen en heeft de revolutionairen uitgeschakeld.

Het plan voor de overval is al in december vorig jaar gemaakt; het was de bedoeling van de opstandelingen de Konstablerwache te bezetten, het overheidsapparaat in Frankfurt stil te leggen, een voorlopige centrale regering te installeren en de Duitse Republiek uit te roepen. De overval had de stoot moeten geven voor een omverwerping van het gezag in heel Duitsland.

Het incident in Frankfurt staat niet op zichzelf; ook elders hebben zich recentelijk revolutionaire oprispingen voorgedaan, zoals de demonstratie van mei vorig jaar op het Hambacher Schloss.

# Moordaanslag op Kaspar Hauser

*Kaspar Hauser.*

NEURENBERG, 14 december - Een onbekende heeft vandaag met een dolk een moordaanslag gepleegd op de beraamde Duitse vondeling Kaspar Hauser. De 21-jarige Hauser, die al eerder het doelwit was van een moordaanslag, is er slecht aan toe.

Nog altijd bestaat er geen zekerheid over wie Kaspar Hauser nu eigenlijk is. In mei 1828 dook de jongen opeens in Neurenberg op. Hij was nauwelijks in staat om te lopen of te praten. Hauser verklaarde later zelf zestien jaar lang opgesloten te hebben gezeten in een donkere kerker, zonder enig contact met andere mensen. Al jaren doen geruchten de ronde dat Hauser de weggemoffelde troonopvolger van het groothertogdom Baden is.

De figuur van Hauser, aan wie de afgelopen jaren verscheidene boeken en pamfletten zijn gewijd, is met mysteries omgeven. De jongen, die eerst een tijd in de gevangenis verbleef, leerde binnen vier maanden paardrijden, lezen en schrijven. Voor sommigen was dit het overtuigende bewijs dat Hauser een bedrieger is. Waarschijnlijker is echter dat de jongen inderdaad een weggewerkte vondeling van hoge afkomst is.

**1 januari.** De Duitse Tolunie treedt in werking. Deze economische vereniging is een eerste stap in de richting van Duitse eenheid. →

**3 april.** Aan de Russische bezetting van de Donauvorstendommen (sinds 1828) komt een einde. Osmaanse vorsten krijgen het bewind in handen.

**9 tot 13 april.** In Lyon wordt een republikeinse opstand van zijdewevers neergeslagen.

**22 april.** Groot-Brittannië, Frankrijk, Spanje en Portugal vormen de Quadruple Alliantie ter ondersteuning van de constitutionele bewegingen in Spanje en Portugal. Deze alliantie is gericht tegen de Heilige Alliantie van de conservatieve staten Pruisen, Oostenrijk en Rusland.

**April.** In de Verenigde Staten wordt door nationalistische Republikeinen en aanhangers van de voormalige vice-president John Cladwell Calhoun de Whig-partij gevormd. De nieuwe partij staat voor bescherming van de minderheden en de grondwettelijke soevereiniteit van de afzonderlijke Amerikaanse staten.

**12 juni.** Het slotprotocol van de 'Wiener Ministerkonferenz' wordt uitgevaardigd. →

**1 augustus.** Na jarenlange agitatie volgt er een verbod op slavernij in het Britse imperium. →

**4 augustus.** Koning Willem IV van Engeland bekrachtigt de nieuwe Armenwet. →

**September.** Na acht jaar strijd wordt de Portugese broederoorlog in het voordeel van Dom Pedro beslist. →

- Franz Grillparzer schrijft het toneelstuk *Der Traum, ein Leben*.

- Robert Schumann componeert het pianowerk *Carnaval*.

- Leopold von Ranke begint met het schrijven van zijn driedelig historisch werk *Die römische Päpste im 16. und 17. Jahrhundert*.

- De universiteit van Kiëv wordt geopend.

Geboren:

**7 februari.** Dmitri Mendeljev (†1907), Russisch scheikundige

**19 juli.** Edgar Degas (†1917), Frans schilder
**12 november.** Alexander Borodin (†1887), Russisch componist

Gestorven:

**12 februari.** Friedrich Daniel Ernst Schleiermacher (21-11-1768), Duits theoloog, filosoof en pedagoog
**25 juli.** Samuel Taylor Coleridge (21-10-1772), Brits dichter
**23 december.** Thomas Robert Malthus (14-2-1766), Brits econoom →

# Tolunie voor Duitse landen

BERLIJN, 1 januari - Vandaag treedt de Duitse Tolunie in werking. Hiermee zijn de handelsbarrières tussen achttien Duitse landen opgeheven. Om het handelsverkeer tussen de aangesloten staten nog verder te vergemakkelijken, is een vaste wisselkoers afgesproken tussen de Noordduitse taler en de Zuidduitse gulden (4:7).

In 1819 werd er een petitie ingediend bij de Duitse Bondsdag in Frankfurt am Main. 'Achtendertig tolgrenzen binnen de Duitse landen verlammen de handel. Het goederenverkeer tussen Hamburg en Oostenrijk, tussen Berlijn en Zwitserland wordt bemoeilijkt door tien tolgrenzen; er moet tien keer een doorvoerbelasting worden betaald,' aldus de petitie. 'De alleronderdanigste ondertekenaars wagen het daarom de hoge Bondsvergadering het alleronderdanigste verzoek voor te leggen de in- en uitvoerrechten binnen de Duitse landen op te heffen.'

Het verzoekschrift was ondertekend door 70 prominente fabrikanten en handelslieden. Het werd overhandigd door de hoogleraar in de staatseconomie Friedrich List, die ook de auteur van de petitie was. De Duitse vorsten, vertegenwoordigd in de Bondsdag, gingen echter niet op het verzoek in. Zij wilden niet over een verandering van hun tolpolitiek spreken. De ondertekenaars kregen bovendien te horen dat zij niet het recht hebben zich direct tot de Bondsdag te wenden.

Negen jaar later echter, in 1828, tekenden Beieren en Württemberg een tolverdrag. Pruisen en Hessen-Darmstadt volgden in datzelfde jaar. Als reactie hierop richtte een aantal Midden- en Noordduitse staten, onder leiding van Hannover en Saksen, de Mitteldeutsche Handelsverein op. De Pruisische minister van Financiën, Friedrich von Moltz, nam toen het initiatief tot een tolunie met Beieren en Württemberg, die in 1829 tot stand kwam.

Oostenrijk heeft zich steeds verzet tegen een economische eenheid van de Duitse landen, omdat het de overmacht van Pruisen vreest. Pruisen is het economisch meest ontwikkelde land in de Tolunie, die nu achttien landen omvat. Pruisen krijgt als grootste staat het recht om in naam van de unie handelsverdragen met het buitenland te tekenen. Wel moeten de verdragen eerst met algemene stemmen worden goedgekeurd door een raad, waarin de achttien landen zitting hebben.

De belangen van de landen zijn soms tegenstrijdig. Zo willen Beieren en Württemberg een verhoging van de invoerrechten op Engelse produkten om hun eigen katoenindustrie te beschermen. Pruisen en Saksen hebben echter belang bij goedkoop vlas, dat uit Engeland wordt ingevoerd.

# Repressie van Metternich

*'Das Volk ist mir zum kotzen': karikatuur op een uitspraak van keizer Frans I.*

WENEN, 12 juni - De zogenaamde 'Wiener Ministerkonferenz' is beëindigd. Sinds het begin van dit jaar hebben vertegenwoordigers van de Duitse staten met een Oostenrijkse delegatie onder leiding van 'Haus-, Hof-, und Staatskanzler' Metternich vergaderd over de vraag hoe de sinds 1830 steeds luider klinkende roep om een grondwet en een parlement tot zwijgen gebracht kan worden. Het slotprotocol van deze conferentie is illustratief voor de repressieve Oostenrijkse politiek, die wel het 'Metternichsche System' wordt genoemd.

Het eerste artikel vat de grondslag van het systeem samen: het is absoluut noodzakelijk dat die 'gesamte Staatsgewalt in dem Oberhaupte des Staats' verenigd blijft. Het hoogste staatsgezag van de vorst kan nooit gedeeld worden met een volksvertegenwoordiging, want dat zou onmiddellijk tot anarchie leiden. In deze opvatting is een grondwet slechts een Frans modeartikel, dat subversieve krachten in Oostenrijk en de Duitse staten willen importeren.

Zelf verwijst Metternich voor de kern van zijn staatkundige ideeën veelvuldig naar zijn wapenspreuk: 'Kraft im Recht'.

Recht is in zijn ogen het historisch gegroeide recht, dat aan de monarch de soevereiniteit toebedeelt, maar hem ook de verplichting oplegt de bestaande wettelijke regelingen te respecteren. Dit laatste is tevens de enige garantie die het systeem van Metternich biedt om te voorkomen dat de autocratische monarchie in despotisme ontaardt. Ook de maatschappelijke functies van de verschillende klassen zijn historisch bepaald. Het is de plicht van de adel om de monarchie te ondersteunen en als bemiddelaar op te treden, om te voorkomen dat de kroon verzeild raakt in een 'tête-à-tête met de rauwe massa'. Het volk moet in dit systeem de stabiele factor vormen. Omdat het beïnvloedbaar is, is het niet zonder meer te vertrouwen. Van Metternich is de uitspraak: 'Völker sind wie Kinder oder nervöse Frauen, sie glauben an Gespenster.' Uit verantwoordelijkheidsgevoel, maar vooral uit eigenbelang moet de staat het volk rustig houden door het in materieel opzicht goed te verzorgen.

De bourgeoisie wordt door Metternich het meest gewantrouwd. Zij vormt immers de voedingsbodem voor de gehate revolutionaire ideologie. Door haar alle politieke rechten te onthouden denkt Metternich de bourgeoisie in toom te kunnen houden.

*Beeld van de internationale slavenhandel: slaven in het ruim van een schip.*

# Slavernij is strafbaar

LONDEN, 1 augustus - Vandaag is een wet van kracht geworden die slavernij in het Britse imperium afschaft. Engeland is hiermee het eerste land ter wereld dat slavernij op den duur strafbaar stelt. De afkondiging van de wet is het sluitstuk van jarenlange agitatie tegen slavernij. Al eerder, in 1807, was de slavenhandel in Engeland en zijn koloniën verboden.

Met de handel in slaven zijn sinds eeuwen grote bedragen gemoeid. De slavenhandel was een belangrijk deel van de zogenaamde 'driehoekshandel', waarop een groot aantal Britse fortuinen is gebaseerd. Dit systeem hield in dat schepen vanuit Engeland vertrokken naar de westkust van Afrika, waar men artikelen als kralen en spiegeltjes (maar ook goud en zilver) ruilde tegen slaven. Deze slaven werden vervolgen naar de plantages is Noord-Brazilië e West-Indië vervoerd. Daarvandaa vertrokken de schepen met plantage produkten, voornamelijk suiker e rum, weer naar Engeland, zodat de 'driehoek' voltooid was. Het was gee uitzondering als op dergelijke reize enkele honderden procenten wins werden gemaakt. De slavenhandel wa aanvankelijk geheel in Spaans-Po tugese handen, later kregen vooral d Nederlanders en Engelsen een aandee in deze lucratieve onderneming. Me schat dat tussen 1450 en 1800 ongevee 8 miljoen Afrikanen uit West-Afrik zijn weggevoerd.

In de loop van de 18de eeuw ontston steeds meer verzet tegen deze activite ten. Adam Smith beweerde in zij *Wealth of Nations* dat slavernij in eco nomisch opzicht niet zinvol was. Hi baseerde zijn stelling op het 'verlies aa menselijk materiaal' tijdens de zeerei naar West-Indië en de korte levens duur van de slaven op de plantages. D hoofdstroom van het verzet kwam ech ter voort uit humanitaire redenen. Be langrijk was in dit opzicht een in 178 door de quakers ingediende petitie. Z legden de nadruk op de mensonwaar dige behandeling die de slaven aa boord van de schepen en op de planta ges kregen. Een dergelijke handelwijz ten opzichte van medemensen achtte zij onverenigbaar met het christelij geloof. Met het doordringen van d ideeën van de Verlichting nam het ver zet tegen slavernij verder toe.

Engeland heeft in de campagne tege slavernij nu dus het voortouw geno men. Het verzet van de plantagebezit ters is ondervangen door hun een scha devergoeding van 20 miljoen pon sterling uit te betalen. Bovendie wordt de wet pas volledig van krach na een overgangsperiode van zes jaar waarin de volwassen slaven op de plan tage moeten blijven en voor slechts ee vierde van de door hen gewerkte tij loon ontvangen.

*Wilberforce, ijveraar voor de afschaffing van de slavernij.*

# n Engeland nieuwe Armenwet van kracht

*...ieven en dronkaards wordt de toegang tot de Londense armenhuizen ontzegd.*

...ONDEN, 4 augustus - Koning Wil-
...m IV heeft met zijn handtekening de
...euwe Armenwet bekrachtigd. De
...et was al op 17 april ingediend maar
was opgehouden doordat er in het Lagerhuis nogal wat bezwaren tegen
bestonden. De nieuwe wet wordt niet
alleen beschouwd als een antwoord op
de steeds stijgende kosten van de armenzorg, maar ook als een teken dat de
liberale ideologie in het parlement aan
invloed wint.

Al geruime tijd bestond er in brede
kring onvrede over de sterke stijging
van de kosten van de armenzorg. Gaf
men daar in Engeland rond 1750 nog
£ 619 000 aan uit, in 1818 bedroegen de
kosten al meer dan 8 miljoen pond. De
stijging van de kosten werd terecht in
verband gebracht met het zogenaamde
'Speenhamland'-systeem van bedeling. In deze parochie in Berkshire gingen magistraten in 1795 voor het eerst
steun geven aan arbeiders die te weinig
verdienden om hun gezin te kunnen
onderhouden. Daarvóór werd bedeling alleen verstrekt aan mensen die
langere tijd werkloos waren en daardoor tot pauperisme vervielen, of aan
bejaarden en arbeidsongeschikten.

Na 1795 verspreidde dit systeem van
armenzorg zich over het platteland van
heel Engeland. Hoewel de maatregel
ingegeven werd door humanitaire
principes had hij in de praktijk ongewenste neveneffecten. Nu werkgevers
inzagen dat hun arbeiders een aanvulling op hun loon kregen, zagen zij hun
kans schoon om de lonen verder te verlagen, waardoor de kosten van de armenzorg verder stegen. Een tweede
schadelijk effect van dit systeem was
dat werkgevers alleen nog tamelijk
arme mensen met grote gezinnen aan-
namen in plaats van jonge, goed geoe-
fende knechten, omdat de eersten toch
wel een aanvulling op hun loon kregen
en de tweede groep 'te hoge' lonen
wenste.

Deze ongunstige gevolgen van de wet
kwamen begin dit jaar in het middelpunt van de belangstelling te staan. In
1832 was een staatscommissie ingesteld om de werking en de effecten van
de Armenwet te onderzoeken. Het was
namelijk opvallend dat de 'Swing'-
rellen, die twee jaar geleden in bepaalde streken uitbraken, vooral daar
voorkwamen waar het Speenhamland-
systeem algemeen was. Een samenvatting van de bevindingen van de commissie werd in februari van dit jaar gepubliceerd. De commissie gaf als
aanbeveling om valide arbeiders met
werk niet langer te bedelen. Zij zouden
dan zelf bij hun werkgevers een redelijk loon moeten bedingen. Ook zou ervoor gezorgd moeten worden dat bedeelden altijd minder ontvingen dan de
slechtstbetaalde arbeiders. Dit zou arbeiders dwingen werk te zoeken. Deze
adviezen zijn in de nieuwe wet overgenomen. Ondanks tegenstand van sommige radicalen die meenden dat dit tot
misstanden en revolutie zou leiden
(ook de *Times* noemde de wet de 'Poor
man's robbery Bill') is het wetsontwerp door minister Peel uiterst handig
door het parlement geloodst en nu bekrachtigd.

*De Engelse econoom Thomas Robert Malthus overlijdt op 23 december. Mal-
thus heeft grote naam gemaakt met zijn 'Essay on the principles of population'
(1798), waarin hij de stelling verdedigt dat de mensen arm zijn en blijven door-
...at de bevolking sneller toeneemt dan de bestaansmiddelen.*

# Dom Pedro wint broederoorlog in Portugal

LISSABON, september - De Portugese broederoorlog is ten einde. Na acht
jaar strijd heeft de liberale Dom Pedro
zijn autocratische broer Miguel verslagen. Pedro kon nog net meemaken dat
zijn dochter Maria dá Gloria tot koningin werd gekroond, alvorens hij (pas 36
jaar oud) op 24 september aan tuberculose overleed.

De broederoorlog begon in 1826, toen
na de dood van Johan VI onduidelijk
was wie als de rechtmatige troonopvolger moest worden beschouwd. Dom
Pedro was weliswaar de oudste zoon,
maar hij was tevens keizer van Brazilië
en zijn onderdanen verzetten zich tegen een hereniging met Portugal.
Daarop bedacht Pedro een compromis: zijn pas zeven jaar oude dochter
Maria zou moeten huwen met zijn
broer Miguel en beiden zouden over
het land moeten regeren. Miguel, in
ballingschap sinds zijn mislukte coup
in 1824, simuleerde dat hij Pedro's
compromis zou accepteren. Het huwelijk met de handschoen vond op 29 november plaats. In 1828 keerde Miguel
terug naar Portugal, waar hij regent
werd nadat hij trouw had gezworen
aan Pedro, Maria en de grondwet die
Pedro voor Portugal had opgesteld.
Hij ontpopte zich na een bezoek aan
Metternich in Wenen echter al snel als
een absoluut vorst. Zo vervolgde hij de
liberalen, onderdrukte de vrijmetselarij en herstelde de jezuïetenorde. Toch
was hij vrij populair bij het volk, de
lage adel, de geestelijkheid en de conservatieve Europese vorsten. De hoge
adel, de middenklasse en Engeland (als
'kampioen van het liberalisme') waren
meer op de hand van Pedro.

Omdat Pedro's populariteit in Brazilië
tanende was, deed hij in 1831 afstand
van de troon ten gunste van zijn zoon.
Hij zeilde naar de Azoren, die al die tijd
tegen Miguel stand hadden gehouden.
Van daaruit veroverde hij in juli 1832
Porto. Miguel belegerde Porto langer
dan een jaar, maar hij wist de stad niet
te heroveren. In juni vorig jaar voerden
de liberale troepen onder leiding van
Terceira en de Brit Napier een succesvolle landing uit in de Algarve. Een
maand later werd Lissabon veroverd,
maar verder succes bleef uit.

Het waren de gebeurtenissen in Europa, na de revoluties van 1830, die in het
voordeel van Pedro bleken te gaan
werken. De conservatieve Heilige Alliantie viel uiteen toen in april van dit
jaar Engeland, Frankrijk, Spanje en
Pedro's Portugal samengingen in een
liberale Quadruple Alliantie. Voor Miguel was het pleit toen snel beslecht: in
mei gaf hij zich over bij Evora-Monte.
Hij werd opnieuw verbannen en Maria
werd tot koningin van Portugal gekroond.

# Keizer Frans I van Oostenrijk gestorven

*Frans I van Oostenrijk poseert met de kroon van Rudolf II van Habsburg.*

*Frans I bij een bezoek aan Wenen.*

WENEN, 2 maart - In de ouderdom van 67 jaar is keizer Frans I van Oostenrijk, die bekendstond als 'der gute Kaiser Franz', gestorven. Hij wordt opgevolgd door zijn oudste zoon, de zwakzinnige Ferdinand I. Voor deze onbekwame vorst zal aartshertog Lodewijk, de jongste broer van Frans I, als regent optreden. Het politieke testament van de keizer luidde: 'Schenk Fürst Metternich, mijn trouwste dienaar en vriend, het vertrouwen dat ik gedurende zovele jaren in hem gesteld heb [...] wijzig niets aan de grondvesten van de staat. Regeer, verander niets!'

Uit deze laatste woorden van Frans I blijkt hoeveel invloed zijn kanselier op hem uitoefende. Boze tongen beweren dat Metternich zijn succes te danken had aan het feit dat hij in het buitenland de indruk wist te wekken dat niet de keizer, maar hijzelf in Oostenrijk regeerde, terwijl hij Frans I liet geloven dat deze het buitenland kon manipuleren ... dank zij Fürst Metternich.

Toch moet de politieke betekenis van Frans I niet worden onderschat. In de buitenlandse politiek liet hij Metternich de vrije hand, maar met de binnenlandse aangelegenheden van Oostenrijk bemoeide de keizer zich intensief. Hij was er na de strijd tegen Napoleon diep van overtuigd dat hij een goddelijke missie te vervullen had. Oostenrijk moest beschermd worden tegen het kwaad van de revolutie en de orde en rust moesten er worden hersteld. Orde en rust waren voor Frans I doelen op zich. Om deze te bereiken riep hij een omvangrijke bureaucratie, een machtig politieapparaat en een strikte censuur in het leven. In 1821 voegde hij de Oostenrijkse leraren toe: 'Ik heb geen geleerden, maar gehoorzame burgers nodig. Uw taak is het om de jeugd in deze zin op te voeden. Ieder die mij dient moet onderwijzen wat ik voorschrijf. Degenen die daartoe niet in staat zijn of nieuwe ideeën willen invoeren, kunnen vertrekken of zij zullen worden ontslagen.'

Ondanks de repressie die zijn regime kenmerkte, genoot deze reactionaire en autoritaire keizer bij de lagere standen een grote populariteit. Hij beheerste het Weense dialect en kon eenvoudige mensen heel joviaal bejegenen. Met zijn sobere levensstijl was hij een toonbeeld van degelijkheid, de strenge maar rechtvaardige vader van het volk, dat hem toezong: 'Gott erhalte Franz der Kaiser, unser guten Kaiser Franz.'

## Fransman over 'nieuwe democratie' VS

*Alexis de Tocqueville.*

NEW YORK - De Franse historicus en politicus Alexis de Tocqueville is bezig met wat een monumentale studie lijkt te worden over de 'nieuwe democratie' in Amerika. De eerste twee delen van deze studie, *De la démocratie en Amérique,* zijn nu - ook in Engelse vertaling - verschenen en enthousiast door het lezende publiek onthaald.

De Tocqueville probeert in zijn boek duidelijk te maken welke invloed de egalitaire houding van de Amerikanen en het fenomeen van de regering-van-het-volk hebben op het maatschappelijk bestel van de enige democratie ter wereld. De meest opvallende kenmerken van deze nieuwe samenleving zijn in zijn ogen het verdwijnen van sterke klassenverschillen en het opkomen van de 'tirannie van de meerderheid'. De auteur, zelf een aristocraat, betreurt het verdwijnen van aristocratische waarden - het gevoel van grandeur, intense emoties, de rijkdom en gevarieerdheid van een hiërarchische maatschappij - maar toont zich wel gelukkig met de verbreding van maatschappelijk besef en menselijkheid - eigenschappen die, zo denkt hij, een overheersende rol zullen spelen in een democratische samenleving - en voor met de mogelijkheid dat ook de massa in de democratische vrijheden kan delen.

Maar dit is slechts een mogelijkheid, want volgens de auteur kan een democratie ook een voedingsbodem zijn voor een ander politiek stelsel, een tirannie die veel sterker om zich heen grijpt dan ooit tevoren en waarin de haat tegen ongelijkheid en het ontbreken van alternatieve machtscentra door de overheid worden gebruikt om haar greep op het individuele bestaan te versterken.

Amerika, denkt Alexis de Tocqueville, heeft zich aan deze angstaanjagende mogelijkheid weten te onttrekken, maar voor Frankrijk is dat gevaar vanwege zijn revolutionaire tradities nog levensgroot.

# Chopin speelt voor Poolse vluchtelingen

*e Poolse virtuoos Chopin te midden van een gezelschap dames aan het klavier. Rechts: de componist van de 'revolutie-etude'.*

ARIJS, 4 april - De sedert 1831 in Parijs woonachtige Poolse pianist-componist Frédéric Chopin heeft vandaag een concert gegeven ten bate van de Poolse vluchtelingen die in Parijs verblijven. Het programma vermeldde onder andere enige polonaises (bij uitstek Pools door de toepassing van volksmuziekelementen) en de nu al beroemde 'revolutie-etude' opus 10 nummer 12. Chopin schreef deze etude in 1831, zeer onder de indruk van het bericht van de Russische inval in Polen. Zoals te verwachten was werkte het stuk sterk op de emoties van het publiek.

Chopin, in 1810 geboren uit een Franse vader en een Poolse moeder, wijdde zich reeds vroeg aan de compositie van pianomuziek; op 8-jarige leeftijd werd een polonaise van zijn hand gepubliceerd. Vanaf zijn twaalfde studeerde hij op eigen verantwoordelijkheid, zonder pedagoog.

Zijn eerste optreden als pianovirtuoos vond plaats te Wenen in 1829, waar hij uitsluitend eigen werk speelde. Naar aanleiding van dat optreden schreef de componist Robert Schumann in het door hem opgerichte *Neue Zeitschrift für Musik:* 'Heren, hoeden af voor Chopin, hij is een genie!'

Ook in eigen land oogstte Chopin succes, echter niet voor lang; op 11 oktober 1830 gaf hij zijn voorlopig laatste concert in het Nationale Theater te Warschau. Tijdens een tournee in Duitsland in 1831 vond de Russische inval in Polen plaats. Spoedig daarna besloot de componist zich in Parijs te vestigen; een terugkeer naar Polen lijkt vooralsnog uitgesloten.

Op 26 februari 1832 gaf Chopin zijn eerste openbare concert te Parijs in de zalle Pleyel. Toonaangevende musici als Liszt, Berlioz, Bellini en Meyerbeer, en ook persoonlijkheden uit de hogere kringen als baron De Rothschild waren daarbij aanwezig. Naar

aanleiding van dit succesvolle optreden schreef de bekende muziekrecensent Fetis het volgende: '[...] als Chopins muziek al niet een complete vernieuwing van de pianomuziek is, dan is ze toch wel een deel van wat we al zo lang hebben gezocht; ze biedt namelijk een overvloed van originele ideeën die nergens anders worden gevonden.' Toch had Fetis ook wel kritiek: 'Chopin is geen podiumartiest zoals Franz Liszt. Door het overmatig gebruik van het linkerpedaal versluiert hij zijn mu-

ziek, die daardoor meer geschikt lijkt voor intieme huisconcerten. Het brute geweld van Franz Liszt heeft bij de horde onwetenden en onopgevoeden in de grote concertzalen veel meer succes.' De wederzijdse achting van Liszt en Chopin is overigens algemeen bekend: Chopin droeg aan Liszt zijn eerste serie etudes (opus 10) op en Liszt introduceerde in zijn pianospel juist die elementen van Chopins techniek die zijn spel zowel het poëtische als het vuurwerkkarakter verlenen.

## 'New York Herald' slechts één cent

NEW YORK, 6 mei - Het 'enfant terrible' van de journalistiek, James Gordon Bennett, is met zijn eigen krant, de *New York Herald,* op de markt gekomen. Het blad wordt op straat door schreeuwende krantenjongens verkocht, kost slechts één cent en is daarom bereikbaar voor de gewone man. Behalve het sensationele en weinig journalistieke roddelblad de *New York Sun* kosten de gevestigde kranten 6 cent, te duur dus voor het grote publiek. Bennett ziet in de snel groeiende arbeidersklasse een nieuw potentieel lezerspubliek voor een volwassen krant. In het eerste nummer van de *Herald* schrijft hij: 'Er zijn in deze stad minstens 150000 mensen die iedere dag wel een krant inkijken maar er worden maar 42000 exemplaren gedrukt. Er is dus ruimte genoeg voor de *Herald* zonder dat we vrienden of rivalen in de weg staan.'

De lange, broodmagere, schele, sardonische Schot Bennett maakt een krant die het informatieve van de op handel en economie gespecialiseerde dure bladen van de gevestigde orde combineert met de bredere populaire aanpak van de 'penny papers' zoals de *Sun,* die roddels, sensatieverhalen, human interest, plaatselijk nieuws en advertenties met de 'schaar en lijmpot'-methode bijeenvegen en in een grote oplage aan de man brengen.

# Spoorlijn Mechelen-Brussel in gebruik

*De officiële ingebruikneming van de spoorlijn Mechelen-Brussel.*

MECHELEN, 5 mei - Koning Leopold I heeft vandaag de spoorlijn Mechelen-Brussel officieel in gebruik gesteld. Na Engeland is België het tweede land met een spoorweg. De spoorlijn vormt het begin van een uitgebreid spoorwegnet dat België moet gaan doorkruisen en waarvan Mechelen het knooppunt zal vormen.

De nu gereed zijnde lijn Mechelen-Brussel zal een zijtak worden van de al langer geplande spoorverbinding tussen Antwerpen en Keulen. De doorvoerhandel van de Scheldestad moet op die manier direct verbonden wor-

den met het Duitse afzetgebied.

Twee jaar geleden heeft de toenmalige minister van Binnenlandse Zaken, Charles Rogier, een wetsontwerp ingediend inzake de financiering en exploitatie door de staat van het spoorwegnet. Dat voorstel werd op 1 mei van het vorig jaar door de Kamer aanvaard. Rogier, die enorm heeft geijverd voor de totstandkoming van het spoorwegnet, heeft zijn ministerschap niet kunnen voortzetten tot de dag van de opening. Augustus vorig jaar viel het liberale kabinet Goblet-Lebeau-Rogier, waarna De Theux een nieuwe

regering samenstelde die voornamelijk uit katholieken bestaat. Minister van Binnenlandse Zaken is momenteel regeringsleider De Theux zelf.

Voor de koning was het overigens een drukke dag want voordat hij vanmiddag de spoorlijn opende, is deze ochtend zijn zoontje Leopold plechtig gedoopt. Het op 9 april geboren prinsje is de vermoedelijke troonopvolger van Leopold I. Twee jaar geleden kregen Leopold en zijn vrouw Louise al een zoon, Louis-Philippe, maar die is vorig jaar, amper één jaar oud, aan een slijmvliesontsteking overleden.

# Regering herovert Saigon

HUE, september - De aanvankelijk zeer succesvolle opstand van Le Van Khoi tegen keizer Minh Mang is door troepen van de regering na de herovering van Saigon neergeslagen.

Daarmee is een einde gekomen aan de opstand die ruim twee jaar geleden in het zuiden van Vietnam is uitgebroken. Nadat Qia Loeng in het begin van deze eeuw aan de macht was gekomen, werden voor het noorden en het zuiden twee regionale leiders aangesteld. In het zuiden kreeg Le Van Duyet, een voormalig commandant uit het leger van Qia Loeng, de leiding.

Hij was een goede vriend van keizer Qia Loeng en regeerde het zuiden tot zijn dood in 1832 nagenoeg als een onafhankelijk vorst. Hij stond, evenals de keizer, op zeer goede voet met de katholieken en de Fransen.

Met de opvolger van Qia Loeng kon hij het niet zo goed vinden. Keizer Minh Mang liet al enkele jaren na de dood van zijn voorganger blijken dat hij zelf de macht over het noorden en zuiden wilde uitoefenen. Tevens wilde hij de invloed van het katholicisme en de Fransen terugdringen. Na de dood van Le Van Duyet meende Minh Mang zijn slag te kunnen slaan. Hij liet het graf van Le Van Duyet ontwijden, schafte de positie van lokaal heerser over het zuiden af en stopte met de pro-katholieke koers van Le Van Duyet.

Deze maatregelen riepen verzet op. De geadopteerde zoon van Le Van Duyet, Le Van Khoi, had aanvankelijk aan de kant van de Tay Son gevochten. Hij kwam uit het noorden en behoorde tot een minderheidsgroepering, de Muong. Hij was echter naar het leger van Le Van Duyet overgelopen en door hem geadopteerd. Le Van Khoi had zijn gave als goed militair en politiek strateeg, die in staat was de massa van de bevolking te enthousiasmeren, snel onderkend. Zijn oproep in het zuiden om zich tegen de centralistische politiek van het hof in Hue te verzetten en de lokale autonomie te versterken, sloeg bij de kleine boeren aan. Zij verwachtten een verlichting van de belastingen die de centrale regering hun had opgelegd. Hij kreeg ook steun van de katholieken, de Chinese handelaren, uit het noorden gevluchte burgers en een deel van het leger. Tegenstand ondervond hij van de door de staat aangestelde ambtenaren en de grootgrondbezitters.

De opstand brak uit nadat Le Van Khoi met behulp van zijn bewakers uit de gevangenis was ontsnapt. Hij vermoordde de gouverneur en zijn gezin en gaf zichzelf de titel 'generaal en onderwerper van het zuiden'. In een manifest richtte hij zich tot de bevolking van het zuiden en deelde hij mee dat keizer Minh Mang niet langer als legitiem vorst werd erkend en dat voortaan Hoan Ton als vorst zou optreden. In korte tijd bezette hij zes provincies in het zuiden. Gia Dinh (Saigon) werd de hoofdstad.

Toen begonnen voor hem echter pas de moeilijkheden. Hij had vele burgers uit het noorden naar de districten en dorpen gestuurd om toezicht op het lokale bestuur te houden. Zij gedroegen zich echter niet volgens de morele codes die al eeuwen lang golden. Door hun losbandige leven stichtten zij verwarring onder de bevolking. De opperbevelhebber van zijn leger, Thai Cong Trieu, begon in het geheim met Minh Mang te onderhandelen.

Minh Mangs legers kwamen uit het noorden, en in het zuiden moest Le Van Khoi het opnemen tegen de overgelopen Thai Cong Trieu. Le Van Khoi trok zich daarop met enkele duizenden aanhangers in de citadel van Saigon terug. Ondanks steun van het Siamese leger is de vesting nu gevallen en zijn Le Van Khoi en zijn aanhangers gedood.

De 'Ludwigsbahn' tussen Neurenberg en Fürth, de eerste spoorlijn die in Duitsland in gebruik is genomen (7 december). Er wordt voorlopig slechts één stoomlocomotief op de lijn ingezet, de 'Adler'. Snelheid: ongeveer 20 km/u.

# Vrije godsdienstoefening afgewezen

Koning Willem I, omringd door zijn gezin en enkele leden van de hofhouding.

's-GRAVENHAGE, 10 december - Koning Willem I heeft de verschillende verzoekschriften van afgescheiden protestantse gemeenten uit het noorden des lands om een einde te maken aan vervolging omwille van het geloof afgewezen. De koninklijke beschikking geeft de afgescheiden protestanten te verstaan dat zij geen enkel recht kunnen laten gelden op 'inkomsten, regten of bezittingen, of titels van de gevestigde Hervormde-Gereformeerde-Kerk'. De gemeenten van afgescheidenen zijn onwettig en zullen niet worden geduld.

De afgescheidenen - gereformeerden die terug willen naar de kerkenordening van de Synode van Dordrecht in 1618 en 1619 - zijn zeer teleurgesteld over de beslissing van hun vorst.

De afscheidingsbeweging begon in de provincie Groningen en heeft het hele land in beroering gebracht. Het gaat om arme boeren en handwerkslieden, die niets moeten hebben van de heersende 'moderne' leer in de Hervormde Kerk. De afstand tussen het gewone kerkvolk en de predikanten is in de meeste gemeenten enorm. De gemeenteleden hebben bovendien - in afwijking van wat Calvijn indertijd predikte - in het huidige bestel nauwelijks invloed op het bestuur van de Kerk. Zo worden dominees van bovenaf aang[e]wezen. Een zestal jonge domine[e] heeft zich aan het hoofd van de bew[e]ging gesteld. Gangmakers zijn de pr[e]dikanten De Cock en Scholte uit U[l]rum en Doeveren.

Op 10 oktober vorig jaar barstte d[e] bom. Scholte kwam preken in de ker[k] van de inmiddels geschorste De Coc[k]. De kerkvoogden lieten de kerk door d[e] politie ontruimen. De kerkeraad blee[f] achter De Cock staan. Hierop steld[e] De Cock zijn 'Akte van Afscheiding [of] Wederkeering' op: 'Een heerlijk lic[ht] ging op in Ulrums kerkgemeente.' [In] totaal scheidden 247 protestanten u[it] Ulrum zich af.

150 militairen bezetten daarop h[et] dorp, uit angst voor de 'razend[e] aanhangers van den befaamden de[?] Cock', maar 'wij zijn het niet, gelij[k] men ons lastert, die als België oproer[ig] zijn,' aldus een geestverwant uit Oud[e] Pekela. De Cock is inmiddels veroo[r]deeld tot drie maanden gevang[e]nisstraf en 150 gulden boete. Ook [an]ders - onder andere in het dorp va[n] dominee Scholte - zijn soldaten ing[e]kwartierd. Aan het eind van het ja[ar] liep het aantal separatisten en sympa[?]thisanten tegen de 6000, dus met hu[n] gezinnen meegerekend een totaal va[n] 20 000 mensen.

Geïntrigeerde blikken naar de komeet van Halley, die na 76 jaar weer aan de hemel is verschenen. De komeet is voor het eerst beschreven in 240 v.C. Kometen worden ook in deze tijd nog wel als onheilsboden beschouwd.

# Boeren verlaten Kaapkolonie in 'Grote Trek'

KAAPSTAD - Ongeveer 10 000 Boeren verlaten in de Grote Trek de Kaapkolonie naar de andere kant van de Vaal-rivier. Zij zijn op zoek naar land waar zij, ongehinderd door de Britse overheid, een nieuw bestaan hopen te beginnen.

De Kaapkolonie viel in 1806 in Britse handen. De 10 000 Engelsen maken maar één vijfde deel van de bevolking uit, maar hun invloed op het bestuur en de handel is veel groter dan die van het overige vier vijfde deel. De pogingen van de Engelsen om de afstammelingen van de eerste kolonisten, de Afrikaners of Boeren, te verengelsen, hebben tot moeilijkheden geleid die tot uitbarsting kwamen toen in het gehele Engelse koloniale rijk de slavernij werd afgeschaft. De Boeren zagen zich beroofd van zwarte werkkrachten van wie zij in grote mate afhankelijk zijn.

In de Kaapkolonie wordt voornamelijk veeteelt bedreven. Omdat het land zeer arm aan water is, hebben de Boeren er veel weidegrond nodig. Ongeveer de helft van de blanke bevolking leidt een nomadenbestaan, rondtrekkend met hun kudde. Bovendien voelen zij zich als uitverkoren calvinisten geroepen om over de zondige, zwarte kanaänieten te heersen.

De aandacht van de zwarte Bantoe-sprekende bevolking wordt momenteel geheel in beslag genomen door de jonge agressieve Zoeloe-staat, in 1818 gesticht door de gevreesde veldheer Tsjaka. In dit tijdperk, dat de mfecane, de tijd van troebelen, wordt genoemd, stuiten de Boeren dan ook op weinig weerstand tijdens hun Grote Trek naar het noorden.

*Boeren bedwingen een bergpas.*

**2 maart.** In het noordoosten van Mexico roepen kolonisten de onafhankelijke staat Texas uit. Twee weken later kondigen zij een Republikeinse grondwet af.

**21 april.** Bij de rivier San Jacinto verslaat een Texaans kolonistenleger onder bevel van Sam Houston het Mexicaanse regeringsleger en neemt de bevelhebber en president, Santa Ana, gevangen. →

**15 juni.** Arkansas wordt een staat van de Verenigde Staten.

**16 juni.** 'De London Working Men's Association' wordt opgericht. Dit betekent het begin van de chartistenbeweging.

**15 augustus.** Het Boliviaanse leger verovert onder aanvoering van dictator Andrés Santa Cruz Lima, Peru.

**17 augustus.** Het Britse parlement besluit dat voortaan geboorten, huwelijken en sterfgevallen geregistreerd zullen worden.

**28 oktober.** De Boliviaans-Peruaanse Unie wordt afgekondigd met Cruz als staatshoofd.

**30 oktober.** Lodewijk Napoleon poogt een opstand onder het garnizoen in Straatsburg te ontketenen. Dit mislukt en hij wordt naar de Verenigde Staten verbannen.

**11 november.** Chili verklaart de Boliviaans-Peruaanse Unie de oorlog, omdat de Unie economisch en militair een bedreiging vormt.

**7 december.** De Democraat Martin Van Buren wordt tot achtste president van de Verenigde Staten gekozen. →

**12 december.** In Wenen komt de Geheime Staatskonferenz, het hoogste politieke orgaan in Oostenrijk, voor het eerst bijeen. →

- In Parijs wordt de Bond der Rechtvaardigen gesticht.

- Giacomo Meyerbeer componeert de opera *De Hugenoten*.

- Samuel Morse bouwt de eerste telegraaf.

- Gogols *Revisor* wordt voor de eerste maal opgevoerd.

- Adelaide wordt de hoofdstad van Australië.

- De bouw van de Arc de Triomphe in Parijs wordt voltooid. →

- Charles Dickens begint met het schrijven van de *Pickwick Papers*. →

- Michail Ivanovitsj Glinka componeert de opera *Een leven voor de tsaar*.

# Van Buren president VS

WASHINGTON, 7 december - Wat president Andrew Jackson van meet af aan heeft gewild, is gebeurd: zijn naaste adviseur en politieke rechterhand, vice-president Martin Van Buren, volgt hem op in het Witte Huis en zal in maart volgend jaar als Amerika's achtste president beëdigd worden. In de vandaag gehouden verkiezingen heeft Van Buren in 15 van de 26 staten gewonnen, wat hem een royale meerderheid in het kiescollege garandeert.

Martin Van Buren is van Nederlandse komaf. Zijn overgrootvader, Cornelius Maesen, was afkomstig uit het Gelderse Buurmalsen en emigreerde in 1631 naar het toenmalige Nieuw Nederland. In Amerika werd zijn geboortedorp Buurmalsen in de boeken opgenomen als 'Buren Malsen', waarna zijn kinderen zich tooiden met de achternaam 'Van Buren'. Een van die kinderen, Abraham Van Buren, was een herbergier in het Newyorkse Kinderhook. Deze herberg was een geliefde uitspanning voor politici-op-doorreis zoals Alexander Hamilton en Aaron Burr, en 'Little Mat', zoals Amerika's nieuwe president toen werd genoemd, was een gretig toehoorder bij de politieke discussies die aan de toog van zijn vaders herberg plaatsvonden. Op zijn 24ste trouwde Van Buren met zijn jeugdliefde, Hannah (zelf noemde hij haar altijd Jannetje) Hoes. Na tien jaar huwelijk overleed Jannetje aan tbc; Martin Van Buren is niet meer hertrouwd.

## Van Buren organiseert Democraten

WASHINGTON, 7 december - Uit de verkiezing van Martin Van Buren tot president van de Verenigde Staten blijkt hoe belangrijk partijorganisatie en beroepspolitiek de afgelopen jaren in het politieke landschap zijn geworden. Van Buren is de belichaming van deze ontwikkeling.

De veranderingen zijn mogelijk geworden door de uitbreiding van het kiesrecht; in 1800 waren er nog maar twee staten die hun kiesmannen bij algemeen stemrecht aanwezen, maar inmiddels is dat tot alle deelstaten uitgebreid: elke blanke volwassen man kan nu aan de verkiezingen meedoen, zodat nu van een massa-electoraat gesproken kan worden.

Katalysator in de nieuwe politieke constellatie is president Andrew Jackson; het is rond zijn persoon dat de Democratische Partij zich heeft geformeerd en Van Buren is de man die de Jackson-Democraten tot een gedisciplineerde organisatie heeft omgesmeed. Jacksons tegenstanders hebben zich gegroepeerd in de Whig-partij: zoals de Engelse Whigs van de jaren zeventig van de vorige eeuw zich verzetten tegen koning George, zo wensten de Amerikaanse Whigs in het strijdperk te treden tegen 'King Andrew I'. De Whigs, die zichzelf niet als een partij maar als een gezelschap bezorgde burgers zien, hebben eigenlijk slechts één ding gemeen: verzet tegen Andrew Jackson en alles wat hij belichaamt.

De Democraten hebben zich onder Jackson ontwikkeld tot de partij van de 'kleine man'; de Whigs wensen het overheidsapparaat te gebruiken voor de belangen van het zich snel ontwikkelde kapitalistische bedrijfsleven.

Van Buren heeft de Democraten organisatorische slagkracht gegeven. Hij heeft het politieke handwerk in New York geleerd. Toen hij in 1821 lid van de Senaat werd, gaf hij de leidsels van de Newyorkse politiek over aan een groep vrienden, de 'Albany Regency'. Van Buren wist deze groep drie jaar later voor Jackson te winnen en zij vormt nu de harde kern van de Democratische Partij. De Jackson-Democraten rond Van Buren oefenen hun macht uit via een systeem van straf en beloning, controle van het staatsparlement en controle van het benoemingenbeleid. Doordat ze hún presidentskandidaten in het Witte Huis hebben zien belanden, hebben ze ook de federale benoemingen in handen gekregen. Van Buren en zijn vrienden beschouwen zichzelf als de voorvechters van 'het volk', maar ze vinden wel dat 'het volk' zich voor bescherming tegen de georganiseerde rijkdom moet laten leiden door politieke bazen en zich in het gareel moet laten houden door het patronagesysteem.

De Albany-groep heeft het politieke systeem dat ze in New York heeft ontwikkeld, de afgelopen jaren over de hele Unie uitgebreid; het is deze superieure organisatie geweest die Van Buren nu in het zadel heeft geholpen.

*De in Marseille overleden wis- en natuurkundige André Marie Ampère werd vooral bekend door zijn onderzoekingen op het gebied van de elektriciteit en het magnetisme. Het bestaan van elektriciteit was al eerder (1820) ontdekt, maar Ampère wist het optreden ervan te verklaren. De eenheid van elektrische stroom is daarom naar hem genoemd.*

# Houston president van republiek Texas

SAN ANTONIO, 30 april - De politieke en militaire strubbelingen tussen de Texaanse kolonisten en de Mexicaanse autoriteiten hebben een voorlopig einde gevonden in de verkiezing van commandant Sam Houston tot president van de republiek Texas. De weg naar Houstons verkiezing lag open nadat hij anderhalve week geleden met zijn leger de Mexicanen vernietigend had verslagen. Mexico weigert de onafhankelijkheid van de republiek Texas te erkennen maar heeft geen enkele macht meer over de voormalige Mexicaanse provincie Texas-Cohahuila.

Houston, voormalig Congreslid en ex-gouverneur van Tennessee, is een van de kleurrijke figuren uit de Amerikaanse politiek. Hij is een self-made man die in zijn jonge jaren enige tijd onder de Indianen heeft geleefd. Onder de beschermende vleugels van zijn vriend Andrew Jackson is hij na een militaire loopbaan zijn opmars in de politiek begonnen. De knappe Houston is door zijn vele huwelijken, onder andere met de Indiaanse Tiana Rogers, en zijn onconventionele gedrag (in Washington verscheen hij eens in Indianenkledij voor de minister van Oorlog) nu al een legende.

Sinds 1821 heeft Texas een grote toevloed van Amerikaanse kolonisten gekend. De groeiende macht van deze kolonisten en de onverholen expansiedrift van de Verenigde Staten waren de Mexicaanse overheid een doorn in het oog. Mexico vreesde een losscheuren

*Een overmacht van vierduizend Mexicanen bestormt het fort de Alamo.*

van Texas. De vrees voor een revolte van de Texanen werd gevoed door de overname van het Anahuac-garnizoen door William Barret Travis in juni vorig jaar en het uitroepen van een voorlopige regering. Bovendien begonnen de Texanen een leger te vormen en zochten zij hulp en steun in de Verenigde Staten.

De president van Mexico, Santa Ana, reageerde met straffe hand op deze ontwikkelingen en trok aan het hoofd van een leger Texas binnen. Begin dit jaar, op 23 februari, begon het inmiddels beruchte beleg van de Alamo te San Antonio. De 187 man in het missiefort - meest nieuwkomers uit de Verenigde Staten - hielden het tegenover de overmacht van 4000 Mexicaanse soldaten tot 6 maart uit. Na de val werd het complete garnizoen, onder wie de frontiersman Davy Crockett en James

Bowie die hun landgenoten te hulp waren gesneld, gruwelijk afgemaakt. Enige weken later werd Santa Ana verslagen door een leger Texanen die zich geschaard hadden achter de strijdkreet 'Remember the Alamo'.

De voorlopige regering, die op de hoogte was van het beleg van de Alamo, vaardigde op 2 maart een Onafhankelijkheidsverklaring uit en stelde vervolgens een grondwet op. Houston heeft inmiddels al laten weten geïnteresseerd te zijn in aansluiting bij de Verenigde Staten.

# Metternich lijdt gevoelige nederlaag

WENEN, 12 december - De 'Geheime Staatskonferenz', met als belangrijkste leden aartshertog Lodewijk, Fürst Metternich en graaf Kolowrat, is voor de eerste maal bijeengekomen. Dit college moet voorzien in het machtsvacuüm dat na de dood van keizer Frans I in maart vorig jaar in Oostenrijk is ontstaan. Frans is opgevolgd door zijn zwakzinnige zoon Ferdinand I, 'Nandl der Trottel', zoals hij in de Weense volksmond wordt genoemd. Sinds de dood van keizer Frans I staat Oostenrijk bekend als 'een absolute monarchie zonder monarch'.

Kort na het overlijden van keizer Frans I leek 'Haus-, Hof- und Staatskanzler' Metternich de machtigste man te worden. In het 'politieke testament' van de keizer was hem veel invloed toebedeeld, en op aartshertog Lodewijk, de regent voor de incapabele Ferdinand, had Metternich een groot overwicht. Bovendien kwam Metternichs belangrijkste rivaal, graaf Franz Anton Kolowrat-Liebsteinsky, in het testament van de keizer niet voor. Deze Boheemse edelman had sinds 1826 een machtspositie opgebouwd die verge-

*Ferdinand I, 'Nandl der Trottel'.*

lijkbaar was met die van een minister van Financiën. Hij had het vertrouwen van de keizer gewonnen omdat hij erin geslaagd was de staatshuishouding te saneren.

Nog tijdens het leven van Frans I deden

zich voortdurend ernstige conflicten voor tussen Metternich en Kolowrat. Terwijl Metternich de defensie-uitgaven wilde verhogen om Oostenrijks suprematie in Europa te handhaven, stond Kolowrat een isolationistische politiek voor. Volgens hem putte Metternichs geldverslindende buitenlandse politiek het land uit. Hij waarschuwde: 'Terwijl we ons tegen de pest van buiten wapenen, moeten we rekening houden met een beroerte van binnen.' Toen Kolowrat merkte dat hij door Metternich was uitgerangeerd, ging hij tot een tegenoffensief over. Hij zocht en vond steun bij aartshertog Johan, een broer van de keizer, die als regent was gepasseerd. Aartshertog Johan koesterde een groot wantrouwen jegens Metternich. Hij was bang dat de kanselier wilde 'terugkeren naar de tijd der Merovingen om als Pippijn de rol van majordomus te spelen'.

De installatie van de 'Geheime Staatskonferenz' betekent een gevoelige nederlaag voor Metternich. In dit orgaan moet hij op voet van gelijkheid samenwerken met zijn aartsvijand Kolowrat.

*Sam Houston in de pose van Marius, zijn favoriete Romeinse veldheer.*

# 'Pickwick Club' oogst veel succes

*Pickwick in de club aan het woord.*

ONDEN - De 24-jarige schrijver
harles Dickens lijkt een grote literaire
oekomst tegemoet te gaan: nadat eer-
er dit jaar zijn *Sketches of Boz* in
oekvorm waren verschenen, oogst hij
nu veel succes met zijn sinds april
in maandafleveringen verschijnende
*Posthumous Papers of the Pickwick
Club.*

Het feuilleton is een initiatief van de
uitgevers Chapman en Hall, die de jonge schrijver hebben gevraagd (nadat
twee andere auteurs het hadden laten
afweten) de tekst te maken bij een serie
platen van de bekende humoristische
tekenaar Robert Seymour. De platen
hadden de avonturen moeten weergeven van de Nimrod Club, een groep
sportamateurs; maar de schrijver, zo
hield Dickens zijn uitgevers voor, heeft
geen verstand van sport en wilde de
club graag wat meer gevarieerde inte-
resses of eigenaardigheden meegeven.
De groep heeft bovendien een andere
naam gekregen, de Pickwick Club, en
de tekst is geen 'illustratie' meer bij de
tekeningen (die na de dood van Seymour nu worden gemaakt door Hablot
K. Browne), maar de tekeningen, twee
per aflevering, zijn illustraties geworden bij de tekst van Dickens. Het feuilleton beschrijft de activiteiten van de
Pickwick Club, die geleid wordt door
Samuel Pickwick, een zeer naïeve en
goedaardige man van oudere leeftijd.

*De Marseillaise ('Het vertrek van de vrijwilligers van 1792'), een haut-reliëf van
François Rude aan de oostelijke kant van de Arc de Triomphe de l'Etoile in Parijs, de triomfboog die Napoleon voor de roem van zijn troepen wilde laten
oprichten en die na vele vertragingen dit jaar voltooid is. De bouw heeft dertig
jaar in beslag genomen. Het ontwerp van de boog is van de hand van Chalgrin.*

---

**18 juni.** In Spanje wordt een
gematigde liberale grondwet
uitgevaardigd.

**20 juni.** Na de dood van koning
Willem IV wordt zijn nicht
Victoria koningin van Engeland.

**20 juni.** Hannover wordt van
Groot-Brittannië gescheiden
omdat de Salische wet de
troonopvolging van vrouwen niet
erkent. De troon van Hannover
wordt tot 1851 bezet door Ernst
August, hertog van Cumberland,
de oudste overlevende zoon van
George III.

**28 augustus.** Op Sumatra geven de
padri's zich over aan de
autoriteiten. →

**5 september.** De Amerikaanse
president Martin Van Buren komt
met een serie maatregelen ter bestrijding van de economische
crisis. →

**16 september.** Ferdinand II, de
zoon van hertog Ferdinand van
Saksen-Coburg Saalfeld, wordt na
zijn huwelijk met de Portugese
koningin Maria I da Gloria en zijn
benoeming tot hertog van
Bragança, koning van Portugal. →

**Oktober.** Onder leiding van Pieter
Retief bereiken uit de Britse
Kaapkolonie geëmigreerde
Nederlandse boeren het 'beloofde
land' Natal waar zij zich vestigen.

**19 november.** In Oostenrijk wordt
de eerste spoorlijn tussen
Floridsdorf en Deutsch Wagram in
gebruik genomen. →

**24 november.** Na een overwinning
bij Saint-Denis worden Canadese
opstandelingen onder leiding van
Louis Joseph Papineau bij Saint-
Charles verslagen.

**5 december.** In het noorden van
Canada breekt weer een opstand
uit onder leiding van William
Lyon Mackenzie.

**12 tot 14 december.** Koning Ernst
August II van Hannover ontslaat
zeven professoren van de
Universiteit van Göttingen, onder
wie de gebroeders Grimm, die zich
verzetten tegen zijn herroeping van
de grondwet.

- Friedrich Fröbel opent de eerste
kleuterschool in de buurt van
Blankenburg.

- Isaac Pitman bedenkt het
'definitieve' systeem van de
stenografie.

- René Dutroche, Frans fysioloog,
ontdekt dat chlorofyl nodig is bij
de fotosynthese.

Gestorven:

**29 januari.** Aleksandr Poesjkin
(6-6-1799), Russisch schrijver →
**19 februari.** Georg Büchner
(17-10-1813), Duits
toneelschrijver →
**9 oktober.** Charles Fourier
(7-4-1772), Frans filosoof →

---

# Fourier pleitte voor coöperaties

PARIJS, 9 oktober - De utopische socialist Charles Fourier, scherp criticus
van de kapitalistische economie en
pleitbezorger van een systeem van coöperatieve associaties ('phalanstères'),
is op 65-jarige leeftijd overleden.
Fourier vond dat mensen in de huidige
maatschappij het grootste deel van hun
werkkracht besteden aan nutteloze
dingen, zoals bijvoorbeeld het maken
van sterk aan slijtage onderhevige kleding. Hij keerde zich tegen het stelsel
van concurrentie en pleitte voor coöperaties waarin met de eenvoudigste middelen datgene geproduceerd zou worden wat de mensen werkelijk levens-
vreugde verschaft. Zo'n phalanstère
zou moeten bestaan uit ongeveer 1600
mensen en de beschikking moeten krijgen over 2000 ha land. Landbouw, veeteelt en tuinbouw moeten de fundamenten van de economie moeten zijn
(Fourier liet er geen twijfel over bestaan dat hij de industrie verafschuwde). Iedereen moest, om de arbeids-
vreugde niet te verliezen, regelmatig
ander werk doen. In de coöperatie
hoorde volkomen vrijheid te heersen
ten aanzien van de wijze van samenleven; de jeugd diende zo veelzijdig
mogelijk te worden opgevoed en de
seksen moesten aan elkaar gelijkgesteld zijn.

# Georg Büchner: politiek radicaal

ZÜRICH, 19 februari - De Duitse
toneel- en novellenschrijver Georg
Büchner is onverwacht op 23-jarige
leeftijd aan tyfus overleden.
Büchner heeft tijdens zijn korte leven
drie toneelstukken geschreven die geen
van alle zijn opgevoerd: *Dantons Tod*
(1835), een drama over de Franse
Revolutie, de romantische komedie
*Leonce und Lena* (1836) en *Woyzeck,*
waarvan hij alleen een fragment heeft
kunnen voltooien.
Büchner raakte in zijn studietijd bezield van de idealen van de Franse Revolutie en werd een politiek radicaal,
hetgeen onder andere bleek uit zijn in
1834 verschenen *Der Hessische Land-
bote,* waarin hij zich fel keerde tegen
de onderdrukkende politiek van het
aartshertogdom Hessen. Ook richtte
hij een geheim genootschap op, 'Die
Gesellschaft der Menschenrechte'. Hij
wist toen aan arrestatie te ontkomen
door naar Straatsburg te vluchten,
waarna hij vorig jaar docent natuurwetenschappen in Zürich werd.
In het toneeldrama vond hij een goed
uitdrukkingsmiddel voor zijn politieke
ideeën. In het zeer realistische *Dantons
Tod* schildert hij met een overtuigend
psychologisch inzicht en vaak ironische humor de stappen die leidden tot
de executie van Danton.

*Aleksandr Poesjkin (door Orest Kiprenski, 1827; Tretjakov-Galerie, Moskou).*

# Duel voor Poesjkin fataal

ST.-PETERSBURG, 29 januari - De Russische dichter Aleksandr Sergejevitsj Poesjkin, die eergisteren zwaar gewond raakte in een duel, is aan zijn verwondingen bezweken. Hiermee verliest Rusland zijn grootste dichter en een van de grootste prozaschrijvers. In zijn korte leven - hij is 37 jaar geworden - schreef Poesjkin toneelstukken, verhalen en gedichten met een brede scala van onderwerpen: historische, folkloristische en realistische beschrijvingen van het huidige Rusland. Daarnaast hield hij zich met journalistiek bezig. Poesjkin vestigde zijn naam in 1820 met zijn ironische en grillige gedicht *Roeslan en Ljoedmila*. Sindsdien vloeiden vele werken uit zijn pen: *Jevgeni Onegin, De 'Kapiteinsdochter, Boris Godoenov, De bronzen ruiter* en vele andere.

Poesjkin kwam uit een aristocratische familie en ofschoon hij hooggeplaatste personen niet bepaald respecteerde en vaak puntige epigrammen op hen maakte, kan zijn gezindheid het best worden omschreven als conservatief in sociale en politieke kwesties, en liberaal op spiritueel en creatief terrein. Hij was aan het Frans georiënteerde Lyceum in Tsarskoje Selo opgeleid. Deze door tsaar Alexander opgerichte school, bedoeld om getalenteerde jongemannen uit prominente families voor de bureaucratie op te leiden, ademde in die tijd nog een vrije geest. Poesjkin werd door velen beschouwd als de dichter van de Dekabristen (1825), maar zelfs de geheime politie kon op geen enkele manier aantonen dat hij tegen het regime samenzwoer. Wel had hij vrienden onder de Dekabristen.

In 1826 werd hij vanuit zijn vaderlijk erfgoed, waarheen hij was verbannen omdat hij een generaal had beledigd, naar Petersburg gehaald. Tsaar Nicolaas had besloten zich persoonlijk met de lastige jongeman te bemoeien. Op de vraag van de tsaar wat hij zou hebben gedaan als hij op de dag van de Dekabristenopstand in St.-Petersburg zou zijn geweest, antwoordde Poesjkin onvervaard: 'Ik zou mij in de gelederen van de rebellen hebben bevonden.'

Op Poesjkins klacht dat de censuur bijzonder streng was bood de tsaar aan om zelf als zijn censor te fungeren. Sindsdien genoot Poesjkin het twijfelachtige genoegen van directe bescherming en supervisie van de tsaar en diens rechterhand graaf Benckendorff, die hem het liefst zo dicht mogelijk in de buurt hadden. Daartoe bezorgden zij hem een baantje in de Petersburgse archieven.

Poesjkin trouwde in 1831 met Natalja Gontsjarova. Zij was de aanleiding voor het fatale duel tegen George d'Anthès, aangenomen zoon van de Nederlandse ambassadeur in Petersburg, baron van Heeckeren.

*Schets van Poesjkin: 'Jevgeni Onegin'.*

# Economische paniek in VS

WASHINGTON, 5 september - De financiële crisis heeft in de Verenigde Staten tot een pankiesituatie geleid. Banken weigeren nog langer papiergeld aan te nemen. Op de katoenmarkt in New Orleans is de prijs van katoen tot de helft gedaald. In New York hebben werklozen protestmarsen gehouden tegen de hoge huren en de onbetaalbare prijzen van brandstof en voeding. Een woedende menigte plunderde pakhuizen waarin meel was opgeslagen.

President Martin Van Buren heeft vandaag in een speciale zitting van het Congres een serie crisismaatregelen voorgesteld. Hij wil de monetaire en economische crisis te lijf gaan door een strakker financieel overheidsbeleid. De inkomsten en uitgaven van het ministerie van Financiën moeten beter geregeld kunnen worden.

De huidige economische chaos vindt zijn oorsprong in het beleid van Van Burens voorganger, president Andrew Jackson. Die besloot om de overheidsgelden uit de nationale bank over te hevelen naar verscheidene lokale en staatsbanken. Jackson vond het monopolie van de centrale bank, de Second Bank of America, strijdig met democratische principes en wilde de macht van de staatsbank decentralise-ren en aldus het monopolie openbre[...] ken. Het ministerie van Financiën ha[...] echter weinig grip op de banken die o[...] basis van de overheidsdeposito's gro[...] leningen begonnen uit te geven welk[...] op een gegeven moment niet meer afge[...] lost konden worden. Dit heeft tot d[...] crisis geleid. Andere factoren zijn d[...] landspeculatie, de enorme inflatie, d[...] dollarexport door de toegenomen in[...] voer en de schuldenlast van verscheide[...] ne staten.

Van Buren wil Jacksons besluit u[...] 1833 min of meer terugdraaien. Hij [...] tegen het opnieuw instellen van een na[...] tionale bank en heeft een schatkis[...] systeem ontworpen. Met zijn Indepen[...] dent Treasury Bill wil hij de federale r[...] gering weer een machtsmiddel geve[...] waarmee de economie beheerst ka[...] worden. Inning, beheer, distributie[...] overschrijvingen en besteding va[...] overheidsgelden zijn zaken die doo[...] ambtenaren van de federale overhei[...] en níet door de zakenwereld moete[...] worden verricht, zegt president Va[...] Buren. De voorgestelde operatie dru[...] echter tegen de ideologie van zijn eige[...] partij in. De Democraten zijn imme[...] fervente voorstanders van de rechte[...] van de staten en zien in Van Buren[...] plan een herinvoering van een federa[...] monopolie.

*Met zorg wordt de onbetaalde rekening bekeken: de kredietkraan is dicht.*

Het koninklijk paleis in Lissabon, de residentie van de jeugdige Ferdinand II.

# Ferdinand koning Portugal

LISSABON, 16 september - Een jaar na zijn huwelijk met de Portugese koningin Maria II da Gloria is de net 21 jaar geworden Ferdinand II uit het Huis Saksen-Coburg-Gotha tot koning van Portugal gekroond. Maria, die troonopvolgster van Portugal werd toen haar vader het land een nieuwe (gematigd liberale) grondwet schonk, zou aanvankelijk in het huwelijk treden met haar oom Dom Miguel, die tevens het regentschap zou uitoefenen tot aan haar meerderjarigheid. Maar Dom Miguel brak zijn woord, stelde in Portugal een absolutistisch bewind in en werd daarop door zijn broer uit het land verjaagd (1834); hij stierf kort daarna.

Maria II, koningin van Portugal.

# Stoomtrein doet intrede in Oostenrijk

WENEN, 19 november - Met de feestelijke opening van de 'Kaiser-Ferdinands-Nord-Bahn' heeft de stoomtrein zijn intrede in Oostenrijk gedaan. De stoomlocomotief 'Austria' legt het traject tussen Floridsdorf (bij Wenen) en Deutsch Wagram in 25 minuten af. Een ooggetuige over de proefrit: 'De prachtige locomotief Austria, gebouwd in de werkplaats van Stephenson in Newcastle, trok acht wagons. Het vertrek van de trein op de mooie, brede spoorbaan was een imposant gezicht. Van alle kanten klonken jubelkreten [...] Met de blijde opwinding, die elke overwinning van de geest [...] in de nijverheid bij ons moeten wekken, begroeten wij de totstandkoming van een geweldige onderneming [...]'
Voor het uitgestrekte en bergachtige Habsburgse Rijk, waar het graven van kanalen zoveel problemen opleverde, is de aanleg van de eerste stoomspoorlijn een belangrijke mijlpaal in de economische ontwikkeling. Het initiatief hiertoe is niet uitgegaan van de staat, maar van Salomon Rothschild. Deze Weense bankier was onder de indruk gekomen van de enthousiaste verhalen

Deel van de route van de Oostenrijkse 'Kaiser-Ferdinands-Nord-Bahn'.

van de in Londen wonende Nathan Rothschild over de locomotief van de Engelse spoorwegpionier George Stephenson. Salomon Rothschild stelde Franz Xaver Riepl, sinds 1820 professor aan het Weense polytechnische instituut, in de gelegenheid om in Engeland, België en Duitsland stoomtreinen te bestuderen.
Niet alleen bij de aanleg van spoorwegen, maar ook in verscheidene andere Oostenrijkse bedrijfstakken spelen particulier initiatief en Engelse technologie een belangrijke rol. In 1830 contracteerde Riepl Britse inge-

nieurs om in de Moravische metaalindustrie het 'puddelen', een revolutionair procédé voor de vervaardiging van smeedijzer, te introduceren.
In het politiek en sociaal repressieve klimaat van het nog overwegend agrarische Oostenrijk maakt de nijverheid een autonome ontwikkeling door, dank zij de hechte samenwerking tussen particuliere ondernemers en technici. De Oostenrijkse industrie is echter geen continubedrijf: vaak zijn de afzonderlijke innovaties niet op elkaar afgestemd en vele ambitieuze projecten zijn nooit voltooid.

# Padri's geven zich over

Schepen op de rede van Padang aan de monding van de Arau.

PADANG, 28 augustus - De door de hongerdood bedreigde bezetters van het laatste padri-bolwerk Bonjol hebben zich moeten overgeven aan Michiels, de gouverneur van Sumatra's westkust. De padri's zijn leden van een streng islamitische sekte, die de afgelopen jaren poogde met geweld de Minangkabauers (een volk in Centraal-Sumatra) te dwingen met de koran strijdige traditionele instellingen af te schaffen. Ze richtten zich vooral tegen het matriarchale erfrecht, maar ook tegen hanengevechten, dobbelen en alcohol- en opiumgebruik.
De beweging werd aan het begin van deze eeuw gevormd door enkele haji's (moslems die Mekka bezocht hebben), die geïnspireerd waren door de machtsovername in Mekka (1803) van de zuiverheid in de leer nastrevende Wahhabieten. De padri's wonnen snel aan invloed en hun tuanku's (godsdienstleraren) gingen een bedreiging vormen voor de positie van de traditionele adat-hoofden. Enkelen van hen vluchtten naar de Hollandse nederzetting in Padang, waar ze hun gebieden in handen van Nederland stelden (1821).
De padri's waren heer en meester in de Padangse bovenlanden, nauwelijks bedreigd door weinig succesvolle militaire campagnes van de Hollanders. In 1830 - de Java-oorlog die jarenlang alle aandacht had opgeëist was net afgelopen - gaf gouverneur-generaal Van den Bosch persoonlijk leiding aan een in een jammerlijke nederlaag resulterende aanval op Bonjol, het centrum van de padri's. In 1832 leek de beweging aan sterkte ingeboet te hebben, maar het jaar daarop brak, onder leiding van de fanatieke tuanku Imam Bonjol (na zijn overgave verbannen naar Menado) een nieuwe opstand uit. Deze kon pas neergeslagen worden nadat de kust van Padang afgesloten werd voor alle handel, waardoor de bevoorrading stagneerde en de verzetshaarden van de padri's uitgehongerd konden worden.

# Arbeiders eisen kiesrecht voor mannen

*Ledenvergadering van de chartisten, voorhoede van de kiesrechtbeweging.*

LONDEN, 8 mei- In Londen is het zogenaamde *People's Charter*, een lijst met eisen van de arbeidersbeweging, gepubliceerd. Het program is opgesteld door William Lovett en Francis Place. De eerste kwam twee jaar geleden in het nieuws toen hij in Londen de Working Men's Association (Verbond van Werklieden) oprichtte. De lijst van eisen is bedoeld als politiek programma voor de hoofdstroom van de Britse arbeidersbeweging, de chartisten, een coalitie van zeer verschillende groepen arbeiders die niet tevreden zijn met de kiesrechthervorming van 1832, omdat die hun geen enkele politieke invloed geeft.

In het *People's Charter* worden zes eisen gesteld. De eerste eis geldt algemeen kiesrecht voor mannen. Verder verlangen de opstellers dat de district indeling zo zal veranderen dat alle kie districten een gelijk aantal inwone hebben. De manier waarop de kie districten nu zijn ingedeeld, zorgt het parlement voor een overwicht va het platteland. De derde en vierde e zullen het, wanneer zij worden ingewi ligd, mogelijk maken dat ook mense uit de arbeidersklasse parlementsli kunnen worden: de chartisten verla gen een salaris voor parlementslede en opheffing van de bepaling dat deze over een bepaalde hoeveelheid bez moeten beschikken. De twee laatste e sen hebben betrekking op de kiespro cedure: de chartisten willen dat er ied jaar verkiezingen worden gehouden e dat de invulling van het stembiljet i het geheim geschiedt, zodat geen ong oorloofde invloed op de kiezer ka worden uitgeoefend.

In de chartistenbeweging voeren dri groepen de boventoon: ten eerste he Politiek Verbond uit Birmingham, op gericht door de radicale bankier Tho mas Attwood, ten tweede een Londer se groep rond de genoemde Lovett e tot slot een groep onder leiding van d Ierse landeigenaar Feargus O'Conno uit Leeds. Deze laatste groep geeft zel een krant uit, de *Northern Star*, die n is uitgeroepen tot officieel orgaan va de chartisten. De leiders van de cha tistenbeweging hebben aangekondig dat zij door middel van fakkeloptoch ten, meetings en betogingen agitati gaan voeren voor de inwilliging va hun eisen.

De chartistenbeweging trekt sterk d aandacht, niet alleen omdat zij ee aanhang van honderdduizenden heeft maar ook omdat hier sprake is van ee landelijke organisatie, terwijl arbei ders tot dusverre hun onvrede voorna melijk incidenteel uitten door betogin gen, vergaderingen of zelfs rellen.

# Boeren stichten hun eigen republieken

*Links: de Boerenleider Pieter Retief. Rechts: Boeren tijdens de Grote Trek.*

TRANSVAAL - Tussen de rivieren de Vaal en de Limpopo (Transvaal) zijn verscheidene Boerenrepublieken ontstaan. Drie jaar geleden begonnen de Boeren hun Grote Trek, waarbij zij zich buiten Britse jurisdictie vestigden uit ontevredenheid over het Britse bestuur in de Kaapkolonie. Deze Grote Trek heeft voor het patriottistische bewustzijn van de Boeren een grote betekenis, vergelijkbaar met die van de Boston Tea Party voor de Amerikanen.

Onder leiding van Andries Hendrik Potgieter trokken zij over de Vaal en vestigden zich in Transvaal. Een groep onder leiding van Pieter Retief trok de Drakensberg over en begon vorig jaar met de bezetting van Zoeloeland en Natal, gebieden die ontvolkt waren geraakt door oorlogen van de koning der Zoeloes, Tsjaka.

Bij onderhandelingen met de Zoeloes werd Retief op 6 februari van dit jaar door de al evenzeer gevreesde opvolger van Tsjaka, koning Dingaan, vermoord. In een vergeldingsveldtocht versloeg Andries Pretorius op 16 december Dingaan bij Bloed Rivier. 3000 Zoeloes werden gedood terwijl maar drie Boeren gewond werden; weer een bewijs dat de Boeren onoverwinnelijk zijn zolang zij het zijn die de tactiek kunnen bepalen.

*Britse arbeiders in een ijzergieterij.*

*De jonge koningin Victoria, opvolgster van haar overleden oom Willem IV.*

# Victoria jonge vorstin

LONDEN, 28 juni - In Londen is Victoria tot koningin van Engeland gekroond. Zij volgt haar oom, de kinderloos overleden Willem IV, op.

Victoria Alexandrine werd op 24 mei 1819 geboren als enig kind van de hertog van Kent en prinses Louise van Saksen-Coburg. Haar vader, een broer van de vorig jaar overleden koning Willem IV, stierf reeds in 1820, het jaar na de geboorte van zijn dochter. Toen Willem IV kinderloos stierf riep het parlement Victoria nog op dezelfde dag (20 juni 1837) uit tot koningin. Met deze troonsbestijging worden de tronen van Engeland en Hannover, die sinds 1714 verbonden waren, van elkaar losgekoppeld. De wet van het koninkrijk Hannover staat namelijk niet toe dat een vrouw er de troon bestijgt. Derhalve is een neef van Victoria, Ernst August van Hannover, tot koning uitgeroepen.

De jonge vorstin - zij werd vorige maand negentien jaar - is nog ongetrouwd. Men verwacht echter dat zij binnen niet al te lange tijd zal trouwen om de toekomst van het vorstenhuis veilig te stellen. Bij de kroning waren verscheidene huwelijkskandidaten aanwezig, onder wie Albert van Saksen-Coburg.

*Charles Maurice de Talleyrand is op 17 mei op de hoge leeftijd van 84 jaar in Parijs gestorven. Als ambassadeur en minister van Buitenlandse Zaken onder zowel Napoleon als Lodewijk XVIII heeft hij gedurende tientallen jaren een stempel gedrukt op de Franse politiek.*

**20 januari.** Bij Yungay verslaat Chili het Boliviaans-Peruaanse leger. De oorlog begon in 1836 na de vorming van de Unie, die nu wordt opgeheven.

**24 februari.** Uruguay verklaart Argentinië de oorlog wegens annexaties van Uruguayaans grondgebied.

**9 maart.** In Pruisen wordt een wet op de kinderarbeid aangenomen. →

**19 maart.** De Belgische volksvertegenwoordiging gaat akkoord met het verdrag tot afscheiding van Nederland. →

**19 april.** Pruisen, Oostenrijk, Rusland, Frankrijk en Nederland ondertekenen het Protocol van Londen, waarin de Belgische onafhankelijkheid en neutraliteit worden bevestigd. Het groothertogdom Luxemburg blijft een Duitse bondsstaat en in een personele unie verbonden met Nederland. →

**17 juni.** Charles Goodyear, Amerikaans technicus, vindt het vulkaniseren van rubber uit. →

**24 juni.** Tijdens de tweede oorlog tegen het Osmaanse Rijk verslaat de Egyptische stadhouder Mohammed Ali de Turkse troepen bij Nezib. De Turkse vloot loopt naar Mohammed Ali over.

**25 juni.** In China wordt een grote hoeveelheid opium vernietigd in het kader van de bestrijding van de opiumhandel. →

**1 juli.** Sultan Mahmoed II van Turkije overlijdt en wordt opgevolgd door Abdül-Medjid. →

**19 augustus.** De Franse uitvinder Louis Daguerre presenteert in Parijs de eerste 'daguerreotypen', een nieuwe stap in de ontwikkeling van de fototechniek. →

**23 augustus.** Hong Kong wordt door de Britten ingenomen in de oorlog met China.

**20 september.** In Nederland wordt de eerste spoorlijn tussen Haarlem en Amsterdam feestelijk geopend. →

**Najaar.** In Frankrijk vinden 60 hongeroproeren plaats. →

- Christian Friedrich Schönbein ontdekt tijdens de waarneming van zich ontladende batterijen het ozon.

- Theodor Schwann verklaart dat alle organen van dieren uit cellen bestaan die ontstaan zijn door deling van eicellen.

- Stendhal schrijft *La chartreuse de Parme.* →

- Het tweedelig geologisch werk *The Silurian System* van Roderick Murchison verschijnt.

## Psychologische roman Stendhal

*De Franse romancier Stendhal.*

PARIJS - Marie-Henri Beyle, die onder het pseudoniem Stendhal enkele door zijn tijdgenoten weinig gewaardeerde romans op zijn naam heeft staan waarin hij zich laat kennen als een 'romantisch' schrijver die niet gediend is van de traditionele, koele regels van het classicisme, heeft zijn nieuwste boek gepubliceerd, *La Chartreuse de Parme*.

Het is een historische roman, gesitueerd in de post-Napoleontische tijd, waarin het verhaal wordt verteld van de jonge Fabrizio del Dongo. De lezer wordt meegevoerd langs de Slag bij Waterloo, het leven en de intriges aan een klein Italiaans hof, de romantische liefde, gevangenschap, priesterschap, om ten slotte uit te komen in een kartuizer klooster. Beyle, die consul is in Civitavecchia, heeft de roman tijdens zijn verlof in Parijs vorig najaar in een tijd van zeven weken geschreven.

Beyle heeft twee eerdere romans geschreven: hij debuteerde als romancier in 1872 met *Armance*, drie jaar later gevolgd door *Le Rouge et le Noir*. Daarvoor is hij vooral actief geweest als schrijver van boeken over muziek (*Les Vies de Haydn, de Mozart et de Metastase, Vie de Rossini*), over literatuur (*Racine et Shakespeare*), schilderkunst (*Histoire de la peinture en Italie*) en reizen (*Rome, Naples et Florence*).

De soms autobiografisch getinte romans die Beyle/Stendhal tot dusver heeft gepubliceerd, worden gekenmerkt door een sterk psychologische benadering, waarin de hoofdpersoon een 'buitenstaander' is die zich niet kan conformeren aan de maatschappelijke codes.

Het feit dat zijn tijdgenoten niet erg veel waardering voor zijn romans hebben, lijkt de auteur niet te deren. Hij wil schrijven voor latere generaties: 'Ik heb een lot in een loterij gekocht', zei Beyle enkele jaren geleden, 'en de prijs is dit: ook in 1935 nog gelezen te worden.'

# Kinderarbeid geregeld

*Kinderen als bouwvakkers (door Ferdinand G. Waldmüller).*

BERLIJN, 9 maart - De Pruisische regering heeft bij wet de kinderarbeid geregeld. Kinderen van negen jaar of jonger mogen niet meer in de fabrieken of mijnen werken. De arbeidstijd voor kinderen tot zestien jaar is vastgesteld op maximaal 8,5 uur per dag. 's Nachts en op zondag mogen de kinderen niet werken. Bovendien mogen ondernemers geen kinderen beneden de zestien jaar in dienst nemen, die niet minstens drie jaar naar school zijn geweest. Deze laatste verplichting vervalt wanneer de ondernemer een fabrieksschool opricht.

De eerste discussies in de Pruisische Landdag over de noodzaak om grenzen aan de kinderarbeid te stellen, dateren van vier jaar geleden. Toen begonnen er alarmerende berichten te verschijnen over de slechte morele en fysieke toestand waarin de kinderen van de armsten zich bevonden. Eén van die berichten was afkomstig van de heer Keller, een lid van de Pruisische regering. Hij bezocht de Pruisische Rijnprovincies en beschreef in een rapport wat hij daar in de fabrieken had gezien. 'Ik bezocht een fabrieksruimte, waarin 150 arbeiders werkten. Onder hen waren 60 tot 70 kinderen van 8 jaar of ouder,' aldus het rapport. 'De kinderen werkten dagelijks van 5 uur 's morgens tot laat in de avond, met

een middagpauze van één uur.'
In de fabrieksruimte knoopte de heer Keller een gesprek aan met een paar jeugdige arbeiders. Hij stelde hun vragen over gewone dagelijkse dingen uit hun leven.
Hoewel de kinderen op hem een open en levendige indruk maakten, bleek dat ze zijn vragen of totaal niet begrepen of in een zeer ruwe taal beantwoordden.
Keller maakte hierover de werkmeester heftige verwijten. 'Maar', aldus Keller, 'de man wist niet hoe hij de dreigende verwildering van de volgende generatie kon tegengaan.' De werkmeester vertelde dat er in Bonn nauwelijks scholen waren voor de kinderen van de armsten. De fabriekskinderen behoorden volgens hem nog tot de fatsoenlijksten. Kinderen die niet werkten, gingen door 'het weer, de bedelarij en het ongeregelde leven geheel te gronde'.
Het rapport van Keller wordt door andere berichten aangevuld. De keuringsdienst voor het leger wijst erop dat veel jongeren te zwak zijn voor de militaire dienst.
Of de nu uitgevaardigde wet ter beperking van de kinderarbeid zal worden nageleefd, is echter de vraag. Er is geen commissie ingesteld die controle op de naleving ervan kan uitoefenen.

*Koning Willem I in gesprek met de Belgische industrieel John Cockerill.*

# Akkoord over afscheiding

BRUSSEL, 19 maart - Na een met grote spanning tegemoetgezien en tumulteus debat is de Kamer van Volksvertegenwoordigers met 58 tegen 42 stemmen akkoord gegaan met de inhoud van het eindverdrag over de voorwaarden tot afscheiding van Nederland. Het verdrag, dat volgende maand in Londen zal worden geratificeerd, bepaalt onder meer dat het Duitse deel van Luxemburg, Maastricht en Limburg over de Maas aan Nederland zullen moeten worden afgestaan en dat Zeeuws-Vlaanderen en beide oevers van de Scheldemonding bij Nederland blijven. Ook de verdeling van de staatsschuld is definitief geregeld (België moet jaarlijks vijf miljoen gulden of meer dan tien miljoen Belgische franken aan aflossing betalen), evenals de vrije vaart op de Schelde, waarbij Nederland overigens wel tol zal mogen heffen.
Vooral het afstaan van delen van Limburg en Luxemburg is voor veel Kamerleden een moeilijk te verteren zaak gebleken. Sinds 1831 maken zij deel uit van het Belgisch koninkrijk en de meeste inwoners van genoemde gebieden schijnen daar niet ongelukkig mee te zijn. Maar de grote mogendheden, en met name Pruisen en Rusland, steunen de territoriale aanspraken van de Nederlandse koning Willem I. Er is dan ook sterke internationale druk op België uitgeoefend om het verdrag te aanvaarden. Er is zelfs sprake geweest van oorlogsdreiging, toen Nederlandse en Pruisische troepen samentrokken bij de Belgische grens, waar ook het Belgische leger in staat van paraatheid gebracht werd. Tot een confrontatie is het (nog) niet gekomen, maar de spanning is duidelijk merkbaar.
Acht jaar geleden, kort na de Tiendaagse Veldtocht, zijn de XXIV-artikelen van het eindverdrag opgesteld, maar in tegenstelling tot de Belgen weigerde koning Willem I toen ze te ondertekenen. De in Londen gevoerde onderhandelingen raakten

daardoor in een impasse, tot vorig jaar maart Willem I plotseling te kennen gaf alsnog met het verdrag in te stemmen. Het waren toen echter de Belgen die gingen dwarsliggen. Zij eisten verandering van de territoriale regelingen, maar al spoedig werd duidelijk dat daarop weinig kans bestond.
Desondanks werd er in het parlement maandenlang over de kwestie gedebatteerd, waarbij de emoties vaak hoog opliepen. Enkele ministers boden hun ontslag aan en een volksvertegenwoordiger, Bekaert-Baeckelandt, wond zich tijdens een redevoering in de kamer zodanig op dat hij na afloop ervan in elkaar zakte en ter plekke overleed. Het tragische incident vond vijf dagen geleden plaats.
Ook vandaag, bij de eindstemming, ging het er ongemeen heftig toe. Zo verliet de liberaal Alexandre Gendebien, nadat hij zich realiseerde voor een verloren zaak te vechten, woedend de zaal. Hij motiveerde daarbij zijn stemgedrag met de uitroep 'Non 380 000 fois non, pour les 380 000 Belges, que vous sacrifiez à la peur', en liet meteen weten de politiek vaarwel te zeggen.

*Leopold I van België.*

# Chinezen strijden tegen opiumhandel

KANTON, 25 juni - In de monding van de Parelrivier op het strand van Humen heeft een openbare vernietiging van opium plaatsgevonden. Deze demonstratie is een voorlopig hoogtepunt in het conflict over de lucratieve opiumhandel, waaraan vooral de Engelse handelaren in Kanton het grootste deel van hun inkomsten te danken hebben.

De vernietiging van opium begon op 3 juni. Een grote menigte Chinezen en buitenlanders keek toe hoe 20 291 kisten op het strand van Humen (Tijgerpoort) werden opengebroken en de inhoud werd vermengd met kalk en zeewater. Acht kisten werden als bewijsstukken naar Peking gestuurd. De actie vond plaats op bevel van Lin Zexu, de gouverneur van de provincies Hubei en Hunan, en speciaal gevolmachtigde van keizer Dao Guang.

Na de vernietiging van de opium werden alle beperkingen die in de voorafgaande periode van kracht waren ten aanzien van buitenlanders in Kanton opgeheven. Alle Engelsen trekken zich nu echter terug in Macau en Hong Kong en weigeren de belofte af te leggen dat ze zich in de toekomst niet met de opiumhandel zullen bezighouden.

Het verbod op de opiumhandel is het gevolg van het keizerlijk besluit van eind vorig jaar om op het verbouwen,

*De haven van Kanton met buitenlandse handelsvestigingen.*

*Engeland dringt China opium op.*

het verspreiden en gebruiken van opium de doodstraf in te stellen. Het besluit werd genomen na jarenlange discussie over de regulering van de opiumhandel. Dit interne geschil aan het hof werd ten slotte beslecht door het argument dat door de grote groei van het opiumgebruik in de laatste decennia de uitvoer van zilver uit China naar het buitenland tot alarmerende

hoogte was gestegen. Toen pas kreeg Lin Zexu, die de reputatie van een onkreukbare confuciaan geniet, de opdracht om in Kanton een einde te maken aan de invoer van opium in China door buitenlanders.

Hoewel de morele aspecten van de zaak in Engeland en andere Europese landen tot grote interne meningsverschillen hebben geleid, wordt de positie

van de Chinese overheid jegens buitenlanders ernstig ondermijnd door de combinatie van de overbekende zwakke militaire positie van het land en het vasthouden door de Chinese regering aan officiële omgangsvormen met buitenlanders hoewel dezen de Chinezen als inferieur behandelen. Vooral dit laatste verklaart waarom het verbod op de opiumhandel door vele buitenlanders als een voorwendsel wordt beschouwd om eens en voor altijd de Chinezen duidelijk te maken hoe de machtsverhoudingen in werkelijkheid liggen.

# Daguerreotypie: 'fotografisch tekenen'

PARIJS, 19 augustus - De Franse regering heeft een gedetailleerde beschrijving gepubliceerd van het door Louis J.M. Daguerre ontwikkelde 'fotografisch tekenen'. In Engeland werd in maart van dit jaar al een andere methode bekendgemaakt.

De methode van de Franse decorbouwer en uitvinder Daguerre gaat terug op het werk van de in 1833 overleden J.N. Nièpce. Nièpce, een amateuruitvinder uit Chalon-sur-Saône, gebruikte een mengsel van tin en lood om, zoals hij het zelf noemde, te heliograferen, dat wil zeggen te tekenen met licht. Een schuur op het erf, in 1826 door Nièpce vastgelegd vanuit het raam van zijn landhuis, geldt als de eerste echte foto ooit gemaakt. Er was een belichtingstijd voor nodig van bijna acht uur.

Samen met Nièpce en diens zoon heeft Daguerre vanaf 1829 gewerkt aan een betere techniek. Voor het maken van een zogenaamde daguerreotypie wordt nu een met zilvermengsel bewerkte koperplaat gebruikt. 'Met deze techniek', aldus Daguerre, die de rechten voor zijn uitvinding onlangs voor een levenslang jaargeld aan de Franse regering heeft verkocht, 'kan men zonder kennis van chemie of natuurkunde, binnen een paar minuten de meest ge-

*Een 'fotografische tekening' (daguerreotypie) van een Parijse boulevard.*

*Detail uit bovenstaande foto.*

detailleerde vergezichten maken.' Veel minder gedetailleerd zijn de foto's die worden genomen volgens de tech-

niek van de aan de universiteit van Cambridge verbonden wetenschapper William H. F. Talbot. Voor deze afbeeldingen, die op papier worden afgedrukt, wordt eerst een negatief ontwikkeld. Talbot publiceerde zijn bevindingen kort nadat het nieuws van Daguerres ontdekking Engeland had bereikt.

Bron van inspiratie voor Daguerre en Talbot is overigens de camera obscura geweest. Deze reeds bij Aristoteles bekende 'donkere kamer' wordt dan ook beschouwd als het prototype van het fototoestel.

# Liberty Party tegen slavernij

*Slaven op de vlucht.*

WARSAW, 13 november - Amerikaanse tegenstanders van de slavernij die dit verschijnsel met onafhankelijke politieke actie willen bestrijden, hebben zich afgescheiden van Garrisons American Anti-Slavery Society en tijdens een bijeenkomst (N.Y.) een eigen politieke partij opgericht, de Liberty Party. Hun grote voorman is James Birney uit Kentucky, die eens zelf slavenhouder was (hij heeft zijn slaven vijf jaar geleden de vrijheid gegeven). Birney en zijn volgelingen kunnen zich niet langer vinden in Garrisons verzet tegen politieke actie.

# Veel ongemak op nieuwe spoorlijn Haarlem-Amsterdam

AMSTERDAM, 1 november - Het regent klachten over de dienstverlening op de nieuwe spoorlijn tussen Amsterdam en Haarlem. De dienstregeling belooft een reistijd van een halfuur, maar de reis duurt soms tot tweemaal zo lang. Het station in Haarlem is 'een benauwd hok', in Amsterdam moeten de treinreizigers zich eerst per omnibus naar de grens van de stad begeven, naar een houten loods midden in de weilanden bij Sloten.

Om de plaatsen in de wagons moet gevochten worden, omdat de employés van de spoorweg niet alle wagons tegelijk, 'maar slechts den een na de anderen open stellen, waardoor een zoodanig verward gedrang ontstaat, dat men niet dan onder stompen en duwen, stooten en slagen, kan plaats krijgen...' Velen schijnen dan ook de aloude diligence te prefereren boven de trein.

Ondanks deze kinderziekten werd het hoog tijd dat ook Nederland zijn spoorweg kreeg; het land loopt duidelijk achter op de omringende landen. België kreeg al in 1835 zijn eerste spoorlijn, Engeland in 1830. Talrijke bezwaren zijn in de afgelopen jaren tegen de aanleg van een spoorweg aangevoerd, die vooral voortkwamen uit behoudzucht. Het is te danken aan de inzet van koning Willem I dat de weinige ondernemende lieden met vooruit-

*Onder grote publieke belangstelling wordt de spoorlijn Haarlem-Amsterdam geopend.*

ziende blik die Nederland telt, toch de kans hebben gekregen om iets te proberen.

Ook op andere terreinen dan de aanleg van spoorwegen regeert de behoud zucht. Terwijl elders de stoomvaart in snel tempo de zeilvaart verdringt, blijft men hier vasthouden aan de eeuwenoude gebruiken.

Toch is aan de moderne tijd niet te ontkomen. De plannen om Antwerpen met het Duitse achterland te verbinden, de zogenaamde IJzeren Rijn, zijn in een vergevorderd stadium.

Ook de Nederlanders zullen hun we gen moeten verbeteren, kanalen moe ten graven en spoorwegen aanleggen wil de handelspositie van Nederlano niet nog verder achteruitgaan te opzichte van andere Europese lan den.

# Graanschepen in Franse havens doelwit van oproerlingen

NANTES, najaar - Oproerlingen hebben met geweld verhinderd dat graanschepen uit de haven van Nantes konden vertrekken. Zij protesteren met deze actie tegen de export van graan op een moment dat Frankrijk zelf met grote voedseltekorten kampt. In de havens van Brest en La Rochelle deden zich soortgelijke incidenten voor. Het is de tweede keer binnen één jaar dat opstandige Fransen zich verzetten te-

gen de graanuitvoer. Vorig jaar december deed zich ook een golf van protestacties in de westelijke havensteden voor.

Maar niet alleen in de havensteden kwamen ongeregeldheden voor. In het binnenland werden dit jaar 60 hongeroproeren geregistreerd. In 34 gevallen ging het om blokkades van waterwegen, die toegang geven tot de Loire. Via deze rivier worden Parijs en de grote

exporthavens bevoorraad. De oproerlingen hielden schepen aan en verhinderden dat graan uit hun regio werd weggevoerd. Zij wilden hiermee voorkomen dat hun eigen voorraden te klein zouden worden en de prijzen zouden stijgen. Ook de landwegen ten noorden van Berry en Limousin in Midden-Frankrijk werden op verscheidene punten door de plaatselijke bevolking gebarricadeerd.

De protestacties werden behalve doo de honger ook aangewakkerd door d grote werkloosheid in sommige stre ken. In Normandië en Bretagne dede vooral werkloze textielarbeiders me aan de hongeroproeren.

Protestacties, zoals het verhindere van graantransporten, hebben zich i Frankrijk sinds het midden van de 17d eeuw veelvuldig voorgedaan.

In die periode begon Frankrijk zich t ontwikkelen tot een absoluut geleid staat. De bevolking verzette zich tege de overheid, die centraal besliste hoe d graanvoorraden verdeeld moester worden, maar weigerde de bevolking te hulp te schieten als er ergens voedsel tekorten ontstonden.

Veel Fransen kwamen om van de hon ger zonder dat de overheid een hand uitstak.

Het volk voelde zich het slachtoffe van een centralistisch beleid, dat alleer oog had voor de grote internationale politiek maar de gewone mensen ver gat.

Honger en gekwetst rechtsgevoel heb ben het politieke bewustzijn van de Fransen verscherpt.

In perioden van voedseltekorten grij pen zij naar het enig mogelijke wapen de massale protestactie, zoals deze in Nantes is uitgevoerd.

# Goodyear kan rubber vulcaniseren

NEW HAVEN, 17 juni - De Amerikaan Charles Goodyear is er na jaren experimenteren in geslaagd een methode te ontwikkelen om van ruwe rubber een bruikbaar produkt te maken dat bij hoge temperaturen niet kleverig wordt, noch gaat smelten en evenmin bij lage temperaturen stijf wordt en verbrokkelt. Hij heeft op zijn procédé patent aangevraagd en wil het nieuwe materiaal gebruiken voor produkten als schoenen, tafelkleden en dekkleden voor piano's.

De ontdekking van dit 'vulcanisatieproces' betekent een grote persoonlijke triomf voor de 39-jarige Goodyear. Hij is de afgelopen jaren volkomen door het gevecht met de materie geob-

sedeerd geweest. Ondanks zijn armoedige omstandigheden - hij heeft de gevangenis wegens schulden vele malen van binnen gezien - heeft hij zich met koppige vasthoudendheid met de nieuwe ontwikkelingen beziggehouden. Hij kleedde zich zelfs in zijn experimentele produkten: 'Als je een man tegenkomt in een rubberhoed, -jas, -vest en -schoenen en met een rubberportemonnee zonder één cent erin, dan is hij het,' zei een vriend over hem.

Goodyear heeft al eens eerder gemeend een methode te hebben gevonden om de eigenschappen van de natuurrubber te verbeteren. Daartoe behandelde hij de rubber met salpeterzuur. Drie jaar geleden sleepte hij een contract van de

Amerikaanse regering in de wacht om via deze methode postzakken te produceren, maar het rubbermateriaal bleek bij hogere temperaturen aangetast te worden. Een jaar later ging hij een compagnonschap aan met Nathaniel Hayward, die had gewerkt bij een rubberfabriek in Roxbury en bij wijze van experiment rubber met zwavel had vermengd. Goodyear kocht van Hayward de rechten op dit nog onvolmaakte procédé, dat hij nu heeft weten te vervolmaken, zij het door puur toeval: per ongeluk heeft hij in de keuken op de kachel een mengsel van rubber en zwavel laten vallen en zag tot zijn verrassing dat het materiaal hard werd: de rubber werd gevulcaniseerd.

*e stadsmuur van Constantinopel dateert uit de Romeins-Byzantijnse periode.*

# Sultan wil hervormingen

CONSTANTINOPEL, 1 juli - In aanwezigheid van vertegenwoordigers van de christelijke Kerken binnen het Osmaanse Rijk heeft de jonge sultan Abdül-Medjid hervormingen afgekondigd in de *Gyulkhan Hatt-i-Sjerif*. Met deze intentieverklaring wordt de onschendbaarheid van leven, eer en bezittingen van alle Turkse onderdanen, ongeacht of zij moslem dan wel christen zijn, toegezegd. Daarnaast zal het belastingsysteem worden verbeterd. De afkondiging van deze, op papier althans, verregaande hervormingen is het resultaat van de druk van de grote westerse mogendheden, die tot elke prijs Russische interventie willen voorkomen.

Abdüls voorganger Mahmoed II probeerde al veranderingen door te voeren met als doel de moslemgemeenschap te dienen. De sultan kleedde zich als een Europees heerser: de fez verving de tulband, de frak de boernoes, en hij dwong zijn ambtenaren hetzelfde te doen. Mahmoed II woonde concerten en recepties op de westerse ambassades bij. Deze gewijzigde houding ten aanzien van de buitenwereld was ook zichtbaar in het bestuur. In 1836 werd het ministerie van Buitenlandse Zaken opgericht, terzelfder tijd werden er permanente ambassades in de voornaamste Europese hoofdsteden gevestigd. De basis was gelegd voor een nader begrip van de Europese staten. Veranderingen blijven echter moeilijk door te voeren. Het onderwijs moet worden gemoderniseerd; een haast on-

*De Osmaanse sultan Abdül-Medjid.*

mogelijke opgave gezien het feit dat dit traditioneel tot het terrein van de religieuze autoriteiten, de *ulema*, behoort. Hetzelfde geldt voor het leger, waar de Pruisische officier Helmut von Moltke zich met de militaire reorganisatie bezighoudt. Britse adviseurs zijn werkzaam in de marine.

Mahmoed heeft echter de krachten van zijn deels gereorganiseerde leger zwaar overschat. De dit jaar aan Egypte verklaarde oorlog is rampzalig verlopen. Voordat de sultan de volle omvang van de nederlaag kon vernemen overleed hij in juli. Door bij de nieuwe sultan op verregaande hervormingen aan te dringen hopen Engeland en Frankrijk dat de ergste misstanden jegens de onderworpen christenen worden rechtgezet, waarmee Rusland, dat zich graag opwerpt als beschermer van de Balkanchristenen, de wind uit de zeilen wordt genomen.

*gang van een onderaardse grafkelder in het Syrische kustgebied (circa 1810).*

---

**10 februari.** Koningin Victoria van Groot-Brittannië en Ierland trouwt met haar neef prins Albert van Saksen-Coburg- Gotha.

**29 april.** De Hongaarse radicaal Lajos Kossuth wordt amnestie verleend. →

**6 mei.** In Engeland wordt de eerste postzegel uitgebracht. →

**15 juli.** Pruisen, Oostenrijk, Groot-Brittannië en Rusland sluiten in Londen de Viervoudige Alliantie ter bescherming van het Osmaanse Rijk tegen de door Frankrijk gesteunde Mehmed Ali.

**23 juli.** In Rio de Janeiro wordt kroonprins Peter op 16-jarige leeftijd gekroond tot keizer van Brazilië.

**Juli.** De Carlistenoorlog in Spanje is afgelopen. →

**6 augustus.** De staatsgreep in Boulogne van Lodewijk Napoleon, de neef van voormalig keizer Napoleon, mislukt. →

**20 september.** In Paraguay overlijdt dr. Francia, president sinds 1814. Hij wordt opgevolgd door een junta onder leiding van Carlos Lopez.

**7 oktober.** Koning Willem I van Nederland treedt af. Hij wordt opgevolgd door zijn zoon Willem II. →

**November.** De Afghaanse troepen geven zich over. De oorlog tussen Groot-Brittannië en Afghanistan is ten einde.

**2 december.** William Henry Harrison (Whig) wordt tot president van de Verenigde Staten gekozen. →

**15 december.** Het lichaam van Napoleon wordt bijgezet in het Hôtel des Invalides in Parijs. →

- De Schotse smid Macmillan introduceert de trapfiets. →

- El Salvador verklaart zich definitief onafhankelijk van Spanje en heft de Unie van Centraalamerikaanse Staten op. →

- Groot-Brittannië vaardigt de 'Canada Union Act' uit, waarin Opper- en Neder-Canada tot één provincie verenigd worden.

- In het Turkse Rijk laait na de Damascus-affaire het antisemitisme op. →

- Frankrijk heft na anderhalf jaar de blokkade van de haven Buenos Aires op, welke begonnen was naar aanleiding van een handelsgeschil.

- Pierre J. Proudhon wordt na een rechtszaak wegens zijn boek *Qu'est-ce que la propriété?* vrijgesproken.

Gestorven:

**27 mei.** Niccolò Paganini (27-10-1782), Italiaans violist en componist→

---

# 'Een held van onze tijd' lijdt aan levensmoeheid

SINT-PETERSBURG - De jonge dichter-soldaat Michail Joerjevitsj Lermontov heeft zijn eerste roman gepubliceerd: *Geroi nasjego wremeni* (Een held van onze tijd).

De roman geeft een portret van een jonge aristocraat tijdens het bewind van tsaar Nicolaas I. De held van het verhaal, Grigori Alexandrovitsj Petsjorin, ziet zich geconfronteerd met het dilemma waar alle jongemannen van deze tijd mee te maken krijgen: dienstverlening aan de staat of passief blijven (alle andere uitlaatkleppen voor de talenten en de energie van de Russische aristocratie zijn afgesloten). De eigenzinnige en morbide Petsjorin reageert op dit dilemma door het leven te leiden van een Byron-achtige zwerver vol levensmoeheid.

Lermontov heeft tot nu toe alleen naam gemaakt als dichter; veel van zijn gedichten spelen zich af in de Kaukasus, waarnaar hij verbannen is geweest vanwege een gedicht waarin hij zich, na de dood van Poesjkin, keert tegen het hof.

*De Italiaanse violist en componist Niccolò Paganini is op 27 mei in Nice overleden. Paganini, die de grootste vioolvirtuoos van zijn tijd was, werd een volksidool met zijn optreden in Wenen in 1828; zijn latere optredens in Parijs en Londen (1831) waren al even sensationeel. Hij vestigde zich in 1833 in Parijs, waar hij de inspiratiebron was voor Berlioz' symfonie 'Harold en Italie', die hij echter nooit gespeeld heeft. Als componist heeft hij onder andere 24 'Capricci' op zijn naam staan.*

# Kossuth krijgt amnestie

PEST, 29 april - Lajos Kossuth, de radicale Hongaarse opposant, is vandaag samen met andere politieke gevangenen onder een amnestie vrijgelaten. De vrijlating bezegelt het succes van de oppositie op de huidige Landdag. Kossuth werd in februari vorig jaar tot vier jaar gevangenisstraf veroordeeld wegens ondermijnende activiteiten, na al bijna twee jaar zonder gerechtelijke veroordeling in de gevangenis te hebben gezeten.

De in 1802 in Monok in het noordoosten van Hongarije als zoon van een jurist geboren Kossuth is lid van de lage adel en jurist. In 1832 stuurde zijn werkgeefster, gravin Etelka Andrássy, hem als waarnemer voor een familielid naar de Landdag in Pozsony [Bratislava], waar juist in die tijd een groot offensief tegen het feodale, obscurantistische systeem in Hongarije veld won.

Kossuth ontpopte zich in Pozsony als een begaafd voorvechter van radicale hervormingen, niet alleen op economisch, politiek en sociaal gebied maar ook van een nationale bevrijding van het Habsburgse juk. Als substituut-parlementariër had hij niet het recht aan debatten deel te nemen; hij mocht echter wel, beschermd door zijn parlementaire onschendbaarheid, publiceren. Kossuth kwam op het idee de tot dan toe ongepubliceerde Landdagdebatten te beschrijven en uit te geven. Zijn blad *Rapport van de Landdag* (Országgyülési Tudósítások) werd in een land zonder vrije pers snel uitzonderlijk populair. Binnen korte tijd kreeg Kossuth bekendheid als een van

's lands meest begaafde hervormers en als een van de drijvende krachten achter de hervormingsgezinde oppositie in de Landdag, tot ergernis van de autoriteiten.

Na de sluiting van de Landdag in 1836 nodigde de gemeente Pest Kossuth uit zijn werk daar voort te zetten. Hij richtte een nieuw blad op, *Gemeenterapport* (Törvényhatósági Tudósítások). Maar ditmaal had hij geen diplomatieke onschendbaarheid meer en al op 5 mei 1837 werd hij gearresteerd. De arrestatie was mede te wijten aan de harde hand van de toen pasbenoemde Hongaarse kanselier Fidél Pálffy als opvolger van de gematigder Adám Reviczky. Gealarmeerd door de groei van progressieve, hervormingsgezinde bewegingen in heel Europa, had de leiding in Wenen onder Metternich en graaf Kolowrat Pálffy de opdracht gegeven af te rekenen met de oppositie en prominente opposanten werden al snel opgepakt en tot straffen tussen drie en tien jaar veroordeeld.

Pálffy faalde echter: in plaats van de oppositie tot zwijgen te brengen wakkerde zijn harde optreden de protesten juist aan. Nog vorig jaar werd hij vervangen en kreeg de oppositie toegang tot de nieuwe Landdag. Door een blokkade van regeringsvoorstellen slaagde de oppositie er zelfs in een reeks hervormingen af te dwingen betreffende zaken als de afkoop van feodale diensten, de toegang tot kredieten en het recht van niet-adellijken op functies en bezit. De vrijlating van Kossuth en andere politieke gevangenen is een uitvloeisel van deze zege.

*Spotprent op de troonsafstand van Willem I en zijn huwelijk met Henriëtte.*

# Koning Willem I treedt af

PALEIS HET LOO, 7 oktober - Koning Willem I heeft 'en petit comité' afstand van de troon gedaan. Slechts de ministers van zijn kabinet, zijn vier zonen en de leden van de Raad van State waren bij de korte plechtigheid in paleis Het Loo aanwezig. De abdicatie van de koning wordt door weinigen betreurd, het land staat op de rand van een bankroet en na het Belgische debâcle is men de autocratische Willem I moe.

De populariteit van de koning daalde tot een dieptepunt toen bekend we[rd] dat hij wilde hertrouwen met Henrië[tte] te gravin d'Oultremont, die ['é] Roomsch én meer Belgisch dan Ho[l]landsch' was. Een enkele ruimdenke[r] de onderdaan vond dat de oude konin[g] met 'al zijn zwoegen en tobben' to[ch] wel verdiend had 'dat wij hem met [de] inrigting van zijn eigen huis [...] late[n] begaan. Afval van het geloof zijner va[n]deren zal wel niet in goeden ernst ge[-] vreesd worden, al ware de aanstaande[,] hetwelk zij zeker niet is - bekeerzuch[-]tig.'

De schrijvers van de tientallen 'vie[ze] blaadjes' die naar aanleiding van de a[f]faire verschenen, dachten er ande[rs] over. Zelfs het keurige *Handelsbla[d]* nam met 'droefheid' van de zaak ke[n]nis. Het paste een man, 'die tot de[n] hoogsten rang behoort' niet de ope[n]bare mening te trotseren.

De koning - toch al verbitterd door [de] recente grondwetswijziging, die [de] Tweede Kamer meer controle geeft o[ver] de begroting en de besteding van de ba[-]ten van het cultuurstelsel - is bij zij[n] voornemen gebleven om de 'freule' [te] trouwen.

In 1813 is Willem I als de redder des va[-]derlands binnengehaald. Hij hee[ft] sindsdien als 'een vader' het land ge[re-] geerd, een vader die als enige wist wa[t] goed was voor zijn kinderen. Het is aa[n] zijn 'persoonlijk gouvernement' [te] danken dat de Handelmaatschapp[ij] werd opgericht, dat er kanalen werde[n] gegraven en spoorlijnen aangeleg[d.] Zijn veel te lang volgehouden en kos[t]bare 'politiek van volharding' tege[n] over België deed de ster van de konin[g] echter snel dalen; 'vader' kon maar be[-]ter gaan.

# Postzegel in plaats van portbetaling

LONDEN, 6 mei - De eerste postzegels zijn in omloop gebracht. De eerste zegel, die een waarde heeft van 1 penny, is zwart en draagt de beeltenis van koningin Victoria. De zegel is zo ontworpen dat hij zeer moeilijk na te maken is. Het is de bedoeling dat de postzegels het huidige systeem van portbetaling van brieven geheel gaan vervangen. Tot dusverre moeten de portokosten op brieven door de ontvanger betaald worden. Nu gaat de verzender van poststukken de port betalen door op het postkantoor postzegels te kopen en deze op de brief te plakken.

Het systeem is bedacht door Rowland Hill. Hill was tot voor kort werkzaam bij de Engelse posterijen, die naar zijn mening niet goed functioneerden. In 1837 schreef hij een brochure over de nadelen van de, volgens hem, te hoge briefport. Deze zou ertoe leiden dat minder mensen van de post gebruik maakten dan bij lagere tarieven het geval zou zijn. Hill vond dit niet alleen nadelig voor handel en industrie, die gebaat zijn bij een goedkope verzen-

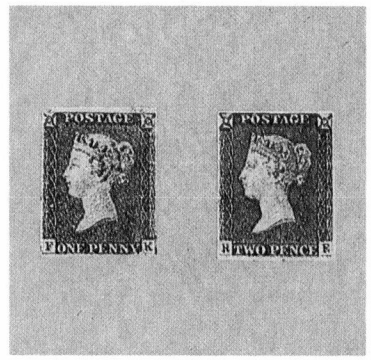

*De eerste postzegels ter wereld.*

ding van berichten, maar ook voor de posterijen, die veel meer geld kunnen omzetten als meer mensen van de diensten van deze overheidsinstelling gebruik maken. In 1839 deed Hill een voorstel aan het parlement om een tarief van 1 penny voor het bezorgen van een brief binnen een bepaalde regio in te voeren. Inmiddels nam men bij de posterijen Hill de publikatie van zijn ideeën niet in dank af. Na enige discus-

sie over zijn plannen, waarin Hill voet bij stuk hield, verloor hij zijn betrekking. Hill stond overigens niet alleen in zijn kritiek op het postwezen. Al in 1834 had J.D. Chalmers, uitgever van de *Dundee Chronicle*, voorgesteld een gemakkelijk aan een brief te hechten zegel uit te brengen. Inmiddels was Hills idee door het parlement overgenomen. Op 26 december van het afgelopen jaar werd, tegelijk met het aannemen van de Portopenny Bill, besloten tot het uitbrengen van gestempeld postpapier en zelfklevende postzegels. Vandaag zijn deze voor het eerst in omloop gebracht.

Het door Hill voorgestelde systeem lijkt sterk op de werking van de in 1653 door de staatspostmeester van Lodewijk XIV, De Velayer, in het leven geroepen postdienst van Parijs. Deze postdienst verdween echter al na korte tijd. Het Engelse systeem is dus, mede vanwege zijn voorgedrukte zegels, een primeur. Naar het schijnt hebben ook andere landen belangstelling getoond voor het uitbrengen van postzegels.

# Carlisten in Catalonië geven strijd op

EGARA, juli - Hoewel vorig jaar oor het 'Compromis van Vergara' officieel een einde aan de Carlistenoorlog as gemaakt, hebben de Carlisten in atalonië de strijd nu pas opgegeven. on Carlos is met zijn aanhangers naar rankrijk uitgeweken. Volgens het redesverdrag van Vergara zullen de ueros' (privileges) van de Baskische rovincies worden gerespecteerd en arlistische officieren in het Spaanse ger worden opgenomen.

1713 had Filips V de in het Huis van ourbon geldende Salische wet in panje ingevoerd. Deze wet bepaalde at alleen mannelijke bloedverwanten an de koning de Spaanse troon mochn erven. Toen María Christina, de erde vrouw van Ferdinand VII, diens rste kind verwachtte, voerde Ferdiand bij een pragmatieke verordening, is zonder de Cortes erin te kennen, de ude Castiliaanse erfopvolging weer

e geboorte van infante Isabella was et begin van alle problemen. In tegenelling tot de liberalen, erkenden de len van de apostolische partij van ularoyalistische reactionairen haar cht op de troon niet. Zij schaarden ch achter de conservatieve en zeer kaolieke troonpretendent Don Carlos, en broer van Ferdinand VII, onder het otto: 'Dios, Patria, Fueros, Rey' God, Vaderland, Privileges, Koing'). De Carlisten, zoals ze genoemd orden, waren zeer fel gekant tegen e anti-klerikale en centralistische aatregelen van de liberalen. Ze hielen zich vooral op in Noordoostpanje, in de Baskische provincies en atalonië, waar het particularisme al-

*Carlisten, aanhangers van prins Don Carlos, na een straatgevecht (1834).*

tijd fel wordt beleden.
Ferdinand VII, de slechtste Bourbonkoning die Spanje ooit heeft gekend, stierf in 1833. De strijd om de troon brak los en Spanje werd het toneel van een fel gevoerde burgeroorlog. María Christina, de moeder en regentes van infante Isabella, besloot zich met de gematigde liberalen te verbinden om haar bestuur een bredere basis te geven. Frankrijk en Groot-Brittannië steunden haar. Er werd geregeerd volgens een gematigd Koninklijk Statuut (1834) en een gematigde liberale grondwet (1837).
De regentes had het niet gemakkelijk omdat de progressieven, de opvolgers van de 'exaltados' van 1820-1823,

streefden naar de herinvoering van de liberale grondwet van Cádiz (1812). De Carlisten voerden steeds guerrillaaanvallen uit in de hoop terrein te winnen. Om de oorlog tegen de Carlisten te kunnen financieren, werd grondbezit van de Kerk verkocht.
Generaal Espartero, een vooruitstrevend liberaal, heeft uiteindelijk van het gebrek aan eenheid onder de Carlisten geprofiteerd. Met de Baskische leider Maroto, die het Baskische deel van de Carlisten vertegenwoordigde, sloot hij het Verdrag van Vergara.
Hierdoor werd de situatie van de Carlisten hopeloos. Nog een jaar hebben ze gestreden voordat ze zich hebben moeten overgeven.

## Staatsgreep van neef Napoleon mislukt

BOULOGNE, 6 augustus - Een poging tot een coup van Lodewijk Napoleon, een neef van keizer Napoleon I, in Boulogne is op een jammerlijke mislukking uitgelopen. Ook in 1836 heeft Lodewijk Napoleon vanuit Straatsburg al vergeefs geprobeerd de macht in Frankrijk aan zich te trekken.
Met ongeveer vijftig aanhangers is hij vandaag geland bij Boulogne. Hij deed een beroep op het garnizoen om met hem in opstand te komen. Zijn oproep vond echter geen gehoor en samen met al zijn volgelingen is hij gearresteerd. Sinds de dood van zijn broer in 1831 en die van de hertog van Reichstadt in 1832 heeft Lodewijk Napoleon de aanspraken van zijn oom naar zich toegetrokken, aangezien noch zijn vader noch zijn ooms Lucien en Joseph daaraan hechten. Al zijn energie heeft hij de afgelopen jaren gestoken in zijn pogingen de troon van Frankrijk te herwinnen, alle spot van zijn familie ten spijt. Lodewijk Napoleon heeft zich daarbij een vaardig propagandist getoond. In zijn in 1832 gepubliceerd pamflet *Rêveries politiques* verklaarde hij dat slechts een keizer Frankrijk roem kan brengen, er daarbij nadrukkelijk op wijzend dat deze roem gepaard moet gaan met vrijheid. Vorig jaar werkte hij zijn doelstellingen verder uit in zijn brochure *Des idées napoléoniennes*. Na de poging tot staatsgreep van 1836 werd hij slechts uitgewezen naar de VS, maar het is de vraag of hij en zijn volgelingen er nu met zo'n lichte straf vanaf zullen komen.

# Harrison wint presidentsverkiezingen VS met overmacht

ASHINGTON, 2 december - Wilam Henry Harrison is de nieuwe predent van de Verenigde Staten. De andidaat van de Whig-partij won in et kiescollege met maar liefst 234 teen 60 stemmen van de zittende presient Van Buren van de Democratische artij. Van Buren, de 'Red Fox' en de ittle Magician' van weleer, haalde et zelfs niet in zijn eigen staat New ork en ook Tennessee, waar de nog mmer immens populaire Andrew ackson voor Van Buren campagne eeft gevoerd, koos voor Harrison. ngetwijfeld heeft de economische risis Van Buren parten gespeeld maar et is vooral de op de man gespeelde erkiezingsstrijd geweest die hem de as heeft omgedaan.
e verkiezingen hebben een nieuw tijderk in de Amerikaanse politiek ingeid. Voor het eerst streden twee parjen op nationale schaal opereren m het presidentschap. Nog nooit zijn oveel Amerikanen naar de stembus etogen. In totaal hebben ruim 2,4 mil-

joen Amerikanen - 78 procent van de stemgerechtigden - hun stem uitgebracht. Eveneens ongekend was de circusachtige stemming waarin de campagnes zijn gevoerd. Vooral de Whigs pakten uit met buttons, souvenirs, slogans, goedkope verkiezingskrantjes en sprekers die in alle uithoeken van het land met vlammende speeches massabijeenkomsten opluisterden. In de campagne werd Harrison als 'eenvoudig man van het volk' gepresenteerd. Tegelijkertijd slaagden de Whigs erin Van Burens imago van aristocratisch vertegenwoordiger van de Oostkustelite aan te dikken door verhalen te verspreiden over de extravagante luxe, de dure Franse wijnen en de gouden etensborden in het 'presidentiële paleis'. De campagne van de Democraten stond in dit opzicht in de schaduw van de campagne van de Whigs. Tevergeefs probeerden de Democraten aan Harrison uitspraken te ontlokken over de belangrijke politieke kwesties maar argumenten waren verruild tegen leuzen en

*William Henry Harrison, de negende president van de Verenigde Staten.*

politieke programma's tegen propagandaliedjes. De Whig-kandidaat beperkte zich tot de belofte 'de misstanden van de Democratische regering te zullen corrigeren'. Een inhoudelijk wel zeer beperkt programma dat echter wel zijn vruchten heeft afgeworpen, want ook in het Congres hebben de Whigs

nu een overduidelijke meerderheid.
De derde partij die aan de presidentsverkiezingen heeft meegedaan, de Liberty Party, heeft weinig kiezers getrokken. Zij kreeg slechts 7000 stemmen. Het is wel de eerste partij die met een anti-slavernijprogramma aan nationale verkiezingen heeft meegedaan.

*Affiche van een Schotse driewieler.*

## Schotse smid maakt trapfiets

DUMFRIESSHIRE, - Na vier jaar experimenteren is de Schotse smid Kirkpatrick MacMillan er als eerste in geslaagd een trapfiets te construeren. MacMillan maakte voor zijn uitvinding gebruik van een zogenaamde draisine, een door de Duitse baron Carl von Drais in 1818 uitgevonden bestuurbare loopfiets. Een met de achteras verbonden hefboomsysteem zet de fiets van MacMillan in gang. Door de hefbomen met de voeten te bewegen kan men, ondanks het gewicht van de fiets, flink vaart maken.

MacMillan heeft zijn systeem eerst toegepast op een driewieler. Van het huidige model is het voorwiel vijfentwintig centimeter kleiner dan het achterwiel.

De belangstelling voor fietsen is de laatste jaren sterk toegenomen. Dit is vooral het geval in Engeland. Dit zette Dennis Johnson ertoe aan in 1819 'Johnson's Pedestrian Hobbyhorse Riding School' te openen, de eerste fietsrijschool ter wereld. De 'hobbyhorses' zijn verbeterde draisineloopfietsen. Omdat er zoveel 'dandy's op rijden worden ze ook wel 'dandyhorses' genoemd. Johnson heeft een paar jaar geleden ook de eerste damesfiets geconstrueerd.

# Lichaam Napoleon in Dôme des Invalides

*Vereerders van Napoleon staan op Sint-Helena aan het graf van hun idool.*

PARIJS, 15 december - Een zware sneeuwstorm heeft de Parijse menigte er niet van kunnen weerhouden Napoleon voor de laatste maal symbolisch toe te juichen. Zeshonderdduizend toeschouwers - onder wie de schrijver Victor Hugo - keken toe hoe de lijkbaar van de keizer op een door twintig prachtig versierde paarden getrokken monumentale wagen door Parijs reed, op weg naar de chapelle Saint-Louis in het Hôtel des Invalides. Koning Louis-Philippe wachtte daar, 'uit naam van Frankrijk', het stoffelijk overschot

van 'Keizer Napoleon de Eerste' op. Visconti heeft een roodporfieren sarcofaag ontworpen, die op een sokkel van groen Vogezengraniet geplaatst zal worden. Daarin zal het stoffelijk overschot van de keizer zijn laatste rustplaats vinden.

Napoleon is een legende geworden. Hij die tegen het einde van zijn bewind velen wist te irriteren, heeft na zijn dood - en eigenlijk al zodra hij naar Sint-Helena verbannen was - een romantisch, revolutionair aura gekregen, zozeer dat Louis-Philippe de in

opdracht van Napoleon gebouwde Ar de Triomphe van beeldhouwwerke liet voorzien, en zijn eigen zoon naa Sint-Helena stuurde om het stoffeli overschot van de keizer, die in 1821 zijn verbanningsoord overleed, te gaa halen.

Napoleon mocht nog zoveel foute hebben begaan, hij wist het volk mee aan te spreken dan zijn opvolgers. Ge durende de eerste jaren van zijn bewin was hij zeer geliefd bij de Fransen, d ook nu weer geneigd zijn zijn slech kanten te vergeten.

Mogelijk hoopt Louis-Philippe, wier populariteit danig begint te tanen, da dank zij dit gebaar Napoleons glans o hem zal gaan afstralen.

*De Franse schrijver Victor Hugo.*

# Antisemitisme in Turkse Rijk neemt toe

DAMASCUS - Toen in februari van dit jaar uit Damascus de kapucijner pater Tomaso verdween, kon nog niet worden vermoed welke consequenties dit zou hebben. Vele joden, onder wie kinderen en vrouwen, zijn gevangengenomen en gefolterd. De Franse en de Turkse regering kozen onmiddellijk partij tegen de joden en de middeleeuwse bloedbeschuldiging werd weer opgerakeld, in een klimaat waar het

antisemitisme vormen heeft aangenomen die doen herinneren aan tijden vóór de Verlichting. De interventiepolitiek van Oostenrijk en Engeland ten gunste van de joden heeft er nu ten slotte toe geleid dat enkele honderden joden die nog niet in de kerkers zijn gestorven, zijn vrijgelaten.

Lord Palmerston, de Britse minister van Buitenlandse Zaken, heeft zich als niet-jood het lot van het joodse volk

aangetrokken. De joden in Wes Europa en de Verenigde Staten rake ook steeds meer doordrongen van d ellende van hun geloofsgenoten in ar dere landen en de gedachte is inmidde opgekomen Palestina te gaan kolon seren. Enkele dagen geleden is beken geworden dat de Engelse minister va Buitenlandse Zaken in een brief aan d Britse ambassadeur in Turkije, vi count Ponsonby, heeft geschreven: ' leeft tegenwoordig onder de over E ropa verstrooide joden sterk het den beeld dat de tijd nabij is, dat hun vol zal terugkeren naar Palestina. [...] H zou voor de Sultan onmiskenbaar va belang zijn de joden aan te moedige naar Palestina terug te keren en zic daar te vestigen.'

In een commentaar in *The Time* schrijft deze Londense krant dat 'he voorstel om het joodse volk onder be scherming der grote mogendheden het land hunner vaderen te vestige niet langer een zaak van theoretisch bespiegeling is, doch van ernstige po tieke overweging'.

De Damascus-affaire heeft hoog waarschijnlijk aan de snelle politiek ontwikkelingen in de richting van ee joodse staat bijgedragen.

# Centraalamerikaanse Unie valt uiteen in vijf republieken

GUATEMALA - De Centraalamerikaanse Unie, die zich in 1821 onafhankelijk van Spanje verklaarde, is uiteengevallen in vijf afzonderlijke republieken: Guatemala, El Salvador, Costa Rica, Honduras en Nicaragua.

Op 15 september 1821, '297 jaar, drie maanden en negen dagen na 2 juni 1525, toen Alvarado met driehonderd Spaanse soldaten op de kust landde' en de verovering begon, kondigde de Spaanse kapitein-generaal over Centraal-Amerika, Gabino Gainza, gesteund door een handvol rijke, landbezittende creolen, de onafhankelijkheid van Spanje af. De creolen werden geïnspireerd door de Mexicaanse on-

afhankelijkheid onder Iturbide, die eveneens de handhaving van de bestaande sociale orde hoog in het vaandel had staan. Het kwam in januari 1822 zelfs nog tot een unie met het keizerrijk Mexico, die echter al in februari 1823 werd ontbonden. In juli 1823 kreeg de Centraalamerikaanse Unie een grondwet, waarbij de bestaande vijf bestuurlijke eenheden elk een eigen parlement binnen de federatie kregen. Het kiesrecht werd beperkt tot de geletterde en bezittende klasse.

Algauw bleek de Unie echter slechts een façade en creoolse guerrillagroepen van conservatieven en liberalen bevochten elkaar met de positie van de

centrale regering en de Rooms-Katholieke Kerk als inzet. In feite duurt de burgeroorlog nog steeds voort, met wisselend succes voor beide partijen. Gebruik makend van de verwarring heeft Engeland een kuststrook van Guatemala veroverd: Brits Honduras met Belize als hoofdstad.

Thans heeft het hulpeloze en machteloze federale congres besloten dat elk van de vijf gebieden een eigen grondwet mag aannemen en een regeringsvorm mag kiezen.

Hiermee is het uiteenvallen van de Centraalamerikaanse Unie, een overblijfsel van het Spaanse koloniale gezag, een feit.

# Vietnamese positie in Kambodja wankelt

PHNOM PENH, april - Siamese troepen zijn Kambodja binnengetrokken en hebben de stad Udong veroverd. Hun doel is de hoofdstad Phnom Penh in te nemen en er een pro-Siamese regering te installeren.

Met dit invasieleger is ook Duang weer in zijn vaderland teruggekeerd. Deze halfbroer van de voormalige koning Chan had de steun gezocht van Siam [Thailand] en was al eerder in de machtsstrijd rond de Kambodjaanse troon door de Siamezen als hun kandidaat ingezet.

Ook de lokale en regionale ambtenaren zijn in opstand gekomen. Vorig jaar gaven zij al blijk van hun misnoegen over het beleid dat door de Vietnamese keizer Minh Mang ten aanzien van hun land wordt gevoerd.

Hun ontevredenheid groeide nadat de Vietnamese legers de eerste invasie van het Siamese leger in 1835 ongedaan maakten. Rama III, de koning van Siam, had al geruime tijd op een geschikt moment gewacht om Kambodja binnen te vallen en de Vietnamese invloed teniet te doen. Deze gelegenheid kreeg hij toen in 1832-1833 in het zuiden van Vietnam grote opstanden uitbraken. Deze eisten alle aandacht van de Vietnamese regering op.

Rama III installeerde Im en Duang, twee halfbroers van de Kambodjaanse koning Chan, aan het hof en trok zelf met zijn leger door naar het zuiden van Vietnam om de opstandelingen in dat gebied te helpen.

De legers van Rama III werden echter teruggedrongen en moesten zelfs met de twee halfbroers in aller ijl Kambodja verlaten. Meer dan 1000 Kambodjanen werden onder dwang meegenomen naar Siam. In 1835 kon koning Chan zich weer in Phnom Penh vestigen.

De Vietnamese regering besloot nu echter veel directer controle op Kambodja te gaan uitoefenen, om herhaling van een dergelijke snelle en succesvolle invasie te voorkomen. Er werden plannen gemaakt voor het ontwikkelen van een uitgebreid ambtenarenapparaat naar Vietnamees voorbeeld, de dorpen werden opnieuw ingedeeld en men begon met het opstellen van een kadaster. Ook werden namenregisters voor het betalen van belastingen opgesteld.

Deze maatregelen tastten echter direct de positie van de tot nu toe tamelijk autonome lokale elites aan. Die kwamen dan ook in 1840 tegen de Vietnamezen in opstand. Aan het hof stuitte deze directe inmenging eveneens op verzet, omdat de ambtelijke top in de hoofdstad ook gedeeltelijk werd vervangen. Toen het gerucht de ronde deed dat de Vietnamezen de koningin-moeder en enkele topambtenaren hadden vermoord en de regalia naar Vietnam hadden meegenomen, barstte de bom. In feite waren zij echter mét de regalia naar Vietnam afgevoerd, waar zij als gijzelaars werden vastgehouden.

In deze situatie is het nu voor de Siamezen gemakkelijk om de Kambodjanen aan hun kant te krijgen teneinde gezamenlijk te proberen de Vietnamezen te verdrijven. Het zal echter wel enige tijd kosten om de hoofdstad en de rest van het land in handen te krijgen, omdat in Kambodja op het ogenblik een goed getrainde strijdmacht van Vietnam is gelegerd.

Daarnaast moet rekening worden gehouden met een toenemende belangstelling van Franse zijde voor Kambodja. De Fransen stellen sinds enkele jaren pogingen in het werk invloed aan het hof te verwerven.

# Ranke wordt historiograaf Pruisen

*Leopold von Ranke.*

BERLIJN - De 45-jarige historicus Leopold von Ranke is benoemd tot 'historiograaf' van Pruisen. Ranke, die in Leipzig theologie en filologie heeft gestudeerd, is sinds 1825 hoogleraar aan de universiteit van Berlijn. Samen met Georg Niebuhr en Wilhelm von Humboldt geldt hij als de grondlegger van de moderne geschiedwetenschap.

De gangbare opvatting dat het de taak van de geschiedschrijver is om lering uit de geschiedenis te trekken en lof en blaam aan historische personages uit te delen, wijst Leopold von Ranke van de hand. De taak van de historicus is, zo betoogt hij, om te beschrijven 'wie es eigentlich gewesen [ist]'. Elke tijd en elk historisch verschijnsel heeft zijn eigen normen en dient met zijn eigen maatstaf gemeten te worden. Iedereen is 'unmittelbar zu Gott', staat in dezelfde relatie met het opperwezen, waarmee Ranke wil zeggen dat elk tijdvak zijn eigen specifieke karakter heeft en dat er geen opwaartse lijn in de ontwikkelingsgang van de geschiedenis bestaat.

Rankes relativistische geschiedopvatting wordt wel aangeduid met de term 'historisme'. Hiermee zet Ranke zich af tegen denkers als Saint-Simon, Comte en Hegel, die menen dat de geschiedenis onherroepelijk naar een bepaald einddoel leidt.

Ranke, een zeer produktief historicus die al een groot œuvre op zijn naam heeft staan, heeft ook een belangrijke bijdrage geleverd aan de verfijning van de historische-bronnenkritiek. Hij is vier jaar redacteur geweest van het conservatieve *Historisch-Politische Zeitschrift*.

*'Kapitaal en arbeid', een bitter commentaar op de sociale tegenstellingen in Groot-Brittannië. Cartoon uit het dit jaar door H. Mayhew en M. Lemon opgerichte satirische blad 'Punch, the London Charivari'.*

# Brooke reorganiseert bestuur Sarawak

KUCHING, 28 november - Raja James Brooke heeft op voortvarende wijze een begin gemaakt met de wederopbouw van het bestuur van Sarawak, een district van het op Noord-Borneo gelegen sultanaat Brunei. Daar was sinds 1837 een rebellie van Dajakstammen gaande tegen het wanbestuur van de gouverneur, pangeran Mahkota. De belangrijke hofdignitaris raja muda Hasim werd met de kwestie belast maar kon niets uitrichten. Brooke bleek bereid de wanhopige raja te steunen en werd kort geleden tot onafhankelijk gouverneur van Sarawak benoemd.

De in 1803 geboren Brooke was officier in het leger van de East India Company tot 1825, toen hij in de eerste Birmese Oorlog ernstig gewond raakte en afgekeurd werd. Hij maakte lange reizen door Azië en werd sterk beïnvloed door de ideeën van Sir Stamford Raffles, de

*Sir James Brooke.*

stichter van Singapore, die een groot voorstander was van uitbreiding van de Britse invloed in Zuidoost-Azië,

waar een 'beschavende taak' weggelegd zou zijn. Na de dood van zijn vader ontving Brooke een erfenis van £ 30 000, waarmee hij het schip de 'Royalist' kocht. In 1839 begon hij aan een ontdekkingsreis die hem via Singapore in Sarawak bracht, waar hij in contact met raja muda Hasim kwam. Het sultanaat Brunei was in het begin van de 18de eeuw nog een bloeiende handelshaven, maar is nu niet veel meer dan een broeinest van piraten, waar de sultan nauwelijks gezag meer uitoefent. Die piraten, Zee-Dajaks of Ibans, vormen niet alleen een ernstige bedreiging voor de Britse handelsroute naar China, maar zij terroriseren ook de Land-Dajaks, de belangrijkste bevolkingsgroep in Sarawak. Brooke wil een einde maken aan deze piraterij en onderdrukking, én aan het koppensnellen, een geliefkoosde bezigheid van de Dajaks.

# Amerikaans Congres keurt landwet goed

*Kolonisten rusten uit tijdens hun trektocht naar het 'Wilde Westen' van de Verenigde Staten.*

WASHINGTON, 4 september - Het Amerikaanse Congres heeft een wet, de Pre-emption Act, aangenomen die een einde moet maken aan de onduidelijke toestanden rond de toewijzing van land in het uitgestrekte westen van de Verenigde Staten.

De wet geeft iedere volwassen staatsburger - of de vreemdeling die van plan is Amerikaan te worden - die zich gevestigd heeft op staatsgronden en een stuk grond heeft verbouwd, het recht

een perceel van ten hoogste 160 acres (ongeveer 60 hectaren) tegen de minimumprijs van 1,25 dollar per acre te kopen. Zeer belangrijk in de wet is dat de pionier die zich reeds heeft gevestigd voordat hij land heeft aangekocht, niet meer in overtreding is.

Door de constante stroom kolonisten heeft het Westen in de afgelopen decennia een stormachtige ontwikkeling doorgemaakt. De talrijke gebieden die klaarstaan om toe te treden tot de Unie,

zorgen voor de nodige politieke invloed van het Westen. Tevens is het Westen steeds meer de derde partij aan het worden in de toenemende tweespalt tussen het Noorden en het Zuiden en wordt door beide partijen steeds vaker in ruil voor concessies de steun van het Westen gezocht in uiteenlopende politieke kwesties.

Met de liberalisering van de landwetten lijkt het Westen van deze tweespalt geprofiteerd te hebben.

**6 januari.** Britse troepen capituleren in Kaboel tijdens de Brits-Afghaanse oorlog die sinds 1839 voortduurt. →

**3 februari.** De Franse drukker Pierre Proudhon wordt vrijgesproken. →

**3 mei.** Het Engels parlement verwerpt de petitie van de chartisten.

**8 mei.** Een drie dagen durende brand legt een groot deel van Hamburg in de as. →

**9 augustus.** Het Webster-Ashburn Verdrag tussen Groot-Brittannië en de Verenigde Staten legt de grens tussen Canada en de Verenigde Staten vast.

**14 augustus.** De Seminole-Indianen van Florida lijden een nederlaag tegen het Amerikaanse leger. →

**29 augustus.** Het Verdrag van Nanking tussen Groot-Brittannië en China maakt een einde aan de Opiumoorlog.

**15 oktober.** Karl Marx krijgt de leiding van het in Keulen verschijnende tijdschrift *Rheinische Zeitung.*

**19 december.** De Verenigde Staten erkennen de onafhankelijkheid van Hawaii.

- In Polen neemt het verzet tegen de bezetting toe. →

- In Natal begint een oorlog tussen de Britten en de Boeren.

- Van de kant van von Andrian-Werburg komt kritiek op de sociale ongelijkheid die het systeem-Metternich in stand houdt.

- Julius Robert von Mayer formuleert de wet van behoud van energie: warmte en arbeidsvermogen zijn gelijkwaardige grootheden.

- Tsaar Nicolaas handhaaft het systeem van lijfeigenschap. →

- Anders Retzius, Zweeds anatoom en antropoloog, stelt een classificatie van de mensenrassen op aan de hand van metingen van de menselijke schedel.

- Het voornaamste werk van de heilige Hippolytus, *Refutatio omnium haeresum*, wordt op het Griekse eiland Athos gevonden.

- Auguste Comte voltooit het zesdelig werk *Cours de philosophie positive*, waaraan hij in 1830 begonnen is.

- Lord Alfred Tennyson publiceert *Morte d'Arthur and other Idylls.*

Gestorven:

**23 maart.** Stendhal (pseudoniem voor Marie-Henri Beyle) (23-1-1783), Frans schrijver

# Lijfeigenschap in Rusland groot probleem

*'Voorjaar op de akker', een van de beroemdste schilderijen van Aleksej Venezianov.*

ST.-PETERSBURG - Tsaar Nicolaas heeft ten overstaan van de Staatsraad te kennen gegeven niet in te zien hoe er een einde kan worden gemaakt aan de lijfeigenschap. 'Het lijdt geen twijfel,' aldus de tsaar, 'dat lijfeigenschap zoals die nu bestaat in ons land een voor iedereen voelbaar en duidelijk kwaad is.' De tsaar beseft maar al te goed welke ellende dit in feite ineffectieve systeem in het leger en op het platteland teweegbrengt. Het gevaar voor een herhaling van Poegatsjovs opstand (1774/1775) acht hij niet denkbeeldig. Bovendien koestert de autocraat weinig sympathie voor de privileges van de aristocratie wanneer deze botsen met de belangen van de staat. Aan de andere

kant zou afschaffing van de lijfeigenschap eveneens tot een volksoproer kunnen leiden. Het probleem wordt onderkend maar tot ingrijpende maatregelen is het tot op heden niet gekomen. Fundamentele veranderingen zouden de bestaande politieke, economische en sociale structuur van het Russische Rijk ingrijpend wijzigen. En de huidige tsaar is hiertoe minder bereid dan zijn broer en voorganger Alexander I. Niettemin is onder leiding van graaf Paul Kiseljov, hoofd van het in 1837 opgerichte ministerie van Staatsdomeinen, de positie van de staatsboeren veranderd. Kiseljov, die tien jaar geleden met succes hervormingen in de Donauvorstendommen

wist door te voeren, stelde een nieuwe regeling in met betrekking tot de staatsboeren ( circa één derde van de bevolking). Zij werden tot 'vrije inwoners op de kroonlanden' verklaard en zijn dus niet langer lijfeigenen. Zij hebben een zekere mate van zelfbestuur gekregen en er is in de dorpen een en ander gedaan aan onderwijs en medische zorg. De tijd lijkt echter nog niet rijp om ook het lot van de boeren die op particulier grootgrondbezit leven te verbeteren. Een voorstel om deze boeren-lijfeigenen in staat te stellen een overeenkomst met hun landheer te sluiten over de aankoop van de door hen bewerkte grond, is kort geleden nog op felle tegenstand van de adel gestuit.

# Ondergrondse oppositie in bezet Polen

WARSCHAU - In de gebieden die door Rusland bezet zijn worden talrijke ondergrondse organisaties opgericht tegen de nu in volle gang zijnde russificatie van Polen. Het verzet concentreert zich op scholen, universiteiten en de boeren die herendiensten weigeren te betalen. Twee linkse organisaties zijn door de tsaristische politie ontdekt, en de leiders zijn terechtgesteld.

In het gebied onder de Pruisische bezetting (regio Poznán) wordt eveneens verzet geboden, alleen hier tegen dwangmatige germanisering van de bevolking. Deze regio is relatief hooggeïndustrialiseerd. In de laatste paar jaar zijn er verscheidene culturele Poolse verenigingen door de Poolse arbeiders opgericht. Poznán wordt een levendig Pools cultureel centrum met kranten, tijdschriften, scholen enzovoort. De ondergrondse activiteiten

uiten zich vooral in uitgebreide onafhankelijkheidspropaganda, stakingen en het oprichten van radicale revolutionaire groeperingen.

In Kraków ontstond in 1833, onder de Oostenrijkse bezetting, de organisatie van de Poolse 'Steenkoolgravers', naar het voorbeeld van de Italiaanse revolutionaire organisatie de Carbonari. Talrijke andere geheime organisaties zorgden, samen met de Poolse Carbonari, voor een onrust die tot een boerenopstand in Galicië en een revolutie in Krakau leidde.

De Polen-in-emigratie vormen in alle Westeuropese landen twee hoofdstromingen: een behoudende en een revolutionaire stroming. De revolutionairen leggen samen met Mazzini de basis voor een volksopstand in Europa. Sommige leden van de radicale stroming vestigden rond 1835 twee woongemeenschappen met een utopisch-

communistische karakter, één in Portsmouth en één op het eiland Jersey.

## Pierre Proudhon ontslagen van rechtsvervolging

BESANÇON, 3 februari - Pierre Joseph Proudhon, drukker van beroep en auteur van verscheidene boeken, is door de jury van de 'Cour d'assises' ontslagen van rechtsvervolging. Het openbaar ministerie had het proces tegen Proudhon aangespannen naar aanleiding van de publikatie van het derde deel van diens studie over het eigendom *Qu'est-ce que la Propriété?*. Het eerste deel verscheen in 1840. Proudhon stelt daarin de vraag 'Wat is eigendom?' en geeft als antwoord: 'Diefstal!' Deze studie over het eigendom is doordrenkt van één overtuiging: de gelijkwaardigheid van alle mensen.

Proudhon toont zich daarbij geen tegenstander van het eigendom als zodanig, maar bepleit alleen de afschaffing van elk eigendom dat niet door middel van arbeid is verkregen. Bezit is gerechtvaardigd zolang er geen misbruik van wordt gemaakt. Een systeem waarin bezitters rente en dividend ontvangen slechts op grond van het feit dat ze machines, fabrieken of grond in eigendom hebben, is verwerpelijk; dat soort eigendom noemt Proudhon diefstal, en hij bedoelt daarmee diefstal van de gemeenschap.

Naast de aandacht voor het begrip eigendom, voert Proudhon in dit werk een pleidooi voor sociale rechtvaardigheid en de individuele vrijheid van de mens, waarbij hij het begrip 'anarchie' introduceert. Proudhon zet zich af tegen de onvrijheid in de maatschappij en de onderdrukking van de zwakke door de sterke en stelt hiertegenover een maatschappij met volmaakte vrijheid en zelfbeschikking voor elk individu, de anarchie, zonder heerschappij van de een over de ander. De staat moet dan ook volgens hem afgeschaft worden.

Proudhon beëindigt zijn betoog met de kreet: 'God van vrijheid en gelijkheid, leidt ons derwaarts!'

*Beeld van de grote brand die van 5 tot 8 mei in Hamburg heeft gewoed en bijna één derde van de binnenstad in de as heeft gelegd. 1749 huizen en 102 pakhuizen zijn door het vuur verwoest; 51 mensen zijn in de vlammen omgekomen en 20 000 zijn dakloos geworden. De brand is in een havenpakhuis begonnen.*

*Afghaanse soldaten houden de wacht (door James Rathray, 1848).*

# Bloedbad in Afghanistan

KABOEL, 6 januari - De Afghaans-Britse oorlog die drie jaar geleden uitbrak, is in een overwinning voor de Afghanen geëindigd. De positie van de Britten in Kaboel was onhoudbaar geworden en ze moesten de stad verlaten. Deze terugtocht liep op een tragedie uit: de troepen - ongeveer 4500 Britse en Indische soldaten - en bijna 12 000 Afghaanse burgers die zich aan de zijde van de Britten hadden geschaard, zijn bijna tot de laatste man om het leven gebracht. Met dit bloedbad is de poging van de Britten, Afghanistan aan Brits-Indië te koppelen, mislukt.
In 1837 sloeg de Perzische Sjah Mohammed met Russische steun het beleg

voor Herat en bedreigde daarmee India. Om een Russische expansie te voorkomen begon Groot-Brittannië onderhandelingen met de heersers van Herat, Kaboel en Kandahar, maar tot een bondgenootschap kwam het niet. In april 1839 bezetten de Britten Afghanistan en lieten de met hen verbonden Sjoeya tot sjah kronen. De Afghanen waren echter niet bereid zich neer te leggen bij de vreemde heerschappij en de hun opgedrongen sjah en kwamen onder leiding van Dost Mohammed in opstand. Ze behaalden op 2 november 1840 een belangrijke overwinning bij Parwandarah, waarop de Britten zich in Kaboel terugtrokken.

## Seminole-Indianen worden verslagen

WASHINGTON, 14 augustus - De Seminole-Indianen van Florida hebben het hoofd moeten buigen voor de blanke overmacht van de Verenigde Staten. Na jarenlange vergeefse strijd is het Amerikaanse leger erin geslaagd de Seminolen te verslaan, zodat het evacuatieverdrag dat tien jaar geleden met een aantal opperhoofden is gesloten maar door het grootste deel van de stam van de hand gewezen is, nu alsnog zal worden uitgevoerd. De strijd tegen de Seminolen is de duurste Indianenoorlog uit de Amerikaanse geschiedenis geweest: hij heeft de federale overheid in Washington 20 miljoen dollar en 1500 levens gekost.
Florida, dat nu twintig jaar tot het grondgebied van de Verenigde Staten behoort, heeft al die jaren met het 'Indianenprobleem' geworsteld. Onmiddellijk na de overdracht van Florida door de Spanjaarden is er druk uitgeoefend op het Congres en de president om de Seminolen te evacueren en het gebied voor blanke vestiging open te stellen. De Indianen, die door hun

vroegere Spaanse overheersers met rust werden gelaten, konden niet begrijpen waarom zij moesten vertrekken naar een nieuw grondgebied ten westen van de Mississippi. Wel stemden ze erin toe - conform het Verdrag van Ft. Moultrie in 1823 - om binnen zekere grenzen te blijven. Maar naarmate de blanke bevolking toenam, deden er zich steeds meer conflicten voor en werd er opnieuw op aangedrongen de Indianen te evacueren. In verdragen die in 1832 in Payne's Landing en in 1833 in Ft. Gibson zijn gesloten, stemden enkele opperhoofden ermee in hun Florida-territorium te verruilen voor een even groot gebied gelegen in het westen van de Verenigde Staten.
Maar een groot deel van de stam onder leiding van Osceola verzette zich tegen de regeling en wist zich in de uitgestrektheid van de Everglades jarenlang met guerrilla-acties tegen het federale leger te handhaven.
Osceola zelf heeft de laatste jaren van de strijd van de Seminolen niet meer meegemaakt.

**2 februari.** In Dresden wordt de opera *Der fliegende Holländer* voor het eerst uitgevoerd.

**15 februari.** Tussen Groot-Brittannië en India breekt oorlog uit.

**18 maart.** Karl Marx verlaat de redactie van de *Rheinische Zeitung* vanwege de politieke censuur. Hij verhuist naar Parijs.

**April.** In Oostenrijk woedt een discussie over het vraagstuk van de nationaliteit. →

**4 mei.** In Afrika wordt Natal uitgeroepen tot een kolonie van Groot-Brittannië.

**Mei.** Het Hongaars wordt de officiële taal in Hongarije. →

**5 juli.** De immigranten in Oregon nemen een voorlopige grondwet aan. →

**15 september.** Otto I van Griekenland roept een Nationale Vergadering bijeen na een volksopstand gericht tegen zijn wanbeleid.

**8 november.** De Spaanse Cortes (parlement) verklaren Isabella meerderjarig. Ze bestijgt de troon als koningin Isabella II van Spanje.

**28 november.** Groot-Brittannië en Frankrijk erkennen de onafhankelijkheid van het eiland Hawaii.

- Het systeem van Metternich ontmoet in eigen land steeds meer kritiek. →

- Het invloedrijke werk van Vincenzo Gioberti *Del primato morale e civile degli Italiani* verschijnt. Hierin verklaart Gioberti zich een voorstander van een Italië onder leiding van de paus.

- Het kerstverhaal *A Christmas Carol* van Charles Dickens verschijnt.

- De Engelse medicus James Braid introduceert het 'hypnotisme'. →

- Joseph Smith staat polygamie toe bij de Mormonen.

- *Vrees en Beven* van de Deense filosoof en theoloog Søren Kierkegaard verschijnt.

- Mirza Ali Mohammed sticht in Perzië de sekte van het babisme, een godsdienstige beweging ontstaan in de kring van het sji'itische mohammedanisme.

- J.B. Lawes en J.H. Gilbert stellen vast dat stikstof, kalium en fosfor nodig zijn voor plantengroei.

Gestorven:

**7 juni.** Johann Christian Friedrich Hölderlin (20-3-1770), Duits dichter
**2 juli.** Samuel Hahnemann (10-4-1755), Duits arts, grondlegger van de homeopathie

*Oostenrijkse matrozen.*

# Nationaliteit in Oostenrijk veel besproken kwestie

WENEN, april - Over het nationaliteitenprobleem in het Habsburgse Rijk heeft de Oostenrijkse officier en schrijver Fürst Friedrich zu Schwarzenberg in zijn dagboek genoteerd: 'Oostenrijk is geen monarchie in de gebruikelijke zin van het woord [...] het is een conglomeraat van zeer verschillende volken en staten [...] die zich wel onder de bescherming van één stralende kroon verenigen..., maar niet versmelten. Elke poging daartoe zou de vernietiging van de nationaliteit, het levensbeginsel van die volkeren betekenen, wanneer deze poging zou slagen, zou men politieke lijken aan elkaar smeden, maar geen groot, levend geheel creëren.
De Hongaar, de Tsjech, de Galiciër, de Kroaat, de Lombard kan met hart en ziel Oostenrijks voelen en denken, dat wil zeggen het huis 'Oostenrijk' met goed en bloed verdedigen, omdat hij zich onder deze regering beschermd voelt, maar een Oostenrijker wordt hij daarmee evenmin als bijvoorbeeld een Tiroler een Chinees of een Andalusiër een Marokkaan kan worden. Zij zijn bijgevolg wel Oostenrijks, maar nog geen Oostenrijkers!'

*Aanvoerders van huzarenregiment.*

# Metternich bekritiseerd

*'Het huisconcert' (schilderij van Moritz von Schwind).*

ENEN - Onder de titel *Österreich d dessen Zukunft* is in Duitsland een herpe kritiek op het systeem van Metrnich verschenen. Een aantal koeën van dit werk, dat van de hand van Iofsekretär und kaiserliche Kämmer' Freiherr Viktor von Andrian-Werurg blijkt te zijn, is Oostenrijk binngesmokkeld. Andrian-Werburg is n verlicht Oostenrijks aristocraat die I polemiseert tegen de politiestaat n Metternich. Hij is evenwel geen nhanger van het Westeuropese liberlisme. Als ideale staatsvorm staat m een provinciale standenvertegenoordiging voor ogen. Om verscheine redenen maakt hij zich grote zorn over 'Österreich und dessen Zunft'.

ostenrijk is zeer verzwakt omdat in t bureaucratisch-absolutistische sysm van Metternich brede lagen van bevolking verstoken zijn van polike invloed. Volgens Andrian zijn de nden het beu om 'zonder kracht en nder aanzien te zijn - een schim van n volksvertegenwoordiging, die chts de lachlust opwekt van de mete waaraan ze zich ieder jaar moet esenteren'.

vendien is hij bezorgd over het gek aan samenhang in het Habsburg-Rijk. 'Oostenrijk is een louter imagiire naam, die geen verenigd volk, en land, geen natie aanduidt. Het is n conventionele benaming voor een mplex van onderling sterk verdeelde tionaliteiten. Er zijn Italianen, Duits, Slaven en Hongaren, maar geen ostenrijkers.'

n andere reden tot bezorgdheid is or Andrian de toestand van de onrste lagen van de bevolking, met me die van het Weense proletariaat, t met de groei van de industrie aannlijk is toegenomen. Deze bezitlon zijn het slachtoffer van Oostenks 'kunstmatige broeikasindustrie'. ndrian schrijft: 'De gevaarlijkste rij zijn degenen die het door de instrie geworden zijn. Als vampiers gen zij het land uit. ... Gehele stra van de stad Wenen worden door

één enkele rijkaard opgekocht, die de huur bovenmatig opschroeft.' Andrian waagt de volgende voorspelling: 'Onder deze proletariërs zonder bezit en zonder vaderland, wier aantal iedere dag groeit, wordt snel en dreigend een omwenteling voorbereid, waarvan wij de omvang en de gevolgen niet kunnen bevroeden.'

## Engelse chirurg introduceert 'hypnose'

*'Een nacht met volle maan' (door Caspar David Friedrich, 1822).*

MANCHESTER - De Engelse chirurg James Braid heeft de mystieke geneeswijze van Franz Mesmer, die sinds het einde van de 18de eeuw de gemoederen bezighoudt, nieuw leven ingeblazen. In zijn boek *Neurypnology* stelt Braid dat de trance waarin Mesmer zijn patiënten bracht, wel degelijk invloed op hun geestesgesteldheid kan hebben. Mesmer meende dat alle levende wezens onder invloed staan van een magnetisch fluïdum, dat bij de mens door een speciale behandeling een geneeskrachtige werking heeft.

Ondanks de grote populariteit van het magnetisme (of mesmerisme) heeft deze geneeswijze nooit officiële erkenning gekregen. In 1784 stelde een Franse onderzoekscommissie dat Mesmers geneeswijze louter op suggestie berustte. Braid meent echter dat de geest wel degelijk beïnvloedbaar is, op voorwaarde dat de patiënt in een sluimertoestand wordt gebracht. Als de blik van de patiënt, zo stelt hij, gefixeerd wordt op een bepaald punt, kan een droomtoestand worden opgeroepen. De Engelse chirurg noemt zijn techniek hypnotisme en de droomtoestand 'nerveuze slaap' of hypnose.

*'Pannonia', de Hongaarse maagd (door Vidra Ferdínand, 1844).*

# Hongaars officiële taal

POZSONY, mei - De Hongaarse Landdag in Pozsony [Bratislava] heeft een wetsontwerp aangenomen dat het Hongaars tot officiële taal in Hongarije maakt. De wetgeving wordt voort-aan in het Hongaars geformuleerd, het staatsapparaat zal zich van het Hongaars bedienen evenals het onderwijs en de godsdienst.

De Landdag heeft daarmee een belangrijke maatregel ter eenmaking van Hongarije genomen en voldaan aan een lang gekoesterde aspiratie van de Hongaren. De emancipatie van het Hongaars is tegelijkertijd echter een zware tegenslag voor de nationale minderheden in Hongarije. De Hongaren, conservatieven én liberalen, tonen weinig tolerantie ten aanzien van de minderheden en wensen hun het gebruik van het Hongaars unaniem op te leggen.

Daarbij vormen de Hongaren een minderheid in eigen land. Volgens tellingen van vorig jaar telt Hongarije 5,57 miljoen Hongaren tegen 2,47 miljoen Roemenen, 1,72 miljoen Slovaken, 1,32 miljoen Duitsers, 1,26 miljoen Kroaten, 1,05 miljoen Serviërs, 0,46 miljoen Oekrainers en ruim 300 000 leden van andere groepen minderheden, bijvoorbeeld joden, Slovenen en Italianen.

De Hongaren jagen deze minderheden met de verplichting voortaan Hongaars te gebruiken, tegen zich in het harnas, juist nu in de strijd tegen Wenen een gesloten front nodig is. Nu al zetten verlichte opposanten en nationalisten in Kroatië zich eerder af tegen het Hongaarse liberalisme en de Hongaarse hervormingszin dan tegen Wenen en dergelijke tendensen zijn ook te bespeuren onder de Roemenen, de Serviërs en de Slovaken.

Het Hongaars lijkt in de gebieden met minderheden die op een laag ontwikkelingspeil staan, dan ook niet een eenheid brengende factor te kunnen worden.

Alleen de verstedelijkte en ontwikkelde minderheden, de Duitsers en de joden, stemmen er in toe zich te laten magyariseren.

# Verenigde Staten in greep van 'Oregon'-koorts

*'Shooting for the beef' (door George Caleb Bingham, 1850).*

CHAMPOEG, 5 juli - Op een bijeenkomst van Amerikaanse inwoners van het Oregon-gebied, in het noordwesten van het Amerikaanse continent, is een grondwet aangenomen voor een voorlopige regering die in functie moet blijven tot het gebied ook formeel onder het gezag van de Verenigde Staten komt. Twee landen, de Verenigde Staten en Groot-Brittannië, maken aanspraak op dit gebied tussen de Rocky Mountains en de Grote Oceaan.

Er begint in de Verenigde Staten een ware odyssee naar Oregon op gang te komen. De trek naar dit gebied neemt zelfs zo'n omvang aan dat met recht van een 'Oregon-koorts' gesproken kan worden, aangewakkerd door de verhalen over de vruchtbare grond in het gebied, de mogelijkheden van een welvarende handel met de Oriënt en het vooruitzicht van een gratis stuk grond wanneer Engeland en de VS hun conflict om het gebied geregeld zullen hebben. De Amerikaanse bevolking in het gebied is inmiddels tot zo'n 1200 personen toegenomen. Drie jaar geleden waren dat er nog maar 150.

De Amerikaanse immigratie in Oregon is een tiental jaren geleden op gang gekomen met de komst van twee methodistische zendelingen, Jason Lee en zijn neef Daniel Lee, die in de loop van de jaren gezelschap van 'trappers' uit de Rockies hebben gekregen. De afgelopen maanden heeft de zendeling Marcus Whitman een karavaan van 900 wagens veilig door de Rocky Mountains naar Oregon geleid. Elija White heeft vorig jaar een groep van meer dan honderd mensen overgebracht, die op hun beurt weer in het spoor traden van een groep van 32 mensen die in 1841 Oregon wisten te bereiken. De route die de immigranten volgen, van Independence (Missouri) naar Astoria aan de monding van de Columbia, staat bekend als de 'Oregon Trail'. De immigrantenkaravaans worden in hun trektocht bijgestaan door ervaren gidsen, meestal voormalige pelsjagers als James Bridger en Thomas Fitzpatrick.

# 1844

**24 januari.** De Nederoostenrijkse standen verzoeken de keizer om afschaffing van de horigheidsplichten. →

**8 maart.** Karel XIV, koning van Zweden en Noorwegen, de voormalige Jean-Baptiste Bernadotte, overlijdt en wordt opgevolgd door zijn zoon Oskar I.

**30 maart.** Griekenland krijgt een nieuwe grondwet. →

**24 mei.** Samuel Morse, de uitvinder van een elektromagnetische schrijftelegraaf (morsetelegraaf), verzendt tussen Washington en Baltimore het eerste telegram. →

**Mei.** Natal wordt vanwege administratieve doeleinden verenigd met de Kaapkolonie.

**4 tot 6 juni.** In Silezië breekt een opstand uit onder de wevers, uit protest tegen hun erbarmelijke levensomstandigheden. De opstand wordt bloedig neergeslagen. →

**27 juni.** Joseph Smith, de oprichter van de Mormonenkerk, wordt in de gevangenis van Carthage vermoord. Hij zal worden opgevolgd door Brigham Young. →

**10 september.** De Franse oorlog in Marokko eindigt met het Verdrag van Tanger.

**September.** Friedrich Engels bezoekt Karl Marx gedurende tien dagen in diens woonplaats Parijs. Hiermee begint de levenslange samenwerking en vriendschap tussen Marx en Engels.

**18 oktober.** Johann Strauss jr. debuteert met een eigen orkest. →

**4 december.** De democraat James Knox Polk wordt tot elfde president van de Verenigde Staten gekozen.

- De Serf Ilja Garaschanin eist in het geschrift *Natschertanje* de eenheid van alle Zuidslaven in de strijd tegen het Osmaanse Rijk en Oostenrijk. Dit geschrift wordt het programma van de Zuidslavische nationalistische beweging.

- *De drie musketiers* en *De graaf van Monte Christo* van Alexandre Dumas worden uitgegeven. →

- Van de hand van de Franse componist Hector Berlioz verschijnt *Traité d'instrumentation*. →

- Lobegott Tischendorf ontdekt een gedeelte van de *Codex Sinaiticus* van het Nieuwe Testament.

- *Unsettled Questions of Political Economy* van de Britse econoom en filosoof John Stuart Mill verschijnt.

Giuseppe Verdi componeert de opera *Ernani*.

# Mormonenleider gelyncht

CARTHAGE, 27 juni - Een anti-Mormonenmeute heeft vandaag de gevangenis van Carthage (Illinois) bestormd en de broers Joseph en Hyrum Smith gelyncht. Joseph Smith was de oprichter en geestelijk leider van de Mormonenkerk (de Kerk van Jezus Christus van de Heiligen der Laatste Dagen). Smith zat in de gevangenis omdat hij, toen een groep rivaliserende Mormonen hem in hun krant aanviel, hun drukpers had laten vernietigen.

Smith beweerde op zijn zeventiende jaar op de berg Cumorah bij New York op aanwijzing van de engel Moroni een aantal gouden platen gevonden te hebben waarin de geschiedenis werd verteld van de Amerikaanse Indianen, die werden omschreven als afstammelingen van de Hebreeën en die vele eeuwen geleden via de Grote Oceaan naar Amerika zouden zijn gereisd. De platen, Urim en Thummim, heeft hij uitgegeven onder de titel *Boek van Mormon*.

Smith beweerde dat het boek het wetenschappelijke bewijs van zijn goddelijke roeping was en dat zijn nieuwe Kerk, die hij in 1830 in Fayette (New York) heeft gesticht, de restauratie is van de oude, christelijke godsdienst. Zijn andere visioenen en openbaringen heeft de geestelijk leider van de Kerk van Jezus Christus van de Heiligen der Laatste Dagen neergelegd in *De parel van grote waarde* en in *De leer en de verbonden*, welke boeken naast de bijbel de geloofsgrondslag van de Mormonen zijn.

De Mormonen verwerpen de kinderdoop, de predestinatie en de erfzondeleer; ze kennen de plaatsvervangende doop voor gestorvenen en de handoplegging voor een onverbreekbaar 'hemels huwelijk'. Ze zijn overtuigd van de spoedige wederkomst van de Heer en leven dus in de 'laatste dagen'. Mormonen praktizeren polygamie; het verhaal wil dat Smith zelf met niet minder dan vijftig vrouwen getrouwd was, hoewel dat door anderen wordt ontkend. Zelf erkende hij slechts zijn eerste vrouw, Emma Hale, die hem negen kinderen heeft geschonken.

In de loop van de jaren is een groeiend aantal volgelingen, ondanks grote omberingen, met Smith meegetrokken van New York naar Ohio, en vervolgens naar Missouri en Illinois. De Kerk van de Mormonen telt nu ongeveer 18 000 volgelingen.

Op al hun wegen zijn ze door geweld achtervolgd, dat nu is geculmineerd in de dood van de twee leiders in Carthage.

De leiding van de Mormonenkerk zal worden overgenomen door Brigham Young, die de afgelopen zes jaar het belangrijkste lid van het Quorum van de 12 Apostelen, het bestuurslichaam van de Kerk, is geweest.

## Berlioz wijst op belang instrumentatie

*Karikatuur van Hector Berlioz.*

PARIJS - Zeven jaar na het verschijnen van de *Traité général d'instrumentation* van Jean Georges Kastner, welk boek dit jaar een tweede druk mocht beleven, is nu een nieuw werk over instrumentatie verschenen: *Traité d'instrumentation* van de componist Hector Berlioz, een naar het zich laat aanzien, standaardwerk.

Berlioz heeft tot nu toe in al zijn orkestwerken (waarvan in het bijzonder genoemd moeten worden de *Symphonie fantastique* en de *Nuits d'été*) getracht nieuwe instrumenten op te nemen. Zijn speciale belangstelling gaat daarbij uit naar de vernieuwingen van Adolphe Sax, die enige jaren geleden een geheel nieuwe instrumentenfamilie op de markt heeft gebracht: de saxofoons en saxhoorns. Instrumenten die nog geen tien jaar geleden alleen maar in speciale gevallen werden gebruikt, stopt Berlioz in principe in elke partituur: de harp, de Engelse hoorn (althobo), de basklarinet, gestemde cimbalen en zelfs de piano als orkestinstrument. Berlioz wil gebruik maken van alle mogelijkheden waarover een instrument beschikt.

In het voorwoord van zijn *Traité* schrijft Berlioz het volgende: 'Nog aan het begin van de vorige eeuw wist men niets van instrumentatiekunst en jaren geleden wilden de zogenoemde muziekvrienden nog de ontwikkeling ervan tegenhouden. Tegenwoordig schijnt men doordrongen te zijn van het nut. De kunst van de instrumentatie bestaat mijns inziens uit het kleur geven aan melodie, harmonie en ritme en ook, van deze drie onafhankelijk, het toepassen van orkestrale kleur gegeven op zichzelf (of daaraan nu een bedoeling ten grondslag ligt of niet). Het doel van deze verhandeling is om een opgave te geven van de omvang van de instrumenten, hun bouw en mechaniek, karakter en uitdrukkingsmogelijkheden.'

# Nieuwe Griekse grondwet van kracht

ATHENE, 30 maart - Griekenland heeft sinds vandaag een nieuwe grondwet. De constitutie introduceert een vorm van ministeriële verantwoordelijkheid en twee Kamers van volksvertegenwoordigers, de 'Vouli' en een Senaat ('Gerousia') die bestaat uit mannen die door de koning voor het leven zijn aangesteld.

De nieuwe grondwet is het antwoord van koning Otto aan zijn critici, die de afgelopen jaren steeds feller oppositie tegen zijn bewind gingen voeren. Vooral het centralistische karakter daarvan was een steen des aanstoots, omdat dat de machtspositie van de lo-

*Otto van Beieren overnacht op weg naar Athene bij de Ruïne van Megara (1839).*

*Koning Otto van Griekenland.*

kale elite bedreigde. Bovendien had Otto de toorn van de geestelijkheid opgeroepen met zijn besluit het bezit van de kloosters te confisqueren ten bate van zichzelf.

Ook in het parlement groeide de oppositie. De drie fracties - de pro-Engelse van de liberaal georiënteerde Mavrokordatos, de pro-Franse en fel nationalistische van Kolettis en de pro-Russische onliberale en orthodoxe van Kolokotronis - gingen steeds meer gezamenlijk tegen de Beierse koning optrekken.

Verzoening werd steeds moeilijker.

Toen in 1838 de Beierse troepen van Otto's leger naar huis werden gestuurd - de minister van Oorlog was overigens een Duitser uit Beieren, geen Griek - was het eigenlijk al te laat.

Een komplot van het Atheense garnizoen, dat op 3 september vorig jaar voor het paleis van de koning betoogde voor een constitutioneler gedrag van zijn vorst, deed Otto beseffen dat hij eieren voor zijn geld diende te kiezen. De nieuwe grondwet was daarna in nog geen halfjaar gereed. De 'staatsgreep' van het leger was daarmee succesvol gebleken.

# Enorme produktie Dumas

*Illustratie uit 'De drie musketiers'.*

PARIJS - De Franse veelschrijver Alexandre Dumas, die al een indrukwekkend omvangrijk œuvre op zijn naam heeft staan en zich met zijn boeken in een uitzonderlijke populariteit

mag verheugen, heeft een nieuwe loot aan zijn literaire stam toegevoegd: het acht delen dikke *Les trois mousquetaires*. Het omvangrijke verhaal, dat Dumas met grote verve en veel gevoel voor melodrama vertelt, speelt zich af in de periode 1625-1665. De hoofdpersoon, D'Artagnan, heeft echt bestaan; ook D'Artagnans drie vrienden - Athos, Porthos en Aramis (de drie musketiers) - zijn aan de historische werkelijkheid ontleend.

Voor zijn enorme literaire produktie houdt Dumas er een hele staf van medewerkers op na - zijn 'fabriek', zoals hij het zelf noemt -, die onder andere de geschriften van memoirenschrijvers doorpluizen naar geschikte thema's. Zo is het materiaal voor *De drie musketiers* ontleend aan de *Memoires de M. d'Artagnan (1700-1701)* van Giles de Courtilz de Sandras. De geschiedenisleraar August Maquet heeft Dumas bij het schrijven van zijn nieuwe boek bijgestaan.

De 'fabriek' van Dumas is voor Charles Hugo reden geweest uit te roepen: 'Er is niemand die alles van Dumas heeft gelezen, ook hijzelf niet.'

*Op 18 oktober maakt de 21-jarige violist Johann Strauss jr. met zijn eigen dansorkest zijn debuut in het restaurant 'Dommayer' in Wenen. Zijn vader, de koning van de Weense wals, had hem eigenlijk niet voor de muziek voorbestemd, zodat de zoon buiten medeweten van zijn vader viool moest studeren. Het blad 'Der Wanderer' over het debuut: 'Triomf voor Strauss jr., triomf ook voor Wenen dat nu twee Straussen in zijn midden heeft.'*

---

*oer uit de Steiermark (Oostenrijk); quarel van Karl Russ.*

# Oostenrijkers tegen horigheid

WENEN, 24 januari - De Nederoostenrijkse standen hebben aan keizer Ferdinand I een verzoekschrift gericht tot afschaffing van de 'Zehent' (de 'tiend' = de verplichting van de boeren om een tiende deel van hun opbrengst aan de landeigenaar af te staan) en de 'Robot' (de arbeid voor de landheer).

De tekst van deze petitie luidde: 'De aan Uwe Majesteit gehoorzame standen is niet onbekend, dat de tiend een zeer lastige, het nijvere bedrijf van de landbouw remmende, de totale produktie van het land en daarmee de nationale rijkdom verlagende afdracht is [...] De tiend is een belangrijke belemmering om onvruchtbare grond te bebouwen want de opbrengst is - na aftrek van de tiend - te gering. Het is onmogelijk om de landheer bij de afdracht van de tiend niet te bedriegen omdat hem bij de oogst aanzienlijke schade wordt toegebracht [...] Aan de Nederoostenrijkse standen zijn verder de nadelen van de robot wel bekend [...] De Robot is een van de voornaamste oorzaken van de zedelijke verloedering van het volk. De Robot brengt ontevredenheid, verbittering en eindeloze conflicten met zich. Met de Robot leert de arbeider traagheid, nalatigheid en allerlei onrechtmatigheden, waarmee hij probeert om zich het werk ten koste van de landeigenaar gemakkelijker te maken. [...] Bij een geleidelijke afschaffing van de Robot, rekening houdend met de rechthebbenden en de belastingplichtigen, winnen de boer, de landheer en de staat.'

In het Habsburgse Rijk leven vele boeren nog onder een of andere vorm van horigheid. Ondanks de hervormingen van Maria Theresia en Jozef II zijn de boeren gedwongen een deel van hun oogst en van hun werkkracht aan de landheer af te staan. Omdat hij bang was dat de emancipatie van de boeren de sociale en politieke stabiliteit zou bedreigen, wees keizer Frans I ieder voorstel om de betrekkingen tussen heren en boeren op te heffen, van de hand.

# Morse experimenteert met telegraaflijn

WASHINGTON D.C., 24 mei - 'Wat God heeft bewerkstelligd!' Dat waren de woorden waarmee de Amerikaanse uitvinder Samuel F.B Morse vandaag de eerste publieke elektrische telegraaflijn in werking stelde. De telegraaflijn, die loopt van Washington D.C. naar het 60 kilometer verderop gelegen Baltimore, geldt als een experiment.

Toen het Amerikaanse Huis van Afgevaardigden Morse na lang touwtrekken vorig jaar 30 000 dollar ter beschikking stelde voor het bouwen van de eerste telegraaflijn, had hij al meer dan elf jaar aan zijn uitvinding gewerkt. De oorsprong van het idee hiervoor kan Morse zich goed herinneren. Terugkerend van een studiereis door Europa kwam op 13 oktober 1832 het gesprek aan tafel op de enkele jaren daarvoor in Engeland uitgevonden elektromagneet. Morse, tot dan toe voornamelijk werkzaam als schilder, merkte daarbij op: 'Als de aanwezigheid van elektriciteit zichtbaar kan worden gemaakt, zie ik geen enkele reden waarom het niet mogelijk zou zijn om ook boodschappen door middel van elektriciteit te verzenden.'

Het eerste werkmodel voor het seintoestel, waarbij de op zwart zaad zittende uitvinder gebruik maakte van onder meer het houten raderwerk van

*Samuel F.B. Morse.*

een oude klok en een gekregen elektromagneet, was al in 1835 gereed. Dit model komt in grote lijnen overeen met het huidige seintoestel, zij het dat de signalen, als gevolg van de zwakte van de gebruikte batterij, niet verder dan ongeveer 120 meter reikten. De uitvinding van een toestel om die signalen te herhalen op het moment dat ze te zwak dreigen te worden, wordt alom gezien

als Morses meest briljante vinding.

Voor het verzenden van boodschappen heeft Morse een aparte code ontwikkeld. De eerste, uiterst ingewikkelde, geheime code, gemaakt met het idee dat het seintoestel alleen zou worden gebruikt voor het versturen van buitengewoon gewichtige boodschappen van de overheid, maakte in 1838 plaats voor de puntjes en streepjes van wat nu de morsecode wordt genoemd. Tussen de twintig en vijfentwintig woorden per minuut kunnen met behulp van deze code worden doorgeseind.

Hoewel met minder succes dan vandaag, heeft Morse zijn seintoestel al eerder gedemonstreerd. Pogingen om in Europa een telegraaflijn op te zetten liepen op een mislukking uit. Evenmin lukte het Morse zijn patent in Europa gegarandeerd te krijgen. In Engeland beweren Wheatstone en Edward Davy de Amerikaanse uitvinder voor te zijn geweest.

Ondanks het feit dat de demonstratie van vandaag een overweldigend succes mag heten, heeft Cave Johnson, directeur-generaal van de posterijen, tot nu toe weinig belangstelling getoond. Dit zou kunnen betekenen dat de exploitatie van de telegraaflijn, anders dan Samuel F.B. Morse voor ogen staat, in particuliere handen moet blijven.

# Silezische wevers eisen hogere lonen

LANGENBIELAU, 6 juni - Militaire eenheden hebben twee dorpen in Silezië bezet, waar zij een eind aan een opstand van wevers maakten. De wevers hebben herhaaldelijk tegen loonsverlagingen geprotesteerd. De fabrikanten zeggen geen hogere lonen te kunnen betalen, omdat zij moeten concurreren tegen textielprodukten die mechanisch vervaardigd zijn. Sinds de introductie van de mechanische weefstoel is de prijs van textiel gedaald en deze dalende prijzen zijn door de fabrikanten verrekend in de lonen van hun arbeiders, die nog met de hand weven. In Peterswaldau (13 000 inwoners) en Langenbielau (5000 inwoners) werkt een groot deel van de bevolking in de textiel, thuis of in de fabriek.

Op 4 juni trok een groep arbeiders uit Peterswaldau naar het huis van de fabrikant Zwanziger, die als een harde werkgever bekendstaat. Daar aangekomen eisen zij een loonsverhoging en een (klein) bedrag dat onmiddellijk uitbetaald zou moeten worden. De heer Zwanziger weigerde op de eisen in te gaan, waarop de arbeiders zijn huis en fabriek bestormden. Zwanziger sloeg op de vlucht en riep de hulp van het leger in. De arbeiders gingen, nadat zij bij Zwanziger vernielingen hadden aangericht, naar het huis van een andere fabrikant. Diens huis bleef gespaard

*'Silezische wevers' (schilderij van Karl Wilhelm Hübner, 1844).*

omdat hij de wevers wat geld gaf, en zij trokken, inmiddels versterkt door collega's uit andere dorpen, verder naar de volgende textielfabrikant, de heer Fellmann junior. Ook hier kregen zij geld en bovendien liet Fellmann hun brood, boter en een paar zijden spek brengen.

De volgende dag zetten de wevers hun acties voort, maar nu stuitten zij op militairen, die door de gevluchte Zwanziger gewaarschuwd waren. Een gevecht

leek onvermijdelijk en een majoor van het leger gaf opdracht op de arbeiders te schieten, waarbij onmiddellijk elf doden vielen.

De wevers verdedigden zich met stenen en knuppels. In de afgelopen nacht kregen de militairen echter versterking. Vanuit Schweidnitz rukten vier compagnieën, met vier kanonnen, de weversdorpen binnen en hiertegen konden de wevers zich niet verweren. Er zijn 150 mensen gearresteerd.

# Metternich voor censuur

*Spotprent op de Oostenrijkse censuur onder Metternich.*

WENEN, 11 maart - Negenennegentig prominente Oostenrijkse schrijvers, geleerden en kunstenaars hebben een verzoekschrift aan keizer Ferdinand I gericht, waarin zij verlichting van de censuur verlangen. In deze petitie wordt niet de volledige afschaffing van de persbreidel gevraagd - een eis die in het Oostenrijk van Metternich absoluut geen gehoor zou vinden -, maar het recht om in beroep te gaan tegen de beslissingen van de censor.

De ondertekenaars beklagen zich er-over dat de censor zich de bevoegdhe-den van een criticus aanmatigt: 'een uitlating wordt vaak alleen geschrapt omdat de censor een andere mening is toegedaan, en niet omdat de opmer-king van de schrijver een gevaar voor het algemeen belang inhoudt, of op andere wijze de censuurvoorschriften schendt.' De delegatie is door 'Haus-Hof- und Staatskanzler' Fürst Metter-nich echter niet ontvangen omdat hij het petititierecht van particulieren niet erkent. Hij heeft de petitie terzijde ge-legd omdat hij haar als kwetsend voor 'de waardigheid van de regering' be-schouwt.

Volgens liberale critici probeert Met-ternich door middel van de censuur 'Oostenrijk met een Chinese muur af te grendelen van het vooruitstrevende Europa'. Graaf Viktor von Andrian-Werburg noemde de censuur, die niet alleen elke belediging van de Habs-burgse dynastie, maar vooral iedere gedachte aan verandering moet onder-drukken, een in der Geschichte bei-spielloses Verdummungs-System'.

Vanzelfsprekend kan deze kritiek al-leen in het buitenland - en dan nog vaak anoniem of onder pseudoniem - wor-den uitgegeven. Maar deze publikaties en ook die welke door de Oostenrijkse censuur met 'Damnatur' (de strengste verbodsbepaling, slechts toegepast op

geschriften 'die de staat of de goede ze-den ondergraven') zijn gebrandmerkt, worden op grote schaal 'Europees Chi-na' binnengesmokkeld.

De censuur, die reeds onder Maria Theresia en Jozef II bestond, heeft in 'het systeem van Metternich' groteske vormen aangenomen. Niet alleen wor-den radicale en democratische pam-fletten als 'staatsondermijnend' be-schouwd en verboden, ook sommige klassieke schrijvers worden op de in-dex geplaatst. Vanwege de ware of ver-meende politieke ondertoon staan vooral historische en juridische wer-ken onder verdenking. Een lexicon of een uitgave in meer delen wordt door de censuur milder beoordeeld: alleen al door de hoge prijs blijft zo'n werk voor het grote publiek een gesloten boek. Ontspanningslectuur wordt eveneens gecensureerd: ridderromans, rovers-verhalen of spookvertellingen kunnen worden verboden op grond van hun verderfelijke invloed op de goede ze-den.

De censors beperken zich niet tot het gedrukte en geschreven woord. Zelfs uithangborden en grafzerken kunnen in beslag genomen worden als er de staat onwelgevallige opschriften of af-beeldingen op voorkomen. Ringen, manchetknopen, hoedepennen, das-spelden en pijpekoppen worden ge-controleerd op de aanwezigheid van symbolen van geheime genootschap-pen.

Dat politieagenten zich onledig hou-den met het verwijderen van de verpak-king van Franse importprodukten om-dat er het woord 'liberté' op staat, is kenmerkend voor de mate waarin de Oostenrijkse regering zich bedreigd voelt door het opkomend liberalisme in het buitenland én binnen de eigen grenzen.

---

*Aanleg van een dok in de haven van Buenos Aires (tweede helft 19de eeuw).*

# Blokkade van Buenos Aires

BUENOS AIRES - Een verenigd Frans-Engels eskader heeft het eiland-je Martín García in de monding van de Rio de la Plata bezet. Vanaf dit eiland-je wordt de haven van Buenos Aires be-heerst. Tegelijkertijd zijn Franse en Engelse soldaten bij de Uruguayaanse stad Colonia aan land gegaan.

De Frans-Engelse actie is een reactie op het bewind van de Argentijnse dictator sinds 1829, Juan Manuel de Rosas. De blokkade dient om de handelsbelan-gen te beschermen en het voortbestaan van Uruguay als bufferstaat tussen Ar-gentinië en Brazilië te verzekeren. Evenals bij de vorige blokkade door Franse schepen van 1838 tot 1840, zijn er ook nu incidenten aan voorafge-gaan, waarbij Engelsen en Fransen werden gedwongen dienst in het Ar-gentijnse leger te nemen. De legering

van soldaten bij Colonia moet de Ar-gentijnse invloed in Uruguay beper-ken. Herhaaldelijk heeft De Rosas met het Argentijnse leger expedities in Uru-guay ondernomen, al slaagde hij er tot nu toe niet in Montevideo te veroveren. De blokkade van Montevideo door Ar-gentijnse schepen hinderde terzelfder tijd de Franse en Engelse handel.

Of De Rosas erin zal slagen tijdens de blokkade en de samentrekking van ge-wapende tegenstanders bij het Engels-Franse legerkamp in het zadel te blij-ven, moet nog worden afgewacht. Tij-dens de vorige Franse blokkade kwam hij in grote moeilijkheden door de stil-liggende handel en het verzet van de provincies tegen zijn bewind. Hij wist zich toen in de burgeroorlog mede door het vertrek van de Fransen en de ople-vende handel te handhaven.

---

*Gezicht op het 'Plaza 11 de Septiembre' in Buenos Aires (1865).*

---

*De in mannenkleren uitgedoste Franse schrijfster George Sand (pseudoniem van Amandine Lucile Aurore Dupin baronne Dudevant), bekend en berucht om haar vele af-faires met onder anderen Chopin, Merimée en Musset. Ze heeft na haar ambitieuze 'Entwicklungs-roman' 'Consuelo' dit jaar weer een maatschappijkritische roman 'Le meunier d'Angibault', gepubliceerd.*

*Tsaar Nicolaas I met kroonprins Alexander.*

# Nieuw strafrecht Rusland

ST.-PETERSBURG - Na jarenlange arbeid is onder leiding van M.N. Bloedov het nieuwe *Wetboek van Strafrecht* gereedgekomen. Volgens het nieuwe strafrecht is het in Rusland officieel een misdaad geworden om te proberen het bestaande regeringsstelsel te veranderen, en zelfs om vragen er over te stellen. Ofte wel: politiek is bij de wet gebombardeerd tot een zaak die uitsluitend de machthebbers aangaat.

Het wetboek is typerend voor de regering van tsaar Nicolaas I. Het maakt een einde aan de onder zijn voorgangers nogal amateuristische manier van omgaan met politieke oppositie. De Dekabristenopstand, die Nicolaas' regering in 1825 inluidde, heeft een belangrijke invloed op zijn houding gehad. Aan de andere kant speelt de persoon van de tsaar een rol: militair ingesteld als hij is, en met een sterke hang naar orde, wenst de tsaar op alle aspecten van de samenleving greep te hebben. Voor hem zijn de pijlers van de Russische staat: autocratie, orthodoxie en nationaliteit. Zijn minister van onderwijs, Sergej Oevarov, formuleerde deze doctrine van 'officiële nationaliteit' in 1833. In zijn hang naar orde richtte de tsaar in 1826 de Derde Afdeling van de Keizerlijke Kanselarij op. Officieel is deze afdeling de beschermster van weduwen en wezen, en heeft heel toepasselijk een zakdoek als embleem. In feite gaat het om een reguliere geheime politie, die in alle lagen van de maatschappij moet doordringen.

Tot de taken van de Derde Afdeling en het nauw eraan gelieerde Gendarmecorps behoren behalve het ontdekken van subversieve activiteiten, ook het bewaken van vreemdelingen en sektariërs, en het uitoefenen van een zekere mate van censuur. De afdeling ressorteert direct onder de tsaar, die vaak persoonlijk aan ondervragingen van verdachten deelneemt.

Theoretisch heeft de Russische overheid er met het nieuwe wetboek een repressief middel bij. In de praktijk is het allemaal wat minder indrukwekkend. De machinerie van de onderdrukking is niet al te goed geolied; de gebrekkige communicatie in het uitgestrekte Russische Rijk en de logheid van het bureaucratische apparaat werken een snel reagerend beleid bepaald niet in de hand.

# Klipper 'Rainbow' te water

*De klipper 'Flying Cloud' (1851) in vo‹ le zee.*

NEW YORK, 24 september - Met veel vlagvertoon is het zeilvrachtschip de 'Rainbow' in de haven van New York te water gelaten. Het ranke zeilschip is gecreëerd door de befaamde ontwerper J.W. Griffiths en gebouwd in opdracht van de rederij Howland and Aspinwall.

De 'Rainbow' verschilt qua bouw volkomen van de orthodoxe zeilschepen. Het nieuw ontwikkelde type schip, klipper genaamd, is langer, smaller, heeft een vlakke bodem, hogere masten en een groter zeiloppervlak dan de conventionele schepen. Griffiths heeft in zijn ontwerp verbeteringen verwerkt die al zijn toegepast in schepen als de 'Akbar', gebouwd door Samuel Hall in Boston of de 'Ann McKim' uit Baltimore. Door deze revolutionaire verbeteringen zijn de klippers de snelste zeilschepen ter wereld. De Verenigde Staten hebben met deze nieuwe schepen hun vooraanstaande positie op het gebied van de scheepsbouw nog eens duidelijk bevestigd.

Klippers ontlenen hun naam aan het Engelse woord 'to clip' dat 'snellen' betekent. Zij snellen als het ware over de toppen van de golven in plaats van erdoorheen te ploegen.

De klippers zijn vanwege hun snelhei‹ uitstekend geschikt voor het transpo‹ van luxe-goederen. Zeer belangrijk ook dat deze schepen de lange reis va‹ de oostkust om de Kaap naar de wes‹ kust en met name naar Californië m‹ enige dagen zullen bekorten.

De Amerikaanse rederij is van plan ‹ 'Rainbow' in te zetten op de theevaa‹ naar China.

# Britten breiden macht in India verder uit

FEROZEPORE, 20 december - De Britten zetten de uitbreiding van hun machtspositie in India onverdroten voort en voeren nu acties uit tegen de Sikhs in de Punjab. De afgelopen dagen zijn er hevige gevechten geleverd tussen de Sikh-troepen en het Britse leger, waarbij aan weerskanten zware verliezen zijn geleden, zonder dat een van de partijen aanspraak kan maken op een overwinning. De Britten hebben in de voortgaande strijd ongeveer 40 000 soldaten en 94 kanonnen tot hun beschikking, terwijl het reguliere Sikh-leger 60 000 man en enkele honderden kanonnen in het veld heeft gebracht.

Dat de Sikhs over zo'n goed uitgerust leger beschikken, hebben ze te danken aan hun vroegere heerser, Maharaja Ranjit Singh, die in 1839 is overleden. In de jaren na zijn dood is het overheidsapparaat door een reeks paleisrevoluties en moordaanslagen uiteengevallen. De macht van de Sikhs berust nu in feite bij het leger.

Al voor het uitbreken van de vijandelijkheden waren de verhoudingen tussen Sikhs en Britten gespannen, omdat de Sikhs hadden geweigerd de Britse troepen tijdens hun oorlog tegen Afghanistan door hun gebied te laten trekken. Het initiatief tot de huidige oorlog is van de Sikhs uitgegaan; ze hebben besloten Brits India binnen te vallen om zodoende, zo zeggen zij, een aanval van Britse kant te voorkomen. Het Sikh-leger stak op 11 december de

*Generaal Churchill stort van zijn paard in de Slag om Maharajpur (1843).*

Sutlej over en bedreigde daarmee Ferozepore. In Ferozepore, Ludhiana en Ambala hadden de Britten hun troepen geconcenteerd en ze bleken dan ook niet verrast door de aanval. In twee gevechten in de omgeving van Ferozepore zijn de Sikhs, die onder leiding staan van Lal Singh, op 18 december weer over de Sutlej gedreven. Een tweede Sikh-leger onder leiding van Tej Singh heeft nagelaten de Engelse troepen op de dag na deze gevechten

aan te vallen, toen de Britten volkome‹ uitgeput waren. Sinds het midden va‹ de 17de eeuw hebben de Engelsen vas‹ voet in India. Door verscheidene ver‹ veringen onder leiding van Lord Cliv‹ is het Britse gebied steeds verder uitg‹ breid. Na de overwinning bij Plasse‹ (1757) op de Bengalen verwierf Eng‹ land de eerste territoriale rechten ‹ Bengalen. De laatste Britse gebiedsui‹ breiding was de verovering van Si‹ enkele jaren geleden.

*Spoorwegstation van Nova Friburgo bij Rio de Janeiro (circa 1865).*

# Einde opstand in Brazilië

RIO DE JANEIRO - De Braziliaanse autoriteiten zijn erin geslaagd de laatste grote opstand, de Farroupilha-opstand in Rio Grande do Sul, neer te slaan. Na de Sabinada-opstand in Bahia in 1837-1838, de Cabanagem-opstand in Pará van 1835-1840 en de Balaiada-opstand in de provincie Maranhao van 1838-1841, was dit de laatste grote afscheidingsopstand, die tien jaar gewoed heeft.

De Farroupilha-opstand begon in 1835 met het verzet van grootgrondbezitters tegen het centraal gezag, wat uitmondde in een afscheidingsbeweging. De opstand die ontstond was de hevigste, bloedigste en in tijd de langste die Brazilië heeft gekend. De Farroupilha's werden een echte guerrilla met bliksemacties, waarna zij zich snel terugtrokken in het eindeloze Zuidbraziliaanse heuvellandschap. De opstandelingen stonden openlijk in verbinding met partijen in de burgeroorlog van Uruguay en konden rekenen op de steun van de Argentijnse dictator De Rosas.

Met het neerslaan van de opstand lijkt aan de verschillende separatistische bewegingen een eind gekomen en het cen-

*Generaal Juan Manuel de Rosas.*

trale staatsgezag gewaarborgd te zijn. Daarmee is Brazilië de enige koloniale eenheid die integraal onafhankelijk is geworden.

De verschillende Spaanse onderkoninkrijken zijn ieder uiteengevallen in aparte onafhankelijke landen.

*Landschap van de Braziliaanse provincie Santa Catharina (circa 1870).*

---

**9 maart.** Het Verdrag van Lahore beslecht de oorlog tussen de Britten en de Sikhs in het voordeel van de Britten.

**12 maart.** In Praag komt een discussie over de toekomst van de Tsjechen en Slowaken op gang. →

**1 mei.** De Oostenrijkse Ida Pfeiffer maakt als eerste vrouw een wereldreis. →

**13 mei.** Nadat al twee veldslagen op 8 en 9 mei zijn gewonnen, verklaren de Verenigde Staten aan Mexico de oorlog om de grenzen tussen Texas en Mexico vast te stellen.

**Mei.** In Engeland worden de Corn Laws ingetrokken ten gunste van de vrijhandel. →

**8 juni.** Britse troepen verslaan in de Slag bij Gwanga een uit 9000 man bestaand Kaffer-leger. →

**14 juni.** In Brussel wordt de Belgische Liberale Partij opgericht. →

**15 juni.** Het Oregon Verdrag tussen Groot-Brittannië en de Verenigde Staten legt de grenzen tussen de USA en Canada vast op de 49ste breedtegraad.

**7 juli.** Californië wordt tot een deel van de Verenigde Staten verklaard.

**8 juli.** Christiaan VIII van Denemarken verklaart de Deense staat ondeelbaar en ook erfelijk in vrouwelijke lijn, waardoor de hertogdommen Sleeswijk en Holstein bij Denemarken behoren. Deze verklaring leidt tot spanningen in Duitsland.

**23 september.** Johann Galle ontdekt de planeet Neptunus via berekeningen van Leverrier. Reeds in 1795 werd het hemellichaam door Lalande waargenomen.

**16 oktober.** In het General Hospital in Boston brengt W. Morton als eerste een mens onder narcose. →

**6 november.** Na opstanden in de Kraków-republiek in Polen wordt dit gebied, ondanks het Verdrag van Wenen, door Oostenrijk geannexeerd.

**15 december.** Het aantal immigranten vanuit Europa naar de Verenigde Staten neemt geweldig toe. →

**28 december.** Iowa wordt een staat van de Verenigde Staten.

- Het Franse leger neemt de leider van het Algerijnse verzet emir Abd el-Kader gevangen. →

- Henry Rawlinson, de grondlegger van de assyriologie, ontcijfert Perzische spijkerschrift-inscripties in Behistan.

- In Washington wordt het Smithsonian Institute opgericht.

- Hugo von Mohl onderscheidt en benoemt als eerste het protoplasma.

---

# Borovsky bepleit federatie van Austroslaven

PRAAG, 12 maart - In de eerste jaargang van de *Prazské noviny* (Praagse Courant) voert de Praagse journalist K. H. Borovsky een heftige polemiek met de dichter J. Kollár over de toekomst van de Tsjechen en de Slowaken. Borovsky formuleert het idee van echt austroslavisme: de Slavische volkeren van de Habsburgse monarchie zouden het meeste baat hebben bij het voortbestaan van de monarchie, maar dan wel op federalistische basis, waardoor hun autonomie gegarandeerd zou worden.

De meerderheid van de politiek bewuste Slaven hangt dit idee aan. Kollár is een voorstander van het panslavisme, een toekomstconcept volgens welk alle Slaven zich moeten verenigen, met aan het hoofd 'Moedertje Rusland'.

De Slavische volkeren van de Oostenrijkse monarchie hebben alle reden zich zorgen over hun eigen identiteit te maken. De centralistische politiek van het hof in Wenen is gericht op de assimilatie van deze volkeren met de Duitsers.

Zoals overal in Europa heeft zich ook in Bohemen een nationaal bewuste klasse gevormd die voornamelijk bestaat uit kunstenaars, intellectuelen en de lagere burgerij (de machtige hogere burgerij is overwegend Duits). Het proces van de nationale 'wedergeboorte' heeft in Bohemen een taalkundig karakter, als gevolg van het diepe verval van de Tsjechische taal gedurende de afgelopen twee eeuwen na de Slag op de Witte Berg (1620). De - vaak nog Duits opgevoede - Tsjechische geleerden trachten voortdurend het Tsjechisch te verbeteren en op een hoger niveau te tillen.

Waardevol onderzoek op dit gebied verrichtte J. Dobrovsky, die in 1792 de *Geschichte der böhmischen Sprache und Literatur* schreef en in 1809 de Tsjechische grammatica behandelde. J. Jungmann maakte talrijke vertalingen uit het Engels, Duits en Frans en stelde een Tsjechisch woordenboek samen. Twee vooraanstaande Tsjechische historici verdiepten zich in de bijna vergeten geschiedenis van Bohemen: F. Palacky en P. J. Safarík. Palacky benadrukt de twee rode draden van de Boheemse historie: de strijd tussen het Duitse en het Tsjechische element aan de ene kant en tussen de katholieken en de Reformatie aan de andere kant.

Een belangrijk middel tegen de germaniserende druk is de publicistiek. In 1789 begon V. M. Kramerius de eerste Tsjechische krant uit te geven. Daarnaast schoten vele patriottische sociëteiten en verenigingen als paddestoelen uit de grond.

# Brits Lagerhuis schaft Graanwetten af

LONDEN, mei - In het Lagerhuis is besloten de protectionistische 'Corn-Laws' (graanwetten) te herroepen. De wetten waren in 1815 aangenomen om de Britse landbouw te beschermen tegen de importen van goedkoper graan vanaf het continent. De voorstanders van de wet moesten - en moeten - gezocht worden in kringen van de 'landed interests', die zoals bekend voor de kiesrechthervorming van 1832 in het parlement de toon aangaven. Het afschaffen van de graanwetten wordt hier dan ook beschouwd als een politieke overwinning voor vrijhandelsgezinde industriëlen en die Kamerleden die aanhang onder de arbeidersklasse proberen te verwerven.

Aan de herroeping van de graanwetten is een jarenlange agitatie voorafgegaan. Tegenstanders van de protectionistische bepalingen stichtten in 1838 de Anti-Corn Law League. Al snel werd deze beweging vanuit Manchester geleid door John Bright, een fabriekseigenaar, en Richard Cobden, een ex-zakenman die zich tot een begaafd redenaar en een knap propagandist ontpopte. Van meet af aan heeft de beweging zich publiciteit weten te verwerven. In Manchester werd

*De Anti-Corn Law League in vergadering bijeen (Manchester, 1841).*

de 'Free Trade Hall' gebouwd, er werden kranten en pamfletten uitgegeven en zelfs gemakkelijk in het gehoor liggende liederen gecomponeerd, zodat men op meetings en betogingen ook op deze opvallende manier zijn eisen

kracht bij kon zetten.

De leiders van de Anti-Corn Law League willen de Engelse regering overhalen om op elk gebied protectionisme te schaffen; zij beschouwen dit als h middel bij uitstek om alle economische problemen op te lossen. De vrijhandelsgezinde activisten zien er geen bezwaar in om hun standpunten zo te vereenvoudigen dat zij een grotere aanhang krijgen. Bij de arbeidersklasse heeft vooral het argument dat afschaffing van de graanwetten tot lagere broodprijzen leidt, ingang gevonden. O ook de christelijke arbeiders aan te spreken zijn pamfletten uitgebracht met als motto: 'Geef ons ons dagelijks brood'. Door het organiseren van meetings en nachtelijke fakkeloptochten heeft de beweging zich van de nodige publiciteit verzekerd.

Het uitbreken van een hongersnood Ierland heeft overigens een zeer belangrijke invloed op de publieke opinie gehad. De graanwetten maakten het vrijwel onmogelijk hulp te bieden aangezien het zo nodige, te importeren voedsel hierdoor te duur werd. Onder invloed hiervan werd Robert Peel, minister-president, tot vrijhandel 'bekeerd.'

# Algerijns verzetsleider gevangengenomen

PARIJS - Emir Abd el-Kader, de leider van het Algerijnse verzet, is door het Franse leger in Algerije gevangengenomen. Emir Abd el-Kader leidt sinds 1832 het verzet tegen de Franse kolonialisten.

Algerije werd door Frankrijk in 1830 bezet. In mei van dat jaar verklaarde de Franse minister van Oorlog, generaal Louis de Bourmont, dat hij een leger van 37 000 man zou aanvoeren om Algerije te bezetten. Op 14 juni 1830 vond

*De Fransen trekken in juli 1830 Algiers binnen.*

deze invasie plaats. Door de revolutie van juli 1830 in Parijs werd generaal De Bourmont teruggeroepen en nam generaal Clauzel de verantwoordelijkheid voor het Franse leger in Algerije van hem over. In september jongstleden maakte deze generaal het kolonisatieplan ten aanzien van Algerije bekend. Maar ook Clauzel werd door de Franse regering teruggeroepen.

Tegelijkertijd kwam de bevolking van Algerije, met name in de provincie Oran, in opstand. Een 22-jarige jongeman, emir Abd el-Kader, nam het leiderschap op zich en begon een 'al-Jihad' (heilige oorlog) tegen de Fransen. In een korte periode veroverde emir Abd el-Kader verschillende gebieden in Algerije, waardoor hij erg populair werd onder het volk, dat hem als een held beschouwde. De Fransen gingen door met hun kolonisatieplan en in 1840 benoemde de Franse regering generaal Bugeaud tot gouverneur-generaal van Algerije. In mei 1841 veroverde Bugeaud de hoofdstad Taghdemt op emir Abd el-Kader. Op 9 februari 1843 verloor emir Abd el-Kader zijn laatste bolwerk, Sebdu, aan de Fransen. De emir vluchtte richting Marokko, achtervolgd door het leger van Bugeaud.

Bij de grens verwierf Abd el-Kader steun van enkele stammen en begon een offensief tegen het Franse leger. Na een bloedige strijd die een jaar duurde, leed de emir de definitieve nederlaag. Hij wilde alsnog naar Marokko vluchten, maar toen hij daar eenmaal was liet de sultan van Marokko hem weten dat hij niet welkom was. Twee dagen geleden moest de emir de grens oversteken en naar Algerije teruggaan, waarna hij omsingeld en gearresteerd werd. Na de onderdrukking van het verzet van emir Abd el-Kader lijkt het kolonisatieplan van de Fransen gemakkelijker te kunnen worden voortgezet.

*Ida Pfeiffer (foto, 1856).*

# Vrouw vertrekt voor wereldreis

WENEN, 1 mei - De 48-jarige Ida Pfeiffer is vandaag vertrokken voor een wereldreis die haar naar Brazilië, Chili, Tahiti, China, India, Perzië, Armenië en Klein-Azië moet voeren. De Weense reizigster is daarmee de eerste vrouw die zo'n avontuur onderneemt. Toen de opvoeding van haar kinderen achter de rug was, heeft Ida Pfeiffer geestdriftig het reizen ter hand genomen: drie jaar geleden heeft ze Palestina en Egypte bezocht en vorig jaar is ze naar IJsland en Scandinavië geweest. Haar ervaringen tijdens de reis naar Palestina heeft ze in boekvorm vastgelegd: *Reise einer Wienerin in das Heilige Land* (1843).

Het oprichtingscongres van de Belgische Liberale Partij in Brussel.

# Liberale partij in België

BRUSSEL, 14 juni - In de gotische zaal van het stadhuis van Brussel hebben 384 afgevaardigden van de afzonderlijke liberale kiesverenigingen besloten te gaan samenwerken in een liberale partij. De 'Confédération générale du libéralisme en Belgique' zal de overkoepelende organisatie vormen van de bestaande en nieuw op te richten liberale politieke verenigingen. De algemene leiding van de nieuwe partij komt in handen van de Brusselse vereniging Alliance libérale, die ook het initiatief tot het partijcongres genomen heeft.

Naast een hechte partijstructuur heeft het congres, onder voorzitterschap van Eugène Defacqz, ook een algemeen programma vastgesteld. De liberalen richten zich daarin vooral tegen een te grote invloed van de Kerk op het maatschappelijk leven. Gestreefd dient daarom te worden naar 'reële onafankelijkheid van het burgerlijk gezag' (artikel 2). Ook vinden de liberalen dat er op elk niveau openbaar onderwijs gegeven moet worden dat uitsluitend door de staat beheerd wordt (artikel 3). Daarnaast wordt een verlaging van de kiescijns genoemd (artikel 1) en dienen maatregelen genomen te worden ter verbetering van de sociale toestand van de arbeiders (artikel 6).

Het programma zoals dat er nu ligt, is een duidelijk compromis tussen de twee liberale stromingen binnen de partij, de doctrinairen en de radicalen.

De slag die op 8 juni bij Gwanga in het oostelijke grensgebied van de Afrikaanse Kaapkolonie is geleverd tussen eenheden van het Britse leger en Bantoes (door de blanken 'kaffers' genoemd); de Bantoes hebben bij deze slag een nederlaag geleden. De Britten proberen de Bantoes in de Kaap en in Basoetoland te 'beschaven' door de oprichting van missiescholen en door de aanstelling van blanke bestuurders, om zo het gezag van de stamhoofden te ondermijnen.

# Europese immigrantenstroom verrast VS

De 'Washington', de eerste stoompostboot die van Amerika naar Europa vaart, komt aan in Bremerhaven.

WASHINGTON, 15 december - De immigratie uit Europa is de laatste jaren enorm toegenomen. Volgens de in Washington bekendgemaakte cijfers vestigen zich jaarlijks tussen de 150 000 en 200 000 Europeanen in de Verenigde Staten. Verreweg de meeste immigranten zijn afkomstig uit Ierland en Duitsland, waar enorme problemen in de landbouw zijn. Vooral in Ierland kunnen de kleine pachters het niet meer bolwerken, omdat de Engelse landeigenaren een onderdrukkend pachtsysteem hanteren. Bovendien heeft de aardappelziekte van vorig jaar vele boeren geruïneerd.

De nieuwkomers worden met gemengde gevoelens ontvangen. Enerzijds zijn de immigranten welkom vanwege het ideaal van een Amerika als asiel voor de kansarmen en vanwege de overvloed aan ruimte. Ook wordt het aandeel dat de immigranten leveren in de ontwikkeling van het land onderkend. De ongeschoolde arbeiders zijn heel bruikbaar bij de aanleg van kanalen en spoorwegen en in de snel groeiende industrie. Anderzijds hoort men de gebruikelijke verhalen over het toenemen van misdaad en werkloosheid in relatie tot de toegenomen immigratie.

Ook is er bezorgdheid vanwege de politieke gewoonten van de Ieren, zoals het en bloc voor één kandidaat stemmen. Dit bedreigt volgens velen de democratie en de vrijheid. Daarnaast worden de parochiescholen en Ierse nachtwakers, Duitse 'Biergarten', de 'continentale zondag' en andere vreemde gewoonten als trappen tegen het zere been van de puriteinen gevoeld. Hier en daar gaan al stemmen op om de immigratie te beperken 'om de democratie en het protestantisme te redden'.

Canadese pioniers aan het kaarten.

Op 16 oktober is in het Massachussets General Hospital in Boston voor het eerst een operatie (het verwijderen van een halstumor) onder narcose uitgevoerd. Deze verdoving met ether is ontwikkeld door Charles Jackson en nu voor de tweede keer toegepast door de tandarts William Morton; hij heeft de ethernarcose voor het eerst op 30 september gebruikt bij het trekken van een kies.

**15 maart.** In Hongarije organiseert de oppositie zich in een nieuwe partij.→

**11 april.** Koning Frederik Willem IV van Pruisen voelt zich genoodzaakt het parlement (Landdag) bijeen te roepen.

**14 april.** Perzië en het Osmaanse Rijk ondertekenen het Tweede Verdrag van Erzurum. →

**17 juli.** Oostenrijkse troepen bezetten Ferrara, na relletjes die veroorzaakt worden door de teleurstelling over het beleid van Pius IX.

**26 juli.** In Liberia wordt de onafhankelijke republiek uitgeroepen.→

**Juli.** In Frankrijk komt de oppositie tegen Louis-Philippe tot uiting in de politieke banketten die georganiseerd worden. →

**Herfst.** In Ierland komt een hulpactie op gang voor de slachtoffers van de hongersnood.→

**14 september.** Amerikaanse troepen nemen Mexico City in. →

**Oktober.** Voor het derde achtereenvolgende jaar mislukt de aardappeloogst in Vlaanderen.→

**29 november.** In de 'Sonderbund'-oorlog tussen katholiek-conservatieve en liberale kantons in Zwitserland worden de katholieke kantons verslagen. De Sonderbund wordt opgeheven en er wordt begonnen aan het vervaardigen van een nieuwe grondwet, die een jaar later in werking zal treden.

**December.** In Londen komt het tweede congres van de 'Bund der Kommunisten' bijeen. →

- 'Il Risorgimento' wordt in Italië opgericht door Cavour en Balbo.

- Liberale en democratische groeperingen in Baden en Zuidwest-Duitsland stellen programma's op.

- In Engeland wordt de tienurige werkdag afgekondigd. →

- Giuseppe Verdi componeert de opera *Macbeth*.

- Emily Brontës *Wuthering Heights* verschijnt, evenals de roman *Jane Eyre* van haar zuster Charlotte Brontë. →

- De Russische literaire criticus Belinski opent de aanval op de schrijver Nikolaj Gogol. →

- De Mormonen stichten Salt Lake City in Utah. →

- *Über die Erhaltung der Kraft* van Hermann Helmholtz verschijnt.

- Sir James Simpson gebruikt chloroform als verdovingsmiddel.

- Jules Michelet begint te schrijven aan het werk *Histoire de la Révolution française*.

*Allegorisch portret van István Széchenyi, de belangrijkste inspirator van het Hongaarse nationalisme.*

# Hongaarse opposanten verenigen zich

PEST, 15 maart - Twaalfhonderd hervormingsgezinde opposanten hebben na verhitte discussies in Pest een officiële partij opgericht en daarmee Wenen geconfronteerd met een krachtige uitdaging. Lajos Kossuth en Ferencz Deák zijn de leiders van de nieuwe partij, die toepasselijk Ellenzék (Oppositie) is gedoopt.

Een van de radicale vleugels van de oppositie wordt aangevoerd door een aantal jonge schrijvers, zoals Sándor Petöfi, Mór Jokai en János Arany. De denkbeelden van de Hongaarse adel gaan hen niet ver genoeg. Met publicitaire middelen en discussies in Café Pilvax in Pest propageren zij een minder voorzichtig hervormingsbeleid. Een andere radicale leider is Mihály Táncsics, een boerenleider wiens boeken niet in Hongarije mogen verschijnen.

De formatie van de nieuwe partij is een direct gevolg van de Landdag van 1843-1844, die de hervormers in Pest door een reeks liberaliserende maatregelen had aangemoedigd. Dat gold vooral voor Kossuth, die na zijn vrijlating in 1840 hoofdredacteur van de *Pesti Hirlap* werd, tot hij die baan in 1844 door intriges van de kant van de overheid kwijtraakte. Hij maakte de drie jaar daarna gebruik van diverse institutionele organisaties om zijn denkbeelden te propageren.

Kossuth concentreerde zich in deze jaren op het stimuleren van de economische ontwikkeling, met name van de industrie, de handel en de infrastructuur, in de gerechtvaardigde verwachting dat een snelle ontwikkeling en een snelle urbanisatie zouden bijdragen tot een grotere politieke bewustwording.

Internationaal hadden Kossuth cum suis de wind mee. De economische malaise in heel Europa heeft op veel plaatsen, ook in het Habsburgse Rijk, tot een revolutionaire stemming geleid. Vorig jaar nog werd in Galicië een boerenopstand bloedig neergeslagen. In Hongarije zelf zijn de boeren na twee jaar misoogsten zeer onrustig.

Het grootste probleem van de oppositie was echter het gebrek aan eenheid. Tegenover de radicale Kossuth, die een parlementaire democratie en onafhankelijkheid nastreeft, staat de gematigde Deák, die binnen de constitutionele grenzen wil blijven.

In juni vorig jaar nam een nationale conferentie van opposanten een aantal voorstellen van Kossuth aan, maar tot de formulering van een officieel programma kwam het toen niet. De beslissende duw in de richting van eenheid kwam ironisch genoeg van de conservatieven, die in november een officiële partij stichtten en een reeks pseudo-progressieve programmapunten opstelden. Daardoor getergd, waagden de Hongaarse hervormers een nieuwe poging.

De nieuwe partij Ellenzék heeft naar aanleiding van een aantal voorstellen van Kossuth en Deák een commissie gevormd die een verklaring moet opstellen. Het belangrijkste punt in deze verklaring wordt het streven naar nationale onafhankelijkheid.

# Perzen en Osmanen eens over verdrag

ERZURUM, 14 april - Vandaag is het tweede Verdrag van Erzurum door vertegenwoordigers van het Perzische en het Osmaanse Rijk getekend. Het Eerste Verdrag tussen beide rijken werd in 1823 in dezelfde stad getekend.

De vertegenwoordiger van het Osmaanse Rijk was Anwar Afandi en die van Perzië Mierza Takie Chan. De belangrijkste voorstellen die door de vertegenwoordigers van het Osmaanse Rijk op tafel werden gebracht waren de volgende:

. De stad al-Moehamara (Khorramsjar) en de rivier de Karoen moeten tot het Osmaanse Rijk gaan behoren.

. De stad Zahab en haar omgeving behoort tot het Osmaanse grondgebied, op basis van een akkoord tussen beide rijken, het Akkoord van Zahab genaamd, dat in 1639 werd ondertekend.

. Op basis van het Zahab-akkoord van 1639 moeten de grenzen van beide rijken worden bepaald.

. De artikelen van het Eerste Verdrag van Erzurum van 1823 moeten in praktijk worden gebracht.

5. Het Perzische Rijk moet een boete aan het Osmaanse Rijk betalen vanwege het feit dat Perzië Osmaans grondgebied in zijn bezit heeft gehad.

De belangrijkste Perzische voorstellen waren de volgende:

1. De Perzische regering moet de bevoegdheid krijgen om de gouverneur van de stad Sulaimaniyah te benoemen.

2. De Perzische consul bij de Osmaanse regering moet op hetzelfde niveau als een consul van een Europees land behandeld worden.

3. De Osmaanse regering moet smartegeld betalen aan:

a. de slachtoffers van de aanval van het Osmaanse Rijk op de stad al-Moehamara (Khorramsjar);

b. die families die veel familieleden hebben verloren bij een massamoord door de Osmanen in de stad Kerbala in 1842 gepleegd.

4. De Perzische oppositieleiders die gevlucht waren naar het Osmaanse Rijk, moeten worden teruggestuurd.

5. De Perzische handelaren moeten dezelfde rechten krijgen als de Osmaanse, om zaken op Osmaans grondgebied te doen.

Bij de voorbereiding van dit Tweede Verdrag van Erzurum hebben de Russische en de Engelse regering een zeer belangrijke rol gespeeld. Deze twee regeringen hebben uiteindelijk de kant van de Perzische regering gekozen wat betreft de twee volgende punten:

1. De stad al-Moehamara (Khorramsjar) behoort tot het Perzische grondgebied.

2. De stad Zahab en omgeving behoren tot het Perzische Rijk.

De gezusters Brontë hebben zich dit jaar laten kennen als een literair zeer produktieve familie: van Charlotte Brontë is de roman 'Jane Eyre' verschenen en haar zuster Emily heeft 'Wuthering Heights' het licht doen zien. Beide boeken vinden een zeer gunstig onthaal bij het lezend publiek. Vlnr. Anne, Emily en Charlotte.

## Mormonen stichten Salt Lake City

SALT LAKE CITY - Onder hun nieuwe leider, Brigham Young, die de in 1844 vermoorde Joseph Smith is opgevolgd, is een groep Mormonen naar het westen getrokken en heeft zich gevestigd aan de oevers van het Great Salt Lake, waar zij Salt Lake City hebben gesticht. In dit droge en onherbergzame gebied dat bij Mexico hoort, hopen zij gevrijwaard te zijn van verdere vervolging.

De Heiligen der Laatste Dagen, zoals de Mormonen officieel heten, hebben de afgelopen jaren een grote toevloed van nieuwe leden gekend. Sinds Brigham Young, die naast de leiderspositie van Smith ook vijf van diens 27 vrouwen heeft overgenomen, in 1840 een bezoek heeft gebracht aan Liverpool, is Engeland een belangrijk rekruteringsgebied voor de Mormonen. Tussen 1840 en 1846 zijn bijna 4000 Engelse bekeerlingen de Atlantische Oceaan overgestoken; 40 tot 50 Mormonenkerken in Engeland zorgen voor bescheiden bijdragen aan de kas van de Kerk.

Vorig jaar is Young met enkele duizenden aanhangers uit Illinois vertrokken. De groep heeft overwinterd bij Council Bluffs; Young zelf is met een pioniersgroep verder getrokken langs de noordelijke oever van de Platte en is in juli bij het Grote Zoutmeer aangekomen.

## Negerslaven roepen republiek uit

Links: slavenveiling in de VS. Rechts: slaventransport naar de Afrikaanse kust.

LIBERIA, 26 juli - Uit de Verenigde Staten gerepatrieerde negerslaven hebben op de Afrikaanse Peperkust de onafhankelijke republiek Liberia uitgeroepen. De grondwet van de nieuwe republiek is geïnspireerd op de Amerikaanse en wordt op 1 september aangenomen.

De eerste vrijgelaten slaven kwamen in 1822 in Liberia aan, nadat een jaar tevoren het gebied rond Kaap Mesurado was gekocht door de American Colonization Society, een vennootschap tot bevordering van kolonisatie door vrijgelaten negerslaven.

Gouverneur Roberts, die in 1841 aan het bewind kwam en het gebied van Liberia sterk uitbreidde onder voortdurende strijd met de inheemse bevolking, is de eerste president van Liberia. De hoofdstad is Monrovia, genoemd naar de Amerikaanse president Monroe. De naam Liberia is afgeleid van het Latijnse 'liber', dat vrij betekent. Toch hebben maar weinigen van de kwart miljoen vrije negers in Amerika van de gelegenheid naar Afrika terug te keren gebruik gemaakt; het merendeel voelt zich inmiddels meer Amerikaan dan Afrikaan.

De onafhankelijke negerstaten Liberia en Sierra Leone zijn voortgekomen uit de beëindiging van de slavenhandel. In Sierra Leone, dat in 1791 door de Engelsen was bestemd voor de vestiging van bevrijde slaven die op geconfisqueerde slavenschepen werden aangetroffen, leven nu 70 000 van hen als vrije mensen.

# Oppositie tegen Louis-Philippe neemt toe

Louis-Philippe als Chinees poppetje.

PARIJS, juli - Zal de Julimonarchie spoedig ten einde lopen? Zeker is dat de oppositie tegen Louis-Philippe hand over hand toeneemt. De 'burgerkoning' van 1830 wordt steeds meer koning (in de zin van heerser), met voortdurend minder burgerzin. De vrienden van vroeger, die hem in het zadel hielpen - zoals de bankier Laffitte, die met zijn eigen geld de staatskas placht te spekken - is hij één voor één kwijtgeraakt.

Hoe weinig sociaal gevoel - of inzicht - de koning heeft, bewees de gewelddadige manier waarop hij in 1831 de opstand van de canuts in Lyon liet onderdrukken. Nu kan hij ook geen liberale oppositie meer velen. Zo vredelievend, bijna slap, als Louis-Philippe zich opstelt in zijn buitenlandse politiek (al is de recente toenadering tot de aartsconservatieve Oostenrijker Metternich niet zonder betekenis), zo hard is hij naar binnen toe. De tekenen van onvrede die voor de koning en zijn al even onbuigzame eerste minister, François Guizot, een waarschuwing zouden moeten zijn, worden uitgevlakt.

Politieke bijeenkomsten zijn zodoende door premier Guizot verboden. Dat de oppositie daar iets op gevonden heeft, dringt kennelijk niet tot de heren door.

In plaats van bijeenkomsten worden namelijk sinds kort 'banketten' gehouden - toch wel een duidelijk teken dat er in de staat Frankrijk 'something rotten' is.

De banketten lijken het gezicht van een ware campagne te krijgen. De man achter deze campagne is de progressieve oppositieleider Odilon Barrot, niettemin voorstander van de Orléansdynastie. Bij zijn banketten is hij erin geslaagd de gehele oppositie tot en met de republikeinen, te verenigen. Allen hebben ernstige bezwaren tegen het autoritaire bewind van Louis-Philippe en Guizot.

# Hulpactie voor hongerende Ieren

DUBLIN, herfst - Naar verluidt begint de hulpactie om te voorkomen dat de hongersnood in Ierland nog meer slachtoffers maakt, nu pas effect te sorteren. Inmiddels heeft de honger in Ierland ongeveer een miljoen levens geëist, terwijl een zelfde hoeveelheid mensen naar de Verenigde Staten van Noord-Amerika is geëmigreerd. De bevolking van Ierland is derhalve in enkele jaren gedaald van 8 naar 6 miljoen.

Zoals bekend is de Ierse plattelands- bevolking over het algemeen zeer arm. De beschrijving die het parlementslid John Curwen tijdens zijn reis door Ierland in 1817 van het boerenbestaan gaf, heeft aan actualiteit niets ingeboet: 'Een aarden vloer, een paar planken, een bed van stro. Een paar houten krukken en een ijzeren pot en ketel, zijn alle huisraad. Het voedsel van de pachters bestaat uit niets dan aardappelen. Zout en karnemelk zijn voor hen een luxe.'

Een bevolking die zozeer aangewezen is op één gewas loopt uiteraard grote risico's. Zowel in 1845 als vorig jaar mislukte de aardappeloogst door de gevreesde aardappelziekte. Als tijdig hulp was geboden, was een hongersnood nog te voorkomen geweest. De Engelse landheren gingen echter gewoon door met het exporteren van landbouwprodukten (voornamelijk granen en meel). Tot overmaat van ramp waren bij het uitbreken van de hongersnood de inmiddels afgeschafte graanwetten nog van kracht, zodat geïmporteerd graan voor de meerderheid van de bevolking een onbereikbare luxe werd. Al snel begonnen de mensen massaal te sterven, eerst kinderen en ouden van dagen. Het dodental steeg met sprongen toen epidemieën (eerst voornamelijk tyfus en dysenterie, later ook scheurbuik) uitbraken, waartegen de bevolking te weinig weerstand had. Toen pas kwamen hulpacties op gang maar, zoals gezegd, voor een miljoen Ieren kwam deze hulp te laat.

Terwijl men verwacht dat de herroeping van de graanwetten voor de Ieren

*'Boeren aan het werk op het korenveld' (schilderij van John Constable).*

enige verlichting zal brengen - het uitbreken van de hongersnood heeft zeker tot de opheffing van de wetten bijgedragen -, moet de Ierse kwestie toch vooral worden opgelost door de veelal in Engeland wonende landheren. Zij

zouden milder moeten optreden en hun pachten moeten verlagen. Terwijl in Ierland de verbittering groeit, is er vooralsnog geen enkele aanwijzing dat de Engelse landheren hiertoe bereid zijn.

## Felle aanval van Belinski op Nikolaj Gogol

ST.-PETERSBURG/MOSKOU - Va uit Salzbrunn in Duitsland heeft invloedrijke Russische literaire critic Vissarion Belinski een aanval gedaa op de schrijver Nikolaj Gogol. Dit naa aanleiding van de publikatie van passages uit Gogols brieven.

Belinski's kritiek geldt met name h positieve standpunt dat Gogol inneem ten aanzien de autocratie, de O thodoxe Kerk en de vroomheid van Russische bevolking. Dat Gogol bo vendien bestaande instellingen als lij eigenschap en lijfstraffen rechtvaa digt, is de criticus eveneens in h verkeerde keelgat geschoten. Hij ve wijt Gogol opportunistische motieve in zijn standpuntbepaling.

Dit laatste is in ieder geval geheel te onrechte. De schrijver van onder mee het meesterwerk *Dode zielen* (1842 dat door vele critici onder wie Belinsk is toegejuicht als een vernietigende realistische en satirische schets van he leven in de provincie, verdient een der gelijke kwalificatie niet. Gogol is ee der een diepgekwelde, zoekende pe soon die ten onrechte door radica critici van het tsaristische bewind al medestander is verwelkomd.

Belinski valt Gogol niet alleen aan o diens religieuze overtuigingen, maa verwijt hem bovendien zijn roeping al schrijver te verloochenen. Slechts in d literatuur, aldus de criticus, is er nog le ven en voortgang ondanks de 'Tataar se censuur'. Zijns inziens ligt de voor naamste functie van de literatuur o het morele vlak. Literatuur moet vol gens politieke en sociale criteria wor den beoordeeld.

Dit op zich discutabele standpunt is ge zien de situatie in Rusland zeer begrij pelijk. In een klimaat waar vrije me ningsuiting wordt ontmoedigd e waarin de pers onder strenge censuu staat, zijn literatuur en literaire kritie de enige middelen om, zij het bedekt uitdrukking te geven aan iemands so ciale en politieke betrokkenheid.

# Aardappeloogst in België opnieuw mislukt

ANTWERPEN, oktober - Er dreigt in Vlaanderen een grote hongersnood, nu voor het derde achtereenvolgende jaar de aardappeloogst is mislukt. Door de gevreesde schimmelziekte phytophthora infestans is nog slechts 10 à 20 procent van de oogst voor consumptie geschikt. Gevreesd wordt dat evenals vorige jaren honger en ondervoeding vele slachtoffers zullen eisen. De ellende is vooral in Vlaanderen niet te overzien omdat de boeren, die vaak hoge pachtprijzen moeten betalen, daar ook met snel teruglopende in-

komsten uit de huisnijverheid te kampen hebben. Door het goedkope mechanisch geproduceerde linnen uit Engeland is de vraag naar Vlaamse vlasprodukten sterk verminderd. Verlaging van de lonen en verhoging van de produktie blijken weinig soelaas te bieden.

Waar werkloosheid en prijsstijgingen al voor grote problemen zorgen, komt het mislukken van de oogst extra hard aan. Vooral omdat de aardappel het hoofdbestanddeel vormt van het dagelijks voedsel, dat verder nog bestaat uit

brood, karnemelk en meelpap. Om aan de nood te ontkomen zijn velen van het platteland weggetrokken naar de steden of naar Wallonië in de hoop werk in de industrie te vinden. De regering heeft overigens besloten de invoerbeperkingen op de granen uit met name de Verenigde Staten op te heffen, waardoor de graanprijs omlaag zal gaan en het brood weer goedkoper kan worden. Gehoopt wordt dat daarmee plunderingen van bakkerijen door hongerlijders, zoals die vorig jaar plaatsvonden, worden voorkomen.

*Houtsnede uit Gogols 'Dode zielen'.*

# VS krijgen New Mexico en Californië erbij

*Links: Mexicaanse lansiers voeren bij Sacramento een aanval uit. Rechts: het Amerikaanse leger trekt Mexico-Stad binnen (daguerrotypie).*

WASHINGTON, 14 september - De oorlog tussen Amerika en Mexico is ten einde. President Polk heeft bekendgemaakt dat Amerikaanse troepen onder leiding van generaal Scott Mexico-stad hebben ingenomen. De Amerikaanse troepen vielen verleden jaar bij Veracruz Mexico binnen en zijn via Cerro Gordo en Puebla naar Mexico-Stad opgerukt. Na de slagen bij Molina del Rey en Chapultepec lag de weg naar de hoofdstad open. President Antonio López de Santa Ana van Mexico is het land uit gevlucht.

Aanleiding van deze in Amerika zeer omstreden oorlog, die anderhalf jaar heeft geduurd, was de annexatie van Texas door de Verenigde Staten. Mexico heeft de afscheiding van Texas in 1835 nooit erkend en beschouwde de annexatie als regelrechte oorlogsver-klaring. Niet ten onrechte want de Amerikaanse president Polk voert al tijden een buitengewoon agressieve en oorlogszuchtige politiek ten aanzien van Mexico. Of zoals senator Thomas Hart Benton zegt: 'Polk wil een kleine oorlog, net groot genoeg om een gunstig vredesverdrag te krijgen en niet zo groot dat er militaire reputaties verdiend kunnen worden die een gevaar voor zijn presidentschap zijn.' Polk zet met deze politiek zijn aanspraken op de Mexicaanse provincies Californië en New Mexico kracht bij. Aanspraken waartegen Mexico na de nederlaag weinig meer kan doen.

Polks expansionistische politiek vindt haar basis in rechtvaardiging in de ideologie van de 'manifest destiny'. Volgens deze leer is het Amerika's overduidelijke bestemming om bezit van het hele continent te nemen. De Voorzienigheid heeft dit bepaald en de geschiedenis heeft dit bevestigd. Expansie is nodig voor de vrije ontwikkeling van de groeiende bevolking, om de Amerikaanse democratie en welvaart te handhaven en om 'achterlijke' gebieden op het continent tot het niveau van de Amerikaanse beschaving omhoog te stuwen.

Manifest destiny is tegelijkertijd een mystiek geloof in de noodzaak van expansie. De term 'manifest destiny' is bedacht door de journalist John L. O'Sullivan en het is in Amerika een wijdverbreid en diepgeworteld geloof. President Polk voert een expansionistische politiek die volkomen in de geest is van de ideologie van manifest destiny en daarom door grote delen van het publiek wordt gesteund. De oorlog met Mexico past weliswaar in deze ideologie maar gaat sommigen te ver. Polk wordt verweten de oorlog te hebben uitgelokt om Californië en New Mexico te kunnen inlijven.

# 'Proletariërs aller landen, verenigt u!'

LONDEN, december - In Londen is het tweede congres van de 'Bund der Kommunisten' bijeen geweest. De heer Karl Marx heeft de opdracht gekregen om voor het volgende congres een 'Communistisch Manifest' te ontwerpen.

De Bund der Kommunisten is in juni van dit jaar opgericht. In de statuten van de bond zijn de doelstellingen geformuleerd. 'Het doel van de bond is de omverwerping van de bourgeoisie, de heerschappij van het proletariaat, de opheffing van de [...] burgerlijke maatschappij en de oprichting van een nieuwe maatschappij zonder klassen en zonder privé-eigendom.' 'Proletariërs aller landen, verenigt u!' zal voortaan de leuze van de bond zijn.

De Bund der Kommunisten komt onder andere voort uit de 'Bund der Gerechten', een organisatie die in 1836 door Duitse ambachtslieden werd opgericht. De kleermaker Weitling, die vooral beïnvloed was door de Franse utopisten, was een van de belangrijke mensen in deze bond. In zijn streven naar politieke vrijheid en sociale gelijkheid gebruikte Weitling vooral begrippen als 'broederschap', 'solidariteit' en 'rechtvaardigheid'. Karl Marx noemde een boek dat Weitling schreef, een 'vergaand en briljant debuut van de Duitse arbeiders'. Maar in 1846 verklaarde hij dat het onverantwoord was om 'de arbeiders in Duits-

*Karl Marx (rechts) en Friedrich Engels discussiëren met elkaar in Parijs.*

land te benaderen zonder strikt wetenschappelijke ideeën en een concrete doctrine'. Dat zou slechts 'geïnspireerde apostelen en met open mond luisterende volgelingen' opleveren. Ook Marx' vriend en medewerker Friedrich Engels wilde een gemeenschappelijke doctrine ontwikkelen, waarachter alle aanhangers zich zouden kunnen scharen. Weitling antwoordde daarop dat hij honderden brieven van dankbare aanhangers uit heel Duitsland had ontvangen en dat steriele analyses niet veel met de nood van het volk te maken hadden. Ook andere leden van de Bond der Rechtvaardigen ergerden zich aan de spot die Marx en Engels tonen tegenover het 'liefdesgezwijmel' van onder anderen Weitling. Zij spraken over een 'verdomde hoogleraren-arrogantie'. Op het eerste congres in Londen werden de aanhangers van Weitling echter buitengesloten en op het tweede congres heeft Marx zodoende de opdracht gekregen de communistische doctrine te formuleren.

# Tien-urendag in Engeland

*Sociale ellende in Whitechapel, East End (gravure van Gustave Doré).*

LONDEN - Met het aannemen van de 'Ten Hours Act' is de lengte van de arbeidsdag in fabrieken voor vrouwen en kinderen op maximaal 10 uur gesteld. Aangezien het werk thans meestal zo georganiseerd is dat de fabrieken niet kunnen draaien zonder de arbeid van vrouwen en kinderen, zal dit in de praktijk betekenen dat ook mannen maximaal 10 uur per dag gaan werken. De onmenselijk lange arbeidsdagen van 14 en zelfs 16 uur, waarom vooral de textiel- en metaalindustrie berucht zijn, zullen daarmee tot het verleden gaan behoren.

Hoewel in veel bedrijfstakken ongeveer 10 uur per dag wordt gewerkt, waarbij de arbeidsduur 's winters over het algemeen korter is dan 's zomers, is er door de Industriële Revolutie voor de nijverheidsarbeiders veel veranderd. Ten eerste werd de werkdag met name in de textiel- en metaalindustrie langer. De werkgevers verdedigden deze breuk met de traditie door te wijzen op de hoge kosten van de machines. Door deze per dag zoveel mogelijk uren te laten draaien, zouden zij het maximale rendement moeten opbrengen. Ten tweede wordt het leven op de fabriek meer dan ooit tevoren beheerst door de klok. In de fabrieken moet exact op tijd begonnen worden; wie te

laat komt riskeert hoge boetes. Omdat vooral de textielwerkgevers vinden dat tijdens de werkuren een bepaalde hoeveelheid werk moet worden verricht en zij niet verantwoordelijk zijn voor verloren gegane tijd door storingen van de machines, werkt men in veel fabrieken met dubbele klokken. De ene klok geeft de tijd aan van 'de buitenwereld'. De andere klok toont de 'fabriekstijd'. Als de machines stilstaan stopt de laatstgenoemde klok. De arbeid mag pas worden beëindigd als op de tweede klok het voorgeschreven aantal uren is volgemaakt. Met de invoering van de 'Ten Hours Act' zal de tweede klok in de fabrieken dus kunnen verdwijnen. Overigens is een klok of een horloge voor veel arbeiders een onbereikbare luxe. De meeste arbeiders worden 's morgens door een porder gewekt. Alleen geschoolde arbeiders kunnen zich een horloge veroorloven, iets dat als een belangrijk statussymbool beschouwd wordt. Er zijn zelfs speciale horlogeclubs opgericht, waarvan de leden het felbegeerde uurwerk met korting kunnen kopen en waar het onderhoud gemeenschappelijk geschiedt. Het ziet ernaar uit dat in de industriële maatschappij die hier de laatste decennia ontstaan is, de klok een steeds grotere rol gaat spelen.

**Januari.** Tu Duc wordt in Vietnam tot keizer gekroond. →

**2 februari.** Mexico en de Verenigde Staten sluiten in Guadalupe Hidalgo vrede. →

**25 februari.** In Frankrijk wordt de Tweede Republiek uitgeroepen. →

**Februari.** In Londen wordt het *Communistisch Manifest* van Karl Marx gepubliceerd. →

**4 maart.** Sardinië-Piemonte krijgt een nieuwe grondwet. →

**13 maart.** Na het uitbreken van de revolutie in Wenen treedt Fürst Metternich af. →

**15 maart.** In Hongarije breekt de revolutie uit. →

**23 maart.** Lombardije komt in opstand tegen het Oostenrijkse bewind. →

**24 maart.** In Amsterdam protesteren radicalen uit solidariteit met de revolutie in Parijs. →

**27 maart.** In Den Haag komt de commissie-Thorbecke met voorstellen tot wijziging van de grondwet. →

**11 april.** Hongarije wordt een constitutionele monarchie. →

**2 juni.** In Praag wordt het Slavisch Congres gehouden. →

**26 juni.** Een opstand van arbeiders in Parijs wordt door de nieuwe regering krachtig onderdrukt. →

**20 juli.** In de Verenigde Staten wordt de eerste 'Woman's Rights Convention' georganiseerd. →

**22 juli.** In Wenen komt de Reichstag voor het eerst in vergadering bijeen. →

**7 augustus.** In Limburg keert de rust weer na de anti-Hollandse rellen. →

**9 augustus.** Oostenrijk en Sardinië sluiten in Vigevano een wapenstilstand. →

**9 september.** Keizer Ferdinand I schaft de verplichte landarbeid af. →

**12 september.** De stadhouder van Kroatië Jelacic rukt op naar Hongarije. →

**30 oktober.** Het Oostenrijkse leger verslaat bij Schwechat de Hongaarse troepen. →

**31 oktober.** De revolutionairen in Wenen geven zich over. →

**9 november.** Robert Blum, Duits liberaal politicus, wordt geëxecuteerd. →

**2 december.** Ferdinand I van Oostenrijk doet afstand van de troon. →

**27 december.** De Duitse Nationale Vergadering neemt in Frankfurt de 'Wet op de grondrechten van het Duitse volk' aan. →

*De Mexicaanse veldheer Santa Ana.*

# Rio Grande grens tussen Mexico en Verenigde Staten

GUADALUPE HIDALGO, 2 februari - De ondertekening van het Verdrag van Guadalupe Hidalgo heeft de oorlog tussen Mexico en de Verenigde Staten beëindigd. Belangrijkste punten zijn het verlies van de helft van het grondgebied door Mexico, dat nu geannexeerd wordt door de Verenigde Staten in ruil voor een schadeloosstelling van 15 miljoen dollar, terwijl ook de Mexicaanse schulden bij Amerikaanse crediteuren à 3,25 miljoen dollar door de Verenigde Staten worden overgenomen. De Rio Grande-rivier vormt de nieuwe grens.

Achtergrond voor de oorlog was de afscheiding van Texas, dat zich in 1836 onafhankelijk verklaarde en in 1845 tot de Verenigde Staten toetrad. Nadat in april 1846 de onderhandelingen over de verkoop door Mexico van New Mexico mislukten, versloeg het Amerikaanse leger onder Zachary Taylor op 8 mei bij Palo Alto en de volgende dag bij Resaca het Mexicaanse leger. Op 13 mei verklaarden de Verenigde Staten Mexico de oorlog, waarna op 22 augustus New Mexico werd geannexeerd. Door de slechte staat van het Mexicaanse leger leverde de veldtocht voor de Amerikanen weinig weerstand op. Op 14 september vorig jaar werd de vernedering compleet met de val van Mexico-Stad.

De militaire catastrofe heeft Mexico economisch totaal ontwricht. De boeren lijken het laatste restje vertrouwen in het overheidsgezag te verliezen, als gevolg opstandjes, die wreed worden neergeslagen.

Yucatán, dat al eerder, tussen 1838 en 1843 uit de Mexicaanse federatie trad, lijkt deze stap weer te overwegen, terwijl ook in andere gebieden over zelfstandigheid wordt gedacht. De Mexicaanse veldheer Antonio López de Santa Ana, die bij het uitbreken van de vijandelijkheden uit ballingschap op Cuba was teruggeroepen, is naar een nieuw ballingsoord op Jamaica vertrokken.

# Burgerkoning Louis-Philippe komt ten val

*Links: 'Weg met Guizot... of de dood!' Midden: het uitroepen van de Tweede Republiek. Rechts: regeringstroepen richten een bloedbad aan.*

PARIJS, 25 februari - De Tweede Republiek is vandaag uitgeroepen na het aftreden van Louis-Philippe, die meegesleurd werd in de val van zijn eerste minister, François Guizot. De koning probeerde op het laatste moment Guizot te vervangen, maar het mocht niet meer baten.

De weerstand tegen de 'burgerkoning' en diens zeer rechts-calvinistische eerste minister, is gedurende het afgelopen jaar tot uiting gekomen tijdens wel zeventig 'banketten', die in de plaats gekomen zijn voor - verboden - politieke bijeenkomsten en waaraan telkens duizenden mensen deelnamen. Drie dagen geleden wilde Guizot zo'n banket verbieden. Dat was het startsein voor een ware revolutie. Pas gisteren, na het aftreden van Louis-Philippe, kwam Parijs weer tot rust.

De economische crisissituatie lag grotendeels ten grondslag aan de onrust, die slechts een vonk nodig had om zeer gewelddadige vormen aan te nemen. De nationale garde koos de zijde van de opstandigen. Toen er bij een schietpartij met het leger van de koning 52 doden vielen, stond Parijs in vuur en vlam en werden overal barricaden opgericht.

Voor Louis-Philippe en voor de monarchie betekende dat het einde. De koning slaagde er zelfs niet meer in de troon aan zijn kleinzoon af te staan. Al geruime tijd ijverde de Franse oppositie - die nu aan de macht is gekomen - voor een aanzienlijke uitbreiding van het kiesrecht. De voorlopige regering die nu gevormd is, heeft dan ook prompt het algemeen (mannen-)kiesrecht ingevoerd. Verder heeft deze linkse, door de Parijse menigte op handen gedragen regering het recht op werk uitgeroepen als behorend tot de rechten van de mens. Om de daad bij het woord te voegen worden er voor de werklozen nationale werkplaatsen in het leven geroepen. Ook komt er een speciale arbeidscommissie. Tot slot heeft de regering de doodstraf en de slavernij afgeschaft en alle vrijheden - waaronder de persvrijheid - hersteld. Binnenkort zullen de Fransen naar de stembus mogen om een grondwetgevende vergadering te kiezen.

De economische problemen zijn echter nog niet een-twee-drie opgelost. Minister van Financiën Garnier-Pagès kan gedwongen zijn om weinig populaire maatregelen te nemen. Of het Franse volk die zo gemakkelijk zal aanvaarden, is de vraag.

# Tu Duc keizer van Vietnam

*Draak op een paleistrap in Hue.*

HUE, januari - Van de vier troonpretendenten is uiteindelijk Tu Duc tot keizer gekroond. Dat betekent echter nog niet dat hij zonder veel tegenstand met zijn regering kan beginnen. Binnenlands moet hij zowel aan de rivaliserende facties aan het hof als aan de steeds weer opkomende boerenopstanden het hoofd bieden. Onder zijn voorganger Thrieu Tri kwamen gemiddeld acht lokale opstanden per jaar voor. Deze waren vooral het gevolg van een combinatie van factoren: natuurrampen, gevolgd door misoogsten en hongersnoden dwongen vele boeren hun dorp te verlaten en elders middelen van bestaan te zoeken. De Vietnamese staat was niet meer bij machte de voorraadschuren waaruit noodlijdende boeren gratis voedsel konden krijgen, in stand te houden. Ook kon de centrale overheid moeilijk de belastingen verlagen, omdat door de misoogsten veel land was verlaten en de inkomsten op het land en de produkten al aanzienlijk waren afgenomen.

Op het terrein van de buitenlandse politiek is de toestand van het land evenmin rooskleurig. Vietnam heeft zijn invloed in het buurland Kambodja zien verminderen. Aan het hof is nu de invloed van Siam [Thailand] toegenomen ten koste van Vietnam. Nog grotere zorg baart de druk die door Frankrijk op het hof in Hue wordt uitgeoefend. Hierbij gaat het formeel om de positie van de Franse missionarissen in het land, maar aan de Franse kant wordt druk gesproken over een toenemende politieke en economische invloed in Vietnam.

Tu Duc zal de komende jaren moeten proberen aan al deze problemen het hoofd te bieden. Sociale en economische hervormingen lijken de aangewezen middelen om de binnenlandse moeilijkheden op te lossen. Wat betreft de buitenlandse druk zal het moeilijker worden om de positie in Kambodja te herstellen en tevens de Fransen buiten te houden. Het lijkt zelfs niet uitgesloten dat Frankrijk de druk op Vietnam zal vergroten zowel via Kambodja als door middel van militair machtsvertoon, onder het mom van het beschermen van het katholicisme.

*Revolutionaire gevechten in de troonzaal van de Tuilerieën (24 februari).*

# Italianen krijgen liberale grondwetten

*Koning Karel van Sardinië-Piemonte rijdt Pavia binnen.*

TURIJN, 4 maart - Koning Karel van Sardinië-Piemonte heeft onder zware druk als derde Italiaanse vorst een liberale grondwet afgekondigd. Nog deze maand zal ook paus Pius IX voor de Pauselijke Staat een nieuwe grondwet afkondigen. Dan zijn het uitsluitend de Oostenrijkers in hun Italiaanse gebied die nog weigeren gehoor te geven aan de intense roep om liberalisering van hun beleid.

De situatie in Italië heeft zich na de mislukte revoluties van de jaren dertig en een bijna tienjarige pauze waarin de economie van vooral Noord-Italië zich in snel tempo ontwikkelde, de laatste jaren toegespitst. De toenemende welvaart, de ontwikkeling van Genua en Milaan tot belangrijke financiële centra en de opkomst van de industrie in Piemonte en Lombardije hebben een klimaat geschapen waarin het voor reactionaire vorsten steeds moeilijker is geworden hun staten met de politieknuppel te blijven regeren.

Daartoe heeft ook de verbetering van het onderwijs en de infrastructuur bijgedragen. Progressieve denkbeelden, zoals die van Vincenzo Gioberti (1843: *Del primato morale e civile degli Italiani*), Cesare Balbo, Niccolò Tommaseo en Antonio Rosmini-Serbati, schoten wortel. Gioberti betoogt dat het denkbeeld van de vooruitgang een terugkeer is van de mens naar God en dat Italië in zijn verleden alle vooruitgang te danken heeft gehad aan de aanwezigheid en de beschermende hand van het pausdom.

Het enthousiasme waarmee dat denkbeeld werd verwelkomd, wekte enorme hoop op een liberale paus toen in 1846 Gregorius XVI stierf. Zijn opvolger werd Pius IX, die, of hij wilde of niet, direct werd uitgeroepen tot de

redder van de Italiaanse vrijheid. Pius reageerde voorzichtig met een vermindering van de censuur en de instelling van een lekenraad.

De honger naar hervormingen liet ook Karel Albert in Sardinië-Piemonte niet onberoerd. Vorig jaar vonden in zijn koninkrijk vrijwel dagelijks betogingen plaats waarin hij werd opgeroepen zich aan het hoofd van de nationale beweging tegen de Oostenrijkers te stellen. Vergeten waren de brutale onderdrukking van de afgelopen twintig jaar, de verdrijving van vluchtelingen die in Piemonte hun toevlucht hadden gezocht.

In oktober vorig jaar zwichtte Karel Albert voor de druk. Hervormingen voorzagen in een vrije pers, de instelling van een hof van cassatie, de afschaffing van speciale gerechtshoven en de afkondiging van een wet die leden van provinciale en gemeenteraden verkiesbaar maakt voor de staatsraad. Bovendien viel de politie niet langer onder Binnenlandse Zaken.

De hervormingen in Sardinië-Piemonte en de Pauselijke Staat - ook aartshertog Leopold II van Toscane werden vorig jaar hervormingen afgedwongen - alarmeerden het buitenland, dat ervan overtuigd raakte dat de vrede in Italië in gevaar was. Oostenrijk zond troepen die in de Pauselijke Staat Ferrara bezetten. Dat ingrijpen stimuleerde de Italiaanse vorsten echter tot samenwerking - en de bevolking tot verdere eisen.

Op 9 januari vond de eerste opstand plaats in Palermo op Sicilië. Koning Ferdinand II van Beide Siciliën liet de stad bombarderen - hetgeen hem de bijnaam Re Bomba heeft opgeleverd - maar toen het buitenland protesteerde en de opstand zich uitbreidde, zag hij zich, om zijn troon te redden, al op 29 januari gedwongen een liberale grondwet in te voeren. Die grondwet voorziet in een gekozen en een benoemde Kamer en in een vrije pers.

Op 17 februari volgde Leopold II het Napolitaanse voorbeeld en nog geen drie weken later zijn Karel Albert van Sardinië-Piemonte en de paus in Rome aan de beurt.

*Danseres Lola Montez.*

# Verhouding nekt Beierse koning

MÜNCHEN, 20 maart - Koning Lodewijk I heeft zich onder de toenemende druk van de publieke opinie genoodzaakt gezien afstand te doen van zijn troon ten gunste van zijn zoon Maximiliaan II. De aanleiding van het verzet ligt voor een deel in zijn verhouding met de Engelse danseres Marie Gilbert, beter bekend onder de naam Lola Montez.

Aanvankelijk was men in Beieren ingenomen met de komst van koning Lodewijk. Hij voerde een liberaal en vooruitstrevend bewind. Maar na de Julirevolutie in Frankrijk in 1830 veranderde dit. Hij vatte een wantrouwen op tegen democratische instellingen en kwam sindsdien steeds vaker in conflict met de volksvertegenwoordiging

# Marx en Engels publiceren actieprogram

LONDEN, februari - 'De communisten versmaden het, hun overtuiging en hun bedoelingen te verheimelijken. Zij verklaren openlijk dat hun doel slechts bereikt kan worden door de gewelddadige omverwerping van elke tot nu toe heersende maatschappelijke orde. Dat de heersende klassen sidderen voor een communistische omwenteling! De proletariërs hebben bij haar niets te verliezen dan hun ketenen. Zij hebben een wereld te winnen. Proletariërs aller landen, verenigt u!'

Met deze woorden eindigen Karl Marx en Friedrich Engels het *Communistisch Manifest*, dat zij geschreven hebben als actieprogramma voor de in Londen zetelende Bond van Communisten. De Bond wil niet langer een geheim genootschap zijn, maar een propagandaorganisatie vormen voor groepen arbeiders en socialistische emigranten uit Duitsland, Frankrijk, België en Engeland. Men heeft daarom Marx en Engels verzocht een uitvoerig theoretisch en praktisch partijprogram te ontwerpen.

In het *Manifest* geven Marx en Engels in het eerste deel een overzicht van de geschiedenis zoals die tot nu toe is verlopen, de geschiedenis van de klassenstrijd. Zij verenigen deze visie op de geschiedenis, het historisch materialisme, met een vurige oproep om het heersende systeem ten val te brengen.

In het tweede deel formuleren zij een aantal doelstellingen, onder andere: afschaffing van het grondbezit, invoering van sterk progressieve belastingen, afschaffing van het erfrecht (geen arbeidsloos inkomen), het onder controle van de staat brengen van het hele geldwezen via een nationale bank, nationaliseren van het transportwezen, openbare en kosteloze opvoeding voor alle kinderen en afschaffing van de fabrieksarbeid van kinderen in zijn huidige vorm.

In het derde deel wordt kritiek geleverd op andere vormen van socialisme en in het vierde geven Marx en Engels aan welke houding de communisten moeten aannemen tegenover oppositionele stromingen in Frankrijk en Duitsland:

ondersteunen en trachten deze uit te breiden en in socialistische richting te ontwikkelen.

*Het 'Communistisch Manifest'.*

# Revolutie in Wenen: 'Nieder mit Metternich'

*Studenten en arbeiders bestormen een fabriek in een buitenwijk van Wenen.*

*De revolutie in Wenen grijpt om zich heen: 'Nieder mit Metternich'.*

WENEN, 13 maart - Na een etmaal van revolutionair geweld is 'Staatskanzler' Fürst Metternich, de belichaming van de reactie in Oostenrijk, gedwongen ontslag te nemen. 'Nieder mit Metternich!', zó wordt zijn aftreden geëist door de opstandige studenten en arbeiders die urenlang de regeringsgebouwen hebben belegerd. Hiermee is een einde gekomen aan het repressieve 'Metternichse System', dat Oostenrijk en een groot deel van Midden-Europa meer dan dertig jaar in een ijzeren greep heeft gehouden.

De gespannen atmosfeer die begin maart in Wenen heerste, had zowel externe als interne oorzaken. Het nieuws van de Franse Februarirevolutie verhevigde de liberale en radicale agitatie, het gistte in Italië en in het Duitse Rijk en in Hongarije werd de roep om een nationaal parlement steeds luider. Metternich onderschatte de ernst van de situatie niet. Op 1 maart verklaarde hij: 'Europa wordt vandaag geconfronteerd met een tweede 1793, en nu is Europa vatbaarder voor de ziekte die Frankrijk heeft geveld.' Op karakteristieke wijze probeerde hij deze crisis het hoofd te bieden door een diplomatiek offensief te beginnen om Rusland, Engeland en Pruisen tegen Frankrijk in het geweer te brengen.

Metternich, 'de koetsier van Europa', beschouwde 'revolutie' als een probleem van de buitenlandse politiek. Hij had nauwelijks oog voor de opstandigheid in Oostenrijk zelf. De Oostenrijkse liberale adel en de burgerij eisten steeds meer vrijheden, zoals de vrijheid van drukpers en onderwijs, hervorming van de rechtspraak, opheffing van de horigheid van de boeren, maar vóór alles een volksvertegenwoordiging.

Terwijl Metternich op die bewuste der-tiende maart met de Pruisische gezant generaal Radowitz onderhandelde over de maatregelen die tegen de revolutionairen in Frankrijk moesten worden genomen, brak in de Herrengasse, op een steenworp afstand van de kanselarij, de Oostenrijkse revolutie uit. Daar was het 'Landhaus' gevestigd, waar die dag de Nederoostenrijkse standen bijeenkwamen om een petitie aan de keizer op te stellen waarin zij het herstel van hun oude rechten zouden eisen. Ontevreden studenten, het actiefste deel van de liberale bourgeoisie, hielden voor het Landhaus een demonstratie omdat hún petitie met liberale eisen, die zij een dag tevoren aan de keizer hadden aangeboden, niet was beantwoord. Toen radicale arbeiders uit de voorsteden gingen deelnemen aan deze demonstratie, werd er door het leger met scherp geschoten en vielen er tientallen doden. Zelfs de Hofburg, de keizerlijke residentie, werd door de menigte bedreigd. Vroeg in de avond stelde de burgerwacht een duidelijk ultimatum: als het leger zich niet onmiddellijk zou terugtrekken, als niet om negen uur 's avonds de studenten zouden zijn bewapend en Metternich niet op dat moment was afgetreden, zouden zij gemene zaak met de opstandelingen maken.

Om zeven uur begaf de 74-jarige kanselier zich voor de laatste maal naar de Hofburg. Toen hij begreep dat hij niet langer de steun van de keizerlijke familie genoot gaf hij toe: 'Sobald meine Anwesenheit im Dienst als das Hindernis der Wiederherstellung der Ruhe betrachtet wird, ist es meine Pflicht, mein Amt in die Hände Seiner Majestät niederzulegen.' Toen hij aan het eind van deze bewogen dag door zijn huisarts werd onderzocht, zei Metternich: 'Es wäre praktischer, lieber Doktor, den Puls von Österreich zu fühlen.'

# Polen vechten overal voor vrijheid

KRAKOW, zomer - Nadat de revolutie in Wenen minister Metternich tot vluchten heeft gedwongen, zijn de boerenopstanden en relletjes in het door Oostenrijk bezette Galicië toegenomen.

De boeren eisen de afschaffing van de herendiensten; in de steden Kraków en Lvov worden demonstraties gehouden voor de vrijlating van de politieke gevangenen en voor het uitbreiden van het Poolse karakter van het Galicische zelfbestuur.

Daarnaast wordt de nationale Oekraïnse beweging voortdurend sterker: ook de Oekraïners eisen rechten op voor een zelfstandig bestuur en onderwijs in het Oekraïns.

In het 'Pruisische' Poznán is een Nationaal Pools Comité opgericht. Het Comité verenigt talrijke militante organisaties in het land om het gevecht van de Duitse revolutionairen tegen het keizerrijk te steunen en (als tweede doel) tegen Rusland te gaan vechten in een eventuele Pruisisch-Russische oorlog. Hun leider, generaal Mieroslawski, heeft een verdrag met de Pruisische regering gesloten dat een gedeelte van de regio Poznán Pools laat in ruil voor demobilisatie van de Poolse eenheden. In de tussentijd hebben Pruisische eenheden zeer hard toegeslagen: in zware gevechten, die in de maand april begonnen, is de regio op brute wijze door hen geterroriseerd.

Onder het motto 'Voor jullie en onze vrijheid' vechten de Polen overal waar de vrijheidsstrijd gestreden wordt. In Parijs hebben zij een krachtig propagandacentrum gesticht, met vele kranten en beroemde schrijvers, zoals de grote Poolse dichter Adam Mickiewicz.

Generaal J. Bem verdedigde oorspronkelijk Wenen, daarna werd hij een van de belangrijkste leiders van de opstand in Hongarije. Bem onderscheidt zich door een radicale modernisering van de kunst der artillerie. Als leider van de troepen in Transsylvanië heeft generaal Bem de Oostenrijkse en Russische troepen buiten de grenzen gedreven. Generaal J. Wysocki voert in de Hongaarse opstand het bevel over het enkele duizenden manschappen tellende Poolse legioen.

In Italië is door Adam Mickiewicz een Pools legioen gevormd, dat in Lombardije tegen de Oostenrijkers vocht, om daarna de kant van het revolutionaire volk van Genua te verdedigen, en met Garibaldi het republikeinse Rome te verdedigen.

Generaal Mieroslawski was een van de leiders van de opstand in Sicilië. Daarna nam hij met enkele honderden Polen samen met Friedrich Engels deel aan de opstand van Baden.

# Weense revolutie slaat over naar Pest

*De revolutionaire dichter Sándor Petöfi, leider van de Pilvax-groep.*

PEST, 15 maart - Twee dagen na het uitbreken van de revolutie in Wenen is ze overgeslagen naar Pest. Revolutionairen onder aanvoering van de dichter Sándor Petöfi hebben in Café Pilvax een uit twaalf punten bestaand eisenpakket geformuleerd. Tegelijkertijd is uit Pozsony een delegatie van de Landdag, eveneens met een aantal eisen, op weg gegaan naar Wenen. Pozsony en Pest verkeren in een opgewonden en gespannen stemming.

De overwinning van de Februarirevolutie in Parijs is in Hongarije met ongebreideld enthousiasme ontvangen, niet alleen door radicale intellectuelen, ook door de boeren en een groot deel van de adel. In Pozsony kwam Kossuth direct in actie. Hij slaagde er op 3 maart in de Landdag over te halen in te stemmen met een petitie aan Ferdinand waarin een constitutioneel regime, een onafhankelijke regering en de onmiddellijke aanvaarding van alle in de Landdag aangenomen hervormingen werden geëist.

Aanvankelijk slaagde Wenen erin de aanbieding van de petitie tegen te hou-

den, maar na de opstand in Wenen en de vlucht van Metternich, gisteren, kwam Kossuth opnieuw in actie. Hij eiste de samenstelling van een afvaardiging die de petitie onverwijld in Wenen moest overhandigen. In een atmosfeer van toenemende chaos en geruchten over boerenopstanden ging de Landdag zelfs akkoord met de uitbreiding van de eisen van 3 maart met twee andere, betreffende de afschaffing van belastingvrijdom en feodale diensten. De deputatie is vanochtend uit Pozsony naar Wenen vertrokken.

In Pest kwam vanochtend de Pilvax-groep in actie, radicale intellectuelen die regelmatig in Café Pilvax bijeenkomen. Hun eerder genoemde twaalf eisen overtreffen die van de adel nog ruimschoots. Ze betreffen persvrijheid, afschaffing van de lijfeigenschap, gelijkheid van godsdienst en gelijkheid voor de wet, algemene belastingplicht, de jaarlijkse bijeenroeping van een Landdag in Pest, de instelling van een verantwoordelijk ministerie, de vrijlating van politieke gevangenen, de invoering van juryrechtspraak, de

instelling van een Nationale Garde, de unie met Transsylvanië en de eed van trouw aan de grondwet door militairen.

Na de plechtige afkondiging van de Twaalf Punten en de declamatie van een volkslied door Sándor Petöfi trok een gestaag groeiende groep betogers naar de universiteit om de studenten over te halen mee te doen. Daarna ging de menigte naar de drukkerij Landerer, die werd bezet en waar Petöfi's lied werd gedrukt als feitelijk bewijs van de persvrijheid.

Tegen de middag was de betoging aangegroeid tot een menigte van tienduizenden demonstranten. Bij het Nationaal Museum werd een commissie gevormd die de Twaalf Punten bij het stadsbestuur moest aanbieden. Vervolgens werd een Revolutionair Comité samengesteld op zo breed mogelijke basis: naast zes radicalen (onder wie Petöfi) zaten er zeven leden van de bourgeoisie en de loco-burgemeester in. Hoewel de radicalen in de minderheid waren konden ze de meerderheid zonder moeite hun wil opleggen: de menigte betogers had inmiddels 'de 20 000 overschreden.

Van het stadhuis in Pest trok de menigte 's middags naar Boeda, naar het gebouw van de legerleiding, die zich daar juist had beraden op de mogelijkheid de Pilvax-groep te arresteren en de revolutie met geweld te onderdrukken. Geconfronteerd met de menigte liet men die plannen haastig varen. Drie eisen werden ter plekke vervuld: de censuur werd afgeschaft verklaard, er werd een belofte van afzijdigheid gegeven en de boerenleider Mihály Táncsics werd vrijgelaten. Táncsics werd door de uitzinnige menigte in triomf naar Pest gedragen.

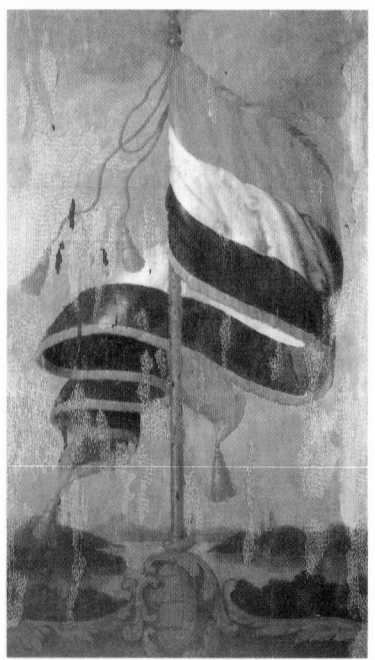

*Vlag en wapen van Hongarije.*

*Francisci, Tsjechisch nationalist.*

## Slavisch Congres roept Boheemse regering uit

PRAAG, 2 juni - Ook Bohemen lijkt te zijn gegrepen door de revolutionaire gebeurtenissen in Europa. Op een Slavisch Congres, waar Slaven uit de gehele Donau-monarchie bijeenkwamen, is onder voorzitterschap van graaf Leo Thun-Hohenstein een voorlopige Boheemse regering gevormd. Als drijvende kracht achter deze uiting van Tsjechisch nationalisme wordt vrij algemeen de historicus František Palacký gezien.

Aanvankelijk werd Palacký alleen gesteund door de Boheemse aristocratie die haar territoriale aanspraken tegenover het centralisme van de Habsburgse monarchie wilde veilig stellen. De revolutionaire omwentelingen in Europa aan het begin van de jaren dertig wakkerden in Bohemen echter ook de nationalistische gevoelens van de middenklasse aan. Hierdoor kreeg het Boheemse nationalisme een sterk democratische inslag.

Zowel Tsjechen als Boheemse Duitsers maakten aanspraak op een grotere autonomie binnen de Habsburgse monarchie, maar al snel bleken de belangen niet parallel te lopen. De Boheemse Duitsers zochten aansluiting bij de revolutionaire groeperingen in Duitsland, terwijl bij de Tsjechen een eigen nationaal besef ontstond. Ze wensten zelfstandigheid binnen het Oostenrijkse keizerrijk. Dit was de voornaamste reden waarom Palacký in april geen gehoor gaf aan de uitnodiging van het revolutionaire parlement in Frankfurt bij te wonen. In plaats daarvan riep hij het Slavisch Congres bijeen.

# Milaan en Venetië bevrijd

*Strijd van de Italianen tegen de bezetters aan de Porta Tosa in Milaan.*

MILAAN, 23 maart - De Europese revolutie, die in Frankrijk het bewind van Louis-Philippe van Orléans heeft beëindigd, Metternich uit Wenen heeft verdreven en Duitsland in haar greep heeft, is op Italië overgeslagen. De Oostenrijkers zijn na een korte opstand uit Milaan en Venetië verdreven. De opstand in Lombardije brak uit toen het nieuws van Metternichs vlucht uit Wenen op 15 maart in Italië doordrong. Vijf dagen lang is heftig gevochten. Het Oostenrijkse garnizoen in Milaan onder commando van Radetzky, aan het begin van de opstand 13 000 man sterk, werd daarbij gedecimeerd en vandaag heeft Radetzky zich gedwongen gezien Milaan te ontruimen. Er zijn onder de opstandige bevolking talrijke doden gevallen, met name onder de arbeiders die de barricaden bemanden.

De Milanese bourgeoisie liet zich slechts af en toe zien, reden waarom zij als 'heren van de zesde dag' wordt bespot. Veel hulp hebben de Milanezen wel van steden uit de omgeving gehad. In Venetië werd de opstand geleid door de democraat Daniele Manin ('Viva la Republica, viva San Marco') en gestreden door de arbeiders op de scheepswerf. Hier werd nauwelijks gevochten, vooral doordat de Italiaanse troepen die in dienst van de Oostenrijkers de stad bezet hielden, naar de opstandelingen overliepen.

*De manschappen van commissaris Prové Kluit drijven de menigte uiteen.*

# Loze wacht op de Dam

AMSTERDAM, 24 maart - De revolutie in Parijs is precies een maand oud. Een klein groepje radicalen vond dat Nederland aan dit feit niet voorbij kon gaan en heeft in de nacht van 22 op 23 maart pamfletten verspreid in Amsterdam met de tekst: 'De algemeene klagt der werkzaamheden is groot; alle Ambachts- en Werklieden, die hierin eenig belang hebben, worden verzocht zich [...] den 24 dezer, des middags ten 12 ure, te begeven op den Dam, ten einde aldaar zich mannen zullen bevinden, die hunne belangen zullen behartigen, en alzoo middelen zullen beramen om in dit algemeen belang hun lot te verbeteren.'

De volgende nacht hing een plakkaat van burgemeester en wethouders in de straten waarin het radicale pamflet uitgebreid werd geciteerd en waarin daarna werd opgeroepen om vooral niet naar de Dam te komen, 'overwegende, dat zoodanige Bijeenkomsten, met een onbekend doel uitgelokt, aanleiding tot Wanorde zouden kunnen geven'. Ruim voor het afgesproken uur stond de Dam volgepakt.

De hoopvol gestemde menigte bleef doodstil, in afwachting van 'de mannen', die hun belangen zouden behartigen. Niemand meldde zich en het begon al onrustig te worden, toen men Hancke, de bekende communist, ontdekte op de trappen van de Beurs. Inderdaad, hij was de enige van de 'mannen' die was komen opdagen. Zijn 'Ja, laat ons gaan, en laten wij commissiën en communicatiën benoemen' zorgde alleen voor wat gelach. De gewijde, hoopvolle sfeer was gebroken, de ruiten van een wijnhuis sneuvelden, groepjes rellende jeugd trokken van de Dam de stad in.

Eén groepje stuitte onderweg op de politie onder de persoonlijke leiding van commissaris Prové Kluit. 'Een ieder die orde en rust liefheeft, zegge mij na: Leve de Koning.' Niemand zei het hem na, de menigte begon op te dringen, waarop Prové Kluit twee geladen pistolen trok; een schot klonk en, in één klap, bond men in.

Elders in de stad moest de schutterij, bijgestaan door studenten van het 'Atheneum Illustre' te hulp schieten. Nadat ook nog cavalerie uit Haarlem was ontboden, werd het weer rustig. Er zijn geen slachtoffers gevallen.

# Commissie-Thorbecke eens over grondwet

's-GRAVENHAGE, 27 maart - In precies tien dagen is de voornamelijk uit liberalen samengestelde grondwetscommissie onder leiding van Thorbecke het eens geworden. De commissie zal voorstellen de macht van de koning drastisch te beperken door de invoering van ministeriële verantwoordelijkheid en een éénjaarlijkse begroting. De liberalen willen meer invloed voor de gegoede achterban door rechtstreekse verkiezingen op alle niveaus. Vooral op dit laatste punt wordt veel tegenstand verwacht in de door de aristocratie beheerste Tweede Kamer. De liberalen hebben echter het tij mee: de angst voor revolutie is groot. Zij weten zich gesteund door de koning en door de katholieken, die veel van de grondwetsartikelen over de vrijheid van godsdienst en onderwijs verwachten.

De rol van de koning is het meest opmerkelijk. Op 27 februari bereikten hem de berichten over de val van koning Louis-Philippe. Niet veel later hoorde hij dat ook Duitse vorsten na revolutionair geweld concessies aan de liberale oppositie hadden gedaan. In eigen land bleken niet alleen nette burgers als Thorbecke eindelijk iets te zeggen te willen krijgen, maar ook het volk - de traditionele machtsbasis van de

*Een demonstratie voor liberale hervormingen (16 maart).*

Oranjes - roerde zich en klaagde over de lage lonen, de grote werkloosheid en de hoge belasting op voedsel en kleding. Hier en daar klonk goed hoorbaar 'Leve de republiek'. Het leek verstandig de troon veilig te stellen door zich aan het hoofd van de partij van verandering te stellen.

Op 17 maart verklaarde de koning tegen gezanten 'in één nacht van zeer conservatief, zeer liberaal' geworden te zijn en daarom liberalen - van wie hij voordien niets moest hebben - om advies gevraagd te hebben. Het kabinet van de conservatief Van Hall bood woedend zijn ontslag aan. Direct na de val van het kabinet stroomde het met fakkels en vaandels gewapende volk samen voor het koninklijk paleis en riep: 'Weg met de ministers' en... bracht met een serenade de koning hulde. Deze aanhankelijkheidsverklaring was niet geheel spontaan: de arbeiders hadden voor de gelegenheid vrij gekregen en de muzikanten waren gehuurd van de Koninklijke Schouwburg.

# Succes voor Hongarije

*Az első felelős magyar kormány tagjai*

*De eerste Hongaarse regering onder leiding van Lajos Batthyányi (midden boven).*

WENEN, 11 april - Hongarije is vanaf vandaag een constitutioneel koninkrijk onder koning Ferdinand V (keizer Ferdinand I van Oostenrijk), met een revolutionaire regering. Daarmee is de revolutie van 15 maart met succes bekroond.

De eisen die de Landdag in Pozsony dank zij Lajos Kossuth op 16 maart in Wenen Ferdinand kon aanbieden, werden onder druk van de revoluties in Wenen en Pest direct geaccepteerd. Al één dag later werd graaf Lajos Batthyányi benoemd tot premier, de eerste constitutionele regeringsleider van Hongarije. Op 8 april maakte hij de samenstelling van zijn coalitieregering bekend.

De meeste leden van het kabinet zijn gematigde hervormers en liberalen: graaf Széchenyi (Openbare Werken en Verkeer), baron József Eötvös (Godsdienst en Onderwijs), Ferencz Deák (Justitie), Gábor Klauzál (Landbouw) en Bertalan Szemere (Binnenlandse Zaken) zijn allen bekend als hervormingsgezind. De radicale leider Lajos Kossuth moet zich tevreden stellen met de ondankbare functie van minister van Financiën. Prins Pál Esterházy (Buitenlandse Zaken) is een conservatief en generaal Mészáros is apolitiek. Het grootste probleem waarvoor de nieuwe regering zich gesteld ziet, is de indamming van de chaos in het land. De boerenbevrijding levert heel wat meer problemen op dan was voorzien: de adel en de boeren beschikken nu elk over circa de helft van het bouwland en zijn geen van beiden tevreden. Daarnaast is er het probleem van de steeds nadrukkelijker eisen betreffende medezeggenschap van de minderheden. En ten slotte heeft het in maart nog geen twee weken geduurd of de tegenaanval van de koning kwam op gang. Op 30 maart weigerde Ferdinand de wet op de afschaffing van de lijfeigenschap te tekenen; slechts een massabetoging en een nieuw gevaar voor een gewelddadige revolutie brachten hem op andere gedachten. Duidelijk is echter dat het Weense hof zich nog niet bij de nieuwe situatie wenst neer te leggen.

*Republikeinen hijsen de rode vlag op de Parijse barricaden.*

# Franse opstand gebroken

PARIJS, 26 juni - Minstens vijftienhonderd doden zijn er de afgelopen dagen gevallen, en er zijn tien keer zoveel arrestanten. Wat de revolutionaire voorlopige regering in februari heeft ingevoerd, is voor het grootste deel weer ongedaan gemaakt.

Eigenlijk is het na de roerige februaridagen in Frankrijk aldoor onrustig gebleven. Uiterst links protesteerde tegen de belastingverhoging die minister Garnier-Pagès had ingesteld als onderdeel van een pakket maatregelen om het economisch herstel te bevorderen. Niettegenstaande de protestacties werd op 23 april de grondwetgevende vergadering gekozen, zij het met enige vertraging. De uitvoerende commissie, die vervolgens de voorlopige regering moest vervangen, was even gematigd als de pasgekozen Kamer. De socialisten waren uit de regering gestoten. O[p] straat gingen de demonstraties door e[n] werden bloedig uiteengeslagen.

Na demonstraties ter ondersteunin[g] van de Poolse onafhankelijkheidsbeweging werden de meest linkse leiders, zoals Barbès en Auguste Blanqu[i] gearresteerd. Op 21 juni werden de nationale werkplaatsen opgeheven. D[e] daar te werk gestelde arbeiders moes[] ten óf dienst nemen in het leger, óf naa[r] de provincie verhuizen. Op 23 jun[i] kwam het opnieuw tot rellen. Onde[r] leiding van generaal Cavaignac wer[d] het leger eropaf gestuurd. Cavaigna[c] heeft intussen dictatoriale volmachte[n] gekregen.

# Grondwet aan koning voorgelegd

'S-GRAVENHAGE, 11 april - In nog geen twee maanden heeft de commissie-Thorbecke haar werk gedaan: het ontwerp tot wijziging van de grondwet, vergezeld van een door Thorbecke geschreven toelichting, is ter goedkeuring aan de koning voorgelegd.

Buiten de ministerraad en de Kamer om werd de commissie op 17 maart door de koning benoemd. Tien dagen later waren de leden van de commissie het over de belangrijkste punten eens geworden.

Dit hoeft geen verbazing te wekken, daar de meerderheid van de commissie bestond uit dezelfde liberalen die in 1844 - toen zonder succes - met een radicale wijziging van de grondwet waren gekomen.

Het voorliggende voorstel van de liberalen houdt een ingrijpende wijziging in van het staatsbestel. In de woorden van Thorbecke: 'De grondwet sloot volkskracht buiten; zij moet die nu in alle aderen der staat trachten op te nemen. Dit geschiedt zoowel door uitbreiding der individueele vrijheid van ontwikkeling en behandeling, als door een oprecht stelsel van vertegenwoordiging van lands-, provincie- en gemeentezaken.' Het liberale voorstel beoogt door de invoering van directe verkiezingen, op basis van een nog iets verhoogde census, de gegoede burgerij meer greep op het bestuur te geven ten koste van de macht van de (geld-) aristocratie. De macht van de koning wordt beteugeld door de invoering van de ministeriële verantwoordelijkheid en van de eenjaarlijkse begroting. De Tweede Kamer krijgt daarbij het recht van amendement, interpellatie en enquête.

De liberalen zijn in beide Kamers ver in de minderheid. Toch wordt verwacht dat het ontwerp zal worden overgenomen, omdat de koning zich vierkant achter de radicale grondwetswijziging heeft opgesteld. Ook de katholieken zullen voorstemmen, omdat zij veel verwachten van de artikelen over vrijheid van godsdienst en onderwijs.

*De Leidse hoogleraar Thorbecke.*

# Limburg anti-Hollands

MAASTRICHT, 7 augustus - Op het Limburgse platteland zijn na ferm optreden van de mobiele colonne de Duitse vlaggen weer van de torens gehaald en de vreugdevuren gedoofd. Regeringscommissaris Ligtenveldt is vanmorgen in de residentie teruggekeerd. Het was in Limburg al enige tijd onrustig. Op 19 juli deed de Nationale Vergadering te Frankfurt een uitspraak die impliceerde dat het hertogdom Limburg niet langer het lidmaatschap van de Duitse Bond kon combineren met de status van provincie van het Nederlandse Koninkrijk. Zodra het nieuws uit Frankfurt Limburg bereikte braken de anti-Hollandse rellen uit.

Bij de eindschikking met België in 1839 kreeg Willem I het hertogdom Limburg als compensatie voor het verlies van het Waalse deel van zijn groothertogdom Luxemburg, dat naar België ging. Samen met de generaliteitslanden rondom Maastricht en Venlo werd het hertogdom Limburg een provincie van het Nederlandse Koninkrijk. Limburg werd echter ook lid van de Duitse Bond en het 587 man sterke Limburgse garnizoen gaat dan ook gekleed in Duitse uniformen.

Noch in het noorden, noch in Limburg bestaat veel enthousiasme over de regeling van 1839. De katholieke Limburgers voelen zich geannexeerd door de protestantse 'Hollanders'. Zij kunnen niet opschieten met de als hautain beschouwde 'Hollandse ambtenaren' en voelen er niets voor om voor de Nederlandse staatsschuld op te draaien. In het noorden is weinig liefde te bespeuren voor 'het ellendige strookje land', zoals minister van Justitie Donker Curtius Limburg bij gelegenheid eens noemde. Minister van Financiën Van Bosse vindt het beste om Limburg 'te laten glippen'. Hij wil er echter wel betere handelsvoorwaarden met de Duitse landen voor terug. Door het Limburgse lidmaatschap van de Duitse Bond dreigt voortdurend het gevaar dat Nederland in het wespennest van de Duitse politiek betrokken raakt.

Na de Maartrevolutie in de Duitse landen werd dit gevaar acuut. In de Nationale Vergadering te Frankfurt gingen stemmen op dat Limburg uit het Koninkrijk der Nederlanden zou moeten treden en volwaardig lid worden van de op te richten moderne Duitse Bondsstaat. Bij de verkiezingen in mei bleek dat de Limburgse kiezers dit ook wilden: er werden twee 'separatisten' gekozen.

Aan de verlangens van de 'vergadering van pedagogen en ideologen' te Frankfurt kan een zichzelf respecterend land als Nederland natuurlijk niet toegeven en bovendien kan de Nederlandse regering niet toestaan dat het grondgebied wordt aangetast. De aansluiting van Limburg bij Nederland is tot stand gekomen door afspraken van de Europese mogendheden. De regering heeft wel laten blijken een ruil te willen doen: betere handelsovereenkomsten met (vooral) de Zollverein in ruil voor Limburg. Tot het zover is zal de Nederlandse regering op haar tellen moeten passen. Oostenrijk en Pruisen betwisten elkaar de macht in Duitsland; het gevaar via de Duitse stem van Limburg in dit conflict betrokken te raken, is zeker niet denkbeeldig.

*Weense studenten en arbeiders werpen barricaden op in hun pogingen Pillersdorf ten val te brengen.*

# Eerste parlement in Wenen

WENEN, 22 juli - De Reichstag, de eerste nationale grondwetgevende vergadering van Oostenrijk, is voor de eerste maal bijeengekomen. Volgens aartshertog Johann, die de Reichstag opende, heeft deze volksvertegenwoordiging tot taak om 'het grote werk van de wedergeboorte van het vaderland te volbrengen: de vaststelling van een grondwet'. Hij riep de gedeputeerden op tot eendrachtige samenwerking. Deze bezwerende woorden werden niet zonder reden uitgesproken: de 383 afgevaardigden waren afkomstig uit alle delen van het uitgestrekte multinationale keizerrijk.

In politiek opzicht is dit parlement echter tamelijk homogeen samengesteld: het bestaat hoofdzakelijk uit gematigd conservatieven en gematigd liberalen. De radicale democraten zijn sterk ondervertegenwoordigd.

In deze samenstelling kan de Reichstag beschouwd worden als een monsterverbond tussen de monarchie en de liberalen tegen de radicale krachten die zich in de maand mei hebben gemanifesteerd. Nadat op 13 maart in Wenen de revolutie was uitgebroken, verleende de keizer aan Freiherr Franz von Pillersdorf, de nieuwe minister van Binnenlandse Zaken, de opdracht een 'Konstitution des Vaterlandes' te ontwerpen. Zijn voorstel, een in aller ijl vervaardigde kopie van de Belgische constitutie, had de instemming van de gematigde liberalen, maar werd door de radicale democraten slecht ontvangen. Dat deze 'oktroyierte Verfassung' tot stand was gekomen zonder dat een vertegenwoordiging van het volk was geraadpleegd, kon in hun ogen geen genade vinden. Toen bovendien bekendgemaakt werd dat aan de arbeiders geen stemrecht zou worden verleend, braken er in Wenen zulke hevige onlusten uit dat de keizerlijke familie op 17 mei naar Innsbruck vluchtte.

Om deze kritieke situatie het hoofd te bieden deed de regering aanzienlijke concessies: Pillersdorf moest aftreden, zijn grondwet werd ingetrokken en het algemeen mannenkiesrecht werd ingevoerd, op grond waarvan een grondwetgevende vergadering werd gekozen. Toch bleek dit succes van de radicalen een Pyrrhus-overwinning: na de gewelddadigheden van mei lijken zij de invloedrijke gematigde liberalen van zich vervreemd te hebben.

*Voorzitter Heinrich von Gagern opent de Nationale Vergadering in Frankfurt.*

# Vrouwenconferentie in VS

SENECA FALLS, 20 juli - Uit onvrede met de maatschappelijke positie van de vrouw in de Amerikaanse samenleving, is in de staat New York een conferentie gehouden, de 'Woman's Rights Convention'. Honderd aanwezigen hebben op de laatste dag de 'Onafhankelijkheidsverklaring van de Vrouw' aangenomen en ondertekend. In deze verklaring, die E. Cady Stanton heeft opgesteld naar voorbeeld van de Onafhankelijkheidsverklaring van Th. Jefferson uit 1776, vragen vrouwen toegang tot alle rechten en privileges die hun als volwaardige burgers van de Verenigde Staten toekomen. Hun meest opzienbarende eis is het stemrecht voor vrouwen; daarnaast stellen zij ook eisen op sociaal, economisch en religieus gebied.

Tijdens de conferentie, die werd bijgewoond door 250 vrouwen en 40 mannen, zijn lezingen gehouden door de organisatoren Lucretia Mott en Elizabeth Cady Stanton en is gediscussieerd over de rechten van de vrouw. Centraal daarbij stond de verklaring, waarin Stanton achttien klachten over de positie van vrouwen op een rij zet. Vrouwen, zo stelt Stanton, krijgen in alle beroepen een lager loon uitbetaald dan mannen, zijn uitgesloten van vrijwel elke vorm van hoger onderwijs en zijn eveneens uitgesloten van vele beroepen (zo wordt de vrouw bijvoorbeeld niet toegelaten tot het geestelijk ambt). Voorts wijst Stanton op de situatie van de gehuwde vrouw, die geen rechten kan doen gelden op eigendom, noch op inkomen dat zij zelf verdiend heeft. Haar belangrijkste verwijt is het onthouden van stemrecht aan vrouwen. Behalve de verklaring van Stanton is ook een aantal resoluties aangenomen waarin wordt aangedrongen op gelijkberechtiging van vrouwen op voornoemde gebieden. De resolutie waarin stemrecht voor vrouwen wordt geëist, heeft veel weerstand opgeroepen en is met slechts een kleine meerderheid aangenomen. Nooit eerder hebben vrouwen op zo'n demonstratieve wijze in het openbaar om hun rechten gevraagd. De Amerikaanse pers heeft vijandig gereageerd, maar de Amerikaanse vrouwen hebben verklaard geen middel onbeproefd te zullen laten om hun doel te bereiken.

*Een boerenfamilie wordt wegens het niet betalen van de pacht uit haar huis gezet.*

# Oostenrijkse boeren vrij

WENEN, 9 september - Keizer Ferdinand I heeft de eerste door de Reichstag aangenomen wet bekrachtigd, de wet op de Grundentlastung, die beoogt 'das Untertänigkeitsverhältnis samt allen daraus entspringenden Rechten und Pflichten' op te heffen. Dit betekent de emancipatie van de boeren: voortaan zijn zij vrijgesteld van het verrichten van de robot, de gedwongen arbeid op het land van de heer.

De bevrijding van de boeren wordt beschouwd als een waarlijk revolutionaire maatregel: 'In de agrarische verhoudingen vinden we de ware en blijvende revolutie, omdat alle feodale belastingen de facto zijn opgeheven en nooit weer ingevoerd kunnen worden [...] zeer vele landgoedeigenaren, vooral degenen die vele schulden hebben, worden in hun bestaan bedreigd. Voor de verliezers is dit een bitter moment; de gevolgen van deze maatregel kunnen echter gunstig zijn [...]', aldus Freiherr Karl Friedrich Kübeck von Kübau, die in maart jongstleden tot minister van Financiën is benoemd. Hoezeer de eis tot afschaffing van de horigheid de boeren bij de revolutie betrok, bleek in het voorjaar, toen na het uitbreken van de ongeregeldheden in Wenen overal in Oostenrijk de boeren weigerden om nog langer robot te verrichten. Op 25 juli diende Hans Kudlich, een radicaal lid van de Reichstag en de zoon van een Silezische boer, een wetsontwerp in dat de emancipatie van de boeren tot doel had. Gedurende de zomermaanden werden in de Oostenrijkse Reichstag heftige discussies gevoerd over de vraag of en in welke mate de landheren schadeloos moesten worden gesteld voor het verlies van inkomsten. Een aantal radicalen was fel gekant tegen het verlenen van een vergoeding aan de landheren, terwijl vele conservatieven Kudlichs voorstellen als communistisch bestempelden. Ten slotte werd besloten dat de landheren geen compensatie zou ontvangen voor diensten die voortvloeiden uit de persoonlijke afhankelijkheidsrelatie van de boer ten opzichte van de heer. Andere herendiensten zouden voortaan gecompenseerd worden door een pachtsom.

Nadat hun voornaamste eisen waren ingewilligd, verloren de boeren, tot teleurstelling van Hans Kudlich, iedere belangstelling voor de revolutie.

# Wapenstilstand Piemonte en Oostenrijk

VIGEVANO, 9 augustus - Oostenrijk en Sardinië-Piemonte hebben in Vigevano een wapenstilstand getekend die een eind heeft gemaakt aan de korte, in maart uitgebroken oorlog.

De opstand van eind maart verdreef de Oostenrijkers uit hun belangrijkste steunpunten in Noord-Italië, Milaan en Venetië, en drong hen terug in de Quadrilaterale, het gebied tussen Mantua, Verona, Perchiera en Legnano. Op 23 maart maakte Karel Albert van de gelegenheid gebruik door Oostenrijk de oorlog te verklaren - een riskante beslissing, militair gezien, maar een waarmee Karel Albert zich aan het hoofd van de Italiaanse bevrijdingsbeweging kon plaatsen.

Op dezelfde dag trokken vanuit Milaan 3000 vrijwilligers tegen de Oostenrijkers ten strijde, zonder artillerie, cavalerie en in veel gevallen zelfs zonder wapens.

Ondanks aanvankelijke successen, zoals de zeges op de Oostenrijkers bij Gioto op 8 april en op 30 mei, en ondanks de aanvankelijke steun van de Pauselijke Staat, Toscane en Beide Siciliën, verliep de oorlog voor Karel Albert negatief. Hij deed ongeveer alles om een nederlaag te garanderen: in plaats van Radetzky te achtervolgen liet hij hem rustig ontsnappen, wat de Oostenrijkers de kans gaf zich te hergroeperen. Na de zege van 8 april volgde een reeks nederlagen, bij Curtatone (29 mei), Vicenza (10 juni) en Custozza (25 juli). De paus trok zich uit de oorlog terug met het argument dat hij herder

*Veldmaarschalk graaf Radetzky arriveert met zijn legerstaf bij Milaan.*

van alle volken is, niet slechts van de Italianen. Op 15 mei zette Ferdinand II in Napels zijn parlement aan de kant en liet hij de oorlog de oorlog, en daarna hield ook Leopold van Toscane het spel voor gezien. Drie dagen geleden kon Radetzky weer Milaan binnentrekken.

De hoop op een bondgenootschap van constitutionele vorsten in Italië is met de oorlog de bodem ingeslagen. Nauwelijks na een halfjaar na de hoopgevende opstanden en revoluties is de eenheidsgedachte verloren gegaan, hebben de democraten zich buiten spel laten zetten, is de kans op concrete wetsvoorstellen voor de arme stads- en plattelandsbevolking verkeken en is Italië weer waar het voor de gebeurtenissen van eind vorig jaar was.

# Jelacic bedreigt Hongaarse revolutie

EST, 12 september - In Pest is van-
aag, twee dagen na het aftreden van
e regering-Batthyányi, bekend ge-
orden dat de ban (stadhouder) van
roatië, Jelacic, een opmars naar
ongarije is begonnen. Het nieuws
eft de Hongaren op slag hun onder-
nge ruzies doen vergeten.

eze nieuwe dramatische ontwikke-
ng in de maandenlange crisis komt ze-
r niet onverwacht. Al in maart, nog
or het aantreden van de revolutio-
aire regering, was duidelijk dat We-
en op wraak zon en zijn kans op in-
ijpen tegen het bewind in Pest
wachtte. Al in juni kwam het tot een
ostand onder de Serviërs. Op 11 juli
ageerde de nieuwgekozen Landdag,
aarin de oppositie 90 procent van de
tels bezet, positief op een verzoek
n minister Kossuth om 200 000 solaten en 42 miljoen gulden voor de or-
nisatie van 's lands verdediging.
gelijkertijd besnoeide de Landdag
de eis van Wenen tot het mobiliseren

*De Kroatische stadhouder Jelacic steekt met zijn troepen de Drava over.*

van een contingent van 40 000 Hongaarse rekruten voor het neerslaan van
de Italiaanse vrijheidsstrijd en gingen
in Hongarije steeds meer stemmen op
voor de oprichting van een eigen Hongaars leger, de Honvéd.
In augustus ging Wenen in de aanval,

aangemoedigd door de successen in
Italië en Bohemen. Hoewel Batthyányi
tot concessies bereid bleek om geweld
te voorkomen, verweet de koning de
regering door militaire en financiële
maatregelen de Pragmatieke Sanctie te
hebben geschonden; als consequentie

beval hij Pest de Aprilwetten te wijzigen. Als Hongarije zou weigeren zou
het zelf de gevolgen over zich afroepen.
Na een dramatische toespraak tot het
parlement door minister Kossuth, de
enige minister die niets heeft willen weten van Batthyányi's politiek van concessies en verzoening, besloot de regering tot de invoering van de dienstplicht en het rekruteren van extra troepen. Een laatste poging om met Wenen
in gesprek te komen mislukte en op 10
september trad de regering, gedesillusioneerd, af. Een uitzondering was
Kossuth, die wenste aan te blijven.
Jelacic heeft als ban van Kroatië vanaf
april geweigerd de autoriteit van de revolutionaire regering te erkennen en
gewerkt aan militaire voorbereidingen
voor een veldtocht tegen de Hongaren,
daarbij in toenemende mate aangemoedigd door Wenen. Gisteren stak
Jelacic met zijn leger de Drava over: de
weg naar Székesfehérvár ligt nu voor
hem open.

# Hongaarse opmars bij Schwechat tot staan gebracht

CHWECHAT, 30 oktober - Het
ostenrijkse leger onder Fürst Win-
schgrätz heeft vandaag de opruk-
at teruggeslagen. Daarmee is een
orlopig eind gekomen aan de op-
ars van de Hongaren en de openlijke
rlog tussen de twee landen.

e strijd, waarin de resultaten van de
ongaarse revolutie op het spel staan,
gon half september met de inval van
Kroaat Josip Jelacic. Zijn opmars
ar Székesfehérvár werd echter on-
rwachts gestuit door Hongaarse
eren, die de Kroaten van hun voor-
den beroofden en hun aanvoerlijnen
sneden. Daarmee plukten de Honga-
n de vruchten van de eenheid die door
dreiging uit het buitenland was ont-
aan: adel, regering, boeren, conser-
tieven en revolutionairen vergaten
n geschillen en trokken één lijn.
rwijl Kossuth koortsachtig doende
s een leger uit de grond te stampen,
oide Wenen het op 25 september
er een andere boeg: koning Ferdi-
nd benoemde per decreet graaf
anz Lambert tot opperbevelhebber
Hongarije en opperrechter Majláth
onderkoning. De Hongaarse Land-
g weigerde de benoemingen te ac-
pteren en toen Lambert naar Pest
vam brak een opstand uit die hem het
ven kostte.
e volgende dag, 29 september, ver-
egen de Hongaren bij Pákozd met
n klein, pasgevormd en ongetraind
ger de strijdmacht van Jelacic. De
oatische bevelhebber ontsnapte
ar Wenen. De crisis in Pest, die de
euk met Wenen volledig had ge-
aakt, had echter een verpletterend ef-

fect op de regering: Batthyányi, Klauzál, Széchenyi (die in een krankzinni-
gengesticht terechtkwam), Eötvös (die
naar het buitenland vertrok) en Deák
trokken zich definitief terug en Esterházy koos de kant van Wenen.
De macht kwam aldus terecht bij Kossuth, die hoofd werd van een Defensiecommissie. Wenen reageerde op de
dood van Lambert met decreten waarin de Landdag werd ontbonden, al
haar wetten ongeldig werden verklaard
en de staat van beleg werd afgedwongen. Maar Wenen had niet de middelen
om dat militair af te dwingen. Integendeel: de Hongaarse troepen onder generaal Móga bereikten de grens en alleen door zijn aarzelen bleef Oostenrijk vooreerst een pijnlijke nederlaag
bespaard.
Op 6 oktober brak in Wenen een nieuwe opstand uit. De keizer nam de wijk,
minister van Oorlog Latour werd aan
een Weense lantaarnpaal opgeknoopt
en de stad zelf bezet. De Hongaren
hadden nu de mogelijkheid zonder
meer op te marcheren. Maar Móga
bleef aarzelen, en met hem ook Kossuth en zijn Defensiecommissie. Toen
Kossuth eindelijk een besluit had genomen en naar zijn leger was gereisd, was
het te laat: Windischgrätz had zich georganiseerd en kon Móga's aanval afslaan.
Het zou voorlopig de laatste slag in de
oorlog zijn. Met een vijandig Wenen in
de rug durfde Windischgrätz de Hongaren niet te achtervolgen. Kossuth
ontsloeg de incompetente Móga en benoemde Artúr Görgey tot zijn opvolger. Binnen korte tijd bracht Kossuth
een 100 000 man sterk leger op de been

*Gevechten bij de Razunovszky-brug tussen Oostenrijkse en Hongaarse troepen.*

voor de verwachte aanval van de
Oostenrijkers.
Die aanval blijft voorlopig nog uit. De
pauze heeft tot een herbezinning geleid
in Pest, waar de eenheid, ontstaan
door de aanval, snel plaats maakt voor
de gebruikelijke onderlinge ruzies. Er
heeft zich een gematigde vleugel gevormd die niet ingenomen is met Kossuths radicale koers en overleg met Wenen wenst. Ook de boeren hebben
genoeg van de oorlog, want zolang die
duurt worden hun grieven niet behandeld. En ten slotte dreigt voortdurend
het gevaar van een strijd op twee fronten, aangezien de minderheden zonder
uitzondering de kant van Wenen hebben gekozen.

*Veldmaarschalk Fürst Windischgrätz.*

*Het lichaam van generaal Latour wordt aan een lantaarnpaal opgehangen.*

# Wenen geeft zich over

WENEN, 31 oktober - Nadat de opperbevelhebber van de keizerlijke troepen, veldmaarschalk Windischgrätz, een zwaar bombardement op de opstandige Oostenrijkse hoofdstad heeft laten uitvoeren, hebben de Weense revolutionairen zich overgegeven. Hiermee is een einde gekomen aan de Weense Oktoberrevolutie, die aan meer dan 2000 mensen het leven heeft gekost.

Deze bloedige opstand brak uit op 6 oktober, toen een in Wenen gelegerd bataljon grenadiers weigerde tegen het revolutionaire Hongarije ten strijde te trekken. Arbeiders, studenten en leden van de nationale garde sloten zich bij de muitende soldaten aan, waarop er in de Weense binnenstad hevige gevechten tussen deze revolutionairen en het leger uitbraken. De woedende menigte drong de regeringsgebouwen binnen en lynchte de 68-jarig generaal Latour, de minister van Oorlog.

Niet eerder in dit turbulente jaar heeft Wenen zo'n uitbarsting van geweld meegemaakt. De belangrijkste oorzaak van deze radicalisering is het feit dat de revolutionairen van oktober, voornamelijk ontevreden arbeiders, geleid door radicale democraten, zich door hun medestrijders verraden voelden. De meeste burgerlijke en aristo-cratische liberalen waren tevreden met de uitkomst van de 'königliche und kaiserliche Revolution' van maart-april. De keizer had hun toch een constitutie en een parlement toegestaan? Toen in september de horigheid was afgeschaft ging ook de steun van de boeren aan de revolutionaire zaak verloren. Voor hun sociale en economische grieven vonden de arbeiders bij niemand meer gehoor.

De teleurstelling en het ongeduld van de oktoberrevolutionairen blijken duidelijk uit de volgende strofe van het gedicht 'Wien' van de revolutionaire dichter Ferdinand Freiligrath: Wenn wir noch knien könnten, wir lägen auf den Knien; Wenn wir noch beten könnten, wir beteten für Wien! [...] Wozu noch betend winseln? Ihr Männer ins Gewehr, Heut ballt man nur die Hände, man faltet sie nicht mehr!'

Op 7 oktober verliet de keizer de stad, gevolgd door een groot aantal Weense burgers. De Reichstag verplaatste haar zetel naar Kremsier. Op veilige afstand wachtten de monarchie, de aristocratie en de bourgeoisie de inname van Wenen af. Zij wisten zeker dat ook de meest radicale revolutionaire beweging geen partij zou vormen voor de granaten, de kartetsen en de bajonetten van Windischgrätz.

*De executie van Messenhauser, de opperbevelhebber van de nationale garde.*

# Frans Jozef I gekroond

OLMUTZ, 2 december - Met de woorden 'Gott segne Dich, Franzl, bleib nur brav' heeft de 55-jarige keizer Ferdinand I van Habsburg-Lotharingen afstand gedaan van de Oostenrijkse troon ten gunste van zijn 18-jarige neef Frans. Dat de plechtigheid plaatsvond in Olmütz was een gevolg van de revolutionaire situatie in Wenen. Op 7 oktober had het keizerlijk hof zijn intrek genomen in het aartsbisschoppelijk paleis van deze Moravische stad, omdat de hevige gevechten tussen revolutionairen en keizerlijke troepen de Oostenrijkse hoofdstad in een slagveld hadden herschapen.

Ook de troonswisseling zelf was een reactie op de revolutie. Volgens de contrarevolutionairen, die na het neerslaan van de Oktoberrevolutie weer vast in het zadel zaten, kon keizer Ferdinand niet worden gehandhaafd. De geestelijk en lichamelijk gehandicapte keizer had immers al zijn adviseurs en familieleden versteld doen staan door zijn eigenmachtig optreden op 13 maart, tijdens de eerste uitbarstingen van revolutionair geweld. Toen het volk het aftreden van Metternich eiste, verklaarde Ferdinand: 'Tenslotte ben ík de keizer en ík beslis. Zeg het volk dat ik met alles instem.'

De keizer had het volk bovendien een constitutie beloofd en 'Ferdinand der Gutmütige' kon zelfs door Oostenrijks nieuwe sterke man, Fürst Felix zu Schwarzenberg, niet worden overreed om deze belofte te breken. Daarom had Schwarzenberg zich voorgenomen om van de jonge aartshertog Frans een Oostenrijkse Napoleon te maken, een keizer die na de revolutie orde op zaken moest stellen en een krachtdadige buitenlandse politiek zou voeren. Dit was een stoutmoedig plan, omdat het inhield dat Frans' vader, aartshertog

*Frans Jozef in luitenantsuniform.*

Frans Karel, die voor deze rol minde geschikt werd bevonden, als troonop volger gepasseerd moest worde Schwarzenberg slaagde in deze opze omdat hij verzekerd was van de steu van een zeer invloedrijke bondgenoo Frans' moeder, de eerzuchtige aart hertogin Sophie van Beieren, die ni haar zwakke echtgenoot, maar haa geliefde oudste zoon als keizer naar v ren wilde schuiven. Hoe ver de invloe van Schwarzenberg reikt blijkt wel u het feit dat door zijn toedoen de nieuw keizer niet, zoals voor de hand lag, a Frans II, maar als Frans Jozef de g schiedenis ingaat.

Schwarzenberg voelde feilloos aan d in dit revolutiejaar de overlevingska sen van de Habsburgse dynastie ni zouden toenemen als het volk de jong keizer te veel zou identificeren met zij grootvader Frans I, de reactionai Vormärz-keizer. De naam 'Frans J zef' heeft daarentegen een veelbel vende klank: hij herinnert aan Jozef I de hervormingsgezinde 'volkskeizer'

*Keizer Ferdinand I draagt de macht over aan zijn neef Frans (Frans Jozef I).*

# Grondrechten voor Duitse volk vastgelegd

*links barricaderen revolutionairen het stadhuis van Keulen in de nacht van 18 op 19 maart, rechts gevechten voor de Paulskirche in Frankfurt (18 september).*

FRANKFURT, 27 december - De Duitse Nationale Vergadering, in de Paulskirche in Frankfurt bijeen, heeft een wet uitgevaardigd waarin de 'Grondrechten van het Duitse Volk' zijn vastgelegd. Wanneer de plaatselijke vorsten bereid zijn het Frankfurter parlement te volgen, dan zullen voortaan alle Duitse burgers voor de wet gelijk zijn, de adel zal worden opgeheven en alle burgers zullen in principe toegang hebben tot alle ambtelijke functies. De wet legt tevens vast dat

willekeurige arrestatie en huiszoeking, brandmerking en lichamelijke tuchtiging verboden zijn. De doodstraf is alleen nog toegestaan binnen het oorlogsrecht. Bovendien worden de persvrijheid, de vrijheid van wetenschap en onderwijs, en het recht op vreedzame vergadering en vereniging gewaarborgd.

De 'Wet op de Grondrechten van het Duitse volk' is de uitkomst van de debatten die sinds 18 mei van dit jaar in Frankfurt zijn gehouden. Toen kwamen de ruim 800 afgevaardigden, die volgens het algemeen mannenkiesrecht waren gekozen, voor het eerst bijeen. Hun eerste daad was het scheppen van een tijdelijk centraal bestuur voor heel Duitsland. Uit de keuze van de Oostenrijkse aartshertog Johann van Habsburg als regent, bleek dat het aantal voorstanders van een constitutionele monarchie groter was dan het aantal republikeinen. Bovendien werd duidelijk dat de meerderheid voor de 'groot-Duitse' oplossing was, dat wil zeggen voor een Duits Rijk waarvan Oostenrijk deel zou blijven uitmaken.

Een probleem waarmee het parlement in Frankfurt al snel geconfronteerd werd, was dat het door haar ingestelde centrale bestuur niet beschikte over de machtsmiddelen om besluiten te doen uitvoeren. De feitelijke macht bleef in handen van de vorsten en hun regeringen.

Dit werd op pijnlijke wijze duidelijk toen het Frankfurter parlement zich begin april moest bezighouden met een tegen Denemarken uitgebroken oorlog. De Deense koning, Frederik VII, stelde pogingen in het werk de graafschappen Sleeswijk en Holstein te scheiden van de Duitse confederatie en in te lijven bij zijn koninkrijk. Pruisische troepen waren onder leiding van graaf Friedrich von Wrangel tegen de Denen ten strijde getrokken. Zonder de afgevaardigden in Frankfurt ook maar te raadplegen werd in Pruisen, onder diplomatieke druk van Rusland, Engeland en Zweden, besloten met de oorlog te stoppen en in augustus werd in Malmö de vrede getekend. Het

Frankfurter parlement zag machteloos toe. Dit terwijl de oorlog in de Duitse staten met een zeker enthousiasme werd gevolgd en de nationalistische gevoelens had aangewakkerd. Het was dan ook voor de in juni aangestelde regeringsleider Karl von Leiningen aanleiding zijn ontslag in te dienen. Hij werd opgevolgd door de liberaal Anton van Schmerling.

De Duitse vorsten hebben in februari, verschrikt door de gebeurtenissen in Frankrijk, in Oostenrijk en in eigen land, ingestemd met het houden van algemene verkiezingen. Nu de revolutie is weggeëbd is het de vraag of de Duitse vorsten zich nog steeds genoodzaakt voelen toe te geven aan de eisen die de afgevaardigden in Frankfurt stellen.

*Met ontzetting is in Wenen gereageerd op het bericht dat Robert Blum, liberaal afgevaardigde van Leipzig in het Frankfurter parlement, door een krijgsraad ter dood is veroordeeld en vervolgens is geëxecuteerd. Blum was gearresteerd toen troepen van Windischgrätz Wenen bestormden en een eind maakten aan de opstand aldaar. In het parlement vreest men nu dat de democratische verworvenheden teruggedraaid zullen worden.*

*Begrafenis van maart-slachtoffers.*

# Nieuw bewind in Rome roept republiek uit

ROME, 5 februari - Rome is een republiek geworden. De Grondwetgevende Vergadering die vorige maand is gekozen, heeft vandaag de republikeinse staatsvorm afgekondigd.

De verdrijving van paus Pius IX, die in 1846 zijn bewind zo veelbelovend begon, is een directe consequentie van zijn 'verraad' aan de zaak van de Italiaanse eenwording, vorig jaar. Bovendien is ze een gevolg van de inherente instabiliteit van de Pauselijke Staat. Als aards heerser kan de paus troepen in dienst nemen en regeren, maar als hoofd van het katholicisme kan hij geen christelijke natie de oorlog verklaren. Als geestelijk vorst in een wereldlijke staat heeft de paus altijd te maken met kardinalen die wetten kuisen voor ze van kracht worden. De Pauselijke Staat heeft twee ministers van Buitenlandse Zaken - een voor wereldlijke en een voor geestelijke zaken. Die omstandigheden maken regeren moeilijk, vooral in een situatie als die van vorig jaar, toen de paus na aanvankelijke steun zijn handen aftrok van het tegen Oostenrijk vechtende Sardinië-Piemonte. De bevolking van de Pauselijke Staat reageerde woedend en de inwoners van Bologna trokken zelf tegen de Oostenrijkers ten strijde toen de paus dat niet deed.

In november vormde graaf Pellegrino Rossi een regering in Rome. Zijn doel was een verzoening tot stand te brengen en de hoog opgelopen gemoederen te bedaren. Hij was nagenoeg de enige

*Paus Pius IX.*

die daartoe in staat werd geacht: een briljant, ervaren liberaal, econoom en financier, gematigd en gerespecteerd in en buiten Italië.

Maar Rossi werd, ondanks de energie waarmee hij hervormingen op gang bracht, niet populair en het doel een verzoening tot stand te brengen, werd niet bereikt.

De extremisten namen hem kwalijk dat hij niets voelde voor een oorlog tegen Oostenrijk. Het volk nam Rossi zijn superieure koelheid kwalijk, de heersende klasse zijn hervormingszin. Toen een onbekende op 15 november Rossi op de trappen van het parlement

doodstak, rouwde niemand.

Na Rossi's dood verdubbelden de extremistische democraten hun inspanningen om aan de macht te komen. O[p] 16 november eiste een opgewonde[n] menigte de afkondiging van een Ital[i]aanse nationaliteit, een Grondwetge[ve]vende Vergadering, oorlog tege[n] Oostenrijk en een regering met enkel[e] van de belangrijkste tegenstanders va[n] de paus op sleutelposten. Een dag late[r] probeerden betogers zelfs het pale[is] van de paus in brand te steken. Daaro[p] gaf de paus toe. Er kwam een nieuw[e] regering, maar Pius wachtte de on[t]wikkelingen niet verder af: op 24 n[o]vember nam hij, vermomd als prieste[r,] de wijk naar Gaeta.

Het nieuwe democratische bewind wa[s] verre van eensgezind. Sommigen wi[l]den de paus laten terugkeren, andere[n] wilden een republiek, sommigen ee[n] Romeinse, weer anderen een Italiaan[se]se. Eind december werd de bijeen[-]komst van een Grondwetgevende Ve[r]gadering uitgeschreven, hetgeen va[n]uit Gaeta door de paus een 'monstr[u]euze daad van verraad, abominab[el] wegens zowel de absurditeit als de o[n]wettigheid ervan' werd genoemd. B[ij] een optocht werd het pauselijke prote[st] op 7 januari plechtig opgehangen in d[e] latrines van Rome.

## Chopin gebruikte Poolse folklore

*Frédéric Chopin, op een foto uit 1849.*

PARIJS, 17 oktober - Nadat hij ernsti[g] ziek was teruggekeerd van een reis do[or] Engeland en Schotland, is de compo[-]nist Frédéric Chopin op 39-jarige lee[f]tijd in Parijs overleden. Chopin laa[t] een betrekkelijk klein œuvre na da[t] vrijwel uitsluitend uit compositie[s] voor piano bestaat.

Al op zeer jeugdige leeftijd bleek Ch[o]pin over buitengewone muzikale gave[n] te beschikken. Hij ontwikkelde zic[h] snel tot een uitstekend pianist en gaf a[l] spoedig recitals. Chopin was begaa[n] met het lot van zijn geboorteland Pole[n] en voor zijn composities ontleende h[ij] elementen uit de Poolse muzikale fo[lk]lore. Hoewel zijn muziek romantisc[h] genoemd mag worden, is ze nimme[r] theatraal, maar altijd ingehouden e[n] van een klassieke eenvoud.

## Bruut einde van Oostenrijks parlement

KREMSIER, 7 maart - Met behulp van het leger is de Reichstag, het Oostenrijkse parlement, ontbonden. Van de radicale parlementsleden kon een aantal ontkomen, de rest is gearresteerd. Nadat op deze wijze de parlementaire werkzaamheden zijn beëindigd, is de op 4 maart door keizer Frans Jozef ondertekende 'oktroyierte Märzverfassung' van kracht geworden.

Met deze maatregelen verhindert de regering-Schwarzenberg dat de door de Reichstag opgestelde grondwet aan het volk openbaar wordt gemaakt. Voor deze presentatie van de door de grondwetgevende vergadering opgestelde constitutie was al een datum vastgesteld: 15 maart, de dag waarop het een jaar geleden is dat keizer Ferdinand voldeed aan de belangrijkste eis van de in opstand gekomen liberalen, en het Oostenrijkse volk een 'Konstitution des Vaterlandes' in het vooruitzicht stelde.

De Reichstag was op 22 juli vorig jaar officieel belast met de taak om voor het Habsburgse Rijk - met uitzondering van de Italiaanse gebieden en Hongarije - een grondwet op te stellen. Op 22 november had deze Constituante op aandringen van de keizer haar zetel van

het revolutionaire Wenen naar Kremsier verplaatst. 'Men heeft de Reichstag klaarblijkelijk naar dit kleine stadje verbannen, om hem elke ondersteuning van het volk te ontnemen, om hem te kunnen intimideren, terwijl toch zo lang als nodig was de schijn kon worden opgehouden dat de rechten van het volk gerespecteerd werden,' aldus de radicale afgevaardigde Ernst Violand.

Onder deze moeilijke omstandigheden en argwanend gadegeslagen door het na het neerslaan van de Oktoberrevolutie geformeerde ministerie-Schwarzenberg, wijdde de Reichstag zich onverdroten aan zijn taak. Het liberale 'Kremsier Verfassungsentwurf' was gebaseerd op het grondrecht van de persoonlijke vrijheid: het garandeerde de vrijheid van vereniging en vergadering, van geloof, onderwijs en drukpers. Het was echter vooral het principe van volkssoevereiniteit, vastgelegd in de eerste paragraaf, dat luidde 'Alle Macht kommt vom Volke', én het feit dat aan alle nationaliteiten van het Habsburgse Rijk gelijke rechten werden toegekend, die deze grondwet zo onaanvaardbaar maakten voor het regime van Frans Jozef.

# Engelse troepen veroveren Punjab na zege op Sikhs

GUJARAT, 30 maart - Na hevige gevechten in Gujarat, waarbij de Britten meer dan 2300 man verloren, is opperbevelhebber Lord Gough erin geslaagd het leger van de Sikhs te verslaan, waardoor het enige nog niet door Britten gecontroleerde gebied in India, de Punjab, in Engelse handen is gevallen. Het is de tweede Sikh-oorlog die, begonnen in april vorig jaar, nu een definitief einde heeft gemaakt aan de onafhankelijkheid van een van India's meest vruchtbare gebieden. De eerste Sikh-oorlog eindigde twee jaar geleden met een verdrag waarbij al een gedeelte van de Punjab, tussen de Beas- en de Sutlej-rivier, aan de Engelsen kwam.

De Sikhs (dat in het Sanskriet leerlingen betekent) zijn de aanhangers van een religieuze gemeenschap die aan het eind van de 15de eeuw gesticht werd. In 1761 lukte het de Sikhs in het noordwesten van India een koninkrijk te stichten.

Sinds 1818, toen het gebied van de Mahratten onder Engels bestuur kwam, was het Sikh-koninkrijk in de Punjab als enige militaire rivaal van de Britten in India overgebleven. Maharadja Ranjit Singh (1781-1839), die van 1799 over het Land van de Vijf Rivieren regeerde, bouwde er een bloeiend rijk op dat sinds 1809 zijn grens met Brits gebied langs de Sutlej had. Kort daarna kwam ook Kashmir binnen het koninkrijk. Rond 1820 telde de khalsa (het leger van de zuiveren) zo'n 100 000 Sikhs, een militaire macht die de Engelsen voorlopig liever met rust lieten.

In 1824 wendden de Britten zich dan ook naar het oosten, naar Birma. Tijdens de oorlog, die twee jaar duurde, ontstond muiterij in een Bengaalse lands infanterieregiment dat weigerde over de 'donkere wateren' naar Birma te varen. De sepoys (Indiërs in Britse dienst) werden, als afschrikwekkend voorbeeld, allen door de Engelsen gedood. Het resultaat van de oorlog was dat Assam bij Bengalen kon worden gelijfd.

De belangstelling keerde zich nu weer naar het westen, waar de Engelsen, om Russische expansie in Centraal-Azië te voorkomen, mengden in een troonopvolgingsstrijd in Afghanistan, dat ze in 1839 binnenvielen. De Britten konden wel Kaboel innemen, maar wisten daar niet langer dan tot december 1841 stand te houden. Om te tonen dat de Britse macht in India nog steeds de dienst uitmaakt, werd door een enigszins hersteld leger in februari 1843 de Sind, aan de monding van de Indus, ingelijfd. Bijna drie jaar later, in december 1845, durfden de Engelsen uiteindelijk toch de strijd aan te binden met de steeds groeiende Sikh-macht in de Punjab.

# Karel Albert doet afstand van troon

TURIJN, 23 maart - Koning Karel Albert van Sardinië-Piemonte heeft na de nederlaag tegen Oostenrijk afstand gedaan van de troon ten gunste van zijn zoon Victor Emanuel II.

In Piemonte heeft zich sinds de mislukte oorlog tegen Oostenrijk vorig jaar een ontwikkeling voorgedaan die vergelijkbaar is met die in de Pauselijke Staat en die in Toscane. Daar stond de bevolking op tegen aartshertog Leopold, die net als de paus de wijk nam naar Gaeta.

In Piemonte pleitte een krachtige stroming voor hervatting van de oorlog tegen Oostenrijk. Karel Albert, zich wel bewust van de deplorabele staat van zijn troepen, weigerde. Toen de inhoud van de wapenstilstand met Oostenrijk bekend werd, ontstak het volk in woede. Die woede werd nog vergroot toen de koning niet Gioberti tot premier benoemde, zoals het nationalistische volkssentiment wilde, maar graaf Revel.

Gioberti sloot zich daarop aan bij de extremistische democraten, hetgeen de verdeeldheid in het land vergrootte. In het parlement leed het 'oorlogskamp' een nederlaag, maar het regeringsprogramma stuitte op zoveel weerstand dat de regering-Revel viel. Karel Albert bleef vervolgens niets anders over dan Gioberti tot premier te benoemen.

Gioberti stuurde aan op een bondgenootschap met Rome en Toscane, beide in handen van democratische regimes. Zonder echter de koning of het parlement te consulteren wendde de ijdele 'Einzelgänger' Gioberti zich eerst tot paus Pius IX, in de wetenschap dat de grote mogendheden in geen geval een republikeinse staatsvorm in

*Lombardische vrijheidsstrijders tonen buitgemaakte Oostenrijkse legerpetten.*

Rome en Toscane zouden accepteren. Maar noch de paus, noch Rome, noch Toscane was bereid tot verzoening of zelfs maar tot luisteren naar Gioberti, tegen wiens pogingen de Italiaanse politiek te domineren veel wantrouwen bestond. Toen op zijn beurt Gioberti weigerde in te stemmen met het Romeinse streven naar een Italiaanse federatie met een republikeinse staatsvorm, had hij het in Rome geheel verbruid. Gioberti moest aftreden, toen de volle omvang van zijn geheime diplomatie bekend werd.

De roep om oorlog tegen Oostenrijk werd intussen steeds sterker, niet alleen wegens de vernederende nederlaag van vorig jaar, maar ook wegens de grote aantallen vluchtelingen uit Lombardije, de hoge kosten van de militaire paraatheid en de verhalen over begane Oostenrijkse wreedheden in Lombardije.

Op 20 maart brak de oorlog uit - een van de kortste uit de geschiedenis; vandaag, drie dagen na het begin ervan, werd het Piemontese leger bij Novara vernietigend verslagen. Twee uur na de nederlaag riep Karel Albert zijn generaals bijeen. 'Mijn leven is gewijd geweest aan de zaak van Italië. Daarvoor heb ik mijn troon, mijn leven en dat van mijn zoons geriskeerd. Ik ben niet geslaagd. Ik zie in dat mijn persoon een obstakel voor vrede vormt. Aangezien ik er vandaag niet in geslaagd ben de dood op het slagveld te vinden, breng ik een laatste offer voor mijn land: ik leg mijn kroon neer en doe afstand ten gunste van mijn zoon, de hertog van Savoye.'

Karel Albert is dezelfde avond nog even in handen van de Oostenrijkers gevallen maar werd daarbij niet herkend. Hij is vrijgelaten en op weg naar het buitenland gegaan.

# Groep rond Petrasjevski gearresteerd

St.-PETERSBURG, april - Een aantal (de meldingen variëren van 15 tot 23) ter dood veroordeelde Russen hebben op de valreep, namelijk op de executieplaats, te horen gekregen dat hun doodvonnis is omgezet in verbanning naar Siberië. Onder hen bevindt zich de 28-jarige schrijver Fjodor Michajlovitsj Dostojevski.

Er waait dezer dagen een kille wind door Rusland. De revolutionaire uitbarstingen elders in Europa waren maart vorig jaar al aanleiding tot een persoonlijk manifest van tsaar Nicolaas waarin hij getuigde van zijn vastberadenheid om het spook van de revolutie te overwinnen. Daartoe heeft de tsaar Oostenrijk militaire steun tegen de Hongaarse opstandelingen toegezegd. Verder zijn binnenslands de veiligheidsmaatregelen verscherpt. De censuur is sinds vorig jaar zo onverbiddelijk, dat zelfs censor Nikitenko verzuchtte dat het bijna onmogelijk wordt ook maar iets in de pers te schrijven. Er gaan geruch-

*Geïnterneerden in Siberië (circa 1825).*

ten over een ophanden zijnde sluiting van de universiteiten, die in de ogen van reactionairen broeiplaatsen van subversie zijn.

De groep rond M.V. Petrasjevski, een junior ambtenaar op het ministerie van Buitenlandse Zaken, bestond uit een vijftigtal jongeren - onderofficieren, kleine ambtenaren en studenten - die

sinds een paar jaar regelmatig ten huize van Petrasjevski bijeenkwamen om te discussiëren. Zij sloten zich aan bij de opvattingen van de Franse utopische socialist Fourier, die de vreedzame transformatie van de maatschappij in kleine, goed geïntegreerde, economisch onafhankelijke communes predikte. Veel leden van de Petrasjevskikring stonden politiek protest en hervormingseisen voor, en op hun bijeenkomsten kwam af en toe de rol van geweld als drukmiddel ter sprake. Dat de regering wat overtrokken reageerde op deze groep en in eerste instantie het doodvonnis uitsprak, is toe te schrijven aan de revolutionaire situatie in Europa. Een van de beschuldigingen tegen Dostojevski luidde bijvoorbeeld dat hij een brief van de literaire criticus Belinski had verspreid. Deze brief stond volgens de politie bol van 'schaamteloze uitlatingen aan het adres van de Orthodoxe Kerk en de regering'.

# Hongarije verklaart zich onafhankelijk

*De Hongaarse troepen bezig aan hun succesvolle opmars tegen de Oostenrijkers.*

PEST, 14 april - Hongarije heeft zijn onafhankelijkheid uitgeroepen. 'Hongarije, samen met Transsylvanië en alle andere delen en provincies waarmee het wettelijk is verenigd, wordt uitgeroepen tot een vrije en onafhankelijke Europese staat, welks territoriale integriteit ondeelbaar en onschendbaar wordt verklaard.' 'Wij publiceren deze besluiten en maken ze alle volkeren van de beschaafde wereld bekend in de vaste overtuiging dat zij de Hongaarse natie als broeder zullen opnemen in de gelederen van de vrije en onafhankelijke naties, met dezelfde vriendschap en erkenning die de Hongaarse natie hun, door ons, betuigt,' aldus de verklaring.

De verklaring van de Landdag, tot stand gekomen dank zij het ijveren van vooral Kossuth, verklaart de Habsburgers van de troon vervallen. Kossuth wordt gouverneur van de nieuwe staat. Bertalan Szemere wordt premier.

Intussen heeft het jonge Hongaarse leger zich de afgelopen maanden krachtig en met succes tegen de Oostenrijkers verdedigd. Na een korte pauze rukten die in december in snel tempo op in de richting van Pest en ondanks tegengestelde orders van Kossuth leidde de nieuwe bevelhebber Görgey eerder een razendsnelle terugtocht dan een leger dat nog onlangs Wenen had bedreigd. Op 31 december besloot het

parlement naar Debrecen te verhuizen. De situatie was begin januari hopeloos.

Maar de Oostenrijkse bevelhebber Windischgrätz, overmoedig geworden door zijn nauwelijks bevochten succes, maakte een kritieke fout: in de veronderstelling dat van de Hongaren geen gevaar meer te duchten viel maakte hij halt voor een winterpauze.

Dat gaf Kossuth en zijn Defensiecommissie de tijd zich te herstellen. Later in januari en in februari boekten de Hongaren diverse successen: de Poolse generaal Bem pacificeerde Transsylvanië, Klapka dreef de Oostenrijkers bij Miskolc terug en Görgey deed hetzelfde bij Branyiszkó. Alleen Dembinski werd in het zuiden verslagen.

De successen zijn, gezien de interne verdeeldheid, des te opmerkelijker. De vredespartij, die gestaag groeit en die besprekingen met Wenen wenst, is vooral aangemoedigd door het besluit van koning Frans Jozef - op 4 maart - om Hongarije in de nieuwe grondwet tot integraal onderdeel van het keizerrijk te maken.

De uitroeping van de Hongaarse onafhankelijkheid is niet, zoals gehoopt, met groot enthousiasme door de Europese regeringen ontvangen. Engeland, Italië, Frankrijk, Rusland en Pruisen blijven niet gebaat bij de Hongaarse revolutie en nemen een negatieve of afwachtende houding aan: Hongarije vecht alleen.

*Oud-president James Polk.*

## Epidemie velt oud-president

WASHINGTON, 15 juni - 'Geen president, en geen regering, is ooit zo belaagd geweest en geen heeft ooit zoveel tot stand gebracht. Nooit hebben Verenigde Staten in een trotser, vreedzamer en welvarender situatie verkeerd dan nu.' Met deze klaroenstoot heeft de *New York Sun* gereageerd op het onverwachte overlijden van oud-president James Polk in Nashville.

Nadat Polk drie maanden geleden het presidentschap had overgedragen aan zijn opvolger, Zachary Taylor, begon hij aan een uitgebreide en vermoeiende rondreis door de zuidelijke staten, waarbij hij ook New Orleans aandeed waar de cholera was uitgebroken. Hij werd ziek en verzwakte van dag tot dag. Polk is 53 jaar geworden.

Zelden is iemand zo zwaar door het presidentiële ambt getekend geweest als Polk. Toen hij ruim vier jaar geleden zijn intrek in het Witte Huis nam was hij in de kracht van zijn leven (hij was de jongste president die dit land ooit heeft gehad); toen hij begin dit jaar aftrad - hij heeft al vroeg aangekondigd dat hij slechts één termijn wilde dienen - was hij de uitputting nabij. Het presidentschap van Polk is vooral gekenmerkt door de grote gebiedsuitbreiding van de Verenigde Staten. Drie jaar geleden bereikte hij overeenstemming met de Britten over het Oregongebied (het gebied ten westen van de Rocky Mountains tussen de 42ste en 54ste breedtegraad waarop beide landen aanspraak maakten). Polk wilde aanvankelijk het hele gebied bij de VS inlijven ('Fifty-four Forty or Fight' was de leus van de Democraten), maar was uiteindelijk bereid de grens bij de 49ste breedtegraad te trekken. Een tweede, zeer grote gebiedsuitbreiding werd vorig jaar na de oorlog met Mexico gerealiseerd met het Verdrag van Guadalupe Hidalgo, waarbij de Mexicanen het gebied ten noorden van de Rio Grande voor 15 miljoen dollar aan de VS hebben overgedragen.

# Duitse Nationale Vergadering ontbonden

FRANKFURT, 26 mei - De Duitse Nationale Vergadering, die vorig jaar volgens het algemeen mannenkiesrecht is gekozen, is ontbonden. De afgevaardigden zijn teleurgesteld naar huis gegaan, nadat eerst de Oostenrijkse en toen de Pruisische regering hadden geweigerd de besluiten van de Nationale Vergadering te aanvaarden. Veel afgevaardigden hebben het gevoel dat al het werk voor niets is geweest.

Ondanks de politieke verdeeldheid waren de afgevaardigden erin geslaagd een 'Rijksgrondwet' te ontwerpen. Er werd gekozen voor een 'klein-Duitse' oplossing, toen bleek dat de Oostenrijkse regering niet langer bereid was met de Nationale Vergadering te onderhandelen. De afgevaardigden stemden op 28 maart voor een erfelijk Pruisisch keizerschap. Maar de macht van de keizer zou volgens de Frankfurter grondwet worden beperkt. De keizer zou de rijksregering benoemen, de wetgevende macht zou echter komen te liggen bij een Rijksdag, bestaande uit twee Kamers, het 'Staatenhuis' en het 'Volkshaus'. Het 'Volkshaus' zou volgens het algemeen mannenkiesrecht worden gekozen.

Vertegenwoordigers van de Nationale

*Frederik Willem IV ontvangt de delegatie die hem de Duitse keizerskroon aanbiedt.*

Vergadering deelden de koning van Pruisen op 3 april officieel mee dat hij tot keizer van Duitsland was gekozen. Frederik Willem IV bedankte echter voor de eer. 'Ik wil de Duitse eenheid niet tot stand brengen, zonder de vrije instemming van de gekroonde hoofden, de vorsten en de vrije steden,' aldus de koning. Een kroon uit handen van de Nationale Vergadering, 'zulk een diadeem, uit de modder en aarde der Revolutie, uit trouwbreuk en hoogverraad gebakken, aan te nemen... daar ben ik te goed voor.'

De regeringen van 28 kleine Duitse landen erkenden de Rijksgrondwet wel, maar het Pruisische staatsministerie publiceerde op 7 mei een decreet waarin de Frankfurter besluiten definitief werden verworpen. Bovendien werden er dreigende woorden gesproken tegen diegenen die 'de grondwet zelfstandig, zonder sanctie van de regeringen, dus langs de weg van het geweld en de revolutie' ten uitvoer zouden brengen. De Nationale Vergadering zag geen mogelijkheid deze tegenwerking het hoofd te bieden.

# Frans leger bezet Rome

ROME, 3 juli - Het Franse leger, dat sinds april Rome belegert, is vandaag de Heilige Stad binnengetrokken zonder enig verzet te ondervinden. Het zal Rome regeren tot paus Pius IX vanuit Gaeta terugkeert.

De verovering van Rome heeft een eind gemaakt aan de Romeinse Republiek. Na de val van Sardinië-Piemonte in de oorlog tegen Italië, de teloorgang van de Toscaanse democratie, de blokkade van Venetië en de verharding van het bewind van Ferdinand in Napels is het laatste licht van de democratie gedoofd: in Italië heerst weer de reactie.

De Franse belegering is het resultaat van de wens van de katholieke landen Frankrijk en Spanje, bijgestaan door Engeland, om de paus in zijn macht te herstellen. Oostenrijk en Beide Siciliën werden eveneens bij dit initiatief betrokken. Tijdens een conferentie werd weinig voortgang geboekt, waarop Frankrijk besloot actie te ondernemen, dit ondanks het feit dat de kwestie voor de Fransen delicaat was: enerzijds wilden de Franse katholieken Pius in Rome aan de macht zien, anderzijds voelde men weinig voor een oorlog tegen een mederepubliek.

Parijs ging er echter van uit dat er geen strijd nodig zou zijn, dat de Fransen in Rome met open armen zouden worden ontvangen, dat de republikeinen weinig steun van de bevolking zouden ondervinden en dat de paus, dankbaar voor de Franse hulp, naar het liberalisme van 1846 zou terugkeren.

De Fransen hadden het op alle punten bij het verkeerde eind. Een Frans leger trok op naar Rome, dat spoedig ook werd belegerd door min of meer symbolische troepenmachten van Napels, Oostenrijk en Spanje. Maar Rome verzette zich wel degelijk fel. De stad was niet langer in handen van extremistische en idealistische democraten en het eerste uur, maar van de vastbesloten patriotten Mazzini en Garibaldi.

Op de laatste dag van april werd het Franse leger van generaal Oudinot door Garibaldi verslagen. Hij moest terugvallen op Civitavecchia en op versterkingen wachten. Om tijd te winnen deden de Fransen een poging de kwestie vreedzaam met compromisvoorstellen te regelen.

Maar spoedig bleek dat de Fransen toch uit waren op een militaire overwinning en op 3 juni hervatten ze met 30 000 man de aanval. Hoewel Rome militair ver in de minderheid was, hield het een maand lang met de moed der wanhoop vol. Op 1 juli nog hield Mazzini het parlement voor dat men moest doorvechten. Hij werd echter midden in zijn betoog onderbroken door de aankomst van een doodvermoeide Garibaldi, die meedeelde dat een zinvolle verdediging niet langer mogelijk was. Gisteren brak Garibaldi met 5000 man uit. Zijn leger desintegreerde al snel tijdens de vlucht naar Toscane. Vanochtend hebben de Romeinen de Fransen binnengelaten. Bij de bezetting van de stad lieten de inwoners zich niet zien: Oudinot marcheerde een doodstil Rome binnen.

*Hevige strijd tussen de Hongaarse en Oostenrijkse ruiterij.*

# Einde Hongaarse revolutie

VILAGOS, 13 augustus - Generaal Artúr Görgey, de bevelhebber van het Hongaarse leger, heeft zich in Világos bij Arad onvoorwaardelijk overgegeven aan de Russische maarschalk Paskevitsj. De Hongaarse revolutie is na anderhalf jaar voorbij. Lajos Kossuth is het land met een aantal andere revolutionaire leiders ontvlucht, en nu op weg naar Turkije.

De tsaristische interventie ten gunste van de Habsburgse monarchie is de Hongaarse revolutie fataal geworden. Na de uitroeping van de Hongaarse onafhankelijkheid in april begon Hongarije in toenemende mate aan interne verdeeldheid en oorlogsmoeheid te lijden.

Aan de ene kant slaagde de vredespartij erin Kossuths bevoegdheden als staatshoofd te beperken, een ondergraving die zelfs binnen zijn regering steun kreeg. Aan de andere kant keerde vanaf midden mei, en al helemaal nadat het nieuws van de Russische interventie op 21 mei bekend werd, het militaire tij.

Aanvankelijk boekten de Hongaren nog veel successen. In april werden Vác, Nagysalló en Komárom bevrijd, de laatste stad na een Oostenrijkse belegering die al in december was begonnen. Pest werd op 24 april bezet. Maar de Hongaren slaagden er niet in Boeda in te nemen en lieten toe dat de Oostenrijkers zich bijna intact naar het westen terugtrokken.

Toen de Hongaarse vlag uiteindelijk op 21 mei in Boeda werd gehesen was de vreugde al niet meer onverdeeld: juist op die dag werd bekend dat tsaar Nicolaas de Oostenrijkers had verzekerd tot een interventie bereid te zijn. Midden juni viel een 200 000 man sterk Russisch leger Hongarije binnen, om de 170 000 Oostenrijkers aan Hongarijes westgrens te helpen. De Hongaren, die 150 000 man onder de wapenen hadden, zaten tussen twee vuren. In juli moest de regering naar Szeged, nog later naar Arad verhuizen, in de hoop daar nog reserves te mobiliseren.

Maar de oorlogsmoede Hongaarse boeren lieten zich niet meer mobiliseren. In juli verloren de Hongaren op alle fronten terrein. Bem moest na zes weken vechten Transsylvanië prijsgeven (Petöfi sneuvelde er op 31 juli in Segesvár) en in de algehele chaos eigende Görgey zich op 11 augustus, ten koste van Kossuth, zowel het militaire als het politieke gezag toe.

Kossuth stond dat gezag af in de veronderstelling dat Görgey bereid was tot een laatste wanhoopsoffensief tegen de Russen. Maar daaraan dacht Görgey, die al langer in contact staat met de vredespartij, in het geheel niet meer. Hij meldde gisteren de Russen dat hij bereid is tot een onvoorwaardelijke overgave en voerde vandaag dat voornemen uit.

Van alle politieke en militaire leiders van Hongarije die de Russen in handen vielen is alleen Görgey gespaard: de anderen zijn overgedragen aan de niet erg zachtzinnige Oostenrijkse generaal Haynau.

# Denemarken krijgt liberale grondwet

KOPENHAGEN, 5 juni - Als laatsten in Scandinavië hebben de Denen het absolutistische juk van zich af kunnen schudden. Vandaag is een grondwet van kracht geworden waardoor het land een constitutionele monarchie is geworden, gebaseerd op een scheiding der machten. Er zal een parlement ('Rigsdag') gekozen worden met twee kamers: de Folketing en de Landsting. De Folketing wordt gekozen door alle mannen boven de dertig die een eigen huishouding voeren, of zoals de Denen zeggen 'med egen dug or disk' (met eigen kleren in tafel). De Landsting wordt indirect gekozen uit de hoogstaangeslagenen. Verder zijn alle voorrechten van de adel afgeschaft en is het recht van vergadering, vereniging, meningsuiting en religie ingevoerd. De nieuwe grondwet is een grote overwinning voor de Deense liberalen.

Het heeft heel wat voeten in de aarde gehad eer deze grondwet tot stand kon komen. Denemarken was slecht uit de Napoleontische oorlogen te voorschijn gekomen en had lang te lijden onder een zware economische crisis. De koning had nauwe betrekkingen aangeknoopt met de reactionaire staten Rusland en Oostenrijk en was niet van plan het verouderde autocratische staatsbestel te veranderen.

Pas na de Julirevolutie van 1830 in Europa kwam er in Denemarken een liberale oppositie van de grond. Daarnaast eisten Holstein en Sleeswijk een eigen parlement en grondwet. De koning wilde de eenheidsstaat bewaren, maar vooral de economische crisis dwong hem tot concessies. In 1834 werden vier regionale vergaderingen opgericht (in Jutland, Holstein, Sleeswijk en de Deense eilanden), die slechts adviserende bevoegdheden hadden.

Het was opnieuw een revolutiegolf in Europa, nu die van februari vorig jaar, die de zaak in een stroomversnelling bracht. In Sleeswijk en Holstein braken volksopstanden uit die zelfs leidden tot een Deens-Duitse oorlog. De liberalen onder leiding van Lehmann eisten nu een grondwet. De koning stemde toe in een regering met liberalen, die meteen de persvrijheid herstelde en alle sociale klassen kiesrecht gaf. Liberalen, conservatieven en boeren bogen zich over een grondwet, die vandaag door de Deense koning is goedgekeurd.

# Hoogtepunt Californische goudkoorts

SAN FRANCISCO - Dagelijks zijn het afgelopen jaar duizenden gelukzoekers Californië binnengestroomd. De bevolking van deze voormalige Mexicaanse provincie is de laatste maanden maar liefst verzevenvoudigd. Vóór de Goldrush telde Californië 14 000 inwoners, nu al ruim 100 000. De nieuwkomers trekken allen zonder uitzondering naar de 'Mother Lode', een strook van ongeveer 150 mijl langs de westhellingen van de Sierra's waar enorme goudvondsten worden gedaan.

De avonturiers, die werkelijk uit alle delen van de wereld komen, zijn neergestreken in de honderden gouddelverskampen met schilderachtige namen zoals Poker Flat, Hangtown, Hell's Delight en Whiskey Bar. Namen die de sfeer in de overwegend door mannen bevolkte kampen weergeven. Na een lange dag van goud wassen of in de rotsen houwen leven de prospectors zich 's avonds uit door ruw vertier. Afwisselend maar vaak ook tegelijkertijd grijpen de mannen in de saloons naar de fles, de dobbelstenen en de meiden. Opvallend is echter de solidariteit onder de mannen. In dit maat-

*Goudzoekers wassen de stenen in de hoop goud aan te treffen. Rechts kolonisten bij de bouw van een blokhut.*

schappijtje van randfiguren worden de onfortuinlijken door de meer succesvolle prospectors geholpen.

Het begon allemaal nadat James Marshall, een werkman in dienst van John Sutter, op 24 januari vorig jaar goud vond in een tak van de American River. Het nieuws raakte snel bekend in Californië en velen uit de wijde omgeving verlieten huis en haard om in het zijriviertje, Sutter's Fork, en in andere rivieren op de westhellingen van de Sierra Nevada hun geluk te beproeven. De eigenlijke Goldrush kwam pas goed op gang toen president Polk in december het nieuws wereldkundig maakte. Aan de oostkust brak een ware goudkoorts uit. Binnen een maand na de mededeling van Polk vertrokken 61 schepen uit de havens aan de Atlantische kust richting Californië via Kaap Horn; een

reis die zes maanden duurt.

De meeste goudzoekers gaan over land, een kortere en goedkopere reis. De trektocht is echter bijzonder gevaarlijk. De immigranten zijn niet of nauwelijks voorbereid, hebben geen enkele ervaring met het reizen door de prairie, de 'Rockies' en woestijnen. Kans op verdwalen is er bijna niet meer aangezien de routes vrijwel geheel gemarkeerd zijn door de graven van hen die het slachtoffer zijn geworden van cholera of dysenterie.

Goud zoeken kan bijzonder lucratief zijn. De vondst van een goudader heeft al velen in één klap miljonair gemaakt. De gemiddelde Amerikaanse prospector kan met niet meer dan een schep en een goudpan tussen de tien en vijftig dollar per dag aan stofgoud of 'nuggets' vergaren.

*Een goudzoeker (foto 1849).*

## Filippino's krijgen Spaanse naam

MANILA, 11 november - Binnenkort zullen alle Filippino's die nog een Maleise of Chinese naam hebben, een Spaanse achternaam ontvangen. Gouverneur-generaal Narciso Claveria heeft hiertoe bevel gegeven om een eind te maken aan de heersende verwarring met betrekking tot familienamen. De nu genomen maatregel kan bovendien gezien worden als het symbool van de allesoverheersende invloed van de Spaanse cultuur in de Filippijnse samenleving.

Sinds het begin van de Spaanse kolonisatie ontvingen Filippino's bij hun doop de naam van een heilige als voornaam, hun Maleise naam werd dan gebruikt als achternaam, bijvoorbeeld Maria Kagandahan. Deze achternaam was echter persoonsgebonden en geen familienaam, zoals in Europa gebruikelijk is. Geestelijkheid en ambtenaren vonden hem moeilijk te hanteren, te meer daar in de loop der jaren vele naturales (inheemsen), sangleys (Chinezen) of mestizo's (gemengdbloedigen) om economische redenen hun oorspronkelijke naam verspaansten.

De gouverneur-generaal heeft nu een lijst opgesteld van Spaanse namen (gehaald uit een Madrileens adresboek) die door de plaatselijke ambtenaren aan de families in hun regio toegewezen moeten worden. Hierdoor zullen de meeste Filippino's verder door het leven gaan met namen als Gonzales, Reyes, Ruiz, Gómez of Rivera.

# Dualisme in werk van Edgar Allan Poe

BALTIMORE, 7 oktober - De Amerikaanse dichter en schrijver van korte verhalen Edgar Allan Poe is, kort nadat hij bewusteloos op straat werd aangetroffen, op 40-jarige leeftijd overleden. Poe is vooral bekend geworden als schrijver van korte verhalen van een morbide schoonheid, waarin blijk gegeven wordt van een macabere visie op de wereld.

Edgar Allan Poe werd op driejarige leeftijd wees en door de rijke tabaksexporteur John Allan geadopteerd. Hij kreeg zijn opleiding in Engeland en studeerde aan de universiteit van Virginia. Nadat hij bij het gokken grote schulden had gemaakt, werd hij van de universiteit verwijderd. Hij kwam in conflict met zijn pleegvader en ging naar Boston, waar hij als journalist aan de slag probeerde te komen. Armoede dwong hem dienst te nemen in het leger. Hij bezocht de militaire academie in West Point, maar werd ook

*Edgar Allan Poe.*

daar verwijderd. Hij vestigde zich daarop in New York, waar hij de bundel *Poems* publiceerde, gedichten die sterk waren beïnvloed door het werk van Keats en Shelley.

Inmiddels had zich bij Poe de drankzucht geopenbaard die zijn verdere be-

staan zou vergallen. In 1835 werkte h als redacteur in Richmond. Hij maak naam als criticus maar werd vanweg zijn alcoholisme ontslagen. Hij huwd zijn 13-jarige nicht Virginia Clemm die veel voor hem betekende. Ha dood, twee jaar geleden, was een gro slag voor hem. Poe werd bevange door melancholie en ging zich te buite aan drank. Dit zou hem fataal worde Poe had toen al met het gedicht *The R ven* uit 1845 nationale bekendheid ve worven.

Een opvallend aspect van Poes pe soonlijkheid was zijn ambivalenti toegewijd en aangenaam gezelscha voor de mensen die zijn genegenhei hadden; scherp en onaangenaam vo de anderen. In zijn werk wordt een zel de dualisme aangetroffen. Zijn poëz is vaak lyrisch en hooggestemd, terwi in zijn verhalen in een droge stijl, m een onwrikbare logica, gruwelijke g beurtenissen het hoofdthema vormer

# 1850

*pstand in Roemenië*

## Tsaar 'gendarme van Europa'

t.-PETERSBURG - Tsaar Nicolaas eeft zich dit jaar de 'gendarme van uropa' getoond. Hij gaf gehoor aan e oproep van Oostenrijk om bijstand gen de Hongaarse opstandelingen, n stuurde een kleine 200 000 man. Hij vam hiermee eerder gemaakte af- raken na, die waren bedoeld om de eelkoppige hydra' ofte wel revolutie Europa met vereende krachten tegen houden.

1833 hadden Oostenrijk, Pruisen en usland te Münchengrad en vervol- ns in Berlijn overeenkomsten geslo- n. Deze omvatten behalve de be- herming van de directe belangen van e ondertekenende mogendheden, de nstandhouding van de gehele conser- atieve orde in Europa. Met name aar Nicolaas toonde zich hiervan een oorstander.

orig jaar gebeurde wat Metternich en Nicolaas jarenlang hadden gevreesd: p verschillende plaatsen in Europa raken revoluties uit die de omverwer- ing van de bestaande orde beoogden. Naar aanleiding van de Februarirevo- tie in Frankrijk bracht Nicolaas eni- e honderdduizenden manschappen p de been, die naar de Rijn zouden jn gestuurd, ware het niet dat binnen n maand Pruisen en Oostenrijk met evolutie hadden te kampen.

De tsaar deed al het mogelijke om de actie te laten triomferen. Hij voorzag Oostenrijk van een lening van zes mil- en roebel en waarschuwde Groot- rittannië dat, mocht een buitenland- e macht een Italiaanse staat tegen de Iabsburgers helpen, Rusland als vol- aardige partner aan Oostenrijkse zij- e zou meevechten.

Het Russische ingrijpen in de vorsten- ommen Moldavië en Walachije was r eveneens op gericht om het nationa- sme in de kiem te smoren, in dit geval at van de Roemenen. Vorige zomer ezetten Russische troepen de Donau- orstendommen. Bij het op 1 mei ge- oten Russisch-Turkse verdrag werd et bestuur in de Donauvorstendom- en in reactionaire zin gewijzigd.

Iet belangrijkste motief voor het in- rijpen in Hongarije is het intact hou- en van de bestaande orde in Europa, aarvan Oostenrijk een van de voor- aamste steunpunten is.

---

**27 februari.** Beieren, Hannover, Saksen en Württemberg sluiten de Vierkoningenverbintenis, met het doel de Duitse Bond te hervormen.

**Maart.** Wen Zong volgt de overleden Xuan Zong op als keizer van China.

**19 april.** Groot-Brittannië en de Verenigde Staten sluiten het Clayton-Bulwer Verdrag, waarin de neutraliteit van Panama gegarandeerd wordt (inzake een eventueel te graven Panamakanaal).

**10 juli.** Oostenrijk heft het militaire bestuur over Hongarije op. →

**10 juli.** Na de onverwachte dood van Zachary Taylor wordt vice- president Millard Fillmore president van de Verenigde Staten.

**5 augustus.** Groot-Brittannië verleent gedeeltelijke autonomie aan de provincies Zuid-Australië, Tasmanië en Victoria. Deze behouden hun democratische grondwet. →

**28 augustus.** In Weimar wordt de opera *Lohengrin* van Richard Wagner voor het eerst opgevoerd.

**20 september.** In de Verenigde Staten komt een wettelijk compromis tot stand inzake de slavernij. →

**Oktober.** In China breekt de T'aip'ing-opstand van boeren uit die sociale gerechtigheid en gelijkheid nastreven.

**29 november.** Pruisen en Oostenrijk sluiten de Punctatie van Olmütz, waarin Pruisen afziet van zijn uniepolitiek. →

**November.** De onderhandelingen tussen Siam en Engeland lopen op niets uit. →

- In Engeland breekt een cholera-epidemie uit die vele slachtoffers eist. →

- Ierland wordt getroffen door een ongekend zware hongersnood. →

- Tussen Dover en Calais wordt een telegraafkabel gelegd. →

- Op Java heeft men al gedurende twee jaar te kampen met hongersnoden als gevolg van het Cultuurstelsel.

- Brazilië schaft onder druk van Engeland de import van slaven af. Voorgaande jaren werden nog gemiddeld 50 000 slaven geïmporteerd.

- Rudolf Clausius formuleert de tweede wet van de thermodynamica en de kinetische theorie van gassen.

**Gestorven:**

**27 januari.** Gottfried Schadow (20-5-1764), Duits beeldhouwer →
**18 augustus.** Honoré de Balzac (20-5-1799), Frans schrijver →

---

# Cholera teistert Londen

*Een zwerver aan de oever van het open riool: de Londense Theems.*

LONDEN - In de Engelse hoofdstad is de cholera-epidemie bezworen, die tot dusverre ongeveer 200 000 doden heeft geëist. De cholera is een ziekte die aan- vankelijk alleen in Azië heerste, maar zich in het begin van de jaren dertig voor het eerst in Europa vertoonde. Hoe de ziekte zich verbreidt is niet dui- delijk, maar wel weet men dat ze zeer besmettelijk is. De epidemie die Enge- land in 1831 trof werd overgebracht door een enkel schip, afkomstig uit Hamburg. Ook de oorzaken van de ziekte zijn onbekend, zodat artsen vrij- wel machteloos staan. Wel is het opval- lend dat de ziekte in de armere wijken, waar men vrijwel alleen van het water van de Theems gebruik maakt, drie- maal zoveel doden eiste als in de rijkere wijken, waar men op de waterleiding is aangesloten. De doktoren hebben maatregelen genomen om de hygiëne zoveel mogelijk te bevorderen.

De epidemie heeft weer eens de aan- dacht gevestigd op de miserabele om- standigheden waaronder de arbeiders- klasse leeft. Voor de arbeiders wordt weinig gebouwd; zij wonen daarom vaak in huizen die door de bourgeoisie zijn verlaten en die volledig worden uit- gewoond, omdat men met zoveel ge- zinnen in één huis woont. De meeste gezinnen beschikken over slechts één kamer. De sanitaire omstandigheden zijn meestal bedroevend: als er al toi- letten zijn moeten ze met vele gezinnen gedeeld worden. Voor de watervoor- ziening is men (evenals voor de afvoer van faecaliën) aangewezen op de Theems, die door een arts beschreven is als een 'open riool'. Nu de bevolking van Londen de laatste jaren zo sterk ge- groeid is (van 950 000 in 1801 naar bij- na 2 miljoen in 1841), is de situatie al- leen maar verslechterd.

Ook heeft de epidemie nog eens aange- toond dat arbeiders en rijken in feite in twee verschillende werelden leven, en in de ene zijn de levensomstandigheden aanzienlijk ongezonder dan in de an- dere. Deze kloof tussen arm en rijk is door de industrialisatie nog verdiept. In zijn roman *Sybil, or the two nations* uit 1845 heeft Benjamin Disraeli daar- over een toepasselijke dialoog opgeno- men:

'Onze koningin regeert over de meest voortreffelijke natie die ooit bestond,' zei Egremont. 'Welke natie bedoelt u,' vroeg de jonge vreemdeling, 'want zij regeert over twee naties. Twee naties die niet met elkaar omgaan en waartus- sen geen sympathie bestaat; die even onbekend zijn met elkaars gewoonten, gedachten en gevoelens, alsof zij de be- woners van verschillende planeten wa- ren; die worden gevormd door een ver- schillende opvoeding, worden gevoed met verschillend voedsel en worden ge- regeerd door verschillende wetten.' 'U bedoelt...' zei Egremont aarzelend. 'De rijken en de armen.'

# Congres bereikt compromis over slavernij

WASHINGTON, 20 september - Na bijna een jaar heftig debatteren zijn de compromisvoorstellen die senator Henry Clay van Kentucky op 29 januari indiende eindelijk aangenomen in de Senaat. Nog nooit in de geschiedenis van het Congres is er een zo dramatisch en tegelijkertijd groots debat gevoerd. De belangrijkste Congresleden hebben het afgelopen jaar het strijdperk betreden in het besef dat de toekomst van de natie op het spel stond. In hoogstaande redevoeringen getuigden grijze eminenties van het Congres zoals Clay, Calhoun en Webster van hun principes en hun visie op de maatschappij en als leeuwen vochten deze gelouterde veteranen voor hun standpunt.

Senator Clay hoopt met zijn compromisvoorstellen een minnelijke schikking van alle vraagstukken in de controverse tussen de vrije en de slavenhoudende staten te hebben bereikt. Hét grote conflictpunt is namelijk: wel of geen slavernij in de gebieden die zich als staat aansluiten bij de Verenigde Staten. De toetreding van Californië was de aanleiding tot de crisis in het Congres. Californië wil als vrije, dus slavenloze, staat direct toetreden. Op formele gronden verzette het Zuiden zich hiertegen waarop Clay om een breuk in de natie te voorkomen met compromisvoorstellen kwam.

Zijn wellicht grootste tegenspeler is se-

*Spotprent over de slavernijkwestie, waarbij andere landen zich danig roeren.*

nator Calhoun geweest. Calhoun kwam met een plan waarmee hij de eenheid dacht te redden maar dat in wezen rechtstreeks op afscheiding aanstuurde. Het Noorden moest in alle controverses toegeven en zich niet meer bemoeien met de slavernijkwestie. 'Als u niet wilt toegeven,' liet Calhoun de noordelijke senatoren we-

ten, 'laat dan de Verenigde Staten overeenkomen in vrede uit elkaar te gaan. Wanneer U niet in vrede wilt scheiden, zeg het ons en wij zullen weten wat te doen.'

Het was Daniel Webster, ook een van de oude en invloedrijke senatoren, die door zijn briljante toespraak van 7 maart de dreigende scheiding heeft voorkomen en de Senaat wist te overtuigen van de noodzaak van een compromis: 'Vandaag wil ik spreken, niet als afgevaardigde van Massachusetts, niet als noorderling, maar als Amerikaan. Vandaag spreek ik voor het behoud van de Unie. Hoor mij aan,' al-

dus Webster in zijn gloedvolle betoo[g] 'Vreedzame afscheiding! De hemel b[e] hoede ons. Waar moet de vlag van [de] republiek blijven? Waarboven tore[nt] de adelaar nog?'

De nu in wetten omgezette compromi[s] voorstellen behelzen de onmiddellij[ke] toetreding van Californië tot de Ve[r] enigde Staten als vrije staat, de organ[i] satie van lokaal bestuur in Utah en Ne[w] Mexico zonder overigens van de sl[a] venkwestie te reppen, een nieuwe [en] meer stringente wet betreffende g[e] vluchte slaven, afschaffing van de sl[a] venhandel in Washington D.C. en f[i] nanciële compensatie voor Texas vo[or] het laten vallen van aanspraken op d[e]len van New Mexico.

Het Zuiden heeft dus zeker wat betre[ft] Californië een enorme prijs betaal[d] maar heeft als tegenprestatie in h[et] compromis een veel strengere wet aa[n]gaande gevluchte slaven gekregen.

In Amerika bestaan twee totaal ve[r] schillende maatschappijen met een e[i] gen cultuur, tradities, normen [en] waarden en een geheel eigen socia[al] economische infrastructuur. Door d[e] explosieve expansie dreigt het delica[te] evenwicht tussen het Noorden en Zu[i]den verstoord te raken.

In het afgelopen decennium zijn [de] Verenigde Staten in een ongeloofli[jk] tempo westwaarts uitgebreid. De po[li] tieke problemen die deze enorme e[n] snelle expansie met zich brengt zij[n] groot, maar het gevoeligste punt is h[et] vraagstuk van wel of geen slavernij [in] de nieuwe staten. Dank zij het bereik[te] compromis is een dreigend gewelddad[i]dig conflict binnen de Verenigde Sta[ten] voorkomen.

# Duitse unie nog ver weg

*Frederik Willem IV van Pruisen.*

OLMUTZ, 29 november - Het verlangen van de Pruisische koning Frederik Willem IV, en met hem vele Duitsers, om een hecht georganiseerde bondsstaat te vormen, is onder zware druk komen te staan.

De eerste minister van Oostenrijk, prins Felix zu Schwarzenberg, en tsaar

Alexander II hebben de Pruisische koning te verstaan gegeven dat van eenheid in Duitsland onder Pruisische leiding geen sprake kan zijn. Het verdrag dat in Olmütz is getekend, wordt dan ook in militaire en nationaal-liberale kringen gezien als een vernederende verzwakking van het prestige van Pruisen.

Het doel van Frederik Willem was een unie van Duitse staten te stichten, een soort federatie van Duitse vorsten, zonder Oostenrijk. Dit klein-Duitse ideaal koesterden de democraten van het parlement van Frankfurt in 1848 al, maar uit hun handen wilde Frederik Willem de Duitse kroon niet ontvangen. Door diplomatieke verdeel-enheers-politiek wilde hij de Duitse vorsten aan zijn zijde krijgen.

Dit was voor de regering van prins zu Schwarzenberg in Wenen en ook voor de Russische tsaar een ondraaglijke gedachte. Eeuwenlang is juist een verdeeld Duitsland de basis geweest van de politieke structuur van Europa.

Op grond van de in Olmütz afgedwongen overeenkomst, waarbij de Pruisische koning van bondsplannen heeft moeten laten varen, wordt slechts een losse federatie, zoals reeds in 1815 bestond, getolereerd.

*De in Berlijn overleden Duitse beeldhouwer en tekenaar Gottfried Schadow wordt gezien als de grootste vertegenwoordiger van het Duitse classicisme. Deze stroming in de kunst is ontstaan als reactie op het ornamentrijke rococo. Kunstenaars laten zich nu inspireren door de sobere stijl van de Griekse kunst. Tot de belangrijkste werken van Schadow worden gerekend het wandgrafmonument van Graf von der Mark uit 1791 en de allegorie op de overwinning, de beeldengroep die de Brandenburger Tor in Berlijn bekroont (boven). Schadow laat een omvangrijk œuvre na.*

# Ierse hongersnood eist miljoenen levens

*Honoré de Balzac.*

## 'Comédie humaine' schetst beeld van Franse samenleving

PARIJS, 21 augustus - Op de begraafplaats Père Lachaise is de op 51-jarige leeftijd overleden Franse schrijver Honoré de Balzac begraven. De grafrede werd uitgesproken door de schrijver Victor Hugo. Een groot deel van het uitgebreide œuvre van De Balzac is bijeengebracht onder de titel *Comédie humaine.*

Honoré de Balzac werd opgevoed door een hardvochtige moeder; later heeft hij zich meermalen beklaagd over het tekort aan moederliefde in zijn jeugd. Toen hij acht jaar was werd hij in een internaat geplaatst. Hij werd gedwongen een rechtenstudie te volgen maar voelde zich tot de literatuur aangetrokken. Aanvankelijk had hij met schrijven weinig succes. Noodgedwongen begon hij een eigen bedrijf, een drukkerij. De Balzac was een optimistisch man die heilig geloofde in zijn onderneming, waarmee hij een fortuin hoopte te maken. Hij maakte echter kennis met de harde kanten van het zakenleven en ging in 1827 bankroet. De rest van zijn leven zou hij schulden hebben. Zijn huis in de Rue Raynouard was voorzien van een luik, zodat hij altijd aan de woede van kortaangebonden crediteuren kon ontkomen.

In 1830 kreeg De Balzac met *Physiologie du mariage* eindelijk erkenning. Met *Scènes de la vie privée* vergrootte hij zijn reputatie. Hij bezocht literaire salons en ontmoette de markiezin De Castries, die hem in aristocratische kringen introduceerde. Hij onderhield intieme betrekkingen met Madame De Berny, een 22 jaar oudere vrouw die hem de liefde gaf die hij in zijn jeugd te kort was gekomen. Later ontmoette hij de Poolse gravin Madama Hanska, met wie hij jarenlang correspondeerde en vlak voor zijn dood in het huwelijk trad.

De Balzacs meest ambitieuze project is de *Comédie humaine.* Aan de hand van zijn ervaringen van ongeveer 2500 personages tracht hij een beeld te schetsen van de Franse samenleving, zoals die zich van 1816 tot 1848 ontwikkelde.

DUBLIN - Tijdens de hongerramp van de afgelopen vijf jaar heeft Ierland twee miljoen inwoners verloren. De Ierse bevolking wordt behalve door de honger ook geteisterd door een aantal moordende epidemieën, die onder de verzwakte mensen veel slachtoffers maken. Vooral tyfus veroorzaakt een enorme sterfte onder de in paniek geraakte bevolking. Ziekte en honger zijn samen verantwoordelijk voor de dood van één miljoen Ieren. Een zelfde aantal besloot het land de rug toe te keren en emigreerde. Velen kozen de Verenigde Staten als hun nieuwe vaderland.

De hongersnood is het gevolg van een aardappelziekte, die vijf jaar lang de oogsten van dit populaire gewas heeft doen mislukken. Deze ziekte, die zich in 1842 al in de Verenigde Staten en Canada heeft geopenbaard, is met een scheepslading knollen naar Europa overgebracht.

De gevolgen voor de Ierse bevolking zijn desastreus. In Ierland leven nog erg veel mensen van de landbouw. Het land telt acht miljoen inwoners en is zo dichtbevolkt dat er voor de meeste boerengezinnen slechts een klein lapje grond beschikbaar is. Hierop verbouwen zij graan en aardappels. Het graan wordt verkocht om de pacht te kunnen betalen. De aardappels dienen als voedsel voor het eigen gezin. De keuze voor de aardappel is logisch, omdat alleen de teelt van dit gewas op een kleine oppervlakte voldoende voedsel opbrengt.

De Ierse bevolking heeft door de misoogsten haar belangrijkste voedsel verloren. De hongersnood werd catastrofaal, vooral omdat handelaren grote hoeveelheden graan aan Engeland bleven verkopen.

De Engelse overheid heeft echter inadequaat gereageerd op de ramp. Veel

*De eeuwige strijd tussen het weldoorvoede Engeland en het hongerige Ierland.*

Engelsen beschouwen het grote aantal doden daarom als een nationale schande. Onder druk der omstandigheden schafte de regering in Londen de invoerrechten op graan af. Hierdoor konden grote partijen graan, vooral uit de Verenigde Staten, goedkoper worden ingevoerd. De hongersnood in Ierland werd er echter nauwelijks door verlicht.

Vier jaar geleden besloot de Engelse regering noodvoorraden aan te leggen voor de hongerlijdende Ieren. Na een regeringswisseling werd deze vorm van hulp echter weer afgeschaft. De nieuwe bestuurders weigerden gratis voedsel aan de Ieren te geven. Zij eisten dat ervoor betaald werd en lanceerden een werkverschaffingsplan om hen geld te laten verdienen. Er werden verscheidene projecten opgezet, die gefinancierd moesten worden door de Ierse gemeenten en grootgrondbezitters. De laatsten hadden echter door de misoogsten nauwelijks pacht van de getroffen boeren ontvangen. De financiële basis van het werkgelegenheidsplan was te smal en al snel liep het op een faliekante mislukking uit.

Drie jaar geleden probeerde de overheid met gaarkeukens en werkhuizen de nood te verlichten. De Engelse pogingen om hulp te verlenen waren echter onsamenhangend en absoluut ontoereikend. De Ieren zijn er in hun hart diep van overtuigd dat de Engelsen schuld hebben aan het ongekend hoge aantal hongerdoden. John Mitchell schreef: 'God zendt ons de aardappelziekte, maar de Engelsen maken er een hongersnood van.'

## Australische koloniën autonoom

LONDEN, 5 augustus - De Engelse regering heeft de *Australian Colonies Government Act* uitgevaardigd. In de wet wordt aan de Australische koloniën New South Wales, Victoria en Van Diemen's Land een grote mate van autonomie toegekend. Op deze wijze is de Engelse regering tegemoet gekomen aan het groeiend nationaal bewustzijn dat in de Australische koloniën is ontstaan. Dit werd bevorderd doordat in Australië een politieke discussie op gang is gekomen die zich op twee punten toespitste. In de eerste plaats was verschil van mening ontstaan over de vraag of het wenselijk was dat het land dienst deed als verbanningsoord voor gestrafte gevangenen. Nu eens werd een besluit genomen waaruit bleek dat men hier vóór was, dan weer bleek men tegen de komst van gevangenen. Zo kon het gebeuren dat

vorig jaar het schip 'Hashemy' na demonstraties van burgers in Melbourne door moest varen naar Sydney. Hier waren de protesten tegen de komst van gestraften nog groter, zodat de autoriteiten het schip naar Brisbane verwezen, waar uiteindelijk de gevangenen aan land gingen. Naar aanleiding van deze gang van zaken werd een wet aangenomen waarbij bepaald werd dat voor gestraften in het vervolg in Australië geen plaats meer was.

Een tweede punt waarover de meningen verdeeld zijn, betreft het beheer van de grond. Schapenfokkers en grootgrondbezitters staan tegenover later gekomen immigranten, die aanspraak maken op een deel van de grond. Zij vinden de overheid min of meer aan hun kant, die ook vindt dat de bestaande regelingen aangepast moeten worden aan de nieuwe situatie.

# Hongarije niet langer onder militair gezag

WENEN, 10 juli - Het Oostenrijkse bewind heeft met ingang van vandaag het militair bestuur over Hongarije opgeheven. In Pest wordt gehoopt dat nu ook een eind komt aan de teugelloze terreur waarmee de Oostenrijkers hun woede over de Hongaarse revolutie op de Hongaren hebben gekoeld.

De bloedige Oostenrijkse vergeldingsacties begonnen vorig jaar augustus direct na de Hongaarse overgave van Világos. De militaire bevelhebber, generaal Haynau, liet alle gevangen leiders van de Hongaarse revolutie terechtstellen. De officieren en soldaten van het Hongaarse leger werden - als soldaten - in strafbataljons van het Oostenrijkse leger gestopt. Militaire tribunalen spraken talrijke doodvonnissen uit en veroordeelden duizenden tot langdurige gevangenisstraffen.

De kroon op zijn macabere werk zette Haynau op 6 oktober, na de verovering van Komárom, dat zich niet aan de overgave had gehouden en zich was blijven verzetten. In Arad liet hij 13 Hongaarse generaals en in Pest de nog door koning Ferdinand benoemde eerste Hongaarse premier, Batthyányi, terechtstellen. De wreedheid van 'de hyena van Brescia' schokte na nog enkele honderden executies, waaronder die van de Hongaarse parlementsvoorzitter, baron Sigismund Pérenyi, zelfs de keizer. Op 8 juni ontsloeg hij Haynau en verleende hij amnestie aan nog ge-

*De Russische beer en de Habsburgse adelaar doorsteken de Hongaarse maagd; rechts Batthyányi voor het vuurpeloton.*

vangen Hongaarse politici.

Intussen is al in de herfst van vorig jaar de civiele bestuurder van Hongarije, baron Geringer, begonnen met een administratieve hervorming. Veel Oostenrijkers gaan ervan uit dat de Hongaren met hun opstand alle rechten op autonomie hebben verspeeld en als inwoners van een veroverde provincie moeten worden behandeld. De Oostenrijkse premier, vorst Felix Schwarzenberg, is een prominent aanhanger van die denkwijze.

Geringer wil Hongarije in de naaste toekomst opdelen in vijf militaire en dertien niet-militaire districten. Transsylvanië, de Vojvodina, Kroatië en Slovenië worden van Hongarije afge-

scheiden en onder Oostenrijkse, Servische of Kroatische gouverneurs geplaatst en het bestuursapparaat in Hongarije wordt in snel tempo verduitst. Wenen neemt wraak met een ongelimiteerd absolutisme.

De overgrote meerderheid van de Hongaren haat het Oostenrijkse bewind. In diverse delen van Hongarije hebben zich verzetsorganisaties gevormd die de Oostenrijkers met een guerrilla bestrijden. Het regime kan echter tot op zekere hoogte ook rekenen op steun, vooral bij een deel van de aristocratie, die geen heil heeft gezien in de revolutie van 1848 en makkelijk te paaien is met lucratieve bestuursfuncties zowel in Wenen als in Pest.

*De Hongaarse democratie verdrinkt in de golven van de reactie.*

## Madame Marie Tussaud overleden

*Affiche van een tentoonstelling in het wassenbeeldenkabinet van Marie Tussaud.*

LONDEN, 16 april - De oprichtster van het wassenbeeldenmuseum 'Madame Tussaud's' in Baker Street, Marie Tussaud, is op 88-jarige leeftijd overleden. Ze vervaardigde een groot aantal wassen beelden van prominente tijdgenoten.

Marie Tussaud leerde het vak van haar oom Philippe Curtius. Toen de Franse Revolutie uitbrak was ze aan het hof in

Versailles verbonden als leermeesteres en gezelschapsdame van Madame Élisabeth, de zuster van koning Lodewijk XIV. Ze zat enige tijd gevangen en kreeg als taak portretten te boetseren van geguillotineerde slachtoffers van de revolutie (vaak waren dit kennissen van haar geweest). In 1802 kwam ze met haar collectie wassen beelden naar Engeland.

*Tussen Dover en Calais is men begonnen met de aanleg van een telegraafkabel. Nadat Ørsted in 1820 ontdekte dat een magneetnaald uitslaat onder invloed van een elektrische stroom, hebben Duitse onderzoekers van deze ontdekking gebruik gemaakt om toestellen te ontwikkelen waarmee men gecodeerde berichten via een draad kan overseinen. De laatste decennia wordt deze wijze van communiceren steeds vaker toegepast.*

# Engelse dreiging in Siam

*ohn Maccosh, Brits officier in Azië.*

ANGKOK, november - Na het afbre-
en van de onderhandelingen tussen de
egering van Siam [Thailand] en Sir
ames Brooke, de door koningin Vic-
oria aangewezen vertegenwoordiger
oor Engeland, neemt de vrees in
angkok toe dat het tot een gewapend
effen tussen beide landen zal komen.
rooke was naar Siam gestuurd om te
nderhandelen over een herziening
an het uit 1826 daterende vriend-
chaps- en handelsverdrag tussen beide
anden. Dit zogeheten 'Burney-ver-
rag' geeft de Engelsen al zeer gunstige
oorwaarden voor het handeldrijven
et Siam.
Na het sluiten van ongelijke verdragen
et het Chinese Rijk in 1842 wil Enge-
nd nu echter ook een dergelijk ver-

drag met Siam sluiten. De Engelsen
willen het recht hebben zich in Siam
permanent te mogen vestigen en er
vrijheid van religie te genieten. Tevens
willen zij buitenterritoriale rechten
voor hun onderdanen. Op het gebied
van de handel eisen zij het afschaffen
van bijna alle invoerrechten, het verminderen van de belasting op de inhoud van schepen met 67 procent en de
vrijheid zoveel rijst te exporteren als zij
willen.
Hoewel deze eisen onaanvaardbaar
zijn voor de Siamese onderhandelaars,
verkeren dezen in een moeilijke positie. Koning Rama III is ernstig ziek en
kan geen belangrijke beslissingen meer
nemen. Zijn bekwame toekomstige
opvolger mag nog niet beslissen over de
te volgen koers. Iedereen aan het hof is
het er echter over eens dat niet alle Engelse eisen kunnen worden ingewilligd.
Voor de kortaangebonden Brooke betekent de 'halsstarrige houding van die
Siamezen' dat er naar andere middelen
moet worden gezocht om het doel te
bereiken. Hij heeft de onderhandelingen na zes weken afgebroken en dreigt
nu de Chao Phya-rivier met kanonneerboten te blokkeren als de Siamezen niet toegeven. Dit betekent zonder
twijfel een gewapend treffen met de
Engelsen, omdat een dergelijke actie
niet getolereerd zal worden.
Het hof in Bangkok heeft nog gevraagd een minder arrogante onderhandelaar met meer manoeuvreerruimte te sturen. Londen heeft daarop
echter nog niet gereageerd. Aangenomen mag worden dat de Engelse regering hierop niet zal ingaan, omdat zij
zich verreweg superieur aan de Aziaten
voelt.

*Parade van Britse troepen in de Zuidchinese havenstad Kanton, sinds de 17de
eeuw hét centrum van de handel tussen het Chinese Rijk en de Europese
landen.*

**16 maart.** Spanje sluit een
concordaat met de paus, waardoor
het katholicisme het enige geloof
in Spanje wordt en de Kerk er
controle krijgt over het onderwijs
en de pers.

**Maart.** Amelia Bloomer
introduceert in de Verenigde Saten
het zogeheten 'Bloomer-costume':
een wijde broek met een halflange
jurk. →

**Maart.** De Amerikaan Singer zet
met een partner in New York een
naaimachinefabriek op. →

**1 mei.** In Crystal Palace in Londen
wordt de eerste wereldtentoonstelling gehouden, waar
verworvenheden op cultureel en
technisch gebied te zien zijn. →

**16 mei.** Pruisen en Oostenrijk
sluiten een defensief verbond.

**7 augustus.** Het Pruisische ministerie van Cultuur verbiedt de
kleuterscholen van Friedrich
Fröbel. →

**18 september.** De Amerikaanse
krant *The New York Times*
verschijnt voor de eerste keer.

**2 december.** Lodewijk Napoleon
pleegt een 'coup d'état' om de
Franse grondwet te wijzigen. De
opstanden die uitbreken worden
onderdrukt.

**31 december.** Keizer Frans Jozef
heft via het 'Silvesterpatent' de
Maartgrondwet (1849) weer op.
Oostenrijk zal volgens een neo-
absolutistisch regerings-
programma bestuurd worden. →

- Cavour wordt eerste minister van
Sardinië.

- Britse troepen bezetten Lagos in
Nigeria, naar men zegt om de
slavenhandel tegen te gaan.

- In Australië wordt goud
gevonden, wat de emigratie
daarheen verhoogt.

- Rama IV wordt koning van
Siam. Onder zijn bewind zal het
land zich voor het Westen
ontsluiten.

- *Moby Dick* van de Amerikaanse
schrijver Herman Melville
verschijnt. →

- De Franse regering begint met het
transporteren van veroordeelden
naar de Franse koloniën.

- Otto Funke ontdekt
hemoglobine, de rode
bloedkleurstof.

- Richard Wagner valt Giacomo
Meyerbeer aan in het essay *Oper
und Drama*.

- Hermann Helmholtz, Duits
fysioloog en fysicus, vindt de
oogspiegel uit. →

Gestorven:

**19 december.** William Turner
(23-4-1775), Engels schilder →

## 'Bloomer²-kostuum maakt tongen los

*Drie verschillende badkostuums uit
het midden van de 19de eeuw.*

SENECA FALLS, maart - 'Bloomers'
zegt men spottend tegen het nieuwe
kostuum dat door vooraanstaande
vrouwen uit de vrouwenbeweging in
Amerika is geïntroduceerd. Het kostuum geeft de vrouw grotere bewegingsvrijheid en betekent een belangrijke hervorming op kledinggebied.
Elizabeth Smith Miller, actief in de beweging voor gelijkberechtiging van de
vrouw, is de kledij het eerst gaan dragen en na enthousiaste reacties publiceerde Amelia Bloomer foto's en patronen ervan in het maandblad *The
Lily*. Ook andere voorvechtsters van
vrouwenrechten, zoals Elizabeth Cady
Stanton, propageren en dragen het
Bloomer-kostuum. De kledij bestaat
uit een jurk of crinoline over een lange
wijde pofbroek. De voordelen zijn duidelijk: het kostuum is hygiënischer dan
de lange, over de grond slepende jurken, zit gemakkelijker en is gezonder
dan de traditionele mode, die strakke
korsetten en vijf of zes rokken en petti-
coats over elkaar heen voorschrijft.
Vooralsnog zijn er echter weinig vrouwen die de moed hebben het Bloomer-
kostuum te dragen. Tegenstanders
noemen het onfatsoenlijk en zelfs onzedelijk en vrouwen die zich in het
openbaar ermee vertonen, worden
bespot en belachelijk gemaakt.

*Dit jaar wordt het boek 'Moby
Dick' van de Amerikaanse schrijver
Herman Melville gepubliceerd. Het
boek beschrijft de jacht die de
wraakzuchtige kapitein Ahab
maakt op de witte walvis Moby
Dick, voor hem het symbool van het
kwaad in de wereld. Ahab gaat hieraan te te gronde.*

# Naaimachine in produktie

*De eerste Singer-naaimachine.*

NEW YORK, maart - De Amerikaan Isaac Merrit Singer is samen met zijn partner Edward Clark een fabriek in naaimachines begonnen. De fabriek is om meer dan één reden een opvallende onderneming. Ten eerste natuurlijk omdat Singer erin is geslaagd met een perfecte naaimachine op de markt te komen. Maar zeker ook om de manier waarop hij die markt probeert te veroveren. Dank zij een gigantische reclamecampagne en door vernieuwingen op het gebied van verkooptechniek is de vraag nu al enorm. Singer en zijn partner, het zakelijke genie Clark, hebben bedacht dat zij met hun produkt naar de klant toe moeten. Daarvoor hebben zij een leger van zogenaamde handelsreizigers in dienst genomen. Andere noviteiten zijn de verkoop op afbetaling - de klant betaalt in gedeelten - en een inruilsysteem.

Singer, in 1811 geboren in Rennselaer County, New York, liep op 21-jarige leeftijd van huis weg, werkte in een instrumentenfabriek en trok jarenlang als acteur door het land. Slechts enkele maanden geleden kreeg hij de naaimachine van Howe, de eigenlijke uitvinder van de naaimachine, in handen en na elf dagen sleutelen had hij het sterk verbeterde apparaat dat nu door de Singer-fabriek en masse wordt geproduceerd. Ondertussen heeft Elias Howe al een proces tegen Singer aangespannen wegens overtreding van de patentwet.

Amerika is hard op weg een modern geïndustrialiseerd land te worden. Nog niet zo lang geleden was Amerika een agrarisch land dat wat betreft nijverheidsprodukten erg afhankelijk was van andere landen, maar er is een ware gedaantewisseling gaande. Steden groeien, industrieën ontstaan, produktiemiddelen worden gemechaniseerd, transportmethoden verbeterd. Kortom de industriële revolutie zoals Engeland die kent, vindt nu ook plaats in Amerika. Mensen als Howe en Singer zijn exponenten van deze ontwikkeling. In Amerika worden zij gevierd omdat zij gezien worden als het bewijs van het 'Yankee'-vernuft en de Amerikaanse vindingrijkheid.

*Keizer Frans Jozef I (geportretteerd door Franz Winterhalter, circa 1850).*

# Turner vermaakt werk aan staat

*'Rain, steam and speed' door J.M. William Turner (1844; Tate Gallery, Londen).*

LONDEN, 19 december - Op 76-jarige leeftijd is de Engelse schilder Joseph Mallord William Turner in zijn geboortestad overleden. De schilder heeft zijn vermogen van 140 000 pond bestemd voor een fonds voor 'verarmde kunstenaars' en zijn meer dan 19 000 tekeningen en schilderijen aan de staat nagelaten op voorwaarde dat er een tentoonstellingsruimte voor zijn werk gebouwd wordt.

Turner is beroemd gestorven dank zij de enthousiaste steun van kunstcriticus Ruskin, die het boek *Modern Painters* schreef om Turners superioriteit over de voorgaande landschapschilders aan te tonen. Toch konden zijn kleurexperimenten en fanatiek zoeken naar steeds nieuwe uitdrukkingsmogelijkheden, zijn 'ontrouw aan de natuur', bij sommige tijdgenoten weinig waardering oogsten.

# Keizer schaft vrijheden af

WENEN, 31 december - Het zogenaamde Sylvesterpatent van keizer Frans Jozef I van Oostenrijk is openbaar gemaakt. Deze proclamatie stelt de 'oktroyierte Verfassung' van 4 maart 1849 buiten werking en schaft de vrijheid van drukpers, de openbaarheid van rechtspraak en de gemeentelijke autonomie af.

Met deze staatsgreep, uitgevoerd door het staatshoofd zelf, is in Oostenrijk de invoering van het neo-absolutisme voltooid. Voortaan is Frans Jozef niet meer - zoals hij het zelf uitdrukte - 'de onverantwoordelijke monarch', 'de drukpers van handtekeningen', maar de almachtige keizer, die zijn ministers geen eigen verantwoordelijkheid toestaat en die de wetgevende, de uitvoerende en de rechterlijke macht in handen heeft. Door de minister van Binnenlandse Zaken, Alexander Bach, is in samenwerking met Freiherr Karl Friedrich Kübeck von Kübau de neo-absolutistische reorganisatie van de Oostenrijkse staat tot in details geregeld. Dit zogenaamde 'Bachse System' doet binnen het bestuursapparaat, de rechtspraak, de politie en het leger alle hervormingen teniet die er tijdens he bewind van keizer Jozef II en de revo lutie van 1848 in waren aangebracht. Het neo-absolutisme, ook wel 'liberaa absolutisme' genoemd, is geen exact kopie van het reactionaire systeem va Metternich. Het neo-absolutisme i antidemocratisch, maar ook antifede ralistisch. Het heeft vijanden ter lin ker- én ter rechterzijde. Democraten liberalen en nationalisten zijn tegen he neo-absolutisme gekant, maar ook fe deralistische conservatieven, die ijve ren voor het herstel van de oude rech ten van de standen. Frans Jozef I eis voor zichzelf de alleenheerschappij op volgens het middeleeuwse principe va 'Gottesgnadentum', maar wil tegelij kertijd het Habsburgse Rijk omvor men tot een moderne bureaucratie Voor de tijdgenoten zijn de verschille tussen oud en nieuw absolutisme nie altijd even duidelijk. Zo merkte graa Franz Harting, die zowel voor als na d revolutie van 1848 hoge bestuursfunc ties bekleedde, naar aanleiding van he Sylvesterpatent op: 'Der Kaiser hört prüft und befiehlt, die Untertane wünschen, reden und gehorchen.'

# Wereldtentoonstelling in Londen geopend

Het Crystal Palace in het Londense Hyde Park; rechts de opening van de tentoonstelling door koningin Victoria.

De geleerde Hermann Helmholtz heeft een uitvinding gedaan die een belangrijke stap in de ontwikkeling van de oogheelkunde betekent. Met deze oogspiegel of 'ophthalmoscoop' is de onderzoekende arts in staat in het oog van de patiënt te kijken. Het instrument bestaat uit een doorboorde spiegel die het licht van een lamp in het oog van de patiënt werpt; dit licht wordt door het netvlies weerkaatst en bereikt door de opening van de spiegel het oog van de onderzoeker. (Schilderij van Ludwig Kraus.)

LONDEN, 1 mei - Vandaag is in Londen de Eerste Wereldtentoonstelling geopend. Op de tentoonstelling kunnen alle landen van de wereld interessante voorwerpen exposeren op het gebied van wetenschap, cultuur, natuur en nijverheid. Het initiatief voor de tentoonstelling is uitgegaan van de prins-gemaal Albert van Saksen-Coburg. De expositie werd officieel door koningin Victoria geopend. Voor de wereldtentoonstelling zijn kosten noch moeite gespaard: in het Hyde Park is een groot gebouw, ontworpen door architect Joseph Paxton, opgericht, geheel bestaande uit staal en glas. Drie ter plaatse staande grote iepen zijn door Paxton moeiteloos ingepast in het gebouw, dat de toepasselijke naam Crystal Palace kreeg.
Voor de tentoonstelling is een officiële catalogus uitgebracht van vier delen, ingedeeld in de volgende categorieën: grondstoffen, machines, fabrikaten en kunstvoorwerpen. In totaal zijn 17 000 voorwerpen geëxposeerd, waarvan er 7387 uit Engeland en de koloniën afkomstig zijn. De door het gastland geëxposeerde voorwerpen behoren

zonder meer tot de spectaculairste van de tentoonstelling en geven een goed overzicht van de voorsprong die Engeland inmiddels op industrieel gebied heeft. De staalconstructie die de ruggegraat van het Crystal Palace vormt, is hiervan in feite al een teken. Een aardige bijzonderheid is nog dat de 300 000 glazen ruiten van het gebouw stuk voor stuk met de hand zijn gemaakt.
De organisatoren van de tentoonstelling waren er niet zeker van welke invloed deze tentoonstelling van machines en welvaart op de arbeidende klasse zou hebben. Uit voorzorg werden in het complex geen alcoholhoudende dranken verkocht. Tot dusverre zijn de reacties echter alleen maar positief. Zelfs Thackeray, medeoprichter van het satirische tijdschrift *Punch*, die enkele jaren geleden schreef dat hij zichzelf als een republikein beschouwt, schreef odes aan het Crystal Palace.
Ook de commentaren in de pers zijn zeer lovend. De *Edinburgh Review* beschreef de tentoonstellingscatalogus als 'een levende lijst van menselijke vooruitgang, waarop iedere stap voorwaarts van het menselijk intellect is bij-

geschreven'. De *Times* ging nog een stap verder bij de beschrijving van de opening van het evenement: 'Dit is de eerste morgen sinds de schepping dat alle volken uit alle streken van de wereld zich verzameld hebben om gezamenlijk een daad te stellen.'

# 'Kindergärten' verboden

'De kindertijd' (door Ph. O. Runge, begin 19de eeuw); rechts Friedrich Fröbel.

BERLIJN, 7 augustus - De Pruisische regering heeft de *Kindergärten,* de kleuterscholen van de Duitse pedagoog Friedrich Fröbel, verboden, omdat, zo luidt de verklaring, zij 'destructieve tendensen op het gebied van de godsdienst en politiek' veroorzaken. Fröbel stichtte in 1837 zijn eerste 'Pflege-, Spiel-, und Beschäftigungsanstalt' voor kleine kinderen. De *Kindergärten,* zoals deze schooltjes later werden genoemd, en Fröbels vooruitstrevende pedagogische opvattingen - zijn nadruk op het stimuleren van de zelfstandigheid van kinderen, de ontwikkeling van de fantasie en creativiteit - vonden in de jaren veertig bij veel

onderwijsvernieuwers een enthousiast onthaal.
Het optreden van het Pruisische ministerie van Cultuur tegen Fröbels pedagogische experimenten, die als 'socialistisch' en 'atheïstisch' worden omschreven, moet gezien worden als een reactie op de revolutionaire woelingen van drie jaar geleden. Alle vormen van onderwijsvernieuwing worden door de regering met scepsis bekeken; zij ziet het door de vernieuwers bepleite volksonderwijs, waarin de kinderen niet het traditionele ontzag voor de autoriteiten wordt bijgebracht, als een belangrijke oorzaak voor de onrust onder het volk.

De sluitingsceremonie van de Eerste Wereldtentoonstelling in Londen.

# Haarlemmermeer eindelijk drooggemaakt

*Nicolaas Beets als student.*

HAARLEM, 12 juli -
Grote plas, grote plas,
'k wou je leeggemalen was
Want je knabbelt alle jaren
aan mijn weiland met je baren
en het kost me vrij wat geld
om je perk te zien gesteld.'
Dichter-dominee Nicolaas Beets kan zijn talenten vanaf heden aan de signalering van andere wantoestanden wijden: het gevaarlijke water van het Haarlemmermeer is bedwongen.
In vier jaar tijd is de gigantische waterplas tussen Haarlem, Amsterdam en Leiden door de stoomgemalen Cruquius, De Leeghwater en De Lijnden drooggemaakt. De polder is nu nog een woestenij van riet, wilde andijvie en manshoge wilgen: 'Alles slingert zich dooreen als de lianen in de grote natuurwouden van Amerika.' Binnenkort zullen echter in de 18 000 hectaren polderland de landbouw en veeteelt kunnen beginnen. Verwacht wordt dat het land in handen zal komen van een zeer selecte groep rijke beleggers uit Amsterdam en Haarlem.

*Het Cruquiusgemaal in Vijfhuizen (recente foto).*

Het nieuwe land wordt in afwachting van de eerste kolonisten nu nog bewoond door de 'zwermen polderjongens' die, geplaagd door malaria en cholera, in de soppige bodem de kanalen en sloten hebben gegraven.
In 1629 presenteerde Jan Adriaensz.

Leeghwater het eerste plan om he[t] Haarlemmermeer droog te malen. D[e] omringende dorpen waren in ee[n] voortdurend gevecht gewikkeld me[t] 'de waterwolf', die huizen en land be[...] dreigde. Hele dorpen verdwenen in h[et] water. Amsterdam, Haarlem en Le[i] den verzetten zich echter tegen droog[...] maling, aangezien het water een be[...] langrijke verkeersweg vormde. Dez[e] belangentegenstelling is er de oorzaa[k] van dat er twee eeuwen overheen ge[...] gaan zijn voordat tot droogmakin[g] kon worden besloten.
Een storm op 29 november 1839 stuw[...] de het water tot de poorten va[n] Amsterdam; binnen een maand wer[...] tijdens een tweede storm ook Leide[n] bedreigd. De schaal sloeg nu door en d[e] Tweede Kamer besloot het grote wer[k] uit te voeren. 'Het weren van gevaa[r] bepaalde het denken van de Kamer, zo[...] dat het plan slechts voorzag in een mi[...] nimum aan wegen, sloten en tochte[n] Het gevolg is dat de toekomstige bewo[...] ners rekening moeten houden met vee[l] wateroverlast. De bodem zal vaak t[e] drassig zijn om op verantwoorde wijz[e] landbouw te bedrijven. De waterwol[f] is dood, maar er wacht nog veel e[n] zwaar werk in de Haarlemmermee[r] polder.

*In China woedt sinds vorig jaar een grote, gewelddadige opstand. De opstandelingen bestaan veelal uit werkloze koelies en arme boeren die door de economische teruggang hard zijn getroffen en zich verzetten tegen de toenemende westerse invloed in China. Hun leider is Hong Xiuquan, die zich opwerpt als de 'jongere broer van Jezus' en het Hemelse Rijk van Grote Vrede (T'aip'ing) heeft uitgeroepen.*

# 'Rus is geen Europeaan'

*'De Slaaf', een werk van de Russische schilder V. Ivanov (circa 1850).*

# Pruisen test ambtenaren

BERLIJN , 21 juli - Gisteren heeft het kabinet van de koning een wet uitgevaardigd op grond waarvan ambtenaren in Pruisische dienst getest kunnen worden op hun 'juiste overtuiging'. Deze verordening ligt in het verlengde van een beleid dat verdere beteugeling van liberale en democratische ideeën bij de burgers nastreeft.

Sinds het aantreden van ministerpresident en minister van Buitenlandse Zaken von Manteuffel op 19 december 1850 worden er in Pruisen steeds meer autoritaire en bureaucratische ordemaatregelen getroffen. Het is duidelijk dat deze maatregelen moeten worden gezien als een reactie op de gebeurtenissen van 1848. In de diverse Duitse staten zijn op regeringsniveau vele ministers van liberale en democratische signatuur vervangen door conservatieven. Het doen en laten van overheidsdienaren is onder directe regeringscontrole geplaatst en van de in 1848 ingevoerde persvrijheid is weinig overgebleven. Het Centraal Orgaan voor Persaangelegenheden, in 1850 door von Manteuffel opgericht, heeft de zogenaamd kritische pers gemuilkorfd en steunt openlijk de regeringsgetrouwe kranten. Volgens de perswet van vorig jaar kreeg de politie de bevoegdheid verdachte kranten in beslag te nemen. Nog onlangs schreef de in mei 1849 uitgewezen grondlegger van het socialisme Karl Marx in de *New York Daily Tribune* over de Pruisische bureaucratie: 'Bij elke stap die men in Pruisen doet, zelfs bij de eenvoudigste verhuizing, komt de almachtige bureaucratie in actie. Een waarlijk Pruisische uitvinding. Leven, sterven, huwen, brieven schrijven, denken, drukken, zaken doen, leren, lesgeven, vergaderingen bijeenroepen, een fabriek bouwen of emigreren, niets kan men doen zonder toestemming van de overheid.'

Overigens is Karl Marx niet de enige Duitser die de wijk heeft moeten nemen voor de gevolgen van de toegenomen onderdrukking van andersdenkenden. Na 1848 besloten duizenden personen op politieke gronden en uit gebrek aan vrijheid van meningsuiting te emigreren naar de Verenigde Staten om daar een nieuw leven op te bouwen.

St.-PETERSBURG - In de Russische hoofdstad is een artikel verschenen van de hand van Ivan Kirejevski met de imposante titel: *Over het karakter van de Europese cultuur en haar relatie tot de cultuur van Rusland*. Dit artikel is een van de vele die in de laatste twee decennia zijn verschenen en die de plaats van Rusland ten opzichte van de rest van Europa proberen te bepalen.

Ruwweg vallen er twee stromingen te onderscheiden: de Slavofielen en de Zapadniki ('verwestelijkers'). Beide groepen gaan uit van dezelfde Duitse idealistische filosofie, maar hun conclusies verschillen. De Zapadniki vinden dat Rusland in het Westen zijn voorbeeld moet zoeken. Zij staan dan ook positief tegenover het werk van Peter de Grote. Het spreekt vanzelf dat het Russische systeem in hun ogen weinig genade kan vinden. Het politieke en sociale programma van de gemiddelde Zapadnik gaat niet verder dan een mild liberalisme, met het accent op geleidelijkheid en volksonderricht. Radicale Zapadniki zien in revolutie de enige mogelijkheid tot werkelijke verandering.

De Slavofielen hebben met de Zapadniki gemeen dat zij het bestaande politieke en sociale systeem afkeuren. De belangrijkste geschilpunten liggen op het gebied van godsdienst en geschiedenis. De Slavofielen zijn overtuigd van de historische missie van het orthodoxe geloof en van Rusland. De toekomst van Rusland ligt huns inziens in de terugkeer naar de eigen beginselen. Politiek gesproken wijzen zij constitutionalisme af, al hechten zij in het algemeen wel aan vrijheid van geweten, meningsuiting en drukpers.

I.V. Kirejevski was tot de jaren dertig een enthousiast bewonderaar van het Westen. Regelmatig viel hij het Russisch nationalisme aan en wees op de voordelen van de Europese ontwikkeling: 'Onze materiële groei heeft de geestelijke verreweg overtroffen. Waar anders dan in Europa kunnen we onze beschaving verwerven?' Dit veranderde na een religieuze crisis. Hij werd toen een invrome verdediger van de Orthodoxe Kerk. Niettemin heeft hij kritiek op de sociale toestand en het spirituele klimaat in Rusland, reden waarom ook hij regelmatig met de censor in botsing komt. In zijn huidige artikel verwerpt hij het Westeuropese rationalisme en verheerlijkt hij het oude, pure Rusland van de tijd voor Peter de Grote. Het Russische volk is hiervan de drager en zal, wanneer de verwestelijkte hogere klassen van hun dwalingen terugkeren, het Westen redden uit de geestelijke impasse waarin het is terechtgekomen.

*Op 5 februari heeft de Russische tsaar Nicolaas I in Sint-Petersburg de Hermitage, het keizerlijk museum, voor het publiek opengesteld. Het museum, dat in een aantal paleizen, waaronder het Winterpaleis, is ondergebracht, herbergt een van de fraaiste collecties schilderijen van Europa. Oorsprong van de verzameling is de kostbare privé-collectie van de tsarenfamilie.*

*Pruisische rijkswachters op patrouille.*

# Engels leger bezet Birmese provincie

RANGOON, 22 november - Met het innemen van de stad Pegu deze ochtend hebben de Engelse troepen nu formeel de provincie Pegu in handen. Hiermee is een wens van Dalhousie, de Engelse gouverneur van de twee reeds bezette Birmese provincies, in vervulling gegaan.

De Tweede Engels-Birmese Oorlog, die in april van dit jaar is uitgebroken, is in feite een veroveringsoorlog van de Engelsen. De aanleiding voor het conflict was in januari al weggenomen.

Dat conflict ging om een boete van 1000 roepees die wegens het schenden van de havenregels aan de kapiteins van twee Engelse vaartuigen was opgelegd door de gouverneur van Pegu. Zowel de Engelse onderdanen in Birma als die in India meenden dat dit een onaanvaardbare provocatie van de Engelsen was die tot doel had hen te vernederen. Aangezien het prestige van de Engelsen in de regio volgens hen in het geding was, werd meteen met grove middelen gereageerd. Gouverneur Dalhousie nam aanvankelijk een tweeslachtige houding aan. Enerzijds was de financiële situatie niet zo gunstig dat extra uitgaven voor een militaire expeditie voorhanden waren, maar anderzijds zouden het toegeven aan de Birmese eis en het verlies aan prestige dat dit zou meebrengen, blijvend schade kunnen berokkenen aan de Engelse belangen.

Daarom werd besloten twee Engelse oorlogsschepen naar Rangoon te sturen om een ultimatum af te geven: de boete moest onmiddellijk ongedaan worden gemaakt en de gouverneur van Pegu moest worden vervangen.

De Birmese regering kon niets anders doen dan toegeven aan deze eisen, aangezien zij niet voorbereid was op een militaire confrontatie met de Engelsen. Engeland mocht een consul in Rangoon stationeren om de onderhandelingen soepeler te laten verlopen. De opvolger van de gouverneur van Pegu behoorde echter ook tot de anti-Engelse factie en wenste niet aan de eisen van de Engelsen te voldoen. Daarop legde de Engelse marine een blokkade voor de Birmese kust en voerde commodore Lambert een provocerende actie uit. De Birmese regering kon geen verzoenende houding meer aannemen en de anti-Engelse factie kreeg de overhand. De regering in Londen ging inmiddels akkoord met de nieuwe eisen die door Dalhousie waren opgesteld. Birma zou onder meer voor een miljoen roepees moeten bijdragen in de kosten van de Engelse oorlogsvoorbereidingen. Het ultimatum dat in februari was overhandigd aan de Birmese regering, liep af op 1 april.

In april werden Rangoon en Martaban door Engelse troepen ingenomen, in mei Bassein. Door de militaire druk hoopten de Engelsen dat de Birmese koning Pagan de eisen zou inwilligen, maar deze bleef weigeren. Het advies van Dalhousie om dan maar de provincie Pegu te annexeren, werd in Londen met enthousiasme begroet. Daar is immers een liberale regering aan het bewind met Lord Clarendon en Lord Palmerston, die beiden voorstander van een agressieve kolonisatiepolitiek zijn.

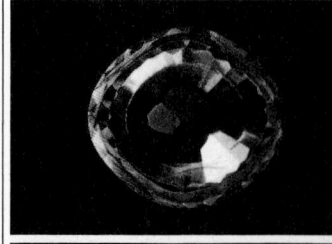

*Bij Coster in Amsterdam is de Koh-I-Noor, 's werelds bekendste en meest kostbare diamant, opnieuw geslepen. Teneinde het vuur en de schittering van de befaamde edelsteen, die in het bezit is van de Britse koningin Victoria, te vermeerderen, hebben Amsterdamse diamantslijpers de Koh-I-Noor van 186 (boven) tot 109 karaat (onder) teruggebracht.*

*'Tocht naar de vrijheid', vluchtende slaven geschilderd door Eastman Johnson. De kwestie van de slavernij heeft tot verdeeldheid in de geledeen van de Whigs geleid.*

*Louis Braille.*

## Braille ontwierp blindenschrift

PARIJS, 6 januari - In de Franse hoofdstad is Louis Braille gestorven. Braille, die 41 jaar geleden in Coupvray werd geboren, is bekend geworden door zijn uitvinding van een blindenschrift. Braille werd op 3-jarige leeftijd door een ongeluk met een mes in de leerwerkplaats van zijn vader aan beide ogen blind. In 1819 ging hij naar het Institution National des Jeunes Aveugles in Parijs. Daar kwam hij in aanraking met het blindenschrift van Valentin Haüy, de oprichter van het Institution, en dat van Charles Barbier.

Op basis van deze systemen werkte Braille een nieuw, veel simpeler blindenschrift uit dat hij in 1837 introduceerde. Het bestaat uit een zes-puntensysteem; elke letter van het alfabet is uitgedrukt in een combinatie van zes punten; de puntengroepen worden in reliëf in het papier aangebracht en met de vingers afgetast.

# Verdeeldheid nekt Amerikaanse Whigs

WASHINGTON, 2 november - Met de leus 'We Polked you in 1844; we shall Pierce you in 1852!' hebben de Democraten in de presidentsverkiezingen met hun kandidaat Franklin Pierce aan het langste eind getrokken: de 47-jarige Pierce zal in maart volgend jaar beëdigd worden als Amerika's nieuwe president. De Whigs, die oorlogsheld Winfield Scott als hun kandidaat in het veld hebben gebracht, hebben slechts in vier staten de winst naar zich toe weten te halen; Pierce bond 27 staten aan zijn zegekar. Algemeen wordt verwacht dat deze nederlaag voor de Whigs het begin van het einde is.

De grote verdeeldheid in eigen gelederen heeft het de Whigs erg moeilijk gemaakt een effectieve campagne te voeren. Het was de slavernijkwestie die de steen des aanstoots was: het programma dat de Whigs deze zomer op hun nationale conventie in Baltimore hebben vastgesteld, spreekt zich uit voor het grote Compromis dat twee jaar geleden in de slavernijdiscussie is bereikt, maar niet alle Whigs blijken daar gelukkig mee te zijn: de 'Conscience Whigs', onder wie Horace Greeley en William Seward die tegenstander zijn van de slavernij, hebben zich van het partijprogramma afgekeerd, maar wel hun steun gegeven aan Scott, in de hoop dat hij, eenmaal tot president gekozen, zich tegen het Zuiden te weer zou stellen. De 'Cotton Whigs', die de hele slavernijdiscussie niet meer opgerakeld willen zien, zijn de enigen die zich zonder voorbehoud achter het partijprogramma en kandidaat Scott hebben geschaard.

De Democraten hebben in hun campagne geen last gehad van zo'n verdeeldheid: Pierce geniet in alle geledingen van de partij royale steun en heeft zelfs hier en daar in het bedrijfsleven voet aan de grond gekregen, hoewel dit van oudsher het domein is van de Whigs. Pierce is door zijn partij gepresenteerd als een tweede Jackson en heeft zich dan ook getooid met de bijnaam 'Young Hickory of the Granite Hills'; zijn goede vriend Nathaniel Hawthorne heeft voor campagnedoeleinden een vleiende biografie van Pierce geschreven.

Hawthorne verloor drie jaar geleden zijn baan toen de Whigs de presidentsverkiezingen hadden gewonnen. Woedend en teleurgesteld schreef hij vervolgens *The Scarlet Letter*, het boek dat hem beroemd maakte.

# Frankrijk weer keizerrijk

*Lodewijk Napoleon Bonaparte (door Hippolyte Flandrin).*

PARIJS, 2 december - Lodewijk Napoleon Bonaparte, de prins-president, zoon van de voormalige koning Lodewijk Napoleon van Holland, is erin geslaagd zich te laten uitroepen tot keizer Napoleon III. Zijn staatsgreep is gelukt. De Tweede Republiek maakt plaats voor het Tweede Keizerrijk.

De tweede Bonaparte (Napoleons zoon, de 'koning van Rome', die Napoleon II had moeten worden, stierf op jeugdige leeftijd) streeft al lange tijd een machtspositie na. In 1840 deed hij een poging om de macht te grijpen, hetgeen echter op een lamentabele mislukking uitliep. Bonaparte kreeg levenslang en werd opgesloten in het fort van Ham, van waaruit hij wist te ontsnappen.

Op 10 december 1848 lukte het Lodewijk Napoleon Bonaparte, die intussen met de Partij van de Orde in zee was gegaan, wel. Hij werd tot president gekozen. Tien dagen later zwoer hij trouw aan de grondwet, terwijl hij zich altijd had opgeworpen als erfgenaam van het keizerrijk en als zodanig dus boven grondwetten zou moeten staan. Lodewijk Napoleon Bonaparte en de Partij van de Orde regeren met ijzeren hand. De persvrijheid is afgeschaft, evenals het algemeen kiesrecht. De wet-Falloux geeft de clerus meer greep op het onderwijs. Stakingen en politieke bijeenkomsten zijn verboden. De linkse oppositieleiders moeten naar het buitenland vluchten.

De prins-president raakte wel geregeld in conflict met de overwegend monarchistisch gezinde Kamer. Hij wilde de grondwet laten veranderen, zodat hij dit jaar herkozen kon worden. Toen dat niet lukte, pleegde hij een staatsgreep op 2 december vorig jaar (verjaardag van de kroning van Napoleon I én van diens overwinning bij Austerlitz) en werd president voor tien jaar, met zeer veel macht. De republikeinen kregen het zwaar te verduren.

Na een propagandacampagne waarin de 'kleine Napoleon' (zoals de schrijver Victor Hugo hem noemt, in vergelijking met zijn oom, de 'grote Napoleon') de Franse bevolking ervan overtuigde dat het keizerrijk vrede betekent, werd een volksstemming gehouden. Lodewijk Napoleon Bonaparte behaalde een triomf. Zijn volgende stap was die naar de keizerstroon, wederom op de symbolische datum van 2 december. Frankrijk heeft weer een nieuwe dictator.

## 1853

**18 februari.** Keizer Frans Jozef I van Oostenrijk overleeft een moordaanslag. →

**19 februari.** Oostenrijk en Pruisen sluiten een handelsverdrag.

**4 maart.** Franklin Pierce wordt geïnaugureerd als president van de Verenigde Staten.

**19 maart.** De Chinese stad Nanjing wordt door T'aip'ing-rebellen bezet. →

**Maart.** In een jaar tijd zijn van de roman *De Negerhut van Oom Tom* reeds 300 000 exemplaren verkocht.

**19 april.** Prins Aleksandr Mensjikov, Russisch gezant in Turkije, eist de Russische bescherming van alle christelijke onderdanen in het Osmaanse Rijk.

**19 april.** Het kabinet-Thorbecke dient zijn ontslag in. →

**1 mei.** De Argentijnse grondwetgevende Vergadering verwerpt de voorgestelde grondwet. Een burgeroorlog breekt uit tussen de provincies en de hoofdstad Buenos Aires.

**21 mei.** De Turken verwerpen de Russische eis van 19 april en prins Mensjikov verlaat Constantinopel.

**31 mei.** Tsaar Nicolaas I van Rusland beveelt de bezetting van de Donau-vorstendommen.

**20 juni.** Groot-Brittannië en Birma sluiten vrede. De koning van Birma weigert echter een vredesverdrag te ondertekenen.

**24 september.** Frankrijk annexeert Nieuw-Caledonië.

**4 oktober.** Turkije verklaart de oorlog aan Rusland.

**November.** Een Russisch vlooteskader verslaat in de Zwarte Zee de Turkse vloot. →

**11 december.** Groot-Brittannië annexeert Nagpur, een van de belangrijkste Mahratten-staten van India.

**30 december.** Mexico verkoopt in de 'Gadsden Purchase' het zuidelijke deel van Arizona en Nieuw-Mexico aan de Verenigde Staten.

- Groot-Brittannië beëindigt het overbrengen van veroordeelden naar Tasmanië.

- Giuseppe Verdi componeert de opera *La Traviata*.

- Georges Haussmann begint met de reconstructie van Parijs en de plannen voor het Bois de Boulogne.

- John Maurice, Engels anglicaans geestelijke en hoogleraar in Londen, wordt ontslagen op grond van zijn *Theological Essays*, waarin hij het eeuwige van goddelijke straf ontkent.

- De 'Wellingtonia gigantea', de grootste boom ter wereld, wordt in Californië ontdekt.

# Spijkerbroeken bij goudzoekers enorm populair

*Een goudzoeker toont zijn plunje.*

SAN FRANCISCO - De 'spijkerbroeken' van Levi Strauss zijn onder de vele honderden goudzoekers die sinds februari 1849 naar San Francisco trekken, een begrip geworden. Wie de bloeiende handel van Strauss en zijn compagnon nu beziet, kan zich niet voorstellen dat een en ander min of meer vanuit een grap is ontstaan.

De oorspronkelijk uit het Duitse Beieren afkomstige Levi Strauss kwam een paar jaar geleden naar Californië om, zoals vele anderen, zijn geluk te beproeven als goudzoeker. Het zeildoek dat Strauss bij zijn overtocht had meegenomen, kwam hem goed van pas toen een van zijn makkers zich er bij hem over beklaagde dat de in de buurt verkrijgbare broeken veel te dun waren voor het zware goudzoekerswerk. De broeken die Strauss daarop vervaardigde, al spoedig 'Levi's' genoemd, bleken het ruige werk veel beter te kunnen verduren. Probleem was alleen nog het telkens weer losscheuren van de door de goudgravers met erts volgepropte zakken. Een kleermaker, moe van het vele verstellen, loste dit op door, bij wijze van grap, de zakken vast te hechten met koperen nageltjes. Dit idee sprak Strauss zo aan dat hij, na de kleermaker tot compagnon te hebben gemaakt, op de met koper beslagen broeken een patent aanvroeg. De handel in deze 'spijkerbroeken' loopt inmiddels zo goed dat Strauss de goudzeef definitief heeft ingeruild voor het naaigerei.

# Nanjing gevallen voor T'aip'ing-troepen

De echtgenote van de huidige Chinese keizer Wen Zong.

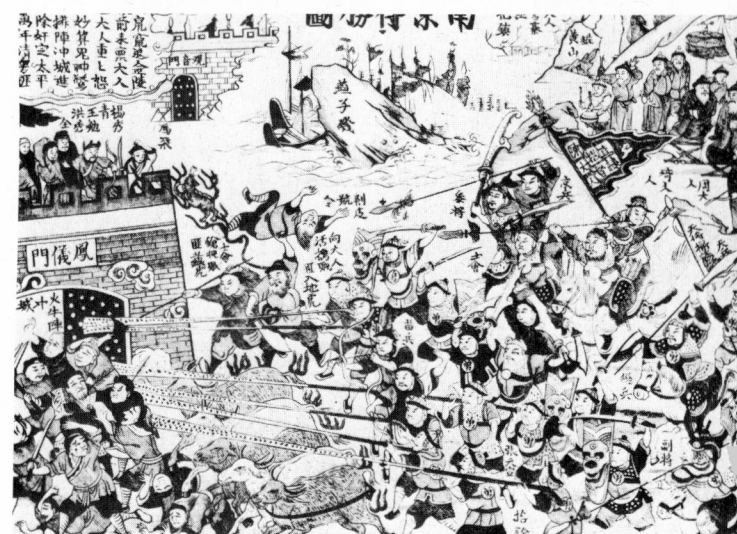

Keizerlijke troepen voeren in Nanjing een aanval uit op het rebellenleger.

Rebellen verhoren een misdadiger.

TIANJING, 19 maart - De vroegere hoofdstad van de Ming-dynastie, Nanjing (Zuidelijke Hoofdstad), is door T'aip'ing-opstandelingen ingenomen. De stad werd herdoopt in Tianjing: Hemelse Hoofdstad.

De inname van Nanjing vond plaats door toedoen van een miljoen mensen. Dit aantal is het resultaat van een tocht die op een lawine leek. Dit leger, dat voor het grootste deel uit vrouwen en kinderen bestaat, marcheerde voor een deel langs de rivier, een ander deel bevond zich op een vloot van 10 000 jonken die begin februari uit Wuhan is vertrokken. Onderweg sloten steeds meer rekruten en sympathisanten zich bij de opstandelingen aan. Op de beide oevers van de Yangzi werden de garnizoe-

nen van de Mantsjoes in paniek ontruimd. Van verre kon men het half gezongen, half gescandeerde lied van de T'aip'ings horen: 'De velden zullen gezamenlijk worden bebouwd, het voedsel samen gegeten, de kleren gezamenlijk gedragen, nergens zal ongelijkheid heersen, nergens zal een mens honger of kou lijden.'

De Mantsjoes boden wanhopig weerstand en de inneming van Nanjing was pas mogelijk nadat een mijnexplosie een bres in de stadsmuur had geslagen. Overlevenden werden na beëindiging van de strijd gekeeld en in het kanaal geworpen dat langs de stad naar de Yangzi loopt.

De T'aip'ings willen van Nanjing de hoofdstad van hun Hemelse Rijk ma-

ken. Hong Xiuquan, van afkomst een Hakka-onderwijzer, die herhaaldelijk voor keizerlijke examens is gezakt, is de Hemelse Koning. Hij wordt begroet met de kreet die uitsluitend voor keizers is gereserveerd: 'Wan Sui!' (Tien Duizend Jaar!).

De ideologie die Hong vanaf 1843 heeft gepropageerd bevat een vermenging van het protestantse christendom met utopisch-egalitaire motieven uit de klassieke Chinese literatuur. De nieuwe religie is niet tolerant jegens andere godsdiensten zoals het boeddhisme en de islam. Ook de Chinese katholieken worden in het Hemelse Rijk met de dood bedreigd.

Vanaf het begin had de beweging een radicaal programma van landverdeling. In tegenstelling tot vroegere boerenbewegingen in China kan de T'aip'ing-Opstand niet rekenen op sympathie van de Chinese geleerden, die ondanks hun antipathie jegens de Mantsjoe-dynastie de radicale sociale leuzen van de T'aip'ings vrezen. Daarnaast wordt de beweging ernstig ondermijnd door machtsmisbruik en de hang naar luxe die de leiders van het Hemelse Rijk ten toon spreiden. Ieder van de zes 'koningen' van de T'aip'ings

heeft een eigen hof, eigen ambtenare en een eigen harem.

Hoewel een gecoördineerde militair actie het verzwakte Mantsjoe-regim makkelijk ten val kan brengen, word nauwelijks een poging in die richtin ondernomen.

## Hongaarse aanslag op Frans Jozef

WENEN, 26 februari - De 21-jarig Hongaar János Libényi, die een wee geleden een moordaanslag op keize Frans Jozef I heeft gepleegd, is doo ophanging terechtgesteld.

De aanslag vond plaats op 18 februar bij de Kärntertor in de Oostenrijks hoofdstad. Door het kordate optrede van vleugeladjudant Maximiliaan graaf van O'Donnell, die de Hongaa met het mes zag aankomen, werd d keizer alleen licht aan zijn hoofd ver wond. De slager Jozef Ettenreich, di bij toeval van de aanslag getuige was wist de moordenaar op zijn vlucht aa te houden. Als dank voor hun moedig optreden zijn beide mannen uitgebrei gedecoreerd; Ettenreich werd zelfs i de adelstand verheven.

O'Donnell redt de keizer.

*Slavenjagers achtervolgen een negermeisje met haar baby.*

# 'De Negerhut van Oom Tom'

BRUNSWICK, MAINE, maart - Een jaar na de publikatie van *De Negerhut van Oom Tom*, geschreven door Harriet Beecher Stowe, zijn er in de Verenigde Staten 300 000 exemplaren van dit boek verkocht en in de hele wereld vertalingen uitgebracht. De roman is twee jaar geleden verschenen als feuilleton in de *National Era*, een bekend antislavernijblad, waarna John P. Jewett het maart vorig jaar in boekvorm uitgaf. Het werd een onmiddellijk succes. Binnen twee maanden waren reeds 30 000 exemplaren over de toonbank gegaan.

*De Negerhut van Oom Tom* is het verhaal van de negerslaaf Tom; het laat de ruwheid van het slavensysteem zien zoals dat bestaat in de zuidelijke staten van de Verenigde Staten. Harriet Beecher Stowe valt niet zozeer de slavenhouders aan als wel het systeem. Dit systeem is per definitie zo wreed en onrechtvaardig dat zelfs de meest goedhartige en verlichte slaveneigenaar nooit een goede verhouding met zijn slaven zal kunnen krijgen, aldus de schrijfster. Ze ontmaskert in de sentimentele roman, die literair gezien wel enige mankementen vertoont, de essentiële gemeenheid van een systeem

*De originele titelpagina.*

waarin de neger niet als mens maar als ding wordt behandeld. Ze is er ook in geslaagd een sympathiek en realistisch portret te geven van de neger, die voorheen door geen enkele Amerikaanse schrijver als menselijk wezen is beschreven.

Harriet Beecher Stowe is in 1811 in Litchfield, Connecticut geboren als de jongste dochter van de vooraanstaande evangelist Lyman Beecher. Toen de familie in 1832 naar Cincinnati verhuisde, kwam Harriet in aanraking met de slavernij, maar haar ongerustheid en verontwaardiging werden pas gewekt toen in 1850 de debatten over de wet op de gevluchte slaven het publiek beroerden. Juist in die tijd kreeg ze een brief van haar schoonzuster waarin deze haar aanspoorde 'iets te schrijven waardoor deze hele natie gaat voelen wat voor een vervloekt ding slavernij is'. Toen ze de brief aan haar kinderen voorlas, zwoer Harriet te voldoen aan het verzoek van haar schoonzuster. Ze schreef het boek in één ruk. 'Het was alsof het boek zichzelf schreef,' zegt ze.

Het immense succes van *De Negerhut van Oom Tom* is toegejuicht door de voorstanders van afschaffing van de slavernij en bewijst hoezeer dit onderwerp de gemoederen in de Verenigde Staten bezighoudt.

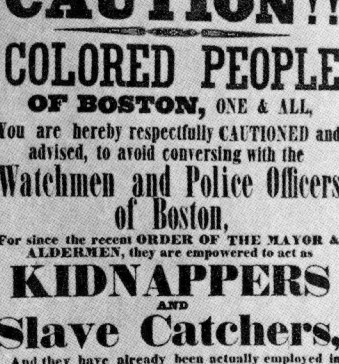

*Waarschuwing voor slavenjagers.*

# Val van kabinet-Thorbecke

's-GRAVENHAGE, 19 april - Het kabinet-Thorbecke is gevallen over het verzet tegen het herstel van de bisschoppelijke hiërarchie, de zogenoemde Aprilbeweging. Vooral de vestiging van een aartsbisdom in het calvinistische bolwerk Utrecht heeft tot ongemeen felle reacties geleid onder notabelen van conservatieve en conservatief-liberale snit, onder dominees en 'kleine luyden'.

Met pamfletten, brochures, kranten en door tienduizenden ondertekende adressen aan 'Geuzenkoning Willem III' trok conservatief-protestants Nederland de afgelopen maand ten strijde tegen 'de Antichrist uit Rome', tegen 'het Utrechtse onheil'. Katholieke arbeiders en huispersoneel werden ontslagen, geestelijken op straat gemolesteerd.

In nog geen maand tijd zetten meer dan 200 000 mensen hun handtekening onder een op initiatief van de kerkeraad van de Hervormde Kerk te Utrecht opgestelde petitie aan de koning om de 'sluwe' plannen van de Heilige Stoel alsnog te verijdelen. In het adres werd koning Willem III voorgehouden dat 'de bisschoppelijke organisatie geheel in strijd is met den geest van het Nederlandsche volk, het welk, door alle tijden heen, evenzeer op onafhankelijkheid in vreemde overheersching als op betamelijke vrijheid van godsdienst de

hoogste prijs heeft gesteld'.

Geheime adviseurs van de koning hebben hem aangeraden zich nu 'van zijn ministerie te ontdoen en voor zich zelven populariteit in te oogsten'.

Hoewel de koning aanvankelijk verklaard heeft dat het herstel van de bisschoppelijke hiërarchie 'geheel met zijn goedkeuring en voorkennis' had plaatsgevonden, zei hij na het bezoek van een Utrechtse delegatie dat alles 'de wrange vrucht der Grondwet van 1848 was, waarmee hij zich 'minder dan iemand kon vereenigen'.

Op 17 april bood de Amsterdamse dichter-predikant Ter Haar de koning 'een smeekschrift' aan namens 51 000 protestanten. De koning gaf duidelijk te kennen waar zijn sympathieën lagen en wenste zich in zijn antwoord niet te houden aan de ontwerp-tekst van zijn ministers. Het voltallige kabinet-Thorbecke diende daarop zijn ontslag in.

Het eerste kabinet onder leiding van de door de koning gehate Thorbecke heeft zeer veel tot stand gebracht: de vrijhandel werd bevorderd door de afschaffing van tollen en doorvoerrechten en de Scheepvaartwetten hieven de bevoordeling van de Nederlandse schepen op, het muntstelsel werd ingrijpend herzien, er kwam een Provinciale Wet, een Kieswet, een Postwet, een Gemeentewet en een Onteigeningswet.

*Koning Willem III ontvangt in Utrecht een conservatief-protestantse delegatie.*

# Coalitieoorlog tegen Rusland dreigt

*Links: overleg tussen de aanvoerders van het coalitieleger, rechts de Franse generaal Bosquet voor zijn tent.*

CONSTANTINOPEL, november - Het Russische Zwarte-Zee-eskader heeft bij Sinope de Turkse vloot tot zinken gebracht. Nu dreigt een escalatie van de in oktober uitgebroken Turks-Russische oorlog. Groot-Brittannië en Frankrijk zijn niet van zins werkeloos toe te zien bij de ineenstorting van het Turkse Rijk. Dit blijkt uit het feit dat beide staten vorige maand hun vloot de Zeeëngten (Bosporus en Dardanellen) hebben ingestuurd om de Turkse positie te versterken. In de westerse pers is het Turks-Russische treffen betiteld als de 'slachting van Sinope'. Volgens Lord Stratford Redcliffe, die Rusland als zeer gevaarlijk beschouwt, betekent dit oorlog tussen Rusland en Engeland.

Rusland is in het isolement geraakt dat het juist wilde voorkomen. Cruciaal in deze kwestie zijn de Brits-Russische betrekkingen, en vooral de foutieve inschatting ervan door de Russische tsaar Nicolaas. De afgelopen twintig jaar leek de Brits-Russische relatie harmonieus. Zowel Rusland als Groot-Brittannië wenste handhaving van de status-quo, ofschoon de tsaar minder vertrouwen had in de mogelijkheid de 'zieke man' (het Turkse Rijk) op de been te houden en daarom aan de Engelsen een scenario had voorgelegd in geval van een ineenstorting. De Britse regering stond hier uiterst wantrouwig tegenover en achtte zich er niet aan gebonden. De tsaar echter wel en hij was zich niet bewust van het groeiende Britse wantrouwen tegen het Russische expansionisme.

De Frans-Russische betrekkingen, door de revolutie in Frankrijk van 1848 danig bekoeld, verbeterden niet toen Frankrijk onder leiding van Napoleon III een keizerrijk werd. Tussen Rusland en Frankrijk ontstond een geschil over de rechten van katholieken en orthodoxen in het Heilige Land. In de hoop de Franse katholieken aan zijn zijde te krijgen, eiste Napoleon III van de sultan privileges voor de katholieken in het Heilige Land en hij kreeg hierin zijn zin. De sleutels van de kerk van Bethlehem werden de orthodoxen ontnomen en aan de Katholieke Kerk ter hand gesteld.

Dit was voor tsaar Nicolaas een onverteerbare zaak. Hij stuurde vorst A.S. Mensjikov naar de Porte om herziening te bewerkstelligen. Het enige dat deze arrogante diplomaat bereikte, was dat hij Engeland en Frankrijk naar elkaar toe dreef in wat deze staten beschouwden als een poging van Rusland het Turkse Rijk te beheersen. Bovendien beging Mensjikov de kolossale fout om de kwestie gecompliceerder te maken door van de sultan erkenning van het Russische beschermheerschap over de 12 miljoen orthodoxe onderdanen te eisen.

Om deze eis kracht bij te zetten bezetten Russische troepen in juli de Donauvorstendommen. Ofschoon dit een overhaaste actie was, is het waarschijnlijk dat Nicolaas niettemin een militair conflict wilde vermijden en bereid was tot een compromis: de 'Weense Nota' van 28 juli wijst hierop. De Porte voelde zich echter gesteund door de Britten en Fransen en wees het compromis hooghartig van de hand. Op 4 oktober stuurde Turkije aan Rusland een ultimatum om de Donauvorstendommen te ontruimen; op 23 oktober betraden Turkse troepen Russisch grondgebied.

*Zeeslag tussen de Russische en Turkse vloot in de Zwarte Zee bij Sinope.*

## Pius IX formuleert dogma 'onbevlekte ontvangenis'

ROME, 8 december - Paus Pius IX heeft in zijn bul *Ineffabilis Deus* het dogma van Maria's onbevlekte ontvangenis geformuleerd. Volgens dit dogma was Maria, de moeder van Jezus, reeds bij het eerste moment van haar ontvangenis in de moederschoot door bijzondere goddelijke begenadiging van alle smetten van de erfzonde vrijwaard. Deze bijzondere begenadiging wordt uitdrukkelijk in verband gebracht met Christus' verzoeningswerk; 'intuitu meritorum Christiae, met het oog op de verdiensten van Christus', zoals de bul het formuleert. *Ineffabilis Deus* heeft tot veel verzet in kringen van liberale theologen geleid. Het dogma van de onbevlekte ontvangenis, een belangrijk onderdeel van de Maria-verering, wordt door een meerderheid van de moderne theologen afgewezen. Paus Pius IX wil met zijn bul dan ook het gezag van de katholieke kerk onderstrepen. De paus keert zich tegen het toenemend geloof in de wetenschap, dat vele katholieken van de kerkelijke leerstellingen vervreemt, en tegen het protestantisme.

## Verdrag heft Japans isolationisme op

KANAGAWA, 31 maart - Met de ondertekening van het Verdrag van Kanagawa is aan de bijna volledige afsluiting van Japan voor buitenlandse mogendheden een einde gekomen.

Meer dan twee eeuwen lang hebben slechts Nederlanders en Chinezen op zeer bescheiden schaal toegang tot Japan gehad. Met de ondertekening van dit verdrag tussen Japan en de Verenigde Staten lijkt de weg gebaand voor andere westerse landen om bij verdrag eveneens toegang tot Japan te krijgen. Volgens het verdrag krijgen de Amerikanen toegang tot twee, overigens vrij onbelangrijke, havens: die van Sjimoda nabij het bergachtige schiereiland Izoe en de haven van Hakodate op het eiland Hokkaido. Te Sjimoda mag een Amerikaans consulaat worden gevestigd. De Japanse regering staat borg voor de veiligheid van de Amerikaanse onderdanen. De Verenigde Staten krijgen tevens de positie van 'meest begunstigde handelsnatie', wat hun een aanzienlijk aantal extra voorrechten verschaft.

Het verdrag is onder grote druk van de Verenigde Staten tot stand gekomen. In juli vorig jaar bereikte een grote Amerikaanse vloot, onder bevel van

*Commandant Matthew Perry en zijn mannen tijdens hun eerste bezoek aan Japan.*

commandant Perry, Japan. In Oeraga, nabij de baai van Edo, dwong hij de Japanners een brief van de president van de Verenigde Staten, bestemd voor de Japanse keizer, aan te nemen. In deze brief werd gevraagd Japan te openen voor handelaren en diplomatieke missies van de Verenigde Staten. Het volgende jaar zou hij met een vloot terugkomen om het antwoord in ontvangst te nemen.

Niet voor niets voerde Perry deze actie uit in de nabijheid van Edo. De Japanners begrepen dat zij tegen de sterke Amerikaanse vloot niet op konden en dat bij een eventueel treffen Edo, en daarmee de bevoorrading van een miljoenenstad met haar achterland, zou kunnen worden geblokkeerd.

Anderzijds was het voor het sjogoenaat moeilijk aan de eisen van Perry toe te geven. De daimio Abe Masahiro had al in 1845 alle daimio's naar hun mening gevraagd over de mogelijkheden aan de westerse druk op het land weerstand te bieden of toe te geven. De overgrote meerderheid was tegenstander van het loslaten van de isolationistische politiek gebleken.

Er was geen overeenstemming over de te volgen politiek te bereiken. Wel werd het raadplegen van alle daimio's door hen aangegrepen om hun kritiek op het sjogoenaat te spuien. Dit was de eerste keer dat zij daartoe in de gelegenheid werden gesteld.

Perry werd bij zijn terugkeer in Japan in februari dit jaar geconfronteerd met een verzwakt sjogoenaat en een politiek sterk verdeeld land. Hij eiste onmiddellijk dat onderhandelingen over de eisen van de president van de Verenigde Staten te Kanagawa zouden worden geopend. Met een zo sterke vloot voor de deur hebben de Japanse onderhandelaars uiteindelijk niets anders kunnen doen dan aan de Amerikaanse eisen toe te geven.

Voor de andere westerse landen lijkt de deur nu ook geopend te zijn. Op het gebied van de binnenlandse politiek zal het toegeven van het sjogoenaat zeker repercussies hebben. De daimio's zullen doorgaan met het ondergraven van het gezag van het sjogoenaat met als einddoel dit ten gunste van henzelf af te schaffen.

## Frans-Engelse troepen nemen Piraeus in

PIRAEUS, 28 maart - Engelse en Franse troepen hebben de Griekse havenstad Piraeus, ten zuiden van Athene, bezet. Doel van deze interventie: de Grieken te dwingen af te zien van hun territoriale aspiraties buiten de grenzen van de eigen staat.

De militaire actie van de grote mogendheden is een directe reactie op de gevechten die zijn uitgebroken in Macedonië, Thessalië en Epirus tussen Griekse en Turkse troepen, confrontaties met als doel deze gebieden in te lijven.

De agressieve expansionistische politiek van Griekenland heeft de afgelopen tien jaar aan kracht gewonnen. Dit 'irredentisme' wordt niet meer heimelijk beleden maar is een cruciaal onderdeel van de buitenlandse politiek van koning Otto geworden.

De 'grote idee' (de 'megali idea') die eraan ten grondslag ligt, werd tien jaar geleden voor het eerst verwoord door de parlementariër Kolettis, de leider van de pro-Franse fractie in de Vouli. Als premier kon hij later, van harte gesteund door koning Otto, die hem in die functie benoemde om de liberale Mavrokordatos opzij te kunnen schuiven, verder vorm geven aan deze idee. Vooral in intellectuele kring heeft de 'megali idea' sindsdien een warm onthaal gekregen.

De voedingsbodem van deze expansionistische en nationalistische ideologie is nog steeds zeer gunstig. In Grieken-

*Otto I, de Duitse koning van Griekenland, in de stad Nauplion.*

land wonen minder Grieken dan daarbuiten. Twee van de bijna drie miljoen Grieken leven onder Osmaans gezag. De handelscentra van de Grieken (Smyrna, Alexandrië, Thessaloniki en Constantinopel) liggen niet in Griekenland maar elders. In een stad als Smyrna bijvoorbeeld wonen meer Grieken dan Turken (ruim 70 000 Grieken en 40 000 Turken), zelfs meer dan in Piraeus. Constantinopel, ooit de hoofdstad van het christelijke Byzantijnse Rijk, is in de ogen van Grieken 'de' stad, Athene allerminst. Bovendien kon de regering in Athene

steeds minder makkelijk doof blijven voor de pro-Griekse acties buiten haar grondgebied. Met name in Thessalië neemt het Griekse nationalisme een grote vlucht en ook op Kreta klinkt de roep om 'eenheid' met het vasteland (de 'enosis') steeds luider.

De grote mogendheden zijn echter bang dat deze Griekse buitenlandse politiek het wankele machtsevenwicht in de Balkan zal verstoren. Engeland en Frankrijk vrezen vooral dat de 'megali idea' Rusland in de kaart zal spelen. De Krimoorlog heeft Londen en Parijs toch al wakker geschud.

# Republikeinse Partij verwerpt slavernij

WASHINGTON, 13 juli - De slavernij is een moreel, maatschappelijk en politiek kwaad: dat is de stelling waaromheen zich deze zomer een nieuwe politieke partij, bestaande uit Whigs, Free Soilers en antislavernij-Democraten, aan het uitkristalliseren is. Deze coalitie heeft zich getooid met de naam Republikeinse Partij en keert zich fel tegen de Kansas-Nebraska Act.

De Kansas-Nebraska Act, een initiatief van senator Stephen Douglas, heeft de hele slavernijdiscussie weer opgerakeld, doordat in de wet, die na drie maanden verbitterd debat is aangenomen, de inwoners van de territoria Kansas en Nebraska zelf mogen bepalen of in hun gebieden de slavernij wordt toegestaan of niet; daarmee wordt het moeizaam bereikte 'Missouri Compromise' van 1820, waarin gedetailleerde afspraken over de slavernijkwestie zijn vastgelegd, onderuitgehaald. In een eind januari gepubliceerd 'Appel van de Onafhankelijke Democraten' wordt de wet van Douglas veroordeeld als een 'grove schending van een heilige belofte' en als een 'komplot' van de slavenhouders. Tegenstanders van Douglas beweren dat de senator de wet heeft ingediend om de zuidelijke steun voor zijn presidentiële ambities in 1856 te verwerven.

Op 28 februari zijn tegenstanders van de Kansas-Nebraska Act bijeen geweest in Ripon (Wisconsin), waarbij ze zich sterk hebben gemaakt voor de oprichting van een nieuwe partij die zich helemaal moet richten op de strijd tegen de slavernij. Op een massabijeenkomst in Jackson (Michigan) een week geleden heeft de coalitie officieel de naam 'Republikeins' aangenomen. De Jackson-groep wil intrekking van de Kansas-Nebraska Act en van de Fugitive Slave Act en onmiddellijke afschaffing van de slavernij in het District of Columbia (Washington). Soortgelijke bijeenkomsten zijn er vandaag gehouden in Ohio, Wisconsin, Indiana en Vermont.

*Florence Nightingale in Scutari [Shkodër, Albanië], schilderij van J. Barrett uit 1856. Naar aanleiding van de berichten van W.H. Russell, correspondent van 'The Times', over de mensonterende toestand van de zieke en gewonde Britse soldaten aan het front in de Krimoorlog, benaderde de Britse minister van Oorlog, Sidney Herbert, de verpleegkundige Florence Nightingale met het verzoek hulp aan de gewonde soldaten te bieden. Met grote wilskracht, geduld en tact schiep 'the lady with the lamp', zoals ze liefkozend werd genoemd, orde in het erbarmelijke legerhospitaal en wist zij de verzorging van de gewonden grondig te verbeteren.*

*Communisten in de beklaagdenbank tijdens een rechtszitting in Keulen.*

## Duits verbod op vakverenigingen

BERLIJN, 13 juli - De Duitse Bondsdag heeft het besluit genomen alle va' verenigingen met een politiek doel i het vaandel buiten de wet te stelle' Door deze maatregel wordt met nar de 'Algemene Duitse Arbeidersbro derschap' getroffen. Bij deze organis tie is een groot aantal leden met soci listische en communistische symp: thieën aangesloten. De confessione georganiseerde verenigingen, zoals h in 1846 opgerichte katholieke Gese lenverbond, zijn van het verbod ui gesloten. Het besluit van de Bondsda komt niet geheel als een verrassing. N: dat in 1849 alle verenigingen hun stat ten aan de politie moesten overlegge kreeg de broederschap de opdrac' haar activiteiten te beperken. Bij Pruisische en Saksische autoriteit: groeide de vrees dat de Arbeidersbro derschap een kweekvijver voor h communisme vormde. Op 1 juli 18! werd het orgaan van deze overkoep lende vakvereniging een publikatieve bod opgelegd. In Saksen en Beiere werden de aangesloten verenige verboden. Blijkens een politiebericl telde Duitsland in 1852 nog 59 plaatse met een vakvereniging.

De Arbeidersbroederschap heeft z doende in Duitsland geen lang leve gekend. Sinds het eerste Duitse Arbe derscongres, dat in de late zomer va 1848 in Berlijn plaatsvond, heeft c vereniging steeds te maken gekrege met overheidsbemoeienis. Met nan de socialistische en communistische i vloed moest geëlimineerd worden. N de mislukte revolutie van 1848 werd c klok in politiek opzicht teruggedraaic De roep om een grotere politieke eman cipatie werd gesmoord wat radicalise ring binnen de arbeidersbeweging i de hand werkte. Na de juridische bla mage tijdens het communistenproce in Keulen in november 1852, waarb een aantal aangeklaagden werd vri gesproken toen bleek dat het be wijsmateriaal tegen hen vals was, he ben de autoriteiten ditmaal via ee andere weg de invloed van de Duits Communistenbond een gevoelige sla toegebracht.

# Keizer Frans Jozef I huwt Beierse prinses

*Keizerin Elisabeth van Oostenrijk.*

WENEN, 24 april - In de Weense Augustinerkirche is met veel pracht en praal het huwelijk ingezegend van de 23-jarige keizer Frans Jozef I van Oostenrijk en de 16-jarige Beierse prinses Elisabeth, bijgenaamd Sissi. Het volk zong de voor deze gelegenheid aan het Oostenrijkse volkslied toegevoegde strofe: 'An des Kaisers Seite waltet, Ihm verwandt durch Stamm und Sinn,

Reich an Reiz, der nie veraltet, Unsre holde Kaiserin. Was das Glück zuhöchst gepriesen, Ström auf sie den Himmel aus! Heil Franz Joseph, Heil Elisen, Segen Habsburgs ganzem Haus!'

De Weense aartsbisschop Rauscher hoopte dat 'de liefde van de keizerin voor de keizer zal zijn gelijk een vredig groen eiland te midden van de woelige baren der wereldpolitiek'. Het commentaar van de Belgische gezant was minder pathetisch: 'In een stad waar onlangs de revolutionaire geest zo veel verwoestingen heeft aangericht, kan het geen kwaad de grandeur van de monarchie weer eens ten toon te spreiden.' De verloving van de keizer met Sissi, de dochter van de Beierse hertog Maximiliaan, heeft menigeen verbaasd. Een telg uit het tamelijk onbeduidende Huis Wittelsbach is geen goede partij voor een Habsburgse keizer. Sissi is een volle nicht van Frans Jozef, en zij is nog zeer jong en onbezonnen. Over het eerste bezwaar stapte aartshertogin Sophie, de moeder van Frans Jozef, die als huwelijksmakelaarster optrad, gemakkelijk heen. Zij stamt immers zelf uit het Huis Wittelsbach: de moeder van Sissi is haar eigen zuster Ludovika. Bovendien waren haar pogingen om Frans Jozef te koppelen aan prinses Anna van Hohenzollern mislukt. Ook de naaste verwantschap leek niet onoverkomelijk, hoewel het Oostenrijkse hof vele gevallen van degeneratie door inteelt kent. De leeftijd van Sissi was een probleem dat door Frans Jozef van tafel werd geveegd. Zijn moeder - 'die heimliche Kaiserin' - had aanvankelijk Sissi's oudere zuster Helene als bruid voor haar zoon bestemd. Bij de eerste ontmoeting met de twee zusjes werd Frans Jozef echter tot over zijn oren verliefd op de jongste. Maar volgens haar dominante aanstaande schoonmoeder was Sissi door haar karakter en opvoeding niet zo geschikt om de hoge positie van keizerin te bekleden.

Sissi is spontaan, eigenzinnig en vrijheidslievend. Zij is op het kleine Beierse landgoed Possenhofen als een boerenmeisje opgegroeid en kan uitstekend paardrijden, vissen en bergbeklimmen. Zij bekommert zich niet om rangen en standen en weet niets van de strenge hofetiquette. De verliefde keizer gaat ervan uit dat Elisabeth snel kan worden heropgevoed. Sissi verzuchtte tijdens de verlovingsperiode, toen zij al haar tijd moest besteden aan het leren van goede manieren en Oostenrijkse geschiedenis: 'Ich habe ihn ja sehr lieb. Wenn er doch nur ein Schneider wäre!'

Nederlandse schoolplaat over Nederlands-Indië uit de tweede helft 19de eeuw.

*(afbeelding met opschriften: Roemah blanda. Woning van Europeanen. — edjang stal. Staljongen. — Toekang kebon. Tuinjongen. — Baboe anak. Kindermeid. — Ajam-ajam. Kippen. — Anak boedjang. Kinderen van bedienden. — Dikaloerwarkan olih TOEWAN KOLFF.)*

# Kierkegaard laakt Kerk

KOPENHAGEN, 15 december - De filosoof en theoloog Søren Kierkegaard heeft opnieuw opschudding verwekt in kerkelijke en maatschappelijke kringen in Denemarken. In een reeks artikelen in de krant *Faedrelandet* (Vaderland) en in een door hem zelf uitgegeven vlugschrift *Øjeblikket* (Ogenblik) heeft hij een scherpe aanval gelanceerd op de Deense Kerk, die hij tot de ondergang verdoemd ziet, omdat ze zo verwereldlijkt is.

Kierkegaard beschuldigt de Kerk van totale ontrouw aan het evangelie. Volgens hem heeft het geloof niets te maken met de lauwe, burgerlijk-uiterlijke kerkelijkheid van de zich christen noemende massa: de massa moet tot enkeling worden, niet voor zichzelf, maar voor God. Christen zijn is een breuk met alles en iedereen, godsdienstige beleving is een eenzame ervaring, een innerlijk en individueel drama. Kierkegaard ziet het als zijn taak de uiterlijke christelijkheid te ontmaskeren om het echte christen-zijn mogelijk te maken. Bescheiden zegt hij: 'Ik mag mij geen christen noemen, maar eerlijkheid wil ik en daarvoor heb ik veel over.'

Deze felle aanval op de Deense staatskerk is niet het enige opmerkelijke uit de loopbaan van de nu 41-jarige filosoof. In eerdere werken viel hij al op door zijn wantrouwen tegen het algemene, het abstracte, het universele zoals door Kant en Hegel werden beschreven. Kierkegaard verwerpt dit. Volgens hem bestaat er ook geen objectieve waarheid, maar is juist subjectiviteit het belangrijkste. De werkelijke

*Søren Kierkegaard.*

problemen in het leven zijn niet met algemene waarheden op te lossen, maar vereisen een specifieke, individuele benadering. Met ironie toont hij de relativiteit van de zekerheden en absoluutheden in het leven aan. De realiteit is er slechts voor het individu: wat moet ik in deze situatie op dit moment doen? Vaak is het een kiezen tussen het een of het ander. Kierkegaard noemt dit een existentieel probleem, waarbij hij existentie als meest innerlijke, onvatbare, persoonlijke kern van de individuele mens ziet.

Toch is het niet deze onorthodoxe filosofie die de aandacht trekt, maar zijn radicale religiositeit, zoals blijkt uit de recente aanvallen van Kierkegaard op de staatskerk.

# Borneo-Chinezen in verzet

PONTIANAK, 28 november - De in afgelopen juli uitgebroken opstand van Chinese kongsi's in het sultanaat Pontianak is door hardhandig ingrijpen van Nederlandse troepen in bloed gesmoord. De Chinezen grepen naar de wapens nadat in juni commandant Andresen bevel had gegeven de kongsi's op te heffen, met als doel een einde te maken aan de voortdurende onrust in het binnenland van Borneo.

De Nederlanders bezaten tot aan het begin van deze eeuw op Borneo slechts enige versterkingen, maar zij zijn zich sinds 1846, toen de Engelsman James Brooke van de sultan van Brunei de soevereiniteit over het district Sarawak verkreeg, intensiever met het eiland aan bemoeien. Om verdere Britse expansie te voorkomen werd het noodzakelijk het nominale Nederlandse gezag ook daadwerkelijk te vestigen, wat in de sultanaten Sambas en Pontianak niet zonder problemen gaat.

Pontianak ontwikkelde zich in de achttiende eeuw tot een welvarend handelscentrum. De VOC sloot in 1779 een contract met de sultan, waarbij de Compagnie grote handelsvoordelen verwierf. In 1791 werd de factorij opgeheven, maar in 1818 werd de Nederlandse vlag opnieuw gehesen.

In deze dunbevolkte gebieden hebben zich in de loop der jaren duizenden door de goudmijnen aangetrokken Chinezen (voornamelijk Hakka's) gevestigd, die zich in kongsi's organiseerden. Deze kongsi's waren in schijn onderworpen aan het Nederlands gezag, maar bezaten de feitelijke macht in het binnenland en bevochten elkaar onophoudelijk de heerschappij over de uitgeput rakende mijnen.

In 1850 besloot Nederland in te grijpen; de onrust dreigde over te slaan naar de sinds kort in exploitatie genomen kolenmijnen aan de oostkust. Pamangkat, de machtsbasis van de belangrijkste kongsi-federatie Fo Shun, werd ingenomen, waarop een algehele opstand uitbrak. Eind vorig jaar leek deze neergeslagen en achtte men het moment rijp om alle kongsi's op te heffen.

*De opening van de spoorlijn van Épernay naar Reims in het oosten van Frankrijk op 4 juni. De plechtigheid vindt plaats in aanwezigheid van keizer Napoleon III, die daarmee zijn interesse voor de aanleg van het spoorwegennet in Frankrijk onderstreept. De aartsbisschop van Reims draagt de mis op en zegent de beide locomotieven.*

# Thoreau schrijft 'Walden'

*Henry David Thoreau (links) en Ralph Waldo Emerson.*

CONCORD- De twee eenzame jaren die de Amerikaanse schrijver Henry David Thoreau in de natuur bij Walden heeft doorgebracht, staan beschre-

## Gebroeders Grimm publiceren Duits woordenboek

LEIPZIG - De gebroeders Jakob en Wilhelm Grimm hebben na zestien jaar van onderzoek het eerste deel van hun *Deutsches Wörterbuch* gepubliceerd. Op voorstel van Karl Reimer, een van de eigenaren van Weidmannschen Verlagsbuchhandlung in Leipzig, zijn de twee beroemde taalkundigen in 1838 begonnen met het omvangrijke karwei, in een alfabetisch geordend naslagwerk de gehele Duitse woordenschat, van Maarten Luther tot Johann Wolfgang von Goethe, onder te brengen.

De onderneming is mogelijk door de voortreffelijke organisatie van de werkzaamheden. Meer dan tachtig medewerkers hebben uit een enorme verscheidenheid van bronnen het materiaal voor het woordenboek verzameld.

ven in zijn nieuwe boek *Walden or Life in the Woods*. Thoreau, die meent dat in de bestaande samenleving 'de meerderheid van de mensen in stille wanhoop' leeft, trok zich terug in een hut bij de Waldenvijver en bracht zijn tijd door met meditatie en contemplatie. Hij wilde zichzelf van de knellende banden van de materialistische maatschappij bevrijden en een antwoord vinden op de grote vragen van het leven. Thoreau is na zijn ervaringen in Walden overtuigd van de 'onloochenbare gave van de mens om zijn leven door bewuste inspanning op een hoger plan te brengen'.

Thoreau is sterk beïnvloed door het werk van de Amerikaanse filosoof en dichter Ralph Waldo Emerson, die hij ontmoette tijdens zijn studie in Harvard. Emerson wist de jonge schrijver voor zijn opvatting te winnen en betrok Thoreau bij zijn literaire tijdschrift *Dial*. Thoreaus nadruk op de individuele vrijheid van de mens en zijn antiautoritaire levenshouding bracht hem in conflict met de macht van de staat. Zijn opvattingen hierover legde hij neer in zijn essay *On the Limits of Civil Disobediences*, waarin hij een lans breekt voor het recht om zich op geweldloze wijze tegen de regering te verzetten.

*De aanleg van de eerste bergspoorweg in de wereld, het traject over de Semmering in Oostenrijk. De nieuwe spoorbaan, waaraan zes jaar is gewerkt, loopt van Gloggnitz (438 m), via de bijna 1,5 kilometer lange tunnel bij de Semmeringpas (898 m), naar Mürzzuschlag (682 m) en passeert 17 bruggen en 15 tunnels. Het ontwerp voor de berspoorweg is van ingenieur Karl Ritter von Ghega.*

# 1855

**2 maart.** Tsaar Nicolaas overlijdt en wordt door zijn oudste zoon Alexander II opgevolgd.

**30 maart.** Het Peshawar-verdrag maakt van Groot-Brittannië en Afghanistan bondgenoten tegen Perzië.

**16 april.** Koning Rama IV Mongkut van Siam sluit met Groot-Brittannië een handelsovereenkomst. →

**April.** In Vietnam wordt een opstand tegen het bewind van keizer Tu Duc georganiseerd. →

**5 mei.** De Franse componist-dirigent Jacques Offenbach neemt bezit van het Parijse theater Folies Marigny. →

**1 juli.** De drukker en boekhandelaar Ernst Litfass stelt in Berlijn een reclamezuil op. →

**18 augustus.** Frans Jozef, keizer van Oostenrijk, sluit met de paus een concordaat. →

**27 augustus tot 8 september.** De door de Britse en Franse troepen belegerde stad Sevastopol capituleert. →

**11 oktober.** Antonio López de Santa Ana, die met onderbrekingen sinds 1832 president van Mexico was, wordt definitief afgezet.

- In Ethiopië wordt Theodorus II keizer.

- Marcellin Berthelot, Frans chemicus, realiseert de synthese van alcohol. Hiermee wordt hij de grondlegger van de meeratomige alcoholen.

- De gedichtenbundel *Leaves of Grass* van de Amerikaanse dichter Walt Whitman verschijnt.

- George Bristow componeert de opera *Rip van Winkle*.

- Jacob Burckhardt schrijft de kunsthistorische verhandeling *Der Cicerone*.

- De *Geschichte der preussischen Politik* van de historicus Johann Droysen verschijnt.

- De fotograaf Roger Fenton maakt foto's tijdens de Krim-oorlog. →

- De regering van Victoria (een Australische provincie) beperkt Chinese immigratie.

Geboren:

**24 mei.** Arthur Wing Pinero (†1934), Engels toneelschrijver

Gestorven:

**23 februari.** Karl Friedrich Gauss (30-4-1777), Duits wis-, natuurkundige en astronoom
**31 maart.** Charlotte Brontë (21-4-1816), Engels schrijfster
**11 november.** Søren Kierkegaard (5-5-1813), Deens filosoof, theoloog en schrijver
**26 november.** Adam Mickiewicz (24-12-1798), Pools dichter

# Franse druk op Vietnam neemt toe

HUE, april - De opstand van de tot h katholicisme bekeerde Vietnamees T Van Phung heeft de druk van Franl rijk op de interne politiek van Vietnar doen toenemen. Ta Van Phung ste dat hij rechtmatig erfgenaam van d Lê-dynastie is en probeert met steu van katholieken en met name va Franse missionarissen keizer Tu Du ten val te brengen.

Hij werd in deze poging aangemoedig door eerdere steun van de Fransen aa opstandelingen. De Franse admira Cécille had in 1844 al voorgesteld er genamen van de Lê-dynastie met Fra se steun weer aan de macht te brenge Sindsdien hadden kerkelijke autorite ten meer dan eens gezinspeeld op ee mogelijke staatsgreep tegen d Nguyên-dynastie, waarbij zij een acti ve rol zouden kunnen spelen.

De Vietnamezen van hun kant moeste niet veel hebben van de katholieke mi sioneringsdrang. De confucianiste zagen het binnendringen van het ka tholicisme als een aantasting van hu waardenpatroon. De boeddhisten vor den niet alleen dat door de groei van h katholicisme hun invloed afnam, ma waren ook verontrust door de onve draagzaamheid die de katholieke Ker ten opzichte van andere religies aa den dag legde. Terwijl volgens h boeddhisme ook plaats voor andere re ligies in de samenleving moet zijn, ga het katholicisme uit van het mon theïsme.

Ten slotte had de overheid bezwar tegen de manier waarop missionari sen zich manifesteerden: in de dorpe waar zij een grote aanhang krege stelden zij de boeren meer dan ee voor geen belastingen te betalen aan centrale regering maar rijst aan d geestelijken te geven. In tijden va hongersnood konden de bewoner wanneer ze katholiek waren of zich al nog bekeerden, rijst krijgen om d nood te lenigen. Hierdoor werd de f nanciële basis van het staatsappara ondergraven en kregen de geestelijke directe controle over de bevolking Daarnaast traden Franse missionari sen en later ook Vietnamese katholi ken als informanten van de Franse r gering op. In vele gevallen zetten zij t opstanden aan.

De druk op de katholieken is de laatst drie decennia daarom toegenome Dit heeft weer reacties van de kant va de Fransen uitgelokt. Dezen voeren verdediging van het katholicisme graa aan als reden voor interventie in Vie nam. Gelet op de debatten in kringe van Franse zakenlieden zijn echter ec nomische en politieke motieven b langrijker en is de vervolging van ka tholieken slechts een voorwendse Van keizer Tu Duc zal groot staat manschap worden vereist om de dru van Frankrijk te weerstaan.

# Siam komt tegemoet aan Engelse eisen

BANGKOK, 16 april - Onderhandelingen tussen de Siamese koning Mongkut en de door koningin Victoria aangewezen vertegenwoordiger voor Engeland hebben geleid tot het tekenen van een 'vriendschaps- en handelsverdrag'.

Aan beide kanten van de onderhandelingstafel zaten delegatieleiders die aan elkaar gewaagd waren. De koning van Siam [Thailand] heeft 27 jaar lang als boeddhistische monnik grote bewegingsvrijheid genoten. Gedurende deze periode heeft hij kennis kunnen nemen van de levensomstandigheden van de bevolking en zich kunnen oriënteren op vraagstukken betreffende de buitenlandse politiek van Siam. Hij heeft tevens een gedegen passieve en actieve kennis van de Engelse taal verworven en zich het Latijn eigen gemaakt. Als monnik heeft hij Pali geleerd. Voorts heeft hij grote belangstelling voor astrologie en astronomie. In de ogen van de Engelsen geldt hij dan ook als de eerste Aziatische vorst die studie van westerse talen en wetenschappen heeft gemaakt.

Sir John Bowring, de Engelse onderhandelaar, heeft eerst westerse talen gestudeerd en heeft als eindredacteur voor de *Westminster Review* gewerkt. Daarna is hij onder meer consul voor Engeland in Kanton en hoofdinspecteur van de Engelse handel op China

*Koningin Victoria van Engeland met echtgenoot en kinderen.*

geweest. Voordat hij van koningin Victoria de opdracht kreeg voor Engeland de onderhandelingen met Siam te voeren, was hij gouverneur van Hong Kong.

Koning Mongkut en Bowring lagen elkaar vanaf het eerste moment goed. Zij hebben de laatste maanden menig gesprek onder vier ogen gevoerd en hebben wederzijds respect voor elkaar.

Mongkut heeft ingezien dat het voor Siam onmogelijk is de Engelse superioriteit in Azië te tarten. De Birmezen hebben immers de laatste decennia tweemaal moeten ondervinden dat de Engelse legers moeilijk te verslaan zijn en ook de Chinezen hebben het in de Opiumoorlog tegen hen moeten afleggen. Daarom heeft hij zich neergelegd bij de 'voorstellen' van Bowring.

De Engelsen mogen voortaan handel drijven in alle Siamese havens, maar permanente vestigingen zijn slechts toegestaan in Bangkok en al die plaatsen welke per Siamese boot binnen 24 uur kunnen worden bereikt. Zij moeten zich laten registreren op het Engelse consulaat en mogen in een straal van zes kilometer rond de hoofdstad land kopen. Wanneer er conflicten tussen Siamezen en Engelsen ontstaan, zal een Siamees-Engelse rechtbank uitspraak doen. De vrije invoer van opium, goud en zilver is voortaan gegarandeerd. Over exportprodukten wordt een heffing betaald die in een aanhangsel van het verdrag is vastgelegd. Ten slotte is Engeland in het vervolg 'meest begunstigde handelsnatie' en kan het verdrag alleen dan worden veranderd als beide partijen daarmee hebben ingestemd.

Het is duidelijk dat aan zo goed als alle 'wensen' van de Engelsen door koning Mongkut tegemoetgekomen is. Een andere keus is hem echter ook niet gelaten, omdat Engeland anders wel met geweld deze maatregelen zou hebben afgedwongen en Siam waarschijnlijk meer van zijn vrijheid zou hebben moeten prijsgeven.

*In Berlijn komt de boekdrukker Ernst Theodor Litfass op het idee om de vele reclameborden die overal in de stad aan bomen en op schuttingen en muren zijn vastgespijkerd, op centrale punten te verzamelen. Hij ontwerpt hiervoor de reclamezuil. Van de Berlijnse politie krijgt Litfass toestemming om op een aantal markante punten in de stad deze zuilen te plaatsen. De Berlijners stellen deze nieuwe elementen in het stadsbeeld niet erg op prijs en vrij wat adverteerders laten het in het begin nog afweten.*

*De eerste oorlog die door een fotograaf wordt gedocumenteerd is de Krimoorlog van 1853-1856. In maart van dit jaar vertrekt de Engelsman Roger Fenton, die zijn loopbaan als schilder is begonnen maar al snel gegrepen wordt door de nieuwe techniek van de fotografie, naar de slagvelden op de Krim.*

*Hij heeft twee assistenten, vijf camera's, 700 glasplaten voor fotografische opnamen en een door vier paarden getrokken mobiele donkere kamer ('photographic van'), bij zich. De omstandigheden waaronder hij moet werken blijken niet gemakkelijk: er heerst een vreselijke hitte, water is moeilijk te krijgen en zijn hoge fotowagen is een gemakkelijke schietschijf voor de Russische soldaten.*

*De echte gruwelen van de slagvelden worden niet door Fenton gefotografeerd, hoe bloedig de oorlog ook was. In zijn persoonlijke notities legt hij de navrante situaties die hij onder ogen krijgt wel vast, maar op zijn foto's zijn alleen maar zorgvuldig gecomponeerde romantische taferelen te zien. Deels is dit het gevolg van zijn artistieke achtergrond als schilder, deels komt dit door de houding van de Engelse officieren van wie hij afhankelijk is en die zich liever in vol ornaat laten portretteren alsof ze op een vakantie-uitstapje zijn. Op de foto's links boven Fentons fotowagen met een assistent op de bok en rechts geamputeerde Engelse soldaten met hun protheses in het Chatham-ziekenhuis (foto niet door Fenton).*

# Parijs' uitgaansleven bruisender dan ooit

*Componist-dirigent Jacques Offenbach. Rechts een gezicht op de Hallen van Parijs (eerste helft 19de eeuw).*

PARIJS, 5 mei - De beroemde componist en dirigent Jacques Offenbach heeft bezit genomen van het Folies Marigny-theater aan de Champs-Elysées, dat is omgedoopt tot Théâtre des Bouffes-Parisiens. De minister heeft Offenbach uiteindelijk voorrang gegeven boven veel andere gegadigden, op voorwaarde dat er niet meer dan drie personen tegelijk op het toneel zullen staan.

Het Parijse leven is bruisender dan ooit. De Champs-Elysées zijn onder Napoleon III een gezochte ontmoetingsplaats van de Parijse aristocratie geworden. Men ziet er geregeld de keizer zelf, in zijn koets op weg naar het pas aangelegde Bois de Boulogne, dat hem aan zijn geliefde Londense parken doet denken.

Ook koningin Victoria en prins Albert vereren Parijs dit jaar met een bezoek ter gelegenheid van de derde wereldtentoonstelling, de eerste die in Parijs wordt gehouden. Voor keizer Napoleon III, die overigens al meer bezoekers van koninklijken bloede heeft ontvangen, betekent dit dat hij nu door de andere mogendheden werkelijk als vorst erkend wordt.

Het Engelse vorstenpaar kan van zeer nabij aanschouwen hoezeer het Parijse stadsbeeld zich de afgelopen jaren heeft gewijzigd, in het bijzonder op en om de grote boulevards. De nieuwe theaters en cafés daar zijn zeer in de mode.

Door toedoen van baron Haussmann, door Napoleon III tot prefect van Parijs benoemd, zijn de boulevards doorgetrokken, worden tal van straten en bruggen verbreed en zijn er zowel rioleringen als parken aangelegd, terwijl er ook ziekenhuizen, bestuursgebouwen, overdekte markten en andere gebouwen bij komen. Het Gare Saint-Laza-

re, vanwaar in 1835 de eerste trein vertrok, moet alweer voor de tweede keer worden uitgebreid. Rondom het station wordt ook reusachtig veel gebouwd. Hier komen woonwijken, evenals aan weerszijden van de Champs-Elysées. In deze buurt, in een paviljoen aan de Avenue Montaigne, zijn overigens achtendertig doeken van Gustave Courbet te zien. De schilder opende die tentoonstelling uit

boosheid omdat de wereldtentoonstelling slechts elf van zijn doeken aan vaardde en er twee weigerde.

Aan het einde van de nog niet geheel g reedgekomen Avenue Napoléon, d van het Palais-Royal naar het noorde loopt, zal een nieuwe Opéra gebouw worden. Haussmann stelt alles in h werk om dat deel van de stad als ee kosmopolitische trekpleister te do fungeren.

In het hart van Parijs, tussen de Sair Eustache-kerk en het vroegere kerkh Des Innocents, is Baltard bezig met bouw van nieuwe centrale mark hallen. Op verzoek van de keizer zulle het lichte, metalen constructies wo den, in de trant van de moderne st tions.

Er is veel kritiek op de grote, sted bouwkundige veranderingen die P rijs ondergaat. Niettemin moet wo den toegegeven dat de infrastructuu een stuk verbeterd is: door de brede w gen is Parijs heel wat toegankelijk geworden. Voor het leger (hetgeen verband met mogelijke nieuwe opsta den zeker heeft meegespeeld), ma ook voor het verkeer.

De omvangrijke vernieuwingswer zaamheden waarmee in Parijs een b gin is gemaakt, heten reeds model staan voor stedebouwkundige ingr pen in andere grote steden in Europ zoals Rome, Turijn en Wenen.

## Bloedige slag om Sevastopol beslist

*Franse en Britse troepen belegeren Sevastopol tijdens de Krimoorlog.*

SEVASTOPOL, 10 september - De bloedige slag om Sevastopol in de Krimoorlog is ten einde. Na een bijna elf maanden durend beleg hebben Franse en Britse troepen de stad, die bijna geheel tot een ruïne is gebombardeerd, veroverd. De trieste balans kon worden opgemaakt: de belegeraars verloren 120000 man, de Russen tellen 80000 slachtoffers.

De slag om Sevastopol is pas na een enorme krachtsinspanning van de wes-

terse mogendheden door hen gewo nen. Het beleg begon in oktober vor jaar. De stad was door de Russische g neraal Totleben in staat van verde ging gebracht. Pogingen tot ontzet va de Engelsen en later van de Frans werden afgeslagen. De stad werd van april zwaar door de artillerie gebo bardeerd en op 8 september konden belegeraars de Malakovheuvel bij stad nemen. De overgave liet echt nog twee dagen op zich wachten.

*In het kader van de stadsvernieuwing worden de huizen op deze brug gesloopt.*

# Wenen en Rome tegen revolutie

WENEN, 18 augustus - Tussen Oostenrijk en het Vaticaan is een concordaat gesloten. Keizer Frans Jozef spreekt er zijn vreugde over uit dat 'das grosse Werk' juist op zijn verjaardag is voltooid. Met dit concordaat wordt de macht van de Rooms-Katholieke Kerk in Oostenrijk aanzienlijk uitgebreid. De Kerk herwint de zeggenschap over kerkelijke aangelegenheden, die haar door keizer Jozef II was ontnomen. Bovendien is vastgelegd dat de Kerk meer invloed krijgt op het onderwijs, de huwelijkswetgeving en de pers.

Het concordaat wordt door de liberalen beschouwd als een oorlogsverklaring; Grillparzer dichtte: 'Die spanische Inquisition taugt nicht in unsern Tagen. Ihr müsst euch begnügen schon, die Andersgläubigen sonst zu plagen.' De katholieken zagen het echter als een vredesverdrag. De verhouding tussen Kerk en staat in Oostenrijk was gespannen sinds Jozef II de vrijheid en de macht van de katholieke Kerk had ingeperkt. Zijn 'Kirchenreglement' schreef precies voor wanneer, waar en hoe de godsdienstoefeningen moesten worden gehouden - zelfs het aantal kaarsen dat tijdens de mis mocht worden gebrand was erin vastgelegd. Vooral het 'Ehepatent' van 1783 was de clerus een doorn in het oog. Deze wet bepaalde dat de Kerk bij de sluiting van een gemengd huwelijk niet mocht eisen dat de kinderen katholiek zouden worden opgevoed.

De staatscontrole op de Kerk vond aanvankelijk veel bijval. Zelfs Metternich had in 1817 met trots verklaard: 'Kein katholisches Land hat sich Rom gegenüber solche Unabhängigkeit bewahrt wie Österreich.' Na de Franse julirevolutie van 1830 raakte hij echter van overtuigd dat een hecht verbond tussen Kerk en staat het beste bolwerk tegen revolutiegevaar was. Het jaar 1848 was voor de Oostenrijkse katholieken verliesgevend. Metternich, hun invloedrijke beschermheer, moest aftreden, de orde der jezuïeten werd ontbonden, en er was een liberale grondwet in de maak.

Bij de overwinning van de contrarevolutie in 1849 keerde het tij. De 'Märzverfassung' van 4 maart 1849 stond de katholieke Kerk een grotere mate van zelfstandigheid toe, en in de gebroeders Schwarzenberg (Felix als minister-president en Friedrich kardinaal) vonden de katholieken vurige pleitbezorgers voor hun zaak. Het nu gesloten concordaat, waarvan het eerste artikel luidt: 'De heilige rooms-katholieke religie zal met al haar voorrechten, die zij door goddelijke bestiering en volgens de kerkelijke wetten geniet, voor altijd bewaard blijven in alle landen die tot het keizerrijk Oostenrijk behoren', is de bezegeling van het antirevolutionaire verbond tussen troon en altaar.

---

**13 februari.** Groot-Brittannië annexeert Oudh, wat de vijandigheden van India tegenover de Britse heerschappij vergroot.

**18 februari.** Het hervormingsedict wordt in het Turkse Rijk van kracht.

**30 maart.** De Vrede van Parijs beëindigt de Krimoorlog tussen de Europese grootmachten en tsaristisch Rusland. →

**12 juli.** De Amerikaanse avonturier William Walker benoemt zich tot president van Nicaragua. →

**4 september.** In het kanton Neuchâtel in Zwitserland wordt een Pruisische, royalistische opstand neergeslagen. Neuchâtel was in het bezit van de Pruisische koning totdat daar in 1848 de republiek werd uitgeroepen.

**September.** Tijdens de feestelijkheden bij de kroning van tsaar Alexander II wordt het Russische volkslied in een duikboot ten gehore gebracht. →

**4 november.** De Democratische kandidaat James Buchanan wint de Amerikaanse presidentsverkiezingen. →

**2 december.** De grens tussen Frankrijk en Spanje wordt vastgelegd.

**16 december.** Marthinus Pretorius wordt de eerste president van de Zuidafrikaanse Republiek. →

- De Duitse natuuronderzoeker Johann Fuhlrott vindt in de buurt van Düsseldorf beenderen van mensen uit de oertijd, de Neanderthalers. →

- De Xhosa, een Bantoestam in Zuid-Afrika, slacht al haar runderen in de hoop dat de hemel instort en de witte vijanden (de Boeren) verslaat. Dit gebeuren volgt op een zware hongersnood in Zuid-Afrika.

- De Engelse technoloog Sir Henry Bessemer ontwikkelt een procédé om goedkoop staal te vervaardigen. →

- Townsend Harris wordt, tegen de wil van de Japanse autoriteiten, de eerste Amerikaanse consul in Japan.

- James Andrew Ramsey, graaf van Dalhousie, treedt af als gouverneur-generaal van India.

- *L'Ancien Régime et la Révolution* van De Tocqueville verschijnt.

- Theodor Mommsen voltooit zijn in 1853 begonnen werk *Römische Geschichte*. →

- John Motley, Amerikaans historicus, publiceert *The Rise of the Dutch Republic.*

Gestorven:

**17 februari.** Heinrich Heine (13-12-1797), Duits dichter →
**29 juli.** Robert Schumann (8-6-1810), Duits componist →

---

*Een machinefabriek annex ijzergieterij van binnen en van buiten gezien.*

# Staalproduktie verbeterd

LONDEN - Onlangs heeft Sir Henry Bessemer patent gekregen op een door hem ontwikkelde methode om staal te produceren. Het belang van deze uitvinding is vooral dat de kostprijs van staal nu aanzienlijk kan dalen. De toegenomen vraag naar staal moet in verband worden gebracht met het industrialisatieproces dat Engeland heeft veranderd in de 'Workshop of the world'. Staal speelt hierbij een belangrijke rol omdat dit het enige metaal is dat opgewassen blijkt te zijn tegen de grote druk en snelheid waaronder moderne machines moeten werken. Smeedijzer en zeker gietijzer zijn daarvoor niet geschikt omdat zij te bros zijn en bij spanning gemakkelijk afbreken. Staal was tot dusverre niet onbekend. Het metaal werd ingevoerd vanuit Kiruna in Zweden, waar het in zuivere vorm gewonnen wordt. De transportkosten maakten het metaal echter zo kostbaar dat een commerciële toepassing nauwelijks mogelijk was. In Engeland werd wel staal gemaakt door smeedijzer te smelten en daaraan koolstof toe te voegen. Deze methode was al in het midden van de vorige eeuw door de klokkenmaker Benjamin Huntsman uitgevonden. Zijn enige doel bij het ontwikkelen van dit procédé was de vervaardiging van veren voor uurwerken. Zijn methode, die ook voor andere doeleinden werd toegepast, had echter hetzelfde nadeel als de import van staal: ze was te kostbaar. Bij het naar zijn uitvinder 'Bessemerproces' genoemde procédé wordt op krachtige wijze in een convertor lucht door het gesmolten ijzer geblazen. In deze luchtstroom verbranden de onzuiverheden in een enorme vonkenregen tot sintels. Het resultaat is staal van uitstekende kwaliteit.

De ijzerindustrie is zonder twijfel Engelands belangrijkste bedrijfstak. Een kwart van alle in fabrieken opgestelde stoommachines staat in metaalverwerkende bedrijven. Bovendien is veertig procent van alle fabrieksarbeiders werkzaam in deze bedrijfstak. Het belang dat gehecht wordt aan de uitvinding van een goedkope vorm van staalproduktie blijkt wel uit het feit dat tientallen ingenieurs en uitvinders gezocht hebben naar een procédé zoals Bessemer vorig jaar uitvond en dat nu met een patent bekroond is.

*Smid bij het slaan van een veer.*

*Theodor Mommsen, de schrijver van het driedelige werk 'Römische Geschichte', waarvan het laatste deel dit jaar verscheen. In dit monumentale werk brengt de beroemde historicus de geschiedenis van het oude Rome op onnavolgbare wijze tot leven. Hoewel hij streeft naar objectiviteit, schroomt hij niet om zo nu en dan zijn persoonlijke voor- en afkeur te laten blijken.*

# Rusland grote verliezer van Krimoorlog

*De Britse fotograaf Roger Fenton is een belangrijke ooggetuige van de Krimoorlog: links Ismaïl Pasja met Turkse soldaten, rechts zoeaven in Franse dienst.*

PARIJS, 30 maart - De Krimoorlog is voor Rusland op een fatale nederlaag uitgelopen. Het in de Franse hoofdstad gesloten verdrag betekent een keerpunt in de positie van Rusland in Zuidoost-Europa en het Nabije Oosten. Rusland is de positie van internationaal gewicht, die het in 1814 had veroverd, kwijtgeraakt.

Het enorme prestigeverlies blijkt uit de verdragsvoorwaarden: Rusland moet de Donaumonding en een deel van Bessarabië afstaan aan Turkije; de Zwarte Zee wordt 'geneutraliseerd', dat wil zeggen Rusland zal er geen vloot meer houden en het moet de fortificaties ontmantelen. Voorts doet het afstand van de aanspraak de enige beschermheer van de Balkanchristenen in het Osmaanse Rijk te zijn. De Donauvorstendommen worden onder de garantie van alle ondertekenende mogendheden gesteld en een internationale commissie zal toezien op een veilige scheepvaart op de Donau.

Tsaar Nicolaas I heeft de Russische nederlaag niet meer meegemaakt. Hij is een jaar geleden overleden en heeft zijn land in een rampzalige situatie achtergelaten. Zijn zoon en opvolger Alexander II staat dan ook een zware taak te

wachten. In het manifest waarin de 37-jarige tsaar het einde van de oorl[..] op de Krim aankondigde, deed hij [..] belofte hervormingen in eigen land [..] zullen doorvoeren.

Hij heeft hiertoe al enige bescheid[..] initiatieven ontplooid. Zo heeft hij o[..] der andere de beperking van buite[..] landse reizen en de numerus fixus a[..] de universiteiten ongedaan gemaak[..] De cruciale kwestie blijft echter de li[..] eigenschap. De tsaar verklaarde in e[..] toespraak tot de adel van Moskou d[..] het beter is de lijfeigenschap van ove[..] heidswege af te schaffen, dan te wac[..] ten tot deze van onderaf ten ein[..] komt. Vele adellijke grootgrondbez[..] ters zijn echter een andere mening to[..] gedaan.

## Oosterse kwestie herleeft

PARIJS, 30 maart - In het vredesverdrag van Parijs, dat de oorlog op de Krim beëindigt, is de *Hatt-i-Hümayoen* opgenomen. Dit decreet van de sultan heeft nauw betrekking op de positie van de christenen op de Balkan. Kern van het onder druk van de grote westerse mogendheden opgestelde document is de verzekering van een gelijkwaardige behandeling van christenen en moslems in het Osmaanse Rijk, onder meer tot uiting komend in vrijheid van godsdienst. Hiermee wordt de lijn van hervormingen zoals die in 1839 werd uitgezet, gecontinueerd.

Met de Krimoorlog is de 'Oosterse Kwestie' weer in het brandpunt van de belangstelling gekomen. Engeland, Frankrijk en de Donaumonarchie kwamen op 15 april via een afzonderlijk verdrag overeen de onafhankelijkheid en de integriteit van het Osmaanse

Rijk te waarborgen. Aldus kreeg [..] sultan respijt om binnenshuis orde [..] zaken te stellen. Rusland wordt ni[..] langer als de protector van de Balka[..] christenen erkend. In plaats hierv[..] stellen de ondertekenende mogendh[..] den (de belligerente staten, de Dona[..] monarchie en Pruisen) zich gezame[..] lijk garant voor het lot van [..] christenen.

Het is niet geheel duidelijk hoe zij [..] menen te rijmen met Artikel VII v[..] het vredesverdrag, waarin de onafha[..] kelijkheid en de territoriale integrite[..] van het Osmaanse Rijk worden g[..] waarborgd, en wordt afgezien van h[..] recht 'te interveniëren in de betrekki[..] gen van zijne majesteit de sultan m[..] zijn onderdanen, en in het interne b[..] stuur van zijn rijk'.

Zo bezien lijkt met de nu gesloten P[..] rijse vrede de Oosterse Kwestie slech[..] tijdelijk geregeld.

RUSLAND

OOSTENRIJK-HONGARIJE

MOLDAVIË

ROEMENIË

KRIM

Alma

Sevastopol

Balaklava

WALACHIJE

Donau

ZWARTE ZEE

SERVIË

Sinope

Constantinopel

TURKIJE

Rusland in 1853

door Rusland in 1853 bezet; in 1856 bezetting opgeheven

Turkije

aan Roemenië afgestaan gebied in 1856

Britse vloot

Franse vloot

*Het Russisch-Turkse grensgebied ten tijde van de driejarige Krimoorlog.*

# Succes voor Republikeinen

WASHINGTON, 4 november - De jonge Republikeinse Partij, die pas twee jaar geleden is opgericht, heeft een verrassend sterke uitslag behaald in de Amerikaanse presidentsverkiezingen. De Republikeinse kandidaat John C. Frémont, bekend vanwege de slogan 'Free Speech, Free Press, Free Soil, Free Men, Frémont and Victory', heeft slechts op het nippertje verloren van James Buchanan. De Democraat Buchanan kreeg 1,8 miljoen stemmen, Frémont 1,3 miljoen. Buchanan kreeg de steun van 174 kiesmannen, Frémont van 114.

Maar achter deze koele cijfers schuilt een veelbetekenende, politieke ontwikkeling die ernstig te denken geeft. Van de negentien staten die Buchanan achter zich heeft gekregen, zijn er maar vijf niet slavenhoudend. De elf staten die voor de Republikeinen stemden, zijn allemaal vrije of slavenloze staten. Beide partijen vertegenwoordigen zo ieder een deel van Amerika. Ruwweg gezegd is de Republikeinse Partij de partij van het Noorden terwijl de Democraten het slavenhoudende Zuiden vertegenwoordigen.

De twee jaar geleden opgerichte Repu-blikeinse Partij is zo snel gegroeid omdat vele Whigs en Democraten zich van hun partij hebben afgewend - uit onvrede over het beleid ten aanzien van de uitbreiding van de slavernij in de nieuwe gebieden - en zich achter de nieuwe partij hebben gesteld. Bovendien is de Republikeinse Partij erin geslaagd kleine partijen als de Know-Nothing-partij en de Free-Soil-partij aan zich te binden. In de Republikeinse Partij hebben degenen die tegen de uitbreiding van de slavernij zijn elkaar gevonden.

De Republikeinen vinden dat er veel te veel is toegegeven aan het streven van het Zuiden om het slavernijsysteem zeker te stellen. De wet op de gevluchte slaven van 1850 is daarvan, volgens de Republikeinen, een voorbeeld. Die wet was een te grote concessie aan het Zuiden om het compromis van 1850 erdoor te krijgen. De Kansas-Nebraska-wet van 1854, waarbij de aloude vastgestelde scheidslijn tussen gebieden in het territorium van de Louisiana Purchase waar wel en waar niet slaven mogen worden gehouden, werd opgeheven, heeft vele Whigs en Democraten die tegen uitbreiding van de slavernij zijn naar het Republikeinse kamp gejaagd. De Democraten staan voor een non-interventiepolitiek inzake de slavernij in de staten. Zij veroordelen de agitatie tegen de slavernij en vermijden een moreel oordeel over deze moeilijke kwestie.

*De kroning van tsaar Alexander II in Sint-Petersburg in september. Alexander volgt zijn vader, Nicolaas I, op, die op 2 maart stierf.*
*Tijdens de kroningsplechtigheid van de nieuwe tsaar werd in de haven van het nabijgelegen Kroonstad het Russische volkslied onder water ten gehore gebracht: de muzikanten bevonden zich aan boord van een onlangs door de Russische marine aangeschafte duikboot.*

# Oprichting van Zuidafrikaanse republiek

*...gekleurde prent van een markt in een van de Britse koloniën in Zuid-Afrika.*

ZUID-AFRIKA, 16 december - Na jaren van verwarring en onderlinge strijd is nu met veel moeite een Zuidafrikaanse republiek tot stand gebracht. Marthinus Pretorius is de eerste president. Voorlopig beperkt het gebied van de nieuwe republiek zich nog tot Transvaal, de eerste onafhankelijke Boerenrepubliek, die ontstond uit de Grote Trek (1835-1843).

De vorig jaar gestichte hoofdstad heet Pretoria. Men verwacht dat de andere grote Boerenrepubliek, Oranje Vrystaat, de Republiek van Zuid-Afrika spoedig zal erkennen. Zo bestaan er naast de twee Britse kolonies, Natal en Kaapkolonie, nu twee onafhankelijke Boerenrepublieken.

Twee jaar geleden, bij de Conventie van Bloemfontein, ontstond de Boerenrepubliek Oranje Vrystaat. Dat was de laatste stap in de Britse politiek van terugtrekking die werd ingezet met de Conventie van Zand Rivier (17 januari 1852), toen Groot-Brittannië de onafhankelijkheid van de Boerenrepubliek Transvaal erkende.

## Duitse componist Robert Schumann overleden

*De componist Robert Schumann.*

ENDENICH, 29 juli - Op 46-jarige leeftijd is de Duitse componist Robert Schumann overleden. Hij kampte de laatste jaren van zijn leven met ernstige depressies. In 1853 werd hij als dirigent van de Allgemeine Musikverein in Düsseldorf ontslagen. Hij begeleidde zijn vrouw nog op een concertreis naar Nederland, maar kort daarop verergerde zijn depressie dusdanig dat hij in maart 1854 op eigen verzoek in een kliniek werd opgenomen.

# Succes voor avonturier

MANAGUA, 12 juli - De Amerikaanse avonturier William Walker lijkt zich van Nicaragua meester te hebben gemaakt. Nadat hij vorig jaar op uitnodiging van een revolutionaire groep met een privé-legertje van 56 man in Nicaragua was geland, heeft hij na wat aanvankelijke tegenslagen een reeks militaire successen behaald. Vandaag is hij geïnstalleerd als president van Nicaragua. Al in mei is zijn regering door de Verenigde Staten erkend.

Het initiatief tot deze vreemde gang van zaken is uitgegaan van de liberalen in Nicaragua, die al sinds jaren in een machtsstrijd met de conservatieven verwikkeld zijn. Behalve de conservatieven is ook Cornelius Vanderbilt een slachtoffer van Walker geworden. Een bedrijf van Vanderbilt, de Accessory Transit Co., onderhoudt sinds vier jaar een passagiersverbinding per stoomboot en postkoets via Nicaragua tussen San Juan del Norte en de oostkust. Twee functionarissen van dit bedrijf, Cornelius Garrison en Charles Morgan, hebben Walker voor hun karretje gespannen om Vanderbilt zijn bedrijf te ontfutselen. Ze hebben hem voor zijn avonturen geld geleend en hebben gratis het transport van zijn legertje op zich genomen. In ruil voor deze diensten heeft Walker het bedrijf geconfisqueerd (zogenaamd wegens een statutaire overtreding) en het aan Garrison en Morgan overgedragen. Wat Walker precies met zijn avonturen in Nicaragua voorheeft, is niet helemaal duidelijk. Aangenomen wordt dat hij een oprecht streven naar vooruitgang in Midden-Amerika paart aan een zucht naar avontuur en macht.

William Walker is op 8 mei 1824 in Nashville, Tennessee, geboren. Hij heeft eerst medicijnen gestudeerd, bracht vervolgens twee jaar in Europa door en ging toen rechten studeren. Behalve in de advocatuur is hij ook actief geweest in de journalistiek. Zes jaar geleden emigreerde hij naar Californië. Walker heeft al eens eerder geprobeerd een eigen land onder zijn hoede te nemen. Drie jaar geleden is hij, ook al met een eigen legertje, vanuit San Francisco in La Paz geland en riep daar Neder-Californië en Sonora tot een onafhankelijke republiek uit. Een slechte organisatie, gebrek aan voorraden en verzet van de Mexicanen dwongen hem in mei 1854 weer naar de Verenigde Staten terug te keren. Hij lijkt nu in Nicaragua meer succes te hebben.

## Heinrich Heine sterft in Parijs

PARIJS, 17 februari - De Duitse dichter Heinrich Heine is op 59-jarige leeftijd in de Franse hoofdstad overleden. Hij zal worden begraven op het kerkhof van Montmartre. Heine was door een aandoening aan zijn ruggemerg de laatste acht jaren van zijn leven aan zijn bed gekluisterd; zijn 'Matratzengruft', zoals hij dat zelf uitdrukte.

Heinrich Heine, die op 13 december 1797 in Düsseldorf werd geboren, was een van de belangrijkste schrijvers van zijn generatie. Hij werd wereldberoemd door zijn *Buch der Lieder* uit 1827 en zijn reisverhalen, waarvan met name de *Harzreise* zeer bekend is geworden. Na de Julirevolutie in 1831 koos hij Parijs, het brandpunt van het liberalisme, als woonplaats. Hij zag het als zijn taak om de nieuwe politieke en sociale ideeën die in Frankrijk opgeld deden via zijn werk in Duitsland te introduceren. Zo trachtte hij een toenadering tussen het Franse en Duitse denken te bewerkstelligen.

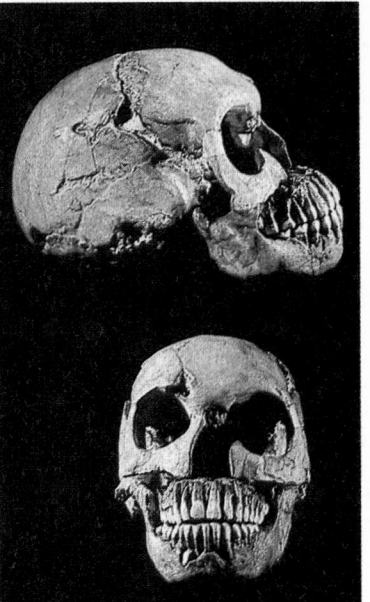

*Schedel van een Neanderthaler.*

## Resten primitieve mens gevonden in het Neandertal

DÜSSELDORF - In de Feldhofergrot bij de Düssel, een zijrivier van de Rijn, in het Neandertal zijn de resten van een menselijk skelet gevonden. Bij het uithakken van stenen vonden werklui onder een 60 centimeter dikke leemlaag een verzameling beenderen. Ze besteedden er geen aandacht aan en wierpen ze in het dal. Wel meldden de werklui hun vondst bij de eigenaar van de steengroeve die op zijn beurt Johann Carl Fuhlrott, hoogleraar aan de Realschule in Elberfeld, op de hoogte stelde.

Deze onderzocht het materiaal en constateerde dat de schedel sterk afweek van die van de 19de-eeuwse mens; hij leek - met het lage voorhoofd en de zware wenkbrauwbogen - toe te behoren aan een primitiever, meer op een aap gelijkend wezen.

De interpretatie van Fuhlrott dat het hier om een menselijke 'voorouder' gaat, vond in wetenschappelijke kring aanvankelijk weinig gehoor. De redactie van de *Verhandlungen des Naturhistorischen Vereins der Preussischen Rheinlande und Westfalen*, het blad waarin Fuhlrott zijn bevindingen publiceerde, schreef bij het artikel dat zij de 'naar voren gebrachte inzichten niet kan delen'. Volgens de Duitse patholoog en amateur-antropoloog Rudolph Virchow, vertoont de gevonden schedel een pathologische afwijking; hij heeft waarschijnlijk toebehoord aan iemand die aan een botziekte leed.

Er zijn echter ook wetenschappers (en hun aantal lijkt te groeien) die de 'Neanderthaler' als een vroege mens, een voorloper van de 'Homo sapiens', beschouwen.

*Het sterven is een geliefkoosd thema voor de kunstenaars van de romantiek. Dit jaar schilderde de Britse kunstenaar Henry Wallis 'De dood van Chatterton'. Thomas Chatterton, schrijver van onder meer de 'Rowley poems' en 'The Revenge', was een dichter uit de 18de eeuw, die, tot armoede en wanhoop vervallen, in 1770 de hand aan zichzelf sloeg.*

**7 februari.** De roman *Madame Bovary* van Gustave Flaubert en de gedichtenbundel *Les Fleurs du Mal* van Charles Baudelaire verschijnen. Beide schrijvers worden voor het gerecht gedaagd vanwege de vermeende onzedelijkheid van genoemde werken. →

**4 maart.** De Democraat James Buchanan wordt als vijftiende president van de Verenigde Staten geïnaugureerd.

**4 maart.** In de Vrede van Parijs wordt de Engels-Perzische oorlog beëindigd. De sjah van Perzië erkent de onafhankelijkheid van Afghanistan.

**28 maart.** In Sarawak wordt een opstand van Chinese kongsi's de kop ingedrukt. →

**1 april.** Onder buitenlandse druk besluit de Deense regering de Sonttol op te heffen. →

**14 juni.** Frankrijk en Rusland sluiten een handelsverdrag.

**24 augustus.** Een in de Verenigde Staten uitgebroken economische crisis heeft ook gevolgen voor Europa. →

**20 september.** De Britten nemen Delhi in, na opstanden in India.

**29 december.** Britse en Franse troepen bezetten Kanton.

- De Duitse wiskundige Georg Riemann publiceert zijn *Über die Hypothesen, welche der Geometrie zugrunde liegen*, waarmee hij het grondslagenonderzoek van de meetkunde een nieuwe periode invoert.

- *Aurora Leigh* van Elizabeth Barrett Browning verschijnt.

- In Londen wordt de National Portrait Gallery geopend.

- Louis Pasteur toont aan dat melkfermentatie wordt veroorzaakt door een levend organisme.

- Thomas Hughes schrijft *Tom Brown's schooldays*.

- In India breekt de Sepoy-opstand uit. →

- William Walker, sinds één jaar president van Nicaragua, wordt verdreven.

- Een brand aan boord van het stoomschip 'Austria' veroorzaakt de dood van 453 opvarenden. →

- Henry Thomas Buckle begint met het schrijven van zijn *History of Civilisations*, waarin hij poogt de cultuurgeschiedenis op positivistische wijze te benaderen.

- Louis Léon Faidherbe, gouverneur van de Franse kolonie Senegal, sticht de hoofdstad Dakar.

Gestorven:

**15 februari.** Michael Ivanovitsj Glinka (1804), Russisch componist →

# Flauberts 'Madame Bovary' niet immoreel

PARIJS, 7 februari - 'Madame Bovary, dat ben ik.' Met die woorden heeft de Franse schrijver Gustave Flaubert zijn pleidooi beëindigd. Hij moest terechtstaan omdat *Madame Bovary*, de in 1856 in de *Revue de Paris* verschenen roman, in strijd met de goede zeden zou zijn.

Flaubert is vrijgesproken. Het is de vraag of de dichter Charles Baudelaire z'n gunstige uitspraak kan tegemoetzien. Zijn dichtbundel *Les fleurs du mal*, verschenen bij Poulet-Malassis, veroorzaakte meteen al een schandaal wegens zijn 'immoraliteit'. De kans is heel groot dat sommige 'lesbische' gedichten eruit verwijderd dienen te worden.

In eerste instantie was Baudelaire van plan geweest de bundel *Lesbiennes* te noemen, maar dat vond hij toch te provocerend en te eenzijdig. Vervolgens bedacht hij de titel *Les limbes*, ter nagedachtenis aan Dante. De definitieve naam van de bundel (letterlijk: Bloemen des kwaads') laat meer interpretatiemogelijkheden open. Dat zal het Baudelaires rechters - een proces kan nauwelijks uitblijven - heel moeilijk maken.

De gedichten gaan over melancholie of 'spleen' (dat is bij de jonge, Parijse dandy's zeer modieus), over drinken en de gevolgen daarvan) en andere zondige daden', over opstand en dood. Baudelaires muzikale poëzie is, mede dank zij de talrijke verwijzingen naar de - vooral Griekse - mythologie, rijk aan interpretatiemogelijkheden en dubbele bodems, ofschoon er geen ontoogen woord in voorkomt.

Typerend voor de hedendaagse mentaliteit is overigens dat naakte nymfen en andere lichtvoetige, mythologische figuren wél mogen in de door de Académie goedgekeurde, stereotiepe schilderkunst, maar niet meer zodra een kunstwerk - in dit geval een gedicht - ook nog enige gevoelens probeert op te roepen. Romantiek en vrijheid van meningsuiting zijn uit den boze. De schone kunsten in het Frankrijk van nu leggen zich er vooral op toe thema's en stijlen uit het verleden na te bootsen.

De roman van Flaubert is wellicht ook voor velerlei uitleg vatbaar. Objectief beschouwd is *Madame Bovary* een verhaal dat zich waarschijnlijk in werkelijkheid op het Normandische platteland, zoals in de roman, of elders afspeelt. Het is de treurige geschiedenis van Emma, een eenvoudige, maar romantische boerendochter, die in haar huwelijk met een plattelandsarts een droom denkt te kunnen verwezenlijken. Het lukt niet en ze probeert die zelfde droom te beleven met haar minnaars, hetgeen uitloopt op een nog veel groter fiasco. Emma maakt uiteindelijk door zelfmoord een eind aan haar bestaan. Zo is zij het symbool voor Flauberts pessimistische visie op de Franse bourgeoisie. Terwijl hij aan het boek werkte schreef Flaubert: 'Mijn arme Bovary lijdt en weent in meer dan één dorp in Frankrijk op dit moment.' Het drama komt deels voort uit de verveling waaraan Emma Bovary ten prooi is gevallen. Verveling is, ook volgens Baudelaire, het grootste van alle kwaden, zoals weergegeven wordt in het gedicht *Au lecteur*, dat de inleiding vormt van het nu omstreden *Les fleurs du mal*.

De laatste woorden van *Au lecteur* geven de indruk dat de dichter Baudelaire de tijd waarin hij leeft beter doorgrondt dan hij misschien zelf beseft: 'Hypocriete lezer - mijn gelijke - mijn broeder!'

*Links Charles Baudelaire op circa 40-jarige leeftijd, rechts Gustave Flaubert.*

## Crisis VS heeft gevolgen voor Europa

NEW YORK, 24 augustus - Het faillissement van de Newyorkse vestiging van de Ohio Life Insurance and Trust Company heeft tot paniek geleid op de geldmarkten in de Verenigde Staten en Europa. De banken in New York hebben de betaling in baar geld stopgezet en de verwachting is dat andere Amerikaanse banken dit voorbeeld zullen volgen.

Hiermee is een voorlopig dieptepunt bereikt in de economische crisis die de Verenigde Staten al sedert enige tijd teistert.

De prijsval in spoorwegaandelen, waarvan de koers door speculatie hoog opgedreven is, bracht de spoorwegmaatschappijen en hun banken in de problemen. Daarbij was er veel kapitaal uit de Verenigde Staten naar Engeland en Frankrijk gevloeid. De banken in die landen, die goede zaken in het Verre en Nabije Oosten doen, bieden een hogere rente.

De crisis in de Verenigde Staten heeft haar repercussies in de rest van de westerse wereld, een teken van de toenemende verstrengeling in de wereldeconomie. Het grote aanbod van tarwe deze zomer op de Newyorkse goederenbeurs leidde tot een prijsdaling die ook in Europa haar invloed deed gelden. In de Duitse handelsmetropool Hamburg konden vele importeurs slechts dank zij een tien miljoen mark grote Oostenrijkse lening het hoofd boven water houden.

In de bij de Duitse Tolunie (1834) aangesloten staten wordt met name de textielindustrie door de prijsval getroffen. De dalende afzetmogelijkheden brengen ook het goederentransport in Duitsland in grote moeilijkheden.

*De Sepoy-opstand, de muiterij van opstandige Indische regimenten in Britse dienst in India, leidt aan beide zijden tot het begaan van grote wreedheden. Zo richtte Nana Sahib, een inheemse Indische vorst, met opstandige sepoys een bloedbad aan onder de vrouwen en kinderen van Britse soldaten in Cawnpore [Kanpur].*

*Een brand op het stoomschip 'Austria', dat emigranten naar Amerika vervoert, eist 453 doden. In de concurrentiestrijd tussen zeilschepen en stoomschepen blijkt dat de zeilschepen voorlopig nog onvervangbaar zijn. De benodigde kolen voor de stoomschepen nemen te veel plaats in om genoeg ruimte voor het transport van goederen en personen over te laten. Bovendien kunnen veel havens de steeds grotere schepen niet ontvangen. De emigranten worden meestal vervoerd in oudere schepen, waarmee regelmatig ongelukken gebeuren.*

# Brooke breekt opstand

*Ceremonieel van een lijkverbranding in een Dajaks dorpje (circa 1854).*

*Koppensneller met zijn 'trofee'.*

KUCHING, 28 maart - Sir James Brooke, de ternauwernood aan de dood ontkomen blanke raja van het op Noord-Borneo gelegen staatje Sarawak, heeft met behulp van loyale Ibanstammen (Zee-Dajaks) een opstand van Chinese kongsi's weten neer te slaan. De rebellen bestormden op 17 maart Brookes hoofdkwartier in Kuching; de raja wist te ontkomen door uit het raam in de rivier te springen. Gedurende vijf dagen werd de nederzetting bezet gehouden, waarbij tientallen Europese en Maleise inwoners op gruwelijke wijze vermoord werden.

De Dajaks, befaamde koppensnellers, verjagen momenteel alle Chinezen uit Sarawak en hebben al zo'n tweeduizend hoofden weten te verzamelen.

In het binnenland van Sarawak wordt sinds enige jaren goud gevonden; het wordt ontgonnen door in kongsi's georganiseerde Chinezen die zich rond Bau gevestigd hebben. Brooke heeft maatregelen aangekondigd om zijn controle over deze gemeenschap te versterken. De Chinezen die toch al in een anti-Britse stemming verkeerden, zagen hun positie bedreigd en kwamen in opstand.

De Britse avonturier Brooke werd in 1841 door raja muda Hasim, de oom van sultan Omar van Brunei, tot gouverneur van Sarawak benoemd, in een poging de rust in dit door opstanden geteisterde gebied te herstellen. Brooke slaagde daar wonderwel in; hij installeerde een bestuur dat gebaseerd is op handhaving van bestaande tradities en consultatie van de volkshoofden en keerde zich tegen het toelaten van buitenlands kapitaal en ondernemers. Samen met de Britse marine heeft Brooke zware slagen aan de vanuit Brunei opererende piraten weten toe te brengen. Dit wekte de woede van de met de piraten samenwerkende sultan van Brunei, die raja muda Hasim met zijn gehele familie liet vermoorden. Brooke liet zich niet afschrikken, voerde met een hem ter beschikking staande kanonneerboot een beschieting op Brunei uit en dwong de sultan hem de soevereiniteit over Sarawak af te staan, dat daardoor zijn privé-eigendom werd. Sir James is er nog niet in geslaagd officiële Britse steun voor zijn kolonisatie te krijgen. De East India Company is fel tegen een verdere uitbreiding van haar verantwoordelijkheden, terwijl het gebied bovendien door Nederlanders, die het zuiden van Borneo gekoloniseerd hebben, tot hun invloedssfeer gerekend wordt.

*Dajakker in volle wapenrusting.*

*Driemastbark 'Berdiansk Packet' (achterglas-schildering van C.L. Weyts, 1859)*

# Denen heffen Sonttol op

KOPENHAGEN, 1 april - Buitenlandse druk, met name van de Verenigde Staten, heeft Denemarken na een internationale conferentie doen besluiten de winstgevende Sonttol op te heffen. Als compensatie hebben de aan de conferentie deelnemende landen Denemarken een schadevergoeding van 30,5 miljoen Deense daalders toegezegd. De Sonttol leverde Denemarken de afgelopen decennia jaarlijks 2,5 miljoen daalders op.

De Sont, een smalle doorgang van het Kattegat naar de Oostzee, werd en wordt voor handelsdoeleinden intensief door de scheepvaart gebruikt. Al in 1429 liet de Scandinavische Uniekoning Erik XIII aan de noordzijde van de Sont een kasteel bouwen met het oogmerk tol te kunnen heffen. De Noordduitse Hanzesteden dreigden daarop met een oorlog, waarop Erik hun vrijstelling van tol gaf.

Het waren lange tijd de Nederlanders die de meeste tol moesten betalen. In de 17de eeuw was Nederland de stapelmarkt van Europa geworden, niet in de laatste plaats door een bloeiende handel op de Oostzee. De kooplui exporteerden zout, textiel, wijn en specerijen en kwamen naar Amsterdam terug met graan, hout en vis. Uit de bijgehouden tollijsten blijkt dat in de Sont tussen 1578 en 1657 de Nederlandse vlag het meest gesignaleerd werd.

Nederland heeft ook tweemaal militair ingegrepen om de Oostzeehandel te beschermen. In 1643 brak een oorlog uit tussen Denemarken en Zweden, waarop de Denen de Sonttol fors verhoogden. Een Nederlandse vloot kwam de Zweden te hulp en versloeg de Deense vloot in oktober 1644. Zweden werd vrijgesteld van tol (tot 1720) en voor Nederland ging het tolgeld flink omlaag. In 1658 was de situatie omgekeerd: de machtige Zweden belegerde Kopenhagen. Nederland, dat niet wilde dat de Sont in Zweedse handen kwam, stuurde opnieuw een vloot, die in november 1658 de Zweedse vloot in de Sont versloeg.

Naarmate de handel via de Sont steeds intensiever werd, klonken de protesten tegen de tol steeds luider. Vorig jaar dreven de Verenigde Staten de zaak op de spits door te dreigen met maatregelen tegen de Deense koloniën, als de tol niet werd opgeheven. Onder zware druk gaf Denemarken toe en vandaag is de Sonttol afgeschaft.

*Op 15 februari is in Berlijn de componist Michail Ivanovitsj Glinka op 52-jarige leeftijd overleden. Glinka, die tot de kring van de Russische schrijver Poesjkin behoorde, schiep met 'Een leven voor de tsaar' [tegenwoordig meestal 'Ivan Soessanin' genoemd] de eerste Russische nationale opera, die bij de première in 1836 een overweldigend succes had.*

**14 januari.** Felice d'Orsini's moordaanslag op keizer Napoleon III van Frankrijk mislukt.

**11 mei.** Minnesota wordt een staat van de Verenigde Staten.

**28 mei.** In het Verdrag van Aigoen regelen China en Rusland het grensverloop in het Amoer-gebied.

**26 juni.** Het Verdrag van T'ientsin beëindigt de Brits-Chinese oorlog. China opent meer havens voor Britse schepen en legaliseert de opiumhandel.

**8 juli.** Nadat de Sepoy-opstand in India neergeslagen is, wordt de laatste grootmogol Bahadur II afgezet en verbannen.

**20 juli.** In het Verdrag van Plombières zegt de Franse keizer Napoleon III hulp toe aan de Sardijnse minister-president Cavour voor een oorlog tegen Oostenrijk.→

**19 augustus.** Oostenrijk, Pruisen, Frankrijk, Groot-Brittannië, Rusland, Turkije en Sardinië, besluiten om Moldavië met Walachije te verenigen.

**26 oktober.** Wilhelm I neemt het regentschap voor zijn geesteszieke broer, koning Frederik Willem IV, op zich. Hiermee wordt een liberale periode in de Pruisische geschiedenis ingeluid.→

**Oktober.** Frankrijk en Portugal raken met elkaar in conflict over een Frans slavenschip.→

**8 november.** De grenzen van Montenegro worden vastgesteld door Frankrijk, Groot-Brittannië, Pruisen, Rusland en Turkije, na spanningen tussen Montenegro en het Turkse Rijk.

- In Portugal wordt de slavernij afgeschaft.

- August von Kekulé boekt vooruitgang in de organische chemie in zijn verhandeling over de vierwaardigheid van koolstof. Organische verbindingen geeft hij de benaming koolstofverbindingen.

- Jacques Offenbach componeert de operette *Orphée aux Enfers*.

- Ottawa wordt benoemd tot de hoofdstad van Canada.

- *Die Cellular-Pathologie* van de patholoog-anatoom Rudolf Virchow verschijnt.

- In Wenen wordt begonnen met de bouw van de 'Ringstrasse'.

- Richard Burton en John Speke ontdekken het Tanganyikameer.

- De 14-jarige Bernadette Soubirous meent dat de Heilige Maagd Maria aan haar is verschenen bij Lourdes.→

Gestorven:

**17 november.** Robert Owen (14-5-1771), Engels socialist
- Ghezo, koning van Dahomey→

# Bloedig einde aan Sepoy-opstand in India

*Indiase rebellen worden door het Engelse leger met kanonschoten terechtgesteld.*

CALCUTTA, 8 juli - Gouverneur-generaal Lord Canning heeft de vrede over India afgekondigd. De opstand van Indiërs, die zich concentreerde in de Noord- en Centraalindische gebieden en die tot een ware oorlog uitgegroeid was, is daarmee definitief ten einde. De opstand heeft de Engelsen met haatgevoelens vervuld en de rebellen zijn op barbaarse wijze bestreden. De directe aanleiding begin vorig jaar voor de als muiterij van sepoys (Indische soldaten) begonnen opstand was de invoering van een nieuw model geweer voor het leger in India. Toen de sepoys werd bevolen de met dierlijk vet gesmeerde patronen voor dit geweer voor het laden open te bijten, vermoedden zij dat hierachter een christelijk komplot zat. Voor moslems is het verboden varkensvlees te eten, voor hindoes is de koe een heilig dier. De sepoys weigerden de opdracht uit te voeren en werden zonder pardon ontslagen. Dit leidde er alleen maar toe dat de opstand zich kon uitbreiden en dat op 11 mei vorig jaar Delhi op de Engelsen werd veroverd en dat Bahadur Sjah II als (laatste) Mogolkeizer werd aangesteld. In de afgelopen zomer verloren de Engelsen de controle over het gebied rond de bovenloop van de Ganges en gedeelten van de Deccan. Met hulp van onder anderen Sikhs, die haatgevoelens jegens de sepoys koesterden vanwege hun aandeel in de onderwerping van de Punjab, konden de Britten op 20 september Delhi weer innemen en zo de opstand, die een echte oorlog was geworden, breken.

Het nieuwe geweer mocht dan de directe oorzaak voor de opstand vormen, maar een aantal eerdere blunders van Engelse zijde lag eraan ten grondslag. Allereerst was er de annexatie van Oudh in februari 1856. Al eerder waren gebieden van inheemse vorsten voor direct bestuur geannexeerd, echter steeds door eerder gemaakte verdragen op een andere manier te interpreteren, zodat er een zweem van legaliteit aan de annexatie verbonden werd. Bij de annexatie van Oudh, voor vele sepoys in het Britse leger het moederland, werden echter geen juridische trucs toegepast, wat het vertrouwen van de sepoys in de Company Raj aantastte. De stemming verslechterde nadat gouverneur-generaal Canning een wet doorvoerde die bepaalde dat Indische soldaten overal dienst moesten accepteren, dus ook in het impopulaire Birma, waar sepoys tot tweemaal toe geweigerd hadden naar toe te gaan. Nog meer onvrede ontstond toen Canning bepaalde dat hindoeweduwen mochten hertrouwen, alsof het verbod op sati (weduwenverbrandingen) niet al genoeg inbreuk op het hindoeïstische gevoelsleven had gemaakt. De kwestie met de nieuwe geweren deed de bom barsten, met als resultaat dat de relaties tussen Engelsen en Indiërs zeer grimmig zijn geworden.

# Cavour bereikt akkoord met Frankrijk

*Koning Victor Emanuel II van Italië.*

PLOMBIERES, 20 juli - Camillo Benso di Cavour, de Piemontese staatsman die sinds 1850 het beleid in Sardinië-Piemonte bepaalt, heeft tijdens geheime besprekingen met de Franse keizer Napoleon III overeenstemming bereikt over een bondgenootschap tegen Oostenrijk. Doel van Cavour is de verdrijving van de Oostenrijkers uit heel Italië.

Cavour kwam in 1850 aan de macht, niet lang nadat koning Victor Emanuel II vrije verkiezingen had uitgeschreven die door de gematigden werden gewonnen. Hervormingen die sindsdien in Piemonte op gang zijn gebracht, hebben het prestige van het land in Italië vergroot.

Ook Cavours internationale diplomatie heeft daartoe bijgedragen. Toen Engeland en Frankrijk in de Krimoorlog een beroep wilden doen op Oostenrijk en in ruil voor Oostenrijkse steun bereid waren de status-quo in Italië te erkennen, was Cavour Wenen te slim af. Hij sloot een bondgenootschap met Parijs en Londen, stuurde troepen naar de Krim en kon na de zege met Franse en Britse steun vastleggen dat het de Oostenrijkers zijn die in Italië de vrede bedreigen.

In eigen land vestigde Cavour een monarchistisch-unionistische partij, de Società Nazionale Italiana, die onder voorzitterschap van Manin en onder vice-voorzitterschap van Garibaldi tot ver buiten de grenzen van Sardinië-Piemonte een rol speelt.

In zijn poging Oostenrijk met zo min mogelijk geweld uit Italië te verdrijven, heeft Cavour Frankrijk nodig. In het geheime overleg van Plombières is afgesproken dat Frankrijk Piemonte te hulp zal komen als het door Oostenrijk wordt aangevallen. In ruil daarvoor staat Cavour Savoye en Nice aan Frankrijk af.

Napoleon III heeft Cavour voorgesteld een Koninkrijk van Opper-Italië te vormen van de Alpen tot de Adriatische Zee, een Koninkrijk van Centraal-Italië onder de hertogin van Parma, en verder de Pauselijke Staat en Napels ongemoeid te laten.

# Kroonprins Wilhelm regent van Pruisen

*Rudolf von Bennigsen, liberaal leider.*

BERLIJN, 26 oktober - Kroonprins Wilhelm I heeft vandaag officieel het regentschap overgenomen en is regerend vorst over Pruisen geworden. Zijn broer Frederik Willem IV is enige tijd geleden door een beroerte getroffen en zijn geestelijke vermogens stellen hem niet meer in staat het zware ambt uit te oefenen.

Met Wilhelm I treedt tevens een nieuwe minister-president aan, de liberale vorst Anton van Hohenzollern-Sigmaringen. Hij zal de als zeer conservatief bekend staande minister van Buitenlandse Zaken en minister-president Otto Freiherr von Manteuffel opvolgen.

De antiliberale politiek van laatstgenoemde was erop gericht de gevestigde orde te beschermen tegen de opkomst van het burgerdom met zijn industriële belangen. Anton vorst van Hohenzollern heeft verklaard dat er binnenkort, te weten op 25 november, verkiezingen zullen worden gehouden voor een nieuw Huis van Afgevaardigden. Ditmaal zullen ze zonder de controle van de regering plaatsvinden. Naar men aanneemt zullen de liberalen, die op een grote aanhang bij het electoraat kunnen rekenen, een grote zege behalen.

De liberalen streven naar een grotere parlementaire controle op de uitvoerende macht en zijn warme voorstanders van meer economische en sociale vrijheden in de Duitse samenleving.

In zijn eerste rede tot het nieuwgevormde kabinet formuleerde de prins-regent een liberaal-conservatief regeringsprogramma met sterk nationalistische tendensen. Volgens de nieuwe vorst moet Pruisen, in zijn streven naar eenheid, morele veroveringen in Duitsland maken met behulp van een wijze wetgeving en andere zedelijke elementen. De wereld moet weten dat Pruisen bereid is het recht te verdedigen, waar dat ook moge zijn. Deze Duits-nationale politiek kan wel eens de oude rechten en privileges van de conservatieve grootgrondbezitters gaan bedreigen.

*Koning Wilhelm I van Pruisen.*

*Impressie uit een legerkamp in Afrika (tweede helft 19de eeuw).*

## Portugal ontstemd over slavenschip

LISSABON, oktober - Een diplomatiek incident tussen Frankrijk en Portugal om het Franse slavenschip 'Charles et Georges' is in het nadeel van Portugal beslecht. Portugal, dat zich sterk had gemaakt voor de vrijlating van de slaven aan boord, voelt zich vernederd door zijn voornaamste bondgenoot, Engeland.

Het incident speelde zich af in de Portugese kolonie Mozambique. Het Franse schip had daar 110 negers aan boord genomen, maar werd betrapt door de Portugese autoriteiten. Portugal, dat juist bij decreet had bepaald dat alle slaven in het Portugese Rijk binnen twintig jaar vrij moesten zijn, sleepte de kapitein van het schip voor de rechtbank. Alhoewel deze volhield dat de negers 'vrijwillig' aan boord waren gegaan, werd hij tot twee jaar dwangarbeid veroordeeld en zijn schip werd in beslag genomen. Dit alles schoot Frankrijk in het verkeerde keelgat. De regering eiste vrijlating van de kapitein, teruggave van de 'Charles et Georges' en een schadevergoeding. Portugal vroeg bemiddeling aan Engeland, maar de Britten hielden zich Oostindisch doof. Toen Frankrijk een vloot naar Lissabon stuurde, moest Portugal toegeven.

*De 14-jarige Bernadette Soubirous uit Lourdes beweert in de loop van dit jaar in een grot niet minder dan achttienmaal een visioen van een in het wit geklede vrouwengestalte te hebben gekregen. Deze zou zich bij haar zestiende verschijning aan het meisje hebben bekendgemaakt als de 'Onbevlekte Ontvangenis'. Aan Bernadettes relaas wordt echter ernstig getwijfeld.*

*Rudolf Virchow in zijn studeerkamer*

## Virchow: 'cellen uitgangspunt bij ziekteleer'

BERLIJN - Van de hand van d[e] patholoog-anatoom Rudolf Vircho[w] is een bundel medische voordracht[en] verschenen. Begin dit jaar werd de b[e]faamde medicus door de Berlijnse un[i]versiteit uitgenodigd om zijn stelling[en] over de betekenis van cellen voor h[et] ontstaan van ziekten te komen uiteen[zetten. Wegens de grote belangstelling is de lezingencyclus nu reeds in boek[vorm verschenen onder de titel D[ie] Cellular-Pathologie. Virchow stelt da[t] 'alle ontwikkelde weefsels zijn terug t[e] voeren tot de cel' en dat 'een cel zic[h] alleen kan ontwikkelen uit een ander[e] cel'. Bij de bestudering en genezing va[n] ziekten moet de cel als uitgangspun[t] worden genomen, aldus de patholoog[anatoom.

Tien jaar geleden, tijdens de volks[oproeren, kwam de geleerde in he[t] nieuws omdat hij partij trok voor d[e] arme, opstandige bevolking. In zij[n] tijdschrift Die medizinische Refor[m] pleitte Virchow, die ook als antropo[loog naam gemaakt heeft, voor g[e]neeskundige voorzieningen voor he[t] volk. Maar, zo beklemtoonde hij kee[r] op keer, meer welvaart en meer vrij[heid voor het volk zijn voor de gezond[heidstoestand minstens zo belangrij[k]. Naar aanleiding van zijn optreden o[p] de Berlijnse barricaden werd Vircho[w] geschorst als hoogleraar, waarna h[ij] naar het tolerantere Würzburg in Bei[e]ren uitweek. Daar concentreerde h[ij] zich op het onderzoek van de hartspie[r] en op het vak waarmee hij zijn grootst[e] medische roem heeft verworven: d[e] pathologische anatomie. Begin dit jaa[r] heeft de Berlijnse universiteit haar ve[r]jaagde zoon teruggeroepen om kenni[s] te kunnen nemen van zijn leer van d[e] menselijke cellen.

# Koning Ghezo aan verwondingen bezweken

DAHOMEY - Koning Ghezo is aan de gevolgen van een door een vergiftigde pijl opgelopen verwonding overleden. De vrouwen van zijn harem zijn volgens gebruik levend met hun vorst begraven. De koning zal worden opge- volgd door zijn zoon Glélé.

In 1818 zette Ghezo met behulp van de Braziliaanse slavenhandelaar Felix de Souza koning Adandozan af. De Souza kreeg daarvoor als beloning het monopolie over de slavenverkoop.

Ghezo reorganiseerde het leger en schonk daarbij speciale aandacht aan zijn elitekorps van vrouwensoldaten. Sinds de legendarische amazones uit de Griekse oudheid heeft men nauwelijks meer van vrouwelijke krijgers gehoord. Wel is bekend dat de krijgs- zuchtige 'Zusters van Anatolië' een aandeel hebben geleverd in de groei van het Osmaanse Rijk in de 14de en 15de eeuw, net zoals de 5000 vrouwelijke soldaten van Zimbabwe in de 16de eeuw hun mannetje stonden.

Evenveel amazones telt men nu in Dahomey. Zij zijn bewapend met pijl en boog en vuurwapens, maar er is ook een eenheid die als wapen een enorm scheermes draagt, bestemd om de vij- andige koning te onthoofden. Alhoewel de overgrote meerderheid niet op vrijwillige basis amazone wordt, zijn de discipline en de loyaliteit aan de ko- ning groot door het bloedverbond dat zij moeten aangaan. Zij worden bij hun toetreding besneden en leven streng gescheiden van de mannen. Slechts zelden wordt het verbod op sek- suele relaties overschreden; al hun pas- sie leggen deze vrouwelijke krijgers in de oorlogvoering.

De amazones speelden een beslissende rol in de jaarlijkse veldtochten waar- mee koning Ghezo zijn rijk wist uit te breiden. Berucht zijn zij als geslepen spionnen, waarbij zij al hun vrouwelij- ke charmes in de strijd werpen. Op het slagveld gedragen zij zich echter als mannen, nog 'moediger' zingen zij zelf in hun marsliederen. Fanatiek ach- tervolgen zij hun vijanden om hen te doden en hun geslachtsdelen als oor- logsbuit mee terug te voeren.

Maar meestal worden de vijanden tot slaaf gemaakt om als landarbeider te dienen, nu de slavenhandel met de Europeanen door het Britse verbod op slavenuitvoer (1847) in belang af- neemt. Een aantal van hen wordt bo- vendien geofferd tijdens de jaarlijkse Feesten van de Gewoonten, waarbij de banden tussen de vorst en zijn volk worden bevestigd.

## Tsaar Nicolaas II gaat aan Poolse wensen voorbij

WARSCHAU - De verwachtingen die in Polen tijdens de Krimoorlog hoog waren gespannen, zijn door tsaar Ni- colaas II in de kiem gesmoord. In Po- len zelf verklaarde de tsaar dat alles wat de tsaren tot nu toe inzake Polen ge- daan hadden, goed is en dat er geen wij- zigingen van het beleid te verwachten zijn.

De oorlog van Frankrijk, Engeland en Turkije tegen Rusland deed de Poolse zaak even opleven. In Turkije werden twee grote Poolse legioenen gevormd. De belangrijkste Poolse leiders, zoals prins Czartoryski, Mieroslawski en an- deren deden vergeefse pogingen de sul- tan, Lord Palmerston en Napoleon III over te halen tot het opnemen van een clausule over Polen in het uiteindelijke vredesverdrag met Rusland. Het ver- drag werd echter getekend zonder de door Polen gewenste clausule, die Rusland tot het geven van onafhanke- lijkheid aan Polen had moeten dwin- gen.

Toch komen er geleidelijk aan veran- deringen: Poolse studenten mogen een belangenorganisatie oprichten, de landeigenaren krijgen toestemming om een Landbouwvereniging op te zetten, die informeel een centrum van de Pools-onafhankelijke activiteiten wordt, en de posterijen mogen weer de Poolse taal gebruiken.

*Onder Duitse studenten lijkt carrièrezucht de plaats te hebben ingenomen van idealen als eenheid en vrijheid. Connecties zijn onmisbaar en die worden vooral gemaakt op de schermvloer van de verschillende studentencorpora (afbeelding).*

*De in november overleden Engelse fotograaf Robert Howlett kreeg grote bekendheid met zijn reportage over de bouw van het stoomschip de 'Great Eastern' (1857). Rechts poseert de ontwerper Isambard Kingdom Brunel voor de ankerkettingen. Howlett is vermoedelijk gestorven door het werken met de chemiciën die hij bij zijn fotografie nodig had.*

## Meester Japanse graveerkunst overleden

*'Winkelstraat in Edo' (1856).*

EDO, 12 oktober. Op 61-jarige leeftijd is de Japanse meester van de houtgra- veerkunst Ando Hirosjige, die geldt als de laatste virtuoos van dit genre, ge- storven.

In de eerste fase van zijn loopbaan, die rond 1815 begon, legde hij zich vooral toe op het illustreren van boeken. Later specialiseerde hij zich in het uitbeelden van het Japanse landschap, dat hij op vele tochten door zijn vaderland goed leerde kennen. Zijn werk valt op door het zorgvuldig gecomponeerde lijnen- spel en de verfijnde afstemming van de gebruikte kleuren. In Japan is hij zo populair dat zijn prenten op dusdanig grote schaal worden vermenigvuldigd dat er grove en slordige drukken in om- loop zijn.

Na 1854, als Japan zijn isolement op- geeft en opnieuw contact met het Wes- ten zoekt, krijgt zijn werk ook in de VS en Europa bekendheid. Veel kunste- naars worden geïnspireerd door zijn onder meer in Parijs geëxposeerde werk.

*'De Kolk van Naruto'.*

# Napoleon III verraadt Italiaanse zaak

VILLAFRANCA, 11 juli - De Oostenrijkse keizer Frans Jozef en de Franse keizer Napoleon III hebben in Villafranca met een wapenstilstand de oorlog in Italië beëindigd. Napoleon III heeft al zijn beloften aan Cavour geschonden en de zaak van de Italiaanse eenheid verraden.

De wapenstilstand maakt een einde aan een oorlog waarvoor Napoleon in zijn geheime overleg met Cavour in Plombières een jaar geleden de basis heeft gelegd. Dit geheime overleg mondde uit in een in januari getekend akkoord. Daarop begonnen zowel Frankrijk en Sardinië-Piemonte als Oostenrijk zich op te maken voor de oorlog.

De strijd brak los nadat Piemonte op 26 april een beledigend Oostenrijks ultimatum waarin demobilisatie van zijn leger geëist werd, had afgewezen. Op dat ogenblik hadden de Oostenrijkers 230 000 man troepen in Lombardije-Venetië. Sardinië-Piemonte beschikte over 60 000 man, die in april werden versterkt door 200 000 Franse militairen.

Op 29 april begon de oorlog met een opmars van de Oostenrijkse bevelhebber, maarschalk Gyulai. Op 4 juni vond bij Magenta de eerste grote veldslag plaats. De slag eindigde in een klinkende zege van de Fransen en de Piemontezen, die 4500 man verloren tegen de Oostenrijkers 10 000. De zege opende voor de Fransen en Piemontezen de weg naar Milaan en de Oostenrijkers moesten bijna heel Lombardije prijsgeven. Op 8 juni trokken Napoleon III en Victor Emanuel II Milaan binnen.

In dezelfde maand kregen de Oosten-

*Scène uit de slag bij Solferino (24 juni), die voor Oostenrijk slecht verloopt.*

rijkers versterking van een nieuw leger. Keizer Frans Jozef nam het bevel van het hele Oostenrijkse leger op zich. Maarschalk Gyulai trad af.

Op 24 juni kwam het tot de tweede grote veldslag bij Solferino, waar 190 000 Oostenrijkers en 174 000 Fransen en Piemontezen tegenover elkaar kwamen te staan. Na een verbitterde strijd, die pas werd afgebroken door zwaar

noodweer, bleken de Fransen en Piemontezen opnieuw sterker. De Oostenrijkse troepen werden verslagen. Ze verloren 22 000 man, de Fransen 17 000.

Terwijl de Franse bevelhebbers en de Piemontezen zich opmaakten de terugtrekkende Oostenrijkers te achtervolgen, verried Napoleon de Italiaanse zaak en zijn belofte Italië 'van de Alpen tot de Adriatische Zee' te bevrijden. Op 6 juli stuurde hij een afgezant naar Frans Jozef met het verzoek om een wapenstilstand, die vandaag door de beide keizers in Villafranca is getekend.

Napoleon is tot zijn verraad gekomen door de ontwikkeling in de richting van de Italiaanse eenheid, die plotseling is losgebarsten; voor die Italiaanse eenheid, die dichterbij lijkt dan ooit, is Napoleon bang.

Het begon in april in Toscane, waar een opstand op de 27ste eindelijk een einde aan het bewind van aartshertog Leopold II maakte. In juni kwamen de hertogdommen Parma en Modena, de noordelijke steden van de Pauselijke Staat en de Marche en Umbrië in opstand. De bevrijde provincies lieten weten zich bij Sardinië-Piemonte te willen aansluiten.

En dat is juist wat Napoleon wil verhinderen, reden om vrede te sluiten met Oostenrijk. Bij het vandaag gesloten bestand is bepaald dat Oostenrijk Lombardije aan Frankrijk afstaat, dat het op zijn beurt aan Sardinië-Piemonte zal geven.

*Ontmoeting van de keizers Frans Jozef (links) en Napoleon III bij Solferino.*

# Evolutietheorie wekt grote opschudding

LONDEN - Met de publicatie van het werk *The origin of species* heeft de bioloog Charles Darwin voor grote opschudding gezorgd. De reacties op zijn theorie, die ook wel met de term 'evolutieleer' wordt aangeduid, variëren van verwonderend tot woedend. Met name in christelijke kring is men geschokt door de stelling van Darwin dat planten- en diersoorten zoals wij die nu kennen, niet door God zijn geschapen, maar het resultaat zijn van een biologisch aanpassingsproces. Voor het boek bestaat overigens zoveel belangstelling dat de eerste druk in twee dagen uitverkocht was.

Charles Darwin heeft jaren besteed aan het onderzoek dat aan zijn boek ten grondslag ligt. Na het afbreken van zijn medicijnenstudie studeerde hij theologie in Cambridge. Zijn belangstelling lag echter elders: hij ontwikkelde een grote liefde voor de natuur. Deze hobby riep bij hem veel vragen op die hij met enkele hoogleraren besprak. Een van hen, professor Peacock, zorgde ervoor dat Darwin kon deelnemen aan een vijf jaar durende expeditie met H.M.S. 'Beagle'. Tijdens die reis bezocht Darwin in 1835 de Galápagoseilanden. Hier vond hij diersoorten die hij niet kende en bovendien een wonderlijke combinatie van flora en fauna. Darwins bezoek aan deze eilanden had een belangrijke invloed op de vorming van zijn ideeën. Na zijn terugkeer in Engeland in oktober 1836 besteedde hij jaren aan onderzoek. Hij is nu overgegaan tot publicatie van zijn theorieën omdat hij vernomen had dat een andere bioloog een studie met vergelijkbare conclusies wilde uitbrengen.

In zijn boek gaat Darwin in op de manier waarop plante- en diersoorten ont-

*Emma Darwin, vrouw van de bioloog Charles Darwin, met zoon Leonard.*

staan en de oorzaken hiervan. Hij duidt dit proces aan met de term 'evolutie', waaronder hij verstaat dat alle soorten organismen niet steeds dezelfde zijn geweest, maar zich door middel van allerlei wijzigingen of mutaties hebben ontwikkeld. Dit aanpassingsproces, dat vele eeuwen in beslag neemt, vindt volgens Darwin plaats doordat in een competitie van organismen onderling, de zogenaamde 'struggle for life', de best aangepaste

soorten overleven. Darwin noemt dit 'survival of the fittest'. Ook de mens zou het resultaat zijn van zo'n ontwikkeling. Darwin beweert dat mensen en apen van een gemeenschappelijke (inmiddels uitgestorven) voorouder afstammen. Dit gedeelte van zijn boek geeft aanleiding tot veel misverstanden (Darwin heeft nooit beweerd dat de mens van de apen afstamt) en is een dankbaar onderwerp voor karikaturen.

Zoals te verwachten viel is met name van christelijke zijde op deze theorie gereageerd. Het is overigens niet zo dat men een gemeenschappelijk standpunt over de evolutieleer inneemt. Alleen meer fundamentalistisch ingestelde christenen houden onveranderd vast aan de letterlijke tekst van het scheppingsverhaal in de bijbel. Daarbuiten beschouwt men deze tekstgedeelten meer symbolisch.

De discussie spitst zich in niet onbelangrijke mate toe op Darwins andere visie op de natuur. Velen zien de natuur als een toonbeeld van harmonie, in de visie van Darwin is de natuur echter een schouwspel van strijd op leven en dood, waarin zwakkere soorten geëlimineerd worden.

Veel mensen accepteren de theorieën van Darwin. Sommigen onder hen willen deze leer ook op de menselijke verhoudingen toepassen. In dit zoge-

*'Darwin en de aap'.*

naamde sociaal-Darwinisme wordt de (internationale) politiek dan een soort 'struggle for life' waarin de sterkste staten of sociale groepen zich de meest geschikte betonen. De eliminatie van groepen of staten is in deze visie niet slecht maar onvermijdelijk of zelfs goed omdat de menselijke samenleving daarmee een hogere trap van ontwikkeling bereikt.

*De voormalige Oostenrijkse minister van Buitenlandse Zaken, Klemens von Metternich (dit jaar overleden), was een van de meest invloedrijke politici in Europa. Hij was een uiterst bekwaam diplomaat en slaagde er jarenlang in de machtsverhoudingen, zoals die op het Congres van Wenen waren vastgelegd, te handhaven. De revolutie in 1848 betekende het einde van zijn loopbaan.*

## Franse troepenmacht verovert Saigon

SAIGON, februari - Troepen van de Franse admiraal Rigault de Genouilly hebben Saigon ingenomen. Hoge ambtenaren hebben in aller ijl hun toevlucht gezocht in Hue, de zetel van de Vietnamese regering. Een van de eerste maatregelen van Rigault de Genouilly was de verlaging van de invoerrechten met 50 procent en het openstellen van de haven van Saigon voor 'alle bevriende naties'.

Al enige jaren werd rekening gehouden met een Franse interventie in het zuiden van Vietnam. In januari 1857 schreef de Vietnamese priester Huc, die samen met monseigneur Pellerin in Frankrijk een pleitbezorger van gewapend ingrijpen door de Franse regering in Vietnam was, in een rapport aan keizer Napoleon III dat 'de bezetting van Cochin-China [zuidelijk gedeelte van Vietnam] het gemakkelijkst ter wereld is. Het biedt grote mogelijkheden. Frankrijk heeft ruim voldoende strijdkrachten in de Chinese Zee voor deze onderneming.' Huc deelde verder mee dat de beminnelijke, hardwerkende bevolking die zeer ontvankelijk is voor het christelijke geloof, onder een afschuwelijke tirannie zucht. Zij zal ons als bevrijders en weldoeners binnenhalen. Binnen korte tijd zal de hele bevolking katholiek worden en de Franse

zaak toegewijd zijn.'
In april 1857 stelde keizer Napoleon III de Commissie betreffende Cochin-China onder voorzitterschap van baron Brenier in. Deze commissie deelde kort na de instelling mee dat handelsargumenten in voldoende mate aanwezig waren voor gewapende interventie: 'In Cochin-China zijn katoen, zijde, suiker, rijst en houtsoorten in overvloed aanwezig - om maar niet te spreken van koffieplanten, die als omheining worden gebruikt.'

Behalve een religieuze en een handelsmissie denken de Fransen ook nog een politieke en culturele missie in Vietnam te moeten verrichten. Zij blijken echter vooralsnog niet goed op de hoogte te zijn van het uitgebreide bureaucratische systeem dat al eeuwen in Vietnam bestaat. Ook hebben zij geen kennis van de uitgebreide literatuur, die al bloeide voordat de eerste regel in de Franse taal op schrift werd gesteld. Uit hun technologische superioriteit op het gebied van bewapening leiden zij af dat zij op elk gebied de meerdere zijn. Juist daarom roept de bezetting weerstanden onder de geletterde ambtenaren op.

Intussen wacht men in Hue af of de Fransen ook aanspraken op andere delen van Vietnam zullen doen gelden.

*De Amerikaanse kolonel Edwin L. Drake heeft in Oil Creek Valley bij Titusville in Pennsylvania met een boorinstallatie op een diepte van 21 meter olie aangeboord. Hij handelde in opdracht van George H. Bissell, die verwacht na destillatie van de olie een hoogwaardige lampolie te kunnen produceren. Bissell heeft daarvoor in 1854 de Pennsylvania Rock Oil Company opgericht.*

# John Brown opgehangen

*Vlak voor zijn executie neemt John Brown afscheid.*

CHARLES TOWN, 2 december - John Brown, de militante strijder tegen de slavernij, is schuldig bevonden aan het ophitsen tot een slavenopstand en aan moord en verraad jegens de staat Virginia. Samen met zes van zijn eveneens blanke samenzweerders is hij ter dood veroordeeld en in Charles Town opgehangen.
John Brown was een man die het geloof in een vreedzame oplossing verloren had. Zijn overtuiging was 'dat de misdaden van dit schuldige land niet uitgewist zullen worden, dan met bloed'. Op 16 oktober viel John Brown met achttien volgelingen het arsenaal en de wapenfabriek van Harpers Ferry aan. Vervolgens namen zij enkele voorbijgangers in gijzeling. John Brown dacht op deze wijze de slaven wakker te kunnen schudden en een opstand die de macht van de slavenhouders in het Zuiden zou breken, te ontketenen.
Na de aanslag in Harpers Ferry verschansten Brown en zijn manschappen zich. De bevolking van Harpers Ferry begon een belegering maar Brown hield stand en wachtte ongeduldig en tevergeefs op hulp van slaven uit de omgeving. Na een etmaal heftige gevechten en beschietingen verscheen een compagnie mariniers onder leiding van kolonel Robert E. Lee ten tonele. Toen Brown weigerde zich over te geven bestormden de mariniers het wapenarsenaal. Bij de actie vonden 17 mensen, van wie 10 samenzweerders, de dood, onder hen twee zoons van Brown.

Brown, 'Old Brown of Osawatomie', was een diepgelovige calvinist die was gaan geloven dat hij het persoonlijke werktuig van God was en het onmenselijke systeem van slavernij moest uitroeien. Reeds in 1855 was hij betrokken bij de gewapende strijd in het Kansas-territorium tussen de voor- en tegenstanders van de slavernij. Brown deed die strijd ontketenen door vijf kolonisten bij Pottawatomie Creek te vermoorden. Van deze kolonisten werd aangenomen dat ze voor de slavernij waren.
Om terechtstelling te voorkomen probeerden zijn advocaten hem krankzinnig te laten verklaren, maar Brown weigerde mee te werken. Hij wilde de zaak als martelaar verder dienen. Hij zei: 'Laat ze mij maar ophangen. Ik ben aanzienlijk meer waard als ik hang.' Nog voor zijn veroordeling zei de man met de droevige ogen en de patriarchale baard tegen zijn rechter: 'Wanneer het nodig wordt geacht dat ik met mijn leven moet boeten om de rechtvaardigheid te bevorderen en mijn bloed moet delen met de miljoenen in dit slavenland van wie de rechten worden vertrapt door gemene, wrede en onrechtvaardige wetten, dan zeg ik: Laat het gebeuren.'
Er is vastgesteld dat Brown en zijn mannen gesteund werden door een groep abolitionisten. Deze groep zou echter niet op de hoogte zijn geweest van de details van Browns gewelddadige plannen zijn geweest.

*Alexander Johan Cuza, de gekozen vorst van Moldavië en Walachije.*

# Unie Moldavië-Walachije

BOEKAREST - De Roemenen van Moldavië en Walachije zijn de grote mogendheden te slim af geweest door dezelfde persoon, Alexander Cuza, tot vorst te kiezen. Hiermee zijn de vorstendommen eindelijk verenigd onder één vorst.
Het revolutiejaar 1848 had ook de vorstendommen niet onberoerd gelaten. Onder invloed van een nieuwe generatie, die cultureel sterk op Frankrijk was georiënteerd, klonken in Moldavië en vooral in Walachije revolutionaire geluiden. Daar probeerde een voorlopig bewind onder leiding van metropoliet Neofit voorzichtig enige hervormingen door te voeren. Een Russisch-Turks ingrijpen noopte echter vele omwentelingsgezinden het land te verlaten om de gelederen van emigrés uit Midden- en Oost-Europa in Parijs te versterken.
De Krimoorlog veranderde de situatie ten gunste van de Roemeense nationalisten. Bij de Vrede van Parijs (1856), die een einde aan deze oorlog maakte, zag Rusland zich gedwongen het exclusieve beschermheerschap over de Donauvorstendommen op te geven. Er werd bepaald dat een speciale commissie van grote mogendheden de toekomstige status van deze nog onder Turkse suzereiniteit staande gebieden zou bestuderen. Er volgde een eindeloos touwtrekken onder de Europese machten: Frankrijk, Pruisen, Sardinië en Rusland steunden het nationale programma van de Roemenen; het Osmaanse Rijk dat zich hiertegen verzette, vond alleen de Donaumonarchie en

Groot-Brittannië aan zijn zijde.
In 1857 werden zowel in Moldavië als in Walachije verkiezingen gehouden waarbij de Roemenen zich met overgrote meerderheid uitspraken voor een vereniging van beide vorstendommen. Vorig jaar stemden de grote mogendheden in principe in met een unie, echter onder het voorbehoud dat er twee vorsten en twee vergaderingen moesten blijven. Nu Alexander Cuza echter zowel in Moldavië als in Walachije tot vorst is gekozen, zijn de grote mogendheden geconfronteerd met een situatie die zij niet hadden voorzien. Schoorvoetend hebben de garanderende staten de personele unie erkend, zij het op voorwaarde dat deze uitsluitend geldt voor de duur van het bewind van Alexander Cuza. Het valt echter te bezien of zij, nu dit precedent is geschapen, de situatie in de toekomst kunnen terugdraaien.

Roemenië onder Alexander Cuza
Zuid-Bessarabië, tussen 1856 en 1878 bij Moldavië

*Roemenië onder Alexander Cuza.*

# Reishandboeken van Karl Baedeker alom geroemd

*Karl Baedeker.*

KOBLENZ, 4 oktober - De Duitse boekhandelaar en uitgever Karl Baedeker, die met zijn reisgidsen grote bekendheid heeft verworven, is kort voor zijn 58ste verjaardag overleden.

Baedeker is zijn boekhandel-uitgeverij in 1827 in Koblenz begonnen en twee jaar later publiceerde hij een gids voor de stad. Het was in de tweede editie van de gids *Rheinreise*, die oorspronkelijk in 1828 was verschenen en waarvan hij in 1833 van J.A. Klein de uitgaverechten overnam, dat hij voor het eerst het systeem toepaste, naar het voorbeeld van de Engelse reisgidsen van John Murray, waarop hij zijn hele serie reisboeken heeft gebaseerd: nauwkeurige en gedetailleerde gegevens over reis- en eetgelegenheden, beschrijvingen van het landschap en bezienswaardigheden en informatie over hotels en andere overnachtingsmogelijkheden. Met 'sterren' attendeerde Baedeker de reiziger op bijzondere bezienswaardigheden en goede hotels.

Zijn doel is steeds geweest de reiziger alle praktische informatie te verschaffen, zodat deze geen gebruik van een betaalde gids hoefde te maken. Hij controleerde de betrouwbaarheid van zijn uitgaven door anoniem rond te reizen en de beste deskundigen te raadplegen. Een groot deel van Europa is inmiddels in een Baedeker behandeld. Veel delen van de uitgebreide serie worden regelmatig herdrukt. Ook in het buitenland zijn zijn gidsen inmiddels doorgedrongen: de eerste Franse editie is verschenen in 1846, een Engelse editie is in voorbereiding.

De uitgeverij in Koblenz zal worden voortgezet door Baedekers zoons Ernst, Karl en Fritz.

## 1860

**23 januari.** Het Cobden-Chevalier-vrijhandelsverdrag wordt tussen Engeland en Frankrijk gesloten. →

**13 februari.** Koningin Basse Kajuara van Boni (Zuidwest-Celebes) wordt afgezet. →

**5 maart.** Volksstemmingen in Toscane, Parma, Modena en Romagna spreken zich uit voor de aansluiting bij Sardinië. →

**17 maart.** In Nieuw-Zeeland breekt de tweede Maori-oorlog uit.

**3 april.** De 'Pony-Express', een koeriersdienst voor het postverkeer in de Verenigde Staten, treedt in werking. →

**11 mei.** De Italiaanse vrijheidsstrijder Giuseppe Garibaldi landt met vrijwilligers op Sicilië (de 'trein van duizend'). →

**Mei.** De roman *Max Havelaar* van Multatuli (Eduard Douwes Dekker) verschijnt. →

**Juni.** In Londen gaat de Nightingale-school voor verpleegsters van start. →

**26 juli.** De Pruisische prins-regent Wilhelm I en de Oostenrijkse keizer Frans Jozef ontmoeten elkaar in Teplitz om de betrekkingen tussen Berlijn en Wenen te verbeteren. →

**5 september.** Groot-Brittannië, Oostenrijk, Frankrijk, Pruisen, Rusland en Turkije besluiten de orde in Syrië te herstellen na het bloedbad onder christenen veroorzaakt door Druzen. →

**1 oktober.** De troepen van Giuseppe Garibaldi verslaan bij Caserta het leger van Napels. →

**6 november.** De Republikein Abraham Lincoln wordt tot zestiende president van de Verenigde Staten gekozen. →

**14 november.** De Tweede Opiumoorlog wordt beëindigd. →

**16 november.** In Charleroi worden twee leden van de beruchte 'Zwarte Bende' onthoofd. →

**24 november.** Met de opvoering van *Das Pensionat* van Franz von Suppé ontstaat de Weense operette. →

- Terwijl de Zoeloes weigeren in loonarbeid te werken, nemen de blanken in Zuid-Afrika steeds meer arbeiders uit India in dienst op hun suikerrietplantages. →

- Het stoomschip de 'Great Eastern' maakt zijn eerste reis naar New York. →

- *The Daily Telegraph* wordt een van de grootste 'penny-papers' in Engeland. →

Gestorven:

**21 september.** Arthur Schopenhauer (22-2-1788), Duits filosoof →

# Frankrijk wordt liberaler

PARIJS, 23 januari - Het zojuist gesloten handelsverdrag tussen Engeland en Frankrijk zou erop kunnen wijzen dat er in het Franse keizerrijk een liberaal briesje begint te waaien. Zeker, de nieuwe overeenkomst betekent nog niet dat de handel over Het Kanaal is vrijgegeven, maar het is een grote stap in die richting.

Frankrijk schroeft de douanerechten voor Engelse produkten fors terug. Die heffingen mogen nu niet meer dan dertig procent van de verkoopwaarde bedragen. In Engeland wordt geen extra belasting meer geheven op sommige Franse luxe-artikelen, die voortaan vrij geïmporteerd mogen worden. Beide landen zullen elkaar een voorkeursbehandeling geven.

Het ligt in de verwachting dat soortgelijke handelsverdragen in de nabije toekomst eveneens met andere Europese landen gesloten zullen worden - mogelijk zelfs met de koloniën van Frankrijk. Dat betekent een grote ommezwaai in de Franse politiek van de afgelopen tijd.

Tot dusver was Napoleon III van mening, dat hij zelf alle touwtjes in handen diende te hebben, zeker op het economische vlak. Zo heeft de keizer een voorname rol gespeeld bij de oprichting van grote banken als de Société Générale, Crédit Foncier de France of Crédit Mobilier. Het initiatief tot de almaar voortdurende uitbreiding van het spoorwegnet werd ook door de Franse vorst genomen.

Het is niet uitgesloten dat de economische liberalisering wordt gevolgd door maatregelen die ook de politieke vrijheid enigszins vergroten. De keizer heeft tot nu toe vooral beoogd de macht van Frankrijk in de gehele wereld erkend te krijgen, en zodoende revanche te nemen op het Verdrag van Wenen, vernederend voor Frankrijk én voor Napoleon I, dus indirect ook voor zijn neef. Napoleons wens revanche te nemen is grotendeels vervuld. De Krimoorlog tegen Rusland leidde tot

*De Franse keizer Napoleon III.*

een Brits-Franse overwinning. Bij Solferino werd Oostenrijk een zware nederlaag toegebracht. In Afrika en in het Verre Oosten heeft Frankrijk verscheidene nieuwe koloniën gevestigd. De Italiaanse veldtochten daarentegen hebben niet ieders goedkeuring kunnen wegdragen, zeker niet in katholieke kringen, waar men vreesde dat de macht van de paus zou worden aangetast. De keizer moet zijn politieke basis dus verbreden. Vandaar dat de keizer al in augustus jongstleden degenen die veroordeeld werden wegens oppositie tegen zijn staatsgreep, amnestie heeft verleend. Op hetzelfde tijdstip schorste hij ook de wet die het mogelijk maakte elke politiek verdachte persoon zonder meer gevangen te nemen of te deporteren.

De mogelijkheid is niet uitgesloten dat Napoleon, die eigenlijk wel van mening is dat handhaving van de orde niet tegenstrijdig met een zekere mate van vrijheid hoeft te zijn, nog iets verder gaat en bijvoorbeeld het parlement meer macht geeft en de persvrijheid in Frankrijk herstelt of althans vergroot.

*Spotprent: 'wilt u snel rijk worden, ga dan in goud, diamanten, ijzer...'*

# Nederland onderwerpt Zuidwest-Celebes

BONI, 13 februari - De rijksgroten van het vorstendom Boni (Zuidwest-Celebes) hebben besloten toe te geven aan de eis van de Nederlanders om de gevluchte koningin Basse Kajuara af te zetten en te vervangen door een telg uit de Aru Palakka-dynastie. Deze heeft een verdrag moeten ondertekenen waardoor Boni opgenomen wordt in het gouvernementsgebied en niet langer als een bondgenoot beschouwd zal worden.

Het rijkje ontstond rond het einde van de 16de eeuw en was een vazal van het sultanaat Makassar. In 1667 hielp een Bonisch leger onder Aru Palakka de VOC bij haar verovering van Makassar, en bij het toen gesloten Verdrag

*Kampong in Makasar (Celebes) omstreeks 1845.*

van Bongai plaatsten de diverse vorsten van Celebes zich onder Hollandse soevereiniteit. In de vorige eeuw groeide de invloed van Boni sterk en zijn vloot handelsprauwen zwierf uit over de gehele archipel.

Na het Engelse tussenbewind (1811-1816) achtten de vorsten van Celebes zich niet meer gebonden aan het Verdrag van Bongai, omdat de Hollanders het eiland immers vrijwillig ontruimd hadden.

Gouverneur-generaal Van der Capellen wist hen echter in 1824 over te halen

het verdrag te vernieuwen. Boni weigerde als enige; pas in 1838 liet men zich dwingen een nieuw verdrag te ondertekenen, maar het verzet tegen het Hollandse gezag bleef levend. De strijdlustige koningin Basse Kajuara, die sinds 1857 regeerde, gaf vorig jaar bevel op alle Bonische schepen de Nederlandse vlag ondersteboven te hijsen, waarop Nederland besloot Boni eens en voor altijd te tonen dat met zijn macht niet te spotten viel. Het stuurde een leger, dat in een barbaarse strijd erin slaagde Boni te onderwerpen.

## Italiaanse rijken steunen Cavour

PARMA, 5 maart - In vier Italiaanse vorstendommen heeft een grote meerderheid zich voor aansluiting bij Sardinië-Piemonte uitgesproken. Dit bleek bij een volksraadpleging in de vier vorstendommen, waar vorig jaar reactionaire heersers bij volksopstanden verdreven waren. Parma, Toscane, Modena en Romagna zullen bij Piemonte worden gevoegd.

Zo is na het trauma van Napoleons verraad in Villafranca het beleid van Cavour alsnog met succes bekroond. Na Villafranca was Cavour afgetreden en naar Zwitserland vertrokken: meer nog dan zijn land was hijzelf door Napoleon verraden. Niet alleen Cavour was razend, ook de grote Europese mogendheden - op Oostenrijk na - namen Napoleon zijn verraad kwalijk en de keizer moest zelfs even vrezen voor zijn troon. Cavour werd na korte tijd weer naar Turijn gehaald.

De uitslag van de volksraadpleging in Toscane en Emilia was bij voorbaat bekend. Dat gold des te meer nu Napoleon onlangs, bang dat de oorlogsbuit zijn neus voorbij zou gaan, troepen naar Savoye en Nice heeft gestuurd - de gebieden die Cavour hem had beloofd in ruil voor militaire steun tegen Oostenrijk.

*De Duitse filosoof Arthur Schopenhauer overlijdt op 21 september in Frankfurt. Hij heeft vooral dank zij een zeven jaar geleden aan hem gewijd artikel in de 'Westminster Review' bekendheid verworven, hoewel zijn hoofdwerk 'Die Welt als Wille und Vorstellung' al in 1819 is verschenen. Schopenhauer heeft zich in zijn werk laten kennen als een pessimist die het leven als zinloos beschouwt, zonder dat men het daarom moet opgeven.*

# Garibaldi landt met aanhang op Sicilië

*Inscheping van Guiseppe Garibaldi en zijn duizend 'roodhemden' aan de kust bij Genua (door Tetar van Elven).*

MARSALA, 11 mei - Het uit duizend zo goed als ongewapende vrijwilligers bestaande expeditieleger van Giuseppe Garibaldi is in Marsala op Sicilië geland. Garibaldi wil het eiland veroveren en in noordelijke richting naar het zuiden van het vasteland oprukken. Garibaldi is een van de democraten die de nationale revolutie niet afgesloten achten met de aansluiting van Lombardije en de Middenitaliaanse hertogdommen bij Sardinië-Piemonte. De meest geschikte plaats om de strijd voor de Italiaanse eenwording voort te zetten is in zijn ogen Sicilië, het altijd roerige en opstandige deel van het ko-

ninkrijk der Beide Siciliën.

Tijdens het langdurige, wrede bewind van koning Ferdinand II heeft Sicilië zich bijna voortdurend en meestal met succes tegen de heerser in Napels verzet. In april brak in Palermo een nieuwe opstand tegen Napels uit. Deze 'rivolta delle Gancia' werd snel onderdrukt, maar de rebellie breidde zich onder invloed van agenten van Mazzini en Garibaldi naar andere delen van het eiland uit.

In april ging Garibaldi met duizend volgelingen uit heel Sardinië-Piemonte en met stilzwijgende instemming van Cavour scheep naar Sicilië.

*Graaf Camillo Benso di Cavour.*

*Giuseppe Garibaldi (circa 1850).*

*Keizer Frans Jozef I en keizerin Elisabeth ('Sissi') van Oostenrijk.*

# Start Nightingale-school

ONDEN, juni - In het St. Thomas
iekenhuis te Londen is een school
estart die tot doel heeft vrouwen in
ën jaar tijds tot vakbekwame ver-
leegsters op te leiden. De opleiding,
ie de naam Nightingale Training
chool draagt, is opgezet naar de
deeën van Florence Nightingale en
ordt ook gefinancierd met geld uit het
lightingale Fonds. In dit fonds is
5 000 pond bijeengebracht uit dank
oor wat Florence Nightingale tijdens
e Krimoorlog (1854-1856) voor de

Engelse soldaten heeft gedaan.
Met name haar optreden in het militaire hospitaal van Scutari heeft de in de
Britse upper-class opgegroeide miss
Nightingale tot een levende legende gemaakt. Ratten, vlooien, ontoereikende sanitaire voorzieningen en gebrek
aan water, bedden en behoorlijk voedsel bepaalden het aangezicht van de
militaire ziekenhuizen toen zij in oktober 1854 op de Krim arriveerde. Ondanks herhaalde tegenwerking van artsen en officieren slaagde miss
Nightingale erin om het percentage
sterfgevallen onder de gewonde soldaten van vijftig tot tweeëneenhalf procent terug te brengen. Als enige vrouw
maakte zij iedere nacht een rondgang
langs de bedden. Onder de Britse soldaten bezorgde dit haar de bijnaam
'The lady with the lamp'.
Terwijl zij na de oorlog haar hervormingswerk rond de ziekenverzorging
binnen het Engelse leger voortzette,
publiceerde Nightingale bovendien
haar ideeën over hervormingen in ziekenhuizen en over de opleiding van
verpleegsters. In de nu opgerichte
school zullen haar opvattingen gestalte
krijgen. Zij acht ingrijpende maatregelen noodzakelijk om aan de huidige situatie in de ziekenhuizen een einde te
maken. In veel ziekenzalen stinkt het
en is het onbeschrijflijk smerig; de
zaalmeiden zijn totaal niet vakbe-
kwaam en zijn vaak dronken of vertonen anderszins losbandig gedrag.
Op de nieuwe opleiding zullen vijftien
leerlingen onder strenge supervisie gedurende één jaar theorie- en praktijk-
lessen krijgen van artsen. De meisjes
die zich voor de opleiding aanmelden,
moeten een bewijs van goed gedrag
overleggen. Tijdens het leerjaar, waarin zij verplicht intern in het zusterhuis
wonen, wordt hun zedelijk gedrag
nauwlettend in het oog gehouden.
Door het peil van de verpleging te verbeteren, wordt het beroep tegelijkertijd aantrekkelijker gemaakt voor 'beschaafde jonge vrouwen', zo redeneert
men.

*lorence Nightingale (1854).*

# Spanningen in Duitse Bond

TEPLITZ, 26 juli - Vandaag heeft er
een ontmoeting plaatsgehad tussen de
Duitse prins-regent Wilhelm I en de
Oostenrijkse keizer Frans-Jozef I. De
beide leiders hebben een poging gedaan de onderlinge betrekkingen te
verbeteren. De relatie tussen de twee
grootmachten in de Duitse Bond had
een dieptepunt bereikt door de houding van Pruisen tijdens de oorlog die
Oostenrijk tegen Frankrijk en Sardinië-Piemonte voerde.
Oostenrijk was, in een poging zijn
Noorditaliaanse bezittingen in Lombardije en Venetië veilig te stellen, in
een militair conflict met Franse en Italiaanse troepen geraakt en had daarom
om steun van het leger van de Duitse
Bond gevraagd. Maar Pruisen had die
geweigerd met het argument dat het
hier een buitenlandse aangelegenheid
betrof. Lombardije en Venetië vielen
buiten het gebied van de Duitse Bond
en vormden ook geen directe bedreiging voor Duitsland. In de felle discussie die daarop ontstond, meende Oostenrijk dat de Rijn al bij de Po verde-

digd moest worden. De Duitse prins-
regent wilde uiteindelijk niet verder
gaan dan de toezegging dat het leger
van de Duitse Bond in staat van paraatheid zou worden gebracht. Intussen
leed Oostenrijk de ene nederlaag na de
andere. Pruisen hoopte heimelijk op
een afgang van de Oostenrijkse troepen om zelf - na beëindiging van de oorlog - als vredestichter te kunnen optreden. Bovendien hoopte men dat Pruisen in zo'n geval als beschermer van de
Noorditaliaanse bezittingen van Oostenrijk zou kunnen gaan functioneren.
Daarmee zou Pruisen fors aan politiek
aanzien kunnen winnen.
Maar het liep anders. De Franse regering onder leiding van keizer Napoleon
III en de Oostenrijkse keizer Frans
Jozef I sloten op 11 juli vorig jaar een
vredesverdrag, zonder dat Pruisen
daarbij betrokken werd. Door deze
manoeuvre heeft Pruisen - in de ogen
van de andere lidstaten van de Bond -
politiek prestige ingeboet. Het
land had immers geweigerd op te komen voor de belangen van een medelid.

*De 'operette-ster' Alexander Girardi en een loge in het Theater an der Wien.*
*Het is op 14 november dat Wenen kennis heeft kunnen maken met een nieuwe*
*vorm van muziekdrama, de 'operette', in de vorm van 'Das Pensionat' van*
*Franz von Suppé. De muziek is luchtiger dan in de opera en er komt gesproken*
*tekst in voor. Offenbach heeft deze theatervorm in Frankrijk geïntroduceerd.*

# 'Max Havelaar' veroordeelt kolonialisme

*De woning van assistent-resident Eduard Douwes Dekker alias Multatuli (rechts) te Rangkas-Betoeng op Lebak.*

AMSTERDAM, september - Het in mei van dit jaar verschenen boek *Max Havelaar, of de koffijveilingen der Nederlandsche Handelmaatschappij* van Multatuli ('ik heb veel geleden'), een pseudoniem van Eduard Douwes Dekker, heeft voor heftige beroering gezorgd in de meestal zo gezapige koloniale wereld. In felle bewoordingen wordt in het boek een aanval gedaan op de Nederlandse koloniale politiek en in het bijzonder op het Cultuurstelsel, de gedwongen verbouw van handelsgewassen zoals de door de Nederlandsche Handelmaatschappij vervoerde koffie. Het stelsel levert de Nederlandse staat jaarlijks miljoenen op, maar leidt op Java tot grove onderdrukking van de bevolking.

De *Max Havelaar* is een autobiografisch werk; het schetst Multatuli's persoonlijke ervaringen als koloniaal ambtenaar. Hij bekleedde in Indië diverse functies tot hij in 1856, na een Europees verlof, door gouverneur-generaal Duymaer van Twist werd benoemd tot assistent-resident van Lebak, in het westen van Java (Banten). De bevolking wordt hier niet onderdrukt door het Cultuurstelsel (de grond is te arm voor de verbouw van koffie), maar door het inheemse bestuur, dat zich schuldig maakt aan buffeldiefstallen en extreem zware herendiensten eist.

Nog geen vijf weken nadat hij in Lebak was gearriveerd diende Multatuli bij zijn chef, resident Brest van Kempen, een ernstige aanklacht wegens knevelarij tegen de bejaarde regent van Lebak in en verzocht om diens arrestatie. De resident, bevreesd voor verstoring van de rust, weigerde, waarop Multatuli zich rechtstreeks tot de gouverneur-generaal wendde, een ongekende inbreuk op de ambtelijke voorschriften. Het kwam hem te staan op een spoedoverplaatsing en een berisping, waarop Multatuli ontslag nam (4 april 1856). Na drie jaar op Java rondgezworven te hebben keerde hij berooid naar Nederland terug.

*Mimi, de tweede vrouw van Multatuli.*

Multatuli wil gehoord worden, en dat lukt hem met deze publicatie zeker, ondanks het feit dat Jacob van Lennep het werk in deze eerste uitgave van zijn scherpe kantjes ontdaan heeft. De schrijver wordt fel aangevallen, waarbij zijn niet smetteloos privé-leven het vaak moet ontgelden. Maar voor het eerst wordt de koloniale politiek alom besproken. De *Max Havelaar* met zijn tragische liefdesgeschiedenis van Saïdjah en Adinda en de indrukwekkende toespraak tot de hoofden van Lebak heeft een diepe indruk gemaakt, niet in de laatste plaats om de in de slotregels voorkomende dramatische oproep aan koning Willem III: 'Keizer van het prachtige rijk van Insulinde, dat zich daar slingert om de evenaar, als een gordel van smaragd. Aan U durf ik met vertrouwen vragen of het Uw Keizerlijke wil is: .... dat daarginds Uw meer dan dertig miljoenen onderdanen worden mishandeld en uitgezogen in Uwen naam?'

## Garibaldi breekt verzet Napels

CASERTA, 1 oktober - Giuseppe Garibaldi heeft vandaag in een veldslag bij de Volturno bij Caserta de laatste weerstand van Napels gebroken. De leider van de 'duizend roodhemden' heeft in snel tempo heel Zuid-Italië veroverd. Binnen drie maanden na zijn landing op Sicilië op 11 mei bevrijdde Garibaldi met zijn expeditieleger heel Sicilië om vervolgens in Calabrië op te rukken. Koning Frans II van de Beide Siciliën trachtte, in een poging zijn troon te redden, de Sicilianen en Calabrezen nog voor zich te winnen door een grondwet af te kondigen en autonomie te beloven, maar het was te laat. In augustus veroverde Garibaldi - zonder instemming van zijn koning Victor Emanuel II - Calabrië en op 7 september hield hij zijn intocht in Napels.

*Giuseppina van Barcelona, de 'Heldin van Catania' tegen de Napolitanen.*

*Beelden van de posterijen in de Verenigde Staten, die dit jaar met een nieuw fenomeen hebben kennis gemaakt: de 'Pony-Express', een koeriersdienst tussen Saint-Joseph in Missouri en Sacramento in Californië; de eerste koerier is op 3 april van start gegaan. De nieuwe koeriersdienst is een initiatief van het vervoerbedrijf Russell, Majors & Waddell. De firma heeft een bedrag van 100 000 dollar geïnvesteerd voor de bouw van 160 uitspanningen langs de 3000 kilometer lange route; bij deze uitspanningen wisselen de koeriers elkaar af. Tot dusver deed de post er ongeveer een maand over; men neemt aan dat het met de nieuwe expressedienst in acht dagen kan. Het bedrijf heeft daarvoor tachtig ruiters in dienst die gebruik maken van in totaal 500 paarden. Het tarief dat de gebruiker moet betalen is vijf dollar per half 'ounce'. Andere koeriersdiensten, zoals Wells, Fargo & Co., werken - vooral voor pakketpost en het vervoer van kostbare voorwerpen - met postkoetsen. Links: postvervoer met de Pony-Express; rechts boven: een postkoets in Nevada; rechts onder: een postkoets stopt voor een kantoor van Wells, Fargo & Co.*

# Roofovervallers onthoofd

*'Maskers twistend om een gehangene' (door James Ensor, 1891).*

# Einde Tweede Opiumoorlog

PEKING, 14 november - Met de ondertekening van het verdrag tussen Rusland en China is de laatste fase van de Tweede Opiumoorlog afgesloten. Deze oorlog eindigde met een totale capitulatie van de Mantsjoe-regering. De legers van Frankrijk en Engeland zijn begonnen Peking voor het invallen van de winter te ontruimen. De Chinese hoofdstad werd in oktober veroverd. Tot de wapenfeiten van Lord Elgin, die het bevel voert over de Britse troepen, behoort de vernietiging van het Zomerpaleis als vergelding voor de dood van twintig krijgsgevangenen.

In de Conventie van Peking, die op 24 oktober werd getekend, is onder meer opgenomen dat de havenstad Tianjing een 'verdragshaven' zal worden, dat in Peking buitenlandse diplomatieke vertegenwoordigingen geopend zullen worden, dat een stuk van het schiereiland Kowloon [Jiu Long] tegenover Hong Kong aan Hong Kong toegevoegd zal worden en dat het bezit van de katholieke Kerk in China aan die Kerk zal worden teruggegeven. Voorts gaf de Mantsjoe-regering haar onderdanen het recht op vrije emigratie, het-

geen in de praktijk de legalisatie van de handel in 'koelies' inhoudt.

Drie weken later is door de Russische gezant Ignatjev een nieuw verdrag met China ondertekend. In dat verdrag krijgt Rusland het hele gebied tussen de Ussuri-rivier en de Zee van Japan. Nog voor het einde van dit jaar is hier de vestiging gepland van de stad Vladivostok. De regering van Rusland mag voorts consulaten openen in Oerga, in Buiten-Mongolië en in Kasjgar.

Iedere concessie die een buitenlandse mogendheid van de Chinese regering krijgt, geldt automatisch ook binnen de relatie van China met andere landen. Het resultaat van de Tweede Opiumoorlog is derhalve dat China een halve kolonie van westerse mogendheden wordt. Deze ontwikkeling is niet alleen te danken aan de agressiviteit van de westerlingen maar tevens het gevolg van het besef aan het Mantsjoehof dat zonder westelijke steun de dagen van de dynastie zijn geteld. Engeland en andere landen hebben het Mantsjoe-bewind hulp toegezegd bij de definitieve afrekening met de christelijke T'aip'ing-opstandelingen.

CHARLEROI, 16 november - Jan Coucke en Pieter Goethals zijn wegens hun aandeel in de roofmoord op de bejaarde weduwe Dubois onthoofd. Hedenmorgen rond negen uur betrad eerst de 49-jarige Coucke het schavot, waarna enkele minuten later de 15 jaar jongere Goethals zijn hoofd onder de guillotine legde. Een omvangrijke menigte was getuige van de amper vijf minuten durende terechtstelling, die plaatsvond op het plein van de bovenstad van Charleroi.

Bijna twee maanden geleden oordeelde de jury van de rechtbank van Henegouwen beide Vlamingen medeplichtig aan de roofmoord op de 73-jarige Scholastique Dubois. Niet de moord zelf, wel inbraak en diefstal werden Coucke en Goethals ten laste gelegd. In de nacht van 23 op 24 maart was de weduwe in haar huis in Couillet, een plaatsje nabij Charleroi, overvallen door drie mannen die haar beroofden

en ernstige verwondingen toebrachten. Vijf dagen later bezweek de weduwe, maar ze was nog wel in staat geweest de politie belangrijke inlichtingen te verschaffen. Op grond daarvan werden Coucke en Goethals gearresteerd. Aangenomen wordt dat ze lid zijn van de beruchte 'Zwarte Bende' die al enkele jaren de omgeving van Charleroi terroriseert.

Coucke en Goethals werden berecht in een volledig in het Frans gevoerde rechtszaak. Op grond van artikel 381 van het wetboek van strafrecht werden zij, na schuldig te zijn bevonden, veroordeeld tot de doodstraf. Een directe verbintenis met de 'Zwarte Bende' kon niet aangetoond worden. Wel wordt gehoopt dat met de zeer zware straf een afschrikwekkend voorbeeld gesteld is. Nadat een gratieverzoek was afgewezen zijn beide veroordeelden gisteren vanuit Bergen, waar ze opgesloten zaten, naar Charleroi overgebracht.

*Felle gevechten in Peking tussen Frans-Britse troepen en Chinese eenheden.*

*Britse schepen nemen de Zuidchinese havenstad Kanton onder vuur.*

*De grote pers van de 'Daily Telegraph' in Londen, Engelands eerste 'penny-newspaper', die nu vijf jaar op de markt is en dank zij de intrekking van het dagbladzegel in 1855 zeer succesvol met 'The Times' concurreert.*

# Abraham Lincoln nieuwe president van VS

WASHINGTON, 6 november - De Republikein Abraham Lincoln is de nieuwe president van de Verenigde Staten geworden.

Lincoln heeft in alle noordelijke staten gewonnen. Douglas, de kandidaat van de verdeelde Democraten, kreeg slechts twee staten achter zich, Missouri en New Jersey. De onafhankelijke kandidaat Bell won in drie grensstaten, terwijl de door het Zuiden naar voren geschoven Democraat John C. Breckinridge de steun van de kiezers in het Zuiden kreeg.

De verkiezingsuitslag lijkt ernstige gevolgen te krijgen. In het Zuiden, met name in South Carolina, gaan stemmen op zich van de Unie af te scheiden. In maart volgt de officiële beëdiging van Abraham Lincoln tot president. Maar de grote vraag die Amerika bezighoudt is: president waarvan? Lincoln wordt immers een minderheidspresident; hij heeft 1,8 miljoen stemmen verworven, zijn drie concurrenten kregen samen 2,8 miljoen stemmen.

Abraham Lincoln geldt in de Republikeinse Partij als de kandidaat van het midden. Een gematigde figuur die aanvaardbaar is zowel voor de radicale Free Soil-aanhangers als voor ex-Whigs. Inzake de explosieve kwestie

*Abraham Lincoln.*

van de slavernij verklaarde Lincoln in een rechtstreeks debat met zijn opponent Douglas dat 'de neger niet in alle opzichten mijn gelijke is - zeker niet in kleur, en misschien ook niet op het gebied van intellectuele en morele gaven. Maar wat betreft het recht om het brood te eten dat hij met zijn eigen handen verdient, is hij mijn gelijke en de

gelijke van rechter Douglas en van iedereen'. Met andere woorden: Lincoln is zeker geen radicale abolitionist maar hij is wel een tegenstander van slavernij in de Verenigde Staten. Niet omdat hij gelooft in totale gelijkheid maar omdat de slavernij een van de Amerikaanse basisprincipes schendt: gelijke kansen voor iedereen.

Grote indruk maakte de snier van 'Honest Abe' aan het adres van de Democraten tijdens de campagne: 'You can fool all of the people some of the time, and some of the people all of the time, but you cannot fool all the people all the time.'

De verkiezingsnederlaag van de Democraten komt voornamelijk door de opstelling van het Zuiden, die heeft geleid tot verdeeldheid onder de Democraten. Het Zuiden is de campagne ingegaan in de veronderstelling dat er sinds 1840 economisch niets veranderd is. Het gelooft nog steeds in het credo 'cotton is king'. Men denkt dat de katoenindustrie de vooruitgang in het Noorden bekostigt en dat de katoenslaveneconomie de kurk is waarop de hele natie drijft.

Maar het Noorden van de Verenigde Staten is dank zij zijn eigen industrie al lang niet meer afhankelijk van de katoen uit het Zuiden.

# 'Great Eastern' onderweg naar New York

LONDEN - Na een bouwperiode die een paar jaar in beslag heeft genomen, heeft de 'Great Eastern' zijn eerste reis naar New York ondernomen. Dit vaartuig, ontworpen door de spoorwegingenieur Isambard Kingdom Brunel, is het grootste stoomschip dat ooit gebouwd is. De 'Great Eastern', voortbewogen door een schroef en twee schepraderen met een diameter van 17,5 meter, is 211 meter lang en meet 22 500 ton. Drie stoommachines zorgen voor een snelheid van meer dan 14 mijl per uur.

Het schip kan 4000 passagiers vervoeren die aan boord over een luxe beschikken welke volgens de *Illustrated London News* die van Buckingham Palace overtreft.

Het bouwen van een dergelijk schip is een groot commercieel waagstuk. Hoewel men in Engeland overtuigd is van het nut van stoomschepen, bouwde men tot dusverre aanzienlijk kleinere schepen. In 1845 heeft Isambard Brunel al een ijzeren stoomschip gebouwd, de 'Great Britain', die slechts 98 meter lang was.

Een probleem voor deze schepen is dat de stoommachine en de brandstof veel ruimte innemen. De schepen worden mede daarom nog altijd van zeiltuigage voorzien. Brunel meende dit probleem te kunnen oplossen door dit zeer grote schip te bouwen dat vanwege zijn

*Spotprent op de bouw van de 'Great Eastern': de werf gaat door vertier te gronde.*

luxe grote aantallen passagiers moet trekken. Het ziet er echter naar uit dat hij daarmee zijn mogelijkheden heeft overschat. Al tijdens de bouw, die plaatsvond onder leiding van Scott Russell, deden zich dusdanig grote problemen bij de financiering van het project voor dat de werf failliet ging. Ook voorziet men grote problemen bij de exploitatie: de 'Great Eastern' zal vanwege zijn grootte slechts een beperkt aantal havens kunnen aandoen. Bovendien vraagt men zich af of er wel zoveel animo is voor de kostbare oceaanreizen als Brunel veronderstelt. Op de

eerste reis was het schip geenszins volgeboekt.

Hoewel de introductie van stoomschepen in het algemeen een succes lijkt, kleven er nog veel problemen aan dit type schepen. Brandgevaar is bijvoorbeeld niet denkbeeldig. In 1853 raakte het Amerikaanse schip 'Independence' in brand waarna het strandde. Van de 400 passagiers verloren 150 het leven. Bovendien is het opvallend dat de laatste jaren op het gebied van de zeilvaart grote vooruitgang wordt geboekt: het succes van de snelzeilende klippers is een duidelijk voorbeeld.

# Russische tsaar schaft lijfeigenschap af

*en landheer ruilt boeren voor een aantal honden (door Tara Sjevtsjenko).*

T. PETERSBURG, 19 februari - De ussische boeren zijn niet langer peronlijk gebonden aan het gehate geag van de grootgrondbezitters. Dit is psychologisch en moreel opzicht een ote vooruitgang. Uit politieke en bestingtechnische overwegingen blijen zij echter via de dorpsgemeenschap an de grond gebonden. De boerenwestie houdt al jarenlang de gemoeeren in Rusland bezig. Zowel tsaar lexander I als Nicolaas I beschouwde e lijfeigenschap als een anachroistisch instituut, maar zij deinsden rug voor ingrijpende maatregelen. at de huidige tsaar Alexander II het

wel heeft aangedurfd actie te ondernemen, blijkt uit het nu uitgevaardigde Emancipatie-edict.
Het fiasco van de Krimoorlog heeft de laatste twijfels over de noodzaak om het boerenprobleem grootscheeps aan te pakken overboord gezet. De mythe van de onoverwinnelijkheid van de Russische militaire macht was doorgeprikt, het vertrouwen in het bestel geschokt. Dit leidde tot de doorlichting van de bestaande instellingen, met als belangrijkste de lijfeigenschap. Dit instituut werd als een steen om de nek ervaren en verantwoordelijk geacht voor de algemene economische en technolo-

gische achterlijkheid van Rusland. De angst van velen dat afschaffing van de lijfeigenschap tot onrust en revolutie zou leiden, maakte geleidelijk plaats voor het besef dat de instandhouding ervan nog gevaarlijker was; een juiste inschatting gezien de toenemende onrust onder de boeren de laatste decennia.
Met het Emancipatie-edict is het gezag van de landheer beëindigd. De voormalige lijfeigene is een rechtspersoon geworden, die bezit mag verwerven, kan trouwen met wie hij wil, en processen mag aanspannen. Maar de juridische status van de voormalige lijfeigenen blijft verschillen van die van de overige sociale klassen: zij moeten hoofdgeld betalen, een belasting waar-

van de andere bevolkingsgroepen zijn vrijgesteld. Voorts worden zij berecht volgens het gewoonterecht. Als een boer voor een langere periode weg wil, moet hij daartoe een verzoek bij de dorpsgemeenschap indienen. Het edict bevrijdt de boeren weliswaar van hun meester, maar niet van de commune (dorpsgemeenschap of 'mir'). In bepaalde opzichten blijft hij gescheiden van de rest van de bevolking en aan het land gebonden.
Het ligt in de bedoeling de bevrijde boeren in staat te stellen een deel van de grond te kopen, die zij tot nu toe hebben bebouwd. Degenen die als huispersoneel voor de grootgrondbezitters hebben gewerkt, en niet op het land, komen hiervoor niet in aanmerking.

*Russische boeren onder toezicht van een opzichter op het land aan het werk.*

# Februari-grondwet gaat liberalen lang niet ver genoeg

VENEN, 26 februari - Keizer Frans ozef van Oostenrijk heeft het zogeaamde 'Februarpatent' ondertekend. Met dit uit verschillende artiken bestaande 'Patent', dat vanwege jn veelomvattende karakter ook wel 'ebruarverfassung' wordt genoemd, eft de Oostenrijkse keizer toe aan de ep om een grondwet die sinds de reolutie van 1848 niet is verstomd.
et 'Februarpatent', ontworpen door e liberale 'Staatsminister' Anton von chmerling en de jurist Hans von Peraler, voorziet in een regeringsstelsel et twee Kamers van vertegenwoordirs, die samen de Reichsrat vormen. ele liberalen zijn teleurgesteld in deze 'ebruarigrondwet': de grondrechten jn er niet in vastgelegd, de onafhanelijkheid van de rechtspraak en de erantwoordelijkheid van de ministers jn niet geregeld, en de keizer behoudt ch het recht voor om zonder toesteming van de Reichsrat de legersterkte de belastingen te verhogen. Vooral Hongarije zijn de liberalen fel geant tegen deze wetgeving, die niet vol-

*Eerste blad van het 'Februarpatent'.*

doende tegemoetkomt aan hun verlangen naar zelfbestuur.
Het 'Februarpatent' is niet het resul-

taat van een verandering in het politieke denken van Frans Jozef - tegelijkertijd met de proclamatie dwong hij zijn ministers een plechtige eed dat zij de troon zouden verdedigen tegen eisen van verdergaande 'concessies' af -, maar van de tegenslagen die Oostenrijk in 1859 heeft moeten incasseren op het terrein van de buitenlandse politiek. In 1859 was duidelijk gebleken hoe machteloos het neo-absolutistische Oostenrijk stond tegenover de nationalistische bewegingen in Italië en Hongarije. In de oorlog tegen de rebellerende Italiaanse staten leed Oostenrijk in de Slag bij Solferino (24 juni 1859) zo'n zware nederlaag dat zelfs de keizer verzuchtte: 'Liever het verlies van een provincie dan nog eens een dergelijke verschrikkelijke ervaring!' Ternauwernood kon worden voorkomen dat ook Hongarije tegen het Weense gezag in opstand kwam. Van alle kanten bedreigd - en geconfronteerd met een sterke binnenlandse oppositie tegen de hoge defensie-uitgaven - was zelfs de door en door conservatieve

Frans Jozef genoodzaakt om een begin te maken met het invoeren van een constitutie en een volksvertegenwoordiging.

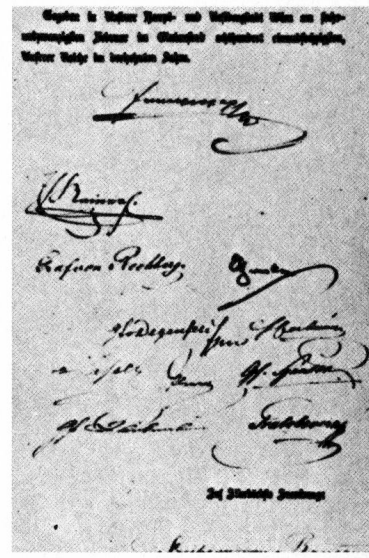

*Laatste bladzijde van het Patent.*

## 'Tannhäuser' van Wagner een fiasco

PARIJS, 25 maart - De drie opvoeringen van de opera *Tannhäuser* van de componist Richard Wagner op 13, 18 en 24 maart in de Opéra te Parijs zijn uitgelopen op een volslagen mislukking; de opera ontlokte slechts gefluit en lawaai.

Op voorspraak van vorstin Metternich, de vrouw van de Oostenrijkse gezant, heeft keizer Napoleon III vorig jaar bevolen dat Wagners *Tannhäuser* in de Parijse opera moest worden opgevoerd. De componist werd ruim van tevoren ervan op de hoogte gebracht dat hij - geheel overeenkomstig de Franse operatraditie - balletten moest invoegen. Wagner weigerde echter aan deze eis te voldoen en beperkte zich tot een nieuwe choreografische en muzikale bewerking van het Venusbergtoneel, die hijzelf de 'Parijse bewerking' noemde. Dit was voor de aristocratische vereniging de 'Jockey club' reden genoeg om de opvoeringen van *Tannhäuser* op een totaal fiasco te laten uitlopen. Dit ondanks het feit dat onder Wagners toezicht 164 repetities met uitgelezen zangers hadden plaatsgevonden. Naar verluidt is de componist vandaag teleurgesteld uit Parijs vertrokken.

*Tannhäuser* was bij de eerste uitvoering te Dresden in 1845 al geen succes. Evenals in zijn in 1843 gecomponeerde opera *Der fliegende Holländer* brak Wagner ook in *Tannhäuser* met de oude gewoonte van afgesloten 'nummers' (waarbij alle muzikale onderdelen als aria, duet, recitatief enzovoort duidelijk van elkaar gescheiden zijn). In plaats daarvan paste hij het 'Leitmotiv-principe' toe, waarbij elk dramatisch karakter zijn eigen muzikale thema heeft; kortom een realistisch-muzikale beschrijving als middel voor psychologische en zinnebeeldige typering. In Dresden wist men destijds alleen de conventionele gedeelten in *Tannhäuser* te waarderen. De houding van het publiek en de kritiek ten opzichte van Wagner werden steeds vijandiger.

Nadat de Meirevolutie van 1849 was neergeslagen, was Wagner, die zich aanvankelijk bij de revolutionairen had aangesloten, gedwongen Dresden te verlaten en uit te wijken naar Zürich, waar hij met steun van zijn vrienden (onder wie Franz Liszt) tot 1859 kon blijven wonen. Zijn in ballingschap geschreven tetralogie *Der Ring des Nibelungen*, een cyclus van vier grote opera's geïnspireerd op verhalen uit de Germaanse mythologie, werd door de pers ontvangen als het werk van 'een overspannen geest'. De avondvullende opera *Tristan und Isolde* uit 1859 (zoals vrijwel al Wagners opera's op een eigen libretto) schijnt daarentegen een hoogtepunt te zijn; het werk is helaas nog niet uitgevoerd.

*Links: (vlnr) Victor Emanuel II, Cavour en Garibaldi. Rechts begroet Garibaldi Victor Emanuel II bij Teano.*

# Italiaans parlement roept koninkrijk uit

TURIJN, 17 maart - Het nieuwe parlement van het verenigde Italië heeft vandaag in Turijn plechtig het koninkrijk Italië uitgeroepen. Daarmee is het levenswerk van Cavour voltooid - dank zij de militaire expeditie van Garibaldi vorig jaar. De opmars van Garibaldi's roodhemden van Sicilië via Calabrië naar Napels werd door een regulier leger van Sardinië-Piemonte gecompleteerd: op de dag waarop Garibaldi Napels binnentrok, viel dit leger de Pauselijke Staat binnen. Ancona en Umbrië werden veroverd, waarna koning Victor Emanuel over land naar het zuiden kon reizen en op 26 oktober Garibaldi in Teano de hand kon drukken. Volksstemmingen hebben daarna in Sicilië, Napels, Umbrië en de Marche geresulteerd in definitieve aansluiting van deze regio's bij het nieuwe koninkrijk Italië. Op Sicilië spraken 432 053 mensen zich voor de aansluiting uit en 667 tegen, in Napels was de stemverhouding 1 302 604 voor en 10 312 tegen.

Op Venetië, dat zich nog steeds in handen van Oostenrijk bevindt, en op Rome en Latium na, die samen de kle ne Pauselijke Staat blijven vormen, heel Italië nu één: een land met 26 mi joen inwoners dat echter economis ver op de andere grote Europese m gendheden achterligt. Van de Italiane is 78 procent analfabeet en werkt procent in de landbouw.

De enige die bij de plechtige uitroepi van Italië ontevreden is, is de man d het allemaal mogelijk heeft gemaak Garibaldi, die het Cavour niet hee kunnen vergeven dat deze hem niet oc naar Rome heeft laten opmarchere

## Reis demonstreert telefoon

*Philipp Reis in zijn werkplaats.*

FRANKFURT, 26 oktober - De Duits natuurkundige Philipp Reis heeft ti dens een bijeenkomst van de Physik lischer Verein in Frankfurt een 'tel foon' voor de elektrische overdrac van geluid gedemonstreerd. Het app raat leent zich meer voor muziek da voor gesproken tekst. Ook andere hebben zich met de elektrische ove dracht van geluid beziggehouden, z als C.G. Page in de VS (1837) en Cha les Bourseul in Frankrijk (1854).

*Op 30-jarige leeftijd overlijdt Wen Zong (Xian Feng), de zevende keizer van de Chinese Qing-dynastie (afbeelding). Direct na zijn aantreden werd hij geconfronteerd met de opstandige T'aip'ings, die het ene na het andere succes behaalden. In 1860 moest hij zelfs de hoofdstad Peking ontvluchten voor een Frans-Engelse interventiemacht. Zijn laatste dagen sleet de zwakke keizer in Jehol.*

# Burgeroorlog verscheurt VS

MANASSAS, VIRGINIA, 21 juli - Wat al maanden in de lucht hing, is nu een feit. De spanningen tussen de Unie en de rebellerende zuidelijke staten die zich hebben verenigd in de Confederatie, zijn uitgelopen op een oorlog. De eerste slag in de buurt van Manassas bij het riviertje de Bull Run is gewonnen door de Confederatie. De noordelijke troepen, die aanvankelijk een overicht hadden, hebben zich moeten terugtrekken tot in het veilige Yankee-gebied. Van een ordelijke terugtocht is nauwelijks sprake geweest.

De oorlog is het onvermijdelijke gevolg van de afscheiding van een groot aantal zuidelijke staten en de vaste wil van het Noorden om de Unie te bewaren. South Carolina heeft zich in december vorig jaar als eerste staat losgemaakt en in de volgende maanden volgden Mississippi, Florida, Alabama, Georgia, Louisiana, Texas, Virginia, Arkansas, Tennessee en North Carolina. Afgevaardigden van de afgescheiden staten hebben in februari een voorlopige regering gekozen die geleid wordt door Jefferson Davis uit Mississippi. Richmond in Virginia is uitgekozen als hoofdstad van de 'Confederate States of America'.

De eerste schoten in het conflict vielen op 9 januari toen batterijen in South Carolina het vuur openden op de 'Star of the West' op het moment dat dit schip Fort Sumter wilde bevoorraden. Hoewel het fort nog in aanbouw was, maakte de Confederatie er aanspraak op. In zijn inaugurele rede op 4 maart vorig jaar had Lincoln zijn positie ten opzichte van Fort Sumter ingenomen. Het fort zou niet gebruikt worden voor gewelddadige doeleinden: 'you can have no conflict, without being yourselves the agressors'.

Lincolns besluit het fort te laten bevoorraden, hoewel de Confederatie

De Zuidelijke generaal Robert E. Lee.

Boven, vlnr: de Noordelijke generaals Ulysses Grant, Philipp Sheridan en William Sherman; onder trekt een groep Yankee-vrijwilligers ten strijde.

onmiddellijke ontruiming eiste, maakt duidelijk dat hij bereid was een oorlog te riskeren. Zijn eerste prioriteit is het bewaren van de eenheid van de Uniestaten en hij wist dat hij vroeg of laat in het geweer zou moeten komen tegen de eisen van de Confederatie.

De volgende stap van de Confederatie was het bombarderen van Fort Sumter. President Lincoln beantwoordde het bombardement door 75 000 vrijwilligers op te roepen.

In zowel het Noorden als het Zuiden is een oorlogsstemming ontstaan. In deze hoogtijdagen van patriottisme melden zich meer vrijwilligers, opgejut op massabijeenkomsten, dan Davis of Lincoln kan uitrusten. Het uitzwaaien van vertrekkende nieuwbakken soldaten, de 'Johnny Rebs', de rebellen uit het Zuiden, en de 'Billy Yanks' uit het Noorden, die dienst nemen in onderdelen met aansprekende erenamen zoals de 'Richmond Howitzers', de 'Louisiana Zouaves' of de 'Cherokee Lincoln Killers', de 'Tallapoosa Thrashers' en de 'Chickasaw Desperadoes', is aanleiding voor spontane volksfeesten. Door het enthousiasme, de parades en het vlaggenceremonieel lijkt het of beide kampen zich opmaken voor een feest. Na de Slag bij Bull Run zal een vreedzame oplossing niet meer mogelijk zijn. De 23 Uniestaten hebben 22 miljoen inwoners, de 11 afgescheiden staten slechts 9 miljoen van wie bijna vier miljoen slaven. Bovendien heeft het Noorden meer geld, een betere industrie, een technologische voorsprong en een superieur spoorweg- en wegennet. De Confederatie heeft eigenlijk alleen maar het voordeel van de verdedigende partij.

DE AMERIKAANSE BURGEROORLOG
(1861-1865)

- noordelijken
- zuidelijken
- grens van de vrije en de slavenhoudende staten
- Missouri-Compromis van 1820
- tochten van de noordelijke legers
- tochten van de zuidelijke legers
- *Lee* militaire leiders
- bekende veldslagen
- blokkade door de Unie
- kaperschepen van het zuiden
- pantserschepen *Monitor* en *Merrimack*

Jefferson Davis.

# Graaf Teleki pleegt zelfmoord

*Graaf László Teleki.*

BOEDAPEST, 8 mei - Even voor zonsopgang heeft graaf László Teleki, leider van de Hongaarse revolutiepartij, zelfmoord gepleegd. Conflicten met zijn tegenspeler Ferencz Deák over de vorm en procedure van een mogelijk compromis met Wenen hebben de graaf tot zijn daad gedreven.

Teleki is door zijn eigen partij in de steek gelaten bij de naderende stemming over de vorm, waarin de Hongaarse nationale wensen aan Frans Jozef moeten worden gepresenteerd. Hij moest kiezen tussen compromis en isolement. Enkele uren voor de stemming in de Hongaarse Landdag heeft hij zijn beslissing genomen.

*'Apotheose van koning Wilhelm I' (door Hermann Julius Schlösser).*

# Nieuwe koning in Pruisen

KÖNIGSBERG, 18 oktober - In de kapel van het slot van Königsberg is Wilhelm I officieel tot koning van Pruisen gekroond. Hij is al drie jaar regent voor zijn krankzinnige broer koning Frederik Willem IV geweest; begin dit jaar, op 2 januari, volgde hij zijn broer na diens overlijden als koning op.

Pruisens nieuwe koning is de tweede zoon van Frederik Willem III en koningin Louise. Hij heeft een uitstekende militaire opleiding achter de rug; zo heeft hij bijvoorbeeld deelgenomen aan de veldtocht van 1814 tegen Napo-

leon. In 1829 trad hij in het huwelijk met prinses Auguste van Saksen-Weimar, die hem twee kinderen heeft geschonken, Frederik en Louise. In 1848 werd hij door het volk de 'kartetsenprins' genoemd, omdat hij de Maartrevolutie dadelijk met geweld had willen neerslaan. Hij voerde het bevel over de Pruisische troepen die in 1849 de opstanden in Baden onderdrukten, was daarna tot 1854 in Koblenz gouverneur-generaal van Rijnland en vervolgens, tot aan zijn regentschap, gouverneur van Mainz.

*Een beeld van de zware overstroming waardoor de Bommelerwaard in januari van dit jaar als gevolg van dijkbreuk getroffen is. Koning Willem III heeft de rampspoed aangegrepen om, door herhaalde bezoeken aan het gebied, zijn populariteit op te vijzelen, wat het hem mogelijk maakte in februari het kabinet-Van Hall af te zetten.*

*Zoeaven (Algerijnen in Franse dienst) in gevecht met Mexicanen bij Jiquilpam.*

# Invasieleger bezet Mexico

VERACRUZ, januari - Bij Veracruz zijn Franse, Spaanse en Engelse expeditietroepen geland. De bedoeling is de stad als onderpand bezet te houden tot de schulden van Mexico in het buitenland zijn afgelost. Hierover hadden de drie Europese machten op 31 oktober vorig jaar een conventie afgesloten. Vooral Napoleon III van Frankrijk is de drijvende kracht achter de dit uitgevoerde actie. Aan zijn hof houden zich veel gevluchte Mexicanen op, terwijl een genaturaliseerde Zwitserse bankier, Jecker, grote bedragen aan vroegere Mexicaanse regeringen heeft geleend.

Sinds het verlies van de helft van het grondgebied aan de Verenigde Staten in 1848 zijn pogingen gedaan een libe-rale wetgeving en staatsinrichting in Mexico door te voeren. De belangrijke instigator hierbij was een man van zuiver Indiaanse afkomst, Benito Juárez, die in 1848 minister van Justitie werd. Door zijn maatregelen tegen de fueros (privileges) van de Kerk en legerofficieren kwam het tot een opstand van de plattelandsgeestelijkheid, die snel werd overgenomen door het leger. De regering werd uit de hoofdstad verdreven, maar Juárez zette in Veracruz een nieuwe regering op, die juridisch gezien de wettelijke was. Vorig jaar behaalde deze wettelijke, liberale regering de overwinning in de burgeroorlog. De conservatieve partij heeft nu echter een helpende hand uit Europa toegereikt gekregen.

*Benito Juárez García, sinds 1861 president van de republiek Mexico.*

# Gratis land voor pioniers

*Amerikanen op weg naar nieuw grondbezit in het Westen.*

WASHINGTON, 20 mei - Voorstanders van vrije vestiging in het uitgestrekte Westen zijn tevreden met de goedkeuring door het Congres van de Homestead Act. De wet bepaalt dat pioniers die 21 jaar of ouder zijn en het Amerikaanse staatsburgerschap bezitten of van plan zijn dit aan te vragen en die hoofd van een gezin zijn, gratis een stuk geregistreerd staatsland krijgen ter grootte van 160 acres (ongeveer 60 hectaren). De kolonisten hoeven slechts de administratiekosten te betalen. Na vijf jaar verwerven zij de eigendomsrechten over hun land.

De wet is aangenomen onder druk van politici uit het Westen, zoals Thomas Hart Benton, de onvermoeibare senator uit Missouri, en geniet de steun van landhervormingsgezinden uit het Noorden en Oosten en van industriëlen uit deze regio die in een gekoloniseerd Westen een nieuw afzetgebied voor hun produkten zien. Maar de onderliggende reden voor het liberaliseren van de landwetgeving is de overtuiging dat het Westen een wijkplaats voor de verdrukten en een hoorn des overvloeds voor de ondernemingslustigen is. Een overtuiging die sterk leeft onder de Amerikanen en al jaren met veel verve wordt verwoord door de publicist en krantenuitgever Horace Greeley, die in zijn *New York Tribune* schreef dat 'iedere werker een thuis voor zijn gezin uit de maagdelijke bodem van het Grote Westen moet kunnen houwen'.

Tussen 1840 en 1860 hebben de Verenigde Staten een opmerkelijke groei doorgemaakt. Na het verwerven van de Mexicaanse cessiegebieden en de Gadsden-aankoop, beide in 1854, heeft Amerika zijn natuurlijke grens, de Grote Oceaan, bereikt. In deze periode verdubbelde de bevolking ruimschoots. In 1840 telde Amerika 17 miljoen inwoners, in 1860 ruim 38 miljoen. Kanalen, een wegennet en een snel expanderend spoorwegsysteem maken van dit land een geïntegreerde economische eenheid. Honderdduizenden trokken in de laatste twee decennia de Atlantische Oceaan over naar het land van de onbeperkte mogelijkheden. Maar het is vooral de groei van het Westen die opvalt. Hier is de bevolkingsgroei het sterkst. Het Westen staat qua belangrijkheid nu op gelijke voet met de andere delen van de Verenigde Staten en komt met steeds meer eisen naar Washington.

*De befaamde Colt-revolver, ontwikkeld door de op 10 januari overleden Amerikaan Samuel Colt. Hij ontwikkelde de revolver in de jaren dertig en stichtte een eigen bedrijf voor de produktie en verkoop van het wapen, dat echter na een paar jaar de poorten moest sluiten. De oorlog tegen Mexico betekende de ommekeer: de federale overheid bestelde toen bij Colt duizend revolvers. Kort daarna richtte hij weer een bedrijf op, dat inmiddels de grootste particuliere wapenfabriek ter wereld is geworden.*

# Lincoln proclameert vrijheid voor slaven

WASHINGTON, 22 september - De Amerikaanse president Lincoln heeft een emancipatieproclamatie uitgevaardigd die inhoudt dat alle slaven in de staten die 'in opstand zijn tegen de Verenigde Staten' per 1 januari 1863 voor altijd vrij zullen zijn.

President Lincoln heeft met de proclamatie duidelijk gemaakt dat de Burgeroorlog niet alleen gevoerd wordt om de eenheid van de Unie te herstellen maar ook gezien moet worden als een kruistocht tegen de slavernij.

Vanaf zijn jeugd is Lincoln op morele en economische gronden tegen de slavernij gekant. Mede om strategische redenen speelt hij al sinds het voorjaar met de gedachte de slaven te emanciperen. De oorlog verliep niet naar wens en een dergelijke beslissing zou de Ge-

confedereerden kunnen verzwakken. In juli bracht de president zijn voornemen in het kabinet. Minister van Oorlog Edwin M. Stanton juichte het plan toe en voorzag tactische voordelen. Maar minister van Buitenlandse Zaken William H. Seward vond het niet het juiste moment om met de proclamatie naar buiten te treden. Juist in juli moesten de Unietroepen zich uit Richmond terugtrekken en de emancipatie zou overkomen als een laatste wanhoopsdaad van een verslagen Unie. Maar na de Slag bij Antietam op 17 september is het tij gekeerd. Zuidelijke troepen zijn over de rivier de Potomac in Virginia teruggedreven en president Lincoln vindt dat het moment daar is om met de emancipatieproclamatie te komen.

*President Abraham Lincoln (derde van rechts) met zijn kabinet.*

Waarnemers wijzen erop dat de proclamatie slechts een 'oorlogsmaatregel van zeer beperkte omvang is die misschien de radicale abolitionisten binnen Lincolns Republikeinse Partij zal kunnen sussen'. De Confederatie verwerpt immers het gezag van de president van de Verenigde Staten. Lincoln heeft ook geen enkele zeggenschap over de slavenhouders of de slaven. 'Een maatregel opgelegd aan een vijand die nog niet verslagen is, is een papieren maatregel; een maatregel die voorlopig geen enkele verandering in de positie van de slaven zal teweegbrengen', aldus Lincolns critici. Voorstanders van afschaffing van de slavernij menen echter dat de Burgeroorlog nu officieel een oorlog tegen de slavernij is en juichen deze ontwikkeling toe.

De militaire overwegingen voor het uitvaardigen van de Proclamatie hebben het zwaarst gewogen: de slaven zijn een potentiële bron van arbeidskracht voor de zuidelijke staten. Noordelijke

generaals als Ulysses S. Grant mene dat de slaven een duidelijke bijdrage le veren aan de zuidelijke oorlogsinspar ning, ook al zijn ze niet onder de wape nen; het vrijmaken van de slaven moe het Zuiden ernstig verzwakken. De m litairen waren niet de enigen die bij Lir coln erop hebben aangedrongen de sla vernij aan te pakken. Al dertig jaa voeren allerlei organisaties actie tege de slavernij en hebben bij de presiden erop aangedrongen een emancipatie verklaring uit te vaardigen. Waarne mers menen bovendien dat het vrij maken van de slaven een gevoelige snaar zal raken in Engeland en het Eu ropese continent en daarmee de pogin gen van de Confederatie om in d hoofdsteden van Europa diplomatiek erkenning te verkrijgen, ernstig zal be moeilijken.

*Hardhandig wordt een slavenkaravaan in Virginia voortgedreven (1862).*

## Duitse arbeiders besluiten partij op te richten

LEIPZIG, augustus - Een aantal Dui se arbeiders die in Leipzig bijeen gekc men zijn, heeft besloten volgend jaa een congres ter oprichting van ee Duitse arbeiderspartij te organiserer In het voorbereidingscomité zijn Au gust Bebel, Friedrich Wilhelm Fritz sche en Julius Vahlteich gekozen.

Het comité heeft inmiddels Ferdinan Lassalle, een leerling van Karl Marx benaderd om zijn opvattingen over he arbeidersvraagstuk op papier te zetter In zijn boek *Arbeiterprogramm*, da onmiddellijk na verschijning verbode is, heeft Lasalle zijn opvattingen nee gelegd. Hij pleit nadrukkelijk voor ee politieke organisatie van de arbeider om via het bereiken van het algemee kiesrecht de belangen van de arbeiders klasse in het parlement effectief te kur nen behartigen. Deze opvattingen vo men een tegenstelling met die van Mar en Engels, die de staat voor alles al onderdrukkingsinstrument van de heersende klasse zien.

# Argentinië na burgeroorlog herenigd

BUENOS AIRES, 17 september - Bij Pavón heeft de beslissende veldslag plaatsgevonden tussen de legers van Buenos Aires en de Argentijnse provincies. Sinds het afzetten van dictator De Rosas door de provincies tien jaar geleden, is Argentinië gesplitst in twee staten. Na de veldslag lijkt een hereniging onder leiding van Buenos Aires mogelijk.

Tijdens de tweeëntwintig jaar macht van De Rosas groeide in de provincies het verzet tegen zijn centralistische bewind. Op 2 februari 1852 werd zijn leger bij Caseros verslagen door soldaten van de provincies Entre Rios en Santa Fe, gesteund door enkele duizenden Braziliaanse soldaten. In Santa Fe kwam in het jaar hierop een grondwetgevende Vergadering bijeen om een nieuwe grondwet op te stellen. Daarbij liet men zich vooral leiden door de ideeën van Juan Batista Alberdi in zijn boek *Beginselen en uitgangspunten*

*voor de politieke organisatie van de Argentijnse Republiek (Bases y puntos de partida para la organización política de la República Argentina)*. Hierin wordt de nadruk gelegd op liberale denkbeelden en organisatievormen in Engeland en de Verenigde Staten.

De machtige estancieros (eigenaren van grote veehouderijen), kooplieden en saladero-eigenaren (een saladero is een vlees-inzoutbedrijf) zagen echter weinig in de liberale politieke denkbeelden (wel in de liberale economische ideeën) en wantrouwden de leider van de opstandige provincies, Uruquiza, die de provincies meer invloed wil geven op de gang van zaken in Buenos Aires. De porteños (inwoners van Buenos Aires) zonden geen afgevaardigden naar de grondwetgevende Vergadering in Santa Fe en men riep op 12 april 1854 de onafhankelijke staat Buenos Aires (stad met de omliggende provincie) uit. Op 5 maart werd Uruquiza

door de overige provincies al tot president van Argentinië benoemd. Onder zijn leiding werd onder meer begonnen met de aanleg van het treinen-netwerk in de provincies.

Gedurende de jaren vijftig bleven de relaties tussen de twee Argentijnse republieken gespannen tot in oktober 1859 oorlog uitbrak. Op 22 oktober werd het porteños-leger onder Bartolomé Mitre bij Cepéda door de provincies verslagen en Buenos Aires stemde toe in de Confederatie terug te keren, hetgeen op 6 juni 1860 formeel gebeurde. De vrede bleek echter van korte duur en de vijandelijkheden werden later in 1860 hervat. Nu heeft dan bij Pavón de beslissende veldslag plaatsgevonden, waarbij het porteños-leger, andermaal onder Mitre, overwon. Buenos Aires is nu van zins en heeft ook de macht de eigen voorstellen voor de grondwet aan de provincies op te leggen.

# Staatsgreep in Griekenland: Otto geeft troon op

ATHENE, 24 oktober - Terwijl koning Otto met zijn echtgenote een cruise maakte, heeft in Griekenland een militaire coup plaatsgevonden. Het vorstelijk paar achtte het op grond ervan niet verstandig naar Athene terug te keren. Onder leiding van Dimitrios Voulgaris is een voorlopige regering ingesteld die zich zal bezighouden met de keuze van een nieuwe vorst en het opstellen van een nieuwe constitutie.

Toen de minderjarige Otto, zoon van de filhelleense koning Lodewijk I van Beieren, in 1832 voet op Griekse bodem zette, verwachtten weinigen dat hij het zo lang zou uithouden. De jonge republiek leed aan kinderziekten en de opvolgers van de in 1831 vermoorde president Kapodistrias slaagden er niet in een ordelijk bestuur te voeren. Frankrijk, Rusland en Engeland besloten zich ermee te bemoeien. Zij erkenden Griekenland en stemden in met de keuze van Otto tot koning. De stabiliteit van de nieuwe troon werd gegarandeerd door een internationale lening en ook door Beierse troepen die de Franse vervingen.

In 1843 pleegde een aantal oppositionele politici met steun van het leger een coup en dwong de koning een grondwet af. Vanaf 1844 werd Griekenland een beperkte constitutionele monarchie. De eerste verkiezingen brachten de partij van Kolettis aan de macht. Met de koning en de nationalisten schaarde hij zich achter de gedachte van nationale expansie, die enorm populair was. In plaats van op het filhellenisme, dat in modern Griekenland een herboren Athene met zijn klassieke, heidense beschaving wenste te zien, baseerden zij hun programma's op de Byzantijnse traditie en het orthodoxe geloof. Deze 'megali idea' (grote idee), een groot Griekenland conform de grenzen van de jurisdictie van de patriarch van Constantinopel, had in de vorige eeuw met name onder de Fanariotische Grieken grote aanhang.

Het onvermogen van de koning ten tijde van de Krimoorlog de nationale irredentapolitiek te verwezenlijken was een belangrijke reden voor diens groeiende impopulariteit. Een ander knelpunt dat steeds meer gewicht kreeg, was het zich steeds duidelijker manifesterende onvermogen van de koning en opvolger te verwekken.

Op 13 februari van dit jaar brak muiterij uit in het garnizoen van Nauplion. Deze kon nog onderdrukt worden, maar op 19 oktober brak er in Aetolia-Carnania opnieuw een opstand uit. Twee dagen geleden viel Athene in handen van de opstandelingen. De machtsovername na de huidige coup is soepel verlopen.

*De Noordelijken lijken in de Amerikaanse Burgeroorlog terrein te winnen: na de verovering van enkele eilanden in de Mississippi (7 april, zie boven) weten de Unietroepen onder leiding van generaal Ulysses S. Grant verder door te stoten naar het zuiden en veroveren New Orleans (26 april). Ondanks het verlies van New Orleans geeft het Zuiden de strijd niet op. Het benoemt generaal Robert E. Lee tot nieuwe bevelhebber van de Army of Northern Virginia en hij behaalt een opmerkelijke overwinning bij Bull Run (30 augustus). Na de Slag bij Antietam (17 september) moet hij zich met zijn troepen echter weer naar Virginia terugtrekken.*

# Bismarck wil sterk leger

*Otto von Bismarck (circa 1860).*

BERLIJN, 24 september - Onmiddellijk na de parlementaire nederlaag van de regering naar aanleiding van haar wetsvoorstel ter hervorming van het leger, heeft koning Wilhelm I een nieuwe minister-president, Otto graaf von Bismarck, benoemd. Deze voormalige gezant te Parijs heeft, bekleed met grote koninklijke bevoegdheden, het ambt aanvaard. In zijn eerste toespraak als Pruisisch kanselier maakte von Bismarck terstond duidelijk dat hij de hervormingsplannen voor het leger desnoods tegen de wil van het Huis van Afgevaardigden zal doorzetten. 'Niet door rede en meerderheidsbesluiten', hield hij de liberalen voor, 'werden in de geschiedenis de grote vraagstukken opgelost, maar door ijzer en bloed.'

Het gewraakte wetsvoorstel, waartegen overigens ook de conservatieven hun bedenkingen hadden, behelst:
- uitbreiding in vredestijd van de sterkte van het Pruisische leger van 150 000 tot 220 000 manschappen;
- verlenging van de duur van de diensttijd tot drie jaar.

Met deze veranderingen beoogt koning Wilhelm I, naar het voorbeeld van zijn grote voorganger koning Frederik de Grote, een 'Koningsleger' te formeren. Een driejarige diensttijd kan een militair beroepsethos kweken dat het mogelijk maakt om van een burger een echte soldaat te maken.

De liberalen hebben zich tot dusver sterk tegen deze plannen verzet. In die kringen wenst men een volksleger van burgers in uniform, met een maximale dienstplicht van twee jaar. Tot tweemaal toe werd het parlement ontbonden en werden nieuwe verkiezingen gehouden maar het vermocht niet tot een compromis tussen de afgevaardigden en de kroon te komen.

In deze uitzichtloze situatie verklaarde de nieuwe minister-president zich, tijdens een onderhoud met koning Wilhelm I, bereid tegen het parlement en de wet te regeren. Het vertrouwen van de koning was voor hem voldoende. Bismarck: 'Ik stel mijn majesteit al mijn vermogens ter beschikking. Ik voel mij als een vazal die zijn landheer in gevaar weet.'

*Victor Hugo.*

# Groot succes voor Victor Hugo

SAINT PETER PORT (GUERNSEY) - Met de publikatie van zijn roman *Les Misérables* heeft de Franse auteur Victor Hugo, die sinds 1851 in ballingschap op een van de Britse Kanaaleilanden woont, bij zijn landgenoten kennelijk een gevoelige snaar geraakt: het boek heeft een uitzonderlijk geestdriftig onthaal gekregen bij de meest uiteenlopende lezers en heeft de schrijver op slag tot een populaire figuur gemaakt.

De 'plot' van de roman is die van een speurdersverhaal, maar het boek is tegelijk een epos over het Parijse volk. Volgens de auteur zelf is het een 'godsdienstig' werk en uit de steeds vitale en innemende hoofdpersonen en de weergave van de woelige Parijse onderwereld duikt inderdaad duidelijk het hoofdthema van het boek op: de eindeloze strijd die de mens voert met het kwaad.

*Les Misérables* is weliswaar niet de eerste roman van Hugo (in 1831 verscheen van hem bijvoorbeeld *Notre-Dame-de-Paris*, een grandioze evocatie van het Parijs van Lodewijk XI), maar hij heeft tot nu toe toch vooral naam gemaakt als dichter en toneelschrijver.

*Spotprent van de Meetingpartij op de militaire politiek van Leopold I.*

# Meetingpartij opgericht

ANTWERPEN, 28 november - Tijdens een roerige meeting van de Antwerpse Commissie der Krijgsdienstbaarheden is besloten een eigen kandidatenlijst op te stellen voor de verkiezing van gemeente- en provincieraden in december. De kandidaten van wat de 'Meetingpartij' genoemd wordt, zullen het dan moeten opnemen tegen de Liberale Associatie.

De verkiezingen zijn noodzakelijk geworden omdat de meeste gemeente- en provincieraadsleden begin november afgetreden zijn. Dit gebeurde naar aanleiding van de uiterst koele ontvangst die een Antwerpse delegatie ten deel gevallen was tijdens een audiëntie bij koning Leopold I. 'Zoals een deputatie van boeren door de tsaar' werden de Antwerpenaren op 6 november afgescheept door de koning, die volstond met het op hooghartige toon voorlezen van een tekst. Daarin maakte de vorst duidelijk dat 'landsbelang boven stadsbelang' ging.

De Antwerpse delegatie was, onder aanvoering van burgemeester Loos, naar het koninklijk paleis in Brussel getogen om over de plannen van de liberale regering te spreken. Die wilde van de Scheldestad een verdedigingsvesting maken, waar het landsbestuur zich in geval van oorlog in afwachting van buitenlandse hulp kon terugtrekken. Naar plannen van minister van Oorlog Chazal en geniekapitein Brialmont is al begonnen met de bouw van de verdedigingswerken, zoals het noordkasteel bij Austerweel, dat in de volksmond de 'vervloekte poeiertoren van Chazal' genoemd wordt.

De Antwerpenaren zijn namelijk allerminst gelukkig met de verdedigingsgordel. Niet alleen vrezen zij daardoor in hun groei belemmerd te worden, zij wensen vooral niet opnieuw het doelwit te worden van oorlogshandelingen met alle ellende van dien. Zij weigeren het 'nieuwe Gibraltar van Europa' te worden.

Het verzet tegen de al enkele jaren bestaande en in 1859 door Kamer en Senaat goedgekeurde plannen, is vooral sedert de aanvang van de werkzaamheden losgebarsten. Antwerpen verzette zich er eensgezind tegen en de bovengenoemde Commissie der Krijgsdienstbaarheden werd in november vorig jaar opgericht. Daarin zaten tot voor kort alle plaatselijke politieke stromingen, zoals de katholieke Conservatieve Kiesvereniging, de Nederduitse Bond en de Liberale Associatie. In massale bijeenkomsten werd steeds fel geageerd tegen de vestingwerken. Vooral Jan van Ryswyck deed van zich spreken door uitspraken als 'laat ons beginnen met het ministerie af te breken, en dan de forten!'

Maar nu het verzet tegen de liberale regering zo heftig is geworden, is de Associatie in een lastig parket terechtgekomen. Door met een eigen lijst bij de verkiezingen op te komen, is niet alleen een breuk met de andere groeperingen binnen de Commissie ontstaan, de Commissie heeft bovendien besloten de krachten nog sterker te bundelen en eigen gezamenlijke kandidaten voor te stellen. De 'Antwerpse Partij' of 'Meetingpartij', die behalve antimilitaristische ook sterke Vlaamsgezinde, democratische en antiroyalistische trekken heeft en zowel katholieken als radicale liberalen herbergt, maakt goede kans de verkiezingen te winnen.

# Nieuwe roman Toergenjev

ST.-PETERSBURG - De Russische literatuur is verrijkt met een nieuwe roman van de hand van de schrijver Ivan Sergejevitsj Toergenjev. De titel, *Vaders en zonen*, verwijst naar de kloof tussen twee generaties. Met de 'vaders' wordt de generatie bedoeld die jong was in de jaren dertig en veertig; de 'zonen' staan voor die groep jongeren van nu die vervreemd is van traditie en religie, de nihilisten. Radicale publicisten als Tsjernysjevski, Dobroljoebov en Pisarjev hebben hiervoor model gestaan. Een van de hoofdpersonen uit het boek, Arkadi, definieert deze nihilisten als personen die 'voor geen enkel gezag buigen, geen geloof accepteren, en geen beginsel aanvaarden, ongeacht de eerbied waarmee dit is omgeven'.

Toergenjev geeft in het boek een uitstekend tijdsbeeld van het conflict tussen de twee generaties. De oudere generatie zijn de adellijke dissidenten, wier vormingsjaren samenvielen met het drukkende regime van Nicolaas I. Afgesloten van politieke uitingsmogelijkheden, zochten zij vaak hun toevlucht in de filosofie van het Duitse idealisme en de literatuur. De meesten van hen hebben zich nooit helemaal van de metafysische, esthetische en religieuze concepties uit hun vormingsjaren kunnen losmaken. Zij benaderen de werkelijkheid vooral historisch.

De huidige generatie daarentegen is grotendeels opgegroeid onder de veel mildere regering van Alexander II. In de loop van de jaren zijn, ten gevolge van de toenemende behoefte aan deskundigen, steeds meer kinderen van

*Toergenjev, portret door Nadar.*

niet-adellijke ouders tot het voortgez en hoger onderwijs toegelaten. De ve breding van het onderwijs heeft gele tot grotere groepen geschoolden, d niet langer uitsluitend uit de adel a komstig zijn, maar gedeeltelijk b staan uit de 'raznotsjintsy', dat wil ze gen mensen van gemengde, meest lage komaf, zoals zonen van dorp priesters en lage ambtenaren. Een aa tal van hen neigt tot 'kritisch realism of 'nihilisme'. Zij houden er, in t genstelling tot de oudere dissidente realistisch-positivistische denkbeeld op na en verzetten zich fundamente tegen de geaccepteerde waarden normen, die in hun ogen louter balla zijn. Voor hen zijn emancipatie en vri heid sleutelwoorden. Ofschoon zichzelf graag als realisten zien en zi vaak arrogant gedragen, kan men de wereldverbeteraars een zeker ide lisme echter niet ontzeggen.

*Een reserve-infanterist van de Noordelijke troepen in een veldkampement in Pennsylvania, mét zijn gezin. De Noordelijken hebben in de Amerikaanse Burgeroorlog aan het eind van het jaar, ondanks een numeriek overwicht, een zwaar verlies geleden in de Slag bij Fredericksburg (13 december).*

# Polen komen weer in opstand

WARSCHAU, 22 januari - Het geheime Comité van de Poolse ondergrondse organisaties noemt zich vanaf heden: de Tijdelijke (Voorlopige) Nationale Regering. In het *Manifest voor het Poolse volk* wordt opgeroepen tot de strijd tegen de tsaristische tirannie. Het manifest presenteert bovendien een radicaal programma van sociale hervormingen, waarin wordt verklaard dat de boeren de eigenaren zijn van de grond die zij bewerken, en dat alle inwoners van Polen, ongeacht hun nationaliteit, religie en bezit, gelijkgesteld moeten worden.

Het verzet is voorafgegaan door een periode van consolidatie van de verschillende revolutionaire en behoudende groeperingen in twee stromingen: de behoudende 'Witten' en de radicaal-democratische 'Roden'. Al

## Onderwijssysteem op Filippijnen grondig hervormd

MANILA, 20 februari - José de la Concha, de Spaanse minister van de Ultramar, heeft aangekondigd dat er op korte termijn in de Filippijnen een systeem van verplicht openbaar onderwijs zal worden geïntroduceerd. Het ligt in de bedoeling dat elke pueblo (dorp) de beschikking krijgt over minimaal één school voor jongens en één voor meisjes. Tevens zullen er kweekscholen worden gesticht en krijgen de nieuwopgeleide onderwijzers speciale voorrechten, zoals vrijstelling van belasting. Het is te verwachten dat grotere delen van de Filippijnse bevolking nu in staat zullen zijn scholen te bezoeken.

Tot nu toe is het onderwijs verzorgd door de parochiegeestelijken, die de meeste aandacht besteedden aan het verspreiden van het katholicisme en de Spaanse cultuur en taal. In de loop van deze eeuw werd in Spanje, onder invloed van het opkomende liberalisme, het antiklerikalisme steeds sterker; vooral de greep van de geestelijkheid op het onderwijs werd een steen des aanstoots. Het oprichten van staatsscholen heeft nu reeds geleid tot veranderingen in de Filippijnen, waar al enige tijd onvrede met de rol van de Kerk bestaat. Hier betreft het vooral de positie van de Spaanse priesterorden, die in de meeste parochies de macht in handen hebben en de Filippijnse seculiere geestelijken zoveel mogelijk daaruit trachten te weren.

Door het nieuwe schoolsysteem wordt de invloed van de Kerk op het onderwijs wel verminderd, maar niet uitgeschakeld, omdat de parochiepriesters zullen gaan optreden als inspecteurs van het onderwijs.

sinds drie jaar groeit onder de Russische bezetting een opstandige sfeer. De regelmatig voorkomende vieringen en herdenkingen van de nationale feesten krijgen een sterk patriottisch karakter en worden doorgaans uit elkaar gedreven, niet zelden ten koste van mensenlevens, wat op zijn beurt tot nog heftiger demonstraties leidt. In 1861 wisselden terechtstellingen en demonstraties met honderden doden op straat elkaar af.

Wanhopige pogingen van de meer behoudende Poolse leiders om met het tot samenwerking bereid zijnde deel van het tsaristische bestuur een oplossing te vinden, of een serie hervormingen tot stand te brengen, zijn mislukt. De uitbarstingen van patriottische gevoelens brachten slechts meer kozakken en Russische politie op de been, waardoor een algehele opstand voor enige tijd kon worden onderdrukt. De revolutionaire beweging verplaatste zich echter naar de provincie en bleef radicaliseren. De bevolking van Warschau beleefde in 1862 een jaar van patriottische opleving die zich vooral uitte in een verwoed kerkbezoek en massale voorbereiding tot een opstand.

De organisaties van de 'Witten' en de 'Roden' bundelden de kleine militaire groeperingen in een omvangrijk ondergronds leger. Een aantal briljante militaire leiders met een grote ervaring (onder wie Dabrowski en Mieroslawski) is vanuit het buitenland in Polen gearriveerd om de opstand te leiden. De radicale Russische officieren van de geheime organisatie 'Land en Vrijheid' hebben besloten zich bij de Poolse samenzwering tegen de tsaar aan te sluiten.

In 1861 werd voor Polen door de tsaar de noodtoestand (staat van oorlog) afgekondigd. Tevens gaf hij de autoritei-

*Sinds 1815 is Polen officieus een deel van Rusland ('Congres-Polen').*
*De opstanden van 1831 en 1863 hebben de kansen op zelfstandigheid van de Polen verder verkleind.*

ten zeer brede bevoegdheden en verminderde de reikwijdte van het Poolse zelfbestuur radicaal. Om de emoties te sussen en een revolte de kop in te drukken, organiseerden de Russische bestuurders een bijzondere lichting dienstplichtigen voor het Russische leger: in plaats van loting werden door de Russische politie speciale lijsten met potentieel gevaarlijke personen gemaakt, die het Russische leger zouden moeten dienen.

Het ondergrondse Centrale Nationale Comité gaf hierop een verklaring uit waarin zij beloofde de jeugd te beschermen.

De razzia's van de politie en het leger op zoek naar de rekruten hebben de beslissing om de opstand uit te roepen versneld. Op 19 januari werd de beroemde generaal Mieroslawski door de ondergrondse regering benoemd tot dictator van Polen voor de duur van de opstand.

*Op 10 januari is in Londen 's werelds eerste ondergrondse spoorlijn geopend; de zes kilometer lange stadsspoorweg, waarvan de bouw drie jaar heeft geduurd, onderhoudt een verbinding tussen Farringdon Street en Bishop's Road, Paddington, en doet onder andere het hier afgebeelde Baker-Streetstation aan.*

# Griekenland uit impasse

ATHENE, 30 maart - Griekenland heeft vandaag een nieuwe koning gekregen: koning George I, uit het Deense Huis van Sleeswijk-Holstein-Sonderburg-Glücksburg. George mag een andere titel dragen dan zijn voorganger Otto. Hij is niet koning van Griekenland maar 'koning der Hellenen'. Zo is recht gedaan aan het verlangen van Griekenland om zijn territoir uit te breiden totdat alle Grieken in één natie zijn ondergebracht.

De nieuwe koning is een beschermeling van Frankrijk en Engeland, die op deze wijze hebben geprobeerd een oplossing te vinden voor de politieke impasse waarin Griekenland het afgelopen jaar verzeild is geraakt.

Met de aanvaarding van een nieuwe grondwet in 1844 had Otto de binnenlandse oppositie slechts ten dele de wind uit de zeilen genomen. De oppositie in het parlement, de Vouli, die bleef ijveren voor een constitutionele monarchie, kon zich nog steeds niet met zijn bewind verenigen. Ook in het leger werd het verzet groter. In 1862 moest Otto een opstandje van het legergarnizoen in de vroegere hoofdstad Nauplion op de Peloponnesos neerslaan. Het was niet de eerste openlijke uitdaging aan het adres van de koning. In september 1861 was er al eens een mislukte aanslag gepleegd op zijn echtgenote, koningin Amalia.

Na de neergeslagen opstand in Nauplion kreeg Otto van de grote mogendheden het advies het land te verlaten. De koning gaf daaraan gehoor in de wetenschap dat hij door zijn buitenlandse beleid al te veel krediet bij Frankrijk en Engeland had verspeeld. Hij is niet meer teruggekeerd, waarna de mogendheden op zoek gingen naar een nieuwe vorst.

Als concessie aan de Grieken heeft Groot-Brittannië tegelijkertijd met de entree van de nieuwe koning vandaag beloofd de Ionische eilanden, waarover het sinds 1815 het protectoraat had, te zullen overdragen aan Griekenland.

*Groot vuurwerk op de Schelde ter gelegenheid van de afkoop van de Scheldetol.*

# Akkoord over Scheldetol

DEN HAAG/BRUSSEL, 12 mei - Vandaag wordt een Nederlands-Belgisch verdrag ondertekend over de afkoop van de Scheldetol. Overeengekomen is dat België, met financiële steun van andere landen die op Antwerpen varen, aan Nederland een vergoeding van bijna 37 miljoen frank ofte wel ruim 17 miljoen gulden zal betalen. Een derde deel van dat bedra[g] moet onmiddellijk worden voldaa[n,] de rest zal in de komende drie jar[en] worden afbetaald. Met dit verdrag is [de] scheepvaart op de Schelde weer vol[le]dig vrij.

Na de val van Antwerpen in 1585 we[rd] de rivier door de Hollanders en [de] Zeeuwen afgesloten. Bij het Nede[r]lands-Belgisch 'Verdrag van de XXI[V] artikelen' van 19 april 1839 was b[e]paald dat Nederland de Schelde ni[et] meer zou blokkeren, maar in ruil daa[r] voor een tol van ƒ1,50 op iedere t[on] scheepvaart van en naar Antwerp[en] mocht heffen. Om de Antwerpse ha[n]del niet te ernstig te belemmeren had [de] Belgische regering in een wet van 5 ju[ni] 1839 bepaald dat zij, en niet de schi[p]pers, de tol voor haar rekening zou n[e]men. Maar door het sterk toenemen[de] internationale handelsverkeer kost[te] deze regeling de Belgische schatki[st] handenvol geld. Bedroegen de tolge[l]den in 1839 nog 350 000 frank, in 186[?] was dat opgelopen tot bijna 2,2 m[il]joen frank. In totaal heeft de Belgisch[e] staat aan Nederland zo'n 28,5 miljo[en] frank betaald.

Om onder de steeds zwaardere last[en] uit te komen hebben de Belgen al [in] 1853 de onderhandelingen met hu[n] noorderburen geopend. Met de wein[ig] soepele Nederlandse regering had [de] delegatie, die onder leiding stond va[n] secretaris-generaal Brialmont, de n[o]dige moeite. Een doorbraak werd b[e]reikt toen Engeland bereid bleek vo[or] 9 miljoen frank aan de afkoop te wille[n] meebetalen. Samen met de inbreng va[n] andere op Antwerpen handelende m[o]gendheden leek het mogelijk een vo[or] Nederland acceptabel bedrag op ta[fel] te leggen. België zelf hoeft maar e[en] derde deel van de afkoopsom zelf te b[e]talen.

In Antwerpen heeft de Kamer va[n] Koophandel een feest georganisee[rd] om de ondertekening van het verdra[g] te vieren. De door de Meetingpar[tij] beheerste gemeenteraad zal daara[an] echter geen bijdrage leveren. Zij we[i]gert hulde te brengen aan een regeri[ng] die van Antwerpen een vestingstad [wil] het maken is.

# Aanslagen op buitenlanders in Japan

*De overval op de Britse legatie in Edo (12 oktober 1861). Rechts: een van de daders wordt bestraft.*

JOKOHAMA, oktober - Het platbranden van de Engelse legatie in Edo heeft de spanningen tussen Japan en de westerse landen doen stijgen. Dit incident is het zoveelste in een lange rij sinds het tekenen van het verdrag tussen Japan en de Verenigde Staten in juli 1858, waarbij werd bepaald dat handel en vestiging van Amerikanen in Japan nagenoeg vrij zouden worden. In 1859 zijn soortgelijke verdragen gesloten met Engeland, Rusland, Nederland en Frankrijk, zodat ook veel burgers uit deze landen zich in Japan hebben gevestigd.

Jokohama, dat voorheen een klein onbetekenend dorpje nabij Kanagawa was, is al uitgegroeid tot een handelscentrum van betekenis. Ook andere plaatsen zijn onder druk van de snel toenemende handelsactiviteiten explosief gegroeid.

De Japanners, die zich voor het sluiten van deze 'ongelijke verdragen' in meerderheid vijandelijk tegenover westerlingen hadden opgesteld, zijn nu overgegaan tot terroristische aanslagen op deze buitenlanders en hun vertegenwoordigingen.

In 1859 werden de eerste westerlingen om het leven gebracht. De moord twee jaar geleden op Heusken, de Nederlandse tolk van de Amerikaanse gezant Harris, heeft de spanningen echter zodanig opgevoerd dat het sjogoenaat aan het wankelen is gebracht. De schadevergoedingen die in dergelijke gevallen worden geëist, dragen bij tot een versneld bankroet van de Japanse schatkist en tot het toenemen van de onrust in het land.

Vorig jaar werden vier Engelsen aangevallen in de buurt van Jokohama. Bij deze aanslag, die werd uitgevoerd door samoerai van de daimio Satsoema, werd een van de Engelsen gedood. Nu nog geen jaar later de Engelse legatie in brand gestoken is, lijken de dagen van de sjogoen geteld.

Westerse diplomaten menen dat het niet slechts de haat van Japanners tegen buitenlanders is maar dat deze moorden en de brandstichting ook tot doel hebben het sjogoenaat ten val te brengen. De daimio's die daarop aansturen, lijken op het ogenblik in hun opzet te slagen.

# Frankrijk geeft Algerijnen recht op grondeigendom

LGIERS, 22 april - De 'stammen van lgerije' (of douars) zijn eigenaar geworden van de grond waarvan zij het ermanente en traditionele vruchtgeuik' hadden. Een door de Franse keier Napoleon III uitgevaardigd senas-consult heeft dat vandaag bepaald. aarmee is weer een kleine stap gezet de richting van een grotere autonoie van de autochtone bevolking die apoleon na zijn bezoek aan de koloie, in september 1860, zei voor ogen te ebben.

es jaar geleden werd Groot-Kabylië, et woeste, westelijke berggebied, onerworpen, tien jaar nadat de grote Alerijnse leider Abd-el-Kader zich overaf. Ofschoon nog lang niet alle stamen in dit uitgestrekte land het gezag an de Fransen erkennen - met name in et grensgebied met Marokko is dat og niet het geval - zijn de Europeanen egestroomd.

arijs lijkt echter niet goed te weten at het met de kolonie wil. Frankrijk arzelt tussen assimilatie en semiutonomie. De afgelopen jaren is het er voortdurend omgegooid. Dan eer stond de kolonie onder militair ewind, dan weer kwam er een burgerestuur, dat de inwoners van Europese komst doorgaans gunstiger gezind as. Keizer Napoleon zette veel kwaad oed bij de Europese bevolking van lgerije, door in zijn fameuze brief an 6 februari jongstleden te verklaren at 'Algerije geen eigenlijke kolonie, aar een Arabisch koninkrijk is', en at hij 'de volmaakte gelijkheid tussen e inboorlingen en de Europeanen' astreefde.

ie zelfde blanke bevolking van oord-Afrika had er twee jaar geleden grote moeite mee dat het ministerie oor Algerije en de Koloniën na een ortstondig bestaan werd opgeheven. Algiers kwam weer een gouvereur-generaal, die in de ogen van de uropeanen de autochtonen veelal te unstig gezind is. De laatste jaren zijn r daardoor minder nieuwe blanke neerzettingen bijgekomen dan in de beinjaren van de kolonisatie. Wel heben enkele grote bedrijven plantages in et vruchtbare kustgebied gevestigd. de Franse grondwet van 1848 werd lgerije een onmisbaar deel van het ranse grondgebied genoemd. Geduende verscheidene jaren is dat geïnterreteerd als zou de kolonie er voornaelijk voor de blanken zijn. Algerije erd geheel naar Frans model beuurd. Napoleon heeft zich er, met ame door de militairen die het land oed kennen, echter van laten overtuien van het associatiebeleid, waarbij e autochtone structuur en gebruiken orden geëerbiedigd, veel meer in ieers belang is.

*Ferdinand Maximiliaan en echtgenote Charlotte schepen zich in naar Mexico.*

# Maximiliaan naar Mexico

TRIËST, 14 april - De jongere broer van keizer Frans Jozef I, aartshertog Maximiliaan, neemt afscheid van zijn vaderland. Samen met zijn echtgenote Charlotte, dochter van Leopold I van België, heeft hij Triëst verlaten om in Mexico de keizerskroon aan te nemen. Maximiliaan heeft de kroon op aandringen van keizer Napoleon III van Frankrijk aanvaard. In Mexico kan hij slechts rekenen op steun van de conservatieven; de liberalen en hun president Juárez erkennen hem niet. Hij heeft echter een omvangrijke Franse troepenmacht (25 000 man) meegekregen, onder leiding van generaal Bazaine, aangevuld met een korps Oostenrijkers.

*Spotprent op Nadar's luchtfoto's.*

PARIJS - De Franse fotograaf, tekenaar, schilder en schrijver Nadar (eigenlijk Gaspard Félix Tournachon) heeft ten behoeve van zijn luchtfoto's, waarmee hij grote faam heeft verworven, een eigen ballon laten maken, de 'Géant', met een inhoud van 6000 kubieke meter. Nadar heeft zijn eerste luchtfoto gemaakt in 1858.

*Gaspard Félix Tournachon (Nadar).*

# Kambodja toch onder Frans protectoraat

PHNOM PENH, 11 augustus - Het verdrag dat is gesloten door de regeringen van Kambodja en Frankrijk betekent het einde van Kambodja als zelfstandige staat. Voortaan zal het land een protectoraat van Frankrijk zijn. Dit betekent onder meer dat de buitenlandse politiek en de defensie van het land volledig in Franse handen komen. Er wordt een Franse gouverneur-generaal aangesteld die toezicht op het centrale bestuur gaat houden.

Pas na zeer grote druk heeft de Kambodjaanse regering 'ingestemd' met het verdrag. Het moet echter nog door de kort geleden gekroonde koning Norodom worden geratificeerd.

Voor Frankrijk betekent de ondertekening de bekroning van een jarenlange politiek van inmenging in de staats-zaken van Kambodja. Dit begon al in de jaren dertig toen de buurlanden Vietnam en Siam probeerden hun positie in Kambodja te versterken. Frankrijk was bang dat Engeland via Siam pogingen in het werk zou stellen invloed in Kambodja te krijgen. Om dit tegen te gaan probeerden de Fransen in hun eigen land belangstelling te wekken voor het aangaan van nauwere betrekkingen met het land en in Kambodja aan het hof te infiltreren. Er werd druk gespeculeerd over een directe toegang vanuit Kambodja en Laos via de Mekong-rivier naar China. In 1858 kwam Mouhot met een rapport waarin het economisch belang van Kambodja zelf werd beklemtoond. 'Als dit land met grote rijkdommen onder Franse controle komt, zou het kunnen uit-groeien tot een leverancier van katoen, tabak en vele andere produkten.' Van militaire zijde werd eveneens druk op interventie uitgeoefend. Hierbij speelden zowel de geopolitieke ligging als de mateloze ambities van het leger een rol. Onder koning Duang wisten de Siamezen echter nog de Franse invloed aan het hof te beperken. Nu koning Norodom hem is opgevolgd, is de positie van de Franse 'adviseurs' aanzienlijk versterkt, wat geleid heeft tot het ondertekenen van het verdrag. De Siamezen lijken hierdoor uitgeschakeld te worden en zullen in de toekomst met de Fransen moeten onderhandelen over enkele grensprovincies in het westen van Kambodja. Delen van deze provincies heeft Siam zich in het verleden toegeëigend.

# Lincoln imponeert met rede in Gettysburg

GETTYSBURG, 19 november - Op het slagveld van Gettysburg heeft president Lincoln een militaire begraafplaats ingewijd. Nadat eerst een gelegenheidsredenaar maar liefst twee uur het woord had gevoerd, betrad de in het zwart geklede, vermoeid ogende president het spreekgestoelte en hield een toespraak van amper twee minuten. In enkele indrukwekkende en ontroerende zinnen heeft de president de waarde van het democratisch beginsel, de vrijheid en de menselijke waardigheid onder woorden gebracht: 'Vier maal twintig en zeven jaar geleden stichtten onze voorvaderen op dit vasteland een nieuwe natie, ontvangen in vrijheid en toegewijd aan het beginsel dat alle mensen als gelijken geboren worden. Thans zijn wij in een grote burgeroorlog gewikkeld, waarin uitgemaakt wordt of deze of enige andere natie, die aldus ontvangen en toegewijd is, lang kan standhouden.'

Over de inwijding van de erebegraafplaats zei de geëmotioneerde Lincoln: 'Maar wanneer wij dieper schouwen, kunnen wij deze grond niet wijden, dan kunnen wij deze grond niet zegenen noch heiligen. De dappere mannen, zowel de levende als de dode, die hier streden, hebben er zoveel wijding aan geschonken dat onze armzalige kracht daaraan niets kan toevoegen.'

Abraham Lincoln besloot zijn Gettysburg Address met de volgende woorden: [...] 'dat wij hier plechtig beloven dat deze doden niet vergeefs gevallen zijn; dat deze natie met Gods hulp een

*Boven: de Zuidelijke opperbevelhebber generaal Robert E. Lee met zijn staf.*
*Onder: het naargeestige beeld van het slagveld van Gettysburg.*

wedergeboorte der vrijheid moge beleven; en dat de regering van het volk, door het volk en voor het volk nimmer van deze aardbodem moge verdwijnen.'

De Slag bij Gettysburg heeft op 3 juli plaatsgevonden. In deze grootste veldslag van de oorlog liep het invasieleger van Robert E. Lee stuk op de stugge defensie van de noordelijken en werd gedwongen naar Virginia terug te trekken. 28 000 soldaten van de Confederatie bleven op het slagveld achter. De Unie verloor 23 000 man.

Na deze slag en na de successen van Ulysses S. Grant, die op het westelijk strijdtoneel de strategisch belangrijke plaatsen Vicksburg en Chattanooga veroverde, heeft de oorlog een wending in het voordeel van de Unie genomen.

---

*De bestraffing van een Surinaamse negerslaaf: levend opgehangen aan een vleeshaak.*

## Ook Surinaamse slaven krijgen vrijheid

PARAMARIBO, 1 juli - Nadat koning Willem III vorig jaar zomer zijn handtekening heeft gezet onder de wetten die een eind moeten maken aan de slavernij in de Nederlandse Westindische koloniën, is het nu dan zover: de ongeveer 30 000 slaven op de Surinaamse plantages zijn vrij. Nederland is daarmee een van de laatste landen in Europa die een eind maken aan de slavernij in hun koloniën.

De vrijheid van de Surinaamse slaven is overigens betrekkelijk: ze hebben nog steeds de verplichting een arbeidscontract met een plantage-eigenaar af te sluiten. Bovendien krijgen de ex-slaven die niet op de plantages willen werken, geen land voor de verbouw van voedsel, zodat ze weinig anders kunnen dan zich ter beschikking van een van de 216 plantages te houden.

Doordat in 1806 een eind werd gemaakt aan de aanvoer van nieuwe slaven uit Afrika, is het aantal slaven in Suriname sterk teruggelopen; aan het begin van de eeuw waren er nog ongeveer 50 000. Veel slaven zijn bovendien weggelopen en hebben aparte 'bosnegergemeenschappen' gesticht, waar de koloniale regering geen greep op kan krijgen.

*Na twaalf jaar onafgebroken bouwen is op 2 december het nieuwe Capitool in Washington voltooid. Het gebouw is veel groter dan het oorspronkelijke, dat door de Engelsen in de oorlog van 1812 is vernietigd.*

*Noordelijke batterij in Washington.*

# 'De Klok' schokt lezers

*'Le déjeuner sur l'herbe' (schilderij van Edouard Manet, 1863; Louvre, Parijs).*

*Russische en Poolse ruiters in gevecht tijdens de Poolse opstand.*

# Schandaal rond Manet

PARIJS - Edouard Manet heeft een groot schandaal veroorzaakt met zijn *Le déjeuner sur l'herbe* waarop een naakte vrouw staat afgebeeld te midden van volledig geklede metgezellen. Het stuk hangt op de Salon des Refusés, de expositie van werken die door de jury van de officiële Salon, de jaarlijkse expositie van beeldende kunstenaars in Parijs, zijn afgewezen. Ook avant-gardeschilders als Camille Pissarro, J.A.M. Whistler en Paul Cézanne hangen dit jaar op de Salon des Refusés. De veertien werken van Manet die nu in de Galerie Martinet hangen, waaronder *La Musique aux Tuileries*, kunnen de kenners evenmin bekoren; ze kunnen zich niet vinden in zijn realisme en zijn afwijzing van de gebruikelijke relaties van toon en kleur.

LONDEN, december - Het in de Engelse hoofdstad uitgegeven Russische tijdschrift *De Klok (Kolokol)* heeft ten gevolge van zijn pro-Poolse standpuntbepaling ten aanzien van de Poolse opstand een groot deel van zijn lezers in Rusland van zich vervreemd. Dit is gebleken uit de scherpe daling in de oplage.
*De Klok*, geesteskind van de in Londen woonachtige Russische émigrés Aleksandr Herzen en Nikolaj Ogarjov, heeft sinds zijn verschijnen in 1857 als spreekbuis van de liberale kringen in Rusland gefungeerd. Herzen heeft steeds gehamerd op de afschaffing van de lijfeigenschap, lijfstraffen en de censuur op het gedrukte woord. De redacteuren pleiten onafgebroken voor concrete hervormingen.
In *De Klok* worden talrijke verslagen en brieven uit Rusland gepubliceerd. Het blad is opvallend goed geïnformeerd over de stand van zaken in Rusland, ook buiten de hoofdstad. Ofschoon officieel verboden kon het blad steeds vrijelijk Rusland worden binnengesmokkeld. Het had een brede lezerskring en vond zelfs de weg naar het keizerlijke hof.
De pro-Poolse steunverklaring ten aanzien van de in dit jaar uitgebroken Poolse opstand heeft de situatie radicaal veranderd. Deze opstand heeft in Rusland een golf van nationalisme veroorzaakt, die voortdurend in de officiële pers wordt gevoed. Vele liberalen hebben zich vierkant achter de tsaar geschaard. Een van hen is de bekende journalist M.N. Katkov, die een belangrijke invloed op de publieke opinie heeft. Het is onder andere door zijn toedoen dat Herzen en zijn vrienden niet langer worden beschouwd als hervormers maar als landsvijanden. *De Klok* is in de ogen van de gemiddelde Russische lezer niet langer het orgaan van de verlichting maar van het verraad. De circulatie is onder invloed van de patriottische hysterie tot onbeduidende proporties teruggevallen.
De zaak is er niet beter op geworden doordat een Pool, Petkiewicz, vermoedelijk een Russische agent, in Brussel een 'open brief' heeft gepubliceerd waarin hij 'Herzen en Co.' ervan beschuldigt de Polen tot revolutie te hebben aangezet door hun hulp van een machtige en wijdverspreide organisatie toe te zeggen. Dat een dergelijke organisatie in het geheel niet bestaat, doet weinig ter zake.

*'Odalisque', een uit 1857 daterend schilderij van de op 13 augustus overleden Eugène Delacroix. Rechts boven: naaktfoto uit een album van Delacroix; de foto heeft waarschijnlijk model gestaan voor 'Odalisque'. Rechts onder: de schilder zelf. Delacroix koos als onderwerp vaak historische gebeurtenissen. Zijn eerste belangrijke werk 'Dante en Vergilius in de hel' oogstte grote waardering. De Revolutie van 1830 inspireerde hem tot 'De vrijheid die het volk leidt'. Naast grote monumentale doeken heeft hij ook kleine schilderijen (met onder andere roofdierjachten) en portretten gemaakt.*

# Tsaar stelt 'zemstvo's' in

*Impressie van een Russisch boerendorpje in de 19de eeuw.*

ST.-PETERSBURG, januari - Tsaar Alexander II heeft een wet afgekondigd die het lokale bestuur in de provincie moet moderniseren en democratiseren. Het plaatselijke bestuur is eeuwenlang een stiefkind geweest: bureaucratisch beheer, gecombineerd met wat participatie van de lokale adel, die tot 1861 aanzienlijke rechten op zijn lijfeigenen genoot.

De nieuwe wet voorziet in de oprichting van instellingen van lokaal zelfbestuur, de zemstvo-vergaderingen en -raden, op districts- en provinciaal niveau. De zemstvo's zijn gekozen vergaderingen, goeddeels onafhankelijk van de officiële provinciale regering. De vertegenwoordigers zijn afkomstig uit de adel, de steden en de boerenstand. Zij komen eenmaal per jaar bijeen om de algemene lijnen van de plaatselijke politiek vast te stellen. Speciale raden moeten deze dan uit-

voeren. Tot de taken van de zemstvo's behoren onderwijs, gezondheidszorg, diergeneeskunde, verzekeringen, wegenaanleg, het aanleggen van voedselvoorraden voor noodsituaties enz. Verder hebben zij in beperkte mate de bevoegdheid belasting te heffen.

Er zit een aantal zwakke kanten aan het nieuwe zemstvo-systeem. Het zal slechts worden doorgevoerd in de centrale provincies, de grensprovincies vallen erbuiten. Ten gevolge van het kiessysteem - de adel en stedelingen moeten aan bepaalde bezitscriteria voldoen, de vertegenwoordigers van de boeren worden indirect gekozen - ligt het in de verwachting dat de welgestelden een positie van overwicht zullen hebben. Niettemin is het zemstvo-systeem een grote verbetering in de ontwikkeling van het autocratisch en bureaucratisch Rusland naar een grotere mate van democratie.

*Koning Lodewijk II van Beieren.*

# Koning Lodewijk I
# nodigt Wagner uit

MUNCHEN, 4 mei - Lodewijk II, d
sinds 10 maart koning van Beieren is e
zich enkele jaren geleden al verru
toonde over Richard Wagners ope
*Lohengrin*, is de door hem zo bewo
derde componist te hulp geschote
Hij heeft Wagner, die onder een gro
schuldenlast gebukt gaat, uitgenodig
naar München te komen en al zi
schulden voor hem afbetaald. Wagne
heeft zijn intrek genomen in een huis
de Englischer Garten.

Wagner is de laatste jaren steeds me
in problemen gekomen. Nadat een u
voering van zijn *Tannhäuser* in Pari
in een schandaal resulteerde, is hij v
Karlsruhe - hij moest in 1849 wegens
volutionaire activiteiten uit Duitslar
wegvluchten, maar er is hem inmidde
amnestie verleend - naar Wenen g
gaan, waar zijn *Tristan* is afgewezen a
'onopvoerbaar'. Door schulden moe
hij nu ook Wenen overhaast verlate

# Herverkiezing van Abraham Lincoln

WASHINGTON, 8 november - Aan het begin van de campagne voor de presidentsverkiezingen in de Verenigde Staten was de Democratische kandidaat George McClellan duidelijk favoriet, maar de successen die de Unietroepen dit najaar hebben geboekt, hebben het tij blijkbaar toch doen keren: zittende president Abraham Lincoln heeft de strijd om het Witte Huis met grote overmacht gewonnen. Met 55 procent van het totaal aantal uitgebrachte stemmen heeft Lincoln in 22 staten aan het langste eind getrokken; McClellan won slechts in drie staten. De elf Zuidelijke staten hebben aan deze verkiezing uiteraard niet meegedaan.

Lincoln leek aanvankelijk in moeilijkheden te verkeren omdat men twijfelde aan zijn vermogen de oorlog te winnen. Om die rede waren ook enkele partijge-

noten, zoals Salmon Chase, Benjamin Wade en Horace Greeley, op de Republikeinse Conventie in Baltimore tegen zijn kandidatuur. Maar Lincoln bleek nog steeds populair te zijn bij de gewone Republikein en hij werd zonder veel oppositie als kandidaat aangewezen. Amerika's nieuwe vice-president wordt Andrew Johnson, een Democraat uit het Zuiden die de Unie trouw is gebleven. Het Republikeinse programma wil dat de Confederatie wordt vernietigd, de 'rebellenleiders' worden gestraft, het Zuiden zich onvoorwaardelijk overgeeft en, in navolging van de Emancipation Proclamation, de slavernij grondwettelijk wordt verboden. De Democraten hebben in de campagne grote hinder ondervonden van hun programma, waarin wordt aangedrongen op een onmiddellijk staakt-het-vuren.

*De stichter en eerste voorzitter van de Allgemeiner Deutscher Arbeiterverein (ADAV), Ferdinand Lassalle, die op 31 augustus in Genève bij een duel dodelijk gewond is geraakt. Het was een liefdesaffaire die de 39-jarige Lassalle tot het fataal verlopen duel dwong.*

# Arbeiders verenigd in 'Internationale'

*De politicus-filosoof Karl Marx schrijft het program van de 'Internationale'.*

LONDEN, 28 september - In St.-Martinshall is vandaag de Internationale Arbeiders Associatie (International Working Men's Association) opgericht. De vereniging, die kortweg de 'internationale' wordt genoemd, is het resultaat van contacten tussen Engelse en Franse arbeiders op de Wereldtentoonstelling van 1862 te Londen. De vereniging streeft naar emancipatie van de arbeidersklasse en stelt dat deze door de arbeiders zelf bevochten moet worden.

Bij de oprichtingsvergadering was een heterogeen gezelschap bijeen. Opvallend was de aanwezigheid van Robert Aplegarth, secretaris van de Britse timmerliedenvakbond. De kracht van de Britse vakbonden is sinds ongeveer 1850 sterk toegenomen. Daaraan droeg niet alleen de gunstige conjunctuur (met name in tijden van hausse kunnen arbeiders eisen stellen omdat de werkgevers hun diensten dan niet kunnen missen), maar ook het ineenzakken van de chartistenbeweging bij. Hierna gingen arbeiders zich meer in vakbonden organiseren om direct te kunnen opkomen voor hun belangen. De leiding van de Internationale zal overigens niet bij Aplegarth berusten, noch bij de ook aanwezige Mazzini, maar bij de Duitser Karl Marx. Deze verwierf zich enige bekendheid door zijn *Communistisch Manifest* en zijn rol in de revolutie van 1848 in Duitsland. Karl Marx heeft voor de Internationale een programma uitgewerkt. De vereniging stelt zich ten doel door internationale samenwerking de leef- en werkomstandigheden van de arbeiders te verbeteren. Daarbij wordt in de statuten uitdrukkelijk gesteld dat de 'emancipatie het werk van de arbeidersklasse zelf moet zijn'. Deze strijd voor gelijkberechtiging is volgens de statuten geen lokaal of nationaal probleem, maar een sociaal vraagstuk dat alleen op internationaal niveau kan worden opgelost.

Marx besloot de vergadering met de inmiddels beroemde woorden uit het *Communistisch Manifest*:

'Proletariërs aller landen, verenigt u!'

## Oprichting van Rode Kruis

GENEVE, 22 augustus - Met de ondertekening van de Conventie van Genève in deze Zwitserse stad het Internationale Rode Kruis opgericht. De particuliere organisatie beoogt het lot van zieke en gewonde militairen in oorlogstijd te verbeteren.

De Conventie is het gevolg van een beweging die is ontstaan na publikatie in 1862 van het boek *Un souvenir de Solférino*. Ruim 40 000 doden en gewonden bleven na de beruchte veldslag onverzorgd achter. De Zwitser Henri Dunant gaf hiervan een ooggetuigeverslag en pleitte voor de oprichting van een hulporganisatie. Dunant heeft eindeloos door Europa gereisd om staatshoofden voor zijn plannen te winnen. Oktober vorig jaar resulteerde dit in een eerste bijeenkomst. Daarbij werden door de betrokkenen toen reels opgesteld voor vrijwillige hulpverlening in oorlogstijd.

De activiteiten van het Rode Kruis zijn gebaseerd op zeven beginselen: menslievendheid, onpartijdigheid, neutraliteit, onafhankelijkheid, vrijwilligheid, eenheid en algemeenheid. Degenen die onder bescherming van het Rode-Kruisteken (de in kleuren omgekeerde Zwitserse vlag) hulp op het slagveld verlenen, zullen voortaan als noncombattanten worden beschouwd en bescherming van de oorlogvoerende partijen genieten.

Het is voor het eerst dat de rechtspositie van personeel en materieel van militaire gewonden- en ziekeninrichtingen internationaal geregeld is.

# Russische rechtspraak onafhankelijk

*Tsaar Alexander II.*

ST.-PETERSBURG, 20 november - Tsaar Alexander II heeft opnieuw een ingrijpende hervorming aangekondigd, ditmaal in de rechtspraak. De belangrijkste wijziging is de loskoppeling van de gerechtshoven van het bestuur. In plaats van louter een deel van de bureaucratie wordt de rechterlijke macht een onafhankelijke tak van de overheid.

Het bestaande systeem is totaal verouderd, bureaucratisch, traag en corrupt. Tot nog toe hadden de afzonderlijke bevolkingsklassen elk hun eigen gerechtshof. De rechters waren geen beroepsjuristen, maar eenvoudigweg notabelen die als rechter waren aangesteld.

De huidige wet, die voornamelijk het werk is van minister van Justitie Dmitri Zamjatnin en zijn assistent Serge Zaroedny, is gebaseerd op Westeuropese procedures. De tot nu toe gangbare bureaucratische geheimhouding wordt vervangen door openheid van de juridische procedure. De twistende partijen kunnen hun zaak voor de rechter brengen en voldoende juridische steun krijgen. De rechters zullen voortaan zelfstandige, niet afzetbare ambtenaren zijn; er geldt gelijkheid voor de wet en er zal in strafzaken juryrechtspraak worden toegepast. Overigens vallen de militaire en religieuze rechtbanken buiten de vernieuwing, terwijl ook de Russische boeren hun speciale hoven houden.

## Nieuwe grondwet door Grieks parlement

ATHENE, 29 oktober - Het Griekse parlement, de Vouli, heeft vandaag een nieuwe grondwet goedgekeurd. Deze grondwet beoogt een constitutionele monarchie.

In de grondwet is vastgelegd dat de Senaat is opgeheven. De enige Kamer van volksvertegenwoordigers, de Vouli, zal voortaan worden gekozen door alle mannen die een beroep hebben of met handel in hun levensonderhoud kunnen voorzien.

De machtspositie van koning George is aan banden gelegd. Ministeriële verantwoordelijkheid is nu conform de letter van de wet van kracht.

Met de constitutionele hervorming is een einde gekomen aan de politieke strijd die Griekenland de laatste decennia steeds meer ging verlammen.

De koning is de facto echter nog lang niet uitgespeeld. Via een achterdeur, de populistische fractie in de Vouli, heeft hij nog altijd veel invloed op de parlementaire verhoudingen.

## Strafkolonie in Nieuw-Caledonië

NOUMEA - Nouvelle-Calédonie, een eiland in de Grote Oceaan dat sinds 1853 in Franse handen is, is een strafkolonie geworden. Door de deportatie van misdadigers hopen de Fransen de gevangenissen in eigen land te kunnen ontlasten en de dunbevolkte kolonie van arbeidskrachten te voorzien.

James Cook heeft het eiland in 1774 ontdekt en het een naam gegeven. In 1843 werd er een Franse katholieke missiepost ingericht. Tien jaar later hebben de Fransen het eiland geannexeerd.

Het klimaat op Nouvelle-Calédonie is niet erg gunstig. Alleen zeer gezonde personen zijn tegen de verschrikkelijke hitte bestand.

Bovendien worden de vestigingen van de kolonisten regelmatig overvallen door de Melanesische bewoners van het eiland, zodat kolonisten er weinig voor voelen zich daar vrijwillig te vestigen. De Franse autoriteiten zijn om die reden geneigd ter dood veroordeelden gratie te verlenen en zoveel mogelijk personen voor deportatie aan te wijzen. Vooral mannen worden gedeporteerd (zesmaal zoveel als vrouwen), maar ook kinderen. De veroordeelden worden geacht zich in de strafkolonie door het verrichten van arbeid te 'rehabiliteren'.

De gevangenen zijn ondergebracht in hutten. Ze zitten onafgebroken aan kettingen vast, ook tijdens het werk. Ondanks de strenge bewaking zijn vechtpartijen en gewelddadigheden aan de orde van de dag.

# Denemarken verliest Sleeswijk en Holstein

*Deense en Oostenrijkse troepen leveren strijd bij Oeversee (6 februari).*

WENEN, 30 oktober - Ten gevolge van de nederlaag in de tweede Duits-Deense oorlog is Denemarken opnieuw een groot deel van zijn grondgebied kwijtgeraakt. Sleeswijk en Lauenburg zijn Pruisen toegevallen, Holstein is naar Oostenrijk gegaan. De nederlaag betekent vermoedelijk tevens het einde van het scandinavisme, de eenheidsbeweging onder de Scandinaviërs.

De 'kwestie Sleeswijk-Holstein' is de laatste decennia uitgegroeid tot hét item van de Deense politiek. Al vanaf 1720 vormden de hertogdommen Sleeswijk en Holstein een onderdeel van het Deense koninkrijk, hoewel ze vrij zelfstandig bleven opereren. De koning van Denemarken, die ook hertog van Sleeswijk en Holstein was, heeft steeds geprobeerd zijn macht in de hertogdommen uit te breiden. Dat lukte redelijk in Sleeswijk, maar veel minder in Holstein, dat zich meer op Duitsland oriënteerde en vanaf 1815 ook lid van de Duitse Bond was.

Als uitvloeisel van de revolutiegolf van 1830 eisten Sleeswijk en Holstein een gezamenlijke grondwet, een lossere band met Denemarken en een nauwere band met de Duitse Bond. Vooral Pruisen was een fervent voorstander van dit sleeswijk-holsteinisme. De Deense koning niet, maar als concessie stond hij wel de vorming van regionale vergaderingen toe. Dit versterkte op zich weer de liberale beweging in Denemarken. De liberalen bestreden niet alleen de autocratie, maar namen in 1842 ook een eigen standpunt inzake de kwestie Sleeswijk-Holstein in: Holstein mocht opgegeven worden, Sleeswijk moest echter bij Denemarken ingelijfd worden. Omdat de grens tussen beide hertogdommen bij de rivier de Eider lag werd dit het Eider-program genoemd.

De liberalen zochten zoveel mogelijk steun voor hun program. Ze sloten daarbij aan bij de sinds het begin van deze eeuw vooral onder dichters en schrijvers populaire eenheidsbeweging in het Noorden, het scandinavisme. Zij gaven dat nu ook een politieke lading door het te plaatsen tegen het in hun ogen agressieve Duitse nationalisme. De beweging wist in Zweden en Denemarken grote aanhang onder studenten te verwerven, tot onvrede van beide regeringen.

De opstanden in het Europa van 1848 leidden in Denemarken tot een regering met liberalen, die het Eider-program overnam. In Sleeswijk en Holstein braken onlusten uit en werd een eigen regering gevormd. Denemarken stuurde meteen zijn leger, maar Pruisen steunde de opstandelingen en versloeg de Denen in deze eerste Duits-

*De windmolen van Vejle raakt in brand tijdens een Oostenrijkse aanval.*

Deense oorlog. Onder druk van andere Europese landen trok Pruisen zich terug. In 1852 werd op een conferentie in Londen besloten dat de hertogdommen via een personele unie toch bij Denemarken moesten blijven.

Ondertussen deden de scandinavisten pogingen een personele unie tussen Zweden en Denemarken tot stand te brengen. Beide landen bleken daar steeds meer voor te voelen, maar het was opnieuw de kwestie Sleeswijk-Holstein die dat verhinderde. In no-

vember 1863 nam de Deense Rijksda[...] een nieuwe grondwet aan die voor D[...] nemarken én Sleeswijk gold. Pruise[...] protesteerde krachtig en viel, gesteu[...] door Oostenrijk, de hertogdomme[...] binnen. De Zweedse koning had de D[...] nen steun beloofd maar de Zweed[...] Rijksdag verbood een militaire acti[...] De scandinavistische beweging vi[...] hierdoor uiteen. Denemarken w[...] geen partij voor de Duitsers en verlie[...] vandaag bij de in Wenen getekend[...] vrede de beide hertogdommen.

*Soldaten van het gezamenlijke Pruisisch-Oostenrijkse leger poseren bij een veroverde verdedigingslinie.*

# Einde Poolse opstand

WARSCHAU, april - De opstand in Polen, meer dan een jaar op de schouders van de jeugd gedragen, is langzaam aan het sterven.

Dank zij het manifest van de Voorlopige Regering van januari vorig jaar kregen de boeren de grond die zij bewerken in bezit, en werden zij vrije staatsburgers. Deze beslissingen werden door de opstandige Polen streng nageleefd, onder controle van de 'burgerdienst'; daarom ook zijn de aanvallen van boeren op de landhuizen sporadisch.

De verwachte massale deelneming van de boerenstand aan de opstand is echter uitgebleven; de laatste maanden komt het zelfs steeds vaker voor dat Poolse boeren, tegen forse vergoeding van de Russen, deelnemen aan de jacht op de resterende partizanentroepen in de bossen.

De opstand, hoewel goed georganiseerd, werd aanvankelijk gedragen door ongeveer 6000 vrijwilligers, die slecht uitgerust waren. Gaandeweg is de Poolse militaire macht boven de 100 000 man gegroeid, maar deze was toch niet groot genoeg om het ongeveer 350 000 man tellende Russische leger dat naar Polen was gestuurd, het hoofd te bieden.

In West-Europa ontstond een grote beweging ter ondersteuning van de Poolse opstand. Vooraanstaande revolutionaire leiders als Bakoenin, Herzen, Mazzini, Marx en Garibaldi steunden de Polen.

De regeringen van Engeland, Oostenrijk en Frankrijk hebben herhaaldelijk diplomatieke nota's naar de tsaar gestuurd, waarin een algehele amnestie werd geëist, en inschikkelijkheid inza-ke Polen. Maar de tsaar, versterkt door een anti-Pools pact met Pruisen, negeert de oproepen. Bovendien lijkt de militaire situatie ondanks het bijzonder dappere gedrag van de Poolse opstandelingen, in zijn voordeel te zijn.

De opstand is vanaf het begin met harde hand bestreden. Hele dorpen en kleine steden zijn door de Russische legers met de grond gelijk gemaakt en de bevolking uitgemoord. In Rusland zelf is de Poolse opstand met grote vijandigheid ontvangen. Zelfs de meest radicaal-democratische Russen zien de rebellie van de Polen slechts als een uiting van de Poolse hooghartigheid en van hun ondankbare houding jegens 'Moedertje Rusland'. Aleksandr Herzen, die vanuit Londen de Polen steunt, wordt een eenzame en gehate Rus, en de populariteit van zijn tijdschrift *Kolokol* is in Rusland sterk gedaald.

Toch hebben er ook Russen aan de kant van de Polen gevochten: meer dan zestig van hen zijn gevangengenomen en doodgeschoten, velen verbannen naar Siberië. Ook eenheden van Hongaren, Duitsers, Tsjechen en joden vechten in de opstand nog steeds aan de kant van de Polen. Gedurende vijftien maanden hebben de opstandelingen 1300 grote en kleine veldslagen gevoerd.

Deze maand is de laatste leider van de Poolse opstand, dictator R. Traugutt, gevangengenomen, samen met de andere leden van de Voorlopige Regering.

Sindsdien worden in Polen nog sporadische gevechten gevoerd, en lijkt het land bezaaid te raken met galgen.

# Pius IX tegen liberalisme

ROME, 8 december - Paus Pius IX heeft vandaag zijn kardinalen een nieuwe bul ter hand gesteld. Deze bul, die naar de beginwoorden ervan *Quanta Cura* (Met hoeveel zorg...) wordt genoemd, is te beschouwen als een felle aanval op het liberalisme.

Bij de bul is een lijst gevoegd van stellingen die door de Rooms-Katholieke Kerk als 'dwaalleer' worden beschouwd. Deze lijst, waarnaar in de bul overigens niet wordt verwezen, wordt de 'syllabus errorum' (lijst van dwalingen) genoemd.

De bul *Quanta Cura* kan niet los gezien worden van de politieke situatie van het moment. Pius IX werd bij zijn verkiezing in 1846 algemeen beschouwd als een 'liberale' paus, maar in de golf van reacties die volgde op de mislukte revolutie van 1848 koos Pius IX duidelijk de zijde van de reactionairen. Hij wendde zich teleurgesteld van het liberalisme af.

Deze houding werd nog versterkt nadat in 1861 het koninkrijk Italië werd uitgeroepen. De wereldlijke macht van de paus werd hierdoor gereduceerd tot het gezag over Vaticaanstad. Overigens doet het nieuwe koninkrijk aanspraken gelden op Vaticaanstad en ingewijden verwachten dat het met de wereldlijke macht van de paus binnenkort gedaan is. In de bul zet de paus zich duidelijk af tegen de Italiaanse eenheidsbeweging.

Niet alleen met de bul, maar ook met de 'syllabus errorum' keert de paus zich tegen de maatschappelijke en ideologische vernieuwingen die de laatste jaren opgeld doen. De lijst met als dwaalleer gekwalificeerde stellingen telt tien categorieën en richt zich tegen liberalisme, socialisme, rationalisme, enzovoort.

Ook ziet men in deze lijst een poging van de paus om het gezag van de Kerk te herstellen.

*Europese huurlingen (hier afgebeeld een Frans contingent) spelen een belangrijke rol bij het neerslaan van de T'aip'ing-Opstand in China.*

# Hemelse Rijk gevallen

NANJING - Met de val van Nanjing is een einde gekomen aan de T'aip'ing-Opstand en aan het Hemelse Rijk dat de T'aip'ings in Nanjing hadden gesticht. Als laatste leider van de T'aip'ings is Li Xiucheng door vierendelen omgebracht. Li Xiucheng, de Trouwe Koning, werd tien dagen na de inneming van de stad gevangengenomen. In een bamboekooi schreef hij gedurende de zeven dagen vóór zijn terechtstelling in 40 000 karakters de opzienbarende geschiedenis van het Hemelse Rijk van T'aip'ing.

De val van Nanjing vond plaats na een beleg van twee maanden. De Hemelse Koning Hong Xiuquan stierf in die periode een natuurlijke dood. Hij had het voorstel van de Trouwe Koning zich naar het zuiden terug te trekken om de beweging te redden, afgewezen, tot het einde toe ervan overtuigd dat de goddelijke voorzienigheid hem niet in de steek zou laten. Na de val van Nanjing werden alle verdedigers van de stad uitgemoord. Het stoffelijk overschot van de Hemelse Koning werd in stukken gehakt.

Dit is het einde van de burgeroorlog in China die veertien jaar heeft geduurd en 15 tot 20 miljoen mensenlevens heeft gekost.

# Koning Leopold II van België legt eed af

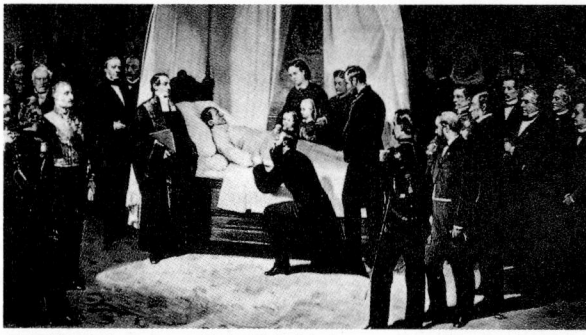

*Familie en hoogwaardigheidsbekleders aan het sterfbed van Leopold I. Rechts de luisterrijke intocht van Leopold II.*

BRUSSEL, 17 december - Leopold Lodewijk Philips Marie Victor van Saksen-Coburg Gotha is de nieuwe koning van België. Vandaag heeft hij voor de Verenigde Kamers de eed op de Grondwet afgelegd. In zijn eerste troonrede deed hij een oproep tot nationale saamhorigheid en zette hij zich af tegen het voeren van een te scherpe partijstrijd. Bovendien sprak hij lovende woorden aan het adres van zijn vader en voorganger, de vorige week overleden koning Leopold I.

De eerste koning der Belgen stierf op 10 december, 's morgens om 11.45 uur in zijn paleis in Laken. Hij werd 75 jaar oud. Leopold I leed aan een nierkwaal en een longaandoening en was al enige tijd ernstig ziek. Rond zijn sterfbed stond, naast zijn zoon Leopold en diens vrouw, ook zijn maîtresse.

Gisteren is Leopold I ter aarde besteld in de koninklijke kerk van Laken. H is bijgezet naast zijn in 1850 overlede tweede echtgenote Louise-Marie va Orléans, een dochter van de vroege Franse koning Louise-Philippe. In zij testament had Leopold te kennen geg ven in de St.-Georgekapel in Windso naast zijn eerste vrouw, de Brit. kroonprinses Charlotte, begraven willen worden. Aan deze wens is d niet voldaan.

# Zuidelijken geven zich over aan de Unie

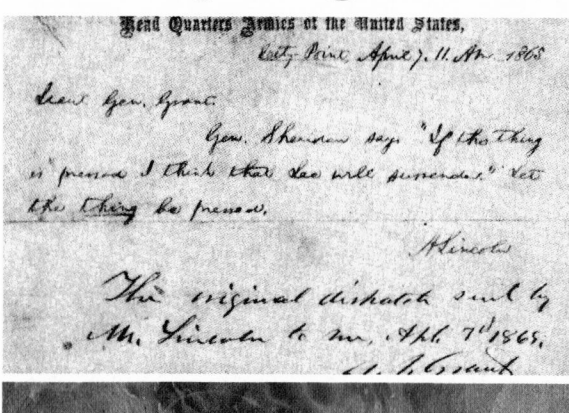

*Links het telegram van president Abraham Lincoln aan generaal Grant (boven) en gezicht op het brandende Richmond. Rechts Lincoln (l) in bespreking met generaal McClellan (2 oktober 1862).*

APPOMATTOX, 9 april - De burgeroorlog die de Verenigde Staten vier jaar lang in zijn greep heeft gehouden, is ten einde. Generaal Robert E. Lee heeft zich in het Appomattox Court House overgegeven aan Uniegeneraal Ulysses S. Grant.

President Lincoln wordt de architect van de overwinning genoemd. In maart vorig jaar heeft hij generaal Ulysses S. Grant benoemd tot opperbevelhebber van alle strijdkrachten van de Unie. Grant forceerde de overwinning door de 'rebellen' bij Fredericksburg en Spotssylvania te verslaan. Lee heeft de oprukkende Unietroepen bij Cold Harbor nog wel tot staan kunnen brengen, maar de daarop volgende, negen maanden durende patstelling is slechts uitstel van executie geweest.

Een nederlaag voor de Confederatie was onvermijdelijk: de blokkade door de Unie werd steeds effectiever, Enge land verloor zijn sympathie voor d Confederatie, de economie van he Zuiden stortte door de oorlog volledi in en Robert E. Lee's voorraden raak ten uitgeput.

De Unie heeft in de oorlog 365 000 ma verloren, de Confederatie ongevee 260 000. De meeste slachtoffers zij gevallen ten gevolge van epidemieën e gebrek aan voedsel.

# Lafhartige moord op president Lincoln

*John Wilkes Booth dringt de presidentiële loge van Ford's Theatre binnen.*

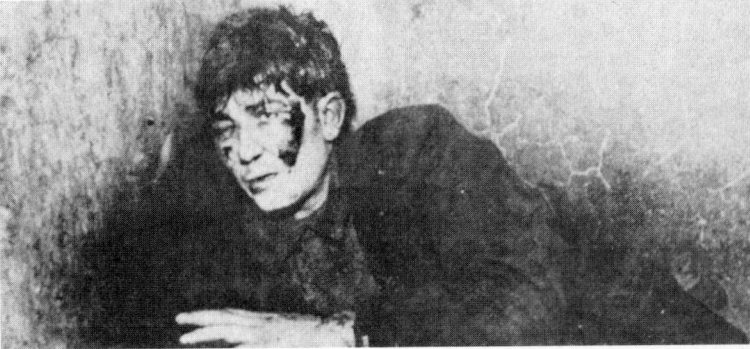

*George Atzerodt, een van de samenzweerders van de moord op Lincoln.*

WASHINGTON, 15 april - President Lincoln is vermoord. Hij woonde gisteravond in Ford's Theatre een voorstelling bij van *Our American Cousin* toen de 27-jarige acteur John Wilkes Booth, een sympathisant van het Zuiden, rond kwart over tien de presidentiële loge binnendrong, de president in het achterhoofd schoot en dodelijk verwondde. Na de aanslag sprong Booth op het toneel en riep het devies van Virginia: 'Sic semper tyrannis (Zo gaat het altijd met tirannen), het Zuiden heeft zich gewroken!'

Lincoln werd na de aanslag naar een logement aan de overkant van de straat gebracht, waar hij vanmorgen rond half acht is gestorven zonder nog bij bewustzijn te zijn geweest.

De moord op Lincoln is bijzonder tragisch. Enkele dagen geleden heeft generaal Robert E. Lee, opperbevelheb-

ber van de Confederatie, zich te Appomattox overgegeven, waarmee een eind gekomen is aan de Amerikaanse Burgeroorlog.

Vanmorgen is vice-president Andrew Johnson door opperrechter Salmon P. Chase in het Kirkwood House in Washington, waar Johnson verblijf hield, beëdigd als Amerika's nieuwe president. Zijn voornaamste taak zal de 'Reconstruction' zijn: het weer binnenvoeren van de verslagen Zuidelijke staten in de Unie.

'Nu maakt hij deel uit van de eeuwigheid,' zei minister van Oorlog Edwin Stanton, toen Lincoln vanmorgen de laatste adem uitblies. De aanslag heeft plaatsgevonden op Goede Vrijdag en ook dat brengt velen ertoe Lincoln te zien als een martelaar die voor zijn land gestorven is. Zijn vroegere partner in de advocatuur, Herndon, ziet in de

persoon van de overleden president de verpersoonlijking van de 'self-made man', iemand die vanuit de diepste diepten is opgestegen naar de hoogste hoogten - 'vanuit een stilstaande, rottende poel, als een gas dat, ontvlamd door zijn eigen energie en zelfontbrandend van nature, in stralen oprijst, gloeiend, fel en helder'.

Al tijdens zijn leven heeft Lincolns reputatie, vanwege zijn historische rol als redder van de Unie en bevrijder van de slaven, haast mythische vormen aangenomen. Het zijn met name zijn inspanningen om de Unie in stand te houden die Lincoln een ereplaats garanderen onder de groten van de Amerikaanse geschiedenis. Hij vond overigens dat de Unie niet terwille van haarzelf gered moest worden, maar omdat ze een ideaal belichaamt, het ideaal van zelfbeschikking; aan dit ideaal wijdde hij zijn befaamde Gettysburg-rede op 19 november 1863. Maar ook al in 1838 roerde hij dit thema aan, in een toespraak op het Young Men's Lyceum in Springfield. Sprekend over zijn voorvaders van de Vrij-

heidsoorlog zei hij: 'Hun ambitie was het voor het oog van een bewonderend toekijkende wereld een praktisch bewijs te leveren van de stelling die men tot dan toe hooguit als problematisch had gezien: namelijk dat een volk in staat is zichzelf te besturen.'

Of, tijdens de Burgeroorlog: 'Ze stelt de hele mensheid voor de vraag of een grondwettelijke republiek, of een democratie - een regering van het volk, door datzelfde volk - al dan niet in staat is haar territoriale onschendbaarheid te handhaven tegen haar eigen binnenlandse vijanden.'

*Lincoln, gefotografeerd op 8 april.*

## Portret van leven van een dienstbode

*Edmond en Jules de Goncourt. Rechts 'Impudence' van Félicien Rops.*

PARIJS - De Franse kunstcritici en schrijvers Edmond en Jules de Goncourt hebben onder de titel *Germinie Lacerteux* een roman gepubliceerd waarin op indringende wijze een beeld wordt gegeven van het leven van de dienstbode.

Begin dit jaar werd de uitvoering van

hun toneelstuk *Henriette Maréchal* gestaakt omdat het stuk aanleiding was voor politieke demonstraties. In eerder verschenen romans beschrijven de gebroeders De Goncourt verschillende lagen uit de Franse samenleving: van de prostitutie tot de hogere middenklasse.

*Vier samenzweerders van het komplot om de Amerikaanse president Abraham Lincoln en andere leden van zijn regering te vermoorden, zijn ter dood veroordeeld. David Herold, Lewis Paine, George Atzerodt en Mary Surratt werden op 7 juli opgehangen. Boven: de executie.*

# Feestelijke opening Weense Ringstrasse

*Gezicht op de Ringstrasse in Wenen. De boulevard is in de plaats van de oude stadswallen gekomen. Sloop en nieuwbouw hebben bij elkaar bijna tien jaar geduurd.*

WENEN, 1 mei - Keizer Frans Jozef van Oostenrijk heeft de Weense Ringstrasse, de nieuwe monumentale boulevard die de binnenstad van Wenen omsluit, geopend. Het Ringproject is de grootste stedelijke reconstructie van de 19de eeuw.

Op 20 december 1857 besloot keizer Frans Jozef dat de stadswallen moesten worden geslecht om de uitbreiding van Wenen mogelijk te maken. Ter gelegenheid van de sloopwerkzaamheden componeerde componist Johann Strauss (zoon) de zogenaamde *Demolier-Polka*, en in het Theater an der Wien zong men: 'Die Bastei'n wer'n zerbröckelt/Sie zerfall'n Stück für Stück/Die Welt schreit, da seht nur/Die Wiener hab'n Glück/Was der Türk net hat

*De Oostenrijkse schilder Ferdinand Georg Waldmüller is op 72-jarige leeftijd overleden. Hij was lange tijd als professor verbonden aan de Academie voor Beeldende Kunsten in Wenen. Zijn schilderijen munten uit door de realistische weergave van zijn onderwerpen. Afgebeeld is zijn 'Kinderen in het venster'.*

z'samm'-bracht/Mit Müh und mit Plag/Das tut der Krowot [Kroatische bouwvakkers]/Um zwanz'g Kreuzer per Tag.'

De afbraak van de fortificaties stuitte op verzet van de militaire autoriteiten, die betoogden dat het in een periode van revolutionaire 'Schwindel' onverantwoordelijk was om de vesting rond de Hofburg, de keizerlijke residentie, af te breken. Daarop deed de keizer de toezegging dat aan de Ring een arsenaal en twee kazernes zouden verrijzen. Bovendien zou de Weense 'Prachtstrasse' zo breed worden gemaakt dat er een grote legermacht kon worden samengetrokken om een potentiële opstand neer te slaan.

Niet alleen het leger, ook de Kerk is aan de Ringstrasse vertegenwoordigd. In 1856 werd een begin gemaakt met de bouw van de 'Votivkirche zum göttlichen Heiland', die, zoals de Weense aartsbisschop Rauscher het uitdrukte, de eenheid van troon en altaar tegen 'de dodelijk gewonde tijger van de revolutie' symboliseerde.

Van de andere 'Prachtbauten', opgetrokken in zeer verschillende bouwstijlen, biedt een groot aantal onderdak aan 'Recht' en aan 'Kultur': het in klassieke Griekse stijl gebouwde parlementsgebouw waar de Reichsrat zetelt, het neogotische Rathaus, de renaissancistische universiteit en het vroegbarokke Burgtheater. Naast deze imposante openbare gebouwen verscheen er aan de Ring een groot aantal woonhuizen, gebouwd als barokke aristocratische paleizen.

De Ringstrasse kan beschouwd worden als een monument voor de overwinning van de liberale bourgeoisie op het neo-absolutisme van de jaren vijf-

tig. In 1857 dichtte Grillparzer nog: 'Wiens Wälle fallen in den Sand;/Wer wird in engen Mauern leben!/Auch ist es ja schon das ganze Land/Von einer chinesischen umgeben.' Sindsdien was de 'Chinese muur' van het neo-absolutisme aan het afbrokkelen ten gevolge van de invoering van een parlementair stelsel in 1861.

De architectuur van de Ringstrasse symboliseert op overduidelijke wijze de politieke en economische macht - en de behoefte aan grandeur - van de liberale Oostenrijkse bourgeoisie.

# Ongeluk bergbeklimmers

*Het touw breekt tijdens de afdaling.*

ZERMATT, 14 juli - De eerste succesvolle beklimming van de Matterhorn is op een tragedie uitgelopen. Tijdens de afdaling kwamen vier leden van de Britse expeditie op dramatische manier om het leven.

De Matterhorn, met zijn 4478 meter de op één na hoogste piek in de Penninische Alpen, ligt op de grens tussen Zwitserland en Italië. In het verleden zijn verscheidene pogingen gedaan de uiterst steile berg van de Italiaanse kant te beklimmen. De Britse expeditie, onder leiding van de 25-jarige Engelse schilder en avonturier Edward Whymper, was de eerste die de beklimming van de Matterhorn van de Zwitserse kant probeerde.

Het ongeluk gebeurde tijdens de afdaling. Een van de expeditieleden gleed uit en trok de anderen met zich mee. Drie Engelse klimmers en de Franse berggids maakten een val van ruim der tienhonderd meter. Whymper en de twee resterende gidsen overleefden de valpartij alleen omdat vlak voordat ze de steile afgrond in zouden worden getrokken het touw brak. De lichamen van drie mannen zijn geborgen, het lichaam van de vierde bergbeklimmer is nog niet gevonden.

Het was de zesde keer dat Whymper probeerde de Matterhorn te beklimmen. Deze week vertrekt een expeditie die het nogmaals van de Italiaanse kant gaat proberen.

# Ferencz Deák: 'Hongaren tot overleg bereid'

*Ferencz Deák (portret Mór Than, 1870).*

PEST, 16 april - Ferencz Deák, de leider van de liberale aristocratie in Hongarije, heeft in een artikel in de *Pesti Napló*, dat de geschiedenis ingaat als het 'Paasartikel', duidelijk gemaakt dat de Hongaren met Oostenrijk over een constitutionele verzoening willen praten.

Deáks artikel is een reactie op concessies die Wenen dit jaar heeft gedaan, waaronder instemming met de bijeenkomst van de sinds 1861 geschorste Landdag. In Oostenrijk wordt het absolutisme, dat al vijftien jaar ten aanzien van Hongarije wordt gehandhaafd, steeds meer als een anachronisme gezien.

Deák schrijft dat niemand de solide grondvesten van het keizerrijk wil ondergraven maar dat 'de principiële wetten van de Hongaarse constitutie' meer ruimte verdienen, ook al is het 'noch nodig noch rechtvaardig' de Hongaren meer te geven dan noodzakelijk is om de rust en vooruitgang van het keizerrijk te verzekeren.

Het Paasartikel opent de weg naar wat uiteindelijk een verzoening tussen de twee landen moet worden. In die richting wordt al enkele jaren gewerkt. Een aantal resultaten van de Hongaarse revolutie, zoals de boerenbevrijding, is zelfs nooit teloorgegaan. Economisch heeft Hongarije zich gunstig ontwikkeld: een gunstige conjunctuur heeft de grootgrondbezitters over de klap van de boerenbevrijding heen geholpen en de industrialisatie en de urbanisatie verlopen in hoog tempo.

De Oostenrijkers wilden lang van enige verzoening niets weten. Maar de Krimoorlog en de oorlog in Italië hebben Wenen tot de overtuiging gebracht dat de stabiliteit van het rijk niet is gediend met een vernederd Hongarije. In 1860 kwamen de eerste concessies. In dat jaar kwam weer een Hongaarse Landdag bijeen.

Die eerste poging mislukte echter, want op aandringen van Deák eiste die Landdag - zij het met krappe meerderheid - direct eerherstel voor de revolutionaire wetten van 1848. De keizer liet de Landdag prompt schorsen en er trad een pauze in waarin de Hongaren zich passief bleven verzetten tegen het door Wenen bepaalde beleid.

De opkomst van Pruisen in de Duitse Bond zette de keizer vorig jaar aan tot een nieuwe poging, die nu succes lijkt te hebben. Met Deák werden vorig jaar al semi-officiële contacten opgenomen en begin dit jaar volgde een reeks concessies. Deák maakt met het Paasartikel vóór alles duidelijk dat er wat de Hongaren betreft weer te praten valt.

De afgelopen tien jaar is Ferencz Deák de meest gezaghebbende politicus in Hongarije geworden. Sinds 1854 houdt hij zich het grootste deel van het jaar op in een hotel in Pest, waar vele Hongaren, die een praktische politiek voor de toekomst nastreven, hem opzoeken. Deák houdt onverkort vast aan zijn positie van 1848, maar eist ook niet meer dan dat.

*Henry J. Palmerston.*

## Dood uitvinder gunboat-diplomacy

LONDEN, 18 oktober, Op zijn landgoed Brocket Hall overleed vandaag Lord Palmerston. Palmerston was leider van de liberalen totdat Gladstone deze positie van hem overnam.

Palmerston trok de aandacht door de felle manier waarop hij politiek bedreef en de opzienbarende uitspraken die hij deed. Naast politieke successen - tot aan zijn dood stond hij aan het hoofd van het tweede kabinet-Palmerston - leed hij diverse nederlagen. Door zijn vinnige optreden maakte hij veel politieke vijanden. Een van hen gaf Lord Palmerston een toepasselijke bijnaam die al snel algemeen in gebruik raakte: Lord Firebrand. Hij werd echter ook door velen gewaardeerd vanwege zijn originele formuleringen. Toen de affaire Sleeswijk-Holstein, die in 1864 tot een gemeenschappelijke oorlog van Pruisen en Oostenrijk tegen Denemarken leidde, in het parlement aan de orde kwam, verduidelijkte Palmerston de ingewikkelde achtergronden van deze kwestie als volgt: 'De ware oorzaken zijn zo complex dat slechts drie mannen ter wereld er iets van begrepen hebben. Eén is er nu dood, één is gek geworden en ik ben vergeten wat de oorzaken waren.'

Palmerston bleef er voortdurend op hameren dat de machtspositie van Engeland gebaseerd was op zijn suprematie ter zee. Hij gebruikte het overwicht van de vloot ook voor intimidatie. Zo liet hij Piraeus, de haven van Athene, beschieten toen een Engelse onderdaan zijn vorderingen in Griekenland niet kon innen. Vervolgens eiste de Engelse regering een grote schadevergoeding van de Grieken.

Dit pressiemiddel, ook wel bekend als gunboat-diplomacy, werd ook gebruikt om gebieden in China en Latijns Amerika onder de Engelse invloedssfeer te brengen.

# Jules Verne beschrijft reis naar de maan

*Jules Verne, die sinds 1862 wonderbaarlijke reisverhalen schrijft.*

PARIJS - De Franse schrijver Jules Verne heeft opzien gebaard met zijn meest recente publikatie: *De la terre à la lune.* Hierin beschrijft hij de wonderbaarlijke belevenissen van drie vrienden die een reis naar de maan maken. De geschiedenis is eerder als feuilleton verschenen in het blad *Le Magasin d'Éducation et de Récréation.*

De in Nantes geboren schrijver Verne vestigde voor het eerst de aandacht op zich in 1850, toen de komedie *Les pailles rompues* in het Théâtre Historique van Dumas werd uitgevoerd. In 1851 verscheen in het kindertijdschrift *Le Musée des Familles* een verhaal van zijn hand, waarin hij voor de eerste maal zijn kennis van de modernste ontwikkelingen op het gebied van de techniek verwerkte. Dit verhaal ging over een reis per luchtballon. In het eerste boek waarmee hij succes had, *Cinq semaines en ballon,* keert dit thema terug. Door een grondige voorstudie weet Jules Verne de meest onwaarschijnlijke reisverhalen aannemelijk te maken. In zijn laatste boek beschrijft hij de avontuurlijke voorbereiding voor de bouw van een reuzenkanon waarmee in een hol projectiel drie vrienden en een hond naar de maan geschoten worden. Ze komen in een baan om de maan terecht, waarmee de onderneming beëindigd schijnt te zijn.

Jules Verne heeft al laten weten dat het succes dat hij met dit nieuwe genre heeft, hem inspireert tot het schrijven van meer werken, waarin opnieuw ongelooflijke reisbelevenissen verteld zullen worden. Zoals een reis naar het middelpunt der aarde.

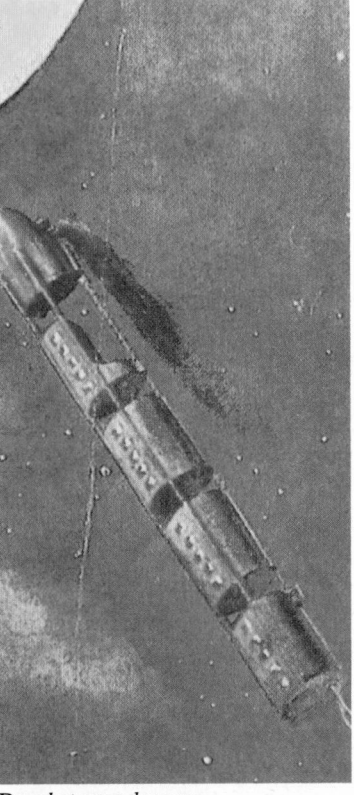

*De raket naar de maan.*

# Satire op Duits burgerdom

*Wilhelm Busch.*

BERLIJN - Met enige ergernis hebben grote aantallen Duitsers kennis gemaakt met de nieuwste schepping van de tekenaar en schrijver Wilhelm Busch: *Max und Moritz*. Busch genoot al bekendheid als landschapschilder en als medewerker van het satirische weekblad *Fliegende Blätter*.

Wilhelm Busch kreeg zijn vorming tot beeldend kunstenaar aan de academies in Düsseldorf, Antwerpen en München. Zes jaar geleden begon hij bijdragen te leveren aan *Fliegende Blätter*. Hij maakte daarvoor 'Bilderbogen': met trefzekere pen vervaardigde hij een serie kleine tekeningen waarin zonder tekst een verhaal wordt verteld. Het succes dat hij daarmee had inspireerde hem tot het tekenen en schrijven van *Max und Moritz*.

Op het eerste gezicht is het een verhaaltje voor kinderen. In zeven episoden worden de belevenissen van de jongetjes Max en Moritz verteld. Bij nauwkeurige lezing blijkt het echter te gaan om een scherpe aanval op de zelfgenoegzaamheid en de benepen moraal van de Duitse burgerij. Max en Moritz stelen drie kippen en een haan: het levensdoel van de weduwe Bolte; ze pesten de leraar Lempel, voor wie tevredenheid de grootste vreugde is. Het loopt slecht met de boefjes af: een molenaar maalt hen fijn en voert hen aan de eendjes.

*Fragment uit een facsimile-uitgave van 'Max und Moritz'.*

*Keizer Napoleon III (links) en Bismarck tijdens hun besprekingen in Biarritz.*

# Fransen blijven neutraal

BIARRITZ, 9 oktober - De ministerpresident van Pruisen, graaf Otto von Bismarck, heeft in Biarritz overleg gevoerd met keizer Napoleon III over Frankrijks opstelling in een eventuele oorlog tussen Pruisen en Oostenrijk. De Franse keizer heeft hierbij toegezegd dat Frankrijk zich neutraal zal opstellen.

Binnen de Europese machtsverhoudingen is de kwestie Sleeswijk-Holstein nog steeds een heet hangijzer. Nadat begin vorig jaar Denemarken een nederlaag tegen de interventielegers van Oostenrijk en Pruisen leed, moesten de Denen Sleeswijk en Holstein afstaan. Bij de Vrede van Wenen werd vorig jaar bepaald dat Pruisen en Oostenrijk samen de gebieden zouden beheren. De Pruisische regering deed nog een poging om door middel van onderhandelingen met Oostenrijk de gebieden in handen te krijgen, maar omdat de Oostenrijkse voorwaarden voor Pruisen onacceptabel waren kwam men uiteindelijk in augustus in Gastein overeen, dat Oostenrijk het beheer over Holstein en Pruisen het beheer over Sleeswijk zou krijgen. Dit overigens met de wederzijdse vaststelling dat beide grootmachten aanspraak op het gehele gebied maakten.

Bismarck wist zo te verhinderen dat de Duitse kandidaat voor de hertogstitel Frederik von Augustusburg (die door de Oostenrijkers werd gesteund) de macht over de gebieden zou krijgen. Pruisische generaals hadden eerder een militaire oplossing voor de kwestie bepleit; Bismarck echter vertrouwde op diplomatiek manœuvreren. Hij zocht bij Frankrijk steun voor zijn onverminderen streven naar heerschappij over de gebieden De belofte van keizer Napoleon om niet in te grijpen in een nieuw militair conflict, is een groot succes voor de diplomatie van Bismarck.

## Kekulé verklaart gedrag van benzeen

BONN - De Duitse chemicus August Kekulé von Stradonitz heeft een theorie ontwikkeld over de structuur van benzeen (de eenvoudigste aromatische verbinding), waarmee hij binnen de wetenschappelijke wereld sterk de aandacht heeft getrokken. Kekulé heeft namelijk een bevredigende verklaring geleverd voor het verschijnsel dat in organische verbindingen een relatief groot aantal koolstofatomen wordt gebonden.

Kekulé studeerde bouwkunde aan de universiteit van Giessen. Beïnvloed door Justus von Liebig besloot hij zich op de chemie toe te leggen. Na zijn doctoraal examen ging hij naar Parijs om daar verder te studeren. In 1856 kreeg hij een aanstelling als lector aan de universiteit van Heidelberg. Twee jaar later werd hij hoogleraar in de chemie in Gent en dit jaar vestigde hij zich in Bonn, waar hij zijn opzienbarende theorie ontwikkelde.

Chemici kenden reeds verscheidene verbindingen die zijn als derivaten van benzeen op te vatten. Op grond van de kool-waterstofverhouding zou men deze als sterk onverzadigde koolwaterstoffen moeten beschouwen; chemisch gedragen ze zich echter anders. Kekulé heeft nu een formule voor benzeen opgesteld waarin de koolstofatomen een zeshoek vormen en afwisselend door dubbele en enkele bindingen zijn verbonden. Hierbij neemt hij de vierwaardigheid van koolstof als uitgangspunt.

# Semmelweis sterft als omstreden man

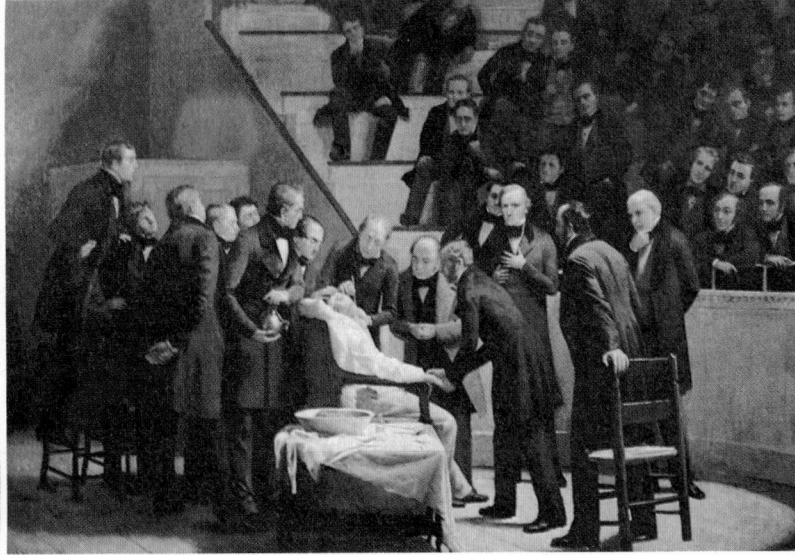

*De Hongaarse gynaecoloog Ignaz Semmelweis. Rechts een demonstratie van een operatie onder narcose.*

DÖBLING, 13 augustus - De Hongaarse gynaecoloog Ignaz Philipp Semmelweis is op 47-jarige leeftijd in een krankzinnigeninrichting overleden. Doctor Semmelweis had in Pest een privé-praktijk voor vrouwenziekten. Zijn verrichtingen op medisch gebied zijn omstreden omdat men in medische kringen weinig geloof hecht aan zijn inzichten bij het bestrijden van de gevreesde kraamvrouwenkoorts. Semmelweis kreeg zijn opleiding tot arts aan de universiteiten van Pest en Wenen. In 1844 promoveerde hij en werd benoemd tot assistent van dr. Klein, het hoofd van de kraamkliniek van het Algemeen Ziekenhuis in Wenen. Als student was Semmelweis al geïnteresseerd in de kraamvrouwenkoorts, een infectieziekte waaraan

grote aantallen jonge moeders in het kraambed overleden. In de kraamkliniek van dr. Klein zette hij zijn onderzoekingen voort. Hij verbaasde zich over het feit dat in de kliniek het sterftepercentage onder de kraamvrouwen twee- tot driemaal hoger lag dan in een andere kraamkliniek in Wenen, die van dr. Bartch.
Toen zijn vriend, de patholoog Jacob Kolletschka, overleed na zich gesneden te hebben aan hetzelfde lancet waarmee hij eerder een lijk had ontleed, kwam Semmelweis op de gedachte dat de kraamvrouwen door de studenten werden besmet. Hij gaf opdracht dat iedereen die van de snijkamer naar de verloskamer ging, eerst zijn handen diende te wassen. Hoewel het sterftecijfer drastisch daalde kwam Semmel-

weis in conflict met zijn chef dr. Klein. Toen hij de moed had ook van Klein te verlangen dat deze zijn handen waste, reageerde deze met ongeloof en ontsloeg Semmelweis. Hij kwam daarna terecht in de kliniek van dr. Bartch. Hier werd Semmelweis niet alleen in zijn overtuiging gesterkt maar hij ontdekte tevens dat behalve dood, ook levend weefsel ziekten kan overbrengen. Hij schreef daarop een manifest waarin hij stelde dat iedere verloskundige die zijn handen niet wast een moordenaar is.
Dit werd hem in de medische wereld niet in dank afgenomen. Semmelweis werd een omstreden figuur en ook door dr. Bartch werd hij ontslagen. Hij vestigde zich in Pest. Tot aan zijn dood werd Semmelweis tegengewerkt.

## Lewis Carroll schrijft 'Alice in Wonderland'

OXFORD, Kerstmis - Onder het pseudoniem Lewis Carroll heeft de Engelse docent in de wiskunde Charles Dodgson een boek gepubliceerd dat in zeer korte tijd een groot succes is geworden. Het heet *Alice in Wonderland* en gaat over de avonturen die het kleine meisje Alice beleeft wanneer ze in een konijnenhol valt.
Enkele jaren geleden maakte Dodgson met de drie dochters van decaan Liddell een tochtje over de Theems. Bij die gelegenheid vertelde hij een verhaal dat zo in de smaak viel, dat Alice, het oudste dochtertje, Dodgson smeekte zijn fantasie op te schrijven. Bij toeval las de schrijver Henry Kingsley het schriftje. Hij adviseerde Dodgson te laten uitgeven. Voor de illustraties werd John Tenniel gevraagd. Deze heeft naam gemaakt als illustrator van het satirisch blad *Punch*.

*'Alice and the rabbit', een fragment uit het door Lewis Carroll zelf geïllustreerde manuscript.*

# Erfelijke factoren blijven bestaan

BRUNN, 8 maart - Na acht jaar experimenteren in de tuin van zijn klooster heeft de augustijner monnik Gregor Mendel voor Der Naturforschende Verein verslag gedaan van de resultaten van zijn onderzoekingen op het gebied van de erfelijkheid. Volgens Mendel is zijn belangrijkste ontdekking dat erfelijke eigenschappen in bastaarden niet door vermenging in elkaar opgaan, maar dat zij hun identiteit bewaren en onafhankelijk van elkaar blijven bestaan.
Mendel was al vroeg geïnteresseerd in de natuurwetenschappen. Voordat hij in 1843 toetrad tot de kloosterorde der augustijnen in Brünn had hij al twee jaar gestudeerd aan het Filosofie-instituut in Olmütz. In het klooster zette hij zijn studie voort en in 1849 gaf hij gedurende een korte periode les in Grieks en wiskunde. Later studeerde hij natuurkunde, chemie, wiskunde en biologie aan de universiteit van Wenen. De laatste jaren geeft Mendel les aan de

technische hogeschool in Brünn.
De grote verdienste van Mendel is dat hij in het biologisch onderzoek een methode heeft geïntroduceerd die een overzichtelijke werkwijze mogelijk maakt. Zo beperkt hij zich tot één proefobject, waarbij hij zich oriënteert op slechts enkele opvallende kenmerken. Uitgaande van deze eenvoudige situatie kon hij steeds ingewikkelder proeven uitvoeren en analyseren. Deze werkwijze stelt hem in staat zijn bevindingen mathematisch uit te werken waardoor hij wetmatigheden snel op het spoort komt. Zo ontdekte Mendel na proefnemingen waarbij erwteplanten gekruist werden dat bepaalde erfelijke factoren ondeelbaar zijn en als onafhankelijke factor van invloed op het uiteindelijk resultaat zijn.
Hij heeft nu ook de gerenommeerde Zwitserse botanicus K.W. von Nägeli van zijn ontdekkingen op de hoogte gesteld. Deze schijnt echter weinig te zien in Mendels mathematische aanpak.

*De poging een telegraafkabel te leggen van de ene zijde van de Atlantische Oceaan naar de andere mislukt op het laatste moment: de kabel breekt.*

# Civil Rights Act ondanks veto Johnson

*President Andrew Johnson.*

WASHINGTON, 9 april - Het Congres heeft voor de tweede maal en nu met tweederde meerderheid de Civil Rights Act aangenomen. Een tweede stemming was nodig nadat president Johnson zijn veto over de wet had uitgesproken. Nog nooit eerder is een wet ondanks een veto van de president aangenomen.

De Civil Rights Act bepaalt dat negers voortaan burgers van de Verenigde Staten zijn. Alle personen die in Amerika zijn geboren, hebben nu dezelfde burgerlijke rechten, uitgezonderd de Indianen. President Johnson kwam met een veto omdat hij vindt dat de wetten de goedwillenden in het Zuiden voor het hoofd stoten. Bovendien vindt hij dat de negers nog niet rijp zijn voor de voorrechten van het burgerschap.

De wetgeving is tot stand gekomen nadat de commissie voor de wederopbouw van het Zuiden, de zogenaamde Reconstructie, onder leiding van de gematigde Republikein senator William P. Fessenden tijdens publieke hoorzittingen op schrijnende voorbeelden van discriminatie van negers was gestuit. Kolonel George A. Custer, in Texas gestationeerd, verklaarde: 'Wekelijks, zo niet dagelijks worden vrijgemaakte slaven vermoord.' De verpleegster Clara Barton vertelde het gruwelijke verhaal over het in elkaar slaan van een negerin die in verwachting was. Pogingen om vrijgemaakte slaven te laten stemmen leiden overal tot uitbarstingen van geweld, aldus vele getuigen Het Noorden heeft geschokt gereageerd op de hearings en radicale Republikeinen zagen hun stelling dat het Zuiden de slavernij voortzet onder een andere naam bewezen.

De Civil Rights Act moet nu ernst maken met de emancipatie van de negers en de vrijgemaakte slaven. Zelfs de meest vurige Johnson-aanhangers zien na de hearing de noodzaak van de wet die volgens de gematigde *New York Herald* een praktische, rechtvaardige en weldadige maatregel' is. Alleen president Johnson blijft halsstarrig tegenwerken. In zijn conflict met het Congres is hijzelf zijn grootste tegenstander. Johnsons taalgebruik is vaak op zijn zachtst gezegd weinig gematigd, hij gaat ondiplomatiek met het Congres om en zijn analyses van de toestanden in het Zuiden zijn verbluffend incorrect. Zijn vetopolitiek drijft gematigde Congresleden naar het radicale kamp. Een Republikeinse afgevaardigde uit Ohio stelt het duidelijk: 'Ik heb het vertrouwen in de president volledig verloren. Volgens mij is hij van plan ons te verraden.'

# Eerste congres Internationale in Genève

GENEVE, 8 september - Op het eerste openbare congres van de Internationale Arbeiders Associatie (IAA, ook wel 'Internationale' genoemd) in Genève hebben de delegaties van de arbeidersorganisaties zich onomwonden ondubbelzinnig uitgesproken vóór de voorstellen van Karl Marx. De IAA heeft zich hiermee voorstandster verklaard van de totstandkoming van wetten ter bescherming van arbeiders, onder andere een beperking van de werkdag tot acht uur; bovendien betekent Marx' overwinning dat de IAA de vakvereniging en de staking erkent als middel van de arbeidersklasse in de strijd tegen de kapitalistische produktiewijze.

Aanhangers van de utopisch-socialist Pierre-Joseph Proudhon, vooral vertegenwoordigd in de Franse arbeidersdelegatie, hebben in de besluitvorming het onderspit moeten delven. Zij zijn voor afschaffing van elke staatsmacht en zien in het nastreven van wetgeving op sociaal gebied een erkenning van het staatsgezag. Marx, gesteund door een meerderheid van de Algemene Raad van de IAA en de Engelse vakbonden, vindt echter dat de regerende macht niet bevestigd wordt door het realiseren van sociale wetten: 'Integendeel, zij zet die macht, die nu tegen haar gebruikt wordt, om in een instrument voor zichzelf.'

Het congres heeft, behalve de achturige werkdag, ook andere aanbevelingen gedaan: nachtarbeid moet in principe verboden worden en vrouwen dienen in ieder geval uitgesloten te worden van arbeid die schadelijk voor hun gezondheid kan zijn.

*De Duitse minister-president Otto von Bismarck heeft ternauwernood een moordaanslag overleefd. Tijdens een wandeling over Unter den Linden in Berlijn werd de Pruisische politicus plotseling van dichtbij door een onbekende met een pistool onder vuur genomen. Dank zij zijn kogelvrije vest raakte von Bismarck niet gewond. De dader pleegde zelfmoord.*

*Pierre-Joseph Proudhon.*

# 'Chisholm-trail' voor Texas belangrijk

ABILENE, mei - Enorme kudden Longhorns worden in het zuiden van Texas bijeengedreven om gedurende de zomermaanden over de Great Plains langs de Chisholm-trail naar Abilene in Kansas gejaagd te worden. Daar worden de koeien in de klaarstaande veetreinen geladen en getransporteerd naar de vleesfabrieken in Kansas City, Omaha of Chicago. De Chisholm-trail is genoemd naar de half-indiaanse handelaar en gids Jesse Chisholm die het pionierswerk voor deze route heeft verricht.

Na de Burgeroorlog kwamen enkele geslepen en ambitieuze Texanen met het plan om de tienduizenden koeien die het zuiden van Texas overspoelen naar het noorden te drijven, waar ze op de markt soms wel het tienvoudige opbrengen. Joseph G. McCoy is de grote animator achter de onderneming. Hij voerde onderhandelingen met de grote Texaanse veeboeren, de spoorwegen en de vleesindustrie en organiseerde de commerciële exploitatie van de Chisholm-trail. Eindpunt van de trail is Abilene, dat nu als overslagstation een ongekende 'boom' meemaakt. Door deze economische bedrijvigheid verandert het uitgestrekte, lege Midden-Westen in een 'Cattle Kingdom'.

Het drijven van het vee begint in het vroege voorjaar na de roundup, het bijeendrijven. Een kudde bestaat uit 2500 tot 3000 stuks. De trailboss huurt een dozijn cowboys en de nodige paarden. De proviandwagen, de chuckwagon, completeert de ploeg. De kudde legt vijftien tot twintig kilometer langs de Chisholm-trail af; een rustig tempo zodat het vee naar hartelust kan grazen en op de Great Plains gratis in gewicht

*Cowboys drijven op het spoorwegstation van Abilene een kudde Longhorn-koeien een veewagon in.*

kan toenemen. Tijdens de 'long drive' komen de cowboys diverse ongemakken tegen: 'stampedes' (de kudde slaat opeens op hol), woest kolkende rivieren, aanvallen van Indianen en van woedende farmers, die vrezen dat hun vee besmet wordt door de beruchte Texaskoorts.

Het vee dat in Texas per stuk vijf dollar opbrengt, levert in het Noorden op de markt veertig tot vijftig dollar op. Per jaar vinden 400 000 stuks vee op deze buitengewoon winstgevende wijze hun weg naar de worstfabrieken aan de Oostkust of in Chicago.

*Broadway Street in het centrum van Abilene, Kansas (circa 1875).*

# Ontsnapte Poolse arbeiders weer gepakt

*Wilhelm Lette heeft in Berlijn een vereniging opgericht die als doel heeft de beroepsmogelijkheden voor vrouwen te verruimen. Gedacht wordt aan werk op het gebied van techniek, wetenschap en handel. Kiesrecht voor vrouwen staat niet op het programma.*

*Kozakken drijven met stokken en zwaarden een groep gevangenen op.*

IRKOETSK - In de Oostsiberische stad Irkoetsk zijn vijf Poolse ballingen geexecuteerd na een mislukte ontvluchtingspoging waarbij een Russische officier werd gedood.

Deze Polen behoren tot degenen die na de Poolse opstand van 1863 zijn gedeporteerd naar de Oeral, de Kaukasus en Siberië. Het gaat om studenten, kunstenaars, oud-officieren, aristo-

craten en hooggeschoolde handwerkslieden uit Warschau en andere Poolse steden. Een groot aantal van hen verricht dwangarbeid. Zij zijn onder meer in Tsjita tewerkgesteld in de scheepsbouw, bij het Bajkalmeer, waar zij een weg in de rotsen moeten uithakken, in de ijzerfabrieken van de kroon en in de zoutpannen.

De vluchtpoging van de Polen die aan de Bajkalweg werkten, was een wanhoopsdaad. Vóór hen strekte zich het meer uit, achter hen een absoluut onbegaanbare bergketen waarachter de wildernis van Noord-Mongolië. Zij hadden het plan opgevat om uit te breken en via Mongolië naar China te trekken in de hoop daar een Engels schip te vinden dat hen zou meenemen. In eerste instantie slaagden zij erin een twaalftal soldaten te ontwapenen. Spoedig kwamen er echter versterkingen uit Irkoetsk en de Polen moesten zich overgeven.

# Slag bij Königgrätz met parade gevierd

*Koning Wilhelm (midden met helm) neemt de felicitaties in ontvangst na zijn zege in de Slag bij Königgrätz.*

BERLIJN, 21 september - Op triomfantelijke wijze is het Pruisische leger, dat zo glansrijk de Oostenrijkers bij Königgrätz versloeg, in Berlijn begroet. De optocht werd besloten met een indrukwekkende parade over Unter den Linden.

Het Pruisisch-Oostenrijks dualisme in de strijd om het politieke en economische leiderschap in Duitsland mondde op 3 juli van dit jaar uit in de bloedige krachtmeting bij Königgrätz. In deze beslissende slag tussen de twee Duitse grootmachten bleken de Pruisen de beschikking te hebben over een superieur wapen, het 'slagnaaldgeweer'. Bovendien konden de Pruisische manschappen profiteren van de spoorlijnen waardoor tijdig versterkingen konden worden aangevoerd. Bij de slag waren 500 000 soldaten betrokken van wie bijna een kwart het niet overleefd heeft.

Koning Wilhelm I schreef over het slagveld een verslag aan zijn vrouw koningin Augusta: 'Wat een aanblik toonde het slagveld! Tot in de verre omtrek lagen geweren, tassen en vlaggen; tot nu telden wij 12 000 gevangenen onder wie 20 officieren. Onze manschappen hebben ook grote verliezen geleden, we weten alleen nog niet hoe omvangrijk. Dat is de andere, treurige kant van de medaille.'

Oostenrijk verloor de slag en daarmee de oorlog. Pruisen is echter op deze manier een stap dichter bij zijn uiteindelijke doel gekomen: de oprichting van een Duitse eenheidsstaat onder aanvoering van Pruisen en met uitsluiting van Oostenrijk.

Al in de aanloop van de oorlog waren er ernstige spanningen ontstaan in de Duitse Bond, met name over het beheer van Sleeswijk-Holstein. Volgens een overeenkomst van de Conventie van Gastein van 14 augustus vorig jaar zou Holstein door Oostenrijk en Slees-wijk door Pruisen beheerd worden met dien verstande dat beide groot machten gemeenschappelijke rechten op het gehele gebied behielden. Pruisen streefde echter naar annexatie terwijl Oostenrijk zeer sterke voorkeur had voor een zelfstandig Sleeswijk Holstein. Omdat Oostenrijk in de Bondsdag eigenmachtig zijn voorkeur naar voren bracht, marcheerden de Pruisische troepen op 9 juni jl Holstein binnen. Oostenrijk eiste daarop de onmiddellijke mobilisatie van de niet-Pruisische bondstroepen. De Duitse staten waren bij de strijd tussen de beide partijen verdeeld. Aan Oostenrijkse zijde stonden 12 Duitse staten waaronder Beieren, Hannover en Saksen. Aan Pruisische zijde vochten hoofdzakelijk de Noordduitse staten.

Na de zege van Pruisen ontstond tussen de politieke en militaire leiding oneenigheid over de vraag of men moest optrekken naar Wenen of dat een snelle beëindiging van de oorlog de voorkeur verdiende. Tot dit laatste werd besloten omdat de Pruisische minister-president Otto von Bismarck een ingrijpen van Rusland en Frankrijk vreesde. De Franse keizer Napoleon III was op verzoek bereid tussen de twee partijen te bemiddelen, waarna op 23 augustus de Vrede van Praag werd gesloten, geheel tot tevredenheid van Bismarck. De vroegere Duitse Bond werd in drieën gedeeld, waarbij Oostenrijk iedere verdere invloed op de vorming van Duitsland werd ontnomen.

Voortaan valt Noord-Duitsland onder de Pruisische invloedssfeer terwijl de Duitse staten ten zuiden van de Main een onafhankelijk 'Derde Duitsland' vormen.

*De overwinnaars van de Slag bij Königgrätz bij hun glorieuze intocht in Berlijn. Rechts koning Wilhelm I tijdens de slag, direct achter hem Bismarck.*

# Oostenrijkse vloot verslaat Italianen

LISSA, 20 juli - Een Oostenrijkse vlooteenheid is onder aanvoering van admiraal Wilhelm von Tegetthoff erin geslaagd voor de Dalmatische kust bij het eiland Lissa een spectaculaire overwinning te behalen op een Italiaanse vloot, die onder bevel stond van admiraal Carlo Persano. Hiermee is Italiës laatste hoop op een overwinning in de oorlog tegen Oostenrijk in rook opgegaan. Eerder werd het Italiaanse leger bij Custoza verslagen, zodat nu een nederlaag in de op 20 juni begonnen oorlog tegen de Oostenrijkers vrijwel onvermijdelijk is.

Al voor het begin van de zeeslag waren de Italiaanse kansen op een succesvolle afloop minimaal. De Italiaanse admiraal Persano is een weinig inspirerend leider. Herhaaldelijk kreeg hij van het Italiaanse opperbevel orders de haven van Lissa te verlaten en de aanval te openen. Keer op keer echter stelde de admiraal het vertrek uit. Dit ondanks het feit dat de Italiaanse vloot in de meerderheid was en bovendien uitgerust met bewapening die moderner was dan die van de Oostenrijkse vloot. Toen uiteindelijk de Italiaanse vloot uitvoer was de stemming aan boord verre van optimaal. Persano beschikte over 34 schepen, terwijl Tegetthoff slechts 27 schepen tot zijn beschikking had. Militaire waarnemers waren zeer benieuwd naar het verloop van de strijd omdat voor het eerst pantserschepen bij een zeegevecht waren betrokken.

De eigenlijke gevechtshandelingen tijden de slag waren van korte duur. Al na één uur trokken de Italianen zich terug in de richting van Ancona. Twee van

*Schout bij nacht von Tegetthoff.*

*Veldmaarschalk aartshertog Albrecht.*

hun pantserschepen waren toen al gezonken. De 'Palestro' was in brand gevlogen en daarna geëxplodeerd en het vlaggeschip van de Italiaanse marine, de 'Rè d'Italia', was in de golven verdwenen nadat, op het hoogtepunt van de slag, de Oostenrijkse opperbevelhebber Tegetthoff in een stoutmoedige manœuvre het Italiaanse schip midscheeps had geramd. Een achtervolging van de vluchtende Italiaanse eenheid was echter nutteloos omdat de Italiaanse schepen sneller waren.

Voor admiraal Carlo Persano zal dit echec zeker gevolgen hebben. Hij was via connecties op zijn hoge post terechtgekomen, maar nu zijn incompetentie zo schrijnend aan het licht is gekomen, lijken zijn dagen bij de marine geteld. De Italiaanse pogingen om Venetië op heldhaftige wijze in het koninkrijk op te nemen, zijn nu gestrand op militair onvermogen. In feite is men afhankelijk van de macht van Bismarck, die na zijn succes in de oorlog tegen Oostenrijk alle troeven van het politieke machtsspel in handen heeft.

## 'Schuld en boete' van Dostojevski

MOSKOU - De Russische schrijver Fjodor Dostojevski heeft met zijn nieuwe roman *Schuld en boete* sterk de aandacht op zich gevestigd. Hij wordt nu in brede kring gezien als de meest vooraanstaande Russische schrijver van dit ogenblik. Op ingenieuze wijze heeft Dostojevski een detectiveverhaal verweven met een religieus-filosofische problematiek. In het verhaal vermoordt de student Raskolnikov een oude geldschietster. Hij rechtvaardigt deze daad met de gedachte dat hij als superieur mens boven de wet staat. Door zijn daad meent hij het geluk van veel mensen te bevorderen. Hij komt echter tot het inzicht dat hij een amoralist is die geen achting verdient.

## Oostenrijk staat Venetië af

WENEN, 3 oktober - Na de nederlaag van Oostenrijk in de oorlog tegen Pruisen heeft de Oostenrijkse regeringsleider Belcredi Venetië aan Italië moeten afstaan. De Franse keizer treedt op als bemiddelaar en heeft al een volksraadpleging in Venetië aangekondigd om de overgang van het gebied in Italiaanse handen te regelen.

Voor het jonge koninkrijk Italië is dit echter een pover resultaat. Minister van Buitenlandse Zaken Cavour was al in 1860 begonnen te intrigreren met als doel Venetië in het Italiaanse Rijk te kunnen opnemen. Een buitenlandse alliantie was hiervoor echter noodzakelijk en men zocht toenadering tot Pruisen. De Oostenrijkers reageerden geschrokken en boden Venetië aan, in ruil voor Italiës neutraliteit. Tot verbazing van de Oostenrijkers gingen de Italianen hier niet op in. Binnen de Italiaanse regering was een stroming ontstaan die niet alleen Italiës macht met militaire successen wilde bevestigen, maar die ook streefde naar gebiedsuitbreiding. Men hoopte Trente te annexeren.

Nadat op 8 april met de Pruisische regeringsleider Bismarck een bondgenootschap was gesloten brak de oorlog al snel uit. Oostenrijk was nu genoodzaakt op twee fronten oorlog te voeren. Bij Custoza raakte een Oostenrijks leger, aangevoerd door generaal Friedrich Albert, in gevecht met een Italiaans leger dat numeriek in de meerderheid was. Het stond echter onder incompetente leiding. Na acht dagen strijd leed het Italiaanse leger op 24 juni een pijnlijke nederlaag. De Pruisen hadden meer succes maar omdat Bismarck buitenlands ingrijpen vreesde sloot men al in augustus vrede. De Italiaanse regering moest dit voorbeeld wel volgen. Weliswaar zal Venetië nu in het koninkrijk opgenomen worden, maar een glorieuze affaire is het zeker niet geworden. Bovendien blijft Trente in Oostenrijkse handen.

*Von Tegetthoff slaat tijdens de Slag van Lissa vanaf de brug de manoeuvres gade.*

# Theeklipper 'Taiping' wint race uit India

*De 'Taiping' (links) en de 'Ariel' met volle zeilen op weg naar de eindstreep in de haven van Londen.*

LONDEN - Na een 99 dagen durende snelheidsrace is het de Engelse theeklipper 'Taiping' als eerste gelukt de Londense haven te bereiken. Sinds 1859 brandt jaarlijks de strijd los onder de klippers, de snelle zeil-handelsschepen, om de nieuwe theeoogst uit India naar Londen te brengen. Daar wacht de officieren en manschappen van het winnende schip namelijk een royale staatspremie, omdat de versgeplukte Indiase thee in Engeland een hoge handelswaarde vertegenwoordigt. Als winnaar geldt het schip waarvan de bemanning als eerste erin slaagt een pakje thee in de Londense haven op de pier te gooien. Het zag er even naar uit dat deze theerace tussen de 'Taiping' en de 'Ariel' onbeslist zou eindigen. Want ofschoon de 'Ariel' met een voorsprong van 10 minuten in de Londense haven arriveerde, bereikte de 'Taiping', dank zij de hulp van een krachtige sleepboot, toch als eerste de pier. De klippers, die tot 40 à 50 zeilen kunnen voeren, zijn mede door hun slanke vorm ook bij geringe windsnelheden nog in staat een relatief hoge snelheid te bereiken.

De concurrentie van de stoomschepen wordt echter steeds groter. Ofschoon zij in snelheid nog achterblijven, is te verwachten dat, dank zij hun grotere laadvermogen, zij de klippers als handelsschepen uiteindelijk zullen verdringen.

# Winslow Homer beeldt Burgeroorlog uit

NEW YORK - De Amerikaanse schilder Winslow Homer heeft tijdens de Amerikaanse Burgeroorlog voor het tijdschrift *Harper's Weekly* een groot aantal schetsen vervaardigd die een beeld geven van verschillende episoden uit deze zwarte bladzijde in de Amerikaanse geschiedenis. Bovendien heeft hij de afgelopen jaren gewerkt aan enkele olieverfschilderijen die het leven van de soldaten in de oorlog tot onderwerp hebben. Vooral met het dit jaar gemaakte schilderij *Gevangenen van het front* heeft hij in brede kring erkenning gekregen.

Winslow Homer werd geboren in Prout's Neck, een plaatsje in Maine. Hij werkte aanvankelijk als illustrator voor de in Boston verschijnende krant *Ballou's Pictorial*. Vervolgens ging hij voor het gerenommeerde weekblad *Harper's Weekly* werken en in 1859 vestigde hij zich in New York. Daar volgde hij avondcursussen aan de *National Academy of Design*. Homer heeft zich toegelegd op een realistische weer-

*'Gevangenen van het front' (door Winslow Homer, 1866).*

gave van zijn onderwerpen. Dit maakt zijn werk zeer geschikt om in *Harper's* te verschijnen. Na zijn recente successen heeft Homer laten weten dat hij een reis naar Europa zal ondernemen. Hij is van plan zijn werk volgend jaar op de wereldtentoonstelling in Parijs te exposeren.

*Wilhelm Steinitz.*

## Anderssen raakt schaaktitel kwijt aan Steinitz

LONDEN, 10 augustus - Adolph Anderssen, die vijftien jaar lang als officieus wereldkampioen over de internationale schaakwereld heeft geheerst heeft zijn fakkel moeten overdragen hij heeft in een match om het wereldkampioenschap met 8-6 verloren van Wilhelm Steinitz. Met deze machtsoverdracht lijkt het romantische aan valsschaak waarvan Anderssen een vertegenwoordiger is, plaats te moeten maken voor een meer wetenschappelijke benadering van het spel.

De 30-jarige Steinitz, die vier jaar geleden in het internationale toernooi van Londen zijn eerste grote succes heeft behaald, staat zeer kritisch tegenover het spel van zijn tijdgenoten. Hij vindt dat zijn collega's over het algemeen veel te agressief spelen en daarmee de eigen veiligheid uit het oog verliezen Hij is een pleitbezorger van het positiespel: het geduldig opbouwen van een overwegende stelling waarin de voorwaarden voor een succesvolle aanval aanwezig zijn.

Steinitz' voorganger Anderssen heeft tijdens zijn langdurige 'bewind' vooral te kampen gehad met de concurrentie van de twee jaar geleden overleden Amerikaan Paul Morphy, die algemeen erkend wordt als het grootste schaakgenie van deze eeuw. In december 1858 behaalde Morphy in Parijs een overwinning (7-2) op Anderssen maar een jaar later trok hij zich uit het openbare schaakleven terug. Morphy heeft in zijn korte loopbaan grote faam verworven met zijn briljant aanvals- en combinatiespel, gebaseerd op een rationeel-strategische aanpak. Het is met name de analyse van Morphy's partijen die de nieuwe wereldkampioen Steinitz tot zijn opvattingen over het positiespel heeft gebracht.

# Napoleon kondigt grotere vrijheden aan

PARIJS, 19 januari - Keizer Napoleon III is van zins een zekere politieke liberalisering door te voeren. Dat heeft hij het Franse volk via een open brief te kennen gegeven.

Het Franse bewind bevindt zich in een moeilijke positie en heeft behoefte aan een grotere steun van de bevolking. Ten eerste zijn er nogal wat problemen op het internationale vlak. De nederlaag van Oostenrijk bij Sadowa, in juli vorig jaar, betekent niet alleen dat Frankrijk nu een zwakkere bondgenoot heeft. De superioriteit van de Pruisische bewapening wordt beschouwd als een waarschuwing voor heel Europa, en zeker voor het buurland Frankrijk.

De Franse militaire expeditie naar Mexico, opgezet met de steun van Engeland en Spanje, om Maximiliaan van Oostenrijk daar op de troon te helpen, is op een fiasco uitgelopen. Verwacht wordt dat de Franse troepen, die nu zowel tegen de Amerikanen als tegen de Mexicanen moeten vechten, zich binnenkort zullen inschepen. Napoleons droom van een katholieke bondgenoot aan de andere kant van de wereld, die een tegenwicht tegen de Verenigde Staten zou kunnen vormen, kon niet verwezenlijkt worden.

Wel heeft die hele onderneming handen vol geld gekost. De onvermijdelijk geworden ondergang van de door Napoleon III gesteunde bankier Péreire en diens Crédit Mobilier komt de staatskas evenmin ten goede, des te minder daar Péreire zeer betrokken is bij de ontwikkeling van de infrastruc-

*'Het Europese evenwicht', satirische kijk van Daumier op de onzekere situatie.*

tuur (spoorwegen en andere transportmogelijkheden) die de keizer na aan het hart ligt. Bovendien betreft het hier een belangrijke tak van de Franse economie, die nu een knauw krijgt.

Door dat alles lijkt de tijd rijp om, in elk geval gedeeltelijk, in te gaan op de eisen van de oppositie. Die betreffen in de eerste plaats de 'vijf vrijheden': individuele vrijheid, persvrijheid, vrije verkiezingen, recht van interpellatie en verantwoordelijkheid van de ministers.

Het stakingsrecht werd drie jaar gele-

den al ingevoerd, evenals het recht voor de parlementariërs om op de troonrede te reageren. Een en ander had te maken met het verlies dat de regering bij de verkiezingen van 1863 leed. Dit maakte het noodzakelijk, water bij de wijn te doen.

Problematisch is wel dat Napoleons minister van Staat, Eugène Rouher, die achter het Mexicaanse avontuur stond, zich tegen de voorgenomen liberaliseringen blijft verzetten. Daardoor dreigt hij het bewind op de lange duur te verzwakken.

# VS kopen Alaska van Rusland

WASHINGTON, 30 maart - Amerika heeft voor 7 200 000 dollar Alaska gekocht. Minister van Buitenlandse Zaken Seward is dit overeengekomen met de Russische ambassadeur baron Edouard de Stoeckl. De wil van Russische zijde om Alaska te verkopen hangt vermoedelijk samen met het fiasco van de Russian American Company, een firma die Alaska moest exploiteren. Bovendien bevordert de verkoop de Russisch-Amerikaanse vriendschap, aldus baron De Stoeckl. Seward, die van president Andrew Johnson het groene licht voor de onderhandelingen kreeg, staat bekend als een gulzig expansionist. Vooral na de Burgeroorlog heeft hij een megalomanie ontwikkeld. Hij heeft eerder al geprobeerd gebieden van Frankrijk en Denemarken te kopen en roert zich eveneens in het Caribisch gebied en in de Grote Oceaan.

De kranten in Amerika omschrijven Alaska nogal lacherig als 'Johnson's Polar Bear Garden', 'Seward's Icebox' of 'Walrussia'.

# Zweeds parlement telt nu twee Kamers

STOCKHOLM, 15 januari - Deze week is de nieuwe uit twee Kamers bestaande Zweedse Rijksdag voor het eerst bijeengekomen. De oude vierstandenvertegenwoordiging is hiermee opgeheven.

De Eerste Kamer is vorig jaar indirect gekozen door de leden van de 24 provinciale staten. Verkiesbaar waren alleen de hoogstaangeslagenen zodat het een conservatief bolwerk is geworden. De Tweede Kamer is direct gekozen op basis van een lagere census. Ongeveer 20 procent van alle mannen heeft nu kiesrecht gekregen.

Het voorstel tot deze hervorming is afkomstig van premier De Geer, hoewel

de roep om verandering al veel eerder weerklonk. Velen vonden dat het overwicht van adel en geestelijkheid in de oude Rijksdag economische vooruitgang en verdere democratische ontwikkeling in de weg stond. De Geer, een pragmaticus van Hollandse afkomst, was in feite staatshoofd door het besluiteloze optreden van koning Karel XV.

Onder druk van liberalen en radicalen diende de premier eind 1865 zijn plan bij de Rijksdag in. De boeren en steden waren meteen voor, de adel pas na een verhit debat. De rol van de geestelijkheid in de Zweedse politiek is nu geheel uitgespeeld.

# Singapore verheugd over status van Britse kroonkolonie

*Sikh-strijders poseren samen met Britse officieren (1858).*

SINGAPORE, 1 april - De overgang van Singapore (samen met Penang en Malakka) van het India Office naar het Colonial Office is een feit; vanaf nu is de bedrijvige handelsstad een kroonkolonie. De grote handelshuizen van het eiland hebben hiervoor jarenlang geageerd; zij meenden dat de Indiase bureaucratie geen oog had voor hun belangen en eropuit was een einde te maken aan de vrijhandel, die zij van es-

sentieel belang voor het voortbestaan van de haven achtten.

De in 1819 op het eilandje Singapore gestichte nederzetting heeft een spectaculaire ontwikkeling achter de rug. Door het vrijhandelssysteem werd het al snel de overslaghaven bij uitstek voor de handel op China. Toch was haar voortbestaan nooit zeker; de inkomsten van het bestuur waren volstrekt onvoldoende (er werden nauwe-

lijks belastingen geheven) en ieder jaar weer moest de East India Company enige miljoenen bijpassen. Meermalen werd serieus overwogen óf de vrijhandel, óf de nederzetting op te heffen. Deze onzekerheid had tot gevolg dat de economie zich onstabiel ontwikkelde; speculatie en kort-termijnfinanciering bepaalden het beeld.

In de jaren 1840-1850 maakte Singapore een ernstige crisis door. Het verloor door de stichting van Hong Kong in 1841 zijn entrepot-functie voor de Chinahandel en bovendien werden de Nederlands-Indische havens opengesteld voor de internationale handel. Na 1850 trad een kentering in; men ging zich nu toeleggen op de inter-Aziatische handel en in 1857 bleek het handelsvolume in vijftien jaar tijd verdubbeld te zijn. Rond 1860 brak opnieuw een crisis uit, veroorzaakt door de Amerikaanse Burgeroorlog en het openstellen van een tiental Chinese havens na de Tweede Opiumoorlog.

De Straits Settlements Penang, Malakka en Singapore (de hoofdstad) waren onderdeel van de 'Presidency' van Bengalen en werden bestuurd alsof ze in India lagen. Dit werd nog eens versterkt toen na de opheffing van de East India Company (na de Indiase muiterij van 1857) het India Office het beheer overnam en uniformiteit in zijn bezittingen wilde gaan afdwingen. Zo stelde men voor in plaats van de Straits-dol-

lar de rupee te introduceren. De begrotingstekorten dacht men te bestrijden door het invoeren van een (bescheiden) belasting.

In Singapore bestond grote ontevredenheid over het autocratische karakter en de inefficiëntie van het Indiase gouvernement. Het bestuur liet veel te wensen over, er was nauwelijks politie, geen riolering, wegen waren er nie en de havenwerken werden slecht onderhouden. De handelaren eisten verbeteringen (overigens zonder daarvoor te willen betalen), ageerden onder aanvoering van William Henry Lead in de Singaporese pers voor rechtstreeks bestuur vanuit Londen en dienden in 1858 een petitie in bij het Britse parlement. Het India Office wilde de verliesgevende kolonie graag kwijt, maar het Colonial Office voelde er niets voor deze over te nemen, tot vorig jaar de Royal Navy plotseling belangstelling voor de haven van Singapore toonde en de 'transfer' door het parlement werd gejaagd.

In de tien jaar dat er hierover gedelibereerd werd, kwam Singapore tot nieuwe economische bloei. Gouverneur Orfeur Cavenhagh (1859-1867), een aimabele persoonlijkheid die meer dan zijn voorgangers tact toonde in de omgang met de handelsgemeenschap wist bovendien enige belastingen geaccepteerd te krijgen, waardoor het budget eindelijk in evenwicht kwam.

# Hongaarse Landdag keurt 'Ausgleich' met Oostenrijk goed

PEST, 29 mei - De Hongaarse Landdag heeft vandaag de Ausgleichwet goedgekeurd. Daarmee is de Ausgleich (het Compromis) tussen Oostenrijk en Hongarije, die een nieuwe constitutionele basis voor een nieuwe verhouding tussen beide landen levert, een feit. Het keizerrijk Oostenrijk wordt herschapen in de Oostenrijks-Hongaarse Monarchie, de zogenoemde Dubbelmonarchie.

Het Paasartikel van Ferencz Deák van twee jaar geleden heeft de toenadering tussen Oostenrijk en Hongarije in een stroomversnelling gebracht, met als extra stimulans de vernietigende, de interne stabiliteit bedreigende Oostenrijkse nederlaag in de oorlog tegen Pruisen.

Op 29 juli vorig jaar werd Deák, 'a haza bölcse' (de Wijze van het Land), bij de keizer geroepen. Hij verzekerde Frans Jozef dat 'hij en zijn natie niet méér wensen dan voor de oorlog'. Op 19 februari van dit jaar sprak Deák opnieuw met de keizer en twee dagen later werd graaf Gyula Andrássy de tweede constitutionele premier van Hongarije.

Met als bemiddelaar baron Ferdinand Beust, minister van Buitenlandse Zaken en ex-premier van Saksen, begon-

nen vervolgens besprekingen tussen Deáks aanhangers, de keizer en de Oostenrijkse Verfassungspartei, die ten slotte uitmondden in de Ausgleich. De Ausgleich is een complex geheel van wetten en reglementen die de wettige status van Oostenrijk en Hongarije in relatie tot elkaar regelen. Beide landen worden formeel onafhankelijk met Frans Jozef als staatshoofd: hij is keizer van Oostenrijk en koning van Hongarije, twee functies die strikt van elkaar gescheiden zijn. In de twee landen functioneren afzonderlijke regeringen en afzonderlijke parlementen (het Hongaarse wordt in ere hersteld). Slechts Buitenlandse Zaken, Oorlog en Financiën worden in gezamenlijke, aparte ministeries geregeld, al hebben beide landen óók een eigen minister van Oorlog en Financiën.

De gemeenschappelijke ministeries zijn verantwoording schuldig aan zogenoemde delegaties, waarin afgevaardigden uit beide parlementen zitting hebben. Gemeenschappelijke zaken op het gebied van economie, handel, de munteenheid, belastingen en de douane worden door gezamenlijke delegaties behandeld. Gemeenschappelijke aangelegenheden worden door beide landen samen betaald, voorlopig

*Vergadering van de Landdag, het Hongaarse parlement.*

in een verhouding 70:30. Naar buiten toe wordt Oostenrijk-Hongarije één land.

De Ausgleich is in Hongarije jubelend ontvangen: algemeen ziet men er een vorm van bevrijding in na 18 jaar van onderdrukking. Een dissonant vormt de mening van Lajos Kossuth, die vanuit het buitenland Deák vergeefs heeft

gevraagd Hongarije niet in een situatie te brengen waarin het 'zijn eigen toekomst niet kan bepalen, de relatie met zijn minderheden niet regelt en een doelwit van rivaliserende grote mogendheden wordt'. Maar anno 186 hebben de meeste Hongaren weinig behoefte aan de waarschuwingen van de grote onttroner van weleer.

# Engels kiesrecht hervormd

*Twee cartoons uit het populaire 'Vanity Fair': links Gladstone, rechts Disraeli.*

*Engelse bobby's proberen tevergeefs demonstrerende vrouwen tegen te houden.*

# Mill verliest in Lagerhuis

LONDEN, 20 mei - John Stuart Mill heeft met zijn voorstel in de kieswet het woord 'man' te vervangen door 'persoon', het eerste parlementaire debat over het vrouwenkiesrecht veroorzaakt. Zijn voorstel is verworpen met 196 stemmen tegen en 73 vóór.

In zijn rede voor een uitsluitend mannelijk gehoor verdedigde Mill het vrouwenkiesrecht en ging hij in op tegenargumenten. Dat vrouwen geen belangstelling zouden hebben voor het stemrecht ontzenuwde hij door te herinneren aan de zogenaamde 'Ladies Petition', waarin 1500 vooraanstaande vrouwen het parlement in 1866 om kiesrecht vroegen. Voorts wees Mill op de vele onderdrukkende wetten en bepalingen waaraan vrouwen onderworpen zijn en verklaarde hij dat vrouwen er dus wel degelijk belang bij hebben een stem in staatszaken te krijgen; hiermee hebben zij een wapen in handen om een einde aan onderdrukking te maken. Zijn speech heeft veel indruk gemaakt en het grote aantal voorstemmers heeft de tegenstanders van het amendement verrast.

LONDEN, mei - Met het van kracht worden van de 'Second Reform Bill' heeft in Engeland de ingrijpendste kiesrechthervorming sinds 1832 haar beslag gekregen. Het aantal kiezers wordt van circa 1 miljoen tot ongeveer 2 miljoen uitgebreid. De nieuwe kieswet is aanzienlijk democratischer van opzet dan de oude wet. Een derde van de mannelijke volwassenen, onder wie de meeste arbeiders in de steden, heeft nu stemrecht.

Niet iedereen is even gelukkig met de uitbreiding van het kiesrecht. Waarnemers geloven echter niet dat de politieke stabiliteit of zelfs de zetelverdeling in het parlement ingrijpend zal veranderen door verdubbeling van het kiezerskorps.

De hervorming van het kiesstelsel komt onder heel andere omstandigheden tot stand dan in 1832 het geval was. Toen ging aan het aannemen van de wet een periode van agitatie en sociale onrust vooraf. Sinds het begin van de jaren vijftig wordt de Engelse politiek echter gekenmerkt door een opvallende stabiliteit. De agitatie van chartisten, die in de jaren dertig en veertig nog bijzonder heftig was, is, zonder dat deze beweging enig resultaat heeft behaald, weggeëbd. Ook de oude partijen, de Whigs en de Tories, zijn geheel verdwenen. De twee grote partijen zijn nu de liberalen, onder leiding van William Gladstone, en de conservatieven, van wier leiders Benjamin Disraeli wel de bekendste is. Ook de verhouding tussen beide partijen is, zeker als men deze vergelijkt met de politieke situatie van het begin van de eeuw, betrekkelijk mild. Kabinetten wisselen elkaar af zonder direct de wetgeving van de voorganger ongedaan te maken. De ontwikkeling van het wettelijke systeem vertoont derhalve een zekere continuïteit. Het behoeft geen betoog dat dit de politieke stabiliteit bevordert. De liberalen steunen meer op handelaren en industriëlen, de conservatieven vinden hun achterban eerder bij de 'landed interests'. Beide partijen trachten (overigens met ongeveer even-veel succes) steun van de arbeidersklasse te krijgen, door een voor deze sociale groep gunstige wetgeving in te dienen. De nu aangenomen wet werd ingediend door een conservatief kabinet onder leiding van Disraeli.

# Frans Jozef in Boeda plechtig gekroond

BOEDA, 8 juni - In de Matthiaskerk in Boeda is de Habsburgse keizer Frans Jozef tot koning van Hongarije gekroond. De plechtigheid symboliseert de totstandkoming van de 'Ausgleich', het constitutionele compromis tussen Oostenrijk en Hongarije.

Hiermee wordt tevens de politiek van de Oostenrijkse minister van Buitenlandse Zaken, baron Ferdinand Beust, met succes bekroond.

De liberaal Beust is in november in dienst getreden om 'als een wasvrouw het vuile linnengoed te reinigen dat al eeuwenlang de atmosfeer van de Oostenrijkse staat bederft'. Hij doelde hiermee op het nationaliteitenvraagstuk. De roep om zelfstandigheid van de verschillende nationaliteiten in het Oostenrijkse staatsverband - Hongaren, Roemenen en de Slavische bevolkingsgroepen - was steeds luider geworden. Uit angst voor het uiteenvallen van het multinationale Habsburgse Rijk werden de verschillende nationalistische bewegingen door het Weense hof genegeerd of onderdrukt.

In de afgelopen zomer bleek echter dat het eigenbelang, ja zelfs het voortbestaan van het Habsburgse Rijk gediend was met concessies.

*De Hongaarse premier Gyula Andrássy. Rechts de kroning van Frans Jozef.*

Op 3 juli is het Oostenrijkse leger in de oorlog tegen Pruisen om de hegemonie in Midden-Europa bij Königgrätz (Sadowa) verpletterend verslagen. Een sterke positie van Oostenrijk - en revanche op Pruisen - was sindsdien afhankelijk van de steun van de nationaliteiten, in ieder geval van die van de Hongaren.

Het nationaliteitenprobleem in de nieuwe dubbelmonarchie is met de 'Ausgleich' echter niet opgelost. De Slaven, die 47 procent van de bevolking uitmaken, eisen eveneens een bijzondere positie. Ondertussen wordt vanuit Rusland de theorie van het panslavisme gepropageerd. De Tsjechische leider Frantisek Palacký verklaarde, dat 'de dag waarop het dualisme uitgeroepen werd, tegelijk de geboortedag van het panslavisme in zijn minst gewenste vorm werd.'

*De Rijksdag van de Noordduitse Bond onder voorzitterschap van Eduard Simson.*

# Noordduitse Bond een feit

BERLIJN, 1 juli - Nog geen jaar na het uiteenvallen van de Duitse Bond is de grondwet van de nieuwe Noordduitse Bond in werking getreden. Ten gevolge van de annexaties van Sleeswijk-Holstein, Hannover, Kurhessen Nassau en Frankfurt beheerste Pruisen al vrijwel het hele gebied boven de rivier de Main.

In de nieuwe bond zullen 22 staten en vrije steden zitting hebben. De grondwet draagt een federatief karakter, dat wil zeggen: de aangesloten staten behouden hun onafhankelijkheid op het terrein van cultuur, onderwijs en rechtspraak. De defensie- en buitenlandse politiek van de bond blijft voorbehouden aan Berlijn.

Met dit federatieve verband hoopt Bismarck in een latere fase de toetreding van de Zuidduitse staten te vergemakkelijken. Maar federatie of niet, het zal duidelijk zijn dat Pruisen op veel terreinen de eerste viool zal blijven spelen.

De Noordduitse Bond vormt een bondsstaat met twee overkoepelende bondsorganen: de Bondsraad en de Rijksdag. In de Bondsraad beschikt Pruisen over 17 van de 43 zetels en daarmee kan het grondwetswijzigingen voorkomen. Aan het hoofd van de Bondsraad staat de Pruisische koning. Als bondspresident geldt hij als officiële vertegenwoordiger van de bond en in die hoedanigheid is hij gerechtigd verdragen te sluiten, oorlogen te verklaren en de Rijksdag bijeen te roepen. De 297 vertegenwoordigers van de Rijksdag worden via directe verkiezingen door het volk gekozen. Samen met de Bondsraad zal de Rijksdag de wet-

geving regelen op het terrein van het douane- en handelsrecht, het strafrecht en het recht op vrije vestiging van beroep. Dit laatste is met name voor de liberalen aanleiding hun oppositie tegen Bismarck op te geven. Men is bereid de Pruisische overmacht in de nieuwe bond te accepteren in ruil voor een liberale economische politiek. Bismarcks militaire en diplomatieke successen hebben een wig gedreven in het verzet tegen de machtspolitiek van de minister-president. Door zijn geproclameerde 'revolutie van boven' te accepteren hopen de liberalen hun eigen Duits-nationale idealen te kunnen verwezenlijken. 'Door eenheid naar vrijheid' wordt het parool.

*Een niet erg geslaagde fotomontage van de executie van keizer Maximiliaan. Gebruikt zijn minstens vier verschillende foto's: één van de achtergrond, één van de keizer (die veel te groot is afgebeeld), één van het executiepeloton (in tweeën geknipt) en één van Maximiliaans generaals (in burger).*

# Maximiliaan geëxecuteerd

*De executie van keizer Maximiliaan door een vuurpeloton (Edouard Manet, 1867)*

QUERETARO, 19 juni - Op bevel van president Juárez van Mexico is keizer Maximiliaan vandaag bij het ochtendgloren even buiten Querétaro geëxecuteerd. Enkele dagen geleden werd Maximiliaan gevangengenomen, nadat hij bij Querétaro met de laatste hem trouw gebleven troepen door het Mexicaanse leger was verslagen.

Maximiliaan, aartshertog van Oostenrijk en broer van keizer Frans Jozef, nam op 10 april 1864 op uitnodiging van de Franse keizer Napoleon III en een groep Mexicaanse conservatieven de titel keizer van Mexico aan. Sinds januari 1862 bevonden zich al Franse troepen in Mexico, die deel uitmaakten van een internationale expeditie om Mexico tot schuldaflossing te dwingen. Toen de Franse troepen in de loop

van 1862 vanuit Veracruz Mexico binnentrokken, trokken Spanje en Engeland hun detachementen uit de expeditie terug. Bij Puebla leed het Franse leger nog een nederlaag tegen het Mexicaanse leger, maar hetzelfde jaar werd Mexico-Stad ingenomen. De regering van president Juárez ging in ballingschap en het Franse leger stelde een provisorische regering in van conservatieven. In 1864 vond Napoleon Maximiliaan bereid keizer van Mexico te worden onder Franse controle. Ondanks het bevestigen van de hervormingswetgeving 'La Reforma' van Juárez, de afschaffing van de schuldslavernij op het platteland en het verbod op het gebruik van het leger door grootgrondbezitters en de Kerk om gevluchte pachtboeren te achterhalen, wist Maximiliaan zich geen echte macht te verwerven in de Mexicaanse samenleving; hij bleef afhankelijk van de Franse steun. Deze steun werd door Napoleon op 12 maart opgezegd en achttien dagen later verlieten de Franse troepen Mexico. De Franse terugtrekking was noodzakelijk door Amerikaanse druk. Tijdens de Amerikaanse Burgeroorlog had Frankrijk de verliezende partij gesteund, terwijl de regering-Lincoln herhaaldelijk, maar vooralsnog machteloos Franse terugtrekking van het westelijk halfrond had geëist, waarbij zij zich beriep op de Monroe Doctrine. De Verenigde Staten, die al langere tijd president Juárez in diens guerrilla-oorlog hadden gesteund, maakten nu aanstalten zelf het Franse leger te verdrijven. Ook Pruisisch opdringen aan de Franse oostgrens is niet vreemd aan Napoleon III's opgeven van het Mexicaanse avontuur.

*'Gevecht om de telegraaf', Daumier over de oorlogsverslaggeving op Kreta.*

# Servisch-Grieks akkoord

VÖSLAU, augustus - Servische en Griekse vertegenwoordigers hebben in het plaatsje Vöslau dicht bij Wenen een verdrag tot wederzijdse bijstand ingeval van een Turkse aanval ondertekend.

De Servische vorst Michael Obrenovitsj en zijn premier Garasjanin streven op korte termijn naar een Balkanfederatie met als doel de verdrijving van de Turken, zonder daarbij al te zeer afhankelijk te worden van de grote mogendheden. Garasjanin, een conservatief, constitutionalistisch politicus, riep reeds in 1844 in zijn geschrift

*Natsjertanije* op tot de vereniging van de gebieden die hij als overwegend Servisch en orthodox beschouwde: Bosnië, Hercegovina, het 'Oude Servië' [Kosovo], Montenegro, de Vojvodina en Noord-Albanië. Op lange termijn ambieert Obrenovitsj een staat die bovendien de Zuidslavische minderheden in het Habsburgse Rijk omvat: naast de Serviërs aldaar ook de katholieke Kroaten.

Een eerste stap in de richting van het kort-termijndoel werd vorig jaar gezet door een overeenkomst met Montenegro die, naast samenwerking bij een opstand tegen de Turken, de vorming van één Servische natie met Michael als vorst beoogde. In het kader van dit streven heeft de vorst Servië tot het centrum van revolutionaire en nationale activiteiten op de Balkan gemaakt; hij steunt onder andere de Bulgaarse revolutionairen in zijn land.

In de huidige Servisch-Griekse overeenkomst kan men echter reeds de kiemen van mogelijke geschilpunten ontdekken; niet voor niets heeft men zich beperkt tot een minimumintentieverklaring. Indien de situatie het toelaat zal Griekenland Epirus en Thessalië, beide gebieden met grote etnische minderheden, annexeren; Servië zal Bosnië en Hercegovina innemen. Over de verdeling van Macedonië is niet gesproken. Op dit gebied, met een overwegend Bulgaars dialect sprekende bevolking, maken zowel Thessalië als Bulgaarse revolutionairen aanspraak.

*In veel Europese steden worden overdekte winkelpassages gebouwd. De pasgeopende 'Galleria Vittorio Emanuele II' in Milaan spant qua sfeer en élégance voorlopig de kroon.*

# Ingres laatste classicist

*Twee werken van Ingres: links 'De bron' (1856), rechts 'Het Turkse bad' (1862).*

PARIJS, 14 januari - Op 86-jarige leeftijd is de vermaarde Franse schilder Jean Auguste Dominique Ingres overleden. Ingres wordt algemeen gezien als een van de laatste grote Franse classicistische schilders.

Op zeer jeugdige leeftijd onderscheidde Ingres zich reeds door zijn talent. In Toulouse kreeg hij onderricht van Joseph Roques. In 1801 werd hem de Prix de Rome toegekend voor zijn schilderij *Achilles ontvangt de afgezant van Agamemnon*. Hij ontwikkelde zich verder in Italië en onderging de invloed van de Venetiaanse meesters. Hij vervaardigde enige portretten waarmee hij nog weinig waardering oogstte; men vond zijn werk 'gotisch'. Pas in Rome ontwikkelde Ingres, beïnvloed door Rafaël, een stijl waarin niet langer naar een ideaalbeeld werd gezocht, maar waarin gestreefd werd naar een natuurgetrouwe weergave van zijn onderwerp.

Met het in opdracht geschilderde *De gelofte van Lodewijk XIII* behaalde Ingres een doorslaggevend succes. Hij werd toegelaten tot de Académie in Parijs en vestigde een atelier aan de École Nationale des Beaux-Arts. Geleidelijk aan werd zijn werk echter toch weer bekritiseerd. Teleurgesteld accepteerde hij in 1835 een functie in Rome. Zijn terugkeer in Parijs, zeven jaar later, werd echter een grote triomf voor hem. Zijn koele heldere stijl werd nu algemeen gewaardeerd. Opmerkelijk is zijn plastische weergave van het menselijk lichaam. Vooral het vrouwelijk naakt inspireerde hem in hoge mate. *Het Turkse bad* uit 1862 is een van de hoogtepunten in zijn œuvre.

*Tijdens de wereldtentoonstelling in Parijs heeft de firma Krupp een kanon getoond dat een grote indruk op de bezoekers heeft gemaakt. Het is het grootste kanon dat tot nog toe is gegoten. De loop alleen al weegt 50 ton. De projectielen die het gevaarte afvuurt wegen 480 kilogram. In de praktijk is dit geschut weinig bruikbaar en het fungeert voornamelijk als paradepaardje.*

*Karl Marx aan zijn schrijftafel.*

# 'Das Kapital' van Marx

HAMBURG, 1 oktober - Onder de titel *Das Kapital. Kritik der politischen Oekonomie*, is in Duitsland een studie van Karl Marx over het ontstaan en het wezen van de kapitalistische produktiewijze verschenen. Marx geeft in dit werk een analyse van de manier waarop de arbeidersklasse wordt uitgebuit door 'het kapitaal', en besteedt daarbij veel aandacht aan de situatie van de arbeidersklasse in Engeland.

In *Das Kapital* komen alle belangrijke elementen van de leer van Marx aan de orde: het historisch materialisme, arbeidswaarde en meerwaarde, concentratie en accumulatie van kapitaal, uitbuiting, klassenstrijd en revolutie. Centraal staat Marx' theorie van de meerwaarde. Datgene wat een arbeider produceert, heeft een grotere waarde dan hij ervoor in loon uitbetaald krijgt: het verschil daartussen heet 'meerwaarde' en vloeit als pure winst in de beurs van de kapitalist. Zo wordt het proletariaat, dat niets bezit dan zijn eigen handen en dus afhankelijk is van de verkoop van zijn arbeidskracht, uitgebuit door degenen die in het bezit zijn van de produktiemiddelen, de kapitalisten, aldus Marx.

Deze uitbuiting ligt ten grondslag aan de klassenstrijd tussen het proletariaat en de kapitalisten en zal leiden tot de revolutie, waarin de onteigenaars (die zich de produktiemiddelen hadden toegeëigend) worden onteigend en de produktiemiddelen tot gemeenschappelijk eigendom worden gemaakt. Daarop volgt een nieuwe, socialistische orde, de klassenloze maatschappij.

Marx' ideeën betekenen het begin van een wetenschappelijke benadering van het socialisme, in tegenstelling tot het utopisch socialisme dat in de afgelopen periode veel aanhang onder de ar-

beidersklasse had. Friedrich Engels, vriend en naaste medewerker van Marx, heeft *Das Kapital* 'de bijbel van de arbeiders' genoemd. In de nabije toekomst zullen drie vervolgdelen verschijnen, heeft Marx aangekondigd.

# Neutraliteit Luxemburg

LONDEN, 11 mei - Nederland heeft zich op het laatste nippertje gered uit een uiterst penibele situatie. Op een conferentie in Londen is een oplossing bereikt voor de zogenaamde Luxemburgse kwestie, waarbij een Frans-Pruisisch conflict dreigde met mogelijk Nederlandse betrokkenheid. Sinds februari van dit jaar was Van Zuylen, de Nederlandse minister van Buitenlandse Zaken in onderhandeling met de Franse regering over een mogelijke verkoop van Luxemburg, sinds 1815 deel van het Nederlandse koninkrijk. Van Zuylen had deze stap genomen uit angst voor een dreigende annexering door Pruisen. Vorig jaar september nog had hij de Pruisische regeringsleider Otto von Bismarck gevraagd garanties te geven, waarop deze toetreding van Luxemburg (en Limburg) tot de Noordduitse Bond had geëist. In februari van dit jaar boezemde Bismarcks pressie Van Zuylen zoveel angst in, dat hij zich in paniek tot Londen en Parijs wendde. De Nederlandse ouverture gaf Frankrijk de gelegenheid onderhandelingen over een Frans-Nederlandse defensieve alliantie te openen en tegelijkertijd het afstaan van Luxemburg te regelen. De Franse diplomatie scheen een dubbel succes

te gaan behalen: het tot satelliet maken van het traditioneel neutrale, zelfstandige Nederland en compensatie in Luxemburg voor de recente Pruisische gebiedsuitbreiding.

Op 3 april echter deelde Bismarck aan de Nederlandse koning Willem III mee dat de verkoop van Luxemburg aan Frankrijk voor Pruisen een 'casus belli' zou zijn. Met grote spoed werd nu een conferentie van grote mogendheden in Londen bijeengeroepen. De deelnemende landen, waaronder Nederland, hebben zich hier collectief garant gesteld voor de neutraliteit van het groothertogdom. Nederland heeft dus een offer moeten brengen - de garantie is immers in strijd met de traditionele Nederlandse afzijdigheidspolitiek maar een oorlog met het superieure Pruisen is vermeden.

# Ongeloof voor nieuwe theorie van Lister

GLASGOW - Met ongeloof is in medische kringen gereageerd op de inhoud van twee publikaties van de hand van de Engelse chirurg Joseph Lister. In het medisch tijdschrift *Lancet* heeft hij een nieuwe behandelingsmethode van wonden beschreven en uiteengezet hoe wondinfectie voorkomen kan worden. Joseph Lister is hoogleraar in de klinische chirurgie en verbonden aan de universiteit in Glasgow. Hij maakte in 185. naam met de publikatie van *The Early Stages of Inflammation*. Dit werkstuk was gebaseerd op de ervaringen die hij opdeed in het universiteitsziekenhuis in Londen. Hij was toen al geïnteresseerd in het probleem waarom patiënten dikwijls overleden aan de ontstekingen die ontstonden nadat zij geopereerd waren. Het opereren is na de introductie van chloroform en ether gemakkelijker geworden, maar de ziekenhuizen blijken grote besmettingshaarden. De ontstekingsziekten nemen daar soms epidemische vormen aan. Lister heeft zich gebaseerd op de onderzoekingen van de Franse bacterioloog Louis Pasteur, die zich richtten op het rottingsproces. Lister propageert nu een methode om wonden te desinfecteren, onder meer door het gebruik van een in carbol gedrenkt verband. Bovendien dient de omgeving waarin de operatie plaatsvindt ook ontsmet te worden. De Oostenrijkse arts Ignaz Semmelweis heeft er al enige tijd geleden op gewezen dat de artsen zelf een bron van besmetting kunnen zijn. Hij stelde verbeteringen voor om dit te voorkomen. Dit werd hem niet in dank afgenomen. Ook Lister wordt nu met scepsis bejegend. Vooral dr. James Simpson toont zich een tegenstander van de nieuwe inzichten.

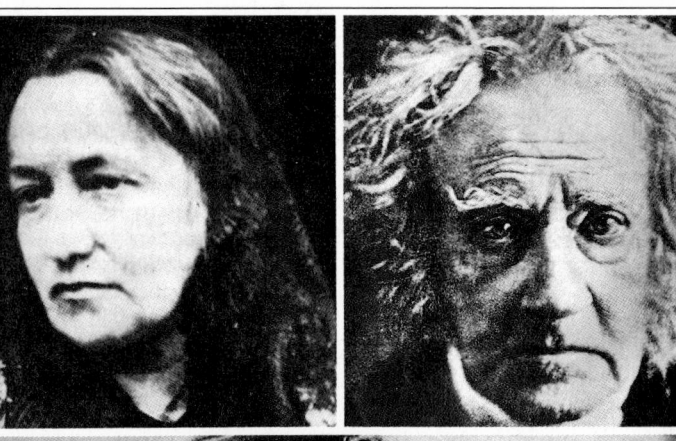

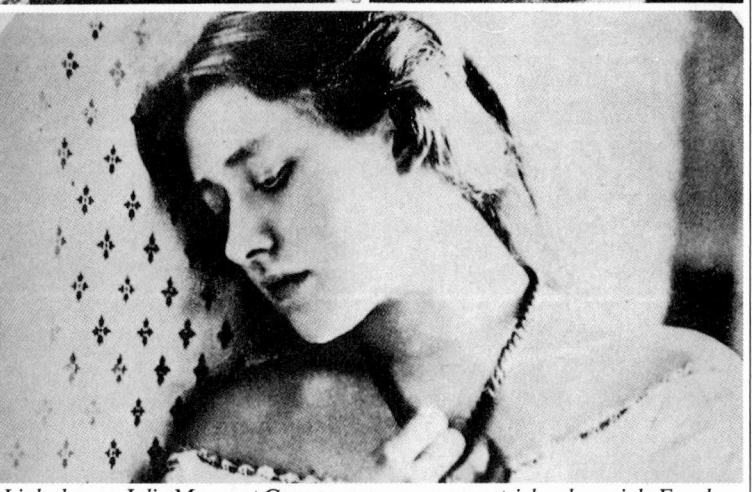

*Links boven Julia Margaret Cameron, een even excentrieke als geniale Engelse pionierster van de fotografie. Zij maakte als eerste close-up-portretten van beroemdheden als de astronoom Sir John Herschel (rechts boven, 1867) en de actrice Ellen Terry (onder, 1864).*

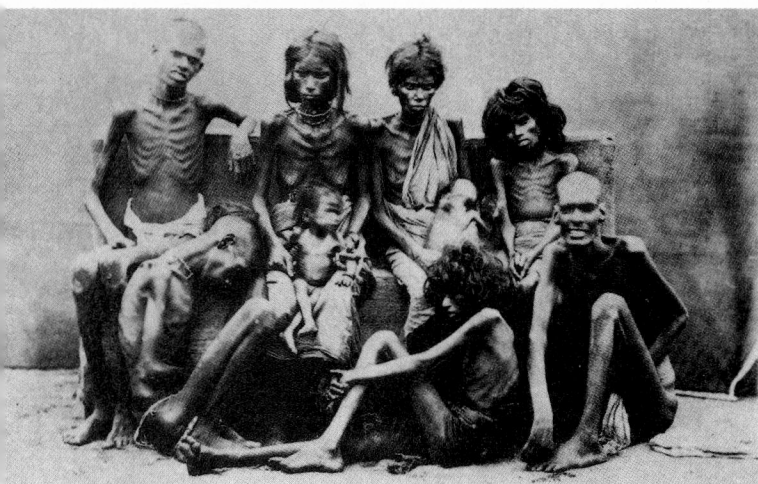

*Slachtoffers van de grote hongersnood in India poseren voor de lens.*

# Hongersnood treft India

ORISSA - Een ongekend zware hongersnood heeft in de Indiase staat Orissa aan meer dan tien miljoen mensen het leven gekost. Ondanks het hoge aantal doden weigert de gouverneur-generaal toestemming te geven om extra voedselvoorraden te kopen. De bestuurder staat daarentegen wel toe dat grote partijen graan worden verkocht aan katoenboeren in Bombay.

De gouverneur wenst niet in te grijpen in de economie en toont zich daarmee een trouw volgeling van de klassieke econoom Adam Smith. Overheidsingrijpen zou volgens hem slechts de groei naar een hoger niveau van welvaart vertragen. Niets mag de natuurlijke ontwikkeling van de prijs in de weg staan. Het is daarom uitgesloten dat de overheid graan onder de marktprijs aan de hongerlijdende bevolking verkoopt.

Toen in een gestrand schip een lading graan dreigde weg te rotten, mocht de Indiase bevolking dit niet gebruiken om de honger te stillen. De gouverneur wees erop dat het economisch stelsel werd ondermijnd, als de bevolking op een dergelijke wijze gratis voedsel kon bemachtigen.

Volgens de gouverneur zorgt het economisch spel van vraag en aanbod altijd weer voor een evenwicht. Vanwege de hoge voedselprijzen in Orissa zouden de handelaren daar binnen afzienbare tijd voldoende voedsel aanbieden. Veel Indiase handelaren houden hun voorraden echter achter en wachten op nog hogere prijzen. Ondertussen sterven miljoenen mensen van de honger.

Toen het bestuur zich de omvang van de ramp realiseerde, besloot men met tegenzin de hongerige bevolking graan aan te bieden. Deze hulp mislukt nu faliekant, omdat zware moessonregens de toegangswegen naar het geteisterde gebied onbegaanbaar maken.

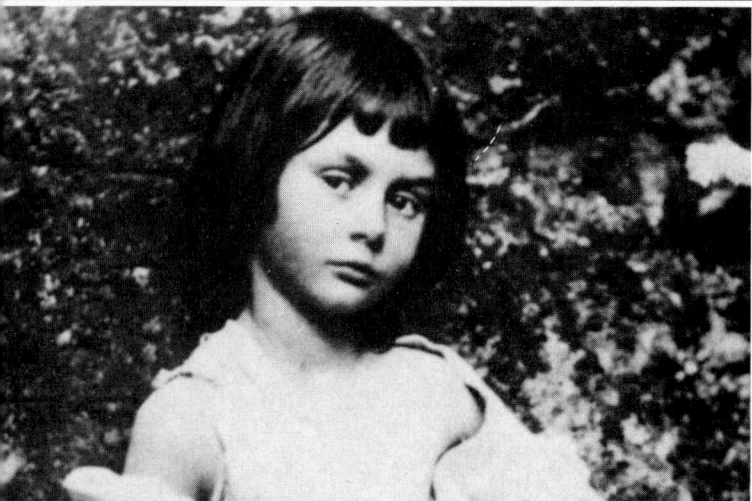

*Charles Lutwidge Dodgson, die in 1865 met veel succes onder het pseudoniem Lewis Carroll 'Alice in Wonderland' heeft gepubliceerd, begint dit jaar aan een vervolg op dat werk. Behalve wiskundige en schrijver is Dodgson ook een verwoed fotograaf: afgebeeld is Alice Liddell, het meisje dat hem tot het schrijven heeft geïnspireerd. Op aanwijzing van Dodgson poseert zij als kleine bedelares (foto circa 1861).*

# 1868

**2 januari.** Een Britse expeditie onder leiding van Robert Napier vertrekt naar Ethiopië, nadat de Britse consul daar is gevangengenomen.

**3 januari.** De Japanse keizer Moetsoehito neemt onder de naam Méidji Tenno de macht over van de laatste sjogoen. →

**12 maart.** Groot-Brittannië annexeert Basoetoland

**13 april.** Robert Napier neemt Magdala in Ethiopië in.

**12 mei.** Samarkand wordt door Rusland bezet.

**26 mei.** President Andrew Johnson wordt vrijgesproken door de Senaat van schending van de Tenure-of-Office-Act. →

**10 juni.** Michael II, koning van Servië, wordt vermoord. Hij zal worden opgevolgd door Milan IV.

**Juli.** In Nieuw-Zeeland breekt de derde Maori-Britse oorlog uit. →

**30 september.** Koningin Isabella van Spanje vlucht naar Frankrijk en wordt afgezet verklaard, nadat een liberale revolutie is uitgebroken.

**23 oktober.** Na de dood van Rama IV wordt zijn zoon Rama V koning van Siam. Hij zet de hervormingspolitiek van zijn vader voort.

- Het nationaliteitenprobleem in Hongarije spitst zich toe. →

- Onder C.M. de la Torre vindt op de Filippijnen liberalisering plaats.

- George Westinghouse, Amerikaans ingenieur, verkrijgt octrooi op zijn uitvinding de luchtrem.

- Ernst Haeckels *Natürliche Schöpfungsgeschichte* verschijnt. In dit werk populariseert hij de ideeën van Darwin.

- Edouard Manet schildert een portret van de schrijver Émile Zola.

- Het boek *Little Women* van Louise Alcott verschijnt.

- De roman *De Idioot* van Fjodor Dostojevski verschijnt.

Geboren:

**16 maart.** Maxim Gorki (†18-6-1936), Russisch schrijver
**12 juli.** Stefan George (†4-12-1933), Duits dichter
**11 november.** Edouard Vuillard (†12-6-1940), Frans schilder

Gestorven:

**11 februari.** Léon Foucault (18-9-1819), Frans natuurkundige.
**29 februari.** Lodewijk I van Beieren (25-8-1786), voormalig koning→
**29 augustus.** Christian Schönbein (1799), Duits scheikundige
**13 november.** Gioacchino Rossini (29-2-1792), Italiaans operacomponist→

# Lodewijk van Beieren sterft in ballingschap

*Lodewijk I in koninklijk ornaat.*

NICE, 29 februari - De voormalige koning van Beieren, Lodewijk I, zal in de herinnering voortleven als een koning die zijn grootste betekenis ontleent aan het feit dat hij vooral de kunst bevorderde. De sinds 1848 in ballingschap levende koning heeft van München een artistiek en wetenschappelijk centrum gemaakt.

Lodewijk I was in 1848 in ballingschap gegaan nadat hij gedwongen werd afstand te doen van zijn troon. In dat revolutiejaar was voor de bevolking van Beieren de maat vol toen bleek dat de koning een verhouding met de danseres Lola Montez had. Lodewijk had toen al veel sympathie van de bevolking verspeeld omdat hij zijn liberale opvattingen had verlaten en een conservatieve weg was ingeslagen. Hij werd opgevolgd door zijn zoon Maximiliaan II.

Als kroonprins verzamelde Lodewijk al kunstvoorwerpen van de landen die hij bezocht. Zijn beelden en portretten die hij privé vergaarde vormden het begin van de grote kunstcollecties in de Glyptothek en de Pinakothek in München. Tijdens zijn koningschap werd begonnen met de planmatige uitbreiding van München. Zijn favoriete architecten L. Klenze en F. von Gärtner creëerden de nobele stijl van het Münchener classicisme. Klenze kreeg de opdracht voor de koninklijke collectie een permanente expositieruimte te bouwen: de Alte Pinakothek. Lodewijk gaf order de universiteit van Beieren van Landshut naar München over te brengen.

Na een bezoek aan Griekenland was Lodewijk zo onder de indruk dat hij de vrijheidsstrijd van de Grieken actief ging steunen. Zijn zoon Otto werd in 1832 tot koning van Griekenland gekozen. Lodewijk was gehuwd met Theresia van Saksen-Altenburg.

# Geslaagde staatsgreep tegen Tokoegawa

*Boven: soldaten uit het Tokoegawa-leger, onder: een ruitergevecht (19de eeuw).*

KIOTO, 3 januari - Na meer dan 250 jaar is het Tokoegawa-sjogoenaat bij een militaire staatsgreep ten val gebracht.
Troepen van de hervormingsgezinde daimio's van Satsoema en Tjôsjoe hebben in de vroege ochtend het keizerlijk paleis ingenomen en 'herstel van de keizerlijke macht' afgekondigd.
Aanhangers van het sjogoenaat zijn naar Edo en Osaka gevlucht, voor zover zij bij de gevechten in en rond Kioto niet zijn omgekomen.
Al vanaf de eerste confrontaties met de westerse mogendheden in het begin van deze eeuw heeft het sjogoenaat aan macht ingeboet. Herhaaldelijk werden aan buitenlandse mogendheden concessies gedaan die door de meerderheid van de daimio's als tekenen van zwakte van het centraal bestuur werden uitgelegd. Zij spraken het sjogoenaat hierop dan ook aan. Tevens zijn de eisen van de westerse mogendheden en de inwilliging daarvan door verschillende daimio's gebruikt om hun positie ten opzichte van het sjogoenaat en andere daimio's te verstevigen.
Zowel Tjôsjoe als Satsoema heeft geen deel gehad aan de erosie van het Tokoegawa-sjogoenaat, omdat het afgelegen gebieden zijn die niet zijn aangetast door het verval dat alle met de Tokoegawa verbonden gebieden gedurende de laatste 60 jaar doorgemaakt hebben. Zij kunnen bogen op een trouw en goedgetraind korps van samoerai. Op financieel gebied zijn zij sterker dan de meeste andere gebieden en daardoor kunnen zij zich veroorloven grote hoeveelheden moderne wapens van westerse landen te kopen en hun samoerai leren daarmee om te gaan. Satsoema is rijk geworden van

*Gioacchino Rossini componeerde een groot aantal opera's die hem roem en rijkdom brachten. Zeer veel succes had hij met 'Il barbiere di Siviglia'.*

het monopolie dat het op rietsuiker heeft. Het is door klimatologische omstandigheden vrijwel het enige gebied in Japan waar dit gewas kan groeien. Tjôsjoe heeft gezorgd voor een tevreden korps van samoerai en ambtenaren, door in 1762 al een fonds in het leven te roepen waarop samoerai en ambtenaren in moeilijke tijden een beroep kunnen doen. De schulden die op deze manier werden gemaakt, zijn in de loop van deze eeuw door de enorme inflatie sterk verminderd. Ook is dit fonds aangewend voor de opslag en verkoop op het juiste ogenblik van rijstoverschotten en voor het verkrijgen en behouden van monopolies op het gebied van transport van goederen en kredietverschaffing aan andere daimio's.
In de jaren vijftig van deze eeuw zijn zowel in Satsoema als in Tjôsjoe de hervormingsgezinden aan de macht gekomen. Zij stelden zich kritisch ten opzichte van het Tokoegawa-sjogoenaat op en waren voorstanders van versteviging van de keizerlijke macht. Regelmatig provoceerden samoerai uit Satsoema buitenlanders, waarna het sjogoenaat voor de schadeloosstelling moest opdraaien. Zij zijn onder meer verantwoordelijk voor de moord in 1862 op de Engelsman Richardson. Het sjogoenaat moest daarna een schadeloosstelling van 100 000 Engelse ponden betalen.
Tjôsjoe bracht het sjogoenaat de beslissende militaire slag toe. Nadat eerst in augustus 1864 Kioto was aangevallen, formeerde het sjogoenaat een leger van 150 000 man om Tjôsjoe te straffen. De te grote overmacht bracht de conservatieve oppositie in Tjôsjoe ertoe de macht te grijpen en een aantal 'radicale elementen' zelf te straffen of aan de Tokoegawa uit te leveren. Zodra echter het leger van het sjogoenaat zich had teruggetrokken namen de hervormingsgezinden de macht in Tjôsjoe weer over. Van de toezegging aan de Tokoegawa dat de eenheden die hadden gevochten aan de kant van de hervormers zouden worden ontmanteld, kwam niets terecht.
Het gevolg was dat andere daimio's zich aan de kant van Tjôsjoe schaarden en dat het sjogoenaat opnieuw een leger moest formeren om met Tjôsjoe af te rekenen. Nu bleken vele daimio's echter niet meer bereid troepen voor een dergelijk leger ter beschikking te stellen. Tjôsjoe won in oktober 1866 de strijd tegen de legers van de Tokoegawa en brak daarmee de dominante militaire positie van het sjogoenaat.
Nu, na 15 maanden onderhandelen met andere hervormingsgezinden die voor het herstel van de keizerlijke macht waren, is Kioto ingenomen door de legers van de hervormingsgezinden en lijkt een doorbraak naar een nieuwe politieke ordening aanstaande.

## Verzet van Maori's krijgt religieuze dimensie

*Maori's in Wairoa.*

WELLINGTON - in het oostelij kustgebied van Nieuw-Zeeland blij het onrustig. Nadat eerder onder le ding van koning Potatau I verzet wa ontstaan tegen de landaankopen va kolonisten, heeft het nu een religieuz dimensie gekregen. Het stamhoofd T Kooti heeft met de 'Ringatu'-cultus d weerstanden die tegen de Engelse kc lonisten en missionarissen bij d Maori-bevolking leven, weten te bur delen.
Aan het begin van de jaren zestig zag d Engelse gouverneur Gore Browne zic genoodzaakt troepen in te zetten or land dat aangekocht was te onttrekke aan Maori's, die begrepen dat hun toe komst bedreigd werd wanneer men het land zou verkopen. Het bleef tot i de zomer van 1865 nog onrustig in he land. Daarna keerde de rust in de regi enigszins terug. Met de komst van d Ringatu-cultus heeft de guerrilla ech ter weer de kop opgestoken.

*Maori-stamhoofd uit Auckland.*

# Vrijspraak voor president Johnson

*De Senaat hoort twee getuigen.*

WASHINGTON, 26 mei - President Johnson is door de Senaat vrijgesproken. Nadat het Huis van Afgevaardigden op 24 februari de president in staat van beschuldiging had gesteld en de impeachment-procedure was begonnen, moest de Senaat een uitspraak doen. De aanklacht, ingediend door belangrijke radicale Republikeinen, luidde dat Johnson de wil van het Congres, de wil van de Republikeinse Partij en de wil van het volk heeft genegeerd.

Johnson is met de radicale Republikeinen in conflict gekomen nadat hij minister van Oorlog Stanton de laan uit had gestuurd in zijn zoveelste poging de door het Congres aangenomen Reconstructiewet, ingediend door de radicale Republikeinen, te dwarsbomen. De radicale Republikeinen willen kiesrecht voor de negers en de ex-Geconfedereerden het kiesrecht afnemen. Johnson wil de verzoenende Reconstructiepolitiek voeren zoals Lincoln die heeft ontworpen en beweert dat een wraakzuchtig Congres het Zuiden onder een militair despotisme laat zuchten. Door hoge belastingen wordt het Zuiden uitgezogen en door de blanke politieke avonturiers uit het Noorden, de 'carpetbaggers', geterroriseerd. Aantijgingen die Johnson niet hard kan maken. Integendeel, de politieke en economische wederopbouw in het Zuiden lijkt soepel te verlopen.

Het Reconstructieplan zoals dat vorig jaar door het Congres is aangenomen, heeft het Zuiden in vijf militaire districten verdeeld. Onder militair toezicht zijn of worden de kiezers geregistreerd. Zodra dit gebeurd is worden in de zuidelijke staten grondwetgevende vergaderingen en burgerregeringen gekozen en eindigt het militaire gezag. Met uitzondering van Georgia, Mississippi, Virginia en Texas hebben alle zuidelijke staten al burgerregeringen en genoemde staten zullen binnen afzienbare tijd zover zijn.

De verdediging heeft gewezen op het feit dat Johnson van geen enkele specifieke misdaad werd beschuldigd en niets heeft gedaan dat de impeachment rechtvaardigde. De indieners van de aanklacht kwamen één stem te kort om de president te kunnen veroordelen.

Johnsons politieke leven is gered door zeven Republikeinen die weliswaar het Reconstructieplan van het Congres steunen, maar geen wettelijke gronden voor een veroordeling zien.

*Andrew Johnson (circa 1860).*

# Hongaars nationaliteitenvraagstuk blijft actueel

*Drie karakteristieke beelden uit 19de-eeuws Hongarije: (vlnr) Kroatische boerinnen in zondagse kledij, een zigeunerorkestje en berentemmers.*

PEST - De Hongaarse Nationaliteitenwet, die het nationaliteitenprobleem in Hongarije zeer tolerant beloofde te regelen, is vanaf de eerste dag een dode letter gebleven. De Magyaren (minder dan de helft van de Hongaarse bevolking, naast de Slowaken, Kroaten, Serviërs en Roemenen) gedragen zich in Hongarije volgens de Slowaken als het 'Herrenvolk'. Het ware doel van hun raciale politiek zou een geleidelijke, maar wel volledige assimilatie van de overige volkeren aan hun eigen taal en cultuur zijn.

Aan het eind van de vorige eeuw begon het proces van de Slowaakse nationale zelfbewustwording. Vanaf het prille begin was deze beweging verdeeld in twee vleugels: de katholieke en de protestantse. De katholieke priester Bernolák schreef de eerste Slowaakse grammatica en richtte in Trnava de eerste Slowaakse literaire sociëteit op. Het centrum van de protestantse patriotten was Bratislava met een lutheraans lyceum en een Slavisch instituut. Er werden verenigingen en leeskringen ter bevordering van de Slowaakse taal opgericht. In de jaren veertig van deze eeuw, toen de 'magyarisatie' het hardst toesloeg, werd het Middenslowaakse dialect tot algemeen beschaafd Slowaaks verklaard (1843). Maar de Magyaarse bedoeling stond vast: in 1842 schreef de Hongaarse leider Kossuth in de krant *Pesti Hirlap:* 'Voorwaar, voorwaar, ik zeg u dat er nooit een Slowaakse natie bestond, zelfs niet in een droom.'

In het revolutiejaar 1848 sloten de Slowaken (protestanten en katholieken nu verenigd) zich aan bij de Hongaarse liberalen. In deze gevaarlijke situatie hadden de Slowaken drie leiders: Stúr, Hurban en Hodza. De oproep van Stúr en Hurban aan de bevolking om tegen de Hongaren in opstand te komen, bleef onbeantwoord en ze werden vogelvrij verklaard. Ofschoon er in de jaren zestig een aantal Slowaakse gymnasia werd opgericht, moeten de Slowaken (zoals de Tsjechen tegen de Duitsers) blijven vechten tegen de Hongaarse pogingen om hun taal te degraderen tot een communicatiemiddel van slechts de laagste bevolkingsgroepen.

# Spoorlijn verbindt Oost en West in VS

*De spoorlijn tussen de Amerikaanse oost- en westkust is na ruim zes jaar eindelijk voltooid.*

PROMONTORY POINT, 10 mei - Snerpend gegil van stoomfluiten, gejuich, vuurwerk, gezwaai met hoeden, de Stars and Stripes, een tiental geachte sprekers, de officiële foto, de laatste spijker van goud in de laatste biels, twee locomotieven die tegenover elkaar staan op de plek waar de spoorlijn, aangelegd door de Central Pacific Company de spoorlijn van de Union Pacific Railroad ontmoet. De spoorweg dwars door Amerika is gereed. De hele natie viert feest.

Amerika, dat nog de sporen van de Burgeroorlog draagt, heeft de aanleg van de transcontinentale spoorweg verwelkomd als een nationale gebeurtenis. Een gebeurtenis die hoop geeft voor de toekomst en tot stand is gekomen door de zegeningen van de Big Business, de grote ondernemingen.

De Central Pacific Company begon in januari 1863 vanuit Sacramento in Californië met de aanleg. De Union Pacific begon in december van dat jaar aan de andere kant in Omaha met de

bouw. De aanleg is de laatste maanden ontaard in een race tussen de twee maatschappijen die door het Amerikaanse publiek ademloos is gevolgd. Want door de enorme subsidieregelingen en landconcessies van de regering kon de spoorwegmaatschappij die de meeste rails legde het meest verdienen. Adembenemend zijn ook de meer verholen financiële praktijken van de bazen van de spoorwegmaatschappijen die 'railroadpromoten' zien als de 'Get rich quick'-methode bij uitstek. De Union Pacific is erin geslaagd door de oprichting van een financieringsmaatschappij, genaamd Credit Mobilier of America, miljoenen dollars aan staatsgelden in de zakken van de ondernemers terecht te laten komen. De papieren Contract & Finance Company van de Central Pacific werkt volgens dezelfde constructie.

De aanleg zelf is eveneens een grote onderneming geweest. Duizenden contractkoelies zijn door de Central Pacific uit China gehaald. Nog nooit hebben zoveel arbeiders tegelijkertijd op één plek aan één project gewerkt. Dankzij de uitvinding van dynamiet baande de Central Pacific zich een weg door de Sierra's volgens de plannen van hoofdingenieur Theodore 'Crazy Ted' Judah. De Union Pacific heeft vooral gebruik gemaakt van Ierse werkploegen. De duizenden arbeiders woonden in een tentenkamp dat geregeld op treinen werd geladen en met het spoor mee opschoof.

Vanwege deze verplaatsbaarheid en vanwege het temperament van de Ieren werd het tentenkamp 'Hell on Wheels' genoemd.

*De werkzaamheden vonden vaak onder primitieve omstandigheden plaats.*

## Nieuwe Spaanse grondwet laat monarchie intact

MADRID, 1 juni - Met 241 stemmen vóór en 55 stemmen tegen is de nieuwe Spaanse grondwet aangenomen. Het universele mannelijk kiesrecht boven de 24 jaar wordt ingesteld; als bestuursvorm blijft de monarchie gehandhaafd; de Kroon is een opschortingsveto verleend alsook het recht het parlement te ontbinden; een tweekamerwetgeving is gecreëerd; de vrijheid van godsdienst is vastgelegd maar als compromis blijft het katholicisme de staatsgodsdienst; provinciale en gemeentebesturen krijgen meer zelfstandigheid en onder andere wordt het recht op vereniging (vakbonden) erkend.

De nieuwe grondwet is vervaardigd nadat Isabella II, die vanaf 1843 koningin van Spanje was, vorig jaar is afgezet. De progressieven onder leiding van Juan Prim, unionisten en radicale democraten hadden zich verbonden en na een 'pronunciamiento' week Isabella per trein naar Frankrijk uit.

De situatie in Spanje was niet langer houdbaar. De gematigde liberalen waren eerder een gevaar dan een steun voor de troon geworden omdat hun programma op veel weerstand stuitte. De kabinetten volgden elkaar snel op en van 1866 tot 1868 was er sprake van een economische crisis. Eerdere pogingen tot opstand waren echter mislukt. Na de machtsovername ontstonden algauw problemen. Het samengaan van de opstandige partijen bleek tijdelijk. Er waren democraten die, in tegenstelling tot de rest, een republiek voorstonden. De verkiezingen zijn desondanks rustig verlopen. De progressieven behaalden de meeste zetels en Juan Prim is dan ook premier geworden. Vooralsnog is niemand Isabella opgevolgd. De zojuist aanvaarde grondwet is een van de meest vooruitstrevende grondwetten van de wereld.

*Koningin Isabella II van Spanje.*

# SDAP pleit voor klasseloze samenleving

*August Bebel.*

EISENACH, 9 augustus - Leden van de Saksische Volkspartij en van het verbond voor Duitse arbeidersverenigingen hebben ter gelegenheid van het in Eisenach gehouden arbeiderscongres de Sociaal-Democratische Arbeiders Partij, de SDAP, opgericht. Initiatiefnemers en voormannen van de nieuwe partij zijn August Bebel, houtbewerker, en de in Hessen geboren journalist en 1848-democraat Wilhelm Liebknecht.

De oprichting vond eveneens steun bij enige aanhangers van de door Ferdinand Lassalle zes jaar geleden opgerichte Algemene Duitse Arbeiders Vereniging, de ADAV.

De organisatie van de joodse intellectueel Lassalle heeft echter de aansluiting bij de grote massa van de arbeidersbeweging gemist. Meer dan 4600 leden, van wie de meesten zich overigens in Berlijn bevonden, heeft zij nooit gehad. Lassalle, die sinds zijn studententijd met Karl Marx bevriend was, stond een staatssocialisme voor waarbij de arbeiders als eigenaar van hun produktiemiddelen via algemeen kiesrecht de politieke heerschappij konden verkrijgen. De autoritair-centralistisch bestuurde ADAV had de hoop op sociale en democratiserende initiatieven van de kant van het liberale burgerdom verloren. Kritiek op de ideeën van Lassalle en een sterke aversie tegen Pruisen en zijn politiek-maatschappelijke systeem, maakten de weg vrij voor een nieuwe partij. De SDAP is voortgekomen uit de diverse arbeidersverenigingen die zich sinds 1865, onder invloed van de ideeën van Marx en Engels, steeds meer in de richting van een kleinburgerlijke democratie op socialistische grondslag zijn gaan bewegen.

Het programma van de nieuwe partij verbindt burgerlijk radicalisme met marxistisch gedachtengoed. Zo streeft de partij naar de vestiging van een vrije volksstaat door afschaffing van de

*Wilhelm Liebknecht.*

klassenheerschappij. Zij lijkt nogal anti-Pruisisch en groot-Duits georiënteerd. Men streeft ernaar de 'huidige produktiewijze' (het systeem van loonarbeid) te vervangen door 'kameraadschappelijke arbeid' (arbeiderszelfbestuur). Meer praktische en directe eisen uit het programma zijn de invoering van stemrecht voor mannen vanaf twintig jaar en de afschaffing van de indirecte belastingen. In vergelijking met de ADAV is de SDAP democratischer en losser georganiseerd. Ze vindt haar aanhang vooral in het zuiden en het midden van Duitsland.

# Nederlandse avonturierster vermoord

*Links een portret van Alexandrine Tinne, rechts een Franse schets van de wijze waarop zij om het leven kwam.*

TRIPOLI, 18 augustus - De Nederlandse consul in het Osmaanse Libië, Testa, meldt officieel dat de uit Den Haag afkomstige ontdekkingsreizigster Alexandrine Tinne op 2 augustus om het leven is gekomen.

Tijdens een tocht door de Libische woestijn is haar karavaan door een gecombineerde bende Toearegs en Arabische struikrovers overvallen. Slechts zes leden van de omvangrijke expeditie zijn aan de plunderaars ontsnapt; de anderen, onder wie de 33-jarige Alexandrine Tinne, zijn op meedogenloze wijze afgeslacht.

De internationaal vermaarde ontdekkingsreizigster trok al sinds oktober 1867 met een karavaan van wisselende samenstelling door Noord-Afrika. Doel van de omzwervingen van Alexandrine Tinne was onderzoek te doen naar het leven van de Toearegs,

een mysterieus woestijnvolk waarmee nog maar weinig Europeanen contact hebben weten te maken.

Des te tragischer is het feit dat de bende, die de karavaan in de ochtendschemering van de tweede augustus overviel, voor een belangrijk deel uit Toearegs bestond. De overval is vermoedelijk te wijten aan het gerucht dat in haar karavaan grote hoeveelheden goud werden meegevoerd.

# Vrijheidsparade in Manila

MANILA, 21 september - Ter gelegenheid van de proclamatie van de nieuwe Spaanse grondwet is vanavond een feestelijke parade, met kleurige banieren en muziek, door de straten van Manila getrokken. De deelnemers, Filippino's en Spaanse liberalen, waren getooid met rode strikken, het door de populaire dichteres Maria Sanchiz geïntroduceerde symbool van de vrijheid. Later op de avond ontving gouverneur-generaal Carlos Maria de la Torre in zijn paleis de leiders van de liberale beweging. Mevrouw Sanchiz, die op haar hoofd een kolossale rode strik droeg met de tekst 'Viva el Pueblo Soberano' (Lang leve het soevereine volk), fungeerde als gastvrouw en declameerde enige van haar nationalistische gedichten.

De nieuwe constitutie is opgesteld nadat vorig jaar in Spanje een revolutie een einde maakte aan het autocratische bewind van koningin Isabella II. De voorlopige regering benoemde De la Torre tot gouverneur-generaal, om ook in de Filippijnen liberale beginselen als religieuze tolerantie, vrijheid van vergadering, pers en meningsuiting te introduceren. De in juni van dit jaar gearriveerde nieuwe landvoogd werd snel populair door zich onder de bevolking te mengen en mestiezen (halfbloeden) op het paleis te ontvangen (iets ongehoords in de ras- en standgevoelige koloniale maatschappij) en door zijn eenvoudige levensstijl. Hij voert in hoog tempo hervormingen door, zoals de afschaffing van censuur en geselingen in het leger.

Voor het eerst tijdens het Spaanse bewind over de eilanden is op de Filippijnen politieke discussie mogelijk. Overal ontstaan nu comités voor de hervormingen, die streven naar meer politieke rechten voor de bevolking en filippinisering van de parochies, die voor het merendeel in handen van Spaanse paters zijn. Studenten van de Universiteit van Santo Tomé, georganiseerd in de patriottische vereniging Juventud Escolar Liberal, gaan verder: zij eisen gelijkstelling met Spanje en vertegenwoordiging in de Cortes. Of deze liberale euforie nog lang zal duren is de vraag: de ontwikkelingen in Spanje wijzen er namelijk op dat de monarchie grote kans maakt hersteld te worden.

*De Russische chemicus Dmitri Mendeljev heeft een nieuw systeem opgesteld waarin alle tot nog toe bekende elementen zijn gerangschikt.*

## Brit wint wielerrace Parijs-Rouen

*De eerste officiële wielerwedstrijd in Saint-Cloud op 31 mei 1868.*

PARIJS, november - De deze maand verreden wielerwedstrijd van Parijs naar Rouen is gewonnen door de Brit James Moore. Gebruik makend van een fiets met massief-rubberbanden, reed Moore de afstand van 83 mijl in tien uur en vijfentwintig minuten, ruim drie kwartier sneller dan zijn achtervolger.

Het startschot voor deze eerste grote wegrace, waaraan bijna tweehonderd fietsers deelnamen, werd gegeven door Miss Amerika. Bij de op 31 mei vorig jaar in het Parijse Saint-Cloudpark verreden wedstrijd - de allereerste officieel geregistreerde wielerwedstrijd - was Moore ook al de winnaar. De afstand bedroeg toen 1200 meter.

# Mill komt op voor gehuwde vrouw

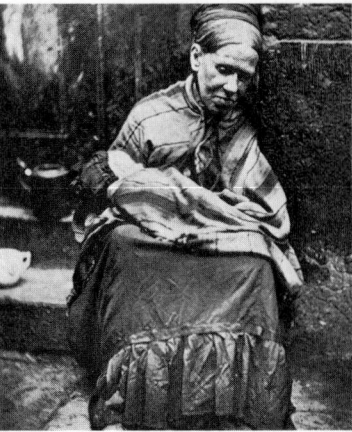

*Misère in tijden van vooruitgang.*

LONDEN - 'Het huwelijk is tegenwoordig de enige vorm van slavernij die wij in onze wetten kennen. Legaal zijn er geen slaven meer, behalve de huisvrouw van ieder gezin.' Dit zegt John Stuart Mill, filosoof, econoom en voormalig Lagerhuislid, in zijn laatste publikatie *The subjection of women* (De onderwerping van de vrouw). Hij vestigt er de aandacht op dat de vrouw op het moment van haar huwelijk alle rechten, bezittingen en iedere vrijheid van handelen worden ontnomen. De man wordt eigenaar van al haar eigendommen en inkomsten en aan hem is de vrouw gehoorzaamheid en verantwoording voor al haar daden verschuldigd; voor de wet heeft alleen de man zeggenschap over hun kinderen.

Mill bepleit een opheffing van de onderdrukkende bepalingen waaraan vrouwen binnen het huwelijk onderworpen zijn.

*Geïnspireerd door het lezen van Herman Melvilles roman 'Moby Dick' chartert de Amerikaanse schilder William Bradford de robbenjager 'Panther' voor een expeditie naar de noordpool. Aan boord is een gezelschap bestaande uit kunstenaars en veteranen uit de Amerikaanse Burgeroorlog, die Bradford heeft uitgenodigd om hem te begeleiden. Onder hen zijn ook de fotografen Dunmore en Critcherson, die samen in Boston een fotostudio beheren. Afgebeeld zijn twee van hun opnamen: het schip tussen de ijsbergen voor de kust van Groenland en het gezelschap van Bradford, poserend op een gletsjer.*

# Suezkanaal officieel open

*De feestelijke opening van het Suezkanaal.*

CAIRO, 17 november - Vandaag is het Suezkanaal officieel in gebruik genomen. Voor deze belangrijke gelegenheid heeft khedive Ismail, de leider van de regering in Egypte, verscheidene buitenlandse prinsen en leiders uitgenodigd. Tijdens de ceremonie waren onder andere de prins en prinses van Wales en de Franse keizerin Eugénie aanwezig.

In 1856 werd de Fransman Ferdinand de Lesseps door de voormalige regeringsleider van Egypte, Said Pasja, gevraagd om een kanaal te ontwerpen dat een verbinding tussen de Middellandse Zee en de Rode Zee zou vormen.

In 1863 overleed Said, en Ismail, die later als khedive (gouverneur) bekend werd, volgde hem op. Khedive Ismail wilde aanvankelijk het plan voor een kanaal opgeven, vooral omdat hij door de Engelsen werd gestimuleerd meer te investeren in het planten van katoen.

Uiteindelijk ging het werk aan het kanaal toch door; Ferdinand de Lesseps werd daarbij gesteund door Napoleon III. Het Suezkanaal is 171 km lang en 90 tot 100 meter breed. Het begint bij de havenstad Port Said.

De economische situatie in Egypte is op het moment erg slecht en de regering is de laatste jaren volkomen afhankelijk van buitenlandse leningen. Het Suezkanaal zou een belangrijke bron van inkomsten kunnen zijn, als Egypte er de volledige eigenaar van was. Dat is echter niet het geval.

*De eerste schepen varen door het kanaal.*

## Pools verzet tegen onderdrukking

WARSCHAU - De opstand tegen Rusland heeft vooral in de door Rusland bezette gebieden ernstige consequenties gehad. Ten eerste heeft de tsaar de wet inzake de vrijstelling van de boerenstand aangehouden. Ten tweede is de patriottisch gestemde kleine adel onteigend, naar Siberië verbannen, of tot emigratie gedwongen.

De katholieke kloosters zijn merendeels gesloten, hun bezit door de Schatkist in beslag genomen. De bouw van nieuwe kerken en herstel van de oude is verboden. De Russische taal is in alle instanties de enige officiële taal geworden, alle Poolse instellingen zijn opgeheven, de Poolse taal is overal verboden.

Onder de Pruisische bezetting vindt een vergelijkbaar proces plaats: de 'Kulturkampf'. Slechts de liberale partij van het Habsburgse Huis laat het Poolse zelfbestuur en de nationale cultuur in Galicië bloeien.

In alle Poolse gebieden is een nieuwe golf van patriottisme ontstaan. De mislukte opstanden dwingen de Polen zich op cultuur en onderwijs te richten; het algemene niveau van ontwikkeling wordt hoofddoel.

**1 januari.** Josephine Butler publiceert in de Engelse *Daily News* het *Women's Protest*, gericht tegen de reglementering van prostitutie door de staat. →

**1 maart.** In een gevecht met Braziliaanse troepen sneuvelt de dictator van Paraguay, Francisco Solano López. →

**27 april.** Heinrich Schliemann ontdekt Troje.

**Juni.** In Tianjin in China komt het tot een volksopstand vanwege het eigenmachtige optreden van buitenlandse missionarissen.

**12 juli.** De erfprins Leopold von Hohenzollern-Sigmaringen ziet af van zijn kandidatuur voor de Spaanse troon.

**13 juli.** Het Telegram van Bad Ems vormt de directe aanleiding tot de Frans-Pruisische oorlog. →

**18 juli.** Het eerste Vaticaans Concilie proclameert de onfeilbaarheid van de paus. →

**19 juli.** Frankrijk verklaart de oorlog aan Pruisen. →

**21 juli.** Het Nederlandse parlement schaft het Cultuurstelsel af. →

**25 augustus.** Na drie jaar met Cosima von Bülow-Liszt samengeleefd te hebben, treedt de componist Richard Wagner met haar in het huwelijk.

**1 september.** Napoleon III capituleert in de Slag bij Sedan. →

**4 september.** Het Franse keizerrijk wordt opgeheven en een voorlopige regering proclameert de Derde Republiek. →

**20 september.** Italiaanse troepen bezetten Rome. →

**16 november.** Amadeus, hertog van Aosta, wordt tot koning van Spanje gekozen.

- In Griekenland wordt een groep aanzienlijke Engelsen door benden vermoord, de zogenoemde 'Dilessimoorden'.

- In Oranje Vrystaat wordt diamant gevonden.

- In Londen wordt het eerste door stoom aangedreven metrorijtuig in dienst genomen.

- Dante Gabriel Rossetti publiceert zijn *Poems*.

- De Noorse arts Gerhard Hansen ontdekt de verwekker van lepra: het 'Mycobacterium leprae'.

- Gustav Nachtigal ontsluit het tot nog toe onbekende gebied Tibesti in de Sahara.

Gestorven:

**9 juni.** Charles Dickens (7-2-1812), Engels schrijver

**5 december.** Alexandre Dumas senior (24-7-1802), Frans schrijver →

## Protest tegen wet geslachtsziekten

LONDEN, 1 januari - Josephine Butler heeft in een protest tegen de 'geslachtsziektenwet' (de Contagious Diseases Acts), waarin de prostitutie aan regels wordt gebonden, de dubbele moraal van de wet aangeklaagd: van prostitutie verdachte vrouwen worden aan controle en vernederende regels onderworpen, terwijl mannen ongemoeid worden gelaten, hoewel zij misschien wel de grootste verspreiders van geslachtsziekten zijn. In het manifest, dat door 251 vooraanstaande vrouwen is ondertekend en dat door de *Daily News* is gepubliceerd, is het protest samengevat: de wet geeft een impliciete goedkeuring aan de prostitutie door deze van staatswege te regelen en berooft vrouwen van hun burgerrechten. Bedoelde wet is in 1864 in werking getreden op initiatief van militaire autoriteiten, die hiermee de toeneming van geslachtsziekten onder de soldaten wilden tegengaan. Aanvankelijk gold de wet alleen in garnizoenssteden, later ook in andere plaatsen. In deze wet is vastgelegd dat een vrouw voor het gerecht gedaagd kan worden op de simpele verklaring van een politieman dat hij meent dat zij een prostituée is. Zij moet aantonen dat ze géén prostituée is; kan zij dat niet, dan moet zij zich jaarlijks onderwerpen aan een geneeskundig onderzoek.

Vrouwen zijn hiermee door de wet vogelvrij verklaard, zo stelt Butler. Zij geeft het voorbeeld van een jonge vrouw die het aanbod van haar minnaar afsloeg met hem te gaan samenwonen en daarop door hem ervan werd beschuldigd een prostituée te zijn. De man werd geloofd, de vrouw niet, waardoor de vrouw zich moest onderwerpen aan het geneeskundig onderzoek en vervolgens haar betrekking als dienstbode verloor. Voorts betitelt Butler de wet als klassejustitie: het zijn rijke mannen wie het mogelijk wordt gemaakt arme vrouwen, die van staatswege 'schoon' verklaard zijn, als prostituée te gebruiken.

*Prostituée met potentiële klant.*

# Brazilië bezet Paraguay

*De spoorlijn door het Andesgebergte, een belangrijke strategische verbinding.*

ASUNCION, 1 maart - Met de gevangenneming en executie van dictator Francisco Solano López (López II) van Paraguay door Braziliaanse troepen is een einde gekomen aan een van de bloedigste oorlogen die Zuid-Amerika heeft gekend.

Op 12 november 1864 verklaarde López II Brazilië de oorlog, nadat dit land de doortocht weigerde aan het leger van Paraguay dat wilde ingrijpen in de burgeroorlog in Uruguay. Ook Argentinië weigerde de doortocht en dit land werd op 18 maart 1865 eveneens de oorlog verklaard. Op 1 mei van dat jaar sloten Brazilië, Argentinië en de pro-Braziliaanse regering van Uruguay de Triple Alliantie om gezamenlijk de oorlog tegen Paraguay te voeren. In januari vorig jaar viel Asunción voor de geallieerde troepen. Met de dood van López II komt een einde aan het verzet. Tot López II de oorlog begon had Paraguay zich ontwikkeld tot een door achtereenvolgens drie dictators met harde hand geregeerde stabiele en welvarende staat. Op 14, augustus 1811 had een kleine groep creolen de onafhankelijkheid van Paraguay van zowel Spanje als de revolutionairen in Buenos Aires uitgeroepen. José Gaspar Rodriguez, 'Doctor' Francia, regeerde als dictator tot zijn dood op 19 september 1840. Terwijl Argentinië, Brazilië en Uruguay de rivierverbindingen met zee geblokkeerd hielden, herstelde Francia de oude arbeidsverdeling van de jezuïeten in ere. De Indianen (90

procent van de bevolking) moesten op staatsbedrijven en staatsboerderijen de produktie verzorgen, waardoor Paraguay economisch zichzelf moest kunnen bedruipen. Tegelijkertijd beperkte 'Doctor' Francia de macht van de creoolse grootgrondbezitters.

Na zijn dood werd Francia als dictator opgevolgd door Carlos Antonio López (López I), die erin slaagde de onafhankelijkheid van Paraguay door Argentinië erkend te krijgen (1852). Op zijn beurt werd López I na zijn dood in 1862 opgevolgd door zijn zoon, López II. Op dat moment was Paraguay een van de politiek stabielste en economisch welvarendste landen in Zuid-Amerika. López II wilde echter naast zijn veronderstelde fysieke gelijkenis met Napoleon I van Frankrijk ook diens militaire roem behalen en hij bevorderde de wapenindustrie.

Hoewel Paraguay al snel uitgroeide tot een regionale militaire macht van betekenis, was te voorzien, dat het niet bestand zou zijn tegen de Triple Alliantie. Van de vooroorlogse bevolkingsomvang van 525 000 wordt geschat dat nog 221 000 mensen in leven zijn waarbij het aantal mannen is gedecimeerd tot 28 000. De veestapel is vrijwel uitgeroeid en het economisch leven ligt nagenoeg stil. Paraguay krijgt een door Brazilië opgestelde grondwet en zal grote gebieden aan Argentinië en Brazilië verliezen. Rust en orde blijven gewaarborgd door een geallieerd bezettingsleger.

*In juni van dit jaar kwam het in China tot hevige botsingen tussen christenen en door de mandarijnen opgehitste Chinezen. Op deze waaiertekening een beeld van de aanval op christelijke missionarissen in Tianjin.*

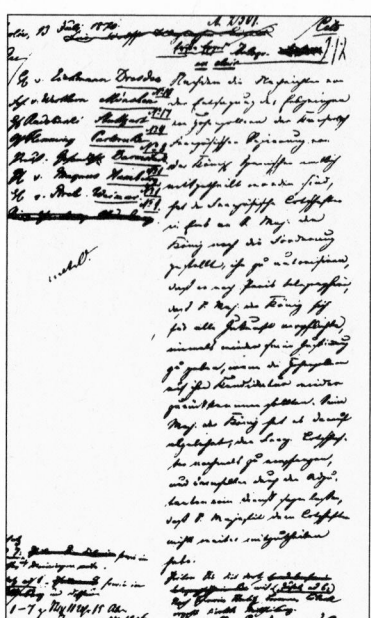

*Het veelbesproken 'Telegram van Bad Ems'. Rechts Wilhelm I (l) en Benedetti.*

# Bismarck tart Frankrijk

BERLIJN, 13 juli - De spanningen tussen Pruisen en Frankrijk zijn verder toegenomen door het uitlekken van een geheim telegram dat koning Wilhelm I aan de Pruisische ministerpresident Otto graaf von Bismarck heeft gestuurd. Het telegram bevat een verslag van het gesprek dat de koning met de Franse ambassadeur Vincent graaf Benedetti heeft gevoerd. In het kuuroord Ems vond het bewuste gesprek plaats. In opdracht van de Franse keizer Napoleon III heeft Benedetti bij die gelegenheid de Pruisische koning nog eenmaal dringend verzocht zich niet te scharen achter de aanspraak van vorst Leopold von Hohenzollern-Sigmaringen op de Spaanse troon van Karel V. De troon is al vanaf 1866 vacant en sindsdien heeft de vader van Leopold, vorst Karl Anton, zijn zoon kandidaat gesteld. De voorlopige Spaanse regering zou een Hohenzollern op de Spaanse troon warm toejuichen.

De Fransen keren zich sterk tegen het plan. Napoleon III en zijn regering zien in een monarchale band tussen Berlijn en Madrid een bedreiging van hun soevereiniteit en van het machtsevenwicht in Europa. Deze sterke Franse weerstand bracht de Hohenzollerns ertoe van hun troonaspiraties af te zien. Op aandringen van Bismarck werden de onderhandelingen met Madrid echter heropend en ten slotte accepteerde vorst Leopold op 2 juli het Spaanse aanbod.

In Bad Ems bracht de Franse ambassadeur Benedetti Frankrijks toorn over het besluit aan de Duitse koning over. Koning Wilhelm I willigde aanvankelijk, tot teleurstelling van Bismarck, het Franse verzoek in. Deze toezegging bleek niet voldoende voor Napoleon III en Benedetti benaderde wederom

de koning voor een garantie dat Duitsland onder elke conditie de Spaanse troon zou weigeren.

Beleefd maar gedecideerd maakte Wilhelm I Benedetti duidelijk dat van zo'n garantie geen sprake kon zijn. Onmiddellijk na het gesprek stuurde de koning Bismarck per telegram een verslag van het onderhoud. Een bewerking van de tekst werd gepubliceerd. Deze tekst wekte de indruk dat de koning in Bad Ems was beledigd door de Fransen en men eiste verontwaardigd satisfactie.

*Otto graaf von Bismarck.*

# Eerste Vaticaans Concilie: paus onfeilbaar

*Paus Pius IX.*

ROME, 18 juli - Bisschoppen uit de hele wereld hebben op een openbare zitting met 533 tegen 2 stemmen besloten dat de paus - als opvolger van Petrus en plaatsvervanger van Christus op aarde -, sprekende vanaf zijn leerstoel, over zaken van geloof en zeden bindende en niet ter discussie staande uitspraken kan doen. Dit 'onfeilbaarheidsdogma' vormt het hoogtepunt van de geestelijke macht van de paus.

En dat op een moment dat de Italiaanse troepen op het punt staan de paus te ontdoen van het laatste stukje wereldlijke macht (de Kerkelijke Staat) dat hem nog rest.

Het onfeilbaarheidsdogma is de climax van een reeds lang ingezette ontwikkeling: terwijl de wereld steeds 'nationaler' wordt, wordt de Rooms-Katholieke Kerk steeds 'internationaler'. En naarmate de buitenwereld steeds vijandiger werd, sloten de katholieken zich meer aaneen en waren eerder bereid het centrale gezag van de paus te aanvaarden.

Paus Pius IX stimuleerde deze ontwikkelingen. Aanvankelijk stond hij niet onsympathiek tegenover liberale ideeen, totdat hij in 1848 uit Rome werd verjaagd. Pius nam nu de leiding in de hernieuwde hang naar het conservatieve, het bovennatuurlijke en miraculeuze: in 1854 werd 'de onbevlekte ontvangenis van Maria' tot dogma verheven en in zijn *Syllabus Errorum* (1864) keerde hij zich tegen het rationalisme, liberalisme, socialisme en andere 'modernismen', hetgeen in alle landen van West-Europa veel stof deed opwaaien. Gesteund door veel theologen, die de leidende positie van de paus beklem-

*De opening van het Eerste Vaticaans Concilie in Rome.*

toonden, besloot Pius IX eind vorig jaar een concilie bijeen te roepen, het eerste sinds het Concilie van Trente (1545-1563). Ruim 600 bisschoppen kwamen bijeen en al snel stond het concilie in het teken van de onfeilbaarheid van de paus. Heftige discussies over de precieze formulering van het dogma vielen uit ten gunste van de paus. Zo'n

80 bisschoppen die zich daarmee niet konden verenigen, verlieten Rome nog voor de openbare zitting van vandaag, uit piëteit voor de paus.

Het 'onfeilbaarheidsdogma' kan gezien worden als een theologische accentuering en bevestiging van de door velen al lang geaccepteerde hoogste leidersrol van de paus.

# Fransen juichen over oorlogsverklaring aan Pruisen

PARIJS, 19 juli - Keizer Napoleon III heeft Pruisen de oorlog verklaard.

De Franse keizer heeft gereageerd op een provocatie, een door Bismarck georganiseerd lek, als een stier op een rode doek. Het gaat om de vacante Spaanse troon, waarop een Hohenzollern, Leopold von Hohenzollern Sigmaringen, aanspraak maakte. De Duitse keizer Wilhelm wilde geen problemen met Frankrijk en toen de Fransen door Leopolds kandidaatschap in paniek bleken te raken, besloot hij diens kandidatuur tegen te werken. Zo belangrijk was die Spaanse troon niet voor Pruisen.

De mooie, hete zomer van 1870 had even rustig kunnen eindigen als hij begonnen was, ware het niet dat de Fransen zelf met een diplomatieke blunder Bismarck een handreiking deden. De Franse gezant aan het Pruisische hof, Benedetti, wilde van keizer Wilhelm de garantie dat de Hohenzollerns geen aanspraak meer zouden maken op de Spaanse troon. Hierover benaderde hij de Pruisische keizer in het kuuroord Bad Ems tot twee keer toe. Enigszins geïrriteerd wees Wilhelm dat verzoek uiteindelijk van de hand. In een telegram aan zijn minister Bismarck werd het voorval samengevat.

Bismarck nam zijn kans waar. Zoals hij het conflict met Oostenrijk, vier jaar geleden, had uitgelokt, zo was hij nu weer uit op een oorlog, ditmaal met

*'Het blinde volk en het lamme rijk'.*

Frankrijk. In tegenstelling tot keizer Wilhelm meende Bismarck dat een oorlogje met Frankrijk de Duitse eenheid zou vervolmaken.

Het telegram uit Bad Ems werd in een enigszins grovere versie de pers in handen gespeeld. De keizer zou geweigerd hebben Benedetti te ontvangen. Nauwelijks een 'casus belli', maar het werkte.

In Parijs heerst een juichstemming. Men zal 'de Pruis' wel klein krijgen. Aan de superioriteit van de Pruisische

bewapening wordt stilzwijgend voorbijgegaan, al is het nieuwe Krupp-kanon op de laatste Parijse wereldtentoonstelling te zien geweest. Daar kunnen de Franse 'chassepot'-geweren niet tegenop, en de nieuwe 'mitrailleuses' al evenmin. Niettemin zijn de Fransen zeer optimistisch.

Een nederlaag zal het bewind dan ook niet overleven. Ofschoon het de laatste maanden rustig is gebleven en Napoleons populariteit zelfs weer een stijgende lijn vertoonde, is het rijk van de zieke keizer (hij lijdt aan galstenen) toch al zeer aan het wankelen geweest. Recente pogingen om het bewind te democratiseren hebben niet zo veel uitgehaald. De oppositie - waaronder de republikeinen - is bij de verkiezingen van vorig jaar een stuk vooruitgegaan. Het parlement heeft iets meer macht gekregen, maar de arbeidsonrust is niet uitgebleven. Verscheidene stakingen maakten duidelijk dat de pasopgerichte - en door de keizer ontbonden - socialistische internationale allesbehalve dood is. De begrafenis op 12 januari van Victor Noir, vermoord door prins Pierre Bonaparte, ging op gepaard met grote onlusten. Het leger werd eropaf gestuurd.

Eind april is er een nieuwe hervorming van de grondwet tot stand gekomen. Deze moet tot een echt parlementair bewind leiden en werd bij volksstemming goedgekeurd. Dank zij een kleine

handigheid in de vraagstelling werd er massaal 'ja' gestemd.

De oorlog houdt de Fransen nu even bezig. Maar de problemen kunnen niet uitblijven.

*Prins Leopold von Sigmaringen.*

# Frankrijk niet tegen Pruisen opgewassen

SEDAN, 1 september - De Duitse troepen onder leiding van generaal Helmuth von Moltke hebben vandaag op schitterende wijze het Franse leger bij Sedan, dicht bij de Belgische grens, definitief de nederlaag toegebracht. De Franse manschappen onder aanvoering van de maarschalken Bazaine en MacMahon bleken niet opgewassen tegen het goedgeoefende 4de Pruisische, het 12de Saksische en het 1ste Beierse legerkorps. De Duitse eenheden waren niet alleen met 462 000 man numeriek in de meerderheid, zij waren ook beter geoefend en bewapend. De Duitse Krupp-kanonnen bleken een overweldigende vuurkracht te hebben. Niet minder dan 100 000 Franse manschappen zijn in Duitse handen gevallen. Vandaag maakte de generale staf bekend dat keizer Napoleon III krijgsgevangen was gemaakt! Onmiddellijk na de bekendmaking van zijn gevangenschap werd in Parijs de republiek uitgeroepen.

De Franse oorlogsverklaring op 19 juli van dit jaar volgde onmiddellijk op het uitlekken van de zogenaamde 'Emser Depesche'. Niet alleen de vrees voor de Spaanse troonaspiraties van Leopold von Hohenzollern-Sigmaringen vormde echter de aanleiding voor de oorlog. Napoleon III wenste koste wat het wil de Duitse eenwording tegen te houden door Pruisen een vernederende nederlaag toe te brengen. Een zege over Prui-

*Overzicht van de Slag bij Sedan. Rechts de gevangengenomen Napoleon (l) en Bismarck bij Donchery.*

sen had de (wankele) binnenlandse positie van de Franse keizer moeten versterken. Pruisen zag de oorlog als een mogelijkheid een vooraanstaande rol in Europa te spelen en hierdoor de zo lang gekoesterde wens van eenwording te verwezenlijken.

De Franse oorlogsverklaring riep in Duitsland een golf van nationaal en-

thousiasme op. Geheel tegen de Franse verwachtingen in schaarden de Zuidduitse staten zich onmiddellijk aan Pruisische zijde. In razend tempo voltrok zich toen binnen 18 dagen de mobilisatie van bijna 1 830 000 dienstplichtigen en reservisten. Gebruik makend van de nieuwe spoorlijnen was men verrassend snel bij de grens.

Volgens hardnekkige berichten is men er in Berlijn groot voorstander van Elzas-Lotharingen, de Franse provincie waar de strijd zich heeft afgespeeld, te annexeren. De SDAP heeft zich van zulke plannen gedistantieerd want 'de vrede zal een wapenstilstand blijken' tot Frankrijk sterk genoeg is zijn verloren gebied terug te eisen.

# Nederlandse regering schaft Cultuurstelsel op Java af

DEN HAAG, 21 juli - Het felomstreden Cultuurstelsel op Java zal worden afgeschaft. Het Nederlandse parlement heeft de Suikerwet van minister De Waal aanvaard, waardoor in een periode van twaalf jaar geleidelijk de gedwongen verbouw van suiker zal moeten verdwijnen. Van de vele dwangcultures blijft alleen die van koffie voorlopig bestaan; Nederlandsch-Indië zal worden opengesteld voor het particuliere ondernemerschap.

Het Cultuurstelsel heeft in zijn veertigjarig bestaan Nederland bijna 800 miljoen gulden opgeleverd. Geld dat gebruikt werd voor het aflossen van staatsschulden en de aanleg van openbare werken en spoorwegen in Nederland. In Indië bestond tot voor kort een gesloten markt; buitenlandse produkten werden geweerd, wat een enorme stimulans betekende voor de ontwikkeling van de Nederlandse industrie (Twentse katoentjes!). De in 1824 door koning Willem I opgerichte Nederlandsche Handels-Maatschappij leidde aanvankelijk een kwijnend bestaan, maar kon door haar monopolie op het het vervoer van de produkten van het stelsel tot grote bloei komen.

Het bestuur over Indië stond geheel in

*Plantage op Java ten tijde van het Cultuurstelsel.*

het teken van het 'Batig Slot' (overschot op de Indische jaarrekening). Om dit zo hoog mogelijk op te voeren werden de regels met voeten getreden: de bevolking moest in plaats van de voorgeschreven 66 soms meer dan 200 dagen werken, te grote arealen werden bestemd voor de overheidscultures en veelal werd er ook nog landrente (grondbelasting) geheven. Om de produktie te verhogen kregen ambtenaren

en bupati's (inheemse regenten) een aandeel in de opbrengst van hun district, het 'cultuurpercentage'. De bevolking, die ook nog herendiensten moest verrichten, werd op deze wijze gruwelijk uitgebuit.

Na 1848 begon langzamerhand kritiek los te komen. De publieke opinie werd opgeschrikt door berichten over hongersnoden in Demak en Grobogan, waarbij meer dan de helft van de be-

volking omkwam. Binnen het parlement ontstond oppositie tegen het conservatieve koloniale beleid. De welbespraakte ds. Van Hoëvell, oprichter van het *Tijdschrift voor Nederlandsch-Indië* en tussen 1849 en 1862 lid van de Tweede Kamer, vestigde voortdurend de aandacht op het lot van de 'in slavernij levende' Javaan.

In 1860 verscheen Multatuli's opzienbarende boek *Max Havelaar*, waarin fel werd geprotesteerd tegen de uitbuiting van Java en dat, aldus Van Hoëvell, 'een rilling door het land deed gaan'. In datzelfde jaar schreef Fransen van de Putte, net gerepatrieerd uit Java waar hij tien jaar in de suikercultures had gewerkt, zijn brochure *Regulatie der suikercontracten op Java*. Hij toonde zich een voorstander van het liberale beginsel van vrij ondernemerschap, van vrije toegang tot arbeid en land. Deze beginselen bracht hij in praktijk toen hij tussen 1863 en 1866 minister van Koloniën was. De ergste uitwassen, zoals de cultuurpercentages, werden bestreden en de weinig opleverende verbouw van indigo, tabak, peper en katoen gestaakt, waarmee de ontmanteling van het Cultuurstelsel begon.

# talianen annexeren Rome

OME, 20 september - Italiaanse troe-
en zijn Rome binnengetrokken en
ebben daarmee de geografische een-
ording van Italië bereikt. De paus
eeft zich in het Vaticaan teruggetrok-
en.

e verovering van de Pauselijke Staat
mogelijk geworden door de Franse
ederlaag tegen de Duitsers. De Fran-
n hadden de afgelopen tien jaar troe-
en in de Pauselijke Staat gelegerd,
aar aan de Franse bescherming
wam een eind na de nederlaag en het
ftreden van Napoleon III. Voor de
alianen Rome binnentrokken was
og kort sprake van een symbolisch
erzet van de pauselijke garde, maar
en de Italianen een bres hadden
eslagen in de muur van de Porta Pia
as het pleit snel beslecht.

ier jaar geleden slaagden de Italianen
r al in Venetië, het tweede gebied op
et Italiaanse vasteland dat nog niet tot
e eenheidsstaat behoorde, in te lijven.
oen in juni 1866 de oorlog tussen
ostenrijk en Pruisen uitbrak, maakte
alië daarvan gebruik door Venetië
innen te vallen. De Italianen werden
rompt bij Custoza verslagen. Ook de
aliaanse vloot leed een nederlaag.

Alleen de vrijwilligers van Garibaldi
konden in de Trentino enig succes boeken. Niettemin kwam Venetië bij Italië
- vooral dank zij de bemiddeling van
Napoleon III.
Van Garibaldi heeft Italië overigens
sinds 1860, toen hij de eenheidsstaat
afdwong, meer hinder dan plezier ondervonden. De obstinate generaal wilde zijn plan ook Rome in te nemen niet
opgeven. In 1862 begon hij met groepen gewapende aanhangers vanaf Sicilië een nieuwe opmars naar Rome.
De regering wist die te verhinderen,
maar alleen ten koste van wapengeweld en uiteindelijk haar eigen val.
Op 29 augustus 1862 werden Garibaldi's vrijwilligers bij Aspromonte verslagen. Garibaldi werd gewond en onder arrest geplaatst. Toen dit in Turijn
bekend werd brak een schandaal uit en
viel het kabinet.
In 1867 probeerde Garibaldi nogmaals
Rome binnen te vallen. Hij werd ditmaal door de Fransen, die toen de paus
nog beschermden, verslagen. Na terugkeer naar Italiaans gebied werd
Garibaldi gearresteerd en naar het eilandje Caprera bij Sardinië gestuurd,
waar hij een huis heeft.

*Parijs loopt uit, nadat bekend geworden is dat de Derde Republiek een feit is.*

# Frans keizerrijk na nederlaag ten val

PARIJS, 4 september - In Parijs is de
Derde Republiek uitgeroepen. Een
voorlopige regering is gevormd. Het
keizerrijk is ten val gekomen, nadat
Napoleon III op 2 september met honderdduizend manschappen bij Sedan
door de Pruisen gevangengenomen
was.
Het is voor de Fransen gelopen zoals
slechts weinigen van tevoren hardop
durfden te zeggen of zelfs te denken:
het Franse leger is Frankrijk niet eens
uitgekomen. Op eigen grondgebied is
het trotse 'Rijnleger' vermorzeld, lang
voordat de Rijn zelfs maar in de verte
zichtbaar was. Het Duitse leger is,
dank zij de algemene dienstplicht, niet
alleen aanzienlijk groter en veel beter
georganiseerd, maar het is ook voorzien van een veel modernere uitrusting.
De Franse soldaten moesten dikwijls
het gehele land doorreizen voordat ze
met hun regiment op de plaats van bestemming arriveerden.
'Alles is in orde, tot aan de knopen van
de slobkousen toe,' had een generaal
gezegd. Dat klopte in zoverre, dat er
genoeg knopen waren. Alleen de slobkousen ontbraken, en nog wat belangrijker zaken.
Zoals voorspeld heeft het keizerrijk de
nederlaag niet overleefd. Onmiddellijk na het bericht van de capitulatie

(waarin het genoemde aantal krijgsgevangenen veel lager was dan in werkelijkheid), brak er in Parijs een opstand
uit. Het volk vond dat het keizerrijk
moest plaatsmaken voor de republiek.
De menigte drong het Palais Bourbon, de Kamer van afgevaardigden,
binnen. De wachten lieten haar zonder
meer passeren: de burgers waren in
uniform, ze maken immers allen deel
uit van de nationale garde. Op hun
aandringen hebben de weifelende afgevaardigden het keizerrijk vervallen
verklaard en de republiek uitgeroepen.
Vervolgens werden de linkse afgevaardigden - de andere zijn gevlucht, evenals de senatoren en de keizerin - meege-
troond naar het stadhuis, waar de rode
vlag al naast de driekleur hing. Twaalf
afgevaardigden, onder wie de linkse
advocaat Gambetta en verscheidene
oud-ministers uit 1848, riepen zichzelf
uit tot regering van nationale verdediging.
's Avonds brachten vertegenwoordigers van vakverenigingen en van de Internationale een bezoek aan het stadhuis, na de Duitse arbeidersbeweging
te hebben verzocht een eind te maken
aan de broedermoord. Daar dit laatste
vermoedelijk niets oplevert, richten zij
hun aandacht nu op de verdediging van
hun land.

*e voormalige guerrillastrijder Garibaldi in het officiële uniform van Piemonte.*

*De Franse schrijver Alexandre Dumas met zijn dochter, Mme Petel, die de af-
gelopen twee jaar bij haar vader heeft gewoond. Dumas, auteur van bijna driehonderd boeken, waaronder 'De drie musketiers' en 'De graaf van Monte-
Christo', is op 5 december in het huis van zijn zoon in Puys bij Dieppe overleden.*

# Amerikaanse overheid beknot Indianen

WASHINGTON, 3 maart - De Amerikaanse overheid heeft besloten tot een drastische herziening van het beleid dat ze tot nu toe steeds tegenover de Indianen heeft gevoerd. In een vandaag van kracht geworden wet wordt gesteld dat 'vanaf nu geen enkele Indianennatie of -stam' erkend zal worden als een onafhankelijke mogendheid waarmee de Verenigde Staten een verdrag kunnen sluiten.'

Het beleid ten aanzien van de Indianen is volledig een aangelegenheid van het Congres geworden. De bevoegdheid die de stammen hebben ten aanzien van het bestraffen van misdrijven binnen de eigen gemeenschap, wordt drastisch gekortwiekt; moorden en andere misdrijven komen onder de jurisdictie van de federale gerechtshoven.

Met instemming van de Senaat heeft de president tot dusver steeds verdragen met de Indianenstammen gesloten en het land gecommitteerd aan het betalen van sommen gelds. Het Huis van Afgevaardigden heeft daartegen verzet aangetekend. Steeds meer afgevaardigden, zoals eerder Andrew Jackson, zijn de opvatting gaan aanhangen dat het sluiten van een verdrag met een Indianenstam een absurditeit is. De Senaat heeft nu het hoofd gebogen voor de druk van het Huis.

Het beleid ten aanzien van de Indianen is tot dusver bepaald geweest door de Indian Removal Act van 28 mei 1830. De VS zijn toen voor het eerst dwang tegen de Indianen, met name tegen de Cherokee en de Seminolen gaan gebruiken. De wet op zichzelf had geen dwangmatig karakter, want zij gaf de president slechts de bevoegdheid onderhandelingen met stammen ten oosten van de Mississippi te voeren op basis van betaling voor hun land (er was daarvoor een budget van een half miljoen dollar beschikbaar); de Indianen zouden dan grond ten westen van de rivier krijgen die voor eeuwig hun eigendom zou blijven. Bij de uitvoering van de wet werd het verzet van de Indianen echter met militair geweld bestreden. In de daaropvolgende jaren is de hele Indianenbevolking (ongeveer 100 000

*Bedelende Indianen: de situatie van de diverse stammen verslechtert met de dag.*

personen) naar het westen gedepoteerd. Vele Indianen zijn bij die emgratie onderweg door ziekte om het leven gekomen. De cholera-epidem van 1832 bijvoorbeeld heeft vele honderden van hen het leven gekost.

Moeilijkheden bleven zich voordoe. De ontdekking van goud in Californ (1848) gaf de stoot tot een nieuwe reek van verdragen waarbij de Indianen op nieuw land moesten opgeven. De enome blanke trek naar het westen - duzenden 'wagon trains' trokken doo het laatste land dat de Indianen no rest - en het daaropvolgende afslac ten van het wild op de prairies en in bergen - voor de Indianen hét midd van bestaan - hebben de laatste jar geleid tot verwoede oorlogen tussen stammen en de overheid.

Opperhoofd Bear Rib van de Hunkp pa-Sioux heeft de positie van de India nen tijdens onderhandelingen over ee verdrag in 1866 in Fort Pierce treffe onder woorden gebracht: 'Van wie dit land? Volgens mij is het van mij. A u me om een stuk land vraagt, zal ik h u niet geven. Ik kan het niet missen e ik ben er zeer aan gehecht. Al dit lan aan weerskanten van de rivier is va mij. Ik weet dat het land van de Miss sippi tot aan deze rivier van ons is. W hebben moeten reizen van de Yello stone tot aan de Platte. Al dit land, z als ik al heb gezegd, is van ons en als m broeder, erom vraagt, kan ik het ni geven, want ik ben eraan gehecht en i hoop dat u naar me zult luisteren.' D blanke Amerikanen lijken daarto geen aanstalten te maken.

# Tammany Hall synoniem met corruptie

NEW YORK, 27 oktober - William Marcy Tweed, de baas van Tammany Hall, de Democratische partijorganisatie in de stad New York, is vandaag gearresteerd op beschuldiging van grootscheepse fraude. Hij zou de stad New York voor een bedrag van meer dan 200 miljoen dollar lichter hebben gemaakt door middel van opgevoerde rekeningen, vervalste huurcontracten, onnodige herstelwerkzaamheden en smeergeld. De zaak is deze zomer aan het rollen gebracht door de onthullingen van George Jones in de *New York Times*, de spotprenten van Thomas Nast in *Harper's Weekly* en de inspanningen van de hervormingsjurist Samuel J. Tilden.

Tweeds politieke carrière is begonnen in 1852 toen hij tot wethouder van New York werd gekozen. Hij heeft ook één termijn meegemaakt als lid van het Huis van Afgevaardigden. Zijn machtspositie in de gemeentepolitiek nam een aanvang in 1856 toen hij werd gekozen als lid van de nieuwe Board of Supervisors. Vervolgens heeft hij de functies bekleed van 'school commissioner', 'deputy street commissioner' en 'deputy commissioner of public works'. Als voorzitter van het Tammany General Committee en als opperbaas van Tammany Hall was zijn machtspositie in New York onaantastbaar. Politieke nominaties en het vergeven van baantjes bij de overheid: hij had het allemaal in handen.

Zijn grote slag heeft Tweed vorig jaar proberen te slaan. Toen wist hij een nieuw gemeentestatuut door de Raad te loodsen. Dit nieuwe statuut voorzag in de oprichting van een rekenkamer, van welk instituut Tweed en zijn handlangers (de 'Tweed Ring') gebruik hebben gemaakt om zich stelselmatig aan de gemeentekas te verrijken. Door de onaantastbare machtspositie die Tammany Hall in New York inneemt, zijn Democratische functionarissen de afgelopen decennia met grote regelmaat op fraude betrapt. Tammany Hall is een synoniem geworden met corruptie.

*Officieren juichen in de Spiegelzaal keizer Wilhelm I toe; in het midden Bismarck.*

# Wilhelm I wordt keizer

VERSAILLES,18 januari - Duitsland is vandaag een keizerrijk geworden. Terwijl de Duitse kanonnen Parijs omcirkelden bevond zich een keur van Duitse vorsten en generaals in Versailles. Plaats van handeling: de prachtige Spiegelzaal van het paleis van de Franse koningen, dat sinds het roemloze vertrek van Lodewijk XVI in 1789 niet meer in gebruik was. In dit weeldeigste vertrek van het paleis, waar de Franse zonnekoning Lodewijk XIV eens Duitse vorsten neerbuigend ontving, voltrok zich de plechtige kroning van Wilhelm I tot Duits keizer. Alle Duitse vorsten, met uitzondering van de Oostenrijkse keizer Frans Jozef, hebben de keizerlijke autoriteit aanvaard. De gebeurtenis had een Pruisisch-militair ceremonieel karakter.

Met hun degen geheven juichten de genodigden de nieuwe keizer toe. De keizerlijke kroning betekent tevens de proclamatie van het zo lang gewenste Duitse Rijk. Zij is de formele bekrachtiging van de macht die Duitsland in Europa heeft verworven en die zovele staten angst inboezemt. Op het grondgebied van de vijand is de langgekoesterde nationale wens van de burgerlijke liberale beweging in vervulling gegaan.

Het grote nationale enthousiasme ten spijt, vond de nieuwe rijkskanselier Otto graaf von Bismarck het maar 'een zware keizerlijke bevalling'. Tot op het laatst had Wilhelm I de keizerlijke titel afgewezen omdat het slechts een ceremoniële titel is zonder specifieke bevoegdheden of macht.

# Parijs moet zich overgeven

*Het kasteel Saint-Cloud staat in brand tijdens de belegering van Parijs.*

PARIJS, 28 januari - Na veel verzet en een beleg dat vier maanden heeft geduurd, is Parijs gevallen. Jules Favre heeft, als vertegenwoordiger van de regering van nationale verdediging, de wapenstilstand getekend.

Eigenlijk was het op 5 december, met de val van Orléans, al duidelijk dat Parijs geen stand zou kunnen houden. Het Franse leger, of wat daarvan nog over was, kon niet veel meer doen dan zich tot plaatselijke acties beperken. Daar is het wel aan te danken dat de noordelijkste provincies (Nord, Pas de Calais) en die geheel in het oosten (Belfort) niet door de Duitsers bezet zullen worden. De Elzas daarentegen en een deel van Lotharingen worden zonder meer geannexeerd.

Op 18 september lag het Pruisische leger rondom Parijs. Jules Favre heeft als minister van Buitenlandse Zaken gepoogd in een gesprek met Bismarck nog het een en ander te redden, maar dat was tevergeefs. Tussen de Franse en Pruisische legers rond Parijs kwam het tot een soort patstelling. Soms verbeterden de Fransen hun positie, dan weer werd een van de verdedigingsforten ingenomen door de Duitsers. Parijs zat in de klem.

Op 8 december schreef een van de gebroeders De Goncourt in zijn dagboek: 'De mensen praten alleen nog maar over wat ze eten, wat ze kunnen eten en wat er te eten is. Hieruit en uit niets anders bestaat alle conversatie... De honger begint, hongersnood is aan de horizon.'

Uiteindelijk kreeg de honger de overhand, terwijl de bombardementen ravages aanrichtten. Jules Favre ontmoette nogmaals Bismarck, waarbij de overgave een feit werd.

Parijs moet zijn forten en troepen ontwapenen, met uitzondering van 12 000 manschappen en de nationale garde. Parijs krijgt een schadeloosstelling van 200 miljoen francs en mag weer bevoorraad worden. Er zal een nieuwe Nationale Vergadering gekozen moeten worden, die het vredesverdrag dient te bekrachtigen.

Daarover schijnen overigens nogal wat conflicten te zijn tussen de leden van de voorlopige regering onderling. Met name Gambetta (Binnenlandse Zaken) schijnt het met de capitulatie niet eens te zijn. Het Parijse volk is het er zéker niet mee eens. Zes dagen geleden nog veroorzaakten de geruchten - inmiddels bewaarheid - over onderhandelingen met de vijand hevige onlusten in de belegerde Franse hoofdstad. De rellen werden echter snel door het leger onderdrukt.

# Congres opent aanval op Ku Klux Klan

WASHINGTON, 20 april - Met zijn vandaag aangenomen Ku Klux Klan Act wil het Amerikaanse Congres paal en perk stellen aan de terreuracties die geheime blanke genootschappen als de Ku Klux Klan, de Knights of the White Camelia, de Palefaces en de White Brotherhood in de zuidelijke staten van de Verenigde Staten tegen zwarte ingezetenen en hun medestanders ondernemen. Het Congres hoopt hiermee te voorkomen dat het burger- en stemrecht van de zwarte bevolking een dode letter wordt.

De verbittering over het verlenen van stemrecht aan de ex-slaven, terwijl duizenden blanken het stemrecht is ontnomen, is in de zuidelijke staten zeer groot. Zo kon het gebeuren dat in South Carolina een groot gezelschap van ex-gouverneurs, ex-parlementaiërs en ex-rechters aanzat aan een diner en de enige aanwezige met stemrecht de zwarte kelner was. Op sommige plaatsen is ongeveer de helft van het blanke electoraat tijdelijk zijn stemrecht kwijtgeraakt.

Deze sfeer van verbittering is een rijke voedingsbodem gebleken voor geheime genootschappen als de Ku Klux Klan, 'the Invisible Empire of the South', die vijf jaar geleden in Tennessee is opgericht. De leden van de Klan tooien zich in witte kleding met een hoge puntmuts en rijden 's nachts te paard - de hoeven van het paard zijn met doeken omwikkeld - naar de woning van een 'upstart'-zwarte. Met een demonische stem vraagt een dorstige ruiter aan de bewoner van het huis hem een emmer water te geven. Het Klan-lid doet net alsof hij het water opdrinkt, smakt met zijn lippen en zegt dat dit de eerste keer is sinds zijn dood op het slagveld van Shiloh dat hij water heeft geproefd.

Als dit schrik aanjagen niet het gewenste effect heeft, wordt geweld gebruikt. Veel ex-slaven en blanke 'carpetbeggars' (noordelijken die op zoek naar avontuur en fortuin naar het Zuiden zijn getrokken) laten zich door de Klan-leden intimideren en blijven weg van de stembus. Wie ondanks de intimidaties volhardt in het aanspraak maken op zijn burgerrechten wordt geslagen, verminkt of zelfs vermoord. Drie jaar geleden werden in een plaats in Louisiana 200 zwarten door blanken gedood of gewond; een stapel van 25 lijken werd - half begraven - in een bos aangetroffen. Met zulke gruwelijke praktijken probeert de Klan de zwarten 'hun plaats' te wijzen. De vandaag aangenomen wet maakt het mogelijk federale troepen tegen deze en andere genootschappen in te zetten.

*Ku Klux Klan-leden met slachtoffer.*

# Opstand in Parijs: premier Thiers gevlucht

*Het standbeeld van Napoleon I op de Place Vendôme is omvergetrokken.*

PARIJS, 18 maart - Parijs is vannacht in opstand gekomen tegen de regering in Bordeaux.

Na de wapenstilstand van 28 januari had minister van Binnenlandse Zaken Gambetta nog gepoogd de strijd tegen de Duitsers voort te zetten. Hij werd echter tot aftreden gedwongen. Zijn regering van nationale verdediging hield overigens toch op te bestaan toen op 12 februari in Bordeaux de eerste bijeenkomst van de pasgekozen Nationale Vergadering werd gehouden. Zij vond plaats in een 'onvindbare', 'horizonblauwe' kamer, volgens de tegenstanders van de rechtse meerderheid. Die meerderheid, voornamelijk afkomstig uit de provincie, wilde maar één ding: vrede. Het Parijse volk daarentegen, aangevoerd door vertegenwoordigers van de Internationale, ergerde zich voortdurend aan de aanwezigheid van het Pruisische garnizoen en was ervan overtuigd dat een nederlaag vermeden had kunnen worden. De onvermijdelijke wrijving tussen de Nationale Vergadering in Bordeaux, die overwegend bestaat uit vertegenwoordigers van de burgerij, en Parijs, waar de arbeiders het talrijkst zijn, nam steeds ernstiger vormen aan. De Nationale Vergadering wilde de opstandige hoofdstad klein krijgen en trof maatregelen die de opstandigheid alleen maar vergrootten: de soldij van de nationale garde (het reserveleger waarvan alle burgers deel uitmaken) werd ingetrokken, en voor huurschulden werd geen uitstel van betaling meer verleend. Juist de 'kleine man' moest het in deze gevallen ontgelden.

De nieuwe premier, Adolphe Thiers, dacht eens voor altijd met het revolutionaire Parijse gespuis te kunnen afrekenen. De kanonnen, die nog op de heuvels van Belleville en Montmartre stonden, moesten worden weggehaald. Dat was de druppel die de emmer deed overlopen. Die kanonnen, aangekocht door de gemeente Parijs, waren de Pruisen juist ontnomen! Op Montmartre brak de hel los. Het lukte het Franse leger niet de kanonnen mee te nemen. Generaal Lecomte gaf het bevel op de menigte te schieten - en werd uiteindelijk, tegen het ochtendgloren, zelf gefusilleerd, evenals generaal Thomas, die hem op deze missie vergezelde en aan wie de oud-strijders van 1848 slechte herinneringen hebben.

Thiers is voor de zekerheid uitgeweken naar Versailles. Daar wil hij een nieuw leger op de been brengen.

# Frans leger maakt bloedig einde aan Parijse Commune

PARIJS, 28 mei - Met de Commune is het afgelopen. In aanwezigheid van de voltallige Nationale Vergadering is een mis opgedragen om dat feit te gedenken. Er zijn 20 000 à 30 000 doden gevallen en er werden 40 000 arrestaties verricht.

Na de gedenkwaardige 18de maart had het Centrale Comité van de Nationale Garde zichzelf tot voorlopig bestuur van Parijs verklaard. Op het stadhuis hing de rode vlag uit. Besloten werd dat er verkiezingen gehouden zouden worden, zodat Parijs voor het eerst sinds eeuwen weer een eigen gemeenteraad zou krijgen. Parijs had wel arrondissementsburgemeesters, maar hun functie stelde niet veel voor. De werkelijke macht was in handen van de prefect, de vertegenwoordiger van de centrale overheid. De Parijzenaars wilden een echt stadsbestuur dat niet de centrale overheid, maar de inwoners van de Franse hoofdstad zou vertegenwoordigen en hun tevens een zekere mate van sociale geborgenheid zou kunnen geven.

Op 26 maart werden er gemeenteraadsverkiezingen gehouden; de arrondissementsburgemeesters hadden erin toegestemd. De helft van de kiezers ging naar de stembus, meer dan bij de Kamerverkiezingen in februari. 's Avonds werden, vanaf een podium voor het stadhuis, onder luid applaus de 85 namen van de nieuwe raadsleden bekendgemaakt. Het Centrale Comité droeg zijn macht over aan de Commune, de gemeente.

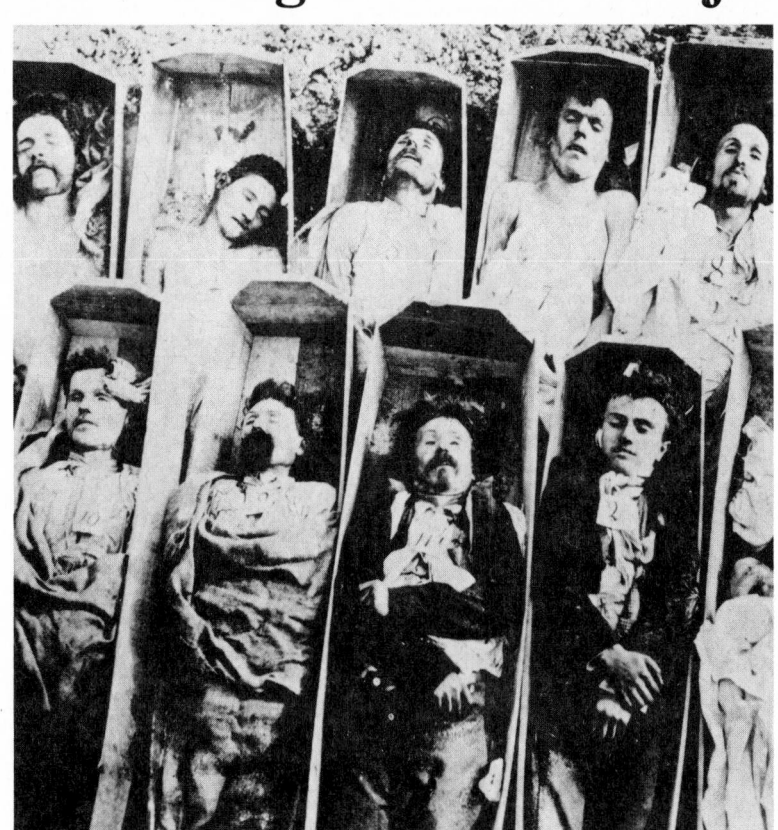

*Lijkkisten met de lichamen van dode 'communards'.*

'Nee, Frankrijk zal de armzaligen die het met bloed willen besmeuren niet in zijn boezem laten zegepralen,' verklaarde premier Thiers de volgende dag. Niettemin werd ook in andere steden de Commune uitgeroepen, met name in Marseille.

In Parijs lieten vijftien van de gekozen raadsleden het afweten. De anderen vormden een bestuur dat veel weg had van een regering, met tien commissies die met ministeries vergeleken konden worden. Binnen een maand werden er heel wat maatregelen getroffen, vooral op sociaal en onderwijsgebied.

Politiek waren de raadsleden echter zeer verdeeld. In dat opzicht verliep de samenwerking allesbehalve goed. Bovendien werd spoedig de aandacht geconcentreerd op de verdediging van de stad. Het was duidelijk dat 'les Versaillais' tot de aanval zouden overgaan. Op 16 mei publiceerde het dagblad *Le Figaro* een 'formeel' verzoek aan de regering in Versailles om allen die iets met de Commune te maken hadden voor het vuurpeloton te zetten.

Begin mei had Thiers een leger van 130 000 man op de been weten te krijgen. De Commune beschikte nog niet over de helft daarvan. Op 21 mei drong het leger van Thiers uit Versailles Parijs binnen.

Overal werden barricaden opgericht. De stad moest steen voor steen worden veroverd. De Tuilerieën en het stadhuis gingen in vlammen op. Tienduizenden sneuvelden in straatgevechten of werden opgepakt en zonder vorm van proces gefusilleerd. Als laatste werd de hooggelegen wijk rond het kerkhof Père-Lachaise ingenomen. De communards verzetten zich met hand en tand, schoten op hun beurt ook een vijftigtal gijzelaars dood. De laatste Fédérés, zoals de communards zich ook noemden, werden tot aan de muur van het kerkhof gedreven en daar doodgeschoten.

# Adolphe Thiers president van Franse Republiek

PARIJS, 31 augustus - Adolphe Thiers is president van Frankrijk geworden, terwijl de meerderheid in het parlement voor de monarchie is. De kleine minister-president heeft zijn machtsgreep voor elkaar gekregen, zoals hij ook heelhuids uit zowel de Commune als uit de juli-monarchie, de Tweede Republiek, het Tweede Keizerrijk en de Frans-Pruisische oorlog wist te komen.

Thiers sprak zich vorig jaar nog tegen de oorlog uit, maar nog geen jaar later leidde hij de regering en de onderhandelingen met Bismarck. Men heeft hem verweten zich er te gemakkelijk bij neer te leggen dat Frankrijk het onderspit tegen Duitsland moest delven - zowel op het slagveld als aan de onderhandelingstafel.

Met name het verlies van Elzas-Lotharingen is hem zeer kwalijk genomen. Dat vormde een van de aanleidingen voor de opstand die tot de Parijse Commune zou leiden. Zonder het vertrek uit Parijs van Thiers en zijn kabinet - zij regeerden Frankrijk vervolgens vanuit Versailles -, zou het volgens sommige commentatoren overigens met die opstand in Parijs niet zo'n vaart zijn gelopen.

Als president zal het Adolphe Thiers' eerste taak zijn, de Duitse bezetting te doen beëindigen.

*Keizer Moetsoehito met gevolg in het Ueno Park in Tokio. Rechts een Amerikaanse 'minstrel-show' aan het Japanse hof.*

# Grote veranderingen in Japans bestuur

TOKIO, 13 september - Met grote voortvarendheid worden op alle maatschappelijke gebieden hervormingen in Japan doorgevoerd. Vandaag is besloten dat de Staatsraad voortaan bestaat uit drie gescheiden Kamers voor wetgevende, uitvoerende en juridische zaken. Het kabinet voor de sjinto-religie staat niet meer boven de andere ministeries maar op gelijke voet daarmee. In juni 1868 werd een Staatsraad ingesteld die verdeeld was in een afdeling voor wetgeving en een voor de uitvoering daarvan. In 1869 werd al bepaald dat onder de Staatsraad zes ministeries staan, maar het kabinet voor de sjinto-religie stond daarboven.

De keizer kreeg formeel de meest vooraanstaande positie, maar de opvolger van de in 1867 gestorven keizer Komei, Moetsoehito, kon, toen hij keizer werd, nauwelijks invloed hebben op de hervormingen, aangezien hij pas vijftien jaar was. Hij wordt naar de periode van het jaar genoemd: Méidji, wat zoveel betekent als 'verlicht bestuur'.

De hervormingsgezinden lieten hem op 8 april 1868 de 'Vijf Artikelen Eed' uitvaardigen. Hierin wordt onder meer gesteld dat alle zaken worden beslist na ruime politieke consultatie van alle Japanners. Dit was vooral bedoeld om de samoerai die nog niet in openbare functies terechtgekomen waren, het gevoel te geven dat ook zij in aanmerking zouden komen voor ambten en niet onmiddellijk op een zijspoor zouden worden gemanoeuvreerd.

Het belangrijkste zijn misschien wel die artikelen waarin wordt gesteld dat alle oude barrières voor het hogerop komen in de maatschappij worden weggenomen en dat die tradities die de vooruitgang belemmeren worden afgeschaft. Met de vrees voor alles wat van buiten het eigen land komt wordt afgerekend door in een artikel te onderstrepen dat door de hele wereld kennis moet worden vergaard om de basis voor het keizerlijk bestuur te 'verstevigen'. Dit staat in schril contrast met de nog maar enkele maanden gebezigde leus 'drijf alle barbaren uit'.

Terwijl de hervormers nog kort voor januari 1868 aanslagen op buitenlanders pleegden om de Tokoegawa te verzwakken, worden deze daden nu als misdaden bestempeld en als zodanig veroordeeld. De troepen van de hervormers hadden bij de inname van Osaka ook daar aanwezige Franse troepen en zeelieden vermoord, geheel in overeenstemming met de tot dan toe geldende regels. Toch dwongen de nieuwe hervormers die de macht in handen hebben genomen, hun eigen aanhangers zelfmoord te plegen vanwege deze moorden.

Om het bestuur te centraliseren zijn de meer dan 260 domeinen verdeeld in 3 stedelijke en 72 plattelandsprefecturen. De hoofdstad is verplaatst van Kioto naar Edo, dat nu Tokio wordt genoemd.

# IAA steunt oprichting arbeiderspartijen

*Leden van de Eerste Internationale in Londen, 1868 (Marx Memorial Library, Londen).*

LONDEN, 24 september - De conferentie van de Internationale Arbeiders Associatie, die vanaf 17 september in Londen bijeen geweest is, heeft zich uitgesproken voor de oprichting van legale politieke partijen door arbeiders in de afzonderlijke Europese landen. Arbeiderspartijen worden een noodzakelijke voorwaarde voor een socialistische revolutie genoemd.

In tegenstelling tot Bakoenin, die de vernietiging van de staat wil en dus van geen politieke bemoeienis van de Internationale wil weten, wijst tijdens de conferentie de leden van de Internationale erop dat in de strijd van de arbeidersklasse economische en politieke actie onafscheidelijk verbonden zijn. Behalve dit algemene principe dat al in de statuten geformuleerd is, is er een directe aanleiding om de oprichting van arbeiderspartijen te bepleiten. Na het mislukken van de opstand van de Commune te Parijs is de onderdrukking van de arbeidersbeweging in vele landen toegenomen. Tegenover dit machtsvertoon van de bezittende klasse moeten de arbeiders hún macht tonen, door zich te organiseren in politieke partijen, zo wordt gesteld.

# Brits journalist: 'David Livingstone leeft'

*Links: Henry Morton Stanley op zoek naar David Livingstone. Boven: Livingstone met dragers tijdens een overtocht.*

TANZANIA, 28 oktober - De Britse journalist Henry Morton Stanley heeft in Ujiji, gelegen aan het Tanganyika-meer, de verloren gewaande missionaris en ontdekkingsreiziger David Livingstone gevonden. Vijf jaar geleden begon Livingstone aan zijn expeditie naar het Tanganyikameer.

Stanley schrijft in *The New York Herald* over zijn schroom bij zijn ontmoeting met de verloren gewaande Livingstone in het hart van Afrika: 'Omdat ik niet zeker was hoe hij, als echte Engelsman, zou reageren indien ik hem zou omarmen, deed ik wat lafheid en valse trots mij raadden - ik stapte op hem toe, nam mijn hoed af en zei: "Dr Livingstone, I presume?" "Ja," zei hij, terwijl hij met een vriendelijke glimlach even zijn muts oplichtte.'

Sinds James Bruce als een van de vele voorlopers van Livingstone in de jaren zeventig van de vorige eeuw op zoek ging naar de bronnen van de Nijl en Mungo Park twee decennia later de bovenloop van de Niger exploreerde, is er een ware ontdekkingswoede in Europa losgebarsten. Het initiatief ging uit van de in 1788 opgerichte British African Association, welke instelling het er aanvankelijk om te doen was het donkere continent wetenschappelijk in kaart te brengen. Maar al gauw boette dat wetenschappelijke doel aan belang in ten profijte van commerciële en zendingsaspiraties. Zowel de introductie van de 'wettige handel' in grondstoffen als van het christendom, zou een einde maken aan de slavenhandel en de mogelijkheid scheppen van nieuwe economische activiteiten en een andere levensvorm.

Ook de nu 58-jarige David Livingston deelt dit filantropische ideaal, doo sommigen spottend 'filantropie me vijf procent dividend' genoemd. Hi zag in 1849 als eerste blanke het Ngami meer (in de Kalahari) en ontdekte ti dens zijn expeditie van 1853-1856 d Victoria-watervallen, toen hij het Afri kaanse continent van oost naar wes doorkruiste. Bij zijn derde expediti verkende Livingstone de bovenloo van de Zambezi en ontdekte het Nyasa meer (1859).

De Schot Livingstone behoort nog to het oude type ontdekker, nieuwsgieri naar en begaan met de Afrikanen di hij op zijn weg ontmoet, terwijl de bij na 28 jaar jongere Stanley als exponen van het ontluikende imperialisme vee eer geïnteresseerd is in de politieke e economische mogelijkheden die he ontdekte land te bieden heeft.

## Veel diamantzoekers in Zuid-Afrika

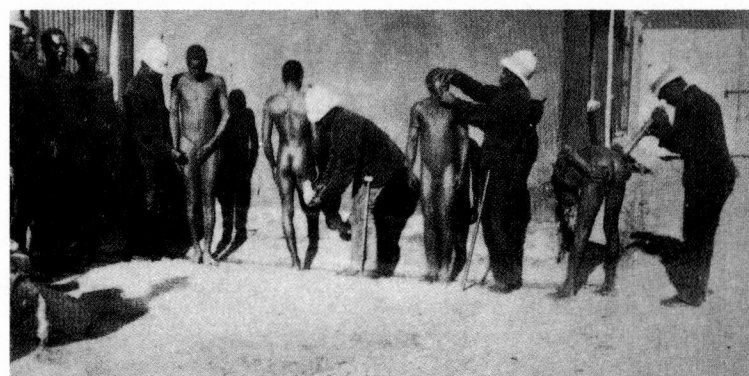

*Diamantmijnwerkers worden na afloop van het werk gecontroleerd op diefstal.*

KIMBERLEY - Zuid-Afrika blijkt rijk te zijn aan diamanten. De eerste diamant is vier jaar geleden gevonden aan de oever van de Oranjerivier. Een tweede steen van 83,5 karaat is twee jaar geleden ontdekt en gekocht door de graaf van Dudley voor 25 000 pond. Volgens recente tellingen zijn inmiddels niet minder dan 10 000 mensen druk doende om met primitieve middelen aan de oevers van de Vaal en de Oranjerivier diamanten op te sporen.

Een van deze zoekers is Cecil Joh Rhodes.
Er zijn inmiddels diamanten gevonde bij Jagersfontein, Dutoitspan en Bul fontein, ver van de Vaal, en inmidde ook bij Kimberley. Vooral deze laatst vindplaats lijkt zeer rijk te zijn. Er i daar een gesteentelaag aangetroffe die tot op honderden meters diepte rij zou zijn aan diamant; met de ontgin ning daarvan is dit jaar een begi gemaakt.

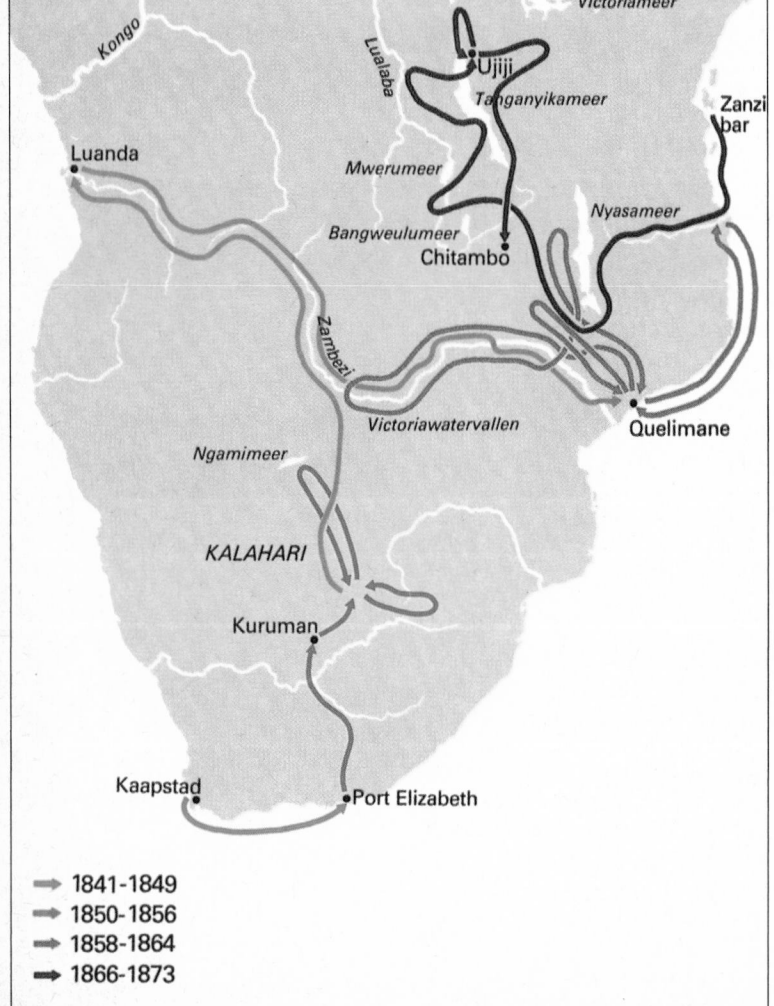

→ 1841-1849
→ 1850-1856
→ 1858-1864
→ 1866-1873

*Overzicht van de ontdekkingsreizen van David Livingstone tussen 1841 en 1873.*

*Vrouwen op audiëntie in het Capitool.*

## Feministe Susan Anthony opgepakt

ROCHESTER, 19 november - De grote voorvechtster voor het vrouwenstemrecht in de Verenigde Staten, Susan B. Anthony, is vandaag gearresteerd omdat zij en enkelen van haar medestandsters veertien dagen geleden een stem hebben uitgebracht in de presidentsverkiezingen. Susan Anthony vindt dat vrouwen dezelfde burger- en politieke rechten horen te hebben als mannelijke negers met de aanvaarding van het 14de en 15de grondwetsamendement hebben gekregen.

Het optreden van Susan Anthony in het stemhokje van Rochester, New York, is een voortzetting van de al jaren durende campagne van vrouwen voor het kiesrecht, een campagne die is begonnen met de 'Woman's Rights Convention' die in de zomer van 1848 in Seneca Falls, New York, werd gehouden en waaraan ongeveer 300 vrouwen en zelfs enkele mannen hebben deelgenomen. De onverschrokken Elizabeth Stanton las daar een 'Declaration of Sentiments' voor waarin werd verklaard - een echo van de Onafhankelijkheidsverklaring van Thomas Jefferson - dat alle mannen *en vrouwen* als 'gelijken geschapen zijn'. In een op dit congres aangenomen resolutie werd het stemrecht voor Amerikaanse vrouwen opgeëist.

De Burgeroorlog is een enorme stimulans voor de vrouwenbeweging geweest. Trots als ze zijn - zowel in het Noorden als in het Zuiden - op de rol die ze in de oorlog gespeeld hebben, rekenden ze erop na de oorlog volwaardig te kunnen deelnemen aan de Amerikaanse democratie.

Ze zijn dan ook des duivels nu het stemrecht in de Verenigde Staten wel onder mannen is uitgebreid - negers hebben stemrecht, maar ook immigranten en anderen - maar niet onder vrouwen. De meeste voorvechtsters van het kiesrecht voor vrouwen hebben zich ook sterk gemaakt in de strijd tegen de slavernij, maar zelfs een doorgewinterde feministe als Elizabeth Cady Stanton heeft zich laten verleiden tot uitspraken over 'Sambo' en 'Afrikanen, Chinezen en alle ongeschoolde buitenlanders die stemrecht krijgen zodra ze hier voet aan wal zetten'.

# 'Au Bon Marché' heropend

*Het imposante trappehuis in het vernieuwde 'Au Bon Marché'.*

PARIJS, 2 april - 'Prachtig', 'perfect' en 'reusachtig' zijn woorden die de herhaaldelijk terugkomen in de krante-artikelen over de opening van het tot nu toe grootste Parijse warenhuis, Au Bon Marché.

'Die uitdrukking: ''bon marché'' (goedkoop) heeft een magische en onweerstaanbare werking op de Parijse klant,' schreef een onbekende auteur onder de naam 'de toeschouwer' in het tijdschrift *L'Illustration* van 21 september 1851. Aristide Boucicaut, die samen met zijn vrouw Marguerite aan het hoofd staat van de zich over drie verdiepingen uitstrekkende nieuwe zaak, heeft dat destijds bepaald goed in zijn oren geknoopt. Hij werd twintig jaar geleden mede-eigenaar van een toen nog bescheiden modewinkel, die in die dagen reeds de naam Au Bon Marché droeg.

Boucicaut voerde meteen een aantal vernieuwingen in. Iedereen mocht de winkel vrij binnenlopen, al had men niet de bedoeling iets te kopen. Een gekocht artikel dat niet beviel, kon geruild worden.

Ook dacht Aristide Boucicaut vanaf het begin aan zijn personeel, liet het in de winst delen, zorgde voor goede maaltijden en heeft nu zelfs een pensioenfonds voor zijn werknemers opgezet. Die houding vormt een schril contrast met wat bij andere bedrijven in deze branche gebruikelijk is.

Tijdens het beleg van Parijs, in 1870-1871, liet Boucicaut levensmiddelen uitdelen aan de uitgehongerde Parijse bevolking. Hij is nu van plan een ziekenhuis op te richten. Boucicaut zal niet alleen de geschiedenis ingaan als een succesvol zakenman, maar ook als weldoener.

*De winkel 'Au Bon Marché' in 1847.*

# Drie priesters aan de wurgpaal

MANILA, 17 februari - Een grote menigte had zich vanmorgen verzameld om de terechtstelling van de van hoogverraad en uitlokking van de geruchtmakende Cavite-muiterij beschuldigde Filippino-priesters Gomez (73), Burgos (35) en Zamora (37) bij te wonen. Om acht uur werd het drietal uit het Fort Santiago geleid en door middel van de garotte (wurgpaal) ter dood gebracht. In opdracht van de aartsbisschop van Manila, die in hun onschuld gelooft en ook geweigerd heeft hun het priesterschap te ontnemen, zullen gedurende de gehele dag de doodsklokken worden geluid.

Op 20 januari van dit jaar brak in het arsenaal van Cavite een muiterij uit onder Filippijnse soldaten, als gevolg van het plotseling intrekken van speciale voorrechten. De rebellie werd binnen een dag neergeslagen, waarbij de meeste muiters om het leven kwamen. Gouverneur-generaal Rafael de Izquierdo, die vorig jaar bij zijn benoeming liet weten dat hij naar de Filippijnen kwam 'met in de ene hand een crucifix en in de andere een zwaard' en op rigoreuze wijze de liberaliseringen van zijn voorganger had teruggedraaid, blies de muiterij op tot een tegen Spanje gerichte opstand en liet honderden liberale voormannen arresteren. Sommigen werden door militaire tribunalen ter dood veroordeeld, anderen tot lange gevangenisstraffen of verbanning.

Tot de gearresteerden behoorden ook veel priesters die deel van de secularisatiebeweging uitmaakten. Sinds het midden van deze eeuw zijn de meeste parochies in handen van paters van Spaanse kloosterorden. Seculiere (wereldlijke) Filippijnse priesters worden door hen systematisch geweerd en gediscrimineerd. Gomez, Burgos en Zamora waren de belangrijkste leiders van de strijd hiertegen.

## Algerijnse berbers geven strijd op

ALGIERS, 20 januari - Bou Mezrak is van uitputting in de woestijn omgekomen. De broer van bachagha Mokrani had na diens dood zonder veel illusies de leiding van de Kabylenopstand overgenomen. De Algerijnse berbers hebben, na een verbitterde strijd, het onderspit moeten delven. Admiraal De Gueydon heeft het Franse gezag in het altijd weerbarstige berggebied kunnen herstellen.

Kabylië is een van de moeilijkst te onderwerpen gebieden geweest. Mede dank zij het beleid, in de jaren zestig, van keizer Napoleon III, die de gelijkheid van autochtonen en Europeanen nastreefde, was het er een tijdlang rustig. Met de val van het Franse keizerrijk begon het in Algerije echter weer te rommelen. Een reeks rampen

(sprinkhanen, cholera, hongersnood) had honderdduizenden doden ten gevolge.

De Europeanen gaven de Algerijnen en hun 'communisme' (hun grond werd gemeenschappelijk beheerd) de schuld. Het land kreeg vervolgens weer strikte Franse bestuursvormen opgelegd.

Op 14 maart vorig jaar kwamen de Kabylen in opstand, onder leiding van bachagha Mokrani, die nog geen maand later, aan het hoofd van 150 000 man, de Jihad of heilige oorlog uitriep en de steun van de omringende gebieden kreeg. De opstand heeft zeven maanden geduurd.

In Algerije wordt algemeen verwacht dat het Franse koloniale bestuur nu hard zal terugslaan.

*Léontine Suétens (links) en Eulalie Papavoine, twee vrouwelijke 'communards'.*

# Doodstraf 'pétroleuse'

PARIJS, 16 april - De 35-jarige A. Menand is door een militaire krijgsraad ter dood veroordeeld wegens haar aandeel in het in brand steken van de Tuilerieën en het Palais Royal tijdens de strijd van de Parijse Commune tegen het Franse regeringsleger in mei vorig jaar. Twee vrouwen die eveneens terechtstonden wegens brandstichting ('pétroleuses' genoemd omdat zij dit met petroleum gedaan zouden hebben), zijn gestraft met dwangarbeid en verbanning. In december werd de doodstraf van drie eerder veroordeelde 'pétroleuses' omgezet in verbanning naar Guyana.

Veel vrouwen hebben ten tijde van de Commune meegestreden aan de zijde van de 'communards', zowel ongeorganiseerd als aangesloten bij de revolutionaire clubs en de Union des Femmes, een organisatie die contacten had met het socialistische Internationale. Meer dan duizend vrouwen zijn voor de krijgsraad gedaagd; ongeveer tweehonderd van hen zijn schuldig bevon-

den. De vrouwen hebben op de barricaden gevochten, de gewonden verpleegd, munitie gefabriceerd en voor de voedselvoorziening gezorgd. Ook zouden 'pétroleuses' in de laatste dagen van de Commune Parijs in brand gestoken hebben om te voorkomen dat het in handen van de regeringstroepen zou vallen. Honderden vrouwen zijn om deze reden tijdens de laatste gevechten zonder vorm van proces gedood. Aanhangers van de Commune hebben het bestaan van de 'pétroleuses' altijd ontkend.

## Ludwig Feuerbach overleden

HEIDELBERG, 13 september - De Duitse wijsgeer Ludwig Feuerbach, die de filosofie van de materialisten ooit eens samenvatte in de befaamde uitspraak 'Der Mensch ist was er isst', is op 68-jarige leeftijd overleden.

Feuerbachs betekenis ligt vooral op het terrein van de godsdienstfilosofie. Volgens hem is theologie niets anders dan antropologie. In het godsbegrip legt de mens zijn eigen wezen; hij zoekt in de religie bevrediging voor zijn verlangens en compensatie van zijn eigen beperktheid en eindigheid.

Feuerbach wilde om die reden vanuit het 'oneindige' de weg terug afleggen naar het eindige en zijn aandacht uitsluitend richten op de menselijke realiteit. Deze komt vooral tot ontplooiing in de ik-gij-relatie tot de medemens. De mens zelf is maatstaf voor de moraal. Feuerbachs belangrijkste publikatie waarin hij heeft geprobeerd de theologie te 'humaniseren', dateert uit 1841: *Das Wesen des Christentums*.

Enkele van zijn ideeën hebben veel weerklank gevonden bij degenen die in Duitsland betrokken zijn bij de strijd tussen Kerk en staat en bij de strijd tussen arbeid en kapitaal.

# Lerdo president van Mexico

MEXICO-STAD, 18 juli - In Mexico Stad is Sebastian Lerdo de Tejada uitgeroepen tot de nieuwe president van Mexico. Lerdo volgt de onlangs overleden Benito Juárez García op. Hij heeft toegezegd de door Juárez gevolgde politieke lijn voort te zetten.

Met de dood van Benito Juárez García komt een einde aan een voor Mexico belangrijk tijdperk, waarin een begin gemaakt werd met de modernisering van het land dat zijn onafhankelijkheid zo moeizaam heeft bevochten. Benito Juárez heeft aan beide ontwikkelingen een belangrijke bijdrage geleverd.

Juárez, een volbloed Zapoteek Indiaan, volgde een rechtenstudie, die hij in 1834 voltooide. Vanaf het begin van zijn carrière als advocaat trok hij zich het lot van de armere Indianen aan en veelvuldig trad hij in rechtszaken voor hen op. In het politieke conflict tussen liberalen en conservatieven dat meermalen tot burgeroorlog leidde, koos hij de zijde van de liberalen. Nadat de conservatief Santa Ana verdreven was, trad Juárez toe tot de regering-Alvares, waarin hij minister van Justitie werd. Zijn wetgeving was erop gericht de uitzonderingspositie van geestelijken en militairen te beëindigen, zodat iedereen voor de wet gelijk werd. De oppositie tegen deze wet was zo sterk dat een burgeroorlog ontstond die van 1858 tot 1861 duurde.

Na de nederlaag van de conservatieven werd Juárez tot president uitgeroepen. Zijn presidentschap kwam ten einde toen de Fransen Mexico binnenvielen. Na de nederlaag van de Fransen onder Maximiliaan, waarin hij een niet onbelangrijk aandeel had, werd Juárez opnieuw tot president gekozen.

Juárez probeerde Mexico een moderne grondwet te geven. Hij was een voorstander van de scheiding van Kerk en staat. Ook wilde hij de leiding van het leger geheel in handen van de staat leggen. Tegen zijn plannen bestond zoveel weerstand dat hij hoe langer hoe meer op dictatoriale wijze ging regeren.

*Benito Juárez, president van Mexico.*

## Aletta Jacobs toegelaten tot universiteit

*Aletta Jacobs.*

GRONINGEN, 5 juni - De 18-jarige Aletta Jacobs is als eerste vrouw in Nederland definitief tot de universiteit toegelaten. Thorbecke, minister van Binnenlandse Zaken, heeft haar deze toestemming op 30 mei, enkele dagen vóór zijn overlijden, verleend. Voorlopige toestemming kreeg zij al in april vorig jaar op basis van haar diploma leerling-apotheker. Nu is zij op grond van haar studieresultaten toegelaten als student in de medicijnen aan de universiteit van Groningen.

De opleidingsmogelijkheden voor vrouwen zijn in Nederland nog gering, maar men lijkt het erover eens te zijn dat deze uitgebreid moeten worden. In 1860 kwam de eerste Normaalschool tot stand ter opleiding van onderwijzeressen, in 1861 de eerste rijkskweekschool voor vroedvrouwen en in 1865 de eerste Industrieschool voor vakonderwijs aan meisjes in de verschillende takken van nijverheid. Verschil van mening bestaat nog steeds over de vraag of de opleiding van vrouwen ook gericht moet zijn op de algemene verstandelijke ontwikkeling en op vakken die tot voor kort alleen door mannen werden uitgeoefend. Desalniettemin heeft de openstelling van het wetenschappelijk onderwijs voor vrouwen in Nederland vrij weinig moeite gekost. Twee jaar geleden werd besloten tot de oprichting van een Algemeene Nederlandsche Vrouwenvereeniging, onder de naam 'Arbeid adelt'. Doel van de nieuwe organisatie was 'de verbetering van het lot der onvermogende vrouw uit den beschaafden stand door aanmoediging en bevordering van haar kunst- en arbeidszin'.

Deze 'kunst- en arbeidszin' komt in het algemeen neer op het vervaardigen en verkopen van kunstzinnig bedoelde uitingen van huisvlijt.

---

*De Mariakerk van het Sint-Jansklooster in Rila. Na een brand is de abdij tussen 1834 en 1860 herbouwd.*

# Bulgaarse Kerk los van Constantinopel

VIDIN, 24 mei - De Bulgaarse exarch Antim van Vidin heeft de onafhankelijkheid van de Bulgaarse Kerk uitgeroepen. Als reactie heeft de patriarch van Constantinopel een aantal Bulgaarse bisschoppen geëxcommuniceerd en de Bulgaarse Kerk schismatisch verklaard; een loos gebaar gezien het feit dat de Porte (Turkse overheid) steun weigert. Met de onafhankelijkheid van de Bulgaarse Kerk, resultaat van de inspanningen van gematigde Bulgaarse leiders en de Osmaanse autoriteiten, is een einde aan bijna een halve eeuw strijd gekomen.

Evenals voor de Grieken, Serviërs en Roemenen betekent een eigen nationale Kerk voor de Bulgaren een belangrijke stap in de richting van de erkenning van hun nationale identiteit. Het proces van nationale bewustwording verloopt in Bulgarije trager dan elders op de Balkan, doordat het land veel dichter bij het centrale Osmaanse bestuur in Constantinopel is gelegen en bovendien zeer sterk door de Griekse cultuur en Kerk wordt beïnvloed.

Zoals ook elders ging aan de opkomst van een nationaal bewustzijn een culturele herleving vooraf. Na de Krimoorlog mochten er voor het eerst boeken in Bulgarije worden gedrukt. Het onderwijs werd aanvankelijk op de kloosterscholen gevolgd. De opkomende bourgeoisie wenste echter beter onderwijs voor haar kinderen en stuurde hen naar de hellenistisch-Bulgaarse scholen. Deze versterkten de Griekse invloed, maar anderzijds werden de leerlingen vertrouwd gemaakt met progressieve politieke ideeën van liberalisme en nationalisme. In 1835 werd de eerste louter Bulgaarse school voor hoger onderwijs in Gabrovo opgericht.

Dank zij de strijd om kerkelijke emancipatie werd in 1849 een belangrijk succes geboekt: de Turkse regering keurde de bouw van een Bulgaarse kerk in Constantinopel goed in een document waarin het 'Bulgaarse volk' voor het eerst met name wordt genoemd. Het verschil tussen Bulgaren en Grieken werd hiermee officieel erkend. De *Hatt-i-Hümayoen* van 1856 voorzag onder andere in vrijheid van godsdienst en gaf de kerkstrijd nieuwe kracht. Een decennium later verdreven de Bulgaren de Griekse bisschoppen. De ongerust geworden sultan, die geen revolutie over deze kwestie wilde uitlokken, stemde in principe toe met de vorming van een afzonderlijke, zij het niet volledig onafhankelijke, Bulgaarse Kerk.

Het probleem verschoof vervolgens naar de territoriale jurisdictie die zo'n Kerk dan zou hebben. De bepaling in 1870 dat, indien twee derde van de bevolking van een district zich bij het Bulgaarse exarchaat wenste aan te sluiten, dit werd toegestaan, veroorzaakte een conflict met zowel de patriarch als de Griekse regering.

Grieken en Bulgaren beseffen dat kerkelijke jurisdictie over bepaalde gebieden in de toekomst mogelijk nationale aanspraken kan ondersteunen.

# Bakoenin uit IAA gestoten

*De politieke winaar het IAA-congres: Karl Marx.*

'S-GRAVENHAGE, 8 september - Michael Bakoenin is uit de Internationale Arbeiders Associatie, de IAA of 'Internationale', gestoten. Het congres van de IAA, dat vanaf 2 september bijeen geweest is, heeft hiertoe op voorstel van Karl Marx besloten. Het congres heeft bovendien een aantal ingrijpende beslissingen genomen die grote gevolgen zullen hebben voor de 'Internationale'.

De IAA, die een internationale aaneensluiting en samenwerking van de arbeidersbeweging nastreeft, is in 1864 opgericht en verenigt een groot aantal verschillende richtingen. Marx' ideeën zijn binnen de organisatie vanaf het begin toonaangevend geweest. Zijn voorstel Bakoenin uit te sluiten, is voortgekomen uit onvrede over diens anarchistische opvattingen en positie in de IAA.

Bakoenin heeft zich steeds verzet tegen wat hij noemde 'Marx' staatscommunisme': Marx is voorstander van politieke actie en het veroveren van de staatsmacht door de arbeidersklasse, zodat deze politieke macht kan worden aangewend voor eigen doeleinden; Bakoenin daarentegen is voor economische actie en een volledige vernietiging van de staat door middel van de revolutie. Zijn aanhangers, een minderheid binnen de Internationale en vooral afkomstig uit Italië, Spanje en Zwitserland, hebben zich dan ook uitgesproken tegen de oprichting van politieke partijen door de arbeidersklasse.

Het congres te Den Haag heeft meer belangrijke besluiten genomen. De Algemene Raad heeft het recht gekregen secties en federaties van de Internationale te schorsen, hetgeen een belangrijke uitbreiding van de bevoegdheden betekent. Men acht een strakke centralisatie noodzakelijk tegen de toenemende repressie door de regeringen.

Ten slotte heeft het congres het voorstel van Marx aangenomen, de zetel van de Algemene Raad van Londen naar New York te verplaatsen. Marx motiveerde zijn voorstel door te wijzen op de onzekere en onveilige situatie voor de arbeidersbeweging in Europa. Het congres heeft met pijnlijke verbazing gereageerd: verplaatsing naar de andere kant van de Atlantische Oceaan betekent dat de Internationale vér verwijderd is van de frontlinie van de arbeidersstrijd en dat haar invloed sterk vermindert. Met slechts drie stemmen meerderheid is tot verplaatsing besloten.

# Voetbalinterland eindigt zonder doelpunten

GLASGOW, 30 november - De eerste internationale voetbalwedstrijd, een wedstrijd tussen de elftallen van Schotland en Engeland, is in een gelijkspel geëindigd. Beide voetbalteams kwamen niet tot het maken van een doelpunt.

Deze nieuwe sport, waarbij de bal alleen met de voet gespeeld mag worden, is de laatste jaren in Groot-Brittannië sterk in de belangstelling komen te staan. Met name Cambridge, dat in 1846 al een voetbaltoernooi tussen enkele universiteiten organiseerde, is het centrum van het 'association football' of 'soccer', dat zich in een aantal opzichten onderscheidt van de in Rugby gespeelde vorm van voetbal.

Op 26 oktober van dat jaar richtten vertegenwoordigers van de universiteiten en een paar clubs in Londen de Football Association op. De organisatie accepteerde met slechts kleine wijzigingen de 'Cambridge Rules', de spelregels die in 1848 in Cambridge voor de voetbalsport zijn opgesteld. Vorig jaar volgde de eerste competitie, om de Challenge Cup, met op 16 maart van dat jaar de finale tussen de Wanderers en de Royal Engineers.

*Michael Bakoenin, de geestelijke vader van het anarchisme.*

# 1873

**11 februari.** Koning Amadeus van Spanje treedt af. Een dag later wordt door de Cortes (parlement) de eerste Spaanse republiek uitgeroepen. →

**4 maart.** Ulysses Grant wordt opnieuw president van de VS. →

**2 april.** In Oostenrijk-Hongarije wordt het stemrecht veranderd ten gunste van de Duitse inwoners.

**1 mei.** In het Weense Prater vindt de opening van de vijfde wereldtentoonstelling plaats. →

**24 mei.** Maarschalk MacMahon volgt Adolphe Thiers op als president van Frankrijk. →

**Mei.** De Weense beurskrach luidt de Grote Depressie in die tot 1896 voortduurt.

**26 augustus.** De rechtspraak in Vlaanderen zal binnenkort ook in het Nederlands mogelijk zijn. →

**16 september.** De Duitse troepen trekken zich terug uit Frankrijk.

**20 september.** In de Verenigde Staten breekt financiële paniek uit op de beurs in Wall Street. →

**September.** Remington and Sons nemen de eerste schrijfmachine in produktie. →

**22 oktober.** Het Duitse Rijk, Oostenrijk-Hongarije en Rusland sluiten de Driekeizerovereenkomst. →

**25 oktober.** De Berlijnse Beurs wordt geconfronteerd met een scherpe koersdaling. →

**November.** De steden Boeda en Pest worden per statuut verenigd tot de Hongaarse hoofdstad Boedapest.

- Yakub Beg, leider van de mohammedaanse opstand in het door China beheerste deel van Toerkestan, roept een islamitische staat uit.

- In Japan worden de samoerai getroffen door belastinghervormingsmaatregelen.

- *Electricity and Magnetism* van James Clerk Maxwell verschijnt. →

- Het boek *Staat en Anarchie* van M. Bakoenin verschijnt. →

- Herbert Spencers *Principles of Sociology*, onderdeel van zijn *Synthetic Philosophy*, verschijnt.

- In Nederlands-Indië begint de Atjeh-oorlog.

- *Une Saison en Enfer* van Arthur Rimbaud verschijnt. →

- Nikolaj Rimski-Korssakov componeert de opera *Ivan de Verschrikkelijke*.

Gestorven:

**18 april.** Justus Liebig (12-5-1803), Duits scheikundige →
**1 mei.** David Livingstone (19-3-1813), Brits zendeling en ontdekkingsreiziger →

*De Remington-schrijfmachine.*

# Schrijfmachine in produktie

ILION, NEW YORK, september - De Amerikaanse wapenfabriek Remington and Sons heeft deze maand de eerste bruikbare schrijfmachine in produktie genomen. De fabriek gaat wegens gebrek aan wapenopdrachten schrijfmachines produceren.

De Remington-schrijfmachine is een uitvinding van Christopher Latham Sholes, een drukker en journalist uit Wisconsin. Sholes, die de rechten voor zijn uitvinding voor twaalfduizend dollar verkocht, bouwde het eerste model in 1868. Sindsdien heeft het apparaat grote wijzigingen ondergaan. De Remington is de eerste praktische schrijfmachine die sneller schrijft dan een pen. De letters zijn allemaal van dezelfde grootte en men kan het geschrevene niet direct zien.

Schrijfmachines bestaan al langer dan vandaag. Het eerste patent voor een 'kunstmatig apparaat dat zo netjes en exact kan schrijven dat het niet te onderscheiden is van gedrukte letters' stamt uit 1714. Erg praktisch waren deze oude modellen overigens niet. Men schreef er veel langzamer mee dan met de hand en ze waren groot en zwaar. Sommige hadden zelfs de vorm en omvang van een piano.

*De op 18 april overleden Duitse chemicus Justus von Liebig in zijn laboratorium in München. Op veel gebieden van de chemie heeft Liebig fundamenteel werk gedaan. Hij is er onder andere in geslaagd mengsels van minerale zouten samen te stellen die als kunstmest kunnen dienen.*

# Spanje republiek na aftreden Amadeus I

MADRID, 11 februari - Amadeus I, sinds 1870 koning van Spanje, is afgetreden. Omringd door politiek factionalisme, geconfronteerd met een opstand van de Carlisten, voortdurend verzet in Cuba en gedwarsboomd door de ongehoorzaamheid van het leger, heeft hij uiteindelijk dit besluit genomen. Spanje is voor het eerst een republiek geworden.

Na de val van koningin Isabella in 1868, kostte het veel moeite een troonopvolger te vinden. Bovendien konden de republikeinen op steeds meer steun rekenen. De twee belangrijkste kandidaten voor de vacante troon waren prins Leopold von Hohenzollern, een neef van de koning van Pruisen en Amadeus von Savoye, hertog van Aosta. Leopold van Hohenzollern had uiteindelijk informeel toegestemd het Spaanse koningschap te aanvaarden, toen Frankrijk hier een stokje voor stak uit angst voor een Duitse koning in Spanje. Dit incident versnelde het uitbreken van de Frans-Pruisische oorlog (1870).

De liberale Italiaanse hertog was volgens eerste minister Juan Prim het beste alternatief. Ondanks sterke oppositie werd Amadeus van Aosta in oktober 1870 tot koning gekozen. Drie

*Portret van een gegoede Spaanse familie.*

maanden later deed hij zijn intrede in Spanje en zwoer de eed op de constitutie van 1869. Hoewel Amadeus gesteund werd door de voormalige progressieven, de unionisten en de monarchistische democraten, heeft hij zich niet kunnen handhaven. De oppositie van republikeinen, Carlisten, gematigde liberalen en Alfonsisten (aanhangers van Alfonso, de zoon van Isabella) is te sterk gebleken.

De reacties van de buitenwereld op de nieuwe republiek zijn uiterst negatief. Alleen de Verenigde Staten en Zwitserland zullen waarschijnlijk het nieuwe regime erkennen.

*Frans Jozef I en Wilhelm I (rechts).*

## Driekeizerverbond op initiatief van Bismarck

BERLIJN, 22 oktober - Op initiatief van Bismarck hebben het Duitse Rijk, Rusland en Oostenrijk-Hongarije vandaag in Berlijn overeenstemming bereikt over een verbond van wederzijdse militaire bijstand.

Na een samenkomst van de drie keizers op 11 september vorig jaar - Frans Jozef, Wilhelm en Alexander - heeft Rusland geprobeerd Bismarck te bewegen tot een definitieve militaire alliantie, maar Bismarck was daar alleen toe bereid wanneer ook Oostenrijk-Hongarije van de partij was. De Donaumonarchie gaf echter de voorkeur aan een vagere overeenkomst, waarbij de deelnemers beloofden geen bondgenootschappen met anderen te sluiten en ingeval van Europese conflicten zich met elkaar te zullen verstaan. Deze zomer kwam daarop in die bewoordingen een Russisch-Oostenrijks verdrag tot stand, waarbij Duitsland zich nu heeft aangesloten. Het kwam voor Bismarck goed uit dat de heersers van Rusland en Oostenrijk-Hongarije ook hechten aan goede betrekkingen tussen de drie mogendheden. Ondanks de nederlaag van Oostenrijk in de oorlog van 1866, had keizer Frans Jozef niet veel moeilijkheden met de *rapprochement* van Bismarck; Bismarck heeft de Habsburger in de Vrede van Praag met mededogen behandeld en de Oostenrijkse keizer aanvaardt Bismarcks verzekeringen dat de IJzeren Kanselier geen plannen heeft de Duitse provincies van Oostenrijk-Hongarije te annexeren.

Twee jaar geleden heeft Frans Jozef graaf Gyula Andrássy, die als pro-Pruisisch bekendstaat, benoemd tot minister van Buitenlandse Zaken van de Dubbelmonarchie. Deze benoeming viel bij Bismarck in goede aarde en had ook de instemming van vorst Alexander Michailovitsj Gortsjakov, minister van Buitenlandse Zaken en kanselier van Rusland, die Andrássy graag mag. Gortsjakov erkent bovendien de legitieme belangen van Oostenrijk op de Balkan. Het was dan ook de bereidheid van Gortsjakov de rivaliserende aanspraken van Oostenrijk en Rusland op de Balkan met elkaar te verzoenen, die het Driekeizerverbond mogelijk heeft gemaakt.

# MacMahon nieuwe president in Frankrijk

*Het voltallige Franse kabinet onder leiding van president MacMahon in zitting bijeen.*

PARIJS, 24 mei - Adolphe Thiers heeft het niet lang uitgehouden in de voor hem opnieuw geschapen functie van president van Frankrijk. Vandaag is graaf de MacMahon hem als president opgevolgd.

Thiers heeft, in de korte tijd dat hij op het Elysée vertoefde, de financiën van Frankrijk gesaneerd en, dank zij de invoering van de algemene dienstplicht, een leger van de grond gekregen. De oorlogsschuld aan Pruisen is afbetaald. Aan de Duitse bezetting van Frankrijk zal dan ook half september een eind komen.

Als dank voor zijn inspanningen moest Thiers aftreden. Het in meerderheid monarchistische parlement hoopt dat maarschalk Patrice MacMahon de terugkeer naar het koningschap zal bewerkstelligen.

MacMahon is gouverneur-generaal in Algerije geweest. Tijdens de oorlog tegen Pruisen werd hij bij Sedan krijgsgevangen gemaakt. Later leidde hij het leger dat de Parijse Commune versloeg.

Behalve om zijn wapenfeiten is MacMahon vooral bekend om zijn uitspraken. 'Wat een water!' luidde zijn commentaar na een grote overstromingsramp. Bij een bezoek aan tyfus-patiënten merkte hij op: 'Het is een vreselijke ziekte. Ik heb het gehad. Men gaat eraan dood, of men wordt er idioot van.'

# Vijfde Wereldtentoonstelling van start

*De indrukwekkende 'Rotunde' bepaalt het gezicht van de Vijfde Wereldtentoonstelling in het Prater in Wenen.*

*De Schotse wis- en natuurkundige James Clerk Maxwell, van wie dit jaar 'Electricity and Magnetism' is verschenen. Hierin geeft hij de opvattingen van Faraday hun wiskundige vorm. Ook formuleert hij in het boek enkele basisvergelijkingen met behulp waarvan elk elektromagnetisch veld beschreven kan worden. Maxwell is sinds twee jaar hoogleraar in Cambridge. In 1859 behaalde hij de Adamsprijs met een studie over de 'krachtlijnen van Faraday'.*

WENEN, 1 mei - Keizer Frans Jozef van Oostenrijk heeft in het Weense Prater de vijfde wereldtentoonstelling geopend, de eerste die in het Duitstalige gebied wordt gehouden. Veertig landen, waaronder voor de eerste maal ook Japan, nemen eraan deel. Qua omvang overtreft deze wereldtentoonstelling alle voorafgaande. Het tentoonstellingsterrein wordt gedomineerd door de Rotunde, een gigantische cirkelvormige expositieruimte van ijzer en glas, die vanwege zijn vorm in de Weense volksmond 'Guglhupf' heet.

De invitatie die Oostenrijk aan de gehele wereld heeft doen uitgaan om zich in Wenen te laten zien, representeert de toegenomen economische welvaart en het herstelde zelfbewustzijn van Oostenrijk. De economische groei is in 1867 ingezet door het zogenaamde 'oogstwonder'. De Oostenrijkse regering liet veel papiergeld drukken om de Duitse en Italiaanse oorlogen te kunnen financieren. De gebruikelijke nadelige gevolgen van zo'n inflatoire politiek bleven echter uit omdat, ten gevolge van misoogsten elders in Europa, de Oostenrijkse schatkist weer gespekt werd door de inkomsten uit de graanexport. Deze periode van hoogconjunctuur stimuleerde de industriële sector en het bank- en vervoerswezen. De wereldtentoonstelling heeft niet alleen tot doel producenten en afnemers nader tot elkaar te brengen. Ze biedt de Oostenrijkse monarchie - en de Weense bourgeoisie - ook de unieke gelegenheid de resultaten van de wederopbouw van rijk en residentie aan de wereld te tonen. Het gezichtsverlies dat twee verloren oorlogen hebben opgeleverd, kan worden goedgemaakt met dit prestigeproject, dat samenvalt met het 25-jarige regeringsjubileum van keizer Frans Jozef en de voltooiing van de Ringstrasse, de spectaculaire Weense stadsuitbreiding.

De wereldtentoonstelling heeft ook politieke betekenis voor Oostenrijk, want de expositie wordt bezocht door vele Europese vorsten, die door keizer Frans Jozef persoonlijk worden rondgeleid. Door het bezoek van keizer Wilhelm en Bismarck komt Oostenrijk met Duitsland op vertrouwelijker voet. Ook met tsaar Alexander II van Rusland en de Italiaanse koning Victor Emanuel II worden de banden nauwer aangehaald.

# Vlaamse rechtspraak ook in Nederlands

BRUSSEL, 26 augustus - *Het Belgisch Staatsblad* heeft vandaag de 'Wet op het gebruik van het Nederlands in het strafgerecht in Vlaanderen' gepubliceerd. De wet, die gedateerd staat op 17 augustus, zal op grond van artikel 13 pas over een jaar van kracht worden. Vanaf dat tijdstip zal het mogelijk zijn dat verdachte Vlamingen in hun moedertaal zullen worden berecht wanneer zij het Frans niet machtig zijn. Ruim anderhalf jaar geleden diende Edward Coremans samen met zeventien andere katholieke Kamerleden een wetsvoorstel in, waarin gesteld werd dat wanneer bij rechtszaken de beschuldigde Vlaming de Franse taal niet voldoende beheerst, Nederlands als voertaal zou moeten worden gebruikt. Het voorstel werd in behandeling genomen en eind vorige maand aanvaardde de Kamer met 92 tegen 3 stemmen bij 2 onthoudingen, het uit 13 artikelen bestaande, en op enkele onderdelen gewijzigde, wetsvoorstel. Begin augustus keurde de Senaat het voorstel unaniem goed.

In Vlaamse kringen overheerst de tevredenheid over de nieuwe wet, hoewel men niet erg gelukkig is met het feit dat zij niet van toepassing is op de Beroepshoven van Brussel en Luik en het Assisenhof van Brabant, waar ook Vlaamse beschuldigden moeten terechtstaan. De totstandkoming van de wet is bespoedigd door een aantal incidenten die met name in Vlaanderen grote commotie veroorzaakt hebben. Vooral de affaire Coucke-Goethals heeft de pro-

*'De Rode Rechter' (door James Ensor) naar de affaire Coucke-Goethals.*

blemen van een Franstalige rechtspraak voor Vlamingen pijnlijk duidelijk gemaakt. De twee Vlamingen werden in 1860 na een in het Frans gevoerde strafprocedure schuldig bevonden aan medeplichtigheid bij een roofmoord. Een jaar na hun onthoofding is ernstige twijfel gerezen aan hun schuld. Duidelijk is geworden dat zij geen lid waren van de inmiddels opgerolde 'Zwarte Bende', maar door de bende vermoedelijk zijn misbruikt om het gerecht te misleiden.

De 'Zwarte Bende' bestond uitsluitend uit Walen. Er wordt zelfs aan alle kanten het vermoeden uitgesproken dat Coucke en Goethals volkomen onschuldig waren. Zij zouden geen Frans gesproken hebben en daardoor het slachtoffer geworden zijn van een onverstaanbare rechtsprocedure. In hoeverre deze geruchten juist zijn valt moeilijk na te gaan. Wel heeft de zaak zoveel stof doen opwaaien dat de billijkheid van berechting in de moedertaal steeds meer geaccepteerd wordt

# Beurs in Wall Street voorlopig gesloten

*Armoede en rijkdom liggen in New York dicht bij elkaar: boven een sloppenwijk, onder het Waldorf-hotel.*

*Grant tijdens de Burgeroorlog.*

## Ulysses Grant opnieuw president

WASHINGTON, 4 maart - 'Hij heeft het regeringsapparaat gebruikt als een instrument voor corruptie en persoonlijke beïnvloeding en zich met een tirannieke arrogantie gemengd in de politieke aangelegenheden van staten en gemeenten.' Krasse woorden die de Liberaal-Republikeinen vorig jaar in de inleiding van hun verkiezingsprogramma hebben gebezigd. Maar het heeft ze niet kunnen baten: Ulysses Grant is vandaag voor de tweede maal beëdigd als president van de Verenigde Staten. Zijn tegenstander, Horace Greeley, de Liberaal-Republikein die ook de steun had van de Democraten, heeft bij de verkiezingen van eind vorig jaar geen schijn van kans gehad.

Dat Grant herkozen is kan niet worden toegeschreven aan zijn effectiviteit als president: zijn bewind van de afgelopen vier jaar is vooral gekenmerkt geweest door een vloedgolf van schandalen ('Grantism' is inmiddels een synoniem geworden voor corruptie). Tijdens de campagne werd bijvoorbeeld bekend dat vice-presidentskandidaat Schuyler Colfax en leden van het Congres voor een 'vriendenprijs' aandelen hebben aangenomen van Crédit Mobilier, die op deze manier heeft geprobeerd een federaal onderzoek naar corruptie bij de aanleg van de Union Pacific Railroad, die door dit bedrijf is gebouwd, te voorkomen. Maar de algemene overtuiging dat Grant persoonlijk niet betrokken is geweest bij de schandalen en zijn prestige als held van de Burgeroorlog, hebben de Republikeinen voor een nederlaag behoed.

NEW YORK, 20 september - Twee dagen na het ineenstorten van het bankiershuis Jay Cooke & Company heeft de beurs in Wall Street besloten voorlopig haar poorten te sluiten. Tegelijkertijd heeft de minister van Financiën Richardson de opdracht gegeven 26 miljoen dollarbiljetten (de zogenaamde greenbacks) extra in omloop te brengen in een poging de ontstane depressie het hoofd te bieden. Het failliet gaan van Jay Cooke heeft geleid tot een scherpe koersdaling op de effectenmarkt waardoor honderden bedrijven eveneens failliet zijn gegaan. De crisis is veroorzaakt door het ongebreidelde speculeren in de aanleg van spoorwegen en te grote investeringen in industrie en landbouw.

De ontwikkelingen in de financiële wereld zijn dit jaar in Amerika buitengewoon onrustig geweest. Op 12 februari werd in een poging de inflatie terug te dringen de Fourth Coinage Act aangenomen. Deze wet, ontworpen door het hoofd van de rekenkamer John Jay Knox, bepaalde onder meer dat het slaan van de zilveren dollar moest worden stopgezet. Het bimetallieke stelsel werd opgeheven. Zilver werd uit het muntstelsel verbannen. Alleen goud is nu de standaard voor de dollar. Dit heeft tot grote controverses geleid. Tegenstanders van de Fourth Coinage Act noemen het demonetiseren van zilver 'misdadig' en zien het als een 'samenzwering van de goudlobby en de

schuldeisersklasse tegen het volk'. Voor grote opschudding zorgde dit jaar ook de 'Salary Grab'. Door een op 3 maart aangenomen wet is het inkomen van de president maar liefst verdubbeld tot 50 000 dollar per jaar en

kregen overheidsambtenaren, onder wie de leden van het Congres, eveneens vorstelijke salarisverhogingen. Volgens het publiek eens te meer een bewijs dat er in Washington 'zakkenvullers' huizen.

# Drastische koersdaling op Berlijnse beurs

BERLIJN, 25 oktober - Gedurende de hele maand oktober hebben de koersen op de Berlijnse beurs een dramatische daling te zien gegeven. Veel ingewijden hebben deze crisis al lang zien aankomen aangezien in de loop van dit jaar steeds meer bedrijven die op de beurs genoteerd stonden, in betalingsmoeilijkheden kwamen.

De belangrijkste oorzaak van de daling is de snelle economische achteruitgang in vele Europese landen en in de Verenigde Staten. In de afgelopen twee decennia zijn de markten voor industriële en landbouwprodukten steeds meer met elkaar verbonden geraakt. Op de wereldmarkt hebben zich de laatste tijd belangrijke schommelingen voorgedaan waardoor de prijzen snel zijn gedaald. Een voorbeeld: door het ineenzakken van de graanprijs in het Midden-Westen van de Verenigde Staten zijn Pruisische graanhandelaren in grote betalingsmoeilijkheden gekomen.

De snelle economische groei na de

*Grote consternatie op de Berlijnse beurs bij het vernemen van de lage notering.*

stichting van het keizerrijk in 1870 bleek vooral een groei op krediet te zijn. In een periode van grote verwachtingen groeide het aantal bedrijven dat zich op de beurs liet noteren explosief. In 1871 waren er 207 naamloze vennootschappen met een totale waarde aan kapitaal van 759 miljoen mark en

vorig jaar was dat bedrag al gestegen tot 1478 miljoen mark voor 479 bedrijven. Hiervan bleek slechts vijftig procent werkelijk betaald te zijn.

Het ongetemperde optimisme over het succes van 'big business' werd onder andere veroorzaakt door de fantastische liquiditeitspositie van het Duitse

Rijk. Vier miljard mark plus rente wegens oorlogsherstelbetalingen had men van Frankrijk ontvangen. Tot ieders verbazing hadden de Fransen het hele bedrag ineens via de Rothschild-bank overgemaakt naar de bankier van de Duitse regering, Bleichröder en Hansemann. Veel van dat geld wordt momenteel door de rijksregering besteed aan de ambitieuze plannen van baron Bethel Strousberg om spoorlijnen in Duitsland en Centraal-Europa aan te leggen. Na een vurige redevoering van de Rijksdagafgevaardigde Eduard Lasker op 7 februari dit jaar waarin hij de omvangrijke speculatie aan de kaak stelde en opkwam voor de kleine belegger, begonnen veel mensen koortsachtig te verkopen waardoor de aandelenmarkt totaal in elkaar stortte. Schuldigen voor deze ernstige crisis heeft men reeds gevonden. Onscrupuleuze liberale kapitalisten en joodse bankiers en ondernemers zijn in de publieke opinie verantwoordelijk gesteld voor de ontstane ellende.

## Livingstone in Afrika overleden

*Tijdens zijn tweede reis ontsnapt Livingstone ternauwernood aan een leeuw.*

CHITAMBO, mei - De befaamde zendeling en ontdekkingsreiziger David Livingstone is vlak bij het door hem ontdekte Bangweulumeer overleden. Livingstone is tot de laatste dagen voor

zijn dood, in een vergeefse poging de bronnen van de Nijl te vinden, bezig gebleven de bevindingen tijdens zijn speurtocht zorgvuldig in kaart te brengen. Zijn hart is ter plaatse begraven.

*Paul Verlaine en Arthur Rimbaud (rechts). Van Rimbaud is dit jaar zijn prozagedicht 'Une Saison en Enfer' verschenen, waarin de jonge dichter een wrange analyse geeft van zijn verhouding met Verlaine.*

*Uit de tijd van het Risorgimento: 'Viva Verdi' aan de muur.*

## Giuseppe Verdi componeert 'Requiem'

BUSSETO - Geïnspireerd door de dood op 22 mei van Alessandro Manzoni, de Italiaanse dichter en romancier, de auteur van de historische roman *I promessi sposi*, heeft Giuseppe Verdi te zijner ere een groots Requiem gecomponeerd. Ditzelfde jaar heeft hij, op zijn buiten in Busseto wachtend op de produktie van zijn opera *Aida* in Napels, een strijkkwartet geschreven, het enige instrumentale werk van zijn rijpere jaren. De 60-jarige Giuseppe Verdi heeft vooral een enorme reputatie verworven met zijn opera's, waarvan de laatste, *Aida*, geschreven in opdracht van de khedive ter gelegenheid

van de opening van het Suezkanaal twee jaar geleden in Caïro in première is gegaan. Verder schreef hij onder andere *Rigoletto* (1851), *Il Trovatore* (1853) en *La Traviata* (1853).

Door zijn opera's met een verkapt politieke strekking werd de componist uitzonderlijk populair bij de voorstanders van het Risorgimento. Hun strijdkreet, 'Evviva Verdi', verborg de leus 'Vittorio Emanuele, Re d'Italia'.

Tweemaal heeft Giacomo Meyerbeer de grote man van de Opera van Parijs Verdi een opdracht verstrekt voor het schrijven van een opera: *Les vêpres siciliennes* (1855) en *Don Carlos* (1867).

# Britten interveniëren in sultanaat Perak

*Sultan Abdullah, geflankeerd door de stamhoofden van Perak.*

PANGKOR, 20 januari - De nieuwe Britse gouverneur van de Straits Settlements Sir Andrew Clarke is er tijdens een conferentie in Pangkor in geslaagd een einde te maken aan de onrust in het sultanaat Perak. Raja Abdullah is aangewezen als sultan, zijn tegenstander Ismaïl krijgt de titel raja muda en een pensioen, terwijl de speciale positie van de invloedrijke mentri van Larut erkend wordt. De elkaar bestrijdende Chinese facties hebben erin toegestemd hun wapens neer te leggen; een gemengde commissie zal de diverse claims op de tinmijnen onderzoeken. De nieuwe sultan krijgt een Britse resident naast zich, die weliswaar geen uitvoerende taak krijgt, maar in alles, behalve de Maleise tradities en godsdienst, om advies gevraagd zal moeten worden.

De interventie van Clarke betekent een breuk met de tot nu toe door de Britten gevoerde non-interventiepolitiek met betrekking tot het Maleise schiereiland. Men wilde territoriale verplichtingen (onkosten) vermijden en concentreerde zich op Singapore en Penang. In deze handelsnederzettingen drongen de Britse ondernemers steeds nadrukkelijker aan op een ingrijpen in de sultanaten Perak en Selangor, waar hun investeringen in de tinmijnen gevaar liepen door de politieke chaos.

Rond 1850 werden er in Perak en Selangor nieuwe tinvelden gevonden, waarvan de ontginning ter hand werd genomen door uit Singapore aangetrokken Chinezen. Na 1860 steeg de vraag naar tin enorm, vooral door de gewoonte voedsel in te blikken (voor het eerst op grote schaal toegepast in de Amerikaanse Burgeroorlog, 1861-1865). In de tinmijnen ontstond een koortsachtige activiteit en duizenden Chinese koelies stroomden toe in de hoop snel rijk te worden. Binnen deze snelgroeiende gemeenschap ontstonden tussen de aanhangers van twee geheime genootschappen, de Hai San (Hakka's en Hokkien) en Zhee Hin (Kantonezen), al spoedig conflicten over het beheer van de mijnen.

In beide sultanaten was het gezag van de vorst gering. De districtshoofden inden de belastingen, opereerden zelfstandig en betwistten elkaar voortdurend de hegemonie. Hun onderlinge strijd en die tussen de Chinese facties kwamen samen te vallen. In Selangor kwam vorig jaar een einde aan zes jaar twisten door een overwinning van Yab Ahluoy, de leider van de Hai San, die de Zhee Hin-aanhangers uit de tinvelden van Kuala Lumpur verjoeg.

In Perak wordt de tin gevonden in Larut, waar de Hai San hun tegenstanders ook wisten te verdrijven. Ze kregen daarbij de steun van het plaatselijke hoofd mentri Ngah Ibrahim, die door zijn inkomsten uit de tinmijnen de machtigste man in het sultanaat is geworden. Perak kent een hoogst ingewikkeld troonopvolgingssysteem, waardoor er bij de dood van sultan Ali in 1871 drie pretendenten aanspraak op de sultanstitel maakten: de door de mentri, Hai San en de bovenlandse hoofden gesteunde Ismaïl, Abdullah met achter hem de Zhee Hin en de kusthoofden en de door niemand serieus genomen Yusof. Een burgeroorlog dreigde maar werd voorkomen door bemiddeling van Clarke, die daarbij zijn instructie, het herstellen van de rust op het schiereiland zonder directe verantwoordelijkheden op zich te nemen, wel erg ruim heeft geïnterpreteerd.

*Confrontatie tussen Britse troepen en inlanders tijdens de oorlog in Perak.*

# Nederlands leger bezet Kraton van Atjeh

*Officieren van het Derde Bataljon voor de stukgeschoten muur van de Kraton van Atjeh, het paleis van de sultan.*

BANDA ATJEH, 24 januari - De Kraton van Atjeh is gevallen, 47 dagen nadat Nederlandse troepen onder bevel van generaal Van Swieten voet aan wal zetten op de moerassige kust van Noord-Sumatra. Het door cholera en de te vroeg ingevallen moesson geplaagde leger wist zich met moeite een weg te vechten naar het totaal vervallen paleis van de sultan, dat ontruimd bleek te zijn. Het is de tweede keer binnen een jaar dat daar gevochten wordt. In maart vorig jaar was al een 3000 man sterke, maar slecht voorbereide expeditie uitgezonden.

Met veel inspanning wist men toen de moskee te veroveren, waarbij de bevelhebber generaal Köhler om het leven kwam. Toen het verzet van de Atjehers onverwacht sterk bleek en ook de moesson scheen in te vallen, werd besloten tot een [smadelijke] terugtocht, die in Batavia grote consternatie en heftig gekrakeel over de schuldvraag tot gevolg had. Men liet uit Nederland de bejaarde generaal Van Swieten overkomen en rustte een sterker, 8000 man tellend leger uit.

Sinds het midden van de eeuw is Nederland bezig zijn macht te vestigen in die delen van de Indische archipel die tot dan alleen nominaal onder zijn gezag stonden. Op Sumatra begon men vanuit het zuiden; eerst werden de Lampongs onderworpen, vervolgens de Minangkabau, Bataklanden, Bengkulu en ten slotte Siak, dat zich in 1858 onder Nederlandse soevereiniteit stelde. Het Westsumatraanse staatje rekende ook de noordelijker districten Langkat, Serdang en Deli tot zijn bezit, alhoewel ze van oudsher onder Atjeh vielen. Het sultanaat en ook de Britten protesteerden heftig tegen de Nederlandse expansie.

Bij het Traktaat van Londen van 1824 hadden Nederland en Engeland Atjeh's onafhankelijkheid gegarandeerd, maar Nederland zou er wel op moeten toezien dat het sultanaat zich onthield van piraterij. Het in de 16de eeuw zo machtige Atjeh was vervallen, de peperproduktie was nog steeds belangrijk, maar het gezag van de sultans stelde niet veel voor. De macht was in handen van 'peper-raja's', de vrijwel zelfstandig opererende hulubalangs, die een groot deel van hun inkomsten uit de piraterij verkregen.

De situatie werd urgent in 1869, toen door de opening van het Suezkanaal de internationale handelsroute langs Sumatra's noordpunt kwam te lopen. Toenemende piraterij zorgde voor internationale druk op Nederland om actie te ondernemen. Nederland zelf wilde wel, ook al om de toenemende tabaksbelangen in Deli te beschermen, maar was gebonden aan het verdrag van 1824. In 1871 voerde het onderhandelingen met Engeland dat, met het oog op een mogelijke Franse of Duitse interventie, toegaf en in ruil voor de laatste Hollandse bezittingen op Afrika's Goudkust Nederland de vrije hand in Atjeh gaf.

Aanvankelijk werd gepoogd door te onderhandelen Atjeh tot erkenning van de Nederlandse soevereiniteit te bewegen. De fiere en streng islamitische Atjehers dachten er echter niet over zich onder de kafirs (ongelovigen) te schikken. In januari vorig jaar bezochten twee afgevaardigden van de sultan, op de terugweg van onderhandelingen op Riau, in Singapore de Italiaanse en de Amerikaanse consul. Deze laatste, Studer, zou steun toegezegd hebben, wat leidde tot een pinnig briefwisseling met Washington en het besluit Atjeh binnen te vallen: op 26 maart verklaarde gouverneur-generaal Loudon het sultanaat de oorlog; bijna een jaar later is deze eindelijk beëindigd.

# 'Die Fledermaus' van Strauss in première

*Scène uit 'Die Fledermaus' tijdens de opvoering in het Theater an der Wien. Rechts de componist Johann Strauss.*

WENEN, 5 april - In het Theater an der Wien is een 'komische operette' van 'Walzerkönig' Johann Strauss jr, *Die Fledermaus*, in première gegaan. De operette is door het publiek met geestdrift ontvangen en ook de critici laten zich positief over het stuk uit. Strauss heeft zijn operette in het najaar en de winter geschreven in zijn villa in de Weense Hetzendorfferstrasse.

Een maand geleden heeft hij het stuk voorgelegd aan de censuur. Gezien de beroemdheid van de 'koning van de wals' werden de veranderingsvoorstellen mondeling aan de componist voorgelegd; de voorstellen hadden betrekking op enkele politiek uit te leggen passages en wat pikante scenes. Strauss heeft het stuk dienovereenkomstig aangepast.

*Die Fledermaus* is de derde operette die Johann Strauss geschreven heeft. Zijn eerste, *Indigo*, dateert van drie jaar geleden; vorig jaar is zijn *De Karnaval in Rom* in première gegaan. De componist heeft in de loop der jaren vooral naam gemaakt met zijn tientallen walsen, die hij door melodiek en ritmiek van gebruiksmuziek tot concertstuk wist te verheffen.

*Symboliek van het Engels kolonialisme: 'Koningin Victoria schenkt een bijbel'.*

# Ashanti-oorlog voorbij

WEST-AFRIKA, 4 februari - Engelse troepen onder aanvoering van Sir Garnet Wolseley hebben de Ashanti-hoofdstad Kumasi bezet. Daarmee is een einde gekomen aan de Tweede Ashanti-oorlog. Het eerste gewapende conflict tussen de Engelsen en het machtige Afrikaanse koninkrijk duurde van 1824 tot 1827. Toen was een belangrijke oorzaak het Britse verbod op de slavenhandel van 1807. Ondanks de Britse pogingen om de Ashanti te stimuleren van de handel in slaven over te schakelen op die van produkten als aardnoten, cacao en palmolie - zoals dat ook in het andere machtige West-Afrikaanse rijk Dahomey geschiedt -, verslechterde de verhouding tussen beide staten snel. Een reden dat zowel Ashanti als Dahomey overigens de vrije handel in deze produkten zoveel mogelijk aan banden probeert te leggen, is de vrees van de koningen voor een invloedrijke handelsklasse; beide koninkrijken gelden dan ook als 'staten zonder steden'.

De directe aanleiding voor de Tweede Ashanti-oorlog is de verkoop door Nederland van Elmina en enkele andere posten op de Goudkust aan Groot-Brittannië. Zulks ondanks protesten van de bewoners, die weinig ingenomen zijn met de komst van de nieuwe Britse heersers, de beschermers van hun traditionele vijanden van Fante. Ashanti, al vanouds hun bondgenoot, steunde hun protesten. De Engelsen, die zich in 1844 verbonden hadden met de kuststammen die zich door de Ashanti bedreigd voelden, braken vorig jaar het verzet in Elmina en maakten zich op voor de nu voltooide expeditie tegen de Ashanti.

Het Ashanti-rijk heeft zich sinds het einde van de 17de eeuw weten te ontwikkelen van een traditioneel Afrikaans koninkrijk tot een meer gecentraliseerde staat. Zowel moslems als christenen werden in koninklijke dienst genomen. Bij deze oorlog tegen de Engelsen trainde een Duitser de Hausa-troepen en gaven een Fransman en een Amerikaan respectievelijk technisch en economisch advies.

Al voor de bloei van Ashanti was Elmina een belangrijke handelspost van de Europeanen. In 1482 bouwden de Portugezen het grote fort Sint George in Elmina, waaruit ze in 1637 door de Nederlanders verdreven werden. Die voerden een lucratieve handel in ivoor en pepers, maar vooral in slaven. Hun machtige handelspartner Ashanti leverde die slaven graag in ruil voor wapens en munitie. Na de ondergang van de West-Indische Compagnie ging Elmina over in handen van de staat. Maar die verloor, in beslag genomen door zijn expansiestreven op Sumatra, de belangstelling voor de Goudkust. Anders dan Frankrijk, dat elf jaar geleden het protectoraat Porto Novo op de kust van Dahomey verwierf, en Engeland, dat nu ernst lijkt te maken met de verovering van het Afrikaanse binnenland.

# Dienstplicht in Rusland

*Cadetten van een Russisch regiment in Krasnoe Selo (1902).*

ST.-PETERSBURG - Minister van Defensie Dimitri Miljoetin heeft een wet ontworpen die voorschrijft dat alle mannelijke Russen van twintig jaar voor de duur van zes jaar dienstplichtig zijn. Hiermee is het privilege uit de vorige eeuw, dat de adel vrijstelde van gedwongen dienst aan de staat, opgeheven. Personen die de zorg voor familieleden hebben krijgen vrijstelling. Voor degenen die onderwijs hebben genoten geldt een kortere periode. Universitair geschoolden bijvoorbeeld hoeven maar zes maanden in dienst. Voorts worden lijfstraffen in het leger afgeschaft.

Deze maatregelen betekenen een belangrijke democratisering en humanisering van dit instituut.

Tot nu gold de militaire dienstplicht slechts voor de lagere klassen, die er dan voor 25 jaar aan vastzaten. Soldaat worden betekende in feite voorgoed weggerukt worden van de geboorteplaats en overgeleverd zijn aan de willekeur van officieren. Het vertrek van een rekruut uit zijn geboorteplaats had dan ook veel weg van een begrafenisceremonie: de moeder en andere vrouwelijke verwanten weeklaagden als op een begrafenis.

Als een gewoon soldaat voor de krijgsraad moest verschijnen luidde het vonnis vaak 'spitsroeden lopen'. Dan stelden duizend man, gewapend met een riet, zich in twee rijen tegenover elkaar op. De veroordeelde werd een aantal keren tussen de twee rijen doorgesleept, waarbij iedere soldaat hem een slag toediende. Stierf hij tijdens de behandeling, dan werd het vonnis verder aan zijn lijk voltrokken.

# IJsland krijgt van Denen grondwet

REYKJAVIK, 5 juni - Na jaren van druk op de Deense regering uitoefenen is vandaag de lang uitgestelde grondwet voor IJsland afgekondigd. Het IJslandse parlement, het Alting, zal twee Kamers krijgen: het Lagerhuis zal 36 leden bevatten van wie er 30 zullen worden gekozen door de IJslandse belastingbetalers en zes worden aangewezen door de Deense kroon. Het Hogerhuis kent slechts twaalf leden, onder wie zes kroonleden. Het Alting krijgt alle wetgevende bevoegdheden, hoewel de Deense koning een vetorecht behoudt. De uitvoerende macht blijft berusten bij een gouverneur, die verantwoording aan de Deense regering schuldig is. Voor hoger beroep in rechtszaken zullen de IJslanders zich vooralsnog tot Kopenhagen moeten wenden. De grondwet bevat verder nog een aantal burgerlijke vrijheden, waaronder de vrijheid van godsdienst. Naar verluidt zijn de IJslanders nog niet geheel tevreden met deze grondwet en eisen ze meer autonomie.

IJsland heeft al een lange periode van vreemde overheersing achter de rug. Vanaf 874 werd het land vanuit Noorwegen gekoloniseerd. Zij noemden het gebied 'land van ijs'. In de 10de eeuw werd het eiland gekerstend. Het bestuur werd uitgeoefend door een vergadering van vrije mannen (het Alting). In 1262 werd het land door Noorwegen ingelijfd maar in 1380 kwamen Noorwegen en IJsland in Deense handen. De Denen voerden met harde hand het lutheranisme in. Toen in 1814 de Zweden Noorwegen overnamen, bleef IJs-land onder Deens bestuur.

De Denen stonden geleidelijk aan de IJslanders meer vrijheden toe. In 1834 kwamen twee IJslanders in het Deense parlement en in 1843 werd een raadgevende Alting ingesteld. Nadat de Denen in 1849 zelf een grondwet hadden gekregen steeg de druk uit IJsland. De toonaangevende krant *Northanfari* 'adviseerde' de IJslanders een nieuwe soeverein te zoeken of massaal te emigreren naar Amerika. Het Alting moest evenveel macht krijgen als het Noorse Storting. Het was uiteindelijk Jon Sigurdsson die met een gematigde petitie de conservatieve Deense koning en regering wist te overtuigen om in het jaar waarin de IJslanders hun duizendjarige kolonisatie herdenken een grondwet te proclameren.

# Kabinet-Disraeli beëdigd

*Benjamin Disraeli.*

LONDEN, 20 februari - Vandaag is een conservatief kabinet onder leiding van Benjamin Disraeli beëdigd. Hij volgt William Gladstone, leider van de liberalen, op. Men verwacht niet dat de kabinetswisseling veel consequenties zal hebben voor de binnenlandse politiek. De kiesrechthervormingen die de laatste jaren zijn doorgevoerd, schijnen zowel door conservatieven als liberalen ondersteund te worden. Zo diende een kabinet onder leiding van Disraeli de 'Second Reform Bill' in, die het kiezerskorps ongeveer verdubbelde (mei 1867), en bracht Gladstone het geheime kiesrecht tot stand (18 juli 1872). Veranderingen in de politieke lijn zijn dan ook vooral bij het buitenlandse beleid, waarvoor Gladstone minder belangstelling had, te verwachten.

Een belangrijk verschil in de buitenlandse politiek zal de houding ten aanzien van de koloniën zijn. Disraeli ontvouwde al tijdens de opening van het Crystal Palace (1 mei 1851) zijn visie op de plaats die de koloniën in het Britse rijk zouden moeten innemen. Hij wil de nogal losse band die nu met de koloniën bestaat en die vooral gebaseerd is op commerciële contacten, veranderen. Engeland zou zijn koloniën strakker moeten besturen, zodat zij ook een afzetmarkt en investeringsmogelijkheid voor het moederland bieden. En-

geland moet volgens hem een imperium opbouwen: dit zal het aanzien en de machtspositie van Engeland vergroten. Het is bekend dat hij op dit punt wordt gesteund door koningin Victoria, die met Disraeli een zeer goed contact heeft, terwijl ze Gladstone altijd heeft verafschuwd.

Het verstevigen van de greep op de koloniën komt na een periode van relatieve onverschilligheid ten aanzien van deze gebieden. Nog in de jaren vijftig geloofde men dat een land als India (net als Amerika) spoedig onafhankelijk zou worden. De drijfveren voor het stichten van een imperium, een streven waaraan de benaming 'imperialisme' is gegeven, zijn zowel economisch als politiek. Men verwacht dat het verkopen van artikelen en investeren in de koloniën zeer veel winsten zullen opleveren en een continue economische groei veilig zullen stellen. Ook het bezetten van economisch minder nuttige gebieden beschouwt Disraeli als gewenst. Het bezit van deze gebieden levert in ieder geval prestige op; bovendien is het gevaar niet denkbeeldig dat andere landen zoals Frankrijk deze gebieden veroveren. Ook zijn er nogal wat groepen die in de overzeese gebieden beschaving en het christelijk geloof willen verbreiden. Of de opbouw van een imperium op veel tegenstand van de plaatselijke bevolking zal stuiten is niet bekend. Men acht dit echter niet waarschijnlijk omdat het Engelse leger technisch zo superieur is dat de bewoners van de koloniën er weinig tegenin te brengen hebben. In het verleden was de beschieting van een havenstad vaak al voldoende om de plaatselijke machthebbers voor de Engelse wil te laten buigen.

Om al deze redenen lijkt het stichten van een Brits wereldrijk Disraeli gewenst. Hij voegde hier nog aan toe dat de extra inkomsten die dit kan opleveren ook op de levensstandaard van de arbeidende klasse een gunstige invloed zullen hebben.

*De industriehaven van Londen (door William Lionel Wyllies, 1883).*

*Op 13 juli wordt er opnieuw een aanslag op het leven van de Duitse regeringsleider Otto von Bismarck gepleegd. Tijdens een rijtoer wordt de rijkskanselier met een pistool beschoten door de kuipersgezel Eduard Franz Ludwig Kullmann. De kogels missen echter hun doel. De dader verklaart gehandeld te hebben uit woede over Bismarcks maatregelen tegen de Duitse katholieke Kerk.*

# Arbeidersverenigingen Oostenrijk één

NEUDÖRFL, 5-6 april - In het Oostenrijks-Hongaarse grensplaatsje Neudörfl hebben 74 afgevaardigden van Oostenrijkse arbeidersverenigingen de 'Sozialdemokratische Partei Oesterreichs' opgericht. De oprichtingsvergadering vond plaats in het kleine dorp Neudörfl, omdat deze van de politie niet in Baden, de oorspronkelijke plaats van samenkomst, mocht worden gehouden.

De preambule van het 'Neudörfler Programm', dat geïnspireerd is door het 'Eisenacher Programm' van de Duitse sociaal-democraten, luidt: 'Die Oesterreichische Arbeiterpartei erstrebt im Anschluss aller Länder die Befreiung des arbeitenden Volkes von der Lohnarbeit und der Klassenherrschaft durch Abschaffung der modernen privatkapitalistischen Produktionsweise.'

Om haar beginselen te verwezenlijken eist de partij: 1. Algemeen, direct kiesrecht voor alle staatsburgers van 20 jaar en ouder. 2. Vrijheid van drukpers, vereniging en vergadering. 3. Scheiding van Kerk en staat en scheiding van Kerk en school. 4. Verplicht en gratis onderwijs. 5. Oprichting van een volksleger. 6. Onafhankelijke, door het volk gekozen rechters. 7. Invoering van een normale werkdag en beperking van vrouwen- en kinderarbeid. 8. Afschaffing van alle indirecte belastingen. 9. Financiële ondersteuning van vakbonden en arbeidersverenigingen door de staat.

Het was de beurscrisis van 9 mei vorig jaar, die de Oostenrijkse arbeidersverenigingen tot samenwerking aanspoorde. De plotselinge daling van de beursnoteringen die toen inzette, veroorzaakte werkloosheid op grote schaal. Vóór deze 'zwarte vrijdag' heerste er ernstige verdeeldheid onder de Oostenrijkse arbeiders over twee principiële vragen. Moesten de arbei-

ders zich bij de liberalen aansluiten? En: moest de nieuwe partij een centralistisch of een federalistisch karakter krijgen? Het centralisme werd nagestreefd door de Weense arbeiders, verenigd rond het orgaan *Die Volkswille*, terwijl de provinciale werkliedenverenigingen een federalistische organisatievorm eisten. Het eerste discussiepunt werd gewonnen door de radicalen, die 'eine eigene Partei der Arbeiterklasse' voorstonden, die gericht moest zijn op een revolutionaire verandering van de samenleving. Als antwoord op de tweede kwestie, het netelige nationaliteitenvraagstuk, werd in het 'Neudörfler Programm' de abstracte formulering van het 'zelfbeschikkingsrecht van alle volkeren' afdoende geacht.

*'Proserpina', een schilderij dat de Engelse schilder-dichter Dante Gabriel Rossetti dit jaar voltooid heeft (Tate Gallery, Londen). Janey Morris heeft voor dit schilderij model gestaan.*

**12 januari.** De Zong (Guang Siu) volgt de overleden Mu Zong op als keizer van China.

**21 januari.** In Frankrijk wordt de Grondwet van de Derde Republiek aangenomen, waarin de positie van de president zeer aan invloed wint.

**3 maart.** In Parijs gaat de opera *Carmen* van Georges Bizet in première. →

**6 mei.** Tijdens een bezoek aan Engeland spreekt de Franse minister van Buitenlandse Zaken de vrees uit dat Duitsland een oorlog tegen Frankrijk voorbereidt.

**7 mei.** Japan ruilt Zuid-Sachalin tegen 18 Koerilen Eilanden met Rusland.

**10 mei.** De onderzoekscommissie naar het Whiskey Ring-schandaal stelt 238 personen in staat van beschuldiging. →

**27 mei.** Het Gothaer-Programm voorziet in een fusie van de 'Sozialdemokratische Arbeiterpartei Deutschlands' en de 'Allgemeine Deutsche Arbeiterverein', welke samen de 'Sozialistische Arbeiterpartei Deutschlands' (de latere SPD) vormen.

**September.** Op Cuba, dat nog steeds door Spanje wordt bestuurd, breekt een opstand uit. Deze wordt nog dezelfde maand onderdrukt.

**17 november.** In New York wordt door Helena Petrovna Blavatsky en Henry Steel Olcott de Theosophische Beweging opgericht.

**25 november.** De khedive van Egypte is door schulden gedwongen 177 000 aandelen in het Suezkanaal te verkopen. →

**27 november.** Op Maleisië wordt de eerste resident van Perak vermoord. →

- In Olympia wordt de *Hermes* van de beroemde Griekse beeldhouwer Praxiteles teruggevonden.

- Adolph von Menzel begint met *Das Eisenwalzwerk*, een nieuw genre in de schilderkunst. →

- Wegens een te hoge staatsschuld besluit het Osmaanse Rijk zich bankroet te verklaren. →

- In Spanje worden de Carlisten definitief verslagen.

- Frans Liszt opent de Hongaarse Nationale Muziekacademie. →

- Mark Twain publiceert *The Adventures of Tom Sawyer*.

- Ljev Tolstoj voltooit de roman *Anna Karenina*.

- Kálmán Tisza wordt Hongaars minister-president.

*Illustratie bij de omstreden opera 'Carmen' van Georges Bizet.*

# 'Carmen' slecht ontvangen

PARIJS, 3 maart - Ondanks de uitstekende generale van gisteren is de première van de opera *Carmen*, op een libretto van Meilhac en Halévy en muziek van Georges Bizet, op een mislukking uitgelopen. De reacties van het publiek waren ronduit vijandig, hetgeen wellicht te wijten is aan het lichtzinnige, obscene verhaal van Prosper Mérimée, waaraan het libretto van *Carmen* is ontleend. Nooit tevoren zijn seksuele passie en jaloezie op een dergelijke wijze aan de orde gesteld.

*Carmen* is gebracht als een 'opéra comique', omdat de opera gesproken dialogen bevat. Voor een dergelijk gepassioneerd verhaal (de moord aan het slot!) doet de term 'comique' echter absurd aan. Eens te meer blijkt dat het verschil tussen opera en 'opéra comique' een zinloze terminologische kwestie is. Wel is evident dat Bizet zich in *Carmen* heeft willen afzetten tegen de heersende romantiserende opera-opvattingen en naar realisme neigt; in die zin zou *Carmen*, hoe slecht de opera nu in Parijs ook is ontvangen, wel eens een nieuw operatijdperk kunnen inluiden.

Bij de eerste repetities in augustus vorig jaar hadden zowel de orkestmusici als de koorzangers grote bezwaren tegen sommige volgens hen onuitvoerbare passages; met name de Spaanse ritmes leverden grote problemen op. Tijdens de uitvoering bleek men daar in ieder geval overheen te zijn gekomen, want de muziek klonk overtuigend. Het is jammer dat Bizets sprankelende muziek - bekend van *Les pêcheurs de perles* (De parelvissers, 1863) en de cyclus *Jeux d'enfants* (Kinderspelen) - zo te lijden heeft van magere libretto's. Zeker is in ieder geval dat de ontvangst van Bizets opera in lijnrecht contrast staat met de eremedaille van het 'Légion d'honneur', die hem ten deel gevallen is.

# President Grant andermaal in opspraak

WASHINGTON, 10 mei - De onderzoekscommissie die door de regering is ingesteld nadat er op 1 mei een artikel in de *St. Louis Democrat* over het Whiskey Ring-schandaal was verschenen, heeft 238 personen in staat van beschuldiging gesteld wegens oplichting van de staat. Onder de verdachten is de secretaris van president Grant, kolonel Orville E. Babcock.

Het Whiskey Ring-schandaal is begonnen in St. Louis. Hier heeft generaal John McDonald, plaatselijk hoofd opbrengsten belastingen en accijnzen, in samenwerking met grote whiskey-distilleerders de belasting voor vele miljoenen dollars opgelicht. In andere grote steden zijn deze praktijken nu ook geconstateerd.

Het is de zoveelste pijnlijke affaire voor Grant. McDonald is namelijk een oude vriend van de president die hem als hoofd van de fiscus had aangesteld. Uit het onderzoek naar de Crédit Mobilier-affaire, dat drie jaar geleden plaatsvond, kwam naar voren dat een groot aantal politici, onder wie twee vice-presidenten van Grant, met aandelen was omgekocht. De Crédit Mobilier bleek de staat voor miljoenen dollars overheidssubsidie, die aan de Union Pacific Railroad was verstrekt, te hebben opgelicht.

Zes jaar geleden konden de speculanten Jay Gould en Jim Fisk dank zij invloed op het goudbeleid van de regering via Grants zwager Abel Rathbone Corbin een enorme goudspeculatie op touw zetten. De manipulaties van Gould en Fisk leidden tot de beruchte 'Black Friday' op de beurs van Wall Street op 24 september 1869.

Maar het meest beruchte corruptieschandaal tijdens de regering-Grant is ongetwijfeld het Tweed Ring-schandaal, in 1871 aan het licht gebracht door de *New York Times*. William Marcy 'Boss' Tweed, baas van de politieke Tammany Hall-organisatie, plunderde door nep-huurcontracten, vervalste borgstellingen en opgevoerde rekeningen de stad New York voor ruim 100 miljoen dollar.

Hoewel dus enorme corruptiepraktijken aan het licht zijn gebracht die nauw verweven zijn met de regering-Grant, is de persoon van president Ulysses Simpson Grant boven elke verdenking verheven. Uit verschillende onderzoeken blijkt telkens dat Grant niet bij de frauduleuze handelingen betrokken is of is geweest. De corruptie wordt gepleegd door mensen uit zijn omgeving, de getrouwen of 'stalwarts'. 'Grant is een kleine man die regeert over gigantische gebeurtenissen. Hij is niet meer dan halfintelligent en weet niet meer dan de overbekende man in de straat,' aldus de onderzoekscommissie.

# Britse resident vermoord

*Raja Yusof.*

PERAK, 27 november - De moord op de eerste Britse resident in het Maleise sultanaat Perak J.W.W. Birch (2 november jongstleden), blijkt niet tot een algehele opstand geleid te hebben. De door de in paniek geraakte Britse gouverneur Sir William Jervois uit Hong Kong en India te hulp geroepen troepen ondervinden nauwelijks tegenstand en hebben de rust in korte tijd weten te herstellen. De moord vond plaats in opdracht van de vorig jaar door de Engelsen geïnstalleerde sultan Abdullah. Hij is afgezet en naar de Seychellen verbannen; tot zijn opvolger is raja Yusof benoemd.

De Britten intervenieerden vorig jaar in het kuststaatje om een einde te maken aan de al enige decennia heersende bestuurlijke chaos, die een ernstige bedreiging vormde voor de voor hen zo belangrijke tinwinning. Zij introduceerden een residentiesysteem met als doel orde en rust te herstellen en te handhaven, de natuurlijke hulpbronnen te ontwikkelen en de financiën te saneren, onder andere door het reorganiseren van de belastingen. De resident heeft nauwelijks bevoegdheden; zijn taak beperkt zich tot het dwingend adviseren, 'bijsturen', van de plaatselijke vorsten. Veel hangt dan ook af van de persoonlijke autoriteit van de resident, en op dat punt ging het in Perak al snel mis.

De daar benoemde resident Birch had weliswaar een ruime bestuurlijke ervaring, maar sprak geen Maleis en beschikte niet over geduld en de voor zijn taak zo noodzakelijke tact. Hij bemoeide zich met de tradities, joeg daarmee de hoofden tegen zich in het harnas en vertelde sultan Abdullah in het openbaar (een grove belediging) wat er allemaal niet deugde aan zijn bestuur. De sultan had bijvoorbeeld de douanerechten aan een Singapore-Chinees verpacht voor 26 000 Straits-dollars per jaar en kocht met dat geld onder andere voor 4000 dollar een Europees uniform.

De in mei benoemde Britse gouverneur Jervois kwam tot de conclusie dat in Perak het residentiesysteem niet werkte en dwong de sultan akkoord te gaan met een totale overname van het bestuur door de Britten. Birch eiste van Abdullah dat deze het besluit via een proclamatie bekend zou maken, wederom een zware belediging. De sultan zon op wraak en gaf een van zijn hoofden, maharaja Lela van Pasir Salak, opdracht Birch te vermoorden.

*Sultan Abdullah van Perak, na de moord op Birch naar de Seychellen verbannen.*

*Foto van de Hongaarse pianist en componist Liszt.*

# Liszt richt academie op

BOEDAPEST - Franz (Ferenc) Liszt is de eerste directeur van de onlangs geopende Hongaarse Nationale Muziekacademie, die voornamelijk dank zij zijn inspanningen is opgericht. Liszt is een centrale figuur in de Europese muziek van deze eeuw. Hij combineert een briljante carrière, die alle vormen van muzikale activiteit bestrijkt, met een romantisch leven en een fascinerende persoonlijkheid.

In 1811 werd Liszt geboren in West-Hongarije [nu Oostenrijk] uit Duits sprekende ouders. Een groot deel van zijn leven bracht hij vervolgens door in Parijs en op tournee door vrijwel geheel Europa. Belangrijke centra van zijn latere leven zijn Weimar, Rome en Boedapest. Tussen 1839 en 1847 maakte hij een unieke virtuozencarrière: in slechts acht jaar gaf hij meer dan duizend concerten in ongeveer tweehonderd steden. Liszt introduceerde het moderne pianorecital (een concert van solostukken gespeeld door één musicus). Als eerste speelde hij hele programma's uit zijn hoofd.

Ondanks zijn Franse opvoeding, zijn kosmopolitisch leven en zijn gebrek aan kennis van de Hongaarse taal heeft hij zichzelf nooit anders dan als Hongaar gezien. Nadat hij op 11-jarige leeftijd zijn geboorteland had verlaten werden zijn patriottische gevoelens in 1837 wakker geschud door het nieuws van de grote overstroming in Hongarije. Hij haastte zich naar Wenen om liefdadigheidsconcerten te geven en schonk de grootste particuliere gift voor de slachtoffers.

Liszt heeft zijn hele leven les gegeven. Leerlingen komen uit heel Europa naar zijn meesterklassen, vooral in Weimar. Door zijn technische vernieuwingen heeft hij een enorme invloed op de huidige generatie pianisten. Door middel van pianotranscripties heeft Liszt veel van de muziek van Chopin, Berlioz, Mendelssohn, Glinka en Schumann populair gemaakt. Als dirigent heeft hij zich met name ingezet voor het werk van Richard Wagner. Daarnaast is Liszt de schepper van het symfonisch gedicht.

Hij heeft zijn opvattingen over muziek in een aantal essays gepubliceerd. Hoewel zijn boek over de zigeuners, waarin hij de zigeunermuziek en de Hongaarse muziek met elkaar verwart, enige controverse in zijn geboorteland veroorzaakte, hebben de Hongaren een enorm respect voor Liszt en zien hem als een culturele ambassadeur tussen Europa en Hongarije.

# Britse invloed Suezkanaal

*Baggerwerkzaamheden in het Suezkanaal.*

LONDEN, 25 november - De Britse premier Benjamin Disraeli heeft in een bliksemactie voor ongeveer vier miljoen pond 41 procent van de aandelen gekocht van de Suezkanaalmaatschappij. De zwaar onder schulden gebukt gaande Egyptische khedive (onderkoning), Ismail Pasja, had hem deze aandelen (177 000 stuks) te koop aangeboden. Groot-Brittannië komt door deze transactie in het bezit van het grootste aandelenpakket in de maatschappij; de meerderheid van het aandelenkapitaal blijft overigens in handen van Franse bankhuizen. De Britten hebben zich wel verzekerd van een beslissende invloed op het verdere politieke lot van het Suezkanaal. Het zes jaar geleden in gebruik genomen kanaal heeft voor de Britten grote militaire en economische betekenis in verband met de verbinding met India en het Verre Oosten.

De aankoop van het aandelenpakket is mogelijk gemaakt door de bankier baron Lionel Nathan Rothschild, die de Britse regering het benodigde bedrag heeft voorgeschoten. Dit voorschot is noodzakelijk omdat het parlement nog zijn goedkeuring aan de overeenkomst moet geven. Minister Derby van Buitenlandse Zaken vindt de aankoop een absurditeit, maar Disraeli heeft zijn zin doorgezet.

## Osmaanse Rijk bankroet

CONSTANTINOPEL - De Porte, de regering van het Osmaanse Rijk, heeft op grond van de hoge buitenlandse schulden het land bankroet verklaard. Volgens de sultan, Abdül-Aziz, die zichzelf heeft verrijkt met de voortdurende uitgifte van staatsleningen, maar het geld tegelijk op grote schaal verkwist, is het land niet langer in staat zijn verplichtingen na te komen. Het is met name de Franse kapitaalmarkt die door de faillietverklaring wordt getroffen. Een groot deel van de Osmaanse financiën loopt via de Banque Impériale Ottomane, die toegang heeft tot de Franse kapitaalmarkt.

*'De ijzerwalserij', een dit jaar gemaakt schilderij van de Berlijnse schilder en tekenaar Adolph von Menzel. De laatste 25 jaar heeft Menzel zich vooral toegelegd op historische taferelen en het afbeelden van het Berlijnse hofleven. Zijn illustraties voor Kuglers 'Geschichte Friedrichs des Grossen' zijn van grote betekenis geweest voor de ontwikkeling van de prentkunst.*

**27 februari.** Japan dwingt Korea tot het openstellen van handelshavens. →

**25 juni.** Bij Little Bighorn wordt een Amerikaans cavalerieregiment door Indianen van de Sioux- en Cheyennestam verpletterend verslagen. →

**30 juni.** Servië verklaart de oorlog aan Turkije. Drie dagen later doet Montenegro hetzelfde.

**Juni.** In Spanje wordt een nieuwe constitutie aangenomen. →

**Juni.** Turkse troepen slaan de Bulgaarse opstand neer. →

**Juli.** Alexander Bell demonstreert zijn uitvinding, de telefoon. →

**13 augustus.** In Bayreuth wordt met een volledige opvoering van de *Ring des Nibelungen* van Richard Wagner het Festspielhaus geopend. →

**September.** In West-Europa komt een protestgolf op gang naar aanleiding van de massale afslachting van Bulgaren door de Turken. →

**1 november.** In Nederland wordt het Noordzeekanaal geopend door Willem III. →

**18 november.** Egypte wordt onder financiële curatele van Groot-Brittannië en Frankrijk gesteld.

**November.** De Duitse archeoloog Heinrich Schliemann ontdekt de resten van de Griekse stad Mycene. →

- In Italië komt voor het eerst een links ministerie aan het bewind.

- De Russische regering legt de Oekraïense cultuur aan banden. →

- In de Verenigde Staten wordt de John Hopkins University gesticht.

- Het lukt de arts Robert Koch de miltvuurbacil in cultuur te kweken. Hiermee legt hij de grondvesten van de bacteriologie.

- Hippolyte Taine publiceert zijn *Les Origines de la France contemporaine.*

- Boedapest wordt getroffen door een overstroming. →

- Nikolaus August Otto bouwt de eerste viertaktmotor. →

- *Anna Karenina* van Ljev Davidovitsj Tolstoj verschijnt.

- Argentinië en Brazilië heffen de bezetting van Paraguay op. Het land blijft in bestuurlijke anarchie achter.

- *L'uomo delinquente* van de Italiaanse psychiater Cesare Lombroso verschijnt, waarin hij stelt dat de misdadiger als zodanig geboren is. →

Gestorven:

**28 november.** Karl Ernst Ritter von Baer (28-2-1792), Duits bioloog →

## Opstand Bulgaren opnieuw mislukt

PLOVDIV, juni - De op 20 april (2 mei nieuwe stijl) uitgebroken Bulgaarse opstand is door irreguliere Turkse troepen bloedig neergeslagen. Als revolutie is de Aprilopstand volledig mislukt daar de leiders niet in staat bleken massale steun onder de boerenbevolking te mobiliseren. De afwezigheid van een agrarisch programma is hiervoor goeddeels verantwoordelijk. De meeste deelnemers - handwerkslieden, kooplieden, onderwijzers en studenten - zijn afkomstig uit de middenklasse; de leiders komen hoofdzakelijk uit welvarende families.

Het ziet er niet naar uit dat de Bulgaren op eigen kracht hun onafhankelijkheid kunnen verkrijgen, de inspanningen van de vele geheime revolutionaire comités ten spijt. Afgezien van de smalle basis van de opstand en het feit dat de Bulgaren niet over een grote revolutionaire organisatie, verenigd onder een krachtige persoonlijkheid, beschikken, hebben zij daarnaast ronduit pech gehad. Het in Boekarest opgerichte Voorlopige Revolutionaire Comité, dat via een gewapende opstand een democratische Bulgaarse republiek tot stand wilde brengen, zag zijn plan door verraad mislukken. Een opstand vorig jaar in Sredna Gora mislukte eveneens. Een revolutionair comité onder leiding van de kleermaker George Benkovski, dat in Sredna Gora de 'eerste Bulgaarse Nationale Vergadering' bijeenriep met eveneens als doel een grote opstand, zag zich genoodzaakt de datum van de opstand te vervroegen omdat de plannen waren uitgelekt.

In tegenstelling tot andere Balkanvolken hebben de Bulgaren, de hulp van een paar individuele Roemenen uitgezonderd, tot nog toe alles op eigen kracht gedaan. Zij missen de steun van een grote mogendheid. Russische diplomaten op de Balkan passen ervoor radicale groeperingen steun te verlenen. Zij staan daarentegen wel sympathiek tegenover conservatieve Bulgaarse groeperingen die louter naar grotere autonomie streven.

## Duits embryoloog Baer overleden

DORPAT, 28 november - De Estlandse embryoloog en zoöloog Karl Ernst von Baer is op 84-jarige leeftijd overleden. Tijdens zijn hoogleraarschap in Königsberg (1819-1834) heeft hij belangrijke embryologische onderzoekingen gedaan, waarbij hij onder andere het ei van de zoogdieren heeft ontdekt (1827) en de eerste ontwikkelingsstadia van het bevruchte ei en de geleidelijke differentiatie van het embryoweefsel heeft beschreven. Na zijn Königsbergse periode was hij bibliothecaris in Sint-Petersburg.

# Indianen winnen slag bij Little Bighorn

*Sitting Bull (l) en generaal Custer, respectievelijk winnaar en verliezer. Rechts: de schildering van Custers' wanhopige strijd door F. Remington (1890).*

LITTLE BIGHORN, 25 juni - Een aanval van de Seventh Cavalry onder kolonel George A. Custer op enkele tentenkampen van de Sioux- en de Cheyenne-Indianen nabij de Little Bighorn-rivier in de Black Hills in Dakota is desastreus afgelopen. De krijgers van Sitting Bull, Crazy Horse en Gall hebben Custer en zijn 225 cavaleristen die op de steile oever van de rivier tevergeefs probeerden stand te houden, tot de laatste man afgemaakt.

Custer en zijn compagnie maakten deel uit van een troepenmacht die momenteel onder leiding van generaal Terry een grootscheepse strafexpeditie tegen de Indianen in het gebied van de Black Hills houdt. De Indianen zijn in opstand gekomen nadat vorig jaar een leger van ongeveer 15 000 goudzoekers de Black Hills, een reservaat van de Sioux- en Cheyenne-Indianen, was binnengetrokken. Deze goldrush was op gang gekomen nadat Custer had verklaard dat de heuvels 'vanaf de wortels van het gras' vol lagen met goud. De Black Hills, de 'Paha Sapa', vormen voor de Indianen het centrum van de wereld, de plaats van de goden en de heilige bergen, waar de krijgers tot de Grote Geest bidden en wachten op zijn tekenen. De Hunkpapa-Sioux zijn verontwaardigd over de ontheiliging van de gewijde grond van 'Paha Sapa' door de hebzuchtige gouddelvers en wijzen op het verdrag van 1868 waarin over de Black Hills staat: 'Geen blanke persoon of personen is het toegestaan zich te vestigen op enig deel van het gebied, of zonder toestemming van de Indianen in dat gebied te reizen.' Volgens de Indianen is het verdrag een vodje papier geworden.

Kolonel George A. Custer had gehoopt op de leiding van de totale campagne tegen de opstandige Indianen maar hij is bij president Grant uit de gratie geraakt nadat hij had getuigd tegen de minister van Oorlog en tegen de broer van Grant, die worden beschuldigd van fraude in de handel met de Indianen. 'Longhair' Custer heeft waarschijnlijk gehoopt met zijn doldrieste aanval op het slagveld zijn verloren prestige terug te winnen.

De overwinning bij Little Bighorn is een Pyrrusoverwinning voor de Indianen. Hoewel Crazy Horse en Sitting Bull zijn aangevallen worden zij beschouwd als agressors. Het leger heeft na de slachting aangekondigd de Indianen 'tot in alle uithoeken van het continent' na te jagen en te straffen.

# Spanje weer constitutionele monarchie

*Koning Alfons XII van Spanje opent het geheel gerestaureerde koninklijk paleis (1878).*

MADRID, juni - De nieuwe constitutie voor de monarchie, die sinds 1874 hersteld is onder Alfons XII van Bourbon, is goedgekeurd. Afgezien van de republikeinen en de Carlisten, zag men deze oplossing als de minst slechte.

De monarchistische grondwet is minder liberaal wat politieke rechten betreft dan die van 1869, maar liberaler dan die welke tijdens het regime van Isabella van kracht was. De macht om wetten op te stellen ligt zowel bij de Cortes als bij de koning. De religieuze vrijheid van 1869 heeft plaats gemaakt voor religieuze tolerantie. Antonio Cánovas del Castillo, politicus en historicus, is de man achter deze grondwet. Hij heeft Spanje op deze manier weer nieuw leven ingeblazen.

Via een 'pronunciamiento' riepen enkele generaals op 29 december 1874 Alfons, een goed Spanjaard, een goed katholiek en 'een liberaal', de zoon van Isabella II, tot koning van Spanje uit. Er was weinig tegenstand, aangezien de anarchie van het jaar 1873 (de Cantonalistenopstand van provinciale, extreme federalisten tegen de republikeinse leiders) een conservatieve reactie tot gevolg had.

Sinds het herstel van de monarchie is de stabiliteit in Spanje enigszins teruggekeerd dank zij premier Cánovas. Bovendien zijn de tegenstanders van het nieuwe regime (republikeinen, federalisten en Carlisten) uitgeput en hebben aan invloed verloren. Cánovas heeft een coalitie tot stand weten te brengen tussen zijn eigen liberaal-conservatieve partij en de liberalen (vroegere constitutionelen). Door het invoeren van het twee-partijenstelsel ('turno pacifico') wisselen deze partijen elkaar in de regering af. Het twee-partijensysteem vormt een alternatief voor de voormalige revoluties. De frustratie van eindeloos oppositie voeren is voor het moment voorbij.

*Onder grote belangstelling demonstreert Bell de werking van de 'telefoon'.*

# Bell komt met 'telefoon'

PHILADELPHIA, juli - Op de tentoonstelling in Philadelphia ter gelegenheid van Amerika's 100-jarige onafhankelijkheid (de 'Centennial') is een apparaat gedemonstreerd waarmee twee personen op grote afstand met elkaar kunnen spreken. De ooggetuigen van de demonstratie waren sprakeloos toen uitvinder Alexander Bell antwoord kreeg op zijn vraag: 'Watson, can you hear me?' Bells assistent Thomas Watson bevond zich in een ander vertrek, 150 meter van Bell vandaan, maar zijn stem klonk bijzonder helder door het apparaat. Bell, die behendig het kleine hulpstuk van het toestel tussen mond en oor bewoog, stelde nog een paar vragen die direct werden beantwoord. Een Japanse toehoorder vroeg of het apparaat ook Japans kon spreken, waarna hij tot zijn verbazing zijn ingesproken woorden door de onzichtbare Watson hoorde herhalen. Het toestel is door de uitvinder 'telefoon' gedoopt, een variatie op het woord telegraaf.

De uit Ierland afkomstige Bell legde uit dat het apparaat voorzien is van elektromagneten voor de verzending en ontvangst van het stemgeluid. De spraak wordt door membranen in geluidstrillingen omgezet, die door de kabel als een elektrische stroom worden verplaatst. Tot op een afstand van twee mijl geeft de telefoon een duidelijk hoorbare spraak weer.

De pas 29-jarige Alexander Bell vertelde dat zijn vinding voortborduurde op de theorie over elektrische trillingen van Clerk Maxwell, die drie jaar geleden zijn theorie over de voortbeweging van licht en elektriciteit bekendmaakte in *Treatise on Electricity and Magnetism*. Dit bracht Bell op het idee om van elektrische golven gebruik te maken bij zijn spraaklessen aan gehoorgestoorden. Al drie generaties zijn leden van de familie Bell bekend als spraakleraren. Ook de jongste telg Alexander leek een begaafd spraakleraar te worden, totdat hij gegrepen werd door het idee

van de verzending van de menselijke stem.

Bell streeft naar het verkrijgen van het eigendomsrecht op zijn telefoon, maar schijnt in de uit Italië afkomstige Amerikaan Antonio Meucci een concurrent te hebben, die vijf jaar geleden een soortgelijk apparaat heeft vervaardigd.

*Het lager gelegen oostelijk deel van de Hongaarse hoofdstad Boedapest werd dit voorjaar geteisterd door een overstroming van de Donaurivier. De huizen in de stadskern van Pest hebben veel schade opgelopen.*

# Festspiele in Bayreuth

*Lodewijk II heeft de bouw van het Festspielhaus in Bayreuth gefinancierd.*

BAYREUTH, 17 augustus - Het operawerk van de grote Duitse componist Richard Wagner is de afgelopen vier dagen voor de eerste maal integraal op de Bayreuther Festspiele ten gehore gebracht. De hier ter plaatse speciaal voor Wagners werk gebouwde concertzaal heeft de laatste dagen prominenten zoals keizer Wilhelm I, Lodewijk II de koning van Beieren, de Russische componist Peter Tsjaikovski en vele anderen geherbergd.

Lodewijk, de Beierse koning, is op een speciale manier betrokken bij deze gebeurtenis. Al jarenlang is hij een groot bewonderaar van het werk van Wagner en hij heeft de componist en zijn vrouw Cosima, de dochter van de componist Franz Liszt, financieel altijd bijgestaan teneinde hem in staat te stellen zijn operawerken te schrijven. Het was ook Lodewijk die de concertzaal heeft laten bouwen. Richard Wagner was bij het ontwerp van het theater nauw betrokken. Hij liet een speciale orkestbak bouwen waardoor de klank van het orkest gedempt kon worden. Het podium moest geschikt worden gemaakt voor fantastische ensceneringen, voor een totaalkunstwerk van muziek en theater zonder precedent. Zijn imposante muziekdrama's moeten het publiek meevoeren naar een heroïsch Duits verleden: tijd van de Teutonen met zuiver menselijke waarden als kracht, vitaliteit en vooral gevoel. In een tijd van verzakelijking van de samenleving door wetenschappelijke en economische ontwikkelingen, waarin de mens onthecht raakt van zijn geboortegrond en de volksaard verliest moeten de Duitsers volgens Wagner terug naar hun oorsprong.

Het festival begon met de opvoering van *Rheingold*, het eerste deel van de operacyclus de *Ring des Nibelungen*. De *Ring*, waaraan Wagner 26 jaar heeft gewerkt, werd pas twee jaar geleden voltooid. Aan zijn schoonvader Franz Liszt schreef hij over zijn opus magnum: 'Het is een gedicht over het ontstaan en de ondergang van de wereld.' In de komende dagen zullen de andere delen van de *Ring*, namelijk *Die Walküre*, *Siegfried*, *Götterdämmerung* en *Tristan und Isolde* worden opgevoerd. De laatste voorstelling verwacht men op 30 augustus van dit jaar.

# Japan maakt aanspraken op Korea

TOKIO, 27 februari - Met de onderte-kening van het Verdrag van Kanghwa tussen Japan en Korea is de feitelijke onafhankelijkheid van Korea ten opzichte van het Chinese rijk opnieuw vastgelegd.

Hoewel niet nadrukkelijk de suzereiniteit van China over Korea in het geding is gebracht, wordt wel duidelijk gemaakt dat Japan grotere aanspraken op Korea maakt en dat de dominante positie van China ten opzichte van Korea wordt aangetast.

Naast de haven van Poesan, via welke de Japanners altijd al handel mochten drijven, zijn nu nog twee havens voor handel geopend.

Japan kan op deze manier ten opzichte van China optreden na het diplomatieke succes dat het twee jaar geleden behaalde met betrekking tot de Rioekioe Eilanden.

Deze eilanden hadden al sinds 1609 een hechte band met Satsoema. In 1872 maakte de regering in Tokio al duidelijk dat de eilanden tot Japans grondgebied werden gerekend.

Men zocht echter naar een gelegenheid een conflict met China te creëren, om de eigen kracht te tonen en mogelijke aanspraken van Chinese zijde teniet te doen.

Toen 44 bewoners van Rioekioe in 1871 schipbreuk leden, werden zij op het Chinese eiland T'ai-wan uitgemoord.

Daarop zond Japan in 1874 een strafexpeditie naar T'ai-wan. China betaalde de kosten van de expeditie en schadevergoeding voor de vermoorde Rioekioes. Hiermee gaf het te kennen dat Japan namens de Rioekioe kan optreden en dat de aanspraken op de eilanden legitiem zijn.

Voor de regering betekende de expeditie ook binnenslands een succes. Werkloze samoerai zoeken naar mogelijkheden gewapende conflicten met andere landen aan te gaan. Deze factie

Het gebouw van de Japanse Bank aan de Eitai-brug in Tokio (circa 1880).

heeft al eerder geprobeerd een expeditie naar Korea te organiseren, maar dat vond de regering, gezien de mogelijke internationale repercussies, toen veel

te gewaagd.

Door het Verdrag van Kanghwa en het Rioekioe-incident heeft de Japanse regering deze werkloze samoerai nu de mond kunnen snoeren en bovendien internationaal meer aanzien weten te verwerven.

Samoerai in gevechtshouding.

Gevangenen tijdens het luchten.

## Italiaans arts schetst profiel 'misdadige mens'

TURIJN - De crimineel is voorbestemd tot het plegen van misdrijven en onderscheidt zich van de niet-crimineel door zowel lichamelijke als psychologische kenmerken. Tot deze conclusie komt de Italiaanse arts-psychiater Cesare Lombroso in zijn dit jaar verschenen boek *L'uomo delinquente* (De misdadige mens).

Volgens de aan de universiteit van Turijn werkzame hoogleraar, die jarenlang gevangenen heeft getest en gemeten, is de crimineel te herkennen aan een aantal zogenaamde 'stigmata'. 'Over het algemeen', aldus Lombroso, 'heeft de geboren misdadiger lange oren, dik hoofdhaar en een dunne baard, enorme kaken, een vierkante vooruitstekende kin, grote jukbeenderen, lange armen en maakt hij veel gebaren.' Andere uiterlijke kenmerken zijn: een smal en achteroverhellend voorhoofd; een rechthoekige neus; van jongs af veel rimpels en linkshandigheid. Het hangt mede van de omstandigheden af, aldus de Italiaanse hoogleraar, of de misdadige aard van 'deze creaturen' naar buiten treedt. Meestal is dit echter wel het geval.

Als psychologische kenmerken noemt Lombroso: zwakke zintuiglijke gevoeligheid; een lage gevoelsdrempel voor pijn; morele afstomping, wispelturigheid, domheid en ijdelheid. De observeringen gelden voor criminelen van elke nationaliteit.

Hoewel velen Lombroso's theorieën aanhangen, valt er ook de nodige kritiek te beluisteren. Een Frans geleerde merkte bijvoorbeeld op dat het door Lombroso geschilderde portret van de geboren misdadiger sterke gelijkenis vertoont met foto's van zijn beste vrienden.

Proefmodel van de viertaktmotor die is ontwikkeld door de Duitser Nikolaus August Otto. De motor loopt nauwelijks sneller dan de gasmotor van de Belg Lenoir, sinds 1860 in produktie, maar heeft wel een veel groter vermogen.

# Verontwaardiging over lot van Bulgaren

*Een menigte in de Turkse hoofdstad Constantinopel luistert naar een officiële regeringsverklaring.*

LONDEN, september - Naarmate de berichten over de massale afslachting van Bulgaren in de internationale pers toenemen, groeit de verontwaardiging over wat algemeen bekendstaat als de 'Bulgaarse wreedheden'. De meeste kranten gaan voorbij aan het feit dat het begin van de Aprilopstand gepaard ging met een moordpartij op moslemburgers, en dat de represailles van Turkse zijde een, overigens uiterst wrede, reactie hierop waren.

Hoe dan ook, Europa is diep geschokt over wat de christelijke Bulgaren is aangedaan. Vanuit Italië heeft Garibaldi een telegram naar de Bulgaarse Centrale Charitatieve Vereniging gestuurd; de Franse schrijver Victor Hugo heeft een rede gehouden ter verdediging van Bulgarije en de beroemde publicist Girardin heeft verscheidene artikelen gewijd aan de Aprilopstand en het lijden van het Bulgaarse volk. In Rusland klinken ook in de conservatieve kranten geluiden ter verdediging van Bulgarije. Met name de panslavisten zijn diep verontwaardigd.

De Britse regering hield aanvankelijk vast aan haar pro-Turkse politiek uit vrees de Russische invloed op de Balkan te vergroten. De Britse premier Disraeli noemde de berichten over de wreedheden van Turkse zijde dan ook 'grotendeels fabels'. Onder invloed van de publieke opinie, die goeddeels was gevormd door de berichten van de correspondent van de *Daily News*, zag hij zich echter gedwongen de Britse ambassade in de Turkse hoofdstad op-

dracht te geven de getroffen gebieden te bezoeken. *Daily News*-correspondent MacGahan stelde, samen met de Britse ambassadefunctionaris Walter Baring, de Amerikaanse consul in Constantinopel en de Russische consul

in Plovdiv, een onderzoek in. De berichten liegen er inderdaad niet om. Het aantal slachtoffers bedraagt minstens 12 000.

In de *Daily News* van 29 augustus staat een rapport van de Amerikaanse consul Schuyler over de slachting in de Bulgaarse plaats Panagyuishté: 'Oude mannen waren de ogen uitgerukt en hun ledematen afgesneden. Zo werden zij achtergelaten om te sterven tenzij iemand zo genadig was er een eind aan te maken. Zwangere vrouwen waren opengereten en de ongeboren baby's werden in triomf op de punten van bajonetten en sabels rondgedragen terwijl kleine kinderen gedwongen werden de druipende hoofden van de slachtoffers te dragen.'

De Britse oppositie onder leiding van de liberaal Gladstone laakte de cynische opstelling van de conservatieve Britse regering. Gladstone schreef een vlammend pamflet getiteld *De gruwelen in Bulgarije en de Oosterse kwestie*. De anti-Turkse gevoelens zijn zo sterk geworden dat Lord Derby deze maand de Turkse regering op de hoogte liet brengen van de algemene Britse verontwaardiging, die zo groot is 'dat in het uiterste geval van een Russische oorlogsverklaring aan Turkije, Her Majesty's Government het vrijwel onmogelijk acht ter verdediging van het Osmaanse Rijk tussenbeide te komen'.

# Noordzeekanaal moet Amsterdam redden

IJMUIDEN/AMSTERDAM, 1 november - Koning Willem III heeft het Noordzeekanaal officieel geopend. Per schip vertrok de koning om precies twaalf uur vanaf de kade achter het Centraal Station dat in aanbouw is. Getrokken door vier stoomslepers voltooide het koninklijke jacht de 38 kilometer lange tocht door het kanaal in slechts vier uur. Ondanks het stormachtige weer waagde de vorst zich daarna voor een korte rondvaart buiten de sluizen van IJmuiden.

Met de opening van het Noordzeekanaal is hopelijk een einde gekomen aan een lange periode van stagnatie in de Amsterdamse haven. Reeds voor 1800 was duidelijk dat de Zuiderzee en de monding van het IJ ernstig het verzanden waren. Koning Willem I stelde al in 1816 voor 'Holland op zijn smalst', bij Velsen, te doorgraven. Er werd echter gekozen voor een 90 kilometer lang kanaal naar de marinehaven Den Helder.

Dit Groot Noord-Hollandsch Kanaal (1819-1824) bleek evenwel al snel te smal. Bovendien duurde de doortocht veel te lang. De kapiteins van de grote zeeschepen zetten liever in Den Helder hun lading aan wal en deze plaats dreigde zodoende een duchtige concurrent

*Willem III; aquarel J. C. Valois (1849).*

voor Amsterdam te worden.

Tegen het midden van de eeuw werd het idee van de ondernemende Willem I weer opgenomen; in 1852 schreef men een prijsvraag uit voor het beste tracé voor een kanaal naar de Noordzee. Pas in 1863 kon men het eens worden. Twee jaar later werd met graven begonnen.

Meer dan 1200 arbeiders - vergezeld van vrouwen en kinderen - hebben elf jaar aan het project gewerkt. Men leefde in lemen hutten of zo maar in een

kuil in de natte grond. De cholera eiste tientallen slachtoffers. Meer dan eens kwam men in opstand tegen de barre arbeidsomstandigheden; de politie trad echter hard op en 'relschoppers' werden zwaar bestraft.

Wanneer er bij strenge vorst niet gegraven kon worden werd 'natuurlijk' geen loon uitbetaald. Inzamelingen onder de welgestelden van Amsterdam moesten dan helpen het lot van 'het ruwe volkje aan het kanaal' enigszins te verzachten.

In november 1872 stroomde het eerste IJ-water bij Velsen over het strand en nu is het kanaal klaar. Aan de Amsterdamse haven zal echter nog heel wat moeten worden verbeterd; in het westelijk deel van de stad dienen grote havens te worden aangelegd en ook zal er een verbinding met de Rijn moeten worden gegraven.

Wel kan nu eindelijk de grote stoomvaart ook de Amsterdamse haven aandoen. Toch zal deze de mindere van die van Rotterdam blijven. Rotterdam ligt veel gunstiger ten opzichte van het Duitse achterland en de haven heeft sinds 1872 in de Nieuwe Waterweg een open verbinding met de Noordzee. Het nu geopende Noordzeekanaal verandert daar niets aan.

# Rusland verbiedt Oekraiense cultuur

*Een straat in het dorpje Vasilijevka in de Oekraïne.*

KIEV - De Russische regering heeft een verbod uitgevaardigd op het drukken van boeken, pamfletten en toneelstukken in het Oekrains. Dit verbod omvat zelfs het drukken van de bijbel in deze taal. Voorts is de Oekrainse taal van de scholen verbannen.

De Oekraine, ook wel Klein-Rusland genoemd, kwam medio 17de eeuw onder Russisch oppergezag. Ten tijde van Catharina II werd het land volledig opgenomen in het bestuurlijke, financiële, militaire en kerkelijke systeem van het rijk. Russische kolonisten vestigden zich in deze streek. Oekrainers vermengden zich makkelijk met Russen en waren overal in Rusland op officiële posten te vinden. Hun taal behoort, evenals het Russisch, tot de Oostslavische taalgroep.

Aan het begin van deze eeuw ontstond er een Oekrainse culturele beweging, die de nadruk legde op het verschil tussen het Oekrainse volk en zijn taal en het Russische volk en diens taal, en op grond hiervan aanspraak meende te kunnen maken op een apart cultureel leven met eigen scholen en eigen culturele instellingen. Deze ambities werden door de Russische regering beschouwd als een eerste stap naar separatisme en met name na het revolutiejaar 1848 volgde de reactie.

In de eerste jaren van de regering van Alexander II heerste er een liberaal klimaat. Maar ondanks het feit dat de Oekrainers zich distantieerden van de Poolse opstand in 1863, groeide er bij de Russische bureaucratie en politie wantrouwen tegen hun literaire beweging, een gevolg van de stimulansen die vanuit Oekrainse kringen in het Oostenrijkse Galicië werden gegeven.

Deze vrees voor de banden tussen Kiëv en Galicië zorgden ervoor dat de tot dan toe liberale koers van tsaar Alexander II zich wijzigde in een russificatiepolitiek. Het is de vraag in hoeverre de vrees van de Russische regering voor een Oekrainse nationalistische beweging gerechtvaardigd is. De meerderheid van de goedopgeleide Oekrainers beschouwt immers het Russisch als haar cultuurtaal. Men denke aan de beroemde schrijver Nikolaj Gogol, die Oekrainer van geboorte is.

# Schliemann legt resten van Mycene bloot

MYCENE, november - De Duitse archeoloog Heinrich Schliemann heeft, drie jaar na de ontdekking van Troje, in het Griekse Mycene een schat van ongekende waarde opgegraven.

De schat, de grootste tot nu toe gevonden, omvat objecten van goud (onder meer prachtige maskers en ingelegde zwaarden), zilver, brons en ivoor. De voorwerpen werden, samen met zestien lichamen, aangetroffen in vijf graven. Heinrich Schliemann gaat ervan uit hiermee de graven van Agamemnon en Clytaemnestra te hebben gevonden.

Het is de tweede keer dat Schliemann, die zich op 36-jarige leeftijd terugtrok uit het zakenleven om zich geheel aan de archeologie te wijden, een dergelijke spectaculaire vondst doet. Drie jaar geleden deed de Duitser zijn collega's versteld staan door de ontdekking van Troje.

Hoogtepunt bij deze geheel uit eigen zak bekostigde opgraving vormde de vondst, op 31 mei 1873, van wat wel de 'Goudschat van Priamus' wordt genoemd. In wetenschappelijke kringen wordt overigens aan de echtheid van deze door Schliemann uit Turkije gesmokkelde schat getwijfeld.

Door regelmatige verslagen in *The Times* en de *Daily Telegraph* heeft het grote publiek de opgravingen in Mycene op de voet kunnen volgen. Over de opgravingen in Troje, de eerste die op

*Bovenstaande gravure uit Schliemanns 'Mykenae' biedt een beeld van de opgraving.*

dergelijke schaal werden uitgevoerd, heeft Schliemann inmiddels twee boeken geschreven.

Het belang van Schliemanns opgravingen is enorm. Het blootleggen van tot nu toe onbekende culturen uit de vroege bronstijd heeft een geheel nieuw licht op de Oudheid geworpen.

# Leger weg uit New Orleans

*Rutherford Birchard Hayes, 19de president van de Verenigde Staten.*

*Keizer Wilhelm I (l) en rijkskanselier Otto von Bismarck in overleg.*

# Aftreden Bismarck dreigt

BERLIJN, maart - 'Het is een spion. Hij zwijgt in de ministerraad maar zit te smoezen bij de Kroonprins en Zijne Majesteit de Keizer.' Deze ernstige beschuldiging werd onlangs geuit door rijkskanselier Otto von Bismarck aan het adres van de chef van de keizerlijke admiraliteit en Pruisisch minister van Staat, generaal Albert von Stosch. Bismarck dreigde met aftreden als von Stosch niet zou verdwijnen. Hun meningsverschil over het binnenlandse beleid was de laatste tijd hoog opgelopen. Bismarck vond het onverdraaglijk dat deze tegenstander van zijn economische politiek nog steeds het vertrouwen van de keizer genoot.

In Berlijnse regeringskringen is onlangs uitgelekt dat de ambities van von Stosch uitgaan naar het ambt van rijkskanselier. Hij weet zich gesteund door kroonprins Frederik Willem en diens vrouw Victoria, ook al uitgesproken

tegenstanders van Bismarcks antiliberale economische politiek. Bismarcks verzet tegen de door de nationaalliberalen zo vurig gewenste vrijhandel heeft in die kringen veel ergernis gewekt. De enige manier om het rijk uit het economische slop te halen is volgens Bismarck het voeren van een striktere tolpolitiek. Industriële en agrarische belangen zijn meer gebaat bij protectionistische maatregelen.

Afgezien van de bestaande tegenstellingen op het terrein van de binnenlandse economische politiek moet de escalatie van het conflict ook worden gezien in het licht van de ophanden zijnde troonswisseling. Wilhelm I is reeds 80 jaar en zou binnenkort opgevolgd kunnen worden door de Bismarck vijandig gezinde kroonprins. Naar men aanneemt zal de keizer Bismarck verzoeken als rijkskanselier aan te blijven.

NEW ORLEANS, 24 april - De laatste nog in het Zuiden aanwezige Federale troepen zijn in opdracht van president Hayes vertrokken uit New Orleans, Louisiana. Louisiana is de laatste staat van de voormalige Confederatie die terugkeert naar zelfbestuur. Met het vertrek van de troepen is een einde gekomen aan de 'Black Reconstruction' van het Zuiden. Het politieke en economische herstel en de opbouw van de zuidelijke staten na de Burgeroorlog door de radicale Republikeinen zijn heftig bekritiseerd. Corruptie, incompetentie en uitbuiting zijn de beschuldigingen van conservatieve zijde aan het adres van de 'carpetbaggers', de noorderlingen die naar het Zuiden zijn getrokken om de Reconstructie vorm te geven, en de 'scalawags', de zuiderlingen die met de radicalen meewerken aan de Reconstructie.

Het terugtrekken van de troepen is een van de beloften van president Hayes aan de conservatieve zuidelijke Democraten, die zelfbestuur wensen en zelf de relaties tussen blank en zwart willen bepalen. Verder heeft Hayes een zuiderling in zijn kabinet opgenomen en heeft hij toezeggingen gedaan betreffende de verbetering van de infrastructuur. Het Zuiden hoopt vooral op de aanleg van de Texas & Pacificspoorweg tussen Oost-Texas en Californië. De Republikeinse president Rutherford B. Hayes heeft deze beloften gedaan om de steun van zuidelijke Democratische Congresleden te verwerven. Zonder deze steun zou Hayes na de felbetwiste verkiezingen van verleden jaar waarschijnlijk nooit als president beëdigd zijn.

Nu de Reconstructie ten einde is blijft de vraag of de 'Negro policy' van de radicalen niet meer problemen heeft gecreëerd dan opgelost en de kloof tussen negers en blanken niet alleen maar nog groter heeft gemaakt. In de ogen van vele verbitterde blanken streefde de Reconstructie naar overheersing door negers. Een overheersing die volgens opperrechter Chalmers uit Mississippi zal leiden tot 'een toestand van losbandigheid en plundering zoals nog nooit in de annalen van een Engelssprekend volk is vermeld. Een toestand waarbij weelde wordt geplunderd door pauperdom, intelligentie overheerst door domheid, Amerika geregeerd door Ethiopië'.

*Vanuit de loods 'embarcadero de animales en pie' in de haven van Buenos Aires worden runderen, aangevoerd uit het binnenland van Argentinië, naar het buitenland verscheept. De haven is een belangrijk handelsknooppunt in het verkeer met Europa en de Verenigde Staten: in Engeland gefabriceerde goederen worden geïmporteerd en Zuidamerikaanse grondstoffen en landbouwprodukten worden uitgevoerd. Met de bouw van koelhuizen in de havenloodsen en de koeling op de vrachtschepen maakt de export van geslacht vee een explosieve groei door.*

# Victoria krijgt titel 'Keizerin van India'

*Het Victoria Station in Bombay is een treffend voorbeeld van de technologische vooruitgang in India.*

De originele fonograaf van Edison.

## Edison ontwikkelt fonograaf

MENLO PARK (New Jersy) - De Amerikaanse uitvinder Thomas Alva Edison, de zoon van een onaanzienlijke handelaar van Hollandse afkomst, is erin geslaagd de eerste bruikbare fonograaf te ontwikkelen. Het toestel bestaat uit een trechter, die het geluid op een membraan concentreert waarvan het midden voorzien is van een scherpe punt, die door geluidstrillingen op en neer bewogen wordt en een groef van wisselende diepte trekt in een op een draaiende cilinder aangebrachte laag stanniool. Het toestel kan niet alleen geluid registreren maar ook weergeven en wordt met de hand aangedreven. Edison, die als jongen een gebrekkige opleiding genoot, begon als krantenjongen op de Grand Truck-spoorlijn. Hij was zeer geïnteresseerd in scheikunde en richtte in een wagon een laboratorium in. Een ontploffing kostte hem al gauw zijn baan. Hij bekwaamde zich vervolgens in de telegrafie, bekleedde verscheidene posten als telegrafist en werd ten slotte opzichter bij de Gold Indicator Company. De vele uitvindingen die hij hier deed, maakten hem tot een welgesteld man.

LONDEN/CALCUTTA, 1 januari - Koningin Victoria van Engeland heeft op aanraden van eerste minister Benjamin Disraeli de titel 'keizerin van India' aanvaard. Het Britse bestuur in India, sinds 1858 (na de Grote Opstand) direct ressorterend onder de kroon, zit nu zo stevig in het zadel dat Disraeli een dergelijke stap gerechtvaardigd vond. Nog geen maand nadat de Britten de opstand definitief hadden neergeslagen, werd in het Engelse parlement een wet aangenomen die van India een kroonkolonie maakte. Het bestuur van de compagnie, dat ervan werd beschuldigd de plaatselijke adel te ruw behandeld te hebben en verschillende veranderingen die te snel te hebben willen doorvoeren, werd vervangen door een regeringsbewind dat een voorzichtiger koers ging varen.
Inlandse vorstendommen werden niet langer ingelijfd, zodat India nu zo'n 560 enclaves met inlands prinselijk bestuur kent. Ook wordt er sindsdien afgezien van hervormingswetten op sociaal of religieus gebied. Missionarissen kregen opdracht te stoppen met bekeringen en werden in het onderwijs te werk gesteld. In het leger werd het aantal sepoys drastisch teruggebracht en nog slechts gerekruteerd uit bevolkingsgroepen zoals de Sikhs, die in de oorlog van 1858 aan Engelse zijde hadden gestaan.
Nadat de rust enigszins was teruggekeerd kon de modernisering van India, die door gouverneur-generaal Dalhousie (1848-1856) was begonnen, worden doorgezet. Telegraaf- en treinnetwerken zijn sindsdien drastisch uitgebreid. De commerciële agricultuur is aanzienlijk gegroeid, vooral sinds het contact met het moederland veel makkelijker is geworden door de opening van het Suezkanaal en de invoering van de stoomboot. Behalve indigo, opium en katoen, worden nu ook thee en koffi op grote schaal verbouwd.

## Adolphe Thiers overleden

SAINT-GERMAIN-EN-LAYE, 3 september - De Franse staatsman en historicus Adolphe Thiers, de eerste president van de Derde Franse Republiek, is tijdens het voorbereiden van een verkiezingsmanifest plotseling overleden. Thiers' naam zal vooral verbonden blijven aan de Parijse Commune, die hij met harde hand wist te onderdrukken.
Thiers is zijn loopbaan begonnen in de journalistiek. Hij leverde in de jaren twintig regelmatig bijdragen aan de *Constitutionnel*, het meest invloedrijke blad van die dagen, en was tegelijkertijd correspondent van de *Allgemeine Zeitung*. Ook verzamelde hij het materiaal voor zijn *Histoire de la révolution française*, die tussen 1823 en 1827 in tien delen is verschenen. In januari 1830 begon hij samen met Armand Carrel en Mignet - en waarschijnlijk met steun van Talleyrand een nieuw oppositieblad, de *National* dat een zuiver parlementair bestuur en een krachtige nationalistische buitenlandse politiek voorstond.
Thiers was achtereenvolgens minister van Binnenlandse Zaken, Buitenlandse Zaken en premier, tot hij in 1840 door Guizot werd vervangen. Na de Februari-revolutie van 1848 steunde hij, als conservatief-republikeins afgevaardigde, Lodewijk Napoleon. Toen deze zijn coup d'état van 2 december 1851 uitvoerde, werd Thiers gearresteerd en verbannen. Twee jaar later mocht hij naar Frankrijk terugkeren. Het duurde tot 1871 voor hij weer een hoofdrol op het politieke toneel kon spelen: hij werd toen president van de Derde Franse Republiek.

*De omstreden Franse schilder Gustave Courbet (zelfportret rechts) is op 58-jarige leeftijd in Zwitserland overleden. Courbet veroorzaakte veel opschudding met zijn realistische schilderijen. Niet alleen zijn weergave van volgens de publieke mening 'onbelangrijke thema's' ondervond veel kritiek, ook in zijn sociale en politieke leven baarde hij veel opzien: hij weigerde in 1870 het Légion d'Honneur en nam deel aan de Commune van Parijs. Zijn veroordeling in verband met het omverwerpen van de Colonne Vendôme leidde ertoe dat hij naar Zwitserland uitweek, waar hij op 31 december is overleden. Links zijn schilderij 'Demoiselles de la Seine' uit 1856.*

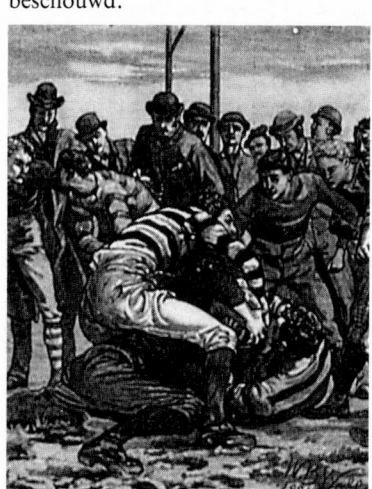

*De atletiekwedstrijden op het terrein van de Universiteit van Dublin.*

# Wimbledon-tennistoernooi

LONDEN - In een voorstad van Londen, Wimbledon, is een tennistoernooi gehouden. Het tennisspel is enkele jaren geleden door Wingfield uitgevonden en sindsdien, met name bij de hogere standen, snel populair geworden. Naar het schijnt heeft Wingfield zich laten inspireren door een eeuwenoud Frans spel dat 'jeu de paume' heet. Het tennistoernooi in Wimbledon werd gehouden op in tennisbanen veranderde croquetvelden. Het ligt in de bedoeling om van het toernooi te Wimbledon een jaarlijks weerkerend evenement te maken.

Het is opvallend dat sportbeoefening de laatste jaren ook bij de hogere standen in de mode komt. De enige sporten die tot dusverre door de elite beoefend werden, zijn roeien en paardrijden en voor de dames boogschieten. Tennis is overigens niet de enige sport die plotseling populair geworden is. Ook voetbal en rugby winnen de laatste jaren steeds meer aanhangers. Sinds de in 1863 opgerichte Football Association spelregels opstelde met het doel het spel sportief en zonder ruwheid te laten verlopen, heeft voetbal Engeland stormenderhand veroverd. In 1871 werd de eerste landelijke competitie voor voetbalclubs gespeeld. Ook een wat gevaarlijker sport als alpinisme vindt met name in Engeland beoefenaren.

Het is niet duidelijk hoe de plotselinge populariteit van sportbeoefening bij de betere standen verklaard moet worden. Sommigen zien als oorzaak de invloed van medici die verklaren dat lichaamsbeweging gezond is. Anderen wijzen op het competitie-element dat tegenwoordig meer in de belangstelling staat en past bij het door de industriële revolutie dynamischer geworden Engeland. In een theorie als het darwinisme, maar ook in het liberalisme wordt competitie als een positieve zaak beschouwd.

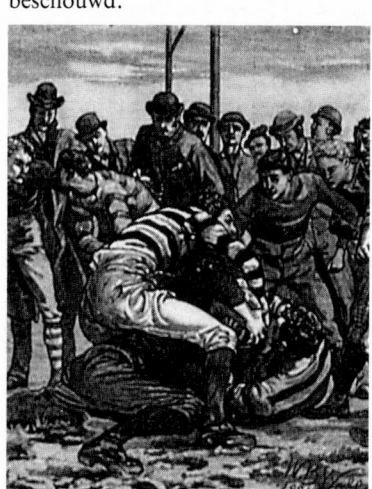

*Vooral rugby is een sport in opkomst.*

*De Britse scheikundige William Henry Fox (links) en een door hem gemaakte foto in het park van Lacock Abbey. De op 17 september overleden Fox, een pionier van de fotografie, ontwikkelde een positief-negatief-procédé, dat een verveelvuldiging en vergroting van het negatief mogelijk maakt.*

# 1878

**9 januari.** Victor Emanuel II, koning van Italië, overlijdt en wordt opgevolgd door zijn zoon Umberto I.

**17 januari.** Het eiland Samoa en de Verenigde Staten sluiten een handels- en vriendschapsverdrag. →

**23 januari.** In Sint-Petersburg eindigt het grote proces tegen leden van de volksbeweging 'Boodschap voor het Volk', het zogenaamde 'proces van de 193'. →

**2 februari.** Griekenland verklaart Turkije de oorlog.

**7 februari.** Paus Pius IX, paus sinds 1846, sterft in Rome en wordt opgevolgd door Leo XIII.

**10 februari.** De tien jaar durende vrijheidsoorlog van Cuba tegen het moederland Spanje eindigt met de Vrede van El Zanjón. →

**Februari.** Het Turkse parlement wordt voor onbepaalde tijd naar huis gestuurd. →

**3 maart.** Rusland en Turkije sluiten de Vrede van San-Stefano, die de Russisch-Osmaanse oorlog beëindigt. →

**11 mei.** Keizer Wilhelm I van Duitsland overleeft een aanslag. →

**13 juni tot 13 juli.** Op het Congres van Berlijn herzien de Europese grootmachten de Osmaans-Russische Vrede van San-Stefano en verdelen de Balkan opnieuw. →

**September.** De Russische regering verscherpt de verordeningen op het gebied van de staatsveiligheid. →

**11 oktober.** De clausule in de Vrede van Praag (1866) over een volksstemming in Noord-Sleeswijk wordt door Oostenrijk en Duitsland nietig verklaard.

**19 oktober.** In Duitsland worden openbare bijeenkomsten en publikaties van socialisten bij de wet verboden. →

- Het filosofisch werk *Menschliches, Allzumenschliches. Ein Buch für freie Geister* van Friedrich Nietzsche verschijnt.

- Het Leger des Heils wordt opgericht door de methodistenprediker William Booth. →

- Groot-Brittannië bezet Kaboel en Kandahar in Afghanistan.

- In Nederland worden bij een petitionnement 300 000 handtekeningen verzameld tegen de wet op het lager onderwijs van Kappeijne van de Coppello.

- Tsjaikovski maakt een tournee door Europa. →

- *The Return of the Native* van Thomas Hardy verschijnt.

- Londen krijgt als eerste stad elektrische straatverlichting. →

# Marinebasis VS op Samoa Eilanden

PAGO PAGO, 17 januari - De Verenigde Staten hebben een verdrag afgesloten met de Samoa Eilanden dat hun het recht geeft een marinebasis in de haven van Pago Pago te vestigen. Tegelijkertijd is een handelsovereenkomst afgesloten. De Amerikanen hopen met deze verdragen hun positie in Polynesië ten opzichte van de Duitsers te versterken.

De zich over 550 km uitstrekkende eilandenketen is in 1722 door de Nederlander Jacob Roggeveen ontdekt. Bougainville bezocht de eilanden in 1768 en noemde ze de 'Schipperseilanden'. Pas na 1830 heeft Samoa meer belangstelling gekregen. Nadat een groep Britse zendelingen zich dat jaar op de eilanden hadden gevestigd volgden handelaars uit de VS, Engeland en Duitsland. De economische belangen van deze landen dreigen nu met elkaar in botsing te komen. De VS hopen door de verdragen hun belangen veilig te stellen.

# Tsjaikovski viert triomfen tijdens Europese tournee

*Pjotr Iljitsj Tsjaikovski (1863).*

PARIJS - Pjotr Iljitsj Tsjaikovski, de Russiche componist, viert tijdens zijn tournee langs de Europese hoofdsteden grote triomfen. Tsjaikovski, die zijn eigen composities dirigeert, wordt alom door de critici geprezen. Zijn muzikale vondsten, veelal geniaal, en zijn sterk ontwikkeld gevoel voor muziekdrama spreken het publiek in hoge mate aan.

Tsjaikovski sloot zijn opleiding aan het conservatorium van Sint-Petersburg af met de toonzetting van Schillers *Ode an die Freude*. In 1865 volgde zijn benoeming tot hoofdleraar aan het Moskouse conservatorium, een functie die hij tot vorig jaar heeft bekleed. Tsjaikovski's muzikale kunnen is de laatste jaren tot enorme hoogten gestegen, getuige zijn avondvullend ballet *Het zwanenmeer*, waarvan vorig jaar in Moskou de première plaatsvond, met de ballerina P. Karpakara als Zwanenkoningin.

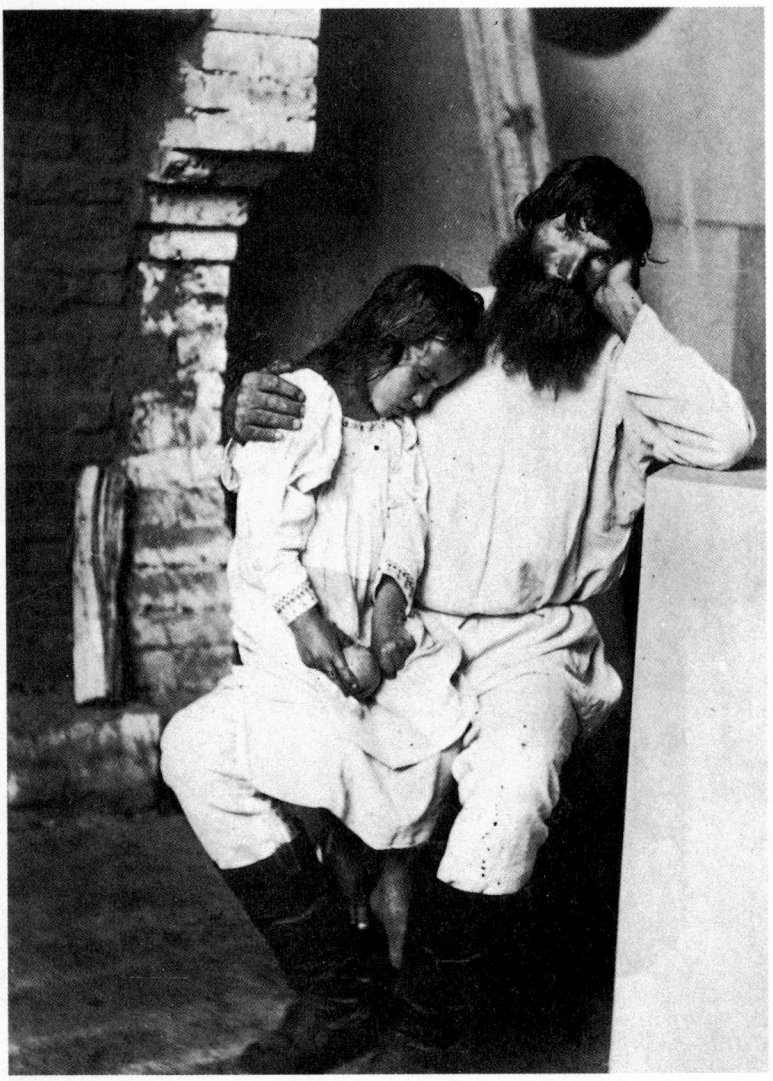

*Russische vader met kind (collectie Victoria and Albert Museum, Londen).*

# Massaproces in Rusland

ST.-PETERSBURG, 23 januari - Het massaproces tegen 193 Russische revolutionairen is ten einde. Evenals het proces van februari/maart vorig jaar tegen vijftig leden van een Moskouse groep, was ook dit proces openbaar en werd het in de kranten verslagen. Er zijn weinig gevangenisstraffen uitgedeeld, vermoedelijk omdat de juryleden in hun oordeel het idealisme van de jeugdige beklaagden enigszins hebben laten meespelen. Met dit proces is echter wel aan de beweging van de 'narodniki', ook wel 'populisten' genoemd, die talloze Russische jonge mensen naar het platteland deed trekken als agitators en sociaal werkers, een einde gekomen.

De beweging bereikte haar hoogtepunt in 'de dwaze Russische zomer' van 1874. In 1873 gaf de Russische regering de Russen die in Zwitserland studeerden - onder hen bevonden zich veel vrouwen die er gemakkelijker hoger onderwijs konden volgen dan in hun vaderland - opdracht naar Rusland terug te keren. Velen van hen deden dit en besloten, te zamen met andere jonge-

ren, in Rusland 'naar het volk' te gaan. Aldus gaven zij gehoor aan een eerdere oproep van Aleksandr Herzen: 'V narod!' (Naar het volk!). De jonge mannen en vrouwen trokken naar de dorpen en werkten er als onderwijzer, arts, dierenarts en verpleger. Sommigen louter met de bedoeling het volk te helpen, anderen met de opzet revolutionaire ideeën te prediken. Deze laatste categorie, die was beïnvloed door de revolutionair en anarchist Michail Bakoenin, hoopte aldus een spontane revolutie op grote schaal te ontketenen. Hun kruistocht is echter jammerlijk mislukt. De massa reageerde nauwelijks. Slechts in één geval wisten de populisten een opstand te bewerkstelligen, en dit alleen maar door een vervalst manifest waarin de tsaar zijn trouwe boeren bevel zou hebben gegeven zijn 'vijanden', de grootgrondbezitters, aan te vallen. In verscheidene gevallen leverden de boeren de narodniki uit aan de politie. De afgelopen vijf jaar zijn er ruim 1600 propagandisten, onder wie zo'n 240 vrouwen, gearresteerd.

# Turks parlement naar huis

CONSTANTINOPEL, februari - De tweede zitting in de jonge geschiedenis van het Turkse parlement is 'sine die' opgeschort.

In het Ottomaanse Rijk werd op 23 december 1876 een grondwet uitgeroepen, die voorziet in de instelling van een parlement bestaande uit twee kamers: de Senaat en het Huis van Afgevaardigden. De leden daarvan worden gekozen door de besturen in de verschillende provincies. De sultan kreeg het recht het parlement te ontbinden en dat is in feite nu gebeurd.

Sultan Abdül-Hamid II lijkt de hervormingen die de laatste tijd onder invloed van de grote mogendheden maar vooral van zijn grootvizier, Midhat Pasja, zijn doorgevoerd, te willen terugdraaien. Midhat Pasja en andere liberalen worden beïnvloed door de in 1867 ontstane Jong-Turkse beweging. Het is een mohammedaanse beweging van vooral intellectuelen die, geïnspireerd door westerse ideeën, ervan uit gaan dat de welvaart en de nationale kracht gebaseerd zijn op rechtvaardigheid en een goed bestuur.

# Kritiek op Balkanverdrag

SAN STEFANO, 3 maart - Rusland en Turkije hebben in San Stefano een vredesverdrag ondertekend, dat de vorig jaar uitgebroken oorlog officieel beëindigt. Groot-Brittannië en de Donaumonarchie hebben fel geprotesteerd tegen dit verdrag, dat het machtsevenwicht op de Balkan grondig dreigt te verstoren. De grootste knelpunten zijn de schepping van een autonoom, groot-Bulgaars rijk, dat gedurende twee jaar door Russische troepen zal worden bezet, en de Russische deelname aan de organisatie van de regering van de nieuwe staat.

De crisis op de Balkan begon in 1875, toen de boeren in Bosnië en Hercegovina in opstand kwamen. In april 1876 deden de Bulgaren een vergeefse revolutiepoging, terwijl in de zomer van dat jaar Servië en Montenegro de oorlog aan Turkije verklaarden. Om de interne hervormingen waarop de Westeuropese grootmachten aandrongen op de lange baan te kunnen schuiven, kondigde de nieuwe sultan Abdül-Hamid II een grondwet af die een interventie van de grote mogendheden overbodig maakte.

Op 24 april vorig jaar staken Russische troepen de Proet over na van Roemenië het recht op vrije doortocht te hebben gekregen in ruil voor de garantie van de Roemeense territoriale onschendbaarheid. De moeizaam behaalde Russische overwinning heeft nu

*Alexander II.*

het Verdrag van San Stefano tot gevolg.

Niettegenstaande verzekeringen van Russische zijde dat het hier gaat om een 'voorbereidend' verdrag en dat de grote mogendheden de gelegenheid zullen krijgen bepalingen die een verandering in Europese verdragen inhouden, te herzien, is er grote consternatie in de Europese hoofdsteden ontstaan. Er is niet uitsluitend vanwege een 'groot Bulgarije'. Ook Montenegro's territorium wordt verdrievoudigd. Daartegen wint Servië nauwelijks terrein en komt Roemenië er helemaal slecht af. Ondanks het feit dat het aan Russische zijde heeft meegevochten eist Rusland de afstand van Zuid-Bessarabië.

# Cuba blijft in handen van Spanje

HAVANA, 10 februari - Een al tien jaar durende vrijheidsoorlog die de Cubanen tegen de Spaanse overheersers voeren, heeft niet tot de felbegeerde onafhankelijkheid van Cuba geleid. Het eiland blijft voorlopig in handen van de Spanjaarden. Spanje heeft weliswaar een aantal tegemoetkomingen en hervormingen toegezegd (de slavernij werd tien jaar geleden officieel afgeschaft maar dit werd niet in praktijk gebracht), maar het lijkt er niet op dat het verzet tegen het koloniale gezag zal verminderen. De economie van het land is nu geheel geruïneerd. Amerikaanse za-

kenlieden maken van de gelegenheid gebruik en kopen talrijke suikerriet- en tabaksplantages op. Dit heeft wellicht tot gevolg dat de economische belangen van Amerika en Spanje met elkaar in botsing komen. Het valt te verwachten dat de Verenigde Staten om economische redenen de Cubanen in hun nog niet opgegeven strijd voor de onafhankelijkheid steun zullen verlenen. Al in het begin van deze eeuw, toen de Spaanse koloniën op het Amerikaanse vasteland zich van Spanje onafhankelijk maakten, ontstond ook op Cuba een revolutionaire beweging.

## Leger des Heils opgericht

*Een evangelist preekt op de slaapzaal van een Londens tehuis voor onbehuisden.*

LONDEN - Onlangs is door het echtpaar William en Catherine Booth in een arme wijk in East-End het Leger des Heils opgericht. William Booth is een methodistisch predikant die al sinds 1865 bezig is met bekeringswerk. Booth zet zich af tegen de bestaande kerken die volgens hem vooral voor de armen te weinig doen.

Met zijn op militaire leest geschoeide organisatie - de leden dragen uniformen en zijn ingedeeld in militaire rangen - wil Booth zich van de taken kwijten die de 'traditionele' Kerken volgens hem laten liggen. Voor Booth staat het bekeringswerk voorop. Hij wil proberen de mensen directer aan te spreken. Daartoe worden regelmatig in de open lucht evangelisatiebijeenkomsten gehouden die voor een belangrijk deel bestaan uit het onder begeleiding van muziek zingen van religieuze liederen. Bovendien bezoeken de soldaten en officieren de arme wijken, waarin zij de materiële nood willen lenigen. Er bestaan plannen voor een logement waarin daklozen kunnen verblijven en een maaltijd kunnen krijgen. Logies en maaltijd worden gratis verstrekt; enige voorwaarde is het bijwonen van een evangelisatiebijeenkomst en het deelnemen aan gebed voor en na het eten.

Ook zal het Leger des Heils in de arme wijken kleding gaan uitdelen. Het leger hoopt zijn activiteiten te kunnen financieren uit donaties van rijkere burgers en uit de opbrengst van straatcollectes. William Booth, die zichzelf tot generaal voor het leven heeft benoemd, zegt dat iedereen, ongeacht zijn afkomst of verleden, welkom is bij zijn organisatie. Wel verwacht hij van mensen dat ze in het openbaar hun zonden belijden en vervolgens vertellen dat ze door het geloof gered zijn. Booth heeft al veel mensen voor zijn plannen enthousiast weten te maken. Hij rekent erop aan het einde van het jaar 80 korpsen, dat wil zeggen afdelingen, te hebben.

Booth wordt in zijn werk gesteund door zijn vrouw Catherine, zelf een begaafd predikster en onvermoeibaar sociaal werkster. Catherine Booth gelooft onvoorwaardelijk in het recht van vrouwen om te prediken zoals zij in 1859 in haar pamflet *Female Ministry* heeft vastgelegd.

*De Duitse keizer Wilhelm I is in Berlijn ternauwernood aan de dood ontsnapt. De arbeider Max Hödel die twee maal op de keizer schoot, pleegde de aanslag uit ongenoegen over de anti-socialistenwet die door de keizer was afgekondigd.*

## Europese top eens over Bulgaarse deling

BERLIJN, 13 juli - Het grote Europese congres, dat een maand geleden in Berlijn onder voorzitterschap van kanselier Otto von Bismarck begon, is ten einde gekomen. Gezien het feit dat de besprekingen veranderingen in Europese verdragen tot gevolg zouden hebben, waren alle grote mogendheden vertegenwoordigd: Rusland, Groot-Brittannië, Frankrijk, Duitsland, Italië, Oostenrijk-Hongarije en het Osmaanse Rijk. De Balkanstaten waren slechts genodigd om vertegenwoordigers te sturen. Zij hebben geen deel gehad aan de beslissingen over de toekomst van hun staten.

Doel van het congres was in de eerste plaats om het in het Westen gelaakte verdrag van San Stefano te herzien. De Russen waren gedwongen deel te nemen, wilden zij een isolement zoals ten tijde van de Krimoorlog voorkomen. De bejaarde Russische bewindsman Gortsjakov had van tsaar Alexander II opdracht gekregen zoveel mogelijk van het Verdrag van San Stefano overeind te houden. Niettemin is de kaart van de Balkan ingrijpend gewijzigd ten nadele van 'groot-Bulgarije', dus ook van de Russische invloed in dit gebied. Bulgarije wordt in drieën gedeeld: het noorden en het gebied rond Sofia worden een autonoom vorstendom, schatplichtig aan de sultan. Oost-Roemenië, dat wil zeggen het gebied tussen het Balkan- en Rhodopegebergte, krijgt een semi-autonome status met een door de Turken benoemde christelijke gouverneur en onder supervisie van de grote mogendheden; Macedonië en Thracië komen weer onder direct Turks gezag. De Oostenrijks-Hongaarse Dubbelmonarchie krijgt het recht om Bosnië en Hercegovina te bezetten en te besturen; daarnaast mag ze de Sanjak van Novi Pazar, dat wil zeggen de strook die Servië van Montenegro scheidt, bezetten. Kortom, op de oostelijke Balkan is Rusland toch nog

*Bismarck neemt na de ondertekening van het verdrag felicitaties in ontvangst.*

een vrij sterke positie toegekend, terwijl het Habsburgse Rijk in het westelijke deel blijft domineren.

De territoriale aspiraties van de verschillende Balkanstaten zijn lang niet bevredigd. Roemenië verliest Zuid-Bessarabië aan Rusland en wordt gecompenseerd met de teruggave van de Donaudelta en de Dobroedsja. Daar staat echter tegenover dat de onafhankelijkheid van Roemenië, Montenegro en Servië nu internationaal is erkend. Het Osmaanse Rijk, ook wel 'de zieke man' genoemd, is de grote verliezer. Behalve gebiedsafstand aan de Balkanstaten moet de Porte bovendien de grote mogendheden tevreden stellen: Rusland krijgt Batum, Kars en Ardahan. De Britten hebben reeds in mei het eiland Cyprus afgedwongen.

Het congres was bijeengekomen op initiatief van Bismarck. Hij was bereid te bemiddelen tussen de drie grootmachten over de verdeling van invloedssferen op de Balkan. De rijkskanselier wierp zich tijdens deze conferentie op als 'eerlijke makelaar' tussen de partijen in het belang van de Europese politieke stabiliteit. Uniek was dat hijzelf geen eisen stelde. Het Duitse Rijk is verzadigd en heeft geen expansionistische ambities meer. Daarbij was Bismarck van mening dat de Balkan 'de gezonde lijven van de Duitse soldaten niet waard was'.

Bismarck zorgde ervoor dat alle betrokkenen een deel van de koek kregen. Zelfs de Fransen werd toegestaan hun invloed in Noord-Afrika uit te breiden. Alleen de Italianen kregen slechts vage toezeggingen over toekomstige invloed in Albanië. 'De Italianen zijn erg gulzig,' merkte Bismarck op, 'maar zij hebben zulke slechte tanden.'

Als bemiddelaar voor de vrede heeft Bismarck in ieder geval bereikt dat het Duitse Rijk voorlopig geen coalities tegen zijn grondgebied hoeft te vrezen.

In het kader van een wedstrijd tussen verschillende fabrikanten worden in het centrum van Londen booglampen getest. Op de afbeelding (afkomstig uit de 'London Illustrated News') twee van deze aan hoge masten opgehangen lichtbronnen.

# Socialistenwet in Pruisen

*In naam der wet maakt de politie een einde aan een vergadering.*

BERLIJN, 25 december - Het wordt steeds duidelijker hoe streng de op 19 oktober van dit jaar aanvaarde antisocialistenwet wordt nageleefd. De wet, die met 221 tegen 149 stemmen door de Rijksdag werd aangenomen, heeft als doel het 'socialistengebroed' en tevens de 'rijksvijanden' onschadelijk t[e] maken. Vanaf die datum is het sociaa[l] democraten, socialisten en commu[ni]nisten verboden bijeenkomsten te be[…]zoeken, verenigingen op te richten o[…] kranten en periodieken uit te geven o[…] te bezitten. Zelfs diegenen die verdach[t] worden van socialistische sympathieë[n] kunnen ingevolge de wet vervolgd wo[r]den, zonder beroepsmogelijkheid. D[e] negen nog in de Rijksdag zittende afge[…]vaardigden werd echter toegestaa[n] hun mandaat vol te maken.

Bismarck speelde al lang met de ge[…]dachte de 'rode anarchie' te muilko[r]ven. Hij vreesde een snelle groei van d[e] sociaal-democratische partij in d[e] Rijksdag waardoor dit Huis voor de re[…]gering onbeheersbaar zou worden.

Twee moordaanslagen op keizer Wi[l]helm I in dit voorjaar creëerden een ui[t]stekend klimaat voor hard optrede[n] Bij de tweede aanslag werd de keize[r] zwaargewond en een golf van hyster[ie] maakte zich van het land meester. [In] juni werden er op één dag in Berlijn [59] mensen veroordeeld tot een totaal va[n] 22 jaar gevangenschap op beschuld[i]ging van majesteitsschennis.

Het publiek nam onmiddellijk aan d[at] dr. Nobeling, de dader, een sociali[st] was. Bewijs daarvoor was niet noodz[a]kelijk. Het hoofdkwartier van de s[o]cialistische partij werd bestormd en [er] gingen zelfs stemmen op om alle arbe[i]ders met socialistische sympathieën o[p] staande voet te ontslaan.

Nu, twee maanden na de inwerking[…]treding van de wet, blijken de gevolg[en] ervan heel ingrijpend te zijn. Alle (4[7]) partijkranten werden onmiddelli[jk] verboden, vakbonden ontbonden e[n] 67 partijleiders uit Berlijn verbanne[n] Velen gaven direct hun partijlidmaa[t]schap op in een poging hun baan te re[d]den. De socialistische partij bevin[dt] zich momenteel in een staat van o[nt]reddering. Er zijn echter al tekenen v[an] verzet. Onlangs is er een tijdschrift [in] Londen gepubliceerd onder de naa[m] *Vrijheid*. Hierin roept men op tot ve[r]zet en revolutionaire actie.

# Rusland hard op weg naar een politiestaat

*Officieren van het Preobrajenski Regiment in het uniform van de Streltsi, het oude Russische keurkorps.*

ST.-PETERSBURG, september - Het Russische Rijk van Alexander II dreigt steeds meer het karakter van een politiestaat te krijgen. In reactie op de toenemende terroristische activiteiten - op 4 augustus werd de hoofdstad opgeschrikt door de moord op klaarlichte dag op het hoofd van de politie - heeft de regering een 'tijdelijke' verordening laten uitgaan. Deze behelst dat perso-nen die worden beschuldigd van gewapend verzet tegen regeringsorganen of ambtenaren in functie, niet langer voor een civiele rechtbank zullen worden berecht maar voor de krijgsraad moeten verschijnen.

Maar dat is nog niet alles. Op 1 september hebben de autoriteiten een (geheime) circulaire doen uitgaan, die bepaalt dat personen louter op ver-denking van politieke misdaden in hechtenis kunnen worden genomen en 'bestuurlijk kunnen worden verbannen'. Tot nu toe gold dat een Russische burger eerst een subversieve daad moest hebben gepleegd - hiertoe werden overigens ook gesproken of geschreven uitingen gerekend -alvorens verbannen te kunnen worden door de Russische autoriteiten.

# België reorganiseert lager onderwijs

*Defilé van Brusselse scholen, georganiseerd door het liberaal gezinde 'Comité voor de Liga van het onderwijs'.*

BRUSSEL, 10 juli - In de vandaag verschijnende editie van *Het Belgisch Staatsblad* staat de nieuwe 'Wet op het Lager Onderwijs' afgedrukt. De wet beperkt de gemeentelijke zelfstandigheid en de grote katholieke invloed op onderwijsgebied. De staat krijgt voortaan de grootste vinger in de onderwijspap.

De belangrijkste bepalingen uit de wet zijn dat iedere gemeente minstens één neutrale school moet bezitten; dat gemeenten geen vrije scholen meer mogen subsidiëren; dat leerkrachten een diploma moeten kunnen overleggen van een officiële Normaalschool, waarvan het onderwijs door de staat geregeld wordt; dat de programma's en leerboeken aan staatscontrole onderworpen worden; dat godsdienstlessen alleen nog maar op verzoek van de ouders en buiten het normale lesrooster om gegeven mogen worden.

De wet, die op 1 juli door koning Leopold II is ondertekend, houdt de gemoederen in België danig bezig. Sinds de indiening door onderwijsminister Van Humbeeck, op 21 januari, is er van katholieke zijde fel tegen geageerd. Onder aanvoering van aartsbisschop Descamps is het episcopaat met een grootscheepse campagne bezig. Ook politieke leiders van katholieken huize laten zich daarbij niet onbetuigd. Er is zelfs een volkspetitionnement tegen de wet georganiseerd waarbij zo'n 317 000 handtekeningen zijn verzameld.

Ook de behandeling van het wetsvoorstel in de Kamer kende een woelig verloop. Vanaf 12 april is erover gediscussieerd, waarbij de emoties af en toe hoog opliepen. Op 6 juni werd de wet in stemming gebracht, die in de Kamer met 67 tegen 60 stemmen en in de Senaat met 33 tegen 31 stemmen (bij 1 onthouding) werd goedgekeurd.

De kerkelijke autoriteiten hebben al laten weten met de nieuwe wet geen genoegen te zullen nemen. Zij hebben gedreigd de sacramenten te weigeren aan de onderwijzers en de ouders van kinderen die een neutrale school bezoeken. Bovendien hebben ze aangekondigd zoveel mogelijk nieuwe vrije (katholieke) lagere scholen op te richten, waarin katholiek onderwijs gewaarborgd kan worden.

# Edison vindt gloeilampverlichting uit

*Thomas Alva Edison.*

MENLO PARK - Het dagblad *The New York Herald* maakt melding van het feit dat de uitvinder Thomas Edison op oudejaarsavond een elektrische verlichting in de straten van Menlo Park zal ontsteken. Dertig luchtledige glazen bollen zullen door elektriciteit op zeer hoge temperatuur gebracht worden waardoor zij licht uitstralen. Dynamo's met een hoog voltage leveren hiervoor de energie. Het zijn niet de eerste elektrische lampen die zullen branden: op een tentoonstelling vorig jaar zorgde de zogenaamde booglamp, waarin het licht met behulp van gas onder lage druk werd opgewekt (vlamboog), voor opschudding. Edison kondigde toen brutaal aan dat hij binnenkort een veilig en goedkoop elektrisch licht zou uitvinden dat het gaslicht in miljoenen huishoudens zou vervangen. 'The wizard (de tovenaar) of Menlo Park' kreeg dank zij zijn goede reputatie een voorschot van vijftigduizend dollar. Dit stelde hem in staat een groot en goed uitgerust laboratorium in Menlo Park in te richten, waar hij met een staf van 20 assistenten in alle rust aan de research en ontwikkeling van de gloeilamp kon werken. Een rust die, volgens Edison, nog toenam zijn gehoor steeds minder werd. Het grootste probleem waarvoor Edison zich geplaatst zag, was een geschikt materiaal voor de draad te vinden, dat wel gloeide, maar niet zou verbranden: het werd uiteindelijk koolstof. Edison, die uitvindingen 'op bestelling' levert, beweert voor iedere kleine uitvinding tien dagen en voor een grote uitvinding maximaal zes maanden nodig te hebben.

# Daumier overlijdt blind en straatarm

*Honoré Daumier.*

*Twee spotprenten over het wel en wee binnen de burgerlijke samenleving.*

*De Opera van Dresden (1871-1878).*

PARIJS, 10 februari - In Valmondois, in de omgeving van Parijs, is vandaag op bijna 71-jarige leeftijd de schilder, beeldhouwer en lithograaf Honoré Daumier overleden. Hij werd vooral bekend door zijn satirische lithografieën, waarvan hij er tijdens zijn loopbaan ongeveer 4000 vervaardigde.
Hoewel zijn werk zeer populair was heeft Daumier aan zijn illustraties weinig verdiend. Hij had allerlei baantjes totdat in 1830 zijn talent als politiek spotprententekenaar ontdekt werd door de journalist Charles Philipon, stichter van het liberale blad *La Caricature*. Daumier bleef met enkele onderbrekingen veertig jaar aan de bladen van Philipon verbonden. In 1832 werd Daumier voor een litho van Louis-Philippe tot zes maanden gevangenisstraf veroordeeld. Het blad *La Caricature* kreeg een verschijningsverbod opgelegd. Philipon stichtte echter spoedig een nieuw blad, *La Charivari*, waarin Daumiers illustraties bleven verschijnen.
In zijn prenten hekelde Daumier sociale misstanden, waarbij hij zich vooral afzette tegen corruptie van advocaten en rechters. Ondanks het feit dat De Balzac zich zeer lovend over zijn werk uitliet - hij vergeleek het met dat van Michelangelo - leverden zijn litho's en later zijn schilderijen Daumier niet veel op. Vanaf 1872 werd hij langzaam maar zeker blind; bovendien verviel hij in de laatste jaren van zijn leven tot grote armoede.

## Duits architect Gottfried Semper overleden

ROME, 15 mei - In de Italiaanse hoofdstad is op 75-jarige leeftijd de Duitse architect Gottfried Semper overleden. Semper wordt beschouwd als een origineel bouwkundige. Hoewel hij tijdens zijn studie vooral door het classicisme werd beïnvloed, aden men zijn latere scheppingen vooral een neoromantische stijl. Zijn bouwwerken vormen in feite een overgang tussen beide stijlen.
Nadat hij tussen 1829 en 1833 veel gereisd had door Frankrijk, Italië en Griekenland, werd Semper in 1834 te hoogleraar aan de Bauakademie Dresden benoemd. Hij verwierf daar roem door het volgens zijn plannen gebouwde operagebouw, dat in 1841 voltooid werd. Voor dit operagebouw maakte hij gebruik van de vorm van het amfitheater.
Vanwege zijn revolutionaire activiteiten in de Mei-opstand van 1849 was Semper gedwongen via Parijs naar Londen te vluchten, waar hij de inrichting van het Kensington Museum verzorgde. Van 1855 tot 1871 was hij hoogleraar architectuur aan het Polytechnikum te Zürich. In deze jaren ontstonden zijn belangrijkste theoretische werken. Vanaf 1871 verbleef hij in Wenen, waar hij meewerkte aan de herbouw van de stad.

# Tsjechen terug in parlement van Wenen

WENEN, 7 oktober - Na zestien jaar het Weense parlement te hebben geboycot, keren de Tsjechen in de keizerlijke Landdag terug. Hun afwezigheid in het actieve politieke leven moest hun ontevredenheid uitdrukken over hun positie en rechten binnen de monarchie. Zelfs in hun eigen land, Bohemen, bedreven de Tsjechen de afgelopen zeven jaar deze politiek van het 'absenteïsme'. In beide gevallen kwam het hun zaak niet ten goede, omdat ze daarmee alleen maar de versterking van de Duitse partij mogelijk maakten (in het Boheemse landelijke parlement zijn de Duitsers rijkelijk vertegenwoordigd).
Het duidelijkste protest tegen de Duitse en Hongaarse hegemonie in de monarchie was het Slavisch Congres (1848): meer dan driehonderd afgevaardigden van alle Slavische volkeren der monarchie kwamen in Praag bijeen om een bond te vormen. Het congres (dat later nooit meer werd hervat) werd opgebroken door de Praagse opstand (1848), die uitbrak na de provocerende militaire maatregelen van de Oostenrijkse generaal Windischgrätz tegen de Tsjechen.
Na de onderdrukking van de revolutie in 1848 werd Bach de nieuwe Oostenrijkse minister van Binnenlandse Zaken. Een liberaal uit die tijd karakteriseerde zijn bewind als volgt: 'Bachs regime bestaat uit een staand leger van soldaten, een zittend leger van ambtenaren, een knielend leger van priesters en een kruipend leger van verklikkers.' Nadat dit regime in 1859 financieel en moreel bankroet ging, begonnen de Tsjechen vol optimisme aan de politiek van het rijk deel te nemen. Maar ze merkten algauw wat voor een geringe rol voor hen was weggelegd en trokken zich in 1863 vol bitterheid terug. Aangezien ook de Hongaren de parlementszitting boycotten, hadden de Duitsers er de absolute meerderheid.
In tegenstelling tot de Tsjechen bereikten de Hongaren met hun 'absenteïsme' echter precies wat ze wilden: in 1867 de gelijkstelling met de Duitsers binnen de monarchie. De teleurstelling van de Tsjechen was enorm. In 1871 kwam Wenen hen enigszins tegemoet en benoemde twee Tsjechen - overigens geen politieke figuren - tot Oostenrijkse ministers. Verdere concessies aan de Tsjechen, waartoe keizer Frans Jozef bereid was, werden verhinderd door de Hongaren en, vooral, door de Tsjechische Duitsers (rond 40 procent van de Boheemse bevolking) die zelfs dreigden de Pruisische Bismarck om militaire hulp te vragen. Pas nadat vorig jaar Bosnië en Hercegovina bij het Habsburgse Rijk werden gevoegd en de Slavische volkeren de etnische meerderheid in de monarchie werden, vonden de Tsjechen het weer tijd om hun stem in de politieke arena te laten horen.

## Koelmachine op ammoniak slaat aan

WIESBADEN - De dit jaar in Wiesbaden geopende fabriek voor koelmachines blijkt een commercieel succes te zijn. De fabriek is het initiatief van de Duitser Carl Linde, uitvinder van de op samengeperste ammoniak werkende ijskast.
Het is voor het eerst dat koelmachines op relatief grote schaal worden geproduceerd.
De door de voormalige hoogleraar Linde ontwikkelde koelmachines zijn niet alleen geschikt voor de produktie van kunstijs, maar kunnen ook direct koelen. Zij doen dit voordeliger dan de tot nu toe ontwikkelde apparaten. Met name de brouwerijen hebben belangstellend op Lindes uitvinding gereageerd.
Er zijn dit jaar grote vorderingen geboekt op het gebied van de koelingstechnologie. Met behulp van een op samengeperste lucht werkende koelmachine, ontworpen door de Schot J.J Coleman, werd in het begin van dit jaar voor het eerst kunstmatig bevroren vlees uit Amerika en Australië geïmporteerd.
Aan bederf onderhevige waren kunnen met behulp van deze nieuwontwikkelde koelmachines over veel grotere afstanden worden getransporteerd.

*Architect Gottfried Semper.*

*Theodor Herzl met leden van Albia, een pangermanistische studentenbeweging.*

# Antisemitisme leeft op

BERLIJN, november - Volgens de politieke publicist Konstantin Frantz kan Berlijn met zijn 45 000 joodse inwoners beter de hoofdstad van een joods rijk dan van een Duits rijk worden genoemd: 'In alle delen van het openbare leven treft men die arrogante joden aan…op de vlooienmarkt, in de handelshuizen en op de beurs. Men kent de journalistenjood, de schrijversjood, de joodse parlementariër, de theater- en muziekjood en de joodse wetenschapper, maar vooral Berlijn kent nu ook joodse bestuurders. Reeds de helft van de ambtenaren…is joods…! Hand in hand met de pers en de beurs beheersen zij het stadsbestuur.'
Steeds vaker hoort men de laatste tijd zulke antisemitische geluiden. Onder het motto 'De joden zijn ons nationale ongeluk', schreef de bekende Berlijnse historicus Heinrich von Treischke een artikel in het *Pruisische Jaarboek* waarin hij de joden verantwoordelijk stelt voor het voortschrijdende 'snode materialisme' in de Duitse samenleving.
Ook van kerkelijke zijde keert men zich steeds uitdrukkelijker tegen de joden. De hofpredikant Adolf Stoecker, oprichter van de joods-vijandige Christelijk-Sociale Arbeiderspartij,

heeft dit jaar besloten zich aan te sluiten bij de Antisemietenliga van Wilhelm Marr.
Door zijn bedenkingen tegen het jodendom, ook geuit tijdens openbare lezingen, is Stoecker bijzonder populair geworden. Deze openlijk antijoodse stellingname van gewaardeerde Duitse burgers als Treischke en Stoeckel heeft het antisemitisme bij grote delen van de bevolking ingang doen vinden. Het is een beweging in de Duitse politiek waarmee men, met het oog op de verkiezingen, rekening moet gaan houden.
Ondanks of misschien wel dank zij de wet voor gelijke burgerrechten voor joden uit 1871, meteen na de stichting van het Duitse Rijk, maakte het antisemitisme opgang. Door het wegvallen van de economische beperkingen voor joden was het voor het publiek al snel duidelijk wie verantwoordelijk voor de economische crisis was. De verwijten, en dat is nieuw in de geschiedenis van het antisemitisme, kregen een racistisch karakter.
Het is steeds meer populair geworden de joden als zondebok te gebruiken ondanks het feit dat slechts 1,5 procent van de totale Pruisische bevolking joods is.

# Terrorisme in Rusland

*Inval van politie in een drukkerij, waar het 'Volkswil'-orgaan wordt gemaakt.*

ST.-PETERSBURG - De in 1876 opgerichte revolutionaire groepering Zemlja i Volja (Land en Vrijheid) heeft zich gesplitst in een gematigde en een radicale vleugel. De eerste, 'Zwarte Verdeling' (Tsjornyj Peredel) genaamd, wordt geleid door G. Plechanov en P.B. Akselrod. Deze groep verwerpt het terrorisme en wil via de weg der geleidelijkheid en propaganda politieke en sociale veranderingen bewerkstelligen. De radicale groepering, die de ambitieuze naam 'Volkswil' (Narodnjaja Volja) draagt, ziet in terrorisme het enige effectieve wapen in de strijd tegen de Russische regering.
De terroristen redeneren dat, ten gevolge van de uiterst gecentraliseerde structuur van de Russische staat, moordaanslagen op vooraanstaande publieke figuren het regime enorme schade kunnen toebrengen. Rusland heeft hiervan verleden jaar al een voorproefje gehad. Toen loste de terroriste Vera Zasoelitsj twee - overigens net niet dodelijke - schoten op Fjodor Trepov, de militaire gouverneur van Petersburg, omdat deze bevel had gegeven een politieke gevangene zweepslagen toe te dienen.

Ondanks het feit dat er harde bewijzen waren voor een poging tot moord met voorbedachten rade, werd Zasoelitsj door de jury vrijgesproken. Dit leidde tot woede bij velen, onder wie de schrijver Fjodor Dostojevski en de gematigd liberaal Boris Tjitsjerin. Zij verzetten zich heftig tegen het meten met twee maten bij gewone misdaden en vergrijpen tegen de staat. Dit was ook vorig jaar gebeurd bij het proces tegen de 193, waarin vele beklaagden werden vrijgesproken. Overigens heeft de Russische regering dit door de invoering van de 'bestuurlijke verbanning' later dat jaar rechtgezet: vele beklaagden zijn op grond daarvan alsnog van het toneel verdwenen.
De hervorming van het rechtssysteem in 1864 heeft in de ogen van de Russische regering niet het gewenste resultaat opgeleverd. Maar al te vaak worden politieke processen door de radicalen gebruikt om vlammende, politieke redevoeringen te houden. Dit oneigenlijke gebruik sterkt uiteindelijk de conservatieven en reactionairen in hun overtuiging dat een onafhankelijke rechtspraak een ongelukkig, 'onrussisch' idee is.

*Op de nijverheidstentoonstelling van Berlijn kan men een ritje maken met een door Siemens vervaardigde elektrische trein.*

# WCTU kiest voorzitter

*Carry Nation, bekend actievoerster tegen het drankmisbruik in de VS.*

CLEVELAND - Tijdens de nationale conventie van de Amerikaanse WCTU, de Women's Christian Temperance Union, is Frances Willard tot voorzitter gekozen. De WCTU is een vereniging van protestantse vrouwen die zich verzet tegen het drankmisbruik in Amerika. Met Willards verkiezing heeft de progressieve factie, die het verkrijgen van kiesrecht voor vrouwen ziet als een wapen in de strijd tegen het drankmisbruik, de overhand binnen de vereniging gekregen.

De WCTU, die in 1874 in Cleveland werd opgericht door 135 vrouwen uit 16 staten, is voortgekomen uit wat wel genoemd wordt de 'vrouwenkruistocht tegen de alcohol'. Gedurende deze 'kruistocht' (1873-1874) hebben groepen vrouwen vele honderden saloons tot sluiting gedwongen door protest- en bidacties in kroegen en cafés te houden, waarbij men de vaten drank over straat leeggoot. Uit behoefte aan een meer permanente organisatievorm is daarna de WCTU opgericht.

De WCTU is met haar 27 000 leden een van de snelst groeiende en belangrijkste vrouwenorganisaties in Amerika. Veel vrouwen zijn uit sociale en religieuze motieven de strijd tegen het drankmisbruik aangegaan. In die strijd is men zich bewust geworden van de ongelijkwaardige maatschappelijke positie van de vrouw, onder andere door het inzicht dat vrouwen onder de bestaande huwelijkswetgeving zijn overgeleverd aan de genade van hun echtgenoot, met alle gevolgen van dien als deze alcoholist blijkt te zijn. Zo is de strijd tegen het drankmisbruik tegelijkertijd een strijd voor gelijkberechtiging van vrouwen geworden. Vrouwenkiesrecht is daarbij van dubbel belang, zo redeneren Willards aanhangsters: het draagt bij aan de gelijkberechtiging van vrouwen en het geeft de WCTU de mogelijkheid het verzet tegen drankmisbruik met politieke middelen te voeren.

*De bestorming van de Britse ambassade in Kaboel door Afghaanse opstandelingen op 3 september. De Britse afgezant Sir Pierre Louis Cavagnari en zijn hele missie worden hierbij om het leven gebracht, waarmee een einde komt aan de kortstondige vrede die op 26 mei gesloten was. De Britse regering stuurt na dit incident opnieuw troepen naar Afghanistan.*

*Roeiboottaxi's in de haven van Valparaíso; op de achtergrond een droogdok.*

# Chili in oorlog met Bolivia en Peru

ANTOFAGASTA, februari - Sinds de bezetting van de havenstad Antofagasta door Chileense militairen verkeert Chili in oorlog met de beide buurlanden Bolivia en Peru. Het conflict is veroorzaakt doordat de partijen het niet eens kunnen worden over het verloop van de grenzen tussen de drie landen in de Atacama-woestijn.

De werkelijke oorzaak achter het conflict is dat het omstreden gebied rijk aan salpeter is. Omdat salpeter sinds kort een veelgevraagde grondstof is, zodat de prijzen ervan aanzienlijk zijn gestegen, is de vrijwel onbewoonde Atacama-woestijn voor Chili economisch belangrijk geworden.

Toen de salpeter nog geen waarde had zag geen van de landen redenen om de grenzen precies vast te leggen. Bolivia, dat verder geheel door land wordt omsloten, gebruikte het zuidelijke deel van de woestijn om toch een toegang tot de zee te hebben. Het noordelijk deel, op deze manier van Chili gescheiden, werd beheerd door Peru.

Nu salpeter voor de drie betrokken landen een der belangrijkste exportprodukten is geworden, is de situatie veranderd. Chili laat nu aanspraken op het gehele gebied gelden. Bovendien zijn de meeste arbeiders die de salpeter winnen Chilenen. Een kwart van het kapitaal van de ter plaatse werkzame maatschappijen is in Chileense handen. Peru en Bolivia weigeren echter van het beheer van het gebied af te zien. Aangezien onderhandelingen niets hebben opgeleverd, is Chili ten strijde getrokken. Overigens zijn de drie landen slecht op een oorlog voorbereid: Peru heeft 6000, Bolivia 2000 en Chili slechts 2400 soldaten.

# MacMahon besluit af te treden

*De Franse president MacMahon.*

PARIJS, 30 januari - De Franse president MacMahon is afgetreden; hij zal worden opgevolgd door de conservatieve republikein Jules Grévy. Nadat de verkiezingen van 5 januari de republikeinen een ruime meerderheid hadden gegeven (van de 47 conservatieven werden er slechts 14 herkozen), eiste de Senaat dat de president extreem anti-republikeinse elementen zou ontslaan. MacMahon gaf er de voorkeur aan af te treden.

**8 april.** Franse vrouwen komen in actie tegen de ongelijkheid in de wetgeving. →

**5 juni.** De Belgische regering verbreekt de banden met het Vaticaan. →

**29 juni.** Frankrijk annexeert Tahiti.

**14 juli.** De Franse republikeinse regering verklaart de veertiende juli, de dag van de bestorming van de Bastille in 1789, tot nationale feestdag. De Marseillaise is voortaan het Franse volkslied. →

**20 juli.** De Zweedse poolonderzoeker Adolf Erik Nordenskiöld ontdekt de Noordoostpassage. →

**10 september.** De in Franse opdracht uitgezonden Afrika-onderzoeker Pierre de Brazza sluit met Makoko, heerser van het Teke-rijk in het Kongogebied een verdrag, om de in Belgische opdracht reizende Stanley voor te zijn.

**15 oktober.** In Keulen wordt de laatste hand gelegd aan de Dom. →

**8 november.** De actrice Sarah Bernhardt maakt haar debuut in New York. →

**30 december.** De Boeren uit Transvaal roepen onder leiding van Paul Kruger de republiek uit. Dit leidt tot een oorlog met Groot-Brittannië.

- Leidende leden van de Duitse nationaal-liberalen treden uit de partij uit protest tegen de afbouw van de Kulturkampf en Tolpolitiek.

- In Argentinië eindigt een 30-jarige periode van burgeroorlog en revolutie. Het land wordt een bondsstaat.

- In de Indiase provincies Madras, Bombay, Mysore en Hyderabad breekt een hongersnood uit. De Britse hulp van bijna 11 miljoen pond sterling komt voor veel Indiërs te laat.

- De woonlasten in Berlijn bereiken een schrikbarend hoog peil. →

- De Koerdische strijd voor onafhankelijkheid onder aanvoering van sjeik Ubaidullah al-Nahri leidt niet tot resultaat. →

- De Ierse Land-Liga, een pachtersorganisatie, dwingt de rentmeester Charles Boycott door een 'boycot' tot emigratie. →

- Fjodor Dostojevski publiceert *De gebroeders Karamazov*.

Gestorven:

**4 januari.** Anselm Feuerbach (12-9-1829), Duits schilder→
**23 april.** Raden Saleh (circa 1814), Javaans schilder→
**5 oktober.** Jacques Offenbach (20-6-1819), Duits-Frans componist→

# Vrouwencomité strijdt voor stemrecht

PARIJS, 8 april - 'Ik stem niet, daarom betaal ik niet.' Met deze woorden besluit Hubertine Auclert het perscommuniqué waarin zij haar weigering belasting te betalen wereldkundig maakt. Zij heeft tot deze radicale actie besloten, nadat haar poging in februari van dit jaar zich als kiezer te laten inschrijven in Parijs, mislukt is. Zij vindt dat haar als belastingbetalende vrouw het kiesrecht gegeven moet worden. Twin-tig vrouwen hebben zich bij de belastingstaking aangesloten, allen ongehuwd of weduwe; gehuwde vrouwen betalen geen belasting (dat doen hun echtgenoten) en kunnen daarom ook geen aanspraak maken op het kiesrecht.

Auclert heeft in 1876 de 'Société le droit des femmes' opgericht, een vereniging die de politieke emancipatie van de vrouw in Frankrijk nastreeft en die als belangrijkste doel het vrouwenkiesrecht heeft. Om hierop de aandacht te vestigen worden nogal eens ongewone methoden, zoals straatdemonstraties, gebruikt. Over de laatste actie, de belastingstaking, zegt Auclert: '[...] omdat mannen zichzelf het voorrecht toe-eigenen te regeren en de begroting op te stellen, laat ik hun ook het voorrecht de belastingen te betalen.' En: 'Omdat ik geen recht heb op zeggenschap over de besteding van mijn geld, wens ik het

*Jonge mijnwerksters (1863).*

niet langer te geven.[...] Ik heb geen rechten, dus heb ik geen verplichtingen.'

## Raden Saleh: groot portretschilder

*Raden Saleh (circa 1875).*

BUITENZORG, 23 april - De bekende schilder raden Saleh (Sarief Bastaman) is, kort na zijn terugkeer van een bezoek aan Europa, overleden.
Hij werd omstreeks 1814 geboren in Semarang en stamt uit een voorname regentenfamilie van Arabische oorsprong. Op jeugdige leeftijd kwam hij in contact met de Belgische kunstschilder Payan (1792-1853), die sinds 1817 als tekenaar in dienst van de Indische overheid was. Deze etnografische kunstenaar ontdekte zijn aanleg voor de schilderkunst, gaf hem les en nam hem mee op zijn vele kunstreizen.
In 1830 ging raden Saleh in het gezelschap van de inspecteur van Financiën De Lange mee naar Europa. In Nederland kreeg hij les van schilders als Schelfhout en Kruseman, waarna hij vijf jaar in Dresden verbleef, Algiers bezocht en in 1848 in Parijs de revolutie meemaakte. In 1850 keerde hij terug op Java. Hij was tweemaal gehuwd, de eerste keer met een Europese, de tweede keer met een Javaanse.
Raden Saleh kreeg grote naam door zijn indrukwekkende portretten van leden van de vorstelijke families van Solo en Jogya en enige gouverneurs-generaal, maar schilderde ook vele levendige natuurscènes.

*'De mandolinespeler', schilderij uit 1869 van de op 4 januari in Venetië overleden Duitse schilder Anselm Feuerbach. Feuerbach was samen met Arnold Böcklin de belangrijkste vertegenwoordiger van het laat-classicisme in Duitsland. Hij was een neef van de bekende filosoof Ludwig Feuerbach en werd op 12 september 1829 geboren. Lange tijd verbleef hij in Italië waar hij onder sterke invloed van renaissanceschilders als Titiaan kwam. Een donkere kleur met weinig contrast bepaalt de lyrische, geheimzinnige sfeer van de werken uit deze tijd. In 1873 werd Feuerbach leraar aan de Weense kunstacademie. Zijn 'Val van de Titanen' lokte echter scherpe kritiek uit. Toen hij ook nog ziek werd vertrok Feuerbach in 1876 teleurgesteld opnieuw naar Italië.*

# België breekt met Rome

*'De intrede van Christus te Brussel' (door James Ensor, 1888).*

BRUSSEL, 5 juni - De liberale regering van België heeft alle diplomatieke betrekkingen met het Vaticaan verbroken. De breuk is een reactie op de houding van het katholieke episcopaat in België tegenover de nieuwe, vorig jaar aangenomen, wet op het lager onderwijs. Eerste minister Frère-Orban heeft via paus Leo XIII geprobeerd de Belgische bisschoppen hun acties te laten beëindigen. De paus heeft echter steeds de kerkelijke sancties van de Belgische geestelijke autoriteiten goedgekeurd.

Sinds de invoering van de wet zijn veel onderwijzers en leerlingen van het neutrale onderwijs overgestapt naar het vrije katholieke onderwijs. Een rol daarbij speelt ongetwijfeld het besluit van het episcopaat de sacramenten te weigeren aan docenten en ouders van scholieren die een neutrale school bezoeken.

Omdat de kerkelijke autoriteiten, met instemming van vooraanstaande politieke leiders, in hun actie volharden en paus en curie weigeren in te grijpen, heeft de regering besloten de banden met het Vaticaan te verbreken. Bovendien zijn nog enkele andere maatregelen, gericht tegen de Belgische geestelijkheid, afgekondigd. Zo zal de financiële staatssteun aan de Kerk worden teruggedraaid en zal er nauwkeuriger worden toegezien op de kerkelijke begrotingen. Ook zullen seminaristen niet langer van de militaire dienstplicht vrijgesteld worden.

Daarnaast heeft de regering, in maart al, een parlementaire commissie ingesteld die onderzoek gaat verrichten naar de uitvoering van de onderwijswet van vorig jaar. De katholieke Kamerleden hebben geweigerd in deze commissie zitting te nemen.

## Offenbach: koning van de operette

PARIJS, 5 oktober - De 'kleine Mozart van de Champs-Elysées', zoals de componist Rossini hem noemde, is op 61-jarige leeftijd in Parijs overleden. Jacques Offenbach laat meer dan honderd operettes na, maar zijn meesterstuk, waaraan hij de laatste jaren van zijn leven onafgebroken heeft gewerkt, *Les contes d'Hoffmann*, is onvoltooid gebleven.

Offenbach werd in 1819 in Keulen geboren. Hij was de zoon van Isaac Juda Eberst, die bekendstond als 'Der Offenbacher' en cantor in de synagoge aldaar. In Parijs was de houding tegenover joden toleranter dan in Duitsland en zo werd Offenbach in 1849 dirigent in het Théâtre Français. In 1855 opende hij aan de Champs-Elysées een eigen theater, de Bouffes-Parisiens. Zijn *Orphée aux enfers* van 1858 luidde de bloeitijd van de Parijse operette in. Een breuk met zijn librettisten Halévy en Meihac was er de oorzaak van dat

*Jacques Offenbach (karikatuur).*

Offenbach *Orphée aux enfers* herschreef tot een zogenaamde 'opéraféerique'. Dit werd echter een grandioze mislukking, die Offenbach zijn hele vermogen kostte.

*Drinkende vrouwen in een kelder in Berlijn (litho van Heinrich Zille).*

# 'Slaapgasten' in Berlijn

BERLIJN - In Berlijn werden dit jaar 59 087 zogenaamde 'slaapgasten' geregistreerd. Hieronder verstaat men personen die bij een gezin slechts een slaapplaats voor de nacht huren. In 15 procent van alle huishoudingen in de hoofdstad, te weten 32 298, vindt men tegenwoordig merendeels ongehuwde fabrieksarbeiders die betalen voor een paar uur nachtrust.

Door de ernstige landbouwcrisis werkloos geworden zijn velen van het platteland naar de grote stad getrokken in de hoop goedbetaalde arbeid in de industrie te vinden.

Door de voortdurende stijging van de huren en de andere kosten van levensonderhoud zijn deze 'slaapgasten' en de huishoudens waar zij verblijven steeds meer op elkaar aangewezen. Vele arbeiders zijn niet meer in staa[t] hun gezinnen tegelijkertijd een mens[...]waardige woning te bieden, hen te vo[e]den en te kleden. Niet alleen door d[e] hoge huur maar ook door de gestege[n] kosten van licht en verwarming.

De gemiddelde levensverwachting va[n] de fabrieksarbeider is momenteel 43,[...] jaar. Wevers worden vandaag de da[g] zelfs niet ouder dan gemiddeld 32 jaa[r]. Velen sterven aan tuberculose.

De woonomstandigheden in de hoof[d] stad zien er nog zwarter uit als men be[...] denkt dat vele huishoudens met kind[e] ren twee of meer 'slaapgasten' in hu[n] vaak maar een- of tweekamerwoni[n] gen opnemen. Er zijn gevallen beken[d] waar gezinnen met kinderen 34 'slaap[...] gasten', vaak van verschillend g[e] slacht, onderdak bieden.

Geregeld worden dezelfde bedde[n] overdag weer beslapen door nachtwe[r] kers, zoals bakkers.

De meeste slaapgasten moeten tijder[...] zon- en feestdagen een ander heenk[...] men zoeken. Zij kunnen het zich ni[e] permitteren ziek te worden want h[...] bed is alweer gereserveerd voor de vo[l] gende gast.

De sociaal-democraten willen graa[g] iets aan deze wantoestanden doen. D[e] aanhef van het lied van de Algemen[e] Duitse Arbeiders Vereniging roept o[p] tot strijd:

'Gebed en arbeid! roept de wereld.
Houd het gebed kort want tijd is geld[.]
Aan de deur klopt de nood.
Houd het gebed kort want tijd is brood.
Arbeiders wordt wakker
en ontdek je macht.
Alle raderen staan stil.
Als jouw sterke arm dat wil.' (enz.)
(Bondslied van ADAV uit 1864 va[n] Georg Herwegh).

# 'Boycot'-acties geslaagd

DUBLIN - Onlangs heeft de rentmeester van graaf Erne Ierland verlaten. Deze Charles Cunningham Boycott was gehaat vanwege zijn harde optreden bij het beheren van de bezittingen van zijn werkgever in het graafschap Mayo.

Nadat hij een aantal pachters in verband met een geringe pachtachterstand op brute wijze van hun boerderij had verdreven, besloot de bevolking zijn schrikbewind niet langer te accepteren. De gehate rentmeester werd doodverklaard; niemand sprak meer tegen hem, niemand wilde hem meer iets verkopen.

Op deze manier raakte Boycott zo geïsoleerd dat hij na het binnenhalen van de oogst onder bescherming van een afdeling soldaten naar Engeland vertrok. Deze geweldloze vorm van actievoeren, doodverklaren zodat iemands bestaan op den duur onhoudbaar wordt, heeft inmiddels de naam 'boycotten' gekregen.

De Ierse kwestie blijft al met al onopgelost. Na de hongersnood die dit eiland in 1846 trof, is de houding van de Engelse landheren niet veranderd. De Ierse pachters blijven in het algemeen arm en rechteloos. Wel is het duidelijk dat de Ierse bevolking zich niet langer bij de situatie neerlegt. Naar Amerika geëmigreerde Ieren hebben in 1858 een beweging opgericht die het verzet tegen de Engelse landheren financieel ondersteunt. Deze 'Fenians' kwamen in 1866 in het nieuws toen bleek dat zij wapens naar Ierland hadden verzonden. De beweging streeft naar een onafhankelijke Ierse republiek. Gevreesd zijn de zogenaamde 'Moonlighters': gemaskerde mannen, die 's nachts aanslagen plegen op Engelsen of mensen die met hen samenwerken. Ook worden regelmatig betogingen gehouden.

De politie treedt hard op: betogingen worden vaak uiteengeslagen. Na een aanslag worden huiszoekingen gedaan waarbij de politie niet zelden om de bevolking te intimideren meubilair vernielt en de vloer openbreekt. De stemming is door het geweld van beide zijden zo grimmig dat aan het bloedvergieten in Ierland voorlopig wel geen einde zal komen.

*Een beeld van de Republikeinse conventie in Chicago; James Garfield werd op de 36ste stemming als Republikeins presidentskandidaat aangewezen.*

# Koerden kunnen eigen staat wel vergeten

SHAMDIENAAN - De leider van de Koerdische opstand sjeik Ubaidullah al-Nahri (of al-Nakisjbandi) heeft zich overgegeven aan het Osmaanse leger na een nederlaag eerder dit jaar.

De opstand van de Koerden begon in de stad Shamdienaan na afloop van de oorlog tussen de Russen en het Osmaanse Rijk (1877-1878). Het Osmaanse Rijk was zwak en de leiders van de Koerden hoopten op de hulp van de Russen.

Het verzet kreeg algauw massale steun van de Koerden. Verscheidene Koerdische steden werden door de opstandelingen veroverd, waaronder Saoudjboulak [Mahabad], Meyandiya, Maragheh en Oermië. Vervolgens rukten de Koerden op naar Tebriz, de hoofdstad van Azerbajdzjan.

De strijd van de Koerden voor onafhankelijkheid richtte zich eigenlijk tegen twee rijken, het Perzische en het Osmaanse Rijk. De Koerden waren verdeeld tussen deze twee landen, en strijd voor hun onafhankelijkheid betekende een oorlogsverklaring aan de regering van beide rijken.

Het Osmaanse Rijk viel de Koerden in de rug aan terwijl het Perzische leger oprukte om de Koerden frontaal aan te vallen. De Russen hadden versterkingen samengetrokken bij de grens. Ze wilden zich in principe niet met deze zaak bemoeien. Sjeik al-Nahri's leger van 80 000 man werd van alle kanten omsingeld. Het was duidelijk dat hij geen kans had. Hij ging terug naar Shamdienaan, waar hij zich aan de Turken overgaf.

De Koerden vormen een van de oudste volken in het gebied. Ze beschouwen zich als de afstammelingen van de Meden (circa 550 v.C.). Hun godsdienst was het zoroastrisme, net zoals bij de Perzen. In de 7de eeuw bekeerden zij zich tot de islam. Ondanks het feit dat de meerderheid van de Koerden moslem is, evenals de Turken, Perzen en Arabieren, beschouwen zij zich als een apart volk met een eigen taal en cultuur en geschiedenis.

Met de opstand wilden de Koerden een onafhankelijk Koerdistan oprichten. Na de nederlaag van de troepen van Sjeik Ubaidullah al-Nahri is de kans op verwezenlijking van deze droom uiterst klein geworden.

## Frankrijk viert bestorming Bastille

*Rouget de Lisle zingt het door hem gecomponeerde 'Lied van het Rijnleger', dat direct zo populair werd dat men het omdoopte in de 'Marseillaise'.*

PARIJS, 14 juli - In Parijs hangen de vlaggen uit. Vanavond wordt er gedanst. De veertiende juli is in Frankrijk een officiële feestdag geworden. De Marseillaise, enkele jaren geleden nog verboden, is verheven tot het nationale volkslied. Marianne, eens een karikatuur, wordt het symbool van de Republiek. 'De Veertiende Juli', riep de schrijver Victor Hugo uit tijdens een vlammende toespraak in de Senaat, 'heeft het einde van alle slavernij aangegeven [...]. De wereld hoeft nog slechts rustig voort te schrijden naar een schitterende toekomst.'

De viering van de Veertiende Juli heeft in feite meer een verzoenende dan een revolutionaire betekenis. Het verleden is niet vergeten, maar vergeven. Niettemin weigert een aantal dorpen vandaag de blauw-wit-rode vlag uit te hangen. De opstand die 91 jaar geleden uitbrak, maakt nog steeds hartstochten bij de Fransen los.

---

*632 jaar nadat de eerste steen gelegd werd, is op 15 oktober de bouw van de Dom in Keulen voltooid. Op 15 augustus 1248 werd begonnen met de constructie van dit prachtige voorbeeld van de Duitse gotiek. In de 14de eeuw werden het koor en het zuidelijke zijschip voltooid, maar na 1509 werd de bouw stilgelegd. Pas in 1842 werd de constructie opnieuw ter hand genomen. Voor veel Duitse patriotten geldt de Dom als symbool van de nationale eenheid.*

# Noordoostpassage gelukt

*De expedities van Barentsz en Nordenskiöld op zoek naar de noordoostelijke doorvaart.*

STOCKHOLM, 20 juli - Na een triomfantelijke terugreis via de Middellandse Zee is de poolonderzoeker Adolf Erik Nordenskiöld in Zweden teruggekeerd.

Twee jaar geleden was hij met zijn stoomschip 'Vega' vertrokken met het doel ten noorden van Rusland en Siberië in oostelijke richting door te steken: de nog nooit eerder gelukte noordoostelijke doorvaart. Nadat zijn schip in de winter van 1878-1879 ten noordwesten van de Beringstraat was ingevroren, kon Nordenskiöld in juli vorig jaar de tocht voortzetten en ten slotte volbrengen. Hij is bij zijn terugkomst in de adelstand verheven.

Eeuwenlang is geprobeerd de tocht naar het Verre Oosten via de noordelijke route te volbrengen. De eerste belangrijke expeditie werd in 1553 uitgezonden. Al snel werden de beide doorgangen naar de Karische Zee ontdekt, maar door de ijsgang kwam men niet verder. In 1596 waren de Nederlandse ontdekkingsreizigers Van Heemskerck en Barentsz gedwongen op Nova Zembla te overwinteren. Nadat in 1653 een Deense expeditie nog vergeefs getracht had de doorvaart te vinden, werden verdere pogingen op deze route gestaakt.

Nordenskiöld heeft in 1875 en 1876 al geprobeerd de Karische Zee over te steken; nu is het hem gelukt.

## Succes voor Sarah Bernhardt

*Sarah Bernhardt.*

NEW YORK, 8 november - *La dame aux camélias*, de internationale première van de wereldtournee van de Franse steractrice Sarah Bernhardt, is een overweldigend succes geworden.

Vorig jaar trad Sarah Bernhardt voor het eerst succes op buiten Frankrijk, in het Gaiety Theatre in Londen. Hoewel Henry James haar smalend een 'reclamegenie' noemde en 'too American not to succeed in America', besloot zij naar Amerika te gaan.

De nu 36-jarige actrice maakte in 1862 haar debuut bij de Comédie Française, in de hoofdrol van Racines *Iphigénie en Aulide*.

*Londen heeft weer eens een primeur: de eerste telefooncel is daar dit jaar in gebruik genomen, zodat bij ongelukken snel hulp kan worden ingeschakeld.*

# 1881

**4 januari.** Johannes Brahms dirigeert de eerste uitvoering van zijn *Akademische Festouverture.* →

**29 januari.** In Wenen wordt voor het eerst met succes een maagoperatie uitgevoerd. →

**13 maart.** Tsaar Alexander II komt bij een bomaanslag door de radicale groep 'Volkswil' om het leven en wordt opgevolgd door zijn zoon Alexander III. →

**26 maart.** Vorst Carol I von Hohenzollern-Sigmaringen proclameert het koninkrijk Roemenië.

**5 april.** Groot-Brittannië erkent in het Verdrag van Pretoria de onafhankelijkheid van Transvaal. →

**12 mei.** Frankrijk, dat vanuit Algerije naar Tunesië opgerukt is, dwingt bey Mohammed al-Sadik tot de ondertekening van het Bardo-verdrag. Frankrijk zal de buitenlandse politiek van Tunesië waarnemen.

**Mei.** Het Turkse leger maakt korte metten met de Albanese Bond. →

**18 juni.** Oostenrijk, het Duitse Rijk en Rusland sluiten in het geheim het Driekeizer-verbond.

**29 juni.** Mohammed Ahmed Ibn Abd Allah roept zich in Soedan tot mahdi, de door de moslems aan het einde der tijden verwachte vernieuwer van de islam, uit. →

**2 juli.** De Republikeinse president James Garfield wordt neergeschoten. Op 19 september overlijdt hij en wordt opgevolgd door vice-president Chester Arthur. →

**2 juli.** Thessalië sluit zich aan bij Griekenland. →

**14 juli.** Sheriff Pat Garret schiet de wegens moord ter dood veroordeelde Billy the Kid dood. →

**September.** Henry Morton Stanley sticht in het Kongogebied Leopoldville (de tegenwoordige hoofdstad van Zaïre Kinshasa). →

**9 december.** In Wenen wordt het Ringtheater door brand verwoest. →

- De Russische overheid komt tegemoet aan de financiële eisen van de boeren. →

- In Parijs wordt de eerste tentoonstelling georganiseerd die aan elektriciteit is gewijd. →

- De industrieel Andrew Carnegie begint met het stichten van de Carnegie-bibliotheken. →

Gestorven:

**9 februari.** Fjodor Dostojevski (11-11-1821), Russisch schrijver →
**23 maart.** Modest Moessorgski (1839), Russisch componist →
**17 december.** Lewis Morgan (21-12-1818), Amerikaans etnoloog →

# Maagoperatie met succes volbracht

WENEN, 29 januari - De chirur Theodor Billroth heeft de eerste ge slaagde maagoperatie uitgevoerd.

De Pruis Billroth, in 1867 in Wenen to professor in de heelkunde benoemc schreef in 1879: 'Nadat ik al eerder he aangetoond dat men maagwonden ne als darmwonden kan hechten, zonde dat men bang hoeft te zijn dat de maag sappen de genezing verhinderen [.. staat nu anatomisch, fysiologisch e technisch gesproken niets de gedeelte lijke verwijdering van de maag bij d mens (bijvoorbeeld in het geval van ee kankergezwel) in de weg. Het mo lukken!' Billroth heeft door de conse quente toepassing van dierproeven de medische wetenschap in Wenen, be kend als 'de tweede Weense medisch school' op een hoger peil gebracht.

Al in 1841 schreef de Duitse arts Ca August Wunderlich: 'Men kan weder om iets leren in Wenen, er waren dir gen te zien die men elders vergeef zocht.' Zijn 'wederom' had betrekkin op de eerste Weense medische schoo waarvoor een eeuw tevoren Gerar van Swieten, de lijfarts van Maria The resia, de grondslagen legde. 'Indes di alte Schule früher zu heilen und zu for schen begann, hat die neue Schule z forschen begonnen, um heilen zu kön nen' - zó gaf de arts Joseph Dietl i 1846 het verschil in benadering weer De 19de-eeuwse medici trachtten doo middel van experimenten de dia gnostiek te verbeteren. Door zichzel als proefpersoon te nemen ontdekt Ferdinand Hebra, de grondlegger va de wetenschappelijke dermatologie, i 1842 de verwekker van de toen zeer vee voorkomende huidziekte scabiës o schurft: 'Ik bracht een levende schurft mijt aan op de binnenzijde van mij linkerhand. In de loop van de volgend acht dagen, terwijl ik door een hevig jeuk over mijn hele lichaam geplaag werd, verschenen op mijn beide han den de eerste puisten.'

De bekendste vertegenwoordiger va de tweede Weense medische scho was de Hongaarse gynaecoloog Igna Semmelweis, die in 1847 de oorzake van de kraamvrouwenkoorts ontdek te. Het was hem opgevallen dat d sterftecijfers van twee Weense kraam klinieken sterk van elkaar verschilden In 1846 meldde de ene kliniek, waaraa artsen in opleiding verbonden ware een sterftepercentage van 11,4 %, ter wijl de andere, waar uitsluitend vroed vrouwen werkten, 2,7 % opgaf. Sem melweis kwam tot de slotsom dat d medische studenten, die ook sectie verrichten, zonder het te weten d zwangere vrouwen met lijkegif be smetten. 'De redder der moeders schreef toen voor dat iedere arts zij handen moest ontsmetten, alvore een zwangere vrouw te onderzoeke Zo daalde het sterftecijfer tot 2,5 %.

# Tsaar Alexander II bij bomaanslag gedood

*De bomaanslag op Alexander II door de terroristische groep 'Volkswil' (tekening uit de 'Illustrated London News').*

ST.-PETERSBURG, 13 maart - Tsaar Alexander II is, toen hij terugkeerde van een militaire parade, door een bomaanslag om het leven gekomen. Bij de eerste bom tussen de paarden die het rijtuig van de tsaar trokken, bleef hij ongedeerd. Maar toen hij uitstapte om te kijken wat er gebeurd was, werd een tweede, ditmaal dodelijke, bom geworpen. De moord op de tsaar betekent een vroegtijdig einde van de politiek van matiging, waartoe Alexander II vorig jaar had besloten.

In de loop van de regering van deze tsaar zijn er verscheidene aanslagen op zijn leven gepleegd, de eerste in 1866. Met de oprichting van de terroristische organisatie 'Volkswil' (*Narodnjaja Volja*) begon twee jaar geleden een ware jacht op de tsaar. Een terrorist slaagde erin werk te krijgen als werkman in het Winterpaleis en plaatste explosieven in de kamer waar de tsaar de vorst van Bulgarije zou ontvangen. De tsaar bevond zich echter op het moment van de ontploffing, 5 februari vorig jaar, toevallig in een andere ruimte. Verder werd er een vergeefse poging gedaan om de keizerlijke trein op te blazen. Ofschoon de politie een aantal terroristen oppakte, zetten anderen, onder leiding van Sofia Perovskaja, het werk onverdroten voort.

De ironie van de situatie wil dat Alexander, na lang aarzelen, kort geleden tot het inzicht was gekomen dat de politiek van repressie weinig had opgeleverd. Na de explosie in het Winterpaleis en na te zijn geconfronteerd met stakingen, studentenonlusten en een opvallend gebrek aan sympathie bij het goedopgeleide publiek, besloot hij tot een koerswijziging. Hij verving reactionaire ministers door liberalere, en benoemde graaf Michail Loris-Melikov tot bewindsman van Binnenlandse Zaken. Tot zijn takenpakket behoorde het doen van constructieve hervormingsvoorstellen. Zijn voorstellen zouden, zo zij waren aangenomen, een belangrijke stap in de richting van representatieve instituties hebben betekend. Op de ochtend van de fatale dag heeft de tsaar nog zijn bereidheid uitgesproken de voorstellen in overweging te nemen.

# Brahms zal 'Festouverture' zelf dirigeren

*Johannes Brahms, jeugdportret.*

BRESLAU, 4 januari - Als dank voor het eredoctoraat in de filosofie, hem op 11 maart 1879 door de Universiteit van Breslau verleend, heeft Johannes Brahms (1833) een *Akademische Festouverture* voor symfonieorkest geschreven. In deze ouverture wordt op effectvolle wijze gebruik gemaakt van studentenliederen (onder andere het bekende *Gaudeamus igitur*). Vandaag zal het werk onder Brahms' leiding te Breslau worden uitgevoerd.

De componist was in 1879 niet te bewegen zelf de bul van het eredoctoraat in ontvangst te komen nemen. De dirigent Hans von Bülow, een van zijn vrienden, heeft dit toen namens Brahms gedaan, maar aangedrongen op een passende reactie, daar Brahms meende de onderscheiding met een briefkaart te kunnen beantwoorden. Een eredoctoraat dat Brahms enige jaren geleden door de Universiteit van Cambridge werd verleend, is om dezelfde reden vervallen. De eredoctoraten zijn welverdiend: niet alleen vanwege de grote hoeveelheid schitterende kamermuziek van de afgelopen dertig jaar, maar vooral omdat Brahms als een van de weinige componisten na Beethoven in staat is gebleken de door Beethoven neergelegde principes voor symfoniecompositie te bewaren: men vindt in zijn symfonieën de klassieke vormen (sonate- of hoofdvorm, lied-vorm, scherzo- of menuetvorm en rondovorm) het duidelijkst terug.

Brahms' aanvankelijke schroom om zich na het enigszins drukkende voorbeeld van Beethovens negen symfonieën nog met dit genre bezig te houden is voorstelbaar. Hij had zijn eerste pianoconcert (1854-1858) aanvankelijk ook als symfonie geschreven. Op advies van de weduwe van zijn vriend Robert Schumann, de pianiste Clara Wieck, heeft hij het concert omgewerkt; op het werk rust echter tot op heden de doem van een mislukte symfonie. De compositie van zijn eerste symfonie (in c kleine terts) kostte hem meer dan twintig jaar (1855-1876), maar het werk werd bij de première onmiddellijk herkend als een grootse voortzetting van Beethovens voorbeeld. Hans von Bülow sprak van 'de tiende symfonie van Beethoven' en doelde daarmee op de grote overeenkomst tussen Brahms' eersteling en Beethovens vijfde. Onmiddellijk na de voltooiing componeerde Brahms zijn tweede symfonie (in d grote terts, 1877), vanwege het ontspannen karakter een reactie op haar voorgangster. Momenteel werkt hij aan een derde.

# Moessorgski: voorvechter van Russische muziek

SINT-PETERSBURG, 23 maart - Enkele dagen nadat hij 42 jaar geworden was, is de Russische componist Modest Moessorgski overleden. Hij is vooral beroemd geworden door zijn opera *Boris Godoenov*, de pianocompositie *Beelden van een schilderijententoonstelling* en de cyclus *Liederen en dansen van de dood*.

Moessorgski was de meest talentvolle van 'Het Machtige Hoopje', een in 1862 geformeerd groepje Russische componisten (onder wie Borodin, Balakirev, Cui en Rimski-Korssakov) die ernaar streefden een zelfstandige, op de muzikale folklore gebaseerde, nationale Russische muziek te vervaardigen.

Zijn leven kende een zeer tragisch verloop want zijn creativiteit en zijn gestel werden ondermijnd door alcoholmisbruik. Moessorgski heeft veel onvoltooide werken nagelaten, die zich echter alle kenmerken door een directe stijl, waarin het meer gaat om de waarheid van de uitdrukking dan om de vormschoonheid.

*Mahdi-strijder emir Naaman.*

## Oorlogsverklaring door mahdi Islam

SOEDAN, 29 juni - Onder de moslems is hevige beroering ontstaan nadat de 36-jarige Mohammed Ahmed Ibn Abd Allah zich heeft uitgeroepen tot de langverwachte mahdi van de islam. De profeet Mohammed zelf heeft de komst van een geluksbrenger aan het einde der tijden voorspeld. In maart van dit jaar openbaarde de diep-religieuze Mohammed Ahmed aan enkele getrouwen dat hij zich uitverkoren voelde voor de zuivering van de islam en de bevrijding van Soedan van de Osmaans-Egyptische overheersing te bewerkstelligen.

Nu heeft hij de heilige oorlog verklaard en opgeroepen tot vernietiging van alle ongelovigen, tot wie hij ook het in Chartoem zetelende gouvernement rekent. Onder de Soedanese bevolking bestaat grote onvrede met de corrupte manier waarop het land wordt bestuurd en het is dan ook niet verbazingwekkend dat velen bereid zijn Mohammed Ahmed in zijn heilige oorlog te volgen. Bovendien predikt de mahdi de gelijkheid van de mensen en de gemeenschappelijkheid van alle bezit. De mahdi heeft aangekondigd na het verslaan van het goddeloze regime van Chartoem de hele wereld van boosheid en verderf te zullen reinigen.

# Einde aan opstand Boeren

*Goudvelden in Transvaal (1875): de bodemschatten maken het gebied zeer gewild.*

PRETORIA, 5 april - Aan de opstand van de Transvaal Boeren is een einde gekomen. In het te Pretoria gesloten verdrag erkent de Britse regering het zelfbestuur van de Transvaal Boeren, maar onder 'oppergezag van Hare Majesteit'. Sinds de Britten in 1806 definitief het gezag over de Kaapprovincie van de Hollanders overnamen, wordt hun verhouding met de Boeren door conflicten verstoord.

Leken de Britten aanvankelijk bereid de verlangens van de Boeren naar onafhankelijkheid te respecteren - in 1852 en 1854 erkenden zij de twee grote Boerenrepublieken respectievelijk Transvaal en Oranje Vrystaat -, vanaf het moment dat er in 1867 diamant werd gevonden bij de Oranjerivier veranderde dat. In 1871 annexeerde Groot-Brittannië het diamantrijke gebied dat sinds 1854 onder gezag van de Oranje Vrystaat viel. Hoewel bedoeld als een stap naar een federatie van Zuidafrikaanse staten, vormde de Britse annexatie van de in 1856 opgerichte Zuidafrikaanse Republiek op 12 april 1877 een flagrante schending van de Conventie van Zand Rivier (1852).

Ook de aanleg van een spoorweg van Pretoria naar Lourenço Marques in Portugees Mozambique, waarmee de Boerenrepublieken zich uit de economische overheersing van Engeland probeerden los te maken, was een van de aanleidingen tot het recente, nieuwe conflict. Ondanks de vreedzame bedoelingen van de liberale premier Gladstone riepen de Transvaal Boeren onder leiding van Kruger, Joubert en Pretorius op 30 december vorig jaar een nieuwe Boerenrepubliek uit. Op 28 januari van dit jaar verdreven zij de Engelse troepen onder aanvoering van Sir George Colley bij Laing's Nek. En op 27 februari versloegen en doodden zij Colley bij Majubaheuvel.

Het liberale kabinet van Gladstone wil, ondanks de in Engeland veelgehoorde roep om wraak, aan de verlangens van de koppige Boeren tegemoetkomen en heeft het Verdrag van Pretoria gesloten, waardoor de zelfstandigheid van de Boerenrepublieken wordt hersteld.

*Twee Russische boeren aan de thee.*

## Russische boeren in grote problemen

SINT-PETERSBURG - De Russisch regering heeft besloten de schadeloosstelling die de boeren verschuldig zijn voor de grond, verkregen volgen het Emancipatiedecreet van twinti jaar geleden, met een kwart te reduce ren; dit naar aanleiding van de beta lingsachterstand die veel boeren heb ben.

De hervorming van 1861 is voor vel boeren een teleurstelling gebleken. He landoppervlak dat aan de voormalig lijfeigenen werd toebedeeld, is onvol doende. Bovendien heeft de Emanci patieregeling het merendeel van d bossen en weidegrond in handen va de grootgrondbezitters gelaten. He gevolg is dat de boeren toch weer ver plichtingen ten aanzien van de land heer zijn aangegaan, teneinde ove deze gebieden te kunnen beschikken. Een andere grief is de betalingsrege ling. Omdat in de ogen van de wet d grond eigendom van de landheer was moesten de boeren ervoor betalen. D regering verstrekte de boeren voor 8 procent kredieten met een looptijd va 49 jaar. De resterende 20 procent va de koopprijs moeten zij rechtstreek aan de grootgrondbezitter betalen hetgeen meestal in de landen den sten geschiedt. De zware afbetalings regeling en de onverminderde belas tingdruk zijn verantwoordelijk voo de huidige betalingsachterstand.

Hierbij komt nog dat in de meeste ge bieden het land niet als privé-bezit i handen van individuele boeren maa van de commune (de dorpsgemeen schap, ook wel *mir* genoemd) is geko men. De commune verdeelt het lan onder haar leden en is collectief verant woordelijk voor de afbetalingen. O gezette tijden worden de stroken lan herverdeeld onder de boeren, hetgee hen bepaald niet stimuleert plannen o lange termijn te maken. De boeren zij via de commune opnieuw, zij het o een andere manier, aan de grond en aan hun boerenstatus gebonden Theoretisch is het mogelijk uit de com mune weg te trekken, maar daar me zich dan moet uitkopen, komt hiervan in de regel weinig terecht.

# Werk Dostojevski vol tegenstellingen

SINT-PETERSBURG, 10 februari - Gisteren is de schrijver Fjodor Michajlovitsj Dostojevski op 59-jarige leeftijd overleden. Hij laat een omvangrijk œuvre na, waarin de innerlijke conflicten en ambivalentie van de menselijke ziel de overheersende thema's vormen. Hij heeft vaak de vorm van de misdaadroman gekozen, maar het criminele gedrag blijkt voor hem slechts aanleiding om op zoek te gaan naar de diepere drijfveren van de dader (*Misdaad en straf*, 1866).

Een ander thema in zijn werk is de verhouding tot het christendom, waarbij hij balanceert tussen een radicale ontkenning van het bestaan van God en een door morele motieven ingegeven speurtocht naar dezelfde God die hij el-

ders ontkent (*De gebroeders Karamazov*, 1880).

Politieke stellingname heeft Dostojevski niet geschuwd. Aanvankelijk koos hij voor een utopisch-atheïstisch socialisme, een keuze die hem bijna op de doodstraf kwam te staan (1849). Pas toen hij al voor het vuurpeloton stond, werd de straf omgezet in vier jaar dwangarbeid in Siberië.

Tijdens zijn verbanning keerde hij terug naar de orthodoxe religiositeit van het volk.

Terwijl hij het gedachtengoed en de praktijk van het anarchisme afwees (*Demonen*, 1872), toonde hij in *De jongeling* (1875) sympathie voor de agrarisch-socialistische beweging van de Narodniki.

*Fjodor Dostojevski.*

# Nekslag Albanese Bond

PRIZREN, mei - Een groot Turks leger onder bevel van Dervisj Pasja heeft met steun van loyale Albanese troepen de steden Prizren en Ulcinj ingenomen, hetgeen de ineenstorting van de Albanese Bond betekent. Ondanks de uiteindelijke mislukking is het aan de inspanningen van deze Bond te danken dat het Albanese volk als afzonderlijke nationaliteit binnen het gezichtsveld van de grote mogendheden is gekomen. De Albanese kwestie heeft op het Congres van Berlijn in 1878 geen erkenning gekregen. Bij de uitvoering van een der congresbepalingen, de afbakening van de Turks-Montenegrijnse grens, verzetten de Albanezen zich en wisten aldus gebiedsverlies aan Montenegro beperkt te houden. In het zuiden stelden zij zich te weer tegen de territoriale aspiraties van Griekenland. In Berlijn werd overeengekomen dat Griekenland en het Turkse Rijk onderling afspraken over het verloop van hun grens moesten maken. Terzelfder tijd werden er Albanese comités opgericht in Prevesa en Janina. Deze stemden wel in met de overdracht van Thessalië aan Griekenland, maar niet met de afstand van Epirus, dat volgens hen Albanees was. Zij kregen steun van de Turkse autoriteiten, die uiteraard zo min mogelijk territorium wensten af te staan en die hen van wapens voorzagen. De grote mogendheden bepaalden kort geleden dat Griekenland slechts een relatief klein deel van Epirus krijgt.

Uiteindelijk is de hele kwestie met geweld beslist. Ofschoon de Porte aanvankelijk geen duidelijke koers volgde, werd ten slotte - op grond van zowel interne als internationale overwegingen - besloten tot de vernietiging van de Bond en tot de overdracht van Ulcinj aan Montenegro.

*De burgerlijke moraal van het Victoriaanse tijdperk biedt de vrouw maar weinig ruimte om te ontsnappen aan een onderworpen bestaan dat gedomineerd wordt door een patriarchale echtgenoot. In de jaren tachtig beginnen vrouwen in de Zwitserse Alpen te bewijzen dat moed geen exclusief mannelijke eigenschap is. Ook al dragen ze onder dwang van de conventies bij het bergbeklimmen nog steeds de niet erg praktische lange jurken.*

# Leopold krijgt zijn kolonie in Afrika

KONGOGEBIED, september - Henry Morton Stanley heeft met de stichting van de stad Leopoldville de hoofdstad van een Belgische kolonie gegrondvest. Sinds 1879 verkent Stanley in opdracht van Leopold II het Kongogebied, op zoek naar mogelijkheden die de imperiale ambities van de Belgische vorst kunnen bevredigen.

In 1875 stuurde de Franse regering de Italiaan Pierre Savorgan de Brazza naar het achterland van de Kongorivier met de opdracht het gebied te onderzoeken. Vorig jaar stichtte de Italiaan de stad Brazzaville, de kern van een nieuwe Franse kolonie in het Kongogebied. Leopold II zag deze ontwikkeling met lede ogen aan. In 1876 nam hij het initiatief tot de oprichting van de Internationale Afrikaanse Associatie, officieel een wetenschappelijke en filantropische instelling, die echter in de praktijk als dekmantel voor zijn koloniale expansiedrift diende. Door het succes van Stanley staat de Belgische vorst nu op gelijke voet met de Fran-

*Koning Leopold II van België.*

sen. Het gevaar dreigt echter dat de concurrentie tussen beide landen in het Kongogebied gewelddadige vormen zal aannemen.

# Andrew Carnegie wordt filantroop

WASHINGTON - De buitengewoon succesvolle ondernemer Andrew Carnegie heeft aangekondigd voortaan een belangrijk deel van zijn gestaag groeiende vermogen aan maatschappelijk nuttige projecten te besteden. 'Een man moet niet meer willen overhouden dan 50 000 dollar per jaar; de jacht op het geld verlaagt het karakter toch al te veel' is een typerende uitspraak van de nu 46-jarige zakenman. Als eerste stap begon hij met het financieren van voor iedereen toegankelijke bibliotheken die de omscholing en algemene ontwikkeling moesten bevorderen.

Carnegie heeft een spectaculaire carrière doorlopen. Met zijn ouders verruilde hij op jeugdige leeftijd Schotland voor Amerika. Van loopjongen klom hij op tot hoofdopzichter van de Pennsylvania Railroad Company. Op 30-jarige leeftijd ging hij zelfstandig in zaken.

Behalve de ervaring van de armoede heeft Carnegie aan zijn jeugd ook radicaal democratische ideeën overgehouden.

Deze overtuigingen stonden een spectaculaire kapitalistische carrière in de olie- en staalindustrie echter geenszins in de weg.

# Griekenland annexeert Thessalië: een oude droom komt uit

LARISA, 2 juli - De provincie Thessalië behoort sinds vandaag tot de staat Griekenland. De vereniging van Thessalië en de Griekse natie is, sinds de onafhankelijkheid van Griekenland in 1829, de eerste genoegdoening voor het Helleense nationalisme, de 'megali idea'.

De aansluiting van Thessalië is geformaliseerd in een verdrag dat Oostenrijk-Hongarije, Groot-Brittannië, Duitsland, Frankrijk, Rusland en Turkije in Constantinopel met Griekenland hebben gesloten. Dank zij deze overeenkomst is ook een deel van het noordwestelijk gelegen Epirus aan Athene overgedragen.

Al tientallen jaren is er in het in omvang zeer kleine Griekenland geageerd voor territoriale uitbreiding van de jonge staat. Vooral onder invloed van de op Frankrijk georiënteerde politicus Kolettis en koning Otto, de in 1862 van het toneel verdwenen vorst, wonnen het nationalisme en irredentisme terrein. In Thessalië begonnen gewapende groepen zich steeds nadrukkelijker te roeren.

Ten tijde van de Krimoorlog (1853-1854) maakte Griekenland van de gelegenheid gebruik door over te gaan tot een gewapend offensief in Thessalië, dat formeel nog aan Osmaans gezag was onderworpen. De grote mogendheden wilden toen echter niet tolereren dat Griekenland op deze slinkse wijze zijn gebied kon uitbreiden. Athene werd gedwongen af te zien van deze territoriale aspiraties; in ruil daarvoor kreeg Griekenland later, in 1864, wel de Ionische Eilanden, die sinds 1815 onder Brits protectoraat vielen.

De 'megali idea' was daarmee echter allerminst gesmoord: in 1866 brak op Kreta een opstand uit. Drijvende kracht daarachter waren Griekse nationalisten die zo hoopten de vereniging, 'enosis', met het vasteland te

kunnen realiseren. De regering in Athene steunde de rebellie van de Kretenzers. Onder druk van Groot-Brittannië moest ze haar handen echter ervan aftrekken. Koning George I werd zelfs gedwongen om zijn premier Koumoundouros te ontslaan, een gebaar jegens Londen.

Ruim tien jaar later, in februari 1878, vond het gefrustreerde Griekse nationalisme weer een uitweg; nog eens poogde Athene Thessalië met geweld te annexeren. Na een jarenlange patstelling hebben de grote mogendheden zich nu dan toch verzoend met de Griekse aspiraties in het noorden.

# Billy the Kid door sheriff Garret gedood

Henry McCarthy, alias Billy the Kid.

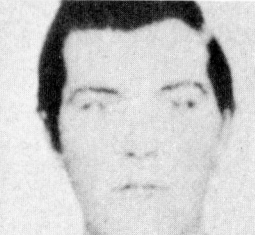

*Sheriff Wyatt Earp, John Wesley Hardin en Jesse James (vlnr).*

LINCOLN, 14 juli - Henry McCarthy, alias Billy the Kid, een van de meest legendarische revolverhelden van het 'Wilde Westen', is niet meer: hij is door Pat Garret, sheriff van Lincoln County (New Mexico), neergeschoten.

Billy the Kid, onder andere gezocht wegens de moord op een politieman, is 21 jaar geworden. Vier jaar geleden pleegde hij zijn eerste moord, op een smid die hem in zijn jongensjaren vaak een pak slaag had gegeven. Vorig jaar raakte hij in Lincoln County betrokken bij een van die vele gevechten die zich deze jaren afspelen tussen boeren (die de ploeg in de grond zetten en hun grond omheinen) en veedrijvers (die voor hun 'cattle drives' prairiegras zónder omheiningen nodig hebben). Deze oorlogen zijn een dankbaar werkterrein voor de revolverhelden van het 'Wilde Westen'. De 'wet' is voor haar verdediging afhankelijk van de sheriffs, die niet in alle gevallen van het eerbare type zijn; iemand als de roemruchte sheriff Wyatt Earp heeft zelf ooit het criminele pad bewandeld. Zo'n revolverheld op wie nog steeds jacht wordt gemaakt, is Jesse James. Hij is zijn criminele loopbaan begonnen in 1866 (hij pleegde op 13 februari zijn eerste bankoverval in Liberty, Missouri) en behoort met zijn broer Frank James tot de meest beruchte treinrovers.

John Wesley Hardin, die op zijn twaalfde zijn eerste moord beging, is er, in tegenstelling tot Jesse James, niet in geslaagd zich aan de greep van de sterke arm te onttrekken: hij is vier jaar geleden tot 25 jaar tuchthuis veroordeeld en fleurt zijn gevangenschap op met een studie rechten en theologie.

## Morgan maakte antropologie tot wetenschap

ROCHESTER, 17 december - O 63-jarige leeftijd is de Amerikaanse e noloog Lewis Henry Morgan overl den. Hij was een van de eersten die d antropologie een wetenschappelijk fundering gaven. Op grond van uitg breid etnologisch onderzoek ontwik kelde hij een eigen evolutieleer in zi monumentale werk *Systems of Cor sanguinity and Affinity of the Huma Family* (1871).

Morgan trachtte alle menselijke inste lingen in één reeks te plaatsen; de Euro Amerikaanse cultuur was volgens her de hoogste fase van de mensheid. In d oerfase *(savagery)* was er geen gezi maar volstrekte promiscuïteit; er wa geen privé-eigendom en er was gee staat. Deze gezichtspunten trokken d aandacht van Marx en Engels, die e een soort oercommunisme in zagen.

Lewis Henry Morgan was advocaa van beroep. Aan het begin van de jare veertig kreeg hij belangstelling voo het leven van de Amerikaanse India nen. Hij leefde enige tijd te midden va de Irokezen, waarvan hij verslag dee in zijn boek *The league of the Ho-de no-sau-nee of Iroquois* (1851).

Morgan was lid van de National Aca demy of Sciences.

## Garfield bezwijkt aan verwondingen

*Charles Guiteau vuurt op de Amerikaanse president James Garfield.*

ELBERON, 19 september - Na deze zomer, op 2 juli, door de 39-jarige Charles Guiteau in de rug te zijn geschoten, is president James Garfield aan de gevolgen van zijn verwondingen overleden. Garfield is slechts een paar maanden president geweest: op 4 maart is hij beëdigd. Zijn vice-president, Chester Arthur, zal het presidentschap nu op zich nemen.

De dader van de aanslag, Charles Guiteau, heeft de president wekenlang gevolgd. Tot drie keer toe is hij binnen schootsafstand van de president geweest, maar zag er telkens van af het schot te lossen. Toen de vierde kans zich voordeed - op het Baltimore and Potomac Station in Washington vuurde Charles Guiteau twee schoten af, die de president ernstig verwond den.

Guiteau, die onmiddellijk gearresteer kon worden, heeft blijkbaar uit wraak gehandeld: hij heeft Garfield in de campagne van vorig jaar gesteund er probeerde tevergeefs als beloning een diplomatieke post in de wacht te slepen.

*De brand in het Weense Ringtheater op 8 december, waarbij 386 toeschouwers de dood hebben gevonden. De brand is kort voor het begin van de voorstelling uitgebroken. Het hele theater, dat plaats bood aan 1700 toeschouwers, is afgebrand. Vooral zij die op de beste plaatsen zaten zijn slachtoffer van de brand geworden, omdat zij in de paniek die in het donker ontstond - direct na het uitbreken van de brand viel het licht uit - geen kans zagen te ontsnappen. De brandweer heeft een deel van de bezoekers met een vangzeil kunnen redden.*

# 1882

**2 januari.** De Amerikaanse industrieel John Davison Rockefeller sticht de Standard Oil Trust. →

**Januari.** Trikoupis wordt minister-president van Griekenland. →

**6 maart.** Vorst Milan I Obrenović van Servië neemt de titel van koning aan.

**28 maart.** Jules Ferry stelt in Frankrijk een onderwijswet op. →

**7 april.** Aan de monding van de Lena worden de stoffelijke resten van leden van een poolexpeditie gevonden. →

**27 april.** Louis Pasteur wordt lid van de Académie Française. →

**20 mei.** Italië sluit zich aan bij het in 1879 gesloten Oostenrijks-Duits bondgenootschap.

**Juni.** Een opstand binnen het Koreaanse leger leidt tot de vlucht van koningin Min. →

**26 juli.** In Bayreuth vindt de première van de opera *Parsifal* van Richard Wagner plaats. →

**29 juli.** Het Franse parlement verwerpt een voorgestelde Franse invasie van Egypte. →

**18 augustus.** De Verenigde Staten beperken de immigratie. →

**1 september.** De Oostenrijkse Duitsnationalen, onder wie de antisemiet Georg von Schönerer, formuleren 'het Linzer Programm', waarmee ze het Duitse element in Oostenrijk-Hongarije pogen te versterken. →

**13 september.** Groot-Brittannië verslaat het Egyptische leger bij Tall Al Kabir. Egypte wordt de facto een Brits protectoraat. →

**December.** Italië koloniseert Eritrea.

- Het Britse parlement erkent het recht op eigendom voor de gehuwde vrouw. →

- In Palestina worden de eerste landbouwnederzettingen gesticht.

- Zoeloeleider Ketschwayo bezoekt koningin Victoria in Londen om voor zijn zaak te pleiten.

- In Ierland breekt een anti-Britse terreurgolf uit.

- Korea sluit een verdrag met de Verenigde Staten en opent vervolgens enkele havens voor de handel. Dit leidt tot een nationalistische opstand van de Tonghak-sekte, die met Chinese hulp wordt onderdrukt.

- Na pogroms verlaten vele joden Polen en Rusland. →

Gestorven:

**16 maart.** Charles Darwin (12-2-1809), Engels natuuronderzoeker→

**9 april.** Dante Gabriel Rossetti (12-5-1828), Brits schilder en schrijver →

# Standard Oil in 'trust' ondergebracht

*Pioniers stampen in zeer korte tijd het oliestadje 'Red Hot' in Pennsylvania uit de grond.*

CLEVELAND, 2 januari - John D. Rockefeller, een van de rijkste industriëlen in Amerika, heeft zijn Standard Oil Company ondergebracht in de Standard Oil Trust. Een zakelijke organisatie waarmee Rockefeller de wet omzeilt die verbiedt dat een maatschappij fabrieken of aandelen in fabrieken in andere staten bezit. Dank zij de 'trust'-constructie heeft Rockefeller legale en organisatorische moeilijkheden overwonnen en kan hij, zoals hij dat noemt, 'de algemene supervisie uitoefenen' over zijn fabrieken en maatschappijen die over het hele land verspreid zijn.

Rockefeller is groot geworden in de olie-industrie. Na de Burgeroorlog begonnen velen, dank zij de relatief lage investeringen, een olieraffinaderij. 'Iedereen, de slager, de bakker en de kaarsenmaker...iedereen begon olie te raffineren', herinnert Rockefeller zich en het was zaak de sterkste te zijn in de competitie. In 1870 richtte John D. Rockefeller samen met zijn broer William Standard Oil op. Deze maatschappij heeft, zij het met onorthodoxe middelen, het monopolie in de oliebusiness verworven. Wanneer Rockefeller concurrenten niet kon opkopen vernietigde hij hen. Concurrenten werden bijvoorbeeld uit de weg geruimd door olie tegen dumpprijzen aan te bieden. Standard Oil leverde aan kruideniers die petroleum van Standard Oil verkochten, vlees en suiker en andere producten tegen belachelijk lage prijzen zodat kruideniers die petroleum van de concurrenten verkochten, binnen de kortste keren geruïneerd raakten. Standard Oil schakelde spionnen in die afnemers van 'onafhankelijken' opspeurden en goedkope olie aanboden. Omkopingspraktijken zijn door Rockefeller uitgebreid toegepast. 'Standard Oil smeert alles, vooral het congres van Pennsylvania,' zegt de hervormer Henry Demarest Lloyd.

Maar Standard Oil is vooral groot geworden door zijn verticale structuur. Dank zij de belangen in de olieboorindustrie, de spoorwegen die voor het vervoer van de olie zorgen, de raffinaderijen en de verkooppunten van olieproducten zoals kerosine en petroleum beheerst Standard Oil de markt van begin tot eind.

Het absolute monopolie werd drie jaar geleden bereikt toen Standard Oil 90 procent van de oliebusiness bezat. De nog overgebleven concurrenten beseften toen dat tegensputteren weinig winstgevend meer was en meer te maken had met kamikaze dan met zakendoen.

## Trikoupis wil Griekenland moderniseren

ATHENE, januari - De op West-Europa georiënteerde Griekse politicus Charilaos Trikoupis heeft nu eindelijk een meerderheid in het parlement, de Vouli. In mei 1875 werd Trikoupis al door koning George als premier aangezocht. Toen slaagde hij er niet in de meerderheid van de Vouli achter zich te krijgen.

Trikoupis, geboren in 1832, is naar Engels model opgevoed. Hij is een telg uit een van de families die zich hebben verbonden met Groot-Brittannië en staat alleen al daarom lijnrecht tegenover politici die traditiegetrouw op Frankrijk, Rusland of Duitsland gericht zijn. De partijpolitieke verhoudingen in Griekenland laten zich dan ook meer door dit soort bondgenootschappen dan door ideologische tegenstellingen bepalen.

Door zijn oriëntatie op Engeland vertegenwoordigt Trikoupis het deel van de Griekse elite dat het land naar westerse en industriële snit wil moderniseren. Zijn grote tegenspeler is Theodor Deliyannis, een politicus die zeer goede banden onderhoudt met het koninklijk paleis en zich vooral als warm pleitbezorger van de nationalistische 'megali idea' profileert.

Beide politieke stromingen ontlenen hun macht aan een uitgebreid patronagesysteem. De politieke leiders hebben overal in het land hun cliëntèle. Via deze tussenpersonen kunnen zij hun stemmen werven. In ruil daarvoor verrichten de politici concrete diensten. Gevolg van dit systeem is openlijke corruptie en fraude: naar gelang de machtsverhoudingen wordt zelfs de gendarmerie ingezet om de kiesgerechtigden te bewegen tot een voor Athene gunstig stemgedrag.

Een neveneffect van dit 'systeem' is dat het de scherpe tegenstellingen tussen de voornaamste politieke stromingen allerminst verzacht: Trikoupis en Deliyannis moeten alleen ter wille van hun eigen machtsbasis onverzoenlijk tegenover elkaar blijven staan.

Een tweede bijverschijnsel ervan is de onmacht die er voor de respectieve regeringen uit voortvloeit om een enigszins centralistisch en nationaal beleid te voeren. De macht van de lokale en regionale patroons, zonder wier steun het politieke leven van de Atheense politicus beperkt is, is te groot. Greep op het platteland heeft de centrale regering amper. Dat bleek in 1870 heel duidelijk. Een aantal Engelse aristocraten, die in Attica een educatieve reis maakten, werd nabij Marathon ontvoerd en vervolgens gedood. Deze 'Dilessimoorden' zijn nooit opgehelderd.

# Pasteur lid van 'Académie'

*Louis Pasteur (portret door Nadar).*

PARIJS, 27 april - De bekende Franse geleerde Louis Pasteur is gekozen tot lid van de Académie Française. De nu 60-jarige Pasteur wordt door velen gezien als een van de grootste onderzoekers van deze tijd.

Pasteur geldt als de grondlegger van de biochemie en bacteriologie. Hij ontdekte als eerste dat gistingsprocessen veroorzaakt worden door micro-organismen en kwam zo tot het zogenaamde pasteuriseren, dat wil zeggen het door verhitting onschadelijk maken van bacteriën. Voor de wijn- en bierindustrie is deze ontdekking van immens belang geweest. Met het isoleren van ziekteverwekkende bacillen behoedde Pasteur, die altijd heeft geijverd voor een hechte samenwerking tussen wetenschap en industrie, de Franse zijdeïndustrie voor de ondergang.

Pasteur heeft niet alleen aangetoond dat micro-organismen ziekten kunnen veroorzaken, hij heeft tevens laten zien - ondanks grote tegenstand op dit gebied - dat inenting met verzwakte ziekteverwekkers ziekte kan voorkomen. Met het door hem ontdekte vaccin tegen hondsdolheid redde Pasteur juli vorig jaar het leven van het negenjarige jongetje Joseph Meister.

Pasteur heeft voor zijn wetenschappelijk werk een groot aantal prijzen in de wacht gesleept. Napoleon III schonk hem in 1867 een eigen laboratorium. Ondanks het feit dat de Franse geleerde sinds 1868 halfzijdig verlamd is, staat hij bekend als een onvermoeibaar onderzoeker. 'Ik zou het gevoel hebben dat ik aan het stelen was,' aldus de geleerde, 'als ik een enkele dag niet zou werken.'

# Frankrijk voert onderwijsplicht in

*Franse schoolkinderen voor wie het onderwijs nu ook verplicht is.*

PARIJS, 28 maart - Jules Ferry, minister van Openbaar Onderwijs en van Schone Kunsten, heeft ervoor gezorgd dat het onderwijs in Frankrijk voortaan voor kinderen van zes tot twaalf jaar verplicht is. Gratis was het een jaar geleden al geworden. Dat verplichte, gratis basisonderwijs zal ook 'laïc' zijn, dat wil zeggen openbaar, niet gebonden aan Kerk of godsdienst.

Als overtuigd republikein en antiklerikaal strijdt Ferry al jaren tegen de invloed van de Katholieke Kerk in het onderwijs. Zo ontzegde hij alle geestelijken het recht zitting te nemen in de Hoge Onderwijsraad. Op 23 september 1880 ontbond hij driehonderd ongeoorloofde congregaties.

De acties van deze gepassioneerde minister zijn echter niet alleen tegen de Kerk gericht. Dank zij Ferry mogen ook meisjes tegenwoordig middelbaar onderwijs volgen. Hij is eveneens de initiatiefnemer tot de oprichting van de Hogere Kweekschool voor meisjes.

Ferry gelooft in het belang van het onderwijs voor het volk, zoals hij gelooft in vrijheid. Tijdens zijn eerste ambtsperiode zorgde hij ervoor dat de voornaamste vrijheden wettelijk vastgelegd werden, zoals de vrijheid van bijeenkomst en van de pers. Na jarenlang aarzelen is de Derde Republiek nu echt republikeins geworden.

*Beeld van een eerdere poolexpeditie: vast in het ijs.*

# Mislukking poolexpeditie

SIBERIE, 7 april - Gisteren zijn aan de monding van de Russische rivier de Lena, gelegen in het uiterste puntje van Siberië, de stoffelijke overschotten gevonden van de Amerikaanse luitenant George Washington de Long, leider van de noodlottige Jeannette-expeditie, en van vier van zijn bemanningsleden.

Het is inmiddels ruim tweeëneenhalf jaar geleden dat De Long, in een door de *New York Herald* gefinancierde poging om als eerste de noordpool te bereiken, met de driemaster 'Jeannette' uit de haven van San Francisco vertrok. Verhalen van de handvol overlevenden - het merendeel van de 32-koppige bemanning kwam om het leven - evenals het dagboek dat bij het lichaam van de expeditieleider werd gevonden, maken een nauwkeurige reconstructie van de dramatische pooltocht mogelijk.

Het heeft de expeditie vanaf het begin tegengezeten. Het schip kwam, na nog geen twee maanden varen, ter hoogte van de 71ste breedtegraad in het ijs te zitten. Pogingen om met behulp van dynamiet los te komen mislukten. De 'Jeannette' dreef bijna twee jaar met de ijsschotsen mee totdat zij, op 11 juni vorig jaar, het begin van de zomer, door loskomende ijsschotsen zo werd beschadigd, dat De Long besloot het schip achter te laten. Men bevond zich ruim vijfhonderd mijl van het vasteland van Siberië. Drie op sleden bevestigde kleine boten gingen mee. Ondanks dat er geen extra kleding en maar voor zestig dagen voedsel werden meegenomen, bleken de sleden te zwaar voor de eskimohonden. De mannen, van wie sommigen ernstig waren verzwakt door een eerder aan boord opgelopen loodvergiftiging (veroorzaakt door ingeblikt voedsel), moesten de sleden zelf duwen en stonden daarbij, aldus een dagboekaantekening van De Long, 'soms tot hun knieën in het water. ''s Nachts bevriest het water weer, waardoor een spekgladde laag ontstaat. Vaak zakken we door het ijs; het valt nauwelijks uit te maken wat water is en wat bevroren.'

Het geploeter van de mannen bleek weinig zin te hebben. Hoewel pal zuid werd aangehouden, raakte men in eerste instantie door de zeestroom steeds verder naar het noorden. Tenen moesten worden geamputeerd en de honden werden geslacht en opgegeten. Toen uiteindelijk open water werd bereikt, 92 dagen na de ondergang van de 'Jeannette', besloot De Long dat iedere boot voor zich moest proberen het vasteland te bereiken. Een boot met aan boord acht man verdween vrijwel onmiddellijk in de golven. Een andere bereikte een bewoond gedeelte van de Lenadelta. De Long en veertien opvarenden met hem, hadden minder geluk. Ze bereikten het vasteland, maar vonden niets dan een paar verlaten vissershutten. De proviand was op, de een na de ander stierf, en een vliegende sneeuwstorm maakte verder gaan onmogelijk. De Long stuurde twee mannen vooruit om hulp te halen. Zij bereikten na enkele weken een dorp, maar werden door de vissers niet begrepen. Toen expeditieleden uit de andere boot die daar na een maand doodziek aantroffen, maakte de winter het onmogelijk om nog naar De Long en de achtergelaten opvarenden te gaan zoeken. Gisteren zijn ze, na een zoektocht van ruim zes weken, gevonden en begraven.

# Enorm bloedbad in Seoel

SEOUL, juni - Een gewapende opstand van onderdelen van het Koreaanse leger en ontevreden burgers heeft tot een bloedbad geleid. Het paleis van koningin Min is aangevallen, de gevangenis van Seoel is verwoest, honderden ambtenaren die de politiek van de regering steunden zijn vermoord, de barakken van Japanse militaire instructeurs zijn bestormd en de instructeurs zelf omgebracht. Naar het schijnt heeft koningin Min kunnen vluchten maar vele aanhangers van haar partij zijn in koelen bloede vermoord.

De oorzaak van de opstand ligt in de hervormingen die de laatste jaren door de regering zijn doorgevoerd. Taewongun, wiens minderjarige zoon al enige jaren formeel koning was, had lange tijd de regering stevig in handen. Hij had de 'sowon' (hoofdkwartieren van de facties aan het hof) afgeschaft om de interne strijd aan het hof te dammen. Het land dat de sowon in bezit hadden was geconfisqueerd en tegenstanders van deze maatregelen waren met harde hand aangepakt. Taewongun voerde ook een politiek tegen de invloed van buitenlanders. De Japanners zagen bijvoorbeeld hun verzoek tot het openen van handelsmissies in Korea mislukken. Het herstel van het Kyongbok-paleis was een geldverslindend prestigeobject waarvoor de boeren hadden moeten betalen door middel van belastingverhogingen. Ook de verhoging van de defensieuitgaven voor het buiten de grenzen houden van buitenlandse mogendheden drukte zwaar op hen.

Toen Taewon-gun in 1873 zogenaamd met pensioen ging om op afstand de zaken te blijven regelen, greep de factie van koningin Min haar kans om de dienst te gaan uitmaken. Alle belangrijke posten in het overheidsapparaat werden na korte tijd bezet door aanhangers van koningin Min. Enkele sowon werden hersteld en de isolatiepolitiek werd gedeeltelijk opgegeven.

De Japanse regering reageerde onmiddellijk enthousiast. Een Koreaanse delegatie werd gastvrij ontvangen en maakte kennis met de moderniseringen die de laatste tien jaar in Japan waren gerealiseerd. De factie van Min wilde echter niet zo ver gaan en de traditionele rechten van de bestaande elites in Korea niet aantasten. Werkelijke hervormingen zouden immers ook de basis van de machtsposities van de Min-factie aantasten.

Wel werden er hervormingen in het leger voorgesteld. Om deze door te voeren werden Japanse instructeurs naar Korea gehaald. Daarnaast zijn moderne Japanse wapens aangekocht. Voor de Koreaanse militairen betekenen de voorgestelde veranderingen dat zij mogelijk niet langer zelf in hun levensonderhoud kunnen voorzien. Loonsverlagingen zijn de laatste tijd doorgevoerd en in een aantal gevallen zijn officieren en manschappen al geruime tijd helemaal niet betaald.

Bij deze ontevreden militairen hebben zich nu vele ontevreden burgers gevoegd. Hun opstand zou kunnen leiden tot een hernieuwde isolatiepolitiek en het tegengaan van hervormingen voor lange tijd.

Een reactie van buitenlandse mogendheden en met name Japan behoort nu tot de mogelijkheden. De Japanse regering kan het platbranden van haar diplomatieke missie in Seoel en de moord op de instructeurs niet zo maar laten passeren. Vanuit handelskringen in Tokio is al aangedrongen op maatregelen om de export van Japanse produkten naar Korea te waarborgen.

*Samoerai voor een geschilderd decor (circa 1880).*

*Gewapende mannen en vrouwen van een stam in Dahomey.*

# Fransen zien af van Egypte

PARIJS, 29 juli - Frankrijk zal niet deelnemen aan de op initiatief van de Britten ondernomen strafexpeditie naar Egypte, aldus heeft het Franse parlement besloten. De aanleiding voor die expeditie is de opstand van Arabi Pasja en de moord op de christenen, vorige maand in Alexandrië. Engeland heeft de stad op 11 juli gebombardeerd en bond daarna de strijd aan met Arabi Pasja.

Voor Frankrijk kan dit een wending in zijn betrekkingen met Egypte betekenen. Meer in het algemeen, de Franse invloed daar zal danig afnemen als de Britten erin slagen sterker te worden dan de Fransen in dit land dat zo'n cruciale ligging heeft.

De concurrentie met de Britten heeft bijna voortdurend een grote rol gespeeld bij de opbouw van het Franse koloniale rijk. Van de in de 16de en 17de eeuw veroverde koloniën was in het begin van deze eeuw niet veel meer over, mede als gevolg van de vele oorlogen en de voor Frankrijk ongunstige vredesverdragen. De handelsvestigingen in India waren tot een minimum teruggebracht. Op het Amerikaanse continent was Frankrijk vrijwel alles kwijt, evenals op de Antillen. In 1830 begon Frankrijk met een invasie in Algerije en van daaruit werd, in vele gevallen tot ergernis van de Engelsen, hier en daar een stuk van Afrika veroverd.

Ook in het Verre Oosten, aan de Golf van Tonkin en in de Stille Zuidzee, kreeg Frankrijk er hier een protectoraat, daar een kolonie bij. Dat gebeurde schoksgewijs, zonder dat er een duidelijk beleid achter stak, vaak op initiatief van het legeronderdeel dat ergens voet aan land zette of een doortocht waagde.

Pas vanaf 1880 wordt er weer bewust een expansiebeleid gevoerd. De Fransen willen niet achterblijven bij de Britten, die een reusachtig imperium hebben opgebouwd. Tunesië is zonder slag of stoot Frans protectoraat geworden. In het zuiden van de Sahara verloopt de kolonisering wat moeizamer. De Toearegs hebben vorig jaar de expeditie-Flanders uitgemoord. De Europeanen zijn in dit gebied voorzichtiger geworden.

In Indo-China breidt de Franse invloed zich gestadig uit. Daarom heeft Frankrijk ook belang bij vestigingen langs de route daarheen, bij Suez, de Rode Zee, de Golf van Aden of Madagaskar. Twintig jaar geleden kochten de Fransen een stuk grond, genaamd Obock, tegenover Aden, op de Afrikaanse kust. Sindsdien doet de Franse resident daar zijn best de Franse nederzetting uit te breiden.

In Egypte zagen de Engelsen met argusogen hoe de Fransen daar invloedrijker werden. Het waren de Fransen die onder leiding van ingenieur Ferdinand de Lesseps het Suezkanaal groeven. De Britten streven er sindsdien naar het kanaal in hun macht te krijgen. In 1875 werd Engeland al de voornaamste aandeelhouder van de compagnie die het Suezkanaal beheert.

Wellicht slaagt Groot-Brittannië dank zij deze zonder Frankrijk ondernomen strafexpeditie erin heer en meester over Egypte te worden.

# Massale joodse uittocht uit Oost-Europa

WARSCHAU - Toen vorig jaar de af-schuwelijke pogroms op de joden in Rusland begonnen, was enigszins te voorzien dat velen hun vaderland zou-den ontvluchten. Grote stromen vluch-telingen zijn inmiddels op weg naar meer liberale landen als de Verenigde Staten en de landen van West-Europa. Niet alleen de anti-joodse politiek van de Russische tsaren maar ook de anti-joodse stemming onder het Russische volk na de Poolse opstand in 1863 zorgde voor grote onrust onder de jo-den in het Paalgebied en gebieden daarbuiten.

Tijdens de regering van Alexander II was het aantal joodse leerlingen op ver-scheidene Russische onderwijsinstitu-ten gestegen en joden traden steeds meer uit hun beschermde gemeenten. Ondanks hun maatschappelijke posi-ties werden de burgerrechten van de jo-den niet vastgelegd. De anti-joodse po-litiek van Alexander II werd ver-scherpt, afgezien van enkele speciale privileges die aan geselecteerde groe-pen joden werden geschonken.

Toen in mei van het vorig jaar de tsaar door een bomaanslag om het leven kwam, werd een jodin gearresteerd we-gens medeplichtigheid aan het kom-plot. De joden werden de zondebok en een golf van bloedbaden werd ontke-tend. Van de 20000 joden in Moskou mag maar één derde gedeelte blijven, de rest wordt uitgewezen. De minister van Binnenlandse Zaken van de nieu-we regering van tsaar Alexander III, Ignatiev, maakte vorig jaar in de zoge-noemde 'meiwetten' bekend dat elke nieuwe vestiging zowel binnen als bui-ten het Paalgebied streng verboden is. Binnen dit gebied mogen de joden niet

Joden uit Boechara [Oezbekistan, Centraal-Azië], circa 1890.

meer op het platteland wonen, zo luid-de een van de verordeningen. 'Slechte joden mogen uit de dorpen worden verjaagd. Als argument voor zijn voor de joden vernederende maatregelen stelt de minister van Binnenlandse Za-ken: 'De politiek van verdraagzaam-heid van Alexander II is mislukt [...] en dit nieuwe, krachtige beleid is noodza-kelijk, gezien het volksprotest in Rus-land zelf.'

De joodse intelligentsia heeft op de massale uittocht en pogroms via vele brochures gereageerd. Eén hiervan is dit jaar verschenen van de hand van Leon Pinsker, *Auto-Emanzipation*, waarin gestreefd is tot een synthese tus-sen traditionalisme en emancipatie te komen. Het is dezelfde Pinsker die twee jaar geleden, in 1880, een van de oprichters was van het 'Genootschap voor de Verbreiding der Beschaving onder de Russische Joden'. De uit-barsting van moorden op joden in Rus-land leidde vorig jaar tot de beweging 'Chibbat Zion' (Zionsliefde). Voor het eerst sinds lange tijd is de blik van de Russische jood gericht op het land van hun vaderen.

Niet alleen de Verenigde Staten en West-Europa zijn het doel van de hon-derdduizenden joodse vluchtelingen: de eerste landbouwnederzettingen in Palestina zijn inmiddels ook al ge-sticht.

Een scène uit de opera 'Parsifal' van Richard Wagner, die op 26 juli van dit jaar in het Bayreuther Festspielhaus in première is gegaan. Ondanks het schan-daal dat daarbij ontstaat - Wagner krijgt tijdens de voorstelling ruzie met het publiek - blijkt de door koning Lodewijk II van Beieren financieel ondersteun-de opera met 16 voorstellingen een artistiek en financieel succes.

János Arany.

## Arany: grootste Hongaarse dichter

BOEDAPEST, 22 oktober - Een van de belangrijkste Hongaarse dichters van deze eeuw, János Arany, is op 65-jarige leeftijd als een verbitterd man gestorven. Na het mislukken van de Hongaarse revolutie van 1848 werd zijn werk vooral gekenmerkt door pes-simisme en melancholie.

In 1847 behaalde Arany met het verha-lend gedicht *Toldi* zijn eerste grote suc-ces, waarna hij vriendschap sloot met de andere grote dichter van deze eeuw, Sándor Petöfi. Samen met hem nam hij deel aan de Hongaarse Onafhanke-lijkheidsoorlog en gaf korte tijd een krant voor boeren uit. Toen de revolu-tie werd neergeslagen verloor Arany zijn baan. Hoewel hij in 1858 lid van de Hongaarse Academie van Weten-schappen werd en in 1870 zelfs tot secretaris-generaal werd gekozen bleef Arany onverschillig voor officië-le erkenning en weinig geneigd eerbe-wijzen te accepteren.

Waar Petöfi de extraverte revolutio-nair was, die het liefst conventies door-brak en openlijk politieke gedichten schreef, was Arany de bescheiden, te-ruggetrokken, introverte geest. Hij schreef bijvoorbeeld nooit een liefdes-gedicht. De onderwerpen van de ge-dichten van Arany zijn vaak historisch en behandelen eeuwige menselijke problemen.

De hoogten die Petöfi en Arany bereik-ten zijn in de tweede helft van deze eeuw in Hongarije niet meer gehaald. Het tijdperk van de 'Ausgleich' (1867) is nauwelijks gunstig voor de litera-tuur. De revolutie is gevolgd door een huichelachtig optimisme, zelfvoldaan-heid en ongeïnspireerd traditonalisme

# 'Deutschnationaler Verein'

LINZ, 1 september - Het zogenaamde 'Linzer Programm' van de 'Deutschnationaler Verein' is gepubliceerd. In dit partijprogramma wordt geëist: de vereniging van alle Duitstalige Oostenrijkse provincies met inbegrip van Bohemen en Moravië, de invoering van het Duits als officiële taal, een Oostenrijks-Duitse alliantie en het reduceren van de betrekkingen met Hongarije tot een louter dynastieke verbintenis.

De 'Deutschnationaler Verein' is opgericht door de radicale nationalist Ritter Georg von Schönerer, en aanvankelijk gesteund door de schrijver Engelbert Pernerstorfer, de arts Victor Adler en de historicus Heinrich Friedjung. Schönerer, leider van de 'Deutschnationaler Verein', beschouwt zichzelf als de nobele ridder die het Duitse volksdeel zal bevrijden van speculanten, bureaucraten en liberalen. Zijn kruistocht is vooral gericht tegen de joden, die van al deze groepen deel uitmaken. Schönerer, die in 1873 in de Reichsrat werd gekozen, was zijn politieke carrière als liberaal begonnen. Hij kwam echter al spoedig in conflict met zijn fractiegenoten, die volgens hem te weinig belangstelling voor sociale problemen hadden en de strijd tegen het Slavische nationalisme verwaarloosden. Schönerer wierp zich op als de woordvoerder van studenten en handwerkslieden. Uit naam van de door de moderne industrie bedreigde handwerkslieden eiste hij het herstel van de huisnijverheid, 'eerlijke arbeid', en een verbod op de huis-aan-

*Victor Adler.*

huisverkoop van fabrieksprodukten, die vrijwel uitsluitend in handen van joodse colporteurs is.

Schönerer is de meest rabiate Oostenrijkse antisemiet van het moment. In 1879 riep hij de aristocratie en het volk op om zich te verenigen tegen 'de geprivilegieerde belangen van het vlottende kapitaal en de semitische macht over het geld en de pers'.

Het antisemitisme van Schönerer wordt wel uit zijn Duits nationalisme verklaard. Hij haat ieder supranationaal principe dat het Habsburgse Rijk bijeen zou kunnen houden: liberalisme, socialisme, katholicisme, en het keizerlijk gezag. Omdat de joden tot iedere nationale en sociale groepering behoren en nooit de ontbinding van de monarchie nastreven, zijn zij de vijanden van elke centrifugale kracht.

*Een vrouw met een graad in de medische wetenschap (Engeland, 1885).*

# Huwelijksrecht aangepast

LONDEN - Het Engelse parlement heeft een wet aangenomen waarin is vastgelegd dat de gehuwde vrouw recht op eigendom krijgt. Voorheen vervielen, op het moment dat ze trouwde, de bezittingen van een vrouw aan haar man. De wet betekent een belangrijke verbetering van de positie van de vrouw.

Het verval van eigendomsrecht is slechts één van de facetten van de rechtsongelijkheid die er binnen het huwelijk bestaat tussen man en vrouw. Al in 1854 heeft Barbara Bodichon een pamflet gepubliceerd, dat hierop de aandacht vestigde. Vele voorbeelden die zij noemde, gelden nog steeds. Een vrouw kan bijvoorbeeld niet op dezelfde gronden echtscheiding aanvragen als een man; een man kan scheiden als zijn vrouw zich schuldig heeft gemaakt aan overspel, een vrouw alleen als de man incest heeft gepleegd. Verder worden man en vrouw op het moment dat zij trouwen één persoon voor de wet, waarbij de man de verantwoordelijkheid krijgt voor alle daden van de vrouw.

Dit kan soms vreemde gevolgen hebben. De man moet de juridische gevolgen dragen als zijn vrouw zich schuldig maakt aan contractbreuk, inbraak of diefstal. Een andere consequentie is dat man en vrouw voor de rechtbank nooit tegen elkaar kunnen getuigen: zij zijn immers voor de wet één persoon. Dit is ook de reden dat een man na de dood van zijn vrouw niet kan hertrouwen met de zuster van zijn vrouw: dat zou incest zijn, omdat zijn schoonzuster voor de wet zijn eigen zuster is. Een ander direct gevolg is dat de man het alleenrecht krijgt op de bezittingen van zijn vrouw en ook op de zeggenschap over hun kinderen. In het verleden had een vrouw recht op eigendom zolang zij ongehuwd bleef; op het moment dat zij in het huwelijk trad, werd haar echtgenoot eigenaar van al haar bezittingen en inkomsten. In rijke families werd wel gebruik gemaakt van de juridische mogelijkheid via een regeling tóch bezittingen op naam van de vrouw vast te zetten, echter eventuele inkomsten die zij ná haar huwelijk daaruit zou kunnen ontvangen gingen naar haar man. In 1870 is een wet aangenomen die het mogelijk maakt dat de vrouw bezittingen en inkomsten die ná het huwelijk zijn verkregen, kan behouden. Door de laatste wetswijziging wordt het de vrouw nu ook mogelijk gemaakt het eigendomsrecht te behouden over bezittingen die zij ten tijde van haar huwelijk had, zonder dat daarvoor een speciale regeling nodig is.

*Charles Darwin en zijn vrouw aan de piano (anoniem schilderij). De befaamde Engelse natuuronderzoeker die met zijn evolutieleer, neergelegd in 'On the Origin of Species by Means of Natural Selection' (1871), zo'n baanbrekende these heeft geponeerd, is op 16 maart overleden.*

# Amerikaans Congres besluit immigratie te beperken

WASHINGTON, 18 augustus - Het 'land van de onbegrensde mogelijkheden' staat niet voor iedereen open. Voor het eerst in de Amerikaanse geschiedenis heeft het Congres beperkende bepalingen opgelegd aan de immigratie: misdadigers, paupers, krankzinnigen en andere 'ongewenste personen' zullen voortaan niet meer tot de Verenigde Staten worden toegelaten. Daarnaast heeft president Arthur zijn handtekening gezet onder een wet waarin de immigratie van Chinese arbeiders voor tien jaar wordt verboden. Deze wetgeving is een reactie op de 'nieuwe immigratie'. Tot dusver lieten de immigranten zich vrij gemakkelijk in de Amerikaanse samenleving opnemen. De meesten kwamen uit Groot-Brittannië, Ierland of van het Westeuropese continent (veelal uit Duitsland en Scandinavië). Ze kunnen lezen en schrijven en hun zeden en gewoonten zijn dusdanig dat hun 'amerikanisering' vrij snel verloopt. Maar de laatste jaren doet zich het fenomeen van de

*'Emigrantenschip' (door Charles Staniland). Rechts registratie van Europese immigranten in de VS (1886).*

'nieuwe immigratie' voor. Voor het eerst komt een groot deel van de immigranten uit Zuid- en Oost-Europa, onder wie donkere, zwartgebaarde Italianen, Kroaten, Slowaken, Grieken en Polen. Ze kunnen meestal lezen noch schrijven, verkeren in zeer armoedige omstandigheden en kruipen door-

gaans bij elkaar in de volgepropte steden, in de 'Little Italy's' en 'Little Polands' van New York en Chicago. Ze roepen verzet op vanwege hun bereidheid voor een hongerloon te werken en vanwege de aanwezigheid in hun intellectuele bagage van gevaarlijke 'ismen' als socialisme, communisme en anarchisme. Het aandeel van deze nieuwe immigranten is inmiddels toegenomen tot twintig procent van het totaal.

De immigratie doet het aantal inwoners van de VS in een vrij hoog tempo oplopen. Twee jaar geleden bedroeg de bevolking van de Verenigde Staten iets meer dan vijftig miljoen mensen - tien miljoen meer dan in 1870 - en alleen al het afgelopen jaar zijn er bijna 700 000 mensen bijgekomen, ongeveer 2000 per dag.

'Old-line' Amerikanen beginnen zich af te vragen of hun land een smeltkroes of een vuilstortplaats is geworden. De New-Englander T.B. Aldrich heeft vertwijfeld uitgeroepen: 'O, vrijheid, blanke godin! is het goed geen wachter te zetten bij de poort?' Het 'land van belofte' heeft nu een eerste wachter bij de poort.

*'La Pia de Tolomei' van de op 9 april gestorven Engelse dichter-schilder Dante Gabriel Rossetti. Rossetti was de leider van de preraflieten, een groep van zeven Britse kunstenaars die in september 1848 de Pre-Raphaelite Brotherhood hebben opgericht ter verwezenlijking van hun gemeenschappelijke idealen: zij streefden in hun kunst naar een creatieve eenvoud, onschuld en ernst en een aandacht voor de natuur - de kunst van vóór Rafaël.*

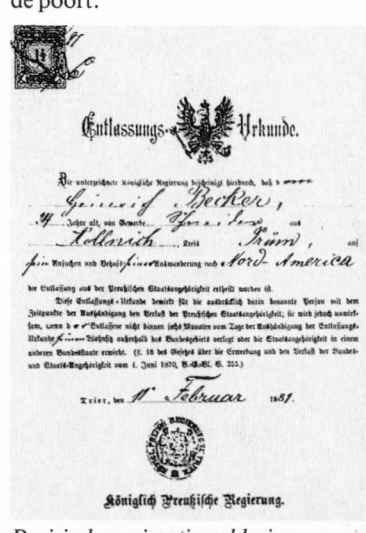

*Pruisische emigratieverklaring.*

*Ismail Pasja, onderkoning van Egypte (1863-1879). Rechts Schotse soldaten aan de voet van een sfinx.*

# Engels leger loopt Egypte onder de voet

CAIRO, 13 september - Het Engelse leger onder leiding van generaal Wolseley heeft een grote overwinning behaald op het opstandige Egyptische leger. De leider van de opstandelingen, kolonel Orabie, is gevangengenomen. Kolonel Orabies naam werd beroemd tijdens de opstand in januari vorig jaar tegen het beleid van premier Osman Pasja Rafaie. Orabie en een andere legerleider, Ali Fahmie, beschuldigden de regering van Osman Pasja ervan de economische en sociale problemen in Egypte veroorzaakt te hebben en stelden de volgende eisen:
a. alle ministers moeten worden ontslagen;
b. het parlement moet bijeenkomen;
c. het leger van Egypte moet uit ten

minste 18 000 man bestaan.
Khedive Tawfik, de gouverneur van Egypte, wilde hiervan niets weten en besloot de macht van de kolonels te beperken. In augustus vorig jaar benoemde hij Moestafa Sami tot minister van Oorlog. Op 9 september kreeg kolonel Orabie het bevel met zijn leger Caïro te verlaten en naar Alexandrië te gaan. Kolonel Orabie en zijn aanhangers vermoedden hier een samenzwering achter en weigerden het bevel op te volgen.
De Engelse regering volgde de gebeurtenissen in Egypte met volle aandacht. Egypte behoorde, althans in naam, tot het Osmaanse Rijk, dat de laatste tijd steeds minder invloed op Egypte had.
De Europeanen, en vooral de Engel-

sen, kregen steeds meer macht in Egypte via hun adviseurs, die belangrijke functies bekleedden bij de Egyptische overheid. Daarnaast had Egypte veel geld van de Europese landen geleend. Financieel was de regering van Egypte dan ook bijna volledig afhankelijk van de Europeanen. Daarbij speelt het Suezkanaal een belangrijke rol als strategische weg naar de kolonies van Engeland, zoals India en Ceylon [Sri Lanka].
De Engelsen waren bereid om khedive Tawfik te helpen tegen de opstandelingen. De Engelse marine begon op 11 juni van dit jaar met manoeuvres in de buurt van Alexandrië, waartegen de Egyptenaren fel protesteerden.
Het Engelse leger verklaarde hierop dat het tot taak had het leven van de Europeanen in Egypte te beschermen. Het leger viel Egypte binnen en twee dagen geleden werd de strijdmacht van kolonel Orabie vernietigd.
Nu Egypte eenmaal bezet is door de Engelsen, heeft Lord Cromer de eigenlijke macht gekregen, ondanks het feit dat khedive Tawfik officieel nog steeds de leider van de Egyptenaren is.

*De vroegere koning van Zoeloeland, Ketschwayo, die na de Zoeloe-oorlog in 1879 waarbij het land onder dertien stamhoofden werd verdeeld, is gevangengenomen en naar Kaapstad verbannen. Hij heeft dit jaar een bezoek aan Londen gebracht om bij koningin Victoria voor zijn vrijlating te pleiten. De Engelsen besloten hem een deel van zijn oude koninkrijk terug te geven.*

*Britse troepen in Alexandrië.*

## Gobineau: Ariërs hebben hoogste niveau beschaving

TURIJN, 13 oktober - De Franse schrijver-diplomaat Joseph Arthur graaf de Gobineau, beroemd en berucht geworden om zijn *Essai sur l'inégalité des races humaines*, is op 66-jarige leeftijd overleden.
Toen Gobineau na de val van zijn beschermer Alexis de Tocqueville, wiens kabinetchef hij was, gezantschapssecretaris in Bern werd, zette hij zich aan het schrijven van zijn *Essai*, dat een synthese moest worden van de geschiedenis van de mensenrassen. Hij beweert daarin dat het blanke ras superieur is aan alle andere en dat, binnen het blanke ras, het de Ariërs zijn die het hoogste niveau van beschaving hebben bereikt.
Ook in zijn letterkundig werk duikt dit thema op. Tijdens zijn gezantschap in Stockholm schreef Gobineau de roman *Les Pléiades* (1874) waarin hij de lof zingt van de 'supermens'. Het is, zei hijzelf, 'het boek van een aristocraat waarin de conversatie van uitzonderlijke mensen wordt geplaatst tegenover het verwarde geraas van de massa'. De drie jongemannen die de helden zijn van de roman, zijn 'koningszonen'- het centrale thema van de roman; ze reizen rond, converseren met elkaar, vertellen elkaar verhalen en zijn gelukkig. Het idee van de 'koningszoon' ontleende Gobineau aan de *Verhalen van Duizend-en-één Nacht*.

## Pleitbezorger van concurrentieloze wereld overleden

*Louis Blanc (1851).*

CANNES, 6 december - Louis Blanc, pleitbezorger van de concurrentieloze samenleving, is in Cannes overleden. De staat, vond Blanc, moest alle arbeiders van één vak in 'sociale werkplaatsen' samenbrengen en een gelijk loon uitkeren ('van ieder naar zijn vermogen, aan ieder naar zijn behoefte').

# Marx analyseerde modern kapitalisme

LONDEN, 14 maart - Op 64-jarige leeftijd is vandaag de Duitse filosoof en politicus Karl Marx overleden. In zijn werk, waarvan vooral het *Communistisch Manifest* (1848) en *Das Kapital*, deel I (1867) bekendheid genieten, heeft de Duitse balling een analyse gegeven van het moderne kapitalisme, een maatschappijtype dat naar zijn mening op den duur plaats zal maken voor een maatschappelijk systeem waarin de arbeidersklasse de toon aangeeft.

Samen met zijn vriend en medewerker Friedrich Engels, schrijver van het werk *The condition of the working classes in England* (1844), formuleerde hij de leer van het wetenschappelijk socialisme, ook wel marxisme genoemd. Marx speelde ook een rol in de politieke woelingen in Duitsland in 1848. Hij woonde sinds 1849 in Londen, waar hij zich met politiek en wetenschappelijk werk bezighield. Hij koos voor het verblijf in Engeland omdat hij verwachtte dat hij daar wetenschappelijk onderzoek kon doen en politiek actief kon zijn zonder, zoals voorheen, lastig gevallen te worden door de autoriteiten.

In zijn werk baseerde Marx zich aanvankelijk sterk op de Duitse filosoof Hegel, die stelde dat de geschiedenis het resultaat is van een dialectisch proces. Volgens Marx zijn niet ideeën de drijfveer achter de geschiedenis, maar de manier waarop de maatschappij is opgebouwd, met andere woorden, materiële omstandigheden. Dit onderdeel van zijn werk, waarin hij zich evenals veel tijdgenoten na de revoluties van 1848 afzette tegen het idealisme, wordt aangeduid met de term historisch materialisme. De geschiedenis vertoont volgens Marx een logische en onvermijdelijke ontwikkeling in de richting van een maatschappij waarin de bestaande klassenverhoudingen zijn opgeheven. De manier waarop het huidige maatschappijtype ten onder zal gaan is volgens Marx nu al zichtbaar. Een industriële, of in de terminologie van Marx, modern-kapitalistische maatschappij wordt regelmatig getroffen door conjuncturele recessies. Marx voorspelde dat deze crises steeds heviger zullen worden totdat er voor het huidige maatschappijtype zo'n uitzichtloze situatie ontstaat dat de arbeidersklasse de macht overneemt en voor een nieuwe ideale maatschappij zorgt.

Karl Marx was ook in Engeland politiek actief. Hij was de leidende figuur binnen de in 1864 opgerichte 'Internationale'. Deze vereniging, die zich de verheffing van de arbeidersklasse ten doel stelde, ging na interne onenigheid in 1876 ten onder.

De moeilijk toegankelijke theorieën van Marx zijn neergelegd in talloze geschriften. Niet alles is uitgegeven. De trouwe metgezel van Marx, zijn land-

*De filosoof-politicus Karl Marx (circa 1870). Rechts: Marx in gesprek.*

genoot Friedrich Engels, heeft toegezegd voor de publikatie van het latere werk zorg te zullen dragen. Met name het vervolgdeel op het in 1867 gepubliceerde *Das Kapital* wordt met belangstelling tegemoetgezien.

# Geen vrouwenstemrecht

AMSTERDAM, 18 mei - De Hoge Raad heeft de eis van mejuffrouw dr. Aletta Henriette Jacobs om ingeschreven te worden in het Amsterdamse kiesregister afgewezen. Ter ondersteuning van haar eis had Aletta Jacobs aangevoerd dat de wetgever inzake het kiesrecht geen onderscheid naar sekse maakt. Als praktizerend arts betaalt zij voldoende belasting om aan de census te voldoen.

Aletta Jacobs is niet erg onder de indruk van de argumenten op grond waarvan haar eis is afgewezen. Het arrest komt erop neer dat zij niet zou mogen stemmen 'omdat zij niet geacht kon worden in het volle genot van haar burgerlijke en burgerschapsrechten te zijn, want ... zij derft het recht om kiezer te zijn.' Verder moet volgens de Hoge Raad onder 'Nederlander' en 'ingezetene' de man verstaan worden, aangezien de wetgever anders wel met nadruk ook de vrouw vermeld had; bovendien is het de man die voor de gehuwde vrouw belasting betaalt. De heren van de Raad zien volgens Jacobs over het hoofd dat er ook weduwen en ongetrouwde vrouwen zijn die belasting betalen. Het is niet waarschijnlijk - gezien Aletta Jacobs' reputatie van onverzettelijkheid - dat zij zich bij het arrest zal neerleggen.

Dr. Aletta Jacobs verzocht op 23 maart het college van B & W van Amsterdam haar in te schrijven in het kiesregister, aangezien zij voldeed 'aan alle voorwaarden voor kiesbevoegdheid bij de wet gesteld'. Het college had moeite het verzoek serieus te nemen en wees het, zonder dat de Raad er een woord aan wijdde, af.

Volgens *Het Handelsblad* stond mejuffrouw Jacobs naar de letter van de wet in haar recht, maar niet naar de geest: 'Er is voor de vrouwen een zo ruime werkkring weggelegd, ook in het edele en zelfopofferende vak, waaraan mejuffrouw Jacobs zich gewijd heeft, dat het waarlijk niet nodig is dat de vrouw zich ook met politiek inlaat.'

Overigens moet opgemerkt worden dat van de 3 miljoen Nederlanders er slechts honderdduizend kiesgerechtigd zijn.

De juridische strijd van Aletta Jacobs over het vrouwenkiesrecht is een logisch uitvloeisel van haar streven naar gelijke rechten voor de vrouw. In 1870 werd zij als eerste vrouw toegelaten op de HBS, in 1872 ging zij, opnieuw als eerste vrouw, medicijnen studeren - minister Thorbecke gaf haar vlak voor zijn dood persoonlijk toestemming om ook af te studeren. In 1879 vestigde zij zich als eerste vrouwelijke arts te Amsterdam. Ook als arts staat Aletta Jacobs op de bres voor de belangen van de vrouw.

Zij is een pionier op het terrein van de geboortenbeperking en de strijd tegen de prostitutie. Ook zet zij zich in voor verbetering van de arbeidsomstandigheden van vrouwen.

# Brooklyn Bridge symbool moderne VS

NEW YORK, 24 mei - President Arthur van de Verenigde Staten, gouverneur van New York Grover Cleveland, de burgemeesters van Brooklyn en New York en duizenden belangstellenden hebben door hun aanwezigheid de opening van de Brooklyn Bridge opgeluisterd. De Amerikanen beschouwen dit wonder van techniek en bouwkunst als het achtste wereldwonder en zien de Brooklyn Bridge als het symbool van de Amerikaanse 'way of life': vrij, nuttig en mooi. Het symbool van het moderne, opkomende Amerika.

Een van de sprekers maakte gewag van 'een vreemde metalen Geestverschijning onder een metalen hemel, een vlinderachtige boog die werelden met elkaar verbindt, de kabels als goddelijke boodschappen van hierboven....' Volgens de schrijver Henry James is het bouwsel het naakte bewijs van kracht en symboliseert de brug de nieuwe impulsen die de Amerikaanse steden herscheppen.

De Brooklyn Bridge overbrugt de East River en verbindt Brooklyn met Manhattan. De brug is 1600 voet (ongeveer 550 meter) lang. Vier reusachtige kabels, gespannen tussen gotische torens, torsen met behulp van ophangkabels een gewicht van 18 700 ton. De Brooklyn Bridge is 86 voet (ongeveer 30 meter) breed en herbergt maar liefst twee spoorbanen, twee banen voor de elektrische tram, twee wegen en een weg voor voetgangers.

De brug is de gerealiseerde droom van John Roebling, een emigrant uit Duitsland. In 1857 ontwierp Roebling de eerste versie van de brug. Daarna begon het jarenlange gevecht om zijn plannen uitgevoerd te krijgen. In 1869 kreeg Roebling het groene licht. Maar nog voor de eigenlijke bouw was begonnen stierf hij. Tijdens een inspectietocht op de bouwplaats van de ophangtoren van de brug aan de Brooklyn-zijde maakte Roebling een ernstige val. Ondanks onmiddellijke amputatie van enkele tenen overleed hij aan tetanus. Zijn zoon Washington Roebling nam de leiding over. Bij de aanleg van de steunberen liep Washington Roebling echter de gevreesde 'caissonziekte' op waardoor hij verlamd en vrijwel geheel doofstom raakte. Roebling jr. heeft sinds het ongeval in 1872 met behulp van een verrekijker vanaf zijn ziekbed in een nabijgelegen huis het toezicht op de bouw moeten houden.

De bouw heeft ongeveer 18 miljoen dollar gekost, bijna drie maal zoveel als de geraamde kosten, en heeft dertien jaar geduurd. Tijdens de openingsceremonie die Washington Roebling in zijn rolstoel vanaf zijn observatiepost moest meemaken, werden de Roeblings geëerd als mannen die de 'American Dream' waargemaakt hebben.

*De werkzaamheden aan de Brooklyn Bridge hebben ruim dertien jaar in beslag genomen. Het publiek maakt dankbaar gebruik van deze nieuwe oeververbinding.*

# Tunesië voortaan Frans protectoraat

*De operacomponist Richard Wagner is op 13 februari in Venetië overleden. De onderwerpen voor zijn opera's ontleende hij veelal aan de Noordse en Teutoonse mythologie en geschiedenis: Der Ring des Nibelungen, Tannhäuser, Die Meistersinger von Nürnberg.*

PARIJS, 8 juni -Vandaag is het Verdrag van La Marsa tussen de belangrijkste leider in Tunesië, Ali Bey, en de Fransen getekend. Dit verdrag is de eerste stap in de richting van een Frans protectoraatsbeleid ten aanzien van Tunesië.

In het eerste artikel van het verdrag belooft Ali Bey alle bestuurlijke, juridische en financiële hervormingen die door de Franse regering worden ingevoerd, te accepteren. In ruil daarvoor zal de Franse regering de 125 miljoen franc die Ali Bey heeft geleend terugbetalen, op voorwaarde dat de bey geen financiële contracten zal tekenen zonder toestemming van de Franse regering.

Sinds 1879 gaat Tunesië gebukt onder enorme financiële en economische problemen. Frankrijk had er zowel economisch als politiek belang bij om Tunesië in zijn greep te krijgen. Het was ook in het belang van Frankrijk om een oplossing voor het stammenprobleem in Tunesië te vinden. Deze stammen vallen de Fransen van tijd tot tijd op Algerijns grondgebied aan en hebben ook eenmaal Franse vissersboten veroverd.

Op 30 maart 1881 viel de Kroumirstam vanuit Tunesië Algerije binnen. Een strijd van elf uur tussen de Franse troepen en deze stam resulteerde in vier doden en zes gewonden onder de Fransen. Dit incident werd door de Franse regering gebruikt als excuus om Tunesië binnen te vallen.

De hele zaak werd in het Franse parlement besproken. Op 4 april 1881 stemde het parlement in met een strafexpeditie tegen de Kroumir-stam (474 leden stemden voor, 2 tegen en 50 waren afwezig). Het parlement besloot verder om vijfeneenhalf miljoen franc voor deze actie beschikbaar te stellen. De Franse regering verklaarde twee doelen voor ogen te hebben:

1. de Kroumir-stam te bestraffen;
2. herhaling van een dergelijk probleem te voorkomen.

Binnen zestien dagen na de invasie van Tunesië, omsingelden de Franse troepen het paleis van de bey. Op 12 mei 1881 werd Tunesië gedwongen om het Verdrag van Bardo te tekenen met de Fransen. Het woord 'protectoraat' komt daarin niet voor, maar in werkelijkheid kregen de Fransen de macht in handen. Het Verdrag van La Marsa van vandaag is een versterking van het Verdrag van Bardo. Hierin wordt Tunesië officieel tot Frans protectoraat verklaard.

*Arrestatie van een Tunesische rebel.*

# Wereldtentoonstelling in Amsterdam

*Sociaal-democraat wordt opgepakt.*

## Bismarck lanceert sociale wetgeving

BERLIJN, juni - 'Wie kan rekenen op pensionering is een tevredener en makkelijker te behandelen mens dan degene die daarop niet kan rekenen.'

Het doel van het 'staatssocialisme' is voor Bismarck duidelijk. De door zijn regering de laatste jaren gelanceerde sociale wetten hebben voornamelijk ten doel de arbeidersbeweging van het socialisme te vervreemden. Het stelsel van sociale wetten moet volgens Bismarck 'de grote massa van bezitlozen kunnen bekeren tot het conservatisme'. Verbetering van het lot van de arbeider en humanisering van de arbeid spelen voor de rijkskanselier slechts een nevenrol.

Op 15 juni van dit jaar heeft de Rijksdag een wet aangenomen die de ziekenverzekering in het Rijk verplicht stelt. De kosten hiervan zullen deels door de werkgever en deels door de arbeiders zelf betaald moeten worden. Deze wet is onderdeel van een veel omvangrijker pakket sociale-verzekeringswetten die de regering de laatste jaren door de Rijksdag heeft geloodst. Een keizerlijke boodschap hield de Rijksdag op 17 november 1881 voor dat 'het herstel van de sociale schade niet alleen kan geschieden door repressie van de sociaaldemocratie, maar hand in hand moet gaan met de verbetering van het welzijn van de arbeider'.

De aankondiging van Bismarcks plannen stelde de SDAP voor een dilemma. Afwijzing van de plannen op grond van tactische overwegingen was niet in het belang van de arbeidende klasse. Aanvaarding betekende verloochening van haar socialistische principes in ruil voor materieel gewin.

Door amendementen en eigen, verdergaande voorstellen proberen de sociaaldemocraten in de Rijksdag een eigen koers te varen. De socialistische voorman Wilhelm Liebknecht drukte het onlangs als volgt uit: 'Vorst Bismarck zou wat dichter bij ons doel moeten komen. Dan kunnen wij met hem oplopen zonder aan de slippen van zijn jas te hangen.'

AMSTERDAM, 1 augustus - De in levenden lijve tentoongestelde 'inboorlingen' uit de Nederlandse koloniën zijn de grote attractie van de op 1 mei geopende Wereldtentoonstelling op het 22 hectaren grote Museumterrein te Amsterdam. De Amsterdamse tentoonstelling staat geheel in het teken van de koloniale handel.

Het staat zwart van de mensen bij de door de Nederlandse Zending ingezonden groep inlanders uit Oost-Indië, die een tableau-vivant ten beste tracht te geven van 'het leven in de kampong'. Onder de blikken van tienduizenden - Amsterdammers, provincialen, werklieden, maar ook van hooggeplaatste lieden als de achterneef van Napoleon III, het Belgische koningspaar en de Chinese gezant - zitten de 'inlanders' schijnbaar onbewogen te pottenbakken, te batikken, te weven of een potje rijst te koken. Of zij voor de verkoop van souvenirs een vergoeding krijgen is niet duidelijk. Uit een soort theekoepeltje klinkt weemoedige gamelanmuziek.

De in het nabije 'koloniale park' in tenten huizende Surinaamse 'boschnegers', 'stadsnegers', 'roodhuiden' en halfbloeden zijn nog populairder bij het publiek.

Het comité voor de inzending van Surinaamse inboorlingen heeft het er nog lastig mee gehad om de Surinamers ertoe te bewegen over zee te gaan. Op 24 april ging er toch een groep van 28 personen scheep naar Europa. De blanke dames aan boord - eerst nogal geschrokken - betwistten elkaar al snel 'het genoegen om een deel van de dag met een klein negertje of Indiaantje op schoot te zitten...' In Amsterdam is de groep ondergebracht in een speciaal logement, met voor 'elk ras' een afzonderlijke kamer.

De 'inlanders' staan zes maanden te kijk op de tentoonstelling; zij spreken geen verstaanbare taal en het voedsel is

*De Surinaamse bevolking bestaat uit negers, Javanen en blanke overheersers.*

niet aangepast aan hun gewoonten. Eén van hen, de zoon van de Indiaanse prins Albert van Koerkabo, is reeds overleden. Alleen de Surinaamse vrouwen uit de stad vergaat het wat beter naar het schijnt; zij verdienen nog wat aan de verkoop van snuisterijen en foto's, die zij voor een gulden verkopen. De Surinamers - sommigen staan in eigen land in hoog aanzien - zijn naar Amsterdam gehaald met de belofte dat zij de hand zouden kunnen drukken van de koning, die 20 jaar geleden de slavernij afschafte; zij zouden gast zijn op zijn 'wereldfeest', doch Willem III heeft zich niet laten zien in de buurt van zijn Surinaamse onderdanen; wel liet hij zich wat voorspelen door het gamelanorkest uit het andere deel van zijn koloniale rijk. Het was spijtig dat het orkest op de speciaal aangepaste instrumenten 'God save the Queen' speelde in plaats van het 'Wien Neêrlands bloed'.

*Soldaten waden door moeras (Guyana).*

*William Frederick Cody, die als 'Buffalo Bill' een spectaculaire 'Wild West'-show is begonnen waarmee hij door Amerika en Europa wil reizen. Voor hij het showwezen omarmde, was Cody een succesvol jager, wat hem de naam 'Buffalo Bill' opleverde: hij heeft naar eigen zeggen meer dan 4000 buffels geschoten.*

# Frankrijk voltooit kolonisatie Vietnam

HUE, 25 augustus - Nauwelijks een maand na de dood van keizer Tu Duc heeft de zogeheten 'vredesfactie' aan het hof een verdrag getekend met de Franse onderhandelaar Harmand. Daarin wordt bepaald dat de soevereiniteit over die delen van Vietnam die nog niet door Franse troepen waren bezet, aan Frankrijk wordt overgedragen. Hiermee is 25 jaar na de overdracht van de eerste drie zuidelijke provincies aan Frankrijk nu het hele land gekoloniseerd.

Vooralsnog lijkt het merendeel van de ambtenaren en de keizerlijke familie zich niet te willen neerleggen bij deze gang van zaken. De Franse onderhandelaars hebben echter optimaal gebruik gemaakt van de onzekere situatie die na de dood van de Vietnamese keizer heerst.

Eerder waren al enkele pogingen ondernomen om het noorden van het land te bezetten. In 1873 was een expeditieleger onder leiding van François Garnier naar de delta van de Rode Rivier gestuurd om admiraal Dupré bij te staan in zijn pogingen via het noorden van Vietnam tot het zuiden van China door te dringen. Garnier ging nogal onstuimig te werk toen hij in december 1873 in Hanoi aankwam. Hij verklaarde onmiddellijk dat de 'hele Rode Rivier-delta werd opengesteld voor internationale handel'. Aan de commandant van Hanoi zond hij een ultimatum waarin hij eiste dat de citadel aan hem moest worden overgedragen. De Vietnamese commandant moest nog bijkomen van de verbazing toen Garnier op 20 november de stad met troepen binnentrok. Met behulp van katholieke Vietnamezen stelde hij een nieuw bestuur in. De volgende maand trok hij naar omliggende provincies om er 'orde op zaken te stellen'. Bij zijn terugkeer in Hanoi viel hij echter in een hinderlaag en werd hij, te zamen met vele Franse soldaten, gedood.

Na onderhandelingen met keizer Tu Duc werd in maart 1874 overeengekomen dat Dupré zich uit het noorden zou terugtrekken maar dat Frankrijk de soevereiniteit over Cochin-China [het zuiden van Vietnam] zou krijgen. Volgens velen was de keizer toen al veel te toegevend. Gewezen werd op de zwakke positie van de Fransen in Vietnam, de moeilijkheden die de Fransen thuis hadden na het verlies van de Frans-Pruisische Oorlog, de problemen met de opstand van de Commune en het neerslaan daarvan en het nijpende geldgebrek.

Rond 1880 was echter het tij in Frankrijk gekeerd. Imperialistische avonturen waren aan de orde van de dag en 'als men er niet op tijd bij was zouden rivaliserende mogendheden [Engeland] de gebieden wel koloniseren', aldus de gangbare opvatting in industriële kringen.

De commandant van Saigon, Henri Rivière, trok met een leger van 600 soldaten naar Hanoi en lokte, evenals Garnier, een conflict met de stedelijke autoriteiten uit. Op 25 april van het vorig jaar bestormde hij de citadel en stak deze in brand. De commandant van de stad had keizer Tu Duc al enige malen geadviseerd een bolwerk niet met man en macht te verdedigen maar bij de nadering van een overmacht terug te trekken in de bergen en een guerrillaoorlog te beginnen. Tu Duc had dit steeds afgewezen. Rivière kon echter niet met-een doorgaan, omdat de Franse regering vond dat eerst bepaalde problemen in Egypte moesten worden opgelost.

Het volgende jaar, nadat Tu Duc de Chinese keizer om militaire steun had gevraagd en het gerucht de ronde deed dat de Engelsen de kolenmijnen van Hong Gai wilden bezetten, traden de Fransen echter doortastend op. Het Franse parlement zegde grote sommen geld toe aan de kolonisatie-expeditie van het noorden. Rivière heeft de dood van Tu Duc en de ondertekening van het verdrag met het hof in Hue niet meer mogen meemaken. Hij viel met 50 soldaten in mei in een hinderlaag en kwam om.

Met de ruimere financiële middelen van de Franse regering lijkt het voor het verdeelde hof moeilijk de kolonisatie het hoofd te bieden. Het is niet duidelijk wie in Vietnam het verzet zal moeten leiden.

*De strijd om Nam Dinh illustreert het bloedige Franse optreden in Vietnam.*

# Duizenden doden na uitbarsting Krakatau

BATAVIA, 29 augustus - Langzamerhand stromen de berichten binnen over de verschrikkelijke gevolgen van de uitbarsting van de Krakatau, een 882 meter hoge vulkaan gelegen in Straat Sunda tussen Sumatra en Java. De vloedgolf die volgde op de 'explosie' van twee dagen geleden, overspoelde het laagland van de westkust van Java en de Lampongs in Zuid-Sumatra. Honderden kampongs zijn weggevaagd en naar het zich laat aanzien zal het aantal doden in de tienduizenden lopen.

De laatste uitbarsting van de tot voor kort als uitgedoofd beschouwde vulkaan dateert van 1680. In mei van dit jaar vond er onverwachts een eruptie plaats, gepaard gaande met lichte aardschokken en een as- en stoomwolk die een hoogte van tien kilometer bereikte. Op 26 augustus tegen het middaguur vond een nieuwe uitbarsting plaats, die haar hoogtepunt om 10 uur de volgende ochtend bereikte, toen de vulkaan als het ware uit elkaar barstte. De aswolk bereikte een hoogte van wel 50 kilometer, verspreidde zich door de atmosfeer en deed over grote delen van de wereld de hemel blauw-groen kleuren. De activiteit vermindert nu sterk, de vulkaan zakt langzaam weg in de oceaan.

*Honderden meters hoog wordt de lava door de Krakatau uitgespuwd.*

*Robert Koch.*

# Robert Koch toont cholerabacil aan

CAIRO - Tijdens een medische reis naar het Midden-Oosten is de Duitse onderzoeker Robert Koch erin geslaagd de veroorzaker van de cholera aan te tonen. De bacil die de ziekte verwekt, noemt Koch de 'vibrio cholerae'. Vorig jaar kwam Koch reeds in het nieuws toen hij de tuberkelbacil - de verwekker van tuberculose - aan het Berlijnse Fysiologische Gezelschap toonde. Koch, die tevens een methode op zijn naam heeft staan om bacteriën van elkaar te onderscheiden, kwam na jarenlange microscopische studies tot zijn ontdekkingen. De kennis over de veroorzakers van de gevreesde ziekten kan een belangrijke stap op weg naar de bestrijding ervan zijn.

## 'De avonturen van Pinocchio'

FLORENCE - De Italiaanse kinderboekenschrijver Carlo Lorenzini, die onder het pseudoniem Collodi schrijft, heeft dit jaar een stormachtig succes behaald met zijn *Le avventure di Pinocchio*, het verhaal over een tot leven gekomen houten marionet wiens escapades hem - en zijn jonge lezers - leren onderscheid tussen goed en kwaad te maken. Heel bijzonder is de neus van de pop, die langer wordt wanneer hij liegt en weer tot normale proporties terugkeert wanneer hij de waarheid vertelt.

Collodi probeert met zijn boek afstand te nemen van de onwaarachtige en weeë kinderlectuur en wil een beeld geven van het gezonde, natuurlijke kind met al zijn deugden en fouten. Hij schaart zich daarmee in de rijen van illustere collega's als Lewis Carroll (*Alice's Adventures in Wonderland*, 1865) en Hans Christian Andersen (schrijver van niet minder dan 168 sprookjes, verschenen tussen 1835 en 1872). De hausse in sprookjes ontstond begin deze eeuw met *Kinder- und Hausmärchen* (1812-1815) van de gebroeders Grimm.

# Roemenië sluit verdrag met Oostenrijk

WENEN, 30 oktober - De Oostenrijkse minister van Buitenlandse Zaken, graaf Kálnoky, en zijn Roemeense ambtgenoot Sturdza hebben in Wenen een geheim verdrag ondertekend. Hierbij verplichten de twee staten zich tot het verlenen van wederzijdse bijstand in geval van een niet-geprovoceerde aanval door een derde macht (lees: Rusland). Duitsland is tegelijkertijd tot het verbond toegetreden. Met dit verdrag heeft Roemenië een duidelijke keuze gemaakt vóór de twee grote Middeneuropese staten en tegen Rusland. Toch is de toenadering tot Oostenrijk-Hongarije niet zonder moeilijkheden verlopen. Naar de mening van de Roemeense nationalisten bevinden zich nog te veel volksgenoten in Transsylvanië, de Banaat en de Boekovina, gebieden die deel uitmaken van Oostenrijk-Hongarije. Verder drukken economische wrijfpunten zwaar: Roemenië heeft zich in 1875 een ongunstig handelsverdrag laten afdwingen en de problemen rond de Donauscheepvaart zijn nog lang niet opgelost.

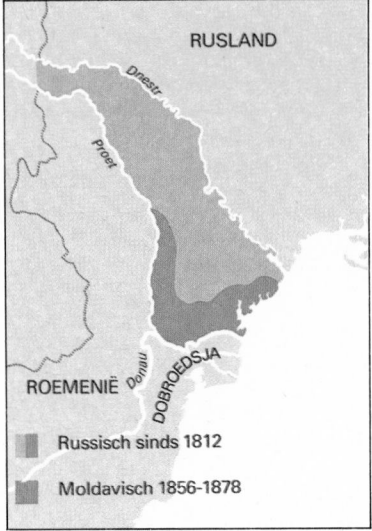

*Bessarabië in de 19de eeuw.*

Niettemin is de verhouding met Rusland zodanig, dat een eventueel nieuw Russisch ingrijpen op de Balkan (via Roemeens grondgebied) niet op prijs wordt gesteld. De Roemeens-Russische verhouding is er sinds de Russisch-Turkse oorlog van 1877/1878 bepaald niet beter op geworden. Ondanks het feit dat Roemenië de Russische legers vrije doortocht verleende en aan Russische zijde meevocht, bleven de Russen onverbiddelijk hameren op de afstand van Zuid-Bessarabië. Roemenië werd weliswaar gecompenseerd met de Dobroedsja en de Donaudelta, maar niettemin leidde dit tot wrok.

De verhouding met de zuidelijke buurstaat Bulgarije is weliswaar goed, maar Roemenië houdt rekening met de mogelijkheid dat dit niet zo zal blijven. Bulgarije blijft immers streven naar de grenzen van het Groot-Bulgarije van San Stefano, waarmee het de dominante macht op de Balkan zou worden. Acuter is echter het gevaar van een Russisch ingrijpen op de Balkan in het kader van het slechter worden van de Bulgaars-Russische relatie de laatste tijd. Tegen deze achtergrond moet het huidige verdrag dan ook worden gezien.

# Franse tekenaar Gustave Doré overleden

*'De schepping van Eva', bijbelillustratie door Gustave Doré (circa 1870).*

PARIJS, 23 januari - De Franse tekenaar en lithograaf Gustave Doré is twee weken na zijn 51ste verjaardag aan een hartaanval gestorven. Hij heeft bijna tienduizend illustraties voor ruim negentig boeken nagelaten. Doré was een van de meest produktieve illustrators van deze eeuw. Zijn illustraties getuigen in het algemeen van zijn voorkeur voor het groteske en fantastische. Ze zijn zeer inventief en geven vaak een humoristische kijk op personen en situaties.

Doré begon zijn loopbaan als tekenaar in 1848, toen hij met de tijdschriftenuitgever van Honoré Daumier een driejarig contract afsloot voor het leveren van één karikatuur per week voor het tijdschrift *Journal pour rire*. Daarna heeft zijn ontwikkeling als illustrator een grote vlucht genomen: er volgden opdrachten voor de illustrering van onder andere Dantes *Divina commedia*, de *Fabels* van La Fontaine en Cervantes' *Don Quijote*. Ook boeken van Honoré de Balzac, François Rabelais en Charles Perrault heeft hij van illustraties voorzien. Een bijzonder groot succes was weggelegd voor de door hem geïllustreerde 'volksbijbel'. Met zijn tekeningen oogstte Doré zoveel lof en roem dat hij in 1861 tot ridder in het Legioen van Eer werd benoemd. Minder eer verwierf hij met zijn schilderijen, waarvoor de Parijse kenners weinig waardering konden opbrengen; ze werden dan ook niet tot de jaarlijkse Salon-expositie toegelaten. Dat werd anders toen hij in 1868 naar Londen verhuisde, waar hem behalve voor zijn illustraties ook voor zijn schilderwerk alom lof werd toegezwaaid.

Zoals Doré zijn loopbaan begon, zo heeft hij haar ook afgesloten: als karikaturist. Na zijn terugkeer in Parijs (1871) maakte hij zeer bekend geworden karikaturen van de leden van de Nationale Vergadering, die zijn samengebracht in de bundel *Versailles et Paris 1871*.

# Wolkenkrabber: stedebouw van de toekomst

*Het 'Gebouw der Vrijmetselaars' in Chicago, gebouwd in 1891-1892.*

NEW YORK - De Amerikanen lijken langzaam maar zeker te gaan wennen aan een nieuw bouwkundig fenomeen: de wolkenkrabber. Deze gebouwen zijn vaak vele tientallen meters hoog; het gebouw van de *New York Tribune* bijvoorbeeld, een ontwerp van Richard Hunt, is bijna 90 meter hoog; nog hoger wordt het nu in aanbouw zijnde gebouw van de Home Insurance in Chicago. Tot voor kort waren er nauwelijks kantoorgebouwen van meer dan vier of vijf verdiepingen, omdat de gebruikers er weinig voor voelden nog meer trappen te lopen. Maar goede vestigingsplaatsen in handelscentra zijn duur, terwijl de bedrijven steeds groter worden. De meest logische manier om een economisch gebruik van de dure grond te maken is daarom steeds hoger te bouwen. Die hoogbouw is, behalve door nieuwe bouwmethoden, mogelijk geworden door de oplossing die Elisha Graves Otis in de jaren vijftig voor het verticale transport heeft ontwikkeld: de lift. De eerste veilige passagierslift is in 1857 in een Newyorks warenhuis geïnstalleerd.

# Fabian Society wil sociale hervormingen

LONDEN - Onlangs is in de hoofdstad een socialistische vereniging, de 'Fabian Society', opgericht. De groep stelt zich ten doel de maatschappij te hervormen.

Zoals ook uit de naam af te leiden is, wijkt deze groep qua methoden en de te voeren politiek sterk af van de 'Internationale' van Marx en de zijnen. De naam Fabian Society is ontleend aan de beroemde Romeinse generaal Fabius Cunctator die, door in sommige gevallen een veldslag uit de weg te gaan, op den duur overwinningen wist te behalen op legers die sterker waren dan het zijne. Op dezelfde manier willen de Fabians de maatschappij stap voor stap verbeteren. Tot de kleine groep die de vereniging heeft opgericht behoren George Bernard Shaw, Sidney Webb, Annie Besant, Edward Pease en Graham Wallas.

Anders dan de marxisten beschouwen de Fabians de staat niet als een uitbuitingsinstrument dat moet verdwijnen, maar als een 'sociale machine' waarover men controle moet zien te krijgen om sociale voorzieningen en welvaart voor iedereen te bewerkstelligen. Eveneens in tegenstelling tot de leden van de 'Internationale' willen de leden van de nieuwe socialistische vereniging in het nu bestaande politieke stelsel meewerken. Zij hopen hun doel te bereiken door liberale en conservatieve politici voor hun socialistische ideeën

*Sidney en Beatrice Webb, twee prominente Fabians.*

te winnen. Om die reden is de toon waarop de Fabians zich tot potentiële aanhangers richten zeer rationeel en gematigd. Samenvattend kan men stellen dat de Fabians meer vertrouwen hebben in een evolutionair soort socialisme dan in een revolutie, gevolgd door de dictatuur van het proletariaat.

De Fabian Society hoopt haar doel te bereiken door het houden van vergaderingen en betogingen en het aanbieden van adressen. Ook wordt veel waarde gehecht aan het scholen van de achterban in de principes van het socialisme en het verrichten van onderzoek ter oplossing van sociale problemen. Het is de bedoeling om voor dit doel eigen organisaties op te richten. Ook wil de groep door middel van het publiceren van brochures, boeken en kranten zoveel mogelijk aanhang voor haar idealen proberen te winnen.

## 'Also sprach Zarathustra' van Friedrich Nietzsche verschijnt

SILS-MARIA (OBERENGADIN) - *Also sprach Zarathustra* van de Duitse filosoof Friedrich Nietzsche is vooralsnog met weinig waardering in Duitsland ontvangen. Nietzsche is een fel en onvermoeibaar criticus van zijn landgenoten en laat geen gelegenheid voorbijgaan om de Duitse godsdienst en moraal aan de kaak te stellen.

Na de aforistische werken van de afgelopen jaren, *Morgenröte* en *Die fröhliche Wissenschaft*, is *Also sprach Zarathustra* de eerste poging van de filosoof zijn denken als één geheel te presenteren. Nietzsche is tot de conclusie gekomen dat alle menselijk handelen verklaard kan worden uit één enkele drift, de 'wil tot macht'. Ieder mens wil niets

liever dan een hogere en machtiger toestand bereiken. De mens wil zich vervolmaken, herscheppen, een 'Uebermensch' worden. De Uebermensch heeft zichzelf overwonnen: de hartstochtelijke mens die meester over zijn hartstochten is, de scheppende mens die zijn krachten creatief kan gebruiken.

De biologische en sociale evolutie zal echter volgens Nietzsche niet tot de Uebermensch maar tot de 'laatste mens', een zelfvoldane conformist leiden: 'Geen herder en één kudde! Iedereen wil hetzelfde, iedereen is hetzelfde: wie zich anders voelt gaat vrijwillig naar een gekkenhuis.' Met dit contrast vat de filosoof zijn kritiek op de moderne

maatschappij samen, met name die op het Duitse Rijk en vooral op de christelijke godsdienst en moraal.

De volmaaktheid ligt volgens Nietzsche niet in een andere wereld: in dit leven kunnen we proberen ons te perfectioneren. Vanuit de bevrijdende aanvaarding van het levenslot ('amor fati') kan Nietzsche het individualisme radicaal overwinnen: men is 'frei im liebevollsten Muss'. Bovendien is men dan rijp voor de idee van de 'eeuwige wederkeer'.

In tegenstelling tot het christelijke scheppingsverhaal is er geen begin of verleden. Volgens Nietzsche herhalen de configuraties zich na enorme tijdsintervallen: '...zijn wij niet allen hier eerder geweest? En terugkeren... moeten we niet eeuwig terugkeren?' Voor Nietzsche horen Uebermensch en 'eeuwige wederkeer' bij elkaar: de idee van de Uebermensch is een uitdaging, een antithese tot God, net zo goed als de 'eeuwige wederkeer' volgens de Duitse filosoof een antithese is tot de christelijke conceptie van tijd en geschiedenis.

Nietzsche ziet in het christendom het symbool van zwakte, mislukking, de vijand van rede en eerlijkheid, van lichaam en seks, van macht, genot en vrijheid.

# Kruger president van onafhankelijke republiek Transvaal

PRETORIA, 16 april - De Republiek van Zuid-Afrika (Transvaal), die na de oorlog van 1880-1881 haar autonomie onder Britse suzereiniteit heeft hervonnen, heeft Paul Kruger tot president gekozen. Krugers belangrijkste taak zal de handhaving van de onafhankelijkheid der republiek zijn.

Het karakter van Transvaals nieuwe president is gevormd in de harde school van de Grote Trek, die hij als kind heeft meegemaakt, en in de felle gevechten

tegen Afrikaner facties en Afrikaanse stammen.

Aan alle oorlogen in de Republiek van Zuid-Afrika heeft Kruger meegedaan. Hij heeft zich daarbij onderscheiden door een buitengewone onverschrokkenheid en was al in 1858 waarnemend commandant-generaal. Gedurende de burgeroorlog in de jaren zestig was het vooral Kruger die als commandant-generaal het staatsgezag vestigde en de vrede herstelde. Onder het bewind van

president T.F. Burgers trad hij op als vice-president en na de annexatie van Transvaal door Groot-Brittannië speelde hij een leidende rol bij het herstel van de onafhankelijkheid. Tweemaal stond hij aan het hoofd van deputaties naar Engeland die langs diplomatieke weg de annexatie ongedaan wilden maken, en daarna leidde hij het Driemanschap (met de rang van vice-president) dat tijdens de eerste Boerenoorlog het bewind overnam.

# 1884

## Bolivia verliest Antofagasta aan Chili

*De dag na de Chileense overwinning bij Chorillos (Peru, 1881) worden de dode lichamen op een rij gelegd.*

VALPARAISO, 4 april - Met de ondertekening van de wapenstilstand in Valparaíso is de oorlog tussen Chili en Bolivia beëindigd. Bij de wapenstilstand verkrijgt Chili, in afwachting van een vredesverdrag, de provincie Antofagasta. Hierdoor heeft Bolivia geen verbinding met zee meer.

Op 5 april 1879 brak oorlog uit tussen Chili, Bolivia en Peru, die ieder aanspraken maakten op de salpeterrijke Atacama-woestijn. Salpeter is een belangrijke grondstof bij de produktie van dynamiet. Peru zag bij de ondertekening van de Vrede van Ancón op 20 oktober vorig jaar al af van de aanspraken op de woestijn, ten gunste van Chili.

In 1876 won de liberale kandidaat, Aníbal Pinto, de Chileense presidentsverkiezingen. Hij erfde een zware economische crisis van zijn voorganger, met lage graan- en koperprijzen, de twee belangrijkste produkten van Chili. De aandacht richtte zich op de salpeterproduktie in de Atacama-woestijn, die tussen 1865 en 1875 verdubbelde. In 1866 en 1874 sloten Chili en Bolivia verdragen, waarbij de grens werd vastgesteld op de 24ste breedtegraad en afspraken werden gemaakt over de exploitatie van de woestijn.

De agressieve opstelling van Engels-Chileense ontginningsmaatschappijen leverde echter problemen met Peru op. In 1875 nationaliseerde Peru de Chileense maatschappijen in Tarapacá, waar meer dan 10 000 mensen werken. In strijd met het verdrag van 1874 verhoogde Bolivia in 1878 de belastingen op de Chileense activiteiten in de provincie Antofagasta. Toen deze belastingen door de Engels-Chileense bedrijven werden afgewezen en Bolivia

arbitrage, waarin het verdrag van 1874 voorzag, weigerde, werd door Bolivia nationalisatie aangekondigd. Op dezelfde dag brak de oorlog tussen Chili en Bolivia uit. En meteen daarop werd een geheim militair verdrag uit 1874 tussen Peru en Bolivia bekendgemaakt.

Op 5 april van dat jaar verklaarde Chili Peru en Bolivia formeel de oorlog.

Hoewel Chili niet voorbereid was op oorlog tegen twee staten, waarvan de bevolkingsomvang twee keer zo groot is, behield het toch het initiatief. Op 8 oktober 1879 kreeg het de overhand na het uitschakelen van Peruaanse oorlogsschepen. Lima, de hoofdstad van Peru, werd in 1881 veroverd en tot voor kort bezet gehouden. In 1880 was het Boliviaanse leger al uitgeschakeld.

## Engels kiesrecht aanzienlijk verruimd

LONDEN - Onlangs is in het parlement de derde Reform Bill aangenomen, die evenals de twee voorgaande het kiezerskorps aanzienlijk uitbreidt. Het aannemen van de nieuwe wet wordt beschouwd als een groot succes voor de minister-president, William Gladstone, die vooral in het Hogerhuis al zijn politieke en oratorische gaven heeft moeten aanwenden om zijn wetsvoorstel geaccepteerd te krijgen.

De nieuwe wet breidt het electoraat met twee miljoen nieuwe kiezers uit, wat in vergelijking met de bestaande situatie ongeveer een verdubbeling betekent. Inmiddels mag ongeveer drie kwart van alle volwassen mannen stemmen. De uitbreiding komt vooral ten goede aan inwoners van plattelandsdistricten. Tot de belangrijkste categorieën mannen die niet mogen stemmen, behoren landarbeiders zonder eigen woning, inwonend dienstpersoneel en volwassen zoons die nog bij hun ouders wonen. Overigens wordt van de nieuwe wet niet verwacht dat de politieke verhoudingen er ingrijpend door zullen veranderen.

De wet is tot stand gebracht door het tweede kabinet-Gladstone, dat in 1880 aantrad. De leider van dit kabinet, de

liberale minister-president William Gladstone, had zich na een zware nederlaag van zijn partij in 1874, die tot de val van zijn eerste kabinet leidde, uit de politiek teruggetrokken. Door het optreden van een conservatief kabinet onder Disraeli werd hij echter zo geprikkeld dat hij opnieuw zijn intrede in de actieve politiek deed. Hij verweet Disraeli en de zijnen onder andere een onverschillige houding ten aanzien van de wreedheden die door de Turken op de Balkan (vooral in het nu door Oostenrijk-Hongarije bestuurde Bulgarije) waren begaan. Over deze kwestie schreef Gladstone een beroemd geworden pamflet.

Bij de verkiezingsstrijd van 1880 zette Gladstone al zijn politieke talenten in om de kiezers ervan te overtuigen dat het kabinet-Disreali in belangrijke morele kwesties gefaald had. De verkiezingsoverwinning die hierna plaats vond en de liberalen een meerderheid bezorgde (een uniek feit in de Engelse geschiedenis), wordt over het algemeen aan de welsprekendheid en populariteit van Gladstone toegeschreven. Deze liberale meerderheid maakte het mogelijk de nu van kracht geworden hervormingen door te voeren.

# Belgisch kabinet verliest meerderheid

BRUSSEL, 11 juni - Bij de Kamerverkiezingen van gisteren zijn de Belgische liberalen verpletterend verslagen. Zij verloren 27 zetels en raakten daardoor de absolute meerderheid in de Kamer kwijt. De liberalen bezetten nu nog maar 52 van de 138 zetels. Gisteravond al heeft eerste minister Frère-Orban de koning dan ook het ontslag van zijn liberale kabinet aangeboden.

De katholieken zijn als de grote overwinnaars uit de strijd te voorschijn gekomen. Zij hebben nu in totaal 70 zetels, een winst van 11. De derde partij, de 'Nationaux-Indépendants', die voor het eerst aan de verkiezingen deelnam, behaalde 16 zetels.

Er mag gesproken worden van een ware aardverschuiving in de Belgische politiek, zeker als men bedenkt dat slechts over de helft van de Kamerzetels gestemd werd. Bij de 69 uittredende Kamerleden waren 29 liberalen. Op twee na hebben zij allen hun zetel verloren. Tot de niet-herkozenen behoort onderwijsminister Van Humbeeck. Dat is niet zo toevallig. Het is immers vooral de onderwijspolitiek van de liberale regering geweest waartegen het meeste verzet gerezen is. Niet alleen de onderwijswetten schoten vooral de katholieken in het verkeerde keelgat. Ook het feit dat de door de regering gestarte bouw van dure neutrale scholen gepaard ging met belastingverhogingen, vergrootte niet bepaald de populariteit van Frère-Orban c.s. Zelfs binnen het liberale kamp heerste daarover ergernis, zodat de liberalen verdeeld de verkiezingsstrijd moesten aangaan.

De katholieken daarentegen zijn eensgezind de verkiezingen ingegaan. Sinds maart hebben zij een eigen partijorganisatie waarin de liberaal-katholieken en ultramontanen zich verenigd hebben. Vooral het verzet tegen de liberale onderwijspolitiek en het verbreken van de betrekkingen met het Vaticaan door de regering Frère-Orban

Spotprent: 'De brede en de smalle weg', respectievelijk naar hel en hemel.

hebben de katholieken aaneengesmeed.

Een derde verklaring voor de grote liberale nederlaag is te vinden in de opkomst van een partij van Onafhankelijken in Brussel. Sinds 1879 is deze partij in de hoofdstedelijke agglomeratie actief. Zij wordt vooral gedragen door een groot wantrouwen jegens de liberale machthebbers. Met leuzen als 'nationale eenheid' en 'onpartijdigheid' en voorstellen tot matiging van de onderwijswetten hebben de Onafhankelijken, met groot succes, aan de verkiezingen deelgenomen.

Het valt te verwachten dat er nu een katholieke regering gevormd wordt die de steun zal krijgen van de Onafhankelijken, zodat zij over een ruime meerderheid kan beschikken. De koning heeft de hoogbejaarde katholiek Malou dan ook al als kabinetsformateur aangewezen. Er lijkt daarmee een definitief einde te zijn gekomen aan een in 1857 begonnen episode met vrijwel uitsluitend homogeen liberale kabinetten.

# Nipkow kan beeld via elektriciteit doorseinen

BERLIJN - De 24-jarige Duitse technicus Paul Gottlieb Nipkow heeft patent aangevraagd op een door hem ontwikkeld systeem, waarmee het mogelijk is een optisch beeld om te zetten in elektrische signalen en elders te projecteren. De kern van zijn systeem is een roterende schijf met een spiraal van kleine gaatjes waarmee het beeld lijn voor lijn kan worden afgetast.

Het idee om een beeld op te nemen en naar elders door te seinen is niet nieuw. Al in 1843 speelde de Schot Alexander Bain met de gedachte een optisch beeld punt voor punt of lijn voor lijn af te tasten, het om te zetten in een elektrisch signaal en het beeld op een andere plaats weer optisch op te bouwen. Een technische oplossing voor de realisering van dit idee had hij niet. Paul Nipkow lijkt deze oplossing nu gevonden te hebben.

De schijf van Nipkow is voorzien van achttien gaatjes die in de vorm van een spiraal op de schijf zijn aangebracht, elk gaatje iets verder van de rand verwijderd. Door deze rangschikking kan een beeld in achttien lijnen worden afgetast: het buitenste gaatje de bovenste lijn, het tweede de tweede lijn, enzovoort. Het licht dat door de openingen van de snel roterende schijf valt, wordt opgevangen door een fotocel die de opeenvolgende lichtwaarden omzet in elektrische waarden; die worden bij de 'ontvanger' via een lamp en een zuiver synchroon draaiende schijf weer geprojecteerd.

Het kolossale 'Vrijheidsbeeld' dat in Parijs klaar staat voor verscheping naar de Verenigde Staten. Het beeld, gemaakt door Frédéric Auguste Bartholdi, is een geschenk van de Fransen en zal, als symbool van de Frans-Amerikaanse vriendschap, geplaatst worden op Bedloe's Island in de haven van New York.

# Cleveland president dank zij uitspraken dominee

WASHINGTON, 4 november - Als dominee Samuel Burchard de Democraten een paar dagen voor de verkiezingen niet had omschreven als de partij van 'Rum, Romanism and Rebellion' zou naar alle waarschijnlijkheid volgend jaar niet Grover Cleveland, de Democratische gouverneur van New York, als nieuwe president van de Verenigde Staten zijn beëdigd, maar zijn Republikeinse tegenstander James Blaine. Doordat Blaine naliet zich van de onvoorzichtige uitspraak van zijn partijgenoot te distantiëren, streek hij de Iers-Amerikanen in New York tegen de haren in. De staat New York is met een zeer kleine meerderheid - een luttele 1149 stemmen op een totaal aantal uitgebrachte stemmen van 1 125 000

- in het Democratische kamp terechtgekomen. Het winnen in de staat New York is voor Cleveland van cruciaal belang geweest en hij heeft die winst behaald ondanks het verzet van Tammany Hall, het Democratische partijapparaat in deze stad.

Wat de kansen van Blaine, met name bij de arbeidersbevolking, ook weinig goed heeft gedaan, was dat hij - in een tijd van grote werkloosheid - publiekelijk aanzat aan rijke banketten in het gezelschap van tycoons als John Jacob Astor en Jay Gould.

De hele campagne heeft in het teken gestaan van de personen van de kandidaten; beleidszaken kregen amper aandacht. De Republikeinse kandidaat werd bespot met de kreet 'Blaine!

Blaine! James G. Blaine! Continental Liar from the State of Maine!' Grover Cleveland, de hervormingsgezinde gouverneur van New York, moest het ontgelden toen de *Buffalo Evening Telegraph* onthulde dat Cleveland een liaison met een zekere Maria Halpin heeft gehad (volgens Maria Halpin is Cleveland de vader van haar tienjarig zoontje; Cleveland heeft de verantwoordelijkheid voor het vaderschap op zich genomen om de andere potentiële vaders - allemaal getrouwd - niet in verlegenheid te brengen). Cleveland heeft de relatie openlijk erkend, wat het electoraat kennelijk nogal aansprak. Een populair campagneliedje was: 'Ma, Ma, where's my Pa? Gone to the White House, Ha, Ha, Ha!'

# Hans Makart introduceerde nieuwe stijl

*'De triomf van Ariadne' (door Hans Makart, 1873; Slot Belvedere, Wenen).*

WENEN, 3 oktober - De Oostenrijkse schilder Hans Makart, die met zijn omvangrijke historische en allegorische voorstellingen grote roem heeft verworven, is vandaag overleden. Hij is slechts 44 jaar geworden. Makart laat een oeuvre na dat een grote invloed op de theaterschilderkunst van deze tijd en ook op de woninginrichting heeft uitgeoefend.

De in 1840 in Salzburg geboren schilder heeft zijn beslissende vorming in München bij Karl von Piloty, toen de belangrijkste historieschilder, gehad. In het spoor van Piloty heeft Makart zich helemaal overgegeven aan oppervlakkige, geïdealiseerde historiestukken. De Venetiaanse schilders van de 16de eeuw, alsook Van Dyck en Rubens waren ten aanzien van compositie en kleur zijn grote voorbeelden. Zijn werk uit die periode is decoratief, kleurrijk, pathetisch en sensueel.

Zijn beslissende artistieke successen begonnen met de twee drieluiken *Moderne amoretten* (1868) en *Pest in Florenz* (1868). Deze werken vertonen de belangrijkste kenmerken van zijn stijl:

de gedrongen, figurale compositie op de voorgrond, een verwaarlozing van de landschappelijke of architectonische achtergrond en de met een onrustige penseelvoering opgezette kleuraccenten.

Makart is de afgelopen vijf jaar als docent verbonden geweest aan de Weense kunstacademie. Naar aanleiding van het zilveren huwelijksfeest van het keizerspaar in 1879 organiseerde hij de 'Festzug der Stadt Wien'. Met zijn schilderij *Einzug Kaiser Karls V. in Antwerpen* bracht Makart heel Wenen in een staat van verrukking, omdat veel van de afgebeelde personen, vooral de vrouwen, gelaatstrekken vertonen van 'kopstukken' uit de Weense hogere kringen.

De roem van de schilder nam grote vormen aan, evenals de vraag naar zijn werk. De decoratieve, theatrale en overdadige schilderstukken ontlenen hun effect vooral aan de weelderige kleurenpracht, in deze vorm in Oostenrijk iets nieuws, maar zijn vanuit een historisch-illustratief oogpunt minder interessant. Zeer kenmerkend was in dit opzicht de werkwijze van Makart: hij maakte eerst een schets van het kleurenpalet en zocht pas daarna naar een geëigend thema.

Makart heeft geleefd zoals hij ook schilderde en heeft daardoor een grote invloed op de huidige mode en de stijl van wonen gehad. Zijn aanzien bij de vooraanstaande burgers van Wenen was zo groot dat men zelfs van de 'Makart-stijl' spreekt; bekend zijn de 'Makart-boeketten', struiken gedroogde bloemen, vermengd met palmtakken en dergelijke, waarmee vele woningen zijn opgesierd. De schitterende feesten die hij organiseerde in zijn met overdadige pracht en praal aangeklede atelier, waren gebeurtenissen waarvan iedereen vol was en het middelpunt van deze feesten was Hans Makart, de 'Malerfürst' zelf.

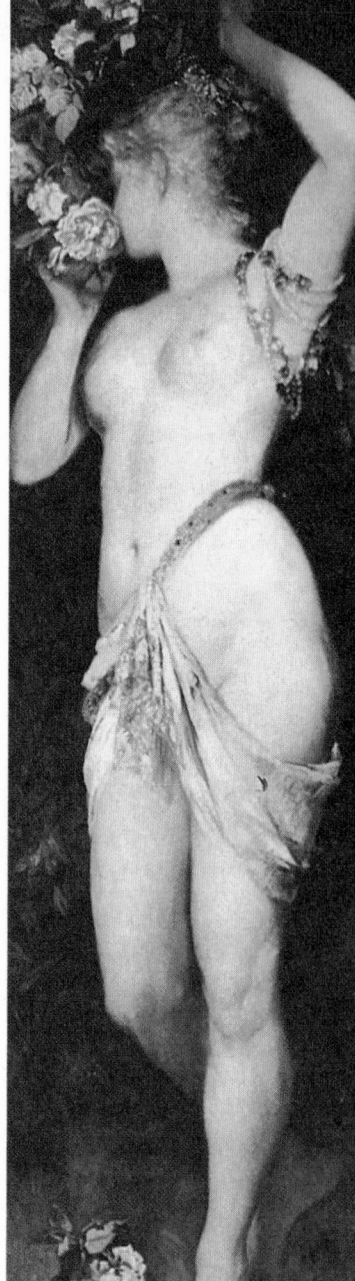

*'De Geur' (Hans Makart, 1872-1879).*

# Amerikaans patent op Linotype

*Model van de door Ottmar Mergenthaler ontworpen Linotype-machine (1884).*

BALTIMORE, 26 augustus - De Amerikaan Ottmar Mergenthaler heeft patent verkregen op een zetmachine, de Linotype, waarmee complete regels in één keer gezet kunnen worden, zodat het moeizame zetten van losse letters met de hand niet meer nodig is. Voor de bouw van de nieuwe zetmachine heeft Mergenthaler, samen met zijn compagnon James Clephane, de National Typographic Co. opgericht. De Linotype rijgt de door de zetter op een toetsenbord ingetikte letters per regel aan elkaar; de complete regels worden vervolgens met gesmolten lood uitgegoten en tot drukklare pagina's gemonteerd. Na het drukken wordt het lood omgesmolten en kan opnieuw worden gebruikt. De Linotype is in staat om per uur vijf- tot zevenduizend letters te zetten en in regels te gieten, wat belangrijk is voor de grote oplagen van kranten.

*'Wolkenkrabbers' in de Verenigde Staten: links de 'Leiter Building' in Chicago, een ontwerp van William Le Baron Jenney, voltooid in 1879, rechts één van de wolkenkrabbers in New York. Een zeer ambitieus project van Jenney, het gebouw van de Home Life Insurance Company, is op het ogenblik in Chicago in aanbouw. Dit gebouw zal tien verdiepingen tellen en de vloeren en het dak zullen gedragen worden door een deels gietijzeren, deels smeedijzeren frame.*

# Korea ontsnapt aan coup

SEOEL, 8 december - Met de steun van Chinese soldaten hebben 1000 man van het koninklijke leger van Korea een poging tot het plegen van een staatsgreep de kop ingedrukt. Aanhangers van de Onafhankelijkheidspartij, gesteund door in Seoel gelegerde Japanse troepen, hebben geprobeerd de macht te grijpen en een einde aan de toenemende Chinese invloed in Korea te maken.

Gedurende drie dagen hebben zij de stad in handen gehad. Na het koninklijk paleis te hebben bestormd en de leden van de regering te hebben uitgemoord, is door de opstandelingen een aantal hervormingsmaatregelen afgekondigd. Voor echter de eerste hiervan konden worden doorgevoerd, is de stad heroverd door de Koreaanse en Chinese troepen. De Japanners hebben zich teruggetrokken en, voor zover niet gevlucht, zijn de meeste aanhangers van de Onafhankelijkheidspartij vermoord.

De moeilijkheden ontstonden na de poging van de factie van Taewon-gun, de plaats van de omvergeworpen regering van koningin Min in te nemen. Hij kreeg de steun van de uiterst behoudende elementen die alle hervormingen van Min wilden terugdraaien.

In China wilde de Ch'ing-dynastie na het overwinnen van de moeilijkheden met de binnendringende westerse mogendheden de verloren gegane invloed in Korea terugwinnen. Ruim 200 jaar was Korea schatplichtig aan China geweest, maar sinds het begin van deze eeuw is de invloed van Japan toegenomen, ten koste van die van China.

Onder het mom van het verlenen van steun aan de afgezette regering van koningin Min trokken 5000 Chinese soldaten Korea binnen. Taewon-gun en zijn aanhangers zijn terzijde geschoven en de regering van Min is hersteld. Alle door Japan geïntroduceerde hervormingen zijn ongedaan gemaakt en er is een 'Regeling voor handelaren en handel' van kracht geworden. Voorts zijn zoveel mogelijk buitenlandse mogendheden aangespoord een handelsverdrag met Korea te sluiten om de positie van de Japanse handelaren te ondergraven. De Verenigde Staten hebben al in 1882 een dergelijk verdrag getekend; Engeland en Duitsland volgden in 1883 en dit jaar zijn daar nog Rusland en Italië bijgekomen.

De Japanners hebben genoegen moeten nemen met verontschuldigingen voor het platbranden van hun diplomatieke missie in Seoel in 1882, een toezegging dat de schuldigen zullen worden gestraft, de stationering van een garnizoen in Seoel en met een schadeloosstelling.

In de binnenlandse politiek in Korea is intussen een splitsing ontstaan: de partij van Min, die aanvankelijk tegenstander van de conservatieve partij van Taewon-gun was, is nu omgevormd tot de overkoepelende conservatieve organisatie en de groepen die voorstander zijn van de Japanse moderniseringsplannen, hebben zich verenigd in de Onafhankelijkheidspartij.

Door de mislukte staatsgreep en de vervolging van de leden van de laatstgenoemde partij is de oude machtspositie van China in Korea hersteld.

# Woeste voert Belgische katholieken aan

BRUSSEL, 8 december - De 47-jarige graaf Charles Woeste is gekozen tot voorzitter van de Fédération des Cercles catholiques et des Associations conservatrices'. In die functie volgt de graaf August Beernaert op, die sinds 26 oktober tot eerste minister is benoemd. Beernaert werd in maart gekozen tot eerste voorzitter van de toen opgerichte Fédération. De partij van de katholieken is ontstaan uit een fusie van de 'Federatie der Kiesverenigingen' (opgericht in 1864) met de 'Bond der Katholieke Kringen' (opgericht in 1868). Het voorstel tot een federatieve bundeling van de katholieke krachten was afkomstig van Woeste, die het plan in mei van het vorig jaar lanceerde. In de afgelopen jaren zijn de sociaal-katholieken en hun conservatieve, ultramontaanse geloofsgenoten onder druk van de schoolkwestie sterk naar elkaar toe gegroeid. Bovendien is het gezamenlijk verzet tegen de liberalen nog aangewakkerd door het in 1880 verbreken van de diplomatieke banden met het Vaticaan.

De benoeming van Woeste tot voorzit-

*August Beernaert.*

ter maakt overigens duidelijk dat de conservatieve vleugel binnen de Fédération de overhand heeft.

**26 januari.** Tijdens de mahdi-opstand wordt Chartoem, de hoofdstad van Egyptisch Soedan, veroverd. →

**12 februari.** Carl Peters sticht het Duits Oost-Afrika Genootschap.

**26 februari.** De Berlijnse Kongoconferentie wordt beëindigd. →

**4 maart.** De Democraat Grover Cleveland wordt als 22ste president van de Verenigde Staten geïnaugureerd.

**25 mei.** Op het Parijse kerkhof Père Lachaise komt het tot vechtpartijen bij een herdenking van de Commune. →

**9 juni.** Frankrijk en China sluiten het Verdrag van T'iën-tsin over de bezetting van Vietnam. →

**15 september.** Groot-Brittannië en Rusland bereiken een compromis-overeenkomst over de Afghaanse grens. →

**22 oktober.** In de Spaans-Duitse strijd om de Carolinen Eilanden beslist paus Leo XIII ten gunste van Spanje.

**13 november.** Nadat Bulgarije Oost-Roemenië heeft ingelijfd, valt Servië Bulgarije binnen.

**16 november.** Louis Riel, leider van de twee opstanden van de Métis, de Frans-Indiaanse kleurlingen in Canada, wordt na zijn gevangenname in Regina opgehangen.

**17 december.** Frankrijk verklaart Madagascar, na een bloedige strijd, tot haar protectoraat.

**22 december.** In Japan wordt voor het eerst, naar Europees voorbeeld, een kabinet gevormd. Vorst Hiroboemi Ito wordt premier.

**28 december.** Het Nationaal Congres van India houdt zijn eerste zitting.

- Louis Pasteur past voor het eerst het vaccin tegen hondsdolheid toe.

- De Belgische Werkliedenpartij, onder leiding van Anseele, wordt opgericht.

- De Duitse emigratie is sinds 1881 met de helft teruggelopen. →

- F. Galton bewijst de permanentie en individualiteit van vingerafdrukken.

- De Franse schilder Edgar Degas schildert *Het zich kammende meisje.* →

- In Frankrijk weigeren 20 vrouwen belasting te betalen als protestactie tegen het onthouden van stemrecht aan vrouwen.

- De Nederlandse schilder Vincent van Gogh schildert *De aardappeleters.* →

Gestorven:

**22 mei.** Victor Hugo (26-2-1802), Frans schrijver en liberaal politicus

# Chartoem valt in handen mahdisten

*Felle gevechten bij Chartoem.*

CHARTOEM, 26 januari - Ondanks het heroïsche verzet van generaal Charles Gordon is Chartoem na een maandenlange belegering ingenomen door de Soedanese opstandelingen, de mahdisten. Een bloedbad volgde, waarna het afgeslagen hoofd van Gordon in triomf naar de tent van de mahdi werd gevoerd.

Vorig jaar werd Charles George Gordon, die zijn sporen verdiend had in onder meer India, Zuid-Afrika en China, door de Britse regering naar Chartoem gestuurd om de Egyptische troepen die daar werden bedreigd door de Soedanese rebellen, te evacueren. Dezen worden geleid door de mohammedaanse mysticus, Mohammed Ahmed al-Mahdi.

Het succes van de mahdi is geen uitzondering in Afrika; in het hele gebied tussen Senegal en Ethiopië doet zich de laatste tijd een nieuw politiek verschijnsel voor. Grote veroveraars verschijnen op het toneel, die het politieke vacuüm, ontstaan na de verdwijning van het traditionele koningschap, trachten op te vullen. Deze veroveraars beroepen zich op religieuze beginselen om hun coup te legitimeren. Maar in Soedan gaat de nieuwe hervormer verder: hij heeft zich uitgeroepen tot de islamitische messias, de mahdi.

Gordon werd voor de tweede maal tot gouverneur-generaal benoemd en arriveerde in februari 1884 in Chartoem, dat spoedig daarop door de troepen van de mahdi belegerd werd. Gordon zou nog de tijd gehad hebben om volgens zijn opdracht de troepen uit de hoofdstad terug te trekken, maar in plaats daarvan organiseerde hij de verdediging van de stad. De pacifistische liberaal Gladstone weigerde eerst op Gordons hulpverzoek in te gaan, er zich op beroepend dat deze zijn opdracht niet vervuld had. Onder druk van de Engelse publieke opinie stuurde hij ten slotte toch een hulpexpeditie, die nu echter onverrichter zake zal moeten terugkeren.

# Toekomst Kongo geregeld

*De Kongo Conferentie bijeen onder voorzitterschap van Bismarck (met uniform).*

BERLIJN, 26 februari - De door Bismarck bijeengeroepen Kongo Conferentie heeft overeenstemming over de toekomst van Kongo bereikt. De conferentie kan omschreven worden als een succes voor de Duitse koloniale politiek. De 15 deelnemende landen hebben bepaald dat Kongo - een privé-bezit van de Belgische koning Leopold II - een vrijhandelszone moet worden. Vooral door medewerking van Frankrijk heeft Bismarck kunnen voorkomen dat het gebied een Brits-Portugees protectoraat met hoge tariefmuren voor de Duitse handel zou worden. Kongo ligt nu open voor de Duitse handel. Er komen geen tariefmuren, geen beperkingen voor de oprichting van Duitse handelskantoren en ook de vrije scheepvaart op de Kongo-rivier wordt gegarandeerd. Bismarck omschreef de Duitse intenties tijdens het congres als volgt: 'Uitbreiding van onze koloniale bezittingen is niet het streven van onze politiek; wij beogen alleen maar de Duitse handelswegen naar Afrika veilig te stellen.'

Duitslands territoriale belangstelling voor Afrika is tot dusver beperkt gebleven. Vorig jaar heeft het Duitse Rijk zijn eerste kolonie op dit continent gevestigd. Op verzoek van de 28-jarige Duitse koopman Adolf Lüderitz bood Bismarck rijksbescherming aan voor een aantal vestigingen in West-Afrika. Echter niet eerder dan nadat hij had uitgezocht of er Engelse aanspraken op het gebied rustten. In 1883 al was Lüderitz, na onderhandelingen met de stam van de Hottentotten, tot overeenstemming gekomen over de aankoop van een stuk land in Zuidwest-Afrika. Voor de prijs van 100 pond sterling in goud en 200 geweren mocht Lüderitz zich eigenaar noemen van de baai van Angra Pequena, compleet met bijbehorend achterland.

Inmiddels was in Berlijn de Vereniging voor Duitse Kolonisatie opgericht. Een groep kapitalisten, onder leiding van de historicus Carel Peters en graaf Felix Behr-Bandelin, stelt zich door middel van deze vereniging ten doel liefst grote gebieden als koloniën onder Duitse vlag te annexeren.

Daarnaast heeft men via verdragen de twee Westafrikaanse landen Togo en Kameroen onder Duitse protectie geplaatst.

*'Zich kammende vrouw', een dit jaar voltooid werk van de Franse schilder Edgar Degas. Uit het in pastel uitgevoerde werk spreekt de ontwikkeling die Degas op dit moment doormaakt. Zijn gezichtsvermogen loopt terug en hij schildert alsof hij zijn modellen waarneemt door een scheur in een onzichtbare wand. De pose van het model is echter volkomen natuurlijk en de kleuren die hij gebruikt zijn zacht.*

# Oprichting Belgische Werkliedenpartij

BRUSSEL, 6 april - Op een tweedaags congres hebben 112 afgevaardigden van 59 verschillende socialistische arbeidersverenigingen besloten hun activiteiten te bundelen in een Belgische Werkliedenpartij (BWP). De nieuwe, federatief opgebouwde partij zal fungeren als een overkoepelende politieke organisatie voor de reeds bestaande en nieuw op te richten coöperaties en vakverenigingen.

De uit alle streken van België afkomstige socialisten zijn naar de hoofdstad gekomen na een oproep van de Brusselse Werkliedenvereniging. De vergaderingen vonden gisteren en vandaag plaats in het etablissement 'De Zwaan' op de Grote Markt. Al vrij snel was men het erover eens dat een nieuwe politieke partij opgericht moest worden, maar lange tijd bestond er onenigheid over de naam. Uiteindelijk werd besloten het woord 'socialisme' niet te noemen omdat daardoor apolitieke en christelijke arbeiders afgeschrikt zouden kunnen worden.

Congresvoorzitter Louis Bertrand gaf in een rede aan waar volgens hem de doelen lagen waarnaar de BWP zou moeten streven: algemeen stemrecht, hoger loon en vermindering van de werktijd voor arbeiders. Een voorzichtig programma.

De invloedrijke Gentse socialistenleider Eduard Anseele maakte duidelijk dat hij dat niet voldoende vond: 'De partij mag zich noemen zoals ze wil, mits zij een arbeiderspartij is, die oprecht de bevrijding van de werkende klasse wil. Daarbij moet zij zich niet alleen bekommeren om het materieel welzijn van de werkman, zij moet ook een echte politieke partij zijn, gescheiden van elke burgerlijke partij.'

Afgesproken is om na dit stichtingscongres op 16 augustus in Antwerpen een statutair congres te houden, waarop het programma van de BWP zal worden vastgesteld.

*De woonsituatie van arbeiders is vaak slecht, zoals in de Antwerpse Bijlengang.*

# Vietnamese volk in verzet tegen Fransen

HUE, juni - Het is nog maar enkele dagen geleden dat de uit Hue gevluchte keizer Ham Nghi zijn eerste edict heeft uitgevaardigd, maar de effecten in het hele land zijn al waarneembaar. Overal zijn mensen in opstand gekomen tegen de Franse bezetters, en de leden van de keizerlijke familie die in Hue zijn gebleven om met de Fransen samen te werken, worden als 'verraders van het land en het volk' beschouwd.

In zijn Can Vuong-edict ('Trouw aan de vorst') heeft Ham Nghi uiteengezet dat de bevolking in haar geheel tegen de buitenlandse overheersers in opstand moet komen. Hij vergelijkt de situatie waarin Vietnam nu verkeert met die in de 15de eeuw, toen de Chinezen waren binnengevallen. De keizer drukt zich in dit edict in dezelfde terminologie uit die ruim vier eeuwen daarvoor door Lê Loi is gebruikt. Op grote schaal worden kopieën van het edict door het hele land verspreid.

De meeste ambtenaren en geleerden steunen hem. Zij waren al in 1874 in opstand gekomen. Dit verzet richtte zich niet alleen tegen de Franse kolonisatie, maar ook tegen keizer Tu Duc, die 'veel te toegeeflijk was en niet in staat effectief te reageren op het brute optreden van de binnendringers'. Daarnaast was er na de dood van keizer Tu Duc, twee jaar geleden, een conflict over de opvolging aan het hof ontstaan. De factie die voor vrede en samenwerking met de Fransen was, zette een opvolger

op de troon die gewillig zou uitvoeren wat de Fransen wensten. Deze stierf echter enkele maanden later. Daarna zijn er door de collaborateurs nog twee opvolgers benoemd. Een invloedrijke ambtenaar met grote organisatorische talenten, Ton That Thuyet, is echter de bergen in gevlucht, waar hij zich aansloot bij een deel van de reeds gevluchte keizerlijke familie. Ham Nghi is door hen als opvolger van Tu Duc benoemd.

De benoeming van de arrogante Franse generaal Roussel de Courcy tot hoofd van het 'protectoraat' (wat vroeger het koninkrijk was geweest) speelde de factie die zich tegen de buitenlandse overheersing verzette, het meest in de kaart. Hij had ook geëist 'op audiëntie te gaan bij de keizer met een troepenmacht van 1000 man om kracht aan zijn eisen op diplomatiek gebied bij te zetten'. Ton That Thuyet, die toen nog in dienst van de keizer was, werd op zijn bevel aan de kant geschoven en de raad van ministers werd eveneens buitenspel gezet.

De Vietnamezen hebben zich wel met wapens verzet maar verloren ten slotte de slag. Hierna werd door de Fransen een bloedbad onder de bewoners van de hoofdstad Hue aangericht. Degenen die konden vluchten sloten zich in de bergen bij de troepen van keizer Ham Nghi aan. Daarheen had een aantal tegenstanders van de Fransen al enkele jaren lang geld, wapens en andere

*Franse mariniers in gevecht met Vietnamese soldaten.*

hulpmiddelen overgebracht.
In het midden van het land vormen zij het centrale punt van waaruit berichten naar het noorden en het zuiden worden gezonden en voor zover mogelijk coördinerend wordt opgetreden. De opstand heeft echter tot nu toe een spontaan, veelal lokaal geleid karakter. De manier waarop de oproep van Ham Nghi is gesteld, is voor de meeste

Vietnamezen voldoende om zonder verdere instructies van de kant van de keizer tot actie over te gaan.
De Fransen lijken door deze ontwikkeling volkomen verrast te zijn. Verwacht wordt dat zij zullen proberen Ham Nghi gevangen te nemen, om op die manier de man, die volgens de bevolking legitiem keizer is, uit te schakelen. Dit zou het verzet moeten breken.

*'De aardappeleters', een schilderij van de Nuenense kunstenaar Vincent van Gogh. Na zijn terugkeer in Nuenen - om 'alleen te zijn met de natuur en de boeren' heeft de schilder enkele maanden doorgebracht in het desolate Drenthe - heeft de schilder duidelijk aan zelfvertrouwen gewonnen. 'Ik heb gewild dat het doet denken aan een gans andere manier van leven dan die van ons beschaafde mensen,' zegt de schilder over zijn 'Aardappeleters'. 'Als een boerenschilderij ruikt naar spek, rook, aardappelwasem - best, dat's niet ongezond.'*

# Afghaanse crisis opgelost

St.-PETERSBURG, 15 september - Groot-Brittannië en Rusland hebben de in mei gesloten voorlopige overeenkomst inzake de Afghaanse grens omgezet in een formele regeling. Hiermee is de crisis tussen de twee grote mogendheden voorlopig bezworen.
Sinds enige tijd leek een botsing tussen de twee staten onvermijdelijk. Het Russische opdringen in het Midden- en Verre Oosten wekte grote ongerustheid bij de grote mogendheden, met name bij Groot-Brittannië, dat in het Russische optreden een zorgvuldig ontworpen plan zag om India te annexeren. De Russische verovering van Merv vorig jaar bracht Rusland gevaarlijk dicht bij de grens van Afghanistan.
Het was en is in het belang van zowel Groot-Brittannië als Rusland dat Afghanistan, ten gevolge van de belangrijke geopolitieke ligging tussen India en de Russische bezittingen in Centraal-Azië, als bufferstaat wordt gehandhaafd. Na 1879 was het land officieel een neutrale bufferstaat, maar in feite Brits protectoraat, waardoor er een gemeenschappelijke Brits-Russische grens was ontstaan.

De crisis dit jaar brak op 30 maart uit na een gewapend treffen tussen Russische en Afghaanse troepen bij Penjdeh.
In deze crisis is de waarde van de vorig jaar hernieuwde *Dreikaiserbund* met Duitsland en Oostenrijk voor Rusland duidelijk geworden. Groot-Brittannië, dat in dit conflict geen bondgenoten heeft, kan slechts een succesvolle oorlog tegen Rusland met als inzet Centraal-Azië voeren als het het scenario van de Krimoorlog zou kunnen herhalen: door de zeestraten naar de Zwarte Zee varen en een campagne op de Kaukasus beginnen.
De Duitse rijkskanselier Bismarck oefende dan ook druk uit op de Osmaanse autoriteiten om het openen van de zeeëngten voor Britse oorlogsbodems te voorkomen. Hij werd hierin, behalve door de Duitse bondgenoten Oostenrijk en Italië, bovendien door Frankrijk gesteund.
Uiteindelijk is de kwestie geregeld door rechtstreekse Brits-Russische onderhandelingen. Rusland heeft het grootste gedeelte van het omstreden gebied gekregen in ruil voor erkenning van het Britse overwicht in Afghanistan.

# 'De Nieuwe Gids' opgericht

AMSTERDAM, 1 oktober - De schrijvers die de uitspraak van Willem Kloos - 'Kunst is de allerindividueelste expressie van de allerindividueelste emotie' - tot de hunne hebben gemaakt, hebben vanaf vandaag een eigen podium: het tweemaandelijks te verschijnen tijdschrift voor letterkunde, kunst, politiek en wetenschap *De Nieuwe Gids*, waarvan het eerste nummer vandaag verschenen is. In dit nummer is onder andere de eerste aflevering opgenomen van *De kleine Johannes* van redactielid Frederik van Eeden.

De redactieleden en medewerkers van het nieuwe blad vormen het 'geestelijk brandpunt' van deze tijd. Behalve uit redacteur-secretaris Willem Kloos, de primus inter pares van de groep, bestaat de redactie uit Frederik van Eeden, Frank van der Goes, Willem Paap en Albert Verwey. Het is de bedoeling van de initiatiefnemers dat naast de literaire ook andere vernieuwingsbewegingen ruimte krijgen.

Als poëtisch programma van deze groep, die wil afrekenen met de leerstellige, moraliserende poëzie van de vorige generatie, kan de principiële inleiding (welhaast een manifest) beschouwd worden die Willem Kloos drie jaar geleden bij de gedichten van Jacques Perk heeft geschreven. Geïnspireerd door romantische, impressionistische en symbolistische opvattingen in het buitenland (vooral via Shelley) beschrijft Kloos de poëzie als esthetisch beeld van de eigen emotie, de verbeeldingswerkelijkheid van het zie-

leleven. 'Kunst is passie', 'Vorm en inhoud zijn één', 'L'art pour l'art' - dat zijn de formules die de filosofie van *De Nieuwe Gids* bepalen. Zoals Kloos en Verwey de dichters van de groep zijn, zo is medewerker Van Deyssel de harde en lyrische criticus van het gezelschap, agressief en hooghartig in zijn spot, zich overgevend aan felle uitingen van afkeer en verrukking. 'Kunst is passie' - die uitspraak is van hém.

Een bijzondere plaats in de redactie wordt ingenomen door de psychiater Frederik van Eeden wiens symbolische sprookjesverhaal *De kleine Johannes* in drie aflevering in *De Nieuwe Gids* wordt gepubliceerd. Hij is in zijn studententijd in aanraking gekomen met Kloos, Van der Goes, Van Deyssel en Verwey en was een van de oprichters van het letterkundig genootschap Flanor, waaruit nu *De Nieuwe Gids* is voortgekomen. *De kleine Johannes* wordt gekenmerkt door een sterke natuurliefde, eenvoud en frisheid. Onder het pseudoniem Cornelis Paradijs schrijft Van Eeden in *De Nieuwe Gids* bovendien vermakelijke parodieën op de gangbare dichtkunst.

*Op 25 mei hebben de Franse socialisten op allerlei plaatsen met feestelijke bijeenkomsten, stakingen en straatdemonstraties de Parijse Commune, de opstandige, revolutionaire regering die van 18 maart tot 28 mei 1871 Parijs in handen had, herdacht. Het is er bij de herdenkingen niet altijd vreedzaam aan toe gegaan: na de feestelijkheden die waren georganiseerd op de begraafplaats Père Lachaise in Parijs, is het tot een fel handgemeen met de sterke arm gekomen.*

# Fransen veroveren Senegal

PARIJS-DAKAR - De gehele westkust van Afrika is nu aan het Franse gezag onderworpen, ook het noordelijke gebied langs de rivier de Senegal, Cayor, dat het langst weerbarstig was. Dank zij de komst van generaal Faidherbe in dit tot dan toe slechts met horten en stoten te koloniseren land, werd de Franse invloed er met de dag sterker. Faidherbe had maar betrekkelijk weinig Franse troepen tot zijn beschikking, maar het lukte hem inboorlingen in te zetten. In 1857 werd in het meest westelijke deel de stad Dakar gesticht. Cayor onderwierp zich pas in 1865, en vijf jaar later raakten de Fransen het weer kwijt. Nu is het dus naar het lijkt definitief heroverd.

In 1877 vroeg de koning van het ten zuidoosten van Dakar gelegen Sine om Franse bescherming. Afgezien van het zuidelijke Casamance, is de hele kuststrook rond de Senegal en de Gambia nu ook volledig gepacificeerd. Drie jaar na de officiële annexatie van Frans Equatoriaal Afrika, kan overwogen worden de Franse gebieden in West-Afrika tot een federatie te verenigen.

# Mark Twain schrijft vijfde bestseller

*Mark Twain.*

HARTFORD - Twee schrijvers voeren dit jaar een verwoede strijd om de eerste plaats op de bestsellerslijst: oud-president Ulysses S. Grant met zijn *Personal Memoirs* en Mark Twain met zijn vorig jaar verschenen *Huckleberry Finn*.

Voor Twain is het schrijven van een bestseller niet nieuw meer. In 1869 voerde hij de lijst aan met *The innocents abroad*, in 1872 met *Roughing it*, in 1876 met *Tom Sawyer* en vorig jaar nog met *Life on the Mississippi*.

Iedereen is het erover eens dat *The adventures of Huckleberry Finn* het beste boek is dat tot dusver van de produktieve Mark Twain (het pseudoniem van de journalist Samuel Langhorne Clemens) is verschenen. Het boek vertelt het verhaal van Huck Finn en de negerslaaf Jim, die op een vlot de Mississippi afzakken en tijdens hun tocht getuige zijn van de levens van anderen, van corruptie, moreel verval en intelectuele verarming.

Dat het verhaal zich op de Mississippi afspeelt is niet zo verwonderlijk, want Twain is zelf vóór de jaren van de Burgeroorlog kapitein geweest van een stoomboot op deze rivier; aan dit bestaan heeft hij ook zij pseudoniem ontleend: Mark Twain is stoombootjargon en betekent 'twee vadems diep' (een wat gevaarlijke diepte voor een rivierboot). Een beeld van het bestaan op de Mississippi schetste hij eerder in *Life on the Mississippi* (1883).

Mark Twains eerste boek, *The celebrated jumping frog*, dateert van twintig jaar geleden. Zijn bestaan als reizend verslaggever op de Sandwich Eilanden, in het Middellandse-Zeegebied en in het Midden-Oosten leverde hem succes op bij spreekbeurten en ook zijn eerste literaire succes, *The innocents abroad* (1869). Dit stelde hem een jaar later in staat in het huwelijk te treden met Olivia Langdon en zich als schrijver permanent te vestigen in een groot huis in Hartford, Connecticut. Van *The innocents abroad* waren in 1874 al niet minder dan 150 000 exem-

plaren verkocht, ondanks de hoge prijs van het boek (variërend van $3,50 tot $5).

Mark Twains nieuwste boek, *Huckleberry Finn*, is een vervolg op een eerder succesverhaal, verschenen in 1876: *The adventures of Tom Sawyer*, waarin behalve de gewiekste en avontuurlijke Tom ook Huckleberry Finn een hoofdrol speelt.

*Tom Sawyer (links), hoofdpersoon uit een van Twains succesvolle boeken.*

# Eerste zitting Indisch Nationaal Congres

*De Maharadja van Rewa (India, 1885).*

BOMBAY, 28 december - In Bombay is vanmiddag om 12 uur de eerste zitting van het Indisch Nationaal Congres geopend. De eerste spreker was Allen Hume, de 'vader' van het Congres, op wiens voorstel de uit Calcutta afkomstige advocaat Womesh C. Bonnerjee als eerste president verkozen is. 73 Indische vertegenwoordigers uit alle provincies van India zijn naar Bombay gekomen om de eerste jaarlijkse vergadering van het Congres bij te wonen.

Het Indisch Nationaal Congres hoopt een bijdrage te kunnen leveren aan de Indische nationale politiek zonder dat overigens de loyaliteit aan de Britse kroon geweld wordt aangedaan.
Vooral sinds de Grote Opstand van 1858 is er, onder andere door de oprichting van enkele Indische universiteiten, een Indische middenklasse ontstaan die, door het Engelse voorbeeld op het gebied van politieke consolidatie, technologische vernieuwing en bestuurlijke eenheid, een nationaal bewustzijn is gaan ontwikkelen.
In 1854 werd een examen ingevoerd voor de Indische civiele dienst, wat het in theorie voor iedereen mogelijk maakte een baan te vinden in het Indische ambtenarenapparaat. De eerste, en lange tijd de enige, Indiër die voor het examen slaagde was de Bengaalse brahmaan Surendranath Banerjea (1848). In zijn werk werd hij later echter door de Engelsen tegengewerkt en uiteindelijk ontslagen. Terug in Calcutta, waar hij ging werken als leraar en journalist, richtte hij de eerste Bengaalse nationalistisch-politieke organisatie op, de Indische Associatie van 1876.
In februari 1883 werd een wet van kracht die een einde maakte aan het verbod voor Indische rechters om Europeanen te berechten. De beroering die hierover ontstond in de Engelse gemeenschap wekte de woede van Indiërs in Calcutta. Toen in hetzelfde jaar Surendranath Banerjea als hoofdredacteur van de *Bengalee* werd gearresteerd wegens ongehoorzaamheid jegens een rechtbank, ontstonden er in Calcutta relletjes en demonstraties die een revolutionair karakter kregen en die in heel India opschudding veroorzaakten.
Allen Hume, een secretaris van de regering in India, vond dat de tijd rijp was voor Indische betrokkenheid bij het bestuur van India. In een manifest aan studenten van de universiteit van Calcutta, 'de hoogst opgeleiden van de natie', riep hij hen op zich hiervoor in te zetten, een initiatief waaruit het Indisch Nationaal Congres geboren is.

*Het Rijksmuseum in Amsterdam (1885).*

## Nieuwe schepping architect Cuypers

AMSTERDAM, 13 juli - Na negen jaar is de bouw van het Rijksmuseum, het grootste museum van Nederland, voltooid. De plechtige opening is verricht door minister Heemskerk; koning Willem III wilde niet aanwezig zijn, omdat het gebouw niet naar hem is vernoemd. Het bevat zeer waardevolle collecties, onder andere vele werken van Rembrandt.
Het heeft nog heel wat voeten in de aarde gehad voordat architect P.J.H. Cuypers met de bouw van het Rijksmuseum kon beginnen. De antipaapse Amsterdammers vonden zijn ontwerp door de neorenaissancistische en neogotische stijl te 'rooms'.
Voor het ontwerp waren nog twee architecten, L.H. Eberson en H.P. Vogel, uitgenodigd, maar Cuypers werd verkozen als de meest oorspronkelijke bouwmeester van Nederland.

# Mitrailleur verbeterd

LONDEN - Onlangs heeft het onderzoek naar een doeltreffender bewapening een nieuw resultaat opgeleverd. De Engelsman Hiram Stevens is erin geslaagd een op het slagveld bruikbaar machinegeweer te construeren. De laatste decennia zijn op dit gebied zoveel uitvindingen gedaan dat ingewijden menen dat de oorlogvoering ingrijpend zal veranderen.
Voor dit veelvoud van uitvindingen worden twee verklaringen aangevoerd. De laatste decennia kenden vele oorlogen en koloniale expedities, waardoor de vraag naar steeds efficiënter wapentuig toeneemt. Bovendien zijn door allerlei fusies zeer grote ondernemingen ontstaan die zich met bewapening bezighouden en het zich kunnen veroorloven veel geld aan research te besteden. De belangrijkste wapengiganten zijn Krupp, Skoda, Schneider-Creusot en Vickers-Maxim.
Het machinegeweer, ook wel mitrailleur genoemd, is eigenlijk geen nieuwe uitvinding. Het eerste patent voor een machinegeweer werd in 1718 verleend. Een exemplaar van dit geweer, welks kruitlading met een lucifer tot ontploffing moest worden gebracht, is in het British Museum te vinden. Ook in de Amerikaanse Burgeroorlog werden (Gatling) machinegeweren gebruikt. Deze wapens hadden echter een aantal gebreken die hun bruikbaarheid beperkten: de meeste exemplaren waren zeer zwaar - de Franse mitrailleuse woog bijvoorbeeld 900 kg - zodat ze voor offensieven niet geschikt waren. Bovendien kon men, vóór de uitvinding van het rookloze kruit door Alfred Nobel, met deze wapens nauwelijks goed richten.
Het nu geconstrueerde wapen komt aan deze bezwaren tegemoet. Het machinegeweer weegt, inclusief de waterkoeling, ongeveer 70 kg, zodat het ook bij offensieven meegevoerd kan worden. Deskundigen voorspellen echter dat dit wapen in een veldslag de verdedigende partij een groot voordeel zal verschaffen, omdat een machinegeweer een aanval van vele soldaten kan tegenhouden. Het is niet uitgesloten dat snelle offensieve oorlogen nu tot het verleden behoren.

*Emigrantenfamilies bij het inschepen voor de boot naar Amerika (1882).*

# Duitse emigratie zakt in

BERLIJN - Het aantal emigranten is sinds 1881 met de helft teruggelopen. In de Duitse havens en in Antwerpen werden dit jaar 103 642 emigranten uit het Duitse Rijk geteld. Plusminus 95 procent koos als land van bestemming de Verenigde Staten.
De gevolgen van de economische crisis hebben de welstand van de arbeidende bevolking ernstig aangetast. De meeste emigranten streven dan ook een verbetering van hun economische positie en verhoging van hun sociale status na. Met name mensen uit de niet-geïndustrialiseerde gebieden zoeken hun heil aan de andere kant van de oceaan. Zo waren er in dit jaar op de 100 000 bewoners van de provincie West-Pruisen 698 emigranten terwijl het rijksgemiddelde 220 was. Uit Pommeren kwamen er 756, uit Posen en Sleeswijk-Holstein respectievelijk 570 en 548.

# Heftige reactie op daad Abraham Kuyper

*De theoloog en politicus Abraham Kuyper (door Jan Veth, 1899).*

AMSTERDAM, 6 januari - De paneelzagerij in de Nieuwe Kerk te Amsterdam door Abraham Kuyper en zijn orthodox-christelijke kornuiten heeft alom tot verontwaardiging geleid. Het *Handelsblad* schrijft: 'Met oneindig groter gevaren bedreigt deze ex-dominee onze maatschappij, onze vrijheden en instellingen, dan de andere ex-dominee Domela Nieuwenhuis.' De inbraak betekent een nieuwe stap op de weg naar een volledige breuk tussen de Hervormde Kerk en de 'dolerende' gereformeerden van Abraham Kuyper.

Vannacht zaagden Abraham Kuyper en Klaas Kater, metselaar en een van de voorlieden van het Christelijk Werkliedenverbond 'Patrimonium', een paneel uit een toegangsdeur tot de consistoriekamer van de Nieuwe Kerk aan de Dam. Even later waren zij heer en meester over het gebouw en over het archief van de Hervormde Gemeente in Amsterdam. Kuyper en Kater werden

bijgestaan door een aantal met fakkels en knuppels gewapende studenten van de Vrije Universiteit. De inbrekers wisten de weg: Kuyper pleegt in de Nieuwe Kerk te preken. De orthodoxen van Kuyper streven al geruime tijd naar meer zelfstandigheid binnen de Hervormde Kerk. Het bestuur wil hier, zoals bekend, niets van weten. Kuyper heeft ook problemen met het bestuur van de Hervormde Kerk over de aanstelling van afgestudeerden van de theologische faculteit van 'zijn' Vrije Universiteit. De kersverse, gereformeerde dominees kunnen geen gemeenten vinden om te preken.

Op 4 januari schorste de synode van de Hervormde Kerk 80 Amsterdamse kerkeraadsleden, onder wie Kuyper. De geschorsten eisten dat zij de kerkruimten, officieel in bezit van de Hervormde Kerk, mochten blijven gebruiken. De synode weigerde en twee dagen later volgde de overval van Abraham Kuyper.

De rechter zal moeten uitmaken wie gelijk heeft, Kuyper en zijn 'kleine luyden' of het 'herengezelschap' van het bestuur van de Hervormde Kerk. De rechter zal drie vragen moeten beantwoorden: hoe zelfstandig is de plaatselijke gemeente, hoe verhoudt zich het bestuur over een kerkgebouw tot het beheer ervan en ten slotte, betekent het verbreken van de band met de synode ook een breuk met de historisch bestaande Kerk Amsterdam?

Het zal wel even duren voordat de rechter eruit is. Tot zolang hebben Kuyper en de zijnen in ieder geval de Nieuwe Kerk en het archief van de Amsterdamse, protestantse kerken in handen.

# Birma geheel onder controle van Engelsen

MANDALAY, 1 januari - Nog geen week na zijn aankomst in Mandalay heeft de onderkoning van India, Lord Dufferin, verklaard dat heel Birma voortaan onder Engelse controle staat. De koninklijke regering van Birma is aan de kant gezet.

Al geruime tijd voor de bezetting van de hoofdstad Mandalay, eind november vorig jaar, werden de Engelsen geconfronteerd met een zwakker wordend gezag van de lokale en centrale overheid in Birma en de door hen reeds bezette delen van het land. Het slechte bestuur van de koninklijke regering in Birma en de onderdrukkende praktijken van het Engelse leger in de drie bezette provincies leidden tot wetschendingen op grote schaal en het vormen van benden op lokaal niveau.

De Engelsen lijken zich nog niet ten volle bewust te zijn van de ernst van de situatie die zij zelf mede hebben helpen creëren. Zij gaan ervan uit dat met enkele wijzigingen ook het noorden van Birma onder controle kan worden ge-

bracht. De al vele decennia voortdurende opstanden van de Shan en het laten wegvallen of ondermijnen van het centraal gezag van de koning hebben het land echter nagenoeg onbestuurbaar gemaakt.

Van de kant van handelaren en investeerders is al opgemerkt dat met harde hand moet worden opgetreden tegen elke inbreuk op het Engelse gezag. Zij zien in het noordelijk gedeelte van het land een ideale toegangsweg tot het zuiden van China en Siam. In kringen van bestuursambtenaren en militairen wordt echter opgemerkt dat het beheersen van het noorden waarschijnlijk meer investeringen in leger en bestuursapparaat zal vergen dan ooit aan baten uit het gebied zullen komen.

Desondanks heeft de regering in Londen nu besloten dat Birma in zijn totaliteit in het Britse Rijk moet worden ingelijfd.

Van Birmese kant kan gerekend worden op een toenemend verzet tegen de

vreemde overheersing. Nu al vindt men door het hele land een tot nu toe lokaal georganiseerde nationalistische beweging. Wanneer de krachten van deze beweging worden verenigd, moet nog maar blijken of Engeland Birma als kolonie kan behouden.

*De vijf nihilisten die verantwoordelijk worden geacht voor de moordaanslag op tsaar Alexander II, vijf jaar geleden, worden op 3 april in Sint-Petersburg in het openbaar terechtgesteld.*

# Rellen en stakingen in hart van Wallonië

'Landschap met rokende schoorstenen', gezicht op Charleroi (Maximilien Luce, 1897). Rechts een gravure van de onlusten in Roux, Henegouwen.

CHARLEROI, 27 maart - Gisteren en eergisteren zijn in Charleroi en omgeving en in de Borinage arbeidersoproeren uitgebroken. Mijnwerkers hebben, samen met metaalbewerkers en glasblazers, het werk massaal neergelegd en zijn al plunderend en brandstichtend rondgetrokken. Daarbij hadden zij het vooral gemunt op de glasfabrieken, de machines en de woningen van de fabriekseigenaars. Het is tot felle en bloedige botsingen gekomen met een inderhaast opgetrommelde legermacht, die onder leiding staat van generaal Vandersmissen. Behalve tientallen gewonden schijnen er ook al enkele doden gevallen te zijn.

De onlusten volgen vrijwel onmiddellijk op soortgelijke ongeregeldheden die vorige week Luik en omgeving teisterden. Een anarchistische herdenkingsbijeenkomst op 18 maart ter gelegenheid van de vijftiende verjaardag van de Parijse Commune, liep volkomen onverwacht op massale rellen uit. Bij straatgevechten en stakingen in de mijnen moest zelfs het leger ingezet worden. Binnen enkele dagen was de rust weer enigszins hersteld. Een niet onbelangrijke rol daarbij speelden ook de patroons, die vrijwel direct met massale ontslagen begonnen te dreigen.

De onlusten in Charleroi en de Borinage lijken nog heftiger te verlopen dan die in Luik, maar ook hier is kennelijk sprake van een spontane, ongecoördineerde actie. De werklieden hebben geen duidelijk programma, al wordt wel vrijwel algemeen geprotesteerd tegen de extreem lange werkdagen en de onlangs doorgevoerde loonsverlagingen. Zeker na de voorbije strenge winter en de al enkele jaren durende economische crisis, is de koopkracht van de arbeidersgezinnen sterk verminderd. Bovendien verkeren zij in voortduren-

de onzekerheid over het behoud van hun werk. Onlangs nog werden 3000 mijnwerkers ontslagen. Er was dus weinig voor nodig om de vlam in de pan te doen slaan, hoewel de uitbarstingen voor de gezagsdragers als een volslagen verrassing gekomen zijn.

De regering heeft besloten de opstanden met harde hand de kop in te drukken; talrijke opstandelingen zijn al opgepakt. Tot de gearresteerden behoort Alfred Defuisseaux, de auteur van het begin maart verschenen *Catechisme du peuple*. In het pamflet, dat tijdens de acties massaal verspreid is, trekt Defuisseaux fel van leer tegen de heersende politici en roept hij op tot algemeen mannenkiesrecht. Hem wacht onge-

twijfeld een zware straf, getuige het feit dat een rechtbank in Luik drie dagen geleden veertig oproerkraaiers al tot zware gevangenisstraffen veroordeeld heeft.

# Lodewijk II van Beieren verdronken

Slot Neuschwanstein, dat Lodewijk II in de Beierse Alpen heeft laten bouwen.

Lodewijk II (door E. Schreiner).

MUNCHEN, 13 juni - De 41-jarige koning van Beieren, Lodewijk II, die door een regeringscommissie van vier artsen ongeneeslijk ziek verklaard is en onder toezicht van de psychiater Bernhard von Gudden geplaatst, is op mysterieuze wijze in de Starnberger See bij Schloss Berg verdronken. Ge-

zien Lodewijks geestelijke ontwrichting had zijn oom Luitpold drie dagen geleden het bewind van Lodewijk overgenomen (ook de eerst in aanmerking komende troonopvolger, Lodewijks broer Otto, wordt voor geestesziek gehouden) en de afgezette koning in een kasteel opgesloten. Lodewijk is er echter in geslaagd met zijn lijfarts, von Gudden, te ontkomen, een ontsnapping die hem nu fataal is geworden. Ook zijn arts is bij dit ongeluk om het leven gekomen.

# Palingoproer in Amsterdam eist 26 levens

*Het traditionele 'palingtrekken' op de Lindengracht in de Amsterdamse Jordaan. Rechts de barricaden die tegen de politie worden opgericht.*

AMSTERDAM, 29 juli - De 26 slacht-offers van het Palingoproer in de Jordaan zijn voor de begrafenis op handkarren naar de familie overgebracht. Uit gerechtelijk onderzoek bleek dat meer dan de helft van hen in de rug geschoten is. De staat van beleg in Amsterdam duurde vandaag nog voort. Langs de route van de stoet stond een overmacht aan soldaten, huzaren en politie. Ernstige ongeregeldheden werden niet gemeld.

De door velen verwachte Grote Revolutie is niet uitgebroken en van een opzet van de socialisten is geen spoor van bewijs gevonden. Het Palingoproer in de verpauperde Jordaan was een gevecht tussen de buurtbewoners en de gehate 'sterke arm'. De armoede is door de afgelopen uitzonderlijk strenge winter in de Jordaan nog extra toegenomen. De voortdurende pesterijen door de politie van de in de volksbuurt sterk vertegenwoordigde socialisten voerden de spanning de afgelopen maanden verder op.

Zondag gingen de klinkers uit de straat. De aanleiding had met socialisme niets van doen. De politie trad - zonder succes - op tegen een geval van het sinds jaren verboden 'palingtrekken'. Over de Lindengracht was een touw gespannen. Aan het touw hing - achter zijn kieuwen - een levende paling. Met roeibootjes werden de spelers zo snel mogelijk onder het touw door geroeid. Wie als eerste, zonder een nat pak te halen, de kop van de paling trok was de winnaar. Spelers noch publiek

wensten door agenten gestoord te worden; er ontstonden rellen en ernstige vechtpartijen met de politie.

Maandagochtend was het al vroeg weer onrustig in de Jordaan; het 'Vrijheidslied' klonk en de tapperijen deden goede zaken. Toen aan het eind van de dag de huzaren in de smalle straten verschenen was het oorlog: 'Het was een gegil dat slechts overtroffen werd door het sarrend gejoel van het volk, dat in zijn verbittering de soldaten tot vuren tartte.' Pas na twaalven waren leger en politie de toestand meester.

De autoriteiten wijten de opstand aan 'het woelen' van de sociaal-democraten in de afgelopen maanden. Domela Nieuwenhuis en de zijnen waren echter tijdens het oproer níet in de Jordaan. Het eerste slachtoffer, maandag, was een man die werd neergeschoten met de rode vlag in zijn hand. In de Jordaan wordt - hardop - gesproken over de 'lafheid van Nieuwenhuis'.

## Bulgaarse officieren ontvoeren vorst Alexander I

*Alexander, vorst van Bulgarije.*

SOFIJA, 21 augustus - Met medeweten van de Russische tsaar en de Russische ministers van Buitenlandse Zaken en Oorlog heeft een groep Bulgaarse officieren vorst Alexander von Battenberg gekidnapt en uit het land gebracht. Hiermee is de Bulgaarse crisis in een nieuwe fase gekomen.

De crisis ontstond vorig jaar, toen

Alexander I tegen de wil van Rusland Oost-Roemelië met Bulgarije verenigde. Zo op het eerste gezicht is de Russische tegenstand tegen deze actie verwonderlijk. Rusland was immers verantwoordelijk voor de schepping van het grote Bulgaarse Rijk van San Stefano, die op het Berlijnse Congres (1878) ongedaan werd gemaakt.

De crux van het probleem ligt in de gewijzigde houding van Bulgarije ten aanzien van 'de grote Slavische broer' in het oosten. Deze is deels te wijten aan de arrogante houding van de conservatieve tsaar Alexander III jegens zijn neef, de Bulgaarse vorst. In de loop van een paar jaar is er bovendien grote onvrede ontstaan over de Russische bemoeienis in het Bulgaarse bestuur, die overigens op het Berlijnse Congres was vastgelegd. In 1883 was de Russisch-Bulgaarse verhouding zo verziekt, dat vorst Alexander met de Bulgaarse politieke partijen een gemeenschappelijk front tegen de in Bulgarije werkzame Russische functionarissen vormde. Als prijs voor de steun van de Liberale partij herstelde Alexander de grond-

wet. De Russische diplomaten, die tot dan hadden geijverd voor een vereniging van Oost-Roemelië met Bulgarije, trokken op dit punt hun steun weer in. Zij stelden daarentegen alles in het werk om het prestige van de vorst te knakken. Tevergeefs echter. In september vorig jaar brak er in Plovdiv (Oost-Roemelië) een revolutie uit en de leiders ervan kondigden de vereniging met Bulgarije aan. Alexander verkeerde in een lastig parket. Aansluiting betekende immers schending van het Verdrag van Berlijn, om van Russische tegenstand maar niet te spreken. Aan de andere kant bracht hij zijn troon in gevaar als hij de Bulgaarse nationalisten in dezen niet tegemoetkwam. Hij koos voor het laatste. Rusland reageerde onmiddellijk met de terugroeping van alle Russische officieren uit Bulgarije. De verstoorde Russisch-Bulgaarse relatie was voor Groot-Brittannië en de Dubbelmonarchie voldoende reden om de situatie te accepteren. Sindsdien hebben de Russen zich beijverd om ontevredenen in het Bulgaarse leger te steunen.

# Laos inzet van conflict tussen Frankrijk en Siam

LUANG PRABANG, 30 september - In Laos dreigt het tot een gewapend treffen tussen Siam en Frankrijk te komen. Als reactie op de aankondiging van de Siamese koning Chulalongkorn dat hij een leger naar het Laotiaanse vorstendom Xieng en de Sip Song Chau Tai-kantons zal sturen om de opstandige legers van de Ho een lesje te leren, heeft de regering in Parijs August Pavie opdracht gegeven naar Luang Prabang te gaan om een rapport over zijn bevindingen te schrijven. Indien Siam werkelijk van plan is militair in te grijpen en een permanente controle over dit gebied uit te oefenen, zal een gewapend conflict met Frankrijk onvermijdelijk zijn.

In Frankrijk is men zich bewust van het belang van het zoeken naar een directe verbinding met het zuiden van China. De laatste twintig jaar wordt meer dan 50 procent van de uitvoer van Chinese zijde door Engelse schepen via Londen naar Frankrijk geëxporteerd. De havens van Hong Kong en Sjanghai worden beheerst door Engeland dat daarmee nagenoeg de hele import naar en export uit China onder controle heeft. De positie van Engeland wordt sinds dit voorjaar nog versterkt door de bezetting van het noorden van Birma. Met het hof in Siam hebben de Engelsen goede betrekkingen en eventuele toekomstige territoriale aanspraken van Siam op delen van Kambodja en Laos zouden wel eens actief door de Engelse regering gesteund kunnen worden. Alleen al uit deze strategische overwegingen acht men in Parijs het maken van aanspraken onvermijdelijk en zijn langdurige debatten over het al dan niet dieper penetreren in de Laotiaanse vorstendommen ongewenst. Bij deze interventie wordt door de Fransen ook aangegeven dat er vanuit het buurland Vietnam, dat nu een Franse kolonie is, al historische aanspraken op de noordelijke vorstendommen van Laos liggen.

De Fransen willen de Mekong als grensrivier voor Laos en Thailand. Alles ten oosten van de Mekong zou dan onder Frans bestuur komen. Een Franse koloniale ambtenaar schetste in een rapport de mogelijkheden die men zou hebben als de Mekongvallei zou worden beheerst. Hij sprak over het handelsmonopolie in een gebied van 27 miljoen mensen. Op zijn minst zou ook een doorvoerbelasting en een geringe belasting op goederen kunnen worden geheven, waardoor het gebruik van geld in de provincies Yunnan, Kwangsi en Kwangtung zou worden ontwikkeld. Dit zou ten minste 40 miljoen Chinese klanten voor de Fransen opleveren. In totaal betekent dit 67 miljoen consumenten.'

# Benzinemotor voorlopig nog te kostbaar

*De driewieler met benzinemotor van de Mannheimse ingenieur Karl Benz. De wagen heeft een elektrische ontsteking en de motor is watergekoeld.*

*Karl Benz (geboren 1844) hield zich al tijdens zijn studietijd bezig met het idee van een zelfbewegend voertuig.*

MUNCHEN, september - Vrijwel gelijktijdig zijn de Duitse motortechnici Karl Benz en Gottlieb Daimler erin geslaagd een voertuig, aangedreven door een benzinemotor, te laten rijden. Het bijzondere aan de motor is het gebruik van het zeer brandbare destillatieprodukt van petroleum, dat door Daimler 'benzine' is gedoopt. Een kleine hoeveelheid van deze vloeistof wordt vermengd met lucht, vervolgens de cilinder ingezogen en aangestoken. Door de hitte van de verbranding wordt dit mengsel sterk vergroot waardoor een explosieve energie verkregen wordt.

In München demonstreerde Benz zijn één-cilinder viertaktmotor, gemonteerd op een wagen met drie wielen. Het zelfrijdende voertuig, of 'automobiel' heeft een vermogen van 1,5 pk en een maximumsnelheid van 15 km per uur. Benz heeft zijn wagen voorzien van een elektrische ontsteking, gevoed door een batterij. Het besturen van de wagen gaat door middel van een stang die op een verticale as is geplaatst. Een stel heugels verbindt het stuurmechanisme met het voorwiel.

In Bad Cannstadt bereed de 50-jarige Gottlieb Daimler zijn fiets die door een verbrandingsmotor wordt aangedreven. Tot verbijstering van de toeschouwers reed de fiets van Daimler de heuvel op zonder dat de bestuurder hoefde te trappen. Een rookwalm en een hels lawaai begeleidden de eerste rit van Daimlers benzinefiets. Ook zijn motor heeft het viertaktsysteem en één cilinder, maar is, in tegenstelling tot die van Benz, verticaal geplaatst en heeft een veel hoger toerental dan die van zijn concurrent. Daimler is van plan de motor zo spoedig mogelijk op een vierwielige wagen te plaatsen. Hij kreeg vorig jaar patent op zijn benzinemotor, nadat hij jarenlang experimenten met gasmotoren had uitgevoerd.

Na diverse pogingen met behulp van motoren een voortstuwende kracht te ontwikkelen, lijken de getoonde voertuigen het pleit te hebben gewonnen. De eerste verbrandingsmotor werd in 1876 door professor Otto ontworpen, die als eerste het viertaktsysteem toepaste op een motor gevoed door lichtgas. De experimenten om gasmotoren geschikt te maken voor het vervoer over de weg zijn gestrand omdat de wagens in de buurt van de gasfabrieken bij de steenkoolmijnen moesten blijven om aan hun brandstof te kunnen komen. De benzinemotoren hebben dit nadeel niet: de kleine hoeveelheid benzine die nodig is voor het verbrandingssysteem kan eenvoudig worden meegenomen. De vloeistof is echter zeer prijzig en daarom wordt verwacht dat benzinemotoren niet op grote schaal zullen worden toegepast.

*De motorkoets van Gottlieb Daimler en Wilhelm Maybach bij een proefrit. Er is een benzinemotor gemonteerd op een kant-en-klaar aangeschaft paardekoetsje van de Stuttgartse firma Wimpf & Sohn.*

# Gompers (AFL) steunt 'economische acties'

*Politie en demonstranten openen wederzijds het vuur tijdens de onlusten op Haymarket Square in Chicago.*

COLUMBUS (OHIO), 8 december - De vertegenwoordigers van een 25-tal werknemersorganisaties zijn het vandaag eens geworden over de oprichting van een overkoepelend vakverbond, de American Federation of Labor. De deelnemende organisaties vertegenwoordigen ongeveer 150 000 leden. Samuel Gompers, afgevaardigde van de bond van sigarenmakers, is gekozen tot voorzitter van het nieuwe vakverbond.

De 36-jarige Gompers wil de invloed van de vakbeweging vergroten door middel van 'economische acties' (stakingen en boycots). Gompers staat argwanend tegenover intellectuele her-vormers, bang als hij is voor elke activiteit die de aandacht van de vakbeweging van haar directe economische doelstellingen kan afleiden. Gompers verzet zich met deze praktische aanpak tegen het beleid van de grootste vakorganisatie van dit moment, de Knights of Labor, die zich sterk richt op algemene economische hervormingen. Om de vakbeweging respectabel te maken als een bolwerk tegen radicalisme en wilde stakingen, bepleit Gompers bindende, schriftelijke arbeidsovereenkomsten.

Het afgelopen jaar heeft Amerika een keur van 'economische acties' meegemaakt. Er zijn meer dan 1600 stakin-gen georganiseerd (waarvan vele op 1 mei) waarbij ongeveer 600 000 werknemers betrokken zijn geweest. In de meeste gevallen ging het de actievoerders om de invoering van de acht-urendag. Deze georganiseerde acties op grote schaal hebben bij het publiek nogal wat angstreacties opgeroepen en hebben de goodwill van de vakbeweging veel schade toegebracht. Een zware slag voor de vakbeweging was dit jaar vooral het Haymarket-oproer van 4 mei. Het begon met de 1-meistaking tegen de McCormick Harvesting Machine Company in Chicago. Al spoedig braken er gevechten met de postende stakers uit. De politie probeerde de orde te herstellen en in de daaropvolgende woelingen raakten enkele stakers gewond. Een groep anarchisten greep die gelegenheid aan door een bijeenkomst te organiseren om te protesteren tegen het ingrijpen van de politie. Op deze bijeenkomst in de omgeving van Haymarket Square in Chicago ontplofte er een bom, waarbij zeven agenten gedood werden en vele gewonden vielen.

Acht anarchisten werden gearresteerd; rechter Joseph Gary veroordeelde deze zomer zeven van hen ter dood en één kreeg een gevangenisstraf van vijftien jaar opgelegd. De veroordeelden zijn inmiddels in hoger beroep gegaan.

In de publieke opinie heeft de vakbeweging de schuld voor de Haymarket-doden gekregen.

Velen zijn ervan overtuigd dat het optreden van de vakbonden slechts tot een uitbarsting van geweld kan leiden.

## Stevenson: 'Dr. Jekyll and Mr. Hyde'

BOURNEMOUTH - De Schotse romanschrijver, essayist en dichter Robert Louis Stevenson, die drie jaar geleden voor het eerst naam maakte met zijn avontuurlijke *Treasure Island*, heeft met zijn nieuwste boek, *The strange case of Dr. Jekyll and Mr. Hyde,* zijn reputatie bij het publiek verstevigd.

Stevenson blijkt als weinig anderen in staat om in de vorm van een spannend avonturenverhaal een subtiel beeld te schetsen van 'het menselijk tekort'. Zo is zijn *Treasure Island* (aanvankelijk een feuilleton voor het blad *Young Folks*) behalve een knappe vermenging van actie, sfeer en karakters een wrang commentaar op wat mensen tot hun daden drijft.

Stevensons nieuwe boek is een moralistische allegorie en een thriller inéén. De roman vertelt het lugubere verhaal van de dubbele persoonlijkheid van de arts Dr. Jekyll die uiteindelijk aan zijn slechte ik te gronde gaat. Dr. Jekyll wordt volkomen geobsedeerd door de problemen van goed en kwaad en door de mogelijkheid die in twee aparte persoonlijkheden van elkaar te scheiden. Hij ontwikkelt een medicijn dat hem transformeert in de demonische Mr. Hyde, in wiens persoon hij al het latente kwaad van zijn eigen persoon botviert, en beschikt ook over een antigif dat hem weer verandert in de respectabele Dr. Jekyll. Langzaam maar zeker krijgt zijn donkere ik echter de overhand, tot hij ten slotte een gruwelijke moord begaat. Wanneer hij op het punt staat door de mand te vallen en er niet in slaagt zich in zijn goede ik te veranderen, pleegt Dr. Jekyll zelfmoord.

# Gladstone valt over 'Home Rule' voor Ierland

LONDEN, 25 juli - In de onlangs gehouden verkiezingen hebben de liberalen onder Gladstone een zo forse nederlaag geleden dat de 76-jarige staatsman het ontslag van zijn (derde) kabinet heeft aangeboden. De nederlaag wordt hier in verband gebracht met Gladstones pogingen om het zelfbeschikkingsrecht voor Ierland, de zogenaamde 'Home Rule', tot stand te brengen.

Hoewel Gladstone niet van Ierse afkomst is, noch veel tijd in Ierland heeft doorgebracht, staat hij al lang achter de eis van veel Ieren voor zelfbeschikking. Hij bedoelt hiermee geen volledige onafhankelijkheid, maar de vorming van een parlement in Dublin dat in een aantal belangrijke kwesties (bijvoorbeeld buitenlandse politiek) ondergeschikt aan de wil van de Engelse regering zou blijven.

Gladstone heeft zijn plannen echter pas in de openbaarheid gebracht toen hij meende dat zijn plannen in het parlement een goede kans maakten om aangenomen te worden. Op dit punt heeft hij zich echter deerlijk vergist: de zogenaamde Home Rule Bill werd weliswaar in het Lagerhuis aangenomen, maar strandde met een overweldigende meerderheid in het Hogerhuis.

Deze politieke nederlaag heeft een aantal verstrekkende consequenties gehad. Zo was het duidelijk dat Gladstone het ontslag van zijn kabinet moest aanbieden. Bovendien bleek de weerstand in zijn eigen partij tegen Home Rule zo groot dat een grote groep liberalen onder leiding van Lord Hartington uit de partij stapte. Ook zijn de meningen over Gladstone door deze kwestie zeer verdeeld geraakt: bij velen uit de lagere klassen is Gladstone ongekend populair. Onder de hogere standen, van wie er velen financiële belangen in Ierland hebben, is de afkeer van hem en zijn plannen vrijwel algemeen.

Gladstone heeft al aangekondigd dat hij, ondanks deze tegenslag, zijn best zal blijven doen Home Rule tot stand te brengen, omdat hij meent een moreel juist standpunt in te nemen.

*William Ewart Gladstone.*

# Nationale wedergeboorte en bloei Tsjechische cultuur

'Gezicht op Praag', schilderij in romantische stijl van Hugo Ullik (1860).

Thomas Garrigue Masaryk, sinds 1882 hoogleraar aan de Tsjechische afdeling van de Praagse Karelsuniversiteit.

PRAAG, 13 december - Professor Gebauer en professor T.G. Masaryk hebben in het tijdschrift *Athena* een polemiek ontketend over de echtheid van oude Tsjechische manuscripten. Het gaat om het Královédvorsky-manuscript, ontdekt in 1817 in de kelders van een kerk in Dvur Králové door V. Hanka, de directeur van de bibliotheek van het Praagse Nationale Museum, en om het Zelenohorsky-manuscript, in 1818 anoniem opgestuurd aan graaf Kolowrat-Liebstein. Het zijn manuscripten van oude Tsjechische liederen en gedichten met nadrukkelijk vaderlandslievende inhoud, die lange tijd aangezien werden voor de waardevolste exemplaren van de Oudtsjechische literatuur. Deze manuscripten spelen een belangrijke rol in de nationale wedergeboortebeweging, omdat ze het zelfbewustzijn van de Tsjechen versterken in hun strijd voor nationale gelijkwaardigheid.

Al bij de ontdekking van het tweede manuscript echter drukte de taalgeleerde J. Dobrovsky zijn twijfels uit over de echtheid ervan. De hieropvolgende 'Strijd om de manuscripten' lag heel gevoelig en had duidelijk ook politieke achtergronden. Des te moediger was het optreden van de professoren Gebauer en Masaryk, die ten slotte hebben bewezen dat het hier om falsificaties (van V. Hanka en zijn medewerkers) gaat.

Inmiddels bloeit het Tsjechische culturele leven. Er is een nieuwe school opgekomen van schrijvers, wier werk in mooi, gecultiveerd Tsjechisch geschreven is. Bozena Nemcová, een schrijfster die te vergelijken valt met de Franse George Sand, is de auteur van het klassieke werk *Babicka* (De grootmoeder), een idyllische beschrijving van het leven op het land. Jan Neruda werd beroemd met zijn korte verhalen uit het kleinburgerlijke milieu van het Praagse stadsdeel Malá Strana. In de muziek bereiken de Tsjechen internationaal niveau met werken van Bedřich Smetana, Antonin Dvorák en Zdeněk Fibich. Het beroemdst is geworden Smetana's opera *De verkochte bruid*. Vermelding verdient ook het Praagse Nationale Theater. Het werd op 18 november 1883 opgericht dank zij een geldinzameling in het hele land, zonder noemenswaardige bijdragen van rijke lieden.

Een belangrijke gebeurtenis was de oprichting van 'Sokol' (Valk) in 1862, een sportvereniging naar het model van de Duitse Turnvereine.

Sokol, een sterk patriottische organisatie, staat burgerlijke morele waarden voor en heeft in de loop van de afgelopen jaren een grote traditie en autoriteit in het nationale leven van de Tsjechen opgebouwd.

# Apachenleider Geronimo geeft strijd op

Geronimo, opperhoofd van de Apachen.

FORT SILL, 3 september - De roemruchte Apachenleider Geronimo heeft de strijd moeten opgeven. Na achttien maanden lang met zijn volgelingen (35 mannen, 8 jongens en 101 squaws) door federale troepen (5000 soldaten en 500 Indiaanse hulpmanschappen) achtervolgd te zijn, heeft hij in een onvoorwaardelijke overgave toegestemd. Op last van president Cleveland zijn hij en veertien van zijn metgezellen opgesloten in Fort Sill in Oklahoma. De resten van de Apachenstam krijgen kleine reservaten in het zuidwesten toegewezen.

De strijd tegen de Apachenleider Geronimo, wiens ogen, zegt men, schitteren van haat jegens de blanken, heeft al met al vijftien jaar geduurd en begon toen honderd Apachen bij Camp Grant in Arizona een gruwelijke dood vonden. Represaille-acties van de Apachen in Arizona en New Mexico brachten het leger in het geweer. De daders, onder wie Geronimo, werden gevangengenomen en in reservaten ondergebracht, maar na enkele jaren wist Geronimo naar Mexico te ontsnappen.

Tien jaar lang heeft hij toen met zijn volgelingen vanuit Mexico dodelijke aanvallen op het blanke noorden uitgevoerd.

Aan de achtervolging van Geronimo is ook meegedaan door het dit jaar opgerichte en uit negersoldaten bestaande 9th en 10th Cavalry Regiment, de 'Buffalo Soldiers'.

Apache-meisje.

# Ramakrishna: synthese van alle godsdiensten

CALCUTTA, 16 augustus - De Indiase filosoof Svami Ramakrishna die, behalve de hindoeïstische goden, ook Mohammed en Christus vereerde en heeft geprobeerd een synthese van de grote wereldgodsdiensten tot stand te brengen, is op 50-jarige leeftijd aan kanker overleden.

Ramakrishna, die nooit een theologische opleiding heeft genoten, had al op 7-jarige leeftijd mystieke belevingen. Hij probeerde de religieuze ervaringen te bereiken door middel van ascese, meditatie en gebed. In de loop van zijn leven heeft hij visioenen gehad van Rama, Krishna, Kali, Allah en Jezus. Hij zei daarover: 'Ik ben tot de ontdekking gekomen dat iedereen opgaat naar dezelfde God, zij het langs verschillende wegen.' Zijn belangrijkste leerling Vivekananda zegt over hem: 'Het waren geen nieuwe waarheden die Ramakrishna heeft verkondigd, maar zijn komst heeft oude waarheden weer aan het licht gebracht.'

# Weens psychiater brengt seksuele perversie in kaart

STUTTGART - In vakkringen is het onlangs verschenen boek van Richard von Krafft-Ebing ingehaald als het standaardwerk van de nieuwe wetenschap: de psychiatrische leer van de seksuele afwijkingen. Het boek *Psychopathia Sexualis* richt zich met name op wat tegenwoordig uranisme of homoseksualiteit heet, de seksuele handelingen tussen mannen, door von Krafft-Ebing de 'Kontrare Sexualempfindung' genoemd.

De medische en psychiatrische inzichten in seksuele afwijkingen hebben de laatste jaren sterk aan diepte gewonnen. De aandacht werd verschoven van de daad van de handeling (de strafbare, onnatuurlijke ontucht) naar de geestesgesteldheid en fysiologische kenmerken van de persoon in kwestie. Het woord sodomie, dat alleen op de seksuele handeling duidt, is door de medici vervangen door het woord homoseksualiteit, waarmee een identiteit gegeven wordt aan de man die de handelingen verricht. Volgens de Weense psychiater is de seksuele afwijking het doorslaggevende symptoom van een veelomvattend ziektebeeld: 'seksuele afwijkingen bepalen de ethische, esthetische en sociale ontwikkeling van een persoon'. Het woord homoseksualiteit werd in 1869 voor het eerst gebruikt door de arts K.M. Benkert. Von Krafft-Ebing verwerkt dit begrip in een schema van seksuele afwijkingen, samen met andere nieuwe begrippen als exhibitionisme (in 1877 door C. Lasèque ingevoerd) en pedofilie (in 1869 door A. Geigel ontdekt). De seksuele classificatie van von Krafft-Ebing borduurt voort op de grote vernieuwing van de biologische wetenschap zoals die in de jaren vijftig is ingezet door Darwin en Morel. Met name de degeneratietheorie van de laatstgenoemde uit 1857 heeft von Krafft-Ebing geïnspireerd. Morel stelt dat degeneratie veroorzaakt wordt door onder andere rassenvermenging, alcoholisme en seksuele excessen. Niet alleen bij de persoon in kwestie leidt dit tot verval, maar ook bij zijn nageslacht tot in de vierde generatie, waarna de geïnfecteerden door impotentie zullen uitsterven. Dit degeneratiebegrip is volgens von Krafft-Ebing van toepassing op personen die lijden aan seksuele perversies zoals homoseksualiteit.

De medische inzichten waarop von Krafft-Ebing zich baseert, stoelen op onderzoek naar embryonale afwijkingen, hersenfuncties en kenmerken van de lichaamsbouw. Stoornissen in de hersenen zijn volgens von Krafft-Ebing meestal de oorzaak van seksuele afwijkingen. Gedragsstoornissen zijn volgens hem uitingen van seksuele stoornissen.

**23 mei.** In Duitsland komt een einde aan de 'Kulturkampf'. Bismarck en paus Leo XIII komen tot een vergelijk. →

**7 juni.** Ferdinand van Saksen-Coburg-Koháry wordt tegen de wil van tsaar Alexander III en rijkskanselier Otto von Bismarck tot koning van Bulgarije gekozen.

**18 juni.** Duitsland en Rusland sluiten het 'Rückversicherungsvertrag' ter vervanging van de Driekeizeralliantie die Rusland niet wilde vernieuwen. →

**18 juni.** De Russische regering stelt een verscherpt toelatingsbeleid voor middelbare scholen in. →

**30 juli.** Een parlementaire enquêtecommissie presenteert de resultaten van een onderzoek naar de arbeidsomstandigheden in de Nederlandse industrie. →

**Oktober.** In Korea dreigt een conflict tussen Engeland en Rusland. →

**2 december.** De Franse president Grévy treedt af wegens het 'lintjesschandaal'. →

**8 december.** De Fransen bestrijden de islamitische negerleider van de Mandingo-stam, Almanmy Samory, en krijgen toegang tot het noorden van de Gambia-rivier en tot Casamance.

**16 december.** Oostenrijk-Hongarije, Italië en Groot-Brittannië sluiten het Oriëntverbond, met als doel de status-quo in het Oosten en de onafhankelijkheid van het Osmaanse Rijk tegenover Rusland te handhaven.

**31 december.** Het dagblad *De Tijd* brengt een nummer uit dat gewijd is aan het gouden priesterjubileum van paus Leo XIII. →

**December.** Ludovic Zamenhof construeert de taal 'Esperanto'. →

- De Franse protectoraten Annam, Tonkin, Kambodja en de Franse kolonie Cochin-China worden in de Indochinese Unie verenigd.

- Aleksandr Oeljanov, de broer van Lenin, wordt terechtgesteld.

- Heinrich Hertz produceert radiogolven en demonstreert dat ze gereflecteerd worden als lichtgolven.

- Alexander Borodin begint vlak voor zijn dood aan de compositie van de opera *Prins Igor*.

- Giuseppe Verdi componeert de opera *Othello*. →

- Joseph Lockyer publiceert het werk *The Chemistry of the Sun*.

Gestorven:

**14 juli.** Alfred Krupp (26-4-1812), Duits industrieel →

# Verzoening Berlijn en Rome

*Spotprent op de 'cultuurstrijd': Bismarck en Leo XIII spelen schaak met wetten en encyclieken als stukken.*

BERLIJN, 23 mei - Paus Leo XIII heeft de strijd tussen de Duitse staat en de katholieke Kerk vandaag formeel beëindigd. Deze machtsstrijd wordt ook wel als 'cultuurstrijd' aangeduid. Kort na de eenwording van het Duitse Rijk in 1871 werden in Duitsland de eerste wettelijke maatregelen genomen om de macht van de katholieke Kerk te beknotten. Deze wetten hadden verstrekkende gevolgen voor de autonomie van de Kerk van Rome in het Duitse Rijk, waar ongeveer 17 miljoen katholieken leefden.

In het onderwijs waren de maatregelen het eerst voelbaar. In 1872 werden alle scholen onder staatstoezicht gesteld. In hetzelfde jaar werd de jezuïetenorde op Duits grondgebied verboden. Het kwam pas tot een echte confrontatie tussen de Kerk en de staat toen de zogenaamde Mei-wetten werden ingevoerd. Alle Kerken werden onder de Duitse wetgeving geplaatst met als direct gevolg voor de katholieke Kerk dat de opleiding en selectie van personen voor het priesterambt een staatsaangelegenheid werden.

Deze wetten verzwakten ook duidelijk de invloed en zeggenschap van de Kerk op haar gelovigen. Kerkelijke disciplinemaatregelen hadden geen rechtsgeldigheid meer.

Weerstand tegen deze maatregelen bleef niet uit. Paus Pius IX verklaarde alle cultuurstrijdwetten als ongeldig en excommuniceerde alle opstellers en uitvoerders ervan. Priesters werden opgeroepen tot ongehoorzaamheid aangezien men God en niet de wereldlijke macht moest gehoorzamen. De Pruisische wetgevende macht reageerde verbolgen en pakte alle Pruisische bisschoppen op. Vanaf dat moment werden er geen priesters meer benoemd en bleef ongeveer een vierde van alle ambten onbezet.

De opvolger van Pius IX, paus Leo XIII, voer een gematigder koers waardoor er in 1878 onderhandelingen konden beginnen tussen Bismarck en de vertegenwoordiger van de paus in Berlijn. De nieuwe dialoog die heeft geleid tot een einde van de strijd, ging gepaard met een langzaam doorgevoerde afzwakking van de wetten. Gehandhaafd blijft echter het verbod van jezuïeten op Duitse bodem en de rechtsgeldigheid van het burgerlijk huwelijk.

*Bij het gouden priesterjubileum van paus Leo XIII laat het katholieke dagblad 'De Tijd' op oudejaarsdag een speciaal nummer verschijnen. Ter gelegenheid van deze gebeurtenis is de krant in vier kleuren gedrukt. Het blad werd op 17 juni 1845 in Den Bosch door de priester J. Smits opgericht. Vanaf 2 oktober 1849 verschijnt het als dagblad.*

# Russische scholen elitair

*Russische schoolmeisjes met hun onderwijzeres (1904).*

St.-PETERSBURG, 18 juni - De Russische minister van Onderwijs, Deljanov, heeft in een circulaire de onderwijsambtenaren in de provincie geïnstrueerd om bij het aannemen van leerlingen op middelbare scholen op hun achtergrond te letten. De bedoeling is om aldus de middelbare scholen te vrijwaren voor 'kinderen van koetsiers, bedienden, koks, wasvrouwen' enz., aangezien deze kinderen, de hoogbegaafden misschien uitgezonderd, beslist niet uit hun sociale milieu moeten worden getild.

De instructie is geheel in de geest van de vele maatregelen die de afgelopen jaren zijn genomen teneinde het onderwijs in gewenste, conservatieve banen te leiden. De recente schoolgeldverhoging voor de gymnasia is een van de middelen om het onderwijs weer exclusief en elitair te maken.

Drie jaar geleden werd het vrij liberale Universitair Statuut van 1863 vervangen door een nieuw statuut, dat een einde maakte aan de universitaire autonomie en dat studenten verbood verenigingen op te richten of corporatieve vertegenwoordiging te eisen. Teneinde een tegenwicht tegen de liberale, meer geseculariseerde zemstvo-scholen te vormen, worden parochiescholen van hogerhand gestimuleerd. Deze basisscholen worden als 'veilig' beschouwd, wat, gezien het standaardpakket, niet verwonderlijk is. Naast lezen, schrijven en rekenen, bevat het ook bijbel-

kennis, kerkgezangen en het lezen van kerkslavische liturgische teksten. Deze scholen vallen onder de sectie onderwijs van de Heilige Synode, de hoogste kerkelijke instantie in Rusland. De belangrijkste stimulator van de parochiescholen is de reactionaire Konstantin Pobedonostsev, voormalig leermeester van tsaar Alexander III en sinds 1880 opperprocurator van de Heilige Synode. In een brief aan de tsaar liet hij zich onlangs zeer bitter uit over het onderwijssysteem. De scholen, zo schreef hij, leiden kinderen niet op voor het werkelijke leven.

*Bijna 20 000 arbeiders werken in de staalgieterij van Alfred Krupp in Essen.*

# Staalgigant Krupp dood

ESSEN, 15 juli - Gisteren is op 75-jarige leeftijd de Essense fabrikant Alfred Krupp overleden. Tijdens zijn leven heeft hij de staalgieterij die zijn naam draagt, uitgebouwd tot een machtige onderneming van mijnen, ertsgroeven, hoogovens en verwerkingsindustrieën die hoogwaardige produkten afleveren.

Toen Krupp op 14-jarige leeftijd het bedrijf van zijn vader overnam, had het vier werknemers in dienst en een schuldenlast van 10 000 Rijkstaler. Nu, bijna zestig jaar later, is het een bloeiend bedrijf met wereldfaam en bijna 20 000 mensen in dienst. De grote doorbraak voor Krupp kwam in 1853 door de uitvinding van het stalen spoorwegwiel, waarmee hij internationale bekendheid verwierf. In de jaren zestig bleek men in Essen in staat met de

roemruchte stoomhamer 'Fritz' stukken staal van 25 ton te verwerken tot scheepsschroeven en meer van dit soort zaken.

Was de staalgieterij aanvankelijk vooral van belang voor de aanleg van spoorlijnen, sinds de jaren zestig begon Krupp zich steeds meer op de wapenindustrie toe te leggen. Deze activiteiten bezorgden Alfred Krupp de bijnaam 'kanonnenkoning'.

Krupp maakte echter ook op een ander terrein naam. De industrieel was al vroeg tot het inzicht gekomen dat de groei van het bedrijf zou kunnen stagneren onder invloed van sociale problemen. In 1836 had hij reeds een ziekenfonds en in 1855 een pensioenfonds ingesteld. In 1872 liet hij een eigen ziekenhuis bouwen.

Daar liet hij het niet bij, want 'wie weet, of over afzienbare tijd, als de arbeidersklasse in opstand komt tegen de werkgevers, wij niet als de enigen daarvoor gespaard blijven, als we de problemen op tijd aanpakken'. En daarom legde hij in Essen tussen 1871 en 1874 vier woonwijken aan. In deze periode groeide het aantal inwoners in Essen tot 50 000 van wie de meesten bijzonder slecht gehuisvest waren. Ook de huizen die Krupp liet bouwen waren primitief, maar in de wijken waren ruime groenvoorzieningen en speelplaatsen. 'De arbeider', zei Krupp, 'die de hele dag tussen duizenden anderen moet werken, wil thuis niet door buren gestoord worden'.

De huren voor de arbeiderswoningen werden zo berekend dat ze dekkend waren voor de financierings- en onderhoudskosten, want zo zakelijk was Krupp wel.

*Een opgetogen publiek is in de Scala te Milaan getuige geweest van een bijzondere gebeurtenis. In aanwezigheid van de componist is Giuseppe Verdi's opera 'Othello' in première gegaan. Boven: Verdi en zijn vrouw Giuseppina Strepponi.*

# Enquêtecommisie: arbeidswet wordt massaal ontdoken

*Kijkje in de Nederlandse industrie: links de steenfabriek Ruimzicht aan de Vaartsche Rijn, rechts de aardewerkfabriek van Regout in Maastricht.*

*De industrieel Petrus Regout.*

AMSTERDAM, 30 juli - De arbeiders in Nederland zijn er nog slechter aan toe dan tot nu toe werd aangenomen. Dit blijkt uit het verslag van de parlementaire enquêtecommissie, dat onlangs gepubliceerd is.

Op 13 oktober vorig jaar besloot de Tweede Kamer tot een groots opgezet onderzoek naar de toestand in fabrieken en werkplaatsen in Amsterdam, Maastricht en Tilburg en naar de vlasindustrie in Zuid-Holland.

Ansink, de bekende metaalarbeider en vakbondsman, was een van de weinige arbeiders die voor de commissie wilden getuigen. Een citaat: 'Ik heb het zelf bijgewoond op de Koninklijke Fabriek van Stoom- en andere Werktuigen van

Van der Made (voorheen Van Vlissingen), dat er een ongeluk gebeurde, waarop onmiddellijk de dood volgde. Het ongeluk gebeurde kwart voor drie... en de weduwvrouw kreeg betaald tot drie uur.' 'Gebeurde dat ongeluk geheel buiten eigen schuld?' 'Ja, ik heb gezien, dat de weduwe naar huis ging met dat loon, tot drie uur betaald, en dat de werklui Zaterdags een collecte voor haar deden.'

Voor de grootste opschudding zorgde het interview met Petrus Regout, directeur van de glasfabriek te Maastricht. Voor de leden van de commissie hield directeur Regout vol dat zijn stokers en smelters een betaalde vrije dag afslaan, omdat ze het nu eenmaal 'zo gewoon' zijn te werken. De commissie: 'Dus volgens Uwe verklaring was de liefhebberij in het werken zó groot, dat zij zeiden: "Neen mijnheer, we bedanken U voor de Vrije Dag, laat ons maar liever werken, wij zijn dat zo gewoon." ... Gij zult moeten toestemmen, dat het wel wat fabuleus klinkt.' Ondernemer Regout: 'Het is toch zo.' Vraag: 'En hebt ge nooit meer geprobeerd om die mensen deze weldaad te bewijzen?' 'Nee.' 'Dus gij laat werken van 1 januari tot 31 december met vier dagen in het hele jaar vrij?' Het antwoord: 'De stokers hebben geen enkele dag vrij.'

De enquête toont duidelijk aan dat er nog steeds op grote schaal misbruik van kinderarbeid gemaakt wordt; in sommige fabrieken blijken kinderen van twaalf jaar soms dagen van 14 à 15 uur te draaien; ook nachtarbeid komt voor. De bestaande wetgeving - het 'kinderwetje' van Van Houten (1874) - voldoet absoluut niet, de wet beperkt zich immers tot kinderarbeid in fabrieken en laat kinderarbeid in de huis-

industrie onverlet. Bovendien ontbreekt in Nederland een goed functionerende arbeidsinspectie. Door de schokkende uitkomsten van de enquête bestaat er nu bij zowel regering als parlement behoefte aan een meer omvattende arbeidswet, die vrouwen en kinderen - beide groepen 'kunnen immers niet voor zichzelf zorgen', vindt men - beter beschermt.

# Engeland en Rusland eens

SEOEL, oktober - Op het nippertje is een gewapend treffen tussen Engeland en Rusland op Koreaanse bodem voorkomen. Door het terugtrekken van de Engelse troepen van het twee jaar geleden bezette eiland Komun heeft Rusland er voorlopig van afgezien grotere delen van het Koreaanse schiereiland te bezetten.

Toen Engeland twee jaar geleden het eiland Komun bezette kon een reactie van Rusland niet uitblijven. Immers, degene die dit eiland in handen heeft beheerst ook de Straat van Tsusjima. Deze Straat is de doorvaarroute van de Russische vloot naar de Grote Oceaan

en controle over deze vaarroute is daarom voor Rusland van vitaal strategisch belang.

Daarom kwam er onmiddellijk een reactie van de Russen. Zij zijn met troepen Korea binnengetrokken en dreigden het hele land te bezetten indien Engeland het eiland niet zou ontruimen. Na twee jaar onderhandelen is het nu eindelijk zo ver dat Engeland heeft willen toegeven.

Hiermee is tevens de dreiging van een eventuele Russische bezetting van heel Korea weggenomen. Wel blijven de beide grootmachten geïnteresseerd in uitbreiding van hun invloed in Korea.

# Nieuwe taal Esperanto

WARSCHAU, december - De belangstelling voor de door dr. Ludovic Zamenhof ontwikkelde nieuwe kunsttaal is zo groot dat de brochure *Lingvo Internacia*, die in juli van dit jaar voor het eerst verscheen, deze maand al moest worden herdrukt.

De als oogarts werkzame Zamenhof schreef de brochure, die hij na lang leuren uiteindelijk in eigen beheer uitgaf, onder het pseudoniem 'Dokter Esperanto'.

Verscheidenheid van taal, aldus de achtentwintigjarige arts, 'verwijdert de mensen van elkaar en verdeelt hen in

vijandige partijen'. Het gemakkelijk aan te leren Esperanto - het woord betekent 'degene, die hoopt' - moet hierin verandering brengen.

Zamenhof had de eerste versie van zijn taal al in 1878 gereed. Deze werd echter door zijn vader, die vreesde dat zijn zoon krankzinnig aan het worden was, vernietigd.

Het Esperanto is niet de eerste kunsttaal. In 1879 ontwierp de Beierse pastoor J.M. Schleyer het zogenaamde *Volapük*. Veel leden van de Volapük-beweging stappen nu op het eenvoudiger Esperanto over.

*De Duitse rijkskanselier Otto von Bismarck.*

# Duitse positie stabiel

BERLIJN, 18 juni - De Duitse kanselier Otto von Bismarck heeft in het geheim een verdrag met Nikolai de Giers, de Russische minister van Buitenlandse Zaken, gesloten. In dit verdrag, het zogenaamde 'Rückversicherungsvertrag', garanderen de beide grootmachten in geval van oorlog een wederzijdse welwillende neutraliteit. Een uitzondering wordt gemaakt voor een eventuele aanval van Duitsland op Frankrijk en van Rusland op Oostenrijk-Hongarije. In een aparte clausule zegt Bismarck Rusland steun toe, indien de tsaar zich genoodzaakt ziet de Bosporus en de Dardanellen aan te vallen.

Met dit verdrag lijken de machtsverhoudingen in Europa gestabiliseerd. Bismarck heeft nu de positie van Duitsland via een ingewikkeld net van verdragen en bondgenootschappen gewaarborgd. Na het Congres van Berlijn in 1878, waarbij Bismarck als bemiddelaar fungeerde, kwam het tot een toenadering tussen het Duitse Rijk en Oostenrijk-Hongarije. Beide landen waren bevreesd geworden voor de militaire macht van Rusland, dat Turkije had verslagen. Dit leidde tot de 'Duple Alliantie' van 1879, waarin zij elkaar steun toezegden indien een van

beide door Rusland zou worden aangevallen. Drie jaar later trad Italië tot het bondgenootschap toe: de 'Triple Alliantie'. Italië verzekerde zich zo van steun tegen Frankrijk dat in Noord-Afrika zijn gebied uitbreidde. Voor Bismarck en de positie van Duitsland in Midden-Europa was het van belang dat zijn bondgenoot Oostenrijk niet meer door een oorlog op twee fronten bedreigd werd. Door kleinere verdragen werd de bond verder versterkt.

In zijn machtspolitiek streefde Bismarck ernaar Frankrijk te isoleren. Een goede verstandhouding met Rusland was daarbij van belang. Eerder dit jaar bevorderde hij een verdrag tussen Oostenrijk-Hongarije, Groot-Brittannië en Italië waarmee een status-quo in het Middellandse-Zeegebied bereikt werd. Bismarck hoopt zo tot een Duits-Engelse belangenverstrengeling te komen.

De pogingen van Bismarck om de positie van het Duitse Rijk veilig te stellen lijken succes te hebben. Het nadeel van zijn ingenieuze stelsel van bondgenootschappen is echter dat het moeilijk hanteerbaar is en dat er maar één politicus is die de weg weet in dit subtiele netwerk van belangen en intenties: Otto von Bismarck zelf.

# Frans 'lintjesschandaal'

PARIJS, 2 december - Jules Grévy is afgetreden. De verdenkingen ten aanzien van zijn schoonzoon Daniel Wilson, in wat bekend is geworden als 'het lintjesschandaal', zijn hem fataal geworden. Een paar maanden geleden ontdekte de politie dat generaal Caffarel, adjunct-chef-staf van de landmacht, kruisen van het Legioen van Eer had verkocht voor 25000 frank per stuk. Bij een huiszoeking werden brieven gevonden die zeer

compromitterend waren voor Daniel Wilson, afgevaardigde in de Nationale Vergadering, onderstaatssecretaris van Financiën en tevens voorzitter van de vaste Kamercommissie van Financiën, die een kantoor had op het Elysée. De regering nam ontslag. Grévy vond niemand anders bereid een regering te vormen. Als gevolg daarvan en op aandringen van de Kamer, heeft ook hij heden besloten zijn ontslag aan te bieden.

**11 februari.** Koning Lobengula van Matabeleland accepteert het Brits protectoraat.

**9 maart.** Keizer Wilhelm I van het Duitse Rijk overlijdt; hij wordt opgevolgd door Frederik III. →

**April.** In Roemenië breekt een opstand uit onder de boeren.

**13 mei.** Terwijl Peter II keizer van Brazilië is, ondertekent zijn dochter Isabella als regentes de Lei Aurea, waarmee de slavernij wordt afgeschaft.

**15 juni.** Frederik III overlijdt, Wilhelm II volgt hem op als keizer van Duitsland. →

**23 juni.** Het socialistisch strijdlied 'de Internationale' wordt door Pierre Degeyter op de (al eerder gedichte) tekst van Eugène Pottier gecomponeerd. →

**September.** In Duits Oost-Afrika breekt een opstand onder de Arabische bevolking uit.

**14 oktober.** In Wenen wordt het nieuwe Burgtheater in gebruik genomen.

**29 oktober.** Op de Conventie van Constantinopel wordt het Suezkanaal tot internationaal water verklaard.

**29 oktober.** In Venezuela maakt een staatsgreep een einde aan het bewind van president Antonio Guzmán Blanco. →

**30 oktober.** Koning Lobengula van Matabeleland staat Cecil Rhodes mijnbouwrechten toe.

**6 november.** De Republikein Benjamin Harrison wordt gekozen tot president van de Verenigde Staten. →

**11 december.** De Franse kolonie Gabon wordt verenigd met het Franse deel van de Kongo.

- In Mainz vindt de chemicus Gassner de eerste bruikbare, droge batterij uit, de zink-koolstof-batterij.

- Bij de Nederlandse Kamerverkiezingen ontnemen de confessionele partijen de liberalen hun meerderheid. →

- Het sultanaat Brunei op het eiland Borneo wordt een Brits protectoraat.

- Fridtjof Nansen trekt dwars door Groenland.

- John Boyd Dunlop vindt de eerste pneumatische autoband uit.

- Rimski-Korssakov componeert de symfonische suite *Sheherazade*.

- In Nederlands-Indië breekt de Banten-opstand uit.

- In Amerika komt de National Woman Suffrage Association bijeen. →

- Maurice Barrès publiceert zijn werk *Sous l'œil des barbares*.

- In Londen verschijnt de *Financial Times* voor het eerst.

# 'Internationale' blijkt strijdlied van grote allure

RIJSEL, 23 juni - De Arbeiderszangvereniging van Rijsel heeft de première van het strijdlied 'De Internationale' tot een groot succes gemaakt. Het lied wekt de arbeidersklasse op tot gemeenschappelijke strijd tegen uitbuiting en onderdrukking en heeft een revolutionair karakter. 'Ontwaakt, verworpenen der aarde! -- Ontwaakt, verdoemd' in hongers sfeer!' luiden de eerste regels en met een optimistisch 'en d'Internationale -- zal morgen heersen op aard!' besluit het lied.

Pierre Degeyter, zelf een arbeider en dirigent van het koor, heeft de muziek gecomponeerd; de oorspronkelijk Franse tekst werd al in 1871 geschreven door Eugène Pottier. Het plaatselijk bestuur van de Franse socialistische partij te Rijsel heeft besloten het strijdlied te laten drukken in een eerste oplage van 6000 exemplaren.

Eugène Pottier heeft dit moment niet meer mogen meemaken: hij is in november vorig jaar overleden. Pottier was een arbeider die de socialistische beweging een warm hart toedroeg: in 1864 werd hij lid van de Franse sectie van de Internationale en in 1871 streed hij mee aan de zijde van de 'communards' te Parijs. De tekst van het gedicht 'L'Internationale' schreef hij in België, toen hij op de vlucht was nadat het Franse regeringsleger de opstand van de Parijse Commune had neergeslagen.

*Portret van Emma Goldman, een nu 29-jarige vrouw die vier jaar geleden uit Rusland naar de Verenigde Staten emigreerde. Sindsdien is zij een vooraanstaande rol gaan spelen in de voornamelijk uit Europese immigranten bestaande anarchistische beweging in Amerika.*

# Frederik maar drie maanden keizer

*Wilhelm II opent de Rijksdag in de Witte Zaal van het Koninklijk Paleis in Berlijn (door Anton von Wemer).*

BERLIJN, 15 juni - De ceremonie gaf inmiddels een vertrouwde aanblik. De kroning van een keizer. Met de installatie vandaag van de 29-jarige Wilhelm II kent Duitsland dit jaar zijn derde keizer. De grootvader van de nieuwe keizer, Wilhelm I, overleed dit jaar op 9 maart op 91-jarige leeftijd. Zijn 57-jarige zoon Frederik III werd zijn opvolger, maar hij heeft slechts drie maanden de kroon kunnen dragen. Gisteren bezweek de vorst aan keelkanker; vandaag klonk wederom: 'De keizer is dood - Leve de keizer'.

Wilhelm I, de zoon van de Pruisische koning Frederik Willem III, verdiende aan het begin van deze eeuw zijn sporen als militair tijdens de bevrijdingsoorlogen tegen Frankrijk. In 1848 wees hij de roep om grotere politieke participatie en democratie af. Als prins-regent wendde hij zich in de jaren vijftig echter meer tot het liberalisme. Met het aantreden van Bismarck als zijn minister-president kwam in die toenadering verandering. Keizer Wilhelm I wordt met name verbonden met de vorming van de Duitse eenheid. Na de gewonnen strijd tegen Frankrijk werd het IIde Duitse keizerrijk geproclameerd, met hem als eerste keizer.

De inhuldiging vond in een gespannen sfeer plaats. Wilhelm had onder meer bezwaren tegen de titel die hij in het vervolg zou moeten voeren. Hij werd echter genoodzaakt de rol te spelen die Bismarck voor hem in gedachten had: keizer van een rijk dat naar de ideeën van Bismarck gevormd was.

Na de Pruisisch-Oostenrijkse oorlog was Pruisen de leidende mógendheid in Duitsland geworden. De rol van de Habsburgers was geminimaliseerd en het nieuwe Duitse Rijk bestond in feite uit een vorstenbond onder leiding van

*Onder grote belangstelling vindt in Berlijn de uitvaart van Wilhelm I plaats.*

een Pruisische machtselite.

Al eerder was gebleken dat Wilhelm II niet tegen de machtige Bismarck opgewassen was. Zo verzette Wilhelm zich tegen de oorlogen met Denemarken (1864), Oostenrijk (1866) en tegen de oorlog met Frankrijk (1870). Ook in de binnenlandse politiek was Bismarcks wil wet. Hij bereikte zijn doel door op geslepen wijze de politieke partijen tegen elkaar uit te spelen. Toch steunde Wilhelm op het politieke vernuft van zijn machiavellistische rijkskanselier. Toen Bismarck eens bij een conflict zijn ontslag bij de koning aanbood, riep Wilhelm uit: 'Nooit!'

Algemeen werd verwacht dat met het aantreden van zijn zoon Frederik III een belangrijke koerswijziging in de binnenlandse politiek zou plaatsvinden. Velen hoopten, dan wel vreesden een liberaal georiënteerde politiek. Drie maanden bleken daarvoor uiteraard te kort, zeker met Bismarck nog vast in het zadel.

Veel clementie bleek de rijkskanselier voor de stervende keizer niet te hebben. Hij dwarsboomde de huwelijkswensen die het keizerlijke echtpaar voor zijn dochter Victoria had. De keuze van prins Alexander von Battenberg zou volgens Bismarck de betrekkingen met Rusland vertroebelen en zou van Duitsland een vazalstaat van Engeland maken. De Britse koningin Victoria was daarom ook zeer ingenomen met de huwelijksplannen.

De laatste dagen van Frederik werden ook overschaduwd door een proces dat Bismarck aanspande tegen de uitgever van de dagboeken van de keizer. Bismarck achtte de inhoud ervan weinig waarheidsgetrouw.

Van de jonge keizer Wilhelm II wordt een voortzetting van de antiliberale en sterk nationalistische koers verwacht. Of Bismarck een makkelijke aan hem zal hebben valt nog te bezien. Men schrijft de nieuwe vorst grote eigenzinnigheid toe.

*Van boven naar beneden: Wilhelm I (1881), Frederik III en Wilhelm II.*

# Liberalen uit regering

*H.J.A.M. Schaepman. Rechts een politieke spotprent op het monsterverbond.*

AMSTERDAM - De 'coalitie' van de antirevolutionair Kuyper en de katholiek Schaepman heeft gewerkt; voor het eerst sinds de grondwet van 1848 zijn de liberalen in de Kamer in de minderheid. De verkiezingen hebben een grote overwinning opgeleverd voor de confessionelen: de antirevolutionairen krijgen 28 en de katholieken 26 van de 100 zetels. Ter linkerzijde komt Domela Nieuwenhuis in de Kamer.

De confessionelen danken hun overwinning vooral aan de uitbreiding van het aantal kiezers van ongeveer 100 000 naar bijna 300 000. Het confessionele en antiliberale 'volk achter de kiezers' heeft eindelijk zijn afkeer van het liberale beleid kunnen uitspreken.

De 'schoolstrijd' zorgde voor een uiterst felle verkiezingscampagne. Strijdpunt was vooral de subsidiëring van het bijzonder onderwijs. In 1878 weigerde de liberaal Kappeyne van de Coppello - gesteund door een comfortabele meerderheid in beide Kamers - op principiële gronden ook maar één cent van het overheidsgeld te geven aan de 'vrije school'. De Wet op het Lager Onderwijs van Kappeyne stelde hogere eisen aan de opleiding van onderwijzers en voorzag in een betere salariëring. De concurrentiepositie van het bijzonder onderwijs werd door de wet nog meer verzwakt. Kuyper schreef toen in 'zijn' blad *De Standaard* over de wet-Kappeyne: 'Nooit ofte nimmer is de vrije school zó ruw en zó hardhandig aangepakt en op zó barbaarse wijze van de stoep afgedrongen als in dit koele, onbarmhartige, diepkrenkende staatsstuk.'

Kuyper liet het er niet bij zitten en organiseerde zijn achterban. Maar liefst 219 000 protestanten zetten hun handtekening onder een adres aan Willem III om de wet niet te bekrachtigen; er tekenden 116 000 katholieken. Deze 'scherpe resolutie' bracht de koning in een lastig parket: de Kamer had de wet met meerderheid van stemmen aangenomen, hij moest dus wel tekenen, maar dat kostte hem wel zijn populariteit bij de protestanten en katholieken. De opheffing van het gezantschap bij het Vaticaan had al eerder, in 1871, tot een breuk tussen de katholieken en de liberalen geleid.

Door hun stugge houding tegenover de verlangens van een meerderheid van de katholieken en protestanten hebben de liberalen uiteindelijk hun eigen graf gegraven. Voor het eerst sinds 1848 krijgt Nederland een regering zonder liberalen.

*In de Verenigde Staten ijvert de National Woman Suffrage Association voor het vrouwenkiesrecht. Voorzitter is Elizabeth Stanton (eerste rij, derde van rechts).*

# New York nekt Cleveland

WASHINGTON, 6 november - 'Ik kan me geen verkiezingsstrijd herinneren die van beide kanten met zoveel stijl en waardigheid is gevoerd als die tussen Cleveland en Harrison,' aldus politiek journalist A. K. McLure. Misschien dat de Democraten inmiddels hebben geconcludeerd dat wat minder stijl en waardigheid in de campagne verkieslijker zouden zijn geweest, want hun kandidaat, president Grover Cleveland, is er niet in geslaagd zich een tweede termijn in het Witte Huis te verzekeren. Hoewel Cleveland meer stemmen op zijn naam heeft verzameld dan de republikein Benjamin Harrison, kleinzoon van voormalig president William Harrison, heeft hij, doordat zijn eigen staat New York voor hem verloren gegaan is, geen meerderheid

*Benjamin Harrison.*

in het kiescollege kunnen veroveren.

Het is Tammany Hall, het democratische partijapparaat in New York City en al sinds jaren een verbitterde tegenstander van de hervormingsgezinde Cleveland, dat de democratische president de das omgedaan heeft. Door de campagne stelselmatig te ondermijnen zijn Newyorks 36 kiesstemmen naar Harrison gegaan; als Cleveland in New York had gewonnen, zou zijn herverkiezing zeker zijn geweest.

Het was in zijn dagen als gouverneur van New York (1883-1885) dat Cleveland zich de vijandschap van Tammany Hall en Tammany-baas John Kelly op de hals haalde: hij wees verzoeken om patronagebaantjes van de hand, omdat in zijn ogen de kwaliteiten van de kandidaat en niet zijn verdiensten voor de partij doorslaggevend moeten zijn; hij sprak zijn veto uit over talloze particuliere wetsvoorstellen en andere pogingen van zijn partijgenoten zich ten koste van de staatskas te verrijken; en hij gaf zijn royale steun aan het wetsvoorstel voor de hervorming van de ambtelijke diensten dat was ingediend door het jonge, vrijpostige parlementslid Theodore Roosevelt. Grover Cleveland is na Martin Van Buren de eerste president die door het electoraat een herverkiezing ontzegd wordt.

*Steeds meer mensen houden zich bezig met de ballonvaart. Honderdvijf jaar geleden stegen de gebroeders Montgolfier met een heteluchtballon op. Nu raakt de waterstofballon meer in zwang. Afgebeeld is een ballon die door Georg Rodeck werd gebouwd. De ballonvaarder zit op een fietszadel.*

# Coup in Venezuela tegen dictator

*Venezolaanse melkverkoper (1902).*

CARACAS, 29 oktober - Tijdens zijn afwezigheid heeft in Venezuela het leger een eind aan het tirannieke bewind van Antonio Guzmán Blanco gemaakt. Als geen ander heeft hij de afgelopen decennia de gang van zaken in Venezuela gedicteerd.

In 1868 maakte een revolutie een eind aan de regering van president Juan Falcón. Hij had de regering overgelaten aan incompetente ondergeschikten en toen José Tadeo Monagas het verzet tegen de president wist te bundelen, bleek de regering-Falcón zeer kwetsbaar. Na zijn val woedde er in Venezuela twee jaar lang een burgeroorlog. Uit de chaos kwam de liberale generaal Antonio Guzmán Blanco als leider naar voren. Tijdens de regering van Falcón was als ambtenaar werkzaam geweest. Binnen korte tijd slaagde Blanco erin de macht vast in handen te krijgen.

Zijn plannen waren een mengeling van progressieve en reactionaire ideeën. Zo gaf hij de aanzet tot de invoering van gratis onderwijs voor het hele volk. Hij voerde landbouwhervormingen door, bevorderde de internationale handel en nam ook maatregelen om de infrastructuur te verbeteren. Tegenover dit streven om Venezuela op te stoten in de vaart der volkeren staat het feit dat hij de rechten van de bevolking sterk beknotte. Zoals de meeste dictators in Latijns Amerika offerde hij zonder veel bezwaar de vrijheid aan de verwezenlijking van zijn plannen op. Weliswaar vóór het volk, maar zeker niet dóór het volk. De pers werd gebreideld en ook de macht van de Kerk werd aan banden gelegd; dit laatste gebeurde overigens meer uit persoonlijke afkeer dan uit ideologische overwegingen.

Guzmán Blanco verbleef graag in Europa. Hier legde hij contacten met investeerders en probeerde op andere manieren de economie van zijn land te bevorderen. In 1877 dreigde zijn afwezigheid hem al eens fataal te worden, maar twee jaar later had hij de opstand neergeslagen. De weerstand tegen zijn arrogante manier van regeren bleef echter groeien.

**2 januari.** Sir Hugh Low treedt af als resident van de Westmaleise staat Perak. →

**30 januari.** In Mayerling pleegt aartshertog Rudolf, zoon van keizer Frans Jozef van Oostenrijk, zelfmoord. →

**Januari.** In de straten van Turijn omhelst Friedrich Nietzsche een karrepaard.

**4 februari.** De Compagnie de Panama gaat failliet. →

**11 februari.** In Japan wordt een op Pruisische leest geschoeide grondwet ingevoerd.

**4 maart.** Benjamin Harrison wordt als 23ste president van de Verenigde Staten geïnstalleerd.

**22 maart.** De Britse eerste minister Salisbury wijst een Duits voorstel voor een defensief verbond tegen Frankrijk af.

**1 april.** De Franse generaal Georges Boulanger vlucht naar België. →

**2 mei.** De toekomstige keizer Menelik II van Abessinië (Ethiopië) sluit een verdrag met Italië. →

**6 mei.** In Parijs wordt de wereldtentoonstelling geopend, met als grootste attractie de Eiffeltoren. →

**14 juni.** Op de Samoa Conferentie in Berlijn komen de Verenigde Staten, het Duitse Rijk en Groot-Brittannië een vorm van gemeenschappelijk bestuur over de Samoa Eilanden overeen.

**14 juli.** In Parijs stichten socialistische partijen uit 20 landen, naar aanleiding van de 100ste verjaardag van de Franse Revolutie, de tweede Internationale. →

**1 oktober.** De Rotterdamse havenstaking eindigt in een overwinning voor de stakers. →

**2 oktober.** Op initiatief van de Verenigde Staten vindt in Washington het eerste Panamerikaanse Congres plaats. →

**5 oktober.** In Amsterdam wordt door Wilhelmina Drucker de Vrije Vrouwen Vereniging opgericht.

**29 oktober.** Door een koninklijk charter verkrijgt de Britse politicus Cecil Rhodes de rechten op de gebieden noordelijk en westelijk van Transvaal.

**Oktober.** De Koreaanse regering stelt een verbod op de uitvoer van rijst in. →

**15 november.** Keizer Peter II van Brazilië treedt af, waarna dit land een republiek wordt.

**8 december.** Pim Mulier richt de Nederlandse Voetbal- en Atletiekbond op. →

**-** Op de Filippijnen wordt 'la Solidaridad' opgericht.

# Resident verlaat Perak

*Sir Hugh Low, de scheidende resident in vol ornaat.*

*Een reisgezelschap steekt per olifant de rivier de Perak over.*

PERAK, 2 januari - Hugh Low, de resident van Perak, heeft besloten een punt achter zijn succesvolle loopbaan te zetten en terug te keren naar Engeland. In 1875 werd hij benoemd tot opvolger van Birch, de eerste resident in dit Westmaleise sultanaat, die zich

*Na tien jaar heeft de nu 49-jarige Franse beeldhouwer Auguste Rodin zijn beeld 'De denker' voltooid. De in brons uitgevoerde sculptuur getuigt van een nieuw impressionistisch mensbeeld.*

door ontactisch gedrag de vijandschap van de toenmalige sultan op de hals haalde en vermoord werd. De vloeiend Maleis sprekende Low wist door zijn beheerste optreden goede relaties tot stand te brengen met de sultan en hoofden van Perak. Zijn invulling van de 'indirect rule' wordt beschouwd als hét voorbeeld voor alle residenten.

Low begon met het herstel van het door burgeroorlogen totaal ontwrichte bestuur en bracht de belangrijke tingebieden in Larut onder zijn eigen gezag, waardoor de opbrengsten de gehele staat ten goede kwamen. Hij ontnam de districtshoofden het recht belasting te innen, er kwam een centrale schatkist en binnen zes jaar was de staatsschuld van 800 000 Straits-dollars geliquideerd.

Lows introductie van een op westerse leest geschoold bestuursapparaat veranderde de inheemse samenleving ingrijpend, met name de relatie tussen het volk en de sultan en raja's. Dezen zijn na hun inschakeling in het administratief apparaat een elite gaan vormen. De tijden dat een sultan over de markt wandelde en daar een hanengevecht bijwoonde of persoonlijk toezicht hield op de rijstplant, zijn definitief voorbij.

# Zelfmoord kroonprins Rudolf en vriendin

HEILIGENKREUZ, 30 januari - Op het jachtslot Mayerling bij Heiligenkreuz in Neder-Oostenrijk heeft de 30-jarige kroonprins Rudolf van Habsburg-Lotharingen zelfmoord gepleegd. Samen met hem stierf zijn geliefde, de 18-jarige barones Maria Vetsera, die waarschijnlijk door hem met een pistoolschot om het leven is gebracht.

Voor de zelfmoord van de Oostenrijkse troonopvolger zijn uiteenlopende verklaringen gegeven. De officiële lezing luidt dat Rudolf in een vlaag van verstandsverbijstering heeft gehandeld. Hoewel Rudolf een zwakke ge-

*Links Rudolf met Stephanie, rechts Wilhelm II met Auguste Viktoria.*

*Vlnr: barones Maria Vetsera, kroonprins Rudolf van Habsburg en de nieuwe troonpretendent Frans Ferdinand.*

zondheid had en aan zware depressies leed (volgens sommige bronnen veroorzaakt door een geslachtsziekte), is deze verklaring niet betrouwbaar, omdat zij werd opgesteld met het doel van de paus toestemming voor een christelijke begrafenis te verkrijgen. Volgens een andere versie hebben persoonlijke en politieke meningsverschillen met zijn vader, keizer Frans Jozef, Rudolf tot zijn wanhoopsdaad gebracht.

De kroonprins heeft er zeker onder geleden dat hij door zijn vader zeer koel bejegend werd. Een diplomatieke waarnemer schreef in 1883: 'De persoonlijke betrekkingen tussen de mo-

narch en zijn zoon ontberen elke hartelijkheid ... Zijne majesteit keizer Frans Jozef behandelt de kroonprins met strengheid, om hem steeds de grenzen voor ogen te houden die hij in woord en oordeel neigt te overschrijden.' De keizer vertrouwde hem geen enkele regeringsverantwoordelijkheid toe. Rudolf was bijzonder jaloers op zijn leeftijdgenoot Wilhelm II, die al keizer van Duitsland en vader van vier zonen was. Bovendien vormden Rudolfs politieke denkbeelden - hij sympathiseerde met het liberalisme en het Hongaarse nationalisme - een bron van conflict aan het hof. De meest gangbare verkla-

ring is dat de tragedie van Mayerling werd veroorzaakt door het ongelukkige liefdesleven van Rudolf. Zijn in 1881 gesloten huwelijk met de Belgische prinses Stephanie, die hem in 1883 een dochter schonk, was uitgesproken slecht. In januari deden geruchten de ronde dat Rudolf een verzoek tot echtscheiding aan de paus had gericht. Ook werd gefluisterd dat Maria Vetsera een kind van de kroonprins verwachtte. Rudolf zelf heeft geen uitleg van zijn beweegredenen nagelaten. In de afscheidsbrief aan Stephanie schreef hij: 'Ich gehe ruhig in den Tod, der allein meinen guten Namen retten kann.'

## Schandaal rond Panamakanaal

PARIJS, 4 februari - De Compagnie de Panama is failliet verklaard en zorgt daarmee voor het zoveelste schandaal in Frankrijk de laatste jaren.

Tien jaar geleden zette vicomte Ferdinand de Lesseps, de oud-diplomaat die het Suezkanaal liet aanleggen, een nieuw project op. Hij wilde de Atlantische en de Grote Oceaan met elkaar verbinden, daar waar het Amerikaanse continent het smalst is, in Panama. De Lesseps schatte de kosten voor het Panamakanaal op 1,2 miljard frank, maar gaf slechts de helft daarvan op. De Franse overheid voelde er namelijk

*Ferdinand de Lesseps.*

niet voor, De Lesseps moest daarom een beroep doen op de kleine investeerders en dezen wenste hij niet af te schrikken door gigantische bedragen te noemen.

Het lukte de ingenieur genoeg geld in te zamelen - zelfs meer dan het oorspronkelijk geraamde bedrag. De Lesseps gaf alles uit. Maar de werkzaamheden rond het Panamakanaal schoten niet hard op. De steun van verscheidene bankiers, die naar verluidt met geld strooiden om de pers naar hun hand te zetten - met name *La Justice* van Georges Clemenceau zou lovende artikelen over het kanaal hebben gepubliceerd uit dankbaarheid voor vele steekpenningen -, bleek niet voldoende om het Panamakanaal te voltooien.

Een staatslening was, naar het heette, noodzakelijk. Opnieuw tastten de financiers in de beurs, dit keer om de Kamerleden gunstig te stemmen.

Dat alles heeft de Compagnie de Panama echter niet mogen redden en 85000 kleine aandeelhouders zijn nu geruïneerd. De antisemitische propaganda, die toch al steeds feller wordt, grijpt de handelwijze van de bankiers met beide handen aan.

*Een van de technische nieuwigheden uit het Westen die in Japan opgang maken, is de fotografie. Daarbij leggen de Japanners een voorliefde aan den dag voor met de hand ingekleurde foto's. Hierboven een voorbeeld van de combinatie van zwart-witfotografie met kunstige penseelvoering van de hand van een anonieme fotograaf annex schilder.*

# Boulanger kiest hazepad

*Boulanger (midden) vlak voor zijn vertrek naar Clermont-Ferrand in 1877.*

PARIJS, 1 april - Generaal Georges Boulanger is naar België gevlucht. Hij werd beschuldigd van een komplot tegen de staat. Zijn partij, de Liga van Patriotten, is door de minister van Binnenlandse Zaken ontbonden.

Aanvankelijk was Boulanger vooral populair in uiterst linkse kringen. Die sympathie had hij in hoofdzaak te danken aan het feit dat hij bekende monarchisten uit het leger had gestoten, in het bijzonder de hertog van Aumale, de zoon van Louis-Philippe, die Boulanger indertijd zelf tot de rang van generaal had verheven.

Boulanger moderniseerde het leger, voerde een nieuw type geweer, alsmede de fiets voor koeriersdiensten in. Hij kreeg echter al snel de bijnaam generaal Revanche, leek aan te sturen op een nieuwe oorlog met Duitsland en mobiliseerde zelfs troepen na een onnozel grensincident. De republikeinen waren hem liever kwijt dan rijk.

In mei 1887 vormde Rouvier een nieuw kabinet zonder Boulanger. Deze werd naar Clermont-Ferrand gestuurd om het bevel over het 13de legerkorps te voeren. Het woord 'deportatie' viel. Op 8 juli probeerde een menigte Parijzenaars op het Gare de Lyon zijn vertrek te verhinderen. Ze gingen zelfs op de spoorbaan liggen. Boulanger bleek zeer veel aanhangers te hebben. Allen die om welke reden dan ook ontevreden waren over de regering en het parlement, sloten zich bij hem aan, van ui-

terst rechts tot uiterst links.

In december 1887 moest president Grévy aftreden; zijn schoonzoon bleek met lintjes te hebben gestrooid. Dat schandaal dreef, samen met de economische crisis, nog meer mensen in de armen van Boulanger. Ze wilden een sterke regering, die een revanche op de Duitsers zou voorbereiden.

In maart vorig jaar werd Boulanger met pensioen gestuurd. Zo kon hij zich verkiesbaar stellen. De generaal kwam met een zeer vaag programma: ontbinding (van de Kamer), vorming van een grondwetgevende Vergadering en herziening van de grondwet.

Zijn 'programma' werd verspreid door *La Cocarde*, en gefinancierd door monarchisten. Op 27 januari werd Boulanger in verscheidene departementen gekozen, en kreeg ook in Parijs een ruime meerderheid. 'Naar het Elysée!' riep de menigte. Ook de politie en een deel van het leger waren op zijn hand, maar Boulanger durfde het toch niet aan.

De regering schreef nieuwe verkiezingen uit, herstelde het kiesdistrictenstelsel, maakte het onmogelijk zich kandidaat te stellen in meer dan één kiesdistrict en stelde Boulanger in staat van beschuldiging. De politie heeft de generaal echter laten ontsnappen. Men hoopt dat de festiviteiten rond de honderdste verjaardag van de Franse Revolutie het boulangisme snel zullen doen vergeten.

*Franse mijnwerkers aan het zwoegen (1880).*

# Tweede Internationale

PARIJS, 14 juli - Naar aanleiding van de honderdjarige herdenking van de Franse Revolutie is in Parijs het Internationaal Arbeiders Congres bijeen geweest. 380 afgevaardigden van socialistische arbeidersorganisaties en vakbonden uit Europa, Amerika en Argentinië hebben op dit congres besloten in de toekomst regelmatig bij elkaar te komen en op een aantal actiepunten dezelfde gedragslijn aan te houden.

De socialisten hebben een aantal eisen opgesteld, die zij ook op nationaal niveau zullen aankaarten. Dit programma is globaal als volgt samen te vatten. Ten eerste: afschaffing van het staande leger en instelling van een volksmilitie. Ten tweede vindt de vereniging dat beslissingen over oorlog en vrede door het volk genomen moeten worden als regeerders bij conflicten arbitrage door internationale organen afwijzen. Ten derde streven de socialisten naar vorming van sociale wetten, onder andere ter beperking van kinderarbeid. Ook eisen de arbeiders wettelijke vastlegging van de achturendag. Om deze laatste eis kracht bij te zetten zal voortaan in alle landen op 1 mei de dag van de arbeid gevierd worden. Dit houdt in dat socialistische arbeiders op die dag niet werken, maar betogen voor de achturendag.

De grote voorman van de Eerste Internationale, Karl Marx, heeft de oprichting van deze vereniging, die eisen heeft geformuleerd die geheel in de geest van zijn werk zijn, niet meer mogen meemaken. Hij overleed op 14 maart 1883. De Eerste Internationale, die 25 jaar geleden tot stand kwam, heeft een kwijnend bestaan geleid en ging in 1876 ter ziele. Hiervoor zijn twee oorzaken

aan te wijzen. Ten eerste was de leidin[g] van de Eerste Internationale zo ver[deeld] over de te voeren politiek dat [er] snel conflicten uitbraken en een scheu[ring] ontstond. In 1872 werd tijdens ee[n] congres te 's-Gravenhage de anarchis[t] Bakoenin met zijn volgelingen uit d[e] Internationale gestoten. Ten tweed[e] werd de Eerste Internationale geasso[ci]cieerd met het geweld van de Commu[ne] ne van Parijs. Marx steunde hun strij[d] en zag deze als een belangrijke fase i[n] de internationale klassenstrijd. O[p] deze manier vervreemdde hij vele po[t]entiële medestanders.

In Engeland heeft Marx nooit veel aan[hangers gehad. De in 1881 door H.M. Hyndman opgerichte sociaal-demo[cratische federatie heeft niet meer da[n] een handjevol leden gehad. De Engels[e] arbeiders hebben zich verenigd i[n] krachtige vakbonden, die over het a[l]gemeen redelijk succesvol zijn. De po[litieke partij die wel een grote arbeiders[aanhang heeft, is de Fabian Society[,] een gematigde partij die voornamelij[k] door middel van redelijk overleg naa[r] geleidelijke hervormingen streeft.

De manier waarop het Internationa[al] Arbeiders Congres te werk gaat, ve[r]schilt sterk van de werkwijze van de I[n]ternationale Arbeiders Associatie (d[e] 'Eerste Internationale'). De IAA wa[s] een strak gecentraliseerde organisati[e] met een leidinggevend orgaan en regle[menten, die zich een gecoördineerd op[treden van het proletariaat in interna[tionaal verband ten doel stelde. He[t] Internationaal Arbeiders Congre[s] daarentegen heeft geen permanent[e] organisatievorm gekozen; de toekom[stige bijeenkomsten zullen slechts die[nen om op een aantal punten tot een ee[n]lijkluidend standpunt te komen.

# Eiffeltoren grote attractie van Parijs

PARIJS, 6 mei - 'Dit is de enige vlag met een stok van driehonderd meter!' riep Gustave Eiffel uit, toen hij de 1710 treden had beklommen naar de top van de door hem ontworpen ijzeren toren en daar de Franse driekleur plantte. Vandaag is de Wereldtentoonstelling, waarvan Eiffels toren het pronkstuk vormt, officieel geopend. Met deze grote manifestatie wordt tevens herdacht dat honderd jaar geleden de inname van de Bastille het startsein voor de Franse Revolutie vormde.

Zodra Eiffel hoorde dat zijn project - er waren zevenhonderd inzendingen geweest - bekroond was, toog hij aan het werk. Twee jaar zijn nodig geweest om het reusachtige bouwwerk te voltooien. De kosten komen op een krappe acht miljoen francs. Het totale gewicht van de toren bedraagt meer dan 8000 ton.

De toren heeft ervoor gezorgd dat het Franse volk, dat het boulangisme snel vergeten was, opnieuw verdeeld is. Men is of laaiend enthousiast, of fel tegen.

Buurtbewoners vreesden onder het gevaarte bedolven te worden. Een groep kunstenaars noemt het bouwwerk een 'gruwel'.

Op de eerste dag van zijn officiële bestaan heeft de 'gruwel' zich al mogen

*De 300 meter hoge Eiffeltoren beheerst voortaan het gezicht van Parijs.*

verheugen in een groot aantal bezoekers. Het dagblad *Le Figaro* heeft op de eerste verdieping van de toren een drukkerij gevestigd en zal tijdens de gehele duur van de Wereldtentoonstelling, tot in december, elke dag een speciaal 'Eiffeltoren-nummer' uitbrengen.

# Rotterdamse stakers weer aan de slag

ROTTERDAM, 1 oktober - De bootstaking in de Rotterdamse haven is geëindigd in een volkomen overwinning van de stakers. Dadelijk is het lossen begonnen van de ruim honderd stoom- en zeilschepen, waarvan enkele een volle week voor anker hadden gelegen.

De staking brak een week geleden uit, tot verbazing en ongeloof van een ieder die bekend is met de Rotterdamse havens: de Rotterdamse arbeiders staan bekend als gedwee en onderdanig. Het succes van de staking in de Londense haven wordt gezien als een van de redenen dat de Rotterdammers nu toch een actie voor meer loon durfden te beginnen.

De Rotterdamse staking vertoonde al die aspecten die in Amsterdam, in de textielgebieden van Twenthe en in Groningen en Friesland al langer bekend zijn: de door politie met de blanke sabel beschermde 'onderkruipers'; de overmacht aan huzaren en marechaussee op strategische punten. In Rotterdam hebben de autoriteiten zelfs een kanonneerboot ontboden en het terrein van de Harwichboot werd door de schutterij afgezet.

De staking van de Rotterdamse bootwerkers is des te opmerkelijker, omdat voor het eerst socialisten de leiding hadden. Het gematigde en fel antisocialistische Algemeen Nederlands Werklieden Verbond (ANWV) heeft nog tevergeefs geprobeerd greep op de havenarbeiders te krijgen. De achterban van het ANWV bestaat uit meer of minder geschoolde werklieden, het Rotterdamse proletariaat blijkt zich in dit milieu niet thuis te voelen. De afgang van het ANWV in Rotterdam is typerend voor de steeds zwakker wordende positie van het verbond.

Een niet onbelangrijk gevolg van de staking kan zijn dat ook landelijk meer aandacht komt voor de erbarmelijke toestand van de Rotterdamse arbeidersbevolking. Door de nog steeds groeiende immigratie van plattelanders is de stad overbevolkt. De patroons kunnen met de nauwelijks georganiseerde, slecht gevoede en ongeschoolde bevolking alle kanten op. Werktijden van 24, ja zelfs 36 uur zijn geen uitzondering. Meer dan twee derde van de bevolking kan tot de armen gerekend worden. Nu de problemen met de bevaarbaarheid van de Nieuwe Waterweg tot het verleden behoren en de groei van de bedrijvigheid geen grenzen meer lijkt te kennen, wordt het tijd dat de havenbaronnen zich meer om het personeel gaan bekommeren.

*'Vervloekte fabriek' (socialistische ansichtkaart, 1900).*

## Japan kritiseert Koreaans verbod op rijstexport

SEOEL, oktober - De nieuwe, door de Koreaanse regering uitgevaardigde wet op het verbod van de export van rijst naar het buitenland heeft felle protesten van de kant van Japan uitgelokt. Sinds meer dan tien jaar neemt de export van rijst en sojabonen uit Korea naar Japan toe, ondanks chronische voedseltekorten in Korea. Japanse boeren zijn, om in hun levensonderhoud te kunnen voorzien, afhankelijk van de rijstexporteurs geworden. Dezen verstrekken leningen aan boeren voordat zij hun oogst binnenhalen. Een deel van de oogst wordt daarna tegen zeer lage prijzen door hen opgekocht. Op die manier lossen de boeren hun schulden af. Naarmate de schuldenlast echter grotere vormen gaat aannemen, is het voor de boeren moeilijker om rond te komen en bemachtigen de meestal Japanse handelaren grotere voorraden voor lagere prijzen. De Koreaanse regering is gedwongen enkele havens open te stellen voor de export van voedsel naar Japan en de import van allerlei consumptiegoederen uit dat land. Dit voorjaar heeft de regering uiteindelijk besloten een einde aan deze praktijken van de handelshuizen te maken, omdat de voedselsituatie in Korea te penibel is geworden.

Zowel de Japanse regering als de handelaren hebben nu gedreigd actie te zullen ondernemen tegen deze wettelijke maatregelen, indien deze niet snel worden ingetrokken.

## Mulier voorzitter van voetbalbond

AMSTERDAM, 8 december - Op initiatief van Pim Mulier, de man die vele nieuwe sporten in Nederland heeft geïntroduceerd, is de Nederlandse Voetbal- en Athletiekbond opgericht. Mulier is tevens tot voorzitter van de nieuwe organisatie benoemd. Hiermee beschikt het voetbal ook in Nederland over een overkoepelende organisatie waarbij de plaatselijke clubs zich kunnen aansluiten.

Het voetbal, dat uit Engeland afkomstig is, werd rond 1865 in Twenthe door een paar Engelsen geïntroduceerd. De eerste wedstrijden werden gespeeld op hobbelige, slechte velden, waar niet zelden een boom of ander obstakel de spelers in de weg stond. De eerste voetbalclub in Nederland dateert uit 1875. In Deventer richtte een aantal jongelui dat jaar Utile Dulci, een cricket- annex voetbalclub op. Vier jaar later, op 15 september 1879, startte de toen 14-jarige Pim Mulier met een aantal vrienden de Haarlemse Football Club, HFC. Mulier had op vakantie in Engeland met deze sport kennis gemaakt.

## Italië wil vaste voet in Ethiopië verwerven

UCCIALLI, 2 mei - De toekomstige keizer van Ethiopië, Menelik, en vertegenwoordigers van de Italiaanse regering hebben een vriendschapsverdrag getekend. In dit verdrag zijn de grenzen van de Italiaanse bezittingen aan de Rode Zee vastgelegd.

Sinds de opening van het Suezkanaal in 1869 is de betekenis van Ethiopië door zijn strategische ligging toegenomen. Groot-Brittannië en Frankrijk hebben de afgelopen jaren in de regio Somaliland in bezit genomen. Italië wilde niet bij hen achterblijven en bezette in februari 1885 Massawa. Nu is Italiës streven erop gericht vaste voet in Ethiopië te verwerven.

Menelik hoopt van zijn kant op westerse steun voor zijn plan om van Ethiopië een modern land te maken. Het is de vraag of hij op deze manier succesvol zal zijn. Naar verluidt zijn de Italianen van plan Ethiopië als een protectoraat te behandelen. Menelik zal zich zeker niet neerleggen bij deze doorzichtige poging om de hegemonie over zijn land te verwerven.

## Conferentie van staten westelijk halfrond

WASHINGTON, 2 oktober - Op initiatief van James Gillespie Blaine, de Amerikaanse minister van Buitenlandse Zaken, vindt de eerste Panamerikaanse Conferentie plaats. Alle landen van het westelijk halfrond zijn vertegenwoordigd; alleen de Dominicaanse Republiek heeft geen vertegenwoordiger gezonden. Het voornaamste punt van bespreking is het voorkomen van oorlog.

Al in 1881 ondernam de Amerikaanse regering een poging om een conferentie te beleggen waarop alle landen van het westelijk halfrond vertegenwoordigd zijn. Blaine was toen al minister van Buitenlandse Zaken en hij nodigde de betrokken landen uit voor overleg dat in november 1882 zou moeten plaatshebben. Na veranderingen in de Amerikaanse regering werden de uitnodigingen echter ingetrokken; men meende dat de tijd er nog niet geschikt voor was. In Zuid-Amerika woedde namelijk een oorlog waarbij Chili, Bolivia en Peru betrokken waren. Vorig jaar werden de plannen weer opgevat. Ditmaal was het minister van Buitenlandse Zaken Thomas F. Bayard die de uitnodigingen verzond. Het toeval wilde dat toen de conferentie geopend werd James Blaine weer minister was geworden. De stemming tijdens de conferentie is niet optimaal; bij de afgevaardigden overheerst het wantrouwen.

# 1890

**25 januari.** De Duitse Rijksdag verwerpt een voorstel tot verlenging van de anti-socialistenwet. →

**18 februari.** De oud-ministerpresident van Hongarije, graaf Andrássy, overlijdt. →

**18 maart.** Het door Otto von Bismarck ingediende verzoek tot ontslag wordt door de Duitse keizer ingewilligd. →

**1 mei.** Voor de eerste maal wordt de door de tweede Internationale ingestelde 'dag van de arbeid' gevierd. →

**12 mei.** Na twee maanden staking gaan de textielarbeiders in Enschede weer aan het werk. →

**1 juli.** Bij de eerste Japanse parlementsverkiezingen behalen de liberalen een overtuigende zege. →

**2 juli.** In de Verenigde Staten wordt de Anti-trustwet aangenomen. →

**29 juli.** De Nederlandse schilder Vincent van Gogh pleegt zelfmoord. →

**Augustus.** Het aftreden van Bismarck en een Duitse weigering het niet-aanvalsverdrag met Rusland te verlengen, werken een toenadering tussen Rusland en Frankrijk in de hand.

**23 november.** Koning Willem III van Nederland overlijdt en wordt opgevolgd door zijn dochter Wilhelmina. Koningin Emma wordt zolang regentes. →

**29 december.** In South Dakota bij Wounded Knee wordt de laatste grote opstand van de Sioux-Indianen onder leiding van het opperhoofd Sitting Bull bloedig neergeslagen. →

- Cecil Rhodes wordt eerste minister van de Kaapkolonie en begint met de omsingeling van de Boerenrepubliek Transvaal.

- In de Verenigde Staten wordt de elfde volkstelling met behulp van een revolutionair ponskaartensysteem ten uitvoer gebracht.

- In Amerika wordt de elektrische stoel geïntroduceerd. →

- William James publiceert zijn *The principles of psychology.*

- De Duitse arts en bacterioloog von Behring ontwikkelt de serumtherapie, onder andere tegen tetanus en difterie.

- De Londense metro schakelt over van stoomkracht op elektriciteit. →

- De Armeense nationalistische revolutionaire beweging ontstaat.

Gestorven:

**26 december.** Heinrich Schliemann (6-1-1822), Duits koopman, archeoloog en ontdekker van Troje →

# Socialistenwet opgeheven

*De uitslag in 'Der Sozialdemokrat', het SDAP-orgaan dat in Londen verschijnt.*

BERLIJN, 25 januari - Met grote meerderheid heeft vandaag de Rijksdag de verlenging van de antisocialistenwet verworpen. Dat het tij gekeerd is kon men reeds opmaken uit de uitslag van de vijf dagen geleden gehouden Rijksdagverkiezingen. De uitslag betekende een catastrofe voor de regering van Bismarck.

Ondanks het wettelijke verbod op 'alle sociaal-democratische, socialistische en communistische bijeenkomsten, verenigingen en persuitingen' verdubbelde het stemmental voor de SDAP zich tot 1,4 miljoen, hetgeen gelijkstaat aan 19,7 procent van het totaal aantal kiesgerechtigden. Formeel is de SDAP de grootste partij van Duitsland geworden maar door de eigenaardigheden van het kiesstelsel blijft men met dezelfde 35 zetels in de Rijksdag vertegenwoordigd.

In eerste instantie gold het socialistenverbod voor tweeëneenhalf jaar. De Rijksdag maakte van de mogelijkheid gebruik deze periode tot twaalf jaar te verlengen. Men is er echter niet in geslaagd het socialisme te ondermijnen. De partij was als organisatie dan wel verboden, een deelname aan de Rijks- en Landdagverkiezingen bleef toegestaan. Ondergronds bleef men ze actief. In veel grote steden verschene onder wisselende namen kranten m een sociaal-democratische signatuu Heel succesvol was de uitgave van in Londen verschijnende *Sociad democraat*. Wekelijks smokkelde me het blad in groeiende oplagen Duit land binnen. In 1879 waren het 360 exemplaren en in 1885 was het aant tot 12000 exemplaren uitgegroeid. D politie was niet bij machte de distrib tie van het blad te verhinderen. H blad functioneerde als officieel parti orgaan.

Onder verschillende dekmantels we den in de Duitse steden ook bijeen komsten gehouden die de interne sa menhang van de partij moesten gara deren. De staat reageerde waar mog lijk met harde hand: in twaalf jaar tij werden 155 periodieken en 1200 br chures verboden; 900 sociaal-dem craten werden uit hun geboorteplaa verbannen en velen werden tot lang gevangenisstraffen veroordeeld. H mocht allemaal niet baten: de sociali tische partij groeide tegen de verdru king in.

# Bismarck dient ontslag in

*Onder grote belangstelling vertrekt Bismarck naar zijn landgoed Friedrichsruh.*

BERLIJN, 19 maart - Gisteren heeft keizer Wilhelm II het ontslag van minister-president Otto von Bismarck geaccepteerd. De keizer heeft generaal Leo graaf Caprivi tot opvolger benoemd.

Het besluit van Bismarck kwam niet geheel als een verrassing. Reeds lange tijd was bekend dat er diepgaande meningsverschillen bestonden tussen hem en de keizer. In tegenstelling tot zijn in 1888 overleden grootvader keizer Wilhelm I, bleek de nieuwe keizer niet bereid Bismarck veel speelruimte in regeringszaken te geven. Het is bekend dat de keizer zijn stempel wil drukken op de regering en een koers voorstaat die

*De dit jaar op 68-jarige leeftijd overleden Duitse privé-archeoloog Heinrich Schliemann. In 1873 ontdekte hij in Turkije het oude Troje.*

aanstuurt op verzoening met de socialisten. In weerwil van Bismarcks strategie van vrede door machtsevenwicht in Europa streeft keizer Wilhelm II ernaar van Duitsland een wereldmacht te maken.

Bismarck motiveerde zijn beslissing met het argument dat hij binnen de huidige samenwerking zijn buitenlandse politiek niet consistent kan voortzetten. Wilhelm II verweet de kanselier echter zeer gebrekkige voorlichting te hebben gegeven over vraagstukken van de buitenlandse politiek. Groot respect voor elkaars standpunt heeft er tussen de twee leiders nooit bestaan. In 1878 had Bismarck de toenmalige kroonprins reeds gemaand zich te onthouden van kritische uitspraken over het gevoerde beleid. Breekpunt was echter het sociale beleid in Duitsland zelf.

De grote onrust die was ontstaan door massale stakingen in het Ruhrgebied van industriearbeiders en mijnwerkers, leidde tot een directe confrontatie tussen de minister-president en de keizer. Geheel zonder precedent ontving de keizer, mei vorig jaar, een delegatie stakende mijnwerkers op het Slot Berlijn. Woedend over wat zij hem vertelden over hun werkomstandigheden eiste hij van zijn kabinet dat het de Westfaalse kolenproducenten de stakingseisen voor betere arbeidsvoorwaarden en meer loon zou laten accepteren. Bismarck wilde de staking juist met harde hand breken, onder het motto uit 1848 'tegen democraten helpen slechts soldaten'.

Het aftreden, na bijna dertig jaar kanselierschap, van Otto von Bismarck, de grondlegger van de Duitse staat, betekent tevens het einde van een tijdperk. Een groot staatsman verlaat het schip van staat.

*Arbeiders bijeen tijdens de 1-meiviering in het Weense Prater.*

# 1-meivieringen in Europa

PARIJS, 2 mei - Gisteren zijn honderdduizenden arbeiders in heel Europa de straat op gegaan om te demonstreren voor de achturige werkdag; in Frankrijk en Oostenrijk hebben arbeiders op deze dag bovendien gestaakt.

De acties zijn gehouden naar aanleiding van een oproep van het Internationaal Arbeiders Congres (de 'Tweede Internationale'), dat op 14 juli vorig jaar in Parijs bij elkaar is geweest naar aanleiding van de herdenking van de Franse Revolutie.

Toen is besloten voortaan op 1 mei gelijktijdig in alle landen een manifestatie van internationale solidariteit van arbeiders te organiseren en een achturige werkdag te eisen.

Waarom 1 mei? Op 1 mei 1886 organiseerde de Amerikaanse vakbeweging een grootscheepse actie voor de achturendag; deze datum werd gekozen omdat toen de arbeidsovereenkomsten afliepen en vernieuwd moesten worden. De betogingen in Chicago, het centrum van de actie, eindigden in een bloedbad door het harde optreden van de politie. Daarop werd besloten om in het vervolg in de Verenigde Staten op 1 mei massademonstraties te organiseren voor de achturige werkdag. In navolging van de Amerikanen zullen de Europese arbeiders voortaan ook ieder jaar op 1 mei de straat op gaan voor wat genoemd wordt 'een normale werkdag'.

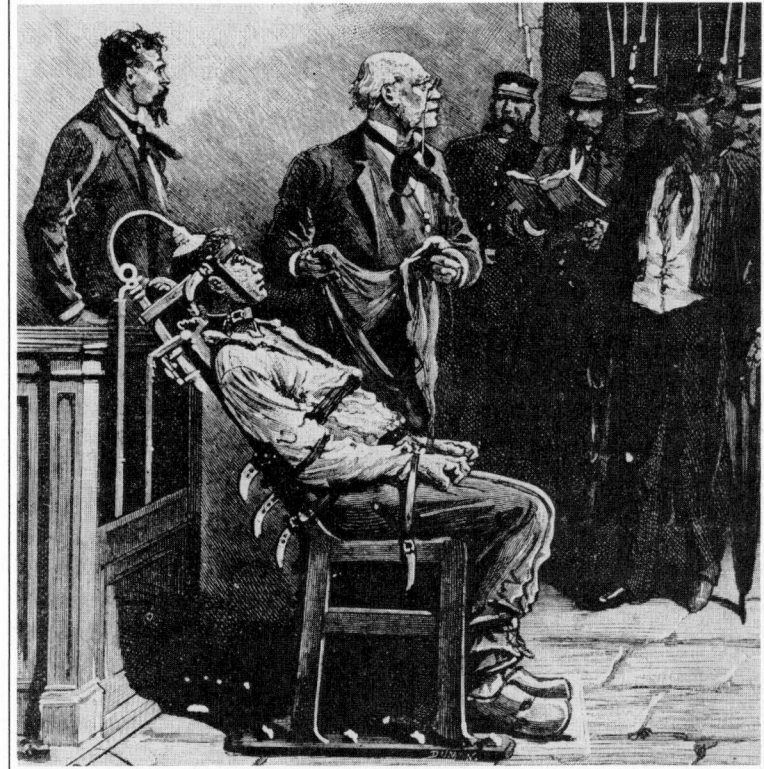

*In New York wordt voor het eerst met elektrische stroom een misdadiger geëxecuteerd. Men heeft hiervoor een speciale elektrische stoel ontworpen.*

# Kapelaan voorkomt escalatie van staking

*Het personeel van Ter Kuile en Morsman (foto eind 19de eeuw). Rechts kapelaan Alphonse Ariëns (door Jan Toorop, 1907).*

ENSCHEDE, 12 mei - De kapelaan dr. Alphonse Ariëns heeft de stakende arbeiders in Enschede weer aan het werk gekregen met de belofte de 'uitgesloten' arbeiders uit zijn eigen traktement te onderhouden. Hoewel de plaatselijke voorzitter van de socialistische arbeidersvereniging Vooruit achter het ingrijpen van de kapelaan staat, wordt 'zwartrok' Ariëns door de socialisten beschuldigd van 'verraad' en schrijft Recht voor Allen:
'Pastoor en dominee
streed met de brandkast mee.
Zoo kruipt weer in zijn krot

het slavenrot
door macht van Geld en God.'
Kapelaan Ariëns - vorig jaar de oprichter van de R.K. Werkliedenvereeniging in Enschede, een soort gezelligheidsvereniging met een cultureel doel - trekt zich het lot van de textielarbeiders aan en steunt hen tegenover de patroons, die hij bij gelegenheid eens 'gewetenlooze schurken en echte bloedzuigers' heeft genoemd.
Door de bemiddeling van de kapelaan is een dreigend bloedbad afgewend. De gemeenteraad van Enschede heeft nog onlangs extra gelden uitgetrokken

voor versterking van de politie. Burgemeester Van der Zee - een gewezen officier uit het Indische leger en een echte houwdegen - staat bekend als een voorstander van hard optreden tegen de stakers in zijn gemeente.
Het al meer dan twee maanden durende arbeidsconflict escaleerde op 9 mei toen de - uitzonderlijk - eensgezinde textielfabrikanten besloten 4000 arbeiders van werk uit te sluiten. Hun fabrieken gingen dicht. Deze harde beslissing was de uitkomst van een machtsstrijd tussen stakende arbeiders van de fabriek Ter Kuile en Morsman,

gesteund door arbeiders van andere fabrieken aan de ene kant en een verenigd front van fabrikanten aan de andere kant. Door onderling af te spreken dat een ontslagen staker in een andere fabriek niet meer aan het werk zou komen, wilden de fabrikanten de solidariteit tussen arbeiders van verschillende fabrieken breken en langdurig staken onmogelijk maken.
Na overleg met de R.K. Werkliedenvereeniging en met de plaatselijke afdeling van Patrimonium ging Ariëns naar het café waar de stakers en leden van de socialistische arbeidersvereniging Voorwaarts zaten, sprong op de tafel en riep: 'Ziet eens mannen, gij kent mij niet, maar dit kan ik u zeggen: wij staan dichter bij elkaar dan ge denkt, want na mijn God en mijn Kerk is er niets mij zoo lief als de arbeidersbeweging.' Hij wist de stakers weer aan het werk te krijgen en men ging onder leiding van de kapelaan terug naar de fabriek.
Het was nog even een moeilijk moment toen de de arbeiders bij de poort de gehate burgemeester zagen staan; zij weigerden zich aan hem over te geven. Het was doodstil toen de kapelaan naar de burgemeester liep en zei: 'Burgemeester, hak mijn arm af, maar, ik smeek het u in 's hemelsnaam, ga hier weg!' De burgemeester ging. Negen mannen werden door de patroons aangemerkt als 'opruiers'; zij zullen door de kapelaan gesteund worden totdat ze ergens anders weer aan de slag kunnen.

*Recente vindingen op het gebied van de fotografie maken het mogelijk dat steeds meer mensen de camera ter hand nemen. In Amerika ontwikkelde George Eastman een procédé waarbij foto's op een rol gevoelig materiaal gemaakt kunnen worden. Onlangs construeerde hij de Kodak No. 1. Met dit, in zijn eenvoud revolutionaire toestel kan nu iedereen opnamen maken. Zoals de foto links toont worden hiermee ronde foto's gemaakt. Afgebeeld: Eastman met zijn toestel aan boord van een schip. Een nieuw verschijnsel is dat mensen nu hun reisbelevenissen, zoals een Indiase hongersnood, vastleggen.*

# Inhoud anti-trustwetten nogal schimmig

*'De bazen van de Senaat', cartoon waarin de spot met de macht van de trusts wordt gedreven.*

WASHINGTON, 2 juli - De door senator Sherman ingediende anti-trustwetsvoorstellen zijn door het Congres aangenomen. De wet verbiedt het vormen van zakenmonopolies. De hervormers die achter het wetsvoorstel hebben gestaan geloven wel in het systeem van vrij ondernemerschap in een open en vrije markt maar willen dat de overheid optreedt als een soort verkeersagent die de wegen van de handel en het zakendoen moet vrijhouden zodat een ieder die dat wil ze kan bewandelen. De trusts zijn belemmeringen voor een vrije competitie en moeten daarom verboden worden. In de wet staat: 'ieder contract of iedere combinatieovereenkomst in de vorm van een trust of iets dergelijks, of samenzwering die de handel tussen de staten of met andere naties beperkt, is hierbij illegaal.'

Juristen zijn het erover eens dat de anti-trustwet uitblinkt door een duister en dubbelzinnig taalgebruik. Woorden zoals 'trust', 'combinatie', 'samenzwering' of 'beperken' worden niet gedefinieerd.

De wet probeert de onbelemmerde macht van de grote 'companies' in te dammen. Trusts of combinaties hebben het monopolie in produkten als olie, suiker, whisky of dominer en de spoorwegen. In Amerika wordt opgezien tegen veelal filantropisch ingestelde tycoons als Andrew Carnegie en John D. Rockefeller, 'industriële staatsmannen', succesvolle leiders die door intelligentie en hard werken rijk en machtig worden en die passen in het heersende, aan de bioloog Darwin ontleende filosofische concept van de 'survival of the fittest'. Tegelijkertijd raakt het publiek doordrongen van de schaduwzijden van de 'Big Business' De meedogenloze handelspraktijken van de 'Robber Barons', de financiële manipulaties van bijvoorbeeld Rockefeller, en de immorele hebzucht zijn zaken die de mensen aan het denken hebben gezet. Rockefeller kocht zijn eerste olieraffinaderij in 1862 en stichtte in 1870 de Standard Oil Company. Hij sloot geheime overeenkomsten met spoorwegmaatschappijen om zijn produkten goedkoper te vervoeren. Als zijn concurrenten niet op deze manier werden uitgeschakeld zorgden ambtenaren van Standard Oil voor bomontploffingen bij hun raffinaderijen. De ethiek raakt ondergeschikt aan de economie of, zoals voormalig president Hayes onlangs vreesde: 'Onze wetten, regering en zeden worden bedreigd door de geldconcentraties en de macht komt in handen van de rijken.' Het is niet zozeer de rijkdom van de tycoons als wel hun macht die de burger verontrust.

De anti-trustwet van Sherman maakt duidelijk dat de Amerikaanse samenleving graag zou willen dat de zakenwereld voortaan in enigerlei mate verantwoording aan het publiek aflegt, maar het is nog maar de vraag in hoeverre de nogal gebrekkig opgestelde wet het monopolie van de Amerikaanse trusts kan doorbreken.

*Het hoofdkantoor van Standard Oil op Broadway, New York. De Company is in 1882 door John D. Rockefeller in een trust ondergebracht.*

## Londense metro gaat van stoom op elektriciteit over

LONDEN - De Londense ondergrondse heeft een belangrijke verbetering ondergaan: de zogenaamde 'metro' wordt niet langer met stoomkracht maar door middel van elektromotoren aangedreven.

Tussen 1860 en 1870 werden in Londen de eerste ondergrondse tramwegen aangelegd. De aanleg van een ondergrondse was noodzakelijk omdat het verkeer in de Londense City zo druk was geworden dat het voor veel vertragingen en opstoppingen zorgde. De andere mogelijkheid om de doorstroming van verkeer in het centrum en een goede verbinding met de buitenwijken te waarborgen, de aanleg van een bovengrondse tramweg, werd niet haalbaar geacht. Om het stadsverkeer werkelijk te ontlasten zou deze tramweg boven de straat aangelegd moeten worden en op pijlers moeten rusten. Deze pijlers werden echter als hinderlijk en ontsierend beschouwd.

De aanleg van de ondergrondse leverde grote problemen op en bleek veel kostbaarder te zijn dan was begroot. Hoewel men op een diepte van 15 meter onder de straat werkte en dus geen problemen had met riolering en de fundamenten van de huizen, ondervond men bij het aanleggen van de tunnels veel last van grondwater. Toen het werk eenmaal was voltooid, waren daarmee alle moeilijkheden nog niet uit de weg geruimd: de stoomlocomotieven, die de wagens trokken, veroorzaakten te veel rook.

Dit probleem is nu uit de weg geruimd. De nog steeds noodzakelijke ventilatie blijft echter problemen opleveren.

*De Niagara Watervallen zijn een geliefde attractie voor de Amerikanen. Massa's mensen vergapen zich aan de waaghalzen die de waterval via een draad oversteken. Hier volbrengt Samuel Dixon uit Toronto de stunt.*

# Japan kiest voor het eerst parlement

*Bijeenkomst van het Japanse Huis van Afgevaardigden, circa 1890.*

TOKIO, 1 juli - Met de instelling van een parlement en een senaat is een onderdeel van de Japanse grondwet die vorig jaar februari werd ingesteld verwezenlijkt. Na de eerste verkiezingen voor een parlement die vandaag worden gehouden, zullen beide vertegenwoordigende lichamen met hun werk beginnen.

Al geruime tijd is door verschillende politieke partijen aangedrongen op het instellen van vertegenwoordigende lichamen via welke het centrale bestuur van Japan kan worden gecontroleerd. In de senaat hebben voornamelijk zitting mensen van adel, gekozen vertegenwoordigers van lagere klassen en Japanners, meestal intellectuelen, die

door het keizerlijk hof aangewezen worden.

Het parlement wordt gekozen door volwassen mannen die ten minste 15 yen belasting betalen. Dat betekent dat aan de eerste verkiezingen ongeveer 450 000 mensen mogen deelnemen.

Beide vertegenwoordigende lichamen hebben een machtspositie inzake financiële en wetgevende kwesties.

Na de grondwet, waarin onder meer vrijheid van meningsuiting, vergadering, religie en vereniging wordt gegarandeerd lijkt Japan op weg dezelfde democratische structuur te krijgen die in het Westen voorkomt.

Van de kant van enkele partijen die oppositie tegen de regering voeren, is al verklaard dat de verhoudingen tussen de vertegenwoordigingen en de regering wel eens erg moeizaam zouden kunnen worden. Vooralsnog zal uit de uitslagen van de vandaag gehouden verkiezingen moeten blijken hoe de verhoudingen in het parlement en de senaat komen te liggen, alvorens over mogelijke confrontaties te speculeren.

*Vincent van Gogh, zelfportret (1889).*

# Vincent van Gogh maakt eind aan zijn leven

AUVERS-SUR-OISE, 29 juli - Twee dagen nadat hij door een schot in zijn borst had getracht zijn leven te beëindigen, is de Nederlandse schilder Vincent van Gogh aan zijn verwondingen bezweken. De in Nederland nog onbekende Van Gogh heeft vier jaar geleden zijn geboorteland verlaten om bij zijn broer Theo, kunsthandelaar in Parijs te gaan wonen. Hij leefde vervolgens in Arles en Saint-Rémy (Zuid-Frankrijk en sinds twee maanden in Auvers.

Tijdens zijn verblijf in Parijs sloot Van Gogh zich aan bij een kring van kunstenaars, 'de impressionisten', maar Gauguins schilderwijze sterkte hem in zijn mening dat deze tijd slechts een doorgangsstadium in zijn ontwikkeling was. Ofschoon Van Gogh in Parijs voor het eerst waardering kreeg - zijn werk werd helder, stralend van kleur en kernachtiger - vertrok hij naar Arles om er in de eenvoudige omgeving en het sterkere licht inspiratie te vinden. Hij schilderde ononderbroken: landschappen, cipressen, olijfbomen en bloesems. Geïnspireerd schreef hij zijn broer: 'Het is of de natuur begint te branden. In alles zit oud goud, brons en koper...'

Hij probeerde hier met zijn vriend Gauguin een kunstenaarskolonie te stichten, maar de samenwerking eindigde in een dramatische breuk. Van Gogh, geestelijk onevenwichtig, raakte geheel in de war en zocht zijn toevlucht in een zenuwinrichting in Saint Rémy. De eenzaamheid sloeg toe. Over zijn *Korenveld met raven* schreef hij: 'Het zijn eindeloze uitgestrektheden van koren onder bewolkte hemel en ik heb mij niet geschaamd om de ergste droefgeestigheid en eenzaamheid uit te drukken.' Door bemiddeling van zijn vriend Pissarro kwam Van Gogh twee maanden geleden naar Auvers een kunstenaarscentrum aan de Oise waar hij nu zelfmoord heeft gepleegd.

*Gyula graaf Andrássy.*

# Gyula Andrássy overleden

BOEDAPEST, 18 februari - Op 66-jarige leeftijd is de staatsman Gyula graaf Andrássy overleden. Hij was lange tijd verantwoordelijk voor de buitenlandse politiek van Oostenrijk-Hongarije.

Andrássy heeft een bewogen bestaan gekend. Na de ondergang van de Hongaarse republiek werd hij in 1851 bij verstek wegens hoogverraad ter dood veroordeeld. Hij kreeg echter gratie en keerde naar zijn land terug. In 1861 trad hij toe tot de Hongaarse Landdag. Na de Ausgleich (1867) werd Andrássy de eerste minister-president van Hongarije. In 1871 volgde zijn benoeming tot minister van Buitenlandse Zaken van de hele Dubbelmonarchie. Op 8 oktober 1879 moest Andrássy echter aftreden.

# Eén mei in Warschau

WARSCHAU, 1 mei - Vandaag zijn voor het eerst de 10 000 arbeiders van de Warschause fabrieken niet naar hun werk gegaan. Ze hebben deelgenomen aan een demonstratie, zoals die ook plaatsvond in Lodz en in Silezië. De Poolse socialistische beweging is sterk, maar kent vele afsplitsingen en vertakkingen. Behalve de grote Socialistische Partij is er een Socialistisch Revolutionaire Partij, die gelijkstaat aan de Russische splinterpartij van Oeljanov (Lenin). De arbeidersbeweging in Polen kent ondanks de vervolgingen (vooral in de gebieden onder Russische bezetting) veelsoortige activiteiten: steunfondsen, ondergrondse kranten, verschillende vormen van stakingen. Uit deze beweging zijn bekende arbeidersleiders voortgekomen: Luxembourg, Warynski, Dzjerzynski en anderen.

De Pruisische bezetting wordt vooral gekenmerkt door levendige maatschappelijke organisaties: Poolse bibliotheken, sociale banken, onderwijsinstellingen en politieke belangenbehartigingsorganisaties van boeren, ambachtslieden enzovoort. Vanwege de liberale politiek ten opzichte van de minderheden onder keizer Frans Jozef II, zijn de Polen in Galicië niet vervolgd om hun culturele en sociale activiteiten. Daarom richten zich de politieke ideeën niet zozeer op de verdediging van een eigen identiteit als wel op het organiseren van de Polen in moderne politieke partijen. In Kraków zijn twee partijen van een Westeuropees type actief: de nationaal-democratische ND en de Poolse Boerenpartij. De politici onderstrepen de noodzaak van het opvoeden van de mensen in de richting van een democratie.

*Op 23 november overlijdt de Nederlandse koning Willem III. Boven: zijn bezoek in 1873 aan de nabestaanden van de in Atjeh gesneuvelde generaal Köhler.*

# Sioux bij Wounded Knee afgeslacht

*De canyon bij Wounded Knee in het Pine Ridge-reservaat in South Dakota.*

*Sitting Bull, wiens dood de aanleiding tot de slachting was.*

WOUNDED KNEE, 29 december - Het verzet van de Sioux-Indianen lijkt definitief gebroken te zijn. Veertien dagen geleden is hun leider, Sitting Bull, door het Amerikaanse leger bij de Grand River gevangengenomen en, toen zijn krijgers hem probeerden te redden, om het leven gebracht. Vandaag hebben zijn volgelingen het moeten ontgelden: in een bloedige actie bij het riviertje Wounded Knee in South Dakota heeft de Amerikaanse 7de Cavalerie 200 krijgers, squaws en kinderen van de Sioux om het leven gebracht. Bij de gevechten zijn aan de kant van het leger 29 doden gevallen. De slachting bij Wounded Knee lijkt ook het einde van de Ghost-Dancebeweging te zijn.

In hun strijd tegen de oprukkende blanken hebben de Sioux enkele belangrijke overwinningen geboekt, zoals veertien jaar geleden bij Little Bighorn, maar van meet af aan was duidelijk dat ze de oorlog nooit zouden kunnen winnen. Ze zijn voor hun levensonderhoud afhankelijk van de buffel en die wordt door de steeds meer grondgebied opeisende blanken ernstig in zijn bestaan bedreigd. In de loop der jaren zijn steeds meer Sioux er door honger toe gebracht zich over te geven. In mei 1877 leidde Sitting Bull de rest van zijn volgelingen naar Canada, maar de Canadese regering voelde zich niet verantwoordelijk voor het onderhoud van de Sioux. Terwijl zijn aanhang steeds verder afbrokkelde, zag Sitting Bull zich na vier jaar door honger genoodzaakt de strijd te staken. Na 1883 leefde hij in het Standing-Rock-reservaat.

De zeer snel om zich heen grijpende Ghost-Dancereligie heeft de geest van verzet onder de Sioux weer doen opleven. Deze religie vond twee jaar geleden haar oorsprong onder de Paiute-Indianen van Nevada. Hun medicijnman, Wovoka, beweert tijdens een ernstige ziekte in een delirium een bezoek te hebben gebracht aan de wereld van de geesten, waarbij hij een boodschap van de godheid zou hebben ontvangen, die hem vertelde dat een ingrijpende verandering het bestaan van de Indianen spoedig zou verbeteren: het aloude beheer over het land dat de blanke hun ontnomen had, zou weer naar hen terugkeren. Wovoka vertelde de Paiutes dat ze zich voor het komende wonder gereed moesten maken door zich te bekwamen in de rituele dansen en liederen die hij hun voorschreef. Wat een bijzondere indruk op zijn toehoorders maakte was het feit dat er zich tijdens Wovoka's ziekte een zonsverduistering voordeed (dit was ongetwijfeld de zonsverduistering van 1 januari 1889, die op het Noordamerikaanse continent is gefotografeerd door groepen astronomen in Nevada en Californië).

Bij de opstandige Sioux raakte de religie - een profetie van een nieuwe wereld - een gevoelige snaar. De Amerikaanse autoriteiten zijn zich steeds meer zorgen gaan maken over het mogelijke effect van deze godsdienst en besloten hun leider Sitting Bull uit voorzorg in hechtenis te nemen; bij een reddingspoging van zijn krijgers is hij om het leven gebracht.

*De Amerikaanse fotograaf van Deense afkomst Jacob Riis publiceert in 'How the other half lives' foto's van de zelfkant van de Newyorkse samenleving. Theodore Roosevelt, de huidige commissaris van politie in die stad, is zo geschokt dat hij maatregelen tegen de ergste wantoestanden neemt.*

# Internationale Vredesbeweging gesticht

BERN - Afgevaardigden van vredesbewegingen uit verscheidene landen hebben de Internationale Vredesbeweging opgericht. Als vice-president werd een van de initiatiefneemsters van de nieuwe organisatie gekozen, de Oostenrijkse schrijfster Bertha von Suttner.

Bertha von Suttner heeft naam gemaakt als schrijfster van de anti-oorlogsroman *Die Waffen nieder!* Dit vorig jaar verschenen boek is al verscheidene malen herdrukt en in meer talen verschenen. Suttner heeft haar roman gebaseerd op historische gegevens en ooggetuigenverslagen. De hoofdpersoon van *Die Waffen nieder!* is een vrouw die op jeugdige leeftijd haar echtgenoot in het oorlogsgeweld verliest en op latere leeftijd haar tweede echtgenoot ten strijde ziet trekken. Bertha von Suttner wil met deze roman laten zien dat oorlogsslachtoffers geen pionnen van de strijdende mogendheden, maar mensen van vlees en bloed zijn.

Bertha von Suttner, geboren in 1843 als dochter van veldmaarschalk graaf Kinsky zu Wichnitz und Tettau, trouwde in 1876 met de weinig bekende schrijver Arthur von Suttner. Haar ouders keerden zich tegen dit huwelijk en het echtpaar zag zich gedwongen het land te verlaten. Zij vestigden zich in Tiflis, Rusland, waar Bertha verscheidene romans schreef die onder pseudoniem werden gepubliceerd. Na negen jaar keerden zij terug naar Wenen, waar Bertha de zeer kritische studie *Das Machinezeitalter* schreef. Zij liet het boek verschijnen onder het pseudoniem 'Jemand', omdat zij ervan overtuigd was dat een dergelijke studie geschreven door een vrouw geen respons zou krijgen. Het boek werd een groot verkoopsucces.

Tijdens een verblijf in Parijs werd de schrijfster geraakt door de idealen van de vredesbeweging zoals die verwoord worden door Hodgon Pratt, die in 1880 de 'International Peace and Arbitration Association' oprichtte. Door middel van haar roman wil Bertha von Suttner het werk van deze vereniging ondersteunen.

Haar uitgever, Pierson te Dresden, had grote bezwaren tegen het uitbrengen van *Die Waffen nieder!*, wegens het onverholen pacifistische karakter van het boek. Uiteindelijk heeft hij het aangedurfd. De vele lovende reacties en de grote vraag naar het boek hebben ook hem verrast.

Ellen Key, medewerkster van de Engelse periodiek *Peace and Goodwill*, pleitte in een recensie krachtig voor het uitbrengen van een Engelstalige editie. Ze meent dat 'Bertha von Suttner niets heel laat van alle fraaie gezegden, die in elk oorlogvoerend land opgeld doen. Evenmin van alle gebeden van de vrouwen, dat haar zoons en echtgenoten toch mogen blijven leven en overwinnen en dus de zoons en echtgenoten doden van de tegenpartijvrouwen, die God hetzelfde afsmeken.'

Het verlangen naar vrede is geen verschijnsel van de laatste tijd. Een van de meest vooraanstaande pacifisten was Erasmus. Zijn *Querela pacis* (Klacht van de vrede) is klassiek geworden. Nieuw aan het hedendaagse streven naar vrede is echter het internationale karakter ervan. Waarschijnlijk hangt dit samen met de nasleep van de Napoleontische oorlogen en de Amerikaanse Burgeroorlog. In de Verenigde Staten waren het de quakers die in 1818 de aanzet tot de oprichting van de New York Peace Society gaven. Overigens ontstond het begrip pacifisme in 1840 in Frankrijk.

*Bertha von Suttner.*

# Duitse expansie in Afrika

BERLIJN, 1 januari - Het Duitse Rijk heeft in Oost-Afrika zijn koloniale gebied verder uitgebreid. Hiermee geeft de Duitse regering te kennen dat het

*Carl Peters.*

haar ernst is met de expansie van het rijk. De Duitse koloniën beslaan nu een oppervlakte van 2 660 000 km² en tellen meer dan twaalf miljoen inwoners.

Onder Bismarck werden de eerste gebieden in Afrika gekoloniseerd. In 1883 vestigde Adolf Lüderitz een handelspost in Zuidwest-Afrika. Bismarck zond de consul in Tunesië, Gustav Nachtigal, die zich eerder als ontdekkingsreiziger had bewezen, naar West-Afrika met het doel handelsbetrekkingen aan te knopen. Dit resulteerde uiteindelijk in de kolonisering van Kameroen en Togo. Vier jaar geleden ging Carl Peters voor de derde maal in Afrika op expeditie. Hij bezette een deel van Oost-Afrika. Peters richtte in 1884 de Gesellschaft für deutsche Kolonisation op.

*Duitse koloniale troepen in gevecht met inboorlingen.*

# Coup in Portugal mislukt

*Aanleg van een spoorlijn door het Afrikaanse oerwoud.*

OPORTO, 31 januari - Een staatsgreep van jonge Portugese officieren met het oogmerk de monarchie omver te werpen is mislukt. De coup was een rechtstreeks gevolg van een voor Portugal slecht afgelopen koloniale confrontatie met Engeland in Afrika. Het republicanisme wint nog steeds terrein in Portugal: niet geheel ten onrechte krijgt de koning de schuld van de deplorabele politieke en economische situatie van het land.

Het gaat al decennia lang slecht met Portugal. Hoewel het land sinds 1822 een liberale grondwet heeft, wordt deze door regering en kroon veelvuldig geschonden. En ook de Cortes houden zich meer bezig met de twisten tussen de progressieve Historische Partij en de conservatieve Regenerators dan met de noden van het volk. Een slecht financieel beheer belemmert de economische ontwikkeling van het land en de regering blijkt - uit onwil en onmacht - niet in staat de situatie te verbeteren.

Het enige houvast bieden de Afrikaanse koloniën, de laatste resten van het eens zo omvangrijke imperium. Maar die bezittingen kosten veel geld en hebben bovendien tot botsingen met veel te grote concurrenten geleid: in 1858 met Frankrijk en in 1890 met Engeland.

Het laatste conflict kwam het hardst aan. Het begon al toen in 1885 op de Conferentie van Berlijn Afrika door de Europeanen werd verdeeld. Portugal wilde daarvan ook een graantje meepikken en dacht aan annexatie van het gebied tussen Angola en Mozambique om zodoende beide koloniën te kunnen verenigen. Frankrijk en Duitsland gaven hun steun aan dit plan maar de Britten (vooral Cecil Rhodes) waren tegen: het doorkruiste hun verlangen van één aaneengesloten Brits gebied in Afrika van Caïro tot Kaapstad.

Maar de Portugezen zetten door. Eind 1889 vertrok een grote expeditie onder

*Arbeiders bij een voltooid gedeelte.*

leiding van Serpa Pinto uit Angola naar Mozambique. Men stootte echter op de Makolo's, een stam die onder Britse protectie stond. In januari vorig jaar stuurde Londen een ultimatum naar Lissabon: terugtrekken of oorlog. Het was koning Carlos die besloot toe te geven. De val van de regering was niet te voorkomen, maar ook de golf van republicanisme die door het land gaat zal - ondanks de mislukte coup - niet snel meer in te dammen zijn.

*Slaven bij het plukken van koffiebonen op een Braziliaanse plantage.*

# Nieuwe grondwet Brazilië

RIO DE JANEIRO, 24 februari - In Rio de Janeiro is een nieuwe, republikeinse grondwet afgekondigd. Maarschalk Manuel Deodora da Fonseca, die de staatsgreep tegen keizer Pedro II in november 1889 leidde en sindsdien aan het hoofd van de voorlopige regering stond, wordt de eerste president. Brazilië wordt een bondsstaat naar model van de Verenigde Staten.

Keizer Pedro II werd op 15 november 1889 na terugkeer van een reis naar Europa bij een staatsgreep tot aftreden gedwongen. Tijdens zijn 49-jarig bewind was hij er niet in geslaagd de steun van de grootgrondbezitters en de Kerk te behouden.

Met de Kerk ontstond in 1873 een conflict over de arrestatie van twee bisschoppen, die tijdens een preek indirecte kritiek hadden geuit op de invloed van de vrijmetselarij op de Braziliaanse politiek. Zijn aanhang onder grootgrondbezitters verloor Pedro II als gematigd voorstander van de afschaffing van de slavernij. Gehele afschaffing van de slavernij zou het ineenstorten van de Braziliaanse economie en de macht van de fazendeiros (de grootgrondbezitters) betekenen. In 1830 was al onder druk van Engeland de slavenhandel afgeschaft. In 1871 volgde de ondertekening door Isabella (die tijdens de vele reizen van Pedro II het regentschap voor haar vader uitoefende) van de 'Lei do ventro livre' (De wet van de vrije buik, waarbij kinderen van slaven na hun 21ste vrij werden). Op 13 mei 1888 ondertekende Isabella de 'Lei Aurea' (Gouden Wet), waarmee de laatste slaven, ongeveer een half miljoen, vrij werden. Dit was voor de grootgrondbezitters de druppel die de emmer deed overlopen.

Bij de groep ontevredenen van grootgrondbezitters en klerikalen voegde zich het leger, dat sinds de overwinning op Paraguay in 1870 sterk aan zelfvertrouwen had gewonnen. De zwaar gedecoreerde maarschalken, generaals en kolonels, die zich met het formuleren van de nationale politiek wilden bemoeien, werden herhaaldelijk door de keizer berispt. Uiteindelijk voerden zij de staatsgreep uit, toegejuicht door grootgrondbezitters en Kerk en vastbesloten het Braziliaanse staatsbestel te hervormen, waarmee met de nieuwe grondwet een begin gemaakt wordt.

*Verkoop van fruit op de markt.*

*Steeds meer mensen raken geboeid door de belevenissen van de detective Sherlock Holmes. Vergezeld van de niet zo snuggere dr. Watson brengt hij klaarheid in mysterieuze zaken. Holmes is een schepping van Sir Arthur Conan Doyle. Deze arts heeft zijn praktijk eraan gegeven nu zijn verhalen en boeken zo'n succes hebben. Boven: de schrijver met zijn gezin.*

## Siberië: een van de donkerste plekken in onze beschaving

LONDEN - Met het onlangs verschenen werk *Siberia and the Exile System* maakt de Amerikaanse journalist George Kennan zijn bevindingen over de toestand van ballingen in Siberië wereldkundig.

Siberië is sinds jaar en dag een ballingsoord voor tegenstanders van het Russische bewind. Hun toestand verschilt van geval tot geval: sommigen worden in staat gesteld een betrekkelijk normaal leven te leiden, zij het dat zij aan een bepaalde plaats zijn gebonden. Anderen daarentegen moeten dwangarbeid verrichten en leven in kommervolle omstandigheden.

Op de verbanning in 1826 van ruim honderd dekabristen, vergezeld van hun vrouwen en kinderen, volgden nieuwe generaties politieke gevangenen, bijvoorbeeld de Polen die na de opstanden van 1830 en 1863 dit lot ondergingen. De laatste jaren zijn grote groepen revolutionairen verbannen. Kennan, die uitstekend Russisch spreekt, heeft in 1885 in gezelschap van een tekenaar gevangenissen en verbanningsoorden in Siberië bezocht. Door zijn vele gesprekken met gevangenen, ballingen en ambtenaren aldaar heeft hij een uitstekend beeld van de situatie gekregen. Hij eindigt zijn beschrijving met de woorden: 'Ik hoop van ganser harte dat het Siberische verbanningssysteem wordt afgeschaft; ik vrees echter dat het vele jaren een van de donkerste plekken van de beschaafde wereld van de 19de eeuw zal blijven.'

*Burgemeester Karl Lueger tijdens een bezoek van keizer Frans Jozef I aan Wenen. Rechts: Lueger met ambtsketen.*

# Partij voor Oostenrijkse 'kleine man'

WENEN, maart - Ter gelegenheid van de Oostenrijkse parlementsverkiezingen hebben de Oostenrijkse Christlich-sozialen een partijprogramma opgesteld. Het omvat een groot aantal sociaal-economische maatregelen die erop gericht zijn de belangen van 'de kleine man', kleine boeren, de handwerkslieden en de middenstanders te verdedigen tegen 'het grote geld', grootgrondbezitters, industriëlen en bankiers. Dit programma komt zowel tegemoet aan de behoefte van de Oostenrijkse katholieken aan heroriëntering, als aan de politieke ambities van hun nieuwe leider, dr. Karl Lueger, bijgenaamd 'der schöne Karl'.

In 1887 meldden de Oostenrijkse katholieken aan de paus: 'Er is geen gebrek aan loyale gelovigen in onze landen, maar velen van de meest oprechte katholieken ontbreekt het aan een duidelijk begrip van de situatie, kennis van de strijdmethoden die onder de nieuwe omstandigheden noodzakelijk zijn, maar vooral aan de vereiste organisatie. Omdat de meerderheid van de katholieke leken door onze katholieke monarch en de betrouwbare mannen die hij vrijelijk kon kiezen altijd in een christelijke geest zijn geregeerd, weten ze nu niet meer hoe ze zich moeten oriënteren.' De 'nieuwe omstandigheden' waaraan de katholieken zich moeten aanpassen zijn de moderne industriële maatschappij en het parlementaire stelsel.

De jurist Karl Lueger, een 'Volksmann' met aristocratische allures, ontpopte zich als de tacticus van de katholieke regeneratie. Hij bracht zulke uiteenlopende elementen als katholicisme, democratisering, sociale hervormingen, loyaliteit aan het Habsburgse Huis en antisemitisme samen tot een nieuwe ideologie. Deze leer oefent een grote aantrekkingskracht uit op degenen die zichzelf als slachtoffer zien van het liberale laissez-faire. Vooral met zijn tirades tegen 'het internationale kapitaal, dat ons openbare leven vergiftigt en ontwricht' appelleert hij aan de sociale en economische ressentimenten van de lagere klassen. Wanneer het in zijn kraam te pas komt exploiteert 'der schöne Karl' het antisemitisme als propagandamiddel. Van hem is de uitspraak 'Wer Jude ist bestimme ich.'

*Verkiezingsoproep van de Oostenrijkse Christlich-sozialen olv. Karl Lueger.*

## Zelfmoord Chileense president na coup

SANTIAGO - Na een korte burgeroorlog is een eind gekomen aan het dictatoriale bewind van president José Manuel Balmaceda. Zijn centralistische politiek stuitte op een groeiende tegenstand in Chili.

Na de Salpeteroorlog tegen de buurlanden Peru en Bolivia in 1879 ging het bergafwaarts met de Chileense economie. De in 1886 gekozen president Balmaceda streefde ernaar de afhankelijkheid van buitenlands kapitaal te verminderen en de rol van de centrale overheid in de economie te vergroten, maar hij vond daarbij de conservatieven op zijn weg. Dezen sloten een verbond met de liberalen. In het Congres ontstond zo een meerderheid die zich tegen de plannen van de president verzette.

Er ontstond een crisis toen het Congres de begroting afkeurde. Een burgeroorlog werd onvermijdelijk toen de krachtige marine, die de oorlog tegen de buurlanden had beslist, onder leiding van Jorge Montt tegen de president in opstand kwam. De rebellen trokken zich in het noorden samen en verzekerden zich van het bezit van de salpetermijnen. Het leger was de president trouw gebleven. Toen echter de regeringstroepen bij Valparaíso een verpletterende nederlaag leden, pleegde Balmaceda zelfmoord. De macht is nu in handen gekomen van Jorge Montt, die een meer liberale koers wil inslaan.

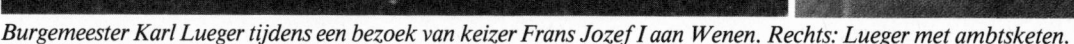

*De Engelse schrijver Thomas Hardy veroorzaakt een schandaal met 'Tess of the d'Urbervilles'. Het boek is gewijd aan het noodlottige bestaan van een jonge vrouw. Ze doodt haar minnaar na door hem verleid en verlaten te zijn.*

# Paus verwerpt socialisme

ROME, 15 mei - De encycliek *Rerum Novarum* (Van de nieuwe dingen) van paus Leo XIII heeft in Europa veel opschudding veroorzaakt. Deze opmerkelijk vooruitstrevende visie op het arbeidersvraagstuk is de katholieke reactie op de toenemende invloed van het socialisme op het groeiende arbeidersproletariaat.

In deze 'Magna Charta' van de arbeiders zet de paus zich fel af tegen het socialisme, dat wegens zijn antireligieuze en materialistische karakter niet bij machte zal zijn de sociale problemen op te lossen. Opvallend concreet formuleert de paus een alternatief voor de leer van Marx en de zijnen.

Voor de paus vormt niet de staat maar het gezin de hoeksteen van de samenleving. Een gezin heeft, om zich goed te kunnen ontplooien, recht op privé-eigendom. Dit wordt dan ook als een natuurrecht beschouwd. Ook het kapitalisme als zodanig wordt door de paus niet verworpen, maar wel de uitwassen ervan: de paus erkent dat zeker een deel van de arbeidersklasse in mensonterende omstandigheden leeft en hij roept alle werkgevers op hierin verbetering te brengen. De staat kan door het opbouwen van een goede sociale wetgeving ook zijn steentje bijdragen aan de verbetering van de arbeidsomstandigheden.

Leo XIII verwerpt het concept van de 'klassenstrijd' en roept op tot samenwerking tussen Kerk, staat, werkgevers en arbeiders: allen te zamen kunnen de problemen oplossen, een individuele groep is daartoe niet in staat. Als de arbeiders doen wat de pa-

*Paus Leo XIII.*

troon van hen verlangt hebben ze recht op een billijke behandeling en beloning. Krijgen zij die niet, dan mogen zij zich gezamenlijk daartegen verweren. De paus geeft hiermee de ruimte voor een arbeidersbeweging op katholieke grondslag.

*Rerum Novarum* wordt vooral in liberale kring met gejuich ontvangen. De socialisten staan er afwijzend tegenover en veel conservatieven beschouwen het als verraad van hun 'bondgenoot' de paus. Mede op basis van *Rerum Novarum* kan de katholieke elite de strijd aanbinden met de socialisten om de gunst van de arbeidersklasse.

*Veel joodse immigranten in de VS vestigen zich op Manhattan (Lower East Side).*

# Veel joden weg uit Moskou

MOSKOU, maart - Van hogerhand is een bevelschrift uitgevaardigd op last waarvan een groot deel van de joodse gemeenschap in Moskou uit de stad wordt verbannen; slechts de welgestelden mogen blijven. Het gaat om de verdrijving van ca. 20000 joden van de 30000 mensen tellende gemeenschap. De tsaristische oekaze is opnieuw een bevestiging van het agressieve nationalisme dat sinds een aantal jaren in het Rusland van tsaar Alexander III opgeld doet. Vijf jaar geleden werden reeds grote aantallen joden uit Kiëv verdreven.

Het joodse probleem dateert van de 18de eeuw, toen als gevolg van de Poolse delingen en de inlijving van de gebieden in het zuidwesten een groot aantal joden Russisch onderdaan werd. Krachtens wetten uit 1795, 1804 en 1835 mochten zij zich niet in de centrale Russische provincies vestigen. Zij leefden, uitzonderingen daargelaten, in een speciaal gebied in voormalig Polen en de Oekraine, de Tsjerta of het 'Paalgebied'.

De moord op tsaar Alexander II in 1881 werd door antisemitische demagogen de joden in de schoenen geschoven. In mei dat jaar vonden er pogroms plaats in Elizavetgrad, Kiëv en Odessa, gevolgd door nieuwe uitbarstingen in de zomer, en andere in december in Warschau. De autoriteiten deden hiertegen weinig.

Sinds de 'Tijdelijke Regels' (Meiwetten) van het jaar 1882 is het joden verboden op het platteland te wonen. Zij mogen geen onroerend goed buiten de steden van de Tsjerta bezitten of beheren, en evenmin handeldrijven op christelijke zon- en feestdagen. Voor onderwijsinstituten geldt voor joden een numerus clausus. Sinds 1889 worden zij uit de orde der advocaten geweerd, terwijl zij door de nieuwe kieswet vorig jaar zijn uitgesloten van de verkiezingen voor de zemstvo's. Het is dan ook niet voor niets dat vele joden voor emigratie hebben gekozen; in de jaren 1881-1890 bedroeg het aantal émigrés naar de Verenigde Staten 135000 personen.

Daarnaast reageren veel joden, met name jongeren, op de voortdurende pesterijen door ondergronds te gaan. Maken zij een kleine 5 procent van de totale bevolking uit, in het aantal gearresteerde revolutionairen is het joodse element ruim driemaal zo groot.

Een derde mogelijkheid om aan hun harde lot te ontsnappen is de bekering tot het orthodoxe geloof. Volgens de Opperprocurator van de Heilige Synode, Pobedonostsev, is het joodse probleem in Rusland opgelost wanneer een derde zich bekeert, een derde emigreert en het resterende deel sterft.

# Conflict Vrije Vrouwen en socialisten

*Wilhelmina Drucker.*

BRUSSEL, 16 augustus - 'Mannenhaatsters' en 'een club van bourgeoisdames, die de vrouwenbeweging isoleert van de sociale strijd', zo noemde de socialist J. Fortuyn de Nederlandse feministische Vrije Vrouwenvereni-

ging (VVV). Met deze argumenten werd de afgevaardigde van de VVV, Wilhelmina Drucker, de toegang tot het Internationaal Werkliedencongres te Brussel geweigerd. Overigens werd Drucker alsnog toegelaten nadat zij de algemene vergadering tekst en uitleg over de VVV had gegeven. Aan de aanvankelijke weigering Drucker tot het congres toe te laten ligt een conflict ten grondslag, dat al enige tijd bestaat.

De VVV is in 1889 te Amsterdam opgericht door onder anderen W. Drucker; het doel van de vereniging is het bevorderen van de maatschappelijke belangen van de vrouw. Met nadruk is in de statuten het neutrale karakter van de VVV vastgelegd: de vereniging wil geen binding met enige politieke partij.

Na de nauwe samenwerking met de socialistische Sociaal Democratische Bond in het begin, ontstonden er al snel meningsverschillen over kwesties als vrouwenarbeid en vrouwenkiesrecht. De VVV vindt dat er aan vrouwenarbeid geen andere beperkingen mogen worden opgelegd dan die welke

voor mannenarbeid gelden. De socialisten daarentegen willen bepaalde soorten werk, zoals nachtarbeid en arbeid in ongezonde bedrijven, voor vrouwen verboden zien. Dit verschil van mening is niet zo vreemd: veel vrouwen uit de gegoede kringen mógen niet werken, waar de arbeidersvrouw wel móet en dat vaak onder zeer slechte omstandigheden. Verder vinden socialisten dat het bereiken van algemeen mannenkiesrecht om tactische redenen voorrang moet krijgen boven de invoering van het vrouwenkiesrecht; de VVV legt de prioriteit juist bij het vrouwenkiesrecht en wil dit eventueel ook geleidelijk bereiken via het beperkte 'dameskiesrecht'. Dat wil zeggen het censuskiesrecht (stemrecht alleen voor wie belasting betaalt) zoals dat nu al voor mannen bestaat.

De kwestie heeft een verkoeling teweeggebracht tussen de SDB en de VVV. Een aantal vrouwen heeft de VVV inmiddels verlaten omdat zij de vereniging niet socialistisch genoeg vinden.

# Boulanger pleegt zelfmoord op graf vriendin

# Aanleg Siberische spoorlijn begonnen

*De zelfmoord van generaal Boulanger.*

*De haven van Vladivostok ('Heer van het Oosten') (circa 1904-1905). Rechts een menigte bij de verwelkoming van een (onbekende) gezagsdrager.*

PARIJS-BRUSSEL, 30 september - De kort geleden nog zo populaire generaal Georges Boulanger heeft zelfmoord gepleegd op het graf van zijn vriendin, Marguerite de Bonnemains. Op 14 augustus werd hij bij verstek veroordeeld tot levenslang wegens zijn mislukte poging tot een staatsgreep. Na die coup vluchtten Boulanger en Madame de Bonnemains naar België. De Parijse bewindslieden hebben hem in feite nooit zijn populariteit vergeven, die ten top steeg na het lintjesschandaal dat Grévy tot aftreden dwong en van verschillende kanten is uitgebuit.

VLADIVOSTOK, 19 mei - Tsarevitsj Nikolaj Aleksandrovitsj heeft in Vladivostok de plechtige opening van de aanleg van de spoorlijn door Siberië verricht. Nog dezelfde dag is men aan de slag gegaan met het eerste deel van de spoorweg, de 415 km tussen Vladivostok en Grafskaja.
Dit uiterst kostbare project voorziet in verschillende behoeften: een snelle verbinding met de verst gelegen delen van het rijk - de reis vanuit de hoofdstad naar het Verre Oosten duurt algauw enige maanden - is niet alleen uit algemene, bestuurlijke overwegingen dringend noodzakelijk. De spoorlijn zal, zo wordt verwacht, bijdragen aan de verdere kolonisatie van Siberië en de

ontwikkeling van de Siberische mijnbouw stimuleren. Bovendien biedt zo'n verbinding de mogelijkheid om de Chinese markt te penetreren. De strategische betekenis van de spoorlijn kan evenmin worden onderschat. In een tijd waarin Frankrijk en Groot-Brittannië hun greep op China verstevigen, kan Rusland niet werkeloos toezien, zo wordt in legerkringen geredeneerd.
Vanaf het Chinees-Russische Verdrag van Nertjinsk van 1689 tot aan de regering van Alexander II bleef de Russische grens in het Verre Oosten ongewijzigd. De Russische bevolking in Siberië groeide in deze periode echter aanzienlijk, onder andere door immigratie die vaak actief door de staat werd ge-

steund. De rivier de Amoer was een belangrijke verkeersader.
In 1847 werd graaf Nicolaas Moeravjov gouverneur-generaal van Oost-Siberië. Hij stimuleerde de Russische expansie in het Amoer-gebied, handig gebruik makend van de zwakte van China, dat in oorlog met Frankrijk en Engeland was en daarbij verscheurd werd door rebellie. China deed in 1858 afstand van de linkeroever van de Amoer, en in 1860 van de streek Oesoeri. De Russische stad Vladivostok, letterlijk 'Heer van het Oosten', werd in hetzelfde jaar gesticht. Het eiland Sachalin, jarenlang een Russisch-Japanse twistappel, kwam in 1875 bij het Russische imperium.

*Na zorgvuldige bestudering van de manier waarop vogels vliegen en een jaar van intensieve experimenten is de Duitse ingenieur Otto Lilienthal erin geslaagd als eerste mens met een zweeftoestel enkele meters te vliegen. Bij zijn eerste vlucht legde hij een afstand van 15 m af.*

*Keizer Wilhelm II en zijn echtgenote Auguste Viktoria van Duitsland arriveren op 1 juli per schip in Amsterdam voor een officieel bezoek aan Nederland. Zij worden bij hun aankomst onder anderen begroet door de bijna 11-jarige prinses Wilhelmina en koningin-moeder Emma.*

# 1892

Victor Adler, August Bebel (l) en Karl Kautsky (r).

## Duitse socialisten nemen 'Erfurter Programm' aan

ERFURT, 20 oktober - Na langdurige beraadslagingen van de afgevaardigden heeft de Duitse Sociaal-Democratische Partij een nieuw, uit twee delen bestaand programma aanvaard. Het eerste, theoretische deel is geschreven door Karl Kautsky. Het tweede, op de politieke praktijk gerichte deel, is van de hand van Eduard Bernstein.

De Sociaal-Democratische Partij ontstond in 1875, toen in Gotha de Algemene Duitse Arbeidersvereniging, opgericht door Ferdinand Lassalle, samenging met de sociaal-democraten van Wilhelm Liebknecht en August Bebel. Na de kritiek van Karl Marx op het beginselprogramma van 1875 spreekt men zich nu uit tegen deelname van de sociaal-democraten aan de burgerlijke regering. Het socialisme moet door geleidelijke hervormingen bereikt worden.

Het theoretische deel is sterk beïnvloed door de denkbeelden van Marx. Uiteengezet wordt dat de klassenstrijd tussen bourgeoisie en proletariaat zich verscherpt. Voor het tot stand brengen van een socialistische samenleving wordt het noodzakelijk geacht dat het kapitalistische particulier eigendom wordt afgeschaft en vervangen door een systeem waarin de produktiemiddelen in handen van de gemeenschap komen. Voor de praktische politiek betekent dit dat het politiek bestel gedemocratiseerd moet worden. Verder wordt gepleit voor zaken als de verbetering van de positie van de arbeiders, de gelijkberechtiging van de vrouw en de achturige werkdag.

Critici wijzen op een zekere tweeslachtigheid: enerzijds wordt op grond van theoretische overwegingen de onweerstaanbare komst van het socialisme aangekondigd zodat de politieke passiviteit van de partij gerechtvaardigd wordt, anderzijds wordt juist de onvervangbare rol van de sociaal-democraten hierin beklemtoond.

---

**1 januari.** In New York wordt het Ellis Island Immigration Station geopend. →

**29 februari.** Groot-Brittannië en de Verenigde Staten sluiten een verdrag ter onderlinge reglementatie van de zeehondejacht in de Beringzee.

**10 april.** De dichter José Martí richt de Cubaanse Revolutionaire Partij op.

**19 april.** Californië wordt getroffen door een enorme aardbeving.

**6 juli.** De Amerikaanse industrieel Carnegie laat het vuur openen op stakende arbeiders.

**17 augustus.** Rusland en Frankrijk sluiten een geheim militair verdrag. →

**8 november.** Grover Cleveland wordt opnieuw tot president van de Verenigde Staten gekozen. →

**10 november.** Ferdinand de Lesseps en zijn vennoten van de Compagnie de Panama worden wegens corruptie en wanbestuur voor het gerecht gedaagd.

**22 november.** De Belgen onderdrukken een opstand van Arabische slavendrijvers in hun kolonie Opper-Kongo.

- Claude Monet begint zijn serie schilderijen van de kathedraal van Rouen.

- Op de Filippijnen wordt de Katipunan-beweging gevormd.

- De 'Münchener Sezession' wordt opgericht. →

- Berlijn krijgt elektrische straatverlichting. →

- In Londen wordt het sjieke warenhuis Harrod's geopend. →

- De Duitse schrijver Karl May publiceert *Durch die Wüste.* →

- Een nieuwe ster, de Auriga, wordt in de Melkweg geobserveerd.

Geboren:

**20 januari.** Ernst Lubitsch (†30-11-1947), Duits-Amerikaans filmregisseur
**25 mei.** Josip Broz Tito (†4-5-1980), Joegoslavisch staatsman
**23 juli.** Haile Selassie (†27-8-1975), Abessijns keizer en kleinzoon van Menelik II

Gestorven:

**26 maart.** Walt Whitman (31-5-1819), Amerikaans dichter
**18 juli.** Thomas Cook (22-11-1808), Brits ondernemer en oprichter van het eerste reisbureau →
**6 oktober.** Alfred Lord Tennyson (6-8-1809), Engels dichter
**12 oktober.** Ernest Renan (27-2-1823), Frans dichter
**6 december.** Werner von Siemens (13-12-1816), Duits ingenieur, uitvinder en ondernemer

---

# Immigratie VS aan banden

Het Immigratie Station op Ellis Island in de haven van New York.

NEW YORK, 1 januari - Op Ellis Island, een mijl ten zuiden van Manhattan in de haven van New York, is het nieuwe federale Immigratie Station geopend. Dit nieuwe complex is geschikter om de ongewenste elementen uit de immigrantenstroom te selecteren dan het oude Castle Garden-station op Manhattan.

De opening van Ellis Island past in het huidige beleid van het Congres, dat op de immigratiebeperking gericht is. Steeds meer Amerikanen, verenigd in allerlei pressiegroepen, maken zich bezorgd over het feit dat de landverhuizers in toenemende mate uit mediterrane en Slavische landen komen. Landen die, volgens de chauvinisten, te veraf staan van de 'Amerikaanse stam'. Onlangs werd in het Congres verklaard dat het vaderland in gevaar is en dat actie moet worden ondernomen: 'Het is onze patriottische en christelijke plicht om ons land te behoeden tegen de vloed van vreemde zeden, gewoonten en gebruiken. Wij geloven in immigratie. Maar alleen van het betere soort. Met open armen verwelkomen wij onze bloedverwanten uit Noord- en West-Europa, maar wij moeten protesteren tegen de toelating van hen die door hun inferieure manier van leven, hun karaktertrekken en hun lage intelligentie de hoge idealen van de Amerikaanse samenleving omlaaghalen.'

In 1882 is met de invoering van de Federale Immigratie Wet, die bepaalt dat naast de Chinezen voortaan ook aan criminelen en krankzinnigen de toelating tot Amerika wordt geweigerd, een begin gemaakt met de inperking van vrije immigratie.

In het afgelopen decennium kwam van de vijf miljoen immigranten één miljoen uit Zuid- en Oost-Europa en betrouwbare schattingen wijzen uit dat in de komende jaren de immigranten uit landen zoals Italië en Rusland de meerderheid zullen gaan vormen. De structurele landbouwcrisis in Italië en de pogroms tegen de joden in Rusland en Polen én het idee dat Amerika het Beloofde Land is, zijn de oorzaken van deze landverhuizingen.

In Amerika ergeren de voorstanders van restrictiemaatregelen zich vooral aan de neiging van de nieuwe immigranten om in de grote steden samen te klonteren. Berekend is dat vier van de vijf inwoners van New York óf in het buitenland geboren zijn óf kinderen van immigranten zijn. Bovendien assimileren de nieuwe immigranten niet, is een veelgehoorde klacht; 'zij praten anders, zien er anders uit, ruiken anders, het is een ander ras.'

In de slums van Chicago, Boston of New York ondervinden de nieuwkomers dat Amerika niet voor iedereen de 'hoorn des overvloeds' is.

Italiaanse immigranten (Ellis Island).

# Engeland geeft Indiërs beperkt kiesrecht

*Koningin Victoria van Engeland met een Indiase bediende (1893). Sinds 1877 draagt Victoria tevens de titel 'Keizerin van India'.*

LONDEN/CALCUTTA - Met de goedkeuring in Londen van de Indian Councils Act is er een beperkt kiesrecht voor Indiërs ingesteld. Een aantal leden voor de wetgevende raad van de vice-koning in Calcutta en van de raden van de gouverneurs van Bombay en Madras, is nu verkiesbaar door kiescolleges die zelf weer worden gekozen door welgestelde plaatselijke belastingbetalers. De Engelsen voelen zich sterk genoeg in het zadel zitten om met deze maatregel, die onder meer onder druk van het Indisch Nationaal Congres is genomen, wellicht enige kritiek in het bestuur toe te laten. Overigens blijven de Engelse leden van de raden in de meerderheid, dus elke vorm van oppositie zou geen schijn van kans hebben.

Inderdaad hebben de Engelsen de touwtjes in India stevig in handen, via een civiele dienst waarin tot nog toe nauwelijks Indiërs zijn toegelaten, hoewel dit officieel wel mogelijk is, een andere doorn in het oog van het Indisch Nationaal Congres. Door middel van dit gesloten ambtenarenapparaat wordt een zich nog steeds uitbreidend rijk bestuurd. Twee jaar geleden werd Sikkim, ten oosten van Nepal, als derde bufferstaat tegen Rusland afhankelijk van het Indische bestuur gemaakt. Sinds 1816 geniet Nepal zelf al Britse 'bescherming', Boetan sinds 1865.

Een tweede avontuur in Afghanistan in 1879 mislukte, net als het eerste, maar de aangrenzende provincie Baloedsjistan kon wel worden ingelijfd in 1887, één jaar nadat aan de andere kant van het imperium Birma geheel in Engelse handen was gekomen.

## Kleurenfoto's nu toepasbaar

*Moderne afdruk van een 'kromogram'.*

WASHINGTON - De uitvinder Frederick E. Ives blijkt erin geslaagd te zijn een commerciële toepassing te vinden voor zijn methode om foto's in kleur te projecteren. Sinds de uitvinding van de zwart-witfotografie worden er verwoede pogingen gedaan om ook in natuurlijke kleuren en niet alleen maar in zwart-wit te fotograferen. In 1861 heeft de Engelsman Maxwell al enig succes geboekt met het over elkaar heen projecteren van driemaal hetzelfde beeld via filters in de kleuren blauw, groen en rood. Ives komt nu op de markt met een speciale en betaalbare projector die in staat is zijn eveneens volgens dit additieve kleurprincipe werkende 'kromogrammen' in kleur te laten verschijnen. De kleurbeelden kunnen bij deze methode echter niet afgedrukt worden.

*Het warenhuis Harrod's, genoemd naar oprichter Henry Charles Harrod.*

## Alles te koop in grote warenhuizen

LONDEN - De laatste decennia openen in Europa steeds meer warenhuizen hun deuren. Een van de laatste en meest luxueuze is Harrod's in de Londense wijk Kensington. In dit Engelse winkelpaleis wordt vrijwel alles te koop aangeboden.

De vestiging is de trotse schepping van Henry Charles Harrod. Hij was theehandelaar en vestigde in 1849 zijn eerste levensmiddelenzaak in Londen. De zaken liepen voorspoedig en al snel breidde Harrod uit. Met de opening van zijn warenhuis in Kensington zette hij de kroon op zijn werk. Zoals de meeste warenhuizen in deze soort is Harrod's in voorname stijl ingericht. Zo hoopt men ook de welgestelde klanten aan te trekken.

De oorsprong van dit type warenhuis ligt in Parijs. Daar groeide de Bon Marché uit tot een van de grootste warenhuizen. Ook in Amerika ontwikkelde het warenhuis zich. Veelal begonnen met een klein assortiment, slaagden ondernemende winkeliers erin hun bedrijf uit te breiden. Voorbeelden hiervan zijn in New York Lord and Taylor en Macy's. In Chicago ontwikkelde het bedrijf van Marshall Field zich tot een van de grootste ter wereld.

*Karl May, alias Kara ben Nemsi.*

## Nieuw boek van Duitse schrijver Karl May

DUITSLAND - De Duitse schrijver van reisavonturen Karl May heeft het boek *Durch die Wüste* gepubliceerd. Hierin vertelt hij de belevenissen van Kara ben Nemsi (Karl, zoon der Duitsers). Hij is de intelligente, sterke en dappere held van het verhaal die het kwaad, hier voorgesteld als een boevenbende, bestrijdt. Hij wordt in zijn nobel streven bijgestaan door Hadschi Halef Omar. Voor de schrijver vertegenwoordigt deze de lepe en gewiekste oosterling. De uitslag van de strijd is geruststellend: het goede zegeviert. Ondanks het enigszins voorspelbare verloop van de handeling blijft ook dit verhaal van Karl May boeien, niet in de laatste plaats door de fantasierijke verteltrant. Bovendien spelen de gebeurtenissen zich af in een gebied dat sterk in de belangstelling staat. May geeft veel etnografische bijzonderheden, waaruit blijkt dat hij zich voor zijn boeken goed gedocumenteerd heeft. Hij brengt het Nabije Oosten tot leven. Dat is geen geringe prestatie, wanneer men bedenkt dat Karl May nimmer een voet in het door hem beschreven gebied heeft gezet.

## Frans-Russisch bijstandsverdrag

PARIJS-MOSKOU, 17 augustus - In het geheim hebben vertegenwoordigers van de Franse en Russische regering een overeenkomst gesloten die de partijen verplicht militaire bijstand te verlenen indien een van de partners wordt aangevallen door een lid van de Triple Alliantie: het Duitse Rijk, Oostenrijk-Hongarije of Italië.

Het aangaan van deze verplichting wordt in verband gebracht met het niet vernieuwen van het Rückversicherungsvertrag dat de Russische en Duitse regering in 1890 hadden gesloten. Het is duidelijk geworden dat met het verdwijnen van Bismarck de Duitse politiek van inhoud veranderd is.

# 'Sezession' in München

MUNCHEN - De kunstenaars Franz von Stuck, Fritz von Uhde en Wilhelm Trübner hebben een kunstenaarsbeweging in het leven geroepen die zich wil verzetten tegen de bestaande academistische kunstopvattingen. Ze noemen de beweging 'Sezession'. Een van de voornaamste doelen is een vernieuwing op het gebied van de toegepaste en beeldende kunsten op gang te brengen. De kunstenaars die in deze nieuwe richting actief zijn, verzetten zich vooral tegen de historiserende kunst. Ze hekelen de levenloze voorstellingen van de traditionele kunst en willen een kunst scheppen die een ieder aangaat. Ze leggen zich toe op het scheppen van een totaalkunstwerk en streven een fantasierijke en toch doelmatige vormgeving na waarbij grote waarde aan zakelijkheid en effectiviteit gehecht wordt. Inmiddels hebben verscheidene kunstenaars zich bij de nieuwe beweging aangesloten. Het zijn, behalve schilders, ook architecten, grafici en mensen uit de kunstnijverheid. Ze proberen in de binnenhuisarchitectuur en ook in de boekdrukkunst door de vormgeving hun doelstelling van een totaalkunstwerk te realiseren. Een kenmerkend aspect van deze stroming is het verwerken van thema's uit de volkskunst. De belangrijkste uitdruk-

kingsvormen die toegepast worden zijn de lijn en het vlak. De laatste tijd tekenen zich twee richtingen af: in de ene legt men zich toe op het creëren van gestileerde natuurvormen, die men floraal zou kunnen noemen, en in de andere richting wordt de nadruk gelegd op het zakelijke, bijna abstracte aspect van de kunst. Het op elkaar afstemmen van vorm en kleur wordt van wezenlijk belang geacht om een totaalkunstwerk tot stand te kunnen brengen. Met behulp van deze inzichten worden meubels, serviezen, schilderijen en textiel vervaardigd. De aandacht voor de toepassing van kunstopvattingen op alledaagse gebruiksvoorwerpen heeft geleid tot de ontwikkeling van een nieuwe levensstijl.

Samenhangend hiermee wordt de nieuwe kunstrichting nu ook wel *Jugendstil* genoemd.

Bij de oprichting van de 'Sezession' stelde de schilder Franz von Stuck onder meer zijn recente schilderij *Die Sünde* ten toon. In zijn schilderkunst blijkt von Stuck beïnvloed te zijn door de schilder Arnold Böcklin en de Belgische symbolist Fernand Khnopff. Von Stuck grijpt het schilderen aan om zijn visie op de vrouw allegorisch weer te geven: hij toont haar als een demonische verleidster.

*'De zonde', waarin Franz von Stuck het demonische van de vrouw benadrukt.*

*Brighton, een van de drukst bezochte Engelse badplaatsen (Edward Bradley).*

# Toerisme neemt sterk toe

LEICESTER, 18 juli - De oprichter van het eerste reisbureau, de Engelsman Thomas Cook, is op 83-jarige leeftijd overleden. Cook was op twintigjarige leeftijd missionaris en bijbellezer. Ter gelegenheid van een bijeenkomst van geheelonthouders overreedde hij in 1841 de Midland Counties Railway tussen Leicester en Loughborough een speciale trein te laten rijden. Hij adverteerde hiervoor en zo werd dit de eerste commerciële gezelschapsreis. Drie jaar later maakte hij met deze maatschappij een vaste afspraak, waarbij hij voor passagiers zorgde als hem een trein ter beschikking werd gesteld.

Tijdens de Wereldtentoonstelling in Parijs organiseerde Cook in 1855 de eerste begeleide excursie van Leicester naar Calais. Het jaar daarop organiseerde hij de eerste grote rondreis door Europa. Aan het begin van de jaren zestig begeleidde Cook niet langer persoonlijk zijn reizen maar richtte hij een reisagentschap op.

De laatste jaren ondernemen steeds meer mensen reizen naar het buitenland. Vooral de welgestelden geven zich graag aan dit genoegen over. De favoriete landen van bestemming zijn voor hen Zwitserland, Oostenrijk en Italië. Deze ontwikkeling wordt vooral mogelijk gemaakt door de uitbreiding van het spoorwegnet.

Met het toenemen van de reislust nam ook de behoefte aan mogelijkheden tot overnachting toe. Een van de eersten die dit inzagen was de Zwitserse kelner César Ritz. Zijn hotel werd het begin van een reeks luxeueuze hotels die hij in de grote Europese steden liet bouwen. Zijn ondernemingen onderscheiden zich door de elegante en smaakvolle interieurs waar de groten der aarde en de welgestelden graag vertoeven.

Ook in culinair opzicht doen zich nieuwe ontwikkelingen voor. De grote koks legden zich tot voor kort toe op

het vervaardigen van ingewikkelde en vaak gekunstelde schotels. De Franse kok Auguste Escoffier bracht hierin verandering. In zijn doelmatig ingerichte keuken in het Londense Savoy Hotel bracht hij een revolutie in de kookkunst teweeg. Hij bracht de gasten in vervoering met lichte en verfijnde schotels, die bovendien warm bleven omdat hij het gebruik van dekschalen propageerde.

*Boven: de Zwitserse hotelier César Ritz, onder: het restaurant in het Ritz-hotel op de Place Vêndome (Parijs).*

# Come-back van Cleveland

WASHINGTON, 8 november - 'Grover, Grover, all is over,' waarschuwden de republikeinse campagnevoerders in de presidentsverkiezingen van dit jaar, maar het electoraat heeft op hun waarschuwingen geen acht geslagen: oud-president Grover Cleveland, die het vier jaar geleden moest afleggen tegen Benjamin Harrison en inmiddels in New York een welvarende advocatenpraktijk heeft opgebouwd, kan opnieuw zijn opwachting maken in het Witte Huis: hij heeft in het kiescollege een royale meerderheid van 277 stemmen behaald; Harrison kwam niet verder dan 145 stemmen. De Democraten hebben vandaag bovendien een meerderheid verworven in de Senaat en het Huis van Afgevaardigden.

Een opmerkelijk fenomeen in de verkiezingsuitslag is de goede score van de Populisten, die met hun kandidaat generaal James Weaver 22 stemmen in het kiescollege hebben gehaald. De Populistische Partij vertegenwoordigt de onder zware schulden gebukt gaande boeren van het noordwesten en het zuiden van het land. Door in een aantal staten met de Democraten samen te werken, zijn de Populisten erin geslaagd verscheidene Congresleden, drie gouverneurs en honderden lagere functionarissen gekozen te krijgen,

bijna allemaal in het noordwesten. In het zuiden zijn de boeren er veelal voor teruggeschrokken tegen de Democratische Partij te stemmen, uit vrees daarmee politieke macht aan het zwarte electoraat te verliezen.

Het succes van de Populisten bewijst hoezeer de kiezers zich zorgen maken over het economisch beleid. Hét thema van de verkiezingsstrijd was dan ook de McKinley Tariff Act, die twee jaar geleden van kracht is geworden. Deze maatregel ter bescherming van de eigen industrie houdt een invoerheffing in van gemiddeld niet minder dan 48 procent. Maar deze zware heffing blijkt in een aantal gevallen averechts te werken. Er moeten invoerrechten worden betaald op goederen die niet in eigen land gemaakt worden, en op landbouwprodukten die het landbouwrijke Amerika toch al niet hoeft te importeren. Per saldo hebben de McKinley-tarieven slechts de inflatie aangewakkerd. De Republikeinen van president Harrison hebben daarvoor nu de prijs moeten betalen. Ook de golf van stakingen die dit jaar over het land is gespoeld, heeft de zaak van Harrison geen goed gedaan: deze stakingen logenstraffen het versleten republikeinse argument dat hoge tolmuren ook hoge lonen betekenen.

De op 6 december overleden Werner von Siemens heeft in zijn leven een groot aantal vindingen gedaan op het gebied van elektriciteit. Zo vond hij de geïsoleerde stroomkabel uit. Op 31-jarige leeftijd vestigde hij een firma die telegrafieapparatuur vervaardigde. De door hem ontdekte dynamo maakte algemene stroomvoorziening mogelijk. Ook de bouw van de elektrische locomotief en de tram werden nu mogelijk. Boven: straatverlichting in Berlijn.

# 1893

**16 februari.** In het Ruhrgebied wordt het Rheinisch-Westfälisches Kohlen-Syndikat gevormd. →

**26 februari.** In het theater Die Freie Bühne beleeft het naturalistische drama *Die Weber* van Gerhart Hauptmann zijn première. →

**Maart.** In Parijs vinden terroristische aanslagen van anarchisten plaats.

**18 april.** België voert het algemeen mannelijk kiesrecht in. →

**22 april.** Paul Kruger wordt voor de derde maal gekozen tot president van de Boerenrepubliek Transvaal.

**22 april.** In België wordt een algemene werkstaking gehouden.

**17 augustus.** In Praag stijgt de anti-Duitse stemming. →

**19 september.** Nieuw-Zeeland is het eerste land waar vrouwen stemrecht krijgen. →

**3 oktober.** Onder druk van de grootmachten Frankrijk en Groot-Brittannië staat Siam, in het Verdrag van Hong Kong, alle gebieden aan de linkerzijde van de rivier de Mekong aan de Franse kolonie Laos af. →

**17 november.** Frankrijk legt Dahomey zijn protectoraat op.

**9 december.** De anarchist Auguste Vaillant brengt een bom tot ontploffing in de Parijse Kamer van Afgevaardigden.

- In de Verenigde Staten wordt de Anti-Saloon League opgericht ter bevordering van het geheelonthouden.

- De Russische regering sluit de universiteit van Dorpat. →

- Rudolf Diesel verkrijgt het patent op een benzinemotor. Deze motor krijgt de naam van zijn schepper. →

- De Duitse economie wordt door een depressie getroffen. →

- In Groot-Brittannië wordt de onafhankelijke Labour Party opgericht onder voorzitterschap van Keir Hardie. →

- Edvard Munch schildert *De schreeuw.* →

Gestorven:

**5 maart.** Hippolyte Taine (21-4-1828), Frans criticus, historicus en filosoof →
**7 juli.** Guy de Maupassant (5-8-1850), Frans schrijver →
**18 oktober.** Charles Gounod (17-6-1818), Frans componist →
**6 november.** Pjotr Iljitsj Tsjaikovski (7-5-1840), Russisch componist

*Rudolf Diesel.*

# Diesel verwerft patent op motor

BERLIJN - De 34-jarige Duitse constructeur Rudolf Diesel heeft patent verworven op een nieuw type motor.

Rudolf Diesel heeft bij zijn vinding gebruik gemaakt van de inzichten van de Fransman Carnot, die een hypothese over kringprocessen opstelde. In Diesels motor wordt een mengsel van brandstof en zuurstof onder zeer hoge druk gebracht, waarna een spontane ontbranding optreedt. Ruwe olie dient hierbij als brandstof. Op deze wijze wordt een hoog rendement behaald. Als nadeel geldt dat het gewicht van de motor aanzienlijk is door de massieve uitvoering. Deze laatste is nodig omdat de motor bestand moet zijn tegen de zware druk die in de cilinder ontstaat.

*In besloten kring is in Berlijn het drama 'Die Weber' van Gerhart Hauptmann opgevoerd. De censuur heeft een openbare uitvoering verboden omdat het stuk 'een oriëntatiepunt voor het tot demonstreren geneigde deel van de Berlijnse bevolking' zou vormen. Het stuk is een aanklacht tegen uitbuiting en sociale onrechtvaardigheid.*

# Belgische regering breidt kiesrecht uit

*'De avond van de staking' (schilderij door Eugeen Laermans, 1893).*

BRUSSEL, 18 april - Met 119 stemmen voor, 14 tegen en 12 onthoudingen heeft de Kamer na wekenlange onderhandelingen ingestemd met een grondwetswijziging betreffende het kiesrecht. In België zal voortaan het systeem van algemeen mannelijk meervoudig kiesrecht van kracht zijn. Hierdoor is een einde gekomen aan het censuskiesrecht. Het aantal stemgerechtigden zal door deze verandering meer dan vertienvoudigen tot bijna 1,4 miljoen mannen, die samen zo'n 2 miljoen stemmen zullen mogen uitbrengen.

Het vinden van een nieuw kiesrechtstelsel heeft heel wat voeten in de aarde gehad. Vanaf 1870 hebben progressieve liberalen tot viermaal toe geprobeerd het stemrecht te democratiseren. Pas in 1890 bleek de Kamer bereid op voorstel van Paul Janson een grondwetsherziening in overweging te nemen. Nadat 13 grondwetsartikelen waren aangeduid die voor wijziging in aanmerking kwamen, werden de Wetgevende Kamers ontbonden. Bij de algemene verkiezingen van 14 juni vorig jaar verloren de katholieken hun tweederde-meerderheid, zodat een compromis met de liberalen noodzakelijk was om een grondwetswijziging te kunnen doorvoeren.

Op 28 februari van dit jaar begonnen eindelijk de parlementaire debatten, waarbij de meeste aandacht uitging naar artikel 47 over het kiesrecht. Verschillende mogelijkheden tot uitbreiding van dat artikel kwamen ter tafel: huismanskiesrecht, belangenvertegenwoordiging, bekwaamheidskiesrecht en algemeen stemrecht. Na langdurige en uiterst moeizame debatten bleek geen enkel voorstel op voldoende steun te kunnen rekenen. Op 11 april werden alle voorstellen door de Kamer weggestemd. Een impasse dreigde.

De socialistische BWP kondigde ogenblikkelijk een algemene staking af om haar eis tot algemeen stemrecht kracht bij te zetten. Vooral in de mijnen en de metaal- en textielindustrie legden de arbeiders op 12 april massaal voor onbepaalde tijd het werk neer. Er werd de volgende dagen ook veelvuldig gedemonstreerd, waarbij het enkele malen, zoals in Borgerhout, Bergen en Jolimont, tot zeer bloedige botsingen met leger en politie kwam. Zeker tien arbeiders zijn daarbij om het leven gekomen.

Inmiddels werkte eerste minister Beernaert koortsachtig aan een oplossing, door steun te zoeken voor een voorstel van de katholieke volksvertegenwoordiger Albert Nyssens. Deze Leuvense professor had een plan geformuleerd waarin enerzijds sprake was van algemeen kiesrecht voor mannen ouder dan 25 jaar, dat echter gematigd werd door extra stemmen toe te kennen aan gezinshoofden ouder dan 35 jaar die minstens 5 frank belasting betalen, aan gediplomeerden en aan welgestelden. Een persoon zou maximaal drie stemmen mogen uitbrengen.

Beernaert slaagde erin koning Leopold II voor het plan-Nyssens te winnen. Ook enkele socialistische voormannen gaven te kennen het voorstel te zullen steunen, waardoor de stakingen zouden kunnen worden afgeblazen.

Vanmorgen is dan, in het zwaarbewaakte parlementsgebouw, het voorstel-Nyssens in stemming gebracht. Omdat er geen echt alternatief was, kreeg het algemeen meervoudig stemrecht zonder veel discussie meer dan voldoende steun van de Kamerleden. De Belgische socialisten hebben aansluitend daarop verklaard dat de algemene staking beëindigd dient te worden, maar dat de strijd zal doorgaan 'tot de afschaffing van het meervoudig stemrecht en de invoering van politieke gelijkheid' is bereikt.

Overigens is ook besloten de stemplicht in te voeren (artikel 48). Voor de evenredige vertegenwoordiging blijkt vooralsnog geen meerderheid te vinden te zijn, dit zeer tot ongenoegen van eerste minister Beernaert. Het absolute meerderheidsprincipe per kiesdistrict blijft daardoor vermoedelijk bestaan.

*Stakers voor het algemeen kiesrecht tijdens een rede van Eduard Anseele in Gent.*

# Duitse mijneigenaren in syndicaat

*Een staalfabriek in het Duitse Ruhrgebied (aquarel, eind 19de eeuw).*

GELSENKIRCHEN, 16 februari - Op initiatief van Emil Kirdorf, de algemeen directeur van de mijn in Gelsenkirchen, hebben 86 eigenaren van mijnen in het Ruhrgebied zich verenigd in het Rheinisch-Westfälisches-Kohlen-Syndikat. Dit kartel controleert nu 86,7 procent van de steenkolenproduktie in het Ruhrgebied.

De afgelopen jaren zijn, ook al op initiatief van Kirdorf, enkele maatschappijen opgericht die zich bezighouden met de verkoop van steenkool. Met het nu in het leven geroepen syndicaat is de concurrentie tussen deze maatschappijen opgeheven. De gedolven steenkool wordt thans aan het syndicaat geleverd. Dit verzorgt de afzet via een bepaalde verdeelsleutel.

De mijnindustrie in het Ruhrgebied heeft sinds 1870 een hoge vlucht genomen. Steeds meer arbeiders vinden hier een bron van inkomsten; daarbij is het aantal mijnen verhoudingsgewijs afgenomen. Deze opbloei is vooral mogelijk gemaakt doordat na 1851 het staatstoezicht op de mijnen is opgeheven. Daarna zijn steeds meer mijnen geopend die hetzij privé-bezit zijn, hetzij als een naamloze vennootschap geëxploreerd worden.

In de loop van de tijd raakten de kolenlagen die zich dicht onder het aardoppervlak bevonden uitgeput. Dit maakte het noodzakelijk dat de mijnschachten steeds dieper gegraven werden. Deze omstandigheid én de toenemende inflatie zijn te beschouwen als de voornaamste oorzaken van het concentratieproces dat ontstond.

*Jonge Tsjechen schoppen lawaai.*

## Arrestaties bij rellen in Praag

PRAAG, 18 augustus - Gisteravond zijn opnieuw ongeregeldheden uitgebroken tussen politie en leden van de Partij der Jonge Tsjechen. De radicale demonstranten meenden de viering vandaag van de 63ste verjaardag van keizer Frans Jozef te moeten inluiden met een gewelddadig protest tegen de Duitse overheersing op politiek en cultureel gebied. Een woordvoerder van de politie heeft inmiddels verklaard dat tientallen personen zijn aangehouden. Precies drie maanden geleden haalden de Jonge Tsjechen en hun geheime genootschap 'Omladina' ook al de voorpagina's van de kranten toen ze met pot- en pandeksels een zitting van het Boheemse parlement verstoorden en vernielingen aanrichtten.

## Nieuwe bond tegen drankmisbruik

WASHINGTON - 'De lippen die naar alcohol smaken, zullen nooit de mijne raken.' Dit en andere anti-alcoholliederen zijn op het ogenblik in alle staten van de VS veelvuldig te horen. Onlangs hebben ontevreden leden van de Prohibition Party ('Partij tegen drankmisbruik') een nieuwe bond opgericht, de Anti-Saloon League.
De jarenlange strijd tegen de alcohol heeft tot nu toe weinig resultaat opgeleverd, ondanks de verwoede pogingen van organisaties als WCTU (vrouwen tegen drankmisbruik) en de harde acties van eenlingen als Carry Nation, bijgenaamd de 'Cycloon van Kansas'. Gewapend met een bijl maakt deze potige dame (ruim 1,80 m) sinds enige tijd in verscheidene staten de kroegen onveilig.
Het ligt in de bedoeling van de Anti-Saloon League om niet, zoals de Prohibition Party deed, zelf deel te nemen aan de verkiezingen, maar zoveel mogelijk te lobbyen binnen de bestaande grote partijen.

# Eerste vrouwenkiesrecht

WELLINGTON, 19 september - Het parlement van Nieuw-Zeeland heeft met 20 stemmen vóór en 18 tegen een wetsontwerp aangenomen waarin de invoering van het algemeen kiesrecht voor vrouwen wordt geregeld. Nieuw-Zeeland is de eerste nationale staat ter wereld waar het vrouwenkiesrecht wordt ingevoerd. Hoogtepunt van de campagne die voorafging aan de overwinning in het parlement, was de aanbieding aan het Lagerhuis van een petitie, ondertekend door meer dan 30 000 vrouwen (bijna een kwart van alle volwassen vrouwelijke ingezetenen).
Tot nu toe hebben de vrouwen van Nieuw-Zeeland met vrij weinig moeite al op vele gebieden gelijke rechten verworven. De oorzaak hiervan moet worden gezocht in de migratie van radicale liberalen uit Engeland naar Nieuw-Zeeland; in het nieuwe land hebben zij kans gezien veel van hun idealen en sociale hervormingen in praktijk te brengen. Zo laten de universiteiten vanaf hun oprichting in de jaren zeventig van deze eeuw zowel mannen als vrouwen toe, wat ertoe heeft geleid dat begin van dit jaar meer dan de helft van de studenten uit vrouwen bestond. Ook hebben vrouwen in 1884 gelijk recht op eigendom binnen het huwelijk gekregen.
De invoering van het algemeen stemrecht voor vrouwen is in feite ook vrij snel gegaan. Een organisatie die zich hiervoor sterk heeft ingezet is de in 1885 opgerichte Women's Christian Temperance Union (WCTU). Evenals de Amerikaanse zusterorganisatie houdt de Nieuwzeelandse WCTU zich niet alleen bezig met de bestrijding van het drankmisbruik, maar ook met vele andere maatschappelijke kwesties. De kiesrechtafdelingen van de WCTU hebben onder leiding van mrs. Kate Sheppard fel campagne voor het vrouwenkiesrecht gevoerd. Voorstellen in het parlement leden aanvankelijk echter telkens schipbreuk. Zo vond men het voorstel van 1879 niet ver genoeg gaan, omdat dat alleen kiesrecht voor belastingbetalende vrouwen betrof. Het voorstel van 1887 vond men juist te vér gaan, omdat daarin ook gevraagd werd om het recht voor vrouwen zich kandidaat voor het parlement te kunnen stellen.
In het wetsontwerp dat uiteindelijk is aangenomen, wordt aan alle volwassen vrouwen in Nieuw-Zeeland het kiesrecht verleend, ook aan de Maori-vrouwen. In 1894 zullen zij voor het eerst naar de stembus gaan.

*Strijdsters voor het vrouwenkiesrecht ('suffragettes') in New Jersey, VS.*

*Guy de Maupassant.*

# De Maupassant overleden

PASSY, 7 juli - Nadat eerder een zelfmoordpoging was mislukt, is de Franse schrijver Guy de Maupassant op 42-jarige leeftijd in een staat van vrijwel volledige verstandsverbijstering overleden. Hij wordt gezien als een van de grootste schrijvers uit de naturalistische school.
Guy de Maupassant werd geboren in een gezin dat nauw verwant was aan Alfred Le Poittevin, een vriend van Gustave Flaubert. In de zomer van 1868 ontmoette hij de Engelse dichter Swinburne. Hij werd uitgenodigd voor het eten en deze gebeurtenis inspireerde hem tot het schrijven van een van zijn eerste verhalen: *La main d'écorché*.
Alles wat hij schreef werd voorgelegd aan Gustave Flaubert. Deze was zeer geïnteresseerd in de vorderingen van de neef van zijn vriend en zag toe op zijn ontwikkeling. Zo raadde hij De Maupassant aan poëzie te schrijven om zijn stijl wat soepeler te maken. Zijn eerste bundel was dan ook een dichtbundel, die meteen een schandaal veroorzaakte, omdat een van de gedichten van onzedelijke strekking zou zijn.
Op 30-jarige leeftijd publiceerde De Maupassant het verhaal *Boule de suif* waarmee hij zijn naam vestigde. Daarna schreef hij meer verhalen en enkele romans die van hoog niveau zijn. In zijn werk geeft hij blijk van een cynische, pessimistische visie op de wereld.

# Componist Charles Gounod: schepper van opera 'Faust'

SAINT-CLOUD, 18 oktober - Op 75-jarige leeftijd is de Franse componist Charles Gounod overleden. Hij streefde ernaar in zijn muziek uitdrukking te geven aan het typische karakter van de Franse muziek. Het grootste succes had hij met zijn opera *Faust*.
Gounod kreeg zijn muzikale vorming van Anton Reicha en, na diens overlijden, aan het conservatorium in Parijs. In 1839 werd hem de Prix de Rome toegekend voor zijn cantate *Fernand*. Na zijn verdere vorming in Rome verbleef hij enige tijd in Wenen, waar hij zijn *Mis* en zijn *Requiem* componeerde. Na zijn terugkeer in Parijs werd hij kerkorganist. In deze periode werd Gounod door een religieus mysticisme bezield. Hij overwoog zelfs tot een kloosterorde toe te treden. In 1852 werd hij leider van het Orphéontheater.
In deze tijd begon hij te werken aan een opera op een thema van Goethe: *Faust*. De première op 19 maart in 1859 was onmiddellijk een succes en maakte hem wereldberoemd. Deskundigen zijn van mening dat met deze opera de Franse toneelmuziek een nieuwe fase is ingegaan. Met de latere opera's oogstte Gounod minder bijval. Toch toont *Roméo et Juliette* uit 1867 Gounod op zijn best: fraai georkestreerd en dramatische scènes van allure.

*Werklozen grijpen de kranten op zoek naar baantjes (houtsnede naar Wilhelm Zehme).*

# Duitse economie in ernstige crisis

BERLIJN - De Duitse economie is in een ernstige crisis geraakt. Weliswaar neemt de industriële produktie in bepaalde sectoren nog enigszins in omvang toe, maar de overproduktie van de afgelopen jaren veroorzaakt een dramatische daling van de prijs van produktie- en consumptiegoederen.

De produktie van ruwijzer bijvoorbeeld is sinds 1891 toegenomen van 4,64 tot 4,93 miljoen ton, maar wanneer men dit vergelijkt met de toename van de bevolking over dezelfde periode dan moet men vaststellen dat de produktie relatief is afgenomen.

Ook bij de prijzen voor industriële produkten in de groothandel is een zelfde tendens waarneembaar. Betaalde men in 1890 in Dortmund voor een ton ruwijzer nog 79,80 mark nu kan men al voor 52 mark over dezelfde hoeveelheid onbewerkt metaal beschikken. Ook de prijzen voor steenkool zijn over dezelfde periode gedaald. In 1890 kostte een ton steenkool nog 12,90 mark, nu betaalt men daarvoor 8,20 mark.

De prijzen voor importprodukten vertonen hetzelfde verloop. Ruwe tabak kostte in 1890 op de stapelmarkt in Hamburg nog 126,70 mark, nu betaalt men niet meer dan 87,90 mark daarvoor. De beste kwaliteit katoen uit New Orleans kost nu, in plaats van 115,10 mark, niet meer dan 88,30 mark per 100 kilogram.

De prijsontwikkeling voor levensmiddelen vertoont een wisselend beeld. In Königsberg, een plaats die men wat betreft de kosten van het levensonderhoud kan beschouwen als gemiddeld voor de grotere Duitse steden, is weliswaar de prijs van aardappelen en roggemeel over de periode 1891-1893 met ongeveer 30 procent gedaald, maar daar staat tegenover dat de prijs van boter en rundvlees over dezelfde periode met 2,5, respectievelijk met 6 procent is gestegen.

De door overproduktie veroorzaakte daling van de prijzen heeft in vele sectoren van de economie ontslagen ten gevolge gehad. Het behoeft dan ook geen verbazing te wekken dat het gemiddelde inkomen per hoofd van de bevolking, dat in 1881 nog steeg, nu stagneert en zelfs een dalende tendens vertoont. Grote aantallen Duitse arbeiders zijn nu in ellende gedompeld en zwerven vaak dakloos over straat.

# Tsjaikovski: synthese met Westen

*Pierina Legnani in 'Het zwanenmeer' (1877) van Pjotr Tsjaikovski (rechts).*

SINT-PETERSBURG, 6 november - De Russische componist Pjotr Iljitsj Tsjaikovski is plotseling overleden, nadat hij via onzuiver drinkwater met cholera besmet was. Hij werd 53 jaar. In zijn composities wist hij een synthese tussen de westerse en de Slavische muziek te bereiken. Daarbij was hij een begaafd klankkunstenaar.

Pjotr Iljitsj Tsjaikovski studeerde al tijdens zijn rechtenstudie piano. Hij adoreerde zijn moeder en de scheiding van haar toen hij naar school ging, veroorzaakte bij hem zenuwtoevallen en depressies. Hij bezocht het conservatorium en werd nog voor zijn afstuderen benoemd tot hoofdleraar muziek-

theorie. Hij zou dit blijven tot 1877. In deze periode componeerde hij enkele hoogtepunten uit zijn oeuvre: het *Eerste pianoconcert* en het ballet *Het zwanenmeer*. In dit jaar trouwde hij om, naar men zegt, de geruchten over zijn homoseksualiteit tegen te gaan. Dit huwelijk werd een fiasco; na elf weken eindigde zijn nieuwe burgerlijke staat met een poging tot zelfmoord. Kort daarop kreeg hij een jaargeld van een bewonderaarster zodat hij kon blijven componeren. De *Vierde symfonie* is een van de eerste resultaten hiervan. Zijn talent vond nu erkenning en als gevierd componist en gastdirigent maakte hij reizen naar het buitenland.

## Taine: filosoof, historicus en kunstcriticus

PARIJS, 5 maart - De filosoof, historicus en kunstcriticus Hippolyte Adolphe Taine is op bijna 65-jarige leeftijd overleden. Hij was algemeen ontwikkeld, maar zijn voornaamste invloed doet zich gelden op het gebied van de kunst en de literatuur. Zijn rationele instelling maakte hem tot een vertegenwoordiger van de wetenschappelijke benadering van het fenomeen kunst.

Hippolyte Taine was de zoon van een advocaat. In zijn jeugd kreeg hij privé-onderricht. Na het overlijden van zijn vader ging hij naar de École Bourbon, waar hij een opvallende leerling was. Hij bezocht de École Normale maar zijn onorthodoxe opvattingen bezorgden hem moeilijkheden en hij brak zijn studie af. Hij gaf enige tijd les maar hield hiermee op om zich geheel te wijden aan het schrijven van twee dissertaties over letterkundige onderwerpen. Na zijn promotie schreef hij in 1856 *Essai sur Tite-Live*, waarmee hij een prijs van de Académie Française won. Hij begon nu naam te maken als letterkundige en schreef artikelen die de basis vormden voor enkele boeken waarmee hij opnieuw de aandacht op zich vestigde. In 1864 werd hij tot hoogleraar benoemd aan de École des Beaux-Arts in Parijs. De Franse nederlaag in de oorlog tegen Duitsland wekte zijn belangstelling voor politiek en geschiedenis.

Wat zijn wetenschappelijke opvattingen betreft is Taine moeilijk te plaatsen. Enerzijds kenmerken zijn geschriften zich door een kil aandoend rationalisme op basis waarvan hij methodologische aanbevelingen doet, anderzijds staat dit in dienst van een metafysisch streven naar een alomvattend inzicht in de oorsprong van het leven zelf. Zijn onorthodoxe ideeën blijken uit zijn poging het Duitse idealisme te koppelen aan zijn positivistische wetenschapsopvattingen.

*Hippolyte Taine.*

*Leerlingen van een Russisch lyceum met enkele leraren aan de thee (circa 1910).*

# Universiteit Dorpat dicht

DORPAT - De Russische regering heeft bevel gegeven tot de sluiting van de universiteit van Dorpat, die sinds haar oprichting in 1802 een belangrijk centrum van de Duitse cultuur is geweest. Deze maatregel is conform de Kulturkampf van Russische zijde en bedoeld om het Duitse overwicht in de Baltische staten Estland en Letland te breken. De Russische regering speelt hierbij handig in op de ontevredenheid van de Estisch-Lettische meerderheid van de bevolking die overwegend orthodox is.

Na de inlijving van deze staten in 1721 had Peter de Grote de privileges van de Duitse elite bevestigd. Tot aan deze eeuw is de officiële taal dan ook steeds het Duits geweest en de lutherse Kerk de nationale Kerk. Het hoger onderwijs wordt in het Duits gegeven en het zijn voornamelijk de kinderen van de Baltisch-Duitse groep die hiervan profiteren.

De Baltische Duitsers nemen in het Russische Rijk een ietwat vreemde positie in. Als staatslieden, diplomaten en militairen hebben zij hun sporen ruimschoots verdiend. Aan hun loyaliteit aan de tsaar is nooit getwijfeld. Niettemin geloven zij rotsvast in de superioriteit van de Duitse cultuur en instellingen ten opzichte van de Russische.

Sinds halverwege de eeuw neigt de Russische politiek naar een begunstiging van het nationale bewustzijn van de Letten en Esten. De ondermijning van de lutherse Kerk vond al eerder, tijdens de regering van Nicolaas I, plaats: in 1836 werd het Russisch-orthodoxe bisdom Riga ingesteld, van waaruit met succes een religieuze bekeringscampagne werd gevoerd. Was bekering tot het orthodoxe geloof legaal, de overgang van de orthodoxe naar de lu-

therse Kerk werd als een ernstig vergrijp beschouwd. Dit leidde soms tot verbanning van lutherse geestelijken naar Siberië.

Behalve de onderdrukking van de religie is er een toenemende russificatietendens in het bestuur - steeds meer Russen bezetten banen van Baltische Duitsers -, de rechtspraak en het onderwijs te bespeuren. De greep van de centrale Russische regering op het onderwijs in de Baltische landen wordt knellender.

Het begon met de russificatie van de hoogste klassen van het basisonderwijs, later uitgebreid tot de gymnasia en privé-scholen en ten slotte heeft nu ook de universiteit van Dorpat met het Russische nationalisme te maken gekregen.

## 'De schreeuw' toont talent Munch

*'De schreeuw' (Edvard Munch, 1893).*

PARIJS - Van de jonge Noorse schilder Edvard Munch is sinds kort een nieuw doek te bewonderen. De intrigerende titel De schreeuw, die aan het

schilderij is gegeven, laat weinig of niets aan de verbeelding over: de kleurrijke maar tegelijkertijd macabere golfbewegingen geven de toeschouwer het gevoel dat in elke penseelstreek de echo van de angstkreet doorklinkt. Met dit doek etaleert Munch onmiskenbaar zijn stilistische en compositorische kwaliteiten.

Van het begin af aan, toen hij nog in Oslo woonde en werkte, heeft Munch zich laten leiden door psychologische en mystieke thema's. Uit die periode dateren onder meer Het zieke kind en De lente. Zijn komst naar Parijs vier jaar geleden heeft zijn ontwikkeling als schilder in een versnelling gebracht. De kennismaking met het werk van vakgenoten als Gauguin en Toulouse-Lautrec, waarin symboliek eveneens een belangrijke plaats inneemt, is in De schreeuw nu al terug te vinden.

# Britse arbeiderspartij

BRADFORD - Engeland heeft eindelijk een echte arbeiderspartij. Het oprichtingscongres van de 'Independent Labour Party' (ILP) kon zich geen betere locatie voorstellen, namelijk Bradford, het hartje van de wolindustrie.

De grote man achter de partij is het kersverse Lagerhuislid James Keir Hardie, die vorig jaar via het Londense kiesdistrict West Ham een parlementszetel wist te veroveren. De ILP is zodoende in de ideale gelegenheid om direct vanaf de geboorte haar stem in het parlement te laten horen.

Keir Hardie is bepaald geen onbekende in Britse arbeiderskringen. Als oudste zoon in een arm gezin geboren en getogen in het Schotse Lanarkshire, was schoolgaan er voor hem niet bij. Op 8-jarige leeftijd had hij zijn eerste baantje en twee jaar later werkte hij in de mijnen. Als actief vakbondslid stond hij binnen de kortste keren boven aan de 'zwarte lijst' van de mijnwerkgevers. Na een korte loopbaan als verslaggever bij een lokale krant richtte hij in 1887 het vakblad The Miner

*James Keir Hardie.*

op. Zijn werkelijke politieke ambities reikten echter veel verder. Na een eerdere mislukte poging is Hardie er ten slotte toch in geslaagd het Lagerhuis te betreden.

Daarin is hij met zijn jagerspet trouwens een opvallende verschijning. Het parlement en de Independent Labour Party in het bijzonder kunnen nog veel van James Keir Hardie, de onwrikbare Schot, verwachten.

# Mekongvallei Frans gebied

BANGKOK, 3 oktober - Na de gevechten deze zomer tussen het Siamese en het Franse leger en toenemende diplomatieke druk op de regering in Bangkok is uiteindelijk een verdrag tussen Siam en Frankrijk betreffende het beheer van de Mekongvallei getekend. Frankrijk krijgt als kolonisator de beschikking over dit gebied.

Het verdrag is echter slechts met kanonneerboot-diplomatie van Frankrijk tot stand gekomen. De aanspraken van Frankrijk berusten op de historische aanspraken die Vietnam op het gebied had; die van Siam op de feitelij-

ke bezetting van een deel van de Laotiaanse vorstendommen sinds meer dan een eeuw.

De Siamese regering heeft gedurende de crisis die deze zomer was ontstaan over het bezit van de Mekongvallei, de hulp van Engeland ingeroepen. De regering in Londen heeft gepoogd een matigende invloed op de Fransen uit te oefenen, door hun te vragen van verdere militaire interventie in Siam af te zien. Desondanks zijn twee Franse kanonneerboten via de rivier de Menam verder stroomopwaarts gevaren. Toen de regering in Bangkok niet wenste in te gaan op de eisen van de Fransen, hebben dezen zelfs een blokkade voor de hoofdstad gelegd. Zij namen het zomerpaleis van de Siamese koning te Koh Sichang in en maakten het tot hun hoofdkwartier.

Op dringend advies van de Engelse regering is Siam uiteindelijk gezwicht en heeft het besloten de Franse eisen in te willigen.

Dit betekent het einde van de betrekkelijk vrije positie van de verschillende Laotiaanse vorstendommen. Zij zullen spoedig samen met Vietnam en Kambodja in de Indochinese Unie worden opgenomen. Siam verplicht zich nu eveneens geen militairen te legeren in Battambang en Siem Reap, twee provincies in het westen van Kambodja die nog steeds door de Siamezen worden beheerd. Frankrijk heeft echter al aanspraak gemaakt op deze gebieden. Annexatie van deze provincies in de nabije toekomst is dan ook niet uitgesloten.

# Militair akkoord Rusland en Frankrijk

*Alexander III en de Franse president Carnot feliciteren elkaar met het verdrag.*

PARIJS, 4 januari - Met de bevestiging door de Franse regering van de militaire conventie met Rusland - de ondertekening van Russische zijde vond op 30 december vorig jaar plaats - is een belangrijke verschuiving in het Europese alliantiesysteem een feit. Rusland is hiermee van de pro-Duitse koers, die het sinds Nicolaas I heeft gevolgd, afgeweken.

Na het Congres van Berlijn (1878) heeft de Russische buitenlandse politiek aanzienlijke veranderingen ondergaan. De Dreikaiserbund stierf in 1887 een roemloze dood ten gevolge van de Russisch-Oostenrijkse geschillen op de Balkan. Duitsland trachtte de band met Rusland te handhaven en sloot een bilaterale overeenkomst die in 1890 niet werd vernieuwd.

Door de breuk met de Duitse staten dreigde Rusland in een gevaarlijk isolement terecht te komen, dat des te gevaarlijker was vanwege de gespannen verhouding met Groot-Brittannië, waaraan het Brits-Russische compromis van 1885 weinig afdeed.

Restte in feite Frankrijk als mogelijke bondgenoot. Frankrijk was even geïsoleerd als Rusland en voelde zich door het Duitse Rijk bedreigd. Een verbond met de Franse Derde Republiek stuitte op grote weerzin bij tsaar Alexander III en zijn minister van Buitenlandse Zaken Nicolaj Giers, maar alternatieven waren er niet. De politieke toenadering ging hand in hand met het aanhalen van de economische betrekkingen.

Rusland is sinds enige decennia in versneld tempo gaan industrialiseren. De bevolking heeft zich in een halve eeuw verdubbeld waardoor een arbeidspotentieel ontstond, dat kon worden ingezet in de textiel-, metaal- en levensmiddelenindustrie. Dank zij de uitbreiding van het spoorwegnet is het transportsysteem verbeterd. Het ministerie van Financiën, geleid door de bekwame Sergej Witte, doet alles om de zware industrie in Rusland te stimuleren. Het bijzondere aan de Russische situatie is, dat het bij uitstek de overheid is die een leidende rol speelt in het creëren van grootschalige ondernemingen. Naast Russisch geld wordt er steeds meer buitenlands kapitaal in de Russische economie en industrie geïnvesteerd.

Nadat de Duitse kapitaalmarkt in 1887 voor Rusland was gesloten, vulde Parijs dit vacuüm op. Sindsdien is Frankrijk de voornaamste buitenlandse financier van de Russische staat, en investeert daarnaast ook rechtstreeks in Rusland.

# Seksuologisch handboek slaat enorm aan

STUTTGART - Van het handboek van het nieuwe medische specialisme, de seksuologie, de *Psychopathia sexualis* van de Weense psychiater Richard von Krafft-Ebing, is de achtste druk verschenen. Sinds de eerste druk in 1886 is het boek elk jaar herdrukt en met de nieuwste inzichten uitgebreid. Bevatte de eerste druk nog slechts 110 pagina's, de huidige editie telt 440 pagina's. Vertalingen in het Italiaans, Russisch en Engels (in 1892) zijn uitgebracht en een Franse en een Nederlandse editie staan op het programma.

De medische en psychiatrische benadering van de seksualiteit zoals von Krafft-Ebing die bepleit, krijgt steeds meer navolging. Tekenend hiervoor is dat psychiaters tegenwoordig voor rechtbanken optreden als getuigendeskundigen in zedenzaken en rechters hen volgen door daders van zedendelicten niet meer naar het gevang, maar naar het gesticht te sturen.

Het indelingsschema dat von Krafft-Ebing voorstelt voor seksuele afwijkingen, wordt in medische kring algemeen aanvaard. Naast kwantitatieve afwijkingen (zoals impotentie of nymfomanie) onderscheidt hij kwalitatieve afwijkingen (zoals homoseksualiteit, exhibitionisme en pedofilie). In deze nieuwste druk zijn nieuwe begrippen als fetisjisme (de seksuele gerichtheid op voorwerpen), door A. Binet in 1887 voor het eerst omschreven, en bestialiteit in het schema opgenomen. De door von Krafft-Ebing voorgestelde begrippen sadisme en masochisme zijn sinds het verschijnen van het boek, acht jaar geleden, reeds in het spraakgebruik ingeburgerd.

# Hongarije rouwt om dood Lajos Kossuth

*Lajos Kossuth (foto uit 1889).*

TURIJN, 20 maart - In zijn ballingsoord Turijn is de Hongaarse revolutionaire leider Lajos Kossuth overleden. Hij werd 91 jaar oud. Het nieuws van zijn dood heeft in Hongarije grote verslagenheid teweeggebracht.

Na zijn vlucht uit Hongarije in augustus 1849 is Kossuth nooit meer in zijn vaderland teruggekeerd. Wel heeft hij zich op een afstand nog veel met de Hongaarse ontwikkelingen beziggehouden. Hij bepleitte, na twee jaar internering in Turkije, de revolutionaire zaak in Engeland en de Verenigde Staten - hij was in beide landen zeer populair -, zonder echter officiële steun te krijgen, onderhield nauwe banden met de Italiaanse revolutionair Mazzini en trachtte door contacten met officiële

*De aanleg van de metro in Boedapest, de eerste op het Europese vasteland.*

en onofficiële kringen een Donaufederatie te verwezenlijken, die zou moeten bestaan uit Hongarije, Kroatië, Servië en het huidige Roemenië.

Een met keizer Napoleon III overeengekomen plan voor de organisatie van een opstand in Hongarije in 1859 liep spaak toen Frankrijk een wapenstilstand met Oostenrijk sloot. Kossuth vestigde zich in Turijn en moest machteloos toezien hoe Ferencz Deák de

Ausgleich van 1867 op touw zette. Zelfs de beroemde 'Cassandra-brief', een open brief waarin hij tegen de Ausgleich fulmineerde, kon de Hongaren niet meer op andere gedachten brengen. Kosssuth sleet zijn laatste jaren verbitterd en in eenzaamheid (en toenemende armoede), ver van zijn land.

Toch is hij in Hongarije in brede kring populair gebleven en het bericht van

zijn dood is met verslagenheid ontvangen. Kossuth zal in Hongarije worden begraven, naar mag worden aangenomen onder zeer grote publieke belangstelling.

Die verslagenheid heeft zeker ten dele te maken met het groeiende ongenoegen in Hongarije. Over twee jaar wordt daar feest gevierd ter herdenking van de verovering van het huidige Hongarije aan het eind van de 9de eeuw. Maar veel Hongaren vinden dat er weinig echte reden tot feestvreugde is.

De opluchting over de Ausgleich van 1867 duurde niet erg lang. In toenemende mate werd gevoeld dat de prijs voor het compromis met Wenen te hoog was en in het midden van de jaren zeventig waren de financiële, politieke en persoonlijke conflicten zo hoog opgelopen dat een toestand van onbestuurbaarheid dreigde. Die kon slechts worden voorkomen door een fusie van de gematigde nationalisten van Kálmán Tisza met de restanten van de partij van Deák in 1875. Deze nieuwe Liberale Partij heeft sindsdien de macht in handen.

Dat neemt niet weg dat over het arrangement met Wenen nog steeds veel frictie bestaat, vooral ten aanzien van het (volgens de Hongaren anti-Hongaarse) leger en de economische situatie. En economisch gaat het niet goed. De bevolking is de afgelopen decennia zeer snel gegroeid, sneller dan de economie. De landbouw heeft tien jaar lang zwaar geleden onder de algemene stagnatie na de Europese landbouwcrisis van 1873. De industrie is weliswaar sterk gegroeid, maar vooral door buitenlandse investeringen en met behulp van buitenlandse vakarbeiders. Dat schept langzaam een groot, arm en steeds feller nationalistisch (en anti-Oostenrijks) stedelijk proletariaat van ongeschoolde arbeiders en dagloners. In 1880 was twee derde van de hele Hongaarse industrie in niet-Hongaarse handen.

De sociale spanningen die hieruit voortvloeien worden aangevuld door een maar half afgemaakte nationaliteitenpolitiek. Na de Oostenrijks-Hongaarse Ausgleich van 1867 is met Kroatië in 1868 een Hongaars-Kroatische Ausgleich overeengekomen, die de Kroaten autonomie heeft gegeven en hen vrijwaart voor de magyariseringspolitiek die de Hongaren doorvoeren ten aanzien van hun overige minderheden. De minste weerstand daartegen bestaat bij de stedelijke Duitsers en joden - de meeste bij de Roemenen, de grootste minderheid in Hongarije. Veel Roemenen in Transsylvanië streven ofwel naar federale autonomie binnen het Hongaarse koninkrijk, ofwel naar aansluiting van Transsylvanië bij het nog jonge koninkrijk Roemenië.

# Nederlandse vrouwen eisen kiesrecht

*Leden van de Dames Studenten Debating en Wandelclub in Groningen (1897).*

AMSTERDAM, 5 februari - Nederland heeft een vrouwenkiesrechtbeweging. Nadat Nieuw-Zeeland vorig jaar het vrouwenkiesrecht invoerde en in

Amerika en Engeland al meer dan twintig jaar verenigingen bestaan die hiervoor strijden, is nu ook te Amsterdam een vereniging opgericht die zich

uitsluitend ten doel stelt te werken voor invoering van vrouwenkiesrecht in Nederland. Voorzitter van de vereniging is mevr. A. Versluys-Poelman.

In 1883 heeft Aletta Jacobs al geprobeerd in Amsterdam als kiezer te worden ingeschreven. Als belastingbetalende vrouw meende zij aan de voorwaarden te voldoen en bovendien sloot de grondwet vrouwen in feite niet van het kiesrecht uit. Haar verzoek werd geweigerd. Toen de Bond voor Algemeen Kies- en Stemrecht campagne ging voeren voor de invoering van het algemeen kiesrecht, sloten veel vrouwen zich daarbij aan. Hetzelfde jaar diende minister Tak van Poortvliet van Binnenlandse Zaken een wetsontwerp in ter uitbreiding van het mannenkiesrecht, waarin van het vrouwenkiesrecht niet werd gerept. Desalniettemin toonde de Bond voor Algemeen Kies- en Stemrecht zich zeer tevreden met het wetsontwerp, hetgeen voor de vrouwen het sein is geweest om zelf een vereniging op te richten die zich werkelijk voor het vrouwenkiesrecht inzet.

# Moord op president Carnot

*Caserio springt op de treeplank om Carnot de fatale steken toe te brengen.*

*Kiesrechtstrijd in Nederland en België: 'Twee koningen met een zelfde kwestie'.*

# Tak ziet kieswet stranden

AMSTERDAM, mei - De verkiezingen hebben onverwacht een overwinning opgeleverd voor de oppositie, de 'anti-takkianen'. Daarmee is de radicale uitbreiding van het kiesrecht die minister Tak van Poortvliet had voorgesteld van de baan. De conservatieve tegenstanders van de demissionaire minister van Binnenlandse Zaken Tak van Poortvliet zullen met 56 zetels in de nieuwe Kamer vertegenwoordigd zijn, de takkianen moeten genoegen nemen met de resterende 44. De liberalen behouden overigens de meerderheid. Er waren 298 479 kiezers, 78 kiezers meer dan in 1892.

De kiesrechtkwestie stond centraal in de verkiezingscampagne. De kiezers - het merendeel behoort tot de kleine burgerij - hebben zich onverbloemd uitgesproken tegen uitbreiding van het kiesrecht tot ( de toppen van) de arbeidersbevolking.

De tot de linkervleugel van de liberalen behorende Tak van Poortvliet diende in september 1892 zijn radicale kieswet in. Tak eiste van de aspirant-kiezer slechts twee dingen: hij moest kunnen lezen en schrijven en hij diende in het onderhoud van zichzelf en zijn gezin te kunnen voorzien. Zij die van de armenkas leven bleven dus uitgesloten van het kiesrecht.

Het 'voorzien in eigen onderhoud' werd nader gespecificeerd door de voorwaarde dat de kiezer moest kunnen aantonen drie maanden in hetzelfde huis gewoond te hebben. Hier sneuvelde het voorstel van Tak, aangezien 'de oppositie zich ten slotte vereenigde op een amendement, dat een omschrijving gaf van het begrip woning, welke het grootste deel der arbeidende klasse buiten de kiesbevoegdheid zou houden...' De katholiek Schaepman stemde voor de wet van Tak en tegen het amendement: 'wanneer men geen krottenbewoners onder de kiezers wil hebben, dan moet men de krotten oprui-

men.' Tak vond dat het amendement het karakter van zijn kieswet te veel aantastte en stapte op; de andere ministers volgden. De Kamer werd ontbonden.

De scheidslijnen over het kiesrecht lopen door alle partijen heen: de Liberale Unie viel in drie delen uiteen. De ARP scheurde in twee delen, een groep rond Kuyper was voor het voorstel van Tak, de Savornin Lohman en de andere 'antirevolutionairen met dubbele namen' waren tegen. Bij de katholieken stond Schaepman vrijwel alleen in zijn steun aan het voorstel-Tak, maar de katholieken wisten de eenheid te bewaren. In de nieuwe Kamer hebben de anti-takkianen nu de meerderheid, zodat een veel gematigder kieswet te verwachten is.

*In Berlijn wordt de nieuwe Rijksdag, een ontwerp van Paul Wallot en Friedrich von Thiers, in gebruik genomen. Het gebouw heeft een koepel van glas en ijzer en is het symbool van het nieuwe Duitse zelfbewustzijn.*

PARIJS, 24 juni - In Frankrijk hebben de anarchisten weer toegeslagen. Vandaag werd de Franse president, Sadi Carnot, in Lyon door een hunner doodgestoken. Santo Geronimo Caserio zei met zijn daad een van zijn kameraden, Auguste Vaillant, te willen wreken. Deze was na een bomaanslag op de Nationale Vergadering ter dood veroordeeld en geëxecuteerd. Ondanks het feit dat door Vaillants bom geen doden vielen (wel 80 gewonden), had Carnot hem geen gratie gegeven.

In Frankrijk heerst sinds twee jaar een ware epidemie van anarchistisch terrorisme. Voor een deel komen die anarchisten voort uit de Commune. Zij zijn

aan de niet bepaald malse repressie ontsnapt en zoeken nieuwe wegen naar hun ideaal, de 'anti-autoritaire' revolutie. Anarchistische bladen verspreidden in de jaren tachtig het idee dat de gehate bourgeoisie slechts met geweld te lijf gegaan kan worden. Zij publiceerden ook geregeld handleidingen voor het maken van bommen. Zonder veel resultaat overigens.

Pas geruime tijd nadat de anarchistische bewegingen hadden afgezien van deze als weinig efficiënt beschouwde propaganda, begonnen hun aanhangers met dynamiet te werken - zozeer, dat de kranten in Frankrijk op het ogenblik vrijwel dagelijks over aanslagen berichten.

Die aanslagen zijn overigens doorgaans weinig doelgericht. De schoenmaker die eind vorig jaar de eerste minister van Servië, op bezoek in Parijs, doodstak, had het naar zijn zeggen slechts gemunt op 'de eerste de beste bourgeois'. 'Wat doen de slachtoffers ertoe, als het gebaar maar mooi is!' riep de dichter Laurent Tailhade uit, nadat Vaillant zijn bom op de 'geldvreters' in de Kamer had geworpen.

De politie heeft vele daders gearresteerd - des te gemakkelijker daar velen prat gaan op hun wapenfeiten - en er zijn zware vonnissen geveld. Tot nu toe heeft dat echter slechts nieuwe golven van terrorisme teweeggebracht. De ene daad moet telkens de andere vergelden.

Zo heet het dat de moord op Carnot eigenlijk als een dubbele vergeldingsactie bedoeld was. Ook de Frans-Hollandse anarchist Ravachol, veroordeeld en onthoofd wegens verscheidene moorden en andere aanslagen, zou volgens een aan de weduwe van het slachtoffer gerichte brief nu 'gewroken' zijn.

# Cleveland zet leger in bij spoorwegstaking

*Troepen van het Amerikaanse leger rijden ter bescherming mee op de treinen. Rechts stakingsleider Eugene Debs.*

CHICAGO, 20 juli - President Cleveland heeft federale troepen ingezet om een eind te maken aan de staking bij de Pullman Palace Car Company in Chicago. De staking, die nu een viertal weken duurt, heeft het complete spoorwegverkeer van Chicago tot aan de Westkust platgelegd. Cleveland heeft - op instigatie van zijn minister van Justitie, Richard Olney - tot ingrijpen besloten om een eind aan de wanordelijkheden te maken en het postverkeer te herstellen: 'Al moeten de complete land- en zeestrijdkrachten worden ingezet om een briefkaart in Chicago te bezorgen, die briefkaart zál bezorgd worden.'

De staking is op 21 juni uitgebroken in het 'modeldorp' Pullman bij Chicago, waar de Pullman-werknemers beschikken over gerieflijke bedrijfswoningen (voor een huur die overigens een kwart hoger ligt dan die van vergelijkbare huizen elders), waar ze van het bedrijf hun gas en water betrekken en hun dagelijkse benodigdheden kopen in de Pullman-bedrijfswinkels. 'We worden geboren in een Pullman-huis,' zegt een werknemer, 'we eten uit de Pullman-winkel, krijgen les in de Pullman-school, gaan naar de catechisatie in de Pullman-kerk en als we doodgaan, worden we begraven op het Pullman-kerkhof en gaan we naar de Pullman-hel.' Aanleiding tot de staking was het besluit van het bedrijf de lonen van zijn werknemers met één derde te korten zonder de huren voor de bedrijfswoningen te verlagen.

Pullman ziet zich tot deze ingreep gedwongen, omdat het bedrijf zwaar getroffen is door de economische depressie die het land sinds vorig jaar in haar greep heeft. In een paar maanden tijd zijn niet minder dan 8000 bedrijven ten onder gegaan; voor werklozen worden overal gaarkeukens ingericht, terwijl groepen 'hoboes' of zwervers doelloos door het land zwerven.

De Pullman-stakers hebben al spoedig de steun gekregen van de American Railway Union, een nog jonge vakbond van 150 000 leden onder leiding van de jeugdige Eugene Debs. Toen het bedrijf weigerde met Debs te onderhandelen, gaf deze zijn leden opdracht alle Pullman-wagons links te laten liggen. Met deze actie was de oorlog tussen de werknemers en de spoorwegbedrijven een feit. Hoewel minister van Justitie Richard Olney - een conservatieve bedrijfsjurist die vroeger veel voor de spoorwegmaatschappijen heeft gewerkt - 3400 man als 'deputy' heeft beëdigd om het treinverkeer op gang te houden, zijn Debs en de zijnen erin geslaagd het spoorwegverkeer in een groot deel van het noorden en westen van het land plat te leggen. De werkgevers, verenigd in de 'General Managers' Association, zijn duidelijk geschrokken van het succes van de sta-

king en hebben, vastbesloten de jonge spoorwegbond in de kiem te smoren, een oproep aan de federale overheid gedaan om in te grijpen.

Begin deze maand heeft een federaal gerechtshof op instigatie van Richard Olney een gerechtelijk bevel uitgevaardigd waarin de stakers wordt gesommeerd het post- en handelsverkeer tussen de staten ongemoeid te laten. Het was de eerste keer dat Washington het wapen van het gerechtelijk bevel gebruikte om een staking te breken en de vakbeweging protesteerde dan ook fel tegen deze vorm van 'government by injunction'. Toen Debs en de zijnen het gerechtelijk bevel naast zich neerlegden, werden ze tot zes maanden gevangenisstraf veroordeeld.

Na de uitvaardiging van het bevel brak overal wanorde uit - of die veroorzaakt werd door stakers, provocateurs of relschoppers is onduidelijk. De gouverneur van Illinois, John Peter Altgeld, had met zijn eigen staatsmilitie de orde willen herstellen, maar zonder dat af te wachten heeft Cleveland nu federale troepen naar Chicago gestuurd. Verwacht wordt dat de staking met deze ingreep spoedig ten einde zal zijn.

De Pullman-staking is geen geïsoleerd gebeuren; al sinds een aantal jaren spoelt een golf van stakingen over het land heen. Een van de beruchtste was - twee jaar geleden - de staking in Carnegie's Homestead-fabriek bij Pittsburgh. Aanleiding was ook toen het korten op de lonen van de werknemers. Om de staking te breken riep Carnegie toen de hulp in van 300 gewapende Pinkerton-detectives, maar in een fel gevecht waarbij tien doden en zestig gewonden vielen, dwongen de met geweren en dynamiet gewapende stakers hen tot overgave. Het leger werd daarop ingezet om de staking te breken.

*Werklozen marcheren naar Washington om meer werkgelegenheid te eisen.*

*Koningin Victoria, de 'grootmoeder van Europa', te midden van een deel van haar vorstelijke Europese verwanten. Links zittend keizer Wilhelm II van Duitsland, achter hem, met bolhoed, grootvorst Nicolaas van Rusland [de latere tsaar].*

# Links en Rechts in Denemarken vinden elkaar eindelijk

KOPENHAGEN, 5 augustus - Na een jaren durende constitutionele strijd tussen de diverse partijen in de Deense Rijksdag is men tot overeenstemming gekomen. Inzet van de strijd was de fortificatie van Kopenhagen, waar Links tegen was en Rechts voor, maar het conflict draaide in feite om de vraag: bij wie ligt de macht in Denemarken?

De moeilijkheden begonnen in 1866, toen bij een grondwetswijziging de Landsting werd omgevormd tot een conservatief bolwerk en een conservatieve regering de na het politieke echec rond Sleeswijk-Holstein uitgebluste liberalen afloste. De oppositie van boeren en wat liberalen die de meerderheid in de Folketing had, vormde de eerste politieke partij, 'Venstre' (Links). Hun tegenstanders, vooral de grote Deense landeigenaren, verenigden zich in 'Höjre' (Rechts). Koning, Landsting en regering stonden aan de zijde van Rechts.

## Agressie

Het eerste grote conflict liet niet lang op zich wachten. De Duitse overwinning in de oorlog met Frankrijk (1871) had de angst voor Duitse agressie tegen Denemarken nieuw leven ingeblazen en de regering-Estrup besloot Kopenhagen te versterken. Links was tegen deze versterking en al snel stonden Landsting en Folketing diametraal tegenover elkaar. Onduidelijk was wat er moest gaan gebeuren; in de grondwet was dit niet voorzien.

Links eiste, net als in Engeland, het laatste woord voor de Folketing (Lagerhuis), maar Estrup zette zijn plan door. De Folketing besloot daarop alle wetgevende werkzaamheden te boycotten.

Estrup moest regeren met provisorische wetten en begrotingen. Na een jarenlange patstelling is men tot een compromis gekomen: de al gebouwde forten mogen blijven, maar alle provisorische wetten worden ingetrokken.

## Crisis

De politieke crisis viel samen met een economische crisis: de winstgevende Deense graanexport werd door de prijsdalingen op de wereldmarkt na 1870 zwaar getroffen. De Denen hebben voor een drastische oplossing gekozen: omschakeling van akkerbouw naar veeteelt. Dit lukte dank zij moderniseringen en het oprichten van coöperaties.

Denemarken kon al snel zuivel- en vleesprodukten gaan exporteren. Met geld uit Duitsland en winst uit de handel werd een scheepsbouwindustrie ontwikkeld en werden spoorwegen aangelegd.

*Het Japanse leger dringt vanuit een moeras de Chinese troepen terug (Japanse tekening). In juli breekt om Korea een oorlog tussen China en Japan uit.*

# Koreaanse opstand grijpt om zich heen

SEOEL, september - Begonnen als een van de vele boerenopstanden in het Kobu-district van de provincie Noord-Cholla, is de opstand van Tonghak nu overgeslagen naar alle delen van het land. Naast het platteland hebben de opstandige boeren nu ook de meeste steden in handen.

De leiders van de opstand zijn aanhangers van de Tonghak-beweging. Deze religieus-cultureel-sociaal getinte stroming is rond 1860 opgekomen. De grondlegger is Ch'oe Cheu, een telg uit een adellijke familie die langzamerhand haar prestige had verloren. Hij wilde het confucianisme, taüisme en boeddhisme met elkaar verenigen en het idee van een hemelse Vader van het Christendom daarmee verbinden. Doel van deze religieuze fusie was een beweging op te zetten waardoor Korea zou kunnen worden gered. Tonghak, wat letterlijk 'oosterse wetenschap' betekent staat tegenover Sohak, de 'westerse wetenschap'. In de ideologie van de Tonghak wordt de nadruk gelegd op het bewaren van de traditionele gewoonten en gebruiken van het Koreaanse volk en het uitbannen van de Japanse en westerse invloeden. Ook de regering van Korea en groepen hogere ambtenaren zouden, als stimulerende krachten achter het importeren van westerse en Japanse ideeën en praktijken, opzij gezet moeten worden.

De aanhang van de Tonghak is vanaf het eerste moment met name te vinden onder boeren en ontevreden adel. De boeren verwachten door middel van deze beweging verbeteringen in hun toestand te kunnen aanbrengen. De adel hoopt weer in zijn oude positie hersteld te worden.

Zowel de regering en de ambtenaren als de buitenlandse mogendheden hebben lange tijd met lede ogen aangezien dat de Tonghak snel is gegroeid. Door het hele land zijn aanhangers te vinden, die op lokaal niveau georganiseerd zijn.

In 1888 deden geruchten de ronde dat de buitenlanders baby's hadden geroofd en dezen vervolgens opaten. De haat tegen alle buitenlanders nam toen een hoge vlucht. In Seoel hadden de ambassades van de Verenigde Staten, Rusland en Frankrijk aan hun regeringen militaire versterkingen gevraagd en gekregen om hun vertegenwoordigingen en hun onderdanen te beschermen. Harde vervolging van de Tonghak om zodoende de geruchtenstroom te stoppen, volgde hierop.

Twee jaar geleden heeft de eerste grote bijeenkomst plaatsgehad waarop aanhangers van de beweging uit heel Korea samenkwamen. In het district Poun van de provincie Noord-Ch'ungch'ong verzamelden zich ruim 7000 mensen om te protesteren tegen de toenemende vervolging van leden van de Tonghak door de overheid.

Vorig jaar trokken de protesterende Tonghak-leden naar de hoofdstad om daar te vragen hun vervolging te stoppen. Na het gerucht dat de Tonghaks een aanval op de buitenlandse vertegenwoordigingen zouden beramen, is de politie zeer hard tegen ze opgetreden. De Tonghak heeft zich daarop in Poun teruggetrokken en met vele duizenden leden grote verdedigingswerken gebouwd tegen een eventuele aanval van de regeringstroepen.

De regering is in een moeilijke positie geplaatst, omdat zij in feite sympathiek staat tegenover de eis de buitenlandse invloed terug te dringen en omdat de Tonghak altijd heeft verklaard trouw te zijn aan de troon.

Intussen hebben Japan en China beide geprobeerd gebruik te maken van de Tonghak. Japan zal nu bij het uitbreken van een algehele opstand proberen in te grijpen, om zodoende een beslissend machtsoverwicht in Korea te verwerven en China zal, wijzend op de steun aan de behoudsgezinde elementen, eveneens proberen de andere mogendheden uit Korea te laten verdwijnen en zelf zijn invloed te vergroten.

Zowel de regering als Japan en China weten echter niet goed tot wie zij zich moeten wenden, omdat er op het ogenblik geen echte leider achter de opstand zit, maar de initiatieven voor het aansluiten bij de beweging steeds op lokaal niveau worden genomen. Enkele invloedrijke Koreanen die voorheen geen Tonghak-lid waren, hebben wel geprobeerd zich op te werpen als leider, maar tot nu toe tevergeefs.

Een aanval van de Tonghak op Seoel kan vergaande internationale repercussies hebben. Dan zullen naast Japan en China ook de westerse mogendheden in de verleiding komen te interveniëren.

*Exploderend Chinees oorlogsschip.*

# Gesprek SDAP-SDB ontaardt in knokpartij

*Ferdinand Domela Nieuwenhuis: politicus, anarchist en (luthers) predikant.*

AMSTERDAM, 2 oktober - De nieuwe Sociaal-Democratische Arbeiderspartij (SDAP) van 'parlementaire socialisten' heeft gisteren haar opwachting gemaakt in het hol van de leeuw, in het bolwerk van de Sociaal-Democratische Bond (SDB) aan de Amsterdamse Rozengracht. De 'revolutionairen' van de oude SDB van Domela Nieuwenhuis hebben de 'parlementairen' van de nieuwe SDAP warm ontvangen. De vergadering liep uit op een algemene vechtpartij tussen de voor- en tegenstanders van deelname aan verkiezingen door een socialistische partij.

Willem Helsdingen - een van de SDB-getrouwen van het eerste uur - stapte eerder dit jaar als eerste uit de SDB van Domela: 'Wie nog iets van het kiesrecht verwacht, waaraan ik in ieder geval als propagandamiddel nog grote waarde toeken, wordt uitgekreten voor een verrader, een baantjesjager, een eerzuchtduikelaar, een opportunist, een verwaterde'. Hij stapte uit de beweging toen hij door 'zijn eigen partijgenoten' nog vuiler werd beschimpt dan ooit door 'eenig reactionair'.

Helsdingen zette daarop samen met elf andere toonaangevende 'parlementairen' zijn handtekening onder een door Troelstra opgesteld manifest, dat de oprichting van de nieuwe Sociaal-Democratische Arbeiderspartij (SDAP), aankondigde. De reactie van *Recht voor allen* het blad van Domela Nieuwenhuis, was grimmig: 'Als deze twaalf apostelen al lasterend het evangelie der parlementaire actie denken te kunnen brengen naar de verschillende hoeken van ons land, dan zullen zij bekaaid van hun predikatie thuiskomen.'

De 'parlementairen' Troelstra en Vliegen konden zich gisteren in het 'revolutionaire' milieu op de Rozengracht maar moeilijk verstaanbaar maken: 'De haat jegens Vliegen bleek nog grooter dan die jegens Troelstra,' volgens apostel Schaper: 'De laatste had zijn gehoor nog een half uurtje onder den indruk. Het was ondanks alles vermakelijk, zulk een Amsterdamsch volksdrama te zien opwoelen! Fanatici, slimmelingen, boeventronies, alles was erbij; maar ook waren er gemoedelijke vrouwen en mannen, die kwamen om het fijne van de zaak te kunnen beoordeelen.'

Na de sluiting van de vergadering brak een nog onoverzichtelijker tumult los; een van de apostelen werd zelfs gestoken. Troelstra, beschermd door zijn Amsterdamse lijfwachten Wolf Lelie en Manus Degen, moest terugvallen op zijn oude techniek bij dreigend gevaar, hij hield zijn handen angstvallig in de zakken. Vliegen zat te huilen achter de bestuurstafel.

*Rijkskanselier Leo von Caprivi.*

## Wilhelm ontslaat kanselier Caprivi

BERLIJN, 28 oktober - Leo Graf von Caprivi, sinds vier jaar Bismarcks opvolger als kanselier van Pruisen, is tegelijk met minister-president Botho Graf zu Eulenburg door keizer Wilhelm II ontslagen. Aanleiding tot deze gebeurtenis zijn de grote meningsverschillen ten aanzien van het beleid dat gevoerd moet worden tegenover de snel groeiende Sociaal-Democratische Partij.

De keizer is ernstig teleurgesteld over het matige succes van zijn 'nieuwe koers' op sociaal terrein en wenste, daarin gesteund door Eulenberg, een terugkeer naar de repressieve maatregelen tegen de sociaal-democraten. Caprivi, die door maatschappelijke hervormingen als de 'Arbeiter Schutzgesetze' van 1891 de arbeiders met de staat heeft willen verzoenen, heeft zich fel tegen de plannen van de keizer en Eulenburg verzet. Na tal van ingewikkelde intriges heeft Wilhelm beide kemphanen nu van hun functie ontheven.

## Lasker verovert schaaktitel

MONTREAL, 26 mei - De 26-jarige Duitse wiskundige en filosoof Emanuel Lasker is de nieuwe wereldkampioen schaken: hij heeft in een match om de hoogste eer die achtereenvolgens in New York, Philadelphia en Montreal is gespeeld, Wilhelm Steinitz verslagen. Lasker heeft niet minder dan tien overwinningen behaald en heeft zijn tegenstander slechts viermaal een remise hoeven toestaan. Steinitz kwam niet verder dan vijf overwinningen.

De in Praag geboren Steinitz, die zich in 1883 tot Amerikaans burger heeft laten naturaliseren, heeft tijdens zijn heerschappij - hij is 28 jaar wereldkampioen geweest - een belangrijke bijdrage geleverd aan de ontwikkeling van de schaaktheorie: zijn opvattingen over het positiespel zijn van grote invloed geweest.

# Opstand van Hottentotten neergeslagen

WINDHOEK, 14 september - De door Hendrik Witbooi geleide opstand van de Hottentotten in de Duitse kolonie Zuidwest-Afrika is door de Duitse troepen onder leiding van majoor Theodor Leutwein neergeslagen. Na een aantal schermutselingen is de Hottentottenleider ingesloten en tot een vredesverdrag gedwongen. Bij de gevechten zijn 150 van zijn onderdanen, onder wie vrouwen en kinderen, om het leven gekomen.

Hendrik Witbooi is een aantal jaren doende geweest met zijn acties tegen de blanken. Hij slaagde er in 1892 in, na jaren van oorlog, vrede te sluiten met de Herero en de beide stammen in de strijd tegen de blanke kolonisten te verenigen. Op 12 april vorig jaar had hij zijn eerste grote treffen met de Duitse 'Schutztruppen'; hij had zich met 500 ruiters en 300 voetsoldaten op de bergvesting Hoornkrans teruggetrokken en slaagde erin met het grootste deel van zijn manschappen aan de Duitsers te ontsnappen. De afgelopen maanden heeft Witbooi voortdurend aanvallen op de blanke nederzettingen uitgevoerd.

*Duitse eenheden onderdrukken een opstand in Afrika.*

# Daens en Woeste allebei in parlement

*'Sandwich-mannen' maken reclame voor de Christene Volkspartij.*

AALST, 9 december - De tegenstrevers Adolf Daens en Charles Woeste zijn in de tweede stemronde in het kiesdistrict Aalst beiden verkozen voor de Kamer van Volksvertegenwoordigers. De herstemming was nodig omdat tijdens de eerste ronde op 14 oktober slechts twee kandidaten, de katholieken De Sadeleer en Dirckx, voldoende stemmen behaalden om direct verkozen te worden. Voor de resterende twee plaatsen moesten de beide andere katholieke kandidaten, Woeste en Van Wambeke, de strijd aanbinden met Adolf Daens en Aloys de Backer die in de eerste ronde op de lijst van de Christene Volkspartij de meeste stemmen hadden behaald.

Het feit dat juist Charles Woeste tot een ballotage gedwongen werd was een regelrechte sensatie. Woeste is immers de onbetwiste leider van de katholieken in het parlement en was in zijn kiesdistrict Aalst tot nog toe ongenaakbaar. De positie van de Franstalige katholieke voorman is echter aan het

wankelen gebracht door de opkomst van de Christene Volkspartij.

Deze partij werd april vorig jaar opgericht, kort nadat het algemeen meervoudig kiesrecht was ingevoerd. De Christene Volkspartij steunt vooral op de door de conservatieve kiesverenigingen verwaarloosde bevolkingsgroepen zoals (land)arbeiders, middenstanders en boeren. Ook is het hun een doorn in het oog dat volksvertegenwoordigers als Woeste de Nederlandse taal niet of nauwelijks machtig zijn.

In eerste instantie streefden de voormannen van de Christene Volkspartij, onder wie uitgever-journalist Pieter Daens, ernaar een vertegenwoordiger op de katholieke lijst geplaatst te krijgen. Toen de conservatieve katholie-

ken, met Woeste voorop, dat halsstarrig weigerden, besloot de Christene Volkspartij met een eigen lijst aan de verkiezingen van 14 oktober deel te nemen. Bij de indiening van de kandidatenlijst bleek priester Adolf Daens (een broer van Pieter) als lijsttrekker te fungeren. Een katholiek priester zou dus in het strijdperk treden tegen de grote katholieke voorman in het parlement! Woeste, die voor alles de eenheid in het katholieke kamp wenst te bewaren in de strijd tegen het opkomend socialisme, beschouwde dat als een persoonlijke belediging en stelde alles in het werk om de 'scheurmakers' in diskrediet te brengen. Desondanks bleek de aanhang van de Volkspartij groot genoeg om een Kamerzetel te veroveren en daarmee de machtspositie van Woeste te ondergraven.

Na de verkiezingen in Aalst kan nu de definitieve balans worden opgemaakt van de eerste verkiezingen met algemeen meervoudig mannenkiesrecht. Ondanks het verlies van die ene Kamerzetel in Aalst zijn de katholieken als grote overwinnaars uit de strijd te voorschijn gekomen. Zij hebben 12 zetels gewonnen en komen op een totaal van 103. Voor de liberalen daarentegen zijn de verkiezingen zonder meer rampzalig verlopen. Van de 61 Kamerzetels die in 1892 veroverd werden, blijven er maar 20 over. Zij worden bovendien in aantal zelfs voorbijgestreefd door de socialisten, die voor het eerst aan de Kamerverkiezingen deelnamen. Zij behaalden het onverwacht grote aantal van 28 van de 152 Kamerzetels. Door deze uitslag kan de homogeen-katholieke regering-Burlet aanblijven.

*Tsaar Alexander III met zijn gezin.*

## Alexander III was tegen liberalisme

LIVADIA, 1 november - De Russische tsaar Alexander III, die zijn land sinds de moord op zijn vader met harde hand heeft geregeerd, is in Livadia in de Krim overleden. Hij wordt opgevolgd door zijn oudste zoon, Nicolaas II.

Alexander heeft tijdens zijn bewind niets willen weten van liberale hervormingen. Volgens hem moest Rusland van anarchie en revolutionaire agitatie gered worden door de drie principes van graaf S.S. Uvarov (minister van Onderwijs van 1833 tot 1849): orthodoxie, autocratie en *narodnost* (geloof in het Russische volk) en had het land niets te verwachten van parlementaire instellingen en het zogenaamde liberalisme van West-Europa.

# Politiek joods bewustzijn in Polen

WARSCHAU - In de laatste paar jaar heeft de joodse gemeenschap in bezet Polen een aantal maatschappelijke en politieke organisaties in het leven geroepen die op een versneld proces van nationale emancipatie wijzen. Als gevolg van het eerste zionistische congres in Basel is in Polen onder de Russische bezetting de zionistische nationale arbeiderspartij 'Poalej Syjon' opgericht die voor het joodse leven een reëel centrum in Palestina ziet. Bijna tegelijkertijd is in 1879 de joodse socialistische partij 'Bund' ontstaan, die anti-zionistisch is en joodse arbeiders verenigt die in Polen onder Russische bezetting leven. De organisaties met een maatschappelijk karakter worden in alle drie de Poolse gebieden (onder Rusland, Oostenrijk en Pruisen) opgericht: sportverenigingen, vakverenigingen, kranten enzovoort.

Het traditionele joodse leven heeft zich binnen de laatste eeuw vooral in Polen geconcentreerd. In de 16de en 17de eeuw werd Polen 'paradisum iudeo-

*Priester Adolf Daens.*

rum' genoemd. De latere groei van restricties en onderdrukking hebben de stroom van joodse migranten naar Polen niet stopgezet. De joden kwamen tijdens de 18de en 19de eeuw in opeenvolgende golven: uit het Westen vanwege de relatief grotere restricties, uit het Oosten vanwege de talrijke oorlogen, waarvan de joden altijd de eerste slachtoffers waren.

In Polen concentreerden de joden zich op bankwezen, handel, hotel- en restaurantwezen, lichtere ambachten.

Ongeacht de deelname van de joden in vele belangrijke historische gebeurtenissen, is de meerderheid van de joodse massa afwijzend ten opzichte van het niet-joodse leven gebleven. Naarmate het aantal joden groeide en het levenspeil van het land onder de tsaren tegelijkertijd daalde, werd in Polen het gevoel van afkeer van mensen die vaak economische sleutelposities hebben, er anders uitzien, een ander geloof en een andere taal hebben en weigeren om te assimileren, steeds groter.

Pas in de laatste jaren is de toenemende deelname van de joden aan wetenschap, muziek, literatuur, uitgeverswezen en politiek zichtbaar.

Vooral in de socialistische beweging zijn veel vooraanstaande personen van joodse afkomst, zoals Liebermann, Perl, Horwitz, Diamand, Kon, Luxemburg, Mendelssohn en anderen. Onder de jonge joodse arbeiders is een sterke tendens voelbaar om zich met hun Poolse collega's te verenigen.

De pogroms, die tijdens het leven van tsaar Alexander de Derde in Rusland zijn begonnen, zorgden ervoor dat opnieuw golven joodse burgers besloten Rusland te verlaten en zich in Polen te vestigen.

Bijna prohibitie-achtige restricties verbieden de joden om zich in Rusland buiten de grenzen van het oude Poolse koninkrijk te vestigen, wat tot gevolg heeft dat in die gebieden op het moment (inclusief Galicië) ongeveer vijf miljoen joden wonen.

# De 'Prélude' van Debussy

*Claude Debussy met zijn dochter Chouchou.*

PARIJS, 23 december - Gisteren heeft met groot succes de première plaatsgevonden van de *Prélude à l'après-midi d'un faune* van Claude Achille Debussy (1862), de winnaar van de Prix de Rome 1884. Het concert vond plaats onder auspiciën van de Société Nationale en werd gehouden in de Salle d'Harcourt te Parijs; dirigent was Gustave Doret. Het succes was tegen alle verwachting in: het publiek was de uitvoering van het controversiële strijkkwartet van de componist - nu exact een jaar geleden - nog niet vergeten. Aanvankelijk was er dan ook niets dan gefluit te horen, maar uiteindelijk moest men zich toch gewonnen geven aan de oorspronkelijke muziek: het werk werd in zijn geheel gebisseerd en staat vanavond weer op het programma.

Men brengt de muziek van de jonge Debussy wel onder bij het impressionisme - een term die wordt gebruikt naar anologie van de ontwikkelingen in de moderne schilderkunst en met name in het werk van de Fransman Claude Monet. Debussy zou de muzikale vertegenwoordiger van deze stroming zijn. Uiteindelijk zou het impressionisme in de muziek vanwege de nadruk op orkestrale kleuren en sfeerweergave volgens sommige tegenstanders kunnen leiden tot een totaal gebrek aan vormbewustzijn. De belangrijkste woordvoerder van de anti-impressionisten is de componist Camille Saint-Saëns (1835).

In het geval van de 'Prélude' lijkt deze kritiek zeker niet gerechtvaardigd: het

gelijknamige gedicht van Stéphane Mallarmé, waarop Debussy's orkestwerk is geïnspireerd, is pure klankpoëzie, die zich niet leent voor een compositie van klassieke opzet. Dat Debussy echter tot het componeren van klassieke werken in staat is, heeft hij in het verleden met zijn cantates (*L'enfant prodigue*, 1884 - zijn examenstuk voor de Prix de Rome) en *La demoiselle élue* (1888) en ook zijn streng-cyclische strijkkwartet (1893) wel afdoende bewezen.

In een toelichting op de 'Prélude' zegt Debussy het volgende: 'De muziek van deze "Prélude" is een vrije illustratie van het fraaie gedicht van Stéphane Mallarmé. Het pretendeert geenszins dit nog eens samen te vatten. Het zijn veeleer de opeenvolgende scènes van de verlangens en dromen van de faun op een hete namiddag. Dan, moe van het nazitten van de nymfjes en najaden, laat hij zich in een vredig gedommel zakken, vervuld van dromen, totaal gegrepen door de samenhang van de kosmos.'

Na enige mislukte pogingen op het gebied van de operacompositie (*Rodrigue et Chimène* naar een libretto van Catulle Mendes en *Cendrelune* naar een libretto van Pierre Louys), is Debussy sinds twee jaar bezig met een opera naar een libretto van de Belg Maurice Maeterlinck: *Pelléas et Mélisande*. Twee akten zijn inmiddels voltooid en volgens de componist is het werk een Franse 'Tristan' geworden. De première zal naar alle verwachting in 1897 plaatshebben.

---

**5 januari.** Kapitein Alfred Dreyfus wordt, enkele weken na zijn veroordeling, van zijn militaire rang ontheven. →

**25 maart.** Italiaanse troepen trekken Abessinië binnen.

**17 april.** De Vrede van Sjimonoseki beëindigt de Chinees-Japanse oorlog. →

**17 april.** De geleerde Fridtjof Nansen bereikt met de 'Fram' bijna de noordpool. →

**3 mei.** Het gebied van de South Africa Company wordt omgedoopt tot Rhodesië. →

**25 mei.** De Engelse schrijver Oscar Wilde verliest een proces tegen de markies van Queensberry en wordt zelf schuldig bevonden aan de aanklacht van homoseksualiteit. →

**28 juni.** Nicaragua, Honduras en El Salvador vormen een Centraal-amerikaanse Unie.

**28 juli.** De Maleise staten Perak, Selangor, Pahang en Negri Sembilan gaan met ingang van volgend jaar een federatie aan. →

**18 september.** De negerleider Booker T. Washington houdt in Atlanta een indrukwekkende toespraak. →

**23 september.** In Limoges wordt het Franse vakverbond CGT opgericht. →

**8 november.** Wilhelm Conrad Röntgen ontdekt de X-straling, welke ook wel de röntgenstraling genoemd wordt. →

**28 december.** De gebroeders Lumière geven voor de eerste maal een voorstelling met hun filmprojector. →

- Op Cuba begint, geïnspireerd vanuit de Verenigde Staten door José Martí, een guerrilla tegen het Spaanse gezag.

- T. G. Masaryk publiceert het boek *Het Tsjechische vraagstuk*.

- De Noorse ontdekker Carsten Egeberg Borchgrevink betreedt als eerste mens Antarctica (de zuidpool).

- Sigmund Freud publiceert *Studien über Hysterie*. Hiermee legt hij de grondslag voor de psychoanalyse.

- Guglielmo Marconi verricht op zijn vaders landgoed bij Bologna enige experimenten welke het begin van de draadloze telegrafie vormen.

- Robert Newman organiseert in Queen's Hall de eerste serie Promenadeconcerten (de 'Proms') onder leiding van Henry J. Wood.

Gestorven:

**9 maart.** Leopold von Sacher Masoch (27-1-1836), Oostenrijks schrijver →
**5 augustus.** Friedrich Engels (28-11-1820), Duits filosoof →

---

# Naamgever masochisme dood

*Leopold von Sacher-Masoch (1870).*

LINDHEIM, HESSEN, 9 maart - In een inrichting in Oostenrijk is op 59-jarige leeftijd de Oostenrijkse schrijver Leopold von Sacher-Masoch overleden. Sacher-Masoch kreeg grote bekendheid door zijn, grotendeels autobiografische, beschrijvingen van seksuele taferelen waarin vernedering, hoon, kwellingen en in leer of bont uitgedoste vrouwen, gewapend met karwatsen, centraal staan. Tot grote ergernis van de auteur bestempelde de Duitse psychiater-seksuoloog R. von Krafft-Ebing dergelijk seksueel gedrag in 1886 met de term masochisme. Reeds eerder werd sadisme, de seksuele tegenhanger van masochisme, vernoemd naar de Franse markies D.A.F. de Sade.

De uit een gegoede familie uit Graz afkomstige Sacher-Masoch genoot een hoog aanzien als schrijver. Er vond dan ook een publieke rouw plaats toen hij tien jaar geleden, na een poging zijn tweede vrouw te wurgen, in het gekkenhuis werd opgenomen.

*Ismail Pasja, de voormalige khedive van Egypte, die op 21 maart in zijn ballingsoord Constantinopel is overleden. Tijdens zijn bewind deed hij enorme investeringen in het land, die tot een bankroet leidden (1875). De Europese financiers trokken de teugels aan en zijn politieke gezag werd ingeperkt. In 1879 werd hij door de sultan ontslagen.*

# Federatie Maleise staten

*Het aftappen van rubber op een plantage in Brits Maleisië.*

KUALA LUMPUR, 28 juli - De Maleise staten Perak, Selangor, Pahang en Negri Sembilan zullen volgend jaar een federatie vormen, waardoor er voor het eerst sinds de ondergang van het sultanaat Malakka (1511) weer enige vorm van eenheid op het Maleise schiereiland komt. In de vier gebieden hebben de Britten de afgelopen twintig jaar een systeem van 'indirect rule' gevestigd en residenten benoemd die toezicht houden op het bestuur van de lokale sultans en raja's.

Aanvankelijk hadden de residenten alleen een adviserende taak, maar al snel namen zij de regering over en werden de sultans in een louter ceremoniële functie teruggedrongen. De residenten voeren een onafhankelijke politiek; zaken als spoorwegaanleg worden niet gecoördineerd en de Maleise staten dreigen uiteen te drijven. Het Engelse gouvernement in Singapore besloot daarom de resident van Perak, Frank Swettenham, al jaren voorvechter van meer samenwerking, de opdracht te geven een federatie tot stand te brengen.

De noordelijke staten Kedah, Perlis, Trengganu en Kelantan worden niet opgenomen in de federatie; ze genieten wel Britse protectie, maar zijn officieel schatplichtig aan Siam. Het zuidelijke sultanaat Johore heeft een speciale regeling met Singapore weten te treffen en blijft zelfstandig. Er komt een resident-generaal; Swettenham, die supervisie op de residenten zal uitoefenen en de beschikking krijgt over een centraal ambtenarenapparaat, is hiervoor al aangewezen. De federatie wordt in feite een door de Britten gedomineerde unie.

*Sir Frank Swettenham.*

---

*De diamantmijn bij Kimberley is een van de grootste uitgravingen ter wereld.*

# Nieuwe republiek Rhodesië

ZUID-AFRIKA, 3 mei - Het territorium van de South Africa Company ten zuiden van de Zambezi is Rhodesië genoemd, naar Cecil Rhodes, sinds 1890 premier van de Kaapkolonie.

Cecil Rhodes werd op 5 juli 1853 op het Engelse platteland geboren. Alhoewel hij gedurende de zomers in Oxford bleef studeren, vestigde hij zich in 1870 in Zuid-Afrika, waar hij fortuin maakte op de diamantvelden van Kimberley. Als financieel genie wist hij in 1888 de verschillende diamantmijnmaatschappijen te verenigen in de De Beers Consolidated Mines Company. Daarmee beheerde hij in 1891 90 procent van de wereldproduktie van diamant. Na de ontdekking in 1886 van goudlagen bij Witwatersrand in Transvaal speelde hij bovendien een overheersende rol in de goudmijnen door middel van zijn maatschappij The Consolidated Mines of South Africa.

Maar geld maken was voor Rhodes nooit een doel op zich. Door de uitgifte van pondsaandelen stelde hij de goud- en diamantdelvers in staat aandeelhouder in zijn bedrijven te worden waardoor zij konden profiteren van de grote winsten die deze afwierpen. Zo won hij vele aanhangers en steunpilaren voor zijn politiek ideaal, 'de kaart rood te maken' door een spoorweg van Kaapstad naar Caïro aan te leggen en de Boeren en de Engelsen onder de Britse vlag te verzoenen. Op zijn instigatie werd door de Engelse regering tussen 1885 en 1888 Bechuanaland in bezit genomen waarmee een wig werd gedreven tussen Duits Zuidwest-Afrika en Transvaal.

In 1889 richtte hij The British South Africa Company op, die een charter kreeg van de Engelse regering tot exploitatie van het gebied ten noorden van Transvaal, Matabeleland en Barotseland, dat sinds 1890 geleidelijk door de 'Chartered Company' in bezit werd genomen en nu dus tot Rhodesië herdoopt is. Welke de politieke gevolgen van deze omsingeling van de Zuidafrikaanse Republiek ook mogen zijn, zeker is dat het de verhouding tussen imperialistische premier Rhodes van de Kaapkolonie en de compromisloze fundamentalist Paul Kruger, president van de Zuidafrikaanse Republiek sinds 1883, niet ten goede zal komen.

*Cecil Rhodes.*

*De Noorse poolreiziger Fridtjof Nansen bij het speciaal gebouwde poolschip, de 'Fram'. Nansen is op 24 juni 1893 met 13 bemanningsleden vanuit Christiania vertrokken voor zijn reis, die door koning Oscar mede is gefinancierd.*

*Booker Taliaferro Washington, wiens wieg ook in een slavenhut heeft gestaan.*

# Triomf voor negervoorman

ATLANTA, 18 september - Met een speech over de positie van de neger in het Zuiden heeft de bekende neger-woordvoerder Booker T. Washington een grote triomf geboekt. Applaus kwam zowel uit de rijen van de blanke zuidelijke boeren als van de apart zittende negers. Na afloop schudde niemand minder dan de gouverneur van Georgia hem de hand.

Booker T. Washington sprak op de Internationale Expositie van Katoenstaten die momenteel in Atlanta, Georgia, wordt gehouden. In zijn speech pleitte hij voor stopzetting van de acties van negers die ijveren voor politieke rechten en burgerrechten. Washington riep op tot sociale rust, verzoening en beter onderwijs voor negers om zo tot economische vooruitgang te komen want 'als de negers een hoger zedelijk peil bereiken en zich economisch verbeteren, dan zullen zij zo'n indruk maken op de blanken dat deze de neger vrijwillig zijn rechten zal geven,' aldus de voormalige slaaf uit Virginia.

Booker T. Washingtons rede in Atlanta was een kolfje naar de hand van de blanke organisatoren. Zij willen immers met hun wereldtentoonstelling in zakformaat de economische groei én de raciale betrekkingen in het 'Nieuwe Zuiden' bevorderen. Als de negers onderwijs krijgen en hun 'hoofd, hart en hand kunnen ontwikkelen, dan zullen blank en zwart er wel bij varen en dan zullen de negers de geduldigste, trouw-ste en gehoorzaamste mensen zijn die deze wereld kent,' volgens Booker T. Washington die eraan toevoegde dat als de negers onontwikkeld blijven, zij het Zuiden omlaag zullen halen en niets aan de opbouw zullen kunnen bijdragen. Hij drukte de negers op het hart voorlopig niet meer naar sociale gelijkheid te streven. 'Op alle puur sociale gebieden kunnen wij gescheiden en afgezonderd zijn als vingers, maar we moeten één zijn in alle zaken die belangrijk zijn voor onze wederzijdse vooruitgang.'

Booker T. Washington, de 39-jarige zoon van een slavin en een blanke vader, is de laatste jaren de belangrijkste woordvoerder van de Amerikaanse negers geworden. Vanwege zijn gematigde houding, zijn verwerpen van raciale en politieke agitatie en zijn filosofie dat negers het meest bereiken door hard mee te werken aan de economie, is hij ook zeer gezien bij de blanken.

## Engels verhelderde ideeën van Marx

LONDEN, 5 augustus - Friedrich Engels, scherp criticus van het industrieel kapitalisme en samen met Karl Marx schrijver van het *Manifest der kommunistischen Partei* (1848), is op 74-jarige leeftijd overleden.

Hoewel Engels steeds in de schaduw van Marx heeft gestaan (en ook niet anders wilde), heeft hij een belangrijke rol gespeeld in de verbreiding van het marxistische gedachtengoed onder de arbeiders van Europa, voor wie Marx' eigen geschriften veelal te duister zijn. In dit opzicht is *Herrn Eugen Dührings Umwälzung der Wissenschaft* (1878) zijn belangrijkste werk.

Het is een heldere samenvatting van het dialectisch en historisch materialisme, waarin onder meer het bekende onderscheid tussen utopisch en wetenschappelijk socialisme wordt uitgewerkt.

# Wilde: twee jaar tuchthuis

LONDEN, 25 mei - In de Engelse hoofdstad is een einde gekomen aan het proces tegen de tot voor kort zo populaire schrijver Oscar Wilde: hij werd schuldig bevonden aan homoseksualiteit en tot twee jaar tuchthuisstraf veroordeeld.

De laatste weken staan de kranten vol met tijdens dit proces gedane onthullingen. Veel mensen blijken geschokt te zijn door de decadente levensstijl van Wilde. Anderen, vooral afkomstig uit de elite, verwijten hem niet zozeer zijn leefwijze, als wel dat hij tijdens de rechtszaak het grote publiek een blik heeft geboden op de minder fraaie kanten van het society-leven, die zich afspelen achter een respectabele 'Victoriaanse' façade. Het is in ieder geval duidelijk dat Wilde in korte tijd al zijn populariteit heeft verspeeld. Met deze affaire komt waarschijnlijk een einde aan een briljante carrière.

Door zijn afkomst en huwelijk, maar vooral door zijn satirische, spottende manier van converseren was Wilde al voordat hij enig werk had gepubliceerd een bekende persoonlijkheid. De dichter Sir Lewis Morris, die algemeen als een middelmatig talent werd beschouwd maar zelf meende dat hij als erkenning voor zijn werk 'Poet Laureate' (staatsdichter) moest worden, klaagde eens: 'Er is een samenzwering om mij dood te zwijgen, een samenzwering. Wat moet ik toch doen, Oscar?' 'Sluit je erbij aan,' antwoordde Wilde gevat.

In zijn werk liet Wilde zich kennen als een individualist. Zowel door zijn leefwijze als door zijn werk wilde hij zich afzetten tegen de geldende Victoriaanse moraal, die in zijn ogen geen genade kon vinden. Kunst had niets met 'nut' te maken maar was een doel op zich: 'l'art pour l'art'. Om zich af te zetten tegen de deugdzaamheid en spaarzaamheid die in de (klein-)burgerlijke cultuur gehuldigd werden, leefde Wilde als een 'dandy' en leidde een verkwistend en decadent leven. Ook in zijn boeken zijn deze trekken herkenbaar. Zijn verdediging van het l'art pour l'art-principe komt duidelijk naar voren in zijn succesvolle roman *The picture of Dorian Gray* (1890). Toen de geruchtmakende processen begonnen trok Wildes toneelstuk *The*

*Oscar Wilde met lord Alfred Douglas.*

*importance of being Earnest* volle zalen. Kenmerkend voor de tegen Wilde losgebarsten hetze is wel dat op de affiches voor het toneelstuk de naam van de auteur is overgeplakt.

De val van Wilde werd in feite door hemzelf veroorzaakt. Ondanks waarschuwingen van vrienden begon hij een proces wegens smaad tegen de markies van Queensberry, de vader van Lord Alfred Douglas met wie Wilde een nauwelijks verhulde amoureuze relatie had. Van Wildes aanklacht bleef tijdens het proces weinig over: de markies betichtte Wilde openlijk van homoseksualiteit. De auteur kon deze beschuldiging niet weerleggen en werd in een aansluitend proces tot twee jaar tuchthuisstraf veroordeeld. Velen verwachtten dat Wilde de dans zou ontspringen en dat zijn invloedrijke vrienden hem wel zouden helpen om aan gevangenisstraf en veroordeling te ontsnappen. Juist het feit dat hij tijdens de zittingen 'uit de school klapte' heeft er echter voor gezorgd dat zijn vroegere vrienden uit de elite hem als een steen lieten vallen. Anderen wijzen erop dat hij zijn ondergang wellicht met opzet heeft gezocht. Deze affaire komt namelijk overeen met een thema dat in Wildes werk vaak terugkeert: iemand biecht een maatschappelijk onaanvaardbare zonde op en gaat daaraan te gronde.

*Oscar Wilde (Toulouse-Lautrec, 1895).*

*De Japanse legerleiding tijdens de oorlog met China.*

# China buigt voor Japan

SJIMONOSEKI, 17 april - In de Japanse havenstad Sjimonoseki is een verdrag tussen Japan en China getekend waarbij Japan onder meer T'ai-wan krijgt en China afziet van aanspraken op Korea.

Het verdrag is de bekroning van Japans oorlog tegen China, die in augustus vorig jaar is begonnen met het verdrijven van Chinese legers uit Korea. In de daaropvolgende zeeslagen bleek dat Japan zich binnen een generatie na het begin van zijn modernisering tot een zeemacht heeft ontwikkeld: na het uitschakelen van de Chinese vloot werd op 7 november 1894 Dalian ingenomen en op 21 november viel de marinebasis Port Arthur in Japanse handen.

Nadat de laatste schepen van de moderne Chinese Noordvloot, die met zoveel financiële offers in de voorgaande jaren in het Westen was gekocht, zich aan de Japanners hadden overgegeven en nadat het Hunan-leger in het noordoosten een serie nederlagen had geleden, besloot de Peking-regering een onderhandelaar naar Japan te zenden die uiteindelijk de volgende Japanse eisen inwilligde:
- Het erkennen door China maar niet door Japan van Korea's onafhankelijkheid.
- De overdracht aan Japan van het schiereiland Liaodong, de Penghugun-eilanden en T'ai-wan.
- Het door China aan Japan betalen van een schadeloosstelling van 200 miljoen liang.
- Het aan Japan verlenen van alle rechten die de westerse mogendheden in China genoten.

Zes dagen na de ondertekening van het verdrag hebben Rusland, Frankrijk en Duitsland een gezamenlijke nota aan Japan gestuurd waarin ze 'aanbevelen' dat Japan afziet van de bezetting van het schiereiland Liaodong. De achtergrond van dit ultimatum is de angst van westerse mogendheden voor de Japanse overheersing in China. Vooral de Russische aanspraken op Port Arthur hebben hierbij een doorslaggevende rol gespeeld.

*Chinese soldaten in de rij voor de behandeling van hun verwondingen.*

# Franse vakbonden in CGT

*Demonstratie van stakende mijnwerkers in Noord-Frankrijk (1906).*

LIMOGES, 23 september - De Franse arbeidersbeweging heeft weer een stap in de richting van de eenheid gezet. 28 beroepsfederaties en 126 onafhankelijke vakbonden, alsmede 18 arbeidsbeurzen hebben zich verenigd in een groot verbond van vakverenigingen, de Confédération Générale du Travail (CGT).

De laatste jaren is de vakbeweging in Frankrijk toch al met rasse schreden vooruitgegaan. Naar schatting zijn er op het ogenblik meer dan vier miljoen werknemers bij een vakbond aangesloten. De typografen waren de eersten die, in 1881, een landelijke federatie oprichtten, nadat drie jaar eerder een staking van typografen in Parijs was gebroken door arbeiders uit de provincie.

Ook de arbeidsbeurzen vormen een tamelijk sterke organisatie. Grote vooruitgang werd geboekt toen de gemeente Parijs de arbeidersbeweging in 1884 een gebouw ter beschikking stelde, niet alleen voor uitwisselingen op de arbeidsmarkt, maar ook voor bijeenkomsten en cursussen. De Parijse arbeidsbeurs kreeg zodoende meer inhoud, de vakbeweging breidde haar mogelijkheden uit.

Dat had ook een stimulerende invloed op de arbeidsbeurzen elders in het land, te meer daar in hetzelfde jaar de vrijheid tot het oprichten van vakverenigingen in de wet werd vastgelegd. Drie jaar geleden werd een landelijke federatie van arbeidsbeurzen tot stand gebracht.

Het nieuwe verbond van vakverenigingen blijft voorlopig nog voornamelijk een formele organisatie. De aangesloten vakbonden en federaties bepalen ieder voor zich het beleid dat zij wensen te voeren. Niettemin betekent het nieuwe overkoepelende orgaan voor de Franse arbeidersbeweging weer een extra steuntje in de rug.

# Publiek geniet van eerste filmvoorstelling

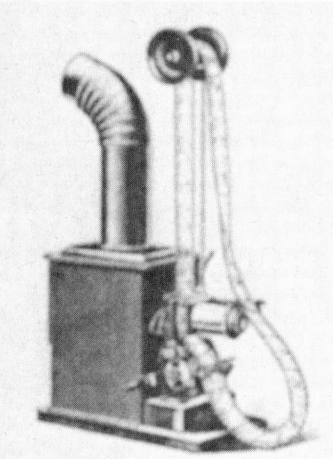

*Cinematograaf.*

PARIJS, 28 december - In Parijs heeft men bewegende foto's kunnen aanschouwen. Voor het eerst is de 'cinématographe', de uitvinding van de gebroeders Auguste en Louis Lumière, aan het publiek getoond. In het Parijse Grand Café aan de boulevard des Capucines konden 33 toeschouwers, tegen betaling van één frank per persoon, vandaag gedurende twintig minuten mensen op het witte doek zien lopen en gebaren, Er waren tien filmpjes te zien, die gemiddeld twee minuten duurden: arbeiders die uit de Lumièrefabriek in Lyon-Monplaisir kwamen, een zwemmer die een duik neemt in de Middellandse Zee, waarbij de golven hoog opspatten, een smid, een tuinman, mensen aan het werk, mensen aan tafel, kortom de meest uiteenlopende onderwerpen.

Het is voor het eerst dat een film op een scherm is vertoond. Bewegende fotografische beelden waren tot nu toe alleen te zien in een zogenaamde kinetoscoop. Deze eenpersoons-kijkdoos werd enkele jaren geleden ontwikkeld door medewerkers van de Amerikaanse uitvinder T.A. Edison.

Auguste en Louis Lumière hebben de kinetoscoop sterk verbeterd. De belangrijkste verandering betreft de speeltijd. Voor de kinetoscoop, een zwaar, op elektriciteit aangedreven apparaat, bedroeg deze maar enkele seconden. Bij de lichtere en met de hand aangedreven cinematograaf van de gebroeders Lumière gaat het om enkele minuten. De verklaring ligt in het feit dat de Lumière-projector zestien beelden per seconde vertoont in plaats van 48.

Speelgoed waarbij de illusie van beweging wordt opgewekt bestaat al eeuwen. Met name na de uitvinding van de fotografie hebben vele uitvinders zich met dit onderwerp beziggehouden. De uitvinding van het celluloid door George Eastman zorgde wat dit betreft voor een doorbraak.

*Boven: Louis en Auguste Lumière in hun laboratorium aan het werk.*
*Beneden: een scène uit hun film 'De besproeier' ('L'arroseur arrosé').*

W.K.L. Dickson, een naaste medewerker van Edison, maakte met behulp van dit nieuwe lichtgevoelige materiaal in 1889 *Fred Ott's Sneeze*, de eerste echte film. De belangstelling van Edison voor de kinetoscoop was echter zo klein dat hij weigerde 150 dollar uit te geven voor het Europese patent. Inmiddels hebben de gebroeders Lumière hun cinematograaf in Frankrijk, Duitsland en Engeland gepatenteerd. Afgezien van *Le Progrès de Lyon*, hadden de Franse kranten tot nu toe nauwelijks belangstelling voor deze

unieke historische gebeurtenis. Maar het publiek was enthousiast. Er zullen ongetwijfeld nog veel meer voorstellingen volgen. Een van de twee vertegenwoordigers van de Parijse pers zei ervan overtuigd te zijn dat 'wanneer deze apparaten aan het publiek worden verkocht, zodat allen de mensen die hun lief zijn kunnen fotograferen, niet meer in hun onbeweeglijke vorm, maar in beweging, in actie, met hun vertrouwde gebaren, met het gesproken woord op de lippen, de dood niet meer absoluut zal zijn'.

*Vier beeldjes uit een filmpje. Onder: een aankondiging van Lumière-films.*

*Kapitein Dreyfus (derde van links) bij het verlaten van het gerechtsgebouw.*

# Degradatie voor Dreyfus

PARIJS, 5 januari - Kapitein Alfred Dreyfus, die op 22 december wegens landverraad tot levenslange dwangarbeid veroordeeld werd, is tijdens een plechtige ceremonie op de binnenplaats van de Invalides van zijn rang ontdaan. 'Weg met de joden! Dood!' brulde de Parijse menigte.

'En dat gebeurt in het republikeinse, moderne, beschaafde Frankrijk, een eeuw na de verklaring van de rechten van de mens,' zo luidt het commentaar van Theodor Herzl, de jonge correspondent van het Weense blad *Die Neue Freie Presse*. Herzl verblijft sinds enkele jaren in Parijs.

Als enige gelooft hij niet aan de schuld van Dreyfus. Volgens hem geeft deze zaak 'het verlangen weer van de overgrote meerderheid der Fransen een jood te veroordelen, en met hem alle joden'.

# Röntgen fotografeert het 'onzichtbare'

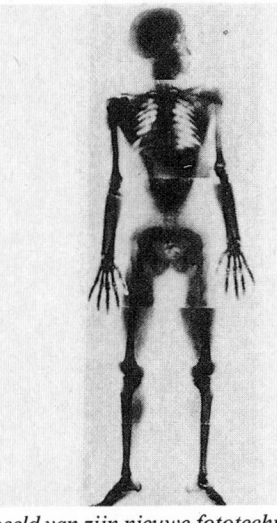

*Wilhelm Conrad Röntgen. Rechts een voorbeeld van zijn nieuwe fototechniek.*

WURZBURG, december - In wetenschappelijke kringen heerst grote opwinding over de recente ontdekking van de Duitse natuurkundige Wilhelm Conrad Röntgen. De aan de universiteit van Würzburg verbonden hoogleraar heeft een elektromagnetische straling ontdekt, door hem zelf x-straling genoemd, die door alle stoffen heen kan dringen. Dit maakt het mogelijk om dingen te fotograferen die tot nu toe onzichtbaar bleven. Een van de eerste foto's die professor Röntgen heeft gemaakt met behulp van de door hem op 8 november bij toeval ontdekte straling, toont de beenderstructuur van de linkerhand van zijn vrouw.

Wat de gebruiksmogelijkheden zijn van de straling is nog niet geheel duidelijk. Behalve dat zij van toepassing is op medisch gebied, is de x-straling, aldus een recent bericht, 'ook geschikt om valsche parelen en diamanten van echte te onderscheiden'.

---

**3 januari.** Keizer Wilhelm II van Duitsland feliciteert Paul Kruger, de president van Transvaal, met het feit dat zijn Boerenrepubliek de vorige dag een Engelse aanval heeft afgeslagen. →

**18 januari.** Engelse troepen bezetten de hoofdstad van het Ashanti-rijk. →

**Februari.** Theodor Herzl publiceert het zionistisch manifest *Der Judenstaat*. →

**1 maart.** De Abessiniërs verslaan de Italianen bij Adowa. De Italianen zijn genoopt vrede te sluiten. →

**6 tot 15 april.** In Athene worden de eerste moderne Olympische Spelen gehouden. →

**15 juni.** Een aardbeving aan de noordoostkust van het Japanse eiland Hondo eist 27 000 levens.

**2 augustus.** Op het congres van de tweede Internationale in Londen worden de anarchisten van verdere deelneming uitgesloten. →

**10 augustus.** Tijdens proefnemingen met een van zijn vleermuistoestellen stort Otto Lilienthal neer en verliest daarbij het leven.

**30 augustus.** Op de Filippijnen brandt de onafhankelijkheidsstrijd los. →

**30 september.** Rusland en China tekenen een overeenkomst betreffende Mantsjoerije.

**3 november.** William McKinley wint de Amerikaanse presidentsverkiezingen. →

**10 december.** Het vermogen van de overleden chemicus Nobel zal worden aangewend voor een prijzenfonds. →

**30 december.** José Protasio Rizal, een Filippijns schrijver, wordt door de Spanjaarden geëxecuteerd. →

- In Hongarije wordt het 1000-jarig bestaan gevierd. →

- De Engelse socioloog Herbert Spencer voltooit zijn *Principles of sociology*. →

- Ernest Rutherford neemt elektrische golven waar door middel van magnetisme.

- Edward Burnett Tylor wordt in Oxford hoogleraar in een nieuwe wetenschap, de antropologie. →

- De Franse fysicus Antoine Henri Becquerel ontdekt de radioactieve straling van uranium.

- In Duitsland komen twee nieuwe satirische weekbladen uit. →

Gestorven:

**11 oktober.** Anton Bruckner (4-9-1824), Oostenrijks componist →
**10 december.** Alfred Nobel (21-10-1833), Zweeds chemicus en industrieel →

---

# Tylor bestudeert vreemde culturen

OXFORD - De pleiter voor de moderne volkenkunde, de antropologie, Edward Burnett Tylor, is benoemd tot hoogleraar aan de universiteit van Oxford. Lang heeft Tylor de term 'Science of Culture' gebruikt om zijn visie op de volkenkunde aan te geven, maar het begrip cultuur zoals Tylor dat hanteert leidde tot spraakverwarring. Tylor duidde niet op het gangbare cultuurbegrip dat verwijst naar de intellectuele en esthetische kanten van het bestaan, maar op een universeel en neutraal begrip voor het menselijk samenleven. In zijn eerste belangrijke werk *Primitive Culture* definieerde hij cultuur als volgt: 'Het complexe geheel van kennis, geloof, kunst, recht, moraal, gewoonten en andere vaardigheden en gebruiken die door mensen verworven zijn als leden van een bepaalde samenleving'.

Al op jeugdige leeftijd kwam Tylor in contact met andere culturen. Zijn ouders stuurden de 23-jarige Edward in 1835 op wereldreis om te kunnen genezen van zijn beginnende tbc. Hij reisde niet naar de landen van de oude beschaving, maar bezocht de Caribische Eilanden en Mexico. Daar ontwikkelde hij zijn ideeën over het belang van onderzoek in het veld om begrip te krijgen van de ontwikkeling die culturen doormaken. Primitieve culturen zijn volgens Tylor niet minderwaardig, maar minder ver ontwikkeld. Sommige cultuurelementen, zoals het gebruik van de handploeg, overleven verschillende stadia ('survival'), andere verdwijnen of keren terug in een andere vorm ('revival' van cultuurelementen).

Om deze ideeën te onderbouwen vatte hij het moeilijkst denkbare thema op: de religie. Volgens Tylor komt religie in elke samenlevingsvorm voor. Niet de religie zoals wij die kennen, maar als de religieuze betekenis in de zin van het hebben van een ziel die aan voorwerpen, dieren of bepaalde planten wordt toegekend. Hij bedacht voor deze oervorm van religie de term 'animisme'. Uit dit primitieve religieuze besef zijn het polytheïsme - het geloof in meer goden - en het monotheïsme voortgekomen. Sommige religieuze vormen beleven een revival, zoals het moderne spiritualisme. Omdat Tylor ervan overtuigd is dat culturen een bepaalde ontwikkelingsgang doormaken, ziet hij de studie naar primitieve culturen ook als een vorm van historisch onderzoek: oudere cultuurvormen kunnen erdoor in de praktijk worden onderzocht. Tylors stimulering van het veldonderzoek maakte het begin jaren tachtig mogelijk dat een van zijn begaafdste leerlingen, Franz Boas, langdurig onderzoek kon doen bij nog vrijwel onbekende stammen in Noordwest-Canada.

# Boeren weten Engelse aanval af te slaan

ZUID-AFRIKA, 2 januari - Leander Starr Jameson is met zijn troepen van de British South Africa Company door de Boeren te Doornkop, nabij Krugersdorp, tot overgave gedwongen. President Kruger heeft besloten hen ter bestraffing aan Engeland uit te leveren. Premier Cecil Rhodes van de Kaapkolonie moet zich uit alle functies terugtrekken. Aan zijn politieke loopbaan lijkt hiermee een einde te zijn gekomen.

Sinds de mislukte onderhandelingen in 1894 met de president van de Zuidafrikaanse Republiek, Paul Kruger, over een nauwere politieke en economische samenwerking, zocht Rhodes een motief om de Zuidafrikaanse Republiek zelf aan te tasten en vond die in het Uitlandersprobleem.

De buitenlandse goud- en diamantdelvers die in de Boerenrepubliek werken, worden hier zwaar belast en zijn verstoken van het burgerrecht, dat zij pas na een ononderbroken verblijf van zeventien jaar kunnen verkrijgen. Door zijn éénponds-aandelen-tactiek had Rhodes juist deze Uitlanders volkomen in de hand. Hij financierde en

*Zuidafrikaanse boeren verdedigen zich tegen een aanval van Zoeloes.*

bewapende hen om de regering van Paul Kruger ten val te brengen.

Een van zijn vrienden, dr. Jameson, begon op 29 december van het vorig jaar zijn inval in de Zuidafrikaanse

Republiek (Transvaal) om de republiek weer onder Brits bestuur te brengen. Jameson handelde echter zonder het bevel van de Britse Hoge Commissaris en voordat de heimelijk beraamde

opstand van de Uitlanders tegen de Transvaalse regering uitbrak.

Deze Jameson-raid heeft de toch al gespannen verhoudingen tussen Engeland en de Zuidafrikaanse Republiek van de onbuigzame president Paul Kruger naar een nieuw dieptepunt gevoerd.

Sinds de ontdekking van de rijke goudlagen van Witwatersrand (1885-1886) heeft Groot-Brittannië verscheidene pogingen gedaan om meester van Zuid-Afrika te worden. Elk Bantoegebied aan de Boerenrepublieken grenzend werd in bezit genomen.

De grote tegenspelers in dit drama zijn de 42-jarige Engelsman Cecil Rhodes, die met zijn loopbaan gestalte gaf aan zijn leus 'Imperialisme is goed, maar imperialisme plus dividend is beter', maar wiens carrière nu gebroken lijkt, en 'Oom' Paul Kruger, de ascetische, vrome president van de Zuidafrikaanse Republiek, die nog gelooft dat de aarde plat is en op staatsontvangsten warme melk in plaats van champagne laat serveren. Hij lijkt maar één doel te kennen: de Engelsen moeten weg, opdat de rust terugkeert.

# Wilhelm II stuurt Kruger gelukstelegram

*Paul Kruger.*

BERLIJN, 3 januari - Sinds Duitsland zich op het wereldtoneel heeft begeven, is het geregeld tot botsingen gekomen met de Engelse belangen in Azië en Afrika. De toch al slechte verhouding tussen de twee landen heeft echter vandaag een dieptepunt bereikt, toen in Londen bekend werd dat keizer Wil-

helm II een gelukstelegram had verstuurd aan Paul Kruger, de president van Transvaal. De Boeren van Kruger hebben namelijk op overtuigende wijze een Engels huurleger verslagen.

Sinds 1884 is Transvaal een onafhankelijke staat, maar kan niet zonder goedkeuring van de Engelse (Gladstone)regering verdragen met buitenlandse mogendheden sluiten. Het gebied ligt dus in de Engelse invloedssfeer. Daarmee is niet gezegd dat het Duitsland onverschillig is wat er in Transvaal gebeurt. Er wonen duizenden Duitsers in Pretoria en Johannesburg, die er een prominente rol spelen in het bedrijfsleven en de bankwereld. Duitse firma's als Krupp, Siemens, Halske, Goertz, Lippert en de Deutsche Bank hebben er vestigingen. Verder beheersen de Duitsers de whisky- en dynamiethandel. De Engelsen zijn ook zeer talrijk in het gebied. Zij hebben grote belangen in de goud- en zilvermijnen in de bergen rond Johannesburg.

De Boeren van Paul Kruger dreigden door de grote buitenlandse invloed niet alleen economisch maar ook numeriek in het gedrang te komen. Om de politieke macht van de Boeren te beschermen besloot de Republiek om de nieuwe immigranten geen kiesrecht te verlenen. Deze beslissing riep in die kringen grote woede op. Op eigen initiatief en zonder toestemming van Londen besloot de Engelsman Leander Starr Jameson op 29 december vo-

rig jaar met een huurlegertje van 800 man de Boeren een lesje te leren. Toen de Duitse regering van de Engelse inval hoorde overwoog men de diplomatieke betrekkingen met Londen te verbreken. De ontkenning van enige betrokkenheid kon dit echter voorkomen.

*Krugers echtgenote Gezina.*

# Spencer past evolutieleer toe

LONDEN - De Engelse filosoof en socioloog Herbert Spencer heeft het derde deel van zijn *Principles of sociology* gepubliceerd. Hierin past hij de evolutieleer toe op de menselijke samenleving, als een bijzonder geval van de universele wetten van de evolutie.

In 1857 publiceerde hij al het artikel *Progress: its law and causes*. Hierin verdedigt hij de visie dat evolutie een ontwikkeling is van een betrekkelijk onbepaalde homogeniteit naar een betrekkelijk bepaalde heterogeniteit. Hij ontwikkelde deze opvatting (overigens vóórdat Charles Darwin zijn *Origin of the species* publiceerde) in de overtuiging dat een onkenbare kracht steeds van invloed is op het materiële in de wereld. Spencer past dit inzicht nu toe op de menselijke samenleving. Door de toenemende arbeidsdeling heeft deze zich kunnen ontwikkelen van de ongedifferentieerde horde naar een complex geheel. Spencer maakt een elementair onderscheid tussen de militaire en de industriële samenleving. In de eerste is dwang binnen een strakke hiërarchie het beginsel van sociale coördinatie; in de tweede ontstaat een zekere mate van orde op basis van vrijwillige samenwerking. Spencer ziet overeenkomsten tussen het dierlijk organisme en de samenleving. Het verschil is echter dat het dier geen eigen bewustzijn heeft terwijl in de samenleving bij de individuele mensen ligt. Hij hecht daarom grote waarde aan de individuele mens.

*De Franse officier Jean-Baptiste Marchand op weg naar Fasjoda (Soedan).*

# Opnieuw oorlog in Ashanti

KUMASI, 18 januari - De Engelse troepen onder aanvoering van Sir Francis Scott zijn de hoofdstad van het Ashanti-rijk binnengetrokken. De koning is gevangengenomen en zijn rijk is tot Brits protectoraat uitgeroepen.

De vorige drie Ashanti-oorlogen die Engeland voerde, vonden plaats in 1824-1827, 1873-1874 en 1893-1894.

Zoals de Fransen hun oorlogen voerden tegen het machtige Dahomey, dat zij verleden jaar definitief tot een Franse kolonie maakten, zo lijken de Engelsen nu het, uit het eind van de 17de eeuw daterende, Ashanti-rijk onderworpen te hebben.

Sinds Joseph Chamberlain in het derde ministerie-Salisbury minister van Koloniën werd, werd de pacifistische politiek van het in 1885 gevallen kabinet-Gladstone verlaten voor een agressief imperialistische. De 'scramble for Africa', zoals het blad *The Times* schreef, werd ingezet en een van de gebieden waar dat duidelijk merkbaar is, is westelijk Afrika. Engeland, Frankrijk en Duitsland zijn daar bezig hun machtsgebieden ook naar het binnenland uit te breiden.

Deze 'scramble for Africa' kwam voort uit vele impulsen, zoals de nationalistische rivaliteiten, de behoefte aan Afrikaanse grondstoffen voor de Europese industrieën en de overtuiging dat de achterlijke en heidense negers beschaving en christendom gebracht moesten worden. Het imperialisme, dat in de jaren tachtig als een koorts de grote Europese mogendheden beving, is in zekere zin de kruistocht van het geloof in de 'moderne beschaving'. Friedrich Engels juichte bijvoorbeeld de verovering van Algerije door de Fransen toe als 'een belangrijke en gelukkige gebeurtenis voor de vooruitgang van de beschaving'.

Deze morele rechtvaardiging van het imperialisme noemen de Engelsen 'The White Man's Burden' (naar het gelijknamige gedicht van Rudyard Kipling), de Fransen spreken van hun 'mission civilisatrice' en de Duitsers van 'Kultur'-verspreiding.

De laatste jaren sloot Duitsland afzonderlijke verdragen met zowel Frankrijk als Engeland om de grenzen van zijn nieuwe koloniën, Togo en Kameroen, en van zijn bezittingen in Oost-Afrika vast te leggen. Zulke verdragen bestaan er ook tussen Engeland en Frankrijk over de invloedssferen aan de Afrikaanse westkust, maar of de wedloop om bijvoorbeeld het achterland van de Nigervallei ook door vreedzaam overleg tussen deze beide mogendheden geregeld kan worden, staat nog te bezien.

*Koning Behanzin van Dahomey spreekt zijn volk toe (circa 1894).*

# Herzl wenst joodse staat

WENEN, februari - De Oostenrijkse journalist Theodor Herzl heeft onder de titel *Der Judenstaat* een opmerkelijke brochure over het joodse vraagstuk gepubliceerd. Hierin voert Herzl, de Franse correspondent van het grote Weense dagblad *Neue Freie Presse*, een vurig pleidooi voor de stichting van een zelfstandige joodse staat. 'De joodse staat is van wezenlijk belang voor de wereld [...] Geef ons het bestuur over een deel van de aardbol dat groot genoeg is om aan de rechtmatige behoefte van een natie te voldoen,' schrijft hij op de eerste bladzijde van zijn pamflet. Herzl is hiermee een van de eersten die een politieke oplossing voor het joodse vraagstuk formuleren.

Theodor Herzl komt met zijn voorstel voor een eigen joodse staat in een periode dat het antisemitisme in Europa welig tiert. In Frankrijk is twee jaar geleden de joodse kapitein Alfred Dreyfus - de enige joodse officier in het Franse leger - tijdens een in juridisch opzicht twijfelachtig proces wegens spionage tot degradatie en deportatie naar het Duivelseiland veroordeeld. In Duitsland en Oostenrijk belijden christen-socialisten onder aanvoering van figuren als Adolf Stoecker en Karl Lueger een fel antisemitisme dat, zo lijkt het, in toenemende mate bij de bevolking gehoor vindt. De joden in Oost-Europa lijden onder armoede, uitbuiting en vervolging.

Herzls ervaringen met dit groeiend antisemitisme brengen hem tot de conclusie dat de integratie van de joden in de Europese samenleving niet meer dan een hersenschim is. Het antisemitisme is een diepgeworteld gezwel in de Europese cultuur, zo meent hij, en daarom is de enige oplossing dat de joden wegtrekken en zich in een eigen staat vestigen. Herzl geeft in zijn pamflet niet aan waar precies de joodse staat gesticht moet worden. Wel is hij vrij concreet over de stappen die gezet moeten worden om dit doel te bereiken: hij pleit voor het samenroepen van een congres van joodse afgevaardigden uit de hele wereld, doet voorstellen voor het werven van fondsen en het bijeenbrengen van technici en ingenieurs die moeten helpen bij de opbouw van het nieuwe land.

Theodor Herzl is in de zionistische beweging betrekkelijk een nieuwkomer. Hij is afkomstig uit een geassimileerde joodse familie uit Boedapest. Slechts tot zijn bar mitswa genoot hij joods onderwijs. Na zijn rechtenstudie werkte hij enige jaren bij de rechtbank. Later ging hij in de journalistiek. Zijn grote betrokkenheid bij de zionistische zaak ontstond toen hij in Parijs de Dreyfus-affaire voor zijn krant versloeg. 'A mort! A mort les juifs!', de kreten die de menigte bij de degradatie van kapitein Dreyfus scandeerde, ontstaken het vuur van zijn zionistische ideaal. 'Alles hangt af van de kracht die ons voortdrijft,' schreef hij in *Der Judenstaat*. 'Wat is die kracht? De ellende van de joden.'

*Reünie van een groep zionisten in een Weens café, circa 1896.*

# Italië geeft Ethiopië prijs

*Italiaanse krijgsgevangenen op weg naar de vrijlatingsoverdracht.*

ADOWA, 1 maart - Een Ethiopische troepenmacht van 80 000 man onder leiding van de Ethiopische negus, Menelik II, heeft 20 000 Italianen bij Adowa verslagen. De onafhankelijkheid van Ethiopië is hiermee bevestigd; Italië mag alleen zijn Rode-Zeebezittingen behouden.

Evenals zijn voorgangers, Theodorus en Johannes, is Menelik eropuit Ethiopië tot een sterke en moderne eenheidsstaat te maken. Zo sloot hij in 1889, het jaar waarin hij keizer werd, een verdrag met Italië over de grenzen van de Italiaanse bezittingen aan de Rode Zee, om zich te verzekeren van Europese hulp bij zijn moderniseringspogingen. Menelik had aan het begin van zijn regeerperiode de omvang van zijn rijk zowat verdubbeld en dat lukte hem daarna nog eens, vooral dank zij de artillerie, machinegeweren, een spoorweg van Djibouti naar de nieuwe hoofdstad Addis Abeba, moderne bankinstellingen en aanzienlijke hoeveelheden Europees kapitaal en adviezen. Hij werd echter algauw geconfronteerd met de koloniale aspiraties van Italië, dat zich niet langer met Eritrea (1882) en Somalië (1889) tevreden wilde stellen, maar een omvangrijk koloniaal imperium in Afrika hoopte te vestigen.

De Slag bij Adowa is een van de grootste veldslagen in Afrika, waarbij bovendien voor het eerst de Afrikanen zichzelf met succes tegen de blanke veroveraars verdedigd hebben.

*Een van de vele aanslagen die door radicale anarchisten zijn gepleegd (Wenen).*

# Anarchisten uitgestoten

LONDEN, 2 augustus - Op het Internationaal Socialistisch Arbeiders- en Vakverenigingscongres, dat door meer dan 700 gedelegeerden van arbeidersorganisaties uit 20 landen werd bijgewoond, is definitief een einde gemaakt aan de slepende controverse tussen de zogenoemde parlementaire socialisten en de anarchisten. Men heeft besloten de anarchisten niet meer op toekomstige congressen toe te laten.

Voortaan worden alleen organisaties uitgenodigd die 'streven naar omzetting van de kapitalistische eigendoms- en produktieverhoudingen in socialistische eigendoms- en produktieverhoudingen, en die deelname aan de wetgeving en parlementaire activiteit als een noodzakelijk middel zien om dit doel te bereiken. Anarchisten zijn bijgevolg uitgesloten.'

Aldus de resolutie, die met een grote meerderheid van stemmen door het congres is aangenomen; slechts de Franse en de Nederlandse delegatie stemden tegen de uitsluiting.

Hiermee is de richting die de (tweede) socialistische Internationale heeft ingeslagen, duidelijk geworden: de socialistische maatschappij moet bereikt worden door politieke actie, dat wil zeggen door georganiseerde strijd ter verovering van de staatsmacht en door gebruik te maken van parlementaire middelen. Afwijkende meningen worden niet langer getolereerd. Volgens Domela Nieuwenhuis, Nederlands gedelegeerde en pleiter vóór de anarchisten, verraadt het congres met dit besluit 'de angst dat het concilie van marxistische kerkvaders gestoord zou kunnen worden'.

# Ontwikkeling Mexico komt elite ten goede

MEXICO - De Mexicaanse president Porfirio Diaz heeft enkele belangrijke hervormingsplannen gepresenteerd. In de eerste plaats zal het onderwijs, nu de overheid zich definitief erover heeft ontfermd, op westerse leest worden geschoeid. Daarnaast heeft hij de afschaffing aangekondigd van de 'alcabala', de lokale omzetbelasting, wat voor de handel en de industrie een flinke steun in de rug betekent. Waarnemers menen dat de maatregelen van Diaz vooral moeten worden gezien als tegemoetkoming aan de kleine economische toplaag, wier steun de president in geen geval kan missen. In de armoedige omstandigheden waaronder het overgrote deel van de Mexicaanse bevolking leeft, komt voorlopig geen wezenlijke verandering.

Sinds 1877 is Diaz met een korte onderbreking president van een land waarin gigantische tegenstellingen heersen. De overheid heeft de openbare orde stevig onder controle, maar de repressie tegen politieke gevangenen is daar-

door nauwelijks afgenomen. In economisch opzicht is de industrie met behulp van buitenlandse geldschieters inmiddels goed van de grond gekomen. De landbouw, het belangrijkste middel van bestaan, maakt op dit moment echter een ernstige crisis door. Veel kleine boeren, onder wie de 5000 Indiaanse gemeenschappen, hebben na het van kracht worden van een nieuwe wet (1894) hun land min of meer gedwongen verkocht aan de grootgrondbezitters, bij wie zij vervolgens als een soort horige in dienst traden. De groeiende onvrede op het platteland is een factor waarmee Diaz terdege rekening moet houden.

De ontwikkelingen in Mexico hebben elkaar de afgelopen tijd in een hoog tempo opgevolgd. Centrale figuur daarin is ongetwijfeld Porfirio Diaz zelf geweest. Hij werd in 1830 geboren als zoon van een blanke blikslager en een Indiaanse. Op jeugdige leeftijd nam hij dienst in het leger, waar hij snel opklom. Zijn militaire kwaliteiten

*Porfirio Diaz.*

bewees hij vooral in de oorlog tegen de Fransen, wat hem ten tijde van het presidentschap van Benito Juárez de rang van divisiegeneraal opleverde. Deze functie bleek een prima springplank voor een politieke carrière, ondanks het feit dat hij achtereenvolgens met Juárez en diens opvolger Lerdo de Tejada in onmin raakte en zelfs tijdelijk naar de Verenigde Staten moest vluchten.

# Marathon hoogtepunt Olympische Spelen

*Het organisatiecomité met Coubertin (links, zittend), de start van de 100 m hardlopen en van het wielrennen.*

ATHENE, 15 april - De Olympische Spelen zijn herleefd. Het heeft de Franse edelman Pierre de Coubertin drieëneenhalf jaar gekost om zijn idee gestalte te geven. Het initiatief werd met gejuich ontvangen, maar de verwezenlijking stuitte op allerlei praktische bezwaren.

Net als in het verre verleden viel de keuze op Athene als organisator. Een gift van de Griekse architect Georgios Averoff, die één miljoen drachme schonk, stelde het uitverkoren land in staat de eervolle maar moeilijke opdracht te vervullen. De opbrengst van Olympische souvenirs, postzegels en medailles vulde de begroting verder aan.

Het klassieke festijn heeft negen dagen geduurd; dertien landen streden om de plakken. Slechts manlijke deelnemers, 311 in totaal, kregen, net als bij de wedkampen in de oudheid, toegang tot de arena. De Verenigde Staten veroverden het meeste goud: elf stuks, één meer dan het thuisland.

De Spelen openden met de 100 meter hardlopen, uit welk onderdeel zij oorspronkelijk alleen bestonden. De Amerikaan Thomas Burke liep in 12.0 naar de eerste prijs. Hij zegevierde later ook op de 400 meter, waar de scherpe bochten de lopers bijna tot stilstand dwongen. Het hoofdnummer gold de marathon, afgeleid van de legende van de Griekse boodschapper Pheidippides, die na de Slag bij Marathon naar Athene rende om kond te doen van de overwinning op de Perzen. De Franse historicus Michel Bréal kwam met het voorstel van een wedstrijd met als voorbeeld deze eenzame race tegen de tijd uit 490 voor Christus.

Op 10 maart werd de eerste marathon ter wereld in wedstrijdverband gelopen. De Griek Charilaos Vasilakos legde de ruim 42 km in drie uur en achttien minuten af. De tweede race volgde snel en lokte al 38 lopers aan. De onbekende Lavrentis finishte sneller: 3.11. 27. De 24-jarige Griek Spiridon Louis eindigde als vijfde.

Op de Spelen groeide deze Louis uit tot de held van alle Grieken. Op 10 april vertrok hij met nog 16 atleten, onder wie vier buitenlanders, van Marathonbrug richting Olympisch Stadion in Athene. Dat puilde uit met 100 000 enthousiaste toeschouwers. Informatie over het wedstrijdverloop druppelde binnen via koeriers op de fiets of te paard.

Lang draafde de Australiër Edwin Flack, winnaar van de 1800 meter, voorop. Hij had evenwel nooit meer dan tien mijl als ervaring opgedaan en dit zou hem in de slotfase opbreken. De kleine Griek nam de leiding over, tot waanzinnige vreugde van heel Athene. Spiridon Louis brak het lint na 2.58.50. - vóór zijn landgenoot Charilaos Vasilakos (3.06.03) en de Hongaar Gyula Kellner. Derde was eigenlijk ook een Griek, Spiridon Belokas, maar hij werd ervan beschuldigd in een wagentje te hebben meegereden.

Daags na zijn grootse triomf haalde Spiridon Louis zijn prijs op en dook vervolgens onder op het Griekse platteland. Nooit werd zijn ware herkomst onthuld, maar vermoedelijk ging hij als schaapherder door het leven. Alle glans van zijn succes bleek niet aan hem besteed. De Spelen in Athene bestonden uit meer sporten, bijvoorbeeld wielrennen: de wegrace van 87 km, van Athene naar Marathon en terug. De Griekse winnaar Aristides Konstantinidis versleet onderweg drie fietsen. Het zwemmen speelde zich af in de open zee voor de kust van Piraeus. Het water was slechts dertien graden en de golven waren hoog tijdens de 100, 500 en 1200 meter. De 18-jarige Europese kampioen Alfred Hajos uit Hongarije beheerste de 100 en 1200 meter. Tennis besloot de eerste Olympische Spelen sinds eeuwen.

*De Olympische turnploeg van Duitsland na de Spelen met lauwerkransen getooid.*

*Filippijnse legerofficieren.*

## Revolutie breekt uit op Filippijnen

SAN JUAN, 30 augustus - 'Lang leve de Katipunan, lang leve de Filippijnse onafhankelijkheid,' zo klonk het enige dagen geleden in de bergen van Balintawak. In dit onherbergzame oord kwamen de overgeblevenen van de geheime strijdorganisatie de Katipunan, onder wie haar leider Andréas Bonifacio, bijeen nadat op 19 augustus een plan voor een opstand aan de Spaanse politie verraden werd en in Manila een klopjacht was uitgevoerd onder al of niet vermeende rebellen. Vanmorgen vroeg bij zonsopgang openden Bonifacio en zijn legertje de aanval op het Spaanse garnizoen in San Juan. Ze werden teruggeslagen, maar tegelijkertijd werden ook in Cavite, Manila, Laguna, Tarlac en nog vier provincies de rode strijdbanieren geheven.

De strijd om de onafhankelijkheid is losgebrand, de strijd tegen het corrupte Spaanse koloniale bestuur dat op niets ontziende wijze liberale en nationalistische ideeën onderdrukt. Tot voor enige jaren werd het verzet geleid door de bourgeoisie, intellectuelen die streefden naar hervormingen, naar meer vrijheden en gelijkheid voor Filippino's en Spanjaarden. Maar nadat de in 1892 opgerichte Liga Filipina al na enige dagen door de Spaanse autoriteiten verboden en haar leider José Rizal gevangengenomen was, veranderde de situatie.

Kort na de opheffing van de Liga besloot Andréas Bonifacio, een uit de arbeidersklasse afkomstige autodidact tot de oprichting van een revolutionaire massa-organisatie: de 'hoogste en meest eerbiedige vereniging van de zonen van het volk'. Deze geheime beweging kent een indrukwekkend initiatieritueel, wordt bestuurd door een drie leden tellende Opperste Raad en streeft naar het vormen van één natie en het verkrijgen van de onafhankelijkheid door middel van revolutionaire strijd. Overal in het land zijn geheime wapenopslagplaatsen aangelegd; de ruim honderdduizend leden stonden klaar voor de revolutie, die dit najaar had moeten plaatsvinden, maar als gevolg van het Spaans ingrijpen eerder is uitgeroepen.

# Dollars plaveien weg naar Witte Huis

WASHINGTON, 3 november - In een verkiezingscampagne waarin de schuldenaar in het krijt trad tegen de schuldeiser, de arme boer uit het Zuiden en Westen tegen het kapitaal uit het Oosten, Main Street tegen Wall Street, is de strijd om het presidentschap van de VS beslecht in het voordeel van het geld: de Republikeinse gouverneur van Ohio, William McKinley, zal volgend jaar beëdigd worden als Amerika's 25ste president.

De campagne was vooral een krachtmeting tussen de Republikeinse campagneleider, de industrieel en geldmagnaat uit Cleveland, 'Dollar Mark' Hanna, en de nieuwe ster van de Democraten, William Jennings Bryan. Mark Hanna is als een uiterst bedreven politiek manager de drijvende kracht achter de Republikeinse campagne geweest en heeft de afgelopen twee jaar al zijn tijd en energie gestoken in de verkiezing van zijn pupil McKinley; de campagne voor de nominatie van McKinley op de Republikeinse Nationale Conventie in Saint Louis deze zomer heeft hij zelfs grotendeels uit eigen zak betaald. Voor de nationale verkiezingsstrijd wist Mark Hanna met donaties uit het bedrijfsleven de ongehoorde som van 16 miljoen dollar bijeen te brengen.

Tegen dit kapitaal moesten de Democraten het opnemen met hun kandidaat, de 36-jarige William Jennings Bryan, een nieuwe ster aan het politieke firmament, die op de Democratische Conventie in Chicago zijn reputatie van begaafd redenaar (hij staat

*De Republikeinse Nationale Conventie op 18 juni in Saint Louis, Missouri.*

bekend als de 'Boy Orator of the Platte') gestand deed met een opzwepende rede tegen de gouden en een hartstochtelijk pleidooi voor de zilveren standaard: 'We will answer their demands for a gold standard by saying to them: "You shall not press down upon the brow of labor this crown of thorns, you shall not crucify mankind upon a cross

*William McKinley.*

of gold."' Deze Cross of Gold-rede was bij de 15 000 Democratische congresgangers een sensatie en de volgende dag werd Bryan - bij de vijfde stemming - genomineerd. De goud-Democraten waren met deze uitverkiezing allesbehalve gelukkig. Toen de conservatieve senator Hill van New York de vraag werd gesteld of hij nog steeds

Democraat was, antwoordde hij: 'Yes, I am a Democrat still - *very* still.'

Bryan heeft een zeer energieke campagne gevoerd. Hij heeft in 27 staten zo'n 30 000 kilometer afgelegd en daarbij tussen de vijf- en zeshonderd redevoeringen afgestoken - 36 toespraken per dag. McKinley heeft gewoon vanuit zijn eigen huis in Canton, Ohio, campagne gevoerd en beperkte zich tot het houden van korte toespraken vanaf de veranda. In het 'veld' werd voor hem campagne gevoerd door 1400 Republikeinse redenaars, die Bryan - 'silver tongue of the plain people' - afschilderden als een gevaarlijke demagoog, een radicaal, een socialist. Ondanks het Republikeinse gesnier ('In God We Trust, With Bryan We Bust') raakte de Democratische campagne bij de kleine boeren in het Westen en Zuiden een gevoelige snaar, zozeer zelfs dat de 'Gold Bugs' van het Oosten zich grote zorgen gingen maken en ter wille van de Republikeinse overwinning bij de plaatselijke en nationale verkiezingen 16 miljoen dollar bijeenbrachten, te gebruiken voor de verspreiding van tientallen miljoenen pamfletten, brochures en posters, veelal in de moedertaal van de verschillende immigrantengroepen; de Democraten hebben het moeten doen met een schamele één miljoen dollar. De Bryan-aanhangers beschuldigen de Republikeinen er nu van de verkiezingen te hebben 'gekocht' en McKinley op een golf van dollars naar het Witte Huis te hebben gebracht.

Hanna's campagnemethoden hebben in ieder geval succes gehad, want McKinley heeft in het kiescollege een duidelijke meerderheid behaald, vooral op basis van een grote aanhang in het bevolkingsdichte Noordoosten. Bryan moest het hebben van het veel dunner bevolkte Zuiden en Westen - het Zuiden en de woestijn, zeggen de cynici. Burgemeester Tom Johnson van Cleveland beschrijft de campagne als 'het eerste grote protest van het Amerikaanse volk tegen de monopolisten, de eerste grote strijd van de massa in ons land tegen de bevoorrechte klassen'.

# Anton Bruckner in Wenen overleden

WENEN, 11 oktober - De componist en organist Anton Bruckner, die pas laat in zijn leven voor zijn composities enige erkenning heeft gekregen, is vandaag op 72-jarige leeftijd overleden.

*Bruckner in zijn studeerkamer.*

Hij laat onder andere negen monumentale symfonieën na.

Het heeft tot 1884 geduurd voordat Bruckner als componist door het muziekminnende publiek werd opgemerkt. In dat jaar was de uitvoering in Leipzig van zijn Zevende symfonie onder leiding van A. Nikisch een spectaculair succes. Voor die tijd schreef hij in zijn huis in Wenen, haast onopgemerkt door het publiek, de ene symfonie na de andere, waarvan er enkele een uitvoering beleefden, maar daarbij steeds stuitten op onbegrip van de toehoorders en spot van de recensenten. Wel boekte Bruckner grote successen met zijn optredens als organist in Nancy, Parijs en Londen. Gaandeweg beginnen nu ook zijn composities steeds meer bewonderaars te krijgen.

Het betrekkelijk kleine oeuvre dat Bruckner heeft nagelaten, heeft zich door de monumentaliteit van de meeste werken en vooral door hun indrukwekkende opbouw en oorspronkelijke zeggingskracht een heel eigen plaats in de muziekgeschiedenis verworven.

Bruckners kunst is groots, verheven en van een monumentale eenzijdigheid: zijn symfonieën verklanken het opgenomen worden van een heidense, woeste en onbezielde natuur in de goddelijke heerlijkheid.

*Anton Bruckner.*

*Titelblad van de eerste uitgave van het Duitse satirische blad 'Simplicissimus'.*

# Satire leeft in Duitsland

MUNCHEN - Twee belangrijke nieuwe weekbladen hebben in München dit jaar het licht gezien: het politiek-satirische tijdschrift *Simplicissimus* van de jonge uitgever Albert Langen en de bekende graficus Thomas Theodor Heine, en een paar maanden eerder het literair-satirische blad *Jugend* van de journalist Georg Hirth.

*Simplicissimus* is geïnspireerd op het in Parijs veel gelezen blad *Gil Blas Illustré*. Langen, die op 20-jarige leeftijd in deze metropool van kunstenaars en bohémiens verbleef, alwaar hij de schrijver en zijn toekomstige medewerker Frank Wedekind leerde kennen, raakte zeer onder de indruk van het blad. De Noorse schrijver Knut Hamsun stimuleerde Langen uitgever te worden.

Volledig overtuigd van het succes dat het mooi geïllustreerde blad in Duitsland zou hebben, liet hij voor de eerste oplage 480 000 exemplaren drukken. Er werden helaas maar 1000 exemplaren verkocht. Toch betekende dit niet een voortijdig einde.

In de volgende nummers keerde het blad zich op satirische wijze tegen de 'onderdanenmentaliteit' en het militarisme in Duitsland. Verwijten als zou de inhoud van het blad 'onzedelijk, pornografisch, revolutionair en socialistisch' zijn namen de laatste tijd toe. In de Oostenrijkse hoofdstad Wenen werd *Simplicissimus* een paar maanden geheel verboden.

In januari van dit jaar verscheen het literair-satirische blad *Jugend*. Het blad propageert een nieuwe stijl in de vormgeving van boeken en illustraties. De titel van het blad sloeg sterk aan in kringen van beeldende kunstenaars die zich de laatste jaren verzetten tegen de traditionele kunst. De eigen stijl die deze kunstenaars gevonden hebben om zich uit te drukken, wordt nu 'Jugendstil' genoemd.

Voor de schrijvers in het eerste nummer betekent de jeugd het symbool van de tot nu toe 'ongedachte gedachten'. De jeugd is voor hen het leven, de kleur, de vorm en het licht.

Hun beweging keert zich tegen de uniformiteit, de grauwheid van het stadsleven en de sociale tegenstellingen.

In het tijdschrift krijgen jonge kunstenaars, schrijvers en grafici een kans hun werk te publiceren.

Vriendelijk voor de moraal, de Kerk en de monarchie zijn ze niet.

# Executie nationalist Rizal

MANILA, 30 december - Vanmorgen in alle vroegte heeft aan het strand van de baai van Manila de executie plaatsgevonden van dr. José Rizal, een van de belangrijkste leiders van de Filippijnse nationalistische beweging, een idealistische hervormer en tegenstander van geweld. Twee dagen geleden werd hij door een militair gerechtshof wegens samenzwering ter dood veroordeeld; hij zou betrokken zijn geweest bij de in augustus van dit jaar uitgebroken opstand van de revolutionaire Katipunan-beweging. Kort voor zijn terechtstelling trad hij nog in het huwelijk met de Ierse Josephine Bracken, met wie hij al enige jaren samenleefde.

José Rizal werd geboren op 19 juni 1861 in Calamba (provincie Laguna) als zoon van goed opgeleide en redelijk welvarende ouders. Hij studeerde in Manila aan de Santo Thomas Universiteit en vanaf 1882 in Madrid medicijnen, waarbij hij zich in de oogheelkunde specialiseerde. Hij ontpopte zich als een geniaal wetenschapper, sprak tientallen talen, was een gedreven essayist, kunstschilder, filosoof, dichter en bovenal nationalist.

In Spanje raakte hij betrokken bij *La Solidaridad*, een invloedrijk nationalistisch tijdschrift. Rizal was een hervormer, geen revolutionair; hij wilde gelijke politieke rechten en protesteerde fel tegen onderdrukking en discriminatie van de Filippino's. Zijn programmatische romans *Noli Me Tangere* (1887) en *El Filibusterismo* (1891) betekenden een grote stimulans voor de ontwikkeling van het Filippijnse zelfbewustzijn en nationalisme.

Na jaren (met een onderbreking van een halfjaar in 1887) als balling in Europa en Azië te hebben rondgezworven, keerde Rizal in juni 1892 naar zijn vaderland terug. Zijn familie was inmiddels, samen met honderden andere pachters, door het leger van hun boerderij in Calamba weggejaagd, omdat zij hadden durven protesteren tegen de uitbuiting door de dominicaner orde, de eigenaar van de uitgestrekte hacienda. Rizal richtte op 6 juli in Manila de Liga Filipina op, een verbond van nationalisten met als doelstelling vreedzame hervormingen.

Toch zag de overheid het als een bedreiging; de Liga werd verboden en Rizal verbannen.

Samen met zijn familie werd hij geïnterneerd in Dapitan op Mindanao, waar hij veel deed om de levensomstandigheden van de bevolking te verbeteren. Dit jaar kreeg hij toestemming om als arts op Cuba, waar een oorlog woedt en cholera heerst, te gaan werken. In augustus brak in de Filippijnen de revolutie uit en op weg naar Barcelona werd Rizal onder arrest gesteld om naar Manila teruggezonden en berecht te worden.

*'De Zaal van de Industrie', een gedeelte van de grote tentoonstelling die in Boedapest is ingericht ter viering van het duizendjarig bestaan van Hongarije. Het is met name de Hongaarse bourgeoisie die de viering van het Millennium heeft aangegrepen om haar pasverworven welvaart ten toon te spreiden.*

*Alfred Nobel.*

# Vermogen Nobel bestemd voor jaarlijkse prijzen

STOCKHOLM, 10 december - Er zal een stichting worden opgericht die jaarlijks vijf prijzen gaat uitreiken aan hen 'die in het afgelopen jaar aan de mensheid het grootste nut hebben verschaft'. Dat is de wil van de op 10 december te San Remo overleden Zweedse industrieel Alfred Nobel.

De prijzen zullen worden uitgekeerd uit de rente van de 32 miljoen Zweedse kronen grote erfenis. In aanmerking komen personen met opmerkelijke verdiensten op het gebied van de natuurkunde, scheikunde, fysiologie of geneeskunde, letterkunde en op het gebied van de vrede. Nationaliteit speelt bij de uitreiking geen rol. Het gaat erom, aldus het op 27 november 1895 gedateerde testament, 'dat de prijs toekomt aan degene die hem het meest verdient, of hij nu een Scandinaviër is of niet'.

Zijn vermogen dankte Nobel, die 63 jaar werd, voor een deel aan zijn uitvinding van het dynamiet in 1867. De Zweedse industrieel bezat fabrieken in Duitsland, de Verenigde Staten, Frankrijk en Engeland. Nobel heeft zich op een aantal wetenschappelijke gebieden verdienstelijk gemaakt. In totaal staan er 355 octrooien op zijn naam. Alfred Nobels belangrijkste uitvindingen liggen op het gebied van buitengewoon krachtige explosieven. De veelzijdige Zweedse wetenschapper hoopte dat de vernietigende kracht van zijn uitvindingen oorlogen zou kunnen voorkomen.

**4 maart.** De Republikein William McKinley wordt als 25ste president van de Verenigde Staten geïnstalleerd.

**5 april.** De Tsjechische taal wordt als ambtelijke voertaal in Bohemen gelijkgesteld aan de Duitse.

**12 mei.** Griekse troepen worden bij Thessalië door de Turken verslagen.

**Juli.** De Italiaanse natuurkundige Marconi richt in Londen de Maatschappij voor Draadloze Telegrafie op. →

**31 augustus.** Op initiatief van Theodor Herzl vindt in Basel het eerste zionistisch congres plaats. →

**December.** Koning Chulalongkorn van Siam sluit zijn reis door Europa af. →

- De hindoe Vivekananda sticht in India de Ramakrishna-beweging. →

- In Egypte komt het tot massabetogingen tegen de Britse overheersing. →

- Salomon August Andrée, Zweeds ingenieur en poolonderzoeker, verongelukt wanneer hij probeert met een luchtballon vanaf Spitsbergen de noordpool te bereiken. →

- Ronald Ross ontdekt de bacil die malaria verwekt.

- De beeldhouwer Rodin vervaardigt een beeld van Honoré de Balzac dat door de opdrachtgever wordt geweigerd. →

- De Engelse koningin Victoria viert haar 'Diamond Jubilee'. →

- Op tentoonstellingen in München, Wenen en Dresden worden gebruiksvoorwerpen getoond die vervaardigd zijn naar de opvattingen van de 'Jugendstil'. →

- De Russische schrijver Ljev Tolstoj distantieert zich in zijn opstel 'Wat is kunst?' van zijn eigen grote romans. →

- Emil Wichert stelt de theorie op dat de aarde een ijzerkern bevat.

- Maurice Barrès publiceert het eerste deel van zijn trilogie *Le roman de l'énergie nationale* (-1902): *Les déracinés* (De ontwortelden). →

- Het omstreden boek van de Britse seksuoloog Ellis over de verschillende soorten geslachtsdrift verschijnt in een Engelstalige editie. →

Gestorven:

**3 april.** Johannes Brahms (7-5-1833), Duits componist →
**8 augustus.** Jacob Burckhardt (25-5-1818), Zwitsers cultuurhistoricus →

# Brahms: 'een geroepene'

*Johannes Brahms.*

WENEN, 3 april - In de Karlsgasse 4 is de Duitse componist Johannes Brahms na een ernstige leverziekte op 63-jarige leeftijd overleden. Hij zal worden begraven naast Beethoven en Schubert. Brahms laat een omvangrijk oeuvre na, waarin de pianowerken, doordat hij zelf een groot pianist was en pianistisch dacht, een belangrijke plaats innemen. Hij componeerde bijna driehonderd liederen, waaronder een aantal bewerkingen van Duitse volksliederen. Zijn muziek is een combinatie van de klassieke vormwil en de romantische gevoelswereld.

In zijn jeugd begon Brahms al te componeren, maar het duurde tot 1853 voordat hij met zijn werk in brede kring waardering kreeg. In dat jaar ontmoette hij Robert en Clara Schumann, op wie zijn pianowerken en liederen grote indruk maakten. Schumann schreef in het *Neue Zeitschrift für Musik* een zeer lovend artikel, 'Neue Bahnen', waarin hij Brahms aankondigde als 'een geroepene [...] een sterke strijder'. Met het echtpaar Schumann was hij, tot Clara's dood in 1896, innig bevriend.

Als pianist en dirigent van eigen werken maakte Johannes Brahms vele concertreizen. Een van de vele eerbetuigingen die de componist tijdens zijn leven ontving, was de benoeming, vorig jaar, tot buitenlands lid van de prestigieuze Académie Française.

# Doorbraak van 'Jugendstil' een feit

*'Jugendstil'-serveerplateau (zilver, Josef Hoffmann) en -stoel (Michael Thonet).*

DRESDEN - De doorbraak van de *Jugendstil* is een feit, getuige de succesvolle tentoonstellingen in Wenen, Dresden en München. Talrijke toonaangevende kunstenaars, onder wie William Morris (Engeland), de Fransman Toulouse-Lautrec, de Noorse schilder Edvard Munch en Gustav Klimt uit Oostenrijk, zijn hier met hun werken vertegenwoordigd. De stijlvernieuwing, die zich in alle kunstuitingen manifesteert, is een reactie op de tot voor kort veelal toegepaste motieven en vormen uit vroegere perioden. De nieuwe stijlvorm, geïnspireerd door Japanse en vroeg-middeleeuwse kunst, streeft ernaar alle voorwerpen te stileren en te kenmerken door een vloeiend ritme van bewegingen en compositie, toegepast in de architectuur, de schilderkunst alsmede de kunstnijverheid. Op de tentoonstelling zijn meubels, sieraden, lampen, bedrukte stoffen, versierd met de prachtigste Jugendstilornamenten als gracieus gestileerde planten en vogels, te zien.

De Nederlandse bijdrage is van Jan Toorop. Maar het is de toonaangevende Belgische architect Henry van de Velde, die met zijn fraaigelijnde interieurontwerpen internationaal de aandacht op zich weet te vestigen.

# Uitvinder 'radio' in Londen

*Guglielmo Marconi met zijn draadloze telegraaf, ook wel de 'radio' genoemd.*

LONDEN, juli - In Londen is deze maand de 'Maatschappij voor draadloze telegrafie' opgericht. Initiatiefnemer is de 23-jarige Italiaanse natuurkundige Guglielmo Marconi.

De draadloze telegraaf, ook wel radio genoemd, brengt signalen over door middel van vrije elektromagnetische golven. Het theoretische grondwerk voor deze uitvinding werd gedaan door onder anderen J.C. Maxwell en Heinrich Hertz.

Marconi, die in juni vorig jaar de draadloze telegraaf heeft gepatenteerd, is door eindeloos experimenteren erin geslaagd de zendafstand te vergroten. In 1894 bedroeg deze afstand nog maar negen meter. Bij een proefneming met Italiaanse oorlogsbodems werd vorige maand voor het eerst een afstand van twaalf mijl overbrugd.

Een belangrijke uitvinding van Marconi is de antenne. Om de zendsprieten zo hoog mogelijk te krijgen maakt de Italiaanse uitvinder soms gebruik van vliegers en ballons.

Marconi is naar Engeland gekomen wegens gebrek aan belangstelling voor zijn werk in Italië. Hoewel de laatste proefnemingen gepaard zijn gegaan met veel internationale publiciteit is men over het nut van de draadloze telegraaf nog altijd uiterst sceptisch. Van overheidswege is dan ook weinig enthousiasme getoond. Met de recente oprichting van de 'Wireless Telegraph and Signal company Ltd' hoopt Guglielmo Marconi, die hierin samenwerkt met zijn neef, iets aan deze situatie te veranderen.

# Tolstoj tegen eigen werk

*Anton Pavlovitsj Tsjechov (links) en Ljev Nikolajevitsj Tolstoj.*

JASNAJA POLJANA - De Russische romancier, hervormer en moralist Ljev Tolstoj beschouwt de twee grote romans die hij heeft geschreven, *Oorlog en vrede* (1863-1869) en *Anna Karenina* (1873-1877), als 'slechte kunst'. Deze opmerkelijke stelling poneert de auteur in zijn dit jaar verschenen opstel *Chto takoe iskusstvo?* (Wat is kunst?). Het stuk is een poging van de auteur een esthetiek te ontwerpen in termen van zijn eigen godsdienstige, morele en maatschappelijke opvattingen. Een kunstwerk mag slechts als zodanig betiteld worden, schrijft Tolstoj, wanneer het de lezer, luisteraar of kijker 'infecteert' met de toestand van de kunstenaarsziel. Als er tussen kunstenaar en publiek geen eenwording is door middel van 'infectie', met andere woorden als een overdracht van gelijkgestemde gevoelens achterwege blijft, is het werk als kunst mislukt.

Tolstoj onderscheidt verschillende soorten kunst; de hoogste vorm is 'religieuze kunst': kunst die mensen vervult van gevoelens die 'voortvloeien uit de liefde van God en de mens'. Op basis van zijn criteria wijst hij sommige werken van bijvoorbeeld Shakespeare en Wagner als kunst van de hand. Ook zijn eigen *Oorlog en vrede*, het grote epos over de Napoleontische veldtocht van 1812, en *Anna Karenina*, een indrukwekkend panorama van het contemporaine leven in verschillende lagen van de Russische maatschappij, zijn volgens hem 'slechte kunst' omdat ze niet passen in zijn nieuwe moraal. In zijn laatste boeken overheerst dan ook het didactisch-moraliserende element.

# 'De ontwortelden': nieuwe roman Barrès

PARIJS - Het antisemitisme, dat al enige jaren de kop opsteekt in Frankrijk en de zaak-Dreyfus daarbij als een soort fakkel gebruikt, heeft een spirituele aanvoerder gevonden in de persoon van Maurice Barrès.

Het ras staat centraal in Barrès' nieuwe roman *De ontwortelden*. Het is het verhaal van zeven leerlingen van een filosofieleraar uit Nancy (Barrès' eigen leraar Burdeau stond er model voor), die hun alles heeft geleerd, behalve het gevoel tot een ras te behoren. Het vertrek van de leerlingen uit Lotharingen, hun geboortegrond, leidt tot allerlei rampen.

De zaak-Dreyfus - het Franse volk blijkt zeer verdeeld te zijn over de mogelijke schuld van de van landverraad betichte, joodse officier - wordt door Barrès ook herleid tot een 'rassenkwestie'. 'Dat hij in staat is tot verraad, concludeer ik uit zijn ras', schreef Barrès over Dreyfus. Die 'conclusie' werd door velen gretig overgenomen. Barrès herleidt in feite alles tot een kwestie van bloed en bodem. Van zijn ideeën zegt

*Maurice Barrès.*

hij ook dat hij ze bij zijn geboorte in Lotharingen heeft meegekregen.

Om precies te zijn: Barrès werd geboren in de Vogezen, in het dorp Charmes. Na de nederlaag tegen Pruisen, in 1871, waarbij afstand moest worden gedaan van de Elzas en een stuk van Lotharingen, hield hij, zoals zoveel andere nationalisten die op een revanche uit waren, 'het oog gevestigd op de blauwe lijn der Vogezen'.

Een zeer belangrijk aspect van Barrès is ook zijn wellicht overdreven individualisme, dat tot een ware zelfverheerlijking leidt. Heel wat jonge Parijse dandy's hebben zich, in navolging van de zwierige, excentrieke meester die de 'ik-cultus' reeds eigen gemaakt.

Niettemin is Barrès ook een sociaal voelend mens. Mogelijk bepaalt dat mede zijn aantrekkingskracht op de jongere generatie. 'Het nationalisme brengt noodzakelijkerwijs het socialisme voort,' is een van zijn stellingen. Vorig jaar stond hij erop, bij de verkiezingen in het kiesdistrict Boulogne-Billancourt de kandidaat van Jean Jaurès, de grote socialistische leider te zijn.

# Zionisten willen joodse staat in Palestina

BASEL, 31 augustus - De meer dan 200 afgevaardigden die op uitnodiging van de journalist Theodor Herzl hebben deelgenomen aan het Zionistencongres in deze stad, zijn het erover eens geworden dat er in Palestina een eigen staat voor de joden gesticht moet worden. Voor de realisering van dit ideaal heeft het Congres de World Zionist Organization in het leven geroepen en Theodor Herzl tot eerste voorzitter van deze organisatie gekozen. Het hoofdkwartier wordt gevestigd in Wenen, waar Herzl ook het officiële blad van de zionistische beweging, *Die Welt*, publiceert.

Herzl ziet de te stichten joodse staat als een progressieve, moderne natie waarin de vooruitstrevende ideeën van deze tijd verwezenlijkt moeten worden. Voor de plaats van de nieuwe staat heeft hij in eerste instantie niet aan Palestina gedacht; het is onder invloed van de groep 'Hovevei Zion' (Liefde voor Zion) in Oost-Europa dat Herzl Palestina geleidelijk is gaan zien als het gewenste eigen land van de joden. Hij ziet Palestina als een 'land zonder mensen' en wil de naties van de wereld nu overhalen dit ter beschikking van

*Felle discussies over de toekomst van het joodse volk tijdens de debatten op het Zionistencongres in Basel.*

'mensen zonder land' te stellen. De Hovevei Zion heeft al een comité in Odessa dat zich inzet voor de vestiging van joodse boeren en handwerkslieden in Palestina; deze eerste joodse nederzettingen hebben zich staande weten te houden dank zij de hulp van baron Edmond de Rothschild in Parijs.)

Herzl gaat er niet van uit dat het Hebreeuws in de nieuw te vormen staat de nationale taal zal worden. Hij verwacht dat de inwoners van de *Judenstaat* (de titel van het pamflet van vorig jaar waarin hij zijn zionistische ideeën uiteengezet heeft) de taal van hun land van herkomst zullen blijven spreken en dat de meest praktische taal ten slotte de nationale taal van de toekomstige staat zal worden.

Vanuit Wenen moet de World Zionist Organization nu gaan werken aan de kolonisering van Palestina door joodse land- en industriearbeiders, moet ze het wereldjodendom organiseren en ervoor zorgen dat de wereldgemeenschap zich achter de doelstellingen van de zionistische beweging schaart.

# Seksuologieboek toch uit

LONDEN - Het in Engeland verboden boek *Das Kontrare Geschlechtsgefühl* van de Britse seksuoloog Henry Havelock Ellis is alsnog in een Engelstalige editie verschenen: *Sexual inversion* (letterlijk: seksuele omkering). Havelock Ellis, samen met K.H. Ulrichs en M. Hirschfeld een van de meest radicale seksuele hervormers, pleit in zijn werk voor de acceptatie van homoseksuele personen. Hij ziet de homoseksualiteit als een normale, niet-ziekelijke vorm van geslachtsdrift. Op grond van antropologische, historische en literaire bronnen komt hij tot de conclusie dat de huidige ideeën en normen vergankelijk zijn. Volgens Havelock Ellis heeft homoseksualiteit altijd bestaan en werd het in vele culturen getolereerd en soms gewaardeerd. In Engeland, waar het proces tegen de schrijver Oscar Wilde van twee jaar geleden nog vers in het geheugen ligt, blijkt het niet mogelijk te zijn het boek uit te brengen. Geen uitgever durft het aan om Ellis' ideeën te verbreiden, gezien de strenge wetgeving die sinds 1885 bestaat en op grond waarvan ook Wilde werd veroordeeld. In deze wet staat op sodomie (omschreven als anale penetratie) niet meer de doodstraf zoals in de oude wetgeving. Maar in de wet van 1885 is het begrip sodomie uitgebreid tot alle seksuele handelingen tussen mannen, met gevangenisstraf als sanctie.

Volgens de voorstanders van deze wetgeving is homoseksualiteit een pathologische afwijking die zich tegen de 'natuurlijke', op de voortplanting gerichte geslachtsdrift keert en de maatschappelijke ordening ondermijnt. Ellis daarentegen gaat ervan uit dat homoseksualiteit een aangeboren eigenschap is waarop de drager geen invloed heeft. Hij gaat nog een stap verder door erop te wijzen dat juist homoseksuelen in staat zijn tot het leveren van positieve bijdragen aan de beschaving omdat zij hun mannelijke energie louter in het openbare leven steken en niet deels ook in de privé-sfeer van het gezin. Ook pleit Havelock Ellis voor de erkenning van het bestaan van vrouwelijke homoseksualiteit.

Het boek veroorzaakte direct na verschijning een schandaal: het werd als obsceen gezien en kwam in handen van de justitie. Tot op heden heeft de Duitse justitie geen gronden gevonden om uitgever en schrijver te vervolgen.

# Nationalisme in Egypte tegen Engelsen

CAIRO - Overal in Egypte vinden op het ogenblik massademonstraties plaats tegen de overheersing door de Britten, die het land sinds 1882 bezet houden. De demonstraties zijn uitingen van een steeds sterker wordend nationalisme en van vreemdelingenhaat. Dit nationalisme heeft vooral vat gekregen op de jeugd van de welgestelde burgerij. De nationalistische agitatie wordt aangevoerd door de 'Vaderlandse Partij', die drie jaar geleden is opgericht door Moestafa Kamil, een jonge, 23-jarige jurist die zijn studie in Toulouse heeft genoten. De partij keert zich tegen zowel het Britse bestuur (consul-generaal Sir Evelyn Baring - sinds zes jaar Lord Cromer geheten) als de met hem samenwerkende khedive Abbas Hilmi.

*De 'Virgo', het schip van Andrée en de zijnen, verlaat de haven van Göteborg.*

## Ballonvlucht naar noordpool mislukt

SPITSBERGEN, oktober - De Zweedse poolonderzoeker Salomon August Andrée heeft, samen met zijn twee helpers, de dood gevonden bij een poging met een ballon de noordpool te bereiken. Andrée is voor zijn ballontocht op 11 juli vanaf Spitsbergen vertrokken. Na een maandenlange reis, voor een deel over het drijfijs, zijn ze op het Witte Eiland, een eiland in de Spitsbergengroep, om het leven gekomen.

Andrée, die ingenieur was, had een ruime ervaring met pooltochten. In 1882-1883 was de Zweedse poolonderzoeker al betrokken bij een expeditie naar Spitsbergen. Het plan met een ballon de noordpool te bereiken dateert van twee jaar geleden.

Tot nu toe is het de Noor Nansen geweest die het dichtst bij de noordpool is gekomen: twee jaar geleden bereikte hij op zijn tocht met de 'Fram' de 86 graden noorderbreedte.

## Jacob Burckhardt: interpretatie van renaissance

BASEL, 8 augustus - De Zwitserse kunst- en cultuurhistoricus Jacob Burckhardt die met zijn in 1860 verschenen *Die Kultur der Renaissance in Italien* de grondslag voor de moderne renaissance-interpretaties heeft gelegd, is op 79-jarige leeftijd in zijn geboorteplaats Basel in Zwitserland overleden.

Het bezoek dat Burckhardt in de jaren veertig aan Italië heeft gebracht, is het begin van zijn wetenschappelijke en publicitaire arbeid geweest. Aanvankelijk ging zijn belangstelling vooral uit naar de middeleeuwen (*Die Zeit Konstantins des Grossen*, 1853), maar zijn studie van de renaissance is ontegenzeglijk zijn belangrijkste werk geweest. Zijn meesterwerk *Die Kultur der Renaissance in Italien* vervolgde hij enkele jaren later met *Die Geschichte der Renaissance in Italien* (1867).

Naast zijn publikaties had Burckhardt aan de universiteit van Basel ook als inspirerend docent een zeer grote vermaardheid.

# Koning Siam beëindigt Europese tournee

BANGKOK, december - Voor het eerst in de geschiedenis van Siam is een koning in Europa op bezoek geweest. Koning Chulalongkorn heeft dit jaar onder anderen de Duitse keizer Wilhelm II, tsaar Nicolaas II van Rusland, de Franse president Loubet en de prins van Wales bezocht. Vorig jaar had Chulalongkorn al een bezoek aan Java gebracht.

Reizen in het buitenland door een Siamees vorst was tot op heden niet voorgekomen. Chulalongkorn heeft echter blijk gegeven met veel oude tradities te willen breken. In het begin van zijn regering heeft hij verboden voortaan diep voor de koning te buigen. Hij stimuleerde zijn ambtenaren en de prinsen aan het hof hun haar in westerse stijl te gaan dragen, sokken en schoenen aan te trekken en zich mondain te kleden. Hij vindt het noodzakelijk zijn land te 'verwestersen' om op die manier te ontkomen aan kolonisatie door Engeland of Frankrijk.

Zelf brak hij met de regel dat de koning, wanneer hij door het land reist, dit met een groot gevolg doet en gekleed is in dure gewaden. Hij geeft er de voorkeur aan zo onopvallend mogelijk, liefst geheel incognito rond te trekken en met mensen in de dorpen gesprekken aan te knopen. Hierdoor staat hij dichter bij het volk en ontdekt hij direct wat er onder hen leeft.

*Koning Chulalongkorn met zijn gevolg op de trappen van het Hongaarse parlement.*

# 60-jarig jubileum Victoria

LONDEN, 20 juni - In de Britse hoofdstad is vandaag het 60-jarig regeringsjubileum van koningin Victoria gevierd. De 78-jarige vorstin had, evenals bij het gouden regeringsjubileum, besloten deze dag uitgebreid te vieren met officiële ontvangsten en festiviteiten. De populariteit van de vorstin bleek uit het grote aantal mensen dat op de been was. In herdenkingsartikelen die in diverse bladen verschenen wordt erop gewezen dat Victoria in een aantal opzichten een bijzondere vorstin is: zij heeft niet alleen het aanzien van de monarchie opgevijzeld, maar ook haar eigen stempel op de Engelse cultuur gedrukt.

Victoria, die op 18-jarige leeftijd koningin werd, bemoeide zich evenals eerdere monarchen uitgebreid met regeringszaken, maar in tegenstelling tot vele voorgangers deed zij dit over het algemeen op een verstandige manier en zonder zich meer bevoegdheden te willen toeëigenen dan de grondwet haar toestaat. Hoewel zij aan sommige premiers (bijvoorbeeld Gladstone) persoonlijk een grote hekel had, wist zij hun kwaliteiten naar waarde te schatten.

Haar huwelijk met Albert van Saksen-Coburg was zeer gelukkig. Door de huwelijken die haar kinderen sloten is zij aan veel vorstenhuizen verwant. Om die reden wordt zij vaak de 'grootmoeder van Europa' genoemd. De dood van haar man, met wie zij alle regeringszaken besprak, schokte haar zo dat zij zich vele jaren uit de openbaarheid terugtrok. Pas bij haar gouden jubileum zocht zij weer contact met haar volk.

Onder haar regering is de Engelse politiek, die lange tijd zeer turbulent is geweest, in een rustiger vaarwater terechtgekomen. Onder invloed hiervan en door de materiële voorspoed die de industrialisatie Engeland heeft opgeleverd, is een normen- en waardenstelsel ontstaan waarop Victoria haar eigen stempel heeft gedrukt. De 'Victoriaanse moraal' wijkt sterk af van wat voorheen in kringen van adel en elite gebruikelijk was. Deze leefwijze wordt gekenmerkt door soberheid, religiositeit en puritanisme. Spaarzaamheid en gehechtheid aan traditie staan in deze cultuur hoog aangeschreven. Victoria geeft in de meeste opzichten zelf het voorbeeld: zij leeft sober, werkt hard en moet niet veel van nieuwigheden hebben.

*Koningin Victoria (1896) met haar achterkleinzoon Edward.*

*Het bronzen standbeeld dat Auguste Rodin dit jaar in opdracht van de Société des Gens de Lettres van Honoré de Balzac heeft gemaakt. De Société heeft het beeld echter van de hand gewezen: toen de Salon met een model werd geconfronteerd - een blok van bijna drie meter hoog, waaruit Balzacs hoofd oprijst als uit een volumineus gewaad - klonken alom kreten van verontwaardiging.*

# 1898

# Weense Jugendstil-expositie opent deuren

*Twee werken van Gustav Klimt: links 'Amour' (1895), rechts 'Portret van Sonja Knips' (1898).*

WENEN, 26 maart - De eerste tentoonstelling van beeldende kunst in de stijl van de Wiener Sezession, de Oostenrijkse Jugendstil, is in Wenen geopend. Het door Gustav Klimt ontworpen affiche symboliseert het program van de Sezession. Het stelt Theseus voor, die de Minotaurus verslaat om de jeugd van Athene te bevrijden. Volgens de Sezessionisten moet de Oostenrijkse kunst bevrijd worden uit de klauwen van de gevestigde traditie, zodat zij in contact kan komen met de Westeuropese art nouveau. Zij kiezen als motto: 'Der Zeit ihre Kunst, die Kunst ihre Freiheit.'

De 'Vereinigung bildender Künstler Österreichs Sezession' (afscheiding) werd in 1897 door vernieuwingsgezinde kunstenaars opgericht. Dezen beschouwden haar als een moderne versie van de Romeinse 'secessio plebis', waarin de plebejers, ontevreden over het wanbeleid van de patriciërs, zich terugtrokken. Ook de titel van hun tijdschrift *Ver Sacrum* (heilige lente) verwijst naar een Romeins voorbeeld: de rituele wijding van de jeugd in tijden van gevaar. Hoewel de Sezessionisten zich op deze wijze identificeren met het oude Rome, keren zij zich tegelijkertijd af van de heersende historiserende stijl, waarvan de architectuur van de Weense Ringstrasse zo'n uitgesproken voorbeeld is. Volgens hen moet de kunst 'de moderne mens zijn ware gezicht tonen'.

De onbetwiste leider van de Wiener Sezession is de schilder en ontwerper Gustav Klimt, die al naam heeft gemaakt als de jonge meester van de oude school. Aan de Weense Kunstgewerbeschule deed hij zowel een gedegen kennis van een groot aantal technieken als van de Europese kunstgeschiedenis op, bekwaamheden die onontbeerlijk zijn voor een artistieke carrière in een tijd waarin het eclecticisme (het streven om verschillende stijlen uit het verleden te verenigen) hoogtij viert. Gustav Klimt werkte mee aan de decoratie van gebouwen aan de Ringstrasse, het prestige-object van de Weense liberale bourgeoisie.

Nadat hij met zijn wandschilderingen voor het Burgtheater in 1890 een hoge keizerlijke onderscheiding had gewonnen was zijn naam gevestigd. Toch bleef hij zoeken naar andere vormen en nieuwe thema's. In de jaren negentig schilderde hij niet langer theatrale scènes, maar probeerde hij de driften uit het echte leven vast te leggen, met name de erotiek en de doodsangst.

*'Theseus en de Minotaurus' een door Gustav Klimt ontworpen affiche.*

# Griekse staat is praktisch failliet

ATHENE, 15 februari - Een internationale commissie, bestaande uit vertegenwoordigers van Groot-Brittannië, Frankrijk, Rusland, Oostenrijk-Hongarije, Duitsland en Italië, houdt sinds vandaag permanent toezicht op de overheidsfinanciën van Griekenland. De facto is Griekenland door deze maatregel van de grote mogendheden, die het land de laatste decennia met talloze leningen hebben ondersteund, nu failliet. De regering in Athene heeft geen zeggenschap meer over haar eigen financiële beleid.

Het bankroet van Griekenland is het gevolg van de in feite mislukte industrialisatiepolitiek van eerste minister Trikoupis. Toen deze in 1875 voor het eerst premier werd, begon hij aan een moderniseringsprogramma, dat met geleend geld gefinancierd moest worden. Tussen 1879 en 1890 leende hij bij de grote mogendheden voor zijn plannen 630 miljoen drachme, tegen de hoge rente van maximaal 30 procent. Dank zij deze leningen slaagde Trikoupis er weliswaar in om Griekenland infrastructureel te ontsluiten - in 1882 lag er in het land nog maar 7 mijl spoorlijn, in 1893 lag er al 568 mijl en was er nog eens 305 mijl in aanleg - en kon hij een beperkt telegraafsysteem introduceren - voorwaarden voor een beginnende industrialisatie -, maar tegelijkertijd raakten de overheidsuitgaven uit balans. In 1887 moest al 40 procent van de begroting worden gereserveerd voor de aflossing van deze staatsschuld.

De financiële problemen werden nog versterkt door de annexionistische politiek die premier Deliyannis in de afgelopen jaren voerde. Zijn pogingen om gewapenderhand territoriale expansie te forceren, deden de overheidsuitgaven alleen maar stijgen en leidden tot een hollende inflatie van de drachme. De mobilisatie die Deliyannis in 1897 afkondigde - een poging om de Turken uit Thracië te verdrijven, die overigens mislukte -, was de klap op de vuurpijl. Sinds de financiële problemen Griekenland boven het hoofd zijn gegroeid, is er een massale emigratiebeweging op gang gekomen.

*Met aanplakbiljetten wordt het Berlijnse publiek warm gemaakt voor een vlootschouw (1910). Rechts Wilhelm II.*

# Rijksdag voor versterking Duitse vloot

BERLIJN, 28 maart - Met grote meerderheid heeft de Rijksdag vandaag de vlootwet aangenomen die voorziet in een belangrijke uitbreiding van de Duitse vloot. Aangezien de ambitieuze vlootplannen een grote aderlating voor de staatskas betekenen, heeft men voor de aanneming van de wet fors moeten lobbyen. De vloot, die paradepaardje van keizer Wilhelm is, moet het aanzien van Duitsland in de wereld vergroten. Het Rijk is tenslotte uitgegroeid tot een wereldmacht met grote handelsbelangen overzee en koloniale aspiraties.

In 1892 kreeg admiraal Alfred von Tirpitz als chef-staf van het marinecommando de opdracht voor de hervorming van de keizerlijke marine. Nadat in de eerste plannen voor de vlootbevorming door de Rijksdag met 12 miljoen rijksmark was gesneden, werd von Tirpitz staatssecretaris op het ministerie van Marine en begon steun te mobiliseren in de kringen van handel en industrie. Hij vond de olie-industrieel Stroscheim en staalfabrikant Alfred Krupp aan zijn zijde. Men veronderstelde in de propaganda voor een machtige vloot zelfs dat deze van belang kon zijn voor de strijd tegen de sociaal-democratie.

In werkelijkheid moest, zoals von Tirpitz het uitdrukte, 'Duitsland zo'n sterke vloot met slagschepen bezitten dat zelfs de sterkste zeemacht, in geval van oorlog, moet vrezen voor vernietiging.' In een geheim memorandum maakte von Tirpitz juni vorig jaar duidelijk dat hij daarmee het machtige

*Admiraal Alfred von Tirpitz.*

Groot-Brittannië bedoelde. Albion moest maar eens erkennen dat het Duitse Rijk was uitgegroeid tot een wereldmacht waarmee rekening moest worden gehouden. Door internationale erkenning van de macht van de Duitse kroon kon de binnenlandse oppositie tevens het zwijgen worden opgelegd.

Nu heeft von Tirpitz de Rijksdag kunnen bewegen 400 miljoen rijksmark uit te trekken voor de bouw van 19 slagschepen, 8 korvetten, 12 grote en 30 kleine kruisers en een aantal torpedoboten.

Bij de aanbieding van de wet aan de Rijksdag ontkende rijkskanselier von Hohenlohe elke oorlogszuchtige bedoeling: 'Wij streven er niet naar te gaan concurreren met de grote zeemachten en gaan ons niet in avonturen storten. Juist omdat wij een beleid van vrede en veiligheid volgen, hebben wij deze vloot nodig. Duitsland heeft de taak een bescheiden maar wel een Duits woord mee te spreken op het wereldtoneel.'

Vreedzame intenties, die echter wel de Duits-Engelse relaties onder zware druk zetten.

# Sorel schetst toekomst van socialisme

PARIJS - Georges Sorel heeft een nieuw boek gepubliceerd: *De socialistische toekomst van de vakbonden*. In de arbeidersbeweging ziet Sorel, die meent dat de geschiedenis slechts verklaard kan worden wanneer men rekening houdt met de technische en economische omstandigheden, het ware socialisme.

Zijn theorieën zijn geschoeid zowel op de anarchistisch getinte Proudhon als op Karl Marx. Voor radicale ideeën schrikt hij niet terug. Zo is Sorel een voorstander van beroepsstakers, die

meer zouden kunnen bereiken dan vertegenwoordigers van arbeiders, die blij zijn met iedere kleine stap voorwaarts. De burgerelite beschouwt hij als decadent en corrupt. In die zin heeft hij ook zeer weinig op met de parlementaire democratie.

Vorig jaar nam Sorel contact op met de Italiaanse socialisten. Dat heeft mede zijn zienswijze bepaald. Die ontwikkeling is onder meer tot stand gekomen dank zij de invloed van socialistische theoretici als Benedetto Croce en Eduard Bernstein.

*Staatsbanket aan het keizerlijk hof in Berlijn (Wilhelm Pape, circa 1900).*

# Amerikanen verpletteren Spaans eskader

*'Gered uit de handen van de gruwelijke Spanjaarden' (Amerikaanse karikatuur).*

MANILA, 1 mei - De toegestroomde Spaanse inwoners van Manila zagen vanmorgen met verbijstering toe hoe binnen enkele uren een complete Spaanse vlooteenheid naar de zeebodem werd gejaagd door het Amerikaanse marine-eskader onder bevel van commodore Dewey, dat na de Spaanse oorlogsverklaring aan de VS van 24 april naar aanleiding van het conflict over Cuba vanuit Hong Kong naar de Filippijnen was opgestoomd.

Dewey heeft een blokkade van de baai gelast, in afwachting van het expeditionaire leger dat in Californië wordt verzameld. De in ballingschap levende Filippijnse revolutionaire leider generaal Emilio Aguinaldo heeft aangekondigd zo snel mogelijk terug te keren naar zijn vaderland om het verzet tegen de Spaanse koloniale overheersing voort te zetten.

Het Spaanse bestuur over de Filippijnen wordt gekenmerkt door corruptie en incompetentie: zichzelf verrijkende generaal-gouverneurs volgen elkaar in snel tempo op, bandieten maken het platteland onveilig, Spaanse priesterorden beheersen de parochies en maken zich als grootgrondbezitters schuldig aan uitbuiting van pachters. Filippino's hebben geen politieke rechten en worden systematisch gediscrimineerd. Tegen dit wanbeheer is sinds het midden van de eeuw steeds meer protest gerezen. De voor de wereldhandel opengestelde Filippijnen raakten uit hun isolement en liberale ideeën uit de rest van de wereld beïnvloedden de opkomende middenklasse. Ideeën, die door het autocratische regime op gewelddadige wijze onderdrukt werden. De in ballingschap gedreven nationalisten, afkomstig uit de bourgeoisie, waren vooral hervormers; ze streefden naar meer vrijheden en rechten voor de Filippino's binnen het Spaanse Rijk. Dit in tegenstelling tot de Katipunan, een door Andréas Bonifacio in 1892 opgerichte revolutionaire massabeweging, waarbij onafhankelijkheid voorop stond. Bonifacio wist tienduizenden voor het ideaal te winnen en in augustus 1896 voelde hij zich sterk genoeg om de revolutie uit te roepen.

In korte tijd stonden grote delen van de archipel in vuur en vlam. Het koloniale bestuur reageerde met de instelling van een waar schrikbewind: duizenden Filippino's verdwenen in de gevangenissen of werden gedeporteerd, tientallen werden zonder vorm van proces terechtgesteld. De Spanjaarden leden zware verliezen in de provincie Cavite, waar de jonge Emilio Aguinaldo het Spaanse leger wist terug te drijven. Hij werd immens populair en een geduchte rivaal voor Bonifacio, die de ene na de andere nederlaag leed.

Er ontstonden twee facties: de Magdiwang, die Bonifacio steunde en de Magdalo-aanhang van Aguinaldo. Bonifacio was tegen de door Aguinaldo voorgestelde instelling van een revolutionaire regering, terwijl er ook grote persoonlijke tegenstellingen waren tussen de uit het volk afkomstige Bonifacio en de nieuwe leiders, die van mening waren dat zij, de illustrado's (intellectuele elite), geroepen waren het bestuur in handen te nemen.

Tijdens de Conferentie van Tejero (maart 1897) werd Bonifacio gedwongen akkoord te gaan met de oprichting van een Filippijnse republiek, met Aguinaldo als president.

Hij legde zich hierbij echter niet neer en bereidde de vorming van een tegenregering voor.

Daarop werd hij door Aguinaldo's troepen gearresteerd, door een militair gerechtshof veroordeeld en op 10 mei geëxecuteerd. Na zijn dood verliep de

*Generaal Emilio Aguinaldo.*

opstand; er arriveerden Spaanse versterkingen en Cavite moest ontruimd worden. De revolutionairen trokken zich terug in de bergen van Biaknabato (provincie Bulacan).

Gouverneur-generaal Primo de Rivera realiseerde zich echter dat hij onvoldoende middelen bezat om de revolutie te onderdrukken en bood Aguinaldo aan te onderhandelen.

Dit resulteerde in december vorig jaar in een verdrag: Aguinaldo c.s. vertrokken vrijwillig naar Hong Kong en kregen 400 000 pesos 'schadevergoeding'. Spanje zei een algehele amnestie en hervormingen toe, maar bleek zich al spoedig hieraan niet te houden: ex-revolutionairen werden vervolgd en hervormingen bleven uit.

*Filippijnse slachtoffers van de bombardementen door het Amerikaanse leger.*

*'Atlas wordt in steen veranderd', een schilderij van de Britse kunstenaar Sir Edward Coley Burne-Jones, die op 17 juni is overleden. Burne wordt wel tot de prerafaëlieten gerekend, die de kunst van vóór Rafaël nastreven.*

# Expositie vrouwenarbeid druk bezocht

's-GRAVENHAGE, 21 september - 'Een schortje. Naailoon 2 ct. te Amsterdam; voor die 2 ct. moet de werkster het garen ook nog leveren. Werktijd voor 1 schortje 1 1/2 uur.' Dit was het onderschrift bij een schortje dat was uitgestald op de 'gruweltafel', waarmee een beeld werd gegeven van de slechte arbeidsomstandigheden van vrouwen in de ateliers en de huisindustrie. Het was een van de vele onderdelen van de Nationale Tentoonstelling van Vrouwenarbeid die van 9 juli tot 21 september te 's-Gravenhage is gehouden. De belangstelling voor de tentoonstelling was overweldigend: er zijn 90 000 bezoekers geteld en er is een batig saldo van 20 000 gulden. Het is de bedoeling het geld te gebruiken voor de oprichting van het Nationaal Bureau voor Vrouwenarbeid, dat het werk van de tentoonstelling moet gaan voortzetten.

De tentoonstelling is gehouden ter gelegenheid van de inhuldiging van koningin Wilhelmina. Doelstelling was de aandacht te vestigen op de slechte arbeidsomstandigheden in bestaande vrouwenberoepen en op de uitsluiting van vrouwen van allerlei gebieden van de arbeidsmarkt. Men heeft de soorten arbeid laten zien die vrouwen op dit moment verrichten, de arbeidsomstandigheden en de positie van de werkende vrouw in de maatschappij.

Daarbij is een onderverdeling gemaakt in 24 rubrieken, waaronder industrie, maatschappelijk werk, opleiding en onderwijs, huisvlijt enzovoort. Naast

Enkele van de vele kraampjes op de Nationale Tentoonstelling Vrouwenarbeid in 's-Gravenhage.

'Het wasvrouwtje', schilderij van George Hendrik Breitner.

produkten van vrouwenarbeid kon men ook ter plekke vrouwen aan het werk zien. De grote tegenstelling tussen de positie van de vrouw uit de arbeidersklasse en die uit de meer gegoede kringen werd op verschillende manieren getoond. Behalve de 'gruweltafel' was er bijvoorbeeld een hoek ingericht met een muziekboek, borduurwerkjes, tennisracket en tekeningen met als onderschrift: 'het arbeidsmateriaal van de volleerde jonge dame'.

Tijdens de gehele duur van de tentoonstelling is driemaal per week het blad *Vrouwenarbeid*, onder redactie van Johanna Naber, verschenen, waarin een overzicht werd gegeven van de soorten beroepen waarin vrouwen werkzaam zijn, en waarin de resultaten werden gepubliceerd van de enquêtes en onderzoeken die aan de tentoonstelling voorafgegaan zijn. Ook werd hierin verslag gedaan van de activiteiten in de Congreszaal. Naast sport- en muziekuitvoeringen door vrouwen werden hier ook een onderwijscongres en een dienstbodencongres georganiseerd en lezingen gehouden over onderwerpen als 'vakopleiding voor vrouwen' en 'openbare zedelijkheid'.

De opzet van de tentoonstelling om de problemen rond de vrouwenarbeid te inventariseren en onder de aandacht

van de bevolking te brengen kan, gezien de enorme belangstelling, geslaagd genoemd worden.

Dat ook de overheid iets meer aandacht heeft voor de positie van de werkende vrouw blijkt uit de Arbeidswet van 1889. De schokkende uitkomst van de enquête naar de arbeidsomstandigheden in fabrieken en werkplaatsen (1886) leidde ertoe dat de arbeidsdag van vrouwen en kinderen boven de twaalf - daaronder mogen kinderen in het geheel niet meer werken - werd beperkt tot elf uur, en nachtarbeid evenals werken op zondag verboden werd. In de Arbeidswet is voor het eerst ook een (bescheiden) zwangerschapsverlof geregeld. De Arbeidswet geldt in de praktijk alleen voor vrouwen die in een fabriek werken. De grote meerderheid van vrouwen en meisjes die thuis, in een winkel of in een dienstje werken, geniet nog geen enkele bescherming.

# Roltrappen in Harrod's

LONDEN - Het warenhuis Harrod's is opnieuw ingrijpend verbouwd. Bij deze verbouwing werden roltrappen aangebracht zodat de klanten van het grote warenhuis niet langer trappen hoeven te lopen. Het bedrijf, dat veel doet aan reclame, tracht hiermee extra klanten te trekken om concurrenten als Whiteley's voor te blijven. De geschiedenis van het nu zo grote bedrijf gaat terug tot 1849 toen de uit Clacton afkomstige molenaar Henry Charles Harrod een kleine grossierderij annex detailhandel op Middlequeens' Building (in 1864 werd deze straat omgedoopt in Brompton Road) overnam. Voor de Wereldtentoonstelling van 1851 werd deze wijk ingrijpend verbouwd.

Knightsbridge werd hierna een bij de bourgeoisie populaire woonwijk. Toen Henry's zoon Charles de winkel overnam, werd het assortiment aanzienlijk luxeuzer. Omdat Charles Harrod weigerde op rekening te verkopen bleef het succes aanvankelijk uit. Charles hield echter voet bij stuk en trachtte zijn winkel aantrekkelijker te maken door tegen concurrerende prijzen goede artikelen

te leveren. Ook maakte hij meer dan zijn tijdgenoten gebruik van reclame. In zijn slogans sprak hij van 'co-operative prices'. Met deze strategie had de Harrods-telg succes, vooral bij consumenten uit de lagere regionen van de bourgeoisie. Tussen 1873 en 1883 werd het gebouw regelmatig uitgebreid. Nadat het warenhuis in 1883 door een brand was verwoest werd een nieuw, aanzienlijk groter gebouw neergezet, dat in 1884 zijn deuren voor het Londense publiek opende. In 1891 trok Charles Harrod zich terug uit het bedrijf waarna de leiding in handen kwam van Burbidge, die al eerder groot succes had gehad als bedrijfsleider bij Army and Navy Stores (een coöperatie) en Whiteley's, het eerste warenhuis van Londen. Vanaf die tijd breidde het warenhuis zich snel uit. Dit proces werd ondersteund door grote advertenties en een sterke uitbreiding van de collectie. Hoe uitgebreid het assortiment is, blijkt wellicht uit het telegramadres dat de onderneming op haar briefpapier laat afdrukken: 'Everything, London'.

Een herdenkingsbijeenkomst in München ter ere van Otto Fürst von Bismarck, de vroegere kanselier van het Duitse Rijk, die op 30 juli op zijn landgoed Friedrichsruh in Sachsenwald is overleden. Overeenkomstig zijn wens zal hij daar in een mausoleum worden bijgezet.

# Verenigde Staten zetten Spanje onder druk

*Spaanse saboteurs in de VS betrapt.*

WASHINGTON, 12 augustus - President McKinley heeft de Spaanse regering laten weten bereid te zijn een vredesverdrag te sluiten onder de volgende voorwaarden: Spanje moet de onafhankelijkheid van Cuba toestaan; Spanje moet Guam en Puerto Rico overdragen aan de Verenigde Staten; de Verenigde Staten blijven de Filippijnen bezetten in afwachting van het vredesverdrag waarin de toekomst van deze eilandengroep geregeld zal worden.

Gezien de afloop van de 'splendid little war' zoals John Hay de Spaans-Amerikaanse oorlog heeft genoemd, heeft Spanje geen andere keus dan de voorwaarden te accepteren op de vredesconferentie die in december in Parijs zal worden gehouden.

De Amerikanen zijn de oorlog begonnen uit verontwaardiging over de onderdrukking van de Cubanen door het Spaanse gezag. Vooral het beestachtige optreden van generaal Valeriano 'de slachter' Weyler na de opstand der Cubanen twee jaar geleden wekte grote woede in de Verenigde Staten. Weyler sloot revolutionairen, maar ook onschuldige vrouwen en kinderen op in concentratiekampen. In de 'yellow press', de sensatiekranten zoals de *New York Journal* van William Randolph Hearst en de *New York World* van Joseph Pulitzer, werden al deze afgrijselijke toestanden op Cuba met bloeddorstig genot uitgemeten.

Koren op de molen van deze tot oorlog ophitsende dagbladen was een geheime brief van de ambassadeur van Spanje, De Lôme, die door Hearst in februari in de *Journal* gepubliceerd werd. Hierin werd president McKinley omschreven als 'een zwakkeling en iemand die dingt naar de gunst van het grote publiek, een would-be politicus die de jingoïsten, de oorlogsophitsers, te vriend wil houden'.

Toen een week later het oorlogsschip de 'Maine', die naar Cuba was opgestoomd ter bescherming van de daar aanwezige Amerikanen, in de haven van Havana werd verwoest door een overigens onopgehelderde explosie, eiste het Amerikaanse publiek onder leiding van de yellow press militaire inmenging. 'Remember the Maine' was

*Blik vanaf het Amerikaanse schip de 'Iowa' op de brandende 'Christobal Colon'.*

de voor de hand liggende kreet. De 260 slachtoffers van de explosie moesten gewroken worden. McKinley bezweek onder de druk en verklaarde Spanje op 24 april de oorlog.

De oorlog begon vreemd genoeg in de verre Filippijnen. Op 1 mei werd de Spaanse vloot in de baai van Manila tot zinken gebracht. Nadat ruim 10 000 man troepen waren aangevoerd begon een relatief eenvoudige opmars die resulteerde in de val van de Filippijnen op

14 augustus. Een expeditieleger van 17 000 man begon in juni een invasie op Cuba. De expeditie onderscheidde zich door een gebrek aan planning en een chaotisch beleid op alle fronten. Bovendien was het Spaanse leger op Cuba enkele malen groter dan het Amerikaanse. Desondanks versloegen de Amerikanen tijdens hun mars naar Santiago op 1 en 2 juli de Spanjaarden bij El Caney en San Juan Hill. Aan het thuisfront kweekte de sensatiepers een picknick- en hoerastemming met wilde verhalen over bravourestukjes zoals de aanval bij San Juan Hill van de 'Rough Riders', een vrijwilligerskorps aangevoerd door de kleurrijke kolonel Theodore Roosevelt, de voormalige onderminister van Marine. Op 17 juli kon de Amerikaanse vlag in Santiago gehesen worden en speelde de militaire band 'Rally Round that Flag, Boys', 'Stars and Stripes Forever' en de 'Star Spangled Banner'. Het is voor het eerst in zijn geschiedenis dat Amerika, trouw aan zijn antikoloniale en revolutionaire verleden, een onderdrukt volk in den vreemde helpt in zijn bevrijdingsstrijd. Paradoxaal genoeg komt Amerika uit deze strijd als koloniale mogendheid te voorschijn. De Amerikaanse vredesvoorwaarden maken duidelijk dat Amerika in navolging van de Europese mogendheden expansionistische aspiraties heeft.

*'De verschijning' van de op 18 april gestorven Franse schilder Gustave Moreau (links), een van de belangrijkste vertegenwoordigers van het symbolisme. Hij schilderde overladen bijbelse en mythologische taferelen in een fantastische en romantische aankleding, daarmee proberend door te dringen in de wereld van het onbegrijpelijke. Moreau heeft zijn werk vermaakt aan de Franse staat. Rechts: 'The climax', een voorbeeld van de uitzonderlijke illustratiekunst van de op 16 maart overleden Britse tekenaar en schrijver Aubrey Vincent Beardsley. Beardsley's tekenstijl was uiterst persoonlijk: verfijnd, exact, rijk aan details, elegant en sensueel. Bekend zijn zijn illustraties bij Aristophanes' 'Lysistrata', Wildes 'Salome', Popes 'The rape of the lock', Dowsons 'Pierrot of the minute'.*

*De Amerikaanse kolonel Theodore Roosevelt met vrijwilligers op Cuba.*

*Het 21ste regiment onder aanvoering van generaal Kitchener wreekt de dood van generaal Charles Gordon (rechts).*

# Engels leger in Soedan oppermachtig

CHARTOEM, 2 september - De 48-jarige generaal (Horatio) Herbert Kitchener heeft de Soedanese opstandelingen bij Omdurman, tegenover Chartoem aan de linker Nijloever gelegen, een verpletterende nederlaag toegebracht.

Een jonge luitenant bij het 21ste regiment lansiers, Winston Churchill, heeft in de Engelse krant *The Morning Post* een indringend verslag gedaan van de laatste akte van het drama, dat begon met de heroïsche dood van generaal Charles Gordon in het door de mahdisten belegerde Chartoem, nu meer dan dertien jaar geleden. Hij beschrijft hoe de 50 000 met banieren uitgeruste derwisjen zich met hun speren stuk liepen op de Engelse artillerie: 'De verschrikkelijke machinerie van wetenschappelijke oorlogvoering had haar werk gedaan.'

Churchill is verontwaardigd over de schending van het graf van de mahdi in Omdurman en over het doden van de gewonde derwisjen na de slag; voor beide daden stelt hij generaal Kitchener verantwoordelijk.

Met de vernietiging van de troepen van de mahdi, de Soedanese leider die na de val van Chartoem in 1885 overleed en die werd opvolgd door de khalifa, is een einde gekomen aan deze onafhankelijke islamitische staat en is opnieuw een belangrijke Afrikaanse opstand tegen de Europese kolonisatie onderdrukt.

Al eerder werd het antikoloniale verzet van Mohammed Ali (1769-1849) in Egypte, Abd el-Kader (1808-1883) in westelijk Algerije, koning Moshesh (1795-1870) van Basuto in Zuid-Afrika en van koning Prempeh van Ashanti gebroken.

De Engelse herovering van Soedan is minder ingegeven door de wil om een eind aan de heerschappij der derwisjen te maken dan aan het groeiende besef van het belang van Soedan voor de watervoorziening van Egypte. Bovendien zijn de Engelsen bezorgd om het richting Nijl oprukken van troepen uit

Frans Afrika. De oost-westgordels die Frankrijk en ook Duitsland graag tot stand zouden brengen, wil de imperialistische Engelse regering doorkruisen door Afrika van de Kaap tot Caïro tot Brits gebied te maken.

# Van Eeden sticht coöperatie 'Walden'

BUSSUM - De schrijver en psychiater Frederik van Eeden heeft in Bussum een produktiecoöperatie gesticht die hij de naam 'Walden' heeft gegeven, naar Thoreaus *Walden, or life in the woods* (1854). Van Eeden hoopt in deze coöperatieve landbouwonderneming met gemeenschappelijk grondbezit zijn ideaal van een ethisch-communistische gemeenschap in praktijk te kunnen brengen.

Van Eeden treedt met zijn kolonie Walden in het spoor van soortgelijke gemeenschappen elders: coöperaties waarin de produktiemiddelen aan de gemeenschap zijn overgedragen, terwijl de verdeling van de gemeenschappelijk vervaardigde produkten in de plaats van ruilverkeer treedt. Een bekend voorbeeld van zulke kolonies zijn de owenistische gemeenten, gegrondvest op Robert Owens theorie over werk en economie. Het succes dat hij met New Lanark behaalde, leidde in het begin van deze eeuw tot tal van vestigingen, waarvan New Harmony in Indiana de belangrijkste is geweest. Dit experiment is indertijd echter geen succes geweest en moest door de grote financiële verliezen worden gestaakt.

## 'Fatti di Maggio' - rellen in Milaan: tachtig doden

MILAAN, 8 mei - Minstens tachtig arbeiders zijn om het leven gekomen in de gevechten die ze de afgelopen dagen hebben geleverd met de troepen van generaal Fiorenzo Bava-Beccaris. De troepen zijn Milaan binnengetrokken op last van de gemeentelijke en federale overheid om een eind te maken aan de broodrellen ('Fatti di Maggio') in de stad.

De onlusten zijn uitgebroken naar aanleiding van de hoge broodprijzen. Het brood, dat door de belasting toch al duur is, is nog duurder geworden sinds de Amerikaanse graanexport naar Europa, vanwege de Spaans-Amerikaanse oorlog, tot stilstand gekomen is. Daar komt bij dat de arbeiders in Milaan - de industriële hoofdstad van Italië en het centrum van het Italiaanse socialisme - al lange tijd bestookt worden met opzwepende redevoeringen van socialistische leiders; de situatie is nog explosiever geworden na de dood van een jongeman die in het naburige Pavia door een agent werd neergeschoten. Bovendien bestaat er grote onvrede over het toevoegen van bepaalde districten aan de stad Milaan, waardoor de desbetreffende arbeiders meer belasting moeten betalen.

# Huisarrest keizer De Zong

PEKING, 21 september - Keizerinmoeder Ci Xi heeft haar zoon, de hervormingsgezinde keizer De Zong, onder huisarrest geplaatst. Zijn hervormingsdecreten zijn herroepen en zijn belangrijkste adviseurs zullen worden terechtgesteld. Met deze machtsovername in het keizerlijk paleis komt een einde aan de Honderd Dagen waarin de voorstanders van ingrijpende hervormingen in China's regering en maatschappijinrichting hun conservatieve rivalen begonnen te overheersen.

De Honderd Dagen begonnen op 11 juni met de aankondiging van een keizerlijk decreet waarin de onontkoombaarheid van de hervormingen werd geproclameerd. Op 16 juni ontving keizer De Zong Kang Youwei voor een audiëntie van vijf uur. Kang is bekend als schrijver van tal van traktaten en boeken, waarin onder andere de hervormingen van Peter de Grote in Rusland en die in Japan tijdens de Mejirestauratie zijn geanalyseerd en waarin ook een plan voor een toekomstige wereldregering wordt ontvouwd.

De ideeën van de hervormers zijn vanaf het begin op felle tegenstand van confuciaanse geleerden gestuit. Hun angst voor veranderingen vormde de basis van de tegencoup door keizerin-moeder Ci Xi.

*Keizer De Zong (Guang Xu) van China.*

Kang Youwei is dank zij hulp van de Engelsen uit Peking ontsnapt. Een andere vooraanstaande hervormer, de 33-jarige Tan Sitong, liet de gelegenheid om zijn leven te redden voorbijgaan. Hij verklaarde dat zonder hervormingen China verloren is en dat hij bereid is de eerste te zijn die voor deze overtuiging zijn bloed laat vloeien.

# Keizerin 'Sissi' bij moordaanslag gedood

*Wenen neemt afscheid van keizerin Elisabeth ('Sissi'): de belangstelling langs de route is overweldigend.*

*'Sissi' (door F.X. Winterhalter).*

GENEVE, 10 september - De 60-jarige keizerin Elisabeth van Oostenrijk is bij een moordaanslag om het leven gekomen. De dader is de 25-jarige Italiaanse anarchist Luigi Lucheni. Dat Elisabeth zijn slachtoffer is geworden, is louter toeval. Lucheni, die volgens eigen zeggen 'alle aristocraten haatte', had het eigenlijk voorzien op de Franse troonpretendent, prins Henri van Orléans, die echter op het laatste moment van een reis naar Genève afzag.

De door haar schoonheid en hartelijkheid bij het Oostenrijkse volk zeer geliefde Elisabeth, bijgenaamd Sissi, trad op 24 april 1854 in het huwelijk met de Oostenrijkse keizer Frans Jozef I, aan wie zij drie dochters en een zoon schonk. Frans Jozef en Elisabeth trouwden uit liefde. Toch was hun huwelijk ongelukkig omdat Sissi niet opgewassen was tegen de hoge eisen die het Weense hof aan haar stelde. Elisabeth miste een eigenschap die voor de vrouw van een Habsburgse keizer onontbeerlijk is: klassebewustzijn. Zij botste daardoor voortdurend met haar schoonmoeder, aartshertogin Sophie, een gereserveerde, intelligente vrouw, die een groot overwicht op Frans Jozef had.

De drang om de Weense Hofburg, die zij de 'Kerkerburg' noemde, te ontvluchten werd steeds sterker. Zij onttrok zich aan haar representatieve en moederlijke verplichtingen en reisde naar Italië en Korfoe, en vooral naar Hongarije. Met haar afkeer van de Oostenrijkse aristocratie groeide haar sympathie voor de Hongaarse nationalistische adel. Keizerin Elisabeth sprak vloeiend Hongaars en had een belangrijk aandeel in de totstandkoming van de 'Ausgleich' met Hongarije in 1867.

Toen zij ouder werd trok ze zich steeds meer in zichzelf terug. Beïnvloed door 'haar meester' Heinrich Heine schreef zij honderden gedichten. In 1885 dichtte zij: 'Meine Mutter war die Freiheit, Die, als Kuckuck einst maskiert, In ein fremdes Nest mich legte; So ist dies Malheur passiert.'

Na de dood van haar neef, de krankzinnige Lodewijk II van Beieren en na de tragische zelfmoord van haar enige zoon Rudolf op slot Mayerling in 1889, werd Sissi neerslachtiger, rustelozer en roekelozer. Op geen van haar vele reizen wilde zij begeleid worden door veiligheidsagenten. Dat zij als keizerin van Oostenrijk het gevaar liep het doelwit van anarchistische aanslagen te worden scheen haar niet bovenmatig te deren.

*Wandelend met Frans Jozef.*

## Frankrijk verbant Mandingo-leider naar Gabon

FRANS-AFRIKA, 29 september - De machtige Mandingo-leider Samori is eindelijk door de Franse troepen verslagen en gevangengenomen. Hij wordt verbannen naar Gabon.

Eerdere campagnes, in 1885-1886 en 1894-1895, tegen het strijdbare moslemrijk in het achterland van Ivoorkust faalden. In de binnenlanden van West-Afrika ondergingen andere rijken, als die van de Mossi en de Fulani, al eerder het lot van Samori. Het ging hun er niet zozeer om een 'jihad', een heilige oorlog, tegen de christenen te voeren, noch een Panafrikaanse opstand tegen het imperialisme te ontketenen, als wel om hun mohammedaanse rijken te beschermen tegen de binnendringende Europese mogendheden.

Nadat de Fransen in 1892 en 1893 de bovenloop van de Niger op de Toearegs en de Fulani veroverden en in 1895 definitief het krijgszuchtige Dahomey onderwierpen en tot kolonie uitriepen, gaan zich nu duidelijk de contouren van een Frans koloniaal rijk in het gebied tussen de Shari en het Tsjaadmeer aftekenen. In juni 1895 werden de Franse bezittingen in West-Afrika verenigd onder het gezag van een gouverneur-generaal. En sinds kort beginnen Guinee, Ivoorkust, Frans Soedan en Dahomey, de nieuwe kolonies van zwart Afrika, al functionarissen aan te trekken uit de Franse 'Ecole Coloniale', een opleiding voor bestuursambtenaren uit Frankrijks koloniën.

*De driekleur wordt gehesen in een van de Afrikaanse kolonies van Frankrijk, Timboektoe.*

*August Strindberg, geportretteerd door de Noorse schilder Edvard Munch.*

# Strindbergs metamorfose

STOCKHOLM, 30 november - Onlangs zijn de eerste twee delen van Strindbergs *Till Damascus* (Naar Damascus) gepubliceerd. In dit toneelstuk bewijst Zwedens bekendste schrijver van dit moment opnieuw dat hij veranderingen niet uit de weg gaat. Dit werk is een radicale vernieuwing van het toneel in expressionistische richting.

Wie August Strindbergs werk wil begrijpen moet zijn leven kennen. Als weinig anderen heeft hij de ervaringen van zijn leven in zijn geschriften verwerkt. De in 1849 geboren schrijver heeft een ongelukkige jeugd gehad. Zijn rusteloze natuur deed hem keer op keer botsen met zijn omgeving, met de maatschappij maar vooral met zichzelf. August Strindberg is een vat vol tegenstrijdigheden die diverse stadia doorlopen heeft: van geloof naar ongeloof, van materialisme naar mysticisme en van mensenvriend tot vrouwenhater.

Vanaf 1869 verschenen werken waarin duidelijk de invloed van Ibsen en Kierkegaard bleek. Pas in 1879 brak hij door met *Röda rummet* (De rode kamer). Hij schetst daarin een satirisch beeld van de Stockholmse society. Deze roman wordt door velen als dé voorloper van het Zweedse naturalisme beschouwd, mede door zijn directe, zakelijke stijl. Vijf jaar later kwam hij in opspraak door zijn roman *Giftas* (Trouwen). Hij keerde zich daarin tegen de emancipatie van de vrouw en bezigde volgens sommigen godslasterlijke taal. Voor dat laatste werd hij aangeklaagd. Ondanks vrijspraak bleef hij ontredderd achter en verviel in atheïsme en paranoia.

Tijdens een crisis enkele jaren geleden balanceerde hij op de rand van waanzin. Hij wierp zich op occultisme en mysticisme en in hem ontwaakte een godsdienstig leven. Deze crisis beschreef hij onder meer in zijn laatste toneelstuk. In *Till Damascus* beschrijft Strindberg, die een lange existentiële crisis achter de rug heeft, zijn fantastische bekeringsgeschiedenis. Ondanks twee echtscheidingen gelooft hij weer in de vrouw, in goedheid, in liefde en in God. In het stuk voert hij een Onbekende op (in wie duidelijk Strindberg zelf te herkennen is) die zich op zijn zieleleven bezint. Hoofdthema's uit zijn werken als vrijheid, droom, biecht en huwelijk komen in dit stuk alle aan bod.

# Fransen verlaten Fasjoda

FASJODA, 4 november - Ondanks de druk van de publieke opinie in Frankrijk heeft de nieuwe minister van Buitenlandse Zaken, Théophile Delcassé, kapitein Marchand opdracht gegeven zich uit Fasjoda terug te trekken.

De Engelse generaal Kitchener stootte daar twee maanden geleden, na zijn overwinning op de mahdisten bij Omdurman, op het Franse expeditieleger onder leiding van kapitein Marchand. Deze was in juni 1896 in opdracht van Gabriel Hanoteaux, de toenmalige Franse minister van Buitenlandse Zaken, met 150 man begonnen aan een expeditie vanuit Gabon richting Nijl. Hij kwam op 10 juli in Fasjoda aan. De Fransen zouden de spil Kongo-Djibouti in handen willen krijgen, terwijl het Engelands doel is om Oeganda met Egypte te verbinden en een spoorlijn van Caïro naar de Kaap aan te leggen. Delcassé is een fel voorstander van de revanchepolitiek tegen Duitsland en daarvoor is de steun van Engeland onontbeerlijk. Hij en de nieuwe Franse gezant in Londen, Paul Gambon, bereiden een overeenkomst met Engeland voor. Noord-Afrika zal tussen de beide mogendheden worden verdeeld, waarbij de West-Sahara aan Frankrijk en het Nijldal aan Engeland toevalt.

Eerder dit jaar troffen Franse en Britse troepen elkaar aan een andere ader van

*Egypte en Soedan tijdens 'Fasjoda'.*

Afrika: de rivier de Niger. Ook toen, bij Borgu, leek een gewapend conflict tussen de beide koloniale grootmachten nabij. Op 14 juni werd echter een overeenkomst gesloten waarbij de grens vanaf de kust (tussen Dahomey en Lagos) tot de Niger werd vastgesteld.

Het Britse expansiestreven is na de inlijving van Somaliland (1887), Bechuanaland (1885), Rhodesië (1891), Oeganda (1893) en Kenia (1895) weer een stap verder. De imperialistische conflicten in Afrika hangen alle samen met de politiek van Groot-Brittannië om er een verbinding tot stand te brengen tussen het in 1806 verworven Kaapland en het in 1882 verkregen protectoraat Egypte.

De leus 'van Kaapstad naar Caïro' is in de jaren tachtig geformuleerd door Cecil Rhodes, de exponent van het Engelse imperialisme in Afrika. Verschillende kwesties hangen met het optreden van Engeland samen: de Egyptische kwestie, de Soedan-crisis, de Kongo-kwestie, het Fasjoda-incident en de Boerenoorlogen in Zuid-Afrika.

*Spotprent op de Fasjoda-crisis.*

# Spanje draagt koloniën over aan VS

PARIJS, 10 december - Na ruim twee maanden durende besprekingen is het Verdrag van Parijs ondertekend; hiermee is het officiële einde van de Spaans-Amerikaanse oorlog bezegeld. Spanje zal Puerto Rico, Guam en de Filippijnen aan de Verenigde Staten overdragen. Voor de Filippijnen zal het een vergoeding van twintig miljoen dollar ontvangen. Cuba zal tijdelijk onder Amerikaans beheer komen, waarna het onafhankelijk zal worden. De Spanjaarden noemen deze oorlog dan ook met recht 'el desastre', 'de rampspoed'. De Spaanse regering en het politieke systeem zijn danig aan kritiek onderhevig omdat zij verantwoordelijk worden gesteld voor de nederlaag. Ook het leger heeft zich van de regering gedistantieerd. Van het voormalige Spaanse koloniale imperium resten slechts de Carolinen en enkele onbelangrijke gebieden in Afrika. Terwijl voor Spanje de Spaans-Amerikaanse oorlog een geduchte klap voor het moreel en zelfvertrouwen betekent, zijn de Verenigde Staten met hernieuwde macht uit de strijd gekomen.

**6 januari.** In Praag wordt de Agrarische Partij voor Bohemen en Moravië opgericht.→

**19 januari.** Soedan wordt een Anglo-Egyptisch condominium.→

**Januari.** Generaal Leonard Wood wordt militair gouverneur van de Verenigde Staten voor Cuba. Rafael Portuondo wordt door de grondwetgevende Vergadering tot president benoemd.

**11 februari.** De leider van het Atjehse verzet Teuku Umar wordt gedood.→

**12 februari.** Het Duitse Rijk koopt van Spanje de Carolinen, de Marianen en de Palau Eilanden en lijft ze bij Duits Nieuw-Guinea in.

**15 februari.** De Russische tsaar beperkt de bevoegdheden van de Finse Landdag.→

**18 mei tot 21 juli.** Te Den Haag komen 26 landen bijeen om daar de eerste Vredesconferentie bij te wonen.→

**3 juni.** Het proces van Dreyfus wordt heropend. →

**Juli.** In Frankrijk verschijnt het blad *Action Française*.→

**6 september.** De Amerikaanse minister van Buitenlandse Zaken John Hay wil van China een open handelsgebied maken.→

**12 oktober.** Het door Paul Kruger gestelde ultimatum provoceert een oorlog tussen enerzijds Transvaal en Oranje Vrystaat en anderzijds Groot-Brittannië: de Boerenoorlog.→

**12 november.** De Republikeinse regering op de Filippijnen gaat na de nederlaag tegen de Amerikaanse troepen ondergronds.→

**15 december.** De Boeren verslaan Engelse troepen.→

**23 december.** De Duitse Bank stelt zich financieel garant voor de aanleg van de Bagdad-spoorlijn.→

**30 december.** In België wordt de evenredige vertegenwoordiging ingevoerd.→

**December.** De *Traumdeutung* van Sigmund Freud verschijnt.→

- In Nederlands-Indië wordt begonnen met de ethische politiek (Van Deventers Ereschuld).→

- De genaturaliseerde Duitser Houston Stewart Chamberlain verdedigt in zijn werk *Die Grundlagen des 19. Jahrhunderts* de stelling dat het Duitse ras superieur is.

- De Oostenrijkse componist Arnold Schönberg componeert het strijkkwartet *Verklärte Nacht* waarin hij het twaalftoonsysteem gebruikt.

# Agrarische partij in Bohemen opgericht

*'Bij de beek', idyllisch plattelandstafereel door de Praagse schilder Bedrich Havránek (1871).*

PRAAG, 6 januari - De oprichting van een geheel zelfstandige Agrarische Partij voor Bohemen en Moravië sluit voor de Tsjechen de politiek zeer produktieve periode van de jaren negentig af. De meest succesvolle partij is de Partij der Jonge Tsjechen, ontstaan in het begin van de jaren zestig, met aan het hoofd de linkse radicaal K. Sladkovsky, de gebroeders Grégr en prins R. Thurn-Taxis. De Jonge Tsjechen hebben zich afgesplitst van de conservatieve Oude Tsjechen (leiders: Palacky, Rieger), die sterke banden met de adel hadden. De Jonge Tsjechen daarentegen, politiek gevoelig voor problemen van arbeiders en boeren, komen voornamelijk uit de burgerij. Toen de Oude Tsjechen in 1891 het parlementaire leven verlieten, kregen de Jonge Tsjechen steeds meer stemmen, tot hun partij ten slotte in 1897 62 van de 63 voor de Tsjechen beschikbare zetels in het Weense parlement hadden verworven.

De politieke ontwikkelingen hebben de volgende partijen opgeleverd: in 1889 de groep 'Tsjechische realisten' (Kramár, Masaryk), die zich een jaar later bij de Jonge Tsjechen aansloot; in 1896 de 'Katholieke nationale partij' (Srámek) en de 'Christelijke sociale partij'; vorig jaar de 'Nationaal sociale partij' (Klofác); in 1897 de 'Radicale progressieve partij' (gericht op sociale veranderingen) en dit jaar de 'Radicale staatsrechtelijke partij' (met nadruk op de nationale belangen).

Politiek is in Bohemen (en Moravië) los te koppelen van etnische problemen. De grote (en in alle opzichten sterkere) Duitse minderheid wil haar eeuwenlange macht en superioriteit tot iedere prijs behouden. Met de industriële vooruitgang ontwikkelt zich echter een steeds sterkere Tsjechische burgerij; meer Tsjechen trekken naar de steden. De spanningen tussen de twee nationaliteiten lopen hoog op. Tragisch is het proces tegen de zogenaamde 'Omladina' (een jeugdorganisatie) van 1893. Op de verjaardag van de keizer demonstreerden jonge mensen tegen de Duitse overmacht - 70 van hen werden gearresteerd en tot lange gevangenisstraffen veroordeeld. In december 1897 vonden de Oostenrijkers het zelfs nodig om de staat van beleg in Praag af te kondigen.

In april van hetzelfde jaar voerde premier Badeni nieuwe 'Sprachenverordnungen' in, volgens welke de gemeentelijke ambtenaren in Bohemen en Moravië zowel het Duits als het Tsjechisch machtig moesten zijn. Het Duitse protest was zo agressief dat Badeni in november ontslagen werd. Maar voor het Tsjechisch-Duitse probleem is vooralsnog geen oplossing gevonden.

## Brits-Egyptisch akkoord over kwestie Soedan

CHARTOEM, 19 januari - Volgens een overeenkomst tussen de Britse en Egyptische regering is Soedan voortaan een Anglo-Egyptisch condominium. De hoogste burgerlijke en militaire macht berust bij de gouverneurgeneraal die benoemd wordt door de khedive van Egypte, op voorspraak van de Britse regering. In feite zal de macht in handen van de machtigste partner, Groot-Brittannië, berusten.

Sinds de Egyptische khedive, Mohammed Ali, in het begin van de jaren twintig Soedan veroverde en Chartoem stichtte (1823), was Soedan in Egyptische handen en sinds de Engelse bezetting van Egypte (1882) dus ook in Engelse handen. De enige onderbreking vormt de periode van de mahdi-opstand (1882-1898), waaraan vorig jaar een einde werd gemaakt toen generaal Kitchener de opstandelingen in de Slag bij Omdurman versloeg.

# Verzetsleider Atjeh loopt in hinderlaag

*De Indische delegatie bij de inhuldigingsplechtigheid van koningin Wilhelmina op 6 september vorig jaar.*

KUTARAJA, 11 februari - Teuku Umar, de belangrijkste leider van het Atjehse verzet, blijkt vannacht op het strand bij Meuloboh (westkust van Atjeh) in een door generaal Van Heutsz gelegde hinderlaag te zijn gelopen; zijn lijk en die van zijn belangrijkste panglima's (legeraanvoerders) werden vanmorgen gevonden. De teuku, bij de Nederlanders berucht om zijn 'verraad' van 1896, werd een halfjaar geleden uit Pedir (Noord-Atjeh) verjaagd en sindsdien onophoudelijk achtervolgd door zes brigades marechaussees en bij Meuloboh in het nauw gedreven. Umars echtgenote, de fanatieke Tjut Nja Din, is ontsnapt en zet het verzet voort.

De Atjeh-oorlog begon in 1873 met een weinig geslaagde eerste Nederlandse inval; men werd gedwongen zich terug

*Het legerkamp tijdens de Pedir-expeditie: geheel links aan tafel Van Heutsz.*

te trekken. In januari 1874 slaagde een tweede, beter uitgeruste expeditie erin de kraton van de sultan in Banda Atjeh, later omgedoopt in Kutaraja, te veroveren.

Men dacht daarmee het sultanaat onderworpen te hebben en staakte de strijd. Een grote vergissing, veroorzaakt door geringe kennis van de interne verhoudingen in Atjeh. Het gezag van de sultan stelt niets voor, de werkelijke macht ligt in handen van de ulama's (schriftgeleerden) en de regionale hoofden, de hulubalangs.

Er bestaat een gedecentraliseerde, semi-militaire maatschappelijke structuur, die zich uitstekend leent voor een guerrilla. De Nederlanders werden van alle kanten aangevallen, in wat door de fanatiek islamitische Atjehers als een prang sabil (heilige oorlog) tegen de kafirs (ongelovigen) wordt gezien.

Jarenlang werden de Nederlanders gevangengehouden in Kutaraja. In 1878 wist generaal Van der Heyden de Atjeh-vallei grotendeels te onderwerpen en in 1880 werd een burgerlijk bestuur ingesteld.

Kort daarop brak de strijd weer in alle hevigheid los en besloot men zich terug te trekken. Rond Kutaraja werd een 'geconcentreerde linie' van zestien onderling verbonden bentengs aangelegd (1884). Daarbuiten gingen de hulubalangs hun gang; ook een blokkade van de kust, funest voor hun peperhandel, haalde niets uit. Binnen de linie was de moraal zeer laag en heersten beri-beri en cholera.

In 1893 poogde generaal Deykerhoff, de toenmalige gouverneur van Atjeh, uit de impasse te komen door een van

de hulubalangs om te kopen. Teuku Umar werd begenadigd, kreeg de titel

panglima prang besar (opperbevelhebber) en de beschikking over 250 zwaarbewapende manschappen, waarmee in korte tijd grote delen van Groot-Atjeh werden onderworpen.

Drie jaar later keerde Umar zich plotseling tegen de Nederlanders, die door dit 'verraad' volledig in verwarring gebracht werden. De strijd laaide weer op.

De nieuwe bevelhebber generaal Vetter liet de linie opheffen en de vallei 'tuchtigen', waarbij ontstellende wreedheden werden begaan. Zijn opvolger Van Heutsz maakte daaraan een einde en introduceerde mobiele colonnes van speciaal daarvoor opgeleide marechaussees, die in staat zijn de verzetsstrijders tot in alle uithoeken van Atjeh te achtervolgen.

Zijn beleid wordt voor een groot deel bepaald door Snouck Hurgronje, adviseur voor inlandse zaken en geniaal islamkenner, die een grondige studie van Atjeh gemaakt heeft. Hij kwam tot de conclusie dat de oorlog alleen gewonnen zou kunnen worden door de sultan te negeren, de oorlogspartij van de ulama's uit te schakelen en in alle gebieden het Nederlands gezag daadwerkelijk te laten voelen.

## Vredesconferentie levert weinig op

*De deelnemers aan de Vredesconferentie op de trappen van Huis ten Bosch.*

's-GRAVENHAGE, 21 juli - De Vredesconferentie in Den Haag, bijgewoond door de vertegenwoordigers van 26 staten, is een gedeeltelijk succes te noemen. Op het punt van ontwapening en gedwongen arbitrage bij geschillen is geen overeenstemming bereikt. Wel zijn er enige oorlogsconventies overeengekomen en is er besloten tot de oprichting van een Internationaal Gerechtshof in Den Haag.

Het initiatief tot de conferentie is afkomstig van de Russische tsaar Nicolaas II, die vijf jaar geleden zijn vader

Alexander III is opgevolgd.

Velen staan uiterst sceptisch tegenover de goede bedoelingen van Rusland. Dit is niet al te verwonderlijk, gezien het Russische optreden in het Verre Oosten van de afgelopen jaren, dat verre van vredelievend te noemen is. Het motief voor dit Russische initiatief moet vermoedelijk worden gezocht in de zwakke economische structuur van dit kolossale land, waardoor het niet in staat is de wapenwedloop met de buurlanden, met name Oostenrijk, bij te houden.

# Finse Landdag buitenspel

*'Apotheose van de oorlog', de macabere kijk van Vasili Veresjtsjagin (1871).*

HELSINKI, 15 februari - Tsaar Nicolaas II heeft in een manifest bepaald dat alle wetgevende bevoegdheden in zaken die Rusland aangaan voortaan door de grootvorst zelf worden behartigd. De Finse Landdag is hiermee tot adviesorgaan gedegradeerd. Tevens heeft hij de inlijving van het Finse leger bij het Russische en de instelling van het Russisch als officiële taal aangekondigd. Protesten van een half miljoen Finnen en een door bekende Europeanen aan de tsaar aangeboden petitie mochten niet baten. Het Russische panslavisme heeft het Finse nationalisme een ernstige nederlaag toegebracht.

De samenwerking tussen Finnen en Russen na de Russische annexatie in 1809 verliep aanvankelijk uitstekend. Al in 1811 werd Karelië weer bij Finland gevoegd en in 1812 werd Helsinki tot hoofdstad gemaakt. De eerste grootvorsten stimuleerden ook een voorspoedige economische ontwikkeling. Textiel-, papier- en houtindustrie werden opgezet en de landbouw werd grondig gemoderniseerd.

Onder deze gunstige omstandigheden kon ook het Finse nationalisme opbloeien. De Finse bovenlaag sprak Zweeds, wat ook de ambtelijke taal van het land was. Hiertegen kwamen Finse nationalisten, zoals Snellman, in verzet en zij kregen in eerste instantie ook de steun van de tsaar. Deze hoopte via een anti-Zweedse beweging mogelijke Zweedse heraansluitingspogingen te frustreren. Naast het bevorderen van de Finse taal stond tsaar Alexander III ook toe dat de Landdag wetgevende bevoegdheden kreeg en dat er een eigen Fins leger, Finse post en Finse munt kwamen. Het omdichten van Oudfinse liederen tot het nationale epos *Kalevala* door Lönnrot bevorderde het Finse zelfbewustzijn nog meer: de roep om een eigen staat weerklonk.

De Russische toegevendheid hield na 1880 op. Het Russisch panslavisme zocht compensatie voor de teleurstellingen op de Balkan door een russificatie van Finland na te streven. In 1890 werd de Finse post ingelijfd bij de Russische en zeven jaar later werd de reactionaire generaal Bobrikov tot gouverneur-generaal benoemd. Toen de Landdag weigerde het Finse leger bij het Russische te voegen, besloot de tsaar een einde te maken aan de relatieve autonomie van de Finnen door middel van het nu afgekondigde Februari-manifest.

*William Jennings Bryan spreekt een Democratische Conventie toe (1900).*

# China voor VS belangrijk

WASHINGTON, 6 september - Minister van Buitenlandse Zaken John Hay heeft de regeringen van Engeland, Duitsland en Rusland gevraagd akkoord te gaan met een 'Open Deur'-politiek in China. Binnenkort zal een zelfde verzoek uitgaan naar Italië, Frankrijk en Japan. Hay wil tot een vrije handel in China komen.

Verscheidene Europese landen hebben zich de laatste jaren naast Engeland op de Chinese markt kunnen nestelen. Maar landen als Duitsland, Frankrijk en Rusland hebben hun eigen plaats op de Chinese markt uitgeroepen tot 'invloedssfeer' waarin alleen hun handel en export zijn toegestaan. Hay probeert deze monopoliepolitiek te doorbreken en tot vrijhandel te komen. Amerika wil via deze 'Open Deur'-politiek in de arena van de wereldhandel stappen en concurreren met de Europese koloniale mogendheden.

Over de imperialistische koers die de regering nu inslaat, woedt momenteel een heftige discussie in Amerika. Voorstanders willen de recentelijk op Spanje veroverde gebieden in Azië benutten als springplank voor verdere politieke en economische uitbreiding nu de expansie op het Amerikaanse continent voltooid is. Imperialisme is niet alleen winstgevend maar het is ook de 'white man's burden', de heilige plicht van de westerling of zoals senator Cabot Lodge naar aanleiding van de 'Open Deur'-politiek zegt, 'wij moeten de krioelende miljoenen Chinezen behoeden voor de duisternis van de Russische winter en hen vrij houden, niet alleen in het belang van de handel maar ook omdat dan het licht van de westerse beschaving kan binnenvallen.'

Tot de felste anti-imperialisten behoort voormalig presidentskandidaat William Jennings Bryan, de begenadigde redenaar die in februari voor de zoveelste maal van leer trok: 'Wij zijn wederom in een crisis beland. De aloude doctrine van het imperialisme, een eeuw geleden uit ons land verjaagd, is weer de Atlantische Oceaan overgestoken en daagt de democratie op Amerikaanse bodem uit tot een strijd op leven en dood. In de groei van de democratie zien wij de triomfantelijke opmars van een idee van vrijheid en zelfbestuur, een idee dat eerder aangetast dan geholpen wordt door het door het imperialisme aangereikte wapentuig.'

# 'Action Française': spreekbuis van rechts

PARIJS, juli - Een nieuw, tweemaandelijks te verschijnen blad heeft in Frankrijk het licht gezien. Dat is het zeer rechtse *Action Française*. Voor het vaderland, tegen Dreyfus. Het blad werd opgericht door het gelijknamige, nationalistische actiecomité, dat onder aanvoering van Henri Vaugeois en Maurice Pujo staat.

Frankrijk - althans de katholieke, gegoede burgerij - is de laatste jaren sterk in de ban van het rechtse nationalisme gekomen. Ook de studentenwereld is zeer gevoelig voor dit soort ideeën, die in de jaren tachtig leidden tot het boulangisme. Dat de beweging van generaal Boulanger nog niet geheel tot het verleden behoort, bewijst overigens de tamelijk ondoordachte poging tot staatsgreep van diens aanhanger Paul Déroulède, die destijds in zijn blad *Le Drapeau* actie voor de generaal voerde. Tien jaar geleden werd Déroulède in de Kamer gekozen als afgevaardigde van Angoulême. In 1893 nam hij ontslag, maar vorig jaar werd hij herkozen. In de Kamer stelt hij zich op als leider van de nationalistische partij en streeft naar een soort populistische republiek zoals Boulanger die voorstond. Evenals Boulanger heeft hij nu echter voortijdig gedacht dat de weg naar het Elysée voor hem openstond.

De *Action Française* trekt overigens niet alleen dit soort mensen aan. Dank zij het antiparlementarisme van de beweging oogst zij ook in links-anarchistisch gezinde kringen sympathie. Het Panama-schandaal, waarvan veel 'kleine' mensen het slachtoffer werden - zonder nog te spreken van de arbeiders die in barre omstandigheden aan de bouw van het kanaal moesten werken, terwijl een groot aantal parlementariërs zich door de financiers van het mislukte project had laten spekken - werkt in dat opzicht nog steeds door.

# Dreyfus blijft vechten voor rehabilitatie

PARIJS, 19 september - Kapitein Dreyfus heeft gratie gekregen. Zijn onschuld wordt echter nog steeds niet erkend. Na een proces dat 33 dagen duurde en waarbij voortdurend zijn onschuld is aangetoond, is hij opnieuw schuldig bevonden. Alfred Dreyfus is weliswaar op vrije voeten, maar leeft alleen nog maar voor zijn rehabilitatie.

De zaak-Dreyfus begon in oktober 1894. Bij de conciërge van de Duitse ambassade werd een map onderschept met Franse militaire gegevens. De joodse kapitein Alfred Dreyfus, werkzaam bij het Vierde Bureau van de inlichtingendienst, werd gearresteerd. Op 19 december werd hij veroordeeld tot levenslange deportatie.

Hoe dat alles precies in zijn werk was gegaan, werd pas later bekend. Al geruime tijd zag men in Frankrijk overal Duitse spionnen en bovendien had het antisemitisme weer de kop opgestoken, aangewakkerd door perscampagnes. Wat was er dan eenvoudiger dan een jood aan te wijzen, ook nog afkomstig uit de Elzas? Dat het om een man ging met een onkreukbaar verleden, die voor het militaire gerechtshof kon uitroepen: 'Ik ben slechts onschuldig. Vive la France!', deed niet ter zake.

Op 1 juli 1895 werd commandant Georges Picquart benoemd tot hoofd van de inlichtingendienst. Ook hij had antisemitische vooroordelen, maar desondanks vertrouwde Picquart de zaak niet en stelde een onderzoek in. Daarbij stuitte hij op weerstand van zijn superieuren, die niet konden begrijpen waarom hij zich zou bekommeren om het lot van 'die jood', onschuldig of niet.

In 1896 kwam commandant Picquart achter het bestaan van een telegram dat door een Duits militair attaché was gezonden aan een Franse commandant, graaf Esterhazy. Picquart liet hem volgen en ontdekte vervolgens dat Esterhazy speelschulden had. Een ef-

*Kapitein Alfred Dreyfus wordt uit zijn militaire rang gezet (5 januari 1895).*

*Zola's open brief 'J'accuse' (1898).*

fectenmakelaar herkende toevallig het handschrift van een van zijn cliënten: Esterhazy. Er werden veel details over de zaak gepubliceerd. Noch het leger, noch de regering wilde echter horen van een herziening van het proces. Picquart viel in ongenade.

Op 13 januari vorig jaar verscheen op de voorpagina van het dagblad *L'Aurore* een open brief aan de president: 'J'accuse...!' stond er over vijf kolom te lezen. De brief was van de beroemde schrijver Emile Zola. Generaals en hooggeplaatste ambtenaren op het ministerie van Oorlog beschuldigden Zola ervan bewijzen te hebben vervalst of verdonkeremaand, grafologen hadden 'leugenachtige, frauduleuze rapporten' opgesteld, de eerste Raad van Oorlog had 'het recht geschonden' door een onschuldige te veroordelen met behulp van een geheim document, de tweede Raad van Oorlog had 'deze illegaliteit gedekt', aldus de zeer expliciete beschuldigingen van de schrijver, die eindigde met de woorden: 'Laat men mij voor het Hof van Assisen dagen, dat het onderzoek op klaarlichte

dag geschiedde! Ik wacht af.'
Men heeft het aangedurfd. De gevierde schrijver, die bij deze gelegenheid werd uitgejouwd, werd door het Hof van de Seine veroordeeld tot een jaar gevangenisstraf en 3000 francs boete: het maximum. Het vonnis werd bevestigd door het Hof van Versailles, zonder dat werd nagegaan of Zola misschien gelijk had.

De schrijver was intussen naar Londen uitgeweken, van waaruit hij de strijd voortzette.

Frankrijk is verscheurd. Het is niet alleen een kwestie van links tegen rechts, ofschoon de arbeidersbeweging (waarbinnen zowel antisemitische als klassevooroordelen leven - Dreyfus was tenslotte een 'bourgeois') zich na enig aarzelen grotendeels achter de onschuldig veroordeelde kapitein heeft geschaard. Voor het merendeel der intellectuelen geldt hetzelfde. Maar ook in katholieke, nationalistische kringen zijn er enkelen die deze houding aannemen. Over de zaak-Dreyfus worden duels uitgevochten. Verlovingen en huwelijken lopen erop stuk. Een prent

van de tekenaar Caran d'Ache toont een eetkamer waarin borden, glazen, alles kort en klein geslagen is. Het onderschrift luidt: 'Ze hebben erover gepraat.'

Vanuit het buitenland komen veel verontwaardigde reacties binnen. Mensen schrijven de kapitein overal vandaan om hem een hart onder de riem te steken. De post bereikt hem echter niet. Regeringen dringen er bij Parijs op aan, een einde te maken aan het flagrante onrecht. Tevergeefs. Esterhazy is er zelfs in geslaagd zich door de Raad van Oorlog te laten vrijspreken.

Eindelijk komt dan de verlossende bekentenis. In het nauw gedreven geeft luitenant-kolonel Henry, de adjunctchef van de inlichtingendienst, die als eerste Dreyfus verdacht, toe dat hij zich schuldig heeft gemaakt aan een 'vaderlandslievende vervalsing', zoals hij het noemt, en pleegt zelfmoord.

Tijdens Dreyfus' laatste proces kwam dat allemaal naar voren. Maar tegen alle verwachtingen in heeft de Raad van Oorlog, met vijf stemmen tegen drie, Dreyfus opnieuw schuldig verklaard.

## Koning van de wals overleden

*Johann Strauss.*

WENEN, 3 juni - In zijn woonplaats Wenen is de componist Johann Strauss jr. op 73-jarige leeftijd overleden. Hij was een geliefd componist bij een groot publiek en laat vele werken na die nu al klassiek geworden zijn.

Johann Strauss stamt uit een muzikaal geslacht. Als 19-jarige richtte hij al een dansorkest op waarmee hij zijn vader beconcurreerde. Na diens dood gingen de orkesten samen. Strauss had toen al de bijnaam 'Walzerkönig' verworven. Vanaf 1863 leidde hij de hofbals in Wenen. Tot zijn bekendste composities behoren *An der schönen blauen Donau* en *Wiener Blut*. Hij heeft ook circa 15 operettes gecomponeerd, met als hoogtepunt *Die Fledermaus*.

*De eerste radiouitzending ter wereld vanaf de Eiffeltoren, op 29 juli vorig jaar.*

# Radioverslag van zeilrace

NEW YORK, september - Met behulp van de draadloze telegraaf zijn deze maand vanaf volle zee berichten over de 'America's cup', de bekendste Amerikaanse zeilrace, doorgegeven aan kranten in New York. Deze demonstratie heeft internationaal grote opwinding veroorzaakt.

De draadloze telegraaf bestaat al enkele jaren. Uitvinder Guglielmo Marconi vroeg er in 1896 patent op aan en richtte in juli 1897 in Londen de 'Maatschappij voor Draadloze Telegrafie' op. Door officiële instanties is het nut van de uitvinding altijd ernstig betwijfeld. De recente demonstratie heeft hierin radicaal verandering gebracht.

In de Verenigde Staten zijn inmiddels de eerste voorbereidingen getroffen voor de oprichting van de 'American Marconi Company', die de uitvinding ook in Amerika moet verbreiden.

# Duitsers bouwen spoorweg door Turkije

*Treinbeambten poseren voor een van de wagons van de Bagdad-spoorlijn.*

CONSTANTINOPEL, 23 december - Na veel intriges hebben Zihni-Fasja, de Turkse minister van Handel, en von Siemens, de voorzitter van de bestuursraad van de 'Société du chemin de fer ottoman d'Anatolie', een voorlopige overeenkomst ondertekend die de Duitse maatschappij het recht geeft in de komende acht jaar een spoorweg van Konya via Bagdad naar Basra aan te leggen. De Turkse regering heeft het recht bedongen op elk moment de spoorweg te mogen terugkopen. De lijn is van strategisch belang omdat hiermee een verbinding tussen Europa en de Perzische Golf wordt gelegd.

Voorlopig is nu duidelijkheid gekomen in een door politieke verwikkelingen vertroebelde situatie. Vorig jaar bezocht de Duitse keizer de sultan in Constantinopel en zorgde door dit persoonlijk ingrijpen voor grote politieke spanningen. De kern van de spanningen ligt in het feit dat de aanleg van de lijn de toenemende invloed van het Duitse Rijk in het Nabije Oosten onderstreept, waartegen vooral de grote mogendheden Rusland, Frankrijk en Groot-Brittannië zich keren. Zelf toonden zij aanvankelijk geen enkele belangstelling voor het project.

Elf jaar geleden kreeg de Deutsche Bank een concessie van sultan Abdül-Hamid II om de Anatolische spoorweg tussen Haider Pasja en Ankara aan te leggen. Vier jaar geleden kwam het deel van de lijn tussen Konya en Ankara gereed. Omdat de grote mogendheden geen investeringen wilden doen, zag de Turkse overheid zich genoodzaakt zich weer tot Duitsland te wenden.

# Freud analyseert dromen

WENEN, eind december - Al met het jaartal 1900 op het titelblad is het boek *Die Traumdeutung* van de 43-jarige arts en psychiater Sigmund Freud verschenen. Hierin ontvouwt de grondlegger van de psychoanalyse voor de eerste maal zijn denkbeelden over het 'Lustprinzip', de kinderlijke seksualiteit, en het Oedipus-complex.

Sinds hij in 1886 in Wenen een psychiatrische praktijk begon heeft Freud vele wegen bewandeld om het onderbewustzijn te ontraadselen. Hij nam van zijn Weense collega Josef Breuer de hypothese over dat hysterie wordt veroorzaakt door verdrongen pijnlijke herinneringen. Hierdoor kwam Freud tot het inzicht dat sommige gedeelten van de geest niet zo maar kunnen worden onderzocht. In navolging van Breuer paste Freud hypnose toe om dit onderbewustzijn te doorgronden. Omdat hypnose niet de gewenste resultaten opleverde verving hij deze methode door een volstrekt nieuwe, die even eenvoudig als vruchtbaar bleek te zijn: vrije associatie. Freud vroeg zijn patiënten om zo volledig mogelijk en zonder enig voorbehoud alles te zeggen wat hun inviel. Vroeg of laat trad bij iedere patiënt weerstand op: hij kon of wilde niets meer vertellen. Met deze waarnemingen was de basis gelegd voor de theorie dat de menselijke geest onderhevig is aan bepaalde bewuste en onbewuste mentale krachten. Deze kunnen gemakkelijk met elkaar in conflict komen. De onbewuste wensen, meestal van seksuele of destructieve aard, willen onmiddellijk bevredigd worden, terwijl het bewustzijn verantwoordelijk is voor de aanpassing van het gedrag aan de realiteit. Op grond van deze theorie onderzocht Freud de verborgen geheimen van het seksuele leven van kinderen en het Oedipuscomplex.

Volgens Freud zijn dromen, evenals neurotische symptomen, het resultaat van een conflict tussen de primaire onbewuste impulsen en de secundaire bewuste krachten. Door 'Traumdeutung' is het mogelijk om de in de dromen verborgen onbewuste boodschappen te analyseren. De interpretatie van dromen lijkt daarom een bruikbare techniek om de weerstand van neurotische patiënten te doorbreken en is volgens Freud 'de koningsweg naar de onbewuste activiteiten van de geest'.

*Jugendstil: 'De goudvissen', door Gustav Klimt (1901-1902).*

*President Emilio Aguinaldo.*

# Filippijnen tegen VS-gezag

BAYAMBANG, 12 november - De door de Amerikaanse troepen van generaal Arthur MacArthur opgejaagde Filippijnse republikeinse regering heeft het reguliere leger ontbonden. In zijn toevluchtsoord Bayambang (provincie Pangasinan), kondigde president Emilio Aguinaldo aan dat de strijd door guerrilla-eenheden voortgezet zal worden. Deze zullen zich na de acties weer tussen de bevolking terugtrekken en kunnen het Amerikaanse leger ernstige schade toebrengen in hun met veel geweld gepaard gaande 'pacificatie' van de archipel.

De Verenigde Staten werden vorig jaar door het uitbreken van een oorlog met Spanje betrokken bij de gebeurtenissen op de Filippijnen, waar al enige jaren een hardnekkige nationalistische opstand tegen het Spaanse koloniale regime woedde.

Op 1 mei verscheen commodore Dewey met zijn eskader in de baai van Manila, waar hij in enkele uren tijd de complete Spaanse vloot vernietigde. De Spaanse gouverneur-generaal weigerde zich over te geven en in afwachting van de komst van een expeditionair leger zocht Dewey hulp bij de nationalisten. Hij liet hun leider, de in Singapore in ballingschap verblijvende generaal Aguinaldo, overkomen en leverde hem wapens en voorraden. Aguinaldo meende dat de Filippijnen onafhankelijkheid toegezegd werd en riep de bevolking op de Amerikanen te steunen. In korte tijd vormde zich een groot revolutionair leger dat de strijd aanbond met de Spanjaarden en tegen eind juni het grootste deel van Luzon had veroverd.

Manila werd belegerd; het was afgesneden van de buitenwereld en dreigde uitgehongerd te worden. In juli arriveerden 11 000 Amerikaanse soldaten, die op 13 augustus samen met Aguinaldo's troepen een aanval uitvoerden op de stad, die zich na een paar uur al overgaf. De Amerikanen verboden vervolgens de hierover hoogst verontwaardigde Filippino's de stad binnen te trekken. Dit was een eis van de Spanjaarden, die een geheime overeenkomst met de Amerikanen hadden gesloten om hun eer te redden. De hele bestorming was een farce geweest.

Verontwaardigd waren de nationalisten ook over het Vredesverdrag van Parijs van 10 december 1898. Spanje stond zijn soevereiniteit over de Filippijnen, Guam en Puerto Rico af aan de Verenigde Staten (Cuba werd semionafhankelijk) en ontving daarvoor een schadevergoeding van 20 miljoen dollar. In Amerika hadden imperialisme en nationale arrogantie een hoogtepunt bereikt; de Filippijnse nationalisten werden afgeschilderd als bandieten, barbaren die niet in staat zouden zijn zichzelf te regeren. President McKinley, die sprak van een Amerikaanse 'mission of benevolent assimilation', liet op 21 december weten dat van onafhankelijkheid geen sprake zou zijn.

Desondanks werd op 23 januari van dit jaar te Malolos een Filippijnse grondwet opgesteld en een onafhankelijke republiek uitgeroepen, met Aguinaldo als president. Niet lang daarna brak na enige incidenten een regelrechte oorlog uit tussen de nationalisten en het leger van de Amerikaanse opperbevelhebber MacArthur. Deze lanceerde een felle aanval op de republikeinen, die de ene na de andere nederlaag leden en zich steeds verder naar het noorden van Luzon hebben moeten terugtrekken.

# 'Nederlands Ereschuld'

*Javaanse vrouwen bezig met het stampen van koffiebonen.*

DEN HAAG, 12 december - Het dit jaar in het tijdschrift *De Gids* verschenen artikel 'Een Ereschuld' van mr. C. Th. van Deventer lijkt ertoe bij te dragen dat de houding van de Nederlandse politieke partijen ten opzichte van Indië zich ingrijpend zal gaan wijzigen. Van Deventer verbleef in de periode 1880-1897 in Indië, eerst als gerechtsambtenaar en later als advocaat, en kon toen met eigen ogen waarnemen hoezeer het Nederlandse koloniale bestuur te kort schiet. Exploitatie van een kolonie ten behoeve van het moederland wordt door hem resoluut van de hand gewezen.

Onder het Cultuurstelsel vloeiden in het verleden ruim 800 miljoen gulden aan 'Batige Sloten' naar de schatkist; aanvankelijk ter voorkoming van een staatsbankroet, maar na 1860 was de situatie zodanig verbeterd dat het eigenlijk niet meer nodig was. Toch bleef men de Indische overschotten opeisen; de comptabiliteitswet van 1867, die parlementaire goedkeuring van de Indische begroting noodzakelijk maakte, veranderde daar niets aan. Rond 1880 liepen de overschotten terug. De overheid kwam echter voor steeds grotere uitgaven te staan, vooral door de moeizaam verlopende Atjeh-oorlog. Het overschot werd een verlies.

Tot Van Deventers grote verontwaardiging sprong Nederland niet bij, maar werd Indië gedwongen leningen af te sluiten en te bezuinigen. Omdat Nederland nu eenmaal, en wel tegen de wil van de meerderheid van de bevolking, de heerschappij over de archipel aan zich heeft getrokken, is het volgens Van Deventer nu verplicht het ten onrechte aan Indië onttrokken geld terug te geven. Hij stelt voor de sinds de invoering van de comptabiliteitswet van 1867 geïnde 'Batige Sloten', door hem berekend op 187 miljoen, ter beschikking van de volksontwikkeling in Indië te stellen, als aflossing van een ereschuld.

*Onderhoud van de wegen is een van de plichten die onder de herendienst vallen.*

# Boeren behalen successen tegen Engelsen

*Op 30 oktober behalen de boeren bij Ladysmith een overwinning op de Engelse troepen.*

ZUID-AFRIKA, 15 december - In de Slag van Colenso hebben de Boeren opnieuw een groot succes geboekt, door de Engelse generaal Buller te verhinderen de Tugela-rivier over te steken.

Op 12 oktober verklaarden de Boerenrepublieken Oranje Vrystaat en Transvaal Groot-Brittannië de oorlog, in de hoop een snelle overwinning te behalen, voordat de Engelsen een troepenmacht in Zuid-Afrika zouden kunnen concentreren. Pogingen tijdens de Bloemfontein Conferentie eerder dit jaar om tot een vergelijk te komen, liepen op niets uit. Kruger, die vorig jaar februari voor vijf jaar herkozen werd als president van de Zuidafrikaanse Republiek, is er sinds de Jameson-raid

*Verslaggever Winston Churchill.*

(1895-1896) zeker van dat de Engelsen eropuit zijn zich het rijke Transvaal toe te eigenen. En de Engelsen raakten hoe langer hoe meer ervan overtuigd

dat Kruger zijn plan aan het uitwerken was om de Engelsen uit Zuid-Afrika te verdrijven en een confederatie van Boerenrepublieken te stichten.

Sinds het begin van de oorlog zijn de Boeren aan de winnende hand geweest. Niet alleen vanwege hun troepenmacht - de Engelsen hebben slechts 25 000 man paraat - maar ook in bewapening overtreffen zij hun tegenstanders. Uitgerust met kleine wapens en met Krupp- en Creusot-artillerie zijn de troepen van vermaarde Boeren-aanvoerders als Joubert en Cronjé tot nog toe de meerderen gebleken.

Winston Churchill, de verslaggever van het Londense blad *The Morning Post*, schrijft niet zonder respect voor het vijandelijke kamp: 'Wat een mannen, deze Boeren! Ik zal hun aanblik niet snel vergeten, zoals ze 's morgens vroeg door de regen rijden - duizenden zelfstandige scherpschutters, ieder gewend zijn eigen beslissingen te nemen, in het bezit van prachtige wapens die ze met grote bekwaamheid hanteren... voortjagend als de wind en gesteund door een ijzeren gestel en de strenge, oudtestamentische God, die de Amalekieten zonder enige twijfel in alle windrichtingen zal doen verstrooien.'

Of de Boeren-successen lang zullen voortduren, nu generaal Buller is ontslagen en vervangen door generaal Lord Roberts, met generaal Kitchener als zijn chef-staf, valt te bezien.

# Stelsel evenredige vertegenwoordiging in België ingevoerd

BRUSSEL, 30 december - In België is een wet uitgevaardigd waardoor de evenredige vertegenwoordiging (EV) wordt ingevoerd in plaats van het tot nu toe gehanteerde absolute-meerderheidsprincipe. Het nieuwe stelsel geldt arrondissementsgewijs. Daarom zullen diverse kleine kiesdistricten (waar slechts één volksvertegenwoordiger verkozen werd) worden samengevoegd. Met de nieuwe wet komt eindelijk een eind aan de zich al jarenlang voortslepende discussie over de invoering van de EV.

Vijftien jaar geleden al viel het kabinet-Beernaert als gevolg van de verdeeldheid in het katholieke kamp inzake de EV. De socialisten (die de EV koppelen aan het algemeen enkelvoudig kiesrecht) en de progressistische liberalen zijn altijd voorstander van EV geweest. Na de verkiezingen van mei vorig jaar, waarbij slechts 12 liberalen verkozen werden, zijn zij nog sterker dan voorheen gaan ijveren voor EV. Zij dreigden ermee lijstverbindingen te zullen aangaan met de socialisten als het absolute-meerderheidsprincipe niet zou worden afgeschaft. Omdat een dergelijke samenwerking de katholieke meerderheid in enkele kiesdistricten in gevaar bracht, nam in het katholieke kamp het aantal voorstanders van EV toe. Daartoe behoorden, behalve de christen-democraten, ook prominente Belgische politici als Beer-

*Vlnr: Woeste, Helleputte, Delbeke, Beernaert en Davignon.*

naert, De Smet-De Naeyer en Nyssens. In januari van dit jaar viel het homogeen-katholieke kabinet-De Smet-De Naeyer als gevolg van interne onenigheid over de EV. De oppositie van de conservatieve Kamerleden onder aanvoering van Charles Woeste bleek nog te sterk. De door koning Leopold II benoemde nieuwe eerste minister Jules Vandenpeereboom slaagde er echter evenmin in de kwestie te regelen. Hij kwam met een wetsontwerp (EV in de grote en absolute meerderheid in de kleine kiesdistricten), dat alom gekraakt werd vanwege het ongegeneerd pro-katholieke karakter ervan. Zelfs Woeste noemde het 'onverdedigbaar'. Na tumultueuze Kamerdebatten en massale demonstraties in Brussel trad Vandenpeereboom eind juli af. Hij

werd opgevolgd door zijn voorganger Paul de Smet-De Naeyer. Deze nam vooral EV-gezinde ministers in zijn homogeen katholieke kabinet op en kwam snel met een wetsontwerp waarover de parlementaire debatten op 12 september begonnen. Hoewel de verdeeldheid binnen de diverse partijen, en vooral bij de katholieken, nog altijd bijzonder groot was, werd het wetsvoorstel zowel door de Kamer (op 24 november met 70 tegen 63 stemmen) als door de Senaat (op 22 december met 61 tegen 23 stemmen) aangenomen. Opmerkelijk is dat geen enkele stroming in het parlement en bloc voor of tegen de wet gestemd heeft. De eerstkomende verkiezingen met evenredige vertegenwoordiging zullen volgend jaar gehouden worden.

# REGISTER

Salnitsa, slag aan de 213
Salò 632
Salome 99
Salome Alexandra, koningin 89
Salomo, koning 31,35
Salomon III van Konstanz 180,182
Salon de Réfusés 841,845,895
Salos, Nikolai 391
Salpeteroorlog 911,914,930,936
Salt Lake City 774,775
Salutati, Coluccio 293
Salvi, Nicola 539
Salzburg 169,361,497,536,600,653
Samaria 31,35,54,97,99,112
Samarkand 867
Samarra 171
Sambas 811
Sambhupuras 157
Samgarh, slag bij 470
*Samgook Sagi* 288
Samnieten 60,61,64,66-68,70,71,86
Samnitische oorlog I 61
Samnitische oorlog II 64,66,67
Samnitische oorlog III 68,70
Samo, koning 145,148,180
Samoa-eilanden 907,911,956
Samoerai 418,515
Samory, Almanmy 950,1008
Samos 47,56,60
Samsi-Adat II, koning 20
Samsu-Iluna 20
Samudragupta, koning 122,124,127
Samuel, heerser 194
San Felipe 693
San Francisco 805,818
San Hongyang 87
San Ildefonso 649
San Ildefonso, verdrag van 632,640,642
San Jacinto 747
San Juan del Norte 818
San Marcokerk 209
San Martin 693
San Salvador 467
San Stefano, vrede van 907,908,909,934,946
Sanchez, Maria 872
Sancho de Grote, koning 198
Sanctorius 426
'Sanctum officium' 366
*Sanctus* 301
Sand, Georg Balthasar 354
Sand, George 768,769,949
Sand, Karl 697
Sandwich, graaf van, *zie* Montagu, John
Sanhedrin 104,657,659
Sanherib, koning 36,37,41
Sanjusangendotempel 403
Sankt Gallen, klooster 166,182,196
Sankt Gotthard, slag bij 476
'Sans culottes' 623,625,629
Sanskriet 127,791
*Sanskrit grammar* 652
*Sans pareil* 725
Santa Ana, Antonio Lopez de 738,747,748,777,778,812,864
Santa Catharina 771
Santa Cruz, Andrès 747
Santa Cruz, markies van 408,446
Santa Fe 689,838
Santa Maura 323
Santi, Rafaël 173
Santiago de Chile 693
Santiago de Chile, aardbeving te 455
Santiago de Compostella 190,214,216
Santo Domingo 322,477,628, 646,660,832
Santorre di Santarosa 701
São Paulo 396
Saparuwa 692
Sapor I, koning 118,119
Sapor II, koning 121,123,124
Sappho 40,41
Saracenen, *zie* Arabieren
Sarawak 761,762,811,818
Sardes 48,72

Sardes, slag bij 71
Sardinië 45,73,74,80,84,258,310, 379,519,524,528,529,540,548, 550,551,553,620,632,635,643, 663,680,705,778,780,786,790, 791,799,821,824,826-829,834
Sardinië-Piemonte, koninkrijk 701
Sardoeri I, koning 32
Sargon, koning 15
Sargon II, koning 33,35
Sarmaten 107,113
Saro 184
Sas van Gent 456
Sassaniden-Rijk 118,119,136-138, 141,144,146-148,157
Satakarni, koning 110
Satavahana, *zie* Andhara
Satavahana-dynastie 73
Sath, god 362
Sati 725
Satrapenopstand 59,60
Satsoema 868,902,904
Saturnicus 114
*Saturnus die zijn kind verslindt* 675
Sauk 627
Saul, koning 28,30,31,160
Saussure, H.B. de 600,602
Savannah 540
*Savannah* 695,697,712
Savary, Frans minister van politie 665
Savery, uitvinder 509
Savigny, Friedrich Karl von 665,666
Savona 663
Savonarola, Girolamo 317,319,321, 323
Savornin Lohman, Alexander Frederik de 981
Savoye 359,361,368,379,386,395, 417,429,451,468,502,507,521, 522,524,540,632,647,663,821,828
Sax, Adolphe 766
Saxen 124
Saysi Tupic 393
Scaevola, Quintus Muncius 86
Scandinavië 360
Scandinavische Unie 391
Scandinavisme 848
*Scaramouche en Colombine* 520
Scarlatti, Alessandro 534,535
Scarlatti, Anna Maria 535
Scarlatti, Melchiorra 535
*Scarlet letter, The* 804
*Scènes de la vie privée* 797
*Sceptische chemicus, De* 478
Schadow, Gottfried 795,796
Schaepman, H.J.A.M. 955,981
*Schaften* 707
Schaken 856,860,979,984
Schaljapin, Fjodor 415
Schall von Bell, Johannes Adam 469
Scharnhorst, Gerhard Johann David von 671
Schauspielhaus 688
Scheepsschroef 718
Scheepvaartwetten 807
Schelde 619
Scheldetol 841,842
Schell, Hermann 998
Schenk, Peter 513,519
*Schepping van Eva, De* 934
Schermer, droogmaking van de 474
'Scherpe resolutie' 431
Schervengericht, *zie* Ostracisme
Schiarini-Rizzino, vrede van 680
Schikaneder, Emanuel 616
*Schilderconst, De* 489
*Schilderijententoonstelling, Beelden van een* 891,919
Schiller, Friedrich 604,639,640,646, 652,653,709,712
Schimmelpenninck, Rutger Jan 652,655
Schinkel, Karl Friedrich 687,688
Schisma's 131,132,175,176,198,200, 223,225,226,261,279,280,281, 287-290,291,371

Schkoppe, generaal 466
Schlegel, August Wilhelm von 768
Schlegel, Friedrich von 660,673,723
Schleiermacher, Friedrich 705,741
Schleyer, J.M. 952
Schliemann, Heinrich 873,899,904
Schlösser, Hermann Julius 836
Schmalkaldische Liga 348,354,355, 356,361,366,369
Schmalkaldische oorlog 369,371
Schmerling, Anton von 789,833
Schneider-Creusot 943
Scholastiek 251,253
Scholte, Hendrik Petrus 746
Schönbein, Christian Friedrich 753,867
Schönberg, Arnold 1010
Schönborn, Lothar Franz 535
Schönbrunn, paleis 507
Schönbrunn, vrede van 662, 664,665
Schönerer, Georg von 923,927
Schook, hoogleraar 471
*School van Athene, De* 339
Schoolstrijd 955
Schopenhauer, Arthur 674,695,698,827,828
*Schöpfung, Die* 660
Schor, Johann Paul 487
Schotland 137,157,175,183,184, 225,256-259,262,264,270,271, 275,287,307,309,320,331,332, 334,336,339,343,346,348,362, 364,366,368,369,371,378-381, 384,385,387,388,390,392,395, 404,408,420,421,449-452,455, 457,458,460,461,463,464,466, 471,503,518,525,526,551
Schouten, Willem 428
*Schreeuw, De* 974,978
Schuan-Schuan 136
Schubert, Franz 703,718,719,721,724,998
*Schuld en boete* 856,859
Schulenburg, graaf Von der 658
Schumann, Robert 741,745,815,817,898,998
Schütz, Heinrich 441,484,485,492,536
Schuyler, consul 903
Schwab, Andreas von 547
Schwann, Theodor 753
Schwarz, Berthold 262
Schwarzenberg, Felix Fürst zu 764,788,790,796,798,815, 816
Schwechat, slag bij 778,787
Schweidnitz 768
Schweidnitz, slag bij 454
Schweigger, J. 716
*Schweizerlieder* 644
Schwind, Moritz von 765
Science-fiction 850
Scili, martelaren van 114
Scipio Aemilianus 78,82-84
Scipio Africanus 77,78
Scipio Nascia 84
Scordisci 85
Scoten 117,123,124,126
Scott, James 492,495-497,501
Scott, sir Francis 993
Scott, Walter 665,698,734,736
Scott, Winfield 804
Scotus, Johannes Dun 248,261
Scythen 36,43,45,51,57,84,86,88, 89,92,110,113
SDAP, *zie* Sociaal Democratische Arbeiderspartij
Seami Motokijo 287,288
Seba, Albert 526
Sebastiaan I, Portugese koning 377,399,401,402
Sebdu 772
Seboektigin 196
Seckendorf, slag bij 542
Seclusie, acte van 467
Second Reform Bill 861,863,894
Secunda 114
Sedan, slag bij 873,876,877
Sedgemoor, slag bij 497

Sedition Act 640,644
Sefi I, sjah 442
Segesvár, slag bij 793
Seisjisai, Aizawa 729
Seismograaf, uitvinding van de 112
Seiwa, keizer 173,178
Sejanus 98-100
Sekigahara, slag bij 417
Selangor 711,716,891,986
Selassie, Haile 971
Selden, John 448
Seldjoeken 185,198,200-204,209, 210,218-220,225,229,259,267
Seleuciden-rijk 68,70-74,77-84,88,89,120
Seleucus I, koning 60,66,67-70,81
Seleucus II, koning 73
Seleucus III, koning 73
Seleucus IV, koning 78,80
Selim I, sultan 330,332,336,339,340,348,378
Selim II, sultan 385,386,396
Selim III 652,657,717
Selinus 54
Selkirk, Alexander 520,539
Selkis, godin 46
Sellasia, slag bij 73
Sem 19
Semieten 18-20,27
Seminaristen 404
Seminole-Indianen 693,695,744,762,764,878
Seminolenoorlog 693
Semiramis 32
Semmelweis, Ignaz 850,855,866,918
Semmering 812
Sempach, slag bij 283,284
Semper, Gottfried 912
Senaat, Romeinse 46
Senapati Arjuna 147
Seneb 16
Seneca, Lucius Annaeus 96,100,102,103
Senefelder, Alois 628,630,714
Senefru, farao 12
Senegal 484,808,818,942
Senepati Ingalaga 444
Senlis, vrede van 316,319
Senmoet 23
Sennacherib, koning 33,35
Senonen 70
Sens, concilie te 219
Sentinum, slag bij 68
Seoel 255,285,327,413,469
Sepiekali 706
Sepoys 791,818,819,821
Septemberwetten 744
Septimius Severus, keizer 112,115-118
Septimius Severus, triomfboog van 116
Sepuh, sultan van Jogya 669,689
Sequira, De, militair 330
Sequoyah 707
Seram 468
Sergius II, paus 180
Sergius III, paus 184
Sergius van Constantinopel 144-146
Seringapatam, slag bij 614
Sermattei della Genga Annibale 705
Serra, Antonio 426
Serres, Dominic 599
Sertorius 88
*Serva padrone, La* 540
*Servant as mistress, The* 554
Servet, Michaël 441
Servius Tullius, koning 45-47
Servië 203,204,227,229,230,238, 258,271,283,285,302,499,506,649, 652,672,690,703,714,744,752,787, 861,865,867,879,899,904,908,909, 923,939,944
Serviërs 176
*Sesok ogye* 184
Sesostris I, farao 18

Sesostris II, farao 18,19
Sesostris III, farao 18,19
Sesso 699
Sestola, Girolamo da 323
Seth, god 56
Sethnacht, farao 28
Seti I, farao 27
Seti II, farao 30
Sevastopol, slag om 812,814
Severinus 169
Severus, generaal 112
Severus, keizer 121
Sevilla 278,285,324,666,683
Sevilla, verdrag van 536,539
Sewall, Samuel 512
Seward, William H. 804,838,861
*Sexual inversion* 1000
Seychellen 625
Seymour, Robert 749
Seymour, Jane 359,370
'Sezession, Münchener' 971,973
'Sezession, Wiener' 1002
Sfinx 12
Sforza, Catharina 327
Sforza, Francesco I 299,301,304,306,316
Sforza, Francesco II 343,352,358,361
Sforza, Galeazzo Maria 306,308
Sforza, Gian Galeazzo 319,320
Sforza, Massimiliano 332,333
Sforza-dynastie 299,338
Shahpuri 707
Shakespeare, William 418,428,436,437,523,639,999
Shalmaneser II, koning 43
Shang-dynastie 20,22,28,30
Shanyüan, verdrag van 192
Shao, prins 32
Sharif Ghalib 652
Shat el Arab 775
Shaw, George Bernard 930,935
Shawnee 627
Shawnee-Indianen 674,676
*Sheherezade* 953
Shelburne, William Petty Fitzmaurice, Earl of 634
Shelley, Mary 693
Shelley, Percy Bysshe 698,703,704,794
Shen, hertog 34
Shen Zong, keizer 193
Sheppard, Kate 976
Sher Chan, sultan 363
Sheridan, Philipp 835
Sheriffmuir, slag bij 526
*Sherlock Holmes* 968
Sherman, John 963
Sherman, William 835
Shetland 686
Shevchenko, Tara 833
Shi Le 121
Shi Xie 185
Shi Zong, *zie* Yong Zheng, keizer
Shi Zouy, keizer 536
Shi'itisme 652
Shiva, god 141,163,165,183,196, 200,257
Shivalinga 163
Shivaïsme 153,200,238,239
Shköder 633
Sholes, Christopher Latham 886
Shomu, keizer 159,161
*Shooting for the beef* 766
Shore, John 521
Short, Peter 415
Shotoku 144,150
Shrewsbury, hertog van 525
Shun, keizer 20
Shun-dynastie 456
Shuttarna, koning 24
Shwezigon-tempel 212
Si Kuang 102
Si Zong, keizer 456
Siam 273,289,294,302,420,435, 482,497-499,601,665,668,709, 714,716,718,719,738,739,746, 761,779,795,799,812,813,843, 861,867,947,978,987,998,1001

# Illustratieverantwoording

Stofomslag: Harenberg Kommunikation, Dortmund (7), Bildarchiv Preussischer Kulturbesitz, West-Berlijn (5), Sem Presser, Amsterdam (4), Archiv für Kunst und Geschichte, West-Berlijn (1), ABC/Magnum (1), ABC/Camera Press (1), Elsevier Boeken (7), Beeldbank Uitgeefprojekten (1), Bridgeman Art Library (1), Prentenkabinet Rijksuniversiteit Leiden (1)

Schutblad voor: wereldkaart van Ptolemaeus, ABC/Camera Press; Franse gezanten van Hans Holbein (titelpagina): Elsevier Boeken; wereldkaart schutblad achter: Elsevier Boeken

ABC Press, Amsterdam (Camera Press, Londen) 111 b

ABC Press, Amsterdam (Magnum/Lessing) 117 l

Albert Bibliotheek, Brussel 439 b, 850 rb

Algemeen Rijksarchief, Den Haag 871 ro & m

Alinari, Florence 59 ro, 76 rb, 82 lb, 100 rb, 104 llb, 104 lo, 110 o, 332 l, 342 rb, 493 lb

Amsterdam Press Agency 57 o

Archiv für Kunst und Geschichte, West-Berlijn 34 ro, 35 lb, 37 b, 42 b, 47 rb, 49 b, 57 rb, 61 ro, 64 rb, 67 lb, 79 rb, 90 o, 93 rb, 95 b, 96 rb, 101 lb, 101 rb, 104 mb, 105 o, 106 mb, 109 ro, 111 o, 124 o, 137 l, 145 l, 169 l, 173, 179 b, 186 b, 194 o, 234 rb, 235 lb, 235 rb, 236 lb, 243 l, 272 o, 278 rb, 528 ro, 538 b, 540 o, 541 b, 544 lo, 545 ro, 555 lb

Beeldbank Uitgeefprojekten, Amsterdam 75 m, 87 rb, 89 rb, 110 b, 115 r, 153 l, 164 b, 187 o, 190 b, 225 ro, 303 lo, 358, 478 b, 505 ro, 546 rb, 560 lb, 560 o, 562 l, 564 lb, 568 lm, 568 rm, 600 o, 628 l, 668 rb, 708 rb, 716 o, 729 m, 743 b, 747 lo, 755 lb, 760 lb, 778 lb, 794 lb, 831 ro, 836 o, 837 lb&ro, 842 m(2x), 843 rb, 852 ro, 855 ro, 872 m, 882 lb, 884 ro, 890 lm, 902 rb, 907 lb&m, 909 rb, 910 lb, 913 rb, 927 rb, 937 ro, 944 ro, 941 lb&o, 946 rb, 970 lb, 999 lb, 1009 lb

Bayrische Staatsbibliothek, München 177 l

Bert Bakker, Amsterdam 803 lo, 970 rb(2), 985 rb

Bibliothèque Nationale, Parijs 133 l, 140, 166 o, 168 ro, 176, 240 b, 244 o, 252 rb, 271 rb, 330 lb, 544 lb, 646 b, 924 lo, 931 ro, 933 rb, 941 rb, 942 rb

Bildarchiv Preussischer Kulturbesitz, West-Berlijn 24 b, 25 b, 49 ro(2x), 65 o, 75 rb, 106 lb, 116 l, 117 rb, 118 lb, 118 rb, 123 rb, 128 ro, 145 r, 147 ro, 149 l, 169 r, 181 r, 210 r, 226 r, 227 r, 229 r, 243 r, 251 o, 254 rb, 264 l, 274 b, 283 b, 352 o, 353 rb, 376 ml, 424 rb, 429 o, 442 b, 446 o, 471 l, 494 lb, 504 b, 513 b, 529 b, 536, 538 o, 539 lb, 583 rb, 607 rb, 610 b, 612 lb, 619 o, 621 l, 622 l, 622 r, 626 o, 627 b, 629 r, 631 b, 639 rm, 640 b, 651 b, 654 lb, 654 lm, 658 ro, 661 lm, 661 ro, 666 lm, 670 rb, 673 b, 673 ro, 678 rb, 679 lb, 682, 686, 698 lo, 702 lb, 708 lo, 714 rb, 718 b, 725 lo, 727 lo, 728 lb, 746 lo, 755 rb, 762 o, 770 o, 773 lo, 772 o, 795 lb, 806 rb, 819 lo&lb, 821 b, 828 rb&m, 829 lb, 830 rm, 834 o, 838(2x), 840 ro, 848 lb&rb, 863 lb, 864 rb&om, 869 rb, 870 b, 878, 880 lb(dupl.), 881 b(dupl.)(2x), 883 lb, 900 rb, 914 lo, 918 lo, 922 ro, 929 lb&ro, 931 lb, 940 lb, 946 o, 961 lb&ro, 962 ro, 981 rb, 989 lb&lo, 994 lb, 1006 b(2x), 1007 ro, 1016 lb&lo

Bildarchiv der Österreichischen Nationalbibliothek, Wenen 927 lb, 971 lb

Bridgeman Art Library, Londen 40 b, 47 lb, 59 lm, 237 b, 329, 339 lb, 340 lo, 370 mb, 401 o, 454, 460 o, 525 b, 550 lb, 559 b, 605 ro, 637 ro, 639 lb, 663 b, 669 lo, 689 lo, 709 lb, 719 lb, 727 b, 736 lm, 764 lb, 863 rb(2x), 927 lo

British Library, Londen 301 lo, 906 rb

British Museum, Londen 45 lb, 45 rb, 135 r, 147 lo, 195 o, 250 lb, 264 o, 265 r, 422 rb

Bulloz, Parijs 247 r, 270 o, 471 r, 880 o

Centraal Museum, Utrecht 952 rb

Central Zionist Archives, Jeruzalem 913 lb, 993 ro

Jean-Loup Charmet, Parijs 359 o, 382 mb, 409 lb, 409 rb, 409 ro

Chicago Historical Society 832 b

Armand Colin, Parijs 615 b

Conservatoire des Arts et Métiers/SPADEM, Parijs 649 o

Courtauld Institute of Art, Londen 964 rb

Rie Cramer 673 lo(2)

CTK/Pressfoto, Praag 949 lb, 1010

Daens Museum en Archief van de Vlaamse Sociale Strijd, Aalst 985 lb

De Beers Archieven 804 rb

Direktion der Museen der Stadt Wien 1002(3)

Elsevier Boeken, Amsterdam 6 lb, 7 ro, 8 ro, 10 ro, 11 m, 12 o, 14 b, 21 rm, 22 m, 23 o, 26 lb, 26 o, 28 o, 30 b, 31 lo, 38 b, 39 rb, 40 o, 49 lo, 51 m, 53 m, 54 m, 55 mb, 55 rb, 60 m, 61 lb, 66 lo, 69 o, 75 lb, 76 rm, 83 ro, 88 lb, 89 o, 92 lm, 93 mb, 94 rm, 97 rb, 104 rb, 105 rb, 106 rb, 106 o, 107 rb, 116 o, 122 o, 125 o, 128 lo, 130 lb, 131 rb, 136 lo, 136 mo, 138 r, 139 r, 142 r, 157 o, 161 rb, 167 r, 190 o, 193 rb, 193 o, 196 o, 201 b, 201 o, 204 l, 204 m, 205 o, 206 b, 207 lb, 207 o, 208 r, 209 m, 212 b, 214 rb, 215 l, 215 r, 221 o, 215 l, 215 r, 221 o, 222 o, 224 rb, 224 o, 225 b, 225 lo, 227 l, 223 l, 234 lb, 235 o, 236 rb, 238 rb, 239 lo, 241 r, 246 l, 254 o, 260 b, 260 o, 261 b, 262 l, 267 l, 269 b, 269 o, 273 o, 276 b, 278 o, 279 o, 279 rb, 280 rb, 280 o, 282 rb, 286 o, 288 l, 289 lo, 290 o, 291 r, 296 r, 297 b, 300 r, 304 l, 304 r, 307 l, 307 r, 310 b, 311 rb, 317 o, 319 b, 332 r, 335 r, 343 b, 344 ro, 344 lb, 351 ro, 355 o, 360 l, 363 r, 364 r, 365 l, 365 r, 366 b, 367 lb, 371 ro, 372 rb,375 lb, 377 rb, 378 b, 380 lb, 384 o, 389 lb, 391 lo, 391 ro, 394 b, 395 lb(2x), 396 b, 400 b, 405 rb, 406 b, 408 ro, 410 lm, 412 m, 413 rb, 414 rb, 414 ro, 418, 419 lb, 419 rb, 420, 421 lm, 424 rb, 424 lo, 425 rb, 427, 429 b, 431 r, 432 l, 432 r, 433 b, 433 m, 434 o, 436 o, 437 o, 440 b, 440 o, 442 o, 443 l, 444 o, 450 lb, 450 o, 452, 455, 458, 459 rb, 461, 464 rb, 467 b, 469 b, 470 lb, 470 m, 472 b, 473 r, 478 lo, 479 rb, 485, 486 o, 487, 488 lm, 489 rb, 490, 492 b, 493 lo, 494 rb, 497 rb, 500 lb, 501 lb, 503 lb, 503 rb, 504 lo, 506 b, 515 rb, 517 lo, 517 rb, 519 r, 521 lb, 523 lm, 528 lb, 529 m, 533 lb, 537 rb, 540 b, 550 ro, 551 rb, 552 lb, 552 rm, 555 ro, 556 b, 556 o, 558 l, 559 o, 561 lo, 566 o, 569 m, 572 rb, 576 lo, 576 ro, 577 ro, 578 lm, 578 lo, 579 rb, 585 ro, 586 m, 589 lm, 592 rb, 595 b, 603 lb, 603 rb, 603 lo, 603 ro, 605 lb, 611 r, 617 o, 620 l, 620 r, 629 lb, 632 b, 638 o, 639 rb, 644 rb, 646 o(2x), 652 o, 655 b, 655 ro, 658 rb, 659 lb, 661 rb, 664 rb, 666 ro, 672 lb, 674 ro, 675 rm, 677 b, 677 rm, 678 lb, 680 lb, 687 lb, 690 lb, 693 rm, 696 lb, 699 o, 701 rb, 702 rb, 703 lm, 705 lb, 706 ro, 711 rm, 711 mo, 716 rb, 719 lm, 720 rm, 721 rm, 723 lb(2x), 725 lb, 728 rb, 731, 732 lo, 733 lb, 734 lo, 735 l, 737 lo, 739 rb, 742 rb, 742 ro, 743 lo, 744 m, 747 ro, 754 ro, 758 b, 759 o, 760 rm, 761 m, 766 lb, 773 lb&rb, 775 lo, 777 lb, 789 lb, 791 o, 792 rb, 797 r, 799 rb, 800 rb, 801 lo, 802(3x), 804 rb&ro, 806 lb&rm, 809 rb, 811 rb, 813 lo, 814 lb, 815 ro, 816 ro, 817 lb&lo, 819 mb, 826 rb&ro, 827 rb&o, 828 lo, 830 lb(3x), 834 rb, 835 o(2x)&m, 837 rb&ro, 840 rb, 841 (2x), 843 rm, 844 lb, 845 lo(3x), 847 o, 849 lb, 853 rb, 856 lb&ro, 860 rb, 861 rb, 865 lb, 866(4x), 868 lo, 872 rb(2x), 872 lo, 875 rb&lo, 877 ro, 885 lb, 866 lb&lo, 890 rm, 895 rb&m, 901 lb, 902 mb, 904 o, 905 rb, 917 ro, 918 lb&m, 920 bm&lo, 924 lb, 931 lo, 932 lb, rb&lo, 933 lo, 934 rb, 939 rb, 945 rb, 947 rb, 950 ro, 951 rb, 952 lm, 955 lb(2x)&rm, 957 lm, 959 o, 962 lb, 964 lb, 968 o, 969 lb, 972 lb, 975 lb, 980 o, 982 ro, 984 lb&mo, 986 ro, 987 lo, 988 lb, 992 b, 1001 lo, 1005 ro, 1009 rb, 1011 b, 1015 rb&ro

Mary Evans, Londen 103 rb, 193 lb, 195 lb, 202 r, 211 r, 224 lb, 226 l, 257 o, 264 l, 271 m, 277 b, 301 ro, 464 o, 736 rm

Raymond Feddema, Amsterdam 265 l, 596 b

Werner Forman, Londen 19 b

Gemeentearchief Den Haag 783 o, 964 o

Gemeentearchief Utrecht 807 ro

Gemeentelijk Museum Den Haag 491 ro

George Eastman House, Rochester USA 896 lo, 962 lo

Giraudon, Parijs 35 m, 39 lb, 43 lb, 44 m, 219 l, 251 lb, 253 rb, 293 l, 309 lb, 323, 381 lb, 430 b, 445 b, 451 b, 474 b, 502 o, 541 ro, 543 lb, 651 o, 779, 824 rb, 845 lb

Giraudon/Garanger, Parijs 553 lb, 730 lb

Giraudon/Lauros, Parijs 13 lb, 31 rb, 357 o, 495 rb, 587 lo, 734 ro, 876 b(2x), 879 rb

Harenberg Kommunikation, Dortmund 6 o, 7 llm, 7 lm, 8 lb, 8 rb, 8 lo, 9 lm, 10 lb, 12 b, 13 rb, 13 ro, 15 m, 17 lb, 20 l, 20 r, 21 b, 29 lb, 29 rb, 33 lb, 34 lm, 36 b, 41 b, 41 m, 41 ro, 44 rb, 50(2x), 5 rb, 56 m, 58 lb, 58 rb, 61 lo, 62 lb, 62 mb, 62 rb, 65 b, 66 rb, 67 rm, 70 lb, 70 rb, 71 lm, 71 rb, 72 m, 73 o, 74 lb, 74 lo, 74 rb, 77 m, 78 b, 79 o, 81 lb, 81 lo, 83 lb, 84 rb, 85 lo, 87 lb, 88 ro, 89 lb, 91 lb, 93 rm, 94 b, 94 lo, 96 o, 97 lo, 98 lb, 99 lb, 100 lb, 101 o, 103 o, 104 mo, 107 lb, 110 m, 112 b, 115 l, 117 ro, 118 o, 120 m, 120 o, 122 b, 123 o, 125 lb, 126 o, 127 l, 127 m, 127 r, 129 b, 129 o, 130 rb, 130 ro, 131 rm, 131 ro, 131 l, 132 lo, 132 ro, 133 r, 134 o, 136 r, 137 rb, 141, 142 l, 144 b, 146 r, 148 m, 149 rb, 151 o, 155 b, 155 r, 155 l, 158 r, 161 o, 162 b, 163 b, 165 o, 167 l, 168 rb, 170, 171 b, 172 b, 174 r, 177 r, 178 rb, 182 l, 182 b, 182 o, 185 l, 185 r, 188 b, 189 b, 189 o, 191 lo, 191 ro, 196 l, 198 o, 199 ro, 200 r, 203 r, 204 o, 205 b, 205 l, 207 r, 210 l, 212 m, 213 o, 216 b, 216 l, 217 lo, 218 ro, 220 l, 220 r, 221 b, 222 lb, 222 rb, 223 b, 228 b, 228 m, 229 l, 231 rb, 231 o, 232 o, 233 r, 234 mo, 234 ro, 236 o, 237 o, 238 o, 239 ro, 240 lo, 240 ro, 242 lb, 242 o, 244 b, 245, 249 b, 249 rb, 249 o, 251 rb, 252 lb, 252 o, 254 lb, 254 mb, 256 b, 256 o, 258 b, 259 o, 262 r, 263 l, 263, 263 o, 266 o, 268 lb, 272 m, 273 b, 275 b, 275 m, 276 o, 277 l, 277 r, 278 m, 281 r, 282 lb, 283 o, 284 r, 285 l, 287 o, 288 r, 289 rb, 290 lb, 290 rb, 291 lb, 292 o, 294 r, 295 l, 295 r, 297 o, 298 b, 300 l, 301 lb, 301 rb, 302 l, 302 r, 303 lb, 305 b, 306 lb, 306 ro, 308 o, 309 rb, 309 ro, 311 lb, 311 o, 312 lb, 312 o, 317 b, 318 mb, 318 rb, 320 lb, 320 rb, 321 b, 321 o, 322 b, 322 o, 324, 326 o, 328 b, 328 o, 330 ro, 331, 334 b, 334 o, 335 l, 336 o, 336 lb, 337 o, 338 lb, 338 rb, 338 o, 339 rb, 339 o, 340 b, 341 lb, 341 rb, 342 lb, 342 lo, 343 r, 344 rb, 345 lo, 345 r, 346 l, 346 r, 347 b, 347 o, 349 rb, 349 ro, 350 b, 351 rb, 352 b, 353 lb, 354, 355 b, 357 lb, 357 rb, 360 rm, 360 rm, 360 ro, 361, 362 l, 362 r, 363 l, 366 o, 367 ro, 368 b, 370 rb(3x), 371 lb, 373 lb, 373 rb, 373 o, 375 mr, 376 mo, 377 lb, 377 lm, 378 m, 379 b, 379 m, 380 lo, 382 lo, 383 mb, 383 rm, 383 lo, 386 lb, 386 lo, 386 ro, 387 b, 387 o, 390 b, 393 lb, 395 rb, 398 lo, 399 b, 399 m, 401 b, 402 lb, 403 lb, 403 o, 404 b, 405 lb, 406 o, 407 lb, 407 rb, 408 rb, 408 rm, 410 rb, 411 o, 412 rm, 413 lb, 416 lb, 416 ro, 417, 421 ro, 425 mo, 426, 428 rb, 430 o, 431 l, 433 o, 434 b, 436 b, 438, 439 o, 441, 443 r, 445 o, 446 b, 447 lb, 447 rb, 447 o, 448, 449 b, 449 o, 450 rb, 451 o, 453 rb, 453 m, 456 b, 459 lb, 460 b, 462 b, 462 o, 465 b, 465 o, 466 l, 468 lo, 468 ro, 469 o, 470 lo, 470 ro, 472 o, 473 l, 476 b, 476 o, 478 ro, 482 o, 483 lb, 483 lo, 484 b, 486 rb, 488 lb, 489 lb, 491 lb, 493 rb, 493 ro, 495 lo, 497 lo, 498 ro, 499 ro, 505 b, 509 rb, 509 lo, 510 b, 510 o, 511 o(2x), 512 b, 512 o, 513 lo, 513 rm, 514 b, 514 lo, 516 lb, 516 rb, 517 lb, 519 lo, 520 rb, 520 ro, 521 ro, 522 b, 522 o, 523 ro, 524 ro, 525 lo, 527 ro, 531 lo, 532 lb, 532 rm, 533 lo, 533 ro, 534 b, 534 o, 535 lb, 535 lo, 535 rm, 535 ro, 539 rb, 539 ro, 542 b, 543 lo, 544 rb, 546 lb, 547 lb, 547 rb, 547 ro, 548 o, 549 lb, 550 rb, 550 lo, 552 ro, 554 b(2x), 557, 561 rb, 562 rb, 563 rb, 566 lb, 566 rb, 567 lb, 567 rb, 567 m, 569 ro, 570 ro, 572 lb, 574 lb, 574 o, 575 lb, 575 rm, 575 o, 576 b, 577 lb, 577 rb, 577 lo, 578 rb, 579 lb, 580, 582 b, 582 o, 583 lb, 583 lo, 584 lb, 585 b, 585 lo, 586 lb, 586 rb, 587 lb, 587 m, 588 lb, 588 rb, 589 b, 589 rm, 590 lb, 590 lo, 591 rb, 591 lm, 591 o, 593 lb, 597 lb, 597 rb, 598 lb, 599 o, 600 lb, 601 o, 602 b, 602 ro, 606 lb, 607 lb, 608 b, 608 o, 609, 610 lo, 611 l, 612 r, 613 l, 613 rb, 613 o, 614, 615 l, 615 ro, 616 b, 616 o, 617 b, 618 b, 618 o, 619 b, 623 o, 624 lb, 624 o, 625 o, 626 l, 626 rb, 627 o, 628 rb, 628 o, 629 lo, 630 b, 630 r, 631 m, 631 o, 633(4x), 634 b, 635(2x), 637 lm, 638 b, 639 lo, 641 ro, 642 o(2)&m, 643 b&m, 544 lo&m, 645 b(2x), 647 rb&o(3x), 648 b, 650 lb, 650 rb, 650 lm, 653 lb, 653 rb, 653 lo, 653 ro, 654 rb, 654 rm, 655 lo, 656 lb, 656 m, 656 ro, 658 lb, 659 rb, 659 o, 660 b, 660 rm, 661 lb, 661 rm, 662 lb, 662 m, 662 lo, 663 o, 664 lo, 665 b, 665 ro, 667 b, 667 o, 668 lo, 669 lb, 670 lb, 670 o, 671 lm, 671 rb, 671 ro, 672 rb, 674 b, 675 b, 676 o, 679 rb, 680 rb, 683 lb, 683 lo, 683 rm, 684 lb, 684 o, 685 b, 685 lo, 685 ro, 688 lb, 688 lo, 691 rb, 692 lo, 693 lm, 694 b, 694 lm, 696 rb, 696 lo, 696 ro, 697 lb, 697 rb, 697 o, 699 lb, 699 rb, 700 lb, 701 lb, 703 lb, 704 lb, 704 rb, 704 o, 705 lo, 707 lo, 709 lo, 710 o, 712 o, 713 o, 714 m, 715 lb, 715 rb, 716 lb, 718 o, 719 o, 720 b, 720 lo, 721 lb, 721 rb, 723 ro, 724 rb, 725 rb, 725 ro, 729 lb, 729 rb,729 ro,730 o,

733 ro(2x), 735 rb, 735 rm, 735 ro,
736 rm, 737 ro, 738 lb(3x),
738 lo, 738 rm(3x), 740 ro, 741 lb,
741 lo, 742 lb, 744 lb, 744 rb,
745 lb, 746 rb, 748 lo, 750 lo,
751 lb, 751 lm, 751 o, 752 m(2x),
753 rb, 753 o, 754 lb, 755 m&o,
757(4x), 758 o, 759 b, 763 o,
764 rb, 764 o, 765 lb, 767 lb,
767 rb, 767 bm, 767 ro, 768 o,
69 rb, 770 rb, 772 m, 773 m&ro,
775 b, 775 m(2x), 777 o, 779 lb,
779 rb&ro, 780 rb&ro, 781 lb,
783 lb, 784 rb, 785(2x), 786(2x),
787 ro, 788(4x), 789 rb, 789 lo&ro,
790(2x), 792 o, 794 rb, 794 m&o,
796 lo, 796 ro, 797 lb, 798 lo,
799 lo&ro, 800 lo, 801 lb(2x),
801 rm(2x), 803 lb, 804 l, 805 lb,
806 ro, 808 b(2x), 808 o, 809 o,
810 rb&lo, 812 lo, 813 lb, 814 ro,
815 rb(2x), 815 om, 817 ro, 818 rb,
819 ro, 821 ro, 822 lb&rb, 823 rb,
823 m, 823 ro, 825(4x), 827 lb,
828 ro, 829 rb(2x), 829 ro(2x),
830 ro (3x), 831 lb, 831 lo, 832 o,
833 m, 833 lo, 833 ro, 834 ro,
835 b(4x), 836 rb, 839 rb&lo,
843 lb, 844 rb(2x), 844 ro,
846 rb&ro, 847 lb, 848 o,
850 o(3x), 851 b(2x), 851 m,
852 b&lo, 853 mo, 854(3x),
855 mb, 856 lo, 857 lo, 858(3x),
859(3x), 860 lb, 863 o(2x),
864 lb, 865 rb(2x), 865 ro,
867 rb, 868 lb, 871 b(2x), 871 lo,
873 lb&lm, 874 b(3x), 875 lb&ro,
877 rb, 879 lb, 884 b(2x),
886 ro, 887 rb(2x), 888 lb, 890 b,
892 ro(2x), 894 lb, 894 rb, 894 lo,
895 lb(2x), 895 lo, 899(2x),
900 lb(2x), 901 rb, 902 o(2x),
905 lb, 906 lb, 906 o(2x),
907 o(2x), 909 lb&m, 910 rb,
912(5x), 913 ro, 916 o, 917 lo,
919 b, 920 lb, 921 m, 922 lb(4x),
922 lo, 923, 926 lo, 928 rb(2x),
928 ro, 929 mo, 930(2x), 933 ro,
934 lb, 938(5x), 943 ro,
947 mb&mo, 949 ro, 950 rb,
953 rb(2x), 954(5x), 955 o,
957 b(4x), 960, 961 rb&lo, 963 lo,
964 lm, 966(3x), 968 rb(2x),
968 m, 974(4x), 975 o, 976 b(2x),
977 b, 977 lo(3x), 981 mo, 981 om,
983 b, 984 rb, 990 lb&om, 991(3x),

994 rb, 995 lb(3x), 995 o,
996 o(2x), 996 rb, 997 lb, 998 rb,
1000(2x), 1003(4x), 1004 ro,
1005 lb, 1006 o(3), 1008 b,
1008 lo&m, 1009 m, 1013 lo&rm,
1014 lo

Hirmer Verlag, München 36 o,
164 o, 191 lb, 191 rb

Historisch Seminarium van de
Universiteit van Amsterdam 571

Historisch Topografische Atlas, Gemeente Amsterdam 464 lb

Hofstätter, Baden-Baden 168 l

Holle Bildarchiv, Baden-Baden
21 lo, 32 b, 68 lb, 77 o, 119, 120 b,
134 l, 135 lb, 139 r, 143 l, 143 r,
159, 239 b, 739 lo

Iconografisch Bureau, Den Haag
981 lo

Internationaal Archief van de
Vrouwenbeweging, Amsterdam
885 rb, 969 lo, 1005 m

Keystone Hamburg 968 lb, 970 lo

Wolf Kielich 921 rb

Koninklijke Bibliotheek, Brussel
253 o, 259 b, 272 b, 291 lo, 745 m,
842 rb, 1016 m

Koninklijk Instituut van de Tropen,
Amsterdam 707 ro, 892 b

Koninklijk Museum v. Schone
Kunsten, Antwerpen 831 rb,
916 lb

Koninklijk Museum v. Schone
Kunsten, Brussel 690 rb, 911 b

Kunsthistorisches Museum, Wenen
27 b, 35 rb, 135 o, 333 b, 423

Library of Congress, Washington
809 rb, 889 lb, 965 lb

Lord Chamberlain's Office, Londen
327, 561 lb, 813 rb

Marx Memorial Library, Londen
881 o

Meyer K.G., Wenen 369 lo

Mondadori, Milaan 316 b

Musée du Louvre, Parijs 77 rb,
98 lo

Museo Archeologico Nazionale,
Napels 134 rb

Museum Bronbeek, Arnhem 726 lb

Museum of the City of New York
965 o(2x)

Museum Vincent van Gogh,
Amsterdam 941 lo

Museum voor Volkskunde, Gent
975 rm

Nationaal Museum, Tokio 138 rb,
144 ro

National Gallery, Londen 829 lo

National Gallery of Scotland,
Edinburgh 584 rb

National Portrait Gallery, Londen
353 o, 482 b, 496 lb, 508, 569 b,
810 m, 893 lb

Nederlands Historisch Scheepvaart-
museum, Amsterdam 491 lo,
820 rb

New York Public Library 561 ro

Novosti/Sovfoto 846 mb

Oosthoek, Utrecht 986 rb

Paramount Pictures 870 o

Photo Hachette, Parijs 214 o,
497 ro, 811 ro, 814 lo&mb,
883 rb&ro, 958 rb

Photo Requet, Parijs 822 mo,
925 rb, 993 lb&lo, 1008 ro

Pierpont Morgan Library 178 o

Prado, Madrid 675 lm

Prentenkabinet, Brussel 840 lb

Prentenkabinet, Rijksuniversiteit,
Leiden 726 o, 865 lo, 874 ro,
876 o, 915 lm, 957 ro
Sem Presser, Amsterdam 9 rb, 9 o,
24 o, 26 rb, 27 lm, 28 b(3x),
33 rb, 36 o, 42 m, 43 rb, 46 m,
48 b, 51 lb, 52 lb, 52 rb, 55 m,
56 rb, 64 lb, 68 rb, 69 lb, 76 b,
76 lm(2x), 78 m, 82 rb, 84 lb,
92 rb, 93 ro, 95 o, 103 lb, 108 r,
109 lb, 109 lo, 113 l, 114 r,
121, 123 lb, 126 rb, 128 b, 136 lb,
138 lo, 146 l, 147 b, 148 o, 151 lb,
151 rb, 153 b, 153 ro, 156, 158 l,
162 o, 163 o, 165 b, 166 b, 171 o,
172 o, 174 l, 175 b, 178 l, 181 l,
183 l, 187 b, 188 o, 197 lb, 198 b,
199 b, 199 lo, 200 l, 202 lb, 202 lo,
203 l, 206 o, 208 l, 209 o, 210 m,
211 lb, 211 m, 214 l, 217 b, 217 ro,
219 r, 223 o, 230 b, 230 o, 231 l,
232 b, 234 lo, 238 lb, 242 rb, 246 r,
247 l, 247 o, 248 lb, 248 rb, 261 o,
267 m(2x), 279 lb, 293 r, 296 l,
308 l, 318 o, 344 lo, 403 rb, 435,
555 rb

M. Pucciarelli, Rome 90 lb, 91 rb,
394 o

P. Raba, München 34 b

Rheinisches Landesmuseum, Keulen
99 rb, 124 b

Rijksarchief Zuid-Holland 393 ro,
405 ro

Rijksmuseum Amsterdam 284 l,
326 b, 367 rb, 385 rm, 397 l

Royal Asiatic Society, Londen
298 o

Royal Museum of Scotland,
Edinburgh 16 o, 17 rm

Scala, Milaan 17 o, 314 b, 325 l,
325 r, 389 rb, 543 ro

A. Schmidt, Neurenberg 368 o
Matthijs Schrofer, Amsterdam

23 b(3x), 51 b, 105 lb

Schweizerisches Landesmuseum,
Zürich 333 o

Science Museum, Londen 660 mo

Ronald Sheridan, Harrow-on-the-
Hill 15 b

Stadsarchief Antwerpen 940 o

Stadsarchief Gent 641 m

Stadsarchief Mechelen 309 lm

Tass/Sovfoto 833 lb

United States Information Service
632 o, 879 o

Universiteitsbibliotheek, Amsterdam
428 lb 428 o

Universiteitsbibliotheek Leiden
537 lb

M. Valken, Amsterdam 76 rm,
180 b, 180 o, 192, 213 b, 250 rb,
250 o, 257 b, 268 rb(2x), 282 o,
299 b, 303 rb, 312 rb, 351 lb,
393 rb, 484 o, 506 lm, 520 lb,
520 lo, 553 rb, 574 rb, 610 ro,
782 lb, 869 ro, 901 o

Valtrans SA, Chiasso 888 ro

Verzamelingen van het Huis van
Oranje-Nassau 1011 m

Victoria and Albert Museum,
Londen 528 rb, 983 ro

Roger Viollet, Parijs 597 m,
712 lb, 767 lo, 769 om, 822 lo,
834 lb, 853 lo, 897, 908 r, 914 ro,
977 ro, 980 lb, 1014 lb

Wallace Collection, Londen
526, 549 rb

Wittop-Koning, Amsterdam 533 rb

Roger Wood, Londen 16 b

CIRCVLVS ARCTICVS.

ANIAN
regnum.

## AMERICA SIVE IN

### DIA NOVA. Ao 1492. a Christophoro.

Colombo nomine regis Castellæ primum detecta.

OCCI

Groclant

Estotilant.

Noua
Fran
cia.

Tolm

Tuchano

QVIVIRA regnu

Quiuira

Cicuic

Totonte ac

Axa
Tiguex

Totonte
ac

Ceuola

Grana Mara
ta.
& Marata

Cazones insula

C. del engano

Y de Cedri

B. de la
Trinidad

Chilaga

Canagadi

Calicuas

Tagu.

Flori
da.

La Bermuda

Terra de
Baccalaos.

Roquelai

Norobega

Cacos

Coru
co.

Comos

La Emperadada

Sept cites.

TROPICVS CANCRI

Las dos
hermanos

Los Bolcanes

Malabrigo

La farfana

Archipelago di
Zamal.

Restinga di
ladrones

Abreojo

Rocca
partida

S. Thomas
Anubiada

Hispania noua.

MAR DEL
NORT

Guada
lupe

Los iardines

Ins. de los corales

Ins. de los reyes

S. Lazaro.

y de crespos y de hombres blan
cos.

CIRCVLVS AEQVINOCTIALIS

f de los galopegos.

Caribana.

Labarbada
Los Bolcanes.

Ins di los Tiburones.

MAR DEL ZVR

Insulæ
incogni &

Pe ru.

Tisnada

Brasil

Noua Guinea
nuper inuenta
quæ an sit insula
an pars continentis
Australis incertu est

Ins. di S.
Pedro.

Casma

Amazones

Cuzco

TROPICVS CAPRICORNI.

EL MAR
PACIFICO

uistas de
lexos

Coquimbo

Chili

Chica

Rio de la Plata

C blanco

DENS.

Hanc continentem
Australem, nonnulli
Magellanicam regionem
ab eius inuentore nuncupant.

Chile.

C di 3 puntas

Archipe
lago.
Calis.

CIRCVLVS ANTARCTICVS.

Terra del Fuego.

190  200  210  220  230  240  250  260  270  280  290  300  310  320  330  340  35

80

## TERRA AVSTRA

ME

Cum privilegio.